Katheri[illegible]

Feb 20/89

Ouvrages édités par les DICTIONNAIRES LE ROBERT
107, avenue Parmentier, 75011 PARIS (France).

Dictionnaires de langue :

Grand Robert de la langue française (deuxième édition).
Dictionnaire alphabétique et analogique de la langue française (9 vol.).
Une étude en profondeur de la langue française : 80 000 mots.
Une anthologie littéraire de Villon à nos contemporains : 250 000 citations.

Petit Robert 1 [P. R.1].
Dictionnaire alphabétique et analogique de la langue française
(1 vol., 2 200 pages, 59 000 articles).
Le classique pour la langue française : 8 dictionnaires en 1.

Robert méthodique [R. M.].
Dictionnaire méthodique du français actuel
(1 vol., 1 650 pages, 34 300 mots et 1 730 éléments).
Le seul dictionnaire alphabétique de la langue française qui analyse les mots et les regroupe par familles en décrivant leurs éléments.

Micro-Robert.
Dictionnaire d'apprentissage de la langue française
Nouvelle édition entièrement revue et augmentée (1 vol., 1 470 pages, 35 000 articles).

Micro-Robert Plus.
Micro-Robert langue française *plus* noms propres, chronologie, cartes.
(1 vol., 1 650 pages, 46 000 articles, 108 pages de chronologie, 54 cartes en couleurs).

Dictionnaire universel d'Antoine Furetière
(édition de 1690, préfacée par Bayle).
Réédition anastatique (3 vol.), avec illustrations du XVIIe siècle et index thématiques.
Précédé d'une étude par Alain Rey :
« Antoine Furetière, imagier de la culture classique ».
Le premier grand dictionnaire français.

Le Robert des sports.
Dictionnaire de la langue des sports
(1 vol., 580 pages, 2 780 articles, 78 illustrations et plans cotés),
par Georges PETIOT.

Dictionnaires bilingues :

Le Robert et Collins.
Dictionnaire français-anglais/english-french
(1 vol., 1 730 pages, 225 000 « unités de traduction »).

Le « Junior » Robert et Collins.
Dictionnaire français-anglais/english-french
(1 vol., 960 pages, 105 000 « unités de traduction »).

Le « Cadet » Robert et Collins.
Dictionnaire français-anglais/english-french
(1 vol., 620 pages, 60 000 « unités de traduction »).

Le Robert et Signorelli.
Dictionnaire français-italien/italiano-francese
(1 vol., 3 000 pages, 339 000 « unités de traduction »).

Le Robert et van Dale.
Dictionnaire français-néerlandais/néerlandais-français
(1 vol., 1 400 pages, 200 000 « unités de traduction »).

Consulter à la fin de ce volume les titres des dictionnaires de noms propres et de la collection « Les usuels du ROBERT ».

le petit robert des enfants

ISBN 2 85036 064-3

le petit robert des enfants

dictionnaire de la langue française

rédaction dirigée par
Josette Rey-Debove

DICTIONNAIRES LE ROBERT – 107, avenue Parmentier – PARIS XIe

principaux collaborateurs

direction

Josette Rey-Debove
assistée de
Christine de Bellefonds

rédaction

Christine de Bellefonds, Sophie Chantreau,
Laurence Laporte-Polack, Isabelle Métayer,
Claude Helft
et **Aliette Boumendil-Lucot, Chantal Paillet,**
Dominique Taulelle
Dominique Lopin (secrétariat rédactionnel)

informatique rédactionnelle
Karol Goskrzynski

Élisabeth Huault, Sylvette Robson,
Betsabé Dos Santos, Cécile Fontana ;
Dominique Klutz (analyse et programmation)

préparation de copie,
mise en page et correction
Gonzague Raynaud
Élisabeth Huault, Catherine Aupetit,
Christiane Clarisse, Cécile Fontana,
Brigitte Vienne ; Jacqueline Klapkowski-Quény,
Anne-Marie Lentaigne, Nadine Noël-Lefort,
Brigitte Orcel ; et **Isabelle Raffin, Édith Zha**

secrétariat

Émilie Barao, Lucette Jourdan,
Anne Puybareau-Roumy ;
et **Hongsin Tia, Marylène Trichet-Bille**

conception de la maquette
Gonzague Raynaud

DOSSIERS ENCYCLOPÉDIQUES

direction
Pierre Duclos

relecture rédactionnelle
Isabelle Métayer, Dora Latiri-Baz

textes
Pierre Averous (La Terre dans l'univers)
Hugues Bessau (Pourquoi les animaux se mangent entre eux)
Rosine Bondon (Le temps et les climats - De la maison à l'habitat)
Dominique Borne (L'art)
Catherine Dolto-Tolić (Notre corps)
Jean Hartman (Qu'est-ce que le droit ?)
Philippe Ledieu (Histoire des techniques)
Jacques Marseille (Qu'est-ce que l'économie ? - L'agriculture)
Jean-Marc Providence (Histoire des techniques)

illustrations
Maryse Concy (Notre corps)
Claire Cormier (Histoire des techniques)
Jean-Pierre Djivanides (Qu'est-ce que l'économie ?)
Pierre Duclos (Le temps et les climats - De la maison à l'habitat
Pourquoi les animaux se mangent entre eux - L'art)
Blandine Durand (La Terre dans l'univers
Pourquoi les animaux se mangent entre eux)
Georges Geoffray (Qu'est-ce que le droit ?)
Rémy Pellequer (L'agriculture)

préface

par
Josette Rey-Debove

Voici **le Petit Robert des enfants**, le premier dictionnaire d'une série d'ouvrages dont la réputation n'est plus à faire, et que les parents et les maîtres souhaitaient depuis longtemps. Le dictionnaire de langue, spectaculairement amélioré en France depuis les années 50 par les recherches des auteurs du Robert, est devenu le compagnon savant et « branché » des francophones. Aussi les enfants débutants avaient-ils droit à un « Petit Robert » qui mette à leur portée tout ce qui fait la qualité du Petit Robert des adultes.

Le Petit Robert des enfants n'est évidemment pas l'abrégé du **Petit Robert**, ni du **Micro-Robert**, ni du **Robert méthodique**. Il a été spécialement conçu pour l'éducation des plus jeunes, l'apprentissage de la lecture et de l'écriture, la découverte des connaissances et l'initiation à la culture. Il est entièrement fidèle à l'esprit du **Petit Robert**, il en a le ton, la précision et les exigences. S'adressant aux enfants, il n'est jamais simplificateur ni rebutant ; il donne le goût de l'étude pour l'étude, qui est une source inépuisable de joies.

Ce dictionnaire est construit à partir d'une formule complètement originale, comme tous les dictionnaires Robert. D'abord dictionnaire de langue, il décrit les mots et prend appui sur cette description pour initier les enfants aux mécanismes et aux règles de la langue. Mais, d'autre part, il amorce la description du monde qui est derrière les mots : peut-on vraiment connaître un mot quand on ignore tout de la chose qui lui correspond ? Enfin, il n'isole pas l'enfant de son univers ; il intègre le monde de l'enfance comme lien nécessaire entre l'enfant et la connaissance : il cite des textes, des comptines, des chansons, il propose de reconstruire une histoire d'après les phrases-exemples. Il s'adresse à l'enfant dont il fait son complice, pour bien montrer qu'il n'y a pas de cloison entre le savoir et l'amusement.

Le Petit Robert des enfants est présenté sur trois colonnes, en raison de la variété de l'information et dans le but de répondre à un souci pédagogique de clarté. Dans la colonne centrale, l'enfant voit le mot en situation naturelle, tel qu'il est employé dans les exemples, ainsi que toutes les indications de sens. Dans les marges, il trouve deux types d'informations : en noir, toutes les remarques sur la langue, la grammaire, etc. ; en bleu, l'information encyclopédique, les citations et tous les autres sujets. Ce système original permet une mise en page claire, et le jeune lecteur n'est jamais obligé de lire les marges, utilisables pour un besoin particulier ou pour satisfaire sa curiosité.

la description de la langue

la nomenclature

Les mots traités dans ce dictionnaire sont ceux que les jeunes doivent connaître dans une tranche d'âge de 7 à 11 ans, compte tenu des différences propres à chaque enfant ; un enfant de 7 ans très avancé peut déjà avoir le vocabulaire d'un enfant de 11 ans plus intéressé par d'autres activités que le langage. On a fait l'économie des mots très familiers au profit d'un vocabulaire utile et moins connu. Et, quant aux mots plus rares, les enfants les acquerront progressivement avec l'âge, l'essentiel étant d'avoir commencé par une bonne maîtrise du lexique de base et de son fonctionnement. Car ce sont les mots les plus courants qui offrent la plus grande complexité de formes, de sens et d'emplois, et autour desquels s'organisent les « familles de mots ».

la définition

On a volontairement choisi de définir les mots comme dans les dictionnaires d'adultes, et en opposition avec la mode récente et paresseuse qui consiste à donner seulement des exemples. Aucune phrase-exemple ne permet d'accéder au sens exact d'un mot, seule la définition peut le faire parce qu'elle généralise, alors que l'exemple particularise. Les psychologues estiment qu'à cet âge la faculté d'abstraction et de généralisation des enfants — qui est très active — s'accommode aisément des définitions. Ces définitions sont, en fait, des réponses aux questions que posent quotidiennement les enfants : « Maman, qu'est-ce que c'est qu'un *râble* ? » ; « Qu'est-ce que ça veut dire *sagace, saboter* ? » Dans **le Petit Robert des enfants,** on a donné aux réponses-définitions la forme qu'elles ont dans ces dialogues familiers, tout en conservant leur exactitude

> *Le râble du lapin,* c'est le bas du dos du lapin.
>
> *Quelqu'un de sagace,* c'est quelqu'un qui comprend vite et qui a de l'intuition.
>
> *Saboter une chose,* c'est l'abîmer pour qu'on ne puisse plus s'en servir.

Un grand nombre de définitions sont ainsi transformées en phrases complètes chaque fois que le modèle définitionnel « pour adultes » est trop abrupt (définitions commençant par *Qui, Dont,* etc.). Ces définitions-phrases n'utilisent que des mots extrêmement faciles qui sont toujours traités dans le dictionnaire, de telle sorte que leur compréhension est assurée dès avant la lecture des exemples.

D'autre part, ce nouveau type de définitions permet une meilleure compréhension de la fonction du mot, de la nature de son sujet et de son complément (chose, personne, action, etc.). Là où un dictionnaire d'adultes serait obligé de définir *obèse* par « Plus gros que la normale, en parlant d'une personne », **le Petit Robert des enfants** dit simplement

> *Une personne obèse,* c'est une personne plus grosse que la normale.

et l'information est exactement la même. Les définitions sont suivies de synonymes du mot qui viennent appuyer la définition. Les contraires sont également présents, mais repoussés dans la marge pour ne pas embrouiller les jeunes lecteurs. Comme dans **le Petit Robert**, on trouve les renvois analogiques utiles

> ***astrologie*** Va voir aussi ***horoscope.***

les exemples et les personnages

Les exemples du **Petit Robert des enfants** sont tous des phrases complètes, car la phrase est l'unité naturelle d'expression, celle qui est d'abord perçue. Ces phrases sont choisies avec soin pour illustrer la définition, montrer la place et les formes du mot en contexte, et rétablir la relation rompue entre les mots et le monde environnant. Une des plus grandes nouveautés du **Petit Robert des enfants** consiste à présenter des exemples qui mettent en jeu des personnages dont l'identité se construit au cours de la lecture comme dans un roman. Très souvent dans les dictionnaires d'enfants, les exemples contiennent des prénoms qui rendent la phrase plus familière : *Nicole* (ou *Marie, Julie,* etc.) *est coquette ; Pierre* (ou *Jacques,* etc.) *veut devenir marin pêcheur comme son oncle Paul.* Ces noms de personnes ne correspondent à aucun personnage et n'aident pas l'enfant à comprendre la phrase ; ils dispersent son attention sans aucun profit. On a, au contraire, pris le parti de créer de vrais personnages derrière les noms de personnes. Et ces personnages, on les voit vivre « de A à Z » dans toutes les situations créées par les mots à illustrer. Ils sont peu nombreux et aisément reconnaissables par leur physique, leur caractère, leurs comportements ; certains se fréquentent ou sont de la même famille. Les personnages sont des *signaux* que l'enfant apprendra à reconnaître. Quand il verra le nom de *Loïc*, le jeune lecteur saura qu'il s'agit d'un marin, de la mer, de la pêche, et ce contexte situationnel renforcera la compréhension de la phrase où se trouve le mot à illustrer. S'il cherche le verbe ***sacrifier***, il trouvera après la définition un exemple

Mamie Lou s'est sacrifiée pour payer les études de son fils Louis.

Cet énoncé, qui est compréhensible par lui-même, correspond en fait à une situation que l'on peut reconstituer : la grand-mère, qui vivait à la ferme et n'était pas riche, avait dû faire des économies pour que son fils Louis puisse devenir le docteur Séverac après de longues études de médecine. Le docteur Séverac est un des personnages que l'on rencontre très souvent dans le dictionnaire et qui est, pour sa part, le signal de tout ce qui touche, de près ou de loin, à la santé.
Voilà de véritables exemples, tels qu'en feraient les parents ou les maîtres pour montrer comment fonctionne un mot : ils les choisiraient dans un univers connu de l'enfant. Parfois, même, la situation est rappelée dans les marges ; la phrase

Quand Mme Harpie a entendu la voix de M. Doucet au téléphone, elle a raccroché immédiatement.

qui est donnée au mot ***raccrocher***, s'accompagne du commentaire

Mme Harpie déteste M. Doucet.

Ainsi, toutes les conditions sont réunies pour identifier les mots et leurs sens ; chaque mot est expliqué par une vraie définition souvent en forme de phrase et suivie de synonymes ; chaque exemple-phrase montre le mot employé dans un contexte, et un grand nombre d'exemples-phrases ont un véritable contexte situationnel qui les rend plus proches et plus faciles à comprendre. L'existence de ces personnages est une donnée supplémentaire que l'on peut à la rigueur négliger pour la consultation du livre. Les enfants l'utiliseront à loisir et avec profit : en consultant leur dictionnaire, ils découvriront que Loïc est un marin ; en le lisant comme un livre de lecture, ils reconstruiront peu à peu un univers narratif qui les amusera. Ils auront aussi la possibilité, s'ils le désirent, de se reporter à la fin du livre où les personnages sont présentés dans un certain détail, mais cela n'est pas indispensable. Les exemples du **Petit Robert des enfants** recèlent des possibilités de jeux éducatifs ; on aimerait que les parents et les maîtres souhaitent en tirer parti.

les règles du lexique

À ce stade de l'acquisition du langage, non seulement il faut donner aux élèves toutes les informations utiles pour l'emploi de chaque mot, mais il est nécessaire de regrouper les problèmes et de leur offrir des modèles de fonctionnement de la langue. **Le Petit Robert des enfants** est aussi une initiation à la langue française ; il veut offrir à l'enfant de solides bases qui lui serviront sa vie durant, lorsqu'il rencontrera des mots nouveaux. On a donc beaucoup insisté sur les règles lexicales, celles qui, justement, ne sont pas dans les grammaires.

les formes des verbes

Pour les formes des verbes, chaque verbe est accompagné du numéro de sa conjugaison qui renvoie à un type de verbes se conjuguant de la même façon (tableaux des verbes). Mais la difficulté particulière est signalée dans la marge

céder *je cède, nous cédons, je céderai.*

ce sont ces trois formes-là qui doivent être mémorisées pour les verbes du même type.

les difficultés orthographiques

Les difficultés orthographiques sont mises en évidence et éventuellement expliquées par les mots de la même famille, par exemple

centuple Famille de **cent**

ou par un rapprochement avec des homonymes

cep Ne confonds pas *cep* et *cèpe.*

ou par la prise de conscience d'une même « exception » dans plusieurs mots

écueil On inverse le ***e*** et le ***u*** comme dans *accueil* et *recueil.*

ou encore, par rapport à la prononciation

damné N'oublie pas le ***m*** qui ne se prononce pas : [dane].

les difficultés de prononciation

Les difficultés de prononciation sont toujours signalées tantôt par l'alphabet phonétique, comme initiation nécessaire à un système si commode, mais aussi par des procédés faciles et parfois amusants

Abbaye [abei] rime avec *obéi.*

Ultimatum [yltimatɔm] rime avec *minimum* et *pomme.*

Abdomen [abdɔmɛn] rime avec *domaine, cyclamen* et *énergumène.*

L'avantage de ce système sur la simple notation phonétique, c'est de montrer à l'enfant avec quelles lettres il peut réaliser le même son, ce qui est fondamental dans l'apprentissage de la « mise en graphie » des mots entendus.

les familles de mots

On a également voulu éveiller l'intérêt des enfants pour les familles de mots en insistant sur les modèles de formation les plus importants. Cette initiation les aidera à tirer, plus tard, le meilleur profit des descriptions du **Robert méthodique.** Dans les marges, on montre comment sont formés les mots à partir d'autres mots

facette Compare : *face → facette* et *cloche → clochette.*

fabrication Compare : *fabriquer → fabrication* et *éduquer → éducation.*

Cette dernière comparaison met en évidence une première règle : verbe en *-er* → nom en *-ation*, et une seconde règle : le groupe *qu* se transforme en *c* devant *-ation.* On explique aussi, par un discours adapté à l'âge des enfants, comment les mots sont formés sur des éléments

cavalier Compare ***caval****ier,* ***caval****erie et* ***caval****cade :* il s'agit de **cheval.**

centimètre Compare ***centi****gramme,* ***centi****litre* et ***centi****mètre* : il s'agit de **centièmes.**

On a choisi de montrer typographiquement les éléments à l'intérieur des mots, sans les isoler, car les lecteurs sont à l'âge où ils pourraient les confondre avec des mots, leur découpage de la phrase étant encore incertain. À tous les mots qui sont raccrochés à une famille, on signale le chef de famille

pourcentage Famille de **cent**

abat-jour Famille de **abattre** et de **jour**

Au mot chef de famille, on signale les autres membres de la famille. Le repérage des familles de mots est le meilleur soutien pour l'acquisition de l'orthographe d'usage, et il est souhaitable que cette recherche de la parenté lexicale devienne une démarche naturelle. Elle est utile pour la prononciation ; c'est grâce à l'adjectif *aigu* que l'on peut expliquer la prononciation de *aiguille,* en comparaison avec *anguille.*

les tableaux encadrés

Le fonctionnement de la langue n'est pas seulement montré aux enfants à l'occasion de mots particuliers ; il est expliqué dans des tableaux où l'on propose des définitions et des règles simples. Ces tableaux encadrés sont classés à l'ordre alphabétique du sujet traité ; par exemple, à l'article ***interrogatif*** figure le tableau ***les phrases interrogatives*** où sont énumérés les types de construction de phrase et les manières d'interroger. À l'article ***couleur*** un tableau explique l'accord des adjectifs et des noms exprimant une couleur. Des problèmes divers sont ainsi abordés, qui touchent à la grammaire et au lexique ; c'est à la fois une initiation de l'enfant à la linguistique et une explication du code du dictionnaire, des termes qu'il emploie pour décrire la langue. Le dictionnaire propose ainsi un tableau ***les familles de mots*** qui fait mieux saisir ce que signifie, par exemple

agrandir Famille de **grand**

un tableau ***les niveaux de langue*** qui définit quel est l'emploi de *familier*, *argot*, *littéraire*, etc. dans le dictionnaire.

la connaissance du monde

les informations encyclopédiques

Pour faire comprendre et apprendre les mots, il faut que leurs sens soient précisément décrits dans les définitions. Très souvent, chez les lecteurs adultes, la définition suffit à évoquer un objet connu dont le nom était ignoré ou oublié. Au contraire, chez l'enfant, l'expérience et la compréhension du monde — comme celles des mots — sont encore incertaines ; la définition exacte d'un objet inconnu a peu de chances d'être retenue. C'est pourquoi on a ajouté, en marge, des informations encyclopédiques qui assurent à la fois une connaissance de la chose et de son nom : La définition du mot **nacre**

Matière brillante, d'un blanc rosé, qui tapisse l'intérieur de la coquille de certains coquillages, et dont on fait des bijoux, des boutons.

est complétée de deux informations sur la nacre

Il y a une couche très épaisse de nacre dans la coquille des huîtres perlières.

On récolte la nacre en Nouvelle-Calédonie, en Australie, à Tahiti, au Mexique et à Madagascar.

À l'article **alliage,** on peut lire dans la marge

Acier = fer + carbone.

Laiton = cuivre + zinc.

La définition de **gabelle**

Impôt que l'on payait sur le sel, avant la Révolution française.

ne peut faire mesurer l'importance de cet impôt sans l'information historique

À cette époque, on consommait beaucoup de sel pour conserver les aliments.

c'est elle qui permet à l'enfant de comparer, par exemple, le sel à la glace, et de comprendre de quoi il s'agit.

D'autres informations plus pragmatiques impliquent le mot dans la vie et les situations quotidiennes. La définition de **célibataire** dit que la personne n'est pas mariée mais une remarque énumère, en plus, l'ensemble des situations possibles

On peut être marié, célibataire, veuf ou divorcé.

En ce qui concerne la définition

Ausculter un malade, c'est écouter le bruit de son cœur et de sa respiration.

le jeune lecteur apprend aussi, par un exemple, que c'est avec un stéthoscope

Le docteur Séverac ausculte Julie avec un stéthoscope.

mais c'est par le commentaire marginal

« Respirez ! Toussez ! » dit le médecin pendant qu'il ausculte.

que ses souvenirs sont tout à fait réveillés.

la culture à la portée des enfants

Dans leurs premières lectures — ou dans celles qu'on leur fait — les écoliers peuvent déjà rencontrer la littérature ; des écrivains s'intéressent à eux et leur consacrent des livres. Cette littérature enfantine, de la fable à la bande dessinée, fait partie de l'univers culturel de l'enfant. **Le Petit Robert des enfants,** tout comme **le Petit Robert** des adultes, fait des citations d'auteurs. Néanmoins, ces citations ne servent pas d'exemples dans l'article et n'ont pas toujours de fonction pédagogique pour l'apprentissage des mots. Elles sont là en référence à la littérature enfantine, comme des souvenirs joyeux et familiers, ou comme de jolies choses bien dites qui donnent l'envie de la lecture. Ainsi voit-on apparaître Marcel Aymé au mot ***paire***

Les bœufs sont comme les souliers, ils vont presque toujours par deux. C'est pourquoi on dit « une paire de bœufs » *(les Contes du Chat perché).*

et Saint-Exupéry à ***autorité***

Car le roi tenait essentiellement à ce que son autorité fût respectée. Il ne tolérait pas de désobéissance *(le Petit Prince).*

Parfois, on rappelle un personnage bien connu de cette littérature

sabord « Mille millions de mille sabords ! » hurle le capitaine Haddock.

cercueil Les sept nains mirent Blancheneige dans un cercueil de cristal.

arc Robin des Bois et ses archers combattaient les Normands avec leurs arcs et leurs flèches.

asperge Le grand Duduche est grand et maigre comme une asperge.

Les chansons et les comptines ont aussi leur place ; outre l'agrément de les retrouver, l'avantage pour l'enfant est de les voir écrites, ce qui arrive rarement

danser Sur le pont d'Avignon, On y danse tous en rond.

souris Une souris verte, Qui courait dans l'herbe...

Enfin, abandonnant l'univers typiquement enfantin, on a fait des allusions initiatiques aux œuvres d'art très connues, du *Radeau de la Méduse* de Géricault à *l'Arroseur arrosé* des Frères Lumière. C'est aux parents et aux maîtres qu'il revient, s'ils le veulent, de donner une suite à ces allusions.

le dialogue et le discours interactif

Les enfants cherchent un mot et interrogent leur dictionnaire qui leur répond ; voilà une bonne chose. Mais cette situation codifiée fait du dictionnaire une simple base de données qui laisse le lecteur à sa solitude. **Le Petit Robert des enfants** rompt avec cette tradition et s'adresse au lecteur, d'abord pour lui faire remarquer des difficultés *(Va voir, attention, ne confonds pas,* etc.) mais aussi pour le questionner, lui demander son avis par un véritable dialogue

> ***danse*** La valse, le tango, le rock sont des danses. En connais-tu d'autres ?
>
> ***gadget*** Est-ce que tu peux donner des exemples de gadgets ?

Il arrive même que la question soit un jeu, comme cette charade proposée au mot ***kangourou***

> Mon premier est une question de temps. Mon second permet d'apprécier ce qu'on mange. Mon troisième est une couleur. Mon tout avance par bonds.

Le dictionnaire parle librement, même des personnages des exemples, pour inciter l'enfant à faire la même chose, car l'apprentissage d'une langue passe par celui des phrases en situation. À l'exemple

> *Julie est parfois cérémonieuse quand elle reçoit des amis pour goûter.*

le dictionnaire intervient pour dire, en marge :

> Un peu de simplicité, Julie !

les dossiers en couleurs

Le Petit Robert des enfants, comme tous les dictionnaires pour enfants, présente des planches illustrées en couleurs. Ces planches sont véritablement encyclopédiques dans la mesure où elles sont organisées en dossiers traitant chacun les grands sujets : **la Terre dans l'univers, le temps et les climats, pourquoi les animaux se mangent entre eux, notre corps, l'agriculture, de la maison à l'habitat, histoire des techniques, qu'est-ce que le droit ?, qu'est-ce que l'économie ?, l'art.**

Ces dossiers ont été confiés à des spécialistes de chaque domaine, et non des moins connus, qui ont fait l'effort pédagogique de transmettre, aussi simplement que possible, l'état des connaissances actuelles. Chaque dossier est une synthèse de ce qu'il faut savoir, mêlant l'image au texte explicatif, choisissant des exemples à la portée de l'enfant ; on a refusé les informations générales « au rabais », partant du principe qu'il existe toujours un type d'explication qui convient à chaque niveau d'âge.

Les dossiers encyclopédiques ont aussi pour objet d'introduire dans l'ouvrage un vocabulaire minimal des sciences et des techniques qui n'est pas couramment employé dans la langue commune. La nomenclature du dictionnaire ne les contient pas, car là n'est pas leur place ; les enfants ne sont pas tenus, à leur âge, de connaître des termes que de nombreux adultes ne maîtrisent pas. Néanmoins, ce sont les mots justes, et on ne peut les éviter en sciences, même en se mettant à la portée de l'enfant. C'est pourquoi ils ont été utilisés dans les textes et tout aussitôt expliqués par une définition entre parenthèses. Ainsi, aucune information encyclopédique n'est perdue et un début de familiarité s'instaure entre l'enfant et le mot difficile.

On a tenu à présenter un dossier sur les arts qui permette déjà aux très jeunes d'en juger autrement qu'en termes de « beau » et de « laid ». Ce difficile sujet est abordé de plusieurs points de vue dont chacun est éclairant et aucun n'est réducteur.

Le Petit Robert des enfants est donc un ouvrage ambitieux, et nous souhaitons qu'il joue un rôle important dans le nouveau programme d'éducation auquel travaillent, en France, toutes les personnes responsables de l'avenir des enfants. Les remarques des lecteurs seront les bienvenues, et nous répondrons volontiers, comme d'habitude, aux écoliers qui nous adressent de bien belles lettres, dont certaines commencent par *Cher Petit Robert...*

à quoi sert ton dictionnaire

Le koala hirsute, surpris par l'ondée, déguerpit et se réfugie dans un eucalyptus, sous l'œil narquois d'un autre marsupial.

Si tu ne comprends pas tous les mots de cette phrase, ouvre ton dictionnaire, il te les expliquera. Il va t'aider à lire et à écrire et t'apprendre des mots nouveaux. Si tu hésites sur la manière d'écrire un mot, ton dictionnaire t'indiquera la bonne orthographe ; il te dira comment se conjugue un verbe, quels sont le féminin et le pluriel d'un mot.

Sais-tu comment s'appelle la femelle du sanglier ? son petit ? Va voir le mot *sanglier* ; tu trouveras la *laie* et son *marcassin* et tu apprendras aussi qu'ils vivent dans une *bauge*. Tu sauras cela parce que ton dictionnaire est analogique.
Les mots ont des définitions qui les expliquent et des synonymes qui peuvent les remplacer.
Les exemples montrent le mot en compagnie d'autres mots dans une phrase ; ils t'apprennent à employer ce mot-là.

Connais-tu les différentes sortes de compléments, de conjonctions, les déterminants ?
Des explications sur les termes de grammaire sont données dans des encadrés, à l'ordre alphabétique. Dans les marges, tu trouveras des explications sur le mot imprimées en noir et toutes sortes de choses intéressantes ou amusantes imprimées en bleu. Tu peux te servir de ce livre en classe ou à la maison, pour travailler ou pour t'amuser.

comment te servir

① Comment se conjugue ce verbe ? Le numéro renvoie aux tableaux des conjugaisons à la fin du livre.

② La définition

③ Les synonymes

Conjugaison 7 ▭ Indic. présent : *nous nous allions.* Imparfait : *nous nous alliions.* Futur : *nous nous allierons.*

s'allier v.
S'unir par une alliance. *Sous Napoléon Ier, tous les pays d'Europe s'étaient alliés contre la France,* ils s'étaient entendus pour lutter contre la France.
▸ ***alliance*** n. f. **1.** Union de plusieurs pays, de plusieurs groupes qui s'entendent pour s'aider ; vois ***accord, coalition, ligue, pacte.*** *Le maire a conclu une alliance avec un autre parti pour les élections.* **2.** *Mme Séverac est la tante par alliance de Claire,* elle est sa tante par son mariage avec le docteur Séverac. **3.** Anneau porté par les gens mariés. *Mme Séverac porte une alliance en brillants.*
▸ ***allié*** n. m., ***alliée*** n. f. Personne qui en aide une autre. *Durant la Deuxième Guerre mondiale, les Russes étaient les alliés des Américains.*

Famille de **lier**

Le docteur Séverac est le frère du père de Claire.

On porte son alliance à l'annulaire.

Le contraire d'*allié,* c'est *adversaire, ennemi.*

N'oublie pas les deux *l.*

alligator n. m.
Reptile de l'Amérique du Nord pouvant mesurer plus de quatre mètres, qui ressemble au crocodile. *Le crâne des alligators est plus court mais plus large que celui des crocodiles.*

Va voir aussi ***caïman.***

Sur les bords du Mississipi
L'alligator a du dépit
(R. Desnos).

On écrit aussi *allo,* sans accent sur le ***o.***

allô ! interjection
Premier mot qu'on dit quand on commence une conversation au téléphone. *Allô ! c'est toi Julie ?*

Allô, allô ! Vous m'entendez ?

④ L'analogie : un mot proche qui n'est pas synonyme

⑤ La catégorie grammaticale

⑥ Des remarques sur la vie quotidienne

⑦ Attention ! ces mots se ressemblent.

⑧ Attention à la prononciation !

Ne confonds pas *allocation* et *allocution.*

allocation n. f.
Somme d'argent qu'on verse à quelqu'un, pour l'aider. *Quand Hippolyte était au chômage, il touchait une allocation.*

Les personnes qui ont au moins deux enfants touchent des *allocations familiales.*

Compare *allo**cution*** et *inter**locut**eur* : il s'agit de **parler.**

allocution n. f.
Petit discours. *Le président de la République a présenté ses vœux aux Français au cours d'une allocution télévisée.*

Allocution [alɔkysjɔ̃] rime avec *pension.*

Conjugaison 3 ▭ Indic. présent : *nous allongeons.* Imparfait : *j'allongeais.*

Famille de **long**

allonger v.
1. *Allonger une chose,* c'est la rendre plus longue ; vois ***rallonger.*** *La jupe de Claire était trop courte, il a fallu l'allonger de deux centimètres.*
2. Devenir plus long. *Les jours allongent à partir du vingt-deux décembre.*
3. *Allonger quelqu'un,* c'est l'étendre, le coucher. *Les infirmiers allongent le blessé sur une civière. — Marie-Tévy s'est allongée sur une chaise longue.*
4. Étendre une partie du corps. *L'ours allongeait la patte pour atteindre le miel. Julie allonge ses jambes sur la banquette.*

N'oublie pas les deux *l.*

Le contraire d'*allonger,* c'est *raccourcir.*

Delphine allongeait le bras pour fermer la porte *(les Contes du Chat perché).*

⑨ Une partie du mot, commune à d'autres mots, est mise en relief : on l'appelle *élément.* Cet élément a le même sens dans tous les mots.

⑩ Les contraires

de ton dictionnaire

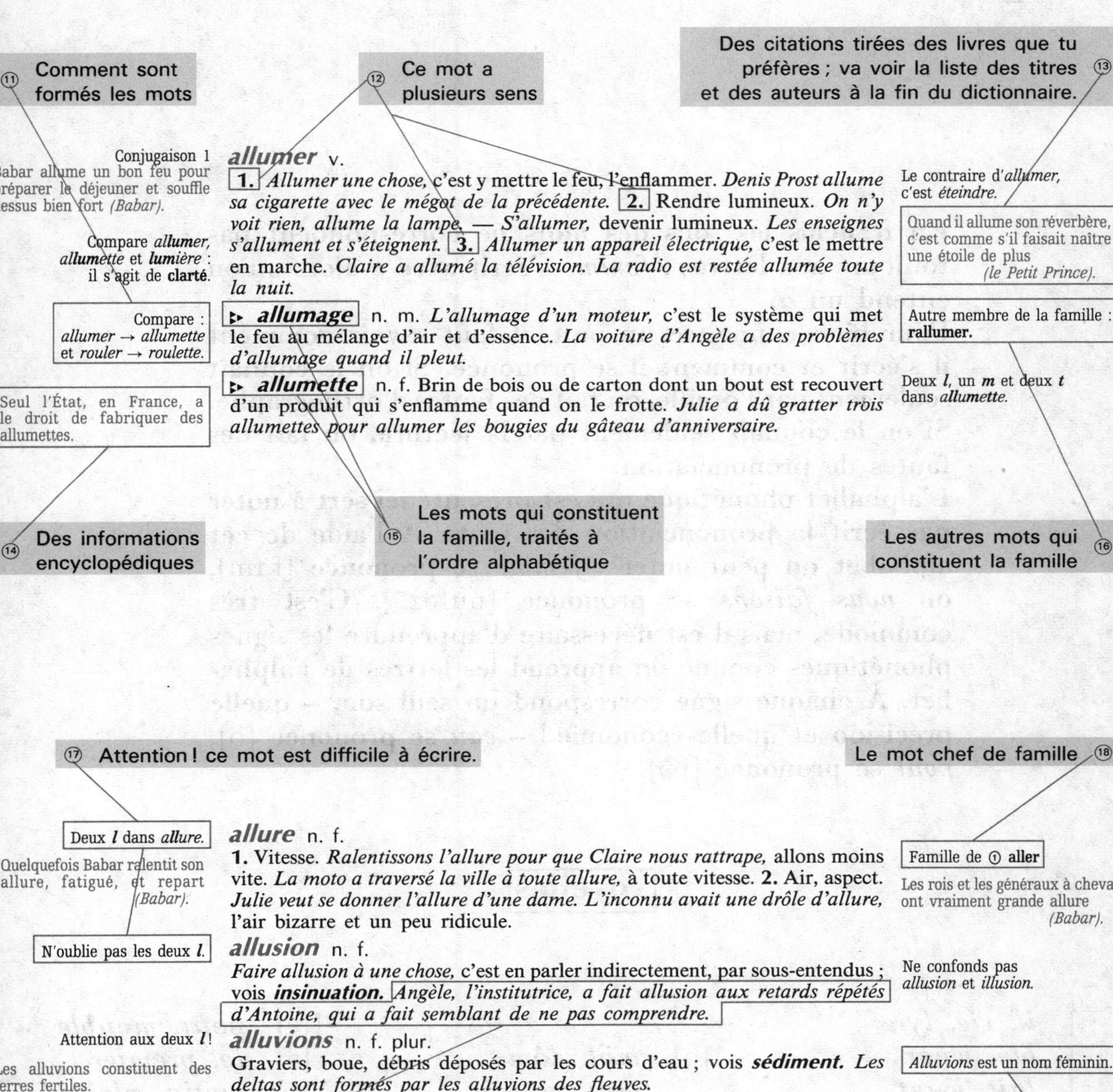

⑪ Comment sont formés les mots
⑫ Ce mot a plusieurs sens
Des citations tirées des livres que tu préfères ; va voir la liste des titres et des auteurs à la fin du dictionnaire. ⑬
Conjugaison 1
Babar allume un bon feu pour préparer le déjeuner et souffle dessus bien fort (Babar).
Compare allumer, allumette et lumière : il s'agit de clarté.
Compare : allumer → allumette et rouler → roulette.
Seul l'État, en France, a le droit de fabriquer des allumettes.
allumer v.
1. Allumer une chose, c'est y mettre le feu, l'enflammer. Denis Prost allume sa cigarette avec le mégot de la précédente. 2. Rendre lumineux. On n'y voit rien, allume la lampe. — S'allumer, devenir lumineux. Les enseignes s'allument et s'éteignent. 3. Allumer un appareil électrique, c'est le mettre en marche. Claire a allumé la télévision. La radio est restée allumée toute la nuit.
allumage n. m. L'allumage d'un moteur, c'est le système qui met le feu au mélange d'air et d'essence. La voiture d'Angèle a des problèmes d'allumage quand il pleut.
allumette n. f. Brin de bois ou de carton dont un bout est recouvert d'un produit qui s'enflamme quand on le frotte. Julie a dû gratter trois allumettes pour allumer les bougies du gâteau d'anniversaire.
Le contraire d'allumer, c'est éteindre.
Quand il allume son réverbère, c'est comme s'il faisait naître une étoile de plus (le Petit Prince).
Autre membre de la famille : rallumer.
Deux l, un m et deux t dans allumette.
⑭ Des informations encyclopédiques
⑮ Les mots qui constituent la famille, traités à l'ordre alphabétique
Les autres mots qui constituent la famille ⑯
⑰ Attention ! ce mot est difficile à écrire.
Le mot chef de famille ⑱
Deux l dans allure.
Quelquefois Babar ralentit son allure, fatigué, et repart (Babar).
N'oublie pas les deux l.
Attention aux deux l !
Les alluvions constituent des terres fertiles.
allure n. f.
1. Vitesse. Ralentissons l'allure pour que Claire nous rattrape, allons moins vite. La moto a traversé la ville à toute allure, à toute vitesse. 2. Air, aspect. Julie veut se donner l'allure d'une dame. L'inconnu avait une drôle d'allure, l'air bizarre et un peu ridicule.
allusion n. f.
Faire allusion à une chose, c'est en parler indirectement, par sous-entendus ; vois insinuation. Angèle, l'institutrice, a fait allusion aux retards répétés d'Antoine, qui a fait semblant de ne pas comprendre.
alluvions n. f. plur.
Graviers, boue, débris déposés par les cours d'eau ; vois sédiment. Les deltas sont formés par les alluvions des fleuves.
Famille de ① aller
Les rois et les généraux à cheval ont vraiment grande allure (Babar).
Ne confonds pas allusion et illusion.
Alluvions est un nom féminin.
⑲ Des exemples qui mettent en scène les personnages d'une histoire ; tu peux aller voir à la fin du livre qui sont Angèle et Antoine
Des remarques sur les difficultés du français ⑳

l'alphabet phonétique

En français les sons des mots ne correspondent pas toujours aux lettres : *femme* s'écrit avec ***e*** alors qu'on entend un ***a***.
Pour bien connaître un mot, il faut savoir comment il s'écrit et comment il se prononce. Si on le connaît seulement par l'oreille, on fait des fautes d'orthographe. Si on le connaît seulement par la lecture, on fait des fautes de prononciation.
L'alphabet phonétique qui est présenté ici sert à noter par écrit la prononciation des mots. À l'aide de cet alphabet on peut noter : *femme* se prononce [fam], ou *nous faisons* se prononce [nufəzɔ̃]. C'est très commode, mais il est nécessaire d'apprendre les signes phonétiques comme on apprend les lettres de l'alphabet. À chaque signe correspond un seul son, – quelle précision et quelle économie ! – *eau* se prononce [o], *pont* se prononce [pɔ̃].

voyelles

[i] ***il, vie, lyre***
[e] ***blé, jouer***
[ɛ] ***lait, jouet, merci***
[a] ***plat, patte***
[ɑ] ***bas, pâte***
[ɔ] ***mort, donner***
[o] ***mot, dôme, eau, gauche***
[u] ***genou, roue***
[y] ***rue, vêtu***
[ø] ***peu, deux, chanteuse***
[œ] ***peur, meuble***
[ə] ***le, premier***
[ɛ̃] ***matin, plein, main***
[ɑ̃] ***sans, vent***
[ɔ̃] ***bon, ombre***
[œ̃] ***lundi, brun***

semi-consonnes

[j] ***yeux, paille, pied***

[w] ***oui, nouer***

[ɥ] ***huile, lui***

consonnes

[p] ***père, soupe***
[t] ***terre, vite***
[k] ***cou, qui, sac, képi***
[b] ***bon, robe***
[d] ***dans, aide***
[g] ***gare, bague***
[f] ***feu, neuf, photo***
[s] ***sale, celui, ça, dessous, tasse, nation, penser***

[ʃ] ***chat, tache***
[v] ***vous, rêve***
[z] ***zéro, maison, rose***
[ʒ] ***je, gilet, geôle***
[l] ***lent, sol***
[ʀ] ***rue, venir***
[m] ***main, femme***
[n] ***nous, tonne, animal***

[ɲ] ***agneau, vigne***

[ŋ] ***camping*** **(mots empruntés à l'anglais)**

[x] ***jota*** **(mots empruntés à l'espagnol)**

[h] ***hop !*** **(exclamatif)**

['] ***haricot*** **(pas de liaison)**

De nombreux signes se lisent sans difficulté, par exemple [b], [t], [d], [f], ***etc. Mais attention aux signes suivants ! Ne confonds pas :***

[a]	***patte***	**et**	[ɑ]	***pâte***
[ə]	***premier***		[e]	***précis***
[e]	***ré***		[ɛ]	***raie***
[ø]	***jeûne***		[œ]	***jeune***
[o]	***saule***		[ɔ]	***sol***
[y]	***lu***		[u]	***loup***
[i]	***pie***		[j]	***pied***
[y]	***lu***		[ɥ]	***lui***
[u]	***joue***		[w]	***jouet***

[s]	***sa, ça***	**et**	[ʃ]	***chat***
[s]	***poisson***		[z]	***poison***
[ʒ]	***cage***		[z]	***case***
[ʒ]	***jeu***		[j]	***yeux***
[k]	***cas***		[s]	***cire***
[g]	***gai, gui***		[ʒ]	***geai, gît***
[n]	***mine***		[ɲ]	***ligne***
[ɲ]	***signe***		[ŋ]	***dancing***

les abréviations du dictionnaire

Dans le dictionnaire, certains mots qui reviennent souvent sont écrits en abrégé.

adj.	**correspond à**	adjectif
adv.		adverbe
av.		avant
av. J.-C.		avant Jésus-Christ
D^r^		docteur
f.		féminin
g		gramme
indic.		indicatif
kg		kilogramme
km		kilomètre
m		mètre
m.		masculin
M.		monsieur
Mlle		mademoiselle
Mme		madame
n.		nom
plur.		pluriel
subj.		subjonctif
v.		verbe

sommaire

principaux collaborateurs p. VII

préface
par **Josette Rey-Debove** p. IX

à quoi sert ton dictionnaire p. XIX

comment te servir
de ton dictionnaire p. XX

l'alphabet phonétique p. XXII

les abréviations du dictionnaire p. XXIV

le Petit Robert des enfants p. 1

les dossiers encyclopédiques
en couleurs

- la Terre dans l'univers en face de la p. 38
- le temps et les climats en face de la p. 166
- pourquoi les animaux se mangent entre eux en face de la p. 294
- notre corps en face de la p. 390
- l'agriculture en face de la p. 518
- de la maison à l'habitat en face de la p. 614
- histoire des techniques en face de la p. 742
- qu'est-ce que le droit ? en face de la p. 838
- qu'est-ce que l'économie ? en face de la p. 934
- l'art en face de la p. 1062

annexes

les personnages des exemples
par **Claude Helft** p. 1127

les noms propres de lieux avec les adjectifs et les noms communs correspondants p. 1139

les noms de nombres p. 1145

les conjugaisons des verbes p. 1149

les œuvres et les auteurs cités p. 1181

les références des textes
littéraires cités p. 1185

À n'est jamais suivi de l'article *le* ni de l'article *les* : on dit *au* ou *aux.*

à préposition

1. À indique le lieu. *Sylvain habite à Roubaix. Mme Hespel a mal à la tête. Alex est allé au Canada. Il est allé de Paris à Montréal en avion.* **2.** À indique le moment. *Mme Roussel déjeune à midi et demi.* **3.** À indique la destination. *Sylvain écrit à Nathalie.* **4.** À indique l'appartenance. *Ce stylo est à Julie. Marie-Tévy est une amie à elle.* **5.** À indique le moyen. *Yves se promène à bicyclette. Loïc a un bateau à voiles et un bateau à moteur.* **6.** À indique l'instrument. *Antoine et Yves jouent au ballon. Claire joue à la poupée.* **7.** *Une tasse à thé* est faite pour contenir du thé. *Une machine à laver* est faite pour laver. **8.** *Un pain aux raisins* contient des raisins. **9.** À introduit un complément d'objet indirect. *Claire plaît à tout le monde.*

On dit : *je vais **à** la boulangerie* ; mais on dit : *je vais **chez** le boulanger.*

Mais on dit : *c'est le stylo **de** Julie* ; et : *Marie-Tévy est une amie **de** Julie.*

À pied, à cheval ou en voiture.

Ne confonds pas ***à***, avec un accent grave, et ***a***, la troisième personne du singulier du présent de l'indicatif du verbe *avoir.*

*Une tasse **à** thé* peut contenir du café, mais *une tasse **de** thé* contient forcément du thé.

Conjugaison 1

abaisser v.

1. Faire descendre à un niveau plus bas. *Angèle abaisse la vitre de la voiture* ; vois ***baisser.*** — *Le terrain s'abaisse vers la rivière, il descend à un niveau plus bas.* **2.** Faire baisser, diminuer. *On abaisse le niveau de l'eau du lac en ouvrant le barrage.* **3.** *S'abaisser à faire quelque chose,* c'est perdre sa fierté, s'humilier. *Colle et Rat ne se sont pas abaissés à demander pardon à Angèle, l'institutrice.*

Autrefois, le garde-barrière abaissait la barrière du passage à niveau. Maintenant, la barrière s'abaisse automatiquement.

Le contraire d'*abaisser,* c'est *relever, remonter.*

Famille de **baisser**

N'oublie pas les deux ***n***.
Conjugaison 1

abandonner v.

1. Laisser quelque chose dont on ne veut plus. *Alex a abandonné son vieux vélo à son frère* ; vois ***donner.*** *Yves abandonne son livre pour aller jouer. Nathalie a abandonné son projet d'aller à Roubaix,* elle a renoncé à son projet. *Mme Harpie abandonne son jardin aux mauvaises herbes.* **2.** Laisser, quitter une personne ou un animal dont on devrait s'occuper. *Les parents du Petit Poucet abandonnèrent leurs enfants dans la forêt. Julie a recueilli un chat abandonné.* **3.** Renoncer à une action difficile, cesser de la faire. *Le coureur a abandonné au treizième kilomètre.* **4.** *S'abandonner à quelque chose,* se laisser aller, ne plus résister à quelque chose. *Cendrillon s'abandonnait au désespoir.*

Le contraire d'*abandonner,* c'est *conserver, garder.*

Dans les régions pauvres, de nombreux villages ont été abandonnés par les paysans, qui sont allés travailler en ville.

▸ ***abandon*** n. m. **1.** *Le jardin de Mme Harpie est à l'abandon,* elle ne s'en occupe pas. **2.** *Les départs en vacances provoquent parfois l'abandon des animaux,* des animaux sont abandonnés. **3.** *Les abandons ont été nombreux à la dernière étape,* des coureurs ont renoncé à poursuivre la course.

C'est cruel d'abandonner son chat ou son chien pour s'en débarrasser.

Prononce [abazuʀdi].

abasourdi adj.
Très étonné, étourdi de surprise, sidéré ; vois ***ahuri, stupéfait.*** *Julie est abasourdie par la méchanceté de Mme Harpie.*

Au pluriel : *des abat-jour.*

abat-jour n. m. invariable
Enveloppe de tissu ou de papier qui entoure l'ampoule d'une lampe et renvoie la lumière vers le bas. *La lampe de Nathalie a un abat-jour de soie.*

Famille de **abattre** et de **jour**

Famille de **abattre**
On parle des *abats* des gros animaux, mais des *abattis* des volailles ; va voir ***abattis.***

abats n. m. plur.
Organes des animaux de boucherie, que l'on mange. *Les tripes, le cœur, le foie, les rognons, le ris de veau et le mou sont des abats.*

Les animaux de boucherie sont les bœufs, les porcs, les moutons.

Attention, *abattage* s'écrit avec un seul ***b*** et deux ***t*** !
Famille de **abattre**

abattage n. m.
1. *L'abattage d'un arbre,* c'est le fait de l'abattre, de le faire tomber. *Les bûcherons procèdent à l'abattage des arbres.* **2.** *L'abattage des veaux se fait à l'abattoir,* on tue les veaux à l'abattoir.

On dit qu'un acteur *a de l'abattage* quand il tient en éveil l'attention du public

Attention, un seul ***b*** et deux ***t*** dans *abattement* !
Famille de **abattre**

abattement n. m.
1. Grande diminution des forces physiques, grande fatigue ; vois ***épuisement, faiblesse.*** *Épuisés par la chaleur, Hippolyte et son frère ne sortent de leur abattement que pour aller se baigner.* **2.** Grand découragement, désespoir, calme ; vois ***tristesse.*** *La disparition de son chat Félix avait plongé Julie dans un grand abattement.*

Le contraire d'*abattement,* c'est *énergie.*
Le contraire d'*abattement,* c'est *joie.*

Un seul ***b*** et deux ***t*** dans *abattis* !
Famille de **abattre**

abattis n. m. plur.
La tête, le cou, les ailerons, les pattes, le foie, le gésier d'une volaille. *On peut mettre les abattis dans la soupe pour lui donner du goût.*

Ne confonds pas *abattis* et *abats* ; va voir ***abats.***

Attention ! *abattoir* s'écrit avec un seul ***b*** et deux ***t***.

abattoir n. m.
Bâtiment où l'on tue les animaux de boucherie. *On emmène les bœufs à l'abattoir dans des camions.*

Famille de **abattre**

Conjugaison 41 ▭ Indic. présent : *j'abats.* Imparfait : *j'abattais.* Futur : *j'abattrai.* — Subj. présent : *que j'abatte.* — Impératif présent : *abats.*
L'homme à abattre, c'est celui qu'il faut supprimer, éliminer.

abattre v.
1. Faire tomber par terre une chose verticale. *Les bûcherons abattaient les arbres à la cognée. Pour démolir une maison, on en abat les murs.* — *S'abattre,* c'est tomber tout d'un coup. *L'avion s'est abattu dans le pré. Les sauterelles s'abattirent sur les récoltes.* **2.** *Abattre un animal,* c'est le tuer. *Pierre Séverac a abattu une vache blessée. Les policiers ont abattu le gangster d'un coup de pistolet,* ils l'ont tué. **3.** Rendre faible, fatiguer, épuiser. *Mme Hespel se remet à peine, sa maladie l'a abattue. Mme Hespel est encore très abattue.* **4.** Ôter son énergie, sa joie à quelqu'un ; vois ***accabler, décourager, démoraliser, déprimer.*** *La disparition de son chat a abattu Julie. Pourquoi es-tu si abattue ?,* triste, découragée.

Il ne faut pas se laisser abattre !

Abattre son jeu, c'est étaler ses cartes sur la table ; c'est aussi dire clairement ce qu'on a l'intention de faire et passer à l'action.

Autres membres de la famille **abat-jour, abats, abattage, abattement, abattis, abattoir ; rabattre, rabat, rabat-joie.**

abbé n. m.
1. Prêtre catholique. *L'abbé Gauthier dit la messe.* **2.** Moine qui dirige une abbaye. *L'abbé Gauthier veille à ce que les moines observent les règles de vie de l'abbaye.*

La religieuse qui dirige une abbaye est une *abbesse.*

Une abbaye comporte des bâtiments d'habitation, une église et un cloître.

▸ ***abbaye*** n. f. Endroit où vivent des moines ou des religieuses. *Julie a visité l'abbaye du Mont-Saint-Michel.*

Abbaye [abei] rime avec *obéi*

Prononce [ɑbese], comme si les lettres étaient séparées.

abc n. m. invariable
Petit livre pour apprendre l'alphabet. *Yasmina a appris à lire dans un abc. Sophie Pelletier a illustré plusieurs abc.*

L'abc d'un métier, c'est ce qu'il faut au moins en savoir.

Attention au ***c*** du milieu et au ***s*** de la fin ! Prononce [apsɛ].

abcès n. m.
Amas de pus qui se forme dans une partie infectée du corps. *Un abcès est très douloureux ; pour le soigner, il faut l'ouvrir.*

Un panaris, c'est une sorte d'abcès au doigt.

Conjugaison 1

Compare : *abdiquer → abdication, convoquer → convocation* et *éduquer → éducation.*

abdiquer v.
Un roi abdique quand il abandonne le pouvoir. *En 1848, Louis-Philippe abdiqua en faveur de son petit-fils,* il lui passa le pouvoir.
▸ ***abdication*** n. f. Abandon du pouvoir. *Après son abdication, Louis-Philippe s'exila en Angleterre.*

Seuls les rois et les empereurs *abdiquent* ; les présidents de la République *démissionnent.*

Abdomen [abdɔmɛn] rime avec *domaine, cyclamen* et *énergumène.*

abdomen n. m.
Partie du corps où se trouvent l'estomac, le foie, les intestins ; vois ***ventre.*** *L'abdomen est séparé du thorax par le diaphragme.*

Les muscles *abdominaux* sont les muscles de l'abdomen.

l y a une reine pour 10 000 à 0 000 ouvrières, et quelques entaines de mâles. La reine ond les œufs.

abeille n. f.
Insecte jaune et noir qui vit en colonie et fait le miel et la cire. *Les abeilles ont six pattes et quatre ailes. Yves s'est fait piquer par une abeille en s'approchant de la ruche.*

Les abeilles ouvrières butinent les fleurs dont elles recueillent le pollen.

Attention aux deux ***r*** de *aberrant* !

aberrant adj.
Différent de ce qu'on fait d'habitude, et contraire à la raison. *Antoine raconte des histoires aberrantes sur le fantôme du château ;* vois ***absurde, insensé.***

Attention à l'accent circonflexe du *î.*

abîme n. m.
Trou immense, gouffre dont on ne peut atteindre le fond ; vois ***précipice.*** *La voiture a manqué un virage et est tombée dans l'abîme.*

Abîme est un mot que l'on rencontre surtout dans les livres.

N'oublie pas l'accent circonflexe du *î.*

abîmer v.
Abîmer une chose, c'est la mettre en mauvais état ; vois ***casser, détériorer, endommager.*** *Yves n'est pas soigneux, il abîme vite ses affaires. Ses affaires sont tout abîmées. — Ces fruits s'abîmeront si on ne les mange pas,* ils pourriront.

Conjugaison 1

Attention au ***e*** après le ***i*** !
Famille de **aboyer**

aboiement n. m.
Cri du chien. *Les aboiements du chien signalent le passage d'un étranger devant la ferme ;* vois ***jappement.***

Compare : *aboyer → aboiement* et *tutoyer → tutoiement.*

aux ***abois*** adj.
1. *Un cerf est aux abois* quand il est poursuivi et entouré par les chiens de chasse. **2.** *Être aux abois,* c'est être dans une situation désespérée dont on ne sait comment sortir. *Le gangster, poursuivi par la police, était aux abois.*

Famille de **aboyer**

Conjugaison 2

resque tous les pays d'Europe nt aboli la peine de mort ou ne appliquent plus.

abolir v.
Supprimer, faire disparaître. *L'esclavage fut aboli en France en 1848.*
▸ ***abolition*** n. f. Suppression. *L'abolition de la peine de mort a été votée en France en 1981.*

Les États-Unis, la Chine, le Japon n'ont pas aboli la peine de mort.

abominable adj.
1. *Une chose abominable,* c'est une chose qui fait horreur. *Les terroristes ont commis un crime abominable ;* vois ***atroce, horrible.*** **2.** Très mauvais. *Mme Harpie a un caractère abominable ;* vois ***détestable, exécrable.***

Le yéti, c'est l'abominable homme des neiges.

Conjugaison 1

Compare : *abonder → abondance, espérer → espérance* et *souffrir → souffrance.*

abonder v.
Être quelque part en grande quantité, en abondance. *Les pommes abondent sur le marché, en automne.*
▸ ***abondance*** n. f. **1.** Grande quantité. *L'abondance des légumes a provoqué une baisse des prix. Il y a abondance de provisions dans le réfrigérateur. Il y a des provisions en abondance,* à profusion. **2.** *Les gens riches vivent dans l'abondance,* dans le luxe, la richesse ; vois ***aisance, opulence.***

Le contraire d'*abondance,* c'est *manque, pénurie, rareté.*

▸ ***abondant*** adj. Qui est en grande quantité. *Cette année, la récolte de blé a été très abondante,* on a récolté beaucoup de blé.

Le contraire d'*abondant,* c'est *insuffisant, rare.*

Attention aux deux ***m*** !

▸ ***abondamment*** adv. En grande quantité. *Sers-toi abondamment ;* vois ***largement.***

Autre membre de la famille : **surabondant.**

Conjugaison 1

our avoir le téléphone, il faut re abonné.

abonner v.
Abonner une personne à un journal, c'est payer à l'avance pour qu'elle reçoive le journal par la poste. *Denis Prost a abonné sa fille Julie à un mensuel pour enfants. — Mme Séverac s'est abonnée à une revue de bridge.*

▸ ***abonné*** n. m., ***abonnée*** n. f. Personne qui est abonnée. *Les abonnés paient leur journal moins cher.*

L'annuaire téléphonique est la liste des abonnés au téléphone.

N'oublie pas les deux **n** dans *abonner, abonné, abonnement.*

▸ ***abonnement*** n. m. *Mme Séverac a souscrit un abonnement à une revue de bridge,* elle s'est abonnée à une revue de bridge.

Ne prononce pas le premier *e* de *abonnement* : [abɔnmɑ̃].

abord n. m.

Ne confonds pas *abord* et *abords.*

1. *Hippolyte est d'un abord facile,* on peut facilement s'adresser à lui, l'aborder. **2.** *Au premier abord, la directrice de l'école est sympathique,* à première vue, quand on la voit pour la première fois.

On dit aussi *de prime abord.*

Famille de ① **bord**

d'abord adv.

En premier lieu, pour commencer. *Quand on lui donne un œuf dur, Claire mange d'abord le jaune.*

Le contraire de *d'abord,* c'est *après, ensuite.*

① ***aborder*** v.

Conjugaison 1

1. Arriver au rivage, en venant de la mer. *Le navire aborda dans une île déserte ;* vois ***accoster.*** **2.** Arriver dans un endroit dangereux. *Au volant, Mme Hespel aborde les carrefours avec prudence.* **3.** *Aborder quelqu'un,* c'est lui parler alors qu'on ne le connaît pas. *Angèle a été abordée par un inconnu à la sortie de l'école.* **4.** Commencer à s'occuper de quelque chose, à en discuter. *En classe, nous avons abordé l'étude des fractions.*

Famille de ① **bord**

▸ ***abordable*** adj. Pas trop cher. *Ce manteau est d'un prix abordable. Les fraises ne sont pas abordables en hiver,* elles sont trop chères.

Le contraire d'*abordable,* c'est *cher, inabordable.*

② ***aborder*** v.

Conjugaison 1

Les pirates abordèrent le navire, l'accrochèrent pour le prendre à l'abordage.

Famille de ② **bord**

▸ ***abordage*** n. m. Assaut donné à un navire ennemi en s'amarrant bord à bord avec lui, par des crochets. *« À l'abordage », crièrent les pirates.*

abords n. m. plur.

Caché derrière la haie, le loup surveillait patiemment les abords de la maison *(les Contes du Chat perché).*

Les abords d'un endroit, ce sont les alentours, les environs. *Les abords de la gare sont tranquilles à cette heure. Colle et Rat sont dissimulés aux abords du château,* aux alentours.

Famille de ① **bord**
Ne confonds pas *abords* et *abord.*

aboutir v.

Conjugaison 2
Famille de **bout**

1. Se terminer quelque part. *Le couloir aboutit dans une chambre. La route aboutit à la mer.* **2.** Arriver. *Après deux heures de marche, nous avons abouti dans une clairière.* **3.** *L'enquête n'avait pas encore abouti,* elle n'avait donné aucun résultat.

Le contraire d'*aboutir,* c'est *commencer, partir de.*

Le contraire d'*aboutir,* c'est *échouer.*

Compare : *aboutir → aboutissement* et *lotir → lotissement.*

▸ ***aboutissement*** n. m. Ce à quoi une chose aboutit. *La découverte du savant est l'aboutissement de plusieurs années de recherche,* le résultat de plusieurs années de recherche.

aboyer v.

Conjugaison 8 ▭ Indic. imparfait : *il aboyait.*

Le chien aboie, il pousse son cri. *Rex aboie quand des étrangers s'approchent de la ferme.*

Autres membres de la famille : **aboiement,** aux **abois.**

abréger v.

Conjugaisons 3 et 6 ▭ Indic. présent : *nous abrégeons.*

Rendre plus court ; vois ***écourter, raccourcir.*** *Abrège ton histoire, tous ces détails ne nous intéressent pas.*

Compare : *abréger → abrégé* et *résumer → résumé.*

▸ ***abrégé*** n. m. **1.** Texte qui ne dit que le plus important ; vois ***résumé.*** *Le journal local a publié un abrégé du discours du maire.* **2.** *Écrire en abrégé,* c'est écrire sans mettre toutes les lettres du mot. *« Nom masculin » s'écrit « n. m. » en abrégé.*

Va voir aussi ***abréviation.***

s'abreuver v.

Conjugaison 1

Boire. *Les vaches se sont abreuvées dans la rivière.*

Compare *s'abreuver,* ***abreuvoir*** et ***breuvage*** : on **boit.**

▸ ***abreuvoir*** n. m. Grand bac dans lequel on fait boire les animaux. *Le fermier a mené son cheval à l'abreuvoir.*

Compare : *abreuver → abreuvoir, arroser → arrosoir* et *laver → lavoir.*

abréviation n. f.

Famille de **bref**

Mot dont on a supprimé une partie pour l'écrire ou le dire de façon plus courte. *« B. D. » est l'abréviation de « bande dessinée » ;* vois ***sigle.*** *« Auto » est l'abréviation de « automobile ».*

L'abréviation de premier, c'est 1er, celle de première, c'est 1re.

abri n. m.

Attention, il n'y a rien après le *i* de *abri* !

1. Lieu où l'on est protégé du mauvais temps ou du danger. *La grotte leur*

Ces abris, qui sont aux arrêts d'autobus, s'appellent des *abribus.*

a servi d'abri contre la pluie. Ils sont à l'abri, ils sont protégés. *L'imprudent s'était mis à l'abri de l'orage sous un arbre.* **2.** Petite construction qui permet d'attendre à l'abri. *Il y a un abri à l'arrêt d'autobus.* **3.** Installation destinée à protéger contre les attaques ennemies. *Denis Prost a fait construire un abri antiatomique sous sa maison.*

Autres membres de la famille : **abriter, abrité.**

Attention au ***t*** final !

abricot n. m.

Petit fruit à noyau, de couleur orange, dont la peau est très douce. *Mamie Lou a fait une tarte aux abricots.*

Les abricots poussent sur les *abricotiers.*

Conjugaison 1

abriter v.

1. Mettre à l'abri. *Julie a abrité Yasmina sous son parapluie. L'oiseau abrite son petit sous son aile. — David et Nathalie se sont abrités dans un hangar,* ils se sont mis à l'abri. **2.** Protéger. *Un chapeau à larges bords abrite Mamie Lou du soleil.*

Famille de **abri**

▸ ***abrité*** adj. À l'abri du vent. *La plage où Loïc a emmené Mme Roussel est bien abritée.*

Le contraire d'*abrité,* c'est *éventé.*

Prononce bien le ***p*** et le ***t*** : [abrypt].

abrupt adj.

En pente très raide ; vois ***escarpé.*** *Les alpinistes escaladaient la face la plus abrupte de la montagne.*

Conjugaison 2

abrutir v.

Diminuer les réactions, fatiguer. *Cette chaleur m'a complètement abrutie.*

Famille de **brute**

▸ ***abruti*** adj. Stupide, sans intelligence ; vois ***idiot.*** *Elle est complètement abrutie. —* n. *Espèce d'abruti !*

Ce mot est familier.

Au féminin : *abrutissante.*

▸ ***abrutissant*** adj. *Mme Roussel fait un travail abrutissant,* qui abrutit ; vois ***fatigant.***

absent adj.

Qui n'est pas dans le lieu où il devrait être. *Le docteur Séverac est absent pour le moment. Denis Prost sera absent de chez lui pendant deux mois.* — n. *Il y a beaucoup d'absents dans la classe à cause de l'épidémie de varicelle.*

Le contraire d'*absent,* c'est *présent.*

Les absents ont toujours tort (proverbe).

absence est le plus grand des aux (La Fontaine).

▸ ***absence*** n. f. **1.** Le fait de ne pas être là. *Son absence n'a pas été remarquée.* **2.** Manque. *Mme Harpie doit son surnom à son absence de gentillesse.*

Le contraire d'*absence,* c'est *présence.*

Compare : *absent → absence, s'absenter* et *présent → présence, se présenter.*

▸ ***s'absenter*** v. S'éloigner pour un certain temps d'un lieu où l'on est normalement. *Denis Prost va s'absenter de chez lui pendant deux mois.*

Conjugaison 1

absolu adj.

Complet, sans limite ; vois ***total.*** *Je fais une confiance absolue à mon médecin. Certains rois avaient un pouvoir absolu,* ils étaient seuls à avoir le pouvoir.

Le roi tenait essentiellement à ce que son autorité fût respectée. Il ne tolérait pas la désobéissance. C'était un monarque absolu *(le Petit Prince).*

Certaines personnes disent *absolument* à la place de *oui.*

▸ ***absolument*** adv. Tout à fait ; vois ***complètement, totalement.*** *Ce que tu dis est absolument faux.*

Conjugaison 1

Le buvard absorbe l'encre.

absorber v.

1. *Absorber un liquide,* c'est le laisser pénétrer et le retenir. *L'éponge a absorbé l'eau.* **2.** Boire, manger. *Sylvain n'a rien absorbé depuis hier soir ;* vois ***avaler.*** **3.** *L'étude de son prochain rôle absorbe Denis Prost,* elle l'occupe entièrement.

Il est malade.

▸ ***absorbant*** adj. **1.** *Un papier absorbant* laisse pénétrer les liquides. *Mme Hespel essuie la table avec du papier absorbant.* **2.** *Un travail absorbant,* c'est un travail qui occupe quelqu'un entièrement. *M. Doucet a un travail absorbant.*

Le coton, la gaze, le buvard sont absorbants.

Conjugaison 22 ▭ Indic. présent : *je m'abstiens, nous nous abstenons.* Imparfait : *je m'abstenais.* Futur : *je m'abstiendrai.* — Impératif présent : *abstiens-toi.*

s'abstenir v.

1. *S'abstenir de faire quelque chose,* c'est ne pas faire quelque chose parce qu'on en a décidé ainsi ; vois ***s'empêcher, éviter,*** *se* ***garder.*** *Lorsque Julie et Yasmina se sont disputées, Marie-Tévy s'est abstenue de prendre parti.* **2.** Ne pas voter. *De nombreux électeurs se sont abstenus aux dernières élections.*

L'absence de vote d'un électeur s'appelle *l'abstention.*

Le contraire d'*abstrait,* c'est *concret.*

abstrait adj.
1. *Un mot abstrait* désigne une idée, une qualité. *« Liberté » et « blancheur » sont des mots abstraits.* **2.** *L'art abstrait,* c'est une forme d'art qui utilise la matière, les lignes et les couleurs pour elles-mêmes, sans essayer de représenter ce que l'on voit. *Sophie Pelletier est allée voir une exposition de tableaux abstraits.*

Le contraire d'*abstrait,* c'est *figuratif.*

absurde adj.
Contraire à la raison, au bon sens ; vois ***fou, insensé, stupide.*** *C'est absurde de penser qu'un lapin pourrait parler.*

Compare : *absurde → absurdité* et *stupide → stupidité.*

▷ ***absurdité*** n. f. Chose contraire à la raison, au bon sens ; vois ***folie, sottise, stupidité.*** *Antoine, cesse de dire des absurdités !*

Conjugaison 1
Famille de ① **user**

abuser v.
Abuser de quelque chose, c'est en faire un usage exagéré. *Il ne faut pas abuser des sucreries,* il ne faut pas en manger trop. *Mme Harpie abuse de la patience de sa sœur ;* vois ***profiter.***

Quand on abuse de quelque chose, on en fait un usage *abusif.*

Prononce : [aby].

▷ ***abus*** n. m. Excès. *L'abus d'alcool est dangereux pour la santé.*

Prononce [akasja].

acacia n. m.
Arbre à belles fleurs blanches qui pendent en grappes. *L'avenue de la gare est bordée d'acacias.*

On l'appelle aussi *robinier.*

L'Académie française, fondée en 1635 par Richelieu, veille au respect de la langue française.
La première académicienne fut élue en 1980.

académie n. f.
Société d'écrivains, de savants ou d'artistes. *L'Académie des beaux-arts réunit des artistes et des amis des arts.*

▷ ***académicien*** n. m., ***académicienne*** n. f. Membre de l'Académie française. *Les académiciens portent un habit vert et une épée.*

Il y a aussi l'Académie des sciences et l'Académie de médecine.

L'arbre dont on tire ce bois précieux s'appelle aussi un *acajou.*

acajou n. m.
Bois brun-rouge, utilisé pour faire des meubles. *Le docteur Séverac a un très beau bureau en acajou. Elle a des cheveux acajou,* de la couleur de ce bois.

L'acajou est un bois précieux q[ui] vient des pays tropicaux.

N'oublie pas l'accent circonflexe du troisième ***â.***

acariâtre adj.
D'un caractère désagréable, difficile ; vois ***hargneux.*** *Mme Harpie est méchante, médisante et acariâtre.*

Acariâtre est un mot un peu vieilli.

Accabler et *accablant* s'écrivent avec deux ***c.***

accabler v.
Faire supporter à quelqu'un quelque chose de trop pénible, d'excessif ; vois ***surcharger.*** *Certains seigneurs accablaient leurs serfs d'impôts. Mme Touati a l'air accablée de fatigue.*

Conjugaison 1

▷ ***accablant*** adj. *Une chaleur accablante,* c'est une très forte chaleur ; vois ***écrasant.*** *Sous les tropiques, il fait une chaleur accablante.*

Attention, il y a deux ***c*** !

accalmie n. f.
Moment de calme pendant une tempête, un orage. *Quel orage ! Mme Séverac a profité d'une courte accalmie pour fermer les volets de la maison.*

Famille de **calme**

Attention ! deux ***c*** et un seul ***p.***

accaparer v.
1. Prendre quelque chose pour soi tout seul. *Lors du goûter d'anniversaire de Julie, les enfants avaient accaparé la maison et le jardin.* **2.** *Tous les moyens sont bons à Antoine pour accaparer l'attention des gens qui l'entourent,* pour retenir leur attention.

Conjugaison 1

Attention ! deux ***c*** dans *accéder.*

accéder v.
1. *Accéder à un lieu,* c'est pouvoir y entrer, y avoir accès. *On accède à la Grenie, la ferme des Séverac, par un chemin de terre.* **2.** *Accéder à un poste,* c'est y parvenir. *Mme Hespel a accédé à un poste important.*

Va voir aussi **accès.**

Conjugaison 6 ▭ Indic. présent : *j'accède, nous accédons.* Imparfait : *j'accédais.* Futur : *j'accéderai.*

Conjugaison 6 ▭ Indic. présent : *j'accélère, nous accélérons.* Imparfait : *j'accélérais.* Futur : *j'accélérerai.*

Le contraire d'*accélérer,* c'est *freiner, ralentir.*

accélérer v.
1. Rendre plus rapide. *Odile Séverac a fait accélérer les travaux d'aménagement du grenier. Angèle accéléra l'allure quand elle vit qu'on la suivait,* elle pressa le pas. — *Les battements du cœur s'accélèrent quand on a peur,* ils vont plus vite. **2.** Augmenter la vitesse d'un véhicule. *Malgré le feu orange, M. Bellec accéléra au lieu de freiner.*

Accélérer [akseleʀe], accélérateur [akseleʀatœʀ] et accélération [akseleʀasjɔ̃] s'écrivent avec deux *c*.

▸ ***accélérateur*** n. m. Mécanisme qui permet d'augmenter la vitesse d'un véhicule. *M. Bellec a appuyé sur la pédale d'accélérateur au lieu de ralentir.*

L'essence mélangée à l'air brûle. L'accélérateur permet de régler la force avec laquelle ce mélange arrive au moteur.

▸ ***accélération*** n. f. Augmentation de vitesse. *La peur, l'émotion et l'effort produisent une accélération des battements du cœur.*

On ne remarque jamais son propre accent. Ce sont les gens d'une autre région qui l'entendent.

accent n. m.

Prononce [aksɑ̃].

1. Façon de parler, de prononcer les sons d'une langue qui est particulière à un groupe de personnes. *On devine à son accent chantant que le docteur Séverac vient du sud de la France.* **2.** *Mettre l'accent sur quelque chose,* c'est insister. *Angèle, l'institutrice, a mis l'accent sur les difficultés des enfants en orthographe.* **3.** Signe écrit que l'on place sur certaines voyelles. *Il ne faut pas confondre l'accent aigu et l'accent grave.*

Va voir aussi ***tréma.***

Conjugaison 1
▭ N'oublie pas le *e* devant le *r* au futur : *j'accentuerai.*

▸ ***accentuer*** v. **1.** Mettre un accent sur une lettre. *Marie-Tévy ne sait pas accentuer.* **2.** Faire ressortir, souligner. *Cette couleur accentue sa mauvaise mine.* **3.** *S'accentuer,* c'est augmenter. *L'écart des salaires s'est encore accentué,* il est devenu plus grand.

Lorsqu'on ne sait pas accentuer, on fait des *fautes d'accentuation.*

l'accent

- Le signe ´ placé sur le ***e*** de *pré* et de *képi* est un accent aigu. Il ne se place que sur les ***e*** : ***é*** se lit [e].
- Le signe ` que l'on trouve sur le ***a*** de *voilà*, sur le ***u*** de *où* et sur le ***e*** de *mère* est un accent grave.
- Le signe ˆ que l'on trouve dans *âne, chêne, île, trône* et *flûte* est un accent circonflexe.
- ***è*** et ***ê*** se prononcent [ɛ], comme dans *chèvre* et *rêve.*

Conjugaison 1

« Acceptez-vous de prendre pour épouse mademoiselle X ? » demande le maire au marié.

accepter v.

1. Prendre, recevoir ce qui est offert. *Mme Roussel a accepté avec joie le cadeau de Loïc.* **2.** Donner son accord, bien vouloir ; vois ***consentir.*** *Mme Séverac a accepté de tenir un stand à la vente de charité. Elle a proposé son aide et on l'a acceptée. L'abbé Gauthier accepte volontiers qu'on lui emprunte ses disques ou ses livres.* **3.** *Accepter quelqu'un,* c'est l'admettre. *Yasmina a été très bien acceptée dans la bande de Julie.*

Le contraire d'*accepter,* c'est *refuser.*

Mais je serais un bien triste chat si j'acceptais, pour me sauver, de vous voir passer six mois et plus chez la tante Mélina *(les Contes du Chat perché).*

Le contraire d'*accepter,* c'est *rejeter.*

Le contraire d'*acceptable,* c'est *inacceptable.*

▸ ***acceptable*** adj. *Une chose acceptable* est une chose que l'on peut accepter. *L'insolence de Colle et Rat n'est pas acceptable ;* vois ***admissible.***

Autre membre de la famille : **inacceptable.**

Le contraire d'*acceptation,* c'est *refus.*

▸ ***acceptation*** n. f. Consentement. *Le maire a donné son acceptation au projet de construction d'un gymnase.*

Attention aux deux *c* !

① ***accès*** n. m.

1. *Un accès de fièvre,* c'est une fièvre forte et soudaine ; vois ***poussée.*** *Après son vaccin, Martin a eu un accès de fièvre.* **2.** Crise violente et soudaine. *Dans un accès de colère, Yves a jeté et cassé tout ce qui était à sa portée.*

Accès [aksɛ] rime avec *succès.*

Accès [aksɛ] rime avec *succès.*

② ***accès*** n. m.

1. Possibilité d'aller dans un lieu ; vois ***entrée.*** *L'accès du parc est interdit la nuit. Seuls les voyageurs munis d'un billet ont accès aux quais,* peuvent aller sur les quais. **2.** Passage, chemin qui permet d'aller dans un lieu. *La police garde tous les accès de l'immeuble ;* vois ***entrée.*** *Les parents de Julie ont loué pour les vacances une villa avec accès direct à la mer.*

Va voir aussi ***accéder.***

Le contraire d'*accessible,* c'est *inaccessible.*

▸ ***accessible*** adj. **1.** *Un endroit accessible,* c'est un endroit où l'on peut accéder, entrer. *Cette région perdue dans les montagnes est difficilement accessible.* **2.** *Un objet accessible,* c'est un objet que l'on peut atteindre facilement. *Les livres qui sont sur la dernière étagère ne sont pas très accessibles.*

Autre membre de la famille : **inaccessible.**

Deux *c* et deux *s* dans ***accessoire.***

① ***accessoire*** adj.

Ce qui est accessoire n'est pas très important. *Pour Sylvain, jouer est essentiel, gagner est accessoire ;* vois ***secondaire.*** — n. m. *Yasmina refait sa valise en éliminant l'accessoire,* les choses non indispensables.

Le contraire d'*accessoire,* c'est *nécessaire.*

Le contraire d'*accessoire,* c'est *essentiel, primordial.*

Prononce [ɑkseswaʀ].

② **accessoire** n. m.
Pièce, élément qui s'ajoute à un instrument, à une machine mais qui n'est pas indispensable. *Alex fixe de nouveaux accessoires sur sa moto : une sacoche, un porte-bagages et un klaxon assourdissant.*

Ne confonds pas *accident* et *incident.*

accident n. m.
1. Événement fâcheux. *Claire a fait pipi au lit cette nuit, c'est un petit accident.* **2.** Choc entraînant des dégâts, des blessures. *L'avion a eu un accident. Les passagers sont sortis indemnes de l'accident.* **3.** *Les accidents de terrain,* ce sont les creux et les bosses qui déforment le terrain.

Elle est encore petite.

Nous avons eu un accident c ballon et sommes tombés su cette île *(Babar).*

▸ ***accidenté*** adj. **1.** *Une voiture accidentée,* c'est une voiture qui a eu un accident. *Les deux voitures accidentées sont tombées dans le fossé.* **2.** *Un terrain accidenté,* c'est un terrain plein de creux et de bosses ; vois ***inégal.*** *Alex, le casse-cou, aime faire de la moto sur les terrains accidentés.*

Les régions montagneuses sont des régions accidentées.

Le contraire d'*accidenté,* c'est *plat, uni.*

▸ ***accidentel*** adj. **1.** *Une rencontre accidentelle* est due au hasard. *La rencontre d'Alex et de Réjean a été accidentelle.* **2.** *Une mort accidentelle,* c'est une mort causée par un accident.

Le contraire d'*accidentel,* c'est *naturel.*

Attention ! deux ***c*** dans *acclamer* et *acclamation.*

acclamer v.
Saluer ensemble par des cris et des manifestations de joie. *En classe de neige, les enfants acclamaient chaque proposition de promenade.*

Conjugaison 1

Le contraire d'*acclamer,* c'est *huer.*

Compare *acclamation* et *réclamation* : on pousse des **cris.**

▸ ***acclamation*** n. f. Cri de joie poussé par un groupe de gens. *Le moniteur de ski dévale la pente sous les acclamations des enfants ;* vois ***ovation.***

Pendant des heures, les él phants défilent sous les acclam tions *(Babar).*

Attention ! deux ***c*** dans *acclimater.*

acclimater v.
Adapter à un nouveau climat. *Au zoo, on a essayé d'acclimater un panda, habitué au grand froid de l'Himalaya.* — *S'acclimater,* c'est s'adapter à un changement de milieu ou d'habitudes. *Marie-Tévy s'est peu à peu acclimatée à sa nouvelle famille ;* vois *s'****habituer.***

Conjugaison 1

Le *Jardin d'acclimatation* a été créé à Paris en 1860.

Famille de **climat**

On a acclimaté en France tulipe qui venait de Turquie, platane qui venait de Grèce, fraise, du Chili et la pomme c terre, du Pérou.

Famille de **col**

accolade n. f.
1. Salut donné à quelqu'un en le serrant légèrement dans les bras. *Trop timide pour l'embrasser, Loïc a donné l'accolade à son frère. Pendant la cérémonie, le soldat décoré a reçu l'accolade du général.* **2.** Signe écrit en forme d'arc qui réunit plusieurs lignes.

L'accolade est un geste hérité de la cérémonie au cours de laquelle on faisait chevalier un jeune homme, au Moyen Âge.

Attention ! deux ***c*** dans *accolade.*

L'accolade s'écrit { ou }.

Attention ! deux ***c*** et deux ***m*** dans *accommoder.*

Ne confonds pas *accommoder* et *incommoder.*

accommoder v.
1. Préparer des aliments pour les manger. *Mamie Lou a l'art d'accommoder les restes.* **2.** *S'accommoder de quelque chose,* c'est s'en arranger ; vois *se* ***contenter.*** *Mme Roussel a dû s'accommoder d'un petit appartement.*

Conjugaison 1

Famille de ② **commode**

▸ ***accommodant*** adj. Arrangeant, conciliant. *Angèle, l'institutrice, est intraitable pour le travail, mais plutôt accommodante pour la conduite.*

Le contraire d'*accommodant,* c'est *intransigeant.*

Conjugaison 1

accompagner v.
1. Aller avec quelqu'un quelque part. *Angèle, l'institutrice, demande à Julie d'accompagner Marie-Tévy à l'infirmerie.* **2.** Aller avec, être servi avec. *À Noël, les marrons accompagnent généralement la dinde.* **3.** Jouer l'accompagnement d'un air. *Yasmina a chanté et Julie l'a accompagnée au piano.* **4.** *Les gros sanglots s'accompagnent de hoquets,* se produisent en même temps que des hoquets.

Les petites et le canard accompagnèrent le chat jusqu'à la porte de la grange *(les Contes du Chat perché).*

Compare *accompagner,* ***compagnie*** et ***compagnon*** : dans ces mots, il est question d'**être avec** quelqu'un.

▸ ***accompagnateur*** n. m., ***accompagnatrice*** n. f. **1.** Personne qui joue l'accompagnement d'un chanteur ou d'un musicien. *La célèbre chanteuse et son accompagnateur donneront un concert ce soir.* **2.** Personne qui accompagne un groupe, le guide. *Angèle a droit à une entrée gratuite au musée comme accompagnatrice de sa classe.*

Dans les albums de Tinti M. Wagner est l'accompagn teur de la Castafiore.

▸ ***accompagnement*** n. m. **1.** Légumes servis avec un plat. *Aujourd'hui, nous avons du gigot avec des haricots comme accompagnement ;* vois ***garniture.*** **2.** Musique que l'on joue en même temps que quelqu'un chante. *Julie chante « À la claire fontaine » et Yves joue l'accompagnement à la guitare.*

Autre membre de la famille : **raccompagner.**

Conjugaison 2

accomplir v.
Faire, réaliser quelque chose qui a été demandé ou ordonné. *Avant de*

devenir facteur, Hippolyte a dû accomplir son service militaire ; vois s'**acquitter**. — *Le vœu de Julie s'est accompli,* s'est réalisé.

Compare : *accomplir → accompli* et *chérir → chéri.*

▸ ***accompli*** adj. **1.** *Il a été mis devant le fait accompli,* devant l'action faite, le résultat. **2.** Parfait en son genre. *Marie-Tévy est une skieuse accomplie,* une très bonne skieuse.

▸ ***accomplissement*** n. m. Réalisation d'un projet ou d'une action. *Mme Bellec trouve beaucoup de satisfactions dans l'accomplissement des tâches ménagères.*

accord n. m.

Attention ! deux *c* dans *accord.*

Accord [akɔʀ] rime avec *décor* et *encore.*

D'accord : oui, je veux bien, je suis d'accord.

i le sujet est au singulier, le erbe se met au singulier.

Famille de **accorder**

1. Arrangement entre plusieurs personnes. *Après d'interminables discussions, les grévistes et le directeur de l'usine sont parvenus à un accord.* **2.** *Donner son accord,* c'est autoriser. *Les pompiers ont donné leur accord pour le feu d'artifice.* **3.** *Être d'accord,* c'est être du même avis ; vois ***approuver***. *Yasmina est toujours d'accord avec Marie-Tévy.* **4.** *On fait l'accord du verbe avec le sujet,* on accorde le verbe avec le sujet ; vois l'encadré ci-dessous. **5.** Ensemble de notes jouées ensemble. *Do, mi, sol, do ; Sylvain a plaqué un accord au piano.*

Le contraire d'*accord,* c'est *désaccord.*

Nous on était tous pour cette idée qui était vraiment chouette, mais Alceste n'était pas d'accord *(le Petit Nicolas).*

l'accord

Accorder un mot avec un autre, c'est lui donner les marques de genre, de nombre ou de personne de ce mot.

- En français, on accorde le verbe en personne et en nombre avec son sujet :

  *Les **vagues** **s'écrasaient** sur la plage.*

  Quand un verbe a plusieurs sujets, il se met au pluriel :

  ***Yves** et **Loïc partent** en mer.*

- Les déterminants et les adjectifs qualificatifs s'accordent en genre et en nombre avec le nom ou le pronom auquel ils se rapportent :

  Les énormes crabes** effraient Mme Roussel. **Ils** sont **effrayants.

  Quand un adjectif qualificatif se rapporte à plusieurs noms, il se met au pluriel :

  *Julie porte un **pull** et un **pantalon rouges.***

  Si les mots qualifiés sont de genre différent, l'adjectif se met au masculin :

  *Julie porte un **pull** et une **jupe verts.***

- Va voir l'accord des noms de couleur à ***couleur.***
- Va voir l'accord des participes à ***participe.***

accordéon n. m.

Deux *c* dans *accordéon.*

'est l'inventeur de l'instrument ui a créé le mot *accordéon* sur modèle de *orphéon,* en 1829.

Instrument de musique à soufflet et touches métalliques. *Mme Bellec aime les tangos joués à l'accordéon. Antoine a des chaussettes en accordéon, qui plissent sur la jambe, autour de la cheville.*

L'*accordéoniste* joue de l'accordéon.

accorder v.

Conjugaison 1

L'*accordeur* accorde les pianos et les orgues.

n adverbe ne s'accorde pas, il st invariable.

rouvant la punition trop douce, s parents s'accordèrent un mps de réflexion *les Contes du Chat perché).*

1. Régler les sons d'un instrument. *On se sert d'un diapason pour accorder les pianos.* **2.** *Accorder un mot avec un autre,* c'est lui donner les marques de genre, de nombre ou de personne de cet autre. **3.** *S'accorder,* aller bien ensemble, s'entendre. *Les caractères de Julie et de Yasmina s'accordent en se complétant.* **4.** Accepter de donner. *La banque a accordé le crédit demandé par Mme Hespel. Angèle a promis à Hippolyte de lui accorder une danse.* — *Yasmina, essoufflée, s'accorde une pause avant de remonter sur le toboggan.* **5.** *Antoine accorde de la valeur à l'opinion de Marie-Tévy,* il lui donne de la valeur.

Pour savoir comment on accorde les mots, va voir l'encadré à *accord.*

Le contraire d'*accorder,* c'est *refuser.*

Autres membres de la famille : **accord, désaccord, désaccordé.**

accoster v.

Conjugaison 1

Attention ! deux *c* dans *accoster.*

1. Se ranger le long d'un quai. *Le paquebot a accosté.* **2.** Aborder quelqu'un sans le connaître. *À la fête, Hippolyte accostait les filles qui lui plaisaient.*

Un canot, mis à la mer, se dirige rapidement vers eux et accoste aux rochers *(Babar).*

Attention ! deux *c* dans *accotement.*

accotement n. m.
Bord d'une route, d'une voie de chemin de fer, qui est une bande de terre bien entretenue. *La voiture était garée sur l'accotement.*

Famille de **côté**

Conjugaison 1

accoucher v.
1. Donner naissance à son enfant. *Sophie Pelletier a accouché en pleine nuit. Mme Bellec a accouché d'Yves à minuit,* elle a mis au monde Yves. **2.** Aider la femme qui accouche. *C'est une sage-femme qui a accouché Sophie Pelletier.*

Accoucher est le mot utilisé pour les femmes. *Mettre bas* est réservé aux femelles des animaux.

Les sages-femmes et les médecins accoucheurs s'occupent des femmes qui accouchent et des bébés qui naissent.

▸ **accouchement** n. m. **1.** Sortie d'un enfant hors du ventre de sa mère. *L'accouchement du bébé a été rapide ;* vois **naissance. 2.** *Le docteur Séverac a fait un accouchement ce matin,* il a aidé une femme à accoucher.

L'accouchement a lieu normalement après 9 mois de grossesse

Attention ! deux *c* dans *s'accouder* et *accoudoir.*

Famille de **coude**

s'accouder v.
S'appuyer sur un coude ou sur les deux coudes. *Pour écouter l'histoire d'Antoine, Marie-Tévy s'est accoudée à la table.*

Conjugaison 1

▸ **accoudoir** n. m. Appui, de chaque côté d'un siège, sur lequel on peut s'accouder. *Le docteur Séverac a posé ses avant-bras sur les accoudoirs du fauteuil.*

Attention ! deux *c* dans *accoupler* et *accouplement.*

Famille de **couple**

s'accoupler v.
Des animaux s'accouplent, ils s'unissent pour avoir des petits. *Les oiseaux s'accouplent au printemps.*

Conjugaison 1

▸ **accouplement** n. m. Union sexuelle du mâle et de la femelle d'une espèce animale en vue de la reproduction. *L'accouplement de certains grands oiseaux est précédé d'une parade nuptiale.*

Pour séduire les femelles, le oiseaux mâles déploient leur plumes, poussent des cris e parfois, dansent.

Deux *c* et un *r* dans *accourir.*

On peut dire aussi qu'*elle a vite accouru.*

accourir v.
Arriver en courant, se précipiter. *Quand elle a entendu le facteur, Nathalie est vite accourue.*

Conjugaison 11
Famille de **courir**

Attention ! deux *c* dans *accoutrer* et *accoutrement.*

Va voir aussi *affublé.*

s'accoutrer v.
S'habiller d'une manière étrange ou ridicule. *Mme Harpie s'était accoutrée d'un manteau violet.*

Conjugaison 1

▸ **accoutrement** n. m. Habillement étrange ou ridicule. *Mme Harpie a un drôle d'accoutrement ce matin. Qu'est-ce que c'est que cet accoutrement !*

Les Dupondt ont un accoutrement bizarre ; ils pensent avoi mis le costume syldave !

Conjugaison 1
Famille de **coutume**

s'accoutumer v.
S'habituer. *Les enfants se sont vite accoutumés à leur nouvelle maîtresse.*

▸ **accoutumé** adj. Habitué. *Angèle, l'institutrice, est accoutumée aux retards d'Antoine, mais toujours surprise par l'excuse qu'il trouve.*

▸ *à l'***accoutumée** adv. D'habitude, d'ordinaire. *Les enfants sont sortis de l'école à 16 h 30, comme à l'accoutumée.*

Compare : *accoutumer → accoutumance* et *espérer → espérance.*

▸ **accoutumance** n. f. *L'accoutumance à un produit,* c'est l'habitude que le corps en a. *Mme Bellec ne prend jamais de somnifères car elle craint l'accoutumance.*

Il y a accoutumance au taba à l'alcool, aux drogues, aux médicaments.

Conjugaison 1

Entre deux palmiers, la maman de Babar a accroché un hamac *(Babar).*

accrocher v.
1. Suspendre à un crochet. *Les enfants accrochent leur manteau aux patères. Yasmina a accroché une vue de Marrakech dans sa chambre.* **2.** Retenir, arrêter. *Les ronces accrochaient et arrachaient nos vêtements.* **3.** Heurter légèrement. *En se garant, M. Bellec a accroché une voiture en stationnement.* **4.** *S'accrocher,* c'est s'agripper, se cramponner. *Les bébés singes s'accrochent au ventre de leur mère.*

Le contraire d'*accrocher,* c'est *décrocher.*

C'est un petit *accrochage.*

▸ **accroc** n. m. Déchirure. *En passant sous les barbelés, Claire a fait un accroc à son tablier.*

Attention aux deux *c* dans *accrocher, accroc, accrochage.*

▸ **accrochage** n. m. **1.** Action de suspendre à un crochet. *On a commencé l'accrochage des tableaux dans la galerie.* **2.** Petit accident d'automobile. *L'aile est froissée, c'est un simple accrochage.*

Autre membre de la famille : **raccrocher.**

Conjugaison 55 ▭ Indic. présent : *j'accrois, il accroît, nous accroissons.* Imparfait : *j'accroissais.* — Subj. présent : *que j'accroisse.*

accroître v.
Rendre plus grand, plus important ; vois ***augmenter, multiplier.*** *Le dernier film de Denis Prost a accru sa popularité. — Grâce à l'aide de toute la classe, l'assurance de Marie-Tévy s'accroît de jour en jour,* grandit, se développe.

N'oublie pas l'accent circonflexe du *î* de *accroître.*
Famille de **croître**

Le contraire d'*accroître,* c'est *amoindrir, diminuer.*

Attention ! deux *c* et deux *s* dans *accroissement.*

▸ ***accroissement*** n. m. Augmentation, développement. *Mme Harpie surveille l'accroissement de ses richesses.*

Attention ! deux *c* et un seul *p* dans *accroupir.*

Famille de **croupe**

s'accroupir v.
Se baisser, jambes repliées, les fesses près des talons. *David et Claire se sont accroupis pour observer la fourmilière.*

Conjugaison 2

Accu est l'abréviation d'*accumulateur.*

accu n. m.
Appareil qui accumule de l'électricité et la rend sous forme de courant. *Les accus de la voiture sont à plat.*

On dit *les accus* pour désigner *la batterie* d'une voiture.

Conjugaison 12, comme *cueillir* ▭ Indic. présent : *j'accueille, nous accueillons.* Imparfait : *nous accueillions.* — Subj. présent : *que nous accueillions.*

accueillir v.
1. *Accueillir quelqu'un,* c'est recevoir quelqu'un qui arrive. *Réjean accueille chaleureusement son ami Alex. Réjean a accueilli Alex chez lui,* il lui a donné l'hospitalité. **2.** *Accueillir une nouvelle,* c'est la recevoir d'une certaine manière. *Les enfants ont accueilli le projet de l'institutrice avec enthousiasme.*

Le chef de rayon accueille Babar aimablement *(Babar).*

Les paroles du bœuf furent accueillies par une rumeur d'admiration *(les Contes du Chat perché).*

Accueil [akœj] rime avec *feuille.*

▸ ***accueil*** n. m. Façon de recevoir quelqu'un ou quelque chose. *Alex remercie Réjean pour l'accueil qu'il lui a réservé. Les enfants ont fait un accueil enthousiaste au projet de l'institutrice.*

Attention ! deux *c* et *ue* dans *accueillir, accueil* et *accueillant.*

▸ ***accueillant*** adj. Hospitalier. *Les parents de Réjean sont très accueillants.*

Leur maison est accueillante.

Conjugaison 1

accumuler v.
1. Mettre ensemble, petit à petit, un grand nombre de choses. *Mme Harpie ne jette jamais rien, elle accumule même les vieux journaux ;* vois ***amasser, entasser.*** — *Les vieux journaux se sont accumulés près de la cheminée.* **2.** *Marie-Tévy a accumulé les fautes d'orthographe dans sa dictée,* elle en a fait beaucoup.

Compare *accumuler* et *cumuler* : dans ces mots, il s'agit d'**entassement.**

Attention ! deux *c* et un seul *m* dans *accumuler* et *accumulation.*

▸ ***accumulation*** n. f. *Tout ce qu'a raconté Antoine n'est qu'une accumulation de mensonges,* des mensonges ajoutés les uns aux autres.

Attention ! deux *c* dans *accuser, accusateur, accusation* et *accusé.*

accuser v.
1. Dire que quelqu'un est coupable. *Mme Harpie, la marchande de bonbons, a accusé Julie de lui avoir volé des chewing-gums. On ne doit pas accuser sans preuve.* **2.** *Cette jupe moulante accuse sa minceur,* la fait ressortir, la souligne. — *Le grand-père de Yasmina a un visage aux traits accusés,* un visage dont les lignes sont très marquées. **3.** *Accuser réception d'une lettre,* c'est déclarer qu'on l'a reçue.

Conjugaison 1

L'accusé de réception est le papier qui prouve qu'une lettre recommandée a bien été reçue.

Au féminin : *accusatrice.*

▸ ***accusateur*** adj. *Mme Harpie a lancé à Julie un regard accusateur,* qui l'accusait.

▸ ***accusation*** n. f. *Mme Harpie a porté une accusation contre Julie,* elle l'a accusée.

Mais son accusation était fausse !

L'accusé est jugé par un tribunal appelé *la cour d'assises.*

▸ ***accusé*** n. m., ***accusée*** n. f. Personne que l'on accuse d'avoir commis un crime. *Faute de preuves, l'accusée a été acquittée.*

acéré adj.
Dur et pointu. *Le chat Félix a des griffes acérées. Le couteau du bandit a une lame acérée,* très tranchante.

À l'origine, un magasin bien achalandé était un magasin où il y avait beaucoup de clients.

achalandé adj.
Un magasin bien achalandé, c'est un magasin où il y a un grand choix de marchandises ; vois ***approvisionné.*** *La boutique de Mme Harpie est très bien achalandée.*

Conjugaison 1

s'acharner v.
1. *Le vautour s'acharne sur sa proie,* la déchire avec fureur en allant jusqu'au bout sans s'arrêter. *Les journalistes se sont acharnés contre le président,* l'ont attaqué longtemps et sans pitié. **2.** *Il s'est acharné pendant une heure à essayer d'ouvrir la porte,* il a fait de grands efforts pour essayer d'ouvrir la porte ; vois ***s'escrimer, s'évertuer.***

▸ ***acharné*** adj. *Les deux lions se sont livré un combat acharné,* au cours duquel ils se sont battus avec fureur jusqu'au bout.

▸ ***acharnement*** n. m. *Alex devrait préparer son bac avec acharnement,* avec énergie et sans s'arrêter ; vois ***ténacité.***

achat n. m.

1. *Yasmina est allée faire des achats au supermarché,* elle est allée acheter des choses ; vois ***course, emplette.*** *Julie a fait l'achat de trois cahiers et d'un feutre,* elle les a achetés. **2.** Ce qu'on a acheté. *En rentrant, Yasmina a montré ses achats à sa mère ;* vois ***acquisition.***

Autre membre de la famille : **rachat.**

Conjugaison 1

acheminer v.

Le courrier en provenance des États-Unis est acheminé par avion, est apporté jusqu'à sa destination par avion.

Famille de **chemin**

Conjugaison 5 ▭ Indic. présent : *j'achète, nous achetons.*

acheter v.

Obtenir quelque chose pour soi en donnant de l'argent en échange. *Julie est allée acheter du pain. Sylvain s'est acheté un vélo avec ses économies.*

Prononce [aʃte]. Le contraire, c'est *vendre.*

Prononce [aʃtœʀ, aʃtøz]. Le contraire, c'est *vendeur.*

▸ ***acheteur*** n. m., ***acheteuse*** n. f. Personne qui achète. *L'acheteuse a payé ses nombreux achats avec un chèque ;* vois ***client, consommateur.***

Autre membre de la famille : **racheter.**

Conjugaison 5 ▭ Indic. présent : *j'achève, nous achevons.* Imparfait : *j'achevais.* Futur : *j'achèverai.*

achever v.

1. Finir complètement. *Le petit frère de Yasmina ne veut pas achever son repas ;* vois ***terminer.*** *Achève de manger avant d'aller jouer !* **2.** Tuer une personne ou un animal pour mettre fin à ses souffrances. *Pierre Séverac a été obligé d'achever la vache qui s'était blessée ;* vois ***abattre.***

Autres membres de la famille : **inachevé, parachever.**

N'oublie pas l'accent grave du ***è*** de *achèvement.*

▸ ***achèvement*** n. m. Fin. *Le théâtre sera fermé jusqu'à l'achèvement des travaux.*

acide adj. et n. m.

1. adj. Piquant au goût. *Le citron est acide. Ces pommes sont très acides parce qu'elles ne sont pas encore mûres.* **2.** n. m. *Un acide* est un produit chimique qui détruit certaines matières en les rongeant. *L'acide acétique qui est dans le vinaigre dissout le calcaire.*

L'acide sulfurique peut brûler la peau.

Quand quelque chose devient *acide* en vieillissant et qu'il a mauvais goût, on dit qu'il est *aigre.*

Compare : *acide → acidité, médiocre → médiocrité* et *efficace → efficacité.*

▸ ***acidité*** n. f. *Julie aime bien l'acidité du jus de pamplemousse,* son goût acide.

▸ ***acidulé*** adj. *Mme Harpie vend des bonbons acidulés de toutes les couleurs,* qui ont le goût légèrement acide de certains fruits, comme le citron.

acier n. m.

1. Métal très dur composé de fer et de carbone. *Le cadre de la bicyclette de Sylvain est en acier chromé. Julie coupe sa viande avec un couteau en acier inoxydable.* **2.** *Popeye a des muscles d'acier parce qu'il mange des épinards,* des muscles très durs. — *Alex a un moral d'acier,* il a un moral qui résiste à toutes les difficultés.

C'est en 1855 que l'Anglais Bessemer découvrit la manière de fabriquer l'acier.

L'acier sert aussi à fabriquer de rails, des locomotives, des ma chines à laver, des autos, de immeubles ; la tour Eiffel es construite en poutres d'acier.

L'industrie qui fabrique et transforme l'acier s'appelle la *sidérurgie.*

▸ ***aciérie*** n. f. Usine où l'on fabrique de l'acier. *Les aciéries modernes permettent le recyclage des ferrailles.*

Acolyte s'écrit avec un ***y.***

acolyte n. m.

Compagnon, complice qu'une personne traîne toujours derrière elle. *Le cow-boy entra dans le bar, suivi de ses deux acolytes ;* vois ***compère.***

On emploie ce mot quand on une mauvaise opinion des compagnons en question.

Attention au ***p*** devant le ***t*** ! Famille de **compter**

acompte n. m.

Somme d'argent qui représente une partie de ce que l'on doit payer et que l'on donne d'avance. *Quand Pierre Séverac a commandé son nouveau tracteur, le vendeur lui a demandé de verser un acompte. Donnez-moi dix pour cent d'acompte ;* vois ***arrhes.***

Ne prononce pas le ***p*** : [akɔ̃t

Famille de **coup**

à-coup n. m.

1. *La voiture n'arrive plus à avancer, le moteur a des à-coups,* il s'arrête brutalement et redémarre brutalement, ce qui produit des secousses. **2.** *Alex travaille par à-coups,* de façon irrégulière.

acoustique n. f.

La salle de concert a une bonne acoustique, on y entend bien la musique quel que soit l'endroit où l'on se trouve.

Une salle où l'on entend mal la musique a une *mauvaise acoustique.*

Conjugaison 21 ▭ Indic. présent : *j'acquiers, nous acquérons, ils acquièrent.* Imparfait : *j'acquérais.* Futur : *j'acquerrai.*

acquérir v.

1. *Acquérir quelque chose,* c'est en devenir propriétaire. *Mme Harpie a acquis un terrain au bord de la mer ;* vois ***acheter.*** **2.** *Ce tableau acquiert de la valeur chaque année,* il a un peu plus de valeur chaque année. **3.** *Antoine*

Bien mal acquis ne profite j mais (proverbe).

a acquis la certitude qu'Hippolyte était amoureux d'Angèle, il en est maintenant sûr.

Quant à moi j'espère acquérir de l'expérience en voyageant et vous en faire tous profiter à mon retour, dit Babar *(Babar).*

On dit *un acquéreur* même quand il s'agit d'une femme.

▸ ***acquéreur*** n. m. Personne qui devient propriétaire de quelque chose en l'achetant. *Cette maison est à vendre depuis plusieurs mois, elle n'a toujours pas trouvé d'acquéreur,* de personne qui veuille l'acheter ; vois ***acheteur.***

Attention au ***c*** devant le ***q*** dans *acquérir, acquéreur, acquisition.*

▸ ***acquisition*** n. f. **1.** Achat. *Mme Harpie a fait l'acquisition d'un terrain au bord de la mer,* elle l'a acheté. **2.** Objet acheté. *Nathalie revient de la librairie et montre à son frère ses dernières acquisitions ;* vois ***achat.***

Attention au ***c*** devant le ***q*** et au ***s*** devant le ***c*** : *acquiescer.* Quand on dit *oui,* on *acquiesce.*

acquiescer v.

Dire oui, donner son accord. *Julie a proposé d'aller chercher des craies dans la réserve, la maîtresse a acquiescé à cette proposition. Angèle a acquiescé d'un signe de tête ;* vois ***approuver.***

Conjugaison 3 ▭ Indic. présent : *nous acquiesçons.* Imparfait : *j'acquiesçais, nous acquiescions.*

acquisition va voir *acquérir.*

Conjugaison 1

Le contraire d'*acquitter,* c'est *condamner.*

Famille de **quitte**

acquitter v.

1. *Le tribunal a acquitté l'accusé,* il a déclaré qu'il n'était pas coupable. **2.** *Antoine devait dix francs à Mme Harpie, il vient de s'acquitter de sa dette envers elle,* il lui a rendu dix francs, il ne lui doit plus rien.

Acquitter, acquittement s'écrivent avec ***cq*** et deux ***t.***

Antoine et Mme Harpie sont *quittes.*

Le contraire d'*acquittement,* c'est *condamnation.*

▸ ***acquittement*** n. m. *Après son acquittement, l'accusé a été remis en liberté,* après qu'il a été acquitté.

▸ ***acquit*** n. m. *Avant d'entrer en classe, Marie-Tévy a relu sa leçon de géographie par acquit de conscience,* pour n'avoir rien à se reprocher, pour avoir la conscience tranquille.

N'oublie pas l'accent circonflexe du ***â*** dans ***â****cre* et ***â****creté.*

âcre adj.

Une odeur âcre, c'est une odeur qui pique et irrite la gorge. *L'odeur âcre de l'herbe qui brûle fait tousser Mamie Lou.*

Le contraire d'*âcre,* c'est *doux.*

▸ ***âcreté*** n. f. Odeur âcre. *L'âcreté de la fumée fait tousser Mamie Lou.*

Un acrobate, une acrobate, comme *un élève, une élève.*

acrobate n. m. et f.

Artiste de cirque qui fait des exercices d'équilibre et de gymnastique souvent dangereux. *L'acrobate faisait du vélo sur un fil. — Antoine fait l'acrobate sur la barrière du jardin pour essayer d'épater Marie-Tévy.*

Les équilibristes, les funambules, les jongleurs, les trapézistes sont des acrobates.

…la fin de *l'Île noire,* après avoir …ait un superbe looping sans le …ouloir, les Dupondt reçoivent la …oupe d'acrobatie aérienne.

▸ ***acrobatie*** n. f. Exercice que fait l'acrobate. *Les spectateurs applaudissent les acrobaties du trapéziste. Depuis une heure, Antoine fait des acrobaties sur la barrière.*

Acrobatie [akʀɔbasi] rime avec *assis.*

▸ ***acrobatique*** adj. *Au cirque, les écuyères font des exercices acrobatiques,* qui demandent de l'adresse et sont souvent dangereux.

Attention au ***y*** !

…'acrylique est une fibre synthé…que comme le nylon.

acrylique n. m.

Matière artificielle avec laquelle on fait des vêtements. *Julie a un pull-over en coton et acrylique.*

La peinture acrylique se dilue dans l'eau.

① *acte* n. m.

Document officiel qui constate un fait. *Muriel Doucet est allée à la mairie chercher un acte de naissance.*

② *acte* n. m.

1. Ce que l'on fait. *Réjean a sauvé son ami de la noyade, c'est un acte courageux ;* vois ***action.*** **2.** Partie d'une pièce de théâtre. *Au dernier acte, les amoureux se retrouvent.*

Autre membre de la famille : **entracte.**

Les tragédies de Racine ont cinq actes.

Compare : *acteur → actrice, électeur → électrice* et *correcteur → correctrice.*

acteur n. m., *actrice* n. f.

Personne qui joue dans une pièce de théâtre ou dans un film ; vois ***comédien, interprète.*** *Denis Prost, le père de Julie, est acteur. Marilyn Monroe fut une actrice connue dans le monde entier ;* vois ***star, vedette.***

Dans un film, le générique donne le nom des acteurs.

Le contraire d'*actif,* c'est *inactif, paresseux.*

Va voir *voix active* à **voix.**

actif adj.

1. Qui aime bien agir, fait beaucoup de choses. *Yasmina est toujours occupée, elle est très active ;* vois ***dynamique.*** **2.** Qui fait de l'effet. *Ce sirop est très actif, bientôt Marie-Tévy ne toussera plus ;* vois ***efficace.***

Autres membres de la famille : **activement, activer, activité, inactif, radioactif.**

Attention ! *action* [aksjɔ̃] s'écrit avec un ***t***, comme *acte*.

Autres membres de la famille : **cuti-réaction, inaction, réaction.**

① **action** n. f.
1. Ce que fait quelqu'un. *Sylvain est prudent dans toutes ses actions ;* vois ***acte.*** *Colle et Rat ont commis une mauvaise action en racontant des mensonges sur l'institutrice.* **2.** Effet produit par quelque chose. *L'action du médicament a été rapide, Marie-Tévy est déjà guérie.* **3.** *L'action du roman se passe à Marseille au* XIX*e siècle,* les faits qui sont racontés. *Yves regarde un film d'action à la télévision,* un film où il y a beaucoup d'événements.

Les scouts doivent faire une bonne action chaque jour. C'est une B. A.

On dit : *il y a de l'action dans ce film.*

Compare : *action → actionner* et *addition → additionner.*

▸ ***actionner*** v. Faire fonctionner, mettre en marche. *Angèle a actionné le démarreur de sa voiture.*

Conjugaison 1
Deux ***n*** dans *actionner.*

② **action** n. f.
Part du capital d'une société qui donne le droit de toucher des bénéfices. *Mme Hespel possède des actions d'un grand magasin.*

▸ ***actionnaire*** n. m. et f. Personne qui possède des actions. *Mme Hespel est actionnaire d'un grand magasin.*

Les actions sont *en hausse* quand leur prix augmente ; elles sont *en baisse* quand leur prix diminue.

Va voir aussi ② ***obligation.***
L'action s'achète et se vend comme un objet, à la Bourse.

Famille de **actif**

activement adv.
Avec ardeur. *Les institutrices s'occupent activement de la fête de l'école.*

Conjugaison 1
Famille de **actif**

activer v.
1. Rendre plus rapide. *Il faut activer les travaux ;* vois ***accélérer.*** **2.** *Activer un feu,* c'est le rendre plus fort. *Julie active le feu avec un soufflet ;* vois ***attiser.*** *Le vent active l'incendie.* **3.** *S'activer,* c'est faire ce qu'on a à faire sans perdre de temps. *M. Bellec s'active dans la cuisine de son restaurant.*

Il est dangereux de faire du feu dehors quand il y a du vent.

Le contraire d'*activer,* c'est *ralentir.*

Famille de **actif**

Le contraire d'*activité,* c'est *inaction, paresse.*

Les volcans qui ne sont pas en activité sont des volcans *éteints.*

activité n. f.
1. Dynamisme, énergie. *Yasmina est d'une activité débordante.* **2.** Occupation. *L'activité préférée d'Alex est de faire de la moto.* **3.** *Un volcan en activité* est un volcan qui peut encore entrer en éruption. *L'Etna est en activité.*

Babar et Céleste [...] sont fascinés par l'extraordinaire activit[é] qui règne sur le quai *(Babar,*

actualité n. f.
1. *L'actualité,* c'est tout ce qui se passe en ce moment dans le monde. *Le docteur Séverac se tient toujours au courant de l'actualité médicale.* **2.** *La directrice souligne l'actualité du problème,* son intérêt, en ce moment. *Ce n'est plus d'actualité,* c'est démodé, dépassé. **3.** *Les actualités,* ce sont les informations données au cours du journal télévisé. *Mme Hespel regarde les actualités de 20 heures à la télévision.*

T'intéresses-tu à l'actualité sportive ?

C'est un problème très actue[l]

Les *actualités régionales* donnent les nouvelles de la région.

Au féminin : *actuelle.*

actuel adj.
1. Qui existe ou se passe au moment où l'on parle. *L'actuelle directrice de l'école est très sévère. À l'heure actuelle, les campagnes se dépeuplent au profit des villes,* de nos jours. **2.** *Le problème de la pollution est très actuel,* il concerne notre époque.

▸ ***actuellement*** adv. En ce moment. *Le docteur Séverac est actuellement en consultation.*

Le contraire d'*actuel,* c'est *ancien.*

C'est un problème d'*actualité*

On écrit aussi *acupuncture ;* et on prononce de la même façon : [akypɔ̃ktyʀ].

acuponcture n. f.
Manière de soigner un malade en piquant des aiguilles en certains points de son corps. *Mme Hespel soigne ses migraines par l'acuponcture.*

L'acuponcture est un traitement très ancien qui vient de Chine

Conjugaison 1

adapter v.
1. Faire tenir ensemble des objets qui étaient séparés ; vois ***ajuster.*** *Julie essaie d'adapter le tuyau d'arrosage au robinet. — Le tuyau est trop petit, il ne s'adapte pas au robinet,* il ne tient pas. **2.** Faire correspondre, faire aller ensemble. *Adaptez vos dépenses à vos revenus.* **3.** *Adapter un roman pour le cinéma,* c'est le transformer, le modifier pour que l'on puisse en faire un film. **4.** *Marie-Tévy s'est bien adaptée à la vie en France,* elle s'y est bien habituée, elle s'y est bien acclimatée.

Famille de **apte**

Celui qui s'adapte mal est *inadapté.*

Marie-Tévy est née au Cambodge.

▸ ***adaptation*** n. f. **1.** *Après une période d'adaptation, Marie-Tévy s'est fait des amies,* après une période pendant laquelle elle s'est habituée à sa nouvelle situation. **2.** Film fait d'après un roman ou une pièce de théâtre. *Denis Prost a joué dans une adaptation des* Misérables *pour la télévision.*

L'adaptation des animaux sauvages à la vie des zoos est généralement difficile.

Deux *d* dans *addition.*
Le contraire d'*addition,* c'est *soustraction.*

addition n. f.
1. Opération qui consiste à ajouter des nombres les uns aux autres. *Julie fait des additions.* **2.** Note indiquant le total à payer, dans un restaurant ou un café. *Garçon, apportez-moi l'addition ! Denis Prost a réglé l'addition,* il l'a payée.

Le résultat de l'addition, c'est la *somme.*

Conjugaison 1
243 + 121 = 364

▸ **additionner** v. Faire le total de plusieurs nombres. *Julie a additionné 243 et 121.*

Le contraire d'*additionner,* c'est *soustraire.*

Deux *d* et deux *n* dans *additionné.*

▸ **additionné** adj. *Le bébé boit du jus d'orange additionné d'eau,* dans lequel on a ajouté de l'eau.

Un adepte, une adepte comme *un élève, une élève.*

adepte n. m. et f.
Personne qui prend parti pour une doctrine, une théorie ; vois ***partisan.*** *Mme Séverac est une adepte de l'homéopathie.*

Le contraire d'*adepte,* c'est *adversaire.*

Ne prononce pas le *t* final : [adekwa].

adéquat adj.
Qui convient tout à fait. *Il faut trouver l'endroit adéquat pour planter la tente ;* vois ***approprié.***

Au féminin : *adéquate.*

Conjugaison 6
▭ Indic. présent : *j'adhère, nous adhérons.*

① **adhérer** v.
1. Rester attaché. *La boue adhère aux semelles des bottes ;* vois ***coller.*** **2.** Tenir fortement sur une surface. *L'autocollant adhère au pare-brise. Ces pneus neufs adhèrent bien dans les virages.*

Attention au ***h*** !
Il est *adhésif.*

La voiture ne risque pas de déraper : elle tient bien la route.

▸ **adhérence** n. f. *Ces pneus neufs ont une bonne adhérence,* ils adhèrent bien à la route.

Conjugaison 6
▭ Indic. présent : *j'adhère, nous adhérons.*

② **adhérer** v.
S'inscrire comme membre d'un groupe. *Alex vient d'adhérer à un club de motards.*

Il a rempli son *bulletin d'adhésion.*

Attention au ***h*** !

▸ **adhérent** n. m., **adhérente** n. f. Personne inscrite dans un groupe. *Alex a reçu sa carte d'adhérent ;* vois ***membre.***

Attention au ***h*** !

adhésif adj.
Spécialement préparé pour adhérer, coller. *Yasmina s'est éraflé le genou en tombant ; sa mère lui a mis un pansement adhésif.*

Au féminin : *adhésive.*

Le scotch est un ruban adhésif.

Attention au ***h*** !

adhésion n. f.
Inscription à un groupe, à une organisation. *Alex a rempli son bulletin d'adhésion.*

Il a *adhéré* à un club de motards.

Famille de **dieu**

adieu interjection et n. m.
1. interjection Mot que l'on dit à quelqu'un que l'on quitte pour longtemps ou pour toujours. *Adieu ! nous ne nous verrons plus.* **2.** n. m. *Faire ses adieux à quelqu'un,* c'est lui dire au revoir. *Voici venu le moment des adieux.*

À quelqu'un que l'on va revoir, on dit *au revoir.*

Babar dit adieu à la vieille dame : il a décidé de retourner dans la forêt *(Babar).*

adjectif n. m.
Mot qui accompagne un nom, s'accorde avec lui, et qui n'est pas un article ; vois l'encadré ci-dessous.

l'adjectif

- Certains adjectifs comme *aucun, ce, deux, mon* sont des déterminants. Va en voir la liste à ***déterminant.***
- Les autres adjectifs comme *jeune, noir, petit* sont des adjectifs qualificatifs.
- Les adjectifs qualificatifs sont épithètes ou attributs. Va voir ***épithète*** et ***attribut.***
- On peut mettre les adjectifs qualificatifs au comparatif ou au superlatif. Va voir ***comparatif*** et ***superlatif.***

Famille de **joindre**

adjoint n. m., **adjointe** n. f.
Personne qui aide quelqu'un dans son travail et peut le remplacer. *Mme Hespel est l'adjointe du directeur de l'usine.*

Les *adjoints au maire* aident le maire d'une commune.

Adjudant, la sentinelle de garde aux autos blindées a disparu ! *(Tintin).*

adjudant n. m.
Sous-officier chargé de s'occuper en particulier de la discipline. *Les soldats doivent obéir à leur adjudant.*

Famille de **juger**

adjuger v.
Donner en récompense. *On lui a adjugé le premier prix ;* vois **attribuer.** — *S'adjuger quelque chose,* c'est se donner à soi-même quelque chose, s'attribuer quelque chose. *Julie s'est adjugé la plus grosse part du gâteau.*

Conjugaison 3 ▭ Indic. présent : *nous adjugeons.*

Conjugaison 56 ▭ Indic. présent : *j'admets, nous admettons.* Imparfait : *j'admettais.* Futur : *j'admettrai.* — Subj. présent : *que j'admette.*

admettre v.
1. Accepter de recevoir quelqu'un. *Sylvain vient d'être admis en cinquième. Les chiens ne sont pas admis dans le restaurant de M. Bellec ;* vois **accepter.** **2.** Accepter une idée, être d'accord. *Mme Roussel n'admet pas les mensonges de son fils. Je n'admets pas que tu prennes mes livres sans me les demander. Tu ne l'as pas fait exprès, admettons !,* je veux bien le croire.

Autres membres de la famille **admissible, admission, inadmissible.**

Conjugaison 1

① administrer v.
S'occuper de quelque chose en dirigeant, en organisant. *Le maire administre la commune.*
▷ **administrateur** n. m., **administratrice** n. f. Personne qui dirige, organise. *Les administrateurs et le président de la biscuiterie sont en réunion : ils discutent du fonctionnement de l'entreprise.*

Ils forment le *conseil d'administration* de la biscuiterie.

▷ **administration** n. f. **1.** Direction, organisation d'une société ; vois **gestion.** *Le président a convoqué le conseil d'administration,* l'ensemble des administrateurs. **2.** *L'Administration,* c'est l'ensemble des services publics où travaillent des fonctionnaires. *Hippolyte a passé un concours pour entrer dans l'Administration.*

Va voir aussi ***fonctionnaire.***

Administration prend toujours une majuscule dans ce sens.

▷ **administratif** adj. **1.** *M. Doucet travaille au service administratif de son entreprise,* le service qui s'occupe d'organiser l'entreprise, de la faire marcher. **2.** *Pour changer son passeport, il faut faire des démarches administratives,* auprès de l'Administration.

Conjugaison 1

② administrer v.
1. *Administrer un médicament à quelqu'un,* c'est lui faire prendre ce médicament ; vois **donner.** *Mamie Lou a administré une cuillerée de sirop à Claire.* **2.** *Yasmina a administré une bonne fessée à sa petite sœur,* elle lui a donné une bonne fessée.

Compare *admirer* et *miroir* : il s'agit de **regarder.**

admirer v.
Trouver très joli, très bien. *Julie admire les roses qui viennent de s'ouvrir. Yves admire beaucoup son oncle Loïc,* il le trouve remarquable.

Conjugaison 1

Le contraire d'*admirer,* c'est *mépriser.*

Compare : *admirer → admirable* et *transporter → transportable.*

▷ **admirable** adj. Merveilleux, remarquable. *L'araignée qui tisse sa toile fait un travail admirable.*
▷ **admirablement** adv. Très bien. *Cette cantatrice chante admirablement ;* vois **merveilleusement, remarquablement.**

Compare : *admirer → admirateur* et *réparer → réparateur.*

▷ **admirateur** n. m., **admiratrice** n. f. Personne qui admire quelqu'un. *Angèle est une grande admiratrice de Napoléon Ier. Julie a de nombreux admirateurs,* beaucoup de garçons la trouvent jolie et amusante.

Au féminin : *admirative.*

▷ **admiratif** adj. *Une personne admirative* est une personne qui éprouve de l'admiration. *Claire, admirative, regarde la vitrine du magasin de jouets.*

Claire a cinq ans.

La foule manifeste son admiration : Oh ! Ah ! Bravo ! Formidable ! Encore ! Bis !

▷ **admiration** n. f. Sentiment de joie devant ce que l'on trouve très beau ou remarquable. *Yves a une grande admiration pour son oncle. Claire est tombée en admiration devant une poupée qui parle.*

Famille de **admettre**

admissible adj.
1. Que l'on peut accepter, tolérer ; vois **tolérable.** *Colle et Rat ont fait la quête pour aller au cinéma, ce n'est pas admissible.* **2.** Reçu aux épreuves écrites d'un examen et admis à passer l'oral. *Mme Hespel a été admissible à l'École centrale à vingt et un ans.*

Le contraire d'*admissible,* c'est *inadmissible.*

Le contraire d'*admissible,* c'est *recalé.*

Deux *s* dans *admission,* comme dans *démission, omission, soumission.*

admission n. f.
Mme Hespel a eu vingt et un ans l'année de son admission à l'École centrale, l'année où elle a été reçue aux épreuves écrites et admise à passer l'oral.

Famille de **admettre**

Attention au *s* devant le *c* dans *adolescent* !

On est adolescent entre 14 et 18 ans, environ.

adolescent n. m., **adolescente** n. f.
Les adolescents, ce sont des garçons ou des filles qui ne sont plus des enfants, mais pas encore des adultes. *Un groupe d'adolescentes guette un chanteur à la mode.*

Adolescent [adɔlesɑ̃] rime avec *intéressant.*

▸ **adolescence** n. f. Période de la vie où l'on est adolescent. *Angèle a passé son enfance et son adolescence en Corse.*

Conjugaison 1

s'adonner v.
S'adonner à quelque chose, c'est le faire avec passion. *Sylvain se dépêche de faire ses devoirs pour s'adonner à la lecture ;* vois *se* ***consacrer.***

S'adonner à la boisson, c'est boire trop d'alcool.

Conjugaison 1
Famille de **opter**

adopter v.
1. *Adopter un enfant,* c'est déclarer devant la loi qu'on le considère comme son fils ou sa fille. *Marie-Tévy, qui vivait au Cambodge, a été adoptée par M. et Mme Séverac.* **2.** Prendre pour soi une idée, une habitude, une recette. *Hippolyte adopte toutes les idées d'Angèle pour mieux lui plaire.* **3.** Accepter un texte par un vote. *L'Assemblée a adopté le projet de loi.*

On peut adopter un enfant qui a encore ses parents.

Marie-Tévy est une *enfant adoptive.*

▸ ***adoptif*** adj. **1.** *Un enfant adoptif,* c'est un enfant que l'on a adopté. *Marie-Tévy est la fille adoptive des Séverac.* **2.** *M. et Mme Séverac sont les parents adoptifs de Marie-Tévy,* les parents qui l'ont adoptée.

Compare : *adopter → adoption* et *inventer → invention.*

▸ **adoption** n. f. **1.** Le fait d'adopter un enfant. *L'adoption de Marie-Tévy a été difficile.* **2.** *Un pays d'adoption,* c'est un pays où l'on se sent chez soi, et qui n'est pas le sien. *M. Doucet est un Parisien d'adoption,* il a choisi de vivre à Paris alors qu'il n'y est pas né.

Tous les habitants de la forêt viennent voir Babar et féliciter sa maman. « Quel adorable petit éléphant ! » *(Babar).*

adorable adj.
Très mignon, charmant. *Julie est adorable avec ce bonnet de laine blanc ;* vois ***joli.*** *Mais non ! Marie-Tévy n'est pas méchante, c'est une enfant adorable ;* vois ***gentil.***

Famille de **adorer**

Conjugaison 1

adorer v.
1. Prier et célébrer. *Les Incas adoraient le Soleil ;* vois ***vénérer.*** **2.** Aimer beaucoup et admirer. *Yves adore son oncle Loïc. Julie adore les chats. Antoine adore faire des cadeaux à ses amis.*

Le contraire d'*adorer,* c'est *détester.*

Arthur adore les courses d'escargots *(Babar).*

▸ **adoration** n. f. Amour très vif et admiration ; vois ***vénération.*** *Toute la famille Séverac est en adoration devant la petite Claire.*

▸ ***adorateur*** n. m., ***adoratrice*** n. f. Personne qui adore un dieu. *Les Incas étaient des adorateurs du Soleil.*

Autre membre de la famille : **adorable.**

Conjugaison 1

s'adosser v.
S'appuyer le dos contre quelque chose. *Le docteur Séverac s'est adossé à la cheminée et a commencé à raconter son voyage.*

Famille de **dos**

Conjugaison 2

adoucir v.
Rendre plus doux. *Denis Prost adoucit sa voix pour parler à son bébé. — La température s'est adoucie,* elle est devenue plus douce, elle s'est réchauffée ; vois *se* ***radoucir.***

Famille de **doux**

La musique adoucit les mœurs (proverbe).

▸ **adoucissant** adj. *Une crème adoucissante,* c'est une crème qui calme les irritations. *Angèle emploie une crème adoucissante contre le froid.*

Attention ! un *c* puis deux *s* dans *adoucissant, adoucissement* et *adoucisseur.*

Compare : *adoucir → adoucissement* et *ralentir → ralentissement.*

▸ **adoucissement** n. m. *L'adoucissement de la température provoque la fonte des neiges,* le réchauffement de la température.

▸ **adoucisseur** n. m. *Un adoucisseur d'eau,* c'est un appareil qui rend l'eau moins calcaire. *On met du sodium dans les adoucisseurs d'eau.*

Le sodium retient le calcaire qui est dans l'eau.

① **adresse** n. f.
1. Qualité de celui qui fait des gestes adroits. *Il faut de l'adresse pour jongler avec trois balles ;* vois ***dextérité, habileté.*** *Antoine jongle avec adresse.* **2.** Qualité d'une personne qui sait s'y prendre pour obtenir ce qu'elle veut. *En faisant rire, Antoine se tire d'affaire avec adresse ;* vois ***art, doigté, finesse.***

Le jeu de fléchettes est un *jeu d'adresse ;* il faut être adroit pour y jouer.

Le contraire d'*adresse,* c'est *maladresse.*

Autre membre de la famille : **maladresse.**

Famille de **adresser**

② **adresse** n. f.
1. Indication de l'endroit où habite une personne. *Nathalie et Sylvain échangent leurs adresses. Alex indique à Réjean les meilleures adresses de Roubaix,* les restaurants et les magasins qu'il est utile de connaître. **2.** *La directrice a glissé dans son discours un compliment à l'adresse d'Angèle, l'institutrice,* pour Angèle, à son intention.

Et le collier, a répondu le monsieur, vous n'avez pas vu son collier ? Il y a mon nom dessus ! Joseph Jules Trempé, avec mon adresse *(le Petit Nicolas).*

On note le nom et l'adresse de ses amis dans un *carnet d'adresses.*

Conjugaison 1

adresser v.

1. Exprimer, dire. *Antoine a adressé un compliment à Marie-Tévy. Personne n'a envie d'adresser la parole à Mme Harpie,* de lui parler. 2. *Adresser une lettre à quelqu'un,* c'est la lui envoyer. *Claire a adressé une lettre au Père Noël.* 3. *S'adresser à quelqu'un,* c'est lui parler pour lui demander des renseignements. *Pour les résultats sportifs, adresse-toi à Yves, c'est un spécialiste ! — Ce dictionnaire s'adresse aux enfants,* il est fait pour eux.

On peut aussi *adresser* des insultes, des réclamations, des reproches, des critiques.

Babar s'adresse à une jolie vendeuse pour lui demander où on achète des habits *(Babar).*

Autre membre de la famille : ② **adresse.**

Au féminin : *adroite.*

adroit adj.

1. *Une personne adroite,* c'est une personne qui se sert de ses mains d'une manière intelligente et efficace ; vois ***habile.*** *M. Bellec est un tireur adroit : il ne rate jamais sa cible. Marie-Tévy est très adroite de ses mains.* 2. *Une personne adroite,* c'est une personne qui sait s'y prendre pour obtenir ce qu'elle veut. *Antoine est très adroit, il se sort toujours des situations difficiles,* il est très astucieux, très ingénieux.

Le renard a été adroit en flattant le corbeau : il a gagné un fromage.

Le contraire d'*adroit,* c'est *gauche, maladroit.*

▸ ***adroitement*** adv. Avec adresse, habilement. *Marie-Tévy a très adroitement rattrapé le ballon. Antoine a adroitement souri à la directrice.*

Le contraire d'*adroitement,* c'est *maladroitement.*

Autres membres de la famille : **maladroit, maladroitement.**

adulte n. m. et f.

Personne, animal ou plante qui a fini de grandir. *Marie-Tévy s'ennuie avec les adultes.* — adj. *Alex n'a pas encore atteint l'âge adulte,* la période de la vie qui s'étend de la fin de l'adolescence au commencement de la vieillesse.

Les *adultes,* ce sont les grandes personnes.

Elle préfère jouer avec les enfants de son âge.

adultère adj.

Un homme adultère, c'est un homme marié qui est infidèle à sa femme. *Louis XIV était un époux adultère.*

Une femme est *adultère* quand elle est infidèle à son mari.

adverbe n. m.

Mot qui accompagne un autre mot ou une phrase, dont il modifie le sens ; vois l'encadré ci-dessous.

l'adverbe

■ Un adverbe peut accompagner
- un verbe : *Roulez **lentement.** Il pleut **encore.***
- un adjectif : *Hippolyte a des chaussures **trop** grandes.*
- un adverbe : *Angèle part **très** tôt.*
- une phrase entière : ***Évidemment,*** *Antoine est en retard.*

■ Beaucoup d'adverbes se terminent par ***-ment*** et sont faits sur un adjectif :

*unique → unique**ment.***

Ils sont faits
- sur le masculin de l'adjectif : *modéré → modéré**ment***
- sur le féminin : *fou, folle → folle**ment.***

Attention ! ***constant → constamment*** et ***fréquent → fréquemment.***

■ Certains mots sont à la fois des adjectifs et des adverbes :

adjectif	adverbe
*Cette viande est **dure.***	*Mme Hespel travaille **dur.***
*Sa robe est **chère.***	*Sa robe coûte **cher.***

adverse adj.

Opposé, contraire. *Notre équipe de football a battu l'équipe adverse,* celle des adversaires.

Compare *adverse, inverse* et *vice-versa* : on **change de direction.**

▸ ***adversaire*** n. m. et f. 1. Personne qui est opposée à une autre dans un combat, une compétition. *Le boxeur a envoyé son adversaire au tapis.* 2. Personne qui est hostile à une idée, une pratique. *Les adversaires de la peine de mort ont lutté pour qu'elle soit supprimée.*

Ceux qui jouent ou combattent dans la même équipe sont des *partenaires.*

Le contraire d'*adversaire,* c'est *défenseur, partisan.*

Conjugaison 6 ▭ Indic. présent : *j'aère.* Futur : *nous aérerons.*

aérer v.

Aérer une pièce, c'est y faire entrer de l'air frais. *Mme Roussel a ouvert la fenêtre toute grande pour aérer la salle à manger.*

▸ ***aération*** n. f. Circulation de l'air dans les endroits fermés. *L'air arrive dans le tunnel par des bouches d'aération.*

Compare ***aérer, aération*** et ***aérien*** : dans ces trois mots, il s'agit de l'**air.**

Compare *aérien* et *aérer* : il s'agit de l'**air**.

Les photos prises d'avion sont des *photos aériennes.*

aérien adj.

1. *Le métro aérien* est à l'air libre, en plein air. *Du métro aérien, on voit les rues et les immeubles.* **2.** *Le mauvais temps a gêné le trafic aérien,* les transports par avion. **3.** Léger comme l'air. *Hippolyte trouve qu'Angèle a une démarche aérienne,* très gracieuse.

Le contraire d'*aérien,* c'est *souterrain.*

Compare *aérodrome* et *aérogare* : il est question d'**air.**

aérodrome n. m.

Terrain aménagé pour le décollage et l'atterrissage des avions. *Le petit avion s'est posé sur l'aérodrome de l'île.*

Même famille que **gare**

aérogare n. f.

Ensemble des bâtiments d'un aéroport réservés aux voyageurs et aux marchandises. *Denis Prost achète des cadeaux dans une boutique de l'aérogare.*

Famille de **glisser**

Compare *aéroglisseur* et *aérotrain* : il est question d'**air.**

aéroglisseur n. m.

Sorte de bateau qui se déplace sur un coussin d'air. *L'aéroglisseur peut naviguer à 100 km/h et supporter des vagues de trois mètres de haut.*

L'aéroglisseur prend son départ sur la terre ferme.

Compare *aéronautique* et *aérotrain* : on parle de l'**air.**

La France exporte ses *constructions aéronautiques.*

aéronautique n. f. et adj.

1. n. f. Technique de la construction des avions et des fusées. *David, qui est passionné d'aviation, aimerait travailler dans l'aéronautique.* **2.** adj. *Un ingénieur aéronautique* s'occupe d'améliorer la construction des avions et la navigation aérienne. *David voudrait être ingénieur aéronautique.*

Compare *aéronautique, nautisme* et *astronaute* : on **navigue.**

Compare *aéroport, aérodrome* et *aérogare* : il est question d'**air.**

aéroport n. m.

Ensemble des bâtiments et des pistes qui servent au transport des voyageurs et des marchandises, par avion. *Julie aime beaucoup aller chercher son père à l'aéroport.*

Famille de ① **port**

Famille de **porter**

aéroporté adj.

Transporté par avion ou par hélicoptère. *Les troupes aéroportées ont été débarquées dans la brousse.*

Même famille que ① **train**

L'aérotrain a été inventé par Jean Bertin.

aérotrain n. m.

Train qui circule sur un coussin d'air, sur un rail unique. *L'aérotrain peut atteindre une vitesse de 430 km/h.*

Compare *aérotrain* et *aéroglisseur* : il est question d'**air.**

N'oublie pas les deux *f* dans *affable.*

affable adj.

Plein d'amabilité et de bienveillance ; vois ***accueillant, avenant, courtois.*** *Mme Bellec accueille les clients du restaurant avec un sourire affable.*

Mme Bellec est la patronne du restaurant.

Conjugaison 2

Famille de **faible**

Obélix prétend être affaibli, mais le druide refuse de lui donner de la potion magique.

Compare : *affaiblir → affaiblissement* et *rugir → rugissement.*

affaiblir v.

1. Rendre faible, diminuer la force du corps. *Cette grippe a affaibli Sylvain ;* vois ***fatiguer.*** *Le jeûne affaiblit. — La malade s'est beaucoup affaiblie,* elle est devenue très faible. *La vue de Mamie Lou s'affaiblit ;* vois ***baisser.*** **2.** Diminuer la puissance, l'énergie ou l'efficacité. *Ce scandale a affaibli l'autorité du président.*

▷ ***affaiblissement*** n. m. Baisse, diminution. *Un mauvais éclairage peut provoquer un affaiblissement de la vue.*

Attention ! deux *f* dans *affaiblir* et *affaiblissement.*

Louis XIV voulait affaiblir la noblesse pour régner en maître absolu.

Famille de **faire**

M. Bellec tient un restaurant.

La belle affaire ! : ce n'est pas important.

Va voir aussi *avoir à faire* à **faire.**

affaire n. f.

1. Ce que quelqu'un a à faire, ce qui le concerne. *La cuisine, c'est l'affaire de M. Bellec. Pour aller jusqu'au village, ce vieux vélo fera l'affaire,* ce vieux vélo conviendra. **2.** *Yves préfère les œufs sur le plat, c'est une affaire de goût ;* vois ***question.*** *Aimer le ski c'est une chose, être champion, c'est une autre affaire !,* c'est très différent. **3.** Difficulté, ennui. *Pour obtenir qu'Antoine arrive à l'heure, c'est toute une affaire,* c'est très difficile. *Il a inventé une histoire pour se tirer d'affaire,* pour échapper à une difficulté. **4.** Situation compliquée où plusieurs personnes sont opposées. *L'installation de parcmètres est une affaire qui divise les commerçants du quartier.* **5.** Marché conclu avec quelqu'un. *Yves a fait une bonne affaire en échangeant un disque contre deux livres.* **6.** Entreprise. *Le restaurant Bellec est une affaire familiale.* **7.** *Avoir affaire à quelqu'un,* c'est avoir à discuter, à traiter avec quelqu'un. *Si Colle et Rat ne se calment pas, ils auront affaire à la directrice de l'école.*

Les petites n'eurent plus besoin de prier le chat pour qu'il passât sa patte derrière son oreille. Il en faisait désormais une affaire personnelle *(les Contes du Chat perché).*

Sherlock Holmes expose l'affaire au docteur Watson.

« Et je te prie de ne pas être brutal avec cette petite fille, sinon tu auras affaire à moi » a dit maman *(le Petit Nicolas).*

Conjugaison 1

▸ ***s'affairer*** v. Faire quelque chose en se dépêchant, en étant très actif. *Les abeilles s'affairent autour de la ruche ;* vois ***s'activer.***

affaires n. f. plur.

Babar se promène souvent en compagnie de Cornélius pour discuter des affaires du royaume *(Babar).*

1. *Le conseil municipal s'occupe des affaires de la commune,* des services à organiser pour les habitants de la commune et de leur fonctionnement. **2.** *Le docteur Séverac a consulté un notaire pour ses affaires,* pour l'utilisation de son argent et de ce qu'il possède. **3.** *Mme Hespel réussit dans les affaires,* dans les occupations professionnelles qui rapportent de l'argent. *Mme Hespel est une femme d'affaires.* **4.** Objets qui appartiennent à une personne. *Julie a oublié ses affaires de gymnastique,* ses vêtements de gymnastique.

Famille de **faire**

Occupe-toi de tes affaires ! : mêle-toi de ce qui te regarde

Un *rendez-vous d'affaires,* un *déjeuner d'affaires* sont organisés pour qu'on y parle d'affaires.

Conjugaison 1

s'affaisser v.

Baisser, s'enfoncer. *Le toit de la maison abandonnée s'est affaissé par endroits ;* vois ***s'écrouler, s'effondrer.*** *La branche s'est affaissée sous le poids des cerises ;* vois ***plier, ployer.***

Le contraire de *s'affaisser,* c'est *se redresser.*

Attention ! deux ***f*** et deux ***s*** dans *s'affaisser, affaissement.*

▸ ***affaissement*** n. m. Effondrement. *L'inondation a provoqué un affaissement de terrain ;* vois ***tassement.***

Attention ! deux ***f*** et un seul ***l*** dans *s'affaler.*

s'affaler v.

Se laisser tomber de tout son poids. *Julie s'est affalée sur son lit.*

Conjugaison 1

Compare *affamé, famélique* et *famine :* on parle de la **faim.**

affamé adj.

Un être affamé est un être qui a très faim. *Les hirondelles sont très occupées à nourrir leurs oisillons affamés ;* vois ***vorace.***

Le contraire d'*affamé,* c'est *rassasié, repu.*

Attention aux deux ***f*** !

① ***affecter*** v.

Faire semblant d'éprouver un sentiment ; vois ***feindre, simuler.*** *Quoique très inquiète, Marie-Tévy affecta la plus grande gaieté.*

Conjugaison 1

Le contraire d'*affecté,* c'est *naturel.*

▸ ***affecté*** adj. Peu naturel. *Mme Séverac a des manières affectées ;* vois ***étudié.*** *Elle est très affectée ;* vois ***maniéré.***

▸ ① ***affectation*** n. f. Manque de naturel. *Mme Séverac parle souvent avec affectation.*

On trouve aujourd'hui que les personnages de la comtesse de Ségur s'expriment d'une manière affectée.

Attention aux deux ***f*** !

② ***affecter*** v.

1. Destiner, réserver à un usage particulier. *Une salle de la mairie est affectée aux réunions du conseil municipal.* **2.** Désigner quelqu'un pour occuper un poste, une fonction ; vois ***nommer.*** *À l'armée, Hippolyte a été affecté aux transmissions.*

Conjugaison 1

▸ ② ***affectation*** n. f. Nomination à un poste. *Angèle, l'institutrice, a demandé son affectation dans la région parisienne.*

Elle a été nommée à Motbourg.

Autre membre de la famille : **désaffecté.**

Ne confonds pas *affecter* et *infecter.*

③ ***affecter*** v.

Toucher en faisant une impression pénible ; vois ***émouvoir, peiner.*** *Sophie Pelletier est très affectée par la mort de sa mère.*

Conjugaison 1

Ne confonds pas *affection* et *infection.*

① ***affection*** n. f.

Maladie. *L'oculiste soigne Antoine pour une petite affection des yeux.*

② ***affection*** n. f.

Mon ange, mon cœur, ma biche, mon lapin, mon trésor sont des *termes d'affection.*

Sentiment tendre qui attache à quelqu'un ; vois ***attachement.*** *Angèle, l'institutrice, éprouve de l'affection pour ses élèves.*

Le contraire d'*affection,* c'est *aversion.*

▸ ***affectionner*** v. **1.** *Affectionner quelqu'un,* c'est l'aimer tendrement ; vois ***chérir.*** *Angèle affectionne nombre de ses élèves.* **2.** *Affectionner une chose,* c'est avoir une préférence pour elle. *Julie porte souvent du vert, elle affectionne cette couleur.*

Compare : *affection → affectionner* et *addition → additionner.*

Conjugaison 1

Attention ! deux ***f*** et deux ***n*** dans *affectionner.*

Deux ***f*** dans *affectueux* et *affectueusement.*

affectueux adj.

Une personne affectueuse demande et montre de l'affection. *Claire est une petite fille très affectueuse.*

Elle aime beaucoup faire des câlins.

▸ ***affectueusement*** adv. Tendrement. *Mamie Lou embrasse affectueusement ses petits-enfants.*

Compare : *affectueux → affectueusement* et *peureux → peureusement.*

Conjugaison 2
Famille de ① **ferme**

affermir v.

1. Rendre plus ferme, plus dur. *La natation affermit le ventre ;* vois ***raffermir.*** **2.** Rendre plus fort, plus assuré. *Angèle, l'institutrice, a affermi le ton de sa voix pour gronder Yves.*

Le contraire d'*affermir,* c'est *amollir.*

Conjugaison 1

afficher v.

1. Annoncer, faire connaître par une affiche. *L'emploi du temps est affiché sur le mur de la classe.* **2.** Bien montrer. *Alex affiche sa joie de partir en vacances.*

Défense d'afficher sous peine d'amende.

On ne colle des affiches que depuis le XVe siècle ; avant on écrivait sur les murs.

▸ ***affiche*** n. f. Grande feuille de papier portant un texte ou une image, placée sur un mur ou un panneau spécial et qui sert à annoncer quelque chose ou à faire de la publicité. *Denis Prost collectionne les affiches de cinéma,* les affiches qui présentent les films. *Ce film est resté trois mois à l'affiche,* on l'a joué pendant trois mois.

Celui qui pose des affiches est un *colleur d'affiches.*

▸ ***affichage*** n. m. *Le score du match s'inscrit en lettres lumineuses sur le tableau d'affichage,* le tableau prévu pour afficher le score.

En plein mois de mai, ce serait bien étonnant s'il pleuvait trois jours d'affilée
(les Contes du Chat perché).

*d'**affilée*** adv.

À la suite, sans s'arrêter. *Antoine peut manger d'affilée, sans respirer, un baba, un chou et un éclair au chocolat. En excursion, les enfants ont marché trois heures d'affilée,* sans faire de halte.

Famille de **file**

Attention ! deux *f* dans *affilié.*

affilié n. m., ***affiliée*** n. f.

Personne inscrite à un groupe. *Les affiliés de la fédération sportive ont reçu leur carte d'adhésion ;* vois ***adhérent, membre.***

N'oublie pas les deux *f.*
Conjugaison 1

affirmer v.

1. Dire avec assurance ; vois ***assurer, certifier, soutenir.*** *Colle et Rat affirment qu'ils ont vu une soucoupe volante.* **2.** Montrer de façon claire. *Il faut laisser les enfants affirmer leur personnalité.*

Ils affirment l'avoir vue se poser dans un champ.

Le contraire d'*affirmer,* c'est *nier.*

▸ ***affirmatif*** adj. *Faire une réponse affirmative,* c'est répondre oui. *Quand on demande à Hippolyte s'il trouve Angèle jolie, sa réponse est toujours affirmative.*

Le contraire d'*affirmatif,* c'est *négatif.*

Compare :
affirmer → affirmation
et *observer → observation.*

▸ ***affirmation*** n. f. Parole par laquelle on dit avec assurance qu'une chose est vraie. *Yves assure qu'il pourrait traverser la Manche à la nage ; c'est une affirmation très discutable.*

les phrases affirmatives

- Une phrase ***affirmative*** sert à affirmer quelque chose. Elle n'est ni interrogative ni négative :
  Le vent soufflait sans cesse.
- Va voir ***interrogatif*** et ***négatif.***

Conjugaison 1
Ne confonds pas *affleurer* et *effleurer.*

affleurer v.

Apparaître à la surface du sol, de l'eau. *Les bateaux doivent se méfier des rochers qui affleurent.*

Famille de ① **fleur**

Conjugaison 3 ▭ Indic. présent : *nous affligeons.* Imparfait : *j'affligeais, nous affligions.* Futur : *j'affligerai.*

affliger v.

1. Rendre très triste ; vois ***chagriner, peiner.*** *La méchanceté de Mme Harpie afflige sa sœur. — Mme Roussel s'afflige d'avoir Mme Harpie pour sœur,* elle en est très triste. **2.** *Être affligé de quelque chose,* c'est avoir quelque chose de désagréable. *M. Bellec est affligé d'un mauvais caractère.*

La pauvre Reine était bien affligée d'avoir mis au monde un si vilain marmot
(Riquet à la Houppe).

▸ ***affligeant*** adj. *Une chose affligeante* rend très triste ; vois ***désolant.*** *Ce trimestre, Antoine a eu des résultats affligeants,* très mauvais.

Attention aux deux *f* dans *afflux, affluer, affluence, affluent.*

afflux n. m.

Arrivée d'un très grand nombre de choses ou de personnes ; vois ***affluence, vague.*** *Le mercredi, il y a un afflux d'enfants à la piscine.*

Ne prononce pas le ***x*** à la fin de *afflux :* [afly].

Le contraire d'*affluer,* c'est *refluer.*

▸ ***affluer*** v. Arriver, venir en grand nombre. *Les parents affluaient à la fête de l'école.*

Conjugaison 1

▸ ***affluence*** n. f. Réunion d'une foule de personnes qui vont au même endroit ; vois ***cohue.*** *Il y a affluence au restaurant Bellec le dimanche.*

Les heures d'affluence sont les heures où il y a beaucoup de monde. On dit aussi : *les heures de pointe.*

Compare *affluent, confluent* et *fluide* : ça **coule.**

▸ ***affluent*** n. m. Cours d'eau qui se jette dans un autre. *L'Ariège et le Tarn sont des affluents de la Garonne.*

affoler v.

Conjugaison 1
Famille de **fou**

Faire peur, inquiéter au point qu'on ne sait plus ce qu'on fait ; vois ***effrayer, paniquer.*** *Colle et Rat ont affolé tout le monde en disant qu'ils avaient vu une soucoupe volante. — Il ne faut pas s'affoler, cette histoire est sûrement un mensonge. Ne nous affolons pas !*

Le contraire d'*affoler,* c'est *rassurer.*

Babar commence à s'affoler, mais tout à coup il voit un costume d'une agréable couleur verte qui lui rappelle les feuilles de palmier *(Babar).*

▸ ***affolant*** adj. Inquiétant, effrayant. *La vie augmente tous les jours, c'est affolant.*

Attention ! *affoler, affolant* et *affolement* s'écrivent avec deux *f* et un seul *l.*

▸ ***affolement*** n. m. Inquiétude, peur telle qu'on ne sait plus ce qu'on fait. *Yasmina s'est levée trop tard et, dans son affolement, elle a oublié son cahier de récitations.*

① affranchir v.

Conjugaison 2
Famille de ② **franc**

1. Rendre libre un esclave, un serf. *Le maître pouvait affranchir son esclave quand il était content de ses services.* **2.** *S'affranchir de quelque chose,* c'est s'en délivrer, s'en libérer. *Peu à peu, les femmes s'affranchissent de la domination des hommes.*

Le contraire d'*affranchir,* c'est *asservir.*

Attention ! deux *f* à *affranchir, affranchi, affranchissement.*

▸ ***affranchi*** n. m., ***affranchie*** n. f. Esclave affranchi. *Chez les Romains, de nombreux affranchis devenaient commerçants ou artisans.*

▸ ① ***affranchissement*** n. m. *Accorder l'affranchissement à un esclave,* c'est le rendre libre.

② affranchir v.

Conjugaison 2

Mettre des timbres sur une lettre ou un paquet que l'on envoie par la poste. *N'oubliez pas d'affranchir votre lettre avant de la poster.*

Famille de ② **franc**

▸ ② ***affranchissement*** n. m. *L'affranchissement de ce paquet est insuffisant,* il n'y a pas assez de timbres dessus.

affreux adj.

Attention aux deux *f* de *affreux* et *affreusement* !

Le contraire d'*affreux,* c'est *beau, splendide, agréable.*

L'affreux chasseur a tué la maman de Babar.

1. Très laid. *Mme Harpie est affreuse avec sa verrue sur le nez ;* vois ***hideux, repoussant.*** *Ce piano désaccordé fait un bruit affreux.* **2.** Très désagréable. *Depuis huit jours, il fait un temps affreux : il n'arrête pas de pleuvoir.* **3.** *Une personne ou une chose affreuse* fait très peur, provoque du dégoût. *Yves a fait un affreux cauchemar : il tombait du bateau de Loïc et se noyait ;* vois ***abominable, atroce, horrible.***

Les sorcières sont des personnages affreux.

Agnan s'est roulé par terre en criant que personne ne l'aimait, que c'était affreux et qu'il allait mourir *(le Petit Nicolas).*

Compare : *affreux* → *affreusement* et *peureux* → *peureusement.*

▸ ***affreusement*** adv. Horriblement. *Pendant la guerre, les résistants ont été affreusement torturés.*

affront n. m.

N'oublie pas les deux *f* dans *affront.*

Faire un affront à quelqu'un, c'est lui dire ou lui faire en public quelque chose qui l'insulte, qui montre le mépris qu'on a pour lui ; vois ***insulte, offense, outrage.*** *Mme Harpie m'a fait un affront en refusant de me serrer la main.*

affronter v.

Conjugaison 1

Pendant la Première Guerre mondiale, 65 millions de soldats se sont affrontés.

Aller courageusement se battre, faire face à un danger. *Yves n'hésite pas à affronter son père quand il n'est pas d'accord avec lui. — Les deux équipes de football s'affronteront demain.*

Famille de **front**

Astérix a affronté tout seul une patrouille romaine.

▸ ***affrontement*** n. m. Combat. *Il y a eu de durs affrontements entre les deux pays.*

affublé adj.

Attention aux deux *f* dans *affublé* !

Être affublé d'un vêtement, c'est porter un vêtement bizarre, ridicule ; vois ***accoutré.*** *Julie est venue en classe affublée d'un vieux chapeau.*

C'était Mardi gras.

à l'affût n. m.

Attention à l'accent circonflexe du *û* !

1. *Être à l'affût,* c'est être caché dans un endroit pour attendre le gibier ; vois *aux* ***aguets.*** *M. Bellec chasse, il est à l'affût derrière un arbre.* **2.** *Le journaliste est à l'affût des nouvelles,* il guette l'occasion de les apprendre.

Tartarin, seul avec son fusil, restait à l'affût derrière le baobab *(Tartarin de Tarascon).*

Conjugaison 1
Attention à l'accent circonflexe du **û** !

affûter v.
Rendre plus tranchant un outil tranchant ; vois ***aiguiser.*** *M. Bellec affûte les couteaux de cuisine. Pierre Séverac doit affûter sa faux.*

Le rémouleur est le spécialiste de l'*affûtage.*

Afin de est suivi d'un verbe à l'infinitif ; *afin que,* d'un verbe au subjonctif.

afin de préposition, **afin que** conjonction
Afin de et *afin que* expriment l'intention, le but ; vois ***pour.*** *Yves a pris son élan afin de sauter plus haut. Parlez plus fort afin qu'elle entende.*

Famille de ① **fin**

agacer v.
Énerver ; vois ***embêter.*** *Le bruit des marteaux-piqueurs agace David ;* vois ***irriter.*** *Vous m'agacez avec vos bavardages ! dit Angèle, l'institutrice.*

Conjugaison 3 ▭ Indic. présent : *j'agace, nous agaçons.* Imparfait : *j'agaçais, nous agacions.* Futur : *j'agacerai, nous agacerons.*

Au féminin : *agaçante.*
Compare : *agacer → agaçant, agacement* et *percer → perçant, percement.*

▸ **agaçant** adj. Énervant ; vois ***embêtant, irritant, pénible.*** *C'est agaçant d'être sans cesse dérangé.*

▸ **agacement** n. m. Irritation. *En entendant les bavardages, Angèle ne put réprimer un geste d'agacement ;* vois ***énervement.***

agate n. f.
1. Pierre fine de plusieurs couleurs disposées en cercles, qui sert à faire des bijoux et des objets précieux. *Il y a un cendrier en agate sur la table du salon.* **2.** Bille de verre coloré qui imite l'agate. *Yasmina a gagné une agate.*

Je gâte Agathe en lui offrant des agates.

Attention ! *agave* est un nom masculin.

agave n. m.
Grande plante décorative, d'origine mexicaine, aux feuilles longues et épaisses. *L'agave ne fleurit qu'une fois.*

La tige de l'agave peut mesurer 10 mètres de haut, et ses feuilles 3 mètres.

Attention à l'accent circonflexe du **â** dans ***âge*** et ***âgé*** !

On sait l'âge d'un arbre coupé en comptant les cercles sur le tronc.

À sept ans, on a l'*âge de raison.*

âge n. m.
1. *L'âge de quelqu'un,* c'est le temps qui s'est écoulé depuis qu'il est né. *Quel âge ont Mme Roussel et Mme Bellec ? Elles ont le même âge : trente-cinq ans. Mamie Lou est une personne d'un certain âge,* elle n'est plus très jeune. *Claire n'est pas encore en âge d'aller à l'école,* elle n'a pas encore l'âge d'aller à l'école. *Martin est un enfant en bas âge,* un bébé. **2.** *L'âge de pierre,* c'est la période où les hommes ont commencé à travailler la pierre pour en faire des outils et des armes. *L'âge du fer a succédé à l'âge de pierre.*

Impossible de vous dire mon âge, il change tout le temps ! (A. Allais).

Une personne *entre deux âges* n'est ni jeune ni vieille.

Autre membre de la famille : **Moyen Âge.**

▸ **âgé** adj. **1.** Vieux. *La grand-mère d'Angèle est une dame âgée.* **2.** *Yasmina est âgée de neuf ans,* elle a neuf ans.

Le contraire d'*âgé,* c'est *jeune.*

Famille de ② **agent**

agence n. f.
Une agence immobilière, c'est un bureau qui, moyennant de l'argent, loue ou vend des appartements. *Angèle a loué son appartement par l'intermédiaire d'une agence immobilière.*

On peut acheter son billet de train ou d'avion dans une *agence de voyages.*

Prononce [aʒɛ̃da].

agenda n. m.
Carnet contenant une page pour chaque jour, sur lequel on note ses rendez-vous et ce que l'on a à faire. *Mme Hespel a un agenda bien rempli.*

Au pluriel : *des agendas.*
C'est une femme très occupée !

Conjugaison 1

s'agenouiller v.
Se mettre à genoux. *Mme Roussel s'est agenouillée sur la valise pour la fermer.*

Famille de **genou**

Quand on met le verbe à la voix active, le complément d'agent devient le sujet.

① **agent** n. m.
Le complément d'agent est le complément d'un verbe à la voix passive introduit par *de* ou *par. Dans la phrase « Le repas a été préparé par M. Bellec », « M. Bellec » est le complément d'agent.*

Va voir aussi ***passif.***

On dit aussi : un *gardien de la paix.*

Les *agents secrets* sont des espions. Les *agents doubles* sont des espions qui travaillent pour deux adversaires en même temps.

② **agent** n. m.
1. *Un agent de police* est une personne en uniforme qui règle la circulation. *À la sortie de l'école, un agent fait traverser la rue aux enfants.* **2.** Personne employée dans une entreprise ou une administration. *M. Doucet a reçu la visite d'un agent d'assurances,* d'une personne qui travaille pour une compagnie d'assurances. *L'un des frères d'Hippolyte est agent de la S. N. C. F.,* il est employé à la S. N. C. F.

Le seul qui avait un sifflet, c'était Rufus, dont le papa est agent de police *(le Petit Nicolas).*

Autre membre de la famille : **agence.**

Conjugaison 6 ▭ Indic. présent : *j'agglomère, nous agglomérons.*

agglomérer v.
Réunir pour former un bloc ; vois ***amalgamer, rassembler.*** *On agglomère des petits morceaux de bois pour faire des planches.*

C'est de l'*aggloméré.*

Il y a deux **g** dans *agglomérer*, *agglomération* et *aggloméré*.

▸ ***agglomération*** n. f. Endroit où il y a beaucoup d'habitations, très rapprochées les unes des autres, qui forment un village ou une ville. *On ralentit en arrivant dans une agglomération.*

L'agglomération parisienne, c'est-à-dire Paris et sa banlieue, compte presque dix millions d'habitants.

L'aggloméré n'est pas du contre-plaqué.

▸ ***aggloméré*** n. m. Matière obtenue en réunissant et en collant des petits bouts de bois pour former des panneaux. *Denis Prost a installé des étagères en aggloméré.*

Attention aux deux **g** dans *s'agglutiner* !

s'agglutiner v.

Se réunir de manière à former un groupe compact ; vois *se* ***rassembler.*** *Les guêpes se sont agglutinées autour du pot de confiture.*

Conjugaison 1

Conjugaison 1

aggraver v.

1. Rendre plus grave, plus condamnable. *Julie a fait une bêtise qu'elle n'a pas voulu avouer, ce qui a aggravé sa faute.* **2.** Rendre plus grave, plus dangereux. *Le froid risque d'aggraver ton mal de gorge. — L'état de santé de Julie s'est aggravé pendant la nuit,* il a empiré.

Famille de **grave**

Le contraire d'*aggraver*, c'est *améliorer*.

Julie a une crise d'appendicite.

Attention aux deux **g** dans *aggraver* et *aggravation* !

▸ ***aggravation*** n. f. *L'aggravation de l'état de Julie inquiète ses parents,* son état qui devient de plus en plus grave.

agile adj.

Alceste a voulu donner un coup de pied à Eudes, mais Eudes a esquivé, il est très agile *(le Petit Nicolas).*

1. Qui exécute des mouvements facilement et rapidement ; vois ***alerte, leste, vif.*** *L'acrobate est agile. Le pianiste a des doigts agiles.* **2.** *Un esprit agile* est rapide et résout facilement des problèmes compliqués. *Les joueurs d'échecs ont l'esprit agile.*

Le contraire d'*agile*, c'est *raide*.

▸ ***agilité*** n. f. Souplesse. *Les spectateurs admirent l'agilité des danseurs. Félix le chat a sauté sur la fenêtre avec agilité.*

Conjugaison 2

① ***agir*** v.

Pinocchio promet toujours de bien agir et de ne plus faire de bêtises.

1. Faire quelque chose, avoir une activité. *Julie, réfléchis un peu avant d'agir !* **2.** Se comporter, se conduire. *Tu as bien agi envers eux en ne disant rien. Julie a agi à la légère.* **3.** Produire un effet visible. *Le médicament a agi, Sylvain n'a plus de fièvre.*

Autre membre de la famille : **réagir.**

Conjugaison 2

② ***s'agir*** v.

De quoi s'agit-il dans ce livre ?, de quoi est-il question ? *Dans ce livre il s'agit des hommes préhistoriques,* il en est question, ce livre parle d'eux. *Quand il s'agit de se mettre à table, Antoine est toujours le premier.*

Il ne s'agit pas qu'à leur retour, les parents trouvent le chat dans la cuisine *(les Contes du Chat perché).*

Conjugaison 1

Par mauvais temps, *la mer est agitée :* il y a des vagues.

agiter v.

1. Remuer vivement dans tous les sens. *Le vent agitait les feuilles des arbres. Il faut agiter la bouteille avant de l'ouvrir,* la secouer. **2.** *Le restaurant Bellec était plein, les serveurs s'agitaient pour servir tous les clients,* allaient et venaient très rapidement ; vois ***s'affairer.*** *Cet enfant est énervé, il s'agite beaucoup,* il remue beaucoup.

On agite la main de loin, pour faire des signes.

Avoir une vie agitée, c'est avoir une vie où il se passe beaucoup de choses.

▸ ***agitateur*** n. m., ***agitatrice*** n. f. Personne qui pousse les autres à la révolte. *La police a fait expulser les agitateurs.*

▸ ***agitation*** n. f. **1.** Ensemble des mouvements d'une personne qui va et vient en tous sens ; vois ***effervescence, excitation, nervosité.*** *Il règne une grande agitation dans le restaurant.* **2.** *L'agitation étudiante inquiète le gouvernement,* les grèves et les manifestations que font les étudiants mécontents.

Le contraire d'*agitation*, c'est *calme*.

agneau n. m.

Être doux comme un agneau, c'est être très doux, très gentil.

Petit de la brebis et du bélier, jeune mouton. *Le berger emmène paître les agneaux dans le pré. Antoine a mangé trois côtelettes d'agneau. L'hiver, Mme Bellec porte un manteau d'agneau et son mari un bonnet d'astrakan.*

L'astrakan est la fourrure à poils très bouclés d'un agneau qui vit en Asie.

Un **e** à la fin de *agonie* [agɔni].

agonie n. f.

Moments, heures où quelqu'un qui va mourir lutte contre la mort. *Le roi des éléphants est à l'agonie car il a mangé un mauvais champignon,* il va mourir. *Il a eu une longue agonie.*

Conjugaison 1

▸ ***agoniser*** v. *Le roi des éléphants agonise,* est en train de mourir.

Il est *à l'article de la mort.*

agrafe n. f.

1. Petit crochet qu'on passe dans un anneau ou une bride et qui sert à fermer un vêtement. *La jupe de Marie-Tévy est fermée à la ceinture par* *une agrafe.* **2.** Petit fil de métal recourbé qui sert à fixer ensemble plusieurs feuilles de papier. *Le docteur Séverac a réuni les pages de son rapport avec une agrafe.* **3.** Petite lame qui sert à fermer une plaie. *Pour refermer le ventre de Julie après son opération de l'appendicite, le chirurgien a mis des agrafes.*

On retire les agrafes quand la plaie est bien cicatrisée.

Conjugaison 1

▸ ***agrafer*** v. **1.** Fermer un vêtement avec des agrafes. *Il ne suffit pas de remonter la fermeture éclair, il faut aussi agrafer la jupe pour qu'elle tienne bien.* **2.** *Le docteur Séverac a agrafé les pages de son rapport,* il les a attachées avec une agrafe.

Le contraire d'*agrafer*, c'est *dégrafer.*

▸ ***agrafeuse*** n. f. Appareil qui sert à fixer des agrafes dans du papier ou du tissu. *Mme Séverac s'est servie d'une agrafeuse pour fixer la toile de jute sur le mur.*

Compare ***agraire*** et ***agricole*** : il s'agit de **terre cultivée.**

agraire adj.

Une réforme agraire est une réforme qui concerne les terres cultivées, les exploitations agricoles. *Par la réforme agraire de 1960, au Brésil, l'État décida de distribuer aux paysans pauvres les terres des riches propriétaires.*

Il y a eu plusieurs réformes agraires en Amérique du Sud.

Conjugaison 2

agrandir v.

1. Rendre plus grand, plus vaste en augmentant les dimensions. *Mme Harpie a agrandi son magasin en faisant abattre une cloison. Angèle a fait agrandir une photo.* **2.** *La ville s'est agrandie depuis dix ans,* elle est devenue plus étendue ; vois ***s'étendre.*** *Mme Bellec attend un enfant, la famille va s'agrandir,* elle va devenir plus nombreuse.

Famille de **grand**

▸ ***agrandissement*** n. m. **1.** *Les travaux d'agrandissement du magasin commencent demain,* les travaux d'extension du magasin. **2.** Tirage d'une photo dans un format plus grand. *Angèle a fait faire un agrandissement de sa photo chez le photographe.*

Les travaux d'agrandissement de Paris, sous Napoléon III, ont transformé la ville.

Famille de **gré**

agréable adj.

1. *Quelque chose d'agréable,* c'est quelque chose qui plaît, qui donne du plaisir. *Les enfants ont passé une après-midi agréable chez Julie.* **2.** Sympathique, gentil. *Les parents de Mme Bellec sont des gens très agréables. Ils sont agréables à fréquenter.*

Le contraire d'*agréable*, c'est *désagréable, déplaisant.*

agrément n. m.

C'est une ville pleine d'agrément, qui a beaucoup d'avantages qui la rendent agréable ; vois ***charme.*** — *Mme Hespel est allée en Hollande faire un voyage d'agrément,* un voyage pour son plaisir.

Famille de **gré**

Conjugaison 1

▸ ***agrémenter*** v. Ajouter quelque chose de joli, d'agréable. *La robe de Yasmina était agrémentée de broderies. Julie a agrémenté le repas de son chat Félix de quelques crevettes.*

Ce mot s'emploie toujours au pluriel.

agrès n. m. plur.

Appareils utilisés pour faire de la gymnastique. *Yves aime beaucoup faire des exercices aux agrès.*

La barre fixe, les barres parallèles, les anneaux et les cordes sont des agrès.

Conjugaison 1

agresser v.

Attaquer. *Deux voyous ont agressé Mme Harpie pour lui voler son sac.*

▸ ***agresseur*** n. m. Personne qui agresse, attaque. *Mme Harpie a rattrapé ses agresseurs et les a assommés à coups de parapluie.*

Agresseur n'a pas de féminin.

Un seul ***g*** et deux ***s*** dans *agresser, agresseur, agressif, agressivité* et *agression.*

▸ ***agressif*** adj. *Une personne agressive* est une personne qui attaque les autres par des gestes ou des paroles, même quand on ne lui a rien fait. *M. Bellec est très agressif avec les autres automobilistes quand il conduit. Julie a posé une question à la maîtresse sur un ton agressif ;* vois ***menaçant.***

Le contraire d'*agressif*, c'est *doux.*

▸ ***agressivité*** n. f. Nervosité et hostilité d'une personne agressive. *M. Bellec manifeste son agressivité en insultant les autres conducteurs.*

Le contraire d'*agressivité*, c'est *bienveillance, douceur.*

Va voir aussi ***attentat.***

▸ ***agression*** n. f. Attaque contre une personne. *Mme Harpie a été victime d'une agression.*

La faucheuse, la moissonneuse, le tracteur sont des *machines agricoles.*

agricole adj.

Les travaux agricoles sont les travaux qui concernent l'agriculture. *Le labourage, les semailles, la moisson, sont des travaux agricoles.*

Une exploitation agricole, c'est une ferme avec des champs autour.

Compare : *agriculteur → agricultrice* et *éditeur → éditrice.*

agriculteur n. m., **agricultrice** n. f.
Personne qui cultive la terre, élève des bêtes ; vois ***cultivateur, fermier, paysan.*** *Odile et Pierre Séverac sont agriculteurs.*

Famille de ① **culture**

La culture de la vigne, du blé, l'élevage des moutons ou des volailles, tout cela c'est de l'agriculture.

agriculture n. f.
Ensemble des travaux qui servent à produire les végétaux et à élever les animaux utiles à l'homme ; vois ***culture, élevage.*** *Pierre Séverac est allé au Salon de l'agriculture, à Paris, pour choisir un nouveau tracteur.*

Compare ***agriculture*** et ***agricole*** : il s'agit de **terre cultivée.**

Conjugaison 1

Le contraire d'*agripper*, c'est *lâcher.*

agripper v.
Saisir quelque chose ou quelqu'un en le serrant pour s'accrocher. *Julie a agrippé le bras de son père pour ne pas tomber. — Le voleur s'agrippait au rebord de la fenêtre pour se hisser sur le balcon,* s'accrochait en serrant les doigts ; vois *se* ***cramponner.***

Un seul ***g*** et deux ***p*** dans *agripper.*

Agrumes est toujours employé au pluriel.

agrumes n. m. plur.
Fruits de la famille des oranges, des citrons, des pamplemousses et des mandarines. *L'oncle de Yasmina cultive des agrumes au Maroc.*

Les agrumes poussent en Californie, en Espagne, en Israël, en Afrique du Nord.

Lorsqu'on fait le *guet*, on est *aux aguets.*

aux **aguets** adv.
Le chasseur est aux aguets, il reste immobile et surveille tout autour de lui attentivement ; vois ***à l'affût.***

Famille de **guetter**

ah ! interjection
Mot qui sert à exprimer la joie, la douleur, l'admiration, l'impatience, la surprise. *Ah ! les voilà enfin ! Ah ! ça suffit ! Ah oui ?*

Ah ! je ris de me voir si belle en ce miroir...

Attention au ***h*** entre le ***a*** et le ***u*** dans *ahuri* [ayʀi]. Compare avec *bahut* et *chahut.*

ahuri adj.
Étonné au point de paraître stupide ; vois ***stupéfait.*** *Yves a les cheveux en bataille et l'air complètement ahuri ;* vois ***abruti, hébété.*** — n. Personne distraite qui agit de manière stupide. *Une ahurie a traversé la rue sans regarder.*

▸ ***ahurissant*** adj. Très étonnant. *Antoine vient de nous raconter une histoire ahurissante ;* vois ***invraisemblable, stupéfiant.***

Il est mal réveillé.

Conjugaison 1

Aide-toi, le ciel t'aidera (proverbe).

aider v.
1. *Aider quelqu'un,* c'est joindre ses efforts aux siens. *Sylvain aide sa mère à mettre le couvert. — Nathalie et David s'aident mutuellement ;* vois *s'****entraider.*** **2.** *Claire s'aide de ses mains pour grimper sur le rocher,* elle se sert de ses mains.

▸ ① ***aide*** n. f. **1.** Appui, soutien qu'une personne peut offrir pour aider quelqu'un. *J'ai besoin de ton aide pour porter tous ces paquets. Le docteur Séverac vient en aide aux enfants du tiers monde,* il leur apporte son assistance, son secours. **2.** *Ouvrez la bouteille à l'aide d'un tire-bouchon,* en vous servant d'un tire-bouchon.

▸ ② ***aide*** n. m. et f. Personne qui en aide une autre en travaillant sous ses ordres. *Le chef cuisinier du restaurant a trop de travail, il a besoin d'un aide.*

Zorino aide Tintin à trouver le Temple du Soleil.

À l'aide ! : au secours !

Il va souvent en mission en Afrique.

Un *aide-comptable* travaille sous les ordres d'un comptable.

Autres membres de la famille : **entraide,** s'**entraider.**

Aïe ! est toujours suivi d'un point d'exclamation.

aïe ! interjection
Aïe ! tu me fais mal ! ; vois ***ouille !*** *Aïe ! je me suis pincé le doigt.*

Prononce [aj], comme *aille.*

N'oublie pas le tréma du ***ï*** de *aïeul* [ajœl].

aïeul n. m., **aïeule** n. f.
1. *L'aïeul de quelqu'un,* c'est son grand-père et *son aïeule,* c'est sa grand-mère. *Ses deux aïeules et ses deux aïeuls sont en vie,* ses deux grand-mères et ses deux grands-pères. **2.** *Les aïeux de quelqu'un,* ce sont ses ancêtres. *Hippolyte raconte les légendes de la terre de ses aïeux.*

Toujours au pluriel dans ce sens.

Au pluriel, *aïeul* a deux formes : *aïeuls* et *aïeux* [ajø]. Attention, ces deux mots n'ont pas le même sens !

L'aigle est carnivore ; il se nourrit de serpents, de lapins et de petits mammifères.

aigle n. m.
Grand oiseau de proie qui vit le jour. *L'aigle est un rapace au bec crochu et aux griffes puissantes. Les aigles construisent leur nid sur les hautes montagnes ou au sommet des arbres.*

▸ ***aiglon*** n. m. Petit de l'aigle. *Le père et la mère nourrissent leurs aiglons.*

Compare : *aigle → aiglon* et *âne → ânon.*

On dit *une aigle* pour parler de la femelle. Les griffes de l'aigle s'appellent des *serres.*

Des cerises *aigrelettes* sont des cerises un petit peu aigres.

aigre adj.
1. Acide et désagréable au goût ou à l'odeur. *Le lait tourné est aigre.* **2.** *Mme Harpie et Mme Bellec ont échangé des paroles un peu aigres,*

Le vinaigre, c'est du vin devenu aigre.

méchantes. — n. m. *La discussion a tourné à l'aigre,* les personnes qui discutaient se sont mises à dire des paroles désagréables.

▸ ***aigreur*** n. f. **1.** Goût aigre. *Claire n'aime pas l'aigreur du lait tourné.* **2.** *Mme Séverac a des aigreurs d'estomac,* mal à l'estomac, comme si ça la brûlait. **3.** *Mme Harpie a répliqué à Mme Bellec avec aigreur,* avec malveillance.

Conjugaison 2

▸ ***s'aigrir*** v. **1.** Devenir aigre. *Le vin s'aigrit si la bouteille reste ouverte.* **2.** Devenir irritable et méchant. *Mme Harpie s'est aigrie en vieillissant.*

Autres membres de la famille : **vinaigre, vinaigrette.**

aigrette n. f.

Une légende raconte que le roi Salomon, qui parlait le langage des oiseaux, accorda à la huppe le droit de porter une aigrette.

1. Groupe de plumes dressées qui surmonte la tête de certains oiseaux. *Le paon et la huppe ont une aigrette.* **2.** Bouquet de plumes qui sert d'ornement sur un chapeau, un turban. *Le maharajah a une aigrette sur le devant de son turban.*

Une plume de l'aigrette du héron blanc peut mesurer jusqu'à 50 centimètres.

aigu adj.

Au féminin : *aiguë* ; n'oublie pas le tréma du *ë* !

Autres membres de la famille : **aiguille, aiguillon, aiguiser, suraigu.**

1. Pointu ou coupant ; vois ***acéré.*** *Ce couteau a une lame très aiguë,* tranchante. **2.** Très haut et perçant. *Les enfants poussaient des cris aigus. Julie a une voix aiguë et Alex une voix grave.* **3.** Violent. *Julie a ressenti une douleur aiguë dans le ventre.*

Un angle aigu est un angle plus petit que l'angle droit.

Va voir *accent aigu* à ***accent.***

aiguille n. f.

Famille de **aigu** ; c'est pourquoi on prononce le *u* de *aiguille* : [egɥij].

Les *aiguilles à tricoter,* ce sont des tiges de métal ou de matière plastique qui servent à faire du tricot.

Le sapin et le cèdre ont des aiguilles.

1. Petite tige d'acier qui a une extrémité pointue et l'autre percée d'un trou, et qui sert à coudre. *Mamie Lou met ses lunettes pour enfiler son aiguille.* **2.** Tige de métal très fine et creuse qui s'adapte sur une seringue et sert à faire les piqûres. *L'infirmière a planté l'aiguille dans la fesse de Julie.* **3.** Tige étroite et plate qui se déplace sur le cadran d'une montre, d'une horloge, d'une boussole. *Les aiguilles d'une montre indiquent l'heure.* **4.** Feuille très fine, dure et pointue, de certains arbres. *Le chemin qui mène à la plage est couvert d'aiguilles de pin.*

Le trou de l'aiguille s'appelle *le chas.*

Certains sommets de montagne très pointus s'appellent des *aiguilles,* comme l'*aiguille du Midi,* dans le massif du Mont-Blanc.

aiguiller v.

Conjugaison 1 ▭ Indic. imparfait : *nous aiguillions, vous aiguilliez.* — Subj. présent : *que nous aiguillions, que vous aiguilliez.*

1. Diriger un train d'une voie sur une autre en faisant marcher un aiguillage. *Sylvain joue avec son train électrique, il aiguille sa locomotive sur une voie de garage.* **2.** Diriger, orienter quelqu'un. *On vous a mal aiguillé, ce n'est pas moi qui m'occupe des passeports, c'est au quatrième étage, bureau 412.*

Prononce [egɥije].

▸ ***aiguillage*** n. m. Appareil qui permet de faire changer un train de voie. *Le chef de gare a manœuvré l'aiguillage.*

Prononce [egɥijaʒ].

Les *aiguilleurs du ciel* sont ceux qui guident les avions en vol.

▸ ***aiguilleur*** n. m. Personne dont le métier est de manœuvrer un aiguillage. *Le déraillement du train était dû à l'inattention de l'aiguilleur. L'aiguilleur est au poste d'aiguillage.*

— Je trie les voyageurs, par paquets de mille, dit l'aiguilleur *(le Petit Prince).*

aiguillon n. m.

Prononce [egɥijɔ̃].

Dard à venin de certains animaux. *Les abeilles, les guêpes, les scorpions peuvent piquer, avec leur aiguillon.*

Famille de **aigu**

aiguiser v.

Prononce [egize].

Famille de **aigu**

Rendre tranchant ou pointu ; vois ***affûter.*** *Le rémouleur aiguise les couteaux sur sa meule.*

Conjugaison 1

ail n. m.

Ail [aj] rime avec *travail.*

Plante à odeur forte et à goût piquant que l'on utilise pour assaisonner les aliments. *M. Bellec a mis une gousse d'ail dans le gigot. Antoine mange du saucisson à l'ail.*

Ail se met rarement au pluriel : *des ails* ou *des aulx.*

① aile n. f.

Les deux ailes des oiseaux sont recouvertes de plumes. Elles sont commandées par les muscles de la poitrine. Elles ont des formes différentes qui permettent des types de vol variés : l'albatros, qui plane au-dessus de la mer, a des ailes longues et étroites, le faucon, qui accélère brusquement, a les ailes coudées.

1. Chacune des parties du corps des oiseaux et de certains insectes qui leur sert à voler. *Le pigeon a battu des ailes et s'est envolé. La buse planait, les ailes déployées et immobiles. David courait, la peur lui donnait des ailes,* il courait très vite. *Julie a mangé une aile de poulet rôti,* l'aile plumée et cuite du poulet rôti. **2.** Chacune des deux parties planes et allongées situées de chaque côté d'un avion. *Par le hublot, le docteur Séverac voit le bout de l'aile de l'avion.* **3.** *Quand il y a du vent, les ailes du moulin tournent,* les parties mobiles fixées à l'extérieur du moulin.

Les chauves-souris aussi ont des ailes.
Certaines nageoires servent d'ailes au poisson volant.

Les insectes ont presque toujours quatre ailes ; celles des papillons sont recouvertes de fines écailles.

▸ ***ailé*** adj. *Un animal ailé* est un animal qui a des ailes. *Les fourmis mâles sont généralement ailées.*

Pégase est un cheval ailé.

Les avions ont des ailerons, à l'arrière des ailes, qui sont articulés et leur permettent de virer.

▸ **aileron** n. m. **1.** Extrémité de l'aile d'un oiseau. *Le volailler vend des ailerons de dinde.* **2.** *Les ailerons d'un requin,* ce sont ses nageoires. *Les Chinois mangent du potage aux ailerons de requin.*

Autre membre de la famille : à **tire-d'aile.**

② **aile** n. f.
1. *L'aile d'un bâtiment,* c'est la partie qui se trouve sur l'un de ses côtés. *Le fantôme habite dans l'aile droite du château.* **2.** Partie de la carrosserie d'une voiture qui recouvre la partie supérieure des roues. *Réjean a peint les ailes de sa voiture en violet.* **3.** *Les ailes du nez,* ce sont les parties, de chaque côté du nez, qui bordent les narines. *À force de se moucher, Mamie Lou avait les ailes du nez toutes rouges.* **4.** *L'aile gauche et l'aile droite* sont les extrémités de la ligne d'attaque d'une équipe de football, de hand-ball, de rugby. *Les joueurs ont renforcé l'aile gauche menacée par l'adversaire.*

Le *corps du bâtiment* s'oppose aux *ailes.*

Les Indiennes portent souvent des pierres précieuses sur les ailes du nez.

▸ **ailier** n. m. Chacun des deux avants, qui jouent à l'extrême droite et à l'extrême gauche au football, au hand-ball ou au rugby. *Passe le ballon à l'ailier gauche !*

On dit aussi *l'aile gauche* pour *l'ailier gauche.*

N'oublie pas le ***s*** à la fin de *ailleurs.* Prononce [ajœr].

ailleurs adv.
1. Dans un autre lieu, à un autre endroit. *Antoine vit ici avec sa mère, mais son père habite ailleurs. Mme Bellec n'a jamais habité ailleurs qu'ici.* **2.** *D'ailleurs,* de toute façon, en plus, du reste. *Tu as assez mangé, d'ailleurs il faut en garder pour ton frère.* **3.** *Par ailleurs,* d'un autre point de vue. *Antoine est un peu menteur ; il est par ailleurs très généreux.*

Être ailleurs : penser à autre chose, être distrait, dans la lune.

Famille de **aimer**

Être aimable comme une porte de prison, c'est ne pas être aimable du tout.

Va voir aussi ***amabilité.***

aimable adj.
Une personne aimable est une personne qui cherche à faire plaisir, surtout par la parole ou le sourire ; vois ***accueillant, affable, courtois, gentil, poli.*** *M. Bellec est très aimable avec les clients de son restaurant. La mère de Julie a toujours un mot aimable pour accueillir les amis de sa fille,* un mot gentil, qui fait plaisir.

Le contraire d'*aimable,* c'est *désagréable, grognon, hargneux, impoli.*

Merci de votre aimable invitation !

Un morceau de fer frotté sur un aimant devient un aimant à son tour.

aimant n. m.
Morceau d'acier qui a reçu la propriété d'attirer le fer. *L'aiguille de la boussole est un petit aimant.*

▸ **aimanté** adj. *Une chose aimantée,* c'est une chose qui attire le fer. *L'aiguille aimantée de la boussole indique le nord.*

Les propriétés de l'aimant sont des propriétés *magnétiques.*

Certaines pierres sont naturellement aimantées.

Conjugaison 1

Va voir aussi ***amour.***

Quand on est amoureux, on dit *je t'aime.*

aimer v.
1. Éprouver de l'amour pour quelqu'un, être amoureux de quelqu'un. *Antoine aime Marie-Tévy, il veut l'épouser plus tard. — Sophie Pelletier et Denis Prost vivent ensemble parce qu'ils s'aiment.* **2.** Avoir de l'amitié, de l'affection, de la tendresse ou de la sympathie pour quelqu'un. *Yves aime bien Antoine.* **3.** Avoir du goût pour une chose, la trouver agréable, avoir du plaisir à la faire. *Julie aime bien les robes excentriques. Marie-Tévy aime beaucoup dessiner. Nathalie aimerait que Sylvain habite près de chez elle. J'aimerais mieux rester avec toi,* je préférerais.

Deux pigeons s'aimaient
d'amour tendre
(La Fontaine).

Il dit non avec la tête
mais il dit oui avec le cœur
Il dit oui à ce qu'il aime
il dit non au professeur
(Prévert).

Autres membres de la famille : **aimable, bien-aimé.**

aine n. f.
Partie du corps entre le haut de la cuisse et le bas du ventre. *Julie a très mal dans l'aine droite.*

N'oublie pas l'accent circonflexe du ***î*** de *aîné.*

Va voir aussi ***doyen.***

aîné n. m., **aînée** n. f.
L'aîné des enfants, c'est le plus âgé. *Chez les Touati c'est Yasmina l'aînée. Il est son aîné de six ans,* il a six ans de plus que lui. — adj. *Yasmina est la fille aînée des Touati,* la plus âgée. *Alex est le frère aîné de Sylvain,* son grand frère.

Le *cadet,* c'est celui qui vient après l'aîné. Le *benjamin,* c'est le plus jeune.

La Bible raconte qu'Ésaü vendit son droit d'aînesse à son frère Jacob contre un plat de lentilles.

▸ **aînesse** n. f. *Le droit d'aînesse,* autrefois, était le droit qui donnait à l'enfant le plus âgé la plus grande part de l'héritage. *Le fils aîné du roi succédait à son père, selon le droit d'aînesse.*

Ainsi font, font, font,
Les petites marionnettes,
Ainsi font, font, font,
Trois p'tits tours
et puis s'en vont
(chanson).

ainsi adv.
1. De cette façon. *Ainsi vêtue, Julie a l'air d'une dame. C'est mieux ainsi. Et ainsi de suite,* en continuant de cette façon. *Julie l'a dit à Yasmina, qui l'a dit à Marie-Tévy, et ainsi de suite jusqu'à ce que toute la classe soit au courant.* **2.** Comme on vient de le dire, de l'expliquer. *Ainsi, vous partez en classe de neige ?* **3.** *Ainsi que,* de même que, comme. *Marie-Tévy a été vaccinée ainsi que Julie. Il s'est mis à pleuvoir ainsi que l'avait annoncé la radio.*

La formule *ainsi soit-il* qui termine certaines prières exprime le souhait que la prière se réalise.

Ne confonds pas *air, aire, ère* et *il erre.*

Un litre d'air pèse 1,3 g. C'est le poids de l'air qui fait la pression atmosphérique.

Va voir *courant d'air* à ② **courant.**

Les *têtes en l'air* n'ont pas les pieds sur terre.

① **air** n. m.
1. Gaz constituant l'atmosphère, que respirent les êtres vivants. *Dans les grandes villes, l'air est pollué ; à la campagne, on respire un air pur. Denis Prost est sorti prendre l'air,* se promener. *Dans l'hôtel, il y a l'air conditionné,* un système qui maintient l'air toujours à la même température à l'intérieur. *Julie préfère jouer en plein air,* à l'extérieur, dehors. **2.** Espace rempli du gaz qu'on respire, qui se trouve au-dessus de la terre ; vois **ciel.** *L'avion décolle, il s'élève dans l'air. Sylvain regarde en l'air,* en haut, dans le ciel. **3.** *Antoine fait des promesses en l'air,* pas sérieuses, qu'il ne tiendra pas. *Julie est une tête en l'air,* une étourdie. **4.** Ambiance, atmosphère. *Il y a de la bagarre dans l'air,* on sent qu'une bagarre se prépare.

L'air est constitué d'oxygène, d'azote, de gaz carbonique, de vapeur d'eau et de gaz rares.

On *aère* une pièce en faisant rentrer de l'air pur.

L'armée de l'air, c'est l'aviation militaire.

Des personnes qui *ont un air de famille* se ressemblent.

② **air** n. m.
1. Apparence, allure générale d'une personne. *Ainsi vêtue, Julie a l'air d'une dame. Yves a un air décidé qui plaît à Angèle, l'institutrice. Alex prend de grands airs depuis qu'il a sa moto,* il est fier et cherche à impressionner les gens. **2.** Apparence du visage d'une personne à un moment donné ; vois **expression, mine.** *Marie-Tévy a un air de doute en écoutant les promesses d'Antoine.* **3.** *Angèle n'a pas l'air contente ce matin,* on dirait qu'elle n'est pas contente, elle donne l'impression de ne pas être contente ; vois **paraître.**

Mme de Grand Air emploie Bécassine.

On peut dire aussi : *elle n'a pas l'air content.*

③ **air** n. m.
Mélodie, musique d'une chanson. *Je peux te chanter l'air de « Au clair de la lune », mais j'ai oublié les paroles. Yves siffle un air connu. Des couples dansaient sur un air d'accordéon,* l'air d'une chanson jouée à l'accordéon.

Sur l'air du tra, tra la la sur l'air du tra déri déra et tra la la (chanson).

Ne confonds pas *aire, air, ère* et *il erre.*

aire n. f.
1. Surface. *L'aire d'un rectangle de deux mètres sur trois mètres est de six mètres carrés ;* vois **superficie.** **2.** Grand endroit plat. *L'avion se pose sur l'aire d'atterrissage. On a aménagé une aire de jeu à côté de l'immeuble.* **3.** Nid d'un oiseau de proie. *L'aigle rapporte de la nourriture à ses petits dans son aire.*

L'arbrisseau aussi s'appelle une *airelle.* Il mesure entre 20 et 50 centimètres.

airelle n. f.
Petit fruit rond, un peu acide, qui pousse sur un arbrisseau dans les montagnes. *La myrtille est une variété d'airelle.*

Il y a des airelles rouges et des airelles bleues.

On dit aussi : *elle était mal à son aise.*

Elle est conseillère municipale.

Le contraire d'*aisance,* c'est *misère, pauvreté.*

Le contraire d'*aisé,* c'est *difficile, dur, malaisé.*

aise n. f.
1. *Être à l'aise,* c'est être bien, ne pas se sentir gêné. *Es-tu à l'aise dans ce pantalon ? Julie est toujours à l'aise avec les grandes personnes,* elle est détendue, elle n'est pas intimidée. *Quand Marie-Tévy est arrivée en France, elle parlait mal le français, elle était mal à l'aise en classe.* **2.** *Sylvain aime ses aises,* il aime son confort, il aime être bien installé.

▸ **aisance** n. f. **1.** Facilité à faire quelque chose sans donner l'impression d'effort. *Mme Séverac parle en public avec aisance.* **2.** Richesse assez grande pour vivre sans difficulté. *Sans être très riche, la famille Bellec vit dans l'aisance.*

▸ **aisé** adj. **1.** *Une personne aisée,* c'est une personne qui a assez d'argent pour vivre sans difficulté. *Yves est d'une famille aisée.* **2.** Facile. *Il est aisé de rencontrer l'institutrice à la sortie de l'école, le samedi matin.*

▸ **aisément** adv. Facilement. *Vous pouvez aisément rencontrer l'institutrice.*

Elle est née au Cambodge et ses parents sont morts.

Le contraire d'*aisance,* c'est *gaucherie, maladresse.*

Le contraire d'*aisé,* c'est *pauvre.*

Autres membres de la famille : **malaise, malaisé.**

Attention ! deux ***s*** et deux ***l*** dans *aisselle.*

aisselle n. f.
Creux sous le bras, à l'endroit où il rejoint l'épaule. *Sophie Pelletier s'épile les aisselles.*

De nombreux ganglions sont situés au niveau des aisselles.

Le ***c*** final de *ajonc* [aʒɔ̃] ne se prononce pas.

ajonc n. m.
Arbuste épineux, à fleurs jaunes, qui pousse sur les terrains non cultivés, près de l'océan Atlantique. *En avril, les ajoncs sont en fleurs.*

Les genêts ressemblent un peu aux ajoncs mais ils ne piquent pas.

Conjugaison 1

ajouter v.
1. Mettre en plus. *Julie ajoute du sucre dans la pâte à crêpes. Si tu ajoutes 18 à 24, combien trouves-tu ? ;* vois **additionner.** **2.** Dire en plus. *Yves a*

Le contraire d'*ajouter,* c'est *enlever, ôter, retrancher.*

dit qu'il avait chaud, Antoine a ajouté qu'il avait soif. Je n'ai rien à ajouter, j'ai tout dit. **3.** *S'ajouter,* venir en plus. *Aux bruits de la rue vient s'ajouter la musique des voisins.*

Autres membres de la famille : **rajouter, surajouter.**

Conjugaison 1

ajuster v.

1. Mettre aux bonnes dimensions. *M. Bellec ajuste des planches pour faire un meuble.* **2.** Adapter, faire aller une pièce dans une autre. *Pierre Séverac essaye d'ajuster un nouveau manche à la pioche. — Le couvercle s'ajuste mal à la marmite : la vapeur s'en échappe.*

Famille de ① **juste**

Le contraire d'*ajusté*, c'est *ample.*

▹ ***ajusté*** adj. *Sophie Pelletier a une veste ajustée,* une veste qui serre le corps de près ; vois ***moulant.***

▹ ***ajusteur*** n. m. Ouvrier qui fabrique des pièces métalliques. *L'ajusteur trace et façonne les pièces.*

On écrit aussi *alèse.*

alaise n. f.

Tissu imperméable qu'on met entre le drap et le matelas, pour protéger le matelas. *On met des alaises dans les lits des enfants et des malades.*

On prononce [alɑ̃bik], en faisant entendre le ***c.***

alambic n. m.

Appareil qui sert à faire de l'alcool par distillation. *Pierre Séverac a installé un alambic dans sa cave.*

Va voir aussi ***distillation.***

alarme n. f.

Signal pour avertir d'un danger. *Le guetteur romain a donné l'alarme en voyant les Gaulois arriver ;* vois ***alerte.*** *La sentinelle a lancé un cri d'alarme.*

Si on tire le *signal d'alarme,* le train s'arrête.

Conjugaison 1

Il est peut-être malade.

▹ ***alarmer*** v. *Alarmer quelqu'un,* c'est l'inquiéter ; vois ***affoler.*** *Les pleurs du bébé alarment sa mère. — Sophie Pelletier ne s'alarme pas facilement.*

Le contraire d'*alarmer,* c'est *rassurer.*

Le contraire d'*alarmant,* c'est *rassurant.*

▹ ***alarmant*** adj. Inquiétant, préoccupant. *L'état de santé de Julie était alarmant.*

Elle a eu une crise d'appendicite.

Prononce [albatʀos].

Compare *albatros* et *albinos* : c'est **blanc.**

albatros n. m.

Grand oiseau blanc et gris, au bec crochu, qui vit surtout dans les mers du grand Sud. *L'albatros peut faire plus de trois mètres d'envergure.*

Les albatros ne se posent sur la terre ferme que pour faire leurs petits.

Albinos [albinos] rime avec *grosse* et *sauce.*

Au féminin : *albinos.*

albinos adj.

Qui a la peau et les poils entièrement blancs, parce qu'il lui manque la substance qui leur donne leur couleur. *J'ai vu des lapins albinos chez le marchand d'animaux.*

Certaines personnes sont albinos.

Album [albɔm] rime avec *rhum, aluminium* et *homme.*

album n. m.

1. Livre ou classeur qui a des pages blanches qu'on doit remplir. *Denis Prost a des albums de photos où on le voit quand il était petit.* **2.** Livre très illustré. *Antoine a de nombreux albums de bandes dessinées.*

Compare ***album, albinos*** et ***albatros*** : dans ces mots, il est question de **blanc.**

Compare ***albumine*** et ***albatros*** : c'est **blanc.**

albumine n. f.

Matière visqueuse blanchâtre qui se trouve dans le sang, le blanc d'œuf, le lait et les muscles. *L'albumine de l'œuf devient blanche et ferme quand elle cuit. M. Bonnot a de l'albumine,* il a de l'albumine dans les urines.

L'albumine est une protéine.

C'est le signe d'une maladie.

alchimie n. f.

Les *alchimistes* pratiquaient l'alchimie.

Ensemble de pratiques magiques fondées sur des croyances et des expériences de chimie, au Moyen Âge. *L'alchimie était entourée d'un grand mystère.*

Les alchimistes essayaient de transformer les métaux en or.

Ne prononce qu'un seul ***o*** : [alkɔl]. *Alcool* rime avec *col.*

En fermentant, le jus sucré des fruits devient alcoolisé. En distillant ce jus, on obtient de l'alcool.

alcool n. m.

1. Liquide incolore, très fort, contenu dans le vin et dans certaines boissons. *Le vin, la bière, les apéritifs contiennent de l'alcool.* **2.** Boisson très forte où il y a beaucoup d'alcool. *M. Bellec boit un alcool après le repas.* **3.** *L'alcool à 90º,* c'est un liquide qui sert à désinfecter. *Le docteur Séverac s'est passé les mains à l'alcool.*

Si on boit trop d'alcool, on est ivre.

L'alcool à brûler était utilisé dans les réchauds et les lampes à alcool.

Le capitaine Haddock était alcoolique quand Tintin l'a rencontré.

▹ ***alcoolique*** adj. *Une personne alcoolique* est une personne qui boit régulièrement beaucoup d'alcool. *Elle est alcoolique.* — n. m. et f. *Les alcooliques sont des gens très malades.*

▹ ***alcoolisé*** adj. *Une boisson alcoolisée,* c'est une boisson qui contient de l'alcool. *Il ne faut pas abuser des boissons alcoolisées.*

Les enfants ne doivent pas boire de boissons alcoolisées.

▹ ***alcoolisme*** n. m. Maladie des gens qui boivent régulièrement de l'alcool. *Il est mort d'alcoolisme.*

Famille de **test**

▸ ***alcootest*** n. m. Petit appareil qui permet de savoir si on a bu trop d'alcool. *Après son accident de voiture, M. Bellec a dû souffler dans l'alcootest que lui ont présenté les gendarmes.*

C'est un ballon dans lequel on souffle et qui change de couleur si on a trop bu.

Même famille que ② **tour**

alentours n. m. plur.
1. Lieux qui sont autour de quelque chose, voisins de quelque chose ; vois ***environs.*** *Loïc fait visiter à Mme Roussel les alentours de Paimpol.* **2.** *Cela coûte aux alentours de 40 francs,* un peu plus ou un peu moins de 40 francs, environ 40 francs.

Aux alentours
De la tour
Plane un vautour.

① ***alerte*** adj.
Une personne alerte est une personne qui a des mouvements vifs, rapides, malgré son âge ; vois ***agile, leste.*** *Mamie Lou est encore très alerte.*

Elle marche d'*un pas alerte.*

② ***alerte*** n. f.
1. Signal qui prévient d'un danger. *Quand la poste a pris feu, c'est Hippolyte, le facteur, qui a donné l'alerte ;* vois ***alarme.*** **2.** Moment pendant lequel un danger menace. *En 1943, c'était la guerre ; les gens s'abritaient dans les caves pendant les alertes.*

Donner l'alerte, c'est signaler qu'il y a un danger, et qu'il faut prendre toutes les mesures de sécurité utiles.

Conjugaison 1

▸ ***alerter*** v. Avertir en cas de danger, de problème. *Hippolyte a alerté les pompiers ;* vois ***prévenir.***

alèse, va voir ***alaise.***

Ne prononce pas le ***e*** : [alvɛ̃].

Petit poisson deviendra grand ! (La Fontaine).

alevin n. m.
Jeune poisson que l'on met dans les rivières, les étangs pour les repeupler. *Les alevins grandissent dans des élevages avant d'être lâchés dans des rivières.*

La pêche et la pollution tuent les poissons ; c'est pourquoi il faut repeupler les rivières.

Prononce [alɛksɑ̃dʀɛ̃].

alexandrin n. m.
Vers français de douze syllabes. *« Ô rage, ô désespoir, ô vieillesse ennemie » est un alexandrin.*

C'est dans *le Cid,* de Corneille.

algèbre n. m.
Partie des mathématiques qui pose et résout des problèmes, dans laquelle les nombres sont remplacés par des lettres. *Les élèves d'Angèle n'étudient pas encore l'algèbre.*

Problème : $2x - 7 = x + 3$
Solution : $x = 10$

En France, on en fait de l'engrais. Au Japon, on en mange certaines espèces.

algue n. f.
Plante sans tige ni feuilles ni racines qui pousse dans l'eau ; vois ***goémon, varech.*** *Yves a glissé sur un rocher couvert d'algues.*

Les algues contiennent de la chlorophylle.

alibi n. m.
Preuve qu'on était ailleurs au moment d'un crime. *Les suspects ont pu fournir des alibis.*

La police vérifie chaque alibi.

Ce mot n'est plus tellement employé.

aliéné n. m., ***aliénée*** n. f.
Malade mental ; vois ***dément, fou.*** *On l'a enfermé dans un asile d'aliénés.*

Conjugaison 1
▭ Indic. imparfait : *nous alignions, vous aligniez.*

aligner v.
Ranger en ligne droite. *Pour la fête de l'école, on avait aligné des chaises devant une estrade. — Les coureurs se sont alignés pour le départ.*

Famille de **ligne**

▸ ***alignement*** n. m. Ligne droite formée par des objets. *Dans les villes nouvelles, l'alignement des maisons est souvent très régulier.*

Les alignements de menhirs de Carnac sont célèbres.

Les plantes puisent leurs aliments dans le sol.

aliment n. m.
Produit qui sert à nourrir les hommes, les animaux ou les plantes ; vois ***nourriture.*** *Sophie Pelletier utilise beaucoup d'aliments surgelés.*

▸ ***alimentaire*** adj. **1.** *Les produits alimentaires* sont les produits qui servent d'aliments. *Le soja sert à faire des produits alimentaires pour le bétail.* **2.** *Hippolyte suit un régime alimentaire,* il se nourrit d'une façon spéciale pour se soigner ou pour maigrir.

Les *industries alimentaires* sont les industries qui produisent des aliments.

Une *intoxication alimentaire* est provoquée par des aliments avariés.

Conjugaison 1

▸ ***alimenter*** v. **1.** Donner de la nourriture ; vois ***nourrir.*** *Quand Félix était encore un petit chaton, Julie l'alimentait au biberon. — Les explorateurs se sont alimentés de gâteaux secs et de café.* **2.** Apporter à quelque chose ce qu'il lui faut pour fonctionner. *David alimente le feu en bûches. Le séjour en classe de neige alimente la conversation des enfants.*

La *diététique* étudie les façons de s'alimenter.

Les épiceries, les boucheries sont des *magasins d'alimentation.*

▸ ***alimentation*** n. f. Manière de nourrir quelqu'un ou de se nourrir. *Pour être en bonne santé, nous devons varier notre alimentation, manger de la viande, des fruits, des légumes et des produits à base de lait.*

Autre membre de la famille : **sous-alimenté.**

Conjugaison 1

s'aliter v.
Se mettre au lit lorsqu'on est malade ; vois *se* ***coucher.*** *Marie-Tévy a de la fièvre, elle s'est alitée.*

Famille de **lit**

Attention ! *allaiter* et *allaitement* s'écrivent avec deux *l.*

allaiter v.
Nourrir un bébé de son lait. *Sophie Pelletier a allaité son bébé pendant deux mois.*

Conjugaison 1
Famille de **lait**

On utilise le lait de la mère ou du lait de vache.

▸ ***allaitement*** n. m. Alimentation d'un bébé avec du lait. *L'allaitement du bébé a duré deux mois.*

Va voir aussi ***tétée.***

Conjugaison 6
▭ Indic. présent : *j'allèche, nous alléchons.*
Imparfait : *j'alléchais, nous alléchions.*
Futur : *j'allécherai.*

allécher v.
Allécher une personne, c'est l'attirer en lui faisant espérer quelque chose d'agréable ; vois ***appâter.*** *L'odeur qui venait de la cuisine les alléchait. Les enfants ont été alléchés par l'affiche du cirque où l'on voyait des clowns.*

▸ ***alléchant*** adj. Appétissant, tentant. *La vitrine de Mme Harpie est pleine de bonbons alléchants.*

Au féminin : *alléchante.*

Famille de ① **aller**

allée n. f.
Chemin bordé d'arbres, de verdure. *Le jardinier ratissait les allées du parc.*

Famille de ① **aller** et de **venir**

allées et venues n. f. plur.
Déplacements de personnes qui vont et viennent. *Julie et Marie-Tévy font des allées et venues continuelles entre la maison de l'une et la maison de l'autre.*

Ce sont de grandes amies ; elles ont du mal à se quitter.

Conjugaison 3 et 6
▭ Indic. présent : *j'allège, nous allégeons.*
Imparfait : *j'allégeais.*

alléger v.
Alléger quelque chose, c'est le rendre moins lourd. *Les alpinistes ont allégé leurs sacs à dos pour grimper plus facilement.*

Famille de **léger**
Le contraire, c'est *alourdir.*

Allègre et *allégresse* s'écrivent avec deux *l,* mais *allègre* a un accent grave, alors que *allégresse* a un accent aigu.

allègre adj.
Plein d'une vivacité qui exprime la bonne humeur ; vois ① ***alerte.*** *Tous les matins, marchant d'un pas allègre, le facteur Hippolyte distribue le courrier.*

Allègre et *allégresse* s'écrivent plus qu'ils ne se disent.

▸ ***allégresse*** n. f. Joie très vive et bruyante. *Les chars du carnaval défilaient dans l'allégresse générale.*

Le contraire d'*allégresse,* c'est *tristesse.*

Conjugaison 9
▭ *Aller* se conjugue avec l'auxiliaire *être.*

① ***aller*** v.
1. Se déplacer. *Autrefois, on allait à pied ou à cheval. Les avions vont de plus en plus vite. S'il faut que tu ailles chercher du pain, vas-y maintenant. Nous sommes allés au-devant de Yasmina.* **2.** Se rendre quelque part. *Où allez-vous ? Je vais à Genève, en Suisse. Julie et Yasmina allèrent chez le pharmacien.* **3.** *S'en aller,* partir. *Denis Prost s'en va mardi prochain. Va-t'en, tu m'ennuies. — Ces taches ne s'en vont pas ;* vois ***disparaître.*** **4.** Avancer. *Si tu vas vite, tu auras fini ton dessin à l'heure.* **5.** Être prêt à faire quelque chose, être sur le point de le faire. *Le docteur Séverac va arriver d'un instant à l'autre. Nous allions commencer à manger sans toi.* **6.** *Allons, allez* servent à appeler, à encourager quelqu'un. *Allez ! à table ! Allons, ne sois pas timide !* **7.** *Mamie Lou va bien,* elle se porte bien, elle est en bonne santé. *Comment vas-tu ? Ça va, l'école ?* ça marche, tu es content ? **8.** Convenir. *La veste lui va bien. Ces couleurs vont bien ensemble ;* vois *s'****accorder.***

Droit devant soi on ne peut aller bien loin *(le Petit Prince).*

Le businessman ouvrit la bouche mais ne trouva rien à répondre, et le petit prince s'en fut *(le Petit Prince).*

Aujourd'hui, on va plutôt en voiture, en train ou en avion.

Le lendemain, la pluie tomba toute la journée. Il ne fallait pas penser à aller aux champs *(les Contes du Chat perché).*

— Bonjour, Madame,
Comment ça va ?
— Ça va pas mal.
Et votre mari ?
— Il est malade, à la salade
Il est guéri, au céleri
(comptine).

▸ ② ***aller*** n. m. **1.** Trajet pour aller dans un endroit. *À l'aller, ils ont pris le bateau et au retour l'avion.* **2.** Billet de train, de car, d'avion ou de bateau pour aller dans un endroit. *Donnez-moi deux allers pour Motbourg, s'il vous plaît.*

Autres membres de la famille : **allée, allées et venues, allure, laisser-aller, pis-aller,** à la **va-vite, va-et-vient, va-nu-pieds, va-tout.**

Le pollen des fleurs, certains médicaments, donnent des réactions allergiques.

allergique adj.
On est allergique à une chose quand cette chose rend malade. *Marie-Tévy est allergique aux fraises ; elles lui donnent de l'urticaire.*

Les personnes allergiques ont des *allergies.*

Famille de **lier**

alliage n. m.
Métal qui est un mélange d'un métal avec un autre métal ou d'autres produits. *Le bronze est un alliage de cuivre et d'étain.*

Acier = fer + carbone.
Laiton = cuivre + zinc.

Conjugaison 7 ▭ Indic. présent : *nous nous allions.* Imparfait : *nous nous alliions.* Futur : *nous nous allierons.*

s'allier v.

S'unir par une alliance. *Sous Napoléon Ier, tous les pays d'Europe s'étaient alliés contre la France,* ils s'étaient entendus pour lutter contre la France.

Famille de **lier**

▸ ***alliance*** n. f. **1.** Union de plusieurs pays, de plusieurs groupes qui s'entendent pour s'aider ; vois ***accord, coalition, ligue, pacte.*** *Le maire a conclu une alliance avec un autre parti pour les élections.* **2.** *Mme Séverac est la tante par alliance de Claire,* elle est sa tante par son mariage avec le docteur Séverac. **3.** Anneau porté par les gens mariés. *Mme Séverac porte une alliance en brillants.*

Le docteur Séverac est le frère du père de Claire.

On porte son alliance à l'annulaire.

▸ ***allié*** n. m., ***alliée*** n. f. Personne qui en aide une autre. *Durant la Deuxième Guerre mondiale, les Russes étaient les alliés des Américains.*

Le contraire d'*allié,* c'est *adversaire, ennemi.*

N'oublie pas les deux *l.*

alligator n. m.

Reptile de l'Amérique du Nord pouvant mesurer plus de quatre mètres, qui ressemble au crocodile. *Le crâne des alligators est plus court mais plus large que celui des crocodiles.*

Va voir aussi ***caïman.***

Sur les bords du Mississipi
L'alligator a du dépit
(R. Desnos).

On écrit aussi *allo,* sans accent sur le ***o.***

allô ! interjection

Premier mot qu'on dit quand on commence une conversation au téléphone. *Allô ! c'est toi Julie ?*

Allô, allô ! Vous m'entendez ?

Ne confonds pas *allocation* et *allocution.*

allocation n. f.

Somme d'argent qu'on verse à quelqu'un, pour l'aider. *Quand Hippolyte était au chômage, il touchait une allocation.*

Les personnes qui ont au moins deux enfants touchent des *allocations familiales.*

Compare ***allocution*** et ***interlocuteur*** : il s'agit de **parler.**

allocution n. f.

Petit discours. *Le président de la République a présenté ses vœux aux Français au cours d'une allocution télévisée.*

Allocution [alɔkysjɔ̃] rime avec *pension.*

Conjugaison 3 ▭ Indic. présent : *nous allongeons.* Imparfait : *j'allongeais.*

Famille de **long**

allonger v.

1. *Allonger une chose,* c'est la rendre plus longue ; vois ***rallonger.*** *La jupe de Claire était trop courte, il a fallu l'allonger de deux centimètres.* **2.** Devenir plus long. *Les jours allongent à partir du vingt-deux décembre.* **3.** *Allonger quelqu'un,* c'est l'étendre, le coucher. *Les infirmiers allongent le blessé sur une civière. — Marie-Tévy s'est allongée sur une chaise longue.* **4.** Étendre une partie du corps. *L'ours allongeait la patte pour atteindre le miel. Julie allonge ses jambes sur la banquette.*

N'oublie pas les deux *l.*

Le contraire d'*allonger,* c'est *raccourcir.*

Delphine allongeait le bras pour fermer la porte
(les Contes du Chat perché).

Conjugaison 1

Babar allume un bon feu pour préparer le déjeuner et souffle dessus bien fort *(Babar).*

allumer v.

1. *Allumer une chose,* c'est y mettre le feu, l'enflammer. *Denis Prost allume sa cigarette avec le mégot de la précédente.* **2.** Rendre lumineux. *On n'y voit rien, allume la lampe. — S'allumer,* devenir lumineux. *Les enseignes s'allument et s'éteignent.* **3.** *Allumer un appareil électrique,* c'est le mettre en marche. *Claire a allumé la télévision. La radio est restée allumée toute la nuit.*

Le contraire d'*allumer,* c'est *éteindre.*

Quand il allume son réverbère, c'est comme s'il faisait naître une étoile de plus
(le Petit Prince).

Compare ***allumer, allumette*** et ***lumière*** : il s'agit de **clarté.**

▸ ***allumage*** n. m. *L'allumage d'un moteur,* c'est le système qui met le feu au mélange d'air et d'essence. *La voiture d'Angèle a des problèmes d'allumage quand il pleut.*

Autre membre de la famille : **rallumer.**

Compare : *allumer → allumette* et *rouler → roulette.*

Seul l'État, en France, a le droit de fabriquer des allumettes.

▸ ***allumette*** n. f. Brin de bois ou de carton dont un bout est recouvert d'un produit qui s'enflamme quand on le frotte. *Julie a dû gratter trois allumettes pour allumer les bougies du gâteau d'anniversaire.*

Deux ***l***, un ***m*** et deux ***t*** dans ***allumette.***

Deux *l* dans *allure.*

Quelquefois Babar ralentit son allure, fatigué, et repart *(Babar).*

allure n. f.

1. Vitesse. *Ralentissons l'allure pour que Claire nous rattrape,* allons moins vite. *La moto a traversé la ville à toute allure,* à toute vitesse. **2.** Air, aspect. *Julie veut se donner l'allure d'une dame. L'inconnu avait une drôle d'allure,* l'air bizarre et un peu ridicule.

Famille de ① **aller**

Les rois et les généraux à cheval ont vraiment grande allure
(Babar).

N'oublie pas les deux *l.*

allusion n. f.

Faire allusion à une chose, c'est en parler indirectement, par sous-entendus ; vois ***insinuation.*** *Angèle, l'institutrice, a fait allusion aux retards répétés d'Antoine, qui a fait semblant de ne pas comprendre.*

Ne confonds pas *allusion* et *illusion.*

Attention aux deux *l* !

Les alluvions constituent des terres fertiles.

alluvions n. f. plur.

Graviers, boue, débris déposés par les cours d'eau ; vois ***sédiment.*** *Les deltas sont formés par les alluvions des fleuves.*

Alluvions est un nom féminin.

Le *ch* final ne se prononce pas : [almana].

almanach n. m.
Livre qui paraît tous les ans et contient un calendrier et des renseignements de toutes sortes. *Loïc regarde les horaires de marée sur l'Almanach du Marin breton.*

N'oublie pas l'accent grave du *è*. Prononce [alɔɛs].

aloès n. m.
Plante grasse aux feuilles allongées et pointues, bordées de piquants. *Les aloès ont des fleurs jaunes ou rouges.*

On confond souvent les agaves et les aloès.

Famille de **lors**

J'ai alors dessiné l'intérieur du serpent boa, afin que les grandes personnes puissent comprendre *(le Petit Prince).*

alors adv.
1. À ce moment-là. *Hippolyte était alors en vacances à la Martinique. Yasmina, jusqu'alors silencieuse, prit soudain la parole.* **2.** Dans ce cas. *Tu es d'accord ? Alors, n'en parlons plus. Leur voiture était en panne, alors les Bellec ont pris le train,* en conséquence. **3.** Sinon. *C'est M. Bellec que j'ai vu ou alors quelqu'un qui lui ressemblait.*

Alors sert aussi à donner plus de force à une question ou à une exclamation : *Alors, tu te dépêches ?*

Famille de **que**

▹ ***alors que*** conjonction **1.** Au moment où, pendant que. *Antoine est arrivé chez Yves alors que celui-ci partait au gymnase.* **2.** Bien que. *Julie a encore fait l'école buissonnière alors qu'elle avait promis de ne plus recommencer.*

Alors que est suivi d'un verbe à l'indicatif.

alouette n. f.

Les alouettes ont un vol presque vertical et chantent en s'élevant.

Petit oiseau au plumage brun ou gris, qui vit dans les champs. *Les alouettes nichent à terre et se nourrissent de graines et d'insectes.*

Alouette, gentille alouette
Alouette, je te plumerai
(chanson).

Conjugaison 2

alourdir v.

Le contraire, c'est *alléger.*
Famille de **lourd**

Rendre plus lourd. *Un tas d'objets inutiles alourdissent les poches d'Antoine. — Ses poches s'alourdissent tous les jours,* elles deviennent plus lourdes.

Un repas trop copieux nous alourdit.

Compare *alpage* et *alpinisme* : il s'agit de **haute montagne**.

alpage n. m.
Pâturage de haute montagne. *L'été, les bergers mènent leurs troupeaux dans les alpages.*

Attention au *ph* !

alphabet n. m.
Ensemble des lettres d'une langue servant à noter par écrit cette langue et classées dans un certain ordre. *Avant d'apprendre à lire, on apprend l'alphabet. En français, l'alphabet compte vingt-six lettres. Yasmina connaît l'alphabet arabe.*

Alphabet vient de *alpha* et de *bêta,* les deux premières lettres de l'alphabet grec.

Dans un dictionnaire, les mots sont classés par ordre alphabétique.

▹ ***alphabétique*** adj. *L'ordre alphabétique* est l'ordre des lettres de l'alphabet. *La liste des noms des élèves de la classe suit l'ordre alphabétique.*

Dans notre alphabet, l'ordre alphabétique va de A jusqu'à Z.

▹ ***alphabétisation*** n. f. Enseignement de la lecture et de l'écriture aux adultes qui ne savent ni lire ni écrire. *Mme Séverac donne des cours d'alphabétisation.*

Autre membre de la famille : **analphabète.**

Compare *alpinisme, alpiniste* et *alpage* : on parle de **haute montagne.**

alpinisme n. m.
Sport qui consiste à escalader des montagnes, des parois rocheuses. *Il faut beaucoup s'entraîner pour faire de l'alpinisme.*

Compare *alpiniste, alpinisme* et *alpage* : on parle de **haute montagne.**

alpiniste n. m. et f.
Personne qui fait de l'alpinisme. *Le piolet à la main, les alpinistes avançaient sur la pente glacée.*

Conjugaison 6
▭ Indic. présent : *j'altère, nous altérons.*

① **altérer** v.
Changer en mal ; vois ***abîmer, détériorer, gâter.*** *Le soleil a altéré les couleurs du papier peint,* il les a ternies. — *Les couleurs se sont altérées au soleil.*

Conjugaison 6
Faire des haltères altère !

② **altérer** v.
Donner soif. *Cette longue course en montagne avait altéré Alex.*

Autres membres de la famille : **désaltérer, désaltérant.**

Conjugaison 1

alterner v.
Se succéder et revenir toujours dans le même ordre. *À l'école, les cours alternent avec les récréations. Les cours et les récréations alternent.*

Le *stationnement alterné* se fait d'un côté et de l'autre de la rue selon les jours.

Il y a aussi l'alternance des jours et celle des mois.

▹ ***alternance*** n. f. Succession de choses qui reviennent toujours dans le même ordre. *Printemps, été, automne, hiver : c'est l'alternance des saisons.*
▹ ***alternatif*** adj. *Un mouvement alternatif* va dans un sens, puis dans l'autre, avec régularité. *Le mouvement du balancier d'une horloge est alternatif.*

▸ ***alternative*** n. f. Situation dans laquelle on se trouve quand on doit choisir entre deux solutions ; vois ***dilemme.*** *L'alternative est claire : soit je pars aujourd'hui avec vous, soit je vous rejoins demain.*

▸ ***alternativement*** adv. Tour à tour, successivement. *Le temps était alternativement pluvieux et ensoleillé.*

altesse n. f.

Titre que l'on donne aux princes et aux princesses. *Son Altesse Royale donnera une audience demain matin.*

altier adj.

Une personne altière est une personne fière. *À première vue, Mme Séverac peut sembler un peu altière ;* vois ***hautain.***

Les gens altiers regardent les gens de haut.

Céleste a les oreilles qui tintent et elle devient sourde. « C'est l'altitude, lui dit la vieille dame » *(Babar).*

altitude n. f.

Hauteur mesurée à partir du niveau de la mer. *La Grenie, la ferme des Séverac, est à une altitude de quatre cents mètres. L'avion décolla et prit rapidement de l'altitude. — En altitude, on est plus facilement essoufflé,* à une altitude élevée.

L'altitude du mont Blanc est de 4 807 mètres.

Au pluriel : *des altos.*

Le musicien qui joue de l'alto s'appelle un *altiste.*

alto n. m.

Instrument de musique de la famille des violons. *Un quatuor à cordes est écrit pour deux violons, un alto et un violoncelle.*

L'alto est plus grand que le violon.

Aluminium [alyminjɔm] rime avec *gentilhomme.*

aluminium n. m.

Métal léger de couleur gris clair. *Une feuille d'aluminium enveloppe la plaque de chocolat. Mme Roussel a une batterie de cuisine en aluminium.*

Le minerai qui permet de fabriquer l'aluminium s'appelle la *bauxite.*

Conjugaison 2

alunir v.

Se poser sur la Lune. *Les cosmonautes ont aluni pour la première fois le 21 juillet 1969.*

Famille de **lune**

▸ ***alunissage*** n. m. *Ce sont les Américains qui ont effectué le premier alunissage,* qui ont aluni les premiers.

Deux **s** dans *alunissage.*

On disait autrefois *un alvéole.*

alvéole n. f.

Petite cavité en cire que fait l'abeille dans la ruche. *Les abeilles déposent les œufs de la reine et le miel dans les alvéoles.*

Compare ***amabilité, amateur, ami*** et ***amoureux*** : on **aime.**

amabilité n. f.

Qualité de ceux qui sont aimables, qui cherchent à faire plaisir. *Les serveurs du restaurant Bellec sont d'une grande amabilité ;* vois ***gentillesse.*** *— Mme Harpie dit des amabilités à Hippolyte,* des paroles aimables.

Conjugaison 1
▭ Indic. futur : *j'amadouerai.*

amadouer v.

Amadouer quelqu'un, c'est rendre plus doux quelqu'un qui était hostile en lui disant des paroles gentilles ou en lui donnant des choses qui lui font plaisir. *Antoine essaie d'amadouer sa mère en lui faisant des compliments sur sa coiffure.*

On prononce [amadwe].

Famille de **maigre**

amaigri adj.

Devenu maigre. *Yasmina a trouvé son grand-père vieilli, le visage amaigri et les traits tirés.*

▸ ***amaigrissant*** adj. Qui fait maigrir. *Chaque année au printemps, Mme Séverac se trouve trop grosse et fait un régime amaigrissant ;* vois ***amincissant.***

Elle n'est pas obèse, mais elle est très coquette !

▸ ***amaigrissement*** n. m. *Une amie de Mme Séverac est allée faire une cure d'amaigrissement en Suisse,* une cure pour maigrir.

amalgame n. m.

Mélange de personnes ou de choses différentes qui ne sont pas faites pour aller ensemble. *L'histoire que racontait Antoine était un amalgame d'inventions et de faits véridiques.*

On appelle aussi *amalgame* une pâte avec laquelle le dentiste bouche les trous des dents.

Conjugaison 1

▸ *s'****amalgamer*** v. Se mélanger. *Le ciment et l'eau s'amalgament facilement.*

Ne confonds pas *amande* et *amende.*

Les amandes renferment de l'huile ; on fait du savon à l'huile d'amandes douces.

amande n. f.
Fruit ovale à coque très dure vert pâle dont on mange la graine qui est à l'intérieur. *Mme Harpie vend des gâteaux à la pâte d'amandes. Sophie Pelletier a acheté des amandes salées pour l'apéritif. — Marie-Tévy a les yeux en amande,* de forme allongée.

Avec les amandes, on fait des dragées et des pralines.

Vert amande : vert clair, très doux.

Compare : *amande → amandier* et *cerise → cerisier.*

▸ **amandier** n. m. Arbre dont le fruit est l'amande. *Les fleurs des amandiers sont roses.*

Il faut faire attention car certaines amanites sont bonnes à manger mais d'autres sont vénéneuses.

amanite n. f.
Champignon ayant des lamelles sous le chapeau, un anneau à la partie supérieure du pied et une membrane formant une sorte d'étui à la base du pied. *Les amanites poussent dans les forêts.*

L'oronge et l'amanite rougeâtre sont comestibles ; l'amanite phalloïde et l'amanite vireuse sont mortelles.

Conjugaison 1

amarrer v.
Attacher un bateau avec des amarres. *Le bateau de Loïc est amarré dans le port de Paimpol.*

Amarrés le long de la jetée, les bateaux paraissent des insectes de toutes les couleurs *(Babar).*

Deux *r* dans *amarrer* et *amarre.*

▸ **amarre** n. f. Câble ou cordage servant à attacher un bateau à un point fixe. *« Larguez les amarres » dit le capitaine.*

Deux *s* dans *amasser.*
Famille de ① **masse**

Le contraire d'*amasser,* c'est *disperser.*

amasser v.
Entasser peu à peu, accumuler. *L'écureuil amasse des provisions pour l'hiver ;* vois ***amonceler.*** *Mme Harpie amasse de l'argent ;* vois ***thésauriser.*** *— La foule s'est amassée sur la place pour voir le spectacle,* s'est rassemblée en grand nombre.

Conjugaison 1
Elle est très avare !

Amas se termine par un *s* qui ne se prononce pas.

▸ **amas** n. m. Tas qui s'est formé petit à petit. *Il y a un amas de poussière sur les meubles du grenier. Julie, range cet amas de vêtements qui est sur ton lit ! ;* vois ***amoncellement, monceau.***

Compare *amateur, ami, amical, amitié* et *amour* : dans ces mots, on **aime.**

amateur n. m.
1. Personne qui aime beaucoup une chose. *Alex est un amateur de jazz,* il aime beaucoup écouter du jazz et connaît bien tout ce qui concerne cette musique. — adj. *Mme Bellec est amateur de mots-croisés.* **2.** *Alex est un saxophoniste amateur,* il joue pour son plaisir, sans en faire son métier.

Obélix est un grand amateur de sangliers.

Il joue *en amateur.*

Les Amazones étaient des femmes guerrières légendaires, qui habitaient sur les bords de la mer Noire et combattaient à cheval en tirant à l'arc.

amazone n. f.
Femme qui monte à cheval. *En traversant la forêt, Denis Prost a croisé une belle amazone. — Monter en amazone,* c'est monter à cheval avec les deux jambes du même côté. *L'impératrice Sissi montait en amazone.*

Deux *s* dans *ambassade* et *ambassadeur.*

ambassade n. f.
Maison où travaille l'ambassadeur avec son personnel. *Le docteur Séverac va chercher son visa à l'ambassade.*

Les ambassades sont dans les capitales.

L'*ambassadrice* est aussi la femme de l'ambassadeur.

▸ **ambassadeur** n. m., **ambassadrice** n. f. Personne dont le métier est de représenter son pays dans un pays étranger. *L'ambassadeur de France en Grande-Bretagne a donné une grande réception.*

Va voir aussi ***diplomate, consul.***

Ambiance s'écrit avec deux *a.*

ambiance n. f.
Atmosphère agréable ou désagréable qu'il y a dans un endroit. *Au pique-nique, mercredi dernier, l'ambiance était très gaie.*

Quand une réunion est très gaie, on dit qu'*il y a de l'ambiance.*

Au féminin : *ambiguë,* avec un tréma.

ambigu adj.
Un mot est ambigu quand on peut le comprendre de plusieurs façons parce qu'il a plusieurs sens ; vois ***équivoque.*** *« Je n'aime pas les avocats » est une phrase ambiguë.*

Le contraire d'*ambigu,* c'est *clair.*

Attention au tréma du *ï* !

▸ **ambiguïté** n. f. *Antoine a demandé à Marie-Tévy si elle aimait Mme Harpie et Marie-Tévy lui a répondu sans ambiguïté qu'elle la détestait,* elle lui a répondu clairement, sans équivoque.

Ambitieux [ɑ̃bisjø] rime avec *cieux.*

Elle a de l'*ambition.*

ambitieux adj.
1. *Une personne ambitieuse* est une personne qui désire devenir quelqu'un d'important. *Mme Hespel est une femme ambitieuse, elle espère devenir l'une des directrices de l'usine. — n. Les ambitieux travaillent beaucoup.* **2.** *Un projet ambitieux,* c'est un projet que l'on voudrait réaliser mais qui dépasse les possibilités que l'on a. *Vouloir donner à manger à tous ceux qui ont faim, c'est un projet très généreux mais très ambitieux.*

Le contraire d'*ambitieux,* c'est *modeste.*

Ambition [ɑ̃bisjɔ̃] rime avec *confession.*

ambition n. f.

1. Désir de réussite. *Mme Hespel a beaucoup d'ambition.* **2.** Souhait, désir profond. *L'ambition d'Angèle, l'institutrice, est de devenir directrice d'école.*

Elle est *ambitieuse.*

Les cachalots produisent dans leur intestin une substance parfumée, appelée l'*ambre gris.*

ambre n. m.

L'ambre jaune, c'est de la résine d'arbres de l'époque préhistorique qui est devenue dure, jaune et transparente. *Sophie Pelletier porte un collier d'ambre.*

On trouve de l'ambre en Allemagne, sur les bords de la mer Baltique, et en Birmanie.

Compare ***ambul**ance, **ambul**ant, d**éambul**er, fun**ambul**e, noct**ambul**e* et *somn**ambul**e* : on **va** d'un endroit à un autre.

ambulance n. f.

Voiture aménagée pour transporter les malades et les blessés. *On a transporté le blessé en ambulance.*

▸ ***ambulancier*** n. m., ***ambulancière*** n. f. Personne qui conduit une ambulance. *L'ambulancier a mis en route le girophare.*

On reconnaît de loin une ambulance à la lumière bleue qui tourne sur son toit et à sa sirène.

Au féminin : *ambulante.*

Compare ***ambul**ant* et *d**éambul**er* : il est question d'**aller**.

ambulant adj.

Un marchand ambulant se déplace d'un endroit à un autre pour vendre sa marchandise. *Sur la plage, un marchand ambulant vend des glaces et des gaufres.*

Les musiciens et les comédiens ambulants jouent dans les rues.

N'oublie pas l'accent circonflexe du *â.*

Delphine et Marinette se mirent à renifler et le cochon, qui, lui aussi, avait une très belle âme, éclata en sanglots
(les Contes du Chat perché).

âme n. f.

Partie de l'homme qui pense et qui éprouve des émotions et que l'on distingue du corps. *La religion considère que l'âme est immortelle. Les animaux n'ont pas d'âme. Mme Bellec est dévouée à son mari corps et âme,* entièrement. *Les jurés jugent en leur âme et conscience de la culpabilité de l'accusé,* ils jugent en toute honnêteté.

Rendre l'âme : mourir.

Il n'y a pas *âme qui vive :* il n'y a personne.

Conjugaison 1

J'ai beaucoup vécu chez les grandes personnes. Je les ai vues de très près. Ça n'a pas trop amélioré mon opinion
(le Petit Prince).

améliorer v.

Améliorer quelque chose, c'est le changer en mieux, le rendre meilleur. *Il faudrait améliorer la présentation de ton cahier. — Le temps ne s'est pas amélioré depuis ce matin,* il ne s'est pas arrangé.

▸ ***amélioration*** n. f. Progrès. *Aucune amélioration du temps n'est prévue pour les prochains jours,* le temps ne s'améliorera pas.

Le contraire d'*amélioration,* c'est *aggravation.*

Conjugaison 3 ▭ Indic. présent : *nous aménageons.* Imparfait : *j'aménageais.*

Compare : *aménager → aménagement* et *déménager → déménagement.*

aménager v.

Aménager un endroit, c'est l'arranger, l'installer. *Mme Séverac a aménagé une partie du grenier en chambre d'amis.*

▸ ***aménagement*** n. m. *Mme Harpie a fait des aménagements dans sa boutique,* des travaux de transformation.

À Célesteville, les usines se construisent, des terrains de sport sont aménagés, des cinémas ouvrent leurs portes
(Babar).

Ne confonds pas *amende* et *amande.*

amende n. f.

Somme d'argent que l'on paye lorsque l'on n'a pas observé la loi. *Défense de marcher sur la pelouse sous peine d'amende. M. Doucet a eu une amende de cent cinquante francs parce qu'il n'avait pas mis d'argent dans le parcmètre ;* vois ***contravention.***

Il a eu *cent cinquante francs d'amende.*

Faire amende honorable, c'est reconnaître ses torts, demander pardon.

Famille de **mener**

À mercredi ! *Amène* ton frère et *apporte* des disques.

amener v.

1. Faire venir quelqu'un avec soi. *C'est l'anniversaire de Julie, tous les enfants sont réunis, Nathalie a amené sa petite cousine Claire.* **2.** Transporter, conduire quelqu'un ou quelque chose qui peut se déplacer sans être porté. *Voici l'autocar qui les a amenés ici. Ils ont amené la passerelle devant la porte de l'avion. Le canal d'irrigation amène l'eau dans les champs.* **3.** Faire venir à sa suite, entraîner. *Le vent amène la pluie. Cela risque de lui amener des ennuis ;* vois ***attirer.*** **4.** *Être amené à faire quelque chose,* c'est être forcé de le faire au bout d'un moment. *Si vous continuez à bavarder, dit Angèle, l'institutrice, je vais être amenée à vous punir.*

Quel bon vent vous amène ?

Conjugaison 5 ▭ Indic. présent : *j'amène, nous amenons.* Imparfait : *j'amenais.* Futur : *j'amènerai.* — Subj. présent : *que j'amène, que nous amenions.* — Impératif présent : *amène, amenons.*

Conjugaison 1

Famille de ① **menu**

s'amenuiser v.

Devenir plus petit. *Moins Alex travaille et plus ses chances de réussite s'amenuisent ;* vois ***diminuer.***

Il a déjà raté deux fois son baccalauréat.

Au féminin : *amère.*

amer adj.

1. *Quelque chose d'amer* a un goût spécial, souvent désagréable. *Les endives et l'écorce de citron sont amères.* **2.** Pénible, douloureux. *L'échec d'Alex au bac a causé une amère déception à sa mère.*

▸ ***amèrement*** adv. Avec amertume, tristesse. *Alex a été amèrement déçu d'avoir échoué au bac,* il a été très déçu.

Le contraire d'*amer,* c'est *doux.*

Autre membre de la famille : **amertume.**

Conjugaison 2
Famille de **mer**

Compare :
amerrir → amerrissage
et *atterrir → atterrissage.*

amerrir v.

Se poser à la surface de l'eau, en parlant d'un avion ou d'un engin spatial. *La cabine spatiale a amerri dans l'océan Indien.*

▸ ***amerrissage*** n. m. *L'hydravion a réussi son amerrissage,* il a réussi à amerrir.

Un seul ***m*** et deux ***r*** dans *amerrir, amerrissage.*

Famille de **amer**

amertume n. f.

1. Goût amer. *Claire n'aime pas l'amertume des endives.* **2.** Tristesse causée par la déception. *Alex pensait avec amertume qu'il aurait dû travailler davantage pour avoir son baccalauréat.*

Attention au ***th*** et au ***y*** !

améthyste n. f.

Pierre précieuse d'une belle couleur violette. *L'évêque porte au doigt un anneau orné d'une améthyste.*

L'améthyste est une sorte de quartz.

Le *tissu d'ameublement* sert à faire des rideaux, des dessus-de-lit, à recouvrir des fauteuils.

ameublement n. m.

L'ameublement d'une pièce, c'est l'ensemble des meubles et de la décoration. *L'ameublement de la chambre de Julie est très moderne et très original.*

Famille de ② **meuble**

Conjugaison 1

ameuter v.

Provoquer un attroupement. *Les enfants, arrêtez de hurler, vous allez ameuter tout le quartier !*

Famille de **meute**

Compare *ami* et *amoureux* : dans ces mots, on **aime.**

ami n. m., *amie* n. f.

1. Personne que l'on aime bien voir, pour qui on a de la sympathie. *Marie-Tévy est l'amie de Yasmina et de Julie. Yves est le meilleur ami d'Antoine. Mme Bellec et Mme Roussel sont des amies d'enfance.* **2.** *Sylvain fait partie du club des amis des animaux,* qui aiment les animaux et veulent les défendre.

Le contraire d'*ami,* c'est *ennemi, adversaire.*

Pour son *ami,* on a de l'*amitié.*

C'est triste d'oublier un ami. Tout le monde n'a pas un ami *(Babar).*

à l'amiable adv.

Ils se sont arrangés à l'amiable, directement entre eux, sans se faire de procès.

amiante n. m.

Matière blanche et brillante qui ne prend pas feu. *On fait griller du pain sur une plaque d'amiante que l'on pose sur le gaz. Les pompiers ont mis leur combinaison en amiante pour pouvoir éteindre l'incendie sans être brûlés par les flammes.*

L'amiante est extrait d'un minéral. C'est un fil blanc brillant avec lequel on peut fabriquer des tissus.

Près des hauts fourneaux, les ouvriers portent une combinaison d'amiante.

Au masculin pluriel : *amicaux.*

Les *amies* de Julie sont *amicales* avec elle.

amical adj.

Un geste amical est un geste d'amitié. *Il lui a fait de loin des petits signes amicaux. Mme Roussel et Mme Bellec ont des relations amicales,* d'amitié.

▸ ***amicalement*** adv. D'une manière amicale. *Elle lui a posé amicalement la main sur l'épaule.*

Le contraire d'*amical,* c'est *haineux, hostile.*

amidon n. m.

Matière que l'on trouve dans les plantes sous forme de très petits grains qui donnent une sorte de colle quand on les écrase dans l'eau chaude. *Autrefois, l'amidon servait à rendre bien raides les cols des chemises et les grands jupons.*

▸ ***amidonner*** v. Durcir avec de l'amidon. *Autrefois, on amidonnait les cols des chemises chaque fois qu'on les repassait ;* vois ***empeser.***

Il y a de l'amidon dans le riz, le blé, les pommes de terre, les haricots, les lentilles.

L'amidon qui est dans la farine fait que la sauce blanche devient épaisse.

Deux ***n*** dans *amidonner.*

Conjugaison 1

Famille de **mince**

Compare :
mince → amincir
et *pauvre → appauvrir.*

amincir v.

Faire paraître plus mince. *Mme Séverac a mis une robe noire qui l'amincit. — Elle s'est beaucoup amincie depuis quelques mois,* elle est devenue plus mince ; vois ***maigrir, mincir.***

▸ ***amincissant*** adj. *Un vêtement amincissant* est un vêtement qui amincit celui qui le porte. *Cette robe noire est amincissante. — Mme Séverac fait un régime amincissant,* un régime pour maigrir ; vois ***amaigrissant.***

Conjugaison 2

L'amiral Larima
Larima quoi
la rime à rien
(Prévert).

amiral n. m.

Officier du plus haut grade dans la marine nationale. *L'amiral a sous ses ordres le vice-amiral et le contre-amiral.*

Au pluriel : *des amiraux.*

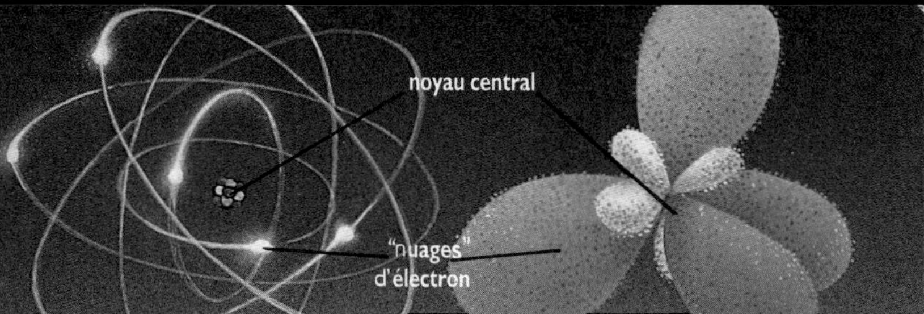

Seuls des calculs permettent d'imaginer l'intérieur des atomes et d'en dessiner des modèles. Voici deux manières de représenter un atome de carbone ; 6 électrons circulent à grande vitesse autour d'un noyau central, minuscule "grappe" de 6 protons et de 6 neutrons. Un atome complet contient exactement autant d'électrons négatifs à sa périphérie que de protons positifs dans son noyau.

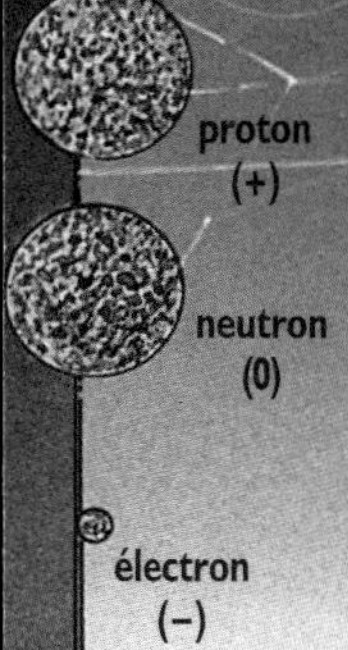

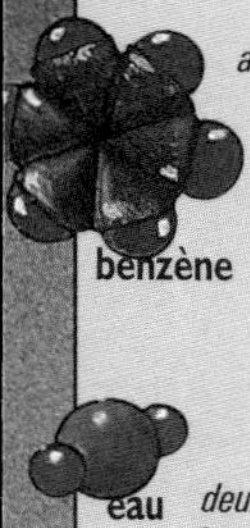

Les atomes sont formés d'infimes particules baptisées protons, neutrons et électrons. Chaque proton et chaque électron porte une même quantité d'électricité, l'une dite positive (+), l'autre négative (–) ; les neutrons n'en portent pas ; ils sont neutres (0). Étudier les particules est très difficile. On utilise pour cela des "chambres" spéciales, qu'elles traversent en laissant la trace de leur passage (ci-dessus).

Si l'on représente les atomes par des boules, une ronde de 6 atomes de carbone bordée par 6 atomes d'hydrogène constitue une molécule de benzène, un corps extrait de la houille. Un atome d'oxygène auquel s'accrochent deux atomes d'hydrogène forme une molécule d'eau.

À l'intérieur d'un cristal, des milliards d'atomes sont aussi rigoureusement rangés que des soldats lors d'un défilé ; leur ordre est parfait.

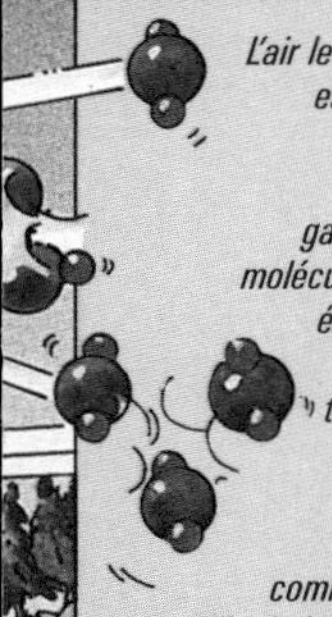

L'air le plus transparent est un mélange de gaz et de vapeur d'eau. Tous les gaz sont formés de molécules, relativement éloignées les unes des autres mais très agitées. Elles se cognent et s'entrechoquent sans cesse, comme des boules de billard ultramicroscopiques.

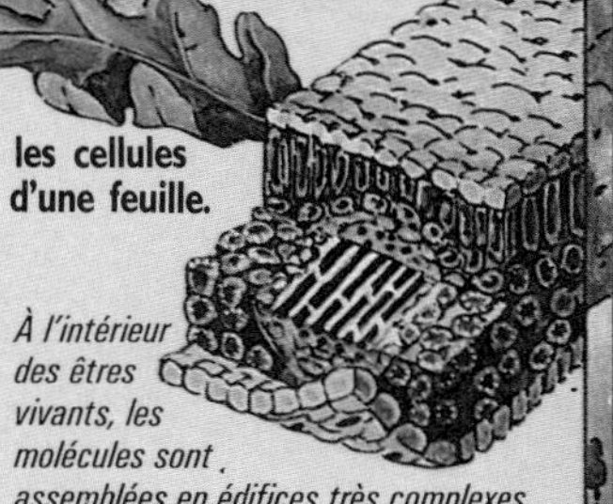

La Terre dans l'univers

L'INTÉRIEUR DE LA MATIÈRE

Les pierres, l'air, l'eau, les plantes et les animaux aussi bien que les étoiles ou notre cerveau, tout sur la Terre et dans l'univers est constitué d'*atomes.* Chaque atome est un "grain" matériel imperceptible, lui-même formé d'infimes *particules.* Une chaîne de 10 millions d'atomes ne mesure que 1 millimètre de long ! Les microscopes les plus puissants parviennent difficilement à nous montrer l'arrangement de ces atomes à l'intérieur de la matière.

Pour construire tout l'univers, on ne compte qu'une centaine de "types" d'atomes différents – oxygène, fer, carbone, etc. que les chimistes appellent des éléments – mais chacun est reproduit à des milliards et des milliards d'exemplaires. Sur Terre, on trouve 90 éléments à l'état naturel ; deux autres ont été découverts dans les étoiles ; une douzaine d'éléments supplémentaires sont fabriqués par les physiciens à l'aide d'appareillages très complexes (ces atomes artificiels se détruisent cependant tout seuls après avoir été créés). Comme les 26 lettres de l'alphabet suffisent à former des milliers de mots divers, dans la nature, les atomes se regroupent pour donner naissance à des milliers de "grappes" variées appelées *molécules.* Ce sont ces molécules qui s'associent à leur tour pour construire le monde où nous vivons, de la même manière que les mots sont associés en phrases.

Page 2 – **Un regard vers le ciel**
Page 4 – **Dans les parages du Soleil**
Page 6 – **Coup d'œil sur la Terre**
Page 8 – **Les sciences du ciel et de la Terre**

À l'intérieur des êtres vivants, les molécules sont assemblées en édifices très complexes, les cellules, que l'on peut voir au microscope (os, peau, sang, bois...).

Un liquide – l'eau par exemple – s'écoule et prend n'importe quelle forme parce que les molécules y sont libres et en désordre. Elles "roulent" pêle-mêle les unes sur les autres, comme des billes. Le moindre filet d'eau est une cataracte de molécules.

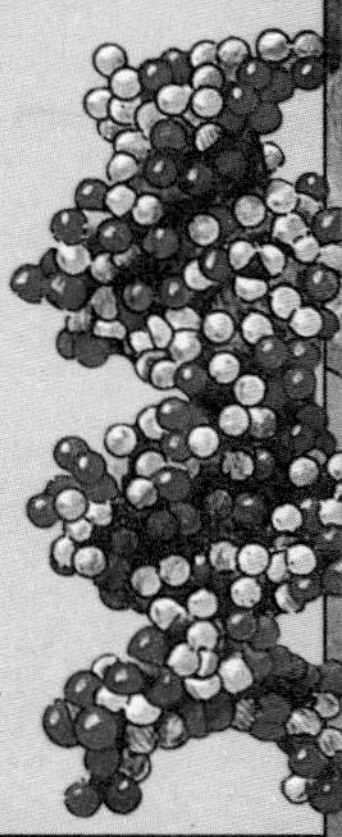

Les atomes sont parfois regroupés par milliers dans une molécule géante. Celle-ci est appelée ADN ; véritable "code secret" conservé dans les cellules des êtres vivants, l'ADN explique aussi bien l'aspect d'un petit pois, que la forme des ailes d'une mouche ou la couleur de nos yeux.

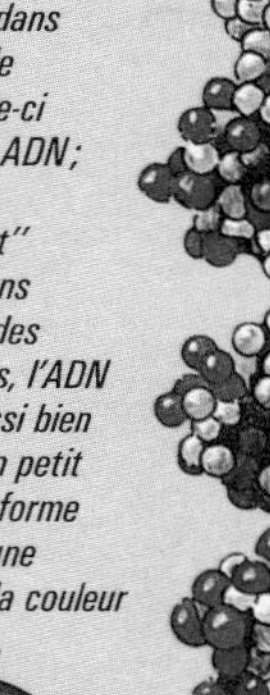

Pendant des siècles, les hommes ont pensé que les étoiles du firmament étaient portées par une immense coupole, posée sur une Terre plate, comme une cloche sur un plateau à fromages. Cette idée simpliste, encore répandue chez nous au Moyen Âge, se retrouve dans de nombreuses civilisations.

Très tôt, les Anciens ont dressé la ca du ciel. Ils ont remarqué que les étoile dessinaient des figures imaginaires, le constellations, auxquelles ils ont donné des noms prestigieux (le Lion, Hercule, la Vierge...). Ici, le Dragon se situe entre la Grande et la Petite Ourse. Les 6 000 étoiles visibles à l'œil nu forment 88 constellations.

UN REGARI

En observant le ciel, en analysant la lumière de tous astres à l'aide d'appareils de plus en plus précis, astronomes ont aujourd'hui une idée de l'organisation l'univers ; ils comprennent également mieux comment s'est formé.

La plupart des spécialistes pensent que l'histoire de l'u vers a commencé par une explosion inimaginable, ba sée d'un terme anglais : le *big bang* (grand boum). Cela serait passé il y a une quinzaine de milliards d'anné Dès les premières fractions de seconde, la températu du berceau du monde atteint des milliers de milliards degrés ! Dans cette "purée" explosive encore uniqueme formée d'un chaos de particules, l'énergie est alors bea coup plus importante que la matière. Mais cela a t vite changé. En se répandant dans l'espace, l'univers refroidit. En moins d'une minute, la température perr aux premiers protons et aux premiers neutrons de forr

Toutes les étoiles ne se ressemblent pas. Elles ont des tailles, des couleurs, des températures et des luminosités différentes. Les bleues sont plus chaudes que les rouges. Les plus petites ne sont pas plus étendues que la région parisienne, alors que les supergéantes engloberaient des millions de soleils !

Une galaxie est comme une immense capitale dont les maisons seraient les étoiles. Mais chacune en compte plus de 100 milliards ! Souvent, les galaxies ont la forme d'un disque aplati, tournoyant sur lui-même en entraînant de grands bras en spirale. Notre galaxie ressemble à cela. Le Soleil est situé près du bord, à 30 000 années-lumière du centre. La Voie lactée est notre galaxie, vue par la tranche depuis la Terre.

La lumière voyage dans l'univers à la vitesse exacte de 299 792 km/s. Elle franchit ainsi 9 460 milliards de kilomètres en un an. Cette distance sert d'unité de mesure en astronomie et vaut 1 année-lumière.

Une galaxie dessinée par ordinateur d'après l'enregistrement de ses ondes radio.

Pour mieux observer le ciel, les astronomes construisent d'immenses télescopes. Ce sont des miroirs géants destinés à recueillir une lumière des millions de fois plus faible que celle discernée par notre œil. Placés au fond d'un long "tube" supporté par une monture spéciale, ils suivent les mouvements des astres avec une précision parfaite.

Les observatoires qui abritent les télescopes sont toujours construits dans des lieux où l'air est très transparent et le ciel très dégagé.

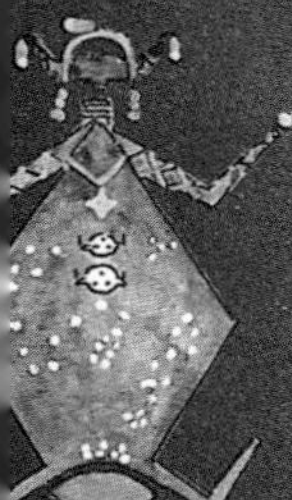

Tous les peuples sont fascinés par le ciel étoilé. Ils l'imaginent comme le siège des forces surnaturelles qui dirigent les hommes, et le représentent à leur manière. Tel est le "Père-Ciel" des Indiens Navajos (U.S.A.). Ce dessin est très éloigné de notre vision du cosmos.

Copernic (1473-1543), Galilée (1564-1642), Kepler (1571-1630) ont été parmi les premiers à soutenir que la Terre n'était pas le centre du monde, mais qu'elle tournait sur elle-même et autour du Soleil, avec les autres planètes et leurs satellites. Ces sphères emboîtées du XVIe siècle tentent de représenter ces mouvements.

Au début du XXe siècle, Albert Einstein (1879-1955) a imaginé la théorie de la relativité pour étudier les mouvements, le temps, l'espace en se basant sur la vitesse de la lumière. Cette théorie permet de mieux comprendre l'univers et affirme que la matière et l'énergie ne sont que deux aspects d'une même réalité.

VERS LE CIEL

s premiers noyaux atomiques. Mais il faut attendre plu-eurs milliers d'années pour que les électrons rajoutent urs cortèges autour de ces noyaux, donnant ainsi nais-nce aux premiers atomes du monde.

epuis lors, le refroidissement et l'expansion de l'univers poursuivent. Ce faisant, les atomes se rassemblent en mmenses nuages, puis en boules géantes : les étoiles ; les-mêmes restent groupées en "superfamilles" : les alaxies. Ceci dure encore aujourd'hui. L'univers se pand comme un ballon qui se gonfle, et des étoiles paraissent et disparaissent sans cesse, au rythme des illiards d'années.

s astronomes estiment qu'il existe dans l'univers des illions de galaxies réparties en grands "troupeaux", en mas réunissant chacun des centaines d'individus... ous, nous vivons dans une galaxie, notre Galaxie, dont Soleil est une simple étoile.

En 1987, une étoile située à 1 187 années-lumière nous apparaît telle qu'elle était en l'an 800, sous Charlemagne, car sa lumière a mis 1 187 ans à nous parvenir !

supernova

Les étoiles "brûlent" leur matière pendant des milliards d'années, en transformant leurs atomes et en émettant de la lumière. Puis, brusquement, leur centre se contracte pendant que leur couronne, au contraire, se gonfle (étoiles géantes rouges ou bleues) ou même explose (supernovae). Elles finissent ainsi par s'éteindre (étoiles naines, trous noirs). Entre les étoiles, dans le vide interstellaire, la plus forte explosion ne fait aucun bruit, car le son ne peut pas circuler dans le vide.

géante rouge

…ace est peuplé d'immenses nuages d'hydrogène et de poussières diffuses dont les télescopes …ilent les teintes magnifiques. Leur taille est telle que la lumière met des dizaines d'années à les …erser. Dans ces nuages se forment de nouvelles …s, un peu comme des grumeaux dans une sauce.

granulations et taches dues à des remous gazeux

l'intérieur du Soleil

cœur à 15 millions de degrés

protubérances

surface à 6 000 °C

Pour imaginer la vie des étoiles, les astronomes sont obligés de faire des calculs très complexes et d'échanger leurs idées. Le tableau noir est alors l'outil le plus précieux...

Le spectroscope est un appareil qui sépare toutes les couleurs de la lumière. L'étude de la lumière des étoiles permet de connaître leur température, leur masse, leur distance, de déterminer les atomes qui les constituent, et d'estimer la vitesse à laquelle elles s'éloignent de nous.

Le Soleil est une étoile ordinaire ; une boule de gaz surchauffé (l'hydrogène surtout) en rotation, 109 fois plus large que la Terre. De formidables bouffées lancent des jets de matière brûlante à des centaines de milliers de kilomètres (protubérances). Il doit encore briller ainsi pendant 5 milliards d'années.

Ce satellite est un télescope. Une fois lancé dans l'espace, loin au-dessus de l'atmosphère, il permettra d'observer le ciel avec une netteté impossible à égaler par les meilleurs appareils terrestres ; la couche d'air qui entoure la Terre gêne en effet la vision détaillée des astres.

Les étoiles, les galaxies émettent des "lumières" – les physiciens disent des ondes – invisibles pour nos yeux mais qui peuvent être perçues par des appareils spéciaux comme les radiotélescopes. Ceux-ci sont énormes et permettent de "voir" des astres distants de plus de 10 milliards d'années-lumière !

…iotélescopes

DANS LES PARAGES DU SOLEIL

Autour du Soleil tournent 9 planètes (un tour complet s'appelle une révolution); elles tournent également sur elles-mêmes (c'est leur rotation); elles sont accompagnées par leurs satellites mais on trouve aussi une foule de corps dive (astéroïdes, comètes) autour du Soleil. C ensemble, appelé "système solaire", n'est pa aussi vieux que l'univers. Il s'est formé voi 4,6 milliards d'années.

À cette époque, un gigantesque nuage de gaz de poussières se resserre sous l'effet de so propre poids, 99 % de sa masse prend la form d'une énorme sphère, brillant d'une lumiè éblouissante, due à l'énergie dégagée par pression et par des réactions nucléaires q

Mercure
diamètre : 4 878 km
rotation : 58 j 15 h 38 mn
révolution : 88 jours
température : 400 °C (jour)
– 200 °C (nuit)
Mercure est la planète la plus proche du Soleil. Elle est de petite taille et sa surface rocheuse est criblée de cratères, comme la Lune, car aucune atmosphère ne la protège de l'impact des "cailloux de l'espace", les météorites.

Vénus
diamètre : 12 102 km
rotation : 243 jours
révolution : 225 jours
température : 460 °C (jour)
Vénus, de la taille de la Terre, est une planète désertique et torride, enserrée par d'épais nuages que balayent de fantastiques tempêtes. Son atmosphère de gaz carbonique serait irrespirable pour nous. Vénus tourne sur elle-même en sens inverse des autres planètes.

Mars
diamètre moyen : 6 778 km
rotation : 24 h 37 mn
révolution : 1 an 322 jours
température moyenne : – 25 °C
Mars est une planète sèche, couleur de rouille. Une mince atmosphère recouvre un sol dominé par de grands volcans, apparemment éteints. On y voit des fractures, des vallées et même quelques dunes. Selon les saisons, Mars possède deux calottes glacées qui recouvrent les pôles. On lui connaît deux satellites minuscules.

Soleil
diamètre : 1 391 000 km

Venera (U.R.S.S.)

Spot (France)

Viking (U.S.A.)

Mariner (U.S.A.)

Terre
diamètre moyen : 12 735 km
rotation : 23 h 56 mn 04 s
révolution : 365 jours 1/4
température : + 58 °C (Libye)
– 90 °C (Antarctique)
La Terre tourne en troisième position autour du Soleil à près de 150 millions de kilomètres et à la vitesse de 107 000 km/h. Sa plus grande particularité : une énorme quantité d'eau liquide – d'où son surnom de "planète bleue" – qui a permis l'apparition de la vie, ainsi qu'une atmosphère riche en oxygène qui la protège et la calfeutre, maintenant à sa surface une température moyenne de 12 °C. La Terre possède un satellite naturel : la Lune.

Des milliers de blocs rocheux de 1 à 1 000 kilomètres de diamèt des astéroïdes, circul entre Mars et Jupiter Ce sont sans doute les restes d'une plané brisée ou qui n'a jama réussi à se former complètement.

Une comète est une boule de neige sale (quelques kilomètres de diamètre) entourée d'une chevelure de gaz, qui suit une immense trajectoire autour du Soleil. Une double queue de gaz et de poussières est étirée sur des millions de kilomètres par le rayonnement solaire. La plus connue est la comète de Halley.

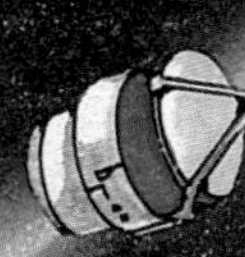
Giotto (Europe)

axe des pôles

mars

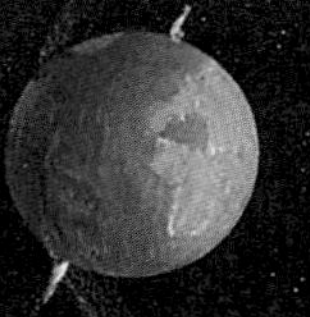
juin

décembre

septembre

La Terre tourne autour du Soleil en une année, mais reste toujours inclinée dans la même direction. C'est pour cela que l'éclairement varie des pôles à l'équateur, selon les saisons.

De nombreuses sondes spatiales ont été lancées à vers le système solaire. En 1974, Mariner 10 a p tographié Mercure. Déposées sur le sol de Vénus, sondes Venera y ont enregistré une chaleur capa de faire fondre du plomb, sous une pression atmosp rique 92 fois plus élevée que sur Terre. Les eng Viking se sont posés sur Mars en 1976. Les sond Voyager ont découvert un faible anneau autour Jupiter en 1979, et 9 anneaux ténus autour d'Urai en 1986 ; elles ont aussi compté des milliers d'annea dans le disque strié de Saturne. La sonde Pioneer a quitté le système solaire en 1983, après plus 10 ans de voyage. En 1986, la sonde Giotto s' approchée de la comète de Halley. Quant à la Te de nombreux satellites artificiels l'observent jour nuit, comme Spot, lancé en 1986.

sont des millions de fois plus puissantes que celles qui se déroulent au cœur des centrales bâties par les hommes. C'est ainsi que le Soleil est né. En même temps, le reste du nuage s'agglomère en blocs de plus en plus volumineux ; ce sont les planètes et leurs satellites. Les planètes les plus proches du Soleil sont les plus petites, mais les plus denses (leur matière est très "serrée"). Parmi elles se trouve la Terre. En leur centre, la chaleur s'est élevée jusqu'à ce que la matière fonde. Puis elles se sont refroidies et une croûte de roche solide les a recouvertes. Les principales planètes lointaines sont beaucoup plus grosses mais moins denses. Ce sont des sphères de gaz gelés.

Planètes et astéroïdes suivent des trajectoires qui sont dans un même plan appelé ***écliptique***. Seules les comètes et la planète Pluton s'en éloignent.

Sans doute existe-t-il ailleurs dans l'univers d'autres systèmes semblables à celui-ci, mais on n'en a encore trouvé aucune trace.

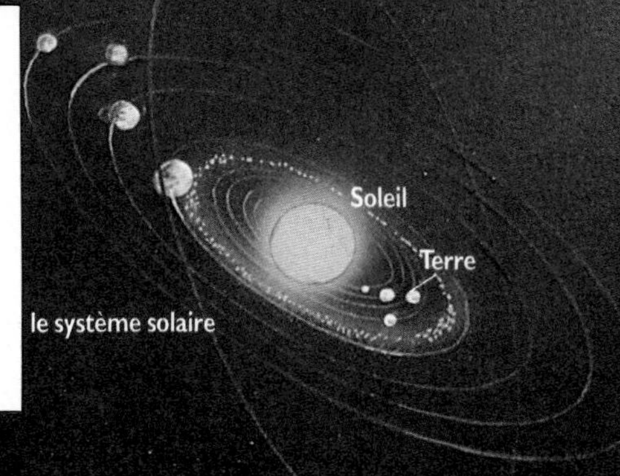

le système solaire

piter
mètre moyen : 138 168 km
ation : 9 h 53 mn
volution : 11 ans 315 jours
mpérature : – 145 °C
piter est constituée ydrogène et d'hélium uéfiés englobant un noyau lide ; elle ne possède pas sol dur. Une atmosphère imée de puissants urbillons l'enveloppe. On compte 16 satellites jupitériens.

Pioneer (U.S.A.)

Saturne
diamètre moyen : 114 300 km
rotation moyenne : 10 h 26 mn
révolution : 29 ans 167 jours
température : – 160 °C
Saturne est la planète aux anneaux. Ils sont faits de poussières, de rocs et de glace, dont l'origine reste obscure. De plus, ce deuxième colosse du système solaire possède au moins 21 satellites : un record. Très fluide, Saturne est nettement aplati à cause de sa rotation rapide, comme Jupiter.

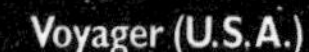

Voyager (U.S.A.)

Uranus
diamètre : 50 000 km
rotation : 10 h 42 mn
révolution : 84 ans 7 jours
température : – 200 °C
Uranus est une boule glacée 19 fois plus éloignée du Soleil que la Terre et entourée d'une atmosphère d'hydrogène et de méthane. Curieusement, elle présente ses pôles au Soleil, semblant ainsi "rouler" sur son orbite. Autour d'Uranus gravitent cinq satellites connus.

Neptune
diamètre moyen : 47 900 km
rotation : 15 h 48 mn
révolution : 164 ans 280 jours
température : – 220 °C
Neptune est un monde glacé recevant 1 000 fois moins de chaleur solaire que la Terre. On lui compte deux satellites.

Pluton
diamètre probable : 3 000 km
rotation : 6 j 9 h
révolution : 248 ans
température : – 230 °C
Pluton est une planète plus petite que la Lune. Encore bien mystérieuse, elle marque les confins du système solaire à quelque 6 milliards de kilomètres. À cette distance, le Soleil n'est plus qu'un simple point dans le ciel. L'unique satellite de cette planète, Charon, semble seulement deux fois plus petit qu'elle.

La Terre se comporte comme un aimant géant, capable d'orienter l'aiguille d'une boussole. Elle est enveloppée par ce que les physiciens appellent un champ magnétique. Bien qu'il soit invisible, les astronomes le dessinent ainsi et le nomment magnétosphère. Un "vent" de rayonnements, issu du Soleil, l'écrase vers l'avant et l'étire, comme une écharpe, vers l'arrière. Les particules interplanétaires qui arrivent près de la Terre y restent prisonnières.

Terre

magnétosphère

L'atmosphère a quelques centaines de kilomètres d'épaisseur.

croûte
6 368 km
manteau
3 500 km
noyau
1 250 km
0 km
graine

L'intérieur de notre planète est disposé comme un fruit. Une écorce superficielle – la croûte rocheuse froide et solidifiée – constitue le fond des océans et les continents. Elle recouvre un épais manteau de matière surchauffée, un peu fluide. Au centre, un noyau liquide de fer fondu enveloppe une graine solide et très dense.

Les durées sont calculées en jours et en années terrestres

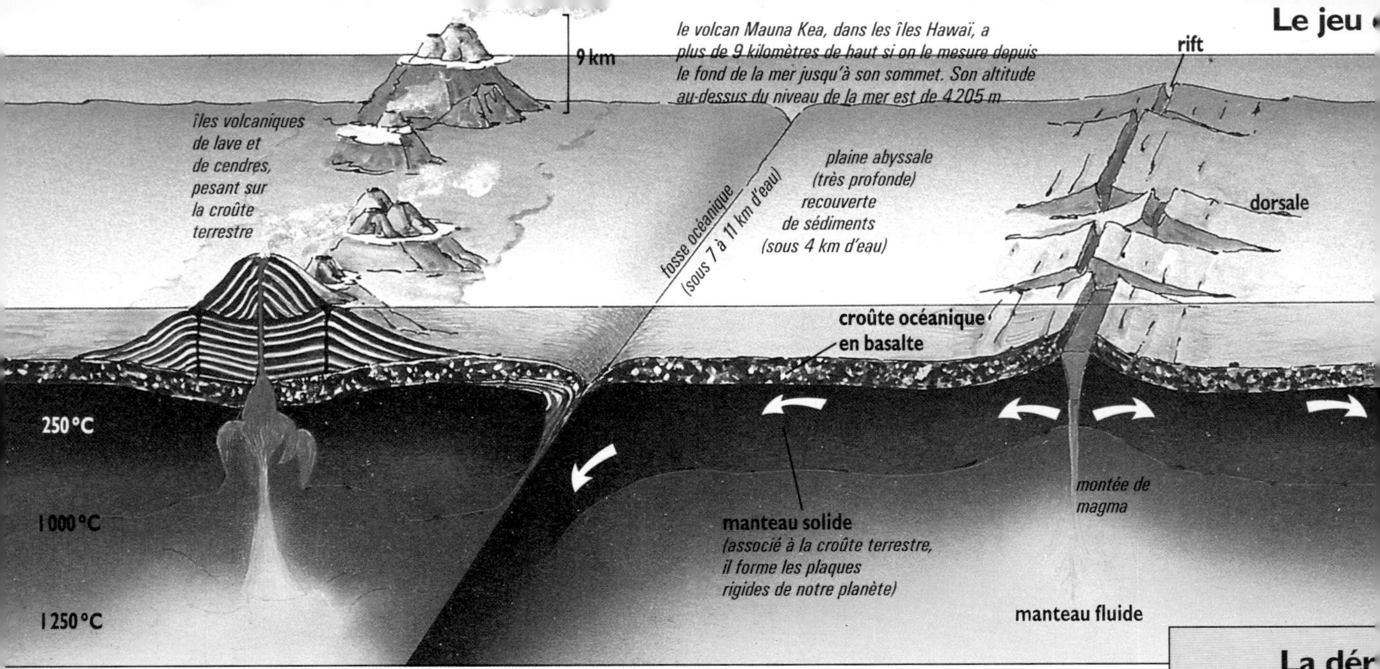

9 km

le volcan Mauna Kea, dans les îles Hawaï, a plus de 9 kilomètres de haut si on le mesure depuis le fond de la mer jusqu'à son sommet. Son altitude au-dessus du niveau de la mer est de 4 205 m

rift

îles volcaniques de lave et de cendres, pesant sur la croûte terrestre

plaine abyssale (très profonde) recouverte de sédiments (sous 4 km d'eau)

fosse océanique (sous 7 à 11 km d'eau)

dorsale

croûte océanique en basalte

250 °C

1 000 °C

1 250 °C

montée de magma

manteau solide
(associé à la croûte terrestre, il forme les plaques rigides de notre planète)

manteau fluide

COUP D'OEIL SUR LA TERRE

La surface solide de la Terre n'est pas d'un seul tenant. Elle est formée par un ensemble de grandes plaques, mobiles les unes par rapport aux autres. Les parties qui émergent sont les continents. Ils sont constitués par une sorte d'"écume" rocheuse – surtout du granite – portée par une couche plus dense. Les parties noyées des plaques terrestres constituent le fond des océans. Il s'agrandit sans cesse, grâce à la montée de roches fondues qui se refroidissent lentement (basalte). Ceci se déroule le long d'une vallée marine (rift) qui déchire le sommet d'une boursouflure montagneuse (dorsale océanique), décalée par endroits à cause de la rotondité de la planète. La croissance des plaques se fait au rythme de plusieurs centimètres par an, créant ainsi 26 000 hectares de croûte nouvelle chaque siècle.

Puisque la Terre ne grossit pas, il doit disparaître en même temps autant de surface rocheuse qu'il en est créé. Cette disparition se passe encore au fond des océans. Là, la bordure d'une plaque ploie et s'enfonce sous sa voisine, creusant une profonde et longue fosse.

En résistant, la plaque supérieure se plisse, se brise : ainsi

La dér

Il y a 200 millions d'années il n'existait sur la Terre qu'un seul continent immense baptisé Pangée.

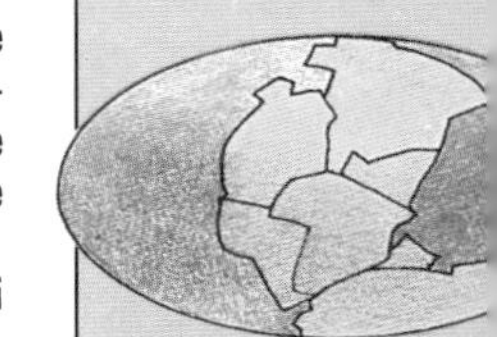

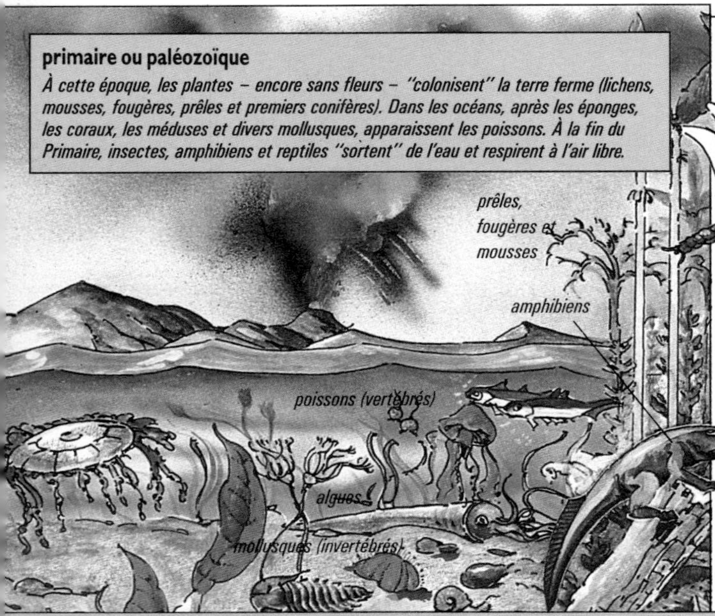

primaire ou paléozoïque

À cette époque, les plantes – encore sans fleurs – "colonisent" la terre ferme (lichens, mousses, fougères, prêles et premiers conifères). Dans les océans, après les éponges, les coraux, les méduses et divers mollusques, apparaissent les poissons. À la fin du Primaire, insectes, amphibiens et reptiles "sortent" de l'eau et respirent à l'air libre.

prêles, fougères et mousses

amphibiens

poissons (vertébrés)

algues

mollusques (invertébrés)

insectes géants

secondaire ou mésozoïque

C'est l'ère des grands reptiles (terrestres, marins et volants), surtout celle des dinosaures, herbivores ou carnivores. Certai ne sont pas plus gros qu'un chien, d'autres atteignent 100 to. Près d'eux, petits mammifères et oiseaux commencent à peupler des paysages où poussent les premières plantes à fleurs.

dinosaure

di

grands reptiles

reptiles marins

Durées comparées des ères géologiques

primaire

– 570 millions d'années

si l'on avait respecté l'échelle réelle pour chacune de ces quatre images la première aurait été aussi grande que cette bande bleue

ques terrestres

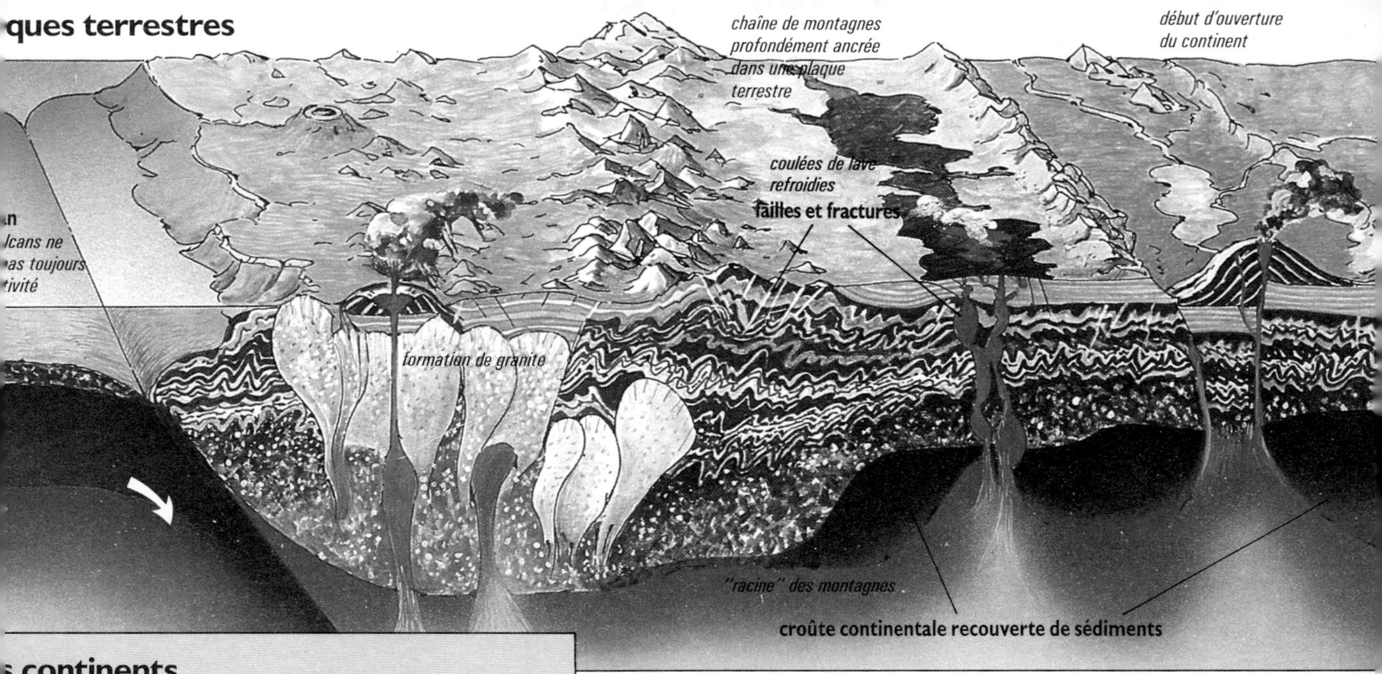

chaîne de montagnes profondément ancrée dans une plaque terrestre
début d'ouverture du continent
coulées de lave refroidies
failles et fractures
…n
…lcans ne
…as toujours
…tivité
formation de granite
"racine" des montagnes
croûte continentale recouverte de sédiments

s continents

… a 60 millions d'années, …céan Atlantique s'ouvre. …de future se détache …l'Afrique et remonte vers …sie. Antarctique et …stralie ne font encore qu'un.

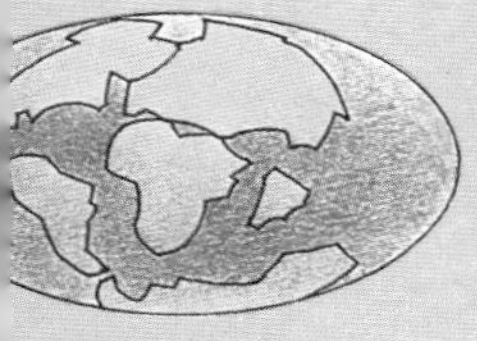

Aujourd'hui, les cartes de géographie nous montrent cette répartition des continents et des océans. Elle changera au cours des millions d'années à venir.

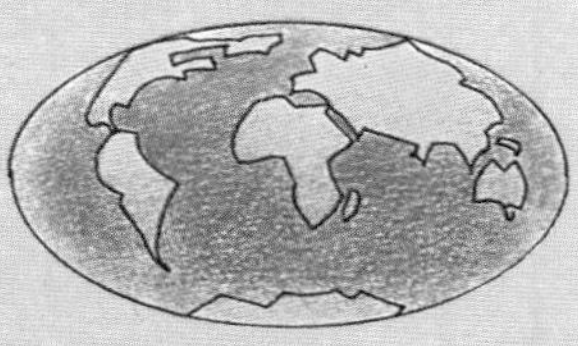

s'élèvent les chaînes de montagnes.

Malgré la lenteur de ces déplacements, des cassures les accompagnent inévitablement. Elles donnent naissance aux tremblements de terre. Par les fissures monte également la lave des volcans. Volcans et séismes se situent donc essentiellement aux frontières des immenses plaques de l'écorce terrestre.

Les plantes et les animaux qui sont apparus peu à peu sur la Terre ont dû profiter des déplacements des continents, des changements de forme des océans et des variations du climat qui en résultent, pour se répartir tout autour du globe. Cela dure depuis des centaines de millions d'années. Par exemple, les ancêtres des étranges animaux qui peuplent aujourd'hui l'Australie (kangourous, ornithorynques...) sont arrivés là, à l'époque où l'Antarctique formait encore un pont avec l'Amérique du Sud.

oiseaux
grands oiseaux marcheurs
mammifères
hommes

tertiaire ou cénozoïque

Après la disparition brutale et mal expliquée des dinosaures et de nombreuses espèces à la fin du Secondaire, les mammifères envahissent la Terre. Au début du Tertiaire, de grands oiseaux géants, incapables de voler, chassent dans des herbages et des bosquets. Ils précèdent l'arrivée des oiseaux volants.

quaternaire (fin du cénozoïque)

C'est l'ère de l'homme, mammifère remarquable par sa station debout et son cerveau développé. Grâce à ses capacités, il conquiert le feu, fabrique des outils, tire profit de la nature qui l'entoure pour améliorer son confort... Il peut même écrire sa propre histoire !

quaternaire
– 2 millions d'années
la quatrième

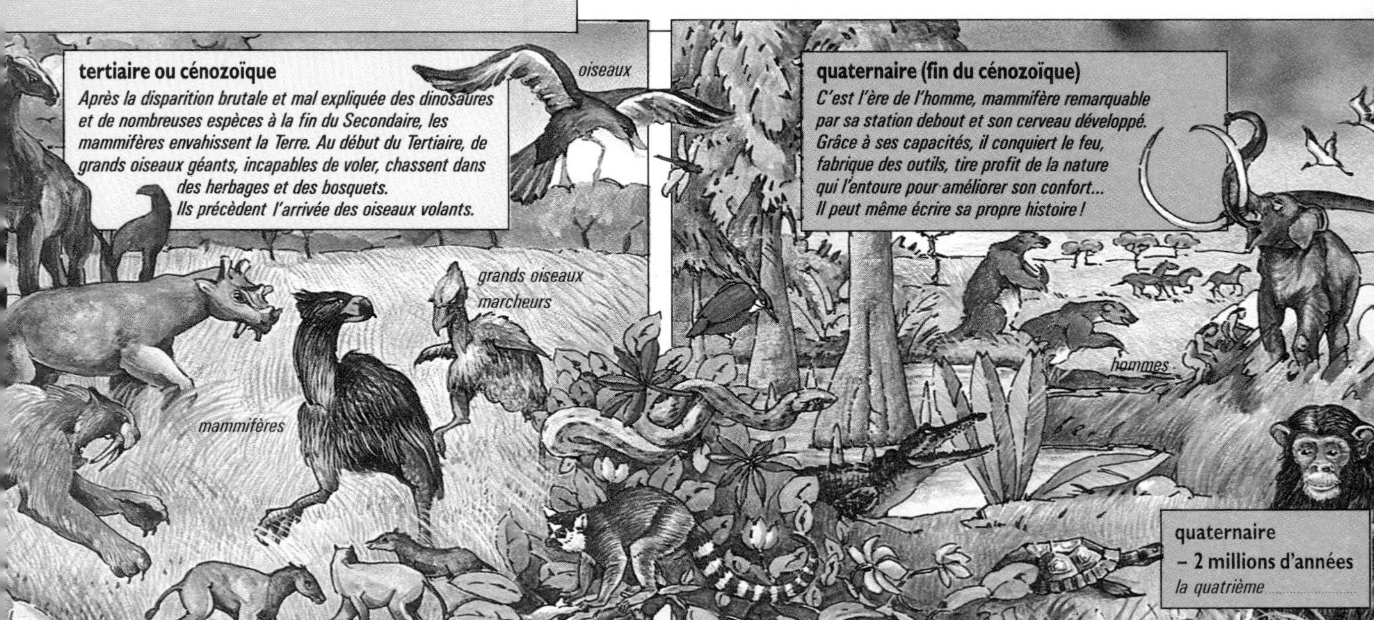

secondaire
– 225 millions d'années
…a seconde aurait eu cette importance

tertiaire
– 65 millions d'années
la troisième

Les techniciens et les ingénieurs aident les chercheurs dans leurs laboratoires. Tous ensemble, ils doivent connaître la physique, la chimie, les mathématiques, l'informatique, etc., qui sont leurs "outils" quotidiens.
Les biologistes s'intéressent aux plantes et aux animaux (les hommes en font partie !). Certains observent les espèces une à une pour mieux les protéger. D'autres étudient jusqu'au cœur même des cellules pour connaître tous les secrets de la Vie.
Les astronautes travaillent aujourd'hui régulièrement dans l'espace. Un jour, des matériaux nouveaux, des plantes nouvelles, de nouveaux médicaments, etc., pourront être produits dans des laboratoires spatiaux, parfaitement propres et privés de la pesanteur terrestre.
Les volcanologues, protégés de la chaleur et de la chute des pierres par leurs vêtements spéciaux, prélèvent des gaz, de la lave, des cendres pour comprendre les éruptions volcaniques. Parfois, ils arrivent à les prévoir, aidant ainsi à éviter de terribles catastrophes.
Dans un planétarium, musée du firmament, on peut suivre les mouvements des étoiles et des planètes, confortablement assis dans un fauteuil.
Les musées scientifiques ouvrent leurs portes à un public
de plus en plus nombreux. Toujours
urprenants, ils aident à comprendre
des sciences et les techniques.
Les géologues étudient toutes les roches de la Terre pour mieux connaître son histoire. Leurs travaux servent à trouver de nouveaux gisements de minerais ou de pétrole, ou à s'assurer de la solidité des fondations des barrages, des ponts, des grands immeubles.
Les océanographes ont imaginé de petits sous-marins pour explorer les dorsales océaniques et les fosses abyssales. Ils étudient les courants, l'eau de la mer, toutes les algues et tous les animaux
qui y vivent, mais aussi
la formation des vagues ou les
oches du fond des océans.

LES SCIENCES DU CIEL ET DE LA TERRE

Pour connaître de mieux en mieux la Terre et l'univers d'où elle est issue, des milliers de femmes, d'hommes, dans tous les pays, observent, échantillonnent, étudient jour après jour le monde qui les entoure. Certains s'intéressent aux plantes ou aux animaux : ce sont les biologistes. D'autres préfèrent se pencher sur les secrets des roches et font de la géologie, ou veulent approfondir l'histoire du cosmos et deviennent alors astronomes. Les plus intrépides partent même explorer les volcans, les océans ou l'espace. Tous sont aidés par une multitude d'ingénieurs, de techniciens, d'électroniciens, d'informaticiens...

De plus en plus fréquemment, ces spécialistes présentent au public les résultats de leurs recherches dans de magnifiques musées, animés d'instruments, de photos, de maquettes étonnantes ; autant de portes directement ouvertes sur la connaissance.

En moins de 200 ans, l'Homme a appris que le bois, le sang, la complexité du cerveau, la transparence d'une vitre, la souplesse d'une gomme, aussi bien que l'éclat d'un lingot d'or, le goût d'un gâteau ou l'odeur d'une fleur ne sont dus qu'à l'agencement intime de milliards d'atomes, nés au cœur des étoiles...

Compare *amitié*, *ami* et *amour* : on **aime**.

On a de l'*amitié* pour ses *amis* et de *l'amour* pour son *amoureux*.

amitié n. f.
1. Sentiment que l'on a pour quelqu'un que l'on aime beaucoup et qui n'est ni quelqu'un de sa famille ni un amoureux. *Marie-Tévy s'est liée d'amitié avec Yasmina l'année dernière.* **2.** *Faites-lui toutes nos amitiés,* dites-lui de notre part des choses amicales.

Le contraire d'*amitié*, c'est *inimitié*.

Tournesol est tombé en faisant visiter la fusée et il est devenu amnésique. Mais lui seul connaît le secret du moteur atomique !

amnésique adj.
Une personne amnésique, c'est une personne qui a oublié tous ses souvenirs parce qu'elle a eu un accident à la tête. *On peut devenir amnésique à la suite d'un accident de voiture.* — n. m. et f. *Certains amnésiques ne savent plus leur nom.*

Cette personne souffre d'une *amnésie*.

Ne confonds pas *amnistie* et *armistice*.

amnistie n. f.
Acte par lequel le pouvoir décide d'annuler une condamnation à une peine de prison ou le paiement d'une amende. *M. Bellec espère qu'il y aura bientôt une amnistie et qu'il n'aura pas à payer ses contraventions.*

Il y a souvent une amnistie quand il y a une élection du président de la République.

Conjugaison 2
Famille de **moindre**

amoindrir v.
Diminuer la force de quelqu'un ou l'importance de quelque chose. *La maladie l'a beaucoup amoindri,* elle a beaucoup diminué ses forces physiques. *Les échecs de ce ministre ont beaucoup amoindri son autorité ;* vois ***réduire.***

Le contraire d'*amoindrir*, c'est *accroître, augmenter.*

Conjugaison 2
Attention aux deux *l* !
Famille de ① **mou**

amollir v.
1. Rendre moins énergique. *Angèle trouve que l'oisiveté amollit.* **2.** *S'amollir,* c'est devenir mou. *Sous l'effet de la chaleur, le beurre s'amollit ;* vois *se* ***ramollir.***

Le contraire de *s'amollir*, c'est *durcir*.

Conjugaison 4 ▭ Indic. présent : *ils s'amoncellent.* Imparfait : *ils s'amoncelaient.* Futur : *ils s'amoncelleront.*

Compare : *amonceler* → *amoncellement* et *ensorceler* → *ensorcellement.*

s'amonceler v.
Former un tas. *Les livres s'amoncellent sur le bureau d'Angèle,* ils s'accumulent ; vois ***s'amasser, s'entasser.*** *Les nuages s'amoncelaient dans le ciel,* se réunissaient et formaient une couche épaisse.
▸ **amoncellement** n. m. Entassement, accumulation. *Il y a un amoncellement de vieux journaux dans le grenier ;* vois ***monceau, tas.***

Famille de **mont**

Attention ! deux *l* dans *amoncellement*.

Famille de **mont**

L'*amont* est en direction de la montagne, *l'aval* en direction de la vallée.

amont n. m.
L'amont, c'est la partie d'un cours d'eau qui est comprise entre l'endroit où l'on est et la source. *Les cours d'eau coulent de l'amont vers l'aval. Sur leur kayac, Réjean et Alex allaient vers l'amont,* ils remontaient le courant en allant vers la source. *Sur la Loire, Tours est en amont d'Angers,* Tours est plus près de la source de la Loire qu'Angers.

Le contraire d'*amont*, c'est *aval*.

Conjugaison 3 ▭ Indic. présent : *nous amorçons.* Imparfait : *j'amorçais.* — Impératif présent : *amorce, amorçons.*

Amorcer une pompe, c'est la mettre en marche.

amorcer v.
1. *Amorcer un hameçon,* c'est y mettre un appât, une amorce, au bout. *M. Bellec amorce son hameçon avec un asticot. Pour attirer le poisson, le pêcheur amorce avec du pain,* il utilise du pain comme appât ; vois ***appâter.*** **2.** Mettre dans un explosif un système qui déclenchera l'explosion. *Pour que la grenade explose, il faut l'amorcer.* **3.** Commencer à faire quelque chose. *La voiture amorçait un virage difficile,* commençait à le prendre.
▸ **amorce** n. f. **1.** Ce que l'on jette dans l'eau pour attirer le poisson. *À la pêche, M. Bellec utilise du pain comme amorce.* **2.** Détonateur qui fait exploser une bombe, un obus, une grenade. *Il faut mettre une amorce sur la bombe pour qu'elle explose.* **3.** Début, commencement de quelque chose. *On commence à entrevoir l'amorce d'une solution.*

Le contraire d'*amorcer*, c'est *désamorcer*.

Dans un *pistolet à amorces*, on met de petites rondelles de papier contenant de la poudre et qui explosent.

Autre membre de la famille : **désamorcer.**

Attention au ***ph*** de *amorphe* !
Prononce [amɔʀf].

amorphe adj.
Sans énergie, sans réaction ; vois ***mou.*** *Julie s'est couchée très tard ; ce matin elle est amorphe.*

Le contraire d'*amorphe*, c'est *dynamique, énergique.*

Conjugaison 2

Compare : *amortir* → *amortisseur* et *fournir* → *fournisseur.*

amortir v.
Rendre moins violent, moins fort ; vois ***affaiblir, atténuer.*** *La moquette amortit le bruit des pas.*
▸ **amortisseur** n. m. Système qui permet de diminuer les secousses dans une automobile. *Quand les amortisseurs sont cassés, on est secoué dans une voiture !*

Va voir aussi ***suspension.***

Compare *amour*, *amateur* et *ami* : dans ces mots on **aime.**

L'*amour* est différent de l'*amitié.*

L'amour que l'on a pour ses parents s'appelle l'*amour filial.*

amour n. m.
1. Sentiment très fort pour une personne que l'on a beaucoup de plaisir à voir et par qui on est attiré. *Nathalie a de l'amour pour Sylvain,* elle l'aime. *Sylvain a fait une déclaration d'amour à Nathalie,* il lui a dit qu'il l'aimait. **2.** Sentiment d'affection, de tendresse entre les personnes d'une même famille. *L'amour qu'éprouve Mme Hespel pour ses fils est de l'amour maternel.* **3.** Goût, attachement très fort pour quelque chose. *Angèle a l'amour de son métier. Mme Séverac s'occupe de son jardin avec amour,* avec beaucoup de soin.

Les tourterelles se fuyaient
Plus d'amour, partant
plus de joie !
(La Fontaine).

Compare : *amour* → *amoureux* et *peur* → *peureux.*

▸ **amoureux** adj. **1.** *Une personne est amoureuse d'une autre* quand elle l'aime. *Sylvain est amoureux de Nathalie. Hippolyte est tombé amoureux d'Angèle.* — n. *Sylvain est l'amoureux de Nathalie.* **2.** *Antoine est amoureux de la nature,* il a un goût profond pour elle. — n. *C'est un amoureux de la nature.*

Le Fils du Roi [...] était fort amoureux de la belle personne à qui appartenait la petite pantoufle *(Cendrillon).*

N'oublie pas le trait d'union !

▸ **amour-propre** n. m. Sentiment très vif de sa dignité et de sa valeur ; vois ***fierté.*** *Yves se vexe facilement, il a trop d'amour-propre,* il est susceptible.

Famille de ② **propre**

amovible adj.
Une chose amovible, c'est une chose qui peut être enlevée et remise. *L'anorak de Julie a une capuche amovible.*

Attention au ***ph*** de *amphibie* !
Prononce [ɑ̃fibi].

amphibie adj.
1. *Un véhicule amphibie,* c'est un véhicule qui peut aller sur terre et dans l'eau. *Les voitures amphibies ont des roues et des hélices.* **2.** *Un animal amphibie,* c'est un animal qui peut vivre à l'air et dans l'eau. *La grenouille et le crabe sont amphibies.*

N'oublie pas l'accent circonflexe.
Famille de **théâtre**

Les arènes de Nîmes sont un amphithéâtre romain.

amphithéâtre n. m.
Grand théâtre à gradins en forme de cercle, sans toit, que construisaient les Romains et les Grecs. *Les combats de gladiateurs avaient lieu dans les amphithéâtres.*

Au milieu de l'amphithéâtre, se trouvait l'arène, où avaient lieu les combats.

Prononce [ɑ̃fɔʀ].

On gardait aussi les cendres des morts dans des amphores.

amphore n. f.
Vase en terre cuite à deux anses, que l'on utilisait dans l'Antiquité. *Les amphores servaient à conserver et à transporter de l'huile, du vin ou du blé.*

Les bateaux transportaient des amphores ; on en trouve parfois dans les épaves.

Le contraire d'*ample*, c'est *ajusté, cintré, collant, serré.*

ample adj.
1. *Un vêtement ample* est un vêtement large. *Mme Bellec met des robes amples.* **2.** *Donnez-moi de plus amples renseignements,* des renseignements plus abondants, plus complets.

Elle est enceinte.

▸ **amplement** adv. *Cesse de manger, Antoine, trois croissants, c'est amplement suffisant,* cela suffit largement.

Compare : *ample* → *ampleur*, *pâle* → *pâleur* et *large* → *largeur.*

▸ **ampleur** n. f. **1.** *Marie-Tévy est un peu serrée dans cette jupe, il faudra lui donner de l'ampleur,* l'élargir. **2.** *Les manifestations ont pris de l'ampleur,* elles sont devenues plus importantes, plus nombreuses.

Conjugaison 7 ▭ Indic. présent : *nous amplifions.* Imparfait : *nous amplifiions.* — Subj. présent : *que nous amplifiions.*

▸ **amplifier** v. *Amplifier un son,* c'est le rendre plus fort. *Les haut-parleurs amplifient les sons. — Le chahut s'amplifia quand Angèle, l'institutrice, annonça que la classe partait en promenade,* le chahut devint plus fort, augmenta.

Le contraire d'*amplifier*, c'est *atténuer.*

▸ **amplificateur** n. m. Appareil qui sert à rendre un son plus fort. *La chaîne d'Alex a un amplificateur très puissant.*

On dit souvent *ampli*, en abrégeant.

Les ampoules électriques contiennent un petit fil de métal, appelé filament.

ampoule n. f.
1. Petite boule de verre qui sert à éclairer. *L'ampoule était grillée, M. Bellec l'a remplacée.* **2.** Petit tube de verre aminci aux deux bouts, qui contient un médicament liquide. *Le médecin a donné des ampoules de fortifiant à Sylvain.* **3.** Petite poche de liquide qui se forme sous la peau ; vois ***cloque.*** *Yves s'est fait des ampoules aux mains en ramant.*

Conjugaison 1

amputer v.
Amputer quelqu'un, c'est lui couper un membre. *Le chirurgien ampute un blessé quand il ne peut le soigner autrement.*

Si on ampute quelqu'un d'un bras, il devient manchot. Si c'est d'une jambe, il devient unijambiste.

▸ **amputation** n. f. Opération qui consiste à couper un membre. *Le médecin n'a pas pu éviter l'amputation d'un doigt.*

amulette n. f.

On porte des amulettes, parce qu'on croit qu'elles protègent des accidents, des maladies.

Petit objet que l'on porte sur soi comme porte-bonheur ; vois ***fétiche, porte-bonheur, talisman.*** *Denis Prost a rapporté des amulettes à Julie et Sophie.*

Les sorciers portent des amulettes autour du cou.

Conjugaison 1

amuser v.

Toujours jouer, grommelaient les parents, toujours s'amuser. Deux grandes filles comme ça *(les Contes du Chat perché).*

Distraire agréablement. *Les jeux de Sylvain n'amusent plus Alex. Cela t'amuserait d'aller au zoo ? — Claire s'est amusée avec le chien,* elle a joué avec le chien. *Les enfants s'amusent à lancer une balle.*

Le contraire d'*amuser,* c'est *ennuyer.*

▹ ***amusant*** adj. Drôle, plaisant, réjouissant. *Antoine raconte des histoires amusantes. Antoine est amusant,* il fait rire. *C'est amusant de jouer aux billes.*

C'est amusant, pensa le petit prince. C'est assez poétique. Mais ce n'est pas très sérieux *(le Petit Prince).*

▹ ***amusement*** n. m. Distraction. *L'amusement favori du chat Félix est de courir après les oiseaux ;* vois ***jeu.***

Au pluriel : *des amuse-gueule.*

▹ ***amuse-gueule*** n. m. invariable Petit sandwich, biscuit salé qu'on mange en prenant l'apéritif. *Mme Séverac sert des amuse-gueule à ses invités.*

Famille de **gueule**

Attention au ***y*** et au ***g*** que l'on ne prononce pas : [amidal].

amygdale n. f.

Les amygdales sont deux petites boules situées au fond de la gorge. *Yasmina a été opérée des amygdales et des végétations.*

Quand les amygdales s'infectent, elles empêchent d'avaler et de respirer.

an n. m.

La Princesse se percera la main d'un fuseau, mais au lieu d'en mourir, elle tombera seulement dans un profond sommeil qui durera cent ans *(la Belle au bois dormant).*

1. Période qui dure douze mois. *Les Bellec sont mariés depuis dix ans. Sophie Pelletier a mis deux ans pour écrire son roman. Angèle va en Corse une ou deux fois par an. Julie a eu huit ans hier.* **2.** Période de douze mois qui commence le premier janvier et finit le trente et un décembre. *L'an dernier, Angèle est allée en Corse. Je viendrai vous voir l'an prochain. Charlemagne a été couronné empereur en l'an 800. Le premier de l'an, Antoine va souhaiter une bonne année à sa tante,* le 1er janvier, le premier jour de l'année.

Il y a six ans déjà que mon ami s'en est allé avec son mouton *(le Petit Prince).*

An et *année* désignent la même chose, mais on n'emploie pas ces mots dans les mêmes phrases. Va voir ***année.***

Autres membres de la famille : **annales, année, anniversaire, annuel,** d'**antan, suranné.**

Compare *anachronique* et ***chrono****mètre* : on parle du **temps.**

anachronique adj.

Une chose anachronique est une chose qui n'appartient pas à l'époque où on se situe. *Un avion dans un film qui se passe au Moyen Âge, ce serait anachronique.*

Prononce [anakʀɔnik].

Au pluriel : *des anacondas.*

anaconda n. m.

Grand boa d'Amérique du Sud, qui vit en partie dans l'eau. *L'anaconda n'est pas venimeux mais il étouffe les oiseaux et les mammifères qu'il mange.*

L'anaconda est le plus grand des serpents, il peut mesurer plus de 10 mètres de long.

Anagramme s'écrit avec deux ***m.***

anagramme n. f.

Mot qu'on obtient en changeant l'ordre des lettres d'un autre mot. *« Marie » est l'anagramme de « aimer ».*

Attention, ce nom est féminin !

analogie n. f.

Ressemblance, rapport entre deux choses un peu différentes qui peuvent être comparées. *Il y a une analogie entre l'âne et le cheval.*

Le contraire d'*analogie,* c'est *différence.*

Le contraire d'*analogue,* c'est *différent.*

▹ ***analogue*** adj. *Hippolyte ne s'était jamais trouvé dans une situation analogue,* comparable, semblable.

Famille de **alphabet**

analphabète n. m. et f.

« Sauvages !... Gredins !... Analphabètes !... Va-nu-pieds !... Ectoplasmes !... Cornichons !... » dit le capitaine Haddock.

Personne qui ne sait ni lire ni écrire. *Dans certains pays pauvres, il y a beaucoup d'analphabètes, parce qu'il n'y a pas d'écoles dans tous les villages.* — adj. *Les habitants de ce village sont analphabètes.*

On ne dit pas d'un enfant qu'il est *analphabète.* On le dit seulement de personnes en âge de savoir lire.

analyse n. f.

L'analyse d'une phrase, c'est sa décomposition en propositions ou en groupes de mots. Va voir ***phrase.***

Une analyse, c'est la recherche des différentes parties qui forment une chose. *On a fait une analyse de sang à M. Bonnot pour voir s'il n'était pas malade.*

Attention au ***y*** !

Conjugaison 1

▹ ***analyser*** v. Faire une analyse. *On a analysé le sang de M. Bonnot au laboratoire. Le journaliste analyse la situation politique,* il l'étudie, l'examine pour en expliquer les éléments importants.

Autres membres de la famille : **psychanalyse, psychanalyser, psychanalyste.**

ananas n. m.

La plante a été découverte au Brésil au XVIe siècle. Elle pousse dans les pays chauds.

Gros fruit à pulpe jaune, sucrée et parfumée, dont l'écorce brune forme des écailles et qui porte une touffe de feuilles à son sommet. *Julie aime beaucoup le jus d'ananas.*

Ne prononce pas le ***s*** à la fin de *ananas* : [anana].

Compare *anarchie* et *monarchie* : on parle de la façon de **gouverner.**

anarchie n. f.
Désordre dû à l'absence d'autorité. *Il n'y a plus de gouvernement dans ce pays, c'est l'anarchie. Dès qu'Angèle, l'institutrice, sort de la classe, c'est l'anarchie !*

▸ ***anarchique*** adj. *Les villes se développent de façon anarchique,* sans ordre, sans plan, dans tous les sens, de façon incontrôlée.

▸ ***anarchiste*** n. m. et f. Personne qui veut qu'on supprime le gouvernement des pays et que les gens s'organisent eux-mêmes pour prendre les décisions. *Des anarchistes ont revendiqué l'attentat.*

Les anarchistes prirent le pouvoir dans certaines régions d'Espagne en 1936.

anatomie n. f.
Science qui étudie comment sont faits les êtres vivants, comment sont disposés leurs organes, et quelle est leur forme. *Les médecins étudient l'anatomie de l'homme ; les vétérinaires étudient l'anatomie des animaux.*

C'est en disséquant les cadavres qu'on a découvert comment est fait le corps.

N'oublie pas l'accent circonflexe du ***ê*** de *ancêtre.*

Hippolyte est martiniquais.

ancêtre n. m.
1. *Les ancêtres de quelqu'un,* ce sont des personnes de sa famille, qui vivaient autrefois, avant ses grands-parents ; vois ***aïeul.*** *Les ancêtres d'Hippolyte vivaient en Afrique.* **2.** *Nos ancêtres,* ce sont les gens qui ont vécu longtemps avant nous, dans les siècles passés. *Nos ancêtres vivaient de la chasse et de la cueillette.*

▸ ***ancestral*** adj. *Une coutume ancestrale* est une coutume qui vient des ancêtres, qui est très vieille. *Enterrer les morts est une coutume ancestrale.*

Au masculin pluriel : *ancestraux.*

Pense au ***s*** final.

Pour faire du beurre d'anchois, on pile des filets d'anchois avec du beurre.

anchois n. m.
Petit poisson de mer commun en Méditerranée, que l'on mange surtout salé et mariné. *On met des filets d'anchois dans la salade niçoise et sur les pizzas.*

En été, les anchois se rapprochent des côtes pour se reproduire, en formant des bancs de millions de poissons.

Le contraire d'*ancien,* c'est *moderne, récent* : une *voiture ancienne* est un objet de collection.

Vous n'ignorez peut-être pas que Monsieur le Ministre est un ancien élève de l'école *(le Petit Nicolas).*

ancien adj. et n. m.
▭ **adj. 1.** *Un objet ancien* existe depuis longtemps, date d'une époque antérieure à l'époque actuelle ; vois ***vieux.*** *Il y a beaucoup de meubles anciens chez les Séverac.* **2.** *La directrice de l'école est plus ancienne qu'Angèle dans l'enseignement,* elle est dans l'enseignement depuis plus longtemps qu'Angèle. **3.** *L'ancienne directrice de l'école,* c'est la directrice qu'il y avait avant celle qu'il y a maintenant. *Angèle n'a pas connu l'ancienne directrice.*

▭ **n. m.** *Les Anciens,* ce sont les peuples de l'Antiquité, en particulier les Grecs et les Romains. *Les Anciens croyaient en plusieurs dieux.*

▸ ***ancienneté*** n. f. **1.** *L'ancienneté de quelque chose,* c'est son âge, le temps depuis lequel cela existe. *Le prix des beaux meubles dépend de leur ancienneté.* **2.** *L'ancienneté d'une personne dans une fonction,* c'est le temps qu'elle y a passé. *La directrice a vingt ans d'ancienneté dans l'enseignement,* cela fait vingt ans qu'elle est dans l'enseignement.

Lorsque j'étais petit garçon j'habitais une maison ancienne, et la légende racontait qu'un trésor y était enfoui *(le Petit Prince).*

Le contraire d'*ancien,* c'est *nouveau* : mon *ancienne voiture,* c'est celle que j'avais avant.

Ne confonds pas *ancre* et *encre.*

Le bateau *est ancré* dans une crique.

ancre n. f.
Lourde pièce d'acier suspendue à une chaîne qu'on jette au fond de l'eau pour qu'elle s'y fixe et retienne le bateau. *Loïc a jeté l'ancre dans une crique. Quand il voudra repartir, il lèvera l'ancre.*

Le 12 octobre 1492, Christophe Colomb jeta l'ancre dans la baie de Fernandez, aux Bahamas.

andouille n. f.
Charcuterie faite d'un morceau d'intestin de porc rempli d'autres morceaux d'intestins. *Il y avait des rondelles d'andouille et de saucisson dans l'assiette de charcuterie.*

Compare : *andouille* → *andouillette* et *fourche* → *fourchette.*

▸ ***andouillette*** n. f. Petite andouille qui se mange grillée. *Mme Bellec sert des andouillettes avec des frites.*

Les andouilles de Vire et de Guéméné sont réputées.

andouiller n. m.
Ramification des bois du cerf, du daim et du chevreuil. *Le nombre des andouillers permet de connaître l'âge des animaux.*

Il pousse un andouiller chaque année.

N'oublie pas l'accent circonflexe du ***â*** !

Dans deux ou trois heures, tu seras devenu un petit âne en chair et en os, comme ceux qu'on attache aux charrettes et qui portent les choux et la salade au marché *(Pinocchio).*

âne n. m.
1. Animal qui ressemble à un petit cheval, à grosse tête et longues oreilles, dont le poil est généralement gris. *Claire est allée dans le pré voir son âne quand elle l'a entendu braire. Les ânes aiment manger des chardons. Yves est têtu comme un âne,* il est très têtu. **2.** *Un dos d'âne* est une bosse en travers d'une route. *Ralentis avant le dos d'âne !* **3.** Personne sotte et ignorante ; vois ***imbécile, stupide.*** *Colle et Rat sont des ânes.*

J'étais sur l'âne et je ne sais pourquoi il s'est mis à sauter et à ruer *(les Malheurs de Sophie).*

Autres membres de la famille : **ânerie, ânesse, ânon.**

Conjugaison 2

t si je connais, moi, une fleur nique au monde, qui n'existe ulle part, sauf dans ma planète, : qu'un petit mouton peut néantir d'un seul coup, comme a, un matin... *(le Petit Prince).*

anéantir v.

1. *Anéantir une chose,* c'est la détruire au point qu'il n'en reste rien ; vois ***exterminer, ruiner.*** *La ville de Pompéi, en Italie, fut anéantie par l'éruption d'un volcan, en 79.* **2.** *Sophie Pelletier a été anéantie par la mort de sa mère,* elle a été plongée dans un grand désespoir, dans un abattement complet ; vois ***annihiler.***

▸ ***anéantissement*** n. m. Ruine. *L'anéantissement de Pompéi fut causé par une éruption du Vésuve.*

Famille de **néant**

Pompéi fut entièrement recouverte par la lave et ses habitants moururent.

anecdote n. f.

Petite histoire curieuse ou amusante, pas importante. *Au milieu de la leçon, Angèle, l'institutrice, raconte une anecdote pour donner un exemple en amusant les enfants.*

anémie n. f.

Manque de globules rouges dans le sang, qui affaiblit le malade. *Lorsque Marie-Tévy est arrivée du Cambodge, elle souffrait d'anémie.*

▸ ***anémique*** adj. Qui n'a pas assez de globules rouges dans le sang. *Marie-Tévy était pâle et anémique.*

Compare : *anémie* → *anémique,* et *énergie* → *énergique.*

anémone n. f.

Plante à fleurs rouges, roses ou violettes avec un cœur noir. *Antoine a apporté un bouquet d'anémones à Angèle.*

Les anémones sont des fleurs d'hiver.

ânerie n. f.

Bêtise, sottise. *Arrête donc de dire des âneries, mon petit Antoine !*

N'oublie pas l'accent circonflexe du ***â*** de ***ânerie.***

Famille de **âne**

ânesse n. f.

Femelle de l'âne. *L'ânesse et son ânon sont dans le pré. Autrefois, on donnait du lait d'ânesse aux malades.*

Famille de **âne**

anesthésie n. f.

L'anesthésie consiste à faire prendre certains médicaments à un blessé, un malade pour le rendre insensible à la douleur. *Julie a été opérée de l'appendicite sous anesthésie.*

▸ ***anesthésier*** v. *Anesthésier une personne,* c'est l'endormir pour qu'elle ne sente pas la douleur. *Pour opérer Julie de l'appendicite, on l'a anesthésiée. Le dentiste anesthésiera la mâchoire d'Hippolyte pour lui enlever sa dent de sagesse ;* vois ***insensibiliser.***

N'oublie pas le ***h*** après le ***t*** de *anesthésie* et *anesthésier.*

L'*anesthésie locale* insensibilise une partie du corps. L'*anesthésie générale* endort le malade.

La découverte de l'anesthésie au XIXe siècle facilita les opérations chirurgicales.

Conjugaison 7

Pour anesthésier, on utilise des *anesthésiques.*

anfractuosité n. f.

Creux profond et irrégulier de la roche ; vois ***cavité, creux.*** *La mer s'engouffre dans les anfractuosités de la falaise.*

Anfractuosité s'emploie surtout au pluriel.

Prononce [ɑ̃fʀaktɥozite].

ange n. m.

1. Dans certaines religions, être qui sert d'intermédiaire entre Dieu et les hommes. *Les anges ont des ailes. Angèle a une patience d'ange,* une très grande patience digne de celle des anges. *Nathalie est aux anges chaque fois qu'elle reçoit une lettre de Sylvain,* elle est très heureuse. **2.** Personne très gentille. *Marie-Tévy, tu serais un ange si tu aidais Nathalie à ranger ses affaires.*

Un *ange gardien,* c'est aussi une personne qui veille sur quelqu'un.

Nathalie est amoureuse de Sylvain !

Attention ! *ange* est un nom masculin.

Vive maman !
De baisers je la mange.
Vive maman !
Elle est notre bon ange
(les Malheurs de Sophie).

angélique adj.

Digne d'un ange. *« Ne prends pas cet air angélique, Antoine. Je sais bien que c'est toi qui as tiré les cheveux de Julie »,* ne te donne pas l'air d'un enfant sage et gentil.

Ce n'est pas parce qu'elle s'appelle Angèle que la maîtresse a toujours une patience angélique.

angine n. f.

Maladie de la gorge. *Marie-Tévy a pris froid en sortant de la piscine et elle a attrapé une angine.*

C'est souvent en hiver qu'on a des angines.

angle n. m.

1. Figure formée par deux droites qui se coupent. *Il y a quatre angles dans un carré. Les angles se mesurent en degrés.* **2.** Coin. *L'araignée a tissé sa toile dans un des angles de la pièce ;* vois ***encoignure.*** *L'école est à l'angle de l'avenue du Général-de-Gaulle et de la rue Jules-Ferry.*

Un *angle droit* mesure 90°, un *angle aigu* moins de 90° et un *angle obtus* plus de 90°.

On mesure un angle avec un rapporteur.

Autres membres de la famille : **rectangle, triangle.**

angoisse n. f.
Très grande inquiétude ; vois ***anxiété, peur.*** *Marie-Tévy avait de plus en plus peur ; elle sentait monter l'angoisse.*

▸ ***angoissant*** adj. Qui cause de l'angoisse. *Yves aime l'atmosphère angoissante des films d'épouvante ;* vois ***inquiétant.***

Céleste scrute l'horizon, un peu angoissée par le silence *(Babar).*

▸ ***angoissé*** adj. *Une personne angoissée,* c'est une personne qui ressent de l'angoisse. *Dans le noir, Marie-Tévy était angoissée.*

Un *regard angoissé* exprime de l'angoisse.

angora adj.

Un *pull en angora* est en laine mélangée de poils de chèvre ou de lapin angoras.

Un animal angora, c'est un animal qui a des poils longs et très doux. *On utilise la toison des chèvres angoras pour faire de la laine. Marie-Tévy aimerait avoir une chatte angora.*

Au féminin : *angora.*

anguille n. f.

N'oublie pas le ***u*** après le ***g*** dans *anguille.* Prononce [ɑ̃gij].

Les anguilles peuvent glisser sur l'herbe pour rejoindre une autre rivière.

Poisson d'eau douce qui a une forme très allongée comme un serpent et la peau glissante. *Les anguilles se nourrissent de petits poissons, de larves et d'insectes. M. Bellec a mangé de l'anguille fumée.* — *Il y a anguille sous roche,* il y a quelque chose qu'on nous cache mais que nous soupçonnons.

Les anguilles vivent en ea douce mais vont pondre dans l mer des Sargasses, près de Antilles.

anguleux adj.

Compare ***anguleux,*** *triangulaire* et *rectangulaire* : il y a des **angles.**

Qui a des parties plates ou pointues, qui forment des angles. *Le moniteur de ski est mince et anguleux.*

Un visage anguleux a des pom mettes saillantes et des mâ choires carrées.

anicroche n. f.

Attention ! *anicroche* est un nom féminin.

Petite difficulté qui arrête. *Tout s'est bien passé, pas la moindre anicroche.*

On accroche sur une anicroche

animal n. m.

Au pluriel : *des animaux.*
Compare ***animal*** et ***animer*** : il y a de la **vie.**

1. Être vivant capable de se déplacer seul. *L'homme, le lion, le crocodile, l'hirondelle, la truite, la mouche et le ver de terre sont des animaux.* **2.** Être vivant qui n'est ni une plante ni un être humain ; vois ***bête.*** *Les animaux du zoo viennent des quatre coins du monde. Le chien est un animal domestique. Le tigre est un animal sauvage.* — adj. *Il existe plus d'un million d'espèces animales,* d'espèces de bêtes.

Parmi les êtres vivants, on dis tingue les animaux et les vé gétaux.

La zoologie est la science qui étudie les animaux.

La Société protectrice des an maux (S. P. A.) protège les an maux domestiques.

Va voir aussi ***faune.***

animer v.

Conjugaison 1

Celui qui anime une réunion en est l'*animateur.*

1. Donner un mouvement à une chose qui semble alors vivante. *Les fils de la marionnette servent à l'animer.* **2.** Diriger une discussion, une réunion ou un spectacle. *Hippolyte anime un ciné-club.* **3.** Pousser à agir. *L'abbé Gauthier a parlé de la foi qui animait les premiers chrétiens.* **4.** *S'animer,* c'est devenir vivant. *La ville s'anime les jours de marché. La conversation s'animait,* elle devenait plus vive, plus passionnée.

Compare ***animer*** et ***animal*** : il y a de la **vie.**

Quand j'ai dessiné les baobabs j'ai été animé par le sentimen de l'urgence *(le Petit Prince).*

Compare :
animer → *animateur,*
créer → *créateur*
et *fonder* → *fondateur.*

▸ ***animateur*** n. m., ***animatrice*** n. f. **1.** Personne qui présente un spectacle ou une émission. *L'animateur de l'émission parlait trop vite.* **2.** Personne qui organise des activités pour un groupe. *Hippolyte est l'animateur d'un ciné-club.*

Par petits groupes, les éléphants s'assemblent et parlent avec animation *(Babar).*

▸ ***animation*** n. f. **1.** Vie, mouvement. *Il y a beaucoup d'animation dans ce quartier.* **2.** Organisation qui rend vivantes et attrayantes les activités qu'on propose. *Mme Séverac s'occupe de l'animation culturelle dans son quartier.*

Attention au ***t*** dans *animation* [animɑsjɔ̃].

Le contraire d'*animé,* c'est *inanimé.*
Va voir *dessin animé* à ***dessin.***

▸ ***animé*** adj. **1.** *Un être animé,* c'est un être vivant. *Les plantes sont des êtres animés.* **2.** Plein de vie ou de mouvement. *Tout le monde parlait, la réunion était très animée. Les rues du centre de la ville sont très animées.*

Autres membres de la famille **inanimé, ranimer, réanimation.**

animosité n. f.
Sentiment qui pousse à faire du tort à quelqu'un ; vois ***malveillance.*** *Le témoin a fait sa déposition sans animosité.*

Le contraire d'*animosité,* c'est *bienveillance.*

anis n. m.

Prononce [ani] ou [anis].

Les sucettes à l'anis d'Annie donnent à ses baisers un goût anisé (S. Gainsbourg).

Plante dont on utilise les graines pour parfumer la pâtisserie ou la confiserie ou pour faire des tisanes. *Mamie Lou a fait un pain d'épices à l'anis. Mme Séverac boit une infusion d'anis vert.*

Anis est un nom masculin.

L'*anisette* est une boisson alcoolisée préparée avec des graines d'anis.

ankylosé adj.

Attention à l'orthographe ! Il y a un ***k*** suivi d'un ***y.***

On est ankylosé quand on a du mal à bouger parce qu'on est resté trop

Prononce [ɑ̃kiloze].

longtemps immobile ; vois ***raide.*** *Lorsqu'on lui a enlevé son plâtre, Antoine avait la jambe ankylosée.*

Famille de **an**

annales n. f. plur.

Histoire, chronique des événements depuis l'origine. *Ce match de rugby restera dans les annales.*

Al Capone est célèbre dans les annales du crime.

Attention ! *anneau* s'écrit avec deux *n*.

anneau n. m.

1. Cercle de bois ou de métal qui sert à attacher ou à retenir. *Sophie Pelletier a cousu des anneaux de bois à ses rideaux.* **2.** *Les anneaux* sont deux cercles métalliques fixés à l'extrémité de deux cordes suspendues à un portique. *Yves fait des exercices aux anneaux.* **3.** Petit cercle d'or, d'argent, de métal qu'on met au doigt ; vois ***bague.*** *Mme Hespel a un anneau en jade.* **4.** Chacun des cercles qui forme le corps de certains animaux. *Le ver de terre avance en dépliant ses anneaux.*

Au pluriel : *des anneaux.*

Les anneaux, comme les barres parallèles ou la poutre, sont des *agrès*.

Va voir aussi ***alliance.***

...aa le python entoura Mowgli ...e ses anneaux glacés *(le Livre de la jungle).*

La planète Saturne est entourée d'*anneaux* formés par ses satellites.

Famille de **an**

année n. f.

1. Période de douze mois qui commence le 1er janvier et finit le 31 décembre ; vois ***an.*** *Bonne et heureuse année ! En quelle année es-tu né ?* **2.** Période de douze mois qui se succèdent à partir de n'importe quelle date. *Le docteur Séverac a vécu quelques années à l'étranger. — Mme Harpie est dans sa cinquantième année,* elle va avoir cinquante ans. **3.** *L'année scolaire* est la période qui va de la rentrée aux grandes vacances. *L'année scolaire est divisée en trois trimestres.*

...ne année a 365 jours ; une ...nnée bissextile en a 366.

...On dit : *il est parti deux ans ;* ...nais : *il est parti deux années entières ;* on dit : *un enfant de neuf ans ;* mais *cet enfant est dans sa neuvième année.*

L'*année-lumière* est l'unité de mesure des distances en astronomie. Une année-lumière est égale à presque 10 milliards de kilomètres, distance que la lumière parcourt en un an.

Deux *n* dans *annexe, annexer* et *annexion.*

annexe adj. et n. f.

1. adj. Qui est rattaché à quelque chose de plus important. *La pièce annexe du dossier de Mme Hespel est un tableau récapitulatif.* **2.** n. f. Bâtiment supplémentaire construit pour agrandir le bâtiment principal. *L'hôtel était plein ; les Séverac ont couché à l'annexe.*

Vous trouverez ce tableau *en annexe.*

Prononce [anɛkse].

▸ **annexer** v. Faire passer sous son autorité. *La France a annexé la Savoie en 1860.*

Conjugaison 1

Prononce [anɛksjɔ̃].

▸ **annexion** n. f. Rattachement. *Depuis son annexion, la Savoie fait partie de la France,* depuis qu'elle a été annexée.

Deux *n* et un *h* dans *annihiler.* Prononce [aniile].

annihiler v.

Réduire à rien ; vois ***anéantir, annuler.*** *Le vent violent qui attisait l'incendie annihilait les efforts des pompiers.*

Conjugaison 1

Il y a deux *n* dans *anniversaire.*

anniversaire n. m.

Jour où l'on se rappelle et où l'on fête un événement qui s'est produit le même jour d'une autre année. *Le 11 novembre, on célèbre l'anniversaire de l'armistice de 1918. C'est l'anniversaire de Julie, elle a huit ans aujourd'hui.*

Famille de **an**

...oyeux anniversaire, ...les vœux les plus sincères.

On a mis huit bougies sur son gâteau d'anniversaire.

Deux *n* après le *a* dans *annoncer* et *annonce.*

annoncer v.

1. *Annoncer quelque chose à quelqu'un,* c'est le lui faire savoir ; vois ***apprendre, communiquer, dire.*** *Marie-Tévy a une grande nouvelle à vous annoncer : elle a gagné le premier prix d'un concours de dessin. Marie-Tévy a annoncé à toute la classe qu'elle avait gagné.* **2.** Dire quelque chose à l'avance. *On annonce de la pluie pour demain ;* vois ***prévoir.*** **3.** Être le signe de quelque chose qui va bientôt arriver. *Les hirondelles annoncent le printemps. — Les hirondelles sont arrivées, le printemps s'annonce. Le tournage du film s'annonce plutôt bien,* tout a bien commencé.

Conjugaison 3 ▭ Indic. présent : *j'annonce, nous annonçons.*

Compare *annoncer, dénoncer* et *prononcer* : on **dit** quelque chose.

▸ **annonce** n. f. **1.** Nouvelle. *Tous les élèves ont applaudi à l'annonce du succès de Marie-Tévy.* **2.** Texte publié dans un journal, généralement pour demander ou offrir quelque chose. *Quand Julie a perdu son chat Félix, ses parents ont passé une annonce dans le journal local.*

Les publicités dans les journaux, à la radio et à la télévision ...'appellent aussi des *annonces.*

Les *petites annonces* proposent des offres et des demandes d'emploi, d'achat ou de vente.

Conjugaison 1

Famille de ② **note**

annoter v.

Annoter un texte, c'est mettre des notes à côté. *Mme Hespel annote le dossier en le relisant.*

Les collectionneurs recherchent les livres annotés par l'auteur.

Deux *n* dans *annuaire,* comme dans *annales, année, anniversaire, annuel.*

annuaire n. m.

Livre publié tous les ans et qui contient des renseignements variables d'une année à l'autre. *Marie-Tévy cherche un numéro dans l'annuaire du téléphone.*

Famille de **an**

Deux *n* dans *annuel.*

annuel adj.
Qui a lieu tous les ans, revient chaque année. *Hippolyte prendra ses congés annuels du 1er au 31 août inclus.*

Famille de **an**

L'*annulaire* est le doigt qui porte l'*anneau.*

annulaire n. m.
Quatrième doigt de la main, à partir du pouce. *Mme Séverac porte son alliance à l'annulaire de la main gauche.*

Deux *n* dans *annulaire.*

Deux *n* mais un seul *l* dans *annuler* et *annulation.*

Famille de ② **nul**

annuler v.
1. Déclarer ou rendre nul. *Le tribunal a annulé l'élection de ce député.* **2.** Supprimer. *Le vol Paris-Rome est annulé en raison du brouillard.*
▸ ***annulation*** n. f. *Le député n'accepte pas l'annulation de son élection,* il n'accepte pas que son élection soit annulée.

Conjugaison 1

Conjugaison 2

anoblir v.
Donner un titre de noblesse. *L'empereur Napoléon Ier a anobli beaucoup d'officiers.*

Famille de **noble**

Le contraire d'*anodin,* c'est *grave.*

anodin adj.
Sans danger ou sans importance. *Les invités parlaient de choses anodines ;* vois ***insignifiant.***

Au féminin : *anodine.*

Où est l'anomalie ? est un jeu où il faut trouver une anomalie dans un dessin.

anomalie n. f.
Écart par rapport à la normale, bizarrerie. *Il y a une anomalie dans le fonctionnement de la chaudière : les radiateurs restent froids.*

Compare : *âne* → *ânon* et *aigle* → *aiglon.*

ânon n. m.
Petit de l'âne et de l'ânesse. *L'ânon tète sa mère pendant cinq ou six mois.*

Famille de **âne**

Attention à l'accent circonflexe du ***â*** !

ânonner v.
Lire, parler ou réciter d'une manière pénible et hésitante. *Antoine ânonnait la poésie qu'il n'avait pas bien apprise.*

Conjugaison 1

Compare *anonyme, homonyme, pseudonyme* et *synonyme* : il s'agit de **nom.**

Un *y* dans *anonyme* et dans *anonymat.*

anonyme adj.
Une personne est anonyme quand elle ne fait pas connaître son nom. *Des artistes anonymes ont bâti et décoré les cathédrales.*
▸ ***anonymat*** n. m. *Ces personnes souhaitent garder l'anonymat,* elles souhaitent que leur nom ne soit pas connu.

Une *lettre anonyme* n'est pas signée.

Va voir aussi ***incognito.***

L'anorak est un vêtement qui nous vient des Esquimaux.

anorak n. m.
Veste imperméable très chaude, à capuchon, resserrée aux hanches et aux poignets. *Les skieurs portent des anoraks.*

Un ***k*** à la fin de *anorak.*

Au masculin pluriel : *anormaux.*

Va voir aussi ***handicapé.***

anormal adj.
1. *Une chose anormale* est une chose différente de celle qui se produit habituellement. *Le moteur fait un bruit anormal ;* vois ***bizarre.*** *La voiture a une consommation d'essence anormale ;* vois ***extraordinaire, inhabituel.*** **2.** *Un enfant anormal* est un enfant qui a une intelligence très inférieure à celle qu'il devrait avoir pour son âge. *Le docteur Séverac a rassuré des parents qui avaient peur que leur bébé soit anormal.*

Famille de **norme**

Le contraire d'*anormal,* c'est *normal.*

Attention ! *anse* est un mot féminin.

anse n. f.
1. Partie recourbée de certains ustensiles qui permet de les saisir et de les porter. *Julie tient l'anse de sa tasse en levant le petit doigt.* **2.** Petit renfoncement du rivage de forme arrondie ; vois ***baie, crique.*** *Le bateau mouille dans une anse.*

Un panier a une ou deux *anses,* une valise a une *poignée.*

Compare *antagonisme* et *agonie* : il s'agit de **lutter.**

antagonisme n. m.
Opposition qui existe entre des personnes ou des idées différentes ; vois ***conflit, rivalité.*** *L'antagonisme entre partisans et adversaires de l'esclavage aux États-Unis a été l'une des raisons de la guerre de Sécession.*

Ceux qui s'opposent dans un antagonisme sont des *antagonistes.*

D'antan est un mot... d'antan lui aussi ! on l'emploie peu.

d'antan adv.
D'autrefois, du temps passé. *Mamie Lou fredonne des chansons d'antan. Elle évoque ses chers souvenirs d'antan.*

Famille de **an**

N'oublie pas le ***c*** dans *antarctique* [ɑ̃taʀktik].

antarctique adj.
Les régions antarctiques sont les régions situées au pôle Sud ; vois ***austral.***

Famille de **arctique**

es chercheurs scientifiques de ombreux pays travaillent en ntarctique.

Le climat antarctique est le plus froid du monde. — n. m. *L'Antarctique, c'est le continent antarctique. La superficie de l'Antarctique est de quatorze millions de kilomètres carrés.*

antécédent n. m.

1. Mot placé avant le pronom relatif qui le reprend. *Dans la phrase « Connais-tu la personne qui vient d'entrer ? », le nom « personne » est l'antécédent du pronom « qui ».* **2.** *Le docteur Séverac note les antécédents pulmonaires du malade,* les maladies pulmonaires que le malade et sa famille ont eues.

Les *antécédents d'un accusé,* ce sont ses actes passés, bons ou mauvais.

Deux *n* dans *antenne.*

es fourmis, les papillons, les ngoustes portent des antennes.

antenne placée en haut de la ur Eiffel mesure 8 mètres et a n rayon de 70 kilomètres.

antenne n. f.

1. Tige fine et allongée, très mobile, que portent certains insectes et crustacés à l'avant de la tête. *Les antennes servent à toucher et à sentir.* **2.** Tige ou fil métallique qui capte les ondes. *Une antenne de télévision placée sur le toit donne une meilleure image qu'une antenne intérieure.* **3.** *Julie a entendu sa voix à l'antenne,* à la radio.

Les antennes vont par deux. Les crustacés en ont même deux paires.

Antérieurement veut dire avant, auparavant.

antérieur adj.

1. *Un événement est antérieur à un autre* quand il s'est passé avant, a eu lieu avant l'autre événement. *La Révolution de 1789 est antérieure au XIXe siècle. Le mariage des Séverac est antérieur de quelques années à celui des Bellec.* **2.** *Les pattes antérieures d'un animal,* ce sont ses pattes de devant. *L'écureuil prend des noisettes dans ses pattes antérieures.*

Le contraire d'*antérieur,* c'est *postérieur, ultérieur.*

Le contraire d'*antérieur,* c'est *postérieur.*

Attention aux deux *h* dans *anthropophage* !

« Bois-sans-soif ! achi-bouzouk ! Anthropophage ! » dit le capitaine Haddock.

anthropophage adj.

Un être anthropophage est un être qui mange de la chair humaine. *Le tigre peut devenir anthropophage. L'explorateur a été capturé par une tribu anthropophage.* — n. m. et f. *L'explorateur échappera-t-il aux anthropophages ?*

Compare ***anthropophage, misanthrope*** et ***philanthrope*** : on parle d'**hommes.**

es antibiotiques sont fabriqués partir de bactéries ou de champignons.

antibiotique n. m.

Médicament puissant, destiné à lutter contre les infections. *La pénicilline est l'antibiotique le plus connu. Marie-Tévy a pris des antibiotiques quand elle a eu une angine.*

Les premières recherches sur les antibiotiques datent de 1928.

Famille de **chambre**

Faire antichambre, c'est attendre longtemps.

antichambre n. f.

Hall, pièce qui sert de passage ou de salle d'attente. *Au château de Versailles, les courtisans attendaient dans l'antichambre le lever du roi.*

Certains bureaux ont des antichambres.

Conjugaison 1

anticiper v.

Anticiper sur un événement, c'est faire comme s'il s'était déjà produit. *Hippolyte anticipait sur le tirage de la loterie et se voyait gagner le gros lot. Le film se termine très bien, mais n'anticipons pas !,* ne racontons pas la fin de l'histoire trop vite.

Le lièvre anticipait quand il croyait gagner la course contre la tortue.

Compare : *anticiper → anticipation* et *préparer → préparation.*

▸ **anticipation** n. f. **1.** *Hippolyte dépensait l'argent du gros lot par anticipation,* à l'avance, avant d'avoir gagné cet argent. **2.** *Un film d'anticipation* est un film dont l'action est située dans le futur ; vois ***science-fiction.*** *« Ce récit d'anticipation ferait un bon scénario de film ».*

Au XIXe siècle, Jules Verne a écrit des romans d'anticipation, comme *20 000 Lieues sous les mers.*

Famille de **conforme**

anticonformiste adj.

Quelqu'un d'anticonformiste est quelqu'un qui s'oppose aux actions ou aux idées habituelles. *Julie trouve que sa maman est anticonformiste parce qu'elle ne veut pas qu'on lui souhaite la fête des mères.*

Antidote est un mot masculin.

antidote n. m.

Contrepoison. *Le docteur Séverac connaît des antidotes contre des poisons, des venins et des virus.*

Compare ***antigel*** et ***antivol*** : cela agit **contre.**

antigel n. m.

Produit qui empêche l'eau de geler. *Au début de l'hiver, Mme Hespel a mis de l'antigel dans le radiateur de sa voiture.*

Famille de **gel**

On dit *une antilope,* même s'il s'agit d'un mâle.

L'antilope est herbivore.

antilope n. f.

Animal à cornes creuses de la famille des bovidés, qui vit en troupeaux, surtout en Afrique ; vois ***gazelle.*** *La taille des antilopes varie de celle d'un lièvre à celle d'un cheval. L'antilope court vite ; elle est très gracieuse.*

Parmi les espèces d'antilopes, on trouve l'impala en Afrique du Sud, le gnou dans l'est et le sud de l'Afrique.

Compare *antipathie* et ***pathétique*** : on **ressent** quelque chose.

antipathie n. f.
Dégoût, répugnance que l'on sent pour une personne qui ne nous plaît pas. *Mme Harpie inspire de l'antipathie.*

N'oublie pas le ***h*** !

▷ ***antipathique*** adj. *Une personne est antipathique* à quelqu'un quand elle lui déplaît fortement, lui inspire de la répugnance. *David trouve Sylvain très antipathique.*

Le contraire d'*antipathique*, c'est *sympathique.*

antipodes n. m. plur.

Ici, c'est l'été, aux antipodes, c'est l'hiver. Ici, il est midi, aux antipodes, il est minuit.

1. *Les antipodes d'un endroit sur la terre,* c'est l'endroit situé exactement de l'autre côté du globe terrestre. *La Nouvelle-Zélande est aux antipodes de la France.* **2.** *Être aux antipodes de quelqu'un,* c'est être complètement différent de lui. *Angèle est adorable, Mme Harpie est détestable, elles sont aux antipodes l'une de l'autre.*

Antipodes s'emploie toujours au pluriel.

antique adj.

Le contraire d'*antique,* c'est *moderne.*

1. Ancien, éloigné dans le temps. *L'antique locomotive crachait de la fumée ;* vois ***archaïque.*** **2.** Qui appartient aux plus anciennes civilisations. *Les Bellec ont vu les ruines antiques du forum, à Rome.*

Tintin a retrouvé l'antique Temple du Soleil, qui date du XVe siècle.

Les Égyptiens, les Grecs et les Romains sont des peuples antiques.

▷ ***antiquaire*** n. m. et f. Marchand de meubles et d'objets anciens. *L'antiquaire montre à Mme Séverac une collection de cannes et d'ombrelles.*

▷ ***antiquité*** n. f. **1.** Temps très ancien. *L'apiculture se pratique depuis l'antiquité.* **2.** *L'Antiquité,* c'est l'époque des civilisations les plus anciennes. *Les Grecs et les Romains sont des peuples de l'Antiquité.* **3.** *Les antiquités,* ce sont les monuments et les objets qui datent de l'Antiquité. *Ces vases sont des antiquités.*

La marelle remonte à la plus haute antiquité.

Dans ce sens, *Antiquité* s'écrit avec un ***A*** majuscule.

Avant l'Antiquité, il y a la préhistoire.

On peut en voir dans les musées archéologiques.

antisémite n. m. et f.
Raciste qui s'attaque aux Juifs. *Les théories des antisémites sont aberrantes.* — adj. *Les nazis ont promulgué de nombreuses lois antisémites.*

Les antisémites font preuve d'*antisémitisme.*

▷ ***antisémitisme*** n. m. Racisme contre les Juifs. *Le grand-père de Mme Séverac a souffert de l'antisémitisme.*

L'antisémitisme des nazis a coûté la vie à six millions de Juifs.

Mme Séverac est issue d'une famille juive.

antiseptique n. m.
Produit qui tue les microbes ; vois ***désinfectant.*** *Angèle désinfecte le genou d'Antoine avec un antiseptique, avant de lui mettre un pansement.*

L'alcool, l'éther, l'eau oxygénée sont des antiseptiques.

Famille de ② **voler**

Compare ***antivol*** et ***antigel*** : on agit **contre.**

antivol n. m.
Objet qui empêche qu'on vole un véhicule. *Sylvain perd régulièrement les clés de son antivol de bicyclette.*

Au pluriel : *des antivols.*

Antre est un mot masculin.

Ne confonds pas *antre* et *entre.*

antre n. m.
Caverne, grotte qui sert d'abri à une bête fauve. *La lionne rapporte une proie à ses petits au fond de l'antre.*

Ce mot se trouve surtout dans les livres.

Prononce le ***s*** : [anys].

anus n. m.
Petite ouverture, située entre les fesses, et qui correspond à la sortie de l'intestin. *Les suppositoires se mettent dans l'anus.*

Prononce [ɑ̃ksjete].

Le contraire d'*anxiété,* c'est *calme, sérénité.*

anxiété n. f.
Très grande inquiétude. *Julie n'a pas téléphoné comme prévu ; peu à peu l'inquiétude de sa mère se change en anxiété ;* vois **angoisse.**

L'anxiété se lit sur le visage de ceux qui assistent au départ de Tintin pour la Lune : va-t-il réussir ?

anxieux adj.
Inquiet, angoissé. *Sophie Pelletier se sentait un peu anxieuse d'être sans nouvelles de sa fille.*

Aorte est un mot féminin.

aorte n. f.
Artère qui part du cœur et donne naissance aux autres artères. *L'aorte part du ventricule gauche.*

Le sang revient au cœur par les veines caves.

On peut prononcer le ***t*** ou pas : [u] ou [ut]. N'oublie pas l'accent du ***û.***

août n. m.
Le huitième mois de l'année. *Au mois d'août, c'est l'été dans l'hémisphère nord et l'hiver dans l'hémisphère sud. En août, l'école est fermée.*

Le mois d'août a trente et un jours.

Conjugaison 1

Famille de **paix**

apaiser v.
1. Calmer, tranquilliser. *Sophie Pelletier a apaisé son bébé qui pleurait en le berçant tout doucement. — Le bébé s'est apaisé dès que sa mère l'a bercé.*

Le contraire d'*apaiser,* c'est *exciter, inquiéter, troubler.*

Compare : *apaiser → apaisant, charmer → charmant* et *glisser → glissant.*

2. Rendre moins violent, moins pénible. *David met la main sur sa joue pour essayer d'apaiser son mal de dents. — La douleur s'est un peu apaisée.*

▸ ***apaisant*** adj. *Quelque chose d'apaisant,* c'est quelque chose qui calme, tranquillise. *L'abbé Gauthier prononça des paroles apaisantes.*

▸ ***apaisement*** n. m. Retour au calme. *Entre David et Nathalie, il y a des disputes, des périodes d'apaisement, et de nouveau de la bagarre !*

Comme souvent entre frère et sœur !

Apanage s'emploie seulement au singulier.

apanage n. m.
Ce qui appartient en propre à quelqu'un ; vois ***privilège.*** *La parole est l'apanage de l'homme.*

Ce mot se trouve surtout dans les livres.

Famille de **part**

en ***aparté*** adv.
Pendant le déjeuner, Sylvain et Nathalie ont échangé des secrets en aparté, sans que personne ne les entende.

Conjugaison 28
▭ Indic. présent : *j'aperçois, nous apercevons, ils aperçoivent.* Imparfait : *j'apercevais.* Futur : *j'apercevrai.* — Subj. présent : *que j'aperçoive.*

apercevoir v.
1. Commencer à voir. *La vigie a aperçu la côte et crié : « Terre ! ». Hippolyte est tombé amoureux d'Angèle dès qu'il l'a aperçue.* **2.** *S'apercevoir d'une chose,* c'est s'en rendre compte ; vois ***remarquer.*** *Tout le monde s'apercevait du trouble d'Hippolyte ; seule Angèle ne s'est aperçue de rien.*

▸ ***aperçu*** n. m. *Cette visite rapide a donné aux enfants un aperçu du musée,* une connaissance rapide ; vois ***idée.***

Famille de ② **percevoir**

apéritif n. m.
Boisson alcoolisée que l'on prend avant le repas. *J'ai invité les voisins à venir prendre l'apéritif à la maison.*

Après le repas, on boit un *digestif.*

apesanteur n. f.
Absence de pesanteur. *En état d'apesanteur, les corps et les objets flottent dans l'espace.*

Tintin, dans la fusée, était en état d'apesanteur.

Famille de **peser**

à peu près va voir ***près.***

Famille de **peur**

apeuré adj.
1. Pris de peur ; vois ***effrayé.*** *Au moindre bruit, les antilopes apeurées prennent la fuite.* **2.** *Le poussin pousse de petits cris apeurés,* qui montrent sa peur.

Compare ***aphone, téléphone*** et ***symphonie*** : il est question de **son.**

aphone adj.
Une personne aphone, c'est une personne qui a perdu sa voix. *Hippolyte a trop crié hier en encourageant l'équipe de football ; il est aphone ce matin.*

Prononce [afɔn] ou [afon].

Aphte se prononce [aft]. Attention ! ce mot est masculin.

aphte n. m.
Petite plaie dans la bouche. *Claire a des aphtes très douloureux qui l'empêchent de manger.*

Les aphtes sont provoqués par un virus.

Au pluriel : *des à-pic.*

à-pic n. m. invariable
Pente très raide, verticale. *Les chamois bondissent le long d'à-pic très dangereux.*

Famille de **piquer**

Famille de ① **culture**

apiculture n. f.
Élevage des abeilles servant à la production du miel et de la cire. *L'apiculture était déjà pratiquée par les hommes préhistoriques.*

Les *apiculteurs* sont les personnes qui élèvent des abeilles.

Conjugaison 8
▭ Indic. présent : *j'apitoie, nous apitoyons.* Imparfait : *nous apitoyions.* Futur : *j'apitoierai.*

apitoyer v.
Faire éprouver de la pitié. *Mme Harpie cherche à apitoyer sa sœur en lui racontant ses malheurs. — Yasmina et Julie se sont apitoyées sur le petit oiseau blessé,* elles en ont eu pitié.

Prononce [apitwaje]. Compare ***apitoyer*** et ***pitoyable*** : dans ces mots, on parle de **pitié.**

Conjugaison 2
Famille de ① **plan**

aplanir v.
1. *Aplanir une surface,* c'est la rendre unie, l'égaliser. *On a aplani le court de tennis au rouleau.* **2.** *Aplanir une difficulté,* c'est la faire disparaître. *Le maire a réussi à aplanir les difficultés en mettant tout le monde d'accord.*

Ne confonds pas *aplanir* et *aplatir.*

Conjugaison 2
Famille de ① **plat**

aplatir v.
Rendre plat. *Julie s'est assise sur le chapeau de son père et l'a aplati comme une crêpe. Le canard a le bec plus aplati que la poule.*

Le lièvre peut s'aplatir et se cacher dans des trous de 15 centimètres de haut.

Attention au *m* et au *b* de la fin ! Prononce [aplɔ̃].

aplomb n. m.
1. *Le maçon vérifie l'aplomb du mur avec un fil à plomb,* il vérifie que le mur est bien vertical. **2.** *D'aplomb,* en équilibre. *Le gardien de but, bien d'aplomb sur ses jambes, surveille le jeu.* **3.** Grande confiance en soi, même si on a tort. *Claire dit avec aplomb que c'est le chat qui a cassé le vase.*

Va voir *fil à plomb* à ***fil.***

N'oublie pas le *y* après le *l* dans *apocalyptique.*

apocalyptique adj.
Très horrible, effroyable, épouvantable. *Les rescapés ont fait une description apocalyptique de l'accident d'avion.*

L'*Apocalypse* est un récit de l Bible qui décrit la fin du mond

apogée n. m.
Le point le plus élevé, le plus haut degré de quelque chose ; vois ***sommet.*** *Denis Prost n'est pas encore à l'apogée de sa carrière.*

C'est encore un jeune acteur.

Attention ! ce mot est masculin : ***un*** *apogée.*

Famille de **politique**

apolitique adj.
Cette manifestation d'écologistes est apolitique, elle n'a pas été organisée pour des motifs politiques.

Il n'y a pas d'accent sur le *e.* Prononce [apɔsteʀjɔʀi].

a posteriori adv.
Après avoir fait l'expérience. *Je pensais a priori que tu avais raison mais j'ai constaté a posteriori que tu avais tort.*

Le contraire de *a posteriori,* c'est *a priori.*

apostolat n. m.
Travail qui demande beaucoup d'énergie, de dévouement. *Quand ses élèves sont insupportables, Angèle se dit que l'enseignement est un apostolat.*

À l'origine, l'apostolat était la mission des *apôtres.*

Apostrophe [apɔstʀɔf] rime avec *strophe* et *catastrophe.*

① **apostrophe** n. f.
Parole brusque, impolie qu'on adresse à quelqu'un. *Un automobiliste en colère lance une apostrophe à Sophie Pelletier.*

Une apostrophe n'est pas forc ment une injure ; c'est le to qu'on emploie qui compte.

Conjugaison 1

▸ ***apostropher*** v. Adresser la parole à quelqu'un brusquement, sans politesse ; vois ***interpeller.*** *Un automobiliste m'a apostrophé brutalement.*

② **apostrophe** n. f.
Signe en forme de virgule qui se met à droite et en haut d'une consonne, qui marque l'élision d'une voyelle à la fin d'un mot. *Dans « l'arc » il y a une apostrophe entre le* ***l*** *et le* ***a.***

L'apostrophe s'emploie devant un mot qui commence par un voyelle ou un ***h*** muet.

N'oublie pas le ***h*** entre le ***t*** et le ***é.***

apothéose n. f.
Moment le plus beau, le plus réussi ; vois ***épanouissement.*** *La fête s'est terminée en apothéose : on a tiré un feu d'artifice magnifique.*

N'oublie pas le ***h*** entre le ***t*** et le ***i.***

apothicaire n. m.
Des comptes d'apothicaire, ce sont des comptes, des calculs longs et compliqués. *Les deux amis ont fait des comptes d'apothicaire pour partager leur note de restaurant.*

Autrefois, les pharmaciens s'appelaient des *apothicaires.*

N'oublie pas l'accent circonflexe du ***ô*** de *apôtre.*

apôtre n. m.
1. *Les apôtres,* c'étaient les disciples choisis par le Christ pour répandre son enseignement à travers le monde. *Pierre, Jean et Judas étaient des apôtres.* **2.** *L'apôtre d'une idée,* c'est la personne qui défend cette idée, essaie d'en convaincre les autres. *Gandhi était un apôtre de la non-violence, en Inde.*

Les apôtres étaient douze ; il prêchaient l'Évangile.

Conjugaison 57 ; le ***i*** de *apparaître* n'a pas d'accent circonflexe quand il est suivi d'un ***s.***
▭ Indic. présent : *j'apparais, il apparaît.* Imparfait : *j'apparaissais.* Futur : *j'apparaîtrai.*

apparaître v.
1. Devenir visible, se montrer tout à coup ; vois ***paraître, surgir.*** *À chaque virage, le château apparaissait, puis disparaissait, puis réapparaissait au loin. Au milieu du dîner, Julie, qui ne pouvait pas dormir, est apparue en pyjama.* **2.** Commencer à exister, faire son apparition. *Le téléphone est apparu à la fin du* XIX*e siècle.* **3.** *Angèle apparaît à tout le monde comme une femme très sympathique,* elle paraît, elle semble être une femme très sympathique.

N'oublie pas les deux ***p.***

Le contraire d'*apparaître,* c'est *disparaître.*

Famille de **paraître**

Attention aux deux ***p*** !

apparat n. m.
Un costume d'apparat, c'est un costume de cérémonie, destiné à faire beaucoup d'effet ; vois ***somptueux.*** *Le maire a revêtu son costume d'apparat pour les cérémonies du 11 Novembre.*

Famille de se **parer**

Attention ! deux *p* et un seul *r*.

appareil n. m.

1. Objet qui sert à faire un travail ; vois ***instrument, machine.*** *Un aspirateur est un appareil ménager. Alex va au café jouer avec des appareils à sous.* **2.** *Qui est à l'appareil ?,* au téléphone. **3.** Objet constitué de fils métalliques, qui sert à redresser les dents. *David porte un appareil.* **4.** Avion. *L'appareil décollera dans dix minutes.* **5.** Ensemble des organes du corps qui remplissent la même fonction. *La bouche et les poumons constituent l'appareil respiratoire.*

Le photographe était là, aussi, avec son appareil *(le Petit Nicolas).*

L'*appareil digestif* permet de digérer les aliments.

De ce qui est très apparent, on dit : *cela se voit comme le nez au milieu de la figure !*

Compare *apparent* et *transparent* : il est question de **paraître.**

apparent adj.

1. *Ce qui est apparent,* c'est ce qui se montre clairement aux yeux ; vois ***visible.*** *L'opération de l'appendicite laisse une cicatrice apparente.* **2.** *Une chose apparente,* c'est une chose qui est différente de ce qu'elle paraît être, qui n'est qu'une apparence. *Avec une bienveillance apparente, Mme Harpie dit des horreurs sur ses voisins.*

Le contraire d'*apparent,* c'est *invisible.*

Le contraire d'*apparent,* c'est *réel.*

Compare : *apparent → apparemment, apparence* et *différent → différemment, différence.*

▸ **apparemment** adv. Selon toute apparence, à ce qu'on peut voir. *Je ne vois plus Alex, apparemment il est sorti.*

Attention aux deux *p* et aux deux *m* dans *apparemment* !

▸ **apparence** n. f. **1.** *L'apparence d'une chose,* c'est ce qu'on en voit, la manière dont elle se présente à nos yeux, son aspect extérieur. *On a repeint la maison pour lui donner une belle apparence.* **2.** Ce que l'on voit et qui est différent de la réalité. *Les apparences sont contre lui, mais en fait il est innocent.*

Il ne faut pas se fier aux apparences !

Famille de **parent**

apparenté adj.

1. *Des personnes apparentées,* ce sont des personnes de la même famille. *Mme Bellec et Loïc sont apparentés. Loïc est apparenté à Mme Bellec.* **2.** *Le goût de la mandarine est apparenté à celui de l'orange,* il ressemble à celui de l'orange, il a des rapports avec lui.

Loïc est le frère du mari de Mme Bellec.

La mandarine et l'orange ont des *goûts apparentés.*

Conjugaison 1

▸ *s'***apparenter** v. Ressembler. *Le goût de la mandarine s'apparente à celui de l'orange.*

Attention aux deux *p* !

Compare *apparition* et *disparition* : il est question de **paraître.**

Autre membre de la famille : **réapparition.**

apparition n. f.

1. *Denis Prost fait une brève apparition dans ce film,* il apparaît peu de temps, on le voit pendant un court moment. **2.** *L'apparition de l'homme sur la terre est récente,* l'homme n'existe sur la terre que depuis peu de temps. **3.** *Avoir une apparition,* c'est voir quelqu'un ou quelque chose invisible en temps normal. *Sainte Bernadette a eu des apparitions de la Vierge.*

Elle date d'il y a 2 ou 3 millions d'années, mais c'est peu par rapport à l'âge de la Terre.

Attention aux deux *p* !

Un appartement peut être un *deux-pièces,* un *trois-pièces...*

appartement n. m.

Partie d'un immeuble comprenant plusieurs pièces, qui sert d'habitation. *Mme Roussel loue un appartement dans un immeuble neuf.*

Appartements et studios à vendre et à louer.

Conjugaison 22 ▭ Indic. présent : *j'appartiens, nous appartenons.* Imparfait : *j'appartenais.* Futur : *j'appartiendrai.* — Subj. présent : *que j'appartienne, que nous appartenions.*

appartenir v.

1. *Ce livre appartient à Yasmina,* il est à Yasmina, c'est le livre de Yasmina. **2.** Faire partie de quelque chose. *Le kangourou appartient à l'ordre des marsupiaux.* **3.** *Il appartient aux parents d'élever leurs enfants,* c'est leur rôle, leur devoir, c'est à eux d'élever leurs enfants.

▸ **appartenance** n. f. *Le signe* $\in$ *sert à noter l'appartenance d'un élément à un ensemble,* sert à noter que l'élément appartient à l'ensemble.

N'oublie pas l'accent circonflexe du *â* de *appât* et de *appâter.*

appât n. m.

1. *Un appât,* c'est de la nourriture que l'on met dans un endroit pour attirer des animaux. *M. Bellec met un appât à l'hameçon. Les vers sont d'excellents appâts pour le poisson.* **2.** *L'appât du gain,* c'est le fait d'être attiré par l'argent, d'avoir envie d'en gagner beaucoup. *L'appât du gain a poussé Denis Prost à accepter un rôle qui ne lui plaisait pas beaucoup.*

Pour attraper les souris, on met du pain, du fromage ou des graines comme appât.

Denis Prost est acteur de cinéma.

Conjugaison 1

▸ **appâter** v. **1.** *Appâter un animal,* c'est l'attirer avec un appât. *On appâte les homards en mettant des morceaux de poisson dans les casiers.* **2.** *Appâter quelqu'un,* c'est l'attirer en lui promettant quelque chose ; vois ***allécher.*** *Il s'est laissé appâter par de belles promesses.*

Conjugaison 2
Famille de **pauvre**

appauvrir v.

Rendre pauvre. *Des guerres continuelles ont appauvri le pays ;* vois ***ruiner.***

Le contraire, c'est *enrichir.*

appeau n. m.

Pour imiter le cri de chaque oiseau, il faut un appeau différent.

Instrument avec lequel on imite le cri des oiseaux pour les attirer dans un piège. *Les chasseurs utilisent des appeaux.*

L'appeau est une sorte de sifflet.

appeler v.

Conjugaison 4 ▭ Indic. présent : *j'appelle, nous appelons.* Imparfait : *j'appelais.* Futur : *j'appellerai.* — Subj. présent : *que j'appelle.*

1. Dire quelque chose à quelqu'un, faire un geste pour qu'il vienne ou qu'il réponde ; vois ***héler, interpeller.*** *Mme Roussel a appelé Mme Bellec par la fenêtre. Sylvain appelle son chien en sifflant.* **2.** Téléphoner. *Denis Prost a appelé pour dire qu'il serait en retard. Hippolyte a appelé les pompiers dès qu'il a vu les flammes.* **3.** *La conduite de Colle et Rat appelle une punition,* elle nécessite une punition ; vois ***demander, exiger, réclamer.*** **4.** Donner un nom ; vois ***nommer.*** *Les enfants ont appelé le hamster Cajou. — L'institutrice s'appelle Angèle Bastiani. Comment s'appelle cette fleur ?*

Hier on a eu un nouveau professeur de gymnastique :
— Je m'appelle Hector Duval, il nous a dit, et vous ?
— Nous pas, a répondu Fabrice *(le Petit Nicolas).*

Barbe-Bleue était ainsi appelé à cause de la couleur de sa barbe.

▸ ***appel*** n. m. **1.** *Le navire en détresse a lancé un appel au secours,* il a appelé au secours. *Personne n'a entendu son appel.* **2.** *Angèle, l'institutrice, a fait l'appel,* elle a appelé tous les enfants de la classe un par un pour voir s'ils étaient tous là. **3.** *Faire appel à quelqu'un,* c'est lui demander de l'aide, lui demander de faire un travail. *Denis Prost a fait appel à une jeune architecte pour construire sa maison.* **4.** *Le condamné fait appel,* il demande à un autre tribunal de revoir le jugement qui l'a condamné.

Le 18 juin 1940, le général de Gaulle, qui se trouvait en Angleterre, exhorta les Français à continuer à se battre contre les Allemands qui avaient envahi la France : c'est l'appel du 18 Juin.

▸ ***appellation*** n. f. Nom que l'on donne à une chose. *Les pains ont des appellations différentes suivant les régions où l'on se trouve.*

Un *vin d'appellation d'origine contrôlée* a le nom de l'endroit où il est produit.

Autres membres de la famille : **rappeler, rappel.**

appendice n. m.

Petite partie creuse qui prolonge le gros intestin. *L'appendice ne sert à rien ; ce n'est pas grave si on l'enlève.*

L'appendice se trouve à droite en bas du ventre.

▸ ***appendicite*** n. f. Maladie due à une inflammation de l'appendice. *Julie a eu une crise d'appendicite, il a fallu l'opérer.*

appentis n. m.

N'oublie pas le ***s*** même au singulier. Prononce [apɑ̃ti].

Petit bâtiment avec un toit à une seule pente, adossé à un mur. *Julie range sa bicyclette sous l'appentis, à côté des outils de jardinage.*

Famille de **pente**

s'appesantir v.

Conjugaison 2

S'appesantir sur un sujet, c'est en parler trop longuement, insister dessus. *Les conseillers municipaux ne se sont pas appesantis sur le projet de parking.*

Même famille que **pesant**

appétit n. m.

Attention aux deux ***p*** !

L'appétit vient en mangeant (proverbe).

Avoir de l'appétit, c'est avoir envie de manger. *Antoine a toujours bon appétit ! L'émotion m'a coupé l'appétit.*

Babar a bon appétit, il grandira vite *(Babar).*

▸ ***appétissant*** adj. *Une nourriture appétissante,* c'est une nourriture qui donne envie de manger, qui ouvre l'appétit. *Antoine a vu un gâteau appétissant.*

Quel gâteau ne serait pas appétissant pour Antoine ?

applaudir v.

Conjugaison 2

Taper les mains l'une contre l'autre pour montrer qu'on est content. *Les enfants applaudissent les clowns et crient : « Bravo ! »*

Les enfants applaudissent à tout rompre : « Bis ! Encore ! » Le clown lève son chapeau et salue : « Merci ! Merci ! »

Compare : *applaudir → applaudissement, gémir → gémissement* et *frémir → frémissement.*

▸ ***applaudissement*** n. m. Battement des mains. *Les applaudissements éclatent à la fin du numéro,* les spectateurs applaudissent.

appliquer v.

N'oublie pas les deux ***p.***

Conjugaison 1

1. Mettre une chose sur une autre, de façon qu'elle la recouvre complètement. *Loïc applique une couche de peinture sur son bateau ;* vois ***étendre.*** **2.** Employer, utiliser. *Yves applique la méthode de son oncle Loïc pour fixer les hameçons aux lignes.* **3.** Mettre en pratique. *La directrice de l'école applique le règlement : personne ne doit partir avant la date des vacances.* **4.** *S'appliquer,* c'est travailler avec soin. *Marie-Tévy s'applique à l'école.*

Le règlement est *applicable* à tout le monde : pas d'exception !

C'est une élève *appliquée.*

Compare : *appliquer → application* et *compliquer → complication.*

▸ ***application*** n. f. **1.** *L'application de ce vernis est difficile,* il est difficile de l'appliquer. **2.** *Cette découverte a eu de nombreuses applications,* on a pu l'appliquer, l'utiliser pour de nombreuses choses. **3.** *Julie a mis son idée en application,* elle l'a mise en pratique. **4.** *Marie-Tévy travaille avec application,* en s'appliquant.

Le contraire d'*application,* c'est *négligence.*

appoint n. m.
1. *Faire l'appoint,* c'est donner la somme exacte que l'on doit en fournissant la petite monnaie. *Le conducteur du bus demande aux passagers de faire l'appoint.* **2.** *Mme Hespel a un chauffage d'appoint dans sa chambre,* un chauffage comme complément au chauffage central.

On dit aussi qu'on *fait l'appoint* quand on donne le complément en petite monnaie.

N'oublie pas les deux ***p*** de *appointements.*

appointements n. m. plur.
Argent que gagne un employé ; vois ***salaire.*** *Mme Hespel touche ses appointements à la fin du mois.*

Conjugaison 1

« C'est le Petit Chaperon rouge, qui vous apporte une galette et un petit pot de beurre que ma Mère vous envoie » *(le Petit Chaperon rouge).*

apporter v.
1. *Apporter quelque chose à quelqu'un,* c'est porter quelque chose au lieu où se trouve quelqu'un et le lui donner. *Antoine a apporté des fleurs à Angèle. Le facteur apporte le courrier. Mme Séverac apporte le café dans le salon.* **2.** *Marie-Tévy apporte beaucoup de soin à son travail,* elle y met un grand soin, elle montre un grand soin dans son travail. **3.** *Le séjour en classe de neige a beaucoup apporté aux enfants,* il les a enrichis, il leur a appris beaucoup de choses. **4.** *L'automobile a apporté de grands changements dans la vie de tous les jours,* elle a causé de grands changements ; vois ***amener, entraîner, produire.***
▸ ***apport*** n. m. Contribution. *Les travaux de Pasteur constituent un apport considérable à la médecine,* ils ont beaucoup apporté à la médecine.

Famille de **porter**

On *apporte* un objet quand on prend un objet que l'on possède et qu'on le porte dans un endroit où l'on va. On *emporte* un objet quand on le prend dans un endroit et que l'on part avec cet objet. Mais on *amène* son petit frère à l'école.

Conjugaison 1

Ne confonds pas *apposer* et *imposer.*

apposer v.
Apposer sa signature, c'est signer. *Le docteur Séverac a apposé sa signature au bas de l'ordonnance.*

Famille de **poser**

Famille de **poser**

apposition n. f.
Un mot ou un groupe de mots est en apposition à un mot quand il est mis à côté de ce mot et qu'il en précise le sens. *Dans « Vénus, l'étoile du berger », « l'étoile du berger » est en apposition.*

Conjugaison 7 ▭ Indic. présent : *j'apprécie, nous apprécions.* Imparfait : *j'appréciais, nous appréciions.* — Subj. présent : *que j'apprécie, que nous appréciions.*

apprécier v.
1. Aimer, trouver bien. *La directrice apprécie beaucoup Angèle, l'institutrice de CE2. Angèle n'apprécie pas qu'on fasse du bruit dans sa classe.* **2.** Déterminer. *D'un coup d'œil, Loïc apprécie la vitesse du bateau et la distance parcourue ;* vois ***estimer, évaluer.***
▸ ***appréciable*** adj. **1.** *Les Séverac ont un grand jardin, c'est appréciable,* c'est important, précieux. **2.** *Loïc a emmené Yves en bateau à une distance appréciable de la côte,* à une distance assez importante.
▸ ***appréciation*** n. f. Opinion, observation, remarque. *Angèle écrit les appréciations en marge sur les cahiers.*

Attention aux deux ***p*** !

Compare *appréciable* et *précieux* : cela a du **prix.**

Étourdi ; Sale ; Des progrès ; Bien : voilà ses appréciations.

Autre membre de la famille : **inappréciable.**

Conjugaison 1

Attention au ***h*** !

appréhender v.
1. *Appréhender un malfaiteur,* c'est l'arrêter. *Les policiers ont appréhendé les cambrioleurs.* **2.** Avoir peur, s'inquiéter par avance. *Alex appréhende les résultats du baccalauréat ;* vois ***craindre, redouter.*** *Alex appréhende d'être refusé à son examen.*

Le contraire d'*appréhender,* c'est *relâcher.*

Il a de l'*appréhension.*

Attention au ***h*** !

appréhension n. f.
Crainte que l'on éprouve à l'avance. *Alex a un peu d'appréhension avant son bac,* il a un peu peur.

Le contraire d'*appréhension,* c'est *confiance, tranquillité.*

Conjugaison 58 ▭ Indic. présent : *j'apprends, nous apprenons.* Imparfait : *j'apprenais.* Futur : *j'apprendrai.* — Subj. présent : *que j'apprenne, que nous apprenions.*

apprendre v.
1. *Apprendre quelque chose à quelqu'un,* c'est le lui faire savoir. *C'est Hippolyte qui a appris à Angèle l'incendie de la poste ;* vois ***annoncer.*** *Hippolyte nous a appris que la poste a pris feu.* **2.** Enseigner. *Angèle apprend l'orthographe à ses élèves. Le moniteur apprend à Marie-Tévy à faire du ski.* **3.** *Apprendre quelque chose,* c'est en être informé. *Angèle a appris que la poste a pris feu. Angèle a appris la nouvelle par Hippolyte.* **4.** S'exercer à connaître, à savoir. *Au collège, Marie-Tévy apprendra l'anglais. Les enfants apprennent à lire au cours préparatoire. Yves est en train d'apprendre ses leçons.*

Attention aux deux ***p*** de *apprendre* !

Les parents de Djodjo ont dû penser qu'il avait appris tout le français dont il avait besoin *(le Petit Nicolas).*

Chaque jour j'apprenais quelque chose sur la planète, sur le départ, sur le voyage *(le Petit Prince).*

Deux ***p*** dans *apprenti.*

apprenti n. m., **apprentie** n. f.
Personne qui apprend un métier en travaillant chez un artisan, un commerçant. *Le coiffeur apprend à son apprentie à couper les cheveux.*

Les apprentis suivent aussi des cours dans des écoles spéciales.

▸ ***apprentissage*** n. m. *Être en apprentissage,* c'est être apprenti chez un patron. *Quand l'apprentie aura fini son apprentissage, elle sera coiffeuse à son tour.*

N'oublie pas les deux ***p*** et l'accent circonflexe du ***ê***.
Famille de ① **prêt**

s'apprêter v.
S'apprêter à faire quelque chose, c'est se préparer à le faire ; vois *se* ***disposer.*** *Marie-Tévy s'apprêtait à rendre visite à Yasmina quand Hippolyte, le facteur, a apporté le courrier.*

Conjugaison 1

Deux ***p*** dans *a****pp****rivoiser.*

Je ne peux pas jouer avec toi, dit le renard. Je ne suis pas apprivoisé *(le Petit Prince).*

apprivoiser v.
Apprivoiser un animal, c'est l'habituer à vivre avec les hommes ; vois ***domestiquer.*** *David a soigné et apprivoisé un hibou. — Peu à peu, le hibou s'est apprivoisé,* il est devenu moins sauvage.

Conjugaison 1
Va voir aussi ***dresser.***

Compare ***approbateur*** et ***approbation*** : on **approuve.**
Autre membre de la famille : **désapprobateur.**

approbateur adj.
Un geste approbateur, c'est un geste qui montre que l'on est d'accord. *M. Doucet fit un hochement de tête approbateur. Mme Séverac faisait des mimiques approbatrices pendant le discours du maire.*

Le contraire d'*approbateur,* c'est *désapprobateur, réprobateur.*

Compare ***approbation*** et ***approbateur*** : on **approuve.**

approbation n. f.
Accord, consentement. *Les conseillers municipaux ont donné leur approbation au projet du maire,* ils l'ont approuvé.

Autre membre de la famille : **désapprobation.**

Conjugaison 1
Famille de **proche**

Approchez Mesdames et Messieurs ! Dans un instant, le spectacle va commencer.

approcher v.
1. Mettre plus près. *Approche ton assiette de la soupière afin que je te serve. Mme Séverac approcha sa chaise tout près de la fenêtre ;* vois ***rapprocher.*** **2.** Venir près. *N'approchez pas Hippolyte, il a la grippe. — Ne vous approchez pas de moi,* ne venez pas près de moi. *Le bateau de Loïc s'est approché dangereusement des rochers.* **3.** Être sur le point d'arriver. *Le train approche, on entend la locomotive.* **4.** Être sur le point de se produire. *Nous sommes en mars, les beaux jours approchent.*

Le contraire d'*approcher,* c'est *écarter, éloigner.*

L'inspecteur s'est approché de la maîtresse et il lui a serré la main : « Vous avez toute ma sympathie, Mademoiselle » *(le Petit Nicolas).*

N'oublie pas les deux ***p*** dans *a****pp****rocher, a****pp****rochant* et *a****pp****roche.*

▸ ***approchant*** adj. *Quelque chose d'approchant,* c'est quelque chose de ressemblant, de comparable. *Le docteur s'appelle Saverac ou quelque chose d'approchant ;* vois ***avoisinant, proche, voisin.***

Au féminin : *approchante.*
En fait, il s'appelle Séverac.

Compare : *approcher → approche, révolter → révolte* et *charger → charge.*

▸ ***approche*** n. f. **1.** *Les enfants sont excités à l'approche des vacances,* quand les vacances approchent. **2.** *Les approches d'une ville,* ce sont ses abords. *Les approches du village sont idéales pour les promenades à bicyclette.*

Avant d'atterrir, le pilote doit effectuer des manœuvres d'approche.

Deux ***p*** dans *a****pp****rofondir.*
Famille de **profond**

approfondir v.
1. Creuser plus profond. *On a approfondi le puits de la ferme.* **2.** Étudier plus à fond. *Le docteur Séverac a approfondi ses recherches sur les maladies tropicales.*

Conjugaison 2

Il y a trois ***p*** dans *a****pp****ro****p****rié.*

approprié adj.
Une chose appropriée à un usage, c'est une chose qui convient à cet usage. *Alex a les outils appropriés pour réparer sa moto ;* vois ***adéquat.*** *Mme Séverac est maniaque : chaque objet doit être à sa place appropriée,* convenable.

Famille de ② **propre**

Conjugaison 7
▭ Indic. imparfait : *nous nous appropriions.*
Futur : *nous nous approprierons.*

s'approprier v.
S'approprier quelque chose, c'est se donner à soi-même quelque chose qui n'est pas à soi. *Julie s'est approprié la valise de sa mère ;* vois *s'****adjuger.*** *Julie ! rends la valise que tu t'es appropriée.*

Famille de ② **propre**
Attention à l'accord du participe passé !

Conjugaison 1

Elles ne les regardent pas d'un air *approbateur.*

approuver v.
Être d'accord avec quelqu'un ou avec ce qu'il fait. *Marie-Tévy et Yasmina n'approuvent pas les bêtises de Colle et Rat. Elles n'approuvent pas que Colle et Rat fassent des bêtises.*

Le contraire d'*approuver,* c'est *désapprouver.*
Autre membre de la famille : **désapprouver.**

Famille de **provision**

approvisionner v.
Fournir les provisions nécessaires. *L'E. D. F. approvisionne la France en électricité. — S'approvisionner,* c'est se fournir en provisions. *Les Bellec se sont approvisionnés en mazout pour l'hiver.*

Conjugaison 1

Deux ***p*** et deux ***n*** dans *a****pp****rovisio****nn****er* et *a****pp****rovisio****nn****ement.*

▸ ***approvisionnement*** n. m. *M. Bellec s'est occupé de l'approvisionnement en mazout,* de l'achat de mazout.

Au féminin : *approximative.*

Ce n'est qu'une *approximation.*

approximatif adj.
Un calcul approximatif, c'est un calcul qui n'est pas précis. *Mme Touati a fait le calcul approximatif des dépenses de la famille.*
▸ **approximativement** adv. À peu près. *Les Touati dépensent approximativement trois mille francs par mois pour la nourriture ;* vois **environ.**

Le contraire d'*approximatif,* c'est *exact, précis.*

Le contraire, c'est *précisément.*

Compare *approximation* et *proximité* : on est **proche.**

approximation n. f.
Chiffre auquel on parvient par à-peu-près. *On évalue les dégâts à cent millions de francs et ceci n'est malheureusement qu'une approximation ;* vois **estimation, évaluation.**

Deux *p* dans *approximation.* C'est un calcul *approximatif.*

Famille de **appuyer**

Compare : *appuyer → appui* et *ennuyer → ennui.*

appui n. m.
1. Objet qui sert à soutenir. *La balustrade du balcon est un point d'appui pour les bras.* **2.** Aide. *Pour son projet, le maire a besoin de l'appui de tous les conseillers municipaux ;* vois **soutien.** **3.** *L'avocat démontre l'innocence de son client, preuves à l'appui,* avec des preuves soutenant ce qu'il dit.

Certaines voitures sont équipées d'*appuis-tête,* destinés à soutenir la tête. On écrit aussi : *des appuie-tête.*

Conjugaison 8 ▭ Indic. présent : *j'appuie, nous appuyons.* Imparfait : *nous appuyions.* Futur : *j'appuierai.* — Subj. présent : *que j'appuie, que nous appuyions.*

Autre membre de la famille : **appui.**

appuyer v.
1. Soutenir, faire soutenir. *Nathalie a appuyé sa bicyclette contre l'arbre. Appuie ta tête sur ce coussin ;* vois **mettre, poser.** — *Mamie Lou s'est appuyée sur son fils pour se lever,* elle a pris appui sur lui. **2.** Presser. *Yasmina appuyait sur le bouton de la sonnette,* elle exerçait une pression sur le bouton. **3.** Apporter son aide ; vois **soutenir.** *Le maire appuiera Mme Séverac si elle se présente aux élections législatives.* **4.** Insister. *Le ministre a appuyé sur la nécessité d'encourager le cinéma français.*

N'oublie pas les deux *p* dans *appuyer.*

Rufus s'est appuyé les mains sur le ventre, et il a fait des tas de grimaces et il est tombé en disant : « Tu m'as eu coyote, mais je serai vengé » *(le Petit Nicolas).*

Attention à l'accent circonflexe du *â* de *âpre* !

âpre adj.
1. Qui a un goût désagréable et racle la langue ; vois **âcre.** *Ces fruits sont âpres au goût.* **2.** Dur, pénible. *Une âpre discussion a opposé Mme Harpie et sa sœur.*

Une personne *âpre au gain* ne pense qu'à gagner de l'argent.

Après cinq minutes d'exercice le petit prince se fatigua de la monotonie du jeu *(le Petit Prince).*

Vous voilà sauvé pour aujourd'hui, lui dit le chien après qu'il eut remercié son monde, mais demain ? *(les Contes du Chat perché).*

après préposition et adv.
1. *Après* indique qu'un événement vient à la suite d'un autre. *Yasmina ira chez Julie après l'école. Elle ira après avoir ramené ses frères et sœurs chez elle. Julie regardera la télévision après qu'elle sera partie. Denis Prost est arrivé peu de temps après le départ de Yasmina. Il est arrivé aussitôt après.* **2.** *Après* indique qu'un endroit est plus loin qu'un autre. *Prenez la première rue à gauche après le feu rouge. Vous verrez un cinéma, c'est juste après.* **3.** *Après* indique que l'on est derrière. *Yasmina court après son petit frère pour le rattraper.* **4.** *Après tout,* tout bien considéré ; vois **finalement.** *Je ne m'en occupe plus ; après tout, cela ne me regarde pas.* **5.** *D'après,* selon, suivant. *D'après Angèle, l'institutrice, Marie-Tévy a fait de gros progrès en français.*

Nous sommes revenus après nous être lavés et peignés *(le Petit Nicolas).*

Attention ! *Après que* est suivi de l'indicatif.

Le contraire d'*après,* c'est *avant.*

N'oublie pas le trait d'union entre *après* et *demain.*

▸ **après-demain** adv. Le jour qui suivra demain. *Aujourd'hui, nous sommes le 7 janvier, après-demain, ce sera le 9.*

Famille de **demain**
Va voir aussi **surlendemain.**

Famille de **midi**
On peut dire : *un après-midi* ou *une après-midi.* Au pluriel : *des après-midi.*

▸ **après-midi** n. m. ou f. invariable Partie de la journée qui va de midi jusqu'au soir. *Marie-Tévy a peint tout l'après-midi. En cette saison, les matinées sont fraîches et les après-midi ensoleillés. Nous avons rendez-vous à une heure de l'après-midi,* à treize heures.

Si tu viens, par exemple, à quatre heures de l'après-midi, dès trois heures je commencerai d'être heureux *(le Petit Prince).*

Le contraire d'*a priori,* c'est *a posteriori.*

a priori adv.
Au premier abord, avant d'avoir pu vérifier. *A priori, l'idée était bonne.*

N'oublie pas l'accent grave du *à,* et le trait d'union.

Famille de **propos**

à-propos n. m.
Caractère de ce qui est dit ou est fait au bon moment et comme il faut. *Mme Hespel a agi avec à-propos en jetant une couverture sur le fauteuil qui commençait à flamber.*

Ne confonds pas *à-propos* et *à propos.*

Le contraire d'*apte,* c'est *inapte, incapable.*

apte adj.
Une personne apte à faire quelque chose, c'est une personne capable de faire cette chose. *Hippolyte avait été déclaré apte à faire son service militaire.*
▸ **aptitude** n. f. Talent qu'on a pour faire quelque chose sans l'avoir appris. *Marie-Tévy a des aptitudes pour le dessin,* elle est douée pour le dessin.

Autres membres de la famille : **adapté, adaptation, inadapté,** se **réadapter, inapte.**

Compare *aquarelle, aquarium, aquatique* et *aqueduc* : il est question d'**eau**.

aquarelle n. f.
Peinture à l'eau sur papier, donnant des couleurs claires. *Sophie Pelletier aime faire de l'aquarelle. J'ai mis une aquarelle dans ma chambre,* un tableau peint à l'aquarelle.

Prononce [akwaʀɛl].

Aquarium [akwaʀjɔm] rime avec *gentilhomme.*

aquarium n. m.
Récipient en verre que l'on remplit d'eau pour y faire vivre des poissons. *Yves a un aquarium avec deux poissons rouges.*

Au pluriel : *des aquariums.*

Compare *aquatique* et *aquarium* : il s'agit d'**eau**.

aquatique adj.
Les plantes aquatiques, ce sont des plantes qui poussent dans l'eau ou au bord de l'eau. *Les algues et les nénuphars sont des plantes aquatiques.*

Les poissons et les baleines vivent dans l'eau : ce sont des *animaux aquatiques.*

Compare *aqueduc* et *aquarium* : il est question d'**eau**.

aqueduc n. m.
Canal destiné à conduire l'eau d'un lieu à un autre. *Pendant leurs vacances, les Séverac sont allés voir l'aqueduc du pont du Gard.*

Compare *aqueduc, gazoduc* et *viaduc* : cela **mène** d'un endroit à un autre.

L'arabesque est aussi un ornement, dans l'art arabe.

arabesque n. f.
Ligne sinueuse, qui s'enroule avec grâce. *Le cerf-volant décrit une arabesque.*

arable adj.
Une terre arable, c'est une terre qui peut être labourée, cultivée. *En France, les terres arables couvrent 33 % de la surface totale du pays.*

Cela fait environ 18 million d'hectares.

La plante aussi s'appelle *arachide.*

arachide n. f.
Graine d'une plante tropicale. *On extrait de l'huile des arachides.*

Va voir aussi **cacahuète.**

Le fil que l'araignée produit lui permet de se soutenir dans l'air. La toile emprisonne les insectes qui se font prendre.

araignée n. f.
Animal à huit pattes qui fabrique une toile et qui produit un venin afin d'immobiliser les insectes dont il se nourrit. *L'araignée tisse sa toile. Marie-Tévy a peur des araignées. Il y a beaucoup de toiles d'araignées dans le grenier.*

Araignée du matin Chagrin. Araignée du soir Espoir (dicton).

L'arbalète était utilisée surtout au Moyen Âge.

arbalète n. f.
Ancienne arme composée d'un arc fixé à un manche de bois sur lequel se trouve un mécanisme qui permet de tendre la corde. *Pendant la guerre de Cent Ans, les Français étaient armés d'arbalètes.*

L'arbalète permet un tir plu précis et plus puissant que l'ar mais elle est moins maniabl

Cela aurait pu être du bleu ou du violet !

arbitraire adj.
Un choix arbitraire, c'est un choix qui n'obéit pas à une raison profonde mais à la seule volonté de celui qui décide. *C'est par un choix arbitraire que le feu vert veut dire « passez ».*

Dans les compétitions officielles, les arbitres sont désignés par les fédérations sportives.

arbitre n. m.
1. Personne qui fait respecter les règles du jeu dans un match, une compétition sportive. *L'arbitre a sifflé la fin de la première mi-temps.* **2.** Personne prise pour juge dans un débat, une dispute. *Quand David et Nathalie ne sont pas d'accord, leur petite sœur joue le rôle d'arbitre.*

Agnan, comme il porte des l nettes on ne peut pas lui tape dessus, ce qui, pour un arbitr est une bonne combine *(le Petit Nicolas).*

Conjugaison 1

▷ **arbitrer** v. **1.** Contrôler qu'un match se déroule dans les règles. *M. Bellec a arbitré des matches de boxe.* **2.** Jouer le rôle d'arbitre. *Marie-Tévy arbitre souvent les disputes entre son frère et sa sœur.*

Compare : *arbitrer → arbitrage* et *bavarder → bavardage.*

▷ **arbitrage** n. m. **1.** *Le joueur de tennis se plaint d'une erreur d'arbitrage,* faite par l'arbitre. **2.** *David et Nathalie se soumettent à l'arbitrage de leur petite sœur,* à son jugement.

Gare à l'arbitre si son arbitrag n'est pas impartial !

Conjugaison 1

arborer v.
Arborer quelque chose, c'est le porter sur soi avec le désir d'être vu. *Julie arborait un blouson de cuir rouge.*

La personne qui s'occupe d'arboriculture est un *arboriculteur.*

arboriculture n. f.
Culture des arbres fruitiers et d'ornement. *Pour tailler un arbre, il faut avoir des notions d'arboriculture.*

Famille de ① **culture**

Quelques bananes pour terminer, et Céleste va s'étendre à l'ombre d'un arbre *(Babar).*

arbre n. m.
1. Plante de grande taille dont la tige porte des branches à partir d'une certaine hauteur. *Un arbre a des racines, un tronc, des branches et des feuilles. Odile Séverac a taillé ses arbres fruitiers.* **2.** *Un arbre de Noël,* c'est un sapin que l'on décore avec des guirlandes et des boules multicolores

Certains arbres restent ver toute l'année ; d'autres perde leurs feuilles en automne.

Lorsque j'étais petit garçon, la lumière de l'arbre de Noël, la musique de la messe de minuit, la douceur des sourires faisaient ainsi tout le rayonnement du cadeau que je recevais
(le Petit Prince).

le jour de Noël. *Tous les cadeaux sont au pied de l'arbre de Noël.* **3.** *Un arbre généalogique,* c'est le dessin d'un arbre montrant les liens de parenté entre les membres d'une même famille. *Nathalie Séverac a fait l'arbre généalogique de sa famille.* **4.** Tige de métal qui transmet un mouvement en tournant sur elle-même. *Dans une automobile, le mouvement du moteur est transmis aux roues par un arbre de transmission.*

▸ ***arbrisseau*** n. m. Petit arbre. *Le lilas, le sureau sont des arbrisseaux.*

▸ ***arbuste*** n. m. Petit arbrisseau. *Le jardinier taille les arbustes de la haie.*

arc n. m.

1. Arme formée d'une tige souple que l'on courbe au moyen d'une corde attachée aux extrémités pour lancer des flèches. *Les Indiens tiraient des flèches avec leurs arcs. Mme Hespel pratique le tir à l'arc,* le sport qui consiste à lancer des flèches sur une cible au moyen d'un arc. **2.** Portion de cercle. *Un arc de 90° égale un quart de cercle. Le canapé des Prost est en arc de cercle,* il est courbe. **3.** Courbure d'une voûte. *Les arcs des cathédrales gothiques étaient en ogive.* **4.** *Un arc de triomphe* est un monument à arcades. *Antoine est monté sur l'Arc de Triomphe quand il est venu à Paris.*

Robin des Bois et ses archers combattaient les Normands avec leurs arcs et leurs flèches.

L'Arc de Triomphe, à Paris, est le plus grand des arcs de triomphe. Il fut construit par Napoléon Ier après la victoire d'Austerlitz.

Les premiers arcs de triomphe sont romains.

▸ ***arcade*** n. f. **1.** Ouverture en arc sur piliers ou colonnes. *L'arc de triomphe de l'Étoile a quatre arcades. Antoine et son père se sont promenés sous les arcades de la rue de Rivoli,* sous le passage couvert dont les ouvertures sont en forme d'arc. **2.** *L'arcade sourcilière,* c'est la partie du visage en forme d'arc, au-dessus de l'œil, où est le sourcil. *Le boxeur avait les arcades sourcilières en sang.*

Arcade, dans ce sens, s'emploie surtout au pluriel.

N'oublie pas le trait d'union de *arc-boutant* et de *s'arc-bouter.*

▸ ***arc-boutant*** n. m. Construction en forme d'arc qui soutient de l'extérieur une voûte, un mur. *Les cathédrales gothiques ont des arcs-boutants.*

Grâce aux arcs-boutants, les cathédrales gothiques sont de deux à trois fois plus hautes que les églises romanes.

Conjugaison 1

▸ ***s'arc-bouter*** v. Prendre appui sur une partie du corps pour pousser, soutenir quelque chose. *Yves s'arc-bouta contre la porte pour la maintenir fermée.*

Au pluriel, malgré le *s* de *arcs,* on prononce comme au singulier : *des arcs-en-ciel* [aʀkɑ̃sjɛl].

▸ ***arc-en-ciel*** n. m. Arc multicolore qui apparaît dans le ciel quand le soleil rencontre des gouttes de pluie. *Après l'orage, un arc-en-ciel s'est formé au-dessus des champs. Les arcs-en-ciel ont tous les mêmes couleurs : violet, indigo, bleu, vert, jaune, orangé, rouge.*

Famille de ① **en** et de **ciel**

Autre membre de la famille : **arqué.**

N'oublie pas le tréma du *ï.* Prononce [aʀkaik].

Le contraire d'*archaïque,* c'est *moderne.*

archaïque adj.

Une chose archaïque, c'est une chose qui ne se fait plus, qui appartient à une époque passée. *Pour éviter la faillite, il faut changer les machines archaïques de l'usine.*

Compare ***archaïque, archéologie*** et ***archives*** : c'est **ancien.**

Compare ***arche*** et ***archer*** : il est question d'**arc.**

arche n. f.

Voûte d'un pont qui a une forme d'arc. *La péniche passe sous l'arche du pont.*

De chaque côté, l'arche repose sur des *piles.*

Prononce [aʀkeɔlɔʒi].

archéologie n. f.

Étude des civilisations anciennes d'après les monuments, les objets et les textes qu'elles ont laissés. *Sans l'archéologie, on n'aurait jamais retrouvé Pompéi.*

Grâce à l'archéologie, on peut se faire une idée de la vie que l'on menait à Pompéi.

Prononce [aʀkeɔlɔʒik].

▸ ***archéologique*** adj. *Les fouilles archéologiques,* ce sont les recherches que l'on fait dans le sol. *Les fouilles archéologiques permettent de retrouver des restes de monuments et d'objets très anciens.*

Prononce [aʀkeɔlɔg].

▸ ***archéologue*** n. m. et f. Personne qui s'occupe d'archéologie. *Une équipe d'archéologues a découvert une ville enfouie depuis 3 000 ans.*

Compare ***archer*** et ***arche*** : il est question d'**arc.**

archer n. m.

Tireur à l'arc. *Robin des Bois traverse la forêt suivi d'un groupe d'archers.*

L'archet est une baguette de bois sur laquelle sont tendus des crins qui frottent les cordes.

archet n. m.

Baguette avec laquelle le violoniste et le violoncelliste font vibrer les cordes du violon et du violoncelle. *Le violoniste conduit son archet avec brio.*

Ne confonds pas *archet* [aʀʃɛ] et *archer* [aʀʃe].

Attention à l'accent circonflexe du *ê* de *archevêque.*

archevêque n. m.

Évêque qui dirige plusieurs diocèses. *L'archevêque a plusieurs évêques sous ses ordres.*

Famille de **évêque**

Attention ! *archi...* est toujours collé au mot qu'il renforce ; pas de trait d'union entre les deux.

archi...
Préfixe qui signifie extrêmement, très, au plus haut point et qui se place devant certains adjectifs pour en renforcer le sens. *L'autobus est archiplein. Cette histoire est archiconnue. Tout cela est archifaux.*

Les chaussettes de l'archiduchesse sont-elles sèches, archisèches ?

Le plus grand archipel du monde est l'Indonésie ; il est composé de milliers d'îles.

archipel n. m.
Groupe d'îles. *L'archipel des Baléares est situé dans la mer Méditerranée, au large des côtes espagnoles.*

architecte n. m. et f.
Personne dont le métier est de dessiner les plans des maisons et de diriger les personnes qui les construisent. *L'architecte qui a construit la maison des Prost est une femme.*
▸ ***architecture*** n. f. Art et façon de construire les maisons, les monuments. *Pour devenir architecte, il faut faire des études d'architecture. L'architecture moderne est très différente de l'architecture ancienne.*

L'architecture est fonction des matériaux, des nécessités du climat et des goûts de l'époque.

Tous les documents qui concernent l'histoire de la France sont gardés aux *Archives nationales,* à Paris.

archives n. f. plur.
Les archives, ce sont les documents anciens concernant une famille, une ville, qui sont conservés et classés. *Si tu veux savoir comment était le plan de ta ville il y a cent ans, il faut aller consulter les archives à la mairie.*

Compare ***archives*** et ***archaïque*** : c'est **ancien.**

Le climat y est très froid. Les habitants sont les Esquimaux et les Lapons.

arctique adj.
La région arctique, c'est la région qui se trouve autour du pôle Nord ; vois **boréal.** *L'océan Arctique est recouvert toute l'année par les glaces de la banquise.*

Autre membre de la famille : **antarctique.**

Au féminin : *ardente.*

Être sur des charbons ardents, c'est être très impatient et très inquiet.

Ardemment s'écrit avec deux ***m.*** Prononce [aʀdamɑ̃].

ardent adj.
1. Très chaud, brûlant. *Julie met un chapeau pour se protéger de l'ardent soleil au mois d'août.* **2.** Très vif, très fort. *Marie-Tévy travaille avec le désir ardent de faire des progrès en français.*
▸ ***ardemment*** adv. Avec force. *Mme Hespel souhaite ardemment la réussite de son fils au bac.*

Elle travaille *avec ardeur.*

Compare : *ardent → ardemment* et *prudent → prudemment.*

ardeur n. f.
Énergie et entrain. *Marie-Tévy travaille avec ardeur.*

ardoise n. f.
1. Pierre gris foncé qui sert à couvrir les toits des maisons. *Il y a beaucoup de maisons qui ont des toits d'ardoises en Bretagne et en Mayenne.* **2.** Tablette faite avec cette pierre, sur laquelle on écrit avec une craie et qu'on nettoie avec une éponge. *Les écoliers écrivent parfois sur des ardoises.*

On peut aussi recouvrir les toits avec des tuiles.

Maintenant les ardoises sont souvent en carton enduit.

Le contraire d'*ardu,* c'est *aisé, facile.*

ardu adj.
Très difficile. *Souvent, le travail de Mme Hespel est ardu.*

1 are = 100 m^2

Autre membre de la famille : **hectare.**

are n. m.
Unité de mesure de superficie, valant cent mètres carrés, que l'on utilise pour mesurer les terrains. *Ce champ de blé mesure cent ares.*

Ou 10 000 m^2 ou 1 hectare.

L'amphithéâtre, comprenant l'arène et les gradins, s'appelle *les arènes.*

arène n. f.
Piste de sable qui est au centre d'un théâtre rond entouré de gradins. *Le taureau vient d'entrer dans l'arène.*

N'oublie pas l'accent circonflexe du ***ê.***

arête n. f.
1. Très petit os mince et pointu du squelette de la plupart des poissons. *Félix, le chat, a avalé une arête en mangeant les restes du poisson.* **2.** Ligne où se rejoignent deux surfaces qui forment un angle. *Un dé a six faces et douze arêtes.*

L'arête d'une montagne, c'est la ligne entre les deux versants.

Il y a de grands gisements d'argent au Mexique et au Pérou.

L'argent ne fait pas le bonheur (proverbe).

argent n. m.
1. Métal précieux blanc et brillant. *Julie a eu un bracelet en argent pour son anniversaire.* **2.** Pièces de monnaie, billets de banque qui servent à payer. *M. Touati ne gagne pas beaucoup d'argent. Sophie Pelletier donne de l'argent de poche à sa fille.*
▸ ***argenté*** adj. **1.** Recouvert d'une couche d'argent. *Cette fourchette n'est pas en argent massif, elle est seulement en métal argenté.* **2.** Qui a la couleur,

L'argent sert à fabriquer des bijoux, des monnaies, des médailles. On l'utilise aussi pour la fabrication des miroirs, du matériel électrique et de certains médicaments.

l'éclat de l'argent. *M. Doucet a les tempes argentées,* des cheveux gris sur les tempes qui ont un reflet de la couleur de l'argent.

▸ ***argenterie*** n. f. Vaisselle, couverts de table en argent. *Mme Harpie a caché son argenterie dans un coffre au fond du jardin.*

Au féminin : *argentine.*

▸ ***argentin*** adj. Qui résonne clair comme l'argent. *Les clochettes des chèvres dans la montagne ont un son argentin.*

Autre membre de la famille : **vif-argent.**

argile n. f.

L'argile est, avec le silex, un matériau très ancien utilisé par les hommes préhistoriques.

Terre molle et grasse qui, imbibée d'eau, devient comme une pâte et sert à fabriquer des poteries ou des briques. *Les anciens Grecs peignaient les vases d'argile.*

L'argile s'appelle aussi *terre glaise.* Une fois cuite, elle devient dure.

▸ ***argileux*** adj. *Une terre argileuse,* c'est une terre qui contient de l'argile. *Les terres argileuses sont souvent fertiles.*

Attention au ***t*** final !

argot n. m.

L'argot est un ensemble d'expressions et de mots très familiers ; va voir l'encadré à ***niveau.*** *Dans l'argot des lycéens, « un bahut » veut dire « un lycée », « un pion » signifie « un surveillant ».*

Les lycéens, les sportifs, les bandits ont chacun leur argot.

On dit : *des mots d'argot* ou *des mots argotiques.*

argument n. m.

Ce que l'on dit pour essayer de prouver quelque chose. *Julie a trouvé un argument convaincant pour décider Nathalie à venir avec elle à la piscine ;* vois ***raison.***

▸ ***argumentation*** n. f. Ensemble des arguments que l'on emploie pour essayer de prouver, de démontrer quelque chose ; vois ***raisonnement.*** *L'argumentation de Julie était convaincante.*

aride adj.

Une région aride, c'est une région très sèche où il ne pousse aucune plante. *Le désert est une région aride.*

L'*aridité* du sol y est totale.

Le contraire d'*aride,* c'est *fertile, humide.*

aristocratie n. f.

L'aristocratie, c'est l'ensemble des nobles. *L'aristocratie détenait le pouvoir avant la Révolution ;* vois ***noblesse.***

▸ ***aristocrate*** n. m. et f. Noble, membre de l'aristocratie. *Avant la Révolution, les aristocrates jouissaient de nombreux privilèges.*

Pendant la Terreur, en 1793 et en 1794, les révolutionnaires ont fait décapiter beaucoup d'aristocrates.

▸ ***aristocratique*** adj. Digne d'un aristocrate ; vois ***élégant, raffiné.*** *Elle avait des manières aristocratiques.*

Attention au ***h*** !

arithmétique n. f.

Partie des mathématiques qui étudie les nombres ; vois ***calcul.*** *Marie-Tévy est très bonne en arithmétique. Les quatre opérations d'arithmétique sont l'addition, la soustraction, la multiplication et la division.*

Agnan, qui est le premier de la classe [...] a dit que ce serait dommage de ne pas avoir arithmétique *(le Petit Nicolas).*

Même famille que **armer**

armateur n. m.

Personne qui s'occupe d'équiper un bateau avec tout ce qu'il faut pour partir en mer, pêcher ou faire du commerce. *Ces quatre bateaux appartiennent à un riche armateur grec.*

armature n. f.

Ensemble de tiges ou tubes rigides, en bois ou en métal, qui servent à soutenir ou à consolider quelque chose. *La tente de camping d'Alex a une armature métallique.*

L'armature d'un immeuble en béton est faite de grandes barres d'acier.

Même famille que **armer**

arme n. f.

1. Instrument qui sert à tuer ou à blesser. *L'assassin braquait son arme contre le commissaire. Jetez votre arme ! L'arme du crime était un fusil à lunette. Les rebelles ont pris les armes,* ils se sont préparés au combat. *Les ennemis ont rendu les armes,* ils se sont rendus. **2.** Moyen d'agir contre un adversaire. *La patience est souvent une meilleure arme que la colère.* **3.** *Les armes,* c'est le dessin d'un animal ou d'un objet qui est l'emblème d'une famille ou d'une ville ; vois ***armoirie, blason.*** *Les armes de la ville de Paris représentent un navire qui vogue sur l'eau.*

Il y a des *armes blanches* qui sont des armes tranchantes en métal, comme le poignard ou l'épée, des *armes à feu* comme le revolver, le fusil ou la mitraillette, et des *armes atomiques.*

Toujours au pluriel dans ce sens.

Aux armes, citoyens !

Autres membres de la famille : **armée, armer, armement, armateur, armature, armure, armurier, armurerie, désarmer, désarmant, désarmement, gendarme,** se **gendarmer, gendarmerie.**

Famille de **arme**

armée n. f.

1. *L'armée,* c'est l'ensemble des soldats d'un pays. *Le père de Mme Hespel*

Il était colonel.

L'armée de terre, c'est l'infanterie, les blindés. *L'armée de l'air,* c'est l'aviation militaire.

était dans l'armée, il était militaire. **2.** Réunion de troupes assemblées pour combattre. *Les armées ennemies ont été refoulées à la frontière.* **3.** Grande quantité de personnes. *Une armée d'hôtesses guidait les visiteurs à travers les stands ;* vois ***multitude.***

Les mouvements de cette armée étaient réglés comme ceux d'un ballet d'opéra *(le Petit Prince).*

Conjugaison 1

Famille de **arme**

Le contraire d'*armer,* c'est *désarmer.*

armer v.

1. Donner des armes à des personnes pour qu'elles se battent. *Un pays ennemi a armé les rebelles. Les rebelles sont entrés dans la ville armés jusqu'aux dents,* très bien armés. **2.** *S'armer de quelque chose,* c'est prendre cette chose comme arme. *Mme Harpie s'est armée d'un balai pour déloger une araignée. Il faut s'armer de patience car l'attente sera longue,* il faut être prêt à avoir beaucoup de patience. **3.** *Armer le béton,* c'est le garnir d'une sorte d'armature en acier. *L'immeuble des Touati est en béton armé.* **4.** *La compagnie de navigation a armé un nouveau navire,* elle l'a équipé pour qu'il puisse prendre la mer. **5.** *M. Bellec a armé son fusil,* il l'a mis en position de tir. **6.** *Alex a armé son appareil photo,* il a remonté le mécanisme de déclenchement pour que l'appareil soit prêt à fonctionner.

Une *attaque à main armée,* c'est une attaque faite par des personnes armées ; va voir ***hold-up.***

▹ ***armement*** n. m. Ensemble des armes d'un soldat, d'une troupe ou d'un pays. *Les soldats avaient un armement très moderne. Les grandes puissances font la course aux armements,* quand l'une augmente le nombre de ses armes l'autre veut la rattraper et la dépasser.

Dans ce sens, on emploie plus souvent ce mot au pluriel qu'au singulier.

Attention ! on dit *un armistice.*

armistice n. m.

Accord qui fait cesser les combats entre deux pays en guerre. *Le plus souvent, après l'armistice, on conclut définitivement la paix.*

Le 11 Novembre, on fête le souvenir de l'armistice de 1918.

armoire n. f.

Une *armoire à glace est* une armoire dont la porte est recouverte d'un miroir.

Meuble haut et fermé par une ou deux portes, dans lequel on range du linge, des vêtements ou des provisions. *Dans la chambre, il y a une armoire à linge et dans la salle de bains, une armoire de toilette.*

armoiries n. f. plur.

Emblème d'une famille noble ou d'une ville ; vois ***blason.*** *Les armoiries des anciens comtes sont gravées dans la pierre, au-dessus de la porte du château.*

On les appelle aussi les *armes.*

Famille de **arme**

armure n. f.

Vêtement fait de plaques de métal que portaient autrefois les soldats pour se protéger pendant le combat. *Le chevalier met son armure pour partir au tournoi.*

La cuirasse et la cotte de maille sont des parties de l'armure.

Une armure pouvait peser jusqu'à 40 kilos.

armurier n. m.

Le magasin de l'armurier s'appelle une *armurerie.*

Personne qui fabrique ou vend des armes. *M. Bellec a acheté son fusil de chasse chez un armurier.*

Famille de **arme**

Famille de **arôme**

aromate n. m.

Plante à odeur agréable que l'on met dans un plat pour lui donner du goût. *Le thym, le laurier, le poivre sont des aromates.*

Va voir aussi ***condiment, épice.***

Arôme a un accent circonflexe sur le ***o***, mais *aromate, aromatique* et *aromatisé* n'en ont pas.

▹ ***aromatique*** adj. *La ciboulette est une herbe aromatique,* qui sert d'aromate. *Les plantes aromatiques ont une odeur pénétrante.*

▹ ***aromatisé*** adj. Parfumé. *Mme Roussel a acheté des yaourts aromatisés au chocolat.*

Attention à l'accent circonflexe du ***ô*** !

arôme n. m.

Odeur agréable ; vois ***parfum.*** *Un délicieux arôme de café venait de la cuisine. Marie-Tévy respire l'arôme du muguet.*

Autres membres de la famille : **aromate, aromatique, aromatisé.**

Conjugaison 1

arpenter v.

Parcourir un lieu de long en large et à grands pas. *Alex arpentait sa chambre en réfléchissant.*

arpenteur n. m.

Autrefois, on mesurait les terrains en *arpents.*

Personne qui mesure les terrains. *Pierre Séverac a demandé à un arpenteur de mesurer le grand champ.*

L'arpenteur mesure avec une *chaîne d'arpenteur.*

Famille de **arc**

arqué adj.

Courbé en forme d'arc. *Les cow-boys ont souvent les jambes arquées.*

Famille de **arracher** et de ① **pied**

d'arrache-pied adv.

Travailler d'arrache-pied, c'est travailler avec acharnement et sans s'arrêter. *Sophie Pelletier travaille d'arrache-pied pour finir son livre à temps.*

Attention aux deux *r* !

Mais s'il s'agit d'une mauvaise plante, il faut arracher la plante aussitôt, dès qu'on a su la reconnaître *(le Petit Prince).*

arracher v.

1. Enlever, détacher quelque chose en tirant dessus. *Odile Séverac arrache les mauvaises herbes dans le jardin. Le dentiste a arraché deux dents de sagesse à Angèle.* **2.** Enlever de force une chose à quelqu'un, lui faire lâcher ce qu'il tient. *Nathalie a arraché le livre des mains de David ;* vois ***prendre.*** — *Julie et Marie-Tévy s'arrachaient le ballon,* elles se disputaient pour l'avoir. **3.** Obtenir avec peine. *Angèle, l'institutrice, a fini par arracher une réponse à Yves ;* vois ***extorquer.*** **4.** Faire sortir malgré une résistance. *La sonnerie du réveil l'a brutalement arraché au sommeil,* l'a brutalement réveillé.

Conjugaison 1

On appelle *arracheur de dents* un mauvais dentiste.

Autre membre de la famille : d'**arrache-pied.**

Conjugaison 3 ▭ Indic. présent : *j'arrange, nous arrangeons.* Imparfait : *j'arrangeais, nous arrangions.*

arranger v.

1. Mettre, placer quelque chose comme il faut ou comme l'on préfère. *Mme Bellec arrange des fleurs dans un vase ;* vois ***disposer.*** **2.** Remettre en bon état. *Loïc a arrangé la serrure qui fermait mal ;* vois ***réparer.*** **3.** Régler une mésentente, une affaire qui commençait mal. *L'arrivée d'Angèle a tout arrangé. — Tout finit par s'arranger.* **4.** Être utile, pratique. *Venez plutôt demain, cela m'arrange ;* vois ***convenir.*** **5.** *Antoine s'est arrangé pour être assis à côté de Marie-Tévy,* il a fait en sorte d'être assis à côté d'elle. **6.** *Sophie Pelletier s'est arrangée avec la baby-sitter pour faire garder Martin,* elle s'est mise d'accord avec elle pour cela ; vois ***s'entendre.***

Même famille que **ranger**

Les ressorts dans les fauteuils ont fait un drôle de bruit, comme le fauteuil de Pépé, chez Mémé, que Mémé ne veut pas faire arranger parce qu'il lui rappelle Pépé *(le Petit Nicolas).*

Au féminin : *arrangeante.*

▸ ***arrangeant*** adj. *Une personne arrangeante,* c'est une personne qui comprend les difficultés des autres et essaie de les supprimer. *Angèle est arrangeante ;* vois ***accommodant, conciliant.***

Le contraire d'*arrangeant,* c'est *dur, intransigeant, sévère.*

Compare : *arranger → arrangement* et *déranger → dérangement.*

▸ ***arrangement*** n. m. **1.** Installation. *L'arrangement de cet appartement est très réussi.* **2.** Accord. *Un arrangement a mis fin à leur querelle.*

Deux *r* dans *arranger, arrangeant, arrangement.*

Attention aux deux *r* !

arrestation n. f.

Action d'arrêter quelqu'un. *L'arrestation des gangsters a eu lieu devant la banque.*

N'oublie pas l'accent circonflexe du *ê*. *Arrêter, arrêt* et *arrêté* s'écrivent avec deux *r*.

Martin est un bébé de 6 mois.

arrêter v.

1. Empêcher d'avancer, d'aller plus loin. *Angèle a arrêté sa voiture devant l'école. Il est tard, arrête la télévision ;* vois ***éteindre.*** **2.** Interrompre ce qu'on était en train de faire. *Les enfants ont arrêté la partie pour aller goûter. Martin n'arrête pas de pleurer, aujourd'hui.* **3.** Empêcher quelqu'un d'agir, de faire quelque chose. *Si Loïc décide de partir en mer, ce n'est pas la pluie qui l'arrêtera !* **4.** Fixer. *Le maire et les conseillers municipaux ont arrêté la date de la prochaine réunion.* **5.** Faire prisonnier ; vois ***appréhender.*** *La police a arrêté les malfaiteurs.*

Conjugaison 1

Le contraire d'*arrêter,* c'est *continuer.*

Pluie du matin n'arrête pas le pèlerin (proverbe).

Le contraire d'*arrêter,* c'est *relâcher.*

Maintenant, dit le canard, quand la sarabande se fut arrêtée, il faut songer à être prudent *(les Contes du Chat perché).*

▸ ***s'arrêter*** v. **1.** Faire halte. *Arrêtons-nous pour nous reposer un peu !* **2.** Cesser de fonctionner. *La montre d'Angèle s'est arrêtée.* **3.** Cesser, s'interrompre. *Le bruit du moteur vient de s'arrêter. M. Bonnot s'est arrêté de lire.*

▸ ***arrêt*** n. m. **1.** *Attends l'arrêt du train pour descendre,* attends que le train s'arrête. **2.** *Les voitures n'ont pas le droit de stationner devant les arrêts d'autobus,* devant les endroits où les autobus s'arrêtent pour laisser monter ou descendre les voyageurs. **3.** *Depuis ce matin, le bébé crie sans arrêt,* sans interruption.

L'arrêt du cœur entraîne la mort.

Pendant huit jours d'affilée, il plut sans arrêt, du matin au soir *(les Contes du Chat perché).*

▸ ① ***arrêté*** adj. *Une opinion arrêtée,* c'est une opinion ferme et définitive, qu'il serait difficile de faire changer. *Antoine a la volonté bien arrêtée d'épouser Marie-Tévy quand il sera grand.*

Compare : *arrêter → arrêté* et *traiter → traité.*

▸ ② ***arrêté*** n. m. Décision que prend un ministre, un préfet ou un maire. *L'école sera fermée demain, par arrêté municipal,* parce que le maire l'a décidé.

Attention ! deux *r,* puis un *h.*

arrhes n. f. plur.

Partie du prix d'un objet payée à l'avance. *Sophie Pelletier a versé des arrhes en commandant sa nouvelle machine à écrire ;* vois ***acompte, avance.***

Arrhes se prononce [aʀ], comme *are* et *art.*

Deux *r* dans *arrière.*

arrière n. m. et adj.

▭ **n. m. 1.** *L'arrière d'une chose,* c'est la partie qui est derrière. *L'arrière de la voiture était encombré de valises. Loïc se met à l'arrière du bateau pour pêcher.* **2.** *Un arrière,* c'est l'un des joueurs d'une équipe de football ou de rugby qui joue derrière les autres. *David est l'un des arrières de l'équipe de football.*

Le contraire d'*arrière,* c'est *avant.*

Les arrières défendent le but et les avants attaquent.

▭ **adj. invariable** Qui est à l'arrière. *Les feux arrière des voitures sont rouges. Diane, la chienne de Sylvain, se dresse sur ses pattes arrière quand elle fait la belle.*

Attention ! *arrière* ne prend jamais de *s* au pluriel quand il est adjectif.

Autres membres de la famille : en **arrière, arriéré, arrière-boutique, arrière-garde, arrière-goût, arrière-pensée, arrière-plan, arrière-train.**

Famille de **en** et de **arrière**

en arrière adv.

La petite Claire ne marche pas vite ; si on ne l'attend pas, elle restera en arrière, loin derrière les autres, à la traîne.

Le contraire d'*en arrière,* c'est *en avant.*

Famille de **arrière**

arriéré adj.

1. *Un enfant arriéré,* c'est un enfant qui est en retard pour son âge, qui ne s'est pas développé normalement. *Les enfants arriérés vont dans des écoles spécialisées.* **2.** *Des idées arriérées,* ce sont des idées dépassées, qui ne sont pas modernes. *Mme Harpie a des idées arriérées sur l'éducation.*

Le contraire d'*arriéré,* c'est *avancé, moderne.*

Au pluriel : *des arrière-boutiques.*

arrière-boutique n. f.

Pièce située derrière une boutique, un magasin. *Mme Harpie entrepose les marchandises dans son arrière-boutique.*

Famille de **arrière** et de **boutique**

Au pluriel : *des arrière-gardes.*

Le contraire d'*arrière-garde,* c'est *avant-garde.*

arrière-garde n. f.

Troupe de soldats qui marche derrière une armée pour la protéger. *Les troupes de l'armée ennemie ont attaqué l'arrière-garde par surprise.*

Famille de **arrière** et même famille que ① **garde.**

Au pluriel : *des arrière-goûts.*

En général, un arrière-goût est désagréable.

arrière-goût n. m.

Un arrière-goût, c'est un goût qui reste dans la bouche après avoir mangé. *Cette soupe a un arrière-goût amer,* elle laisse un goût amer dans la bouche.

Famille de **arrière** et de **goût**

Au pluriel : *des arrière-grand-mères.*

Famille de **mère**

arrière-grand-mère n. f.

Mère de la grand-mère ou du grand-père. *La mère de Mme Bonnot est l'arrière-grand-mère d'Yves.*

Yves est le petit-fils de Madame Bonnot.

Au pluriel : *des arrière-grands-pères.*

arrière-grand-père n. m.

Père du grand-père ou de la grand-mère. *Yves n'a pas connu ses arrière-grands-pères.*

Famille de **père**

Famille de **parent**

arrière-grands-parents n. m. plur.

Parents des grands-pères et des grand-mères. *Rares sont les personnes qui ont connu leurs huit arrière-grands-parents.*

Au pluriel : *des arrière-pensées.*

arrière-pensée n. f.

Pensée, idée que l'on cache, que l'on ne dit pas. *Mme Harpie a souvent des arrière-pensées malveillantes.*

Famille de **arrière** et de **penser**

Au pluriel : *des arrière-petites-filles.*

Famille de **fille**

arrière-petite-fille n. f.

Fille du petit-fils ou de la petite-fille. *Claire dit que sa poupée est l'arrière-petite-fille de Mamie Lou.*

Claire est la petite-fille de Mamie Lou.

Au pluriel : *des arrière-petits-fils.*

Famille de **fils**

arrière-petit-fils n. m.

Fils du petit-fils ou de la petite-fille. *Yves est l'arrière-petit-fils de la mère de Mme Bonnot.*

Mme Bonnot est la grand-mère d'Yves.

Famille de **enfant**

arrière-petits-enfants n. m. plur.

Enfants du petit-fils ou de la petite-fille. *Mamie Lou aimerait vivre assez longtemps pour connaître ses arrière-petits-enfants.*

Au pluriel : *des arrière-plans.*

arrière-plan n. m.

L'arrière-plan d'une photo, c'est ce que l'on voit au fond. *Sur cette photo, au premier plan, on voit Loïc et, à l'arrière-plan, on voit la mer.*

Famille de **arrière** et de ① **plan**

Au pluriel : *des arrière-trains.*

L'arrière-train d'un animal comprend ses pattes arrière.

arrière-train n. m.

L'arrière-train d'un animal, c'est l'arrière de son corps. *Rex est assis sur son arrière-train, à côté de Mamie Lou.*

Famille de **arrière** et de ② **train**

Conjugaison 1

Il partit comme un trait.
Mais les élans qu'il fit
Furent vains : la tortue
arriva la première
(La Fontaine).

arriver v.

1. Être dans un endroit après s'être déplacé. *Nous arriverons à Paris demain matin. Nous voilà arrivés. Ils arrivent de Roubaix ;* vois **venir.** *Antoine est encore arrivé en retard à l'école.* **2.** Approcher, venir vers quelqu'un. *Marie-Tévy arrive en courant.* **3.** Atteindre un certain niveau. *L'eau lui arrive au genou. Sylvain arrive à l'épaule de sa mère,* sa taille atteint la hauteur de l'épaule de sa mère. *Alex arrive à l'âge adulte,* il atteint cet âge, il devient adulte. **4.** *Arriver à faire quelque chose,* c'est réussir à le faire. *Antoine arrive à faire croire tout ce qu'il veut. Je ne peux pas y arriver, c'est trop difficile.* **5.** Approcher. *Les enfants sont contents quand arrivent les vacances.* **6.** Avoir lieu, se passer, se produire. *Cela ne m'est jamais arrivé. Il arrive à Angèle de se tromper,* elle se trompe parfois.

Attention aux deux **r** !
Le contraire d'*arriver*, c'est *partir*.

Alex a 18 ans.

Dans mon équipe, on n'arrivait pas à se mettre d'accord (*le Petit Nicolas*).

Quand on veut faire de l'esprit, il arrive que l'on mente un peu (*le Petit Prince*).

Allons enfants de la patrie
Le jour de gloire est arrivé
(*la Marseillaise*).

▷ **arrivage** n. m. *Il y a eu un arrivage d'ananas au marché,* des ananas sont arrivés.

Arrivage ne se dit que des choses.

Compare : *arriver* → *arrivant* et *partir* → *partant*.

▷ **arrivant** n. m., **arrivante** n. f. Personne qui arrive quelque part. *M. Bellec a dû pousser sa caravane pour faire de la place aux nouveaux arrivants.*

Voici la gare d'arrivée. Vite Babar appelle un porteur (*Babar*).

▷ **arrivée** n. f. *Nathalie attend l'arrivée de Sylvain,* elle attend qu'il arrive. *Yves a franchi, le premier, la ligne d'arrivée,* la ligne qui marque l'endroit où arrive la course.

Le contraire d'*arrivée*, c'est *départ*.

N'oublie pas les deux *r*.

arrogant adj.

Une personne arrogante, c'est une personne très fière qui méprise les autres et se montre insolente. *Mme Séverac est assez arrogante ;* vois **hautain.**

Le contraire d'*arrogant*, c'est *humble, respectueux*.

Conjugaison 2
Famille de **rond**

Mme Bellec est enceinte.

Quand on arrondit une somme, on obtient un *chiffre rond*.

arrondir v.

1. Rendre quelque chose rond. *La mer arrondit les galets. — Le ventre de Mme Bellec s'arrondit,* il devient rond. **2.** *Arrondir une somme,* c'est prendre le nombre le plus proche, plus grand ou plus petit, sans chiffre après la virgule. *Si on arrondit 11,8 au nombre supérieur, cela donne 12 ; si on l'arrondit au nombre inférieur, on obtient 11.* **3.** *Arrondir son salaire,* c'est gagner un peu d'argent pour augmenter son salaire, en faisant un autre travail. *Hippolyte, le facteur, arrondit son salaire en faisant des travaux de peinture chez ses voisins.*

Arrondir les angles, c'est faire en sorte que des gens s'entendent mieux, qu'ils soient d'accord.

arrondissement n. m.

Cahors, Figeac et Gourdon sont les trois *chefs-lieux d'arrondissement* du département du Lot.

1. *Les départements sont divisés en arrondissements,* en parties plus petites que le département, dirigées chacune par un sous-préfet. *La ferme des Séverac est dans l'arrondissement de Sarlat.* **2.** *Les trois grandes villes de Paris, Lyon et Marseille sont divisées en arrondissements,* en parties plus petites que la ville. *M. Doucet habite dans le douzième arrondissement, à Paris.*

L'arrondissement est lui-même divisé en plusieurs cantons.

Il y a vingt arrondissements à Paris.

Conjugaison 1
Attention aux deux **r** !

arroser v.

1. Mouiller quelque chose en versant de l'eau dessus. *En été, David et Marie-Tévy arrosent les plantes tous les soirs.* **2.** *La Seine arrose le Bassin parisien,* elle coule à travers le Bassin parisien, elle le traverse. **3.** *Ce soir, Denis Prost arrose la sortie du film,* il la fête en buvant.

Denis Prost est comédien.

Un homme arrose les fleurs. L'eau cesse de couler du tuyau, il regarde dans le tuyau, et tout à coup l'eau jaillit : c'est l'histoire de *l'Arroseur arrosé*, un des premiers films de Louis Lumière (1895).

Compare : *arroser* → *arrosage*, *jardiner* → *jardinage* et *raser* → *rasage*.

▷ **arrosage** n. m. *Un tuyau d'arrosage,* c'est un tuyau qui sert à arroser. *Mme Séverac a acheté un tuyau d'arrosage de dix mètres de long.*

▷ **arroseur** n. m. Appareil automatique qui arrose, en tournant, les jardins, les pelouses. *Le docteur Séverac a installé des arroseurs sur la pelouse du jardin.*

Compare : *arroser* → *arrosoir*, *fermer* → *fermoir* et *raser* → *rasoir*.

▷ **arrosoir** n. m. Récipient, qui a une anse et un tuyau au bout duquel on met une plaque percée de petits trous, et qui sert à arroser les plantes. *David est allé remplir l'arrosoir.*

La plaque percée s'appelle une *pomme d'arrosoir*.

arsenal n. m.

Tintin a trouvé un véritable arsenal dans le bateau des contrebandiers : des mitrailleuses, des fusils, un stock de munitions.

1. Endroit où sont entreposées des armes, des munitions. *Les policiers ont découvert un arsenal chez les malfaiteurs.* **2.** Endroit où l'on construit et répare les navires de guerre. *L'arsenal se trouve au fond du port militaire.*

Au pluriel : *des arsenaux*.

arsenic n. m.

Poison très violent. *L'assassin avait mis de l'arsenic dans le café de sa victime.*

Une *œuvre d'art* est un objet fait pour être beau, pour que l'on ait du plaisir à le regarder.

L'*art culinaire,* c'est l'ensemble des techniques de la cuisine.

art n. m.

1. *L'art,* c'est l'ensemble des activités de l'homme qui consistent à créer de belles choses. *La peinture, la sculpture, la photographie sont des arts. Mme Séverac aime beaucoup l'art moderne. Sophie Pelletier a étudié l'histoire de l'art.* **2.** *Angèle, l'institutrice, a l'art de se faire obéir sans crier,* elle sait se faire obéir sans crier, elle est capable de le faire. **3.** *Mme Bellec dispose les bouquets avec art,* avec beaucoup d'adresse, d'habileté, elle le fait très bien. **4.** *L'arboriculture est l'art de cultiver les arbres,* l'ensemble des techniques de culture des arbres. **5.** *M. Bellec découpe le poulet dans les règles de l'art,* comme il faut, de la meilleure manière.

On appelle le cinéma le *septième art.*

Autres membres de la famille : **artiste, artistique, beaux-arts.**

artère n. f.

1. Vaisseau sanguin dans lequel circule le sang qui part du cœur. *L'aorte est une artère qui part du ventricule gauche du cœur.* **2.** Grande rue d'une ville. *À six heures, les artères sont encombrées.*

Les artères amènent le sang aux organes, alors que les veines le ramènent au cœur.

En France, les artichauts sont cultivés surtout en Bretagne. Ils ont des tiges de 1 m à 1,50 m de haut.

artichaut n. m.

Plante qui porte des feuilles au bout d'une tige, et dont on mange la base des feuilles et le fond. *M. Bellec prépare des fonds d'artichaut à la vinaigrette.*

N'oublie pas le ***t*** final.

Article est un mot employé surtout par les commerçants.

article n. m.

1. Texte formant un tout et faisant partie d'un journal ou d'un livre. *Julie découpe tous les articles de journaux qui parlent de son père.* **2.** Objet qui est en vente. *Ce magasin vend des articles de sport,* des vêtements, des accessoires, des choses dont on a besoin pour faire du sport. **3.** Vois l'encadré ci-dessous.

Le père de Julie est comédien.

l'article

L'**article** est un déterminant. On distingue des **articles définis** et des **articles indéfinis.**

- Les **articles définis** sont ***le, la, les.*** Ils s'emploient devant un nom désignant une personne, une chose que l'on connaît, ou que l'on peut reconnaître parmi d'autres :

__Le__ garçon que tu as vu est Antoine.
Angèle entre dans __la__ classe.
Sylvain aime __les__ chiens.

- Les **articles indéfinis** sont ***un, une, des.*** Ils s'emploient devant un nom désignant quelque chose que l'on ne connaît pas, ou qui n'est pas bien déterminé :

Yasmina aimerait avoir __un__ vélo.
__Une__ femme a demandé l'heure à Angèle.
Julie achète __des__ bonbons.

Devant un nom désignant quelque chose que l'on ne peut pas compter, on emploie les articles partitifs ***du, de la,*** au lieu de *un* et *une :*

Marie-Tévy a __du__ chagrin.
M. Bellec boit __de la__ bière.

Conjugaison 1

articuler v.

1. Prononcer en faisant bouger les lèvres et la langue. *Articule, Antoine, je ne comprends rien de ce que tu dis !* **2.** *S'articuler,* c'est former une articulation. *Les os de la jambe s'articulent avec ceux de la cuisse.*

Si l'on veut se faire comprendre quand on parle, il faut articuler !

▷ ***articulation*** n. f. **1.** Prononciation. *Julie dormait à moitié, son articulation était peu claire,* elle n'articulait pas clairement ses mots. **2.** Endroit où s'emboîtent deux os. *Le genou est une articulation,* une jointure où se rejoignent la jambe et la cuisse.

Les os sont recouverts de cartilage au niveau des articulations qui sont maintenues par les tendons des muscles et les ligaments.

Le coude et le poignet sont des articulations.

▷ ***articulé*** adj. *Une poupée articulée,* c'est une poupée dont on peut faire bouger les jambes, les bras, la tête. *Claire a une poupée articulée.*

Pinocchio était un pantin articulé.

feu d'**artifice** va voir **feu d'artifice.**

Attention au *c* dans *artificiel* !

Le contraire d'*artificiel*, c'est *naturel.*

artificiel adj.
Une chose artificielle, c'est une chose fabriquée par l'homme. *Mme Bellec déteste les fleurs artificielles. Derrière le barrage, il y a un lac artificiel.*

On ne dit *artificiel* que pour les choses qui existent aussi dans la nature.

Ne prononce pas le *e* qui se trouve après les deux *l* : [aRtijRi].

artillerie n. f.
1. Ensemble des canons d'une armée. *L'artillerie ennemie a bombardé le village.* **2.** Partie de l'armée qui combat avec des canons. *L'artillerie est intervenue pour soutenir l'infanterie.*

Les soldats de l'artillerie sont des *artilleurs.*

artisan n. m.
Personne qui fait un travail manuel et qui est son propre patron. *Le boulanger, le plombier, le cordonnier sont des artisans.*
▸ **artisanal** adj. *Un métier artisanal,* c'est un métier fait par des artisans. *Des tapis artisanaux sont des tapis faits par des artisans.*
▸ **artisanat** n. m. *L'artisanat,* c'est l'activité des artisans. *Les produits de l'artisanat de la région sont en vente au marché.*

Le contraire, c'est *industriel.* Compare : *artisan → artisanal, artisanat* et *patron → patronal, patronat.*

Les artisans sont souvent aidés par leur famille et ont des apprentis. Un ouvrier fait aussi un travail manuel, mais il a un patron.

artiste n. m. et f.
1. Personne qui fait des œuvres d'art. *Michel-Ange fut peintre, sculpteur, architecte ; c'est l'un des grands artistes de la Renaissance.* **2.** Personne dont le métier est de jouer de la musique ou d'être acteur ; vois ***comédien, interprète, musicien.*** *Denis Prost est un artiste de cinéma. Ses admirateurs l'attendent près de l'entrée des artistes.*
▸ **artistique** adj. **1.** *Les richesses artistiques d'un pays,* ce sont ses richesses en œuvres d'art. *L'Italie a de nombreuses richesses artistiques.* **2.** *Mme Bellec a disposé les fleurs de façon artistique,* avec art.

Famille de **art**

L'artiste interprète ce qu'a créé l'auteur.

Un sculpteur, un peintre, un photographe, un compositeur de musique sont des artistes.

Une *artiste lyrique,* c'est une chanteuse d'opéra.

Prononce [ɑs].

as n. m.
1. Côté du dé à jouer marqué d'un seul point. *Il lui manque l'as pour faire 421.* **2.** Carte à jouer marquée d'un seul signe. *Sylvain a les quatre as dans son jeu.* **3.** Personne qui réussit extrêmement bien dans une activité. *Marie-Tévy est un as du ski ;* vois ***champion.***

L'as est la carte maîtresse dans de nombreux jeux.

L'as de trèfle, l'as de pique, l'as de carreau, l'as de cœur.

① **ascendant** n. m.
Parent dont on descend ; vois ***ancêtre.*** *Yves a des ascendants bretons.*
▸ **ascendance** n. f. Origine familiale. *Yves est d'ascendance bretonne,* sa famille est d'origine bretonne.

Le contraire de ① *ascendant,* c'est ① *descendant.*

Le contraire d'*ascendance,* c'est *descendance.*

② **ascendant** adj.
Qui va vers le haut, en montant. *Sylvain a de la fièvre, sa courbe de température est ascendante.*

Le contraire de ② *ascendant,* c'est ② *descendant.*

L'air chaud a un mouvement ascendant.

③ **ascendant** n. m.
Grande influence. *Personne n'a d'ascendant sur Julie ;* vois ***autorité, pouvoir.***

Elle est très indépendante.

Attention au *s* avant le *c* !

ascenseur n. m.
Appareil qui sert à monter et descendre des personnes aux différents étages d'un immeuble. *Antoine a appelé l'ascenseur. On vient de repeindre la cage d'ascenseur. Les enfants sont tous montés dans l'ascenseur.*

C'est au quatrième étage, monsieur l'éléphant. Prenez l'ascenseur, au fond à gauche *(Babar).*

Le premier ascenseur a été construit en 1867 : il fonctionnait avec de l'eau.

Va voir aussi ***monte-charge.***

ascension n. f.
Faire l'ascension d'une montagne, c'est gravir une montagne ; vois ***escalade.*** *Mme Hespel fait des ascensions en haute montagne.*

La première ascension du mont Blanc eut lieu en 1786.

Va voir aussi ***alpinisme.***

asile n. m.
1. Lieu où l'on se met à l'abri, en sûreté, contre un danger. *Les automobilistes surpris par la tempête ont trouvé asile chez des paysans ;* vois ***abri, refuge.*** **2.** Établissement où l'on accueille certaines catégories de personnes. *Autrefois, on mettait les malades mentaux dans des asiles d'aliénés. Les personnes sans maison peuvent dormir dans un asile de nuit.*

Les personnes qui veulent fuir leur pays demandent le *droit d'asile* à d'autres pays.

Maintenant, on dit un *hôpital psychiatrique.*

aspect n. m.
1. Manière dont quelqu'un ou quelque chose se présente aux yeux. *M. Bellec a l'aspect d'un homme tranquille ;* vois ***air, allure.*** *Ce cassoulet a un aspect engageant,* son apparence est alléchante. **2.** Chacune des faces sous

Le *c* et le *t* de *aspect* ne se prononcent pas : [aspɛ]. Compare avec *respect, suspect.*

lesquelles une chose se présente. *Il faut envisager cette question sous tous ses aspects,* sous tous ses angles, toutes ses faces.

Le grand Duduche est grand et maigre comme une asperge.

asperge n. f.
Plante dont on mange les pousses quand elles sont encore tendres. *Mme Hespel a acheté une botte d'asperges. Au printemps, le restaurant Bellec propose des asperges à la vinaigrette.*

Avant de manger les asperges, il faut les peler puis les faire bouillir dans de l'eau.

Conjugaison 3 ▭ Indic. présent : *j'asperge, nous aspergeons.* Imparfait : *j'aspergeais, nous aspergions.*

asperger v.
Projeter un liquide sous forme de pluie. *Un criminel a aspergé une voiture d'essence et y a mis le feu ;* vois **arroser.** *Pour se réveiller, Antoine s'asperge le visage d'eau froide. — Quand il fait très chaud, Claire aime beaucoup s'asperger avec le tuyau d'arrosage.*

S'asperger, nager, plonger... Ah ! les batailles au jet d'eau ! *(Babar).*

Aspérité s'emploie surtout au pluriel.

aspérité n. f.
Partie qui dépasse, sur une surface inégale. *L'alpiniste utilise les aspérités du rocher pour escalader la paroi.*

Prononce [asfalt].

asphalte n. m.
Préparation de couleur noirâtre qui sert de revêtement pour les routes et les trottoirs ; vois ***bitume, goudron.*** *Les trottoirs des villes sont recouverts d'asphalte.*

Attention ! *asphalte* est un nom masculin.

La respiration s'arrête quand on manque d'oxygène.

asphyxie n. f.
Arrêt de la respiration. *Il est mort par asphyxie.*

Conjugaison 7 ▭ Indic. imparfait : *nous asphyxiions.* Futur : *nous asphyxierons.*

▸ ***asphyxier*** v. *Fermez le gaz, vous allez nous asphyxier,* vous allez nous faire mourir par asphyxie. — *Elle s'est asphyxiée au gaz,* elle s'est donné la mort par asphyxie.

Des *gaz asphyxiants* ont été utilisés pendant la guerre de 1914-1918.

Conjugaison 1

Le contraire d'*aspirer,* c'est *expirer.*

aspirer v.
1. Attirer l'air dans ses poumons, le faire pénétrer dans sa poitrine ; vois ***inspirer.*** *Pour respirer, on aspire, puis on expire l'air.* **2.** Attirer un liquide dans sa bouche. *Julie aspirait son lait fraise avec une paille.* **3.** Attirer quelque chose en faisant le vide. *Pour faire une prise de sang, l'infirmière aspire un peu de sang avec une seringue.* **4.** *Aspirer à quelque chose,* c'est le désirer, le souhaiter. *Quand il vient de terminer un film, Denis Prost n'aspire qu'au repos.*

Compare *aspirer, inspirer* et *respirer* : dans ces trois mots, il s'agit du **souffle.**

Un *aspirant* est un élève officier.

Monsieur le Ministre est pour vous un exemple, un exemple qui prouve qu'en travaillant bien il est possible d'aspirer aux plus hautes destinées *(le Petit Nicolas).*

Quand au début d'un mot, le ***h*** n'est pas *aspiré,* on dit qu'il est *muet.*

▸ ***aspiré*** adj. *H aspiré,* lettre ***h***, au début d'un mot, qui empêche la liaison et l'élision. *Le h de « hérisson » est aspiré : on prononce « les hérissons »* [lɛeʀisɔ̃] *sans faire la liaison et on dit et écrit « le hérisson »* [ləeʀisɔ̃].

C'est vers 1900 que sont apparus les premiers aspirateurs.

▸ ***aspirateur*** n. m. Appareil de nettoyage qui aspire la poussière. *Mme Roussel passe l'aspirateur dans la chambre d'Antoine.*

▸ ***aspiration*** n. f. **1.** Temps de la respiration pendant lequel on aspire de l'air. *Il y a deux temps dans la respiration : l'aspiration et l'expiration ;* vois ***inspiration.*** **2.** *Après une journée de travail, ma seule aspiration est de me reposer,* mon seul souhait, mon seul désir.

Le contraire d'*aspiration,* c'est *expiration.*

Il est blanc comme un cachet d'aspirine, très blanc, très pâle.

aspirine n. f.
Médicament qui combat la douleur et la fièvre. *Mme Séverac a pris un cachet d'aspirine car elle avait mal à la tête.*

Conjugaison 2

s'assagir v.
Devenir plus sage, plus raisonnable. *Angèle, l'institutrice, aimerait bien que tous ses élèves s'assagissent.*

Famille de **sage**

Conjugaison 13 ▭ Indic. présent : *j'assaille.* Imparfait : *nous assaillions.* Futur : *j'assaillirai.*

assaillir v.
Assaillir quelqu'un, c'est se jeter sur lui pour l'attaquer. *Mme Harpie a été assaillie par des voyous.*

▸ ***assaillant*** n. m. *Mme Harpie s'est défendue contre ses assaillants,* ceux qui l'avaient attaquée ; vois ***attaquant.***

Famille de **sain**
Conjugaison 2

assainir v.
Rendre plus sain, meilleur pour la santé. *À chaque récréation, la classe est aérée pour assainir l'atmosphère ;* vois ***purifier.***

Le contraire d'*assainir,* c'est *polluer, souiller.*

▸ ***assainissement*** n. m. *Des travaux d'assainissement ont été entrepris dans la zone marécageuse,* des travaux qui consistent à assécher les marécages et à les rendre ainsi propres à la construction et à la vie humaine.

Deux ***s*** et un ***n*** dans *assainir* et *assainissement.*

Conjugaison 1

assaisonner v.
Mettre dans la nourriture du sel, des épices ou d'autres ingrédients qui lui donnent plus de goût. *Mme Roussel assaisonne la salade.*
▸ ***assaisonnement*** n. m. Tout ce qui sert à donner plus de goût aux aliments. *Le sel, le poivre, le piment, la moutarde, le citron, le vinaigre sont des assaisonnements.*

Va voir aussi ***aromate, condiment, épice.***

Deux fois deux *s* dans *assassin, assassinat* et *assassiner.*

assassin n. m.
Personne qui tue volontairement une autre personne ; vois **meurtrier.** *L'assassin avait étudié l'emploi du temps de sa victime.*
▸ ***assassinat*** n. m. Meurtre. *Il est jugé pour avoir commis un assassinat ;* vois **crime.**
▸ ***assassiner*** v. Tuer volontairement. *On a voulu assassiner cet homme d'affaires.*

Ravaillac est l'assassin d'Henri IV.

Marat est mort assassiné par Charlotte Corday.

Conjugaison 1

Famille de **saut**

assaut n. m.
Attaque. *Les troupes sont montées à l'assaut de la position ennemie. — Les invités prennent le buffet d'assaut,* ils se jettent sur le buffet comme s'ils montaient à l'assaut.

Les *chars d'assaut* s'appellent aussi des *tanks.*

Conjugaison 6

On met des *drains* pour assécher le sol.

assécher v.
Enlever l'eau du sol. *Pour assainir cette zone marécageuse, il faut d'abord assécher le sol.*

Famille de **sec**

Conjugaison 1

Qui se ressemble s'assemble (proverbe).

assembler v.
1. Faire tenir ensemble ; vois ***réunir.*** *Claire a réussi à assembler les pièces du puzzle.* **2.** *S'assembler,* c'est se réunir. *Les habitants se sont assemblés sur la place pour voir le feu d'artifice ;* vois ***se rassembler.***
▸ ***assemblage*** n. m. *Un assemblage de choses,* c'est la réunion de choses assemblées. *Un cahier est un assemblage de feuilles ;* vois ***ensemble, réunion.***
▸ ***assemblée*** n. f. **1.** Groupe de personnes réunies en un même lieu. *Une nombreuse assemblée assistait au spectacle ;* vois ***assistance, public.*** **2.** Réunion d'un groupe de personnes qui discutent de certaines affaires. *Les élèves ont tenu une assemblée pour nommer leurs représentants. L'assemblée a été convoquée,* les membres de l'assemblée ont été convoqués.

Les jeux de construction sont des jeux d'assemblage.

L'Assemblée nationale est constituée de députés élus qui discutent et votent le texte des lois.

Autres membres de la famille : **rassembler, rassemblement.**

Conjugaison 5 ▭ Indic. présent : *j'assène, nous assenons.*

assener v.
Assener un coup à quelqu'un, c'est lui donner un coup violent. *Le gangster assena un grand coup de poing au policier.*

Prononce [asene].

Famille de **sentir**

assentiment n. m.
Acte par lequel on affirme que l'on est d'accord avec quelqu'un, que l'on se range à son avis. *Le patron de Mme Hespel a hoché la tête en signe d'assentiment ;* vois ***approbation.*** *Mme Hespel a obtenu l'assentiment de son patron ;* vois ***accord.***

Le contraire d'*assentiment,* c'est *désaccord, désapprobation.*

Attention au *e* dans *asseoir* !

Conjugaison 26 ▭ Indic. présent : *je m'assieds* ou *je m'assois.* Futur : *je m'assiérai* ou *je m'assoirai.*

s'asseoir v.
Poser ses fesses sur un siège ou par terre. *« Asseyez-vous », dit l'institutrice. Les élèves s'asseyent sur leurs chaises. Angèle s'est assise à son bureau. Asseyons-nous dans l'escalier en attendant son retour. Il faut que Mme Bellec s'asseye.*

Le contraire, c'est *se lever.*

Autres membres de la famille : **assis,** se **rasseoir.**

Un *z* à la fin.

assez adv.
1. En quantité suffisante ; vois ***suffisamment.*** *Alex se couche trop tard ; il ne dort pas assez. L'appartement est assez grand pour que chaque enfant ait sa chambre. As-tu assez d'argent, Marie-Tévy ? J'en ai assez.* **2.** Passablement ; vois ***plutôt.*** *Sylvain est assez content de sa promenade.* **3.** *En avoir assez de quelque chose,* c'est ne plus pouvoir le supporter. *On en a assez de ce mauvais temps.*

Assez ! : ça suffit.

Tu n'as qu'à marcher assez longtemps pour rester toujours au soleil *(le Petit Prince).*

assidu adj.
1. *Une personne assidue,* c'est une personne qui est régulièrement là où

elle doit être et qui fait ce qu'elle doit faire. *Marie-Tévy est une élève assidue.* **2.** Soutenu, régulier. *Sur le bulletin de Marie-Tévy, la maîtresse a écrit : « Efforts assidus ».*

Travailler *assidûment,* de façon assidue.

Compare : *assidu → assiduité* et *continu → continuité.*

▸ ***assiduité*** n. f. *La maîtresse se réjouit de l'assiduité de Marie-Tévy,* de sa régularité.

Conjugaison 3 et 6 ▭ Indic. présent : *j'assiège, nous assiégeons.* Futur : *j'assiégerai.*

assiéger v.

1. S'installer autour d'une forteresse pour la prendre ; vois ***encercler.*** *Les soldats assiégeaient la citadelle,* ils avaient mis le siège devant la citadelle. **2.** Entourer. *Les admirateurs de la célèbre chanteuse et les journalistes assiègent sa maison,* ils essaient d'y pénétrer.

Famille de **siège**

Deux *s* et deux *t* dans *assiette.*

Les assiettes à dessert sont de petites assiettes pour le dessert.

assiette n. f.

1. Récipient plat pour une personne dans lequel on met de la nourriture. *Yves met le couvert : il pose les assiettes creuses, pour la soupe, sur des assiettes plates.* **2.** Contenu d'une assiette ; vois ***assiettée.*** *Antoine a avalé trois assiettes de crème au chocolat.*

Une *assiette anglaise* est un assortiment de viandes froides et de jambon.

Compare : *assiette → assiettée* et *bouche → bouchée.*

▸ ***assiettée*** n. f. Contenu d'une assiette. *Antoine a avalé trois assiettées de crème au chocolat.*

Autre membre de la famille : **pique-assiette.**

Conjugaison 1

assimiler v.

1. Considérer comme semblable ; vois ***comparer, confondre.*** *On ne peut pas assimiler l'homme à un robot.* **2.** *Assimiler un aliment,* c'est le transformer en chair et en sang de manière à s'en nourrir. *L'organisme assimile le calcium qui se trouve dans le fromage.* **3.** *Assimiler ce qu'on apprend,* c'est bien le comprendre et le retenir pour le faire sien. *Sylvain a vite assimilé la technique du piano ;* vois ***acquérir.***

Le contraire d'*assimiler,* c'est *distinguer.*

Au fur et à mesure qu'ils passent dans notre corps, les aliments sont assimilés. Les vaisseaux sanguins les conduisent ensuite aux cellules qui peuvent ainsi grandir et se reproduire.

Ce qui n'est pas assimilé est rejeté ; cela forme les excréments et l'urine.

▸ ***assimilation*** n. f. **1.** Transformation des aliments en chair et en sang. *L'assimilation des aliments se fait après la digestion.* **2.** Acte par lequel l'esprit comprend et retient ce qu'on lui enseigne. *Une bonne assimilation des connaissances est essentielle pour réussir ses examens.*

Famille de *s'***asseoir**

Être assis en tailleur, les jambes croisées.

assis adj.

1. Appuyé sur ses fesses. *Julie est assise par terre. Mamie Lou est assise dans un fauteuil.* **2.** *Une place assise,* c'est une place où l'on peut s'asseoir. *Il y a trente places assises dans cet autobus.*

Le contraire, c'est *debout.*

Il faut laisser les places assises aux personnes âgées.

assises n. f. plur.

La cour d'assises, c'est le tribunal qui juge les criminels. *Les cours d'assises sont composées de magistrats et de jurés.*

On dit aussi *les assises.*

Deux *s* après le *a.*

① *assister* v.

Assister à quelque chose, c'est être présent pour voir ou entendre quelque chose. *Julie et ses parents ont assisté à un spectacle de danse. Yves a assisté à une dispute entre sa mère et Mme Harpie,* il a été témoin de la dispute.

Conjugaison 1
Ne confonds pas avec ② *assister.*

Compare : *assister → assistance, espérer → espérance* et *méfier → méfiance.*

▸ ① ***assistance*** n. f. Public, auditoire. *Les danseurs ont été applaudis par l'assistance. Quelqu'un dans l'assistance a demandé la parole.*

Conjugaison 1

② *assister* v.

Assister quelqu'un, c'est se tenir auprès de lui pour l'aider, le seconder. *Mme Séverac assiste parfois son mari, le docteur Séverac.*

L'*Assistance publique* se charge des enfants qui n'ont plus de famille et gère la plupart des hôpitaux de Paris.

▸ ② ***assistance*** n. f. Secours, aide. *Il faut prêter assistance aux personnes en danger.*

Si l'on ne prête pas assistance à une personne en danger, on peut être condamné pour *non-assistance à personne en danger.*

▸ ***assistant*** n. m., ***assistante*** n. f. Personne qui en aide une autre dans son métier. *Le directeur étant absent, Mme Hespel a rencontré son assistant ;* vois ***adjoint.*** *L'assistante sociale a rendu visite à la famille Touati,* la femme dont la profession est d'aider, de conseiller, d'informer les familles.

Conjugaison 7 ▭ Indic. imparfait : *nous associions.* Futur : *j'associerai.* — Subj. présent : *que nous associions.*

associer v.

1. *Associer quelqu'un à ses affaires, à ses travaux,* c'est l'y faire participer. *Le grand-père de Yasmina a associé son frère à son commerce. — Le grand-père de Yasmina s'est associé à son frère. Les deux frères se sont associés.* **2.** *Associer une chose à une autre,* c'est les allier, les unir. *Mme Harpie associe la méchanceté à l'avarice,* elle est à la fois méchante et avare. *Dans son souvenir, cette musique est associée aux vacances,* cette

Compare *associer, association* et *société* : dans ces trois mots, il s'agit d'un **groupe de gens.**

musique lui rappelle les vacances. **3.** *Je m'associe à votre chagrin,* j'y prends part, je le partage.

On dit aussi *association d'idées* quand une idée en entraîne une autre.

▸ ***association*** n. f. Groupement de personnes unies par les mêmes intérêts. *Le père d'Yves fait partie de l'association des parents d'élèves.*

▸ ***associé*** n. m., ***associée*** n. f. *Il est l'associé de son frère,* il travaille avec lui et a une partie des bénéfices.

Deux *s* et deux *f.*

assoiffé adj.

Être assoiffé, c'est avoir soif. *Il fait très chaud, les girafes sont assoiffées.*

Famille de **soif**

Conjugaison 2

assombrir v.

1. Rendre sombre. *Cette peinture verte est trop foncée, elle assombrit la pièce. — Le ciel s'assombrit, il va pleuvoir,* il devient sombre. **2.** Rendre triste et inquiet. *Cette mauvaise nouvelle a assombri Sophie Pelletier. — Son visage s'est assombri.*

Le contraire d'*assombrir,* c'est *éclaircir.*

Famille de **sombre**

Conjugaison 1

assommer v.

1. *Assommer quelqu'un,* c'est le frapper sur la tête de manière à lui faire perdre connaissance. *Le voleur a assommé le gardien de nuit.* **2.** Ennuyer. *Tu nous assommes avec tes histoires.*

Famille de ② **somme**

Deux *s* et deux *m* dans *assommer* et *assommant.*

▸ ***assommant*** adj. Ennuyeux, agaçant. *Mme Harpie est assommante avec ses discours qui n'en finissent pas. Ce livre est assommant.*

Conjugaison 2 ▭ Indic. présent : *nous assortissons.* Futur : *j'assortirai.*

assortir v.

Mettre ensemble des choses qui vont bien ensemble. *Julie assortit toujours ses pulls à ses jupes. Elle a toujours des pulls et des jupes assortis,* dont les couleurs vont bien ensemble.

Famille de **sorte**

▸ ***assortiment*** n. m. *Le serveur présente à Hippolyte un assortiment de fromages,* plusieurs fromages différents, présentés ensemble.

s'assoupir v.

S'endormir à moitié. *Après le dîner, Mamie Lou s'est assoupie dans son fauteuil ;* vois ***somnoler.***

Conjugaison 2

Compare : *assoupir → assoupissement* et *étourdir → étourdissement.*

▸ ***assoupissement*** n. m. État d'une personne qui s'endort à moitié. *L'accident est dû à l'assoupissement du conducteur ;* vois ***somnolence.***

Attention aux deux *s* ! Compare : *souple → assouplir, sombre → assombrir* et *sourd → assourdir.*

assouplir v.

1. Rendre plus souple. *Les exercices de gymnastique assouplissent le corps. — Mme Séverac fait du yoga pour s'assouplir,* pour devenir plus souple. **2.** Rendre moins sévère. *La directrice de l'école a assoupli le règlement. — Le règlement de l'école s'est assoupli,* est devenu moins sévère.

Conjugaison 2

Famille de **souple**

▸ ***assouplissement*** n. m. **1.** *Mme Séverac fait des exercices d'assouplissement,* des exercices pour s'assouplir. **2.** *C'est Angèle, l'institutrice, qui a demandé l'assouplissement du règlement de l'école,* elle a demandé qu'il soit moins sévère.

Conjugaison 2 Attention, *assourdir* s'écrit avec deux *s* !

assourdir v.

1. Rendre comme sourd et étourdir. *Ne criez pas si fort, vous m'assourdissez !* **2.** Rendre moins sonore, moins bruyant. *La moquette assourdit le bruit des pas ;* vois ***amortir.***

Compare : *assourdir → assourdissant, étourdir → étourdissant* et *salir → salissant.*

▸ ***assourdissant*** adj. *Un bruit assourdissant,* c'est un bruit très fort. *Dans la rue, les marteaux-piqueurs font un bruit assourdissant.*

Famille de **sourd**

On croit devenir sourd !

Conjugaison 2

assouvir v.

Assouvir sa faim, c'est la calmer complètement en mangeant ; vois ***satisfaire.*** *Antoine a un tel appétit qu'il a du mal à assouvir sa faim.*

On *assouvit sa faim* et on *étanche sa soif.*

Conjugaison 1

① ***assurer*** v.

1. *Je vous assure que c'est vrai,* je vous l'affirme, je vous le promets, je vous le garantis. *Sylvain a assuré à Nathalie qu'il lui écrirait.* **2.** *Assurez-vous que vous n'avez rien oublié dans l'avion,* vérifiez bien que vous n'avez rien oublié. *Je vais m'en assurer.* **3.** *Pendant la période des vacances, M. Doucet assure à lui seul le travail de deux personnes,* il le fait, il l'accomplit.

e t'écrirai, c'est vrai, je 'assure !

Famille de **sûr**

Ne confonds pas avec ② *assurer.*

Julie est *sûre* d'elle.

Le contraire d'*assurance,* c'est *timidité.*

▸ ① **assurance** n. f. **1.** *Il m'a donné l'assurance qu'il resterait quelques jours,* il me l'a promis, il me l'a garanti. **2.** Confiance en soi. *Julie ne s'est pas laissé intimider par Mme Harpie, elle lui a répondu avec assurance ;* vois ***aplomb.***

Le contraire d'*assuré,* c'est *timide.*

▸ ***assuré*** adj. **1.** Certain, évident. *Les histoires d'Antoine ont toujours un succès assuré ;* vois ***garanti.*** **2.** Sûr de soi. *Julie est entrée chez Mme Harpie d'un air assuré.*

▸ ***assurément*** adv. Certainement, sûrement. *Viendrez-vous ce soir ? — Assurément.*

Conjugaison 1

Famille de **sûr**

② ***assurer*** v.
Faire assurer sa voiture ou son appartement, c'est payer une certaine somme pour être remboursé en cas d'accident ou de vol. *Mme Harpie a fait assurer son magasin contre le vol. — Elle s'est assurée contre le vol.*

La société avec laquelle on a un *contrat d'assurance* s'appelle une *compagnie d'assurances.*

La Sécurité sociale s'occupe d[e] l'assurance maladie.

▸ ② ***assurance*** n. f. Contrat qui garantit le remboursement des frais en cas d'accident ou de vol. *Mme Harpie a pris une assurance contre le vol.*

Attention ! on dit *un astérisque.*

astérisque n. m.
Petit signe en forme d'étoile que l'on place à côté d'un mot. *Dans certains dictionnaires, l'astérisque indique un renvoi à un mot.*

Attention au ***th*** et prononce : [asm]. Compare *asthme* et *isthme.*

Le Mont-Dore est un centre d[e] cure pour le traitement d[e] l'asthme.

asthme n. m.
Maladie qui empêche de respirer normalement. *Sylvain a des crises d'asthme.*

▸ ***asthmatique*** adj. *Sylvain est asthmatique,* il a de l'asthme.

L'asticot est un petit ver blanc.

asticot n. m.
Larve de la mouche que les pêcheurs utilisent comme appât pour attirer les poissons. *Le pêcheur accroche un asticot à l'hameçon.*

On astique le bois avec de la cire, le cuir avec du cirage.

Conjugaison 1

astiquer v.
Faire briller en frottant. *Le dimanche, Hippolyte astique ses chaussures avant de se coucher.*

La Terre est un astre.

Pour les poètes, le soleil c'es[t] l'astre du jour.

astre n. m.
Les astres, ce sont les étoiles et les planètes, ainsi que le soleil et la lune. *Sylvain observe les astres au télescope.*

Au masculin pluriel : *astraux.*

Va voir aussi ***astrologie.***

▸ ***astral*** adj. *Les influences astrales,* ce sont les influences que peuvent avoir les astres sur une personne. *Les horoscopes se fondent sur l'étude des influences astrales.*

Conjugaison 52
▭ Indic. présent : *j'astreins, nous astreignons.* Imparfait : *j'astreignais.* Futur : *j'astreindrai.* — Subj. présent : *que nous astreignions.*

Les coureurs cyclistes sont as[-]treints à un entraînement in[-]tensif.

astreindre v.
Obliger, forcer ; vois ***contraindre.*** *Sa grossesse astreint Mme Bellec à être souvent assise. — Mme Séverac s'astreint à un régime pour ne pas grossir. Sylvain doit s'astreindre à faire des gammes pour bien jouer du piano.*

Les tâches ménagères sont as[-]treignantes.

▸ ***astreignant*** adj. *Le régime de Mme Séverac est astreignant,* il ne lui laisse pas beaucoup de liberté.

Ne confonds pas *astrologie* et *astronomie.*

Va voir aussi ***horoscope.***

astrologie n. f.
L'astrologie étudie l'influence des astres sur le caractère et l'avenir des gens. *L'astrologie permet d'établir les horoscopes.*

Il y a douze signes astrologi[-]ques : bélier, taureau, gémeaux[,] cancer, lion, vierge, balance[,] scorpion, sagittaire, capricorne[,] verseau, poissons.

▸ ***astrologique*** adj. *Les astrologues font des prédictions astrologiques,* d'après la position des astres.

Compare ***astro**logue,* ***astro**naute* et ***astro**nome* : il s'agit des **astres.**

▸ ***astrologue*** n. m. et f. Personne qui fait de l'astrologie. *Mme Bellec a consulté une astrologue pour savoir ce que lui réservait l'avenir.*

Le premier astronaute a été Youri Gagarine, qui a effectué un vol spatial autour de la Terre en 1961.

Compare *astro**naute**,* ***nautisme*** et *cosmo**naute*** : dans ces trois mots, il s'agit de **naviguer.**

astronaute n. m. et f.
Personne qui se déplace dans un véhicule spatial, hors de l'atmosphère terrestre ; vois ***cosmonaute.*** *Les astronautes sont montés dans la fusée.*

▸ ***astronautique*** n. f. Science de la navigation dans l'espace. *David aimerait devenir ingénieur en astronautique.*

Ne confonds pas *astronomie* et *astrologie.*

astronomie n. f.
Science qui étudie les astres. *Sylvain s'intéresse beaucoup à l'astronomie.*

▸ ***astronome*** n. m. et f. Spécialiste qui s'occupe d'astronomie. *Les astronomes étudient le ciel dans des observatoires.*

Galilée et Copernic furent de grands astronomes.

▸ ***astronomique*** adj. **1.** *Une lunette astronomique,* c'est un instrument avec lequel on observe le ciel et les astres. **2.** *Un prix astronomique,* c'est un prix très élevé. *Cette voiture coûte un prix astronomique,* elle coûte très cher.

Va voir aussi ***télescope.***

Attention au ***c*** dans *astuce, astucieux* et *astucieusement* !

astuce n. f.

1. Moyen habile. *Julie a trouvé une astuce pour ne pas faire ses devoirs : elle a laissé son cahier à l'école.* **2.** Plaisanterie. *Antoine aime faire des astuces pour amuser ses amis.*

Au féminin : *astucieuse.* Compare : *astuce → astucieux* et *malice → malicieux.*

▸ ***astucieux*** adj. Adroit, malin. *Antoine est astucieux. Sylvain a trouvé un moyen astucieux pour réparer son train électrique.*

Ce n'est pas la peine d'être très astucieux pour deviner quelle était la couleur du cheval blanc d'Henri IV !

▸ ***astucieusement*** adv. *Antoine a astucieusement rangé sa chambre,* d'une manière ingénieuse.

Attention au ***y*** ! Famille de **symétrie**

Va voir aussi ***dissymétrique.***

asymétrique adj.

Une chose asymétrique, c'est une chose qui n'a pas la même forme du côté droit et du côté gauche. *Cette coupe de cheveux est asymétrique :* les cheveux n'ont pas la même longueur des deux côtés.

Le contraire d'*asymétrique,* c'est *symétrique.*

Les élèves travaillent *en ateliers,* par petits groupes.

atelier n. m.

1. Endroit où travaillent des ouvriers, des artisans. *Le mécanicien est dans son atelier.* **2.** *Un atelier d'artiste,* c'est une pièce où travaille un peintre ou un sculpteur. *M. Doucet a loué un ancien atelier d'artiste près de la Bastille.*

Un atelier d'artiste est souvent exposé au nord.

athée n. m. et f.

Personne qui ne croit pas en Dieu. *Denis Prost est un athée.* — adj. *Il est d'une famille athée.*

Attention au ***h*** après le ***t*** ! L'accent est grave dans *athlète,* mais il est aigu dans *athlétique* et *athlétisme.*

athlète n. m. et f.

1. Sportif spécialisé dans l'athlétisme. *Les coureurs à pied sont des athlètes.* **2.** Personne forte et musclée. *Denis Prost n'est pas un athlète.*

▸ ***athlétique*** adj. *Une personne athlétique,* c'est une personne qui a un corps bien développé, musclé. *Alex est athlétique.*

▸ ***athlétisme*** n. m. Ensemble des sports individuels comme la course, la gymnastique, le lancer du poids, du disque ou du javelot, le saut. *Alex fait de l'athlétisme.*

Les championnats d'Europe d'athlétisme ont lieu tous les quatre ans.

[A]tlas est un géant de l'Antiquité [q]ui portait la Terre sur ses [é]paules.

atlas n. m.

Livre de cartes de géographie. *Julie a cherché dans un atlas où se trouve l'Australie.*

Atlas [atlɑs] rime avec *classe.*

Famille de **sphère**

[L]'atmosphère est maintenue au[to]ur de la Terre par l'attraction [te]rrestre. Elle diffuse les rayons [d]u Soleil et permet l'aurore et le [c]répuscule, inconnus sur la Lune [q]ui n'a pas d'atmosphère.

[V]a voir aussi ***météorologie.***

atmosphère n. f.

1. Couche de gaz qui entoure la terre et certains astres. *L'atmosphère terrestre contient de l'azote et de l'oxygène.* **2.** *Dans la classe d'Angèle, il règne une atmosphère de gaîté,* dans la classe d'Angèle, tout est gai et donne envie d'être gai ; vois ***air, ambiance, climat.***

Attention au ***ph*** de *atmosphère* ! *Atmosphère* [atmɔsfɛʀ] rime avec *fer.*

▸ ***atmosphérique*** adj. *Loïc n'est pas parti en mer à cause des mauvaises conditions atmosphériques,* à cause du mauvais temps.

La pression atmosphérique est donnée par le baromètre.

N'oublie pas les deux ***l*** de *atoll.*

Va voir aussi ***corail.***

atoll n. m.

Île en forme d'anneau, composée de coraux. *Il pousse des cocotiers sur les atolls de l'océan Pacifique. Les atolls entourent une lagune.*

Atoll est un mot masculin.

Atome est un nom masculin qui se prononce [atom].

atome n. m.

1. La plus petite partie des corps chimiques qui composent l'univers en se combinant les uns avec les autres. *Un atome d'hydrogène et deux atomes d'oxygène composent une molécule d'eau.* **2.** Très petite quantité. *Mme Harpie n'a pas un atome d'humour,* elle n'en a pas, même pas un tout petit peu.

Un atome est formé d'un noyau et d'électrons.

▸ ***atomique*** adj. **1.** *L'énergie atomique,* c'est l'énergie produite par le noyau de l'atome quand on le fait exploser ; vois ***nucléaire.*** *Certains sous-marins sont propulsés par l'énergie atomique.* **2.** *Une centrale atomique,* c'est une centrale qui utilise l'énergie atomique. *Les centrales atomiques produisent de l'électricité.*

[O]n construit des abris [a]nti-atomiques en espérant sur[v]ivre aux guerres atomiques.

Le champignon atomique est l'énorme fumée produite par l'explosion d'une bombe atomique.

atomiseur n. m.
Petit flacon qui projette le liquide qu'il contient en fines gouttelettes lorsque l'on appuie sur le bouchon. *La vendeuse propose à Mme Séverac un parfum en atomiseur ;* vois ***vaporisateur.***

Atours est un mot vieilli. On le trouve surtout dans les contes.

atours n. m. plur.
Beaux habits et bijoux d'une femme. *Peau d'Âne, en secret, mettait ses plus beaux atours.*

Atours est toujours au plurie

Au bridge, un joueur décide, parmi les quatre couleurs, laquelle sera l'atout.

atout n. m.
1. Dans un jeu de cartes, couleur qui gagne sur les autres. *« Quel est l'atout de cette partie ? — Atout cœur. »* **2.** Moyen de réussir. *Le sourire d'Antoine est son meilleur atout.*

À la belote, on peut jouer aussi *tout atout* et *sans atou*

N'oublie pas l'accent circonflexe du *â*.

âtre n. m.
Partie de la cheminée où l'on fait le feu. *Pierre Séverac a mis des bûches dans l'âtre.*

Âtre est un nom masculin.

atroce adj.
1. D'une grande cruauté. *Le massacre des Juifs par les nazis est un crime atroce ;* vois ***abominable, affreux, épouvantable, monstrueux.*** **2.** Insupportable. *Julie a ressenti une atroce douleur en tombant à ski ;* vois ***horrible.***

Elle s'est cassé la jambe.

▸ ***atrocement*** adv. Horriblement. *Julie s'est fait atrocement mal en tombant.*

Compare : *atroce → atrocité* et *précoce → précocité.*

▸ ***atrocité*** n. f. *Les nazis ont commis des atrocités pendant la dernière guerre,* des actes atroces, d'une grande cruauté.

Conjugaison 1

s'attabler v.
S'asseoir à table pour manger ou boire. *M. Bellec s'est attablé devant une énorme choucroute.*

Famille de **table**

Conjugaison 1

attacher v.
1. Faire tenir une chose, un animal, une personne par un lien. *Pierre Séverac a attaché son cheval à la barrière. Le prisonnier a les mains attachées derrière le dos. L'été, Angèle relève ses cheveux en les attachant.* **2.** Fermer, joindre deux parties d'une chose. *L'avion va décoller, attachez vos ceintures ! — La brassière de Martin s'attache dans le dos.* **3.** *Attacher de l'importance à quelque chose,* c'est penser que cette chose est importante. *La directrice attache beaucoup d'importance à la discipline.* **4.** *Sylvain s'est beaucoup attaché à sa chienne Diane,* il s'est mis à l'aimer beaucoup. **5.** *S'attacher à faire quelque chose,* c'est faire des efforts pour le faire bien. *En adoptant Marie-Tévy, les Séverac se sont attachés à la rendre heureuse ;* vois ***s'efforcer.***

Le contraire d'*attacher*, c'est *détacher.*

On attache les vêtements avec des agrafes, des boutons, des lacets. Les Romains attachaient leurs toges avec des sortes de broches, les Égyptiens ne les attachaient pas, ils les drapaient.

Le contraire de *s'attacher*, c'est *se détacher.*

Elle a perdu ses parents.

Deux *t* dans *attacher, attachant, attachement.*

▸ ***attachant*** adj. *Marie-Tévy est une enfant très attachante,* elle attire la sympathie et l'affection. *Mme Roussel trouve que la Bretagne est une région attachante,* que l'on se met vite à aimer, où l'on a envie de revenir.

▸ ***attachement*** n. m. Sentiment qui nous unit aux personnes que l'on aime ; vois ***affection, amitié, amour.*** *Angèle a beaucoup d'attachement pour ses élèves.*

Autres membres de la famille **rattacher, rattachement.**

Conjugaison 1

attaquer v.
1. Donner les premiers coups, commencer le combat. *Les ennemis ont attaqué la forteresse.* **2.** *Attaquer quelqu'un,* c'est s'élancer sur lui pour le battre, le voler ou le tuer. *Mme Harpie a été attaquée par deux garnements ;* vois ***agresser.*** **3.** Faire des reproches violents, critiquer. *Certains journaux ont violemment attaqué le gouvernement.* **4.** Détruire, ronger. *Un champignon a attaqué les arbres fruitiers,* a causé des dégâts aux arbres fruitiers. **5.** *L'orchestre avait déjà attaqué la deuxième partie de la symphonie,* il avait déjà commencé à la jouer. **6.** *S'attaquer à un travail,* c'est commencer à le faire. *Il est temps qu'Alex s'attaque à son problème de mathématiques.*

La plupart des grands fauves n'attaquent l'homme que s'ils se croient en danger.

Le contraire d'*attaquer*, c'est *féliciter, louer.*

Deux *t* dans *attaquer, attaquant, attaque.*

▸ ***attaquant*** n. m., ***attaquante*** n. f. Personne qui commence le combat. *Du haut des remparts, on versait de l'huile bouillante sur les attaquants ;* vois ***assaillant.***

Le contraire d'*attaquant*, c'est *défenseur.*

En avant ! À l'attaque ! Branle-bas de combat ! À l'abordage !

▸ ***attaque*** n. f. **1.** Action de commencer le combat ; vois ***assaut.*** *Les soldats ont lancé une attaque contre l'ennemi.* **2.** *Au football, Yves est* *meilleur à l'attaque qu'à la défense,* il joue mieux en essayant de marquer un point qu'en essayant de protéger son but. **3.** Critique violente. *Il y a beaucoup d'attaques contre le gouvernement, dans les journaux, depuis quelque temps.*

Dans ce sens, on emploie ce mot surtout au pluriel.

Autres membres de la famille : **contre-attaque, contre-attaquer, inattaquable.**

Conjugaison 1

s'attarder v.
Faire quelque chose qui met en retard. *Le docteur Séverac s'est attardé à l'hôpital à cause d'une urgence. Julie s'est attardée en sortant de l'école, son père n'était pas content.*

Famille de **tard**

Conjugaison 52 ▭ Indic. présent : *j'atteins, nous atteignons.* Imparfait : *j'atteignais, nous atteignions.* Futur : *j'atteindrai.* — Subj. présent : *que j'atteigne, que nous atteignions.*

atteindre v.
1. *Atteindre un lieu,* c'est y arriver. *Alex a atteint l'île à la nage.* **2.** *Atteindre une chose,* c'est arriver à la toucher ou à la prendre. *Passez-moi le sel, je ne peux pas l'atteindre.* **3.** *Le mont Blanc atteint 4 807 mètres,* il mesure 4 807 mètres. **4.** Toucher, blesser avec une arme. *M. Bellec a atteint le faisan en plein vol. La lionne blessée est atteinte à l'épaule.*

Le contraire d'*atteindre,* c'est *manquer, rater.*

▸ ***atteinte*** n. f. **1.** *Être hors d'atteinte,* c'est être impossible à atteindre. *Les cerises, en haut de l'arbre, sont hors d'atteinte.* **2.** *Ces médisances portent atteinte à la réputation du maire,* nuisent à sa réputation.

Prononce [atle]. Conjugaison 4 ▭ Indic. présent : *j'attelle, nous attelons.* Imparfait : *j'attelais.* Futur : *j'attellerai.*

atteler v.
Attacher un animal à une voiture, à une charrue pour la tirer. *Les valets attellent les chevaux à la diligence. Le mécanicien recule la locomotive pour l'atteler aux wagons,* pour l'attacher aux wagons.

Les Esquimaux attellent des chiens à leurs traîneaux.

Le contraire, c'est *dételer.*

▸ ***attelage*** n. m. Groupe de bêtes qui tirent un véhicule. *La diligence était tirée par un attelage de chevaux gris.*

L'attelage apparaît en même temps que la roue, 3 500 ans avant Jésus-Christ.

Conjugaison 41 ▭ Indic. présent : *j'attends, nous attendons.* Imparfait : *j'attendais.* Futur : *j'attendrai.* — Subj. présent : *que j'attende, que nous attendions.*

attendre v.
1. Rester au même endroit jusqu'au moment où quelqu'un ou quelque chose arrive. *M. Doucet a attendu son fils Antoine à la gare. Attends-moi ! tu marches trop vite.* **2.** Ne rien faire avant qu'une chose n'arrive. *Yasmina attend que le feu soit rouge pour traverser. Angèle attendait que quelqu'un réponde à sa question.* **3.** *Mme Bellec attend un enfant,* elle va avoir un enfant, elle est enceinte. **4.** *Antoine s'attendait à voir Angèle se fâcher,* il pensait qu'Angèle allait se fâcher.

Deux *t* dans *attendre.*

Autres membres de la famille : **attente, inattendu.**

Mais l'institutrice est patiente !

Conjugaison 2

Famille de ③ **tendre**

attendrir v.
Rendre plus gentil. *Les larmes de Marie-Tévy ont attendri la directrice ;* vois ***émouvoir, toucher.*** *— Mamie Lou s'attendrit en regardant de vieilles photographies,* elle s'émeut.

Le contraire d'*attendrir,* c'est *endurcir.*

Compare : *attendrir → attendrissant, attendrissement* et *frémir → frémissant, frémissement.*

▸ ***attendrissant*** adj. Émouvant, touchant. *Ces chatons qui jouent dans l'herbe sont attendrissants.*

Au féminin : *attendrissante.*

▸ ***attendrissement*** n. m. Émotion. *Julie regarde son petit frère avec attendrissement.*

N'oublie pas le *t* final.

attentat n. m.
Action violente, agression effectuée contre une personne ou des biens. *Le pape a été gravement blessé lors d'un attentat. L'attentat terroriste a fait une dizaine de victimes.*

Tintin a sauvé le général Alcazar d'un attentat.

attente n. f.
1. Temps passé à attendre. *Denis Prost a eu trois heures d'attente entre les deux avions.* **2.** Désir, espoir. *Sa décision a répondu à mon attente,* à ce que j'attendais, espérais.

On attend dans une *salle d'attente* chez le médecin, à la gare.

Famille de **attendre**

attentif adj.
1. *Quelqu'un d'attentif,* c'est quelqu'un qui écoute, regarde avec attention. *À l'école, Yasmina est très attentive. Marie-Tévy est attentive à ce que dit la maîtresse.* **2.** *Julie s'est vite remise de son opération grâce aux soins attentifs qu'elle a reçus,* aux bons soins qu'elle a reçus.

Le contraire d'*attentif,* c'est *distrait, étourdi, inattentif.*

Autres membres de la famille : **attentivement, inattentif.**

Ne confonds pas *attention* et *intention.*

attention n. f.
1. Attitude d'une personne qui écoute et regarde soigneusement, sans s'intéresser à autre chose. *Antoine écoute la directrice avec attention. Fais attention aux voitures en traversant,* prends garde aux voitures. **2.** Action

Le contraire d'*attention,* c'est *inattention, distraction.*

Attention, chien méchant !

gentille qui montre que l'on porte de l'intérêt à quelqu'un ; vois ***égard, prévenance.*** *Le docteur Séverac entoure sa mère d'attentions.*

Autre membre de la famille : **inattention.**

Deux *t* et deux *n* dans *attentionné.*

▸ ***attentionné*** adj. Gentil, prêt à faire plaisir. *Le docteur Séverac est très attentionné pour sa mère ;* vois ***empressé, prévenant.***

Le contraire d'*attentivement,* c'est *distraitement.*

attentivement adv.

Avec attention. *Yves relit attentivement son devoir.*

Famille de **attentif**

Conjugaison 1

Deux *t* dans *atténuer.*

Famille de **ténu**

atténuer v.

Rendre moins fort ; vois ***diminuer.*** *Le médicament a vite atténué la douleur.*

Le contraire d'*atténuer,* c'est *aggraver, augmenter.*

▸ ***atténuant*** adj. *Les circonstances atténuantes,* ce sont les faits qui diminuent l'importance d'une faute. *En raison de son enfance malheureuse, l'accusé a bénéficié des circonstances atténuantes.*

Deux *t* et deux *r* dans *atterrer.*

Famille de **terre**

atterrer v.

Plonger dans l'étonnement et la tristesse. *Cette nouvelle nous a atterrés ;* vois ***accabler, consterner.***

Conjugaison 1

Conjugaison 2

Deux *t* et deux *r* dans *atterrir.*

atterrir v.

Se poser à terre. *L'avion en provenance de Moscou vient d'atterrir sur la piste n° 3 ;* vois *se* ***poser.***

Le contraire d'*atterrir,* c'est *décoller.*

Un *aérodrome* est un terrain d'atterrissage.

▸ ***atterrissage*** n. m. *Les passagers attachent leurs ceintures avant l'atterrissage,* le moment où l'avion touche terre.

Famille de **terre**

Deux *t* dans *attester* et *attestation.*

attester v.

Donner la preuve, la garantie qu'une chose est vraie. *La facture attestait que le vélo avait coûté deux mille francs ;* vois ***certifier, garantir.***

Conjugaison 1

▸ ***attestation*** n. f. Papier qui donne la preuve de quelque chose. *Pour s'inscrire à la bibliothèque, il suffit d'une photo d'identité et d'une attestation de domicile ;* vois ***certificat.***

Au pluriel : *des attirails.*

attirail n. m.

Tous les objets nécessaires à une activité. *Yves, range tes lignes, tes seaux, tes asticots, tout ton attirail de pêche !,* tes affaires, ton équipement de pêche.

Ce mot est familier.

Conjugaison 1

Famille de **tirer**

Le contraire d'*attirer,* c'est *écarter, éloigner.*

attirer v.

1. Faire venir à soi. *Le paratonnerre attire la foudre. Les aimants attirent les épingles, les petits objets en fer.* **2.** Pousser à venir. *La police a attiré le gangster dans un guet-apens. Les papillons de nuit sont attirés par la lumière.* **3.** Inspirer l'envie de vouloir connaître davantage quelque chose ou quelqu'un. *Le métier de pilote attire Alex. Hippolyte est attiré par Angèle.* **4.** *Si tu continues, tu vas t'attirer des ennuis,* il va t'arriver des ennuis.

Le contraire d'*attirer,* c'est *repousser.*

Au féminin : *attirante.*

▸ ***attirant*** adj. *Le métier de pilote est attirant pour beaucoup d'enfants,* il attire les enfants, il leur plaît. *Angèle est très attirante ;* vois ***séduisant.***

Le contraire d'*attirant,* c'est *repoussant.*

Le contraire d'*attirance,* c'est *dégoût, répulsion.*

▸ ***attirance*** n. f. Force qui attire vers quelqu'un ou quelque chose. *Hippolyte éprouve une certaine attirance pour Angèle.*

Conjugaison 1

Compare *attiser* et *tison* : dans ces mots, il est question d'**allumer.**

attiser v.

1. *Attiser un feu,* c'est le ranimer, le faire brûler plus fort. *Loïc attise le feu pour qu'il ne s'éteigne pas.* **2.** *Attiser un sentiment,* c'est le rendre plus violent. *Les farces de Colle et Rat attisent la colère de Mme Harpie ;* vois ***enflammer, exciter.***

On attise le feu en soufflant avec un soufflet, en remuant les tisons avec un tisonnier.

attitude n. f.

1. Manière de se tenir, de se montrer. *Sur la photo, Antoine a pris une attitude comique, Yves a gardé une attitude naturelle ;* vois ***pose, posture.*** **2.** Manière de faire, de réagir. *Colle et Rat ont une attitude insolente envers la directrice ;* vois ***comportement.***

attraction n. f.

La Terre attire les êtres vivants et les choses vers le sol.

1. Force qui attire. *L'attraction terrestre nous retient au sol.* **2.** Numéro dans un spectacle. *Parmi les attractions, les enfants ont aimé le prestidigitateur et les jongleurs.* **3.** Jeu, amusement d'une fête foraine. *Pour Antoine, la meilleure attraction, c'est le train fantôme.*

attrait n. m.

Charme, séduction. *L'attrait de la nouveauté a poussé le hamster à s'échapper de sa cage. La campagne en automne a bien des attraits,* des aspects agréables.

Elle est *attrayante.*

Attention, un seul ***p*** dans *attraper,* mais deux ***p*** dans *trappe, trappeur.*

Un *attrape-nigaud,* c'est ce qui trompe les gens naïfs.

attraper v.

1. Arriver à prendre, à saisir. *Antoine attrape des papillons pour sa collection. Je lance le ballon, attrape-le ! L'autobus arrive, courons pour l'attraper,* pour monter dedans. **2.** *Mme Harpie a été bien attrapée,* surprise, trompée. **3.** *Attraper une maladie,* c'est la prendre par contagion. *Mets ton tricot, Marie-Tévy, tu vas encore attraper un rhume. La rougeole, ça s'attrape,* c'est contagieux.

Conjugaison 1

Une souris verte
Qui courait dans l'herbe
Je l'attrape par la queue
Je la montre à ces messieurs...
(comptine).

u'est-ce qu'on achète encore our faire des farces ?

▸ ***attrape*** n. f. Objet qui sert à faire une farce. *Antoine a acheté des boules puantes au magasin de farces et attrapes.*

Famille de **trappe**

Attention ! deux ***t*** dans *attrayant.*

attrayant adj.

Une chose attrayante, c'est une chose qui plaît, qui a de l'attrait. *Angèle pense que le mariage n'a rien d'attrayant,* cela ne l'attire pas, cela ne lui dit rien du tout ; vois ***séduisant.***

Prononce [atʀɛjɑ̃].

Conjugaison 1 ▭ Indic. présent : *j'attribue, nous attribuons.* Imparfait : *nous attribuions.* Futur : *j'attribuerai.*

Compare : *attribuer* → *attribution, distribuer* → *distribution* et *rétribuer* → *rétribution.*

attribuer v.

1. Donner à quelqu'un, dans une distribution ; vois ***donner.*** *On a attribué une somme de cinq cents francs à Angèle, l'institutrice, pour la bibliothèque de la classe.* **2.** Donner comme cause, ou comme auteur. *À quoi faut-il attribuer la diminution des naissances ?,* quelle en est la cause ? *On attribue ce tableau à Raphaël,* on pense qu'il en est probablement l'auteur.

▸ ***attribution*** n. f. **1.** *Le directeur de la biscuiterie a annoncé l'attribution d'une prime à tout le personnel,* il a annoncé que le personnel recevrait une prime. **2.** *Les attributions de quelqu'un,* c'est ce qu'il est chargé de faire. *Le cours de gymnastique n'entre pas dans les attributions de la maîtresse.*

Compare *attribuer* et *distribuer* : dans ces mots, il s'agit d'une **répartition.**

Deux ***t*** dans *attribuer* et *attribution.*

Attention au ***t*** final de *attribut* !

attribut n. m.

Un adjectif est attribut quand il est relié au sujet par les verbes *être, sembler, paraître. Dans la phrase « les chaussures d'Hippolyte sont neuves », « neuves » est attribut de « chaussures ».*

Va voir aussi ***épithète.***

Conjugaison 1

Attention aux deux ***t*** dans *attrister.*

Famille de **triste**

attrister v.

Rendre triste. *Marie-Tévy va partir en vacances et son départ attriste Antoine ;* vois ***chagriner, désoler.*** *Antoine est attristé par le départ de son amie Marie-Tévy.*

Le contraire d'*attrister,* c'est *réjouir.*

Attention ! deux ***t*** et un seul ***p*** dans *s'attrouper.*

s'attrouper v.

S'arrêter et se rassembler pour voir quelque chose dans la rue. *Les passants se sont attroupés pour écouter l'orgue de Barbarie.*

Conjugaison 1

Famille de **troupe**

« Circulez », disent les agents e police quand il y a un attrou- ement.

▸ ***attroupement*** n. m. Rassemblement de personnes qui s'arrêtent dans la rue pour voir quelque chose. *Une voiture a renversé un motocycliste et il y a eu un attroupement.*

au va voir ***à*** et ***le.***

aubaine n. f.

Chance inattendue. *Julie nous invite à cueillir les cerises de son jardin : profitons de l'aubaine ! Quelle aubaine ! ;* vois ***chance.***

Le contraire d'*aubaine,* c'est *malchance.*

① **aube** n. f.

Moment où il commence à faire clair, juste avant le lever du soleil. *Nous partons le 15 juin à l'aube pour une grande excursion en montagne ;* vois ***aurore.***

Il fait jour de l'aube au crépuscule.

② **aube** n. f.

Une roue à aubes, c'est une roue à palettes qui tourne dans l'eau. *La vieille roue à aubes du moulin est couverte de mousse.*

ur le Mississippi, les bateaux vaient des roues à aubes.

Famille de **épine**

aubépine n. f.

Arbuste épineux à fleurs blanches ou roses, odorantes, l'un des premiers à fleurir au printemps. *Des oiseaux nichent dans la haie d'aubépine.*

On dit aussi *un aubépin.*

On appelle encore *auberge* un hôtel-restaurant d'aspect campagnard.

auberge n. f.
Du temps des voyages à cheval, maison où l'on s'arrêtait pour manger et dormir en payant ; vois ***taverne.*** *Le mousquetaire avait quitté l'auberge à l'aube.*

▸ ***aubergiste*** n. m. et f. Propriétaire d'une auberge qui s'occupait lui-même des voyageurs. *L'aubergiste a servi du jambon et un pichet de vin aux cavaliers affamés.*

Mme Thénardier, l'aubergist envoyait Cosette chercher l'eau dans la forêt.

aubergine n. f.
Fruit violet, à peau lisse et brillante, qui se mange cuit. *Mamie Lou a fait un gratin d'aubergines.*

On met des aubergines dans ratatouille.

Aucun s'emploie avec *ne.*

aucun adj. et pronom
1. adj. Pas un seul. *Aucun élève ne doit quitter la classe sans permission. Il n'y a plus aucune cerise dans l'arbre après la cueillette de Julie et de ses amis. Marie-Tévy n'a aucune nouvelle de sa famille du Cambodge.*
2. pronom Pas une seule personne, pas une seule chose. *Connais-tu les frères de Yasmina ? Je n'en connais aucun. Aucune des grimaces d'Antoine ne fait rire Julie. Aucun de nous n'a répondu à Angèle.*

Il n'a aucune force : il n'est pas fort du tout.

Le contraire d'*aucun,* c'est *tous.*

Bientôt la baleine sort de l'eau, il n'y a plus aucun doute ; la voilà qui vient tout près d'eux *(Babar).*

audace n. f.
Une personne qui a de l'audace, c'est une personne qui ose faire des choses dangereuses et difficiles ; vois ***courage, hardiesse.*** *Les cascadeurs ont de l'audace. Yves a eu l'audace de dire à la maîtresse qu'elle ne connaissait rien à la Bretagne ;* vois ***aplomb, insolence.***

Yves est breton.

Au féminin : *audacieuse.*

▸ ***audacieux*** adj. **1.** *Une personne audacieuse,* c'est une personne qui fait des choses dangereuses et difficiles ; vois ***courageux, hardi.*** *Les enfants les plus audacieux ont plongé du plus haut tremplin.* **2.** *Une chose audacieuse,* c'est une chose qui demande de l'audace. *Alex et Réjean ont fait le projet audacieux de traverser le désert.*

Le contraire d'*audacieux,* c'est *lâche, peureux, poltron.*

À dix-huit ans on n'a peur rien !

N'oublie pas le trait d'union et l'accent grave du ***à.***

Famille de ① **de** et de **là**

au-delà adv., préposition et n. m.
1. adv. et préposition Plus loin. *Tu peux nager jusqu'au drapeau rouge ; au-delà c'est dangereux. Ne t'aventure pas au-delà du drapeau rouge, Yves !*
2. n. m. *L'au-delà,* c'est le monde des morts. *On dit que les âmes des morts se retrouvent dans l'au-delà.*

Le contraire d'*au-delà,* c'est *en deçà.*

Compare ***audience, auditeur*** et ***audiovisuel*** : dans ces trois mots, on **écoute** quelque chose.

audience n. f.
1. Entrevue où l'on écoute quelqu'un. *L'ambassadeur a demandé une audience au chef de l'État.* **2.** Séance d'un tribunal où l'on écoute les juges, les avocats, l'accusé, les témoins. *Le juge a suspendu l'audience.*

audiovisuel adj.
Une méthode audiovisuelle, c'est une méthode qui utilise l'image jointe à la parole. *Hippolyte apprend l'anglais par une méthode audiovisuelle.*

Famille de **voir**

Compare ***auditeur, audition*** et ***auditoire*** : dans ces mots, on **écoute** quelque chose.

auditeur n. m., **auditrice** n. f.
Personne qui écoute la radio. *Cette émission musicale a de nombreux auditeurs. L'animateur répond à la question d'une auditrice.*

audition n. f.
1. Perception des sons. *Mamie Lou n'a pas une très bonne audition.*
2. *L'audition des témoins aura lieu demain,* ils témoigneront demain devant le tribunal. *Le juge procède à l'audition d'un témoin,* il lui donne la parole et tous, au tribunal, l'écoutent.

Certains animaux n'ont pas la même audition que l'homme : les chiens et les chauves-souris, par exemple, perçoivent des ultrasons.

Va voir aussi ***ouïe.***

Compare ***audition, auditeur*** e ***auditoire*** : dans ces mots, on **écoute.**

auditoire n. m.
Ensemble des personnes qui écoutent quelqu'un parler, chanter ou jouer de la musique ; vois ***public.*** *Antoine a toujours besoin d'un auditoire pour raconter ses blagues. Y a-t-il une personne dans l'auditoire qui veut poser une question ?*

au fur et à mesure va voir ***fur.***

auge n. f.
Récipient où l'on donne à manger et à boire aux cochons. *Odile Séverac verse la pâtée des cochons dans leur auge.*

Peau d'Âne nettoyait l'auge cochons.

Conjugaison 1

augmenter v.

Le contraire d'*augmenter*, c'est *diminuer*.

Elle a eu une *augmentation*.

1. Rendre plus grand. *Il faut augmenter le nombre des logements. On a augmenté le prix de l'essence.* **2.** *Augmenter une personne,* c'est lui donner un salaire plus élevé. *Mme Hespel a été augmentée.* **3.** Devenir plus grand. *Le nombre des chômeurs a augmenté. Les prix augmenteront en septembre. Plus l'heure du départ approchait, plus sa nervosité augmentait ;* vois ***s'accroître.*** **4.** Devenir plus cher. *L'essence ne cesse d'augmenter.*

Augmenter la longueur, c'est *allonger* ; la largeur, c'est *élargir* ; le poids, c'est *alourdir* ; la surface, c'est *agrandir.*

Compare : *augmenter* → *augmentation* et *prolonger* → *prolongation.*

▸ **augmentation** n. f. **1.** *Le maire s'est félicité de l'augmentation du nombre des logements,* du nombre plus élevé des logements ; vois ***accroissement.*** *Le journal signale l'augmentation du prix de l'essence,* le prix plus élevé de l'essence ; vois ***hausse.*** **2.** *Mme Hespel a obtenu une augmentation,* un meilleur salaire.

Le contraire d'*augmentation*, c'est *baisse, diminution, réduction.*

augure n. m.

ans l'Antiquité, à Rome, les ugures étaient les signes obserés par des devins qui interpréaient le vol des oiseaux et le omportement des poulets saés.

C'est de bon augure, c'est bon signe. *La directrice de l'école avait l'air souriant : « c'est de bon augure » se disent les élèves. Un oiseau de mauvais augure,* c'est une personne qui annonce de mauvaises nouvelles, ou qui prévoit le pire. *Mme Harpie, cet oiseau de mauvais augure, disait qu'il pleuvrait à verse le jour du pique-nique.*

Prononce [oʒuʀdɥi]. Attention à l'orthographe !

aujourd'hui adv.

1. Le jour où nous sommes. *C'est aujourd'hui mercredi. Il peut venir dès aujourd'hui. Il m'a écrit « je pars aujourd'hui »,* il m'a écrit qu'il partait le jour même. *Où est le journal d'aujourd'hui ?* **2.** À l'époque actuelle. *Autrefois, on brodait le linge, aujourd'hui, on n'a plus le temps ;* vois ***maintenant.***

Va voir aussi ***hier*** et ***demain.***

Le *l* de *aulne* [on] ne se prononce pas.

aulne n. m.

Arbre à feuilles ovales et brillantes, qui pousse près des rivières. *Les aulnes vivent cent ans.*

Le bois des aulnes sert à faire des pilotis.

N'oublie pas l'accent circonflexe du *ô* de *aumône.*

aumône n. f.

Argent donné à un mendiant. *La pauvre femme vivait d'aumône.*

Demander l'aumône : mendier.

aumônier n. m.

y a aussi des aumôniers dans s prisons et dans l'armée.

Prêtre ou pasteur attaché à un lycée, à un hôpital. *L'aumônier du lycée a organisé un débat.*

aune n. f.

Ancienne mesure de longueur qui valait, à Paris, 1,18 m. *Le marchand a mesuré trois aunes de drap.*

La valeur de l'aune variait selon la région.

Famille de **avant**

auparavant adv.

Avant ce moment-là. *Julie va se coucher, mais auparavant, elle dit bonsoir à tous les invités.*

Le contraire d'*auparavant*, c'est *après.*

auprès de préposition

uprès de ma blonde, 'il fait bon dormir ! (chanson).

Auprès de exprime la proximité. *Viens auprès de moi,* à côté de moi. *L'infirmière est restée toute la nuit auprès du malade.*

Famille de **près**

Famille de **quel**

Attention ! *auquel* s'écrit en un seul mot.

auquel m. sing., **à laquelle** f. sing., **auxquels** m. plur., **auxquelles** f. plur., pronoms relatifs et interrogatifs

1. pronom relatif *Le garçon auquel j'ai prêté ma bicyclette n'est pas revenu,* à qui j'ai prêté ma bicyclette. *L'élève à laquelle vous pensez est absente.* **2.** pronom interrogatif *Auquel des deux enfants veux-tu parler ?*

Va voir aussi ***lequel.***

auréole n. f.

1. Cercle doré qui entoure la tête de Jésus et des saints dans les tableaux. *L'auréole permet de reconnaître les saints au milieu des autres personnages.* **2.** Marque arrondie laissée sur un tissu par un liquide qui a séché. *Ce détachant ne fait pas d'auréoles.*

L'auréole symbolise le reflet de la lumière divine.

auriculaire n. m.

Petit doigt de la main. *L'auriculaire est ainsi appelé parce qu'on peut l'introduire dans l'oreille.*

L'aube vient avant l'aurore.

aurore n. f.
Moment où le soleil se lève et où le ciel prend une couleur rose. *Pierre Séverac se lève à l'aurore pour aller faire les foins.*

Conjugaison 1

ausculter v.
Ausculter un malade, c'est écouter le bruit de son cœur et de sa respiration. *Le docteur Séverac ausculte Julie avec un stéthoscope.*

« Respirez ! Toussez ! » dit le médecin pendant qu'il ausculte.

Les éléphants aiment aussi sortir le soir, dîner chez des amis *(Babar).*

Agnan a des lunettes et on ne peut pas taper sur lui aussi souvent qu'on le voudrait *(le Petit Nicolas).*

aussi adv. et conjonction
▭ **adv.** **1.** De la même façon, autant. *Julie part dans une heure et Marie-Tévy aussi ;* vois ***également.*** *Bonne nuit ! — Toi aussi ! Yves est aussi grand que Sylvain mais n'est pas aussi vieux que lui. Ne parle pas aussi fort, je ne suis pas sourd ! ;* vois ***si.*** **2.** En plus. *Antoine collectionne les papillons et aussi les plantes.*
▭ **conjonction** Pour cette raison. *C'est une bicyclette à dix vitesses, aussi est-elle très chère.*

La Fée [...] déclara que cette petite Princesse n'aurait point d'esprit et qu'elle serait aussi stupide qu'elle était belle *(Riquet à la Houppe).*

Autre membre de la famille : **aussitôt.**

Attention à l'accent circonflexe du ***ô*** !

Famille de **aussi** et de **tôt**

Ne confonds pas *aussitôt* et *aussi tôt.*

aussitôt adv.
1. Tout de suite, sans attendre. *Quand tu m'as appelée, je suis venue aussitôt. Raccompagne Marie-Tévy mais rentre aussitôt après.* **2.** *Aussitôt rentrée, Yasmina fait ses devoirs,* dès qu'elle est rentrée. *Je suis venue aussitôt que tu m'as appelée,* dès le moment où tu m'as appelée.

Babar se lève et dit aussitôt « Bonjour, madame la baleine Je suis Babar, le roi des éléphants » *(Babar).*

austère adj.
1. *Une personne austère,* c'est une personne qui n'aime pas rire, qui n'aime pas les plaisirs. *L'abbé Gauthier est un homme austère.* **2.** Triste et sans ornement ; vois ***sévère.*** *Mme Bonnot a mis une robe très austère.*
▸ ***austérité*** n. f. *Julie est impressionnée par l'austérité de la vie des moines,* par leur vie dure et sans plaisirs. *Le pays a traversé une période d'austérité,* où l'on se prive, faute d'argent.

Le contraire d'*austère,* c'est *gai.*

Compare les accents dans *austère → austérité* et *prospère → prospérité.*

Au masculin pluriel : *australs.*

L'Australie est dans l'hémisphère austral.

austral adj.
L'hémisphère austral, c'est l'hémisphère sud. *Plusieurs pays se partagent les terres australes,* les terres qui sont proches du pôle Sud ; vois ***antarctique.***

Le contraire d'*austral,* c'est *boréal.*

N'oublie pas le ***t*** final.

autant adv.
1. Le même nombre, la même quantité. *Il faut autant de soucoupes que de tasses. Voilà six tasses et autant de soucoupes. Il n'y a jamais eu autant de monde sur la place. Mais si, il y en avait autant il y a trois ans. Julie travaille, fais-en autant,* fais la même chose. **2.** En même quantité, de la même façon. *Yasmina s'amuse autant qu'Antoine mais elle rit moins souvent.* **3.** *Marie-Tévy est d'autant plus faible en orthographe que le français n'est pas sa langue maternelle,* elle est encore plus faible en orthographe parce que le français n'est pas sa langue maternelle.

Famille de **tant**

Je suis étonnée de voir qu'elle est *aussi* grande, qu'elle a *autant* grandi.

Autant que je sache : si toutefois je suis bien informé.

Ne confonds pas *autel* et *hôtel.*

autel n. m.
1. Table de pierre sur laquelle on faisait des sacrifices religieux. *Les prêtres romains offraient des animaux en sacrifice à leurs dieux sur les autels.* **2.** Dans une église, table où l'on célèbre la messe. *Yves fait un signe de croix et une génuflexion en passant devant l'autel.*

Attention ! *auteur* n'a pas de féminin.

auteur n. m.
1. Personne qui est la cause de quelque chose. *Qui est l'auteur de cette vilaine farce ?* **2.** Personne qui a fait une œuvre. *La comtesse de Ségur est un auteur bien connu : elle a écrit « les Malheurs de Sophie » ;* vois ***écrivain.*** *Qui est l'auteur de la Marseillaise ? J'ai oublié le nom de l'auteur.*

Comment s'appelle l'auteur d'un tableau, d'un film ?

Attention au ***h*** après le premier ***t*** !

authentique adj.
1. *Voici un authentique vase chinois du XIIe siècle,* un vase qui est bien de son pays et de son époque. *C'est un Picasso authentique,* c'est un tableau peint par Picasso, un vrai Picasso ; vois ***véritable.*** **2.** *Cette histoire est authentique,* ce qu'elle raconte est vrai ; vois ***véridique.***
▸ ***authenticité*** n. f. *Les experts ont reconnu l'authenticité de ce vase,* ils ont reconnu qu'il est authentique.

Le contraire d'*authentique,* c'est *faux.*

Ce n'est pas une copie.

Le contraire d'*authentique,* c'est *mensonger.*

Compare : *authentique → authenticité* et *excentrique → excentricité.*

On dit alors que le vase a été *authentifié.*

auto n. f.

Automobile, voiture. *Angèle part en vacances en auto.*

Puis Babar va se promener en auto. C'est la vieille dame qui l'a achetée pour lui *(Babar).*

▸ **autobus** n. m. Grand véhicule qui transporte les personnes à l'intérieur des villes. *À Paris, le père d'Antoine prend l'autobus pour aller travailler ; il n'aime pas le métro.*

Autres membres de la famille : **auto-école, autoradio, autorail, autoroute, auto-stop.**

autocar n. m.

Grand véhicule pouvant transporter de nombreuses personnes. *Mme Hespel a visité la Turquie en autocar. Des autocars de touristes sont arrêtés devant la tour Eiffel.*

Va voir aussi ***car.***

autocassable adj.

Compare ***auto**cassable* et ***auto**collant* : les choses se font d'**elles-mêmes.**

Une ampoule autocassable, c'est une ampoule qui peut être ouverte sans l'aide d'une lime. *Ces ampoules de fortifiant sont des ampoules autocassables.*

Famille de **casser**

autochtone n. m. et f.

Personne qui est née dans le pays où elle habite ; vois ***indigène.*** *J'ai demandé mon chemin à un autochtone.*

autocollant adj. et n. m.

Famille de **colle**

1. adj. *Apportez trois enveloppes autocollantes,* qui collent d'elles-mêmes, sans avoir besoin d'être mouillées. **2.** n. m. *Un autocollant,* c'est une image qui colle d'elle-même. *Alex a mis des autocollants sur sa moto.*

Les autocollants portent souvent une inscription publicitaire.

Compare ***auto**collant* et ***auto**cassable* : les choses se font d'**elles-mêmes.**

autodéfense n. f.

Compare ***auto**défense* et ***auto**didacte* : on fait quelque chose **soi-même.**

Pratiquer l'autodéfense, c'est se défendre tout seul, sans appeler la police. *M. Bellec est partisan de l'autodéfense.*

Famille de **défendre**

autodidacte n. m. et f.

Compare ***auto**didacte* et ***auto**défense* : on fait les choses **soi-même.**

Personne qui a appris ce qu'elle sait toute seule, avec des livres et sans professeur. *Jean-Jacques Rousseau était un autodidacte.*

auto-école n. f.

Famille de **auto** et de **école**

École où l'on apprend à conduire une voiture. *Hippolyte s'est inscrit dans une auto-école pour obtenir son permis de conduire.*

Au pluriel : *des auto-écoles.*

autographe n. m.

Compare *auto**graphe** et ortho**graphe** : dans ces mots, il s'agit d'***écrire** quelque chose.

Mot écrit à la main par une personne célèbre, ou signature de cette personne. *Après le spectacle, Alex s'est précipité sur son chanteur préféré et lui a demandé un autographe.*

Compare ***auto**graphe,* ***auto**défense* et ***auto**didacte* : on fait les choses **soi-même.**

automate n. m.

Représentation d'une personne ou d'un animal dont le corps contient un mécanisme qui lui fait faire des mouvements. *Chez l'antiquaire, il y a un automate qui joue de la flûte. Quand il n'est pas bien réveillé, David agit comme un automate,* sans être conscient de ce qu'il fait.

Les automates avaient beaucoup de succès au XVIIIe siècle. L'intérieur de leur corps était comme une horloge.

▸ **automatique** adj. **1.** Qui fonctionne tout seul grâce à la mécanique. *Avec l'embrayage automatique, il n'y a pas besoin de changer de vitesse.* **2.** *Remettre ses clés dans sa poche après avoir fermé la porte est un geste automatique,* un geste que l'on fait sans y penser.

Quand le téléphone n'est pas automatique, il faut demander le numéro à une opératrice.

▸ **automatiquement** adv. *Quand la température baisse, la chaudière se met en marche automatiquement,* grâce à un mécanisme qui fonctionne de lui-même.

On dit parfois *automatiquement* pour *forcément, inévitablement.*

automne n. m.

Prononce [otɔn].

On appelle parfois l'automne l'*arrière-saison.*

Saison de l'année qui vient après l'été et avant l'hiver. *Les feuilles jaunissent et tombent à l'automne. Depuis deux ans, nous avons des automnes pluvieux.*

Quand c'est l'automne dans l'hémisphère Nord, c'est le printemps dans l'hémisphère Sud.

automobile n. f. et adj.

1. n. f. Voiture à moteur ; vois ***auto.*** *Mme Hespel prend son automobile pour aller travailler.* **2.** adj. *Alex aime les courses automobiles,* les courses d'automobiles. *L'industrie automobile se porte mal.*

Babar suit Olur à l'usine d'automobiles. C'est avec une certaine fierté qu'il voit les premières voitures sortir de l'usine *(Babar).*

Autrefois, il y avait des voitures à cheval.

▸ **automobiliste** n. m. et f. Personne qui conduit une automobile. *L'automobiliste doit respecter le code de la route et être prudent ;* vois ***conducteur.***

autonome adj.

L'île de Mayotte est autonome, elle administre ses affaires elle-même.

Un pays autonome n'est pas forcément indépendant.

Les *autonomistes* manifestent pour réclamer l'autonomie de leur région.

▷ **autonomie** n. f. **1.** *Cette région réclame son autonomie,* elle veut être autonome. **2.** *L'avion a trois heures d'autonomie,* il peut voler trois heures sans faire escale pour prendre du carburant.

autopsie n. f.

Examen médical d'un cadavre que l'on fait pour connaître les causes de la mort. *L'autopsie a prouvé que la victime avait été empoisonnée.*

Famille de **auto** et de ① **radio**

autoradio n. m.

Poste de radio installé dans une voiture. *M. Bellec allume l'autoradio dès qu'il monte dans sa voiture.*

L'autoradio est branché sur la batterie.

Famille de **auto** et de **rail**

autorail n. m.

Voiture de chemin de fer à moteur Diesel. *Angèle a pris le train pour Marseille et, de là, l'autorail pour Aix.*

On disait autrefois la *micheline.*

L'autorail est un train qui fait de courts trajets.

Conjugaison 1

autoriser v.

1. Donner à quelqu'un la permission de faire quelque chose. *Exceptionnellement, Angèle a autorisé ses élèves à jouer dans la classe,* ils ont eu le droit. **2.** Permettre. *Le stationnement des voitures est autorisé sur la place.*

Le contraire d'*autoriser,* c'est *interdire.*

▷ **autorisation** n. f. **1.** Permission. *Antoine demande l'autorisation de quitter la classe.* **2.** Papier écrit qui autorise à faire quelque chose. *Pour aller seul en Angleterre, Sylvain a besoin d'une autorisation de sortie du territoire.*

Le contraire d'*autorisation,* c'est *interdiction, défense.*

autorité n. f.

1. Droit de donner des ordres. *Les employés travaillent sous l'autorité du chef de service.* **2.** Pouvoir de se faire obéir, influence sur les autres. *Angèle est une institutrice qui a beaucoup d'autorité sur ses élèves. Ce livre fait autorité,* il est reconnu comme l'un des meilleurs dans son domaine. **3.** *Les autorités,* ce sont les personnes qui exercent le pouvoir. *Les autorités militaires ont ordonné le couvre-feu.*

Car le roi tenait essentiellement à ce que son autorité fût respectée. Il ne tolérait pas la désobéissance *(le Petit Prince).*

Compare : *autorité → autoritaire* et *volonté → volontaire.*

▷ **autoritaire** adj. *Une personne autoritaire,* c'est une personne qui impose sa volonté, force les autres à obéir. *Le père d'Yves est très autoritaire. Julie a un caractère autoritaire ; il faut toujours faire ce qu'elle veut.*

Famille de **auto** et de **route**

autoroute n. f.

Large route réservée aux voitures, camions, cars, motos, dont les deux sens de circulation sont séparés, et où il n'y a pas de croisement. *À la sortie de Paris, prenez l'autoroute pour Lyon.*

Les autoroutes sont des routes rapides. Elles ont au moins quatre voies, souvent six ou huit.

Ce mot est féminin, comme *route* : *une autoroute.*

Famille de **auto** et de **stop**

auto-stop n. m.

Faire de l'auto-stop, c'est arrêter une voiture pour être transporté gratuitement. *Alex a visité le Canada en auto-stop.*

On fait signe aux voitures avec le pouce en l'air.

▷ **auto-stoppeur** n. m., **auto-stoppeuse** n. f. Personne qui fait de l'auto-stop. *Angèle s'est arrêtée pour prendre des auto-stoppeurs dans sa voiture.*

Attention aux deux *p* de *auto-stoppeur.*

autour adv.

1. *Les enfants ont fait un feu et se sont assis autour,* en l'entourant. **2.** *La Terre tourne autour du Soleil,* elle en fait le tour. *Les enfants sont groupés autour d'Angèle,* dans l'espace qui l'environne.

Il jeta un coup d'œil autour de lui sur la planète du géographe *(le Petit Prince).*

Même famille que ② **tour**

autre adj. et pronom

▭ **adj. 1.** Qui n'est pas le même, différent. *J'ai une autre idée, dit Julie. Yves est plus grand que les autres garçons de son âge. J'achèterai des chaussures une autre fois,* plus tard, à un autre moment. *Il vaudrait mieux s'asseoir autre part,* ailleurs. **2.** Supplémentaire, nouveau. *Antoine a demandé une autre part de gâteau.*

J'en voudrais une autre !

Pourquoi n'y a-t-il pas, dans ce livre, d'autres dessins aussi grandioses que le dessin des baobabs ? *(le Petit Prince).*

▭ **pronom 1.** Quelqu'un, quelque chose de différent. *Il faut penser aux autres,* à autrui. *J'en ai vu bien d'autres,* d'autres choses étonnantes. *Il* *n'y a rien d'autre à manger.* **2.** *L'un est riche, l'autre est pauvre. Lequel préfères-tu ? Ni l'un ni l'autre. Yasmina et Marie-Tévy marchaient l'une à côté de l'autre. Aimez-vous les uns les autres.*

Ah ! vous êtes bien tous les mêmes. Vous vous soutenez tous. Il n'y en a pas un pour racheter l'autre *(les Contes du Chat perché).*

Famille de **fois** Ne confonds pas *autrefois* et *autre fois.*

▸ ***autrefois*** adv. Dans le temps passé ; vois ***anciennement, jadis.*** *Autrefois, on allait chercher l'eau au puits.*

▸ ***autrement*** adv. **1.** D'une autre manière, différemment. *Si tu t'y prenais autrement, tu y arriverais.* **2.** Dans un autre cas, dans le cas contraire. *« Antoine, ne recommence jamais ça, autrement tu auras affaire à ton père » ;* vois ***sinon.*** **3.** Beaucoup plus. *La montagne est autrement plus belle que la plaine.*

Autre membre de la famille : **autrui.**

autruche n. f.

On dit que l'autruche se cache la tête pour ne pas voir le danger qui la menace.

Oiseau de grande taille qui court très vite mais ne vole pas. *C'est l'autruche mâle qui couve les œufs.*

Les œufs d'autruche sont très gros.

autrui pronom

Ne fais pas à autrui ce que tu ne voudrais pas qu'on te fît (proverbe).

Une autre personne, les autres hommes. *On voit souvent les défauts d'autrui plus facilement que les siens.*

Famille de **autre**

auvent n. m.

Certaines tentes ont une entrée protégée par un auvent de toile.

Petit toit en avancée au-dessus d'une porte. *Marie-Tévy attend la fin de l'averse, sous l'auvent.*

aux va voir ***à*** et ***le.***

Un seul *l.* Prononce [oksiljɛʀ].

auxiliaire adj., n. m. et f.

1. adj. Qui aide, mais n'est pas indispensable. *Le téléphérique a un moteur auxiliaire,* un moteur de secours. **2.** n. m. et f. Personne qui en aide une autre dans son métier. *Les auxiliaires médicaux aident les médecins.* **3.** n. m. Verbe utilisé pour former les temps composés. *« Avoir » et « être » sont des auxiliaires.*

Au féminin : *une auxiliaire.*

On dit aussi : *un verbe auxiliaire.*

auxquels va voir ***auquel.***

Famille de **val**

aval n. m.

Le ski situé vers le bas de la pente est le ski aval. L'autre est le ski amont.

Côté vers lequel descend un cours d'eau. *Le bateau avance plus vite quand il va vers l'aval. Bordeaux est en aval de Toulouse,* Bordeaux est plus loin de la source de la Garonne que Toulouse.

Le contraire d'*aval,* c'est *amont.*

avalanche n. f.

Si l'on est emporté par une avalanche, il faut se mettre en boule pour ne pas être étouffé.

Masse de neige qui se détache du flanc des montagnes et descend en emportant tout sur son passage. *En skiant hors des pistes, on peut déclencher des avalanches.*

Le réchauffement de la température, qui s'appelle le redoux, entraîne un risque d'avalanches.

Conjugaison 1

avaler v.

Les serpents boas avalent leur proie tout entière sans la mâcher ! Ensuite ils ne peuvent plus bouger *(le Petit Prince).*

1. Faire descendre quelque chose par le gosier ; vois ***absorber, ingurgiter.*** *On avale la nourriture après l'avoir mâchée. Denis Prost avale rapidement son café. Martin est tout rouge : il a avalé de travers,* il a laissé passer ce qu'il avalait dans le conduit qui sert à la respiration. **2.** Lire vite. *Yves a avalé « l'Île au trésor » dans l'après-midi,* il l'a lue avec avidité, il l'a dévorée. **3.** Croire. *C'est une histoire difficile à avaler ;* vois ***admettre.***

On avale les pilules sans les croquer, avec une gorgée d'eau.

Il n'a rien avalé depuis ce matin : il n'a ni mangé ni bu.

Famille de ① **avant** Conjugaison 3 ; attention à la cédille devant ***a*** et ***o.*** ▭ Indic. présent : *j'avance, nous avançons.* Imparfait : *j'avançais, nous avancions.*

avancer v.

1. Pousser, porter vers l'avant. *Denis Prost avança une chaise à son invitée ;* vois ***approcher.*** *Il avance la main pour saisir le cendrier.* **2.** Aller en avant ; vois ***progresser.*** *Les explorateurs avançaient lentement dans la forêt. — Les danseuses se sont avancées pour saluer ;* vois ***s'approcher.*** **3.** Être en avant. *Le cap avance dans la mer.* **4.** *Avancer ce qu'on fait,* le faire progresser. *Mme Hespel a avancé son travail pour la semaine prochaine. — Mme Hespel s'est avancée dans son travail,* elle a pris de l'avance. **5.** Faire quelque chose plus tôt que prévu. *Le docteur Séverac a avancé son départ d'une semaine.* **6.** *Avancer de l'argent à quelqu'un,* c'est le lui prêter. *Peux-tu m'avancer 1 000 francs, je te les rendrai.* **7.** Être en avance. *La pendule avance d'un quart d'heure.*

Le contraire, c'est *reculer.*

S'avançant à pas de loup, les parents, de leurs quatre mains, empoignèrent la queue du chat qui se trouva soudain suspendu *(les Contes du Chat perché).*

En quelques jours, des murs se dressent un peu partout. Les palais sont bien avancés *(Babar).*

Le contraire, c'est *différer, retarder.*

À quel moment de l'année avances-tu ta montre d'une heure ?

Le contraire, c'est *retarder.*

▸ ***avance*** n. f. **1.** Marche, progression. *Il faut empêcher l'avance des ennemis,* les empêcher d'avancer. **2.** Distance ou temps qui sépare une personne ou une chose de ce qui est derrière elle. *Le coureur a pris de*

Le contraire, c'est *recul, repli.*

Le contraire, c'est *retard.*

On est *ponctuel* quand on arrive à l'heure. Avant l'heure, on est *en avance;* après l'heure, on est *en retard.*

l'avance sur les autres, il est devant eux. *Il a six mètres d'avance.* **3.** *Les Bellec ont retenu leurs places longtemps à l'avance,* avant le moment fixé ; vois ***avant.*** *Ici, on paie d'avance,* avant d'avoir la marchandise. *Mme Hespel est arrivée en avance à son rendez-vous,* avant l'horaire prévu. **4.** Somme que l'on paie avant la date fixée. *M. Touati a demandé une avance à son patron ;* vois ***acompte.*** **5.** *Faire des avances à quelqu'un,* c'est lui parler pour établir des relations, souvent amoureuses. *Hippolyte a fait des avances à Angèle.*

Il vaut mieux s'y prendre *à l'avance* qu'*au dernier moment.*

▸ ***avancé*** adj. **1.** *Quand Denis Prost est rentré, la nuit était déjà bien avancée,* une grande partie de la nuit était déjà écoulée. **2.** En avance sur les autres. *Julie est avancée pour son âge ;* vois ***précoce.*** *Mme Hespel a des idées avancées,* ses idées sont en avance sur celles de son époque.

Il est rentré *à une heure avancée* ou *à une heure tardive.*

Compare : *avancer → avancement* et *débarquer → débarquement.*

▸ ***avancement*** n. m. **1.** *Mme Hespel a eu de l'avancement,* elle a obtenu un poste plus important et mieux payé ; vois ***promotion.*** **2.** Progrès. *Sophie Pelletier surveille l'avancement des travaux, dans sa nouvelle maison.*

Prononce [avɑ̃smɑ̃].

① ***avant*** préposition et adv.

▭ **préposition 1.** *Avant* indique que cela se passe à un moment qui précède telle chose. *Antoine est arrivé avant Yves,* plus tôt qu'Yves ; vois ***devancer, précéder.*** *Angèle veut réfléchir avant de prendre une décision. Dépêchons-nous de rentrer avant qu'il ne pleuve.* **2.** *Avant* indique que cela est situé à un endroit qui précède telle chose. *La maison des Prost est à gauche avant le bois. Le train ne s'arrête pas avant Dijon.*

Elle promit à sa Marraine qu'elle ne manquerait pas de sortir du Bal avant minuit *(Cendrillon).*

Le contraire d'*avant,* c'est *après.*

▭ **adv. 1.** Plus tôt. *M. Doucet habite Paris ; avant il vivait à Motbourg ;* vois ***auparavant.*** **2.** *Vous voyez le bois, la maison des Prost est un peu avant.* **3.** *Marie-Tévy se penche en avant pour mieux voir le cortège. En avant, marche !*

Le contraire d'*en avant,* c'est *en arrière.*

Autres membres de la famille : **② avant, avant-bras, avant-dernier, avant-garde, avant-hier, avant-propos, avant-veille, auparavant, avancer, avancé, avance, avancement.**

② ***avant*** n. m.

1. Partie de devant d'un objet. *Une sirène était sculptée à l'avant du navire.* — adj. invariable *M. Bellec a ouvert les portières avant de sa voiture,* celles de devant. **2.** Joueur d'une équipe de football ou de rugby qui est placé devant les autres. *Les avants des deux équipes se préparaient pour la mêlée.*

Le contraire d'*avant,* c'est *arrière.*

L'avant d'un navire, c'est la *proue.*

Les avants attaquent alors que les arrières défendent le but.

avantage n. m.

1. Ce qui donne de la supériorité à quelqu'un. *Mme Hespel a sur ses collègues l'avantage de l'expérience.* **2.** Supériorité dans un combat, une lutte. *Les footballeurs de notre équipe ont pris l'avantage par trois buts à deux.* **3.** Ce qui est utile, profitable. *Quels sont les avantages de cette nouvelle machine ? La liberté est un des avantages de cette profession. Vous auriez avantage à acheter un nouveau téléviseur plutôt que de faire réparer l'ancien,* vous auriez intérêt à en acheter un nouveau.

Le contraire d'*avantage,* c'est *handicap.*

On *a l'avantage,* on le *prend,* on le *conserve* ou on le *perd.*

Le contraire d'*avantage,* c'est *inconvénient, désavantage.*

▸ ***avantager*** v. **1.** *Avantager quelqu'un,* c'est lui donner un avantage. *Son expérience avantage Mme Hespel.* **2.** Mettre en valeur le physique ; vois ***embellir.*** *L'appareil dentaire que porte David ne l'avantage pas.*

Conjugaison 3 ▭ Indic. présent : *nous avantageons.* Imparfait : *j'avantageais, nous avantagions.*

Le contraire d'*avantager,* c'est *désavantager.*

▸ ***avantageux*** adj. Intéressant. *Le supermarché vend des bottes à un prix avantageux. Le grand paquet de lessive est plus avantageux ;* vois ***économique.***

Au féminin : *avantageuse.*

▸ ***avantageusement*** adv. *Angèle remplace avantageusement l'ancienne institutrice,* elle la remplace en mieux.

Autres membres de la famille : **davantage, désavantage, désavantager, désavantageux.**

avant-bras n. m. invariable

Famille de ① **avant** et de **bras**

Partie du bras qui va du coude au poignet. *Antoine est tombé sur l'avant-bras.*

Au pluriel : *des avant-bras.*

avant-dernier adj.

Famille de ① **avant** et de **dernier**

C'est l'avant-dernier jour de classe, celui qui est avant le dernier. — n. *Yasmina est l'avant-dernière sur la liste d'appel.*

Au pluriel : *les avant-derniers.*

avant-garde n. f.

Famille de ① **avant** et même famille que ① **garde**

1. Partie d'une armée qui est envoyée en avant. *Les soldats de l'avant-garde ont été battus par l'ennemi.* **2.** *D'avant-garde,* en avance sur ce qui se fait à une époque. *Les œuvres d'avant-garde sont souvent méprisées par le public,* les œuvres très modernes.

Les troupes sont entourées de l'avant-garde et de l'arrière-garde.

Au pluriel : *des avant-gardes.*

Le contraire de *d'avant-garde,* c'est *démodé.*

Famille de ① **avant** et de **hier**

avant-hier adv.
Le jour qui a précédé hier. *Il a plu toute la journée, hier et avant-hier.*

Va voir aussi ***avant-veille.***

Famille de ① **avant** et de ① **propos**

avant-propos n. m. invariable
Courte introduction au début d'un livre ; vois ***préface.*** *Dans son avant-propos, l'auteur remercie les personnes qui l'ont aidé dans ses recherches.*

Au pluriel : *des avant-propos.*

Famille de ① **avant** et de ① **veille**

avant-veille n. f.
Jour qui précède la veille du jour dont on parle. *L'avant-veille de l'incendie de la poste, on avait vérifié les extincteurs.*

Au pluriel : *des avant-veilles.*

avare adj.
1. *Une personne avare,* c'est une personne qui a de l'argent et refuse de le dépenser, même utilement. *Mme Roussel est économe, mais sa sœur, Mme Harpie, est avare.* — n. m. et f. *Mme Harpie est une avare ;* vois ***grippe-sou.*** **2.** *Être avare de quelque chose,* c'est en donner peu. *Le docteur Séverac est avare de paroles,* il parle peu.
▸ ***avarice*** n. f. *Mme Harpie est d'une grande avarice,* elle est très avare.

Le contraire d'*avare,* c'est *généreux, dépensier.*

Compare : *avare → avarice* et *juste → justice.*

Harpagon est le plus célèbre des avares. C'est le héros d'une comédie de Molière, qui s'appelle justement *l'Avare.*

Le contraire, c'est *générosité.*

avarie n. f.
Dégât matériel qui touche un bateau ou les marchandises qu'il transporte. *Loïc a fait réparer les avaries causées par la tempête ;* vois ***détérioration, dommage.***
▸ ***avarié*** adj. *Des produits avariés,* ce sont des produits abîmés parce qu'on les a gardés trop longtemps alors qu'ils ne se conservent pas. *La viande avariée sent mauvais ;* vois ***abîmé, pourri.***

On dit qu'elle est *impropre à la consommation.*

avec préposition
1. *Yasmina se promène avec Julie,* en compagnie de Julie. *Venez avec nous !* **2.** *Une cigarette avec filtre,* c'est une cigarette qui a un filtre. *Avant de faire construire sa maison, Denis Prost habitait un appartement avec une terrasse,* qui possède une terrasse. **3.** *Mme Harpie ne s'entend pas avec M. Doucet,* ils n'ont pas de bonnes relations. *Antoine partage tout avec ses amis.* **4.** *Alex s'est battu avec son frère ;* vois ***contre.*** **5.** *Avec ce temps, on ne peut pas sortir,* à cause de ce temps. **6.** *Enfonce le clou avec un marteau,* à l'aide d'un marteau. *Yves ! ne mange pas avec tes doigts ! Avec vingt francs, tu peux acheter deux paquets de biscuits.* **7.** *Avec* indique la manière. *Angèle s'habille avec goût. Tu viens ? Avec plaisir.*

Le contraire d'*avec,* c'est *sans.*

Fâchés de ne pouvoir mettre le nez dehors, les parents étaient de mauvaise humeur et peu patients avec leurs deux filles *(les Contes du Chat perché).*

J'ai vécu seul, sans personne avec qui parler véritablement, jusqu'à une panne dans le désert du Sahara, il y a six ans *(le Petit Prince).*

Avenant ne s'emploie plus beaucoup.

avenant adj.
Aimable, accueillant. *Mme Bellec est une commerçante avenante. Elle a un air avenant.*

Au féminin : *avenante.*

Attention à l'accent grave du ***è*** !

avènement n. m.
Arrivée au pouvoir d'un roi, d'un empereur. *De nombreuses fêtes marquaient l'avènement d'un nouveau roi.*

Ne confonds pas *avènement* et *événement.*

Ne confonds pas *avenir* et *à venir* ; on écrit : *des projets d'avenir,* mais *les jours à venir.*

avenir n. m.
1. *L'avenir,* c'est le temps à venir, le futur. *L'avenir dira si Mme Hespel a eu raison. On ne peut prévoir l'avenir. À l'avenir, vous serez plus prudent,* à partir de maintenant ; vois ***désormais, dorénavant.*** **2.** *L'avenir de quelqu'un,* c'est sa situation future. *David a déjà pensé à son avenir ; il sera ingénieur.*

On ne peut vivre dans le passé. Il faut penser au présent et à l'avenir.

Famille de **venir**

aventure n. f.
1. Ce qui arrive d'imprévu, de surprenant. *Le héros de ce roman découvre le trésor après bien des aventures.* **2.** Action, entreprise qui comporte de la nouveauté, des risques. *Alex a le goût de l'aventure. Il est parti à l'aventure,* au hasard, sans but précis. **3.** *Dire la bonne aventure à quelqu'un,* c'est lui prédire l'avenir. *La bohémienne lui avait dit la bonne aventure.*
▸ ***s'aventurer*** v. Se risquer, aller avec un certain risque. *Marie-Tévy ne s'est jamais aventurée seule dans la forêt.*
▸ ***aventureux*** adj. **1.** Plein d'aventures. *Alex aimerait mener une vie aventureuse.* **2.** Plein de risques ; vois ***hasardeux.*** *Mme Hespel a refusé un projet qu'elle estimait trop aventureux.*

Dans ce sens, *aventure* ne s'emploie qu'au singulier.

Conjugaison 1

Compare : *aventure → aventureux, honte → honteux* et *paresse → paresseux.*

Mme Hespel est ingénieur.

▸ **aventurier** n. m., **aventurière** n. f. Personne qui cherche l'aventure par goût du risque et souvent aussi pour s'enrichir. *Cet aventurier a parcouru le monde.*

Autre membre de la famille : **mésaventure.**

Ma maison est au coin de l'avenue de l'Opéra, dit la vieille dame *(Babar).*

avenue n. f.
Large rue souvent bordée d'arbres ; vois **boulevard.** *À Paris, les grandes avenues ont des contre-allées.*

Le 14 Juillet, les soldats défilent sur l'avenue des Champs-Élysées à Paris.

Ne confonds pas *averse* et *à verse.*

averse n. f.
Forte pluie, généralement de courte durée, qui tombe brusquement. *Les enfants, surpris par une averse, se sont réfugiés dans une grange. Ils sont sortis entre deux averses.*

Il y a aussi des *averses de grêle* et *de neige.*

Aversion [avɛʀsjɔ̃] rime avec *portion.*

Le contraire d'*aversion,* c'est *amour, sympathie.*

aversion n. f.
Avoir de l'aversion pour quelqu'un, c'est éprouver un sentiment de mépris, de dégoût à son égard ; vois **antipathie, répulsion.** *Presque tout le monde a de l'aversion pour Mme Harpie.*

Ne confonds pas *aversion* et *inversion.*

Conjugaison 2

avertir v.
Avertir quelqu'un, c'est l'informer de quelque chose pour qu'il y fasse attention ; vois **prévenir.** *Mme Hespel avait averti son fils qu'il n'aurait pas son bac s'il ne travaillait pas davantage. Avertissons-le avant qu'il ne soit trop tard.*

Dernier avertissement ! : la punition est proche.

▸ **avertissement** n. m. Appel à l'attention, à la prudence. *Julie a refusé de tenir compte des avertissements d'Antoine ;* vois **avis, conseil, recommandation.**

La maîtresse a dit qu'elle nous donnait un dernier avertissement, après ce serait l'arithmétique *(le Petit Nicolas).*

Compare : *avertir → avertisseur* et *amortir → amortisseur.*

▸ **avertisseur** n. m. Appareil destiné à avertir. *Les ambulances, les voitures de police et de pompiers ont des avertisseurs sonores ;* vois **klaxon, trompe.**

Au pluriel : *des aveux.*

Il me l'*a avoué.*

aveu n. m.
1. *Faire un aveu,* c'est reconnaître une chose difficile ou pénible à dire. *Hippolyte m'a fait un aveu : il est amoureux d'Angèle.* **2.** *Faire des aveux,* c'est reconnaître qu'on est coupable. *L'accusé a fait des aveux complets, il a tout avoué.*

Il y a des pays où l'on arrache des aveux aux prisonniers en les torturant.

La poupée est aveugle, elle n'a pas d'yeux, dit Madeleine *(les Malheurs de Sophie).*

aveugle adj.
1. *Une personne aveugle,* c'est une personne qui ne voit pas. *Une amie de Mme Séverac est aveugle de naissance.* — n. m. et f. *Mme Séverac enregistre des romans sur cassette pour les aveugles. Angèle a aidé une aveugle à traverser la rue.* **2.** Incapable de voir la réalité. *La haine que Mme Harpie porte à M. Doucet la rend aveugle.* **3.** *David a une confiance aveugle en sa sœur,* une confiance qui l'empêche de juger, de réfléchir ; vois **absolu, total.**

Va voir aussi **cécité.**

On dit aussi les *non-voyants.*

Le contraire d'*aveugle,* c'est *lucide.*

Compare : *aveugle → aveuglément, énorme → énormément* et *immense → immensément.*

▸ **aveuglément** adv. Sans réfléchir. *David suit aveuglément Nathalie, sa sœur jumelle.*

Ne confonds pas *aveuglément* et *aveuglement.*

Conjugaison 1

Une lumière qui aveugle est *aveuglante.*

▸ **aveugler** v. **1.** Gêner la vue par une lumière trop vive ; vois **éblouir.** *Quand nous sommes sortis du tunnel, la lumière nous a aveuglés. Nous étions aveuglés.* **2.** Empêcher de voir la réalité. *La colère aveuglait M. Bellec.*

Les broussailles le griffent, il est aveuglé par les branches qui lui fouettent les yeux *(Babar).*

Le contraire d'*aveuglement,* c'est *clairvoyance, lucidité.*

▸ **aveuglement** n. m. Manque de lucidité. *Il s'est fait escroquer à cause de son aveuglement.*

▸ *à l'***aveuglette** adv. **1.** Sans y voir clair. *Hippolyte allait à l'aveuglette chercher des bougies.* **2.** Au hasard, sans prendre de précautions. *Mme Hespel ne prend jamais de décisions à l'aveuglette.*

Compare *aviateur* et *aviation* : dans ces deux mots, il est question d'**avion.**

aviateur n. m., **aviatrice** n. f.
Personne qui pilote un avion ou qui fait partie de l'équipage. *Les premiers aviateurs avaient le goût du risque.*

Hélène Boucher fut une grande aviatrice. Elle fit seule Paris-Saigon en 1929.

Compare *aviation* et *aviateur* : dans ces deux mots, il est question d'**avion.**

aviation n. f.
1. *L'aviation,* c'est tout ce qui touche aux avions. *Les progrès de l'aviation ont été très rapides. Les avions décollent et atterrissent sur un terrain d'aviation.* **2.** Armée de l'air. *Ce pays a gagné la guerre grâce à son aviation.*

Les Dalton sont avides d'argent.

avide adj.
Être avide de quelque chose, c'est désirer quelque chose avec force. *Napoléon était avide de gloire.*

Les vampires sont avides de sang.

Compare : *avide → avidité* et *lucide → lucidité.*

▸ **avidité** n. f. Désir très fort ; vois **convoitise.** *Antoine regarde la vitrine de la pâtisserie avec avidité,* avec envie.

Famille de **vin**

aviné adj.
Un homme aviné, c'est un homme qui a bu trop de vin ; vois ***ivre.*** *Le clochard avait une haleine avinée,* qui sentait le vin.

Les gros avions comme le Boeing 747 peuvent transporter 490 passagers à 900 km/h.

avion n. m.
Appareil volant qui a un moteur et des ailes et qui sert à transporter des personnes et des marchandises. *Yasmina est allée à Marrakech en avion. Denis Prost a pris l'avion à l'aéroport de Roissy. Les pilotes d'avion sont en uniforme. Alex envoie à Réjean, qui habite au Québec, des lettres par avion.*

En 1909, Blériot fit la première traversée de la Manche en avion.

Autres membres de la famille : **hydravion, porte-avions.**

aviron n. m.
1. Rame. *Loïc a dû rentrer à l'aviron parce que le moteur de son bateau est tombé en panne.* **2.** Sport qui consiste à faire des promenades ou des courses en bateau à rames. *Alex fait de l'aviron sur le lac.*

On faisait déjà des courses d'aviron dans l'Antiquité.

Attention au *s* final, qui ne se prononce pas : [avi].

avis n. m.
1. Opinion. *Sophie Pelletier demande à sa fille son avis sur le livre qu'elle écrit,* elle lui demande ce qu'elle en pense. *Antoine change tout le temps d'avis. À votre avis, de qui Hippolyte est-il amoureux ?* **2.** Texte qui informe sur un sujet précis. *Avis au public : les chiens sont interdits sur cette plage.*

Sa fille va lui *donner son avis.*

Autre membre de la famille : **préavis.**

Conjugaison 1

▸ ① **aviser** v. Avertir. *Pour aviser leurs amis de la naissance du bébé, M. et Mme Bellec enverront des faire-part.*

Conjugaison 1

② **s'aviser** v.
1. *S'aviser de quelque chose,* c'est faire attention à quelque chose qu'on n'avait pas encore remarqué. *Antoine et Julie étaient en train de se battre quand ils se sont avisés de la présence de la maîtresse.* **2.** *S'aviser de faire quelque chose,* c'est oser faire quelque chose. *Si Antoine s'avise de sortir sans permission, il aura affaire à la directrice.*

Les Romains qui s'avisent d'attaquer le village d'Astérix sont bien courageux !

Soudain, les parents s'avisèrent qu'il était presque huit heures et qu'ils allaient arriver en retard à la gare *(les Contes du Chat perché).*

On peut dire *une avocate* ou *une femme avocat.*

Quand on s'adresse à un avocat ou une avocate, on lui dit : « Maître ».

① **avocat** n. m., **avocate** n. f.
Personne dont le métier est d'aider les gens à comprendre la loi et à se défendre devant le tribunal. *Pour leur divorce, Mme Roussel et M. Doucet ont pris un seul avocat. Avant de signer son contrat avec l'agence de publicité, Denis Prost a consulté une avocate.*

Pour être avocat, il faut faire des études de droit.

Quand ils plaident, les avocats mettent une grande robe noire.

② **avocat** n. m.
Fruit vert, à gros noyau, dont le goût ressemble à celui de l'artichaut. *Mme Roussel a préparé des avocats au crabe.*

L'avocat a la forme et la taille d'une grosse poire.

Les avocats poussent dans les pays chauds.

avoine n. f.
Plante dont le grain sert de nourriture aux chevaux et aux volailles. *Claire va donner de l'avoine à son âne.*

On peut faire des bouillies avec les *flocons d'avoine.*

L'avoine est une céréale.

Conjugaison 34 ▭ Indic. présent : *j'ai, nous avons.* Imparfait : *j'avais, nous avions.* Futur : *j'aurai, nous aurons.* — Subj. présent : *que j'aie, que nous ayons.* — Impératif présent : *aie, ayons.*

① **avoir** v.
▭ **verbe 1.** Posséder. *Angèle a une voiture. Hippolyte n'a pas beaucoup d'argent. Julie a les yeux verts. Mamie Lou a les cheveux blancs. Mme Harpie a une verrue sur le nez. Yves a mauvais caractère. Sophie Pelletier n'a plus sa mère,* sa mère est morte. *Angèle n'a pas d'enfants. Julie a beaucoup d'amis. Antoine a huit ans.* **2.** Obtenir. *Alex n'a pas eu son bac. Sylvain a 10 en conduite. Yves a eu une guitare à Noël. Quand Alex répare sa moto, il a les mains sales.* **3.** Ressentir. *Mme Harpie a mal aux pieds. Loïc a du courage,* il est courageux. *Claire n'a pas peur des chiens. Sylvain a un rhume,* il est enrhumé. *La mère de Sophie Pelletier avait un cancer,* elle était atteinte d'un cancer. *Yasmina a l'air triste. Nathalie a de la peine quand elle quitte Sylvain.* **4.** *Avoir quelque chose à faire,* c'est devoir faire quelque chose. *Julie s'ennuie, elle n'a plus rien à faire.* **5.** *Il y a,* il existe. *Il n'y a plus de pain. Il y a des souris dans la cave. Il y a deux élèves absents ce matin. Il y a longtemps qu'Yves n'a pas fait de colère ;* vois ***voilà.*** *Il y a des gens qui exagèrent.*
▭ **auxiliaire** *Julie a fait une grimace à Mme Harpie. Si Julie avait su qu'elle serait interrogée, elle aurait mieux appris ses leçons. Antoine a mangé du chocolat. Quand Sylvain aura fini ses devoirs, il pourra aller jouer.*

Le capitaine Haddock a une barbe noire.

Tintin a un chien, c'est Milou.

Jules Verne avait beaucoup d'imagination.

Obélix a toujours faim.

En hiver, on a froid. En été, on a chaud.

Tu en fais une drôle de tête. Qu'est-ce que tu as ?

On peut dire : *j'ai ma leçon à apprendre* ou *j'ai à apprendre ma leçon.*

Je sais qu'il y a le Petit Poucet qui cherche ses frères et il rencontre le Chat botté et il y a le marquis de Carabas et un ogre qui veut manger les frères du Petit Poucet *(le Petit Nicolas).*

Le verbe *avoir* sert à conjuguer d'autres verbes aux temps composés ; c'est un auxiliaire, comme le verbe *être.*

▸ ② **avoir** n. m. Ce que l'on possède. *Il gaspille son avoir.*

Autre membre de la famille : **naguère.**

Famille de **voisin**

avoisinant adj.
Il y a des chats abandonnés dans les rues avoisinantes, qui sont tout près.

Conjugaison 1

avorter v.
1. Donner naissance à un enfant ou à un petit pas assez développé pour

vivre. *Diane, la chienne de Sylvain, a avorté.* **2.** *Un projet qui avorte,* c'est un projet qui ne se réalise pas ; vois ***échouer.*** *Le projet de parking a avorté.*

On dit aussi une *fausse-couche,* quand c'est un accident.

▸ ***avortement*** n. m. Interruption précoce d'une grossesse. *Le docteur Séverac n'aime pas pratiquer les avortements.*

En 1975, une loi qui autorise l'avortement a été votée.

avouer v.

Conjugaison 1

Delphine et Marinette furent bien obligées d'avouer ce qui s'était passé le jour de la noyade *(les Contes du Chat perché).*

1. *Avouer une chose,* c'est reconnaître qu'elle est vraie. *Antoine a avoué avoir copié sur Julie pendant l'interrogation écrite.* **2.** *Avouer,* c'est reconnaître que l'on est coupable. *Le voleur a avoué,* il a fait des aveux. *Les policiers l'ont fait avouer.*

Le contraire d'*avouer,* c'est *nier.*

Autres membres de la famille : **désavouer, inavouable.**

avril n. m.

Prononce [avʀil].

En avril, ne te découvre pas d'un fil (proberbe).

Quatrième mois de l'année, qui a trente jours. *Cette année, les vacances de printemps commencent le 6 avril. Mamie Lou se souvient d'avrils glacés.*

Le 1er avril, les gens se font des farces que l'on appelle des *poissons d'avril.*

axe n. m.

L'axe de la Terre, c'est la ligne imaginaire autour de laquelle elle tourne et qui va du pôle Nord au pôle Sud.

1. Ligne qui passe au milieu de quelque chose. *La ligne blanche, qui indique que les voitures ne doivent pas doubler, marque l'axe de la route.* **2.** *L'axe d'une roue,* c'est la tige qui permet à la roue de tourner sur elle-même. **3.** *Les grands axes de circulation,* ce sont les grandes routes qui traversent un pays. *Le docteur Séverac n'aime pas emprunter les grands axes.*

Va voir aussi ***essieu, pivot.***

Les petites routes sont plus tranquilles.

azalée n. f.

Azalée est un nom féminin.

Petit arbre qui donne de très belles fleurs et qu'on vend en pot chez les fleuristes. *Yves a offert une azalée à sa mère pour sa fête.*

azote n. m.

On se sert des produits *azotés* pour fabriquer des engrais.

Gaz qui constitue les quatre cinquièmes de la composition de l'air. *L'azote est incolore et inodore.*

Azote est un nom masculin.

azur n. m.

La *Côte d'Azur,* c'est la côte méditerranéenne entre Toulon et Menton.

Couleur bleue du ciel et de la mer. *Mme Roussel admire l'azur de la Manche, à Paimpol. Yves a des yeux d'azur,* des yeux très bleus.

Pour les poètes, l'*azur,* c'est le ciel.

baba n. m.
Gâteau arrosé d'un sirop alcoolisé. *Antoine aime beaucoup les babas au rhum.*

babines n. f. plur.
1. Lèvres de certains animaux. *Quand le chien voit un chat, il retrousse ses babines.* 2. *Rien que de penser à son gâteau d'anniversaire, Antoine se lèche les babines,* il se réjouit à l'idée de le manger.

C'est un signe de menace !

On dit aussi qu'*il montre les dents.*

babiole n. f.
1. Petit objet sans valeur. *Antoine a offert une babiole à Marie-Tévy pour son anniversaire ;* vois **bricole.** 2. Chose qui n'a pas d'importance ; vois **vétille.** *Antoine et Yves se sont fâchés pour une babiole.*

Attention à l'accent circonflexe du **â** !

bâbord n. m.
Côté gauche d'un bateau quand on regarde vers l'avant. *Debout à l'avant de son bateau, Loïc montre à Yves une île à bâbord, puis un voilier à tribord.*

Famille de ② **bord**

Prononce [babwɛ̃].

babouin n. m.
Singe qui a de grosses lèvres. *Au zoo, les babouins font rire les enfants.*

Le babouin vit en Afrique.

Prononce *foot* [fut], comme dans *football.*

Dans certains cafés, on peut jouer au baby-foot.

baby-foot n. m. invariable
Table de jeu sur laquelle on joue au football en faisant bouger des joueurs en bois à l'aide de manettes. *Le docteur Séverac a acheté un baby-foot pour ses enfants. Nathalie et David font une partie de baby-foot.*

Au pluriel : *des baby-foot.*
On dit aussi *football de table.*

Baby-sitter est un mot anglais. Prononce [babisitœʀ].

baby-sitter n. m. et f.
Personne qui garde les enfants quand les parents ne sont pas là. *Sophie Pelletier fait venir une baby-sitter pour garder son bébé quand elle va au cinéma.*

Au pluriel : *des baby-sitters.*
Les baby-sitters sont souvent des étudiants.

① **bac** n. m.
1. Bateau qui sert à traverser un cours d'eau ou un bras de mer. *Pour aller à l'île de Ré, il faut prendre le bac à La Rochelle.* 2. Récipient. *Mme Séverac a mis des bacs à fleurs sur le balcon.*

On fait les glaçons dans le *bac à glace* du réfrigérateur.

On doit prendre un bac quand il n'y a pas de pont.
Autre membre de la famille : **baquet.**

Bac est l'abréviation de *baccalauréat.*

② **bac** n. m.
Baccalauréat. *On passe le bac à la fin de ses études secondaires. Alex a raté son bac.*

Va voir aussi ***bachot.***

Attention, il y a deux *c* !

baccalauréat n. m.
Examen que l'on passe à la fin des études secondaires ; vois ② ***bac, bachot.*** *Alex va repasser son baccalauréat.*

Le baccalauréat comporte des épreuves écrites et orales.

Attention à l'accent circonflexe du *â* !

bâche n. f.
Grande couverture en toile imperméable. *Les peintres ont mis une bâche sur la moquette avant de repeindre le plafond. Pierre Séverac a mis des bâches sur les meules de foin.*

Il pourrait pleuvoir.

Il faut être bachelier pour pouvoir s'inscrire à l'université.

bachelier n. m., **bachelière** n. f.
Personne qui a obtenu le baccalauréat. *Alex espère être bachelier cette année.*

Attention au *t* final !

bachot n. m.
Baccalauréat. *Alex prépare son bachot pour la deuxième fois ;* vois ② ***bac.***

Espérons que c'est la dernière !

Attention aux deux *l* !

Les bacilles sont visibles seulement au microscope.

bacille n. m.
Être vivant de très petite taille en forme de petit bâton, formé d'une seule cellule. *Beaucoup de bacilles sont dangereux pour l'homme et sont cause de maladies. C'est le bacille de Koch qui donne la tuberculose.*

Le bacille est un *microbe.*

Va voir aussi ***bactérie.***

Conjugaison 1

bâcler v.
Bâcler un travail, c'est le faire trop vite et sans s'appliquer. *David a bâclé ses devoirs pour pouvoir aller jouer plus vite.*

Le contraire de *bâcler,* c'est *soigner, fignoler.*

Il y a des bactéries partout : dans l'air, l'eau, la terre, les plantes et les animaux.

bactérie n. f.
Être vivant de très petite taille formé d'une seule cellule. *Il y a plusieurs sortes de bactéries : certaines donnent des maladies, d'autres au contraire sont utiles comme celles qui transforment les feuilles mortes en terreau.*

Une bactérie ne mesure pas plus d'un millième de millimètre.

Les *bacilles* sont des *bactéries.*

Attention au *d* final.

badaud n. m.
Personne curieuse qui s'arrête dans la rue pour regarder ce qui se passe. *Les pompiers ont fait dégager les badauds qui regardaient l'incendie.*

badge n. m.
Insigne portant une inscription ou une image que l'on épingle sur ses vêtements. *Sylvain porte plusieurs badges sur son blouson.*

Badigeon [badiʒɔ̃] rime avec *goujon.*

badigeon n. m.
Peinture spéciale avec laquelle on peint les murs extérieurs des maisons. *On va passer un coup de badigeon sur le mur du garage.*

Compare : *badigeon → badigeonner* et *goudron → goudronner.*

▹ **badigeonner** v. **1.** Enduire un mur de badigeon. *Le peintre a badigeonné la façade.* **2.** *Les genoux de Claire sont badigeonnés de mercurochrome,* enduits de mercurochrome.

Conjugaison 1

Badigeonner s'écrit avec deux ***n.***

Baffle est un mot anglais.

baffle n. m.
Haut-parleur d'une chaîne stéréo. *Hippolyte a disposé les deux baffles de chaque côté du canapé.*

Conjugaison 1

bafouiller v.
Parler d'une manière embrouillée, en ayant du mal à trouver ses mots et en n'articulant pas bien. *Marie-Tévy était très intimidée par la directrice, elle bafouillait d'émotion ;* vois ***bredouiller.***

Va voir aussi ***balbutier, bégayer.***

On emploie ce mot surtout au pluriel.

Partir avec armes et bagages : partir avec tout ce que l'on a.

bagage n. m.
1. *Les bagages,* ce sont les valises, les sacs, les paquets que l'on emporte avec soi quand on part en voyage. *M. Bellec a rangé les bagages dans le coffre de la voiture. Avant de prendre l'avion, il faut faire enregistrer ses bagages. Denis Prost a laissé ses bagages à la consigne.* **2.** Ensemble des connaissances que l'on a acquises. *Alex a un bagage musical important,* il sait beaucoup de choses en musique.

Plier bagage, c'est partir.

Autre membre de la famille : **porte-bagages.**

Attention ! deux ***r*** dans *bagarre, se bagarrer* et *bagarreur.*

bagarre n. f.
Échange de coups ; vois ***bataille.*** *Yves aime bien la bagarre. Il cherche la bagarre. Il va y avoir de la bagarre. Au milieu de l'embouteillage, une bagarre a éclaté entre deux automobilistes.*

Mon premier est un bijou,
Mon second vaut cent mètres carrés,
Dans mon tout il y a des coups.

Conjugaison 1

▸ *se* **bagarrer** v. Se battre. *Yves et Antoine se bagarrent souvent dans la cour de récréation.*

Ce mot est familier : dans un devoir, il faut écrire *se battre.*

Au féminin : *bagarreuse.*

▸ **bagarreur** adj. *Yves est très bagarreur,* il aime beaucoup la bagarre ; vois ***batailleur.*** *Marie-Tévy n'est pas bagarreuse.* — n. *C'est un bagarreur.*

bagne n. m.

Les bagnes n'existent plus depuis 1945.

1. Lieu où étaient autrefois emprisonnés les criminels condamnés aux travaux forcés. *L'assassin a été emprisonné au bagne de Cayenne, en Guyane.* **2.** Endroit où les conditions de travail sont pénibles. *C'est le bagne, ici !*

Il y avait aussi un bagne à Toulon.

Les bagnards portaient des habits rayés noir et blanc.

▸ **bagnard** n. m. Criminel qui est emprisonné dans un bagne ; vois ***forçat.*** *Jean Valjean était un ancien bagnard.*

Jean Valjean est un personnage des *Misérables* de Victor Hugo.

bague n. f.

Peau d'Âne avait laissé tomber sa bague dans le gâteau qu'elle avait fait pour le fils du Roi.

Anneau que l'on met au doigt et qui est parfois orné d'une pierre précieuse. *Sophie Pelletier porte des bagues à chaque main.*

L'anneau que l'on met autour de la patte des pigeons voyageurs s'appelle aussi *une bague.*

Conjugaison 1

▸ **baguer** v. Munir d'une bague. *On bague les pigeons voyageurs pour les reconnaître.*

baguette n. f.

D'un coup de baguette magique, la fée a transformé la citrouille en carrosse.

1. Petit bâton mince. *On joue du tambour et de la batterie avec des baguettes. Le chef d'orchestre dirige les musiciens avec sa baguette. Au restaurant chinois, on mange avec des baguettes.* **2.** Pain long et mince. *Julie est allée acheter une demi-baguette chez le boulanger.*

Des cheveux raides comme des baguettes de tambour sont des cheveux très raides.

bah ! interjection

Bah ! exprime l'indifférence.

Tu as cassé un verre, bah !, cela n'a pas d'importance, tant pis !

Gaston Lagaffe dit : bof !

bahut n. m.

Attention au ***h*** !

Buffet large et bas. *Les Bellec ont mis un bahut breton dans la salle à manger du restaurant.*

① **baie** n. f.

Une *baie* est plus petite qu'un *golfe.*

Partie de la côte où la mer rentre dans la terre. *Le bateau est ancré dans la baie de Douarnenez.*

Va voir aussi ***anse*** et ***crique.***

② **baie** n. f.

Une baie peut donner sur une baie !

Très grande ouverture qui peut être une fenêtre ou une porte. *Une grande baie vitrée donne sur le jardin.*

Va voir aussi ① ***baie.***

③ **baie** n. f.

Les groseilles, les mûres, les myrtilles sont des baies.

Petit fruit juteux contenant des pépins. *N'ayant plus rien à manger, le vagabond se nourrissait de baies et de racines.*

Les oiseaux aiment bien manger des baies.

baigner v.

Conjugaison 1
▭ Indic. imparfait : *nous baignions, vous baigniez.*

Attention au ***gn*** après le ***i*** !

1. Mettre quelqu'un dans l'eau pour le laver. *Denis Prost baigne son petit garçon tous les soirs,* il lui fait prendre un bain. — *Yves aime beaucoup se baigner dans la mer,* prendre un bain pour le plaisir, pour nager. **2.** *L'Atlantique et la Manche baignent la Bretagne,* ils l'entourent, la touchent. **3.** Être entièrement plongé dans un liquide, tremper dedans. *La viande baignait dans la sauce.*

Voilà Célesteville : les éléphants ont juste fini de la construire et se reposent en se baignant *(Babar).*

À la colo, ce que j'aime le mieux, moi, c'est la baignade. On y va tous avec nos chefs d'équipe et la plage est pour nous *(le Petit Nicolas).*

▸ **baignade** n. f. **1.** Bain dans la mer, la rivière ou la piscine. *Aujourd'hui la mer est démontée, la baignade est interdite.* **2.** Endroit d'une plage, d'une rivière où l'on peut se baigner. *Odile Séverac connaît une baignade agréable au bord de la Dordogne.*

Au bord de la mer, quand la baignade est interdite, il y a un drapeau rouge.

▸ **baigneur** n. m., **baigneuse** n. f. **1.** Personne qui se baigne dans la mer, la rivière, la piscine. *L'eau était froide, il n'y avait pas beaucoup de baigneurs.* **2.** Poupée en matière plastique qui représente un bébé. *Claire a un baigneur qui s'appelle Amélie ;* vois ***poupon.***

Dans ce sens, *baigneur* ne s'emploie qu'au masculin.

Une baignoire sabot, c'est une baignoire très courte dans laquelle on est assis.

▸ **baignoire** n. f. Grand récipient dans lequel une personne peut prendre des bains. *Dans la salle de bains des Prost, il y a une baignoire ronde, comme une petite piscine.*

Dans les théâtres, les loges du rez-de-chaussée s'appellent des *baignoires.*

bail n. m.

Bail [baj] rime avec *aïe !* et *ail.* Au pluriel : *des baux.*

Un bail, c'est un contrat que l'on signe quand on loue un appartement et qui indique pendant combien de temps on va le louer et le montant du loyer. *Hippolyte a signé un bail de trois ans.*

Cela fait un bail : cela fait très longtemps.

Conjugaison 1
▭ Indic. imparfait : *nous bâillions, vous bâilliez.*

bâiller v.

1. Ouvrir très grand la bouche sans le faire exprès en inspirant. *Claire a sommeil, elle n'arrête pas de bâiller.* **2.** Être ouvert, mal ajusté. *Son col bâille,* il est mal fermé.

On bâille aussi quand on a faim ou quand on s'ennuie.

Attention à l'accent circonflexe du *â* de *bâiller* et *bâillement* !

▸ ***bâillement*** n. m. *Claire a sommeil, elle n'arrive pas à étouffer ses bâillements,* elle ne peut pas s'empêcher de bâiller.

Autres membres de la famille **bâillon, bâillonner, entrebâiller, entrebâillement.**

Attention à l'accent circonflexe du *â* !

bâillon n. m.

Morceau de tissu que l'on met contre la bouche de quelqu'un pour l'empêcher de parler ou de crier. *Le voleur a mis un bâillon au gardien de nuit.*

Famille de **bâiller**

Compare : *bâillon* → *bâillonner* et *chiffon* → *chiffonner.*

▸ ***bâillonner*** v. *Bâillonner quelqu'un,* c'est lui mettre un bâillon. *Le voleur a bâillonné le gardien de nuit.*

Conjugaison 1
Deux *n* dans *bâillonner.*

bain n. m.

Prendre un bain de foule, c'est être au milieu d'une foule très nombreuse.

On écrit aussi : *salle de bain.*

C'est la duchesse de Berry, en 1824, qui lança la mode des bains de mer.

1. *Prendre un bain,* c'est plonger son corps dans l'eau pour le laver. *Julie aime bien prendre un bain le soir. On se sèche avec une serviette de bain. Mme Roussel se fait couler un bain chaud,* de l'eau chaude pour prendre un bain. *Les Séverac ont fait refaire leur salle de bains.* **2.** *Prendre un bain,* c'est entrer dans l'eau pour nager ; vois ***baignade.*** *Autrefois, quand on allait au bord de la mer, on ne prenait pas de bains,* on ne se baignait pas. *Pour se baigner, on met un maillot de bain.* **3.** *Prendre un bain de soleil,* c'est s'exposer au soleil pour bronzer. *Sophie Pelletier prend des bains de soleil dans son jardin.*

Va voir aussi ***douche.***

On peut enfiler un *peignoir de bain.*

On prend des *bains de vapeur* pour maigrir, des *bains de boue* contre les rhumatismes. On fait des *bains de bouche* quand on a mal aux dents.

Au pluriel : *des bains-marie.*

▸ ***bain-marie*** n. m. *M. Bellec fait sa sauce au bain-marie,* dans un récipient qui trempe dans de l'eau chaude.

Attention au tréma du *ï* !

Les fantassins se servaient de fusils à baïonnette.

baïonnette n. f.

1. Petite épée qui se fixait au bout d'un fusil de guerre. *La sentinelle faisait sa ronde en pointant sa baïonnette vers un ennemi invisible.* **2.** *Une ampoule à baïonnette,* c'est une ampoule électrique qui se fixe sur la douille à l'aide de deux petites tiges. *Mme Hespel a acheté des ampoules à baïonnette de cent watts.*

Il y a aussi des *ampoules à vis,* qui se vissent sur la douille.

Conjugaison 1

① **baiser** v.

Les messieurs baisent la main des dames pour les saluer, ils effleurent de leurs lèvres le dos de la main des dames.

On ne dit plus beaucoup *baiser* pour dire *embrasser.*

Au pluriel : *des baisemains.*

▸ ***baisemain*** n. m. Geste de politesse qui consiste pour un homme à baiser la main d'une dame. *Il lui a fait le baisemain.*

Famille de **main**

▸ ② ***baiser*** n. m. *Donner un baiser,* c'est embrasser. *Donne-moi un baiser. Claire fait de gros baisers à sa grand-mère. De la fenêtre, Antoine envoie des baisers à Marie-Tévy.*

Dans le langage familier, on dit aussi : une *bise* ou un *bisou.*

Attention aux deux *s* !
Conjugaison 1

baisser v.

1. *Baisser une chose,* c'est la mettre plus bas, la descendre. *Claire ne peut pas sauter si haut, il faut baisser la corde. M. Bellec a baissé la vitre de sa voiture pour répondre à l'agent de police ;* vois ***abaisser.*** **2.** Pencher une partie de son corps vers le sol. *Marie-Tévy ne veut pas répondre, elle baisse la tête,* elle la penche vers le bas ; vois ***incliner.*** *Julie a baissé les yeux,* elle a regardé par terre. — *Le docteur Séverac se baisse pour entrer dans la voiture,* il se fait plus petit, il se courbe. *Il y a beaucoup de fraises dans les bois, il n'y a qu'à se baisser pour les ramasser.* **3.** Rendre moins fort, diminuer. *C'est bientôt le printemps, il faut baisser le chauffage. Il est tard, baisse un peu le son.* **4.** *Vous ne vendrez jamais ce piano si vous ne baissez pas son prix,* si vous ne diminuez pas son prix. *On voudrait bien que les prix baissent !,* que tout devienne moins cher. **5.** Diminuer de hauteur. *Quand il ne pleut pas, l'eau baisse dans les rivières ;* vois ***descendre.*** *La mer a baissé.* **6.** *Le jour baisse,* il commence à faire nuit. *Mamie Lou ne peut plus coudre sans lunettes, sa vue baisse,* elle voit moins bien.

J'ai dit : bon ! Maixent. Asseyez-vous ! a crié la maîtresse. Baissez votre bras, Agnan, je vous interrogerai plus tard
(le Petit Nicolas).

Le contraire de *baisser,* c'est *lever, relever.*

Va voir *baisser dans l'estime* à ***estime.***

Le contraire de *baisser,* c'est *monter, augmenter.*

Deux cent trente-septième jour de mer. Le vent souffle, on dirait que le niveau de l'eau commence à baisser..., il baisse !
(les Contes du Chat perché).

Le contraire de *baisse,* c'est *hausse, montée.*

▸ ***baisse*** n. f. Diminution. *Il faut profiter de la baisse des prix pendant les soldes pour acheter. La température est en baisse,* elle est en train de baisser.

Autres membres de la famille **abaisser, rabais, rabaisser.**

Le hamster met des graines en réserve dans ses bajoues.

bajoue n. f.

1. Joue qui pend chez certains animaux comme le porc ou le chien. **2.** Joue qui pend chez une personne grosse ou vieille. *L'horrible Mme Harpie a des bajoues.*

Famille de **joue**

Au pluriel : *des bals.*
Ne confonds pas *bal* et *balle.*

bal n. m.

Fête où les gens dansent. *Le bal du 14-Juillet a eu lieu sur la place du Marché. La reine ouvre le bal,* elle danse la première. *Pour son anniversaire, Marie-Tévy donne un bal costumé.*

Su' l' pont du nord un bal y est donné (chanson).

Conjugaison 1

se **balader** v.

Se promener. *Julie est allée se balader avec ses copains. Ils se sont baladés dans la forêt.*

Ne confonds pas *balade* et *ballade.*

▸ **balade** n. f. Promenade. *Ils ont fait une belle balade en forêt. Julie et Yves sont en balade.*

Ces deux mots sont familiers. Dans un devoir, il faut écrire : *se promener* et *promenade.*

balafre n. f.

Longue coupure au visage faite par un objet tranchant, ou cicatrice d'une blessure. *Hippolyte s'est blessé, il s'est fait une balafre à la joue avec son rasoir.*

On peut dire aussi : une *estafilade.*

Le duc de Guise (1550-1588) était surnommé Henri le Balafré.

▸ **balafré** adj. *Un visage balafré,* c'est un visage qui porte une balafre. *L'homme avait le visage affreusement balafré.*

Ne confonds pas *balai* et *ballet.*
Les *balais-brosses* sont en chiendent.

balai n. m.

Brosse souple à long manche, que l'on passe sur le sol pour enlever la poussière, les ordures. *Après le déjeuner, Mme Roussel donne un coup de balai pour enlever les miettes. On range les balais dans un placard à balais.*

Autres membres de la famille : **balayer, balayage, balayeur.**

Va voir aussi ***bascule.***

Chaque semaine, le docteur Capoulosse pèse les bébés sur la grande balance *(Babar).*

balance n. f.

Instrument qui sert à peser. *Dans son magasin, Mme Harpie a une balance pour peser les bonbons. Julie monte sur la balance et l'aiguille marque 20 kilos ;* vois ***pèse-personne.***

La balance peut avoir deux plateaux et, dans ce cas, on pèse avec des poids ; ou bien elle peut avoir un plateau et une aiguille qui indique le poids, parfois aussi le prix.

Conjugaison 3 ▭ Indic. présent : *je balance, nous balançons.* Imparfait : *je balançais, nous balancions.*

▸ **balancer** v. Faire aller d'un côté puis de l'autre plusieurs fois. *Loïc, le loup de mer, balançait les bras en marchant. — Nathalie s'est assez balancée ; qu'elle prête la balançoire à Marie-Tévy !*

▸ **balancement** n. m. *Le balancement de l'acrobate sur le trapèze impressionnait Claire,* le mouvement qu'il faisait en se balançant.

▸ **balancier** n. m. Tige de métal qui se balance, dans les horloges. *On entend le tic-tac du balancier.*

Le balancier rend le mouvement de l'horloge régulier.

Attention à la cédille !
Autrefois, on l'appelait aussi : l'*escarpolette.*

▸ **balançoire** n. f. Petit siège pendu à deux cordes sur lequel on s'amuse à se balancer. *Julie est sur la balançoire et Antoine la pousse. Julie fait de la balançoire.*

Autre membre de la famille : **contrebalancer.**

Conjugaison 8 ▭ Indic. présent : *je balaie* ou *je balaye, nous balayons.* Imparfait : *je balayais, nous balayions.* Futur : *je balaierai* ou *je balayerai, nous balaierons* ou *nous balayerons.*

balayer v.

1. Enlever la poussière, les ordures qui sont par terre, avec un balai. *Après le déjeuner, Mme Roussel balaiera la salle à manger. Mme Harpie a balayé la neige devant sa porte.* **2.** *Un coup de vent balaie les nuages,* les pousse comme le ferait un balai ; vois ***chasser.***

Prononce [baleje]. Famille de **balai**

▸ **balayage** n. m. *À huit heures, les femmes de ménage ont achevé le balayage des classes,* elles ont achevé de balayer.

▸ **balayeur** n. m. Ouvrier qui balaie les rues et les lieux publics. *Les balayeurs du métro balaient les quais et les couloirs.*

Conjugaison 7 ▭ Indic. présent : *je balbutie, nous balbutions.* Imparfait : *je balbutiais, nous balbutiions.*

balbutier v.

Dire à voix basse et en articulant mal. *Antoine a balbutié quelque chose que personne n'a compris ;* vois ***bafouiller, bredouiller.***

Balbutier [balbysje] rime avec *acier.*

Attention au ***e*** avant le ***m*** dans *balbutiement.*

▸ **balbutiement** n. m. **1.** Façon de parler d'une personne qui balbutie. *L'enfant timide a répondu par des balbutiements.* **2.** *Les balbutiements d'une science, d'une technique nouvelle,* ce sont ses débuts pleins de maladresse. *Au début du siècle, l'aviation n'en était encore qu'à ses balbutiements.*

Balbutiement [balbysimɑ̃] rime avec *remerciement.*

balcon n. m.

1. Petite plate-forme munie d'une balustrade, qui surplombe la façade à

Va voir aussi ***terrasse.***

Le *balcon*, c'est aussi la petite balustrade de fer forgé ou le petit mur qui empêche de tomber.

l'endroit où se trouve une fenêtre, et qui communique avec une pièce. *Angèle a planté des fleurs sur son balcon. La reine apparaît au balcon pour saluer la foule qui l'acclame.* **2.** Partie de la salle, dans un théâtre ou dans un cinéma, qui se trouve au premier étage. *Muriel Doucet est assise au deuxième rang de balcon.*

Noël au balcon, Pâques aux tisons (proverbe).

baldaquin n. m.

Petit toit de tapisserie, placé au-dessus d'un lit. *Les rois dormaient dans des lits à baldaquin.*

Les trônes avaient souvent des baldaquins.

baleine n. f.

Les baleines peuvent avoir plus de 25 m de long et peser 150 tonnes. Elles n'ont pas de dents mais des fanons, et doivent se nourrir de très petits poissons.

1. Très grand mammifère qui vit dans l'eau ; vois ***cétacé.*** *Les baleines émettent des sons que l'on a pu enregistrer sous l'eau.* **2.** Tige de métal qui soutient le tissu d'un parapluie, ou qui sert à rendre plus raide une ceinture ou un corset. *Le parapluie s'est retourné et une des baleines s'est cassée.*

Maintenant, les baleines sont protégées. Leur chasse est très réglementée.

Autrefois, les baleines de corset étaient faites avec des fanons de baleine.

Compare : *baleine → baleineau* et *éléphant → éléphanteau.*

▸ ***baleineau*** n. m. Petit de la baleine. *Lorsqu'il naît, le baleineau mesure 6 mètres et il grossit de 100 kilos par jour.*

On l'appelle aussi *baleinon.*

▸ ***baleinier*** n. m. Grand bateau équipé pour chasser les baleines. *Les baleines, chassées pour leur graisse, étaient dépecées sur les baleiniers.*

▸ ***baleinière*** n. f. Longue barque qui servait autrefois à chasser la baleine. *Cinq hommes ramaient dans la baleinière.*

balise n. f.

Lumière installée sur l'eau pour signaler aux bateaux les endroits dangereux et leur montrer le chemin. *Sur le bateau de pêche de son oncle Loïc, Yves s'exerce à reconnaître les balises.*

Conjugaison 1

▸ ***baliser*** v. Installer des lumières, des panneaux ou des signaux pour donner des indications aux véhicules. *On a balisé la voie ferrée.*

Dans les aéroports, les pistes d'atterrissage sont balisées.

balivernes n. f. plur.

On disait autrefois : des *billevesées.*

Histoires sans intérêt et sans importance ; vois ***sornettes.*** *Cesse de dire des balivernes !*

On dit aussi des *fariboles.*

ballade n. f.

Attention ! il y a deux *l* dans *ballade.* Ne confonds pas *ballade* et *balade.*

1. Petit poème de plusieurs strophes. *Victor Hugo a écrit des ballades.* **2.** Petite pièce de musique classique. *Sylvain joue une ballade de Chopin au piano.*

Les ballades ont un refrain.

ballant adj.

Deux *l* dans *ballant.*

Qui remue, se balance faute d'être appuyé sur quelque chose. *Nathalie ! ne reste pas là les bras ballants, aide ton frère à ranger ses affaires.*

① balle n. f.

Balle prend deux *l.*

Une balle de ping-pong pèse environ 3 grammes, une balle de tennis environ 60 grammes.

1. Petit objet rond avec lequel on joue. *Antoine lance la balle à Julie qui la rattrape. Marie-Tévy joue à la balle. La balle a rebondi, puis a roulé sous l'armoire.* **2.** Petit morceau de métal envoyé par un fusil ou un pistolet, et qui peut blesser ou tuer. *Le policier a reçu trois balles dans le ventre.*

Ne confonds pas ① *balle,* ② *balle* et *bal.*

Autres membres de la famille : **ballon, ballonné, pare-balles.**

② balle n. f.

Pour faire une balle, on enveloppe la marchandise avec une toile et on lie le tout avec des cordes.

Gros paquet de marchandises. *Les balles de coton s'amoncelaient sur le port. Les dockers déchargeaient des balles de café. On lie les balles, on cloue les caisses, on bouche les tonneaux.*

Autres membres de la famille : **ballot, balluchon, déballage, déballer, ① emballer, emballage, remballer.**

ballerine n. f.

Compare ***ball**erine* et ***ball**et* : dans ces deux mots, il s'agit de **danser.**

1. Danseuse de ballet. *Les ballerines étaient en tutu.* **2.** Chaussure de femme, très plate, qui ressemble à un chausson de danse. *Mme Bellec s'est acheté des ballerines pour l'été.*

ballet n. m.

Ne confonds pas *ballet* et *balai.*

Danse exécutée par plusieurs personnes sur la scène d'un théâtre. *Angèle est allée voir un ballet à l'Opéra.*

Le *maître de ballet* dirige le *corps de ballet.*

ballon n. m.

Le ballon de football est rond, le ballon de rugby est ovale.

1. Grosse balle. *Yves et Antoine jouent au ballon dans la cour.* **2.** Mince enveloppe de caoutchouc que l'on gonfle avec un gaz plus léger que l'air et que l'on tient à la main par une ficelle. *La petite Claire lâcha son ballon*

Famille de ① **balle**

Sans hésiter, Babar tire sur la soupape et le ballon se met à descendre *(Babar).*

qui s'envola aussitôt. **3.** Appareil formé d'une sphère gonflée avec un gaz plus léger que l'air, à laquelle est attachée une nacelle et qui peut voler et transporter des personnes ; vois ***dirigeable****. Avant l'invention de l'avion, les hommes voyageaient en ballon.*

Les premiers ballons s'appelaient des *montgolfières*, du nom des inventeurs, les frères Montgolfier (1783).

Compare : *ballon → ballonné* et *bouton → boutonné.*

▸ ***ballonné*** adj. *Julie a mangé trop de glaces, elle a le ventre tout ballonné,* gonflé comme un ballon. *Julie a mangé trop de gâteaux, elle se sent ballonnée.*

Deux ***l*** et deux ***n*** dans ***ballonné****.*

Famille de ② **balle**

ballot n. m.

Paquet. *Mme Séverac a porté un ballot de vieux vêtements à la Croix-Rouge.*

Mme Séverac s'occupe d'œuvres de bienfaisance.

Attention ! il y a deux ***l*** et deux ***t*** dans *ballottage.*

ballottage n. m.

Aux élections, il y a eu ballottage, aucun des deux candidats n'a eu assez de voix pour être élu au premier tour.

Les deux candidats *sont en ballottage.*

Famille de ② **balle**

balluchon n. m.

Petit paquet enveloppé d'un carré d'étoffe dont on noue les coins. *Il est parti avec son balluchon.*

Les gens n'ont plus de balluchons, mais des sacs et des valises.

balnéaire adj.

Une station balnéaire, c'est une ville située au bord de la mer où l'on va pour se baigner. *Cannes, Biarritz, Saint-Malo sont des stations balnéaires.*

Le féminin de *balourd,* c'est *balourde,* mais on l'emploie rarement.

balourd adj.

Maladroit dans ses mouvements et dans sa conduite. *Pierre Séverac, habitué aux travaux des champs, est parfois un peu balourd ;* vois ***lourdaud.*** — n. m. *C'est un vrai balourd, par moments.*

Le contraire de *balourd,* c'est *adroit, délicat.*

balustrade n. f.

Une balustrade peut être en pierre, en bois ou en métal.

Sur une terrasse, un balcon ou un pont, partie verticale qui empêche de tomber dans le vide. *Nathalie et Marie-Tévy sont appuyées à la balustrade du pont et regardent le paysage ;* vois ***garde-fou, parapet.***

Bambin se trouve surtout dans les livres.

bambin n. m.

Petit garçon. *Comme ils sont mignons, ces bambins,* ces enfants.

bambou n. m.

Les bambous sont de grandes herbes à tige creuse, comme le blé, qui peuvent devenir plus hautes que des arbres et atteindre jusqu'à 45 mètres.

1. Plante des régions chaudes, à très haute tige en forme de tube. *Les bambous forment des forêts.* **2.** Tige de cette plante employée pour fabriquer toutes sortes d'objets. *M. Bonnot s'est endormi dans le fauteuil de bambou.* **3.** *Une pousse de bambou,* c'est le bourgeon de cette plante, utilisé comme légume. *Antoine aime le canard aux pousses de bambou.*

On utilise les bambous sauvages ou on les cultive dans des *bambouseraies.*

Ne confonds pas *ban* et *banc.*

ban n. m.

1. *Publier les bans,* c'est afficher l'annonce d'un mariage à la mairie. *Il est obligatoire de publier les bans avant de se marier.* **2.** *Être au ban de la société,* c'est ne plus être accepté par les autres, être rejeté, méprisé. *Les forçats étaient au ban de la société.* **3.** Applaudissement en cadence. *Un ban pour Antoine qui nous invite à goûter !*

Les bans sont affichés pendant dix jours.

Au masculin pluriel : *banals.*

banal adj.

Une chose banale, c'est une chose courante, qui n'étonne personne ; vois ***commun, ordinaire.*** *Une fille en jeans, c'est banal,* ce n'est pas original, on en voit partout. *C'est l'histoire banale d'un garçon qui arrivait toujours en retard à l'école.*

Le contraire de *banal,* c'est *curieux, étonnant, extraordinaire, original.*

▸ ***banalisé*** adj. *Une voiture banalisée,* c'est une voiture de police que l'on a rendue comme toutes les autres pour qu'on ne la reconnaisse pas. *Les policiers en civil patrouillaient dans une voiture banalisée.*

Compare : *banal → banalité* et *rival → rivalité.*

▸ ***banalité*** n. f. **1.** *C'est une histoire d'une grande banalité,* très banale. **2.** Chose banale. *Il faut éviter d'écrire des banalités dans une rédaction.*

Le contraire de *banalité,* c'est *originalité.*

banane n. f.

Les bananes poussent sur des *bananiers.*

Fruit allongé à grosse peau jaune. *Mme Harpie a glissé sur une peau de banane. Antoine mange une banane pour son goûter.*

Les bananes poussent en grappes, qu'on appelle des *régimes.*

Ne prononce pas le ***c*** final : [bɑ̃].

banc n. m.

1. Siège dur, avec ou sans dossier, pour plusieurs personnes. *À la ferme, il y a deux bancs de part et d'autre de la table de la cuisine. Mme Bonnot*

Ne confonds pas *banc* et *ban.*

tricote sur un banc du square. **2.** *Un banc de poissons,* c'est une grande quantité de poissons qui se déplacent ensemble dans l'eau. *Les pêcheurs recherchent les bancs de sardines.*

Autre membre de la famille : **banquette.**

Famille de **banque**

bancaire adj.
D'une banque. *Denis Prost a obtenu un prêt bancaire pour faire construire sa maison.*

Va voir *compte bancaire* à ***compte.***

Au masculin pluriel : *bancals.*

bancal adj.
Un meuble bancal, c'est un meuble dont les pieds n'ont pas la même hauteur ; vois ***boiteux.*** *On ne peut pas écrire facilement sur une table bancale.*

On peut mettre une cale sous le pied trop court d'un meuble bancal.

Famille de ① **bande**

bandage n. m.
Pansement fait avec une bande de tissu. *Julie s'est tordu le pied et on lui a mis un bandage autour de la cheville.*

① **bande** n. f.

Les momies égyptiennes sont entourées de bandes étroites que l'on appelle des *bandelettes.*

1. Morceau de tissu, de papier, long et étroit. *Mme Roussel ferme le colis avec une bande de papier adhésif. Coupez le papier en bandes fines ;* vois ***lanière, ruban.*** **2.** *Une bande dessinée,* c'est une suite de dessins qui racontent une histoire. *« Astérix » est une bande dessinée très amusante.* **3.** Long ruban où sont enregistrés des images ou des sons. *Les bandes d'un film sont conservées dans des boîtes ;* vois ***pellicule.*** *Julie arrête la bande de sa cassette.*

On dit *B. D.*, en abrégeant.

La bande d'une cassette est une *bande magnétique.*

Autres membres de la famille : **bandage, bandeau, bander, banderole, plate-bande.**

② **bande** n. f.

Faire bande à part, c'est se mettre à l'écart d'un groupe.

Groupe de personnes qui font des choses ensemble. *Il y avait une bande de gamins qui essayaient d'attraper un chat. Quelle joyeuse bande ! Voilà Antoine et sa bande.*

Autre membre de la famille : **débandade.**

Famille de ① **bande**

bandeau n. m.
1. Bande de tissu qui tient les cheveux. *Les joueurs de tennis qui ont les cheveux longs portent des bandeaux.* **2.** Tissu que l'on met sur les yeux et que l'on noue derrière la tête pour empêcher de voir. *Antoine n'a pas dit qu'il voyait à travers le bandeau.*

Quand on joue à colin-maillard, l'un des joueurs a un bandeau sur les yeux.

Tu triches, Antoine !

Conjugaison 1

bander v.
1. Mettre un bandage. *Il faut bander la cheville de Julie qui s'est fait une entorse.* **2.** Mettre un bandeau. *On a bandé les yeux de l'otage pour qu'il ne voie pas où on l'emmène.*

Famille de ① **bande**

Banderole [bɑ̃dʀɔl] rime avec *casserole.*

banderole n. f.
Bande de tissu qui porte une inscription et que l'on utilise dans les défilés. *Les manifestants brandissaient des banderoles portant les mots « vive la paix ».*

Famille de ① **bande**

N'oublie pas le ***t*** final.

bandit n. m.
Voleur, malfaiteur. *La police a arrêté les deux bandits qui avaient cambriolé la bijouterie ;* vois ***criminel, gangster.***
▷ ***banditisme*** n. m. Ce que font les bandits. *La police lutte contre le banditisme.*

On disait autrefois : *des brigands.*

bandoulière n. f.
Angèle porte un sac en bandoulière, la courroie sur l'épaule.

Prononce [bɑ̃dʒo].

banjo n. m.
Instrument de musique qui ressemble à une petite guitare ronde. *Deux chanteurs noirs jouaient du banjo.*

Au pluriel : *des banjos.*

banlieue n. f.

La *grande banlieue* est la banlieue la plus éloignée d'une grande ville.

Ensemble des maisons autour d'une grande ville. *Angèle a habité pendant un an la banlieue de Marseille. Beaucoup de gens vivent en banlieue dans des pavillons. Vénissieux est dans la banlieue sud de Lyon.*

Les *banlieusards* habitent en banlieue.

Deux ***n*** dans *bannière.*

bannière n. f.
Drapeau d'un seigneur, au Moyen Âge. *Le roi avait une bannière d'azur, à fleurs de lis d'or.*

Les villes, les paroisses, les corporations avaient aussi des bannières.

Conjugaison 2
Deux **n** dans *bannir.*

bannir v.

Bannir une chose, c'est la supprimer, l'écarter. *Mme Séverac a banni le sucre de son alimentation car elle veut maigrir.*

Bannir quelqu'un, c'est le chasser de son pays.

La banque fournit à ses clients les carnets de chèques et des cartes de crédit pour payer leurs achats.

banque n. f.

Établissement où l'on peut déposer de l'argent et en emprunter. *Il y a plusieurs banques sur la place du Marché. Les banques sont fermées aujourd'hui. Mme Hespel est allée à la banque chercher de l'argent. Denis Prost a emprunté de l'argent à la banque pour faire construire sa maison.*

Va voir *compte en banque* à ***compte.***

Autre membre de la famille : **bancaire, banquier.**

Certains restaurants ont une *salle de banquets.*

banquet n. m.

Repas de fête où se réunissent de nombreuses personnes. *Pour le mariage de M. et Mme Bellec, il y a eu un banquet de cent couverts.*

Il y avait cent personnes.

Famille de **banc**

banquette n. f.

Banc rembourré, recouvert de cuir ou de tissu. *Au café, Sophie Pelletier s'est assise sur la banquette. Les enfants doivent voyager sur la banquette arrière d'une voiture.*

Compare :
banque → banquier
et *ferme → fermier.*

banquier n. m.

Personne qui dirige une banque. *Mme Hespel a demandé conseil à son banquier pour placer son argent.*

Famille de **banque**

banquise n. f.

Étendue de glace, attachée au rivage ou flottant dans les mers polaires. *La banquise peut atteindre une épaisseur de trois à cinq mètres.*

L'eau de mer gèle à –1,8 °C.

Prononce [baɔbab].

Les baobabs, avant de grandir, ça commence par être petit *(le Petit Prince).*

baobab n. m.

Très gros arbre qui pousse dans les régions tropicales d'Afrique et d'Asie. *Les baobabs ne dépassent pas vingt mètres de hauteur, mais leur tronc peut devenir gigantesque.*

Le tronc des baobabs peut mesurer jusqu'à 30 mètres de circonférence.

Attention à l'accent circonflexe du **ê** de *baptême* !
Le **p** de *baptême* [batɛm] ne se prononce pas.

baptême n. m.

1. Cérémonie au cours de laquelle une personne devient chrétienne. *Sur sa photo de baptême, Yves est un gros bébé. Le baptême est un sacrement.* **2.** *Julie est rentrée en avion avec son père, c'était son baptême de l'air,* la première fois qu'elle prenait l'avion.

Le nom de baptême, c'est le prénom.

Conjugaison 1
Ne prononce pas le **p** de *baptiser* : [batize].

baptiser v.

1. Donner le baptême. *M. et Mme Bellec vont avoir un bébé ; ils le feront baptiser car ils sont catholiques.* **2.** Donner un nom ; vois ***appeler.*** *Julie a baptisé son chat Félix. Une rue de Motbourg a été baptisée du nom de l'ancien maire.*

On ne peut se marier à l'église que si l'on est baptisé.

Famille de ① **bac**

baquet n. m.

Grande cuve en bois. *Autrefois, on lavait le linge dans des baquets.*

Le raisin est transporté dans des baquets avant d'être pressé.

Ne confonds pas ① *bar,* ② *bar* et *barre.*

① bar n. m.

1. Café élégant où il y a un grand choix de boissons alcoolisées et où l'on sert des cocktails. *Rendez-vous à 20 heures au bar de l'hôtel.* **2.** Comptoir d'un bar ou d'un café. *Hippolyte prend son café au bar, cela va plus vite que de s'asseoir dans la salle.*

Va voir aussi ***zinc.***

Celui qui sert au bar est *le barman* [baʀman].

Le bar peut atteindre 80 centimètres de longueur.

② bar n. m.

Poisson de mer assez gros, à chair très délicate. *Mme Séverac avait préparé pour l'occasion du bar au fenouil.*

On l'appelle aussi *loup.*

Conjugaison 1

baragouiner v.

Parler très mal, en faisant beaucoup de fautes. *Denis Prost baragouine un peu d'allemand et d'italien.*

baraque n. f.

Petite maison en bois, peu solide. *Le jardinier range ses outils dans une baraque au fond du jardin ;* vois ***cabane.*** *À la fête foraine, il y avait plusieurs baraques de tir ;* vois ***stand.***

▷ ***baraquement*** n. m. Maison provisoire à côté d'une usine, d'un chantier, destinée à loger des ouvriers ou des réfugiés. *Les maçons qui participent à la construction du gymnase sont logés dans des baraquements près du chantier.*

On dit parfois *baraque* pour n'importe quelle maison, quand on la trouve peu agréable.

Barbant est un mot très familier.

barbant adj.
Ennuyeux. *Alex trouvait le film barbant, il est parti avant la fin.*

Même famille que **barber.**

barbare n. m. et f.
Personne qui n'est pas civilisée, qui est cruelle. *Les bandits se sont comportés comme des barbares ;* vois ***brute, sauvage.*** — adj. *C'est barbare de faire des expériences sur des animaux vivants ;* vois **cruel.**
▷ ***barbarie*** n. f. Cruauté sauvage. *Torturer est un acte de barbarie.*

Attila et Clovis étaient des chefs barbares.

Les Barbares étaient des peuples venus du Nord et de l'Est qui ont envahi les territoires occupés par les Romains, du IIIe siècle à la fin du Ve siècle.

barbe n. f.
1. Poils qui poussent sur la figure d'un homme. *Pierre Séverac avait une barbe de trois jours,* il ne s'était pas rasé depuis trois jours. *Le docteur Séverac a une barbe et une moustache. Julie a traversé au feu vert, au nez et à la barbe de l'agent de police,* devant l'agent, en sa présence. **2.** *Antoine rit dans sa barbe pendant que l'institutrice écrit au tableau,* il rit en se cachant. **3.** *C'est la barbe de se lever tôt pour aller à l'école,* quelle corvée !

D'après la légende, Charlemagne avait une grande barbe blanche. On l'appelait « l'Empereur à la barbe fleurie ».

Va voir aussi ***collier.***
On montrait autrefois des femmes à barbe dans les foires.

Autres membres de la famille : **barbelé, barbiche, barbu, barbue, barber, barbant.**

Prononce [baʀbəkju] ou comme cela s'écrit : [baʀbəky].

barbecue n. m.
Gril au charbon de bois sur lequel on fait cuire des viandes et des poissons en plein air. *Il faut allumer le barbecue à l'avance pour avoir des braises. Denis Prost fait griller des sardines sur le barbecue.*

Au pluriel : *des barbecues.*
C'est bon, mais ça sent vraiment très mauvais !

Famille de **barbe**

barbelé adj.
Le fil de fer barbelé, c'est du fil de fer garni de pointes qui blessent. *Le champ est entouré d'une clôture de fil de fer barbelé.* — n. m. *Julie s'est écorchée en voulant passer sous les barbelés.*

Julie, il faut bien s'aplatir sur le sol !

Conjugaison 1
Ce mot est familier.

barber v.
Ennuyer. *Cela barbe Antoine de rendre visite à sa tante qu'il n'aime pas.*

Famille de **barbe**

Famille de **barbe**

barbiche n. f.
Petite barbe sur le menton ; vois ***bouc.*** *Les chèvres ont de petites barbiches.*

Le professeur Tournesol a une barbiche.

barbiturique n. m.
Médicament qui calme et fait dormir. *Mme Séverac prend parfois des barbituriques pour dormir.*

L'abus des barbituriques peut entraîner la mort.

Conjugaison 1

barboter v.
S'agiter dans l'eau ou dans la boue. *Les canards barbotent dans la mare. Les tout-petits qui ne savent pas nager barbotent dans la piscine.*

Conjugaison 1
Les cahiers de brouillon sont souvent barbouillés.

barbouiller v.
1. Salir une surface propre. *Les enfants barbouillent les murs avec de la craie et de la peinture rouge. La figure d'Antoine est barbouillée de chocolat.* **2.** *Antoine a mangé trop de chocolat, il se sent barbouillé,* il a mal au cœur.
▷ ***barbouillage*** n. m. Dessin que l'on fait vite et mal, souvent avec le plaisir de salir le papier ; vois ***gribouillage.*** *Claire ne sait pas très bien dessiner, elle fait encore des barbouillages.*

On traite de *barbouilleur* un peintre qui fait de vilains tableaux.

Autre membre de la famille : **débarbouiller.**

Claire n'a que cinq ans.

Famille de **barbe**

barbu adj.
Un homme barbu, c'est un homme qui a une barbe. *Le docteur Séverac est barbu.* — n. *Un grand barbu est arrivé. J'aime bien les barbus.*

Le contraire de *barbu,* c'est *imberbe.*

Famille de **barbe**

barbue n. f.
Poisson de mer assez gros, qui a une sorte de petite barbe, et à chair très délicate. *Le patron du restaurant propose à ses clients des filets de barbue à l'oseille.*

La barbue est un poisson plat qui ressemble au turbot.

Conjugaison 1

barder v.
Envelopper dans une fine tranche de gras de viande, avant de faire cuire. *Le boucher barde le rôti. Mme Roussel prépare des cailles bardées de lard.*

Un soldat est *bardé de décorations* quand il en a beaucoup.

Attention à l'accent grave du ***è*** !

barème n. m.
Tableau qui donne le résultat de calculs selon les cas envisagés. *Le docteur Séverac consulte le barème des impôts pour savoir quelle somme il devra payer.*

On peut prononcer le *l*, comme dans *avril*, ou ne pas le prononcer, comme dans *outil*.

baril n. m.
1. Petit tonneau. *Sophie Pelletier a acheté un baril de lessive.* **2.** Unité de mesure du pétrole. *Le prix du baril ne cesse d'augmenter.*

Un baril représente environ 159 litres de pétrole.

Au féminin : *bariolée.*

bariolé adj.
De plusieurs couleurs vives mélangées. *Angèle a mis un grand châle bariolé sur les épaules.*

Le contraire de *bariolé*, c'est *uni.*

Compare *baro**mètre*** et *thermo**mètre*** : dans ces deux mots, il s'agit de **mesurer.**

baromètre n. m.
Appareil servant à mesurer la pression de l'air et à prévoir le temps qu'il fera. *Le baromètre est au beau fixe. Loïc regarde le baromètre avant de partir en mer.*

Deux ***n*** au féminin.

Mais au-dessus de celui de chevalier.

baron n. m., ***baronne*** n. f.
Personne noble dont le titre est au-dessous de celui de vicomte. *Le baron Haussmann a transformé Paris sous le second Empire.*

Il y a de belles églises baroques en Allemagne du Sud, en Italie et en Espagne.

baroque adj.
1. *Le style baroque,* c'est un style très orné, avec des sculptures peintes ou dorées. *Le style baroque date du XVIIe siècle.* **2.** Bizarre. *Julie a parfois des idées baroques ;* vois ***extravagant.***

Les barques ont des bancs. Elles sont un peu lourdes mais stables.

barque n. f.
Petit bateau assez large que l'on fait avancer et que l'on dirige avec des rames. *Antoine et Yves ont fait de la barque sur un étang.*
▸ ***barquette*** n. f. Tartelette en forme de barque. *Antoine a mangé deux barquettes aux fraises.*

Autres membres de la famille : **débarcadère, débarquement, débarquer, embarcadère, embarcation, embarquement, embarquer, rembarquer.**

Deux *r* dans *barrage.*

Peut-être le prisonnier forcera-t-il le barrage et pourra-t-il le franchir ?

barrage n. m.
1. *Après l'évasion du prisonnier, la police a établi des barrages sur toutes les routes de la région,* elle a fermé toutes les routes de la région. **2.** Grand mur très épais en béton construit en travers d'une rivière pour l'empêcher de couler. *Les barrages du Nil permettent d'irriguer le désert pour le cultiver. Le lac du barrage est très joli.*

Même famille que **barrer**

Le barrage le plus important en Égypte est celui d'Assouan ; en France, c'est celui de Serre-Ponçon.

Barre s'écrit avec deux ***r***.

En gymnastique, on fait des exercices à la *barre fixe* et aux *barres parallèles.*

barre n. f.
1. Morceau de bois, de métal ou de plastique, allongé et bien droit. *Les bandits ont assommé le gardien avec une barre de fer. La fenêtre a une barre d'appui,* une barre de fer sur laquelle on peut s'appuyer et qui empêche de tomber. **2.** Trait allongé. *La barre d'une fraction sépare le numérateur du dénominateur. N'oublie pas la barre du t.* **3.** Levier qui sert à manœuvrer le gouvernail d'un bateau. *Loïc est à la barre de son bateau.* **4.** *La barre du tribunal,* c'est l'endroit où parlent les avocats et les témoins. *Le témoin est appelé à la barre.*
▸ ***barreau*** n. m. **1.** Petite barre. *Il manque un barreau à l'échelle. Dans les prisons, les fenêtres sont munies de barreaux.* **2.** *Être inscrit au barreau,* c'est être avocat. *Maître Badin est inscrit au barreau de Paris.*

Autres membres de la famille : **barrer, barrage, barrette, barrière, garde-barrière.**

Si on ne met pas de barre au *t*, on peut croire que c'est un *l*.

Autrefois, les avocats étaient séparés des juges par une barrière, ou *barre,* et l'endroit qui leur était réservé s'appelait *barreau. Le barreau,* c'est l'ensemble des avocats.

Être derrière les barreaux : être en prison.

Conjugaison 1

barrer v.
1. *Barrer une rue,* c'est la fermer, en empêcher l'accès ; vois ***boucher.*** *On a barré la rue de la poste à cause des travaux.* **2.** Diriger un bateau avec la barre du gouvernail. *Yves apprend à barrer sur le bateau de son oncle Loïc.* **3.** Supprimer ce qui est écrit en faisant une barre dessus ; vois ***biffer, raturer, rayer.*** *Julie a écrit $6 \times 7 = 48$, puis elle a barré 48 et écrit 42.*

Famille de **barre**

On appelle *barreur* celui qui barre un bateau.

Compare : *barre → barrette* et *boule → boulette.*

barrette n. f.
Pince étroite et allongée qui sert à tenir une mèche de cheveux. *Claire a des barrettes de toutes les couleurs.*

Attention ! deux *r* et deux *t*. Famille de **barre**

Deux ***r*** dans *ba**rr**icade* et *ba**rr**icader.*

barricade n. f.
Barrage effectué par des manifestants en travers d'une rue, à l'aide de pavés et d'objets divers. *Les manifestants avaient élevé des barricades dans presque toutes les rues.*

Dans *les Misérables* de Victor Hugo, Gavroche est tué sur une barricade.

Conjugaison 1

▸ ***barricader*** v. **1.** *Barricader une porte,* c'est y mettre une barre, ou mettre des meubles devant pour que l'on ne puisse pas l'ouvrir de l'extérieur. *Mme Harpie barricade sa porte de peur des voleurs.* **2.** *Se barricader,* c'est s'enfermer soigneusement dans une maison pour se protéger des autres. *Yves est furieux, il s'est barricadé dans sa chambre et refuse de venir à table ;* vois **enfermer.**

Tant pis pour toi, Yves, tu n'auras rien à manger.

Deux **r** dans *barrière.*

barrière n. f.

Les Pyrénées forment une *barrière naturelle* entre l'Espagne et la France.

Assemblage de morceaux de bois ou de métal qui ferme un passage, sert de clôture. *Les barrières du passage à niveau sont baissées car le train arrive. Julie, ferme la barrière du jardin !*

Famille de **barre**
Va voir aussi ***garde-barrière.***

Attention ! deux **r** dans *barrique.*

barrique n. f.

Tonneau qui contient deux cents litres. *Pierre Séverac a mis le vin de ses vignes en barrique.*

Conjugaison 2

barrir v.

L'éléphant barrit, il pousse son cri.

Le cri de l'éléphant, c'est le *barrissement.*

Un seul **r** et un **y** dans *baryton.*

baryton n. m.

Chanteur dont la voix se situe entre la voix haute du ténor et la voix grave de la basse. *Ce morceau doit être chanté par un baryton.*

① **bas** adj., adv. et n. m.

Au féminin : *basse.*
Le contraire de *bas,* c'est *haut.*

▭ **adj. 1.** Qui n'est pas haut, qui est près du sol. *À table, la chaise est trop basse pour la petite Claire. Les nuages sont bas, il va pleuvoir.* **2.** *La marée basse,* c'est le moment où le niveau de la mer est au plus bas. *À marée basse, Yves va pêcher la crevette.* **3.** Penché vers le sol. *Antoine marchait la tête basse,* la tête baissée. **4.** *Il faut parler à voix basse dans une église,* très doucement. **5.** Dont le chiffre n'est pas élevé. *Pour une aussi belle qualité, le prix est très bas,* ce n'est pas cher. *Martin est un enfant en bas âge,* un tout petit enfant, un bébé. *Conservez ce médicament à basse température,* à une température peu élevée. **6.** Inférieur, mauvais, désagréable. *Mme Harpie n'achète que des bas morceaux,* les morceaux de viande les moins chers, de moins bonne qualité. **7.** Méprisable. *C'est une basse vengeance ;* vois ***ignoble, infâme, vil.***

On dit parfois *la terre est basse !* quand on est fatigué de se baisser.

Faire main basse sur une chose, c'est s'en emparer, la voler.

Il a six mois.

Bas les pattes ! : baisse tes mains, ne me touche pas.

▭ **adv. 1.** À une faible hauteur, près du sol. *Les hirondelles volent bas.* **2.** *Parler bas,* c'est parler très doucement. *Julie et Yasmina se parlaient tout bas,* à mi-voix. **3.** *Le malade est bien bas,* il n'a plus de force physique, plus de courage. **4.** *La vache a mis bas cette nuit,* elle a donné naissance à son petit.

Le contraire de *bas,* c'est *fort.*

Elles se faisaient leurs confidences.

On ne dit pas *accoucher,* en parlant des bêtes.

▭ **n. m. 1.** La partie qui est basse. *Yasmina range ses chaussures dans le bas du placard. Antoine accompagne Marie-Tévy jusqu'au bas de l'escalier. Il ne pleut pas, la grenouille est en bas de l'échelle. Les remarques sont écrites au bas de la page. La page se lit de haut en bas,* en commençant par le haut et en finissant par le bas. **2.** *Dans la vie, il y a des hauts et des bas,* des moments où cela va bien et des moments où cela va mal. **3.** *À bas la guerre !,* on est contre la guerre, on n'en veut pas.

Sur les caisses fragiles, on inscrit HAUT et BAS pour les transporter dans le bon sens.

Maman est en haut
Qui fait des gâteaux,
Papa est en bas
Qui fait du chocolat ;
Fais dodo, Colas
Mon p'tit frère... (chanson).

Autres membres de la famille : **bas-côté, basse-cour, bas-fond, bas-relief, bas-ventre ; basse, bassement, bassesse, basset ; branle-bas,** en **contrebas, contre-basse ; soubassement.**

Le contraire, c'est *vive !*

② **bas** n. m.

Vêtement de matière souple et légère, qui couvre le pied et la jambe jusqu'en haut de la cuisse. *Mme Séverac préfère les bas aux collants.*

Dans certains pays, à Noël, on accroche un bas à la cheminée.

basalte n. m.

Il y a du basalte en Auvergne.

Roche volcanique très foncée et très lourde, formée de cristaux. *Le basalte sort des volcans à l'état liquide avant de se solidifier.*

On utilise le basalte pour faire les routes.

basané adj.

Un teint basané, c'est un teint naturellement très bronzé. *Les Mexicains ont la peau basanée.*

Le contraire de *basané,* c'est *clair, pâle.*

N'oublie pas le trait d'union.

bas-côté n. m.

1. *Les bas-côtés d'une église,* ce sont les parties situées à droite et à gauche de la partie centrale. *Les voûtes des bas-côtés sont moins hautes que celles de la nef.* **2.** Côté de la route. *Le camion est garé sur le bas-côté.*

Famille de ① **bas** et de **côté**

bascule n. f.

Un cheval à bascule, c'est un jouet.

1. *Un fauteuil à bascule,* c'est un fauteuil sur lequel on peut se balancer d'avant en arrière. *Mamie Lou a un fauteuil à bascule dans sa chambre.* **2.** Balance à grand plateau pour peser les objets lourds et encombrants. *On a mis les caisses sur la bascule.*

On dit aussi : un *rocking-chair.*

Conjugaison 1

▸ ***basculer*** v. Se renverser de façon que le haut ou le côté soit en bas. *Les déménageurs font basculer l'armoire pour qu'elle passe dans l'escalier. L'alpiniste a perdu l'équilibre et a basculé dans le vide,* il est tombé dans le vide.

Famille de ① **bas**

base n. f.

1. La partie basse d'une chose sur laquelle elle repose. *La base de la montagne est couverte de sapins ;* vois ***pied.*** **2.** En géométrie, la ligne ou la surface qui est perpendiculaire à la hauteur. *La base d'un triangle est à l'opposé du sommet.* **3.** Endroit où sont installés des militaires et leur matériel. *Les soldats ont rejoint leur base.* **4.** *Ce cocktail est fait à base de whisky,* avec surtout du whisky. **5.** *En français, Marie-Tévy manquait de bases,* elle connaissait mal les choses les plus importantes, les rudiments du français. **6.** *Le solfège est à la base des études musicales,* c'est ce sur quoi repose toute la musique.

Le contraire de *base,* c'est *haut, sommet.*

.es bases d'un trapèze sont tou-ours parallèles.

Le port de Cherbourg est une base navale.

Toujours au pluriel dans ce sens.

Elle est née au Cambodge et elle est en France depuis peu de temps.

Conjugaison 1

▸ ***baser*** v. **1.** *Ce sous-marin est basé à Toulon,* sa base est à Toulon. **2.** Prendre pour base, pour élément principal, dans un raisonnement. *Le commissaire base son accusation sur des preuves. — Sur quoi te bases-tu pour dire que Julie a menti ?,* sur quoi te fondes-tu, t'appuies-tu ?

Famille de ① **bas** et de **fond**

bas-fond n. m.

Endroit de la mer où l'eau n'est pas profonde. *Attention aux bas-fonds, Loïc, le bateau pourrait s'échouer !*

On dit aussi *haut-fond.*

basilique n. f.

Très grande église, qui a souvent plus de trois nefs. *La basilique du Sacré-Cœur, à Paris, est sur la butte Montmartre.*

.e titre de basilique est donné à une église par le pape.

Les tombeaux des rois de France sont dans la basilique de Saint-Denis.

Basket [baskɛt] rime avec *raquette.*

① ***basket*** n. f.

Chaussure de sport, montante, à semelle de caoutchouc. *Julie a une nouvelle paire de baskets blanches.*

Au pluriel : *des baskets.*

Basket veut dire « panier » en anglais.

② ***basket*** n. m.

Jeu entre deux équipes de cinq joueurs qui doivent lancer le ballon dans le panier de l'autre équipe. *Notre équipe de basket a remporté le match.*

▸ ***basketteur*** n. m., ***basketteuse*** n. f. Personne qui joue au basket. *Pour être un bon basketteur, il vaut mieux être grand.*

.e panier est un cercle de métal avec un filet, fixé à 3,05 m du sol.

On dit aussi : *basket-ball* [baskɛtbol].

N'oublie pas le trait d'union. Famille de ① **bas** et de **relief**

bas-relief n. m.

Sculpture sur un fond de pierre, de bois ou de métal, qui se détache à peine de ce fond. *Les bas-reliefs du portail de l'église représentent le paradis.*

Attention ! *bas* ne veut pas dire que c'est près du sol, mais qu'il y a peu de relief.

Famille de ① **bas**

basse n. f.

1. Partie d'un morceau de musique qui utilise les notes les plus graves et sert d'accompagnement. *Le violoncelliste jouait la basse du quatuor.* **2.** *Une voix de basse,* c'est la plus grave des voix d'homme. *Le docteur Séverac a une très belle voix de basse.*

On dit aussi : *une basse.*

Au pluriel : *des basses-cours.* Famille de ① **bas** et de ① **cour**

basse-cour n. f.

1. Cour de ferme où l'on élève les volailles. *Claire donne à manger aux poules dans la basse-cour.* **2.** Les animaux qui vivent dans la basse-cour. *À la ferme, Mamie Lou s'occupe de la basse-cour.*

Les poules, les canards, les oies et les dindons sont des animaux de basse-cour.

Famille de ① **bas**

bassement adv.

Avec bassesse, lâchement. *Les courtisans flattaient bassement le roi pour lui plaire.*

Famille de ① **bas**

bassesse n. f.

Acte bas, honteux. *Mme Harpie est prête à faire des bassesses pour avoir plus d'argent,* à tout accepter.

Elle est tellement avare !

Famille de ① **bas**

basset n. m.

Chien aux pattes très courtes, capable de chasser. *Le basset se faufile dans le terrier du blaireau.*

Le *grand bassin* d'une piscine est la partie la plus profonde ; le *petit bassin,* la partie la moins profonde.

bassin n. m.
1. Construction dans un parc ou un jardin, remplie d'eau. *Il y a un jet d'eau au milieu du bassin.* **2.** Grande plaine. *L'Île-de-France est dans le Bassin parisien.* **3.** Région où il y a des mines. *On fabrique de l'acier et de la fonte sur le bassin houiller du Nord-Pas-de-Calais.* **4.** Ensemble d'os au bas de la colonne vertébrale, où s'attachent les os des cuisses. *Les femmes ont le bassin plus large que les hommes.*

Le bassin du Rhône est la région que traversent le Rhône et ses affluents.

▷ **bassine** n. f. Récipient qui sert pour le ménage. *Mamie Lou a fait tremper du linge dans une bassine.*

Va voir aussi ***cuvette.***

Prononce [bastɛ̃gaʒ].

bastingage n. m.
Barrière qui borde le pont d'un bateau. *Appuyée au bastingage, Angèle dit au revoir à ses amis restés à terre.*

Angèle est sur le bateau qui v de Bastia à Nice.

Famille de ① **bas** et de **ventre**

bas-ventre n. m.
Partie du ventre située au-dessous du nombril. *Le malade se plaignait d'une douleur dans le bas-ventre.*

Famille de **battre**

bataille n. f.
1. *Livrer bataille,* c'est se battre. *Les armées se livraient bataille jusqu'à la nuit ;* vois ***combat.*** **2.** *En bataille,* en désordre. *Antoine est arrivé à peine réveillé, les cheveux en bataille,* coiffé n'importe comment. **3.** Jeu de cartes. *Claire et David ont joué à la bataille.*

La bataille de Marignan a eu lie en 1515.

C'est le plus simple des jeux d cartes.

Conjugaison 1

▷ **batailler** v. S'acharner pour obtenir une chose difficile ; vois ***lutter.*** *Il faut batailler pour que Julie change d'avis.*

Julie tient à ses idées !

Au féminin : *batailleuse.*

▷ **batailleur** adj. Qui aime se battre, qui cherche à se battre. *Yves et Antoine sont très batailleurs.*

Obélix est toujours d'humeu batailleuse.

▷ **bataillon** n. m. **1.** Troupe de soldats qui réunit plusieurs compagnies. *Le chef du bataillon est le commandant.* **2.** Groupe qui réunit de nombreuses personnes. *Tout un bataillon de marmitons préparait le festin.*

N'oublie pas l'accent circonflexe du ***â*** ni le ***d*** final de *bâtard.*

bâtard adj. et n.
1. adj. *Un chien bâtard,* c'est un chien qui a un père et une mère de races différentes. *Diane est une chienne bâtarde.* — n. *Diane est une bâtarde de cocker et d'épagneul.* **2.** n. m. Pain qui pèse deux cent cinquante grammes. *Antoine a acheté deux baguettes et un bâtard.*

Le bâtard est plus court et plu large que la baguette.

Au pluriel : *des bateaux.*

Maman, les p'tits bateaux
Qui vont sur l'eau
Ont-ils des jambes ?
(chanson).

bateau n. m.
1. Construction faite pour flotter, naviguer, transporter des personnes et des marchandises ; vois ***embarcation, navire, vaisseau.*** *Les bateaux de pêche rentrent au port. Angèle a pris le bateau pour aller à Ajaccio. Yves fait du bateau avec son oncle Loïc. Les bateaux de Christophe Colomb étaient des caravelles.* **2.** *Les voitures ne doivent pas stationner devant un bateau,* la partie la plus basse du trottoir à la sortie d'un garage.

Va voir aussi ***barque, hors-bord, paquebot, péniche, pétrolier, voilier, yacht.***

Va voir aussi ***passeur.***

▷ **batelier** n. m., **batelière** n. f. Personne qui fait le métier de conduire un bateau sur les rivières et les canaux ; vois ***marinier.*** *Angèle écoutait la chanson du batelier.*

À Venise, les bateliers sont de gondoliers.

Attention au ***h*** après le ***t***, au ***y*** et au ***ph*** ! Prononce [batiskaf].

bathyscaphe n. m.
Appareil qui transporte des observateurs au fond de la mer. *Le pilote a conduit le bathyscaphe dans l'océan Pacifique, à 10 916 mètres de profondeur.*

Le bathyscaphe a été mis a point par le professeur Piccar en 1948.

N'oublie pas l'accent circonflexe du ***â*** de *bâti.*

bâti adj.
Nathalie est bien bâtie, elle a un corps bien fait et des muscles solides.

Famille de **bâtir**

Conjugaison 1

batifoler v.
Jouer à de petits jeux, s'amuser ; vois ***folâtrer.*** *Claire batifole sur la pelouse avec son chien.*

Conjugaison 2

bâtir v.
1. Construire. *On a bâti ce nouveau quartier en quelques mois ;* vois ***édifier.*** **2.** Coudre à grands points. *La couturière a bâti la jupe pour l'essayage.*

Le contraire de *bâtir,* c'est *démolir, détruire.*

N'oublie pas l'accent circonflexe du ***â*** de *bâtir, bâtiment* et *bâtisse.*

▷ **bâtiment** n. m. **1.** *Le bâtiment,* c'est l'ensemble des industries de la construction. *M. Touati est un ouvrier du bâtiment.* **2.** Construction ; vois ***édifice.*** *Yasmina habite le bâtiment B de la résidence du Parc ;* vois *immeuble.* **3.** Grand navire. *Le cuirassé Potemkine était un bâtiment de guerre.*

Autres membres de la famille : **bâti, rebâtir.**

▸ ***bâtisse*** n. f. Grand bâtiment. *Le gymnase est une grande bâtisse en béton.*

N'oublie pas l'accent circonflexe du *â* de *bâton.*

bâton n. m.

Un *bâtonnet,* c'est un bâton très mince.

1. Long morceau de bois que l'on peut tenir à la main. *Le berger marche en s'appuyant sur son bâton ;* vois ***canne.*** *Guignol donne des coups de bâton au gendarme ;* vois ***gourdin, trique.*** **2.** *Un bâton de ski,* c'est une tige d'acier mince, munie d'une poignée qui sert au skieur à s'appuyer sur la neige. *Nathalie plante son bâton dans la neige avant chaque virage.* **3.** Objet en forme de bâton. *Angèle écrit au tableau avec un bâton de craie.*

Va voir *parler à bâtons rompus* à ***rompu.***

batracien n. m.

Avant d'être adulte, la grenouille est un têtard.

Animal qui vit sur terre et dans l'eau, et qui devient adulte par métamorphose. *Le crapaud, la grenouille, le triton sont des batraciens.*

Les batraciens sont des vertébrés.

Famille de **battre**

battage n. m.

Le battage du blé, c'est la séparation des grains de l'épi. *Autrefois, les paysans utilisaient des fléaux pour le battage.*

Avec les moissonneuses-batteuses, le battage se fait en même temps que la récolte.

Famille de **battre**

① **battant** n. m.

Le battant frappe la paroi de la cloche et la fait résonner.

1. Pièce de métal à l'intérieur de la cloche. *Le battant est suspendu à un anneau.* **2.** Partie mobile d'une porte ou d'une fenêtre ; vois ***vantail.*** *La porte de la salle à manger a deux battants,* elle s'ouvre en deux parties.

C'est une *porte à double battant.*

Famille de **battre**

② **battant** adj.

Une pluie battante est une pluie qui tombe très fort. *Les enfants sont rentrés sous une pluie battante.* *Alex avait le cœur battant lorsqu'il est allé voir les résultats du baccalauréat,* son cœur battait très fort.

Les enfants étaient trempés ! Il avait peur d'être recalé.

Mener une affaire tambour battant, c'est la mener rapidement.

Famille de **battre**

battement n. m.

1. Série de coups ou de chocs. *Le battement de la pluie contre la vitre a réveillé Martin.* *Le docteur Séverac écoute les battements du cœur de Marie-Tévy,* le bruit du cœur. **2.** Intervalle de temps libre. *Mme Hespel avait un battement de vingt minutes pour changer de train.*

Quand on nage le crawl, on fait des *battements de jambes.*

Famille de **battre**

batterie n. f.

Les cymbales, la grosse caisse font partie de la batterie.

1. Ensemble des instruments à percussion d'un orchestre. *Alex joue de la batterie.* **2.** *Une batterie de cuisine,* c'est l'ensemble des ustensiles de cuisine utilisés pour la cuisson. *Il y a d'énormes marmites dans la batterie de cuisine du restaurant Bellec.* **3.** Ensemble d'éléments qui fournissent de l'électricité. *La batterie de la voiture est à plat, il faut la recharger.*

Va voir aussi **batteur.** Les poêles, les casseroles, les cocottes, les plats qui vont au four font partie d'une batterie de cuisine.

On peut dire aussi : *les accus* de la voiture.

Famille de **battre**

batteur n. m.

1. Personne qui tient la batterie dans un orchestre de jazz ou de musique populaire. *Le groupe est composé de deux guitaristes, un batteur et un chanteur.* **2.** Ustensile de cuisine pour battre ou mélanger ; vois ***fouet.*** *M. Bellec utilise un batteur électrique pour monter les blancs en neige.*

Dans les orchestres de musique classique, il y a des *percussionnistes.*

Conjugaison 41
▭ Indic. présent : *je bats, nous battons.* Passé simple : *je battis, nous battîmes.* Futur : *je battrai.*

battre v.

1. Donner des coups. *Pierre Séverac a battu son chien parce qu'il s'était sauvé ;* vois ***frapper, taper.*** — *Julie s'est battue avec Yves ;* vois *se* ***bagarrer.*** *Les troupes se sont bien battues ;* vois ***combattre.*** **2.** Remporter une victoire. *Charles Martel battit les Arabes à Poitiers en 732 ;* vois ***vaincre.*** *Nathalie s'est fait battre aux échecs par son frère, il a gagné et elle a perdu.* **3.** *Battre une chose,* c'est donner des coups dessus. *On bat les tapis pour en faire sortir la poussière.* *Le fermier bat le blé avec une moissonneuse-batteuse,* il sépare les grains des épis. *Autrefois, on battait le tambour pour annoncer les nouvelles à la population,* on le frappait avec des baguettes. **4.** Mélanger. *M. Bellec bat les œufs pour faire une omelette.* *On bat les cartes avant de les distribuer.* **5.** Parcourir en cherchant. *Les pompiers ont battu la forêt à la recherche du lion qui s'était échappé du cirque.* **6.** *Battre la mesure,*

Avoir l'air d'un chien battu : avoir l'air triste et terrorisé.

Astérix et Obélix vont en Bretagne aider Jolitorax à battre les Romains qui ont envahi le pays.

Va voir *battre en retraite* à ***retraite.***

Va voir *battre son plein* à ***plein.***

Va voir aussi ② **battant** et **battement.**

c'est indiquer le rythme de la musique. *Le chef d'orchestre bat la mesure avec une baguette.* **7.** Taper de façon régulière. *Marie-Tévy avait peur dans le noir, son cœur battait,* son cœur palpitait plus fort que d'habitude sous l'effet de l'émotion. **8.** *Battre contre quelque chose,* c'est taper, cogner contre quelque chose. *La pluie bat contre la vitre. La porte bat,* elle n'est pas fermée et le courant d'air l'agite.

Autres membres de la famille : **bataille, batailler, batailleur, bataillon ; battage, ① battant, ② battant, battement, batterie, batteur ; combattre, combat, combatif, combattant ; débat, débattre ; imbattable ; rebattre, rebattu.**

Deux *t* dans *battre* et *battue.*

▸ ***battue*** n. f. Action de battre les buissons, les bois pour en faire sortir le gibier. *Les chasseurs avaient organisé une battue.*

baudet n. m.

Baudet est un mot que l'on trouve souvent dans les *Fables* de La Fontaine.

Âne. *Mme Roussel est revenue du marché chargée comme un baudet,* elle était très chargée.

Les baudets peuvent porter des fardeaux très lourds.

baudruche n. f.

Autrefois, c'était une pellicule très fine de boyau de bœuf ou de mouton.

Caoutchouc très fin. *Les enfants gonflent des ballons de baudruche.*

baume n. m.

Pommade qui calme la douleur. *Julie soigne son entorse en se massant avec du baume. — Yasmina était triste, les paroles de Julie lui ont mis du baume au cœur,* elles ont adouci son chagrin.

Autre membre de la famille : **embaumer.**

bauxite n. f.

Prononce [boksit].

En France, il y a des gisements de bauxite dans le Var et l'Hérault.

Roche qui sert à la préparation de l'aluminium. *Les bauxites rouges contiennent beaucoup de fer.*

La bauxite est un minerai.

bavard adj.

Une personne bavarde, c'est une personne qui parle beaucoup. *Antoine est bavard, il est capable de rester une heure au téléphone ! Une journaliste un peu bavarde a révélé que le maire ne se représenterait pas aux élections municipales ;* vois ***indiscret.*** — n. *Cette bavarde ne sait pas tenir sa langue !*

Il est *bavard comme une pie !*

Famille de **bave**

Le contraire de *bavard,* c'est *muet, silencieux.*

Conjugaison 1

Le contraire de *bavarder,* c'est *se taire.*

▸ ***bavarder*** v. **1.** Parler beaucoup avec quelqu'un de choses et d'autres. *Mme Bellec aime bien bavarder avec les clients de son restaurant.* **2.** Parler au lieu d'écouter. *Les élèves ne doivent pas bavarder pendant les cours.*

Après la fête, Babar, Céleste et la vieille dame bavardent ensemble *(Babar).*

▸ ***bavardage*** n. m. **1.** *Les bavardages de Mme Harpie ennuient Angèle,* ce qu'elle dit en bavardant. **2.** *Colle et Rat ont été punis pour bavardage,* parce qu'ils parlaient au lieu d'écouter en classe.

bave n. f.

1. Salive qui coule de la bouche. *La bave du bébé a mouillé son bavoir.* **2.** *La bave de l'escargot ou de la limace* est le liquide gluant que ces animaux produisent. *La bave de l'escargot a laissé des traînées brillantes sur le sol et les feuilles.*

L'hiver, l'escargot sécrète par la bouche de la bave qui, en séchant, forme une petite pellicule dure qui ferme sa coquille.

Conjugaison 1

▸ ***baver*** v. **1.** Laisser couler de la bave. *Le chien bave quand il sent l'odeur du rôti.* **2.** *La peinture a bavé, elle était trop liquide,* elle a débordé.

▸ ***bavette*** n. f. Serviette de table pour un bébé ; vois ***bavoir.*** *Denis Prost noue la bavette autour du cou de Martin.*

▸ ***baveux*** adj. *Une omelette est baveuse* quand elle est encore un peu liquide. *M. Doucet ne fait pas trop cuire l'omelette, car il l'aime baveuse.*

▸ ***bavoir*** n. m. Vêtement qui couvre la poitrine et que l'on attache autour du cou des bébés. *Julie a brodé un bavoir pour son petit frère Martin.*

Compare : *baver → bavure, teinter → teinture* et *graver → gravure.*

▸ ***bavure*** n. f. **1.** Trace laissée par l'encre, la peinture qui a bavé. *Attends que ton dessin soit bien sec avant de le ranger sinon il y aura des bavures.* **2.** Erreur ou action illégale commise au cours d'une opération de police. *Dans cette affaire, on a eu du mal à éviter les bavures.*

Autres membres de la famille : **bavard, bavarder, bavardage.**

bazar n. m.

C'est familier de dire *quel bazar !* pour *quel fouillis !, quel désordre !*

Magasin où l'on vend toutes sortes d'objets et d'ustensiles. *Antoine a acheté de la ficelle, un bocal et un savon de Marseille au bazar.*

bazooka n. m.

Il y a deux ***o*** dans *bazo**o**ka,* comme dans *igl**oo**.* Prononce [bazuka].

Arme en forme de long tube qui sert à lancer de petits obus. *Les chars avançaient sous les tirs des bazookas.*

On dit aussi : *lance-roquettes.*

B. D. va voir ① *bande.*

béant adj.

Au féminin : *béante.*

Grand ouvert. *Un gouffre béant s'ouvrait aux pieds des spéléologues.*

Ne confonds pas *béant* et *béat.*

Un *t* à la fin de *béat* [bea].

béat adj.

Un air béat exprime la satisfaction d'une façon exagérée. *Les grands-parents du bébé le regardaient avec un sourire béat. — Marie-Tévy est béate d'admiration devant le prestidigitateur,* elle le regarde la bouche ouverte et les yeux écarquillés.

▷ ***béatement*** adv. *Les grands-parents souriaient béatement devant leur petit-fils,* d'une manière béate.

Ne confonds pas *béat* et *béant.*

L'adjectif *beau* devient *bel* devant un nom masculin commençant par une voyelle ou par un *h* muet : *un bel oiseau, un bel héritage.* Au masculin pluriel : *de beaux oiseaux, de beaux héritages.*

Le baromètre est au beau fixe : il fait très beau.

beau adj., adv. et n. m.

▭ **adj. 1.** Agréable à voir ou à entendre ; vois ***joli, magnifique, superbe.*** *La belle actrice a subjugué le public. Elle a les plus beaux yeux du monde. Grand et mince, M. Doucet est un bel homme. Sylvain écoutait une belle musique. Denis Prost s'est fait beau pour le gala,* il s'est bien habillé. **2.** Généreux et digne d'admiration. *Antoine a eu un beau geste en ne dénonçant pas les coupables.* **3.** Très réussi. *Les enfants sont enchantés de leur beau voyage. Quel beau match ! Antoine est à l'heure, c'est trop beau pour être vrai. Le beau temps est arrivé. Il fait beau.* **4.** Gros, important. *Antoine a mangé une belle tranche de rôti. Yves a eu une belle peur !,* il a eu très peur. **5.** Mauvais. *Marie-Tévy a eu une belle angine.*

▭ **adv. 1.** *Claire a beau crier, Mamie Lou ne l'entend pas,* Claire crie très fort et, malgré cela, Mamie Lou ne l'entend pas. **2.** *De plus belle,* de nouveau et encore plus fort. *Il pleut de plus belle.* **3.** *Bel et bien,* réellement, vraiment. *Yasmina avait raison, la maîtresse s'est bel et bien trompée.*

▭ **n. m.** *Un chien qui fait le beau* se tient debout sur ses pattes de derrière. *Les enfants ont appris à leur chien à faire le beau.*

Au féminin : *belle.*

Le contraire de *beau,* c'est *affreux, laid, vilain.*

Remarque la place de l'adjectif *beau* : avant le nom qu'il qualifie.

Un beau matin : un certain matin.

Un bel égoïste, c'est un grand égoïste.

Tout le monde peut se tromper !

Autres membres de la famille : **beauté, beaux-arts, embellir.**

Il y a un *p* à la fin de *beaucoup.*

Pour l'anniversaire de sa maman, le Petit Nicolas voulait lui acheter beaucoup, beaucoup de fleurs. Comme il n'avait pas beaucoup d'argent, la fleuriste a fait un bouquet avec beaucoup, beaucoup de feuilles vertes (*le Petit Nicolas*).

beaucoup adv.

1. Un grand nombre, une grande quantité. *Julie est entourée de beaucoup d'admirateurs. À l'école, on apprend beaucoup de choses. Denis Prost a beaucoup de talent. Il n'y avait pas beaucoup de monde à la piscine.* **2.** De nombreuses choses, de nombreuses personnes. *Le docteur Séverac a toujours beaucoup de choses à faire. Trois zéros en une semaine, cela fait beaucoup,* beaucoup de mauvaises notes. *Beaucoup pensent qu'Angèle est formidable. Ils sont beaucoup à le penser.* **3.** Énormément. *Sylvain aime beaucoup le piano. Yasmina travaille beaucoup plus que Julie.* **4.** *De beaucoup,* avec une grande différence. *Yves a gagné la course de beaucoup,* il avait une grande avance sur les autres concurrents. *Il était de beaucoup le meilleur.*

Le contraire, c'est *peu.*

Il a beaucoup de patience : il est très patient.

« Je t'aime, un peu, beaucoup, passionnément, à la folie, pas du tout ! » dit-on en effeuillant la marguerite.

Au pluriel : *des beaux-fils.*

Va voir aussi ***belle-fille.***

beau-fils n. m.

1. Mari de la fille. *M. Bellec est le beau-fils de M. et Mme Bonnot,* il est le mari de leur fille ; vois ***gendre***. **2.** *Antoine est le beau-fils de Muriel Doucet,* il est le fils que son mari a eu d'un premier mariage.

Famille de **fils**

Muriel n'est pas la mère d'Antoine.

Au pluriel : *des beaux-frères.* Famille de **frère**

Va voir aussi ***belle-sœur.***

beau-frère n. m.

1. Frère de la femme ou du mari. *Pierre Séverac est le beau-frère de Sarah Séverac.* **2.** Mari de la sœur ou de la belle-sœur. *Muriel Doucet a deux beaux-frères car ses deux sœurs sont mariées.*

Sarah est la femme du docteur Louis Séverac, le frère de Pierre.

Au pluriel : *des beaux-pères.*

Va voir aussi ***belle-mère*** et ***beaux-parents.***

beau-père n. m.

1. Père de la femme ou du mari. *M. Bonnot est le beau-père de M. Bellec qui a épousé Mlle Bonnot.* **2.** Mari de la mère sans être le père. *Si Loïc épousait Mme Roussel, il deviendrait le beau-père d'Antoine.*

Famille de **père**

Mme Roussel est divorcée de M. Doucet.

Compare : *beau* → *beauté* et *bon* → *bonté.*

La Corse est surnommée l'île de Beauté.

beauté n. f.

Caractère de ce qui est beau. *Mamie Lou était d'une grande beauté quand elle était jeune. Angèle admire la beauté du coucher du soleil sur la baie d'Ajaccio.*

Famille de **beau**

Le contraire de *beauté,* c'est *laideur.*

N'oublie pas le trait d'union de *beaux-arts.*

beaux-arts n. m. plur.

L'architecture, la gravure, la peinture et la sculpture. *Sophie Pelletier a étudié les beaux-arts à Dijon.*

Famille de **beau** et de **art**

Va voir aussi ***beau-père*** et ***belle-mère.***

beaux-parents n. m. plur.

Parents du mari ou de la femme. *M. et Mme Bonnot sont les beaux-parents de M. Bellec qui a épousé leur fille.*

Famille de **parent**

bébé n. m.

Alice avait peur que la duchesse et la cuisinière ne tuent le bébé. Alors, elle emmena le nourrisson avec elle. Quand elle le regarda mieux, elle vit que c'était un bébé-cochon *(Alice au Pays des merveilles).*

1. Enfant qui vient de naître ou qui est âgé de quelques mois ; vois ***nourrisson, nouveau-né.*** *Martin est un bébé de six mois. Mme Bellec attend un bébé,* elle est enceinte. — adj. *« Claire, parfois, tu es très bébé », soupire Mamie Lou,* tu te conduis comme un bébé alors que tu es plus âgée qu'un bébé. **2.** Très jeune animal. *Les bébés hirondelles sont très voraces. Le bébé chameau était tout blanc.*

Claire a cinq ans.

Les bébés phoques sont protégés contre les chasseurs.

bec n. m.

Les tortues et les ornithorynques ont aussi un bec.

1. Bouche des oiseaux formée de deux parties dures qui recouvrent des mâchoires sans dents. *L'hirondelle a saisi un moucheron avec son bec.* **2.** *Le bec d'un récipient,* c'est la partie en pointe qui sert à verser. *Le presse-citron a un bec.*

Va voir *bec verseur* à **verseur.**

Au pluriel : *des becs-de-lièvre.*

▸ ***bec-de-lièvre*** n. m. Malformation de la lèvre supérieure. *On opère dès l'âge de six mois les bébés qui ont un bec-de-lièvre.*

Famille de **lièvre**

Le jour, la bécasse vit dans les bois ; la nuit, elle préfère les prés et les marais.

▸ ***bécasse*** n. f. **1.** Oiseau migrateur qui a un long bec et des pattes courtes. *La chasse à la bécasse est maintenant interdite en France.* **2.** Personne sotte. *Quelles bécasses, ces filles !*

Autre membre de la famille : **becquée.**

bêche n. f.

N'oublie pas l'accent circonflexe du *ê* de *bêche* et de *bêcher.*

Outil de jardinage composé d'une plaque de métal large, plate et tranchante et d'un manche. *Le jardinier retourne la terre avec une bêche.*

La bêche est un des plus vieux outils du monde. Elle apparaît dès l'âge de fer, 1 000 ans avant Jésus-Christ.

Conjugaison 1

▸ ***bêcher*** v. Retourner la terre avec une bêche. *Odile Séverac bêche son jardin.*

becquée n. f.

Famille de **bec**

L'oiseau donne la becquée à ses petits, il leur donne de la nourriture avec son bec.

bedonnant adj.

Ce mot est familier.

Une personne bedonnante est une personne qui a un gros ventre ; vois ***ventru.*** *M. Bellec est bedonnant : il mange trop.*

bée adj. f.

Compare *bée* et *béant* : il s'agit d'être **grand ouvert.**

Bouche bée, la bouche ouverte d'étonnement ou d'admiration. *Sylvain est resté bouche bée quand son frère lui a dit qu'il allait au Canada.*

Aller au Canada, c'est un beau voyage !

beffroi n. m.

Attention aux deux *f* !

Tour située généralement près de l'hôtel de ville et contenant une cloche et souvent un carillon. *Sylvain a visité le beffroi de Béthune.*

Il y a des beffrois dans le nord de la France et en Belgique.

bégayer v.

Conjugaison 8
▭ Indic. présent : *je bégaie* ou *je bégaye, nous bégayons.*

Parler avec peine, en répétant les mêmes syllabes. *Hippolyte bégaie quand il est énervé.*

Famille de **bègue**

▸ ***bégaiement*** n. m. Défaut de prononciation d'une personne qui bégaie. *On guérit facilement du bégaiement.*

bégonia n. m.

On fait pousser des bégonias dans beaucoup de jardins publics.

Plante à fleurs rouges, jaunes, blanches, à feuilles brillantes et tiges cassantes. *Mme Séverac a mis des jardinières de bégonias sur le balcon.*

bègue n. m. et f.

Personne qui parle difficilement, en répétant plusieurs fois la même syllabe. *Il faut éviter de demander son chemin à une bègue !* — adj. *Il est bègue de naissance.*

Autres membres de la famille : **bégayer, bégaiement.**

beige adj.

Attention ! *ei,* comme dans *neige.*

Brun très clair. *Angèle a des chaussures beiges.* — n. m. *Le beige est une couleur pastel.*

beignet n. m.

Attention ! *ei,* comme dans *peigne.*

Pâte cuite dans la friture. *Mamie Lou a fait des beignets aux pommes.*

Prononce [bɛɲɛ].

bel va voir *beau.*

bêler v.

Conjugaison 1

Les chèvres bêlent elles aussi.

Le mouton bêle, il pousse son cri.

Bêêêêê !

▸ ***bêlement*** n. m. Cri des moutons et des chèvres. *On entend des bêlements dans la colline.*

N'oublie pas l'accent circonflexe du *ê* de *bêler, bêlement.*

Prononce [bəlɛt].

Une belette pèse environ 80 grammes.

belette n. f.
Petit animal des campagnes, allongé, à pattes courtes et fourrure fauve, qui bondit avec légèreté et qui est carnassier. *Les belettes mangent des souris.*

La belette ressemble au putois et à l'hermine, mais sa fourrure est moins belle.

— Tu vois bien... ce n'est pas un mouton, c'est un bélier. Il a des cornes... *(le Petit Prince).*

bélier n. m.
1. Mouton mâle. *Le bélier et la brebis sont des moutons.* **2.** Machine de guerre faite d'une poutre qui servait à enfoncer les portes des châteaux forts ou des villes. *Les assaillants ont donné des coups de bélier.*

belle va voir **beau.**

Famille de ① **fille**

Va voir aussi ***beau-fils.***

belle-fille n. f.
1. Épouse du fils. *Sarah et Odile Séverac sont les belles-filles de Mamie Lou,* chacune a épousé un de ses deux fils. **2.** Fille que son mari ou sa femme a eue d'un premier mariage. *Blancheneige était la belle-fille de la Reine.*

Dans ce sens, on dit aussi *bru.*

Au pluriel : *des belles-mères.*

Va voir aussi ***beau-père*** et ***beaux-parents.***

Famille de **mère**

belle-mère n. f.
1. Mère de la femme ou du mari. *Mamie Lou est la belle-mère de Sarah et Odile Séverac.* **2.** Femme du père sans être la mère. *La Reine était la belle-mère de Blancheneige ;* vois ***marâtre.***

Sarah et Odile ont épousé les deux fils de Mamie Lou.

Au pluriel : *des belles-sœurs.*

Va voir aussi ***beau-frère.***

Odile et Sarah ont pour époux les frères Séverac.

belle-sœur n. f.
1. Sœur de la femme ou du mari. *Si Antoine épouse Marie-Tévy, Nathalie sera sa belle-sœur.* **2.** Femme du frère ou du beau-frère. *Odile Séverac est la belle-sœur de Sarah.*

Famille de **sœur**

Nathalie est la sœur de Marie-Tévy.

Attention aux deux *l* !

belligérant adj.
Des États belligérants, ce sont des États en guerre. *Les représentants des États belligérants se sont rencontrés.*

Au féminin : *belligérante.*

Compare ***belliqueux, belligérant*** et ***rebelle*** : dans ces trois mots, il s'agit de la **guerre.**

belliqueux adj.
1. Qui aime faire la guerre. *Les anciens Romains étaient un peuple belliqueux.* **2.** *Yves est souvent d'humeur belliqueuse,* il recherche les disputes, les bagarres ; vois ***agressif.***

Le contraire de *belliqueux,* c'est *pacifique.*

À la belote, les plus fortes cartes sont le valet et le neuf d'atout.

belote n. f.
Jeu de cartes qui se joue avec trente-deux cartes. *Mamie Lou fait une belote avec ses fils et Odile.*

Le signe bémol ressemble à un b : ♭.

bémol n. m.
Signe de musique qui baisse la note d'un demi-ton, la rend moins aiguë. *Il y a un bémol devant le mi.* — adj. *C'est un mi bémol.*

Va voir aussi **dièse.**

Au pluriel : *des mi bémols.*

bénédiction n. f.
1. *Le pape a donné sa bénédiction aux fidèles,* il les a bénis. **2.** *Quelle bénédiction !,* quelle chance, quelle bonne chose !

Le contraire de *bénédiction,* c'est *malédiction.*

Compare ***bénéfice, bénéfique*** et ***bénévole*** : dans ces mots, il s'agit de **bien.**

bénéfice n. m.
1. Gain que l'on réalise lorsque l'on revend ce que l'on avait acheté. *Un commerçant qui achète un produit dix francs et qui le revend treize francs fait trois francs de bénéfice.* **2.** Avantage. *Alex ne retire aucun bénéfice de ses leçons particulières,* il ne fait pas de progrès.

Le contraire de *bénéfice,* c'est *perte.*

Conjugaison 7 ▭ Indic. imparfait : *nous bénéficiions.*

▷ **bénéficier** v. *Bénéficier de quelque chose,* c'est en profiter. *Les étudiants bénéficient d'une réduction au cinéma. Yves bénéficie d'une santé robuste.*

Compare ***bénéfique*** et ***bénéfice*** : il s'agit de **bien.**

bénéfique adj.
Une chose bénéfique, c'est une chose qui fait du bien. *Le séjour en classe de neige a été bénéfique aux enfants ;* vois ***salutaire.***

bénévole adj.
Une personne bénévole, c'est une personne qui fait un travail sans y être obligée et sans être payée. *Le docteur Séverac a souvent besoin d'infirmières bénévoles en Afrique.*

Les personnes bénévoles font *un travail bénévole,* du *bénévolat.*

Le contraire, c'est *grave.*

bénin adj.
Pas grave. *Un rhume est une maladie bénigne.*

Conjugaison 2 ▭ Participe passé : *béni.* Ne confonds pas avec l'adjectif *bénit.*

bénir v.
1. *Le prêtre bénit les fidèles,* il les met sous la protection de Dieu. *La foule a été bénie par le pape.* **2.** *Bénir un objet,* c'est le rendre saint. *L'abbé Gauthier a béni la médaille d'Yves.*

▸ ***bénit*** adj. *Un objet bénit,* c'est un objet qui a été béni par un prêtre ; vois ***saint.*** *Yves possède une médaille bénite.*

Attention ! ne confonds pas avec le participe passé *béni.*

▸ ***bénitier*** n. m. Petit bassin qui contient de l'eau bénite et qui se trouve près de l'entrée d'une église. *On trempe le bout des doigts dans le bénitier avant de faire le signe de croix.*

Prononce [bẽʒamẽ] et [bẽʒamin]. Va voir aussi ***cadet.***

benjamin n. m., **benjamine** n. f.
La personne la plus jeune d'une famille, d'un groupe. *Claire est la benjamine de la famille Séverac. Angèle est la benjamine des institutrices de l'école.*

Le contraire de *benjamin,* c'est *aîné.*

Attention aux deux ***n*** !

benne n. f.
Partie où l'on charge les matériaux à l'arrière d'un camion, et qui peut basculer. *La benne s'abaisse et le sable est déversé en tas.*

Béquille [bekij] rime avec *quille.*

béquille n. f.
Canne de forme spéciale sur laquelle on s'appuie pour marcher. *Après son opération, M. Bonnot a marché quelques jours avec des béquilles.*

On appuie la main ou l'aisselle

Conjugaison 3 ▭ Indic. présent : *nous berçons.*

bercer v.
Balancer doucement dans un berceau ou dans ses bras. *Sophie Pelletier berçait Martin pour qu'il s'endorme.*

▸ ***berceau*** n. m. Petit lit de bébé que l'on peut généralement balancer, surmonté d'une capote arrondie pour protéger la tête. *Martin est dans son berceau.*

Un *enfant au berceau,* c'est un bébé.

▸ ***bercement*** n. m. Mouvement de balancement. *Le bercement des vagues endort Yves.*

▸ ***berceuse*** n. f. Chanson, musique très douce et bien rythmée pour endormir les bébés. *Julie chante une berceuse à son petit frère.*

Fais dodo,
Colas mon petit frère
Fais dodo... (chanson).

Les marins français portent un béret bleu à pompon rouge.

béret n. m.
Coiffure ronde en tissu de laine. *La plupart des soldats portent des bérets.*

berge n. f.
Bord d'un cours d'eau, d'un canal. *Les pêcheurs sont installés sur la berge.*

Il pleut, il pleut bergère,
Rentre tes blancs moutons !
(chanson).

berger n. m., **bergère** n. f.
Personne qui garde les moutons et les chèvres. *Les bergers partent tout l'été dans la haute montagne avec leurs troupeaux.*

Les *chiens de berger* sont dressés à la garde des troupeaux.

▸ ***bergerie*** n. f. Parc, bâtiment où l'on enferme les moutons et les chèvres. *Pierre Séverac trait les brebis dans la bergerie.*

berlingot n. m.
1. Bonbon de forme particulière, qui a quatre faces. *Antoine trouve les berlingots plus jolis que les bonbons.* **2.** Emballage en carton pour un liquide. *Mme Hespel a acheté un berlingot de lait.*

N'oublie pas le ***e*** final.

Quand on a la berlue, on n'en croit pas ses yeux !

berlue n. f.
Avoir la berlue, c'est avoir des visions. *Est-ce que j'ai la berlue ? C'est bien Mme Harpie qui embrasse Hippolyte ?*

Autre membre de la famille : **éberlué.**

bermuda n. m.
Short collant à longues jambes qui s'arrêtent au genou. *Julie était en bermuda à fleurs.*

On peut écrire aussi : *en bermudas.*

On écrit aussi : *bernard-l'hermite.*

Famille de **ermite**

bernard-l'ermite n. m. invariable
Petit crustacé qui habite dans des coquilles vides qu'il transporte en marchant. *Les bernard-l'ermite vivent dans la mer.*

Quand le bernard-l'ermite grossit, il change de maison !

en **berne** adv.
Un drapeau en berne, c'est un drapeau serré contre sa hampe. *Les drapeaux sont mis en berne en signe de deuil.*

Conjugaison 1

berner v.
Berner quelqu'un, c'est le tromper en se moquant de lui ; vois **duper.** *Même les plus malins s'étaient laissé berner.*

Prononce [bəzas].

Va voir aussi *sacoche, gibecière.*

besace n. f.
Sac de toile à deux poches que l'on porte en bandoulière. *Quand il chasse, M. Bellec met le gibier dans sa besace.*

Famille de ① **sac**

Prononce [bəzɔɲ].

besogne n. f.
Une besogne, c'est un travail que l'on est obligé de faire. *Il faut ranger la bibliothèque de la classe ; c'est Yves qui sera chargé de cette besogne ;* vois **tâche.**

Prononce [bəzwɛ̃].

Au besoin : s'il arrive que ce soit nécessaire.

On a souvent besoin d'un plus petit que soi (proverbe).

besoin n. m.
1. Chose absolument nécessaire. *Manger est un besoin,* on ne peut pas se passer de manger ; vois **nécessité.** *Angèle ressent le besoin de prendre des vacances. Les plantes ont besoin d'eau,* il leur faut de l'eau pour vivre. *Après ce long voyage en avion, Yasmina avait besoin de courir ;* vois **envie. 2.** *Faire ses besoins,* c'est se soulager de ses envies naturelles. *C'est dégoûtant, le chien a encore fait ses besoins devant la porte !* **3.** *Une personne dans le besoin,* c'est une personne qui manque du nécessaire. *Mme Harpie essaie de faire croire qu'elle est dans le besoin.*

On peut avoir *envie* d'une chose dont on n'a pas *besoin.* Une glace au chocolat, par exemple !

Au féminin : *bestiale.*

bestial adj.
Le bandit avait un air bestial, il avait un air brutal comme une bête.

Au masculin pluriel : *bestiaux.*

Compare *bestiaux* et *bestiole* : il s'agit de **bêtes.**

bestiaux n. m. plur.
Les bestiaux, ce sont les gros animaux élevés à la ferme ; vois **bétail.** *Pierre Séverac est allé vendre des agneaux de sa ferme au marché aux bestiaux.*

Ce sont les vaches, les porcs, les moutons, les chèvres, les chevaux, les ânes.

Compare *bestiole* et *bestiaux* : il s'agit de **bêtes.**

bestiole n. f.
Petite bête. *J'ai vu une bestiole qui se faufilait entre les pierres. Qu'est-ce que c'est que cette bestiole ?*

Prononce [bɛstjɔl].

Famille de ① **bête**

Le *gros bétail* comprend les vaches et les chevaux.

bétail n. m.
Ensemble des gros animaux d'une exploitation agricole qui fait de l'élevage ; vois **bestiaux.** *Il faut des prés pour élever le bétail.*

Le *petit bétail* comprend les moutons et les porcs.

Tu es le meilleur des amis et la plus généreuse des bêtes, dit le chat au vieux cheval *(les Contes du Chat perché).*

① **bête** n. f.
Animal. *Les lions et les tigres sont des bêtes féroces. Ce chien est une belle bête. Les vaches sont des bêtes à cornes. Sylvain aime les bêtes. C'est l'heure de rentrer les bêtes !,* de ramener le troupeau du pré à la ferme ; vois **bestiaux.**

Autre membre de la famille : **bétail.**

② **bête** adj.
Qui manque d'intelligence. *Mme Harpie est bête et méchante ;* vois **idiot, stupide.** *Il faut être un peu bête pour croire tout ce que raconte Antoine ; il invente tellement d'histoires ! ;* vois **naïf.** *Comme je suis bête ! j'ai oublié mes clés ;* vois **étourdi.**

On dit de quelqu'un de très bête qu'il est *bête comme ses pieds.*

Le contraire de *bête,* c'est *intelligent.*

Comme c'est bête !

▸ **bêtement** adv. D'une manière bête. *L'accident est arrivé bêtement. J'ai tout bêtement oublié mes clés,* tout simplement.

Compare : *bête → bêtifier* et *simple → simplifier.*

▸ **bêtifier** v. Faire l'enfant, dire des bêtises. *Les jeunes mamans bêtifient souvent avec leurs enfants.*

Conjugaison 7

▸ **bêtise** n. f. **1.** Manque d'intelligence ; vois **stupidité.** *Sa bêtise et sa méchanceté sont bien connues.* **2.** Chose qu'il ne faut pas faire, pas dire ; vois **sottise.** *Mercredi les enfants n'ont fait que des bêtises. Tu viens de dire une bêtise, Jeanne d'Arc n'a jamais été reine de France.*

Des bêtises, Arthur et Zéphir en font comme tous les petits garçons *(Babar).*

Prononce [betiz].

Autre membre de la famille : **pense-bête.**

béton n. m.
Matériau très dur et très résistant, fait d'un mélange de sable, de gravier, de ciment et d'eau, qui sert à construire. *Le gymnase est en béton.*

C'est en séchant que le mélange devient dur.

Le *béton armé* est renforcé à l'intérieur par des tiges de métal.

Attention aux deux *n* !

▸ **bétonnière** n. f. Cuve tournante servant à fabriquer le béton. *Certains camions sont munis d'une bétonnière.*

On a fabriqué le sucre de betterave au début du XIXe siècle : on ne connaissait auparavant que le sucre de canne.

betterave n. f.
Plante cultivée pour sa grosse racine. *On extrait du sucre de la betterave à sucre. Les betteraves fourragères servent de nourriture au bétail. On mange les betteraves rouges en salade.*

Conjugaison 1

beugler v.
1. *La vache beugle,* elle pousse son cri ; vois ***meugler, mugir.*** **2.** Crier trop fort. *Les voisins font beugler leur radio ;* vois ***hurler.***

Tous les bovins beuglent.

Meuh !

▷ ***beuglement*** n. m. Cri des bovins ; vois ***meuglement, mugissement.*** *On entend des beuglements dans l'étable.*

Attention aux deux *r* !

beurre n. m.
Matière grasse obtenue en battant la crème du lait. *On mange les radis avec du sel et du beurre.*

On peut faire la cuisine au beurre, à l'huile ou avec des graisses végétales.

Conjugaison 1

▷ ***beurrer*** v. Recouvrir de beurre. *Antoine beurre son pain. Il mange trois tartines beurrées pour son petit déjeuner.*

Compare : *beurre → beurrier* et *sucre → sucrier.*

▷ ***beurrier*** n. m. Récipient dans lequel on sert le beurre. *Sur chaque table du restaurant, il y a un petit beurrier.*

Autre membre de la famille : **petit-beurre.**

Ne prononce pas le second *e* : [bœvʀi].

beuverie n. f.
Réunion où les gens sont ivres. *À Rome, les banquets se terminaient parfois en beuveries.*

biais n. m.
1. *Trouver un biais pour faire quelque chose,* c'est trouver un moyen détourné pour le faire. *Yves a trouvé un biais pour ne pas répondre à la question.* **2.** *Il a coupé la planche en biais,* en diagonale, en oblique.

On dit aussi : *de biais.*

Conjugaison 1

▷ ***biaiser*** v. Employer des moyens détournés pour faire quelque chose. *Réponds-moi franchement, sans biaiser.*

Ne prononce pas le *e* : [biblo].

bibelot n. m.
Petit objet que l'on place sur un meuble ou dans une vitrine pour décorer ; vois ***souvenir.*** *Mme Séverac a mis des bibelots sur sa cheminée.*

Attention aux bibelots en essuyant les meubles !

Prononce [bibʀɔ̃].

biberon n. m.
Petite bouteille munie d'une tétine avec laquelle on donne à boire aux bébés. *Après avoir allaité son fils pendant deux mois, Sophie Pelletier l'a nourri au biberon.*

Pom pleure toujours quand il a fini son biberon *(Babar).*

Compare ***biberon*** et *imbiber* : dans ces deux mots, il s'agit de **boire.**

bible n. f.
1. *La Bible,* c'est le livre saint des religions juive et chrétienne. *La Bible contient l'Ancien et le Nouveau Testament.* **2.** *Ce vieux livre sur les plantes est la bible de Mme Séverac,* c'est toujours dans ce livre qu'elle cherche ce qu'elle veut savoir car elle trouve que lui seul est complet et bien documenté.

L'Ancien Testament raconte l'histoire du peuple juif, le Nouveau Testament raconte celle de Jésus-Christ et de ses disciples.

Le livre saint de la religion musulmane est le Coran.

Autre membre de la famille : **biblique.**

Compare ***biblio**bus* et ***biblio**thèque* : il s'agit de **livres.**

bibliobus n. m.
Bus rempli de livres qui sert de bibliothèque. *Le bibliobus est arrêté sur la place du marché.*

Famille de **bus**

Attention au *h* après le *t* !

bibliothèque n. f.
1. Meuble où l'on range les livres. *Le docteur Séverac a une bibliothèque vitrée dans son bureau.* **2.** Salle ou bâtiment où sont classés des livres que l'on peut lire sur place ou emprunter. *Julie emprunte souvent des livres à la bibliothèque municipale. Alex révise son bac en bibliothèque.* **3.** Collection de livres. *Le docteur Séverac a une belle bibliothèque personnelle.*

Un rat de bibliothèque, c'est une personne qui passe son temps dans les bibliothèques.

Compare ***biblio**thèque* et ***biblio**bus* : dans ces deux mots, il s'agit de **livres.**

▷ ***bibliothécaire*** n. m. et f. Personne qui s'occupe de classer et de prêter les livres dans une bibliothèque. *La bibliothécaire donne de bons conseils.*

Famille de **bible**

biblique adj.
Adam et Ève sont des personnages bibliques, de la Bible.

Toutes les lettres se prononcent : [bisɛps].

biceps n. m.
Muscle du bras. *Yves replie son avant-bras en serrant le poing pour faire gonfler son biceps.*

La biche porte huit mois son petit faon et met bas au printemps. (left margin, partially cut)

biche n. f.
Femelle du cerf. *Les biches n'ont pas de cornes. En hiver, les biches pèlent les arbres et mangent l'écorce.*

Attention aux deux ***n*** !

bichonner v.
M. Bellec aime bichonner sa voiture, il s'en occupe avec beaucoup de soin pour qu'elle soit belle et bien propre. — *Julie passe des heures devant sa glace à se bichonner,* à se faire belle ; vois *se* ***pomponner.***

Conjugaison 1

Compare *bicolore* et *décoloré* : il est question de **couleur.**

bicolore adj.
Qui est de deux couleurs. *Les bonbons au réglisse et à la menthe sont bicolores. Hippolyte a des chaussures bicolores.*

Compare *bicolore* et *bilatéral* : il s'agit de **deux.**

bicoque n. f.
Petite maison pas très belle. *Les enfants ont découvert une vieille bicoque abandonnée dans la forêt ;* vois ***cabane.***

Compare *bicyclette* et *bicolore* : il est question de **deux.**

bicyclette n. f.
Véhicule à deux roues, avec un guidon et deux pédales ; vois ***vélo.*** *Julie aime bien faire de la bicyclette. Elle est allée à bicyclette chercher du pain.*

Famille de ② **cycle**
L'ancêtre de la bicyclette date de 1690.

bidet n. m.
Cuvette ovale et basse servant à se laver. *Dans la salle de bains, il y a une baignoire, un lavabo et un bidet.*

Un grand bidon d'essence s'appelle un *jerrican.*

bidon n. m.
Récipient portatif en métal ou en plastique que l'on peut fermer avec un bouchon ou un couvercle. *Angèle a toujours un bidon d'huile dans le coffre de sa voiture.*

Va voir aussi ***gourde.***

Famille de **ville**

▸ ***bidonville*** n. m. Quartier formé de baraques faites de planches, de tôles, de vieux bidons, où habitent des gens très pauvres. *Le docteur Séverac a soigné les enfants des bidonvilles, en Afrique.*

On trouve des bidonvilles à la sortie de certaines grandes villes.

Attention aux deux ***l*** !

Les locomotives à vapeur avaient des bielles sur les roues.

bielle n. f.
Tige de métal rigide, articulée à ses deux bouts. *Dans un moteur de voiture, les bielles transmettent au vilebrequin le mouvement de va-et-vient des pistons en le transformant en mouvement de rotation.*

Couler une bielle, c'est faire fondre une partie de cette tige parce que le mécanisme a trop chauffé en roulant.

bien adv., adj. invariable et n. m.

Tout est bien qui finit bien (proverbe).

▭ **adv. 1.** D'une manière satisfaisante. *Julie chante bien.* **2.** Très. *Les enfants étaient bien contents d'aller à la piscine. Claire est bien petite pour rester seule ;* vois ***trop.*** *Les histoires d'Antoine nous ont bien fait rire ;* vois ***beaucoup.*** **3.** Au moins. *Il y a bien trois jours que Julie n'est pas venue à l'école.* **4.** Vraiment. *C'est bien Denis Prost que nous avons vu dans la rue.* **5.** Quoi qu'il arrive. *Ce bruit s'arrêtera bien un jour,* il s'arrêtera forcément.

Le contraire de *bien,* c'est *mal.*

Va voir *bel et bien* à **beau.**

C'est vrai, avoua le loup, je l'ai mangé le Petit Chaperon rouge. Mais je vous assure que j'en ai déjà eu bien du remords (les Contes du Chat perché).

Ce qui est bien, avec la caisse que tu m'as donnée, c'est que, la nuit, ça lui servira de maison (le Petit Prince).

▭ **adj.** invariable **1.** Satisfaisant. *Ce sera très bien ainsi ;* vois ***parfait.*** *Mamie Lou est très bien en ce moment,* en bonne santé. **2.** *Être bien avec quelqu'un,* c'est être en bons termes avec lui. *Angèle, l'institutrice, est très bien avec la directrice.*

Les biens, ce sont les choses que l'on possède.

▭ **n. m. 1.** Ce qui est agréable, utile. *Marie-Tévy n'a plus mal à la gorge, le sirop lui a fait du bien. Angèle dit à ses élèves que c'est pour leur bien qu'elle est sévère,* dans leur intérêt. **2.** Ce qui est juste, honnête. *C'est la conscience qui permet de distinguer le bien du mal. Mme Bellec fait le bien,* elle est charitable.

Autres membres de la famille : **bien-aimé, bien-être, bienfaisance, bienfaisant, bienfait, bienfaiteur, bienheureux, bien que, bienséance, bientôt, bienveillance, bienveillant, bienvenu, bienvenue.**

Au féminin : *bien-aimée.*

bien-aimé adj.
Qui est aimé très tendrement. *« Mes petits-enfants bien-aimés », dit Mamie Lou à Nathalie, David, Marie-Tévy et Claire,* mes petits-enfants chéris.

Famille de **bien** et de **aimer**

N'oublie pas le trait d'union.

bien-être n. m.
1. Plaisir que l'on ressent quand on est content et que l'on n'a besoin de rien d'autre. *Antoine a toujours une sensation de bien-être après un bon repas ;* vois ***bonheur, satisfaction.*** **2.** Confort matériel. *Les parents de Yasmina travaillent beaucoup pour que leurs enfants puissent vivre dans le bien-être.*

Famille de **bien** et de ① **être**

Le contraire de *bien-être,* c'est *besoin, gêne.*

Prononce [bjɛ̃fəzɑ̃].

bienfaisant adj.
Une chose bienfaisante, c'est une chose qui fait du bien. *La cure a eu une action bienfaisante sur la santé de Sylvain,* elle a fait du bien à sa santé, elle lui a été salutaire.

Famille de **bien** et de **faire**

Le contraire de *bienfaisant,* c'est *nuisible.*

Prononce [bjɛ̃fəzɑ̃s].

▸ **bienfaisance** n. f. *Mme Séverac appartient à une association de bienfaisance,* qui aide les personnes qui ont des difficultés matérielles.

On emploie ce mot surtout au pluriel.

Famille de **bien** et de **faire**

bienfait n. m.
Action bienfaisante. *Sylvain a vite ressenti les bienfaits de sa cure,* que sa cure lui faisait du bien.

Le contraire de *bienfait,* c'est *méfait.*

▸ **bienfaiteur** n. m., **bienfaitrice** n. f. Personne qui fait du bien. *Les Séverac ont été les bienfaiteurs de Marie-Tévy,* ils l'ont aidée à sortir de son malheur.

Elle était orpheline, ils l'ont adoptée.

Au féminin : *bienheureuse.*

bienheureux adj.
Mme Harpie a eu la bienheureuse idée de partir, une idée qui venait au bon moment. — n. *Le bébé dort comme un bienheureux dans son berceau,* comme quelqu'un qui est heureux et qui n'a pas de soucis.

Famille de **bien** et de **heureux**

Le verbe qui suit *bien que* est au subjonctif.

bien que conjonction
Quoique. *Bien qu'elle ne soit plus très jeune, Mamie Lou est encore alerte. Bien que rousse, Julie bronze facilement.*

Famille de **bien** et de **que**

Famille de **bien** et de **seoir**

bienséance n. f.
Respect des règles de la politesse, bonne éducation. *La bienséance exige que l'on ne dise pas de mots grossiers en classe.*

Ne confonds pas *bientôt* et *bien tôt,* en deux mots, qui signifie très tôt.

Famille de **bien** et de **tôt**

bientôt adv.
Dans peu de temps. *C'est bientôt les vacances,* prochainement. *Est-ce que je serai bientôt grande ?, demande Claire, qui n'a que cinq ans. — À bientôt,* j'espère vous revoir dans peu de temps. *Au revoir et à bientôt !*

Céleste, ma femme, vient de m'annoncer que nous aurons bientôt un enfant *(Babar).*

Famille de **bien**

Compare *bienveillant* et *malveillant* : dans ces mots on **veut** du bien ou du mal.

bienveillant adj.
Gentil et indulgent. *Mamie Lou est bienveillante envers tout le monde. En quittant la classe, Angèle, l'institutrice, a adressé à ses élèves un sourire bienveillant.*

Le contraire de *bienveillant,* c'est *hostile, malveillant, méchant.*

▸ **bienveillance** n. f. Gentillesse et indulgence. *Mamie Lou est d'une grande bienveillance envers tout le monde.*

Le contraire de *bienveillance,* c'est *hostilité, malveillance, méchanceté.*

Au féminin : *bienvenue.*

bienvenu adj.
Qui vient à point, au bon moment. *Vos conseils seront certainement bienvenus,* ils seront reçus avec plaisir. — n. *« Vous serez toujours le bienvenu chez nous », ont dit les parents de Réjean à Alex.*

Famille de **bien** et de **venir**

Alex et Réjean sont de grands amis.

Bienvenue à bord ! : nous sommes contents de vous recevoir à bord.

▸ **bienvenue** n. f. *Les parents de Réjean ont souhaité la bienvenue à Alex,* ils lui ont dit qu'ils le recevraient avec plaisir.

Il existe de la bière brune et de la bière blonde.

① **bière** n. f.
Boisson gazeuse alcoolisée faite avec de l'orge et du houblon. *M. Bellec aime bien boire de la bière quand il fait chaud.*

La bière existait déjà 4 000 ans avant Jésus-Christ.

② **bière** n. f.
Cercueil. *On a mis le mort en bière.*

Biffer s'écrit avec deux *f.*

biffer v.
Biffer un mot, c'est le rayer pour le supprimer. *Angèle, l'institutrice, a biffé toute une phrase dans le devoir d'Antoine,* elle l'a barrée.

Conjugaison 1

Attention au ***c*** et au ***k*** à la fin du mot.

bifteck n. m.
Tranche de viande de bœuf que l'on fait griller ou que l'on passe à la poêle ; vois ***steak.*** *Julie aime manger son bifteck saignant. Claire préfère le bifteck haché.*

Au pluriel : *des biftecks.*

Conjugaison 1

bifurquer v.
1. Se séparer en deux pour former une fourche. *La route bifurque à la sortie du village.* **2.** Abandonner un chemin pour en prendre un autre. *Au croisement, la voiture a bifurqué vers la droite.*

Bifurcation s'écrit avec un ***c.***

▸ **bifurcation** n. f. Division d'un chemin en deux branches. *Il y a une bifurcation à la sortie du village ;* vois ***embranchement, fourche.***

Compare : *bifurquer → bifurcation, compliquer → complication* et *embarquer → embarcation.*

Compare *bigame* et *bicolore* : dans ces mots, il s'agit de **deux**.

bigame adj.
Qui a deux femmes ou deux maris en même temps. *En France, la loi interdit d'être bigame.*

Compare *bigame, monogame* et *polygame* : dans ces mots, il s'agit de **mariage.**

Attention aux deux ***r*** !

bigarré adj.
Qui a des couleurs vives et variées. *Julie aime bien s'habiller avec des étoffes bigarrées ;* vois ***bariolé.***

Les papillons exotiques ont des ailes bigarrées.

bigorneau n. m.
Petit coquillage à coquille grise ou noire en spirale, qui ressemble à un escargot. *Yves ramasse des bigorneaux sur la plage. Les bigorneaux se mangent cuits.*

Les bigorneaux se collent aux rochers.

Les bigorneaux se nourrissent d'algues.

bigoudi n. m.
Petit rouleau autour duquel on enroule chaque mèche de cheveux pour la friser. *Le coiffeur met des bigoudis à Mme Bellec pour lui faire une permanente.*

Être *en bigoudis* : avoir des bigoudis sur la tête.

bigrement adv.
Très. *Il fait bigrement chaud aujourd'hui.*

Ce mot est familier.

bijou n. m.
Petit objet, souvent précieux, que l'on porte sur soi comme ornement. *Le docteur Séverac offre parfois des bijoux à sa femme. Julie voudrait un bijou en or pour son anniversaire.*
▸ ***bijouterie*** n. f. Magasin où l'on vend des bijoux. *Des voleurs ont cambriolé la bijouterie.*
▸ ***bijoutier*** n. m., ***bijoutière*** n. f. Personne qui fabrique ou vend des bijoux. *La bijoutière a montré plusieurs bagues au docteur Séverac.*

Bijou, caillou, chou, genou, hibou, pou s'écrivent avec un ***x*** au pluriel.

Va voir aussi ***joyau.***

Les bagues, les bracelets, les colliers, les boucles d'oreilles sont des bijoux.

Va voir aussi ***joaillier, orfèvre.***

bilan n. m.
1. Résumé, sous forme de tableau, de tout ce qu'une entreprise doit et possède à un moment donné. *Un comptable fait le bilan du restaurant Bellec. Si la biscuiterie dépose son bilan, il y aura deux cents chômeurs de plus,* si la biscuiterie fait faillite. **2.** Résultat d'ensemble. *Le docteur Séverac et d'autres médecins se sont réunis pour faire le bilan de leur action à l'étranger,* pour voir quel résultat ils avaient obtenu.

On fait faillite quand on ne peut plus payer ses dettes.

Accident à un passage à niveau. Bilan : trois morts et deux blessés.

Le docteur Séverac part souvent en mission en Afrique.

bilatéral adj.
Dans cette rue, le stationnement bilatéral est autorisé, on peut stationner des deux côtés de la rue.

Au féminin : *bilatérale.* Au masculin pluriel : *bilatéraux.*

Famille de **latéral**

Compare ***bilatéral*** et ***bicolore*** : dans ces mots, il s'agit de **deux.**

bile n. f.
Liquide amer, fabriqué par le foie, qui aide à la digestion. *Marie-Tévy avait mal au foie ; elle a vomi de la bile.*
▸ ***biliaire*** adj. *La vésicule biliaire,* c'est le petit réservoir qui contient la bile avant qu'elle n'aille dans l'intestin. *Pierre Séverac a subi une radio de la vésicule biliaire.*

La bile de certains animaux s'appelle *le fiel.*

Se faire de la bile : se faire du souci, s'inquiéter.

bilingue adj.
Une personne bilingue, c'est une personne qui parle deux langues. *Yasmina est bilingue.*

Compare ***bilingue, bicolore*** et ***bilatéral*** : il s'agit de **deux.**

Elle parle arabe et français.

① **bille** n. f.
1. Petite boule avec laquelle on joue à différents jeux. *Les billes de billard sont rouges et blanches. Antoine et Marie-Tévy ont joué aux billes à la récréation. Marie-Tévy a gagné trois billes : deux agates et un calot.* **2.** *Un stylo à bille,* c'est un stylo dont l'extrémité est formée d'une petite boule en métal qui, en roulant sur le papier, laisse sortir l'encre. *Les enfants de la classe d'Angèle écrivent au stylo à bille.*
▸ ***billard*** n. m. Jeu qui se pratique avec trois billes en ivoire que l'on fait rouler avec une tige de bois sur une table spéciale. *Denis Prost aime jouer au billard.*

Ne confonds pas ① *bille* et ② *bille.*

Le stylo à bille a été inventé en 1891, mais répandu vers 1950.

On dit aussi : un *crayon à bille.*

La table sur laquelle on joue s'appelle aussi un *billard.* Elle est recouverte d'un tapis vert.

La tige de bois s'appelle une *queue.*

Ne confonds pas ② *bille* et ① *bille.*

② *bille* n. f.

Gros morceau de bois que l'on obtient en découpant un tronc d'arbre dans le sens de l'épaisseur. *Une bille de chêne leur a servi de table pour le pique-nique.*

Autre membre de la famille : **billot.**

Le faussaire fabrique de faux billets.

Denis Prost est acteur.

billet n. m.

1. *Un billet de banque,* c'est un rectangle de papier qui représente une certaine somme d'argent. *Julie a payé les bonbons avec un billet de vingt francs.* **2.** Petit rectangle de papier imprimé qui permet d'entrer quelque part. *Denis Prost reçoit souvent des billets de théâtre gratuits. Le contrôleur réclame son billet au voyageur.* **3.** Petit rectangle de papier imprimé portant un numéro et destiné à être tiré au sort. *Mme Bellec a acheté un billet de loterie.*

La Banque de France fabrique les billets et les met en circulation.

Ce sera peut-être un billet gagnant !

N'oublie pas les deux *t.*

▸ ***billetterie*** n. f. Distributeur automatique de billets de banque. *Mme Roussel prend de l'argent à la billetterie.*

Les billetteries fonctionnent avec une carte de crédit.

Compare : *bille* → *billot* et *balle* → *ballot.*

billot n. m.

1. Bloc de bois sur lequel on coupait autrefois la tête des condamnés. *Marie Stuart a eu la tête tranchée sur le billot.* **2.** Bloc de bois sur lequel on fait un travail. *Loïc a posé la bûche sur un billot pour la fendre.*

Famille de ② **bille**

Le boucher découpe la viande sur un billot.

Famille de **mensuel**

bimensuel adj.

Qui paraît deux fois par mois. *Julie est abonnée à une revue bimensuelle.*

Conjugaison 1

biner v.

Remuer la terre en surface autour des plantes. *Le jardinier binait les salades.*

Cela permet à l'eau de mieux pénétrer dans le sol et de s'évaporer moins vite.

Deux *t* à *binette,* comme à *allumette, bavette* et *sucette.*

▸ ***binette*** n. f. Outil de jardinage à fer étroit et à manche, qui sert à remuer la terre. *La binette est rangée sous l'appentis.*

Biniou est un mot breton.

biniou n. m.

Sorte de cornemuse bretonne à trois tuyaux. *Les villageois ont dansé au son du biniou jusqu'à l'aube.*

Il faut avoir du souffle pour jouer du biniou.

Attention au ***ph***, qui se prononce [f], comme dans *géographie.*

biographie n. f.

Livre qui raconte l'histoire de la vie de quelqu'un. *Sylvain lit une biographie de Mozart.*

Compare ***biographie, biologie*** et ***antibiotique*** : il s'agit de la **vie.**

Compare ***biologie, biographie*** et ***antibiotique*** : il est question de la **vie.**

biologie n. f.

Science qui étudie les êtres vivants. *La biologie essaie de découvrir comment naissent et se développent les êtres humains, les animaux et les plantes.*

Compare ***bipède*** et ***bicyclette*** : il s'agit de **deux.**

bipède n. m.

Être qui marche sur deux pieds ou sur deux pattes. *Les êtres humains et les oiseaux sont des bipèdes.*

Compare ***bipède, pédale,*** et ***quadrupède*** : il s'agit des **pieds.**

Bique est un mot familier.

bique n. f.

Chèvre. *Le berger se protégeait du froid avec une peau de bique.*

On dit aussi aux enfants : *mon biquet, ma biquette.*

▸ ***biquette*** n. f. Nom affectueux donné à une chèvre. *La jolie biquette blanche est attachée à un piquet.*

Bis [bi] rime avec *habit.*

① *bis* adj.

Gris-brun. *Mme Bellec repasse des torchons de toile bise. Yves aime le pain bis,* un pain gris-brun en raison du son qu'il contient.

Au féminin : *bise.*

Bis [bis] rime avec *jaunisse* et *malice.*

② *bis* adj. et interjection

1. adj. *Bis* indique la répétition d'un numéro. *Nous sommes voisins ! J'habite au 15 et lui au 15 bis.* **2.** interjection Cri par lequel le public demande à un chanteur, un musicien, de faire entendre une seconde fois un morceau. *Les spectateurs applaudissaient et criaient « Bis ! bis ! ».*

Sur le même trottoir, après le 15 bis, il y a le 15 ter et le 17.

biscornu adj.

1. Qui a une forme irrégulière. *La maison des Séverac est biscornue, il est difficile de l'aménager.* **2.** Compliqué et bizarre. *Il faut avoir l'esprit biscornu pour inventer de pareilles histoires.*

Attention aux deux ***t*** !

biscotte n. f.

Tranche de pain de mie séchée au four. *Hippolyte mange des biscottes sans sel.*

Famille de **cuire**

On mange des biscuits salés à l'apéritif.

biscuit n. m.

1. Gâteau sec. *Antoine a toujours un paquet de biscuits dans son cartable.* **2.** Gâteau à base de farine, de sucre et d'œufs. *Sophie Pelletier avait préparé un biscuit roulé à la confiture pour le goûter.*

▹ **biscuiterie** n. f. Fabrique de biscuits, de gâteaux secs. *Mme Roussel travaille dans une biscuiterie.*

Les galettes, les gaufrettes, les petits-beurre, les sablés, les macarons sont des biscuits.

La Cigale [...]
Se trouva fort dépourvue
Quand la bise fut venue
(La Fontaine).

① **bise** n. f.

Vent sec et froid qui souffle du nord en hiver et au printemps. *Le skieur cachait son visage sous un passe-montagne pour le protéger de la bise.*

Bise est plus familier que *baiser. Bisou* est plus familier que *bise.*

② **bise** n. f.

Baiser. *Alex fait la bise à presque toutes les filles de sa classe. Meilleures bises, écrit Alex à son frère Sylvain.*

biseau n. m.

Cette glace est taillée en biseau, ses bords sont taillés en oblique.

Elle est *biseautée.*

bison n. m.

Buffalo Bill était un grand chasseur de bisons.

Aujourd'hui, les bisons ont presque disparu.

Bœuf sauvage au front large et bombé et armé de cornes courtes, aux épaules plus élevées que la croupe, à la tête ornée d'une épaisse crinière. *D'immenses troupeaux de bisons traversaient les grandes prairies de l'Ouest américain.*

Les bisons américains ont été exterminés pour affamer les Indiens.

Conjugaison 1

bisquer v.

Faire bisquer quelqu'un, c'est lui dire des choses qui le font enrager. *Arrête de le faire bisquer ; il va se mettre en colère.*

Bisque, bisque, rage !

bissectrice n. f.

Droite qui divise un angle en deux parties égales. *Tracez la bissectrice de l'angle A.*

Bissextile s'écrit avec deux ***s***.

bissextile adj.

Une année bissextile, c'est une année de 366 jours dont le mois de février a 29 jours. *1988 et 2000 sont des années bissextiles.*

Tous les quatre ans, il y a une année bissextile.

bistouri n. m.

Petit couteau à lame pointue et très tranchante, utilisé par le chirurgien pour fendre la peau et la chair de la personne qu'il opère ; vois ***scalpel.*** *Le chirurgien a donné un coup de bistouri.*

bistre adj. invariable

Brun noirâtre. *L'humidité avait fait des taches bistre sur le mur.*

bitume n. m.

Pâte noire et visqueuse, à odeur très forte, dont on recouvre les routes et les trottoirs ; vois ***asphalte, goudron.*** *Les ouvriers recouvrent la nouvelle route de bitume.*

Prononce [bivwak].

bivouac n. m.

Campement provisoire de soldats, d'alpinistes, d'explorateurs... *Les alpinistes avaient établi leur bivouac au pied d'une paroi rocheuse.*

Compare : *bivouac → bivouaquer, arc → arquer* et *bloc → bloquer.*

▹ **bivouaquer** v. S'installer dans un campement provisoire ; vois ***camper.*** *Les alpinistes ont bivouaqué au pied de la paroi rocheuse.*

Conjugaison 1

bizarre adj.

— Heu ! bizarre.
— Je dirais même plus : bizarre autant qu'étrange *(Tintin).*

1. Qui n'est pas habituel, que l'on s'explique mal ; vois ***curieux, extraordinaire, insolite, singulier, saugrenu.*** *Hippolyte a fait un rêve bizarre cette nuit. Colle et Rat prétendent avoir vu un objet de forme bizarre. Antoine a parfois des idées bizarres.* **2.** Dont le caractère ou la manière d'être est spéciale, extravagante. *Les enfants trouvent Mme Harpie un peu bizarre, surtout quand elle parle toute seule !*

Le contraire de *bizarre,* c'est *banal, normal.*

Un ***z*** et deux ***r*** dans *bizarre, bizarrement* et *bizarrerie.*

▹ **bizarrement** adv. D'une manière bizarre. *Mme Harpie est parfois bizarrement habillée.*

Ne prononce pas le premier ***e*** dans *bizarrerie* : [bizaRRi].

▹ **bizarrerie** n. f. Chose étrange, inhabituelle ou anormale. *Quelques bizarreries avaient éveillé les soupçons des gendarmes. Il y a bien des bizarreries dans l'orthographe française.*

Par exemple : deux ***m*** dans *bonhomme,* mais un seul dans *bonhomie.*

N'oublie pas le *d* final au masculin.

blafard adj.
Pâle et sans éclat ; vois **blême.** *Sylvain a le teint un peu blafard en ce moment ;* vois **cireux, livide.** *Une lumière blafarde éclairait faiblement la pièce.*

Il vient d'être malade.

① **blague** n. f.
Petit sac dans lequel les fumeurs mettent leur tabac. *Le docteur Séverac a sorti du tabac de sa blague pour bourrer sa pipe.*

Les blagues sont souvent en cuir.

Blague est un mot familier.

② **blague** n. f.
1. Histoire imaginée que l'on essaie de faire passer pour vraie ; vois **bobard.** *Antoine aime bien raconter des blagues. Ce n'est pas vrai, c'est une blague.* **2.** Farce, tour. *Les enfants ont fait une bonne blague à Hippolyte le 1er avril.*

« Pouvez pas faire attention où vous mettez les pieds ? C'est vrai, quoi, sans blague ! » *(le Petit Nicolas).*

Le blaireau pèse environ 20 kg et mesure 70 cm de long. Il mange des racines, du miel et de petits animaux.

blaireau n. m.
1. Petit animal carnivore, bas sur pattes, au pelage clair sur le dos, foncé sous le ventre. *Les blaireaux creusent des terriers.* **2.** Petite brosse que l'on utilise parfois pour faire mousser le savon à barbe. *M. Bellec se savonne le visage avec un blaireau.*

Au pluriel : *des blaireaux.*

Autrefois, les blaireaux étaient toujours en poil de blaireau.

Conjugaison 1
N'oublie pas l'accent circonflexe du *â* de *blâmer, blâme* et *blâmable.*

blâmer v.
Critiquer, désapprouver, condamner quelqu'un ou quelque chose. *Colle et Rat ont été blâmés par le conseil de discipline.*

Le contraire de *blâmer,* c'est *féliciter.*

▸ **blâme** n. m. Réprimande que l'on fait à quelqu'un qui a commis une faute grave. *Colle et Rat ont reçu un blâme du conseil de discipline.*

Le contraire de *blâme,* c'est *éloge.*

Compare : *blâmer → blâmable* et *condamner → condamnable.*

▸ **blâmable** adj. *Une action blâmable,* c'est une action qui mérite d'être condamnée, punie ; vois **condamnable, répréhensible.** *La directrice a trouvé blâmable l'attitude insolente de Colle et Rat.*

Le contraire de *blâmable,* c'est *louable.*

blanc adj. et n. m., **blanche** adj. et n. f.

Peu après, elle eut une petite fille qui était aussi blanche que la neige [...] et que pour cette raison on appela Blancheneige *(Blancheneige).*

▭ **adj. 1.** De la couleur la plus claire qui existe. *Le lait et la neige sont blancs. Les lis sont des fleurs blanches.* **2.** D'une couleur très pâle. *Mamie Lou a les cheveux blancs. Yves était blanc de colère ;* vois **pâle. 3.** *Quelques électeurs indécis ont mis dans l'urne un bulletin blanc,* sur lequel il n'y avait rien d'écrit. **4.** *Angèle a passé une nuit blanche,* une nuit sans sommeil.

Le contraire de *blanc,* c'est *noir.*

▭ **n. m. 1.** Couleur blanche. *La neige est d'un blanc éclatant. Martin est tout habillé de blanc. Alex développe lui-même ses photos en noir et blanc.* **2.** *Mme Roussel a mis des blancs de poulet dans la salade,* la chair du dos et des ailes de poulet. **3.** *Les œufs en neige sont faits avec des blancs d'œufs,* les parties incolores et visqueuses des œufs. **4.** Vin blanc. *On boit du blanc sec avec le poisson.* **5.** Sur une feuille de papier, espace où rien n'est écrit. *Remplissez les blancs par la forme grammaticale correcte, dit l'exercice.* **6.** *Les policiers ont tiré à blanc pour intimider les bandits,* ils ont tiré des cartouches sans balles.

Le contraire de *en noir et blanc,* c'est *en couleurs.*

Le vin blanc est fait avec du raisin dont on a enlevé la peau.

Tintin devait être exécuté, mais les fusils étaient chargés à blanc.

Chauffer un métal à blanc, jusqu'à ce qu'il devienne blanc.

▭ **adj. et n.** Qui appartient à la race des gens à peau très claire. *L'Europe est peuplée de gens de race blanche.* — n. Homme ou femme de race blanche. *En Europe, il y a surtout des Blancs et en Afrique surtout des Noirs.*

Il faut mettre une majuscule quand il s'agit du nom désignant une personne.

Compare *blanchâtre* et *jaunâtre.*

▸ **blanchâtre** adj. D'une couleur plus ou moins blanche, pas très belle. *Le ciel avait une vilaine couleur blanchâtre ;* vois **blafard, blême.**

▸ **blanche** n. f. Note de musique qui vaut deux noires. *La blanche vaut la moitié de la ronde.*

Le symbole de la blanche est un ovale muni d'une queue : 𝅗𝅥.

▸ **blancheur** n. f. Couleur blanche. *La neige est d'une blancheur éclatante,* d'un blanc éclatant.

Conjugaison 2

▸ **blanchir** v. **1.** Rendre blanc. *La neige blanchit les sommets.* **2.** Devenir blanc. *Les cheveux du docteur Séverac blanchissent.*

L'eau de javel blanchit le linge.

Le linge revient du blanchissage lavé et repassé.

▸ **blanchissage** n. m. *Le blanchissage,* c'est le lavage du linge. *Mme Bellec envoie les nappes du restaurant au blanchissage.*

▸ **blanchisserie** n. f. Endroit, magasin où l'on donne son linge à laver. *Mme Bellec porte ses draps à la blanchisserie toutes les semaines.*

▸ **blanchisseur** n. m., **blanchisseuse** n. f. Personne dont le métier est de laver le linge. *Mme Bellec porte ses draps chez le blanchisseur toutes les semaines.*

blasé adj.
Quelqu'un de blasé, c'est quelqu'un qui manque d'enthousiasme, à qui rien ne fait plus plaisir. *Denis Prost aime avoir du succès, il n'est pas encore blasé.*

C'est un jeune comédien déjà célèbre.

blason n. m.
Dessin, emblème particulier à une famille noble ; vois **armoiries.** *Au Moyen Âge, les chevaliers peignaient leur blason sur leurs boucliers.*

Une ville aussi peut avoir un blason.

blasphème n. m.
Parole qui insulte la religion. *Dans certaines civilisations, le blasphème est un crime.*
▷ **blasphémer** v. Dire des blasphèmes, des insultes à la religion. *Jésus fut condamné à mort parce qu'on l'accusait d'avoir blasphémé.*

Attention à l'accent grave de *blasphème,* et à l'accent aigu de *blasphémer.*

Conjugaison 6

Beaucoup de jurons sont des blasphèmes.

blé n. m.
Céréale dont le grain écrasé sert à faire de la farine, de la semoule ; vois **froment.** *On sème le blé en automne ou en hiver, et on le récolte en été : c'est la moisson. Il y a de nombreux champs de blé dans la région.*

Le blé, qui est doré, me fera souvenir de toi. Et j'aimerai le bruit du vent dans le blé... *(le Petit Prince).*

Les grains de blé forment un épi en haut de la tige.

Le *blé noir,* c'est le sarrasin.

blême adj.
Très pâle. *Yves était blême de colère ;* vois **blanc, livide.** *On aperçoit une lueur blême au bout du souterrain ;* vois **blafard.**

N'oublie pas l'accent circonflexe du *ê* de *blême.*

blesser v.
1. Donner un coup qui provoque une plaie, une meurtrissure. *Un éclat d'obus blessa M. Bonnot au visage. — Yasmina s'est blessée à la main.* **2.** Causer une impression désagréable, pénible. *Alex tire parfois de son saxophone des sons discordants qui blessent l'oreille.* **3.** Faire de la peine, offenser, vexer. *La remarque d'Angèle a blessé Hippolyte.*
▷ **blessé** adj. et n. **1.** adj. Qui a reçu une blessure. *Odile Séverac a recueilli un oiseau blessé. L'homme gisait par terre, blessé à mort.* **2.** n. Personne blessée. *M. Bonnot est un blessé de guerre. L'ambulance transporte les blessés à l'hôpital.*
▷ **blessant** adj. *Angèle a adressé une remarque blessante à Hippolyte,* une remarque méchante, offensante, désobligeante.
▷ **blessure** n. f. Dégât fait à une partie du corps sous l'action d'un coup violent, d'un choc ; vois **plaie.** *Yves s'est fait une blessure au doigt. Mme Bellec a soigné sa blessure avec un désinfectant.*

Conjugaison 1

C'était pendant la Deuxième Guerre mondiale.

Il y a de *grands blessés* et des *blessés légers.*

Les coupures, les brûlures, les piqûres, les entorses, les fractures sont des blessures.

Blessure se dit surtout quand la peau est coupée et que le sang coule.

blet adj.
Un fruit blet, c'est un fruit trop mûr, dont la chair s'est ramollie. *Ces poires sont blettes, il faut les jeter.*

Au féminin : *blette.*

bleu adj. et n. m.
▭ **adj. 1.** Qui est de la même couleur qu'un ciel sans nuages. *Yves a les yeux bleus. Yasmina a cueilli un bouquet de fleurs bleues.* **2.** D'une couleur presque bleue. *Julie a les mains bleues de froid.* **3.** *Denis Prost a commandé un bifteck bleu,* très saignant, presque cru. **4.** *Marie-Tévy a une peur bleue de sortir seule la nuit,* une peur très forte.
▭ **n. m. 1.** Couleur bleue. *Yves a les yeux d'un bleu très clair. Marie-Tévy mélange ses couleurs pour obtenir un beau bleu turquoise.* **2.** Marque bleue ou noire sur la peau, due à un coup. *Antoine est revenu du match de rugby couvert de bleus ;* vois **ecchymose, hématome.** **3.** Fromage de lait de vache, qui contient des moisissures. *Veux-tu du bleu d'Auvergne ou du bleu de Bresse ?* **4.** Combinaison de travail en toile très solide, le plus souvent bleue. *M. Bellec met un bleu pour faire du bricolage.*
▷ **bleuâtre** adj. D'une couleur presque bleue, mais pas franchement bleue. *Julie regarde la fumée bleuâtre de la cigarette.*
▷ **bleuet** n. m. Fleur bleue dentelée qui pousse dans les champs. *Yasmina a fait un bouquet de bleuets et de coquelicots.*
▷ **bleuir** v. **1.** Devenir bleu. *L'horizon bleuit au lever du jour.* **2.** Rendre bleu. *Le froid bleuit les mains.*
▷ **bleuté** adj. D'une couleur légèrement bleue. *Le miroir a des reflets bleutés.*

La mer quand il fait beau, le saphir, certaines fleurs comme les iris, les myosotis, sont bleus. Quoi d'autre encore ?

Attention ! on écrit : *des jupes bleu sombre.*

Le bleu est entre le vert et l'indigo, dans l'arc-en-ciel.

Il y a beaucoup de bleus différents : le bleu ciel, le bleu marine, le bleu outremer, le bleu lavande, le bleu acier.

Le roquefort n'est pas un bleu ; il est fait avec du lait de brebis.

Compare : *bleu → bleuâtre* et *gris → grisâtre.*

N'oublie pas l'accent circonflexe du *â.*

Au Canada, les *myrtilles* s'appellent des *bleuets.*

Conjugaison 2

Beaucoup de champignons bleuissent quand on les coupe.

Les chars d'assaut sont des *véhicules blindés.* On dit aussi : *des blindés.*

blindé adj.
Entouré, recouvert de plaques de métal qui protègent. *On transporte l'argent dans des trains blindés ou des voitures blindées.*

Attention ! ***blizzard*** s'écrit avec deux ***z*** et un ***d*** à la fin.

Réjean habite au Québec.

blizzard n. m.
Vent glacial qui souffle au Canada et dans le nord des États-Unis, souvent accompagné de tempêtes de neige. *Quand le blizzard souffle trop fort, Réjean reste chez lui.*

Un bloc, c'est souvent très lourd, si c'est un bloc de pierre, de glace ou de bois ; mais un bloc de polystyrène peut être très gros et très léger.

Mme Séverac, conseillère municipale, a souvent des idées originales.

bloc n. m.
1. Gros morceau solide. *La digue est formée de gros blocs de béton entassés. De gros blocs de pierre s'étaient détachés de la falaise.* **2.** Ensemble de feuilles de papier détachables, de même dimension, collées ensemble sur un côté. *Marie-Tévy dessine sur un bloc. Mme Roussel a acheté un bloc de papier à lettres.* **3.** Personnes ou choses qui constituent un groupe, un ensemble très uni. *La classe a formé un bloc contre Colle et Rat.* **4.** *Le conseil municipal a rejeté en bloc les idées de Mme Séverac,* il les a rejetées totalement. **5.** *À bloc,* complètement, à fond. *Yves a fermé le robinet à bloc. Les pneus sont gonflés à bloc.*

On dit aussi : *un bloc-notes.*

On dit aussi : *la classe a fait bloc.*
Autres membres de la famille : **bloquer, blocage, débloquer, déblocage.**

Famille de **bloc**

blocage n. m.
Le système de blocage de ces roues est compliqué, le système qui permet de bloquer les roues.

Blockhaus [blɔkos] rime avec *hausse* et *sauce.*

blockhaus n. m.
Petit bâtiment militaire en béton très épais, renforcé de plaques d'acier, abritant un canon. *Yves va jouer dans les blockhaus sur les dunes.*

On trouve encore des blockhaus sur les côtes françaises de la mer du Nord et de la Manche.

Blocus [blɔkys] rime avec *puce.*

On peut faire le blocus d'une ville, d'un port.

blocus n. m.
Faire le blocus d'un pays, c'est l'encercler, pour l'isoler et qu'il ne puisse plus communiquer avec l'extérieur ni recevoir de marchandises. *Napoléon fit le blocus de l'Angleterre.*

On fait le blocus d'un pays avec lequel on est en guerre.

Des cheveux blond cendré sont d'une couleur blonde un peu grise.
Le contraire de *blond,* c'est *brun.*

blond adj.
1. *Mme Bellec a les cheveux blonds,* les cheveux de la couleur la plus claire, proche du jaune. *Elle est blonde,* elle a les cheveux blonds. — n. *Mme Bellec est une blonde.* **2.** D'un jaune très doux. *M. Bellec boit de la bière blonde. Muriel Doucet fume des cigarettes blondes.*

Auprès de ma blonde
Qu'il fait bon dormir !
(chanson).

Conjugaison 1
Famille de **bloc**

Compare :
bloc → bloquer
et *truc → truquer.*

bloquer v.
1. Grouper, réunir en un seul bloc. *Denis Prost a bloqué tous ses rendez-vous dans la même journée.* **2.** Empêcher de bouger, de se mouvoir. *Le gardien de but a bloqué le ballon. Le navire a été bloqué trois mois par les glaces.* **3.** Boucher, obstruer. *La route est bloquée par les travaux.* **4.** *Le gouvernement a décidé de bloquer les prix,* de les empêcher de monter.

Le contraire de *bloquer,* c'est *disperser, séparer.*

Le contraire de *bloquer,* c'est *débloquer.*

Attention aux deux ***t*** !

Quand on se blottit, on se met en boule, on se fait tout petit.

se blottir v.
Se replier, se ramasser sur soi-même, de manière à occuper le moins de place possible ; vois *se* ***pelotonner.*** *Marie-Tévy s'est blottie sous les couvertures.*

Conjugaison 2

blouse n. f.
Vêtement long que l'on met par-dessus les autres pour les protéger quand on travaille ; vois ***tablier.*** *Mme Bellec met sa blouse pour faire le ménage.*
▸ ***blouson*** n. m. Veste courte serrée aux hanches. *Antoine a un blouson de cuir.*

Les médecins, les infirmiers, les pharmaciens portent des blouses blanches.

On prononce [bludʒin]. C'est un mot anglais.

blue-jean n. m.
Pantalon de toile bleue très solide. *Julie est souvent en blue-jean ;* vois ***jean.***

On dit aussi *un blue-jeans.*
Au pluriel : *des blue-jeans.*

Deux ***f*** dans ***bluff*** et ***bluffer.***
Bluff [blœf] rime avec *œuf.*

bluff n. m.
Attitude, manière de se conduire, qui a pour but d'impressionner, d'intimider un adversaire. *Ne crois pas tout ce que raconte Antoine, c'est du bluff.*

On peut faire du bluff en exagérant, en se vantant, en trompant son adversaire.

Conjugaison 1

▸ ***bluffer*** v. Faire du bluff, essayer de tromper quelqu'un. *Méfie-toi d'Antoine, je suis sûre qu'il bluffe.*

Au pluriel : *des boas.*

Tintin a abattu le boa qui étouffait Zorrino.

Va voir aussi **anaconda.**

boa n. m.
Gros serpent de l'Amérique du Sud, sans venin, qui étouffe sa proie dans ses anneaux. *Le boa digère les os des animaux qu'il mange et ne rejette que leurs plumes ou leur pelage.*

On disait dans le livre : « Les serpents boas avalent leur proie tout entière, sans la mâcher » *(le Petit Prince).*

bobine n. f.
Petit cylindre à rebords pour enrouler du fil, un filin. *Le chat joue avec les bobines de fil à coudre. Mme Roussel met une bobine de pellicule dans son appareil photo.*

La bobine, c'est le cylindre et ce qui est enroulé dessus, ou le cylindre seul.

Ce mot appartient au langage des enfants.

bobo n. m.
Petite blessure, petite douleur. *Tu as bobo, Claire ? Claire s'est fait bobo au genou. Elle a souvent de petits bobos.*

Il a du bobo Léon
Il porte un bandeau Léon
(B. Lapointe).

De nos jours, on pratique l'élevage essentiellement dans le bocage.

bocage n. m.
Région où les prés et les champs sont fermés par des haies et des arbres. *Les Séverac ont passé quelques jours dans le bocage normand.*

Au pluriel : *des bocaux.*

bocal n. m.
1. Récipient en verre, à ouverture assez large, dans lequel on met des aliments. *À la boulangerie, les bonbons sont présentés dans de grands bocaux. Sophie Pelletier a mis des haricots en bocaux.* **2.** Aquarium en forme de globe. *Les poissons rouges tournent dans leur bocal.*

C'est très difficile de pêcher des têtards ! Il faut [...] plonger le bocal dans l'eau et essayer d'attraper les têtards *(le Petit Nicolas).*

Bœuf [bœf] rime avec *neuf* ; le pluriel *bœufs* [bø] rime avec *peu.*

bœuf n. m.
1. Taureau que l'on a rendu incapable de faire des petits. *Des bœufs paissent dans le pré. On élève les bœufs pour leur viande.* **2.** Viande de bœuf ou de vache. *Mme Roussel fait cuire un rôti de bœuf.*

Va voir aussi **bovin.**

bof ! interjection
Bof ! sert à exprimer l'indifférence, la lassitude ; vois **bah.** *« Qu'est-ce qu'on fait ? — Bof ! »*

Attention à l'accent grave du *è* de *bohème.*

bohème n. m. et f.
Personne qui vit comme elle en a envie, sans souci du lendemain. *Les artistes mènent parfois une vie de bohème.* — adj. *Les artistes sont souvent bohèmes.*

Autrefois, on croyait que les Bohémiens venaient de la Bohême.

bohémien n. m., **bohémienne** n. f.
Membre de tribus vagabondes qui vivent dans des roulottes ou des caravanes ; vois **gitan.** *Une bohémienne disait la bonne aventure.*

Conjugaison 53
▭ Indic. présent : *je bois, nous buvons.*
Imparfait : *je buvais.*
Passé simple : *je bus.*
Futur : *je boirai.*

Qui a bu boira (proverbe).

boire v.
1. Avaler un liquide ; vois **absorber, ingurgiter.** *Julie boit du jus d'orange. Les bêtes boivent à l'abreuvoir.* **2.** *Boire les paroles de quelqu'un,* c'est écouter ce qu'il dit avec attention et admiration. *Claire boit les paroles de sa grand-mère.* **3.** Prendre trop de boissons alcoolisées. *Il ne faut pas que tu boives tant, tu vas être ivre !* **4.** Absorber un liquide. *Le buvard boit l'encre.*

Autres membres de la famille : **boisson, buvable, buvard, buvette, buveur, imbu, imbuvable, pourboire.**

L'archer Robin était obligé de se cacher. Il vivait dans les bois, d'où son surnom *Robin des Bois.*

Les cornes du cerf s'appellent *des bois.*

bois n. m.
1. Terrain couvert d'arbres ; vois **forêt.** *Le dimanche, les Séverac vont se promener dans les bois.* **2.** Matière dont est fait l'arbre. *Les enfants ont ramassé du bois pour faire du feu. Le bureau de Marie-Tévy est en bois blanc,* en bois naturel, sans teinture ni vernis. *Dans le jardin public, il y a un manège de chevaux de bois.* **3.** *Les bois,* ce sont les instruments de musique dans lesquels on souffle et qui sont en bois ou en métal. *La flûte, le hautbois, la clarinette et le saxophone sont des bois.*

Nous n'irons plus au bois
Les lauriers sont coupés
(chanson).

Je ne suis pas superstitieux mais je voudrais bien toucher du bois pour ne pas le devenir
(Prévert).

Ce sont des *instruments à vent.*

La France est un des pays les plus boisés d'Europe.

▸ **boisé** adj. Couvert de bois. *Les Vosges sont une région boisée.*

▸ **boiserie** n. f. Panneau décoratif en bois. *Les murs du château sont recouverts de boiseries.*

Autres membres de la famille : **déboiser, reboiser, sous-bois, hautbois.**

Compare : *boire → boisson* et *cuire → cuisson.*

boisson n. f.
Liquide qui se boit. *En hiver, on apprécie les boissons chaudes. Julie n'aime pas les boissons gazeuses.*

Famille de **boire**

N'oublie pas l'accent circonflexe du *î* de *boîte*.

boîte n. f.

1. Récipient en carton, en bois, en métal ou en plastique, généralement muni d'un couvercle, qui se transporte facilement. *Claire a couché sa poupée dans une boîte à chaussures. Sophie Pelletier a toujours des boîtes de conserve en réserve. À Noël, Yves a porté une boîte de chocolats à Angèle, son institutrice.* **2.** *Une boîte à lettres,* c'est une boîte dans laquelle on met le courrier que l'on envoie ou que l'on reçoit. *Hippolyte, le facteur, a mis le journal dans la boîte de Denis Prost.* **3.** *Une boîte de nuit,* c'est un établissement ouvert la nuit, où l'on boit et où l'on danse. *Réjean et Alex ont passé la soirée dans une boîte de nuit.*

On dit aussi : une *boîte aux lettres.*

On dit aussi : une *boîte.*

On range les outils dans une *boîte **à** outils* et les allumettes dans une *boîte **d'**allumettes.*

Autres membres de la famille : **boîtier, ② déboîter, emboîter, ouvre-boîtes.**

Juste un point sur le *i* de *boiter.*

boiter v.

Marcher en penchant le corps d'un côté plus que de l'autre. *M. Bonnot boite un peu.*

Conjugaison 1

▸ **boiteux** adj. **1.** *Une personne boiteuse,* c'est une personne qui boite. *M. Bonnot est boiteux.* — n. *M. Bonnot est un boiteux.* **2.** *Un meuble boiteux,* c'est un meuble dont les pieds ne sont pas tous de la même longueur ; vois ***bancal, branlant.*** *Ne vous asseyez pas sur cette chaise boiteuse !*

Quasimodo était un être difforme et boiteux.

Le grand poète anglais Byron était boiteux ; il avait un pied bot.

N'oublie pas l'accent circonflexe du *î* de *boîtier.*

boîtier n. m.

Boîte qui renferme un mécanisme ou une pile. *La montre du docteur Séverac a un boîtier plaqué or. Antoine a ouvert le boîtier de sa lampe de poche pour remplacer la pile.*

Famille de **boîte**

bol n. m.

Récipient rond pour une personne dans lequel on met certains liquides. *Yasmina met les bols sur la table pour le petit déjeuner. Yves boit un bol de chocolat chaud,* le contenu d'un bol.

▸ **bolée** n. f. *Une bolée de cidre,* c'est le cidre contenu dans un bol. *Loïc a déjeuné de crêpes accompagnées de bolées de cidre.*

La soupe peut être servie dans une assiette creuse ou dans un bol.

Quelle différence y a-t-il entre un bol et une tasse ?

Au pluriel : *des boléros.*

boléro n. m.

Petite veste sans manches, qui ne se boutonne pas et s'arrête au-dessus de la taille. *Julie portait un boléro brodé sur un chemisier uni.*

Un *boléro,* c'est aussi une danse espagnole.

Bolet [bɔlɛ] rime avec *lait* et *palais.*

bolet n. m.

Champignon qui se reconnaît à son pied central et au dessous de son chapeau couvert de tubes très serrés ; vois ***cèpe.*** *En été et en automne, les Séverac vont cueillir des bolets dans les bois.*

De nombreuses sortes de bolets se mangent. Seul le bolet de Satan est dangereux.

bolide n. m.

Voiture très rapide. *Les bolides vont tourner vingt-quatre heures sur le circuit.*

Faire bombance se dit par plaisanterie.

bombance n. f.

Faire bombance, c'est faire un repas excellent et abondant. *Autrefois, on faisait bombance à l'occasion des mariages.*

On dit aussi : *faire la bombe.*

On dit d'une nouvelle qui a provoqué une grande surprise qu'*elle a fait l'effet d'une bombe.*

bombe n. f.

1. Engin qui détruit en explosant. *L'avion a largué des bombes sur la ligne de chemin de fer. Les terroristes avaient caché une bombe à retardement dans une valise.* **2.** Petit bidon dont on presse le bouchon pour faire sortir de la mousse ou du liquide en fines gouttelettes. *Mamie Lou a une bombe d'insecticide sur sa table de nuit.* **3.** Casquette rigide de forme arrondie que portent les cavaliers. *Denis Prost ne monte pas à cheval sans sa bombe.*

La *bombe atomique* utilise l'énergie nucléaire.

Va voir aussi ***atomiseur.***

La bombe protège la tête en cas de chute.

▸ **bombarder** v. Lancer des bombes. *L'avion a bombardé la voie ferrée.*

Conjugaison 1

▸ **bombardement** n. m. Action de lancer des bombes. *Pendant les bombardements, on se réfugiait dans les caves.*

Les premiers bombardements eurent lieu pendant la Première Guerre mondiale.

▸ **bombardier** n. m. Avion équipé pour lancer des bombes. *Des bombardiers ont survolé la voie ferrée.*

Conjugaison 1

bomber v.

Bomber la poitrine, c'est la redresser, en se cambrant. *Les soldats qui défilaient bombaient la poitrine.*

Le contraire de *bomber,* c'est *rentrer.*

▸ ***bombé*** adj. Renflé, arrondi. *M. Bellec a le front bombé.*

Ne confonds pas *bon* et *bond.*

① **bon** adj. et interjection

J'ai du bon tabac
Dans ma tabatière (chanson).

Bonne année et bonne santé !

□ **adj. 1.** Agréable à boire, manger, sentir. *Mamie Lou a fait un bon gâteau au chocolat ;* vois ***délicieux, succulent.*** — adv. *Ces roses sentent bon.* **2.** Plaisant, agréable. *Yves a passé de bonnes vacances au bord de la mer. Bon anniversaire, Julie !* — adv. *Il fait bon, le temps est agréable.* **3.** Qui a les qualités qu'il faut. *Mamie Lou est en bonne santé,* sa santé est satisfaisante. *Antoine a toujours de bonnes excuses pour expliquer ses retards,* des excuses valables. *Il faut prendre l'air, c'est bon pour la santé,* cela fait du bien. *Ce vieux cartable est bon à jeter,* il mérite d'être jeté. **4.** Qui convient. *Vous n'avez pas pris le bon chemin. Marie-Tévy n'a pas fait d'erreur, toutes ses opérations sont bonnes,* justes, exactes. **5.** Qui fait bien ce qu'il doit faire. *Marie-Tévy est bonne en dessin. Un bon chien de garde aboie quand des inconnus arrivent.* **6.** Qui fait le bien, qui aime, qui donne, qui pardonne ; vois ***généreux.*** *Mamie Lou est trop bonne avec les enfants. Antoine a bon cœur.* **7.** Avec qui l'on s'entend bien ; vois ***gentil.*** *Comment se fâcher avec un bon copain comme Antoine ?* **8.** *Il y a une bonne centaine de personnes dans la salle,* plus d'une centaine. *Sylvain a un bon rhume,* un gros rhume.

Devant une voyelle ou un ***h*** muet, *bon* se prononce [bɔn].
Le contraire de *bon,* c'est *mauvais.*

Cette idée a du bon, elle est intéressante.

Quand on est paresseux, tous les moyens sont bons pour ne rien faire !

Le contraire de *bon,* c'est *faux.*

Paul n'a rien fait de mal, maman ; au contraire, il est très bon, et il a fait une très belle chose ; c'est moi seule qui ai été méchante, et c'est pour m'empêcher d'être grondée et punie qu'il s'est roulé dans le houx *(les Malheurs de Sophie).*

Le contraire de *bon,* c'est *méchant.*

Un bon petit diable est un livre de la comtesse de Ségur.

□ **interjection** *Bon !* indique la satisfaction, la surprise ou le mécontentement. *Bon ! on s'en va. « Mme Harpie fait refaire sa boutique. — Ah, bon ? Elle ne nous l'a pas dit. »*

▸ ② **bon** n. m. Papier qui donne droit à toucher de l'argent, à obtenir quelque chose. *Chez l'épicier, on peut échanger ce bon contre une assiette.*

Le bon de caisse sert à justifier des sorties d'argent de la caisse.

▸ ***bonbon*** n. m. Friandise à base de sucre parfumé qui se suce ou se croque. *Antoine a acheté un paquet de bonbons. Mme Harpie est marchande de bonbons.*

Je vous ai apporté
des bonbons
Parce que les fleurs,
c'est périssable
(J. Brel).

▸ ***bonbonnière*** n. f. Petite boîte à bonbons. *Mme Séverac présente la bonbonnière aux enfants.*

Autres membres de la famille : **bon enfant ; bonhomme, bonhomie ; bonifier ; bonjour ; bon marché ; bonne ; bonne femme ; bonsoir ; bonté ; bon vivant, embonpoint.**

bonbonne n. f.

Attention ! il y a un ***n*** devant le ***b*** : *bonbonne.*

Grosse bouteille. *Mme Séverac achète l'huile en bonbonne car c'est plus économique.*

bond n. m.

Ne confonds pas *bond* et *bon.*

Faire faux bond à quelqu'un : ne pas aller au rendez-vous que l'on a avec lui.

1. Action de s'élever de terre par un mouvement brusque ; vois ***saut.*** *Le kangourou avance par bonds. La balle a fait plusieurs bonds. Denis Prost n'a fait qu'un bond jusqu'à l'hôpital pour voir Julie,* il s'est précipité à l'hôpital. **2.** Mouvement soudain et rapide qui conduit vers un progrès, une augmentation. *Les prix ont fait un bond,* ils ont brusquement augmenté.

Famille de **bondir**

Sa fille Julie a été opérée de l'appendicite.

Certaines découvertes permettent à l'industrie de faire des bonds en avant.

bondé adj.

Qui contient le maximum de personnes ; vois ***comble, plein.*** *Lors des départs en vacances, les trains sont bondés.*

Le contraire de *bondé,* c'est *désert, vide.*

bondir v.

Conjugaison 2

1. S'élever brusquement en l'air par un saut ; vois ***sauter.*** *Le tigre bondit sur sa proie.* **2.** Se précipiter ; vois ***courir.*** *Julie a bondi au téléphone à la première sonnerie.*

Croc-Blanc bondit au milieu des garçons [...] et les mordit *(Croc-Blanc).*

Autres membres de la famille : **bond ; rebondir, rebond, rebondissement.**

bon enfant adj. invariable

Famille de ① **bon** et de **enfant**

Gentil avec simplicité comme un enfant sage. *Mamie Lou est bon enfant. M. Bonnot a des manières bon enfant.*

bonheur n. m.

Attention au ***h*** après le ***n*** !

1. État dans lequel on se trouve quand on est tout à fait content, satisfait de la vie que l'on a. *Le maire a souhaité beaucoup de bonheur aux jeunes mariés.* **2.** *Un bonheur,* c'est ce qui rend heureux ; vois ***joie.*** *La naissance de Martin fut un grand bonheur pour ses parents.* **3.** Chance. *On dit que les trèfles à quatre feuilles portent bonheur. Tu n'atteindras pas la cible si tu lances les fléchettes au petit bonheur,* au hasard. *Par bonheur, il n'a pas plu,* par chance.

Prononce [bɔnœʀ].
Le contraire de *bonheur,* c'est *malheur.*

L'argent ne fait pas le bonheur (proverbe).

Le contraire de *bonheur,* c'est *malchance.*

On dit aussi : *au petit bonheur la chance.*

Autre membre de la famille : **porte-bonheur.**

Famille de ① **bon** et de **homme**
Au pluriel : *des bonshommes* [bɔ̃zɔm].

bonhomme n. m.
1. Homme, monsieur ; vois ***type.*** *Il y avait une bonne femme et deux bonshommes.* **2.** Homme représenté de façon grossière. *Claire dessine des bonshommes. Les enfants ont fait un bonhomme de neige.*

Un petit bonhomme
Assis sur une pomme.
La pomme dégringole.
Le petit bonhomme s'envole
Sur le toit de l'école
(comptine).

Attention ! *bonhomie* s'écrit avec un seul ***m.***

▸ ***bonhomie*** n. f. Bonté pleine de simplicité. *Angèle rend parfois visite à son vieux maître d'école qui l'accueille toujours avec bonhomie.*

Compare : *bon → bonifier* et *pur → purifier.*

bonifier v.
Rendre meilleur ; vois ***améliorer.*** *Les engrais servent à bonifier la terre,* ils la rendent plus fertile. — *Le vin se bonifie en vieillissant,* il devient meilleur.

Conjugaison 7
Famille de ① **bon**

boniment n. m.
Ce que dit le marchand ambulant pour attirer les clients et les convaincre d'acheter. *Devant certains grands magasins, des camelots font leur boniment.*

Hé bonjour, Monsieur du Corbeau.
Que vous êtes joli ! que vous me semblez beau !
(La Fontaine).

bonjour n. m.
Bonjour s'emploie pour saluer quelqu'un que l'on rencontre pour la première fois de la journée. *Julie ne dit jamais bonjour à l'horrible Mme Harpie. Bonjour, Mademoiselle. Dessiner une maison, c'est simple comme bonjour,* c'est très facile.

Bonjour s'écrit en un seul mot
Famille de ① **bon** et de **jour**

Famille de ① **bon** et de **marché**

bon marché adj. invariable
Qui n'est pas cher. *C'est la saison des melons ; ils sont bon marché.*

Ils sont *meilleur marché* en ce moment.

Famille de ① **bon**

Bécassine est la plus célèbre des bonnes d'enfants.

bonne n. f.
Employée qui s'occupe de la maison de ses patrons et vit chez eux ; vois ***domestique, servante.*** *Les Séverac ont une bonne.*

On dit plutôt : une *employée de maison.*

Bonne femme s'écrit en deux mots.
Bonne femme est familier.

bonne femme n. f.
Femme. *« Mme Harpie est une sale bonne femme »,* dit Julie. *Il y avait deux bonnes femmes et un bonhomme dans le café.*

Famille de ① **bon** et de **femme**

En 1789, les révolutionnaires portaient un bonnet rouge appelé *bonnet phrygien.*

bonnet n. m.
Coiffure souple sans bord. *Mets ton bonnet de laine pour sortir. Angèle met un bonnet de bain à la piscine.*

Autrefois, on mettait un *bonnet de nuit* pour dormir.

Compare : *bonnet → bonneterie* et *parfum → parfumerie.*

▸ ***bonneterie*** n. f. *Des articles de bonneterie,* des vêtements fabriqués avec des tissus en mailles. *Les bonnets, les chaussettes, les bas sont des articles de bonneterie.*

— Qu'est-ce que la consigne ?
— C'est d'éteindre mon réverbère. Bonsoir !
(le Petit Prince).

bonsoir n. m.
Bonsoir s'emploie pour saluer quelqu'un le soir, quand on le rencontre ou quand on le quitte. *Claire dit bonsoir et va se coucher. Bonsoir, Claire !*

Bonsoir s'écrit en un seul mot
Famille de ① **bon** et de **soir**

Famille de ① **bon**

Compare : *bon → bonté* et *beau → beauté.*

bonté n. f.
Qualité d'une personne bonne pour les autres, gentille et indulgente. *Mamie Lou est d'une grande bonté. Auriez-vous la bonté de répéter votre phrase ?,* l'amabilité, la gentillesse.

Le contraire de *bonté,* c'est *cruauté, férocité, méchanceté.*

Le féminin *bonne vivante* est rare.

bon vivant adj.
Qui aime vivre agréablement. *Henri IV était un roi très bon vivant.* — n. m. *Les bons vivants connaissent les adresses des bons restaurants.*

Famille de ① **bon** et de ① **vivre**

Boomerang se prononce [bumʀɑ̃g].

Le boomerang est une arme des indigènes australiens.

boomerang n. m.
Arme en bois dur courbé que l'on envoie sur ce que l'on vise et qui revient à son point de départ si le but n'est pas atteint. *Les Australiens chassaient le kangourou avec des boomerangs.*

— J'ai oublié cette histoire de boomerang.
— Ne vous en faites pas, elle va vous revenir !

Boots se prononce [buts].

boots n. m. plur.
Bottes courtes qui s'arrêtent au-dessus de la cheville ; vois ***bottillon.*** *Les boots de Mme Harpie sont complètement démodés.*

N'oublie pas le ***d*** à la fin de *bord.*

Le contraire de *bord,* c'est *centre, milieu, fond.*

① bord n. m.
1. *Julie est assise sur le bord de la chaise,* sur le bout, la partie la plus en avant de la chaise. *Antoine remplit son verre jusqu'au bord,* jusqu'en haut. *Yves passe ses vacances au bord de la mer,* une région qui s'étend le long de la mer. *Des coquelicots poussent au bord de la route,* sur le côté de la route. **2.** *Être au bord de quelque chose,* c'est en être tout près. *Antoine n'a pas pleuré mais il était au bord des larmes.*

Autres membres de la famille
abord, ① aborder, abordable, abords, border, bordure, déborder, inabordable, rebord

② **bord** n. m.

– Alors, capitaine, a dit M. Lan-erneau, tout est paré à bord ? (le Petit Nicolas). Va voir *tableau de bord* à **tableau.**

Les passagers sont montés à bord du bateau, sur le bateau. *On a servi un repas aux passagers à bord,* dans l'avion. *Pendant sa randonnée à moto, Alex a tenu un journal de bord,* un carnet où il notait chaque jour ce qui s'était passé.

Autres membres de la famille : ② **aborder, abordage, bâbord, hors-bord, tribord.**

border v.

Conjugaison 1

Border quelqu'un, c'est border son lit quand il est couché.

1. *Des platanes bordent la route,* sont sur les bords de la route. **2.** *Le mouchoir de Julie est bordé de dentelle,* a de la dentelle sur les bords. *Mamie Lou borde son lit,* elle replie le bord des draps et des couvertures sous le matelas.

Famille de ① **bord**

bordure n. f.

Famille de ① **bord**

Compare : *bord* → *bordure* et *toit* → *toiture.*

Ce qui borde, est le long du bord. *Le massif de pensées est entouré d'une bordure de myosotis. Le camping est situé en bordure de forêt,* le long d'une forêt.

Maison à louer en bordure de mer.

boréal adj.

Au masculin pluriel : *boréaux.*

Du pôle Nord ; vois ***arctique.*** *On pêche le hareng, la morue, le saumon dans les mers boréales.*

Le contraire de *boréal,* c'est *austral.*

borgne adj.

Prononce [bɔʀɲ].

...u pays des aveugles, les bor-nes sont rois (proverbe).

Qui a perdu un œil ou qui ne voit que d'un œil. *Le pirate porte un bandeau noir sur l'œil parce qu'il est borgne.* — n. m. et f. *Un borgne ne voit pas le relief.*

Autre membre de la famille : **éborgner.**

borne n. f.

1. Pierre ou bloc de ciment qui indique la fin d'un terrain ou sert à le mesurer. *Il y a une borne tous les kilomètres sur la route.* **2.** *Ma patience a des bornes !,* elle a une fin, des limites.

Dépasser les bornes, c'est exagérer.

Conjugaison 1

▸ *se* ***borner*** v. Se contenter. *M. Bellec aime le football mais il se borne à regarder les matchs à la télévision.*

Ce n'est pas un grand sportif !

Le contraire de *borné,* c'est *intelligent, ouvert.*

▸ ***borné*** adj. Qui n'a pas l'esprit ouvert. *Je te dis que Mme Harpie est bornée.*

Elle a l'*esprit borné.*

bosquet n. m.

Prononce [bɔskɛ].

Groupe d'arbres ou d'arbustes que l'on a plantés dans un jardin ou un parc. *Julie s'est cachée derrière un bosquet.*

bosse n. f.

...n se fait une bosse quand l'os ...st atteint.

...n dromadaire n'a qu'une ...osse.

1. Boule qui se forme sous la peau après un choc. *Claire s'est fait une bosse au front en se cognant sur le mur,* son front a gonflé. **2.** Grosseur dans le dos. *Polichinelle a deux bosses.* **3.** *Le chamelier est assis entre les deux bosses du chameau,* les deux parties arrondies de son dos. **4.** Partie bombée d'un terrain. *La route de la ferme est pleine de creux et de bosses.*

Les bosses du chameau sont formées par ses réserves de graisse.

...e *Bossu* est un roman de Paul ...éval.

▸ ***bossu*** adj. *Une personne bossue,* c'est une personne dont les os sont mal formés, font une bosse sur son dos. *Polichinelle est bossu.* — n. *C'est un bossu.*

Autre membre de la famille : **cabossé.**

botanique adj.

La botanique est la science qui étudie les végétaux.

Un jardin botanique, c'est un jardin où l'on cultive de nombreuses espèces de plantes et d'arbres. *Julie et Yasmina se sont promenées dans le jardin botanique, à côté du zoo.*

On appelle souvent *jardin des Plantes* un jardin botanique.

▸ ***botaniste*** n. m. et f. Personne qui étudie les végétaux. *Parmi les savants qui accompagnaient Bonaparte en Égypte, il y avait un botaniste.*

① **botte** n. f.

Attention aux deux *t* !

Assemblage de légumes liés ensemble. *Donnez-moi une botte de poireaux et une botte de carottes.*

On fait aussi des bottes avec les radis, les asperges, le cresson, les navets...

② **botte** n. f.

...e Petit Poucet, s'étant approché ...e l'Ogre, lui tira doucement ses ...ottes, et les mit aussitôt (le Petit Poucet).

Chaussure qui couvre le pied et la jambe. *Quand il pleut, Julie met des bottes en caoutchouc.*

▸ ***botté*** adj. Chaussé de bottes. *Bottée, casquée, Julie est prête pour la promenade à cheval.*

Le Chat botté est un conte de Perrault.

Compare : *botte* → *bottillon* et *porte* → *portillon.*

▸ ***bottillon*** n. m. Chaussure qui couvre le pied jusqu'à la cheville ; vois ***boots.*** *Il neige, Marie-Tévy met ses bottillons fourrés.*

Deux *t* et deux *l* dans *bottillon.*

▸ ***bottine*** n. f. Chaussure montante assez serrée. *Au début du XXe siècle, les femmes mettaient des bottines.*

Au pluriel : *des boubous.*

boubou n. m.
Longue tunique, vêtement traditionnel en Afrique noire. *Le chef de la tribu portait un boubou.*

Prononce [buk].

bouc n. m.
1. Mammifère ruminant, mâle de la chèvre. *Les boucs sentent très mauvais.* **2.** Petite barbe à la pointe du menton. *Quand il était jeune, M. Bonnot portait un bouc.*

Va voir aussi ***chèvre.***

La bouche, bordée par les lèvres, contient les dents et la langue et communique avec la gorge.

bouche n. f.
1. Ouverture dans le bas du visage. *Martin met son pouce dans la bouche et s'endort. Antoine parlait la bouche pleine,* avant d'avoir fini d'avaler ce qu'il mangeait. *L'odeur du gâteau lui avait mis l'eau à la bouche,* lui avait donné envie de le manger. **2.** *Les ouvriers sont descendus par la bouche d'égout,* par l'ouverture de l'égout sur le trottoir.

On emploie *bouche* pour l'homme et le cheval. Les animaux ont une *gueule.*

Une *bouche de métro,* c'est l'entrée d'une station de métro.

▸ ***bouche-à-bouche*** n. m. invariable *Le pompier a immédiatement fait le bouche-à-bouche au noyé,* il a soufflé de l'air avec sa bouche dans la bouche du noyé.

Il lui a ainsi sauvé la vie.

Une *bouchée au chocolat* est un gros bonbon au chocolat que l'on peut mettre entier dans la bouche.

▸ ***bouchée*** n. f. Morceau d'aliment contenu dans la bouche. *Les enfants se sont levés de table, dès la dernière bouchée,* aussitôt après le dernier morceau avalé. *Alex a eu un disque rare pour une bouchée de pain,* il l'a eu pour très peu d'argent, pour presque rien.

Autres membres de la famille ② **déboucher, débouché, embouchure.**

Le *garçon boucher* est l'aide ou l'apprenti du boucher.

① **boucher** n. m., ***bouchère*** n. f.
Personne qui vend de la viande. *Antoine va chez le boucher acheter du bifteck haché.*

Le boucher découpe, prépare et vend la viande.

La viande de cheval s'achète dans une *boucherie chevaline.* Compare : *boucher → boucherie* et *boulanger → boulangerie.*

▸ ***boucherie*** n. f. **1.** Magasin où l'on vend de la viande. *Antoine va à la boucherie chercher un rôti de bœuf.* **2.** Combat où il y a beaucoup de morts, beaucoup de sang versé ; vois ***carnage, massacre.*** *La bataille fut une véritable boucherie.*

Les *animaux de boucherie* sont les animaux élevés et tués pour leur viande.

Conjugaison 1
Le contraire de *boucher,* c'est *déboucher.*

② **boucher** v.
1. *Boucher une chose,* c'est fermer une chose qui était ouverte ou creuse. *Il faut bien boucher la bouteille,* la fermer avec un bouchon. *Le fromage sent trop fort, Yasmina se bouche le nez,* se pince le nez avec les doigts. **2.** *Le lavabo est bouché,* quelque chose empêche l'eau de passer. *Un embouteillage bouche le passage ;* vois ***barrer, bloquer.***

L'histoire raconte qu'un petit Hollandais a sauvé son village en bouchant toute la nuit avec son doigt un petit trou qui s'était fait dans la digue et qui, s'il s'était agrandi, aurait provoqué l'inondation des champs gagnés sur la mer.

N'oublie pas le trait d'union.
Au pluriel : *des bouche-trous.*
Famille de **trou**

▸ ***bouche-trou*** n. m. Chose dont on se sert à un moment où l'on n'a rien de mieux. *On a passé ce film à la télévision comme bouche-trou entre les informations et le match.*

Le bouchon flotte sur l'eau : quand le poisson se prend à l'hameçon, il s'enfonce.

▸ ***bouchon*** n. m. **1.** Objet qui sert à fermer un récipient. *Le pompiste remet le bouchon du réservoir d'essence.* **2.** Petit objet léger fixé sur une ligne de pêcheur. *M. Bellec surveille le bouchon.* **3.** Encombrement de voitures arrêtées et bloquées ; vois ***embouteillage.*** *Le bouchon s'étendait sur trois kilomètres.*

Les bouchons des bouteilles de vin sont en liège.

Autres membres de la famille ① **déboucher, reboucher, tire-bouchon.**

Quand tu fais un nœud à tes chaussures, tu peux faire deux boucles.

boucle n. f.
1. Anneau qui sert à fermer une ceinture ou une sangle. *On passe la pointe de la boucle dans l'œillet de la ceinture.* **2.** *Des boucles d'oreilles,* ce sont des bijoux pour les oreilles. *Julie portait des boucles d'oreilles en or.* **3.** Ligne courbe qui s'enroule sur elle-même. *Le cow-boy serre la boucle du lasso autour des pattes du cheval sauvage.* **4.** Mèche de cheveux enroulée sur elle-même. *Julie secoue ses boucles rousses.*

Une *bouclette,* c'est une petite boucle.

Conjugaison 1

▸ ***boucler*** v. **1.** Attacher au moyen d'une boucle. *Angèle boucle sa ceinture de sécurité.* **2.** Fermer. *Que personne ne bouge, la police boucle le quartier !,* elle entoure complètement le quartier et empêche le passage ; vois ***encercler.*** **3.** Avoir des cheveux qui font des boucles. *Julie boucle naturellement.*

Elle est toute *bouclée.*

Bouclier [buklije] rime avec *tablier, encrier, sucrier.*

bouclier n. m.
Plaque ronde ou rectangulaire que le combattant porte à la main pour se défendre. *Le chevalier a brisé sa lance sur le bouclier de son adversaire.*

Dans *Astérix,* Abraracourcix fait ses discours debout sur un bouclier.

Conjugaison 1

bouder v.

Montrer que l'on est fâché en gardant un air mécontent et en refusant de parler. *Julie n'est pas sortie de sa chambre, Mademoiselle boude.*

Elle *fait la tête.*

▸ **boudeur** adj. *Une personne boudeuse,* c'est une personne qui boude facilement. *Julie est une petite fille boudeuse.*

boudin n. m.

Boyau rempli d'un mélange de graisse et de sang de porc cuits et assaisonnés. *Le boudin se mange grillé.*

Le *boudin blanc* est fait avec du lait et des viandes blanches.

▸ **boudiné** adj. **1.** Serré dans un vêtement trop petit. *Martin grandit vite, il est déjà boudiné dans cette brassière.* **2.** Court et gros. *M. Bellec a des doigts boudinés.*

N'oublie pas le ***e*** de *boue.*

boue n. f.

Terre mouillée par la pluie. *Les enfants pataugeaient dans la boue comme des canards.*

Ne confonds pas *boue* et *bout.*

Compare : *boue → boueux* et *brume → brumeux.*

▸ **boueux** adj. Plein de boue. *Yasmina nettoie ses bottes boueuses. Après l'orage, le chemin était boueux.*

Autres membres de la famille : **éboueur, garde-boue.**

bouée n. f.

1. Objet flottant qui sert de signal pour les bateaux. *La bouée signalait un rocher dangereux.* **2.** Anneau gonflé d'air que l'on passe autour de la taille pour flotter. *Claire apprend à nager avec une bouée.*

On lance une *bouée de sauvetage* à quelqu'un qui se noie.

Le contraire de *bouffant,* c'est *collant, ajusté.*

bouffant adj.

Qui est froncé, a de l'ampleur. *Claire a un jupon bouffant sous sa robe.*

Deux ***f*** dans *bouffant.*

Attention ! deux ***f***.

bouffée n. f.

1. *Une bouffée,* c'est l'air que l'on aspire ou que l'on rejette brusquement par la bouche. *Le docteur Séverac tirait des bouffées de sa pipe.* **2.** Souffle d'air que l'on sent tout à coup. *Le vent apportait l'odeur de la lavande par bouffées.*

Avec une bouffée de cigarette, on peut faire un rond de fumée.

Deux ***f*** dans *bouffi.*

bouffi adj.

Gonflé, enflé, déformé en devenant plus gros ; vois ***boursouflé.*** *Antoine n'a pas assez dormi, il a les yeux tout bouffis,* les paupières gonflées.

Au féminin : *bouffie.*

Deux ***f*** dans *bouffon.*

bouffon n. m. et adj.

1. n. m. Personne qui était à la cour d'un roi ou d'un seigneur pour le distraire ; vois ***fou.*** *Les bouffons pouvaient se permettre de critiquer le roi.* **2.** adj. Très drôle et un peu fou. *Antoine a raconté une histoire bouffonne.*

Attention au ***e*** entre le ***g*** et le ***o*** ! Famille de **bougie**

bougeoir n. m.

Petit support pour les bougies ; vois ***chandelier.*** *Mme Séverac dispose des bougeoirs sur la table pour le réveillon.*

Un bougeoir est plus petit qu'un chandelier. Il a souvent une anse.

Conjugaison 3 ▭ Indic. présent : *je bouge, nous bougeons.* Imparfait : *je bougeais, nous bougions.* Futur : *je bougerai.*

bouger v.

1. Faire un mouvement ; vois ***remuer.*** *Vous avez bougé, la photo est ratée. Ne bougeons plus !,* restons immobiles. **2.** Se déplacer, aller d'un endroit dans un autre. *Je ne bougerai pas de chez moi aujourd'hui,* je ne sortirai pas. **3.** *Bouger quelque chose,* c'est le déplacer. *Yves a un plâtre qui l'empêche de bouger le bras.*

Ne bougez plus, le petit oiseau va sortir !

N'oublie pas le ***e*** entre le ***g*** et le ***o***, ni les deux ***t***.

▸ **bougeotte** n. f. *Avoir la bougeotte,* c'est se déplacer tout le temps, ne pas pouvoir rester tranquille. *Dès qu'elle est en classe, Julie a la bougeotte.*

Cette expression est familière.

bougie n. f.

1. Bâton de cire ou de paraffine contenant une mèche, que l'on fait brûler ; vois ***chandelle.*** *Julie a soufflé du premier coup les bougies du gâteau d'anniversaire.* **2.** Petite pièce qui produit des étincelles dans un moteur à essence. *Loïc nettoie les bougies du moteur de son bateau.*

utrefois, quand il n'y avait pas 'électricité, on s'éclairait à la ougie ou à la chandelle.

On met les bougies sur des bougeoirs ou des chandeliers.

Attention ! on dit : elle est *bougon* ; mais : elle est d'humeur *bougonne.*

bougon adj.

Qui montre de la mauvaise humeur ; vois ***grognon.*** *Mme Harpie est bougon. Elle est d'humeur bougonne.*

N'oublie pas les deux ***n***.

▸ **bougonner** v. Parler bas, tout seul, quand on n'est pas content, quand on est de mauvaise humeur ; vois ***grommeler, râler, ronchonner.*** *Mme Harpie ne cesse de bougonner.*

Conjugaison 1

C'est surtout dans la région de Marseille que l'on mange de la bouillabaisse.

bouillabaisse n. f.

Plat provençal fait de poissons et de bouillon épicé. *Angèle a préparé une bouillabaisse.*

Famille de **bouillir**

Famille de **bouillir**

bouillant adj.

1. En train de bouillir. *Angèle verse de l'eau bouillante dans la cafetière. M. Bellec boit son café bouillant,* très chaud ; vois ***brûlant.*** **2.** *Yves était bouillant d'impatience,* il s'agitait, il ne tenait plus en place tant il était impatient.

Au Moyen Âge, les défenseurs des châteaux versaient de l'huile bouillante sur les assaillants.

Famille de **bouillir**

bouillie n. f.

1. Aliment fait d'eau ou de lait et de farine cuits ensemble. *Julie donne sa bouillie à Martin, son petit frère.* **2.** *En bouillie,* complètement écrasé. *Les pommes de terre sont trop cuites, elles sont en bouillie.*

On donne de la bouillie aux bébés parce qu'ils n'ont pas de dents.

Conjugaison 15 ▭ Indic. présent : *je bous, il bout, nous bouillons, ils bouillent.* Imparfait : *je bouillais, nous bouillions.* Futur : *je bouillirai, nous bouillirons.* — Subj. présent : *que je bouille, que nous bouillions.*

bouillir v.

1. *L'eau bout à cent degrés,* elle s'agite en formant des bulles sous l'action de la chaleur. *Attends que l'eau bouille pour faire le thé. Quand elle bouillira, tu verseras l'eau dans la théière.* **2.** Cuire dans un liquide qui bout. *La viande du pot-au-feu a bouilli plusieurs heures.* **3.** *M. Bellec n'a pas voulu emmener Yves ; Yves bout de colère contre son père,* il est emporté par la colère, il est très en colère.

L'alcool bout à 78 degrés.

Un liquide qui bout est *en ébullition.*

▷ ***bouilloire*** n. f. Récipient de métal destiné à faire bouillir de l'eau. *L'eau chante dans la bouilloire, juste avant de bouillir.*

Un *bouillon de culture* est un liquide dans lequel on laisse se développer des microbes pour les étudier.

▷ ***bouillon*** n. m. **1.** Liquide dans lequel des aliments ont bouilli ; vois ***potage.*** *Julie verse le bouillon du pot-au-feu sur des tranches de pain.* **2.** *L'eau bout à gros bouillons,* très fort.

Le surveillant, on l'appelle le Bouillon [...] parce qu'il dit tout le temps : « Regardez-moi dans les yeux », et dans le bouillon il y a des yeux *(le Petit Nicolas).*

Conjugaison 1 Deux *n* dans *bouillonner.*

▷ ***bouillonner*** v. **1.** *La source bouillonne,* elle est agitée et forme de grosses bulles. **2.** *Colle et Rat bouillonnent d'idées,* ils ont beaucoup d'idées. *De nombreuses idées bouillonnent dans leur tête.*

Si la bouillotte est trop chaude, on se brûle les pieds !

▷ ***bouillotte*** n. f. Récipient que l'on remplit d'eau très chaude pour se chauffer dans un lit. *Mamie Lou se fait des bouillottes en hiver.*

Autres membres de la famille **bouillabaisse, bouillant, bouillie, court-bouillon, ébouillanter.**

boulanger n. m., *boulangère* n. f.

Personne qui fait et vend du pain. *Julie va chercher du pain et des croissants chez le boulanger. Le mitron aide le boulanger à faire le pain.*

Un boulanger-pâtissier fait du pain et des gâteaux.

Compare : *boulanger → boulangerie* et *boucher → boucherie.*

▷ ***boulangerie*** n. f. Magasin où l'on vend le pain. *Julie va à la boulangerie.*

Le *jeu de boules* consiste à faire rouler des boules sur le sol.

boule n. f.

Objet tout rond. *La Terre a la forme d'une boule. Nous avons fait une bataille de boules de neige. Le chat est roulé en boule près de la cheminée.*

Autres membres de la famille **boulet, boulette, boulot, débouler.**

Au pluriel : *des bouleaux.* Ne confonds pas *bouleau* et *boulot.*

bouleau n. m.

Arbre à écorce blanche et à petites feuilles légères. *On utilise les bouleaux pour faire de la pâte à papier ou du bois de chauffage.*

Les bouleaux poussent dans les régions froides ou tempérées.

Ne prononce pas le premier *e* : [buldɔg].

bouledogue n. m.

Chien de garde à grosse tête et à mâchoires saillantes. *Mme Harpie est aimable comme un bouledogue,* elle n'est pas du tout aimable.

Les bouledogues ont l'air méchant, mais ils sont souvent très gentils.

Famille de **boule**

Maintenant, les canons lancent des obus.

En prison, on a mis des boulets aux pieds des Dalton.

boulet n. m.

1. Boule de métal ou de pierre que lançaient les canons, autrefois. *Le soldat a eu la jambe emportée par un boulet.* **2.** Boule de métal que l'on attachait aux pieds de certains condamnés pour les empêcher de fuir. *Le bagnard essayait de scier la chaîne de son boulet.*

Tirer à boulets rouges sur quelqu'un, c'est parler de lui très méchamment.

Des *boulettes de viande* sont de petites boules de viande hachée.

boulette n. f.

Petite boule faite à la main. *Yves lance des boulettes de papier sur Marie-Tévy.*

Famille de **boule**

Attention au *d* à la fin !

boulevard n. m.

Rue très large, souvent bordée d'arbres ; vois ***avenue.*** *Yasmina habite boulevard de la Gare.*

Conjugaison 1

bouleverser v.

1. Mettre en désordre. *Sylvain a bouleversé l'armoire en cherchant le papier à lettres ;* vois **déranger.** 2. *Bouleverser quelqu'un,* c'est lui causer une émotion violente et pénible. *Sophie Pelletier a été bouleversée par la mort de sa mère.*

Le contraire de *bouleverser,* c'est *calmer, apaiser.*

Le contraire de *bouleverser,* c'est *ranger.*

Au féminin : *bouleversante.*

▷ **bouleversant** adj. Très émouvant. *Le film était si bouleversant qu'Angèle a pleuré.*

▷ **bouleversement** n. m. Grand changement. *Le divorce de Mme Roussel a été un bouleversement dans sa vie.*

boulon n. m.

Morceau de métal allongé que l'on visse dans un écrou, pour fixer des pièces les unes aux autres. *Antoine a serré les boulons de sa roue avec une clé à molette.*

J'étais alors très occupé à essayer de dévisser un boulon trop serré de mon moteur (*le Petit Prince*).

Ne confonds pas les vis et les boulons.

boulot adj.

Famille de **boule**

Petit et gros. *Mme Harpie est boulotte.*

bouquet n. m.

1. *Un bouquet de fleurs,* c'est un assemblage de fleurs coupées dont les tiges sont disposées dans le même sens. *Hippolyte a offert un bouquet de roses à Angèle.* 2. *Le bouquet d'un feu d'artifice,* c'est l'ensemble des plus belles fusées qui terminent le feu d'artifice. *Les enfants ont été émerveillés par le bouquet.* 3. *Le bouquet d'un vin,* c'est son parfum. *Ce vin a du bouquet.*

J'ai mis tous mes sous sur le comptoir et j'ai dit à la dame que je voulais un très gros bouquet de fleurs pour ma maman (*le Petit Nicolas*).

On dit parfois *c'est le bouquet !* pour *il ne manquait plus que cela !*

bouquin n. m.

C'est familier de dire *bouquin, bouquiner ;* dans une rédaction, il faut écrire : *livre, lire.*

Livre. *Marie-Tévy a prêté un bouquin à Antoine.*

▷ **bouquiner** v. Lire. *Sylvain passe son temps à bouquiner.*

Conjugaison 1

bourbier n. m.

On *s'embourbe* dans un bourbier.

1. Endroit plein de boue. *Dès qu'il pleut, le chemin de la ferme se transforme en bourbier.* 2. Situation très compliquée, d'où il est difficile de sortir. *Comment sortir de ce bourbier ?*

bourdon n. m.

Les bourdons vivent en société.

Insecte au corps lourd et velu, qui butine comme l'abeille et vole avec un bruit grave. *Les bourdons installent leurs nids sous la terre ou dans la mousse.*

Les bourdons ne piquent pas. Le *faux bourdon* est le mâle de l'abeille.

Conjugaison 1

Compare : *bourdonner → bourdonnement,* et *hurler → hurlement.*

▷ **bourdonner** v. Faire un bruit semblable à celui du bourdon. *Les guêpes bourdonnent autour du pot de confiture. Un avion bourdonnait dans le ciel.*

Le bourdon bourdonne, le bougon bougonne !

▷ **bourdonnement** n. m. 1. Bruit grave, sourd et continu que font en volant des insectes comme les bourdons et les mouches. *Marie-Tévy a entendu le bourdonnement d'une mouche.* 2. Bruit sourd et continu. *Le bourdonnement de la classe agace l'institutrice.*

bourg n. m.

N'oublie pas le ***g*** final qui ne se prononce pas.

Gros village. *Claire est allée faire le marché au bourg avec Mamie Lou.*

▷ **bourgade** n. f. Village. *La bourgade voisine est à trois kilomètres.*

Autre membre de la famille : **faubourg.**

bourgeois n. m. et adj., **bourgeoise** n. f. et adj.

Attention au ***e*** devant le ***o*** !

Avant la Révolution de 1789, on appelait *bourgeois* les gens qui possédaient des terres et n'étaient ni nobles ni prêtres.

1. n. Personne qui ne travaille pas de ses mains et a suffisamment d'argent pour vivre facilement. *Les Séverac sont des bourgeois.* 2. adj. *Dans son restaurant, M. Bellec fait une cuisine bourgeoise,* simple et bonne.

Pendant la guerre de Cent Ans, les six bourgeois de Calais se livrèrent aux Anglais pour sauver leur ville assiégée.

▷ **bourgeoisie** n. f. Ensemble des bourgeois. *Les Séverac font partie de la bourgeoisie.*

bourgeon n. m.

Petite pousse qui apparaît sur la tige ou la branche d'un arbre et qui contient les futures tiges, feuilles ou fleurs. *De petites feuilles vert pâle sortent des bourgeons.*

Les bourgeons commencent à pousser en hiver, et éclatent au printemps.

Conjugaison 1

▷ **bourgeonner** v. *Les arbres bourgeonnent au printemps,* des bourgeons poussent sur les arbres.

Conjugaison 1

bourlinguer v.

Naviguer beaucoup. *Yves rêve de bourlinguer sur toutes les mers du globe.*

Attention aux deux *r* !

bourrade n. f.
Poussée que l'on donne à quelqu'un avec le poing, le coude ou l'épaule. *Yves a donné une bourrade amicale à Antoine.*

N'oublie pas les deux *r*.

bourrasque n. f.
Coup de vent très fort qui dure peu ; vois ***tornade, tourbillon.*** *La bourrasque a emporté le toit de la maison.*

Au féminin : *bourrative.* Famille de **bourrer**

bourratif adj.
Qui bourre, cale l'estomac. *Ces biscuits sont très bourratifs.*

Le contraire de *bourratif,* c'est *léger.*

Attention aux deux *r* !

Une personne qui travaille énormément est *un bourreau de travail.*

bourreau n. m.
1. Celui qui exécute les condamnés à mort. *Le bourreau a tranché la tête du condamné.* **2.** Personne qui maltraite, martyrise quelqu'un. *Un bourreau d'enfants a été arrêté par la police.*

Au pluriel : *des bourreaux.*

Attention aux deux *r* !

bourrée n. f.
Danse folklorique d'Auvergne. *Les enfants dansent la bourrée dans la cour de récréation.*

Attention ! deux *r*. Le premier *e* ne se prononce pas : [buʀlɛ].

bourrelet n. m.
1. Bande de feutre, de caoutchouc, de plastique que l'on fixe aux bords des portes et des fenêtres pour empêcher l'air de passer. *Angèle a mis des bourrelets autour de ses fenêtres.* **2.** Pli de graisse que les personnes trop grosses ont sur le corps. *Mme Harpie devrait faire de la gymnastique pour perdre ses bourrelets !*

Deux *r* dans *bourrer.*

bourrer v.
1. Remplir en tassant. *Denis Prost a dû bourrer sa valise. Le docteur Séverac bourre sa pipe.* **2.** Donner à manger une trop grande quantité de quelque chose ; vois ***gaver.*** *Mamie Lou bourre ses petits-enfants de sucreries. — Antoine, ne te bourre pas de gâteaux !* ; vois *se* ***goinfrer.***
▸ ***bourré*** adj. Entièrement plein. *La dictée d'Yves est bourrée de fautes d'orthographe.*

Conjugaison 1

Autres membres de la famille **bourratif, rembourrer.**

Attention ! deux *r* dans *bourrique.*

bourrique n. f.
Âne ou ânesse. *La bourrique refusait d'avancer. Yves est têtu comme une bourrique,* très têtu.

Le *bourricot* est un petit âne

Au féminin : *bourrue.*

bourru adj.
Peu aimable. *Pierre Séverac est bourru. Il a l'air bourru,* il n'est pas souriant.

Le contraire de *bourru,* c'est *affable, avenant.*

Les voleurs de grands chemins arrêtaient les voyageurs en criant : « La bourse ou la vie ! »

Les bourses d'étudiant sont accordées par le ministère de l'Éducation nationale.

① **bourse** n. f.
1. Petit sac arrondi, fermé par des cordons, dans lequel on met les pièces de monnaie ; vois ***porte-monnaie.*** *Mme Séverac range sa monnaie dans une bourse et ses billets dans un portefeuille. En vacances, Angèle et ses amis font bourse commune,* ils mettent leur argent en commun. **2.** Somme d'argent versée régulièrement à un élève, un étudiant pour l'aider à payer ses études. *Angèle avait une bourse quand elle était lycéenne.*
▸ ***boursier*** n. m., ***boursière*** n. f. Élève, étudiant qui a obtenu une bourse pour faire ses études. *Angèle était boursière.*

Autrefois, on attachait sa bourse à sa ceinture.

Sans bourse délier : sans rien dépenser, gratuitement.

Autres membres de la famille **débourser, rembourser, remboursement.**

Dans ce sens, *Bourse* s'écrit toujours avec un *B* majuscule.

② **Bourse** n. f.
Bâtiment où les banquiers, les financiers se réunissent pour acheter ou vendre des actions, des valeurs mobilières. *Mme Hespel suit les cours de la Bourse,* elle se tient au courant de la valeur de ses titres.

Quand on achète ou vend des valeurs à la Bourse, on fait des *opérations boursières.*

Au féminin : *boursouflée.*

boursouflé adj.
Gonflé par endroits ; vois ***bouffi, enflé.*** *Antoine s'est fait piquer par des abeilles ; il a le visage tout boursouflé.*

Famille de **souffler**

Conjugaison 1

bousculer v.
1. *Bousculer une personne,* c'est la pousser, la heurter brutalement. *Sylvain était perdu dans ses rêves ; il a bousculé une vieille dame qui se trouvait sur son chemin. — Les enfants se sont bousculés pour monter dans le car.*

2. Obliger quelqu'un à se dépêcher. *Antoine n'aime pas qu'on le bouscule ;* vois ***brusquer.***

Il aime prendre son temps.

Compare : *bousculer → bousculade* et *glisser → glissade.*

▸ ***bousculade*** n. f. Mouvement désordonné d'une foule. *Quelqu'un, dans la foule, a crié « Au feu ! » et cela a produit une énorme bousculade ;* vois ***cohue.***

Dans la bousculade, un monsieur a perdu son chapeau.

bouse n. f.
Excrément des vaches, bœufs, taureaux et veaux. *Claire a marché dans une bouse de vache.*

boussole n. f.
Instrument d'orientation dont l'aiguille aimantée, pivotant au centre d'un cadran, indique le nord. *Se fiant à sa boussole, Antoine s'avance vers le nord.*

…es Chinois ont inventé la bous…ole et les Arabes l'ont fait …onnaître en Europe.

Deux *s* dans *boussole.*

bout n. m.
1. *Un bout de quelque chose,* c'est une partie de quelque chose ; vois ***morceau.*** *Marie-Tévy a fait un coussin avec des bouts de tissu. À quatre heures, Antoine a mangé un bout de pain et du chocolat. Julie et Yasmina ont fait un bout de chemin ensemble.* 2. Partie qui termine un objet ; vois ***extrémité.*** *Claire a le bout du nez tout froid. Yasmina a lu son livre d'un bout à l'autre,* du début à la fin. *Le docteur Séverac est assis au bout de la table. La chambre de Julie est au bout du couloir,* à l'extrémité du couloir. *Mme Hespel se plaint d'être dérangée à tout bout de champ,* à chaque instant, à tout propos. 3. La fin d'une durée. *Marie-Tévy n'a pas écouté l'émission jusqu'au bout,* jusqu'à la fin. *Elle s'est endormie au bout de vingt minutes. Le coureur est à bout de forces,* il n'a plus de forces.

Attention ! *bout* se termine par un *t.* …e confonds pas *bout* et *boue.*

Quand on joue aux dominos, on les met *bout à bout.*

Va voir *à bout portant* à **portant.**

…vaut mieux venir à bout de ce …u'on entreprend, même si on …'en voit pas le bout !

Un bon bout de temps : longtemps.

Un bois, ça a deux bouts. Alors, il ne faudrait pas dire « un bout de bois », mais « les deux bouts d'un bois » ! (R. Devos).

Autres membres de la famille : **aboutir, aboutissement ; embout.**

boutade n. f.
Plaisanterie. *Ne t'inquiète pas, ce n'est qu'une boutade,* ce n'est pas vrai.

boute-en-train n. m. invariable
Personne qui met de la gaieté autour d'elle. *Antoine est un boute-en-train ; avec lui, on ne s'ennuie jamais.*

…u pluriel : *des boute-en-train.*

Famille de ③ **train**

bouteille n. f.
1. Récipient à goulot étroit, destiné à contenir un liquide. *Yasmina a acheté une grosse bouteille d'huile. M. Bellec met du vin en bouteilles.* 2. Contenu d'une bouteille. *Mme Hespel et ses invités ont bu trois bouteilles de champagne.* 3. Récipient en métal, destiné à contenir un gaz sous pression ou de l'air liquide. *L'homme-grenouille portait deux bouteilles d'air comprimé sur son dos.*

…ne bouteille a un goulot, un col, …n ventre et un cul.

Les bouteilles sont en verre ou en plastique.

Autres membres de la famille : **embouteiller, embouteillage, ouvre-bouteilles.**

boutique n. f.
Local, ouvert aux clients, dans lequel un commerçant, un artisan exerce sa profession ; vois ***magasin.*** *Mme Harpie a fait refaire sa boutique. La boutique de la mercière est à côté de la boulangerie.*

…rédéric tic tic
…ans sa p'tite boutique,
…archand d'allumettes
…ans sa p'tite brouette
(comptine).

Autre membre de la famille : **arrière-boutique.**

bouton n. m.
1. Bourgeon qui donnera naissance à une fleur. *Les marronniers sont en boutons.* 2. Petit objet, généralement rond, qui sert à fermer un vêtement. *Il manque deux boutons au manteau de Marie-Tévy.* 3. Partie d'un mécanisme que l'on pousse ou que l'on tourne pour le commander. *Marie-Tévy appuie sur le bouton de la sonnette. Pour baisser le son de la télévision, tournez le bouton du bas vers la gauche.* 4. Petite grosseur à la surface de la peau ; vois ***pustule.*** *Mme Harpie a des boutons sur la figure.*

…es premiers boutons étaient en …orne de renne.

On passe le bouton dans une bride ou dans une boutonnière.

…quoi servent les boutons et les …uches d'un poste de télé…ision ?

Certaines maladies, comme la rougeole et la varicelle, donnent des boutons.

▸ ***bouton-d'or*** n. m. Fleur jaune doré qui pousse dans les prés ; vois ***renoncule.*** *Au printemps, le champ est rempli de boutons-d'or.*

Au pluriel : *des boutons-d'or.* Famille de ① **or**

▸ ***boutonner*** v. *Boutonner un vêtement,* c'est le fermer au moyen de boutons. *Boutonne ton manteau avant de sortir !*

Conjugaison 1

Attention ! deux *n* dans *boutonner, boutonneux, boutonnière.*

Le contraire de *boutonner,* c'est *déboutonner.*

▸ ***boutonneux*** adj. Qui a des boutons sur la peau. *Un adolescent boutonneux attendait l'autobus.*

▸ ***boutonnière*** n. f. Petite fente faite à un vêtement pour y passer un bouton. *La veste de Julie a trois boutonnières.*

Autre membre de la famille : **déboutonner.**

bouture n. f.
Fragment que l'on détache d'une plante et que l'on plante dans la terre pour qu'il forme une nouvelle plante. *Le jardinier fait des boutures de géranium.*
La bouture doit prendre racine.

Bouvreuil [buvʀœj] rime avec *chevreuil*, *écureuil* et *fauteuil*.
bouvreuil n. m.
Petit oiseau gris et noir, au plumage rouge ou rose sur la poitrine. *Au printemps, les bouvreuils mangent les bourgeons des arbres fruitiers.*
Le bouvreuil a trois nichées par an.

Compare ***bovidé*** et ***bovin*** : il est question de **bœuf.**
Les bovidés sont des mammifères ruminants.
bovidé n. m.
Animal à cornes creuses, dont les membres se terminent par deux doigts, et qui ramène dans sa bouche l'herbe qu'il a précédemment avalée. *Le bœuf, la chèvre, le mouton et l'antilope sont des bovidés.*
De très nombreux bovidés sont des animaux domestiques.

Compare ***bovin*** et ***bovidé*** : dans ces mots, il est question de **bœuf.**
bovin adj. et n. m.
1. adj. Qui a rapport aux animaux de l'espèce du bœuf. *Il existe de nombreuses races bovines.* **2.** n. m. *Les bovins,* ce sont les animaux de l'espèce du bœuf. *Les vaches, les veaux, les taureaux sont des bovins.*
Les zébus sont des bovins à bosse.

Ne confonds pas *box* et *boxe.*
Box, en anglais, veut dire « boîte ».
box n. m.
1. Endroit servant à loger un seul cheval. *Denis Prost rentre sa jument dans son box.* **2.** Compartiment délimité par deux cloisons dans une salle, un dortoir, un garage. *Les pensionnaires couchent dans des boxes. Il reste des boxes à louer dans le garage.*
Au pluriel : *des boxes.*
Pendant son procès, l'accusé se tient dans *le box des accusés.*

Les combats de boxe ont lieu sur un *ring.*
boxe n. f.
Sport de combat qui oppose deux adversaires qui se frappent à coups de poing. *Dans sa jeunesse, M. Bellec a fait de la boxe.*
Les boxeurs mettent des *gants de boxe.*

Conjugaison 1
▸ ***boxer*** v. Pratiquer la boxe. *M. Bellec boxait en amateur dans la catégorie des poids moyens.*

▸ ***boxeur*** n. m. Personne qui fait de la boxe. *Les deux boxeurs s'affrontent pour le titre de champion du monde.*

Boyau [bwajo] rime avec *noyau* et *joyau.*
On se sert de boyaux pour fabriquer le cordage des raquettes de tennis.
boyau n. m.
1. Intestin d'un animal. *Pour faire du boudin, le charcutier remplit un boyau de porc avec du sang, du gras et des oignons.* **2.** Pneu fin et léger des vélos de course. *Le coureur appuie sur les boyaux avec son pouce pour vérifier s'ils sont bien gonflés.* **3.** Passage long et étroit. *Les rues de certaines vieilles villes forment des boyaux.*
L'andouille, l'andouillette, les tripes sont préparées avec des boyaux.

Conjugaison 1
Boycotter se prononce [bɔjkɔte].
boycotter v.
Refuser d'avoir des relations commerciales ou politiques, de participer à des manifestations, pour montrer son désaccord. *Ce pays a boycotté les Jeux olympiques,* il a refusé d'y participer.
En boycottant un pays, on peut parfois obtenir qu'il modifie sa politique.

Attention ! *bracelet* s'écrit avec un ***c.***
Famille de **bras**
bracelet n. m.
Bijou qui se porte autour du poignet. *La mère de Yasmina possède de très jolis bracelets marocains. Angèle a changé le bracelet de sa montre.*
Les *bracelets-montres* sont des montres montées sur un bracelet.

Conjugaison 1
braconner v.
Chasser ou pêcher sans en avoir le droit. *Le garde-chasse a surpris des paysans en train de braconner.*
Ceux qui braconnent font du *braconnage.*

Attention ! deux ***n*** dans *braconner* et *braconnier.*
▸ ***braconnier*** n. m. Personne qui pêche ou qui chasse sans en avoir le droit. *Les braconniers posaient des pièges dans la forêt.*

Conjugaison 1
brader v.
Brader une chose, c'est la vendre à bas prix ; vois ***liquider.*** *Les commerçants bradent les articles qu'ils ont depuis longtemps dans leur magasin ;* vois ***solder.***

Compare : *brader → braderie* et *sonner → sonnerie.*
▸ ***braderie*** n. f. Foire où l'on vend des objets et des vêtements à bas prix. *Les commerçants de la rue ont organisé une braderie.*

braguette n. f.
Ouverture sur le devant d'un pantalon, d'une culotte. *Les braguettes se ferment avec des boutons ou des fermetures à glissière.*

Prononce [bʀaj].

Le braille doit son nom à son inventeur Louis Braille.

braille n. m.
Écriture en relief utilisée par les aveugles. *Pour écrire en braille, on fait de petits trous sur une feuille de carton.*

En braille, on lit avec les doigts.

Prononce [bʀaje].

brailler v.
Parler, chanter ou crier très fort. *On entendait brailler les enfants dans la cour de récréation.*

Conjugaison 1

Compare : *brailler → braillard* et *traîner → traînard.*

▸ ***braillard*** adj. Qui braille souvent, pleure bruyamment. *Claire est une enfant braillarde. — n. C'est une braillarde.*

Ce mot est familier.

Conjugaison 50
▭ Indic. futur : *il braira.*

braire v.
L'âne brait, il pousse son cri. *Des ânes brayaient.*

Le cri de l'âne est *le braiment.*

Des yeux de braise, ce sont des yeux animés par un regard ardent.

braise n. f.
Ensemble de petits morceaux de bois rougis par le feu, qui restent quand la bûche a flambé et qui continuent à brûler sans flamme. *Sophie Pelletier fait griller un poisson sur la braise dans la cheminée.*

▸ ***braisé*** adj. Cuit à feu doux dans un récipient fermé. *Mme Roussel a fait des endives braisées.*

On peut aussi faire de la braise avec du charbon de bois, dans le barbecue.

Conjugaison 1

bramer v.
Le cerf brame, il pousse son cri.

Attention ! *brancard* s'écrit avec un ***d*** à la fin.

brancard n. m.
1. Sorte de lit sans pieds formé d'une toile tendue entre des barres de bois, qui est porté par deux personnes. *Les brancards servent à transporter les blessés ;* vois ***civière.*** **2.** *Le fermier a attelé l'âne aux brancards de la charrette,* aux deux longues barres de bois qui la prolongent.

▸ ***brancardier*** n. m., ***brancardière*** n. f. Personne qui porte un brancard. *Les brancardiers ont transporté le malade dans l'ambulance.*

Ruer dans les brancards, c'est se révolter, opposer une vive résistance.

Les branches portent les feuilles, les fleurs et les fruits.

Un compas aussi a deux branches.

Autre membre de la famille : **embranchement.**

branche n. f.
1. Ramification qui part du tronc d'un arbre. *En hiver, les branches des arbres sont dénudées. Un oiseau chantait sur la plus haute branche.* **2.** *Mamie Lou a cassé une des branches de ses lunettes,* l'une des deux tiges qui reposent sur les oreilles. **3.** *Une branche de ma famille habite en Allemagne,* une partie de ma famille.

▸ ***branchages*** n. m. plur. *Les branchages,* ce sont les branches coupées. *Les enfants ont construit une cabane avec des branchages.*

Tarzan saute de branche en branche en poussant son cri.

On peut voir les différentes branches de la famille sur un arbre généalogique.

Conjugaison 1

Le contraire de *brancher,* c'est *débrancher.*

Compare : *brancher → branchement* et *claquer → claquement.*

brancher v.
Brancher un appareil électrique, c'est le relier au courant électrique. *Branche la lampe si tu veux qu'elle s'allume. — L'autoradio se branche sur la batterie de la voiture.*

▸ ***branchement*** n. m. *Un employé est venu faire le branchement du téléphone,* il est venu raccorder la ligne de téléphone au réseau.

Pour brancher un appareil, il faut mettre sa fiche dans une prise.

Autre membre de la famille : **débrancher.**

On emploie ce mot surtout au pluriel.

branchie n. f.
Organe avec lequel respirent les poissons et quelques autres animaux qui vivent dans l'eau douce ou salée. *Les poissons, les grenouilles, les crabes, les huîtres respirent avec leurs branchies. Chez les poissons, l'eau entre par la bouche, va dans les branchies et ressort par les ouïes.*

Les branchies permettent de prendre l'oxygène qui est dans l'eau et de rejeter le gaz carbonique.

Petit barbare imprudent, tu as brandi le tisonnier, renversé la bouilloire
(l'Enfant et les Sortilèges).

brandir v.
Brandir quelque chose, c'est l'agiter en le tenant en l'air. *Mme Harpie brandissait son parapluie en poussant des cris pour chasser les voleurs. Les Indiens brandissent leurs armes en partant au combat.*

Conjugaison 2

Conjugaison 1

Le contraire de *branlant,* c'est *stable.*

branler v.
1. *Branler la tête,* c'est la remuer d'avant en arrière ou d'un côté et de l'autre. *Le vieux chef indien branlait la tête en écoutant Œil de Lynx.* **2.** Bouger un peu, être instable. *Cette vieille table branle un peu.*

▸ ***branlant*** adj. *Un meuble branlant,* c'est un meuble qui n'est pas stable, qui bouge un peu ; vois ***bancal.*** *Cette vieille table est un peu branlante.*

▸ ***branle*** n. m. *Se mettre en branle,* c'est commencer à bouger, se mettre en marche, s'ébranler. *Le convoi des cow-boys s'est mis en branle à la tombée de la nuit.*

[La vieille Fée] dit en branlant la tête, encore plus de dépit que de vieillesse, que la Princesse se percerait la main d'un fuseau, et qu'elle en mourrait
(la Belle au bois dormant).

N'oublie pas le trait d'union entre *branle* et *bas*.

▸ ***branle-bas*** n. m. invariable **1.** Préparation fébrile ; vois ***remue-ménage.*** *Quand la maîtresse donna le signal du départ, ce fut le branle-bas général.* **2.** Ordre de se préparer au combat, sur un bateau de guerre. *« Branle-bas de combat, tout le monde à son poste ! » hurla le commandant aux matelots.*

Famille de ① **bas**

Autres membres de la famille : **ébranler, inébranlable.**

braque n. m.
Chien de chasse à poil ras et oreilles pendantes. *M. Bellec va à la chasse avec son braque.*

Conjugaison 1

braquer v.
1. Tourner une arme, un instrument, dans une direction. *Le gangster braque son arme sur le caissier ;* vois ***diriger.*** *Pendant qu'elle chantait, Yasmina sentait tous les regards braqués sur elle,* fixés sur elle. **2.** Changer la direction des roues en tournant le volant. *« Braque à fond ! » cria Mme Bellec à son mari qui était en train de se garer.* **3.** *Se braquer,* c'est se buter, s'entêter. *Yves se braque facilement, il est très entêté.*

« Haut les mains ! »

Attention ! *bras* s'écrit avec un ***s*** à la fin.

Les animaux, eux, ont des *pattes.*

Les bras m'en tombent : je suis stupéfait.

À bras raccourcis : de toutes ses forces.

M. Bellec dirige le restaurant. Il fait aussi la cuisine.

bras n. m.
1. Membre supérieur des humains qui s'articule à l'épaule et se termine par la main. *Antoine s'est fait mal au bras gauche en tombant. Que ceux qui sont d'accord lèvent le bras. Sophie Pelletier tient son bébé dans ses bras. Mamie Lou tend les bras à Claire. Pierre Séverac donne le bras à sa mère. Mme Bellec se promène au bras de son mari,* en lui tenant le bras. *Julie et Marie-Tévy sont parties bras dessus bras dessous,* en se donnant le bras. *Les parents de Réjean ont accueilli Alex à bras ouverts,* avec enthousiasme et gentillesse. *Mme Séverac est conseillère municipale, elle a le bras long,* elle a beaucoup d'influence. *M. Bellec en avait assez d'avoir Mme Harpie sur les bras,* d'être obligé de s'en occuper. **2.** Personne qui travaille. *Au restaurant, M. Bellec manque de bras,* de personnes pour l'aider. **3.** *Le bras d'un fauteuil,* c'est l'accoudoir. *Julie est assise sur le bras d'un fauteuil.* **4.** *Le bras de la platine,* c'est la partie articulée qui porte la tête de lecture d'une chaîne haute-fidélité. *David posa délicatement le bras de la platine sur le disque.* **5.** *Un bras de mer,* c'est une petite étendue de mer entre deux terres ; vois ***détroit.*** *Un bras de mer sépare l'île de la côte.*

Clotaire, chez lui, a marché su son petit camion rouge, il es tombé et il s'est cassé le bra *(le Petit Nicolas).*

Baisser les bras : renoncer.

Alex est allé voir son ami Réjea au Canada.

Rester les bras croisés : rester sans rien faire.

Autres membres de la famille : **avant-bras, bracelet, à bras-le corps, brassard, brasse, brassée, brassière, embrasser, embrassade.**

Compare ***brasier*** et *embraser :* il s'agit de **braise.**

brasier n. m.
Masse d'objets en train de brûler pendant un incendie. *La poste a commencé à brûler ; elle a bien failli être transformée en brasier.*

La forêt n'était plus qu'un im mense brasier quand Bambi s'e échappa.

N'oublie pas les traits d'union.

à ***bras-le-corps*** adv.
Saisir quelqu'un à bras-le-corps, c'est le prendre avec les deux bras et par le milieu du corps. *Le boxeur a saisi son adversaire à bras-le-corps.*

Famille de **bras** et de **corps**

Attention ! ***brassard*** s'écrit avec un ***d*** à la fin.

brassard n. m.
Bande d'étoffe que l'on met autour du bras et qui sert d'insigne. *Les cyclistes mettent souvent un brassard lumineux pour qu'on les voie la nuit.*

Famille de **bras**

Attention ! ***brasse*** s'écrit avec deux ***s.***

La *brasse papillon* est une variante de la brasse.

brasse n. f.
Nage sur le ventre où l'on avance en rassemblant puis en écartant les bras et les jambes. *Yves nage très bien la brasse et le crawl. Yves a rejoint Hippolyte en trois brasses,* en faisant trois fois le mouvement complet de la brasse.

Famille de **bras**

Famille de **bras**

brassée n. f.
Ce que les bras peuvent contenir. *Mme Séverac est rentrée du jardin avec une énorme brassée de lilas.*

① ***brasser*** v.
Brasser la bière, c'est la fabriquer. *En France, on brasse la bière en Flandre et en Alsace.*

Quand on brasse la bière, on fait tremper du malt dans de l'eau pour obtenir un jus que l'on appelle le moût avec lequel on fabrique la bière.

Conjugaison 1

▸ ***brasserie*** n. f. **1.** Usine où l'on fabrique la bière. *Sylvain est allé visiter une brasserie à Denain, avec son école.* **2.** Grand café-restaurant. *M. Doucet va souvent dîner dans une brasserie, près de chez lui.*

Autre membre de la famille : **brasseur.**

Conjugaison 1

② **brasser** v.
1. Remuer en mélangeant. *La machine à laver brasse le linge.* 2. *Les banquiers brassent de grosses sommes d'argent,* ils disposent de beaucoup d'argent avec lequel ils font de nombreuses affaires.

Il faut *brasser les cartes* avant de les distribuer.

Famille de ① **brasser**

brasseur n. m., **brasseuse** n. f.
Personne qui fabrique de la bière. *En France, les brasseurs sont établis en Flandre et en Alsace.*

Famille de **bras**

brassière n. f.
Petite chemise de bébé, courte, ouverte dans le dos, à manches longues. *En été, les bébés portent des brassières en coton, en hiver, des brassières en laine.*

Famille de **brave**

bravade n. f.
Faire quelque chose par bravade, c'est le faire pour avoir l'air courageux, pour provoquer l'admiration. *Yves, par bravade, voulait aller caresser la panthère du cirque.*

C'est toujours quelque chose de dangereux que l'on fait par bravade.

brave adj.

Dans ce sens, *brave* se place après le nom.

1. Courageux devant un ennemi, au combat. *M. Bonnot a été très brave pendant la guerre ;* vois **vaillant, valeureux.** 2. Honnête, bon et serviable. *M*[me] *Roussel est une très brave femme.*

Le contraire, c'est *lâche.*

Dans ce sens, *brave* se place devant le nom.

▸ **bravement** adv. *Les Gaulois se sont bravement défendus contre les attaques des Romains,* avec courage ; vois **vaillamment.**

Conjugaison 1

▸ **braver** v. 1. Affronter courageusement quelque chose de dangereux. *Loïc, le pêcheur, n'a pas peur de braver la tempête pour aller en mer.* 2. S'opposer à quelque chose en montrant que l'on n'en a pas peur. *Personne n'ose braver les ordres de la directrice.*

Autres membres de la famille : **bravade, bravoure.**

bravo interjection et n. m.

Quand *bravo* est une interjection, il est invariable ; quand c'est un nom, il prend un *s* au pluriel.

1. interjection Mot que l'on dit pour féliciter quelqu'un ou que l'on crie à la fin d'un spectacle que l'on a trouvé bien. *« Bravo ! c'est très bien », dit la maîtresse à Sylvain en lui rendant son devoir. « Bravo ! » crient les enfants quand les clowns sortent de la piste.* 2. n. m. *Des bravos montaient dans tout le cirque,* des applaudissements.

Famille de **brave**

bravoure n. f.
Courage, vaillance. *M. Bonnot a été d'une grande bravoure pendant la guerre de 1939-1945.*

Il était dans la Résistance.

Le contraire de *bravoure,* c'est *lâcheté.*

Au pluriel : *des breaks.*

break n. m.
Voiture en forme de fourgonnette dont l'arrière est vitré. *Pierre Séverac est allé acheter des oies au marché avec son break.*

Break [brɛk] rime avec *chèque.*

Attention ! *brebis* s'écrit avec un *s* à la fin.

brebis n. f.
Mouton femelle. *Les brebis allaitent leurs agneaux. Le roquefort est fabriqué avec du lait de brebis.*

Le mâle s'appelle le *bélier.*

Attention à l'accent grave du *è* de *brèche.*

brèche n. f.
Trou fait dans un mur ou une clôture. *Les ouvriers ont colmaté la brèche que la mer avait ouverte dans la digue.*

Autre membre de la famille : **ébrécher.**

Les oiseaux à ailes longues et puissantes ont un bréchet très développé.

bréchet n. m.
Os saillant qui se trouve sur la poitrine des oiseaux. *C'est sur le bréchet que s'attachent les muscles qui servent à voler.*

Les oiseaux qui ne volent pas n'ont pas de bréchet.

bredouille adj.
Rentrer bredouille, c'est rentrer sans avoir pris de gibier ou de poisson. *M. Bellec est un bon chasseur et pourtant, l'autre jour, il est rentré bredouille.*

Conjugaison 1

bredouiller v.
Parler d'une façon incompréhensible en articulant mal. *Le clown se mit à bredouiller devant la danseuse ;* vois **bafouiller.** *Antoine bredouilla des excuses à M*[me] *Harpie qu'il avait failli renverser.*

Il était très impressionné par sa beauté.

Le contraire de *bref*, c'est *long*.

bref adj.
Qui ne dure pas longtemps. *Heureusement, la visite de Mme Harpie a été brève ;* vois **court, rapide.** *« Soyez bref, ne parlez pas trop longtemps ». Le maire a fait un discours très bref.*

On ne l'aime pas, Mme Harpie
Autre membre de la famille : **abréviation.**

Il y a un petit cœur, des pièces de monnaie, des animaux.

breloque n. f.
Petit pendentif que l'on attache à son bracelet. *Julie porte un bracelet orné de nombreuses breloques.*

Attention aux deux *l* !

bretelle n. f.
1. Bande de tissu qui passe sur l'épaule et sert à maintenir un vêtement. *M. Bellec met des bretelles pour tenir son pantalon.* **2.** *La bretelle d'un fusil,* c'est la courroie qui passe sur l'épaule. *Le chasseur suspend son fusil par la bretelle.* **3.** Morceau de route qui relie l'autoroute à une autre route. *Pour sortir de l'autoroute, il faut prendre la bretelle de sortie.*

Dans ce sens, *bretelles* s'emploie surtout au pluriel.

Compare **breuvage**, *s'abreuver* et *abreuvoir* : dans tous ces mots, il s'agit de **boire.**

breuvage n. m.
Un breuvage, c'est une boisson spéciale, composée par des magiciens, des fées ou des sorcières, qui a un goût bizarre et un pouvoir magique. *La sorcière, au fond de son antre, confectionnait des breuvages aux étranges couleurs.*

Breuvage s'emploie surtout dans les livres.

Un *brevet d'invention,* c'est un papier officiel qui assure qu'une personne est l'auteur d'une invention.

brevet n. m.
Diplôme qui certifie que l'on a certaines connaissances ou certaines capacités. *Yves a eu son brevet de natation. Alex aimerait passer son brevet de pilote.*

Le brevet, c'est aussi l'examen que l'on passe pour obtenir le diplôme.

Prononce [bʀəvte].

▹ ***breveter*** v. Protéger une invention par un brevet d'invention. *Les savants et les ingénieurs ont intérêt à faire breveter leurs inventions.*

Conjugaison 4 ▭ Indic. présent : *je brevette, nous brevetons.*

bribes n. f. plur.
Des bribes de conversation, ce sont de petits bouts de conversation, quelques mots de temps en temps. *Mme Harpie était cachée derrière la porte, elle n'entendait que des bribes de la conversation.*

La conversation lui parvenait *par bribes*.

Quelle curieuse !

Attention ! deux traits d'union dans *bric-à-brac.* Au pluriel : *des bric-à-brac.*

bric-à-brac n. m. invariable
Amas de vieux objets de toutes sortes. *Le brocanteur transporte son bric-à-brac dans une camionnette.*

Quel bric-à-brac dans le grenier

Bricole est un mot familier.

bricole n. f.
1. Petit objet qui n'a pas de valeur. *Antoine a offert à Marie-Tévy une petite bricole pour son anniversaire ;* vois **babiole.** **2.** *M. et Mme Séverac se disputent souvent pour des bricoles,* des choses sans importance ; vois **bêtise.**

C'est le cadeau qu'elle a préfér[é] puisque c'est le cadeau de so[n] amoureux !

Conjugaison 1

bricoler v.
1. Faire des petits travaux manuels dans la maison. *M. Bellec passe ses lundis à bricoler.* **2.** *Alex a bricolé le pot d'échappement de sa moto car il faisait trop de bruit,* il l'a arrangé, transformé.

Il ne travaille pas le lundi.

Il a fait des étagères, repeint [la] cuisine et installé un nouv[el] éclairage.

Compare : *bricoler → bricolage* et *jardiner → jardinage.*

▹ ***bricolage*** n. m. *M. Bellec adore le bricolage,* il adore bricoler.

▹ ***bricoleur*** n. m., ***bricoleuse*** n. f. *M. Bellec est un grand bricoleur,* il aime beaucoup bricoler. — adj. *Sa femme n'est pas très bricoleuse.*

Compare : *bricoler → bricoleur, chanter → chanteur* et *nager → nageur.*

Laisser la bride sur le cou à quelqu'un, c'est le laisser libre de faire ce qu'il veut.

bride n. f.
1. Partie du harnais d'un cheval attachée à sa tête et qui sert à le diriger. *Le cavalier tient son cheval par la bride. Il filait à bride abattue,* très vite. **2.** Petit anneau de tissu, de fil, qui sert à attacher quelque chose. *Les boutons de son manteau s'attachent avec des brides.*

La bride comprend le mors et le[s] rênes.
Autres membres de la famille : **brider, débridé.**

bridé adj.
Les yeux bridés, ce sont des yeux dont les paupières sont comme tirées sur les côtés. *Marie-Tévy a les yeux bridés.*

Les Asiatiques ont les yeu[x] bridés.

Conjugaison 1

brider v.
Brider un cheval, c'est lui mettre la bride. *Le cavalier selle et bride son cheval avant de le monter.*

Famille de **bride**

① **bridge** n. m.
Jeu de cartes qui se joue à quatre, et dans lequel il faut faire le nombre de plis qu'on a annoncés. *Mme Séverac joue au bridge tous les jeudis soirs.*

Le bridge se joue avec un jeu [de] 52 cartes.

n bridge est un appareil de
othèse dentaire.

② bridge n. m.
Appareil qui sert à tenir une dent artificielle en s'appuyant sur des dents solides. *Le dentiste a posé un bridge à Mme Bellec.*

brièvement adv.
En peu de temps, rapidement. *La maîtresse a brièvement expliqué la Deuxième Guerre mondiale.*

Le contraire de *brièvement,* c'est *longuement.*

Le contraire de *brièveté,* c'est *longueur.*

brièveté n. f.
Sa lettre était d'une grande brièveté, très brève.

brigade n. f.

es *Brigades internationales* aient composées de volon- ires étrangers.

1. Groupe de plusieurs régiments dans une armée. *De 1936 à 1938, pendant la guerre civile espagnole, les Brigades internationales se battirent aux côtés des républicains.* **2.** *Une brigade de gendarmerie,* c'est un petit groupe de six à vingt gendarmes. *Il y a dix gendarmes dans la brigade de la ville.*
▸ ***brigadier*** n. m. Chef d'une brigade de gendarmes. *Mme Bellec a demandé à parler au brigadier.*

Autre membre de la famille : **embrigader.**

brigand n. m.

On ne parle plus de *brigand* : on dit plutôt un *voleur,* un *bandit,* un *malfaiteur.*

1. Homme qui attaquait les voyageurs pour les voler, ou faisait du pillage. *Des brigands avaient attaqué la diligence.* **2.** Homme malhonnête ; vois ***canaille, crapule.*** *Ce commerçant est un brigand.*
▸ ***brigandage*** n. m. Vol, pillage commis avec violence par des gens armés. *Robin des Bois poursuivait ceux qui se livraient au brigandage.*

Les brigands agissaient généralement en bande. Les forêts étaient autrefois des repaires de brigands et de vagabonds.

Conjugaison 1

briller v.
1. Émettre ou réfléchir une lumière vive ; vois ***étinceler, luire, resplendir, scintiller.*** *Le soleil brille dans le ciel. Hippolyte frotte ses chaussures pour les faire briller.* **2.** Être remarquable. *Sylvain brille au collège,* il est très bon élève.

Tout ce qui brille n'est pas or (proverbe).

On dit aussi : *il fait des étincelles !*

eau d'Âne demanda une robe ui, plus brillante moins commune, oit de la couleur de la Lune *(Peau d'Âne).*

▸ ***① brillant*** adj. **1.** *Une chose brillante,* c'est une chose qui brille. *L'or est un métal brillant. Mme Bellec cire le parquet et l'astique pour le rendre brillant.* **2.** *Sylvain est un élève brillant,* qui réussit très bien, mieux que les autres. *Mme Hespel fait une brillante carrière,* elle réussit très bien dans son métier ; vois ***remarquable.*** **3.** *Les résultats d'Alex ne sont pas brillants,* ils ne sont pas très bons, ils sont médiocres.

Le contraire de *brillant,* c'est *mat, terne.*

Le contraire de *brillant,* c'est *médiocre.*

Compare : *brillant → brillamment* et *méchant → méchamment.*

▸ ***brillamment*** adv. Avec éclat. *Sylvain est brillamment passé en cinquième,* de façon brillante, en se faisant remarquer par ses qualités.
▸ ***② brillant*** n. m. Petit diamant taillé. *Mme Séverac porte une alliance en brillants.*

Attention aux deux ***m*** ! Le contraire de *brillamment,* c'est *médiocrement.*

Conjugaison 1

brimer v.
Brimer quelqu'un, c'est le tracasser, le tourmenter, le maltraiter. *Julie se sent brimée dès que l'on lui refuse quelque chose.*
▸ ***brimade*** n. f. Tracasserie, vexation que l'on fait subir à quelqu'un pour l'embêter. *Les gardiens faisaient subir aux prisonniers de nombreuses brimades.*

Prononce *brin* [bʀɛ̃]. Ne confonds pas avec *brun* [bʀœ̃].

brin n. m.
1. Fil qui constitue une corde. *Loïc a fait un nœud au bout de la corde pour que les brins ne se défassent pas.* **2.** Tige, petite pousse d'une plante. *Yves a apporté un brin de muguet à la maîtresse.* **3.** Petite quantité de quelque chose. *Il n'y a pas un brin de vent aujourd'hui.*

Pour faire une corde, on tord ou on tresse plusieurs brins ensemble.

es oiseaux utilisent des brin- illes pour faire leurs nids.

brindille n. f.
Petite branche morte. *Yves a ramassé des brindilles pour allumer le feu.*

Prononce [bʀijo].

brio n. m.
Virtuosité. *Sylvain joue du piano avec brio,* avec facilité, avec une technique très au point et brillante.

Le contraire de *brio,* c'est *maladresse.*

brioche n. f.

S'ils n'ont pas de pain, qu'ils angent de la brioche ! », dit arie-Antoinette.

Pâtisserie légère faite avec de la farine, du beurre, des œufs et de la levure. *Le dimanche, Marie-Tévy mange de la brioche au petit déjeuner. Elle trempe sa brioche dans son chocolat.*

En général, les brioches sont en forme de boule surmontée d'une autre boule plus petite.

brique n. f. et adj. invariable

Manger des briques à la sauce caillou : n'avoir rien à manger.

1. n. f. Bloc de terre rouge ou jaune, utilisé pour construire des maisons. *M. Bellec a construit un mur de briques dans le fond du jardin.* **2.** adj. invariable *Antoine a un pantalon rouge brique,* de la couleur rougeâtre des briques.

Les briques sont fabriquées dans une *briqueterie.*

briquet n. m.

La pierre à briquet produit une étincelle.

Petit appareil qui produit une flamme. *Denis Prost allume sa cigarette avec un briquet.*

Il y a des briquets à gaz, des briquets à essence.

bris n. m.

Bris est un mot utilisé dans les lois, dans les procès.

Mme Harpie a porté plainte pour bris de vitrine, parce que l'on a cassé la vitrine de sa boutique.

Famille de **briser**

brise n. f.

Ne confonds pas *brise* et *bise.*

Vent peu violent. *Aujourd'hui, il y a une bonne brise pour faire de la voile.*

Autre membre de la famille : **pare-brise.**

briser v.

Conjugaison 1

Une ligne brisée, c'est une ligne faite de morceaux de droites qui se succèdent en formant des angles.

1. Casser, mettre en morceaux. *Mme Harpie a accusé les enfants d'avoir brisé la vitrine de sa boutique. Sophie Pelletier a eu le cœur brisé par la mort de sa mère,* elle a été très peinée, bouleversée. **2.** *Le gouvernement a brisé la grève,* l'a fait échouer, l'a empêché de réussir. *L'envahisseur a brisé toute résistance.* **3.** *Les vagues se brisent sur les rochers,* elles déferlent, elles font de l'écume en éclatant.

Un brise-fer, c'est un enfant qui casse tout, même ce qui est très solide.

On peut écrire aussi *brise-glaces,* même au singulier. Famille de ② **glace**

▹ ***brise-glace*** n. m. invariable Bateau renforcé à l'avant pour naviguer dans les mers très froides, où il peut briser la glace. *Les brise-glace ont ouvert un chemin dans la banquise pour les navires.*

Autres membres de la famille : **bris, débris.**

broc n. m.

Ne prononce pas le ***c*** à la fin : [bʀo]. *Broc* rime avec *croc.*

Grand récipient, de forme haute, qui a une anse et un bec très large et qui sert à transporter et à verser des liquides. *Mme Bellec a rempli des brocs et des seaux d'eau, en prévision de la coupure d'eau.*

Quand il n'y avait pas l'eau courante, on remplissait des brocs d'eau à la fontaine.

brocanteur n. m., **brocanteuse** n. f.

L'antiquaire vend surtout de beaux meubles et des objets d'art ; le brocanteur vend un peu de tout.

Marchand qui vend de vieux objets ; vois ***antiquaire.*** *Sophie Pelletier a acheté de vieilles boîtes et des chaises chez un brocanteur.*

Une *foire à la brocante,* c'est une foire où l'on peut acheter de vieux objets.

brocart n. m.

Brocart [bʀɔkaʀ] rime avec *car.*

Riche tissu de soie avec des dessins en fils d'or et d'argent. *L'empereur portait un lourd manteau de brocart.*

broche n. f.

Pour son souper, l'ogre mangeait un mouton tout entier cuit à la broche.

1. Tige de fer pointue que l'on passe dans un morceau de viande pour le faire cuire au-dessus du feu. *M. Bellec fait cuire des poulets à la broche.* **2.** Bijou de femme, qui s'accroche aux vêtements par une épingle. *Mme Séverac porte une jolie broche ancienne sur son chemisier.*

On fait tourner la broche avec un *tourne-broche.*

Compare : *broche → brochette* et *cloche → clochette.*

▹ ***brochette*** n. f. Petite tige de métal sur laquelle on enfile des morceaux de viande, de légumes, pour les faire cuire. *Sophie Pelletier fait cuire des brochettes sur le barbecue,* les morceaux de viande enfilés sur la tige de métal.

Autre membre de la famille : **embrocher.**

broché adj.

Au féminin : *brochée.*

Un livre broché, c'est un livre dont la couverture n'est pas rigide. *Les livres brochés sont moins chers que les livres reliés.*

▹ ***brochure*** n. f. Petit livre broché qui a peu de pages. *Mme Séverac jette un coup d'œil aux brochures publicitaires avant de les jeter.*

Un fascicule, un livret sont aussi de petits livres brochés.

brochet n. m.

Le brochet a 700 dents ; très vorace, il attaque et mange surtout les autres poissons.

Poisson d'eau douce, étroit et élancé, au museau plat et pointu, armé de dents aiguës. *Au restaurant, le docteur Séverac a commandé un brochet à l'oseille.*

Un brochet peut mesurer 1 mètre et peser 25 kilos.

broder v.

Conjugaison 1

1. *Broder un tissu,* c'est le décorer avec des dessins faits avec des points de couture. *Mamie Lou brode des napperons. Elle a brodé les initiales de*

On peut broder un tissu à la main ou à la machine.

Claire sur ses mouchoirs. **2.** Ajouter des détails à un récit pour le rendre intéressant. *Antoine ne peut raconter une histoire sans broder.*

Compare : *broder → broderie* et *flâner → flânerie.*

▸ ***broderie*** n. f. Dessin fait avec des points de couture sur un tissu pour le décorer. *Mme Séverac a un chemisier orné de broderies.*

bronche n. f.
Les bronches sont les deux conduits qui vont de la trachée-artère aux poumons. *Sylvain est fragile des bronches.*

Dans les poumons, les bronches se divisent en plus petits conduits, les *bronchioles.*

Compare : *bronche → bronchite* et *appendice → appendicite.*

▸ ***bronchite*** n. f. Maladie des bronches, qui fait tousser et empêche de bien respirer. *Sylvain a eu deux bronchites cet hiver.*

Conjugaison 1

broncher v.
Réagir. *Les enfants peuvent taquiner Diane, la chienne de Sylvain, elle ne bronche pas,* elle ne montre pas de mécontentement.

On dit qu'*un cheval bronche* quand il fait un faux pas.

bronze n. m.

On utilise le bronze pour faire les robinets, parce qu'il ne s'oxyde pas.

1. Métal brun, lourd et dur, fait d'un mélange de cuivre et d'étain. *Les cloches de l'église sont en bronze.* **2.** Sculpture en bronze. *Il y a un beau bronze sur la cheminée.*

Le bronze est un alliage.

Conjugaison 1

bronzer v.
Devenir brun, au soleil ; vois ***brunir.*** *Angèle a bronzé pendant ses vacances. Elle est revenue toute bronzée. — Sophie Pelletier se bronze au soleil.*

Autrefois, on trouvait les peaux blanches plus belles.

▸ ***bronzage*** n. m. Hâle. *Angèle a un beau bronzage,* elle est bien bronzée.

brosse n. f.

Il y a aussi des *brosses à ongles,* des *brosses à cheveux,* des *brosses à chaussures,* des *brosses à habits.*

1. Assemblage de poils, de fibres montées sur un support, qui sert à nettoyer en frottant. *Yasmina met du dentifrice sur sa brosse à dents. Mme Bellec frotte le carrelage avec une brosse en chiendent.* **2.** Large pinceau de peintre. *Marie-Tévy peint à la brosse.*

Des cheveux en brosse sont des cheveux coupés très court et droit sur le dessus de la tête.

Conjugaison 1

▸ ***brosser*** v. Nettoyer, frotter avec une brosse. *Mme Séverac brosse son manteau avec une brosse à habits. Yasmina se brosse les dents deux fois par jour.*

brouette n. f.

On peut tirer ou pousser une brouette.

Petit véhicule à une roue, qui a deux bras et sert à transporter des objets lourds. *Yves n'a pas réussi à soulever la brouette.*

Les bras de la brouette s'appellent des *brancards.*

Attention aux deux ***h*** !

brouhaha n. m.
Bruit que font plusieurs voix qui parlent en même temps et se recouvrent. *On entendait de loin le brouhaha de la classe ;* vois ***tumulte.***

N'oublie pas le ***d*** à la fin de *brouillard.*

brouillard n. m.
Air humide formé par des milliers de gouttes d'eau très petites, qui flottent près du sol. *On ne voit presque pas devant soi, quand il y a du brouillard.*

Famille de **brouiller**

Conjugaison 1

Les *œufs brouillés* sont des œufs que l'on mélange pendant la cuisson.

brouiller v.
1. Mettre en désordre. *Il faut brouiller les cartes avant de les distribuer ;* vois ***battre.*** **2.** Rendre trouble. *Yasmina sent les larmes lui brouiller la vue,* l'empêcher de bien voir. **3.** *Se brouiller,* c'est se fâcher. *Yves et Antoine se sont brouillés pour une histoire stupide.*

Le contraire de *se brouiller,* c'est *se réconcilier.*

▸ ***brouille*** n. f. Mésentente entre des amis. *La brouille d'Yves et Antoine ne va pas durer.*

Compare : *brouiller → brouillon* et *grogner → grognon.*

▸ ① ***brouillon*** adj. Qui n'a pas d'ordre, ne sait pas organiser les choses ; vois ***confus, désordonné.*** *Julie est brouillonne : elle ne sait jamais où sont ses affaires ; elle a l'esprit trop brouillon.*

Le contraire de *brouillon,* c'est *méthodique, organisé.*

Un *cahier de brouillon* sert à faire des brouillons.

▸ ② ***brouillon*** n. m. Travail écrit où l'on fait des ratures et que l'on recopiera proprement plus tard. *Yves fait son problème au brouillon.*

Autres membres de la famille : **brouillard, débrouiller, débrouillard, embrouiller, embrouillé.**

broussaille n. f.
1. Ensemble d'arbustes, de ronces et de buissons qui poussent tout seuls sur les terrains que l'on ne cultive pas. *Les broussailles cachaient le château de la Belle au bois dormant.* **2.** *L'ogre a des sourcils en broussaille,* épais et tout ébouriffés.

On enlève les broussailles en *débroussaillant.*

En Afrique, un *taxi-brousse,* c'est un grand taxi qui voyage sur les pistes.

brousse n. f.
Terrain dans les pays chauds où il ne peut pousser que des arbustes et des buissons. *L'explorateur s'était perdu dans la brousse.*

Va voir aussi ***savane, stepp***

Conjugaison 1

brouter v.
Un animal qui broute, c'est un animal qui arrache et mange de l'herbe, des feuilles dans la nature. *Dans le pré, les vaches broutent de l'herbe ;* vois ***paître.***

broutille n. f.
Événement que l'on juge sans importance, insignifiant ; vois ***babiole, détail.*** *Yves et Antoine se sont fâchés pour des broutilles.*

Conjugaison 8 ▭ Indic. futur : *je broierai.*

broyer v.
Broyer quelque chose, c'est l'écraser complètement, le transformer en poudre ou en bouillie. *Le mixeur broie les légumes et la viande.*

Les molaires broient les a ments.

brugnon n. m.
Sorte de pêche à la peau lisse et colorée. *La couleur des brugnons varie du jaune au rouge presque violet.*

bruine n. f.
Pluie très fine par temps de brouillard ; vois ***crachin.*** *La bruine presque invisible noyait le paysage.*

Quand il tombe de la bruine, il *bruine.*

N'oublie pas le ***t*** à la fin de *bruit.*

bruit n. m.
1. Son que l'on entend. *Même un léger bruit réveille Martin. La porte grince, elle fait du bruit. Le Père Noël est passé sans bruit,* sans faire de bruit. *Mme Harpie fait beaucoup de bruit pour rien,* elle donne beaucoup d'importance à des choses qui n'en ont pas. **2.** *Mme Harpie cherche à se marier, c'est un bruit qui court,* c'est ce que les gens disent.

Le contraire de *bruit,* c'est *silence.*

▸ ***bruitage*** n. m. *Réaliser le bruitage d'un film,* c'est produire des sons qui imitent le mieux possible la réalité. *C'est très amusant de voir comment sont faits les bruitages.*

Par exemple, on fait vibrer une plaque métallique pour imiter un coup de tonnerre.

Autres membres de la famille **bruyant, bruyamment, ébruiter.**

Attention à l'accent circonflexe du ***û*** de *brûler* !

brûler v.
1. Être en feu, en flammes. *Au feu, les pompiers, la poste brûle ! ;* vois ***flamber.*** *Le bois mouillé fume et brûle mal ;* vois ***se consumer.*** *Un bon feu brûle dans la cheminée.* **2.** Détruire par le feu. *Le jardinier a brûlé les feuilles mortes ;* vois ***incendier.*** **3.** Abîmer par le feu, la chaleur. *Mme Roussel a brûlé un mouchoir en le repassant avec un fer trop chaud. Julie s'est brûlé la langue en buvant du lait trop chaud. — Elle s'est brûlée.* **4.** Piquer, faire mal comme une brûlure. *Quand on met de l'alcool sur une plaie, cela brûle.* **5.** *Sylvain brûle d'impatience de retrouver Nathalie,* il est très impatient de la retrouver. **6.** Passer sans s'arrêter. *Le docteur Séverac, appelé pour une urgence, a brûlé un feu rouge,* il ne s'est pas arrêté au feu rouge.

Conjugaison 1

Un mythe raconte qu'un bel oiseau légendaire, le phénix, sentant sa mort venir, se construit un nid parfumé et se fait brûler sur ce bûcher. Mais de ses cendres renaît immédiatement un autre oiseau phénix, aussi beau que le premier.

Jeanne d'Arc a été brûlée vi par les Anglais à Roue en 1431.

▸ ***brûlant*** adj. **1.** Très chaud, qui peut brûler. *La lave sort brûlante du volcan. Ne buvez pas le café tout de suite, il est brûlant.* **2.** *Sylvain a de la fièvre, il a les mains brûlantes,* très chaudes.

▸ ***brûlé*** n. m. **1.** Odeur d'une chose qui brûle. *Mme Roussel a laissé le pain griller trop longtemps, cela sent le brûlé.* **2.** Personne qui souffre de brûlures très graves. *Les pompiers ont emmené les grands brûlés à l'hôpital.*

▸ ***brûleur*** n. m. Partie d'une cuisinière, d'un réchaud, d'une chaudière où on allume la flamme. *Mme Roussel nettoie les brûleurs de sa cuisinière.*

Famille de **pourpoint**

▸ *à* ***brûle-pourpoint*** adv. Tout à coup. *Hippolyte a demandé à brûle-pourpoint à Angèle si elle était libre samedi soir.*

Il aimerait bien l'inviter à dîn

Compare : *brûler → brûlure* et *blesser → blessure.*

▸ ***brûlure*** n. f. **1.** Blessure, douleur causée par quelque chose qui attaque la peau, une flamme, une chose trop chaude, un acide. *Le soleil peut causer à la peau des brûlures profondes.* **2.** *Mme Séverac a des brûlures d'estomac quand elle mange des plats épicés,* elle a très mal à l'estomac, comme si ça la brûlait.

Le feu provoque des brûlur mais aussi la glace !

brume n. f.
Brouillard léger. *Le sommet de la montagne est dans la brume.*
▸ ***brumeux*** adj. **1.** *Le temps est brumeux,* il y a de la brume ; vois ***couvert.*** **2.** *Hippolyte a gardé de la soirée un souvenir brumeux,* qui n'est pas du tout précis ; vois ***vague.***

Pour les marins, *la brume,* c'est un brouillard très épais, qui oblige à faire sonner la *corne de brume.*

Au féminin : *brumeuse.* Le contraire de *brumeux,* c'est *clair.*

brun adj. et n. m.
Prononce [bʀœ̃].
1. adj. De couleur sombre, entre le roux et le noir ; vois ***marron.*** *Les châtaignes mûres sont brunes. Yasmina a les cheveux brun foncé. Yasmina est brune,* elle a les cheveux bruns. — n. *C'est une jolie brune.* **2.** n. m. Couleur marron. *Le brun et le vert vont bien ensemble.*

Une *brunette,* c'est une petite fille brune.

▸ ***brunir*** v. **1.** Rendre brun. *Le soleil brunit la peau.* **2.** Devenir brun ; vois ***bronzer.*** *Yves a bruni pendant les vacances.*

Conjugaison 2

Autre membre de la famille : se **rembrunir.**

brusque adj.
1. *Une personne brusque* est une personne qui se conduit, agit avec rudesse, brutalement et de manière imprévisible ; vois ***brutal, rude, sec, violent.*** *Julie est souvent brusque.* **2.** *Quelque chose de brusque,* c'est quelque chose de soudain, que rien ne laisse prévoir. *Julie a fait un mouvement brusque et a renversé la théière.*

Le contraire de *brusque,* c'est *doux.*

▸ ***brusquement*** adv. D'une manière brusque, inattendue ; vois ***brutalement, soudainement.*** *Julie a brusquement décidé de rentrer chez elle.*

Mais si le mouton mange la fleur, c'est pour lui comme si, brusquement, toutes les étoiles s'éteignent ! *(le Petit Prince).*

Compare : *brusque* → *brusquer* et *calme* → *calmer.*

▸ ***brusquer*** v. **1.** *Brusquer quelqu'un,* c'est le traiter de manière brusque. *Mme Harpie a tort de brusquer les enfants.* **2.** Faire arriver, faire se passer plus vite que la normale. *Julie a brusqué son départ.*

Conjugaison 1

Compare : *brusquer* → *brusquerie* et *plaisanter* → *plaisanterie.*

▸ ***brusquerie*** n. f. **1.** Façon brusque de se comporter vis-à-vis de quelqu'un ; vois ***rudesse.*** *Mme Harpie traite les enfants avec brusquerie.* **2.** Soudaineté, rapidité. *La brusquerie du départ de Julie a étonné tout le monde.*

Le contraire de *brusquerie,* c'est *douceur.*

brut adj.
Prononce le *t* à la fin : [bʀyt].
Du *pétrole brut,* c'est du pétrole non raffiné.
Le contraire de *brut,* c'est *net.*
Au féminin : *brute.*
1. Qui est à l'état naturel, n'a pas encore été transformé par l'homme. *Un diamant brut est un diamant ni taillé ni poli.* **2.** *Le poids brut d'un objet,* c'est le poids de cet objet avec son emballage. *Le poids brut de la caisse est de cinquante kilos.*

Le *salaire brut,* c'est le salaire avant la déduction des charges sociales.

brute n. f.
Homme brutal, violent, cruel. *Quand Yves est en colère, il est capable de frapper comme une brute.*

Au féminin : *brutale.* Au masculin pluriel : *brutaux.*

▸ ***brutal*** adj. **1.** Violent, qui se conduit comme une brute. *Yves est parfois brutal.* **2.** Brusque et violent. *Le choc des voitures a été brutal.* **3.** Qui n'a pas peur de blesser, de choquer. *Mme Harpie est une femme brutale qui s'exprime trop franchement.*

Le contraire de *brutal,* c'est *doux.*

▸ ***brutalement*** adv. **1.** D'une manière brutale. *Yves était en colère, il a frappé brutalement Antoine.* **2.** Brusquement. *La température du malade a monté brutalement dans la soirée.*

Conjugaison 1

▸ ***brutaliser*** v. *Brutaliser quelqu'un,* c'est le traiter de façon brutale, avec violence ; vois ***maltraiter.*** *Sylvain a défendu sa chienne contre des voyous qui la brutalisaient.*

Le contraire de *brutalité,* c'est *douceur.*

▸ ***brutalité*** n. f. *Yves a frappé Antoine avec brutalité,* d'une façon brutale.

Autres membres de la famille : **abrutir, abruti, abrutissant.**

Famille de **bruit**

bruyant adj.
1. Qui fait beaucoup de bruit. *La voiture d'Angèle est bruyante. Colle et Rat sont des enfants bruyants.* **2.** Où il y a beaucoup de bruit. *L'avenue du Général-de-Gaulle est très bruyante.*

Le contraire de *bruyant,* c'est *silencieux, tranquille.*

Compare : *bruyant* → *bruyamment* et *brillant* → *brillamment.*
N'oublie pas les deux ***m***.

▸ ***bruyamment*** adv. En faisant beaucoup de bruit. *M. Bellec se mouche bruyamment.*

Le contraire de *bruyamment,* c'est *silencieusement.*

bruyère n. f.
Prononce [bʀyjɛʀ].
Arbuste très bas, à petites fleurs mauves, qui pousse sur les landes. *Le long des côtes bretonnes poussent beaucoup d'ajoncs et de bruyères.*

N'oublie pas l'accent circonflexe du *û*.

bûche n. f.

1. Morceau de bois de chauffage. *Mme Séverac met une bûche dans la cheminée.* **2.** *La bûche de Noël,* c'est un gâteau en forme de bûche, que l'on mange à Noël. *Sophie Pelletier a acheté une bûche au chocolat.*

Pour faire des bûches, on coupe en morceaux les troncs et les branches des arbres.

▸ **bûcher** n. m. Tas de bois sur lequel on brûle les morts ou certains condamnés à mort. *Jeanne d'Arc fut brûlée vive sur un bûcher.*

Les Incas ont attaché Tintin sur le bûcher devant le Temple du Soleil.

Il était une fois un Bûcheron et une Bûcheronne, qui avaient sept enfants, tous Garçons *(le Petit Poucet).*

▸ **bûcheron** n. m., **bûcheronne** n. f. Personne dont le métier est d'abattre du bois, des arbres dans une forêt. *De nos jours, les bûcherons utilisent des tronçonneuses.*

Quand les recettes sont égales aux dépenses, un budget est équilibré.

budget n. m.

Ensemble des gains et dépenses que l'on prévoit et que l'on organise. *Le conseil municipal a voté le budget de la commune.*

C'est la condensation qui provoque la buée.

buée n. f.

Vapeur qui se dépose en fines gouttelettes sur une surface froide. *En hiver, les vitres sont couvertes de buée.*

Autre membre de la famille : **embuer.**

N'oublie pas les deux *f.*

buffet n. m.

1. Meuble servant à ranger la vaisselle, le linge ou des provisions ; vois ***bahut, vaisselier.*** *Le pain est dans le buffet de la cuisine.* **2.** Table où l'on dispose des plats et des boissons, dans une réception. *Les invités se pressaient autour du buffet.* **3.** *Le buffet de la gare,* c'est le café-restaurant installé dans la gare ; vois ***buvette.*** *Le docteur Séverac a pris une bière et un sandwich au buffet.*

Un buffet a des portes comme une armoire ; il est haut et se compose de deux parties. Un bahut est long et bas.

La femelle du buffle est la *bufflesse* ou la *bufflonne* et ses petits sont les *bufflons* ou les *buffletins.*

buffle n. m.

Gros animal ruminant qui ressemble au bœuf et vit en Asie et en Afrique. *En Afrique, il y a des buffles sauvages, mais en Asie, une espèce est domestiquée.*

Le buffle est un mammifère qui vit en troupeaux dans les forêts humides.

Prononce [bildiŋ] ou [byldiŋ]. C'est un mot anglais.

building n. m.

Immeuble moderne très haut ; vois ***tour.*** *Dans le centre de New York, il y a de grands buildings ;* vois ***gratte-ciel.***

On n'emploie plus beaucoup ce mot. On dit plutôt une *tour.*

Prononce [bɥi].
Le buis a un bois très dur. On en fait des couverts à salade.

buis n. m.

Arbuste qui ne perd jamais ses petites feuilles vert foncé, et avec lequel on fait souvent des haies dans les jardins. *Mme Séverac taille les buis autour du parterre de fleurs.*

Le prêtre bénit des branches de buis, le dimanche des Rameaux.

Faire l'école buissonnière, c'est aller se promener au lieu d'aller à l'école.

buisson n. m.

Groupe de petits arbres sauvages serrés les uns contre les autres ; vois ***fourré.*** *Julie est tombée dans un buisson de houx : elle s'est fait très mal.*

Les lis, les jacinthes, les narcisses, les glaïeuls, les oignons, les échalotes, l'ail sont des plantes à bulbe.

bulbe n. m.

Partie arrondie d'une plante, qui se trouve sous terre et qui est remplie de réserves de nourriture, grâce auxquelles la plante peut repousser tous les ans ; vois ***oignon.*** *Mme Bellec a planté des bulbes de tulipes dans le jardin ; au printemps, les fleurs pousseront.*

Le bulbe est formé d'un bourgeon entouré d'écailles. En bas il porte de petites racines.

Bulldozer [byldozœʀ] rime avec *heure.*

bulldozer n. m.

Grosse machine montée sur chevilles, qui sert à déplacer de grandes quantités de terre, de pierres. *Des bulldozers ont rasé la colline pour faire passer l'autoroute.*

Bulldozer est un mot anglais.

Attention aux deux *l* !
Au pays de l'or noir, les Dupondt ont avalé un produit extraordinaire : ils font des bulles et leurs cheveux poussent à toute allure.

bulle n. f.

1. Petite boule remplie d'air ou de gaz qui s'élève à la surface d'un liquide. *L'eau qui bout, l'eau gazeuse font des bulles. Les bulles de savon,* ce sont de petites boules formées d'une fine couche de savon remplies d'air. *David fait des bulles de savon avec un chalumeau.* **2.** Endroit où sont écrites les paroles d'un personnage de bande dessinée, délimité par un trait fermé. *Claire ne regarde que les images, elle ne lit pas ce qui est écrit dans les bulles.*

L'écume, la mousse sont formées d'un amas de petites bulles.

Elle ne sait pas encore lire.

Il y a deux *l*. Le *e* ne se prononce pas : [byltɛ̃].

bulletin n. m.

1. *Un bulletin de vote,* c'est un papier sur lequel est écrit le nom du candidat pour qui l'on vote. *M. Bellec a mis son bulletin dans l'urne.* **2.** *Le bulletin de notes,* c'est le papier sur lequel sont inscrites les notes de l'élève. *Sylvain a eu un bon bulletin.* **3.** *Le bulletin météorologique,* ce sont les informations sur le temps. *Les marins écoutent le bulletin météorologique avant de sortir en mer.*

Le professeur inscrit les notes sur le bulletin. Les parents le signent.

Dans un *vote à bulletin secret* on met le bulletin de vote dans une enveloppe, avant de glisser celle-ci dans l'urne. Personne ne doit savoir pour qui on a voté.

Prononce [bœ̃galo]. C'est un mot anglais.

bungalow n. m.
Petite maison de vacances très simple qui n'a pas d'étage. *Les touristes passent leurs vacances dans des bungalows au bord de la plage.*

Famille de **bureau**

buraliste n. m. et f.
Personne qui tient un bureau de tabac. *La buraliste vend du tabac, des cigarettes, des stylos, des briquets et des timbres.*

Au pluriel : *des bureaux.*

bureau n. m.
1. Table sur laquelle on écrit, on travaille, et qui a souvent des tiroirs. *La maîtresse est assise derrière son bureau.* **2.** Pièce où sont installés la table de travail et les objets dont on a besoin pour travailler. *Julie a été convoquée dans le bureau de la directrice.* **3.** Endroit où travaillent des employés. *Mme Roussel va au bureau tous les matins. Les bureaux de la Société sont fermés à 18 heures.* **4.** Établissement ouvert au public. *M. Doucet est allé chercher des annuaires au bureau de poste.* **5.** Ensemble de personnes d'un parti politique, d'une association, élues pour diriger les travaux, exécuter les décisions. *Le bureau de l'association des parents d'élèves se réunit pour discuter de la fête de l'école.*

Le géographe est trop important pour flâner. Il ne quitte pas son bureau. Mais il y reçoit les explorateurs *(le Petit Prince).*

On achète ses cigarettes dans un *bureau de tabac.*

Le bureau est composé d'un président, d'un secrétaire, d'un trésorier.

Autre membre de la famille : **buraliste.**

burette n. f.
Petit récipient dont le goulot est en forme de tube très fin. *Yves a pris la burette d'huile pour graisser son vélo.*

burin n. m.
Outil formé d'un morceau d'acier allongé, qui sert à couper des métaux, tailler des pierres. *M. Bellec frappe sur le burin avec un gros marteau.*
▸ ***buriné*** adj. *Loïc, le marin, a les traits burinés,* il a des rides profondes, les traits du visage marqués.

Le burin est un ciseau d'acier.

Un burin, c'est aussi un outil qui sert à graver.

Au féminin : *burinée.*

burlesque adj.
Drôle et extravagant, bizarre, un peu fou. *Laurel et Hardy ont fait des films burlesques.*

Charlie Chaplin aussi.

On peut prononcer le ***s*** de la fin, ou non : [byʀnus] ou [byʀnu].

burnous n. m.
Grand manteau de laine à capuchon et sans manches, comme en portent les Arabes. *Sophie Pelletier enveloppe Martin dans un burnous.*

Au pluriel : *des burnous.*

Martin est un bébé de six mois.

Prononce le ***s*** : [bys].

bus n. m.
Autobus. *M. Doucet se rend à son travail en bus ;* vois ***autobus.*** *Les bus s'arrêtent sur la place.*

Autre membre de la famille : **bibliobus.**

buse n. f.
Oiseau rapace qui vit le jour et se nourrit de rongeurs, d'oiseaux, de petits animaux. *La buse guette sa proie du haut des arbres, et tombe brutalement sur elle.*
▸ ***busard*** n. m. Oiseau rapace qui vit le jour, se nourrit de petit gibier, et vit souvent près des marais. *Le busard a un corps plus fin que celui de la buse.*

La buse fait son nid sur des arbres. Le busard fait son nid à terre ou dans les buissons des marécages.

La buse mesure de 50 à 60 centimètres de long. Elle a un bec recourbé.

Le busard mesure 50 centimètres ; il a une longue queue.

buste n. m.
1. Partie du corps humain qui va du cou à la ceinture ; vois ***poitrine, torse.*** *Yves marche en redressant le buste.* **2.** Sculpture présentant la tête et une partie de la poitrine de quelqu'un. *Mme Séverac a posé un buste de Mozart sur le piano.*

Prononce le ***t*** ou non : [byt] ou [by].

but n. m.
1. Endroit que l'on vise, qu'il faut atteindre. *Yves a atteint le but avec sa flèche ;* vois ***cible.*** **2.** Endroit précis où l'on veut aller. *La rivière est un bon but de promenade.* **3.** *Le but d'un terrain de football,* c'est l'espace limité à l'arrière du terrain, dans lequel il faut faire entrer le ballon. *Antoine joue comme gardien de but. L'équipe a marqué un but,* elle a marqué un point en faisant passer le ballon dans cet espace. **4.** Ce que l'on veut arriver à faire. *Yves a réussi à mettre Angèle en colère ; il a atteint son but. Le but de Mme Hespel est de devenir directrice de l'usine où elle travaille.*

De but en blanc : brusquement, sans préparation.

Le but est limité par des poteaux derrière lesquels il y a un filet.

Elle a gagné trois buts à un.

butane n. m.
Gaz vendu en bouteilles de métal, que l'on utilise pour chauffer. *Loïc a installé un réchaud à butane sur son bateau.*

Il y a aussi des radiateurs qui marchent au butane.

Conjugaison 1

buter v.
1. Heurter le pied. *En courant, Antoine a buté sur une pierre, et il est tombé.* **2.** *Julie bute sur son problème,* elle n'arrive pas à le faire. **3.** *Se buter,* c'est s'entêter. *Yves se bute souvent et il n'y a rien à faire pour qu'il change d'avis.*
▷ ***buté*** adj. Entêté. *Yves refuse de comprendre, il est complètement buté.*

Antoine ! Regarde où tu mets les pieds !

Autre membre de la famille : **butoir.**

butin n. m.
Ce que l'on a volé. *La police a arrêté les voleurs pendant qu'ils partageaient leur butin.*

Le goût du miel dépend des fleurs sur lesquelles les abeilles ont butiné.

butiner v.
Les abeilles butinent, elles vont de fleur en fleur récolter le pollen et le nectar.

Conjugaison 1

Il y a des butoirs au bout des voies de chemin de fer.

butoir n. m.
Obstacle qui empêche d'aller trop loin. *M. Bellec a mis un butoir derrière la porte pour qu'elle ne tape pas sur le mur.*

Famille de **buter**

butor n. m.
Héron au plumage brun tacheté de noir, qui vit dans les marais, caché dans les roseaux. *Les butors se nourrissent de petits poissons et de grenouilles.*

Le cri du butor ressemble à un mugissement et fait très peur.

Ne confonds pas *butte* et *but.*

butte n. f.
1. Petite colline. *La ferme des Séverac est sur une butte d'où l'on voit la Dordogne.* **2.** *Nathalie est en butte aux moqueries de son père parce qu'elle est amoureuse de Sylvain,* elle est l'objet de ses moqueries.

Le contraire de *buvable,* c'est *imbuvable.*

buvable adj.
Que l'on peut boire. *Ce vin pique, il est à peine buvable.*

Compare ***buv**able,* ***buv**ard,* ***buv**ette* et ***buv**eur* : dans ces mots, il s'agit de **boire.**

buvard n. m.
Papier qui boit l'encre. *Quand il fait des ordonnances, le docteur Séverac sèche l'encre avec un buvard.*

N'oublie pas le ***d*** final.

buvette n. f.
Petite salle, petit comptoir où l'on sert à boire. *Sophie Pelletier s'est occupée de la buvette à la kermesse de l'école.*

Dans les gares, il y a souvent des buvettes.

Le capitaine Haddock est un grand buveur de whisky.

buveur n. m., ***buveuse*** n. f.
Personne qui boit. *Les Anglais sont des buveurs de thé.*

c' va voir **ce.**

Ne confonds pas *ça* et *çà*. C'est familier de dire et d'écrire *ça*.

ça pronom démonstratif
Ceci, cela. *Antoine, tais-toi, ça suffit. Sylvain, déjà malade, a attrapé la rougeole, il ne manquait plus que ça. Ça lui est bien égal. Julie s'est tordu la cheville et ça lui fait encore mal. Ça alors, c'est incroyable !*

— Bonjour, Madame, comment ça va ?
— Ça va pas mal, et votre mari ? (comptine).

Ne confonds pas *çà* et *ça*.

çà adv.
Çà et là, un peu partout. *On retrouve des affaires de Julie çà et là dans la maison.*

Julie est très désordonnée.

Autre membre de la famille : **en deçà.**

cabalistique adj.
Des signes cabalistiques, ce sont des signes que l'on ne peut pas comprendre facilement. *Des voyous ont dessiné des signes cabalistiques sur les vitrines.*

caban n. m.
Veste longue en drap de laine. *Pour se promener dans la forêt, Julie a mis son caban.*

Les marins portent des cabans bleu marine.

cabane n. f.
Petite maison en bois. *Les outils de jardinage sont rangés dans la cabane au fond du jardin. Mamie Lou va nettoyer les cabanes à lapins,* les cases dans lesquelles sont les lapins.

Les enfants aiment bien construire des cabanes dans les arbres.

Les cabanes à lapins s'appellent des *clapiers.*

cabaret n. m.
Endroit où l'on va le soir pour voir un spectacle, danser, boire. *Pour leur anniversaire de mariage, M. et Mme Bellec sont allés dans un cabaret à Paris.*

On peut aussi aller dans une boîte de nuit, mais il n'y a pas de spectacle.

On ne prononce pas le *s* de *cabas* [kaba].

cabas n. m.
Sac à provisions muni de deux anses. *Yasmina est partie faire des courses avec son cabas.*

cabestan n. m.
Appareil autour duquel on enroule un câble pour tirer de lourdes charges ; vois **treuil.** *Sur un navire, on se sert d'un cabestan pour lever l'ancre.*

De nos jours, les cabestans sont souvent électriques.

Attention au ***d*** final.

Les œufs de cabillaud sont contenus dans une poche.

cabillaud n. m.
Morue fraîche. *Au buffet du cocktail, il y avait des canapés recouverts d'œufs de cabillaud.*

Le pilote de l'avion est dans la *cabine de pilotage.*

cabine n. f.
1. Chambre dans un bateau. *Angèle a réservé une cabine pour aller en Corse.* **2.** Petit local qui a un usage précis. *Hippolyte s'est arrêté dans une cabine téléphonique pour téléphoner. Sophie Pelletier essaie une robe dans la cabine d'essayage.*

Les cosmonautes vont dans l'espace dans une *cabine spatiale.*

Dans une salle de bains, il y a une baignoire, mais pas dans un cabinet de toilette.

▸ **cabinet** n. m. **1.** *Cabinet de toilette,* petite pièce où il y a un lavabo. *Julie a son cabinet de toilette à côté de sa chambre.* **2.** Bureau d'un avocat, d'un médecin, d'un dentiste. *Le cabinet de consultation du docteur Séverac est au rez-de-chaussée de sa maison.* **3.** *Les cabinets,* endroit où l'on fait ses besoins ; vois ***toilettes, waters, w.-c.*** *Les cabinets de l'école sont dans la cour.* **4.** Le gouvernement, l'ensemble des ministres. *Il a été ministre dans le cabinet Dupont,* quand M. Dupont était Premier ministre.

Dans ce sens, *cabinets* est toujours au pluriel.

Attention à l'accent circonflexe du ***â***.

Il y a aussi des *câbles télégraphiques,* des *câbles téléphoniques.*

câble n. m.
1. Gros cordage. *La cabine du téléférique est suspendue à un câble d'acier.* **2.** *Un câble électrique,* c'est un gros fil métallique bien protégé qui transporte l'électricité. *La ville est sans lumière depuis hier parce qu'un câble s'est rompu.*

Il existe des câbles sous-marins

Famille de **bosse**

cabossé adj.
Plein de bosses. *L'aile gauche de la voiture d'Angèle est toute cabossée.*

Quand on navigue sur un caboteur, on fait du *cabotage.*

caboteur n. m.
Bateau qui navigue sans s'éloigner des côtes. *Des caboteurs apportent les marchandises sur les îles.*

La Castafiore est une cabotine.

cabotin n. m., **cabotine** n. f.
Personne qui fait des manières pour qu'on la regarde, qu'on l'admire. *On dit souvent des acteurs que ce sont des cabotins.* — adj. *Antoine est un peu cabotin.*

Le contraire de *cabotin,* c'est *simple.*

Conjugaison 1

se **cabrer** v.
Un cheval se cabre, il se dresse sur ses pattes de derrière. *La jument s'est cabrée devant une haie et le cavalier est tombé.*

Le cheval de l'empereur des Lilliputiens prit peur et se cabra en apercevant Gulliver.

On fait des gants avec la peau du cabri.

cabri n. m.
Petit de la chèvre ; vois ***chevreau.*** *Les cabris sautent en suivant leur mère.*

Attention ! *cabriole* s'écrit avec un seul ***l***.

cabriole n. f.
Faire des cabrioles, c'est sauter gaiement, se rouler par terre ; vois ***galipette.*** *Claire fait des cabrioles dans l'herbe en jouant avec Rex, le chien de la ferme.*

Autrefois, c'était une voiture à cheval à deux roues.

cabriolet n. m.
Automobile décapotable. *Denis Prost va s'acheter un cabriolet grand sport.*

Ce mot appartient au langage des enfants.

caca n. m.
Excrément. *Sophie Pelletier va changer la couche de Martin, il a fait caca.*

On écrit aussi *cacahouète.*

cacahuète n. f.
Graine de l'arachide, qui se mange grillée. *Les singes sont friands de cacahuètes. M. Bellec sert toujours des cacahuètes salées et des olives avec l'apéritif.*

Il était un petit homme, Pirouette, cacahuète... (chanson).

En France, on connaît le cacao depuis l'époque de Louis XIV.

cacao n. m.
Graine dont on se sert pour fabriquer le chocolat. *Le cacao pur est très amer, il doit être mélangé avec du sucre.*

Le cacao vient d'un arbre des pays chauds, le *cacaoyer*

Le cacatoès peut coucher ou redresser sa huppe comme il le veut.

cacatoès n. m.
Perroquet à gros bec et portant une huppe sur la tête. *Les cacatoès sont les plus intelligents des perroquets et s'apprivoisent facilement.*

Cacatoès [kakatɔɛs] rime avec *princesse.*

Attention au ***t*** final !

Le cachalot est un mammifère.

cachalot n. m.
Gros animal qui vit dans la mer, a la taille de la baleine et possède des dents. *Les cachalots nagent très vite.*

La tête du cachalot peut faire le tiers de la longueur de son corps

Prononce [kaʃkaʃ].

cache-cache n. m. invariable
Jeu où l'un des joueurs doit trouver les autres qui se sont cachés. *Nathalie, David, Marie-Tévy et Claire font des parties de cache-cache dans le bois derrière la ferme.*

Famille de **cacher**

Ils jouent *à cache-cache.*

Le Cachemire est une région de l'Inde où l'on élève des chèvres réputées pour leur poil.

cachemire n. m.
Tissu ou tricot en poil de chèvre mêlé de laine. *Denis Prost a une écharpe en cachemire. Mme Séverac s'est acheté un pull-over en cachemire.*

On écrit aussi *cashmere.*

Au pluriel : *des cache-nez.*

cache-nez n. m. invariable
Écharpe que l'on se met autour du cou. *Sylvain met un cache-nez pour ne pas attraper froid.*

Famille de **cacher** et de **nez**

Conjugaison 1

C'était l'Ogre qui revenait. Aussitôt sa femme les fit cacher sous le lit et alla ouvrir la porte *(le Petit Poucet).*

cacher v.
1. Mettre dans un endroit inhabituel, où il est difficile de trouver. *Claire a caché les lunettes de Mamie Lou sous son lit. — Julie s'est cachée derrière le rideau.* **2.** Empêcher de voir. *Un tableau cache la porte du coffre-fort.* **3.** Ne pas montrer, ne pas dire. *Marie-Tévy avait de la peine à cacher ses larmes. — Julie a fait sa rédaction trop vite, elle ne s'en cache pas,* elle le reconnaît.

Autres membres de la famille : **cache-cache, cache-nez, cachette, cachotterie, cachottier.**

Autre membre de la famille : **décacheter.**

Envoyez vos réponses à notre concours avant jeudi minuit, le cachet de la poste faisant foi.

cachet n. m.
1. Médicament qui a une forme de pastille et que l'on avale. *Sylvain a pris un cachet d'aspirine pour faire tomber la fièvre ;* vois ***comprimé.*** **2.** Marque que l'on imprime avec un tampon. *Le cachet de la poste indique le lieu et la date d'envoi d'une lettre.* **3.** Argent que gagne un acteur, un chanteur, un musicien pour un engagement. *Au début de sa carrière d'acteur, Denis Prost n'avait pas de gros cachets.*

Conjugaison 4

▸ ***cacheter*** v. *Cacheter une enveloppe,* c'est la fermer en la collant. *Alex cachette sa lettre avant de la poster.*

Il cachette la lettre en cachette !

Famille de **cacher**

À la cachette
De bobinette,
Le roi t'appelle
Va te cacher (comptine).

cachette n. f.
1. Endroit où l'on peut cacher quelque chose ou se cacher. *Claire a trouvé une bonne cachette pour les lunettes de Mamie Lou. Julie ne veut pas sortir de sa cachette.* **2.** *En cachette,* en se cachant, en secret. *Antoine a acheté un cadeau pour Marie-Tévy en cachette.*

Après la mort des quarante voleurs, Ali Baba était certain d'être le seul au monde à connaître la cachette du trésor.

cachot n. m.
Cellule de prison petite et obscure. *Le prisonnier a été mis au cachot.*

Famille de **cacher**

Attention, deux *t* à *cachotterie* et *cachottier.*

cachotterie n. f.
Petit secret sans importance. *Antoine ne fait pas de cachotteries sur son amour pour Marie-Tévy. Yasmina fait des cachotteries.*
▸ ***cachottier*** n. m., ***cachottière*** n. f. Personne qui fait des cachotteries. *Yasmina est une cachottière.* — adj. *Antoine n'est pas cachottier, il dit toujours tout.*

Compare *cacophonie* et *téléphone* : il s'agit de **sons.**

cacophonie n. f.
Ensemble de sons déplaisants, qui sonnent faux ou ne vont pas ensemble. *Quelle cacophonie quand Alex écoute des disques pendant que Sylvain joue du piano !*

As-tu déjà entendu les musiciens d'orchestre accorder ensemble leurs instruments ?

Cactus [kaktys] rime avec *astuce.*

cactus n. m.
Plante grasse des pays chauds couverte de piquants. *Les cactus résistent à la sécheresse.*

Les figues de Barbarie sont des fruits de cactus.

c.-à-d. va voir ***c'est-à-dire.***

cadastre n. m.
Registre composé de plans qui représentent tous les terrains et les constructions d'une région avec leur superficie et le nom de leur propriétaire. *Le docteur Séverac est allé consulter le cadastre de la commune de Motbourg.*

On peut consulter le cadastre à la mairie.

cadavérique adj.
Le malade a un teint cadavérique, le teint pâle d'un mort.

Il ressemble à un *cadavre.*

cadavre n. m.

Les cadavres humains sont enterrés, brûlés ou jetés à la mer.

Corps d'une personne morte, d'un animal mort ; vois ***corps, mort.*** *Dans le désert, les cadavres sont dévorés par les vautours. Le cadavre du noyé est à la morgue.*

Les Égyptiens embaumaient ceux des pharaons.

Au pluriel : *des cadeaux.*

cadeau n. m.

Objet qu'on offre à quelqu'un. *Les enfants ont offert un vase à leur maîtresse comme cadeau de Noël. Antoine adore faire des cadeaux. Tu peux garder mon livre, je t'en fais cadeau ;* vois ***présent.***

Quelle différence y a-t-il entre un prêt et un cadeau ?

Ne pas faire de cadeau à quelqu'un, être sévère avec lui, ne rien laisser passer.

Ne prononce ni le ***e*** ni le ***s*** : [kadnɑ].

cadenas n. m.

Petite serrure portative munie d'un anneau, parfois d'une chaîne, pour bloquer deux choses ensemble, fermer une porte. *La porte de la cave est fermée au cadenas. Julie a perdu la clé du cadenas.*

Gulliver fut attaché par quatre-vingt-onze chaînes fixées à sa jambe gauche à l'aide de trente-six cadenas.

Conjugaison 1

▷ ***cadenasser*** v. Fermer avec un cadenas. *La porte de la cave est cadenassée.*

cadence n. f.

Rythme régulier. *L'usine produit des voitures à la cadence de deux mille par jour. Hippolyte dit : « Je ne pourrais pas travailler à cette cadence ! » ;* vois ***allure, vitesse.*** *En cadence,* régulièrement et ensemble. *Les hommes rament en cadence.*

Entrons en danse
Quelle cadence
Ah ah ah ah...
Ah ah ah ah.
Le menuet c'est la polka du Roi (Ch. Trenet).

Au féminin : *cadencée.*

▷ ***cadencé*** adj. *Les soldats marchent au pas cadencé,* en faisant des pas réguliers en même temps.

cadet n. m., **cadette** n. f.

1. Enfant qui est né après l'aîné. *Sylvain est le cadet de la famille Hespel.* — adj. *Sylvain est le fils cadet de Mme Hespel.* **2.** *Être le cadet de quelqu'un,* c'est être plus jeune que lui. *Yves est le cadet de Yasmina d'un an,* il a un an de moins qu'elle.

On appelle *cadets* les sportifs qui ont entre quinze et dix-sept ans.

Va voir aussi ***benjamin.***

cadran n. m.

1. Partie d'une pendule, d'une montre où l'on peut lire l'heure. *Entre midi et minuit, l'aiguille fait le tour du cadran.* **2.** *Un cadran solaire,* c'est un instrument qui existait avant les pendules et qui indiquait l'heure grâce à l'ombre d'une tige. *Il y a un très beau cadran solaire sur la façade de la cathédrale de Chartres.*

Faire le tour du cadran, c'est dormir 12 heures de suite.

La place du Soleil dans le ciel change avec l'heure.

Le premier cadran solaire daterait du VIe siècle avant Jésus-Christ.

cadre n. m.

Le *cadre d'un vélo* est la partie métallique qui supporte la selle, le guidon, les roues et les pédales.

1. Bordure qui entoure une glace, un tableau, une photo. *Mamie Lou a mis une photo de son fils Louis dans un cadre doré.* **2.** Paysage, milieu où se trouve une personne, une maison. *La ferme est dans un joli cadre ;* vois ***site.*** **3.** *Dans le cadre du sujet,* dans les limites du sujet. *Ceci n'entre pas dans le cadre de mes responsabilités,* je n'ai pas à m'en occuper. **4.** Personne responsable dans un service, qui donne des ordres à des employés. *Mme Hespel est un des principaux cadres de son usine.*

Conjugaison 1

▷ ***cadrer*** v. **1.** Prendre une photo de façon que ce qui intéresse soit dessus, au centre. *Cette photo est mal cadrée, le chat a la tête coupée !* **2.** Concorder. *Ce qu'Antoine raconte aujourd'hui ne cadre pas avec ce qu'il disait hier.*

▷ ***cadreur*** n. m. Personne dont le métier est de faire marcher une caméra. *Les cadreurs travaillent pour le cinéma ou pour la télévision.*

Autres membres de la famille : **encadrer, encadré, encadrement.**

Va voir aussi ***caméraman.***

Attention au féminin : *caduque.*

caduc adj.

1. *Les feuilles caduques,* ce sont les feuilles des arbres qui tombent chaque automne et repoussent au printemps. *Les marronniers ont des feuilles caduques.* **2.** Qui n'est plus valable. *Cette loi est caduque ;* vois ***périmé.***

Le contraire de *caduc,* c'est *persistant.*

① **cafard** n. m.

Cet insecte s'appelle aussi une *blatte.*

Petit insecte brun qui vit dans les maisons et sort la nuit. *Mme Hespel a acheté un insecticide pour tuer les cafards.*

Les cafards ne piquent pas, mais ils s'infiltrent partout.

② **cafard** n. m.

Avoir le cafard, c'est être triste et déprimé, même sans raison. *Ce temps pluvieux me donne le cafard.*

Au féminin : *cafardeuse.*

▷ ***cafardeux*** adj. Triste et mélancolique. *Hippolyte se sent tout cafardeux aujourd'hui ;* vois ***déprimé.***

Le café n'a été connu en France que sous Louis XIV au XVIIe siècle. Il contient de la caféine, qui est un excitant.

C'est le *garçon de café* qui sert les boissons.

café n. m.
1. Graines d'un arbuste des pays chauds que l'on fait griller et que l'on moud pour faire une boisson. *Yasmina est partie chercher un paquet de café moulu.* **2.** Boisson faite avec ces graines. *Alex prend une tasse de café noir et Sylvain, un bol de café au lait.* **3.** Lieu public où l'on sert des boissons ; vois ***bar, buvette.*** *Aujourd'hui il fait beau, il y a beaucoup de monde à la terrasse des cafés.*

L'arbuste s'appelle un *caféier* ; il y a de grandes plantations en Amérique du Sud.

On peut boire du thé dans un café, et boire du café dans un salon de thé !

▷ ***cafétéria*** n. f. Petit café très simple où l'on sert des boissons non alcoolisées et des casse-croûtes. *Angèle a déjeuné à la cafétéria du supermarché.*

On ne prononce pas le premier ***e*** : [kaftjɛʀ].

▷ ***cafetière*** n. f. Appareil servant à faire le café. *Mme Hespel a une cafetière électrique.*

Il bredouille, il bafouille, il cafouille !

cafouiller v.
S'embrouiller en faisant quelque chose. *Les questions étaient difficiles et Yves a cafouillé.*

Conjugaison 1

Louis XI enfermait ses ennemis dans des cages.

Un coup de patte de lion, cela fait mal !

cage n. f.
1. Abri fermé par un grillage ou par des barreaux, où l'on enferme des animaux vivants. *Julie a ouvert la porte de la cage et les oiseaux se sont envolés. Il ne faut pas trop s'approcher de la cage aux fauves.* **2.** *La cage d'escalier,* c'est l'espace où l'escalier est installé. *La cage d'escalier de la tour est étroite.*

Va voir *cage thoracique* à ***thoracique.***

Attention au ***e*** après le ***g*** [kaʒo].

▷ ***cageot*** n. m. Caisse à claire-voie où l'on met des fruits ou des légumes. *M. Bellec a rapporté des cageots de salades du marché.*

▷ ***cagibi*** n. m. Petite pièce qui sert de débarras et où souvent il n'y a pas de fenêtre. *Angèle range ses affaires de ski dans le cagibi.*

Attention aux deux ***t***. Prononce [kaɲɔt].

cagnotte n. f.
Argent mis en commun par plusieurs personnes dans une boîte. *Les enfants de la classe ont constitué une cagnotte pour faire un cadeau à Angèle, leur institutrice.*

cagoule n. f.
1. Capuchon qui recouvre toute la tête et le visage, avec des trous pour les yeux. *Les cambrioleurs mettent des cagoules pour qu'on ne les reconnaisse pas.* **2.** Bonnet de tricot qui s'enfile et passe sous le menton, protégeant le cou. *Julie, il fait très froid, mets ta cagoule !* ; vois ***passe-montagne.***

Avec une cagoule, seul le visage est exposé au froid.

Attention au ***h*** ! Prononce [kaje].

cahier n. m.
Ensemble de feuilles de papier réunies par le côté et protégées par une couverture. *Prenez tous votre cahier bleu.*

Va voir *cahier de brouillon* à ***brouillon.***

Un fiacre allait trottinant Cahin-caha/Hue dia hop là ! (chanson).

cahin-caha adv.
Tant bien que mal, tantôt bien tantôt mal. *Comment vont les affaires ? Cahin-caha !*

Attention aux ***h*** !

Prononce [kao]. Ne confonds pas *cahot* et *chaos.*

cahot n. m.
Secousse d'une voiture sur un mauvais terrain. *Que de cahots sur le chemin qui mène à la ferme !*

Les amortisseurs réduisent les cahots.

Conjugaison 1

▷ ***cahoter*** v. *Une voiture qui cahote,* c'est une voiture qui est secouée par des cahots. *Les diligences cahotaient sur les chemins du far-west.*

Parfois, elles perdaient même leurs roues !

▷ ***cahotant*** adj. *Une voiture cahotante,* c'est une voiture qui est secouée. *La charrette de foin est cahotante.*

Au féminin : *cahoteuse.*

▷ ***cahoteux*** adj. *Le chemin de la ferme est cahoteux,* il fait cahoter les voitures.

Pense au ***h*** entre le ***a*** et le ***u***. Prononce [kayt].

cahute n. f.
Petite cabane. *Les chasseurs se sont arrêtés dans une cahute pour se reposer.*

Chut ! Pas de dispute dans la cahute !

Attention au tréma du ***ï*** ! Prononce [kaid].

caïd n. m.
Chef autoritaire d'une bande. *C'est un caïd de la drogue,* le chef d'une bande de trafiquants de drogue.

Ce mot est familier.

La caille est un oiseau migrateur qui passe l'hiver en Afrique.

caille n. f.
Petit oiseau à queue courte, voisin de la perdrix. *Les cailles aux raisins, c'est délicieux.*

Caille [kaj] rime avec *paille.*

Conjugaison 1

On met de la *présure* dans le lait pour le faire cailler.

cailler v.
Le lait caille, il devient solide ; vois ***coaguler.*** *On fait cailler le lait pour faire des yaourts et du fromage.*

On dit : le lait *caille* ou *se caille.*

▸ ***caillot*** n. m. *Un caillot de sang,* c'est du sang qui a séché, s'est solidifié en une petite boule. *Un caillot peut boucher une veine et causer une embolie.*

Quand on saigne et qu'il ne se forme pas de caillot, on a une hémorragie.

Attention au pluriel : *des cailloux.*

caillou n. m.
Petite pierre. *Les enfants se sont battus et se sont lancé des cailloux. On met des cailloux dans les allées, sur les routes, mélangés au goudron ;* vois ***gravier.***

Un caillou rond sur une plage est un *galet.*

Compare : *caillou* → *caillouter* et *clou* → *clouter.*

▸ ***caillouter*** v. Recouvrir de cailloux. *Pierre Séverac a caillouté l'allée entre la ferme et la basse-cour.*

Conjugaison 1

▸ ***caillouteux*** adj. *La terre est caillouteuse,* pleine de cailloux ; vois ***pierreux.***

▸ ***cailloutis*** n. m. Revêtement décoratif de cailloux. *Les tombes sont souvent ornées d'un cailloutis de pierres blanches.*

Attention au tréma du *ï.*

Le caïman est dangereux pour l'homme.

caïman n. m.
Crocodile d'Amérique du Sud à museau court. *Les caïmans peuvent atteindre six mètres de long.*

Va voir aussi ***alligator.***

caisse n. f.
1. Grande boîte faite de planches, servant à transporter des marchandises, des objets. *Des caisses de livres sont arrivées.* **2.** Coffre, tiroir où se trouve l'argent d'un commerçant. *Les cambrioleurs ont vidé la caisse de la bijouterie.* **3.** Endroit d'un magasin où l'on paie. *Veuillez passer à la caisse.* **4.** Guichet d'une banque où l'on délivre de l'argent. *Mme Hespel a retiré de l'argent à la caisse.* **5.** *Grosse caisse,* instrument de musique, sorte de gros tambour que l'on frappe. *Alex joue de la grosse caisse.*

Une *caisse enregistreuse* est une machine qui enregistre le prix sur un ticket.

Celui qui joue de la grosse caisse dans un orchestre joue aussi des cymbales.

Quand toutes les caisses à outils sont regroupées, Babar ouvre solennellement la première et commence la distribution, aidé par Arthur et Zéphir

(Babar).

▸ ***caissette*** n. f. Petite caisse. *Chez le poissonnier, les filets de poisson sont disposés dans une caissette.*

▸ ***caissier*** n. m., ***caissière*** n. f. Personne qui est à la caisse, prend ou donne de l'argent. *Les caissières d'un supermarché sont très occupées.*

Autres membres de la famille : **encaisser, tiroir-caisse.**

Conjugaison 1

Quand on cajole, on fait des *cajoleries.*

cajoler v.
Cajoler quelqu'un, c'est être doux, gentil, caressant avec lui ; vois ***câliner, dorloter.*** *Julie est très cajolée par ses parents.*

Le contraire de *cajoler,* c'est *rudoyer.*

Cake [kɛk] rime avec *chèque.*
Cake est un mot anglais.

cake n. m.
Gâteau garni de raisins secs et de fruits confits. *Pour son goûter, Yves emporte souvent une tranche de cake.*

On dit aussi *calmar.*

Le calamar a dans le foie un sac contenant de l'encre.

calamar n. m.
Mollusque dont la tête est pourvue de huit pieds et de deux tentacules. *Au menu, il y avait des beignets de calamar.*

Va voir aussi ***seiche.***

calamité n. f.
Grand malheur qui concerne beaucoup de gens ; vois ***cataclysme, catastrophe, désastre, fléau.*** *Les cyclones sont une calamité ; ils dévastent tout sur leur passage.*

Les guerres, les famines, les épidémies sont des calamités.

calandre n. f.
Garniture métallique sur le devant du radiateur d'une voiture. *Angèle a fait changer la calandre de sa voiture.*

calanque n. f.
Endroit où la mer pénètre dans les rochers, sur les côtes de la Méditerranée ; vois ***crique.*** *Angèle se baigne dans une calanque près d'Ajaccio.*

calcaire n. m.
Matière de certaines roches, blanche ou colorée par des impuretés, que l'on peut chauffer pour faire de la chaux. *On trouve souvent des fossiles dans le calcaire.* — adj. *L'edelweiss pousse sur les sols calcaires,* qui contiennent du calcaire. *La craie, le marbre sont des roches calcaires.*

On emploie le calcaire, facile à tailler, pour bâtir les maisons.

L'eau calcaire peut être adoucie.

Dans les grottes, le calcaire contenu dans l'eau se dépose très lentement pour former des stalactites et des stalagmites.

Au féminin : *calcinée.*

calciné adj.
Brûlé, noirci, presque complètement détruit par le feu. *Les arbres calcinés dans l'incendie de forêt n'étaient plus que des troncs noirs et rabougris.*

Va voir aussi ***carboniser.***

Calcium [kalsjɔm] rime avec *aquarium* et *homme.*

Les coquillages, les coquilles d'œufs contiennent du calcium.

calcium n. m.
Métal blanc que l'on trouve dans beaucoup d'éléments qui composent la terre ainsi que dans les corps vivants. *Le calcaire contient du calcium qui, chauffé à très haute température, devient de la chaux.*

Pour avoir des os solides et de bonnes dents, il faut consommer du calcium.

① **calcul** n. m.
Poussière ou petit caillou qui peut se former dans la vésicule ou les reins et rendre très malade. *On a opéré M. Bonnot pour lui enlever un calcul dans le rein.*

Un *calcul mental,* c'est un calcul qu'on fait de tête, en réfléchissant, sans écrire.

② **calcul** n. m.
1. Compte. *Julie fait le calcul des jours de vacances qui lui restent,* elle les compte. *Elle a fait une erreur de calcul,* elle s'est trompée en comptant. *Mettre au point une fusée nécessite des calculs compliqués,* des opérations, des comptes. **2.** Technique qui permet de faire les opérations. *Yves est très fort en calcul.* **3.** Réflexion, raisonnement. *D'après ses calculs, il reste dix jours de vacances à Julie.* **4.** Plan, projet. *Alex a fait un mauvais calcul en pensant qu'il aurait son bac sans travailler.*

Elle a oublié une retenue !

Conjugaison 1

Elle utilise une *machine à calculer.*

▸ **calculer** v. **1.** Chercher en faisant des opérations, des comptes. *Mme Hespel calcule ses impôts.* **2.** Estimer à l'avance. *Alex a calculé ses chances de réussir son bac ;* vois ***évaluer.***

▸ **calculateur** adj. *Une personne calculatrice,* c'est une personne qui combine des plans, des projets. *M. Bellec est calculateur, il a choisi le meilleur emplacement de la ville pour installer son restaurant.*

Autre membre de la famille : **incalculable.**

▸ **calculatrice** n. f. Machine qu'on utilise pour compter. *Le soir, Mme Bellec vérifie les comptes du restaurant à l'aide d'une calculatrice.*

Une calculette est une calculatrice de poche.

Les passagers clandestins se cachent souvent dans la cale des bateaux.

① **cale** n. f.
1. Partie située à l'intérieur d'un bateau, sous le pont. *Les marchandises sont entreposées dans la cale.* **2.** *Pour repeindre son bateau, Loïc le met en cale sèche,* hors de l'eau, dans un endroit aménagé pour la réparation.

② **cale** n. f.
Ce que l'on met sous un objet qui manque d'équilibre pour le remettre d'aplomb. *M. Bellec glisse une cale sous le pied de la table bancale.*

Autres membres de la famille : **caler, décaler, décalage.**

On visite certaines villes en calèche, pour se promener.

calèche n. f.
Voiture à cheval, à quatre roues, que l'on peut couvrir avec une capote. *La reine d'Angleterre se promenait en calèche et saluait la foule.*

N'oublie pas la cédille du ***ç.***

caleçon n. m.
Sous-vêtement, culotte pour les garçons et les hommes, qui couvre aussi le haut des cuisses. *Denis Prost était en caleçon.*

Un *caleçon long* a des jambes longues.

N'oublie pas le ***m*** devant le ***b.***

calembour n. m.
Jeu de mots fait avec des mots qui se prononcent de la même façon mais qui n'ont pas le même sens. *Hippolyte fait des calembours pour amuser Angèle.*

Une oie, deux oies, trois oies, quatre oies, cinq oies, six oies, c'est toi ! (comptine).

En 1582, sous le pape Grégoire XIII, le calendrier retardait de dix jours sur les saisons. On décida alors de faire suivre directement le 4 octobre 1582 par le 15 octobre.

calendrier n. m.
1. Division du temps en saisons et en années, mois, semaines, jours. *Selon le calendrier solaire, une année est le temps mis par la terre pour tourner autour du soleil.* **2.** Tableau où sont inscrits les mois et les jours. *Julie lit la date sur le calendrier.* **3.** Emploi du temps. *Quel est votre calendrier pour le mois de juin ?*

De 1793 à 1806, on adopta en France le calendrier républicain. Les mois avaient des noms selon la saison : par exemple *pluviôse* pour janvier, *floréal* pour avril.

Le ***e*** de *calepin* ne se prononce pas : [kalpɛ̃].

calepin n. m.
Petit carnet. *Le détective a noté le numéro d'immatriculation de la voiture sur son calepin.*

J'ai noté sur mon calepin :
Acheter du pain.

Conjugaison 1
Famille de ② **cale**

caler v.
1. Rendre immobile, empêcher de bouger. *M. Bellec a calé la table. Angèle cale la bouteille dans son panier.* **2.** S'arrêter, s'immobiliser. *La voiture d'Angèle a calé dans la côte,* le moteur s'est arrêté brusquement.

Il faut que tu cales
Avec une cale
Ce bocal
Tout bancal.

Au pluriel : *des cale-pied.* Famille de ① **pied**

▸ ***cale-pied*** n. m. invariable Pièce métallique qui se fixe sur la pédale d'une bicyclette pour maintenir le pied. *On pousse plus fort sur les pédales avec des cale-pied.*

Conjugaison 1
Prononce [kalføtʀe].

calfeutrer v.
1. *Calfeutrer quelque chose,* c'est en boucher les fentes, les petites ouvertures. *Pierre Séverac a calfeutré les fenêtres pour empêcher les courants d'air.* **2.** *Se calfeutrer,* c'est s'enfermer. *Mme Harpie s'est calfeutrée chez elle, elle ne veut voir personne.*

calibre n. m.
1. Diamètre intérieur d'un tube, du canon d'une arme. *Ce pistolet contient des balles de petit calibre,* de petites balles. **2.** Taille, grosseur. *Mamie Lou met ensemble les œufs de même calibre.*

Calice [kalis] rime avec *narcisse* et *iris.*

calice n. m.
1. Partie de la fleur qui l'enveloppe quand elle est en bouton, et qui reste à la base des pétales quand elle a fleuri. *Les calices de certaines fleurs sont verts.* **2.** Vase dans lequel le prêtre met le vin qu'il consacre quand il célèbre la messe. *L'abbé Gauthier élève le calice.*

Va voir aussi ***sépale.***

On parle du calife de Bagdad dans *les Mille et Une Nuits.*

calife n. m.
Souverain musulman d'autrefois. *Les califes ont régné du VIIe au XIIIe siècle.*

Famille de **fourche**

à ***califourchon*** adv.
Le cavalier se met à califourchon sur le cheval, assis, une jambe de chaque côté du cheval. *À califourchon sur un tronc d'arbre, Colle et Rat jouent aux cow-boys et aux Indiens.*

On dit aussi *à cheval.*

On peut se tenir, au contraire, *en amazone,* les deux jambes du même côté.

Attention ! n'oublie pas l'accent circonflexe du ***â.***

câlin adj. et n. m.
1. adj. Qui aime caresser et être caressé. *Claire est très câline.* **2.** n. m. Échange de caresses et de tendresses. *Mamie Lou fait un câlin à Claire.*

Elle la *câline.*

Attention ! *calleux* s'écrit avec deux ***l.***

calleux adj.
Des mains calleuses, ce sont des mains dont la peau est durcie et épaissie et où de la corne s'est formée par endroits, surtout à la base des doigts, dans la paume. *Loïc a les mains calleuses.*

Les gens qui font de durs travaux manuels ont les mains calleuses.

Famille de **calme**

calmant n. m.
Médicament qui calme la douleur ou l'angoisse. *Sylvain a mal à la tête, il va prendre un calmant.*

On peut prendre des calmants pour dormir.

calmar va voir ***calamar.***

calme n. m. et adj.
▭ **n. m. 1.** Absence de bruit et d'agitation. *Le docteur Séverac apprécie le calme de la campagne. Quand elle écrit, Sophie Pelletier a besoin de calme.* **2.** État d'une personne qui n'est ni agitée ni inquiète. *Angèle a du mal à garder son calme quand Yves lui tient tête.*

Quand la mer ne fait pas de vagues, c'est le *calme plat.*

Le capitaine Haddock perd souvent son calme.

▭ **adj.** Qui n'est pas agité. *Aujourd'hui, la mer est calme. Les Doucet passent leurs vacances dans un endroit très calme ;* vois **tranquille.** *Marie-Tévy est une enfant calme.*

Tintin s'efforce de rester toujours calme.

▸ ***calmement*** adv. Avec calme. *Angèle a répondu calmement à Yves,* sans s'énerver.

Conjugaison 1

▸ ***calmer*** v. Rendre calme. *Julie essaie de calmer Martin, son petit frère, qui a mal aux dents. — Martin a pleuré toute la nuit, il ne s'est pas calmé.*

Autres membres de la famille : **accalmie, calmant.**

calomnie n. f.
Chose fausse et méchante que l'on dit au sujet de quelqu'un. *Mme Harpie dit que les gâteaux de M. Bellec ne sont pas faits au beurre : c'est une calomnie.*

Ce n'est pas de la calomnie de dire que Mme Harpie est méchante !

Une *médisance* est une chose méchante, mais vraie, que l'on dit au sujet de quelqu'un.

Conjugaison 7 ▭ Indic. imparfait : *nous calomniions.*

▸ ***calomnier*** v. *Calomnier une personne,* c'est dire des choses fausses sur elle pour lui faire du tort. *Mme Harpie calomnie M. Bellec ;* vois ***diffamer.***

calorie n. f.
Unité servant à mesurer la quantité d'énergie fournie par les aliments. *Un homme a besoin de 2 400 calories par jour. Mme Séverac fait un régime de 1 500 calories par jour, pour maigrir.*

Dans 80 g de pain, il y a 204 calories ; dans 100 g de viande, il y en a 250.

① **calot** n. m.
Grosse bille. *Antoine a échangé dix billes contre un calot.*

Famille de **calotte**

② **calot** n. m.
Bonnet rigide et allongé que portent certains militaires. *Quand il faisait son service militaire, Hippolyte avait un calot.*

calotte n. f.
1. Petit bonnet rond qui ne couvre que le sommet de la tête. *Le pape a une calotte blanche.* **2.** *La calotte glaciaire,* c'est l'étendue de glace qui recouvre une région, un sommet. *Une immense calotte glaciaire recouvre presque tout le territoire du Groenland.*

La *calotte crânienne,* c'est la partie supérieure du crâne.

Autre membre de la famille : ② **calot.**

Le sommet du mont Blanc est recouvert d'une calotte glaciaire.

calque n. m.
Dessin copié directement à l'aide d'un papier transparent. *Marie-Tévy a fait un calque du plan de sa maison.*

On appelle *papier-calque* le papier qui sert à faire les calques.

Autres membres de la famille : **décalcomanie, décalquer.**

calumet n. m.
Pipe à long tuyau que fumaient les Indiens. *Les chefs des deux tribus ont fumé le calumet de la paix.*

calvaire n. m.
1. Croix qui rappelle la mort de Jésus. *En Bretagne, il y a de nombreux calvaires aux carrefours, à côté des églises et à l'entrée des villages.* **2.** Suite d'épreuves pénibles et douloureuses. *Sa maladie a été un calvaire.*

Le Calvaire, c'est le nom de la colline où Jésus fut crucifié. On l'appelle aussi le Golgotha.

calvitie n. f.
Absence de cheveux. *Denis Prost utilise des lotions qui combattent la calvitie.*

Calvitie [kalvisi] rime avec *scie* et *aussi.*

Va voir aussi ***chauve.***

camarade n. m. et f.
Personne qui partage les mêmes occupations que soi ou que l'on aime bien ; vois **copain.** *Yves et Antoine sont plus que des camarades, ce sont des amis. Julie a invité une camarade de sa classe à goûter.*

▸ **camaraderie** n. f. Relations que l'on a entre camarades. *Ce qui lie Antoine et Yves, c'est de l'amitié, pas de la camaraderie. Julie a un esprit de bonne camaraderie,* elle s'entend bien avec les autres.

cambouis n. m.
Graisse noire. *Antoine s'est mis du cambouis sur les mains en remettant la chaîne de son vélo.*

Attention au *s* final, qui ne se prononce pas.

Pour enlever une tache de cambouis, il faut étaler du beurre dessus.

cambrer v.
Cambrer la taille, c'est redresser le dos en le courbant un peu vers l'arrière. *En faisant des pointes, la danseuse cambre la taille. — La danseuse s'est cambrée,* elle s'est redressée en se penchant légèrement vers l'arrière.

Conjugaison 1

On dit aussi *cambrer les reins.*

Quand on a le dos comme celui d'une danseuse qui se cambre, on dit qu'on a le dos *cambré.*

cambrioler v.
Voler après être entré de force dans un endroit. *Les voleurs ont cassé la vitrine et ont cambriolé la bijouterie.*

▸ **cambriolage** n. m. Vol dans une maison, un magasin, une banque. *On n'a pas encore arrêté les auteurs du cambriolage de la bijouterie.*

▸ **cambrioleur** n. m., **cambrioleuse** n. f. Personne qui fait un cambriolage. *Les cambrioleurs de la bijouterie ont su mettre hors d'usage le système d'alarme.*

Conjugaison 1

Il y a beaucoup de cambriolages pendant les vacances, car les gens ne sont pas chez eux.

Connais-tu Arsène Lupin, le gentleman-cambrioleur ?

caméléon n. m.
Reptile à quatre pattes, aux yeux très grands et très mobiles, qui a une langue aussi longue que son corps, avec laquelle il attrape les insectes dont il se nourrit. *Le caméléon change de couleur selon l'endroit où il se trouve.*

Le caméléon peut cesser de respirer pendant plusieurs heures.

Le caméléon vit en Afrique et en Asie.

camélia n. m.
Petit arbuste toujours vert, à feuilles ovales, pointues et luisantes, qui fleurit en hiver. *Le camélia donne de grandes fleurs qui ressemblent aux roses.*

Attention ! *camélia* est masculin, comme *hortensia* et *pétunia.*

Le camélia est cultivé depuis longtemps en Chine et au Japon.

Ne prononce pas le *e* : [kamlo].

camelot n. m.
Marchand qui vend dans la rue des objets peu chers. *Angèle a acheté un foulard à un camelot devant les grands magasins.*

Le premier *e* ne se prononce pas : [kamlɔt].

camelote n. f.
Marchandise de mauvaise qualité. *L'aspirateur que Mme Hespel a acheté, c'est vraiment de la camelote, il ne marche déjà plus.*

camembert n. m.

C'est à Camembert, en Normandie, que l'on a fait les premiers camemberts, au XVIIIe siècle.

Fromage rond et peu épais, à pâte molle et à croûte blanche, fait avec du lait de vache. *M. Bellec choisit des camemberts bien faits. Mme Séverac ne veut pas de camemberts plâtreux ou coulants.*

Ferme ta boîte à camembert, Tu l'ouvriras pour le dessert !

Au pluriel : *des caméras.*

caméra n. f.
Appareil qui sert à faire des films. *Le docteur Séverac a une caméra ; il a pu filmer les premiers pas de ses enfants.*

La première vraie caméra date de 1889.

Ce mot est d'origine anglaise ; il vaut mieux dire *cadreur.*

▸ **caméraman** n. m. Personne dont le métier est de se servir d'une caméra. *Denis Prost a un ami qui est caméraman à la télévision.*

Au pluriel : *des caméramans.*

camion n. m.
Gros véhicule transportant des marchandises ; vois **poids lourd.** *Un camion de déménagement bloque la rue.*

Les marchandises peuvent être aussi transportées par train, par bateau, par avion.

Compare : *camion → camionnette* et *savon → savonnette.*

▸ **camionnette** n. f. Petit camion. *Les fermiers apportent leurs produits au marché en camionnette.*

▸ **camionneur** n. m. Personne dont le métier est de conduire un camion. *Les camionneurs déchargeaient des caisses de bière sur le trottoir.*

Va voir aussi ***routier.***

camisole n. f.
Une camisole de force, c'est une chemise à manches fermées qui empêche de bouger. *On passait la camisole de force aux fous dangereux.*

camomille n. f.

De la camomille
Pour Camille
Et sa famille !

Plante qui sent très bon, à feuilles finement découpées et dont la fleur ressemble à la marguerite. *La camomille s'emploie en infusion pour faciliter la digestion.*

Les shampooings à la camomille éclaircissent les cheveux.

Conjugaison 1

camoufler v.
Camoufler quelque chose, c'est en changer l'apparence pour qu'on ne le reconnaisse pas. *Les canons sont camouflés dans les buissons. — Les soldats se camouflent en accrochant des branchages à leur casque.*

Le caméléon se camoufle en changeant de couleur.

Compare : *camoufler → camouflage* et *bavarder → bavardage.*

▸ **camouflage** n. m. Le fait de camoufler. *Les canons ont été repérés par un hélicoptère, le camouflage n'était pas parfait.*

camp n. m.

Les campeurs font des *feux de camp* et dorment sur des *lits de camp.*

1. Terrain où sont installés des baraquements, des tentes. *Les soldats de l'armée vaincue ont été envoyés dans des camps de prisonniers.* **2.** Groupe opposé à un autre. *L'institutrice a partagé la classe en deux camps pour faire une partie de football.*

Autres membres de la famille : ① **camper, campement, campeur, décamper.**

Quel dommage qu'on n'ait pas construit les villes à la campagne, l'air y est tellement plus pur ! (A. Allais).

① **campagne** n. f.
Lieu éloigné des grandes villes, où il y a de la verdure, des champs, des bois. *Julie aime bien se promener dans la campagne. Mme Hespel aimerait avoir une maison de campagne.*

Autre membre de la famille : **campagnol.**

Les parents de Claire sont agriculteurs.

▸ **campagnard** n. m., **campagnarde** n. f. Personne qui habite à la campagne. *Claire est une campagnarde.*

Le contraire de *campagnard,* c'est *citadin.*

② **campagne** n. f.

Louis XIV a fait de nombreuses campagnes militaires.

1. Opération de guerre. *L'armée est en campagne.* **2.** Ensemble de moyens employés pour faire connaître quelque chose. *La biscuiterie fait une campagne publicitaire pour lancer de nouveaux biscuits.*

Les candidats aux élections exposent leur programme pendant la *campagne électorale.*

Famille de ① **campagne**

campagnol n. m.

Le campagnol, qui se reproduit dès l'âge d'un mois, peut avoir quarante petits par an.

Petit rongeur de la taille d'une souris, à queue courte et poilue, qui vit dans les champs. *Le campagnol pèse de quinze à trente-cinq grammes et mange chaque jour cinq grammes de feuilles et de graines qu'il a amassées dans son terrier.*

Les agriculteurs n'aiment pas beaucoup les campagnols. Devines-tu pourquoi ?

Une libellule
Sur une campanule
Au crépuscule.

campanule n. f.
Plante qui donne des fleurs bleues ou violettes, en forme de clochettes. *Les campanules poussent surtout dans les régions montagneuses.*

Conjugaison 1

Quand on voyage, c'est moins cher de camper que d'aller à l'hôtel.

① **camper** v.
Vivre en plein air en habitant sous une tente ou dans une caravane. *Pendant les vacances, Alex et Réjean ont campé au bord de la mer.*

Ils ont fait du *camping.*

▸ **campement** n. m. Lieu où l'on campe ; vois **camp.** *Les cow-boys sont arrivés près du campement d'Indiens.*

▸ **campeur** n. m., **campeuse** n. f. Personne qui campe. *Les campeurs font leur cuisine sur un réchaud.*

Famille de **camp**

Conjugaison 1

② **camper** v.
Camper un personnage, c'est le présenter en en disant l'essentiel. *Une fois qu'on a dit que Mme Harpie est bête et méchante, on a bien campé son personnage.*

Camping [kɑ̃piŋ] rime avec *parking.*

camping n. m.
Faire du camping, c'est séjourner sous une tente ou dans une caravane. *Alex et Réjean aiment le camping. Ils ont trouvé un terrain de camping bien situé.*

Va voir aussi ① **camper.**
On dit aussi *un camping.*

Au féminin : *camuse.*

camus adj.
M. Bonnot a un nez camus, un nez court et plat.

Tintin a décidé d'arrêter cette canaille de trafiquant d'armes.

canaille n. f.
Personne malhonnête, qui fait du mal aux autres et mérite le mépris ; vois **crapule, fripouille.** *Je n'ai pas confiance en lui, c'est une canaille.*

Au pluriel : *des canaux.*

Des péniches circulent sur les canaux. Elles passent de nombreuses écluses.

canal n. m.
1. Cours d'eau artificiel, construit par l'homme. *En jouant sur la rive, Sylvain est tombé dans le canal.* **2.** Moyen par lequel on communique quelque chose. *Mme Roussel avait trouvé son emploi par le canal des petites annonces,* par l'intermédiaire des petites annonces.

On peut construire des canaux pour la navigation, ou des canaux plus petits, pour irriguer des champs.

Conjugaison 1

▸ **canaliser** v. **1.** *Canaliser une rivière,* c'est l'aménager pour que les bateaux puissent y naviguer. *Le Rhin fut canalisé au XIXe siècle.* **2.** *Les policiers ont canalisé la foule qui sortait du stade,* ils l'ont dirigée dans un certain sens, pour qu'elle ne se disperse pas partout.

Le contraire de *canaliser,* c'est *éparpiller.*

▸ **canalisation** n. f. Tuyau où passe un liquide ou un gaz. *La canalisation d'eau a crevé ; il y a eu une inondation dans la rue.*

Un *canapé-lit* est un canapé que l'on peut transformer en lit.

canapé n. m.
1. Long siège à dossier, confortable, sur lequel plusieurs personnes peuvent s'asseoir. *Antoine s'est endormi sur le canapé du salon.* **2.** Petite tranche de pain sur laquelle on met des morceaux de fromage, d'anchois, d'œufs, de saumon, etc. *Mme Séverac apporte des canapés au fromage pour l'apéritif.*

Un canapé est plus large et plus confortable qu'un *banc.* Il a un dossier, alors que le *divan* n'en a pas.

C'était un joli canard. Il avait la tête et le col bleus, le jabot couleur de rouille et les ailes rayées bleu et blanc
(les Contes du Chat perché).

canard n. m.
Oiseau qui a un large bec jaune, des ailes longues et pointues, des pattes palmées et qui nage très bien. *M. Bellec est allé à la chasse au canard sauvage. Claire regarde les canards dans la mare. Sophie Pelletier a mangé du canard aux navets.*

La femelle du canard est la *cane.* Le petit du canard est le *caneton.*

Le canari est un serin originaire des îles Canaries.

canari n. m.
Petit oiseau au plumage jaune. *Les canaris chantent dans leur cage.*

Le canard rit en voyant le canari !

Ce mot est le plus souvent utilisé au pluriel.

cancan n. m.
Des cancans, ce sont des paroles et des histoires méchantes sur les gens ; vois **commérage, potin, racontar, ragot.** *Mme Harpie adore faire des cancans sur tout le monde.*

C'est une tumeur qui grandit en détruisant les cellules.

cancer n. m.
Maladie très grave. *La mère de Sophie Pelletier est morte d'un cancer de l'estomac.*

Les recherches sur le cancer progressent très vite.

▸ **cancéreux** adj. *La mère de Sophie Pelletier était cancéreuse,* elle avait un cancer.

▸ ***cancérigène*** adj. *Le tabac est cancérigène,* il peut provoquer un cancer.

Ce mot est familier.

cancre n. m.
Mauvais élève paresseux. *Colle et Rat sont des cancres, ils n'écoutent jamais ce que dit la maîtresse.*

candélabre n. m.
Grand chandelier à plusieurs branches. *Les salles des châteaux étaient éclairées par de grands candélabres.*

candeur n. f.
Naïveté et innocence. *Claire regardait le gros chien avec candeur,* sans se méfier.

Elle avait un air *candide.*

candi adj.
Du sucre candi, c'est du sucre en morceaux lisses, transparents, et de forme irrégulière, que l'on mange comme un bonbon. *Mamie Lou a donné du sucre candi à Claire.*

C'est du sucre cristallisé.

candidat n. m., ***candidate*** n. f.
Personne qui veut obtenir un travail, passe un examen ou se présente à une élection. *Quand M. Bellec a cherché un nouveau serveur pour son restaurant, dix candidats se sont présentés. Alex est candidat au baccalauréat.*
▸ ***candidature*** n. f. *Mme Séverac a posé sa candidature aux élections,* elle a fait savoir qu'elle était candidate.

Le contraire de *candide,* c'est *faux, fourbe, rusé.*

candide adj.
Un air candide, c'est un air innocent et naïf. *Claire a un air candide.*

Elle est pleine de *candeur.*

Ne confonds pas *cane* et *canne.*

cane n. f.
Femelle du canard. *La cane sauta dans l'eau et tous les canetons plongèrent après elle.*
▸ ***caneton*** n. m. Petit de la cane et du canard. *Les œufs ont éclos, et les canetons sont sortis l'un après l'autre.*

Les canes ont un plumage moins coloré que les canards.

Le vilain petit canard était un drôle de caneton !

On peut écrire aussi : *cannette.*

canette n. f.
1. Bobine qui reçoit le fil de dessous sur une machine à coudre. *Mme Roussel a appris à Antoine à remplir la canette.* **2.** Petite bouteille de bière. *Denis Prost cherche le décapsuleur pour ouvrir une canette.*

On ne prononce ni le ***e*** ni le ***s*** : [kanvɑ].

canevas n. m.
1. Grosse toile dure aux fils espacés sur laquelle on brode. *Claire fait du canevas avec Mamie Lou.* **2.** *Denis Prost raconte le canevas du prochain film dans lequel il va jouer,* le résumé de l'histoire du film ; vois ***plan.***

Le canevas comporte un dessin que l'on recouvre de fils de différentes couleurs.

caniche n. m.
Chien à poil frisé, en général petit. *La vieille dame promenait son caniche en laisse. Julie est frisée comme un caniche.*

Le caniche est un animal doux et fidèle.

Le caniche est dans sa niche
Sur la péniche.

Le contraire de *canicule,* c'est *froid.*

canicule n. f.
Époque de grande chaleur. *On ne peut pas sortir par cette canicule.*

C'est en été qu'il y a la canicule.

canif n. m.
Petit couteau de poche dont la lame se replie dans le manche. *Loïc a taillé un morceau de bois avec son canif.*

Un canif peut avoir plusieurs lames.

canin adj.
Relatif au chien. *Mme Séverac a visité une exposition canine,* une exposition de chiens.

Les chiens appartiennent à *la race canine.*

canine n. f.
Dent pointue entre les prémolaires et les incisives. *Les canines poussent après les incisives.*

Les canines des chiens sont des *crocs.*

L'homme a quatre canines.

Au pluriel : *des caniveaux.*

caniveau n. m.
Rigole dans laquelle coulent les eaux d'une rue, le long du trottoir. *Julie jette son papier de bonbon dans le caniveau.*

Au Moyen Âge, les caniveaux étaient au milieu de la rue.

Ne confonds pas *canne* et *cane.*

canne n. f.
1. Bâton sur lequel on s'appuie en marchant. *M. Bonnot marche avec une canne.* **2.** *Une canne à pêche,* c'est un long bâton au bout duquel on attache un fil pour pêcher. *M. Bellec a plusieurs cannes à pêche.* **3.** *La canne à sucre,* c'est une plante qui a une grande tige d'où l'on extrait du sucre. *On a connu le sucre de canne avant le sucre de betterave.*

Une canne peut être droite ou avoir une poignée recourbée. Les aveugles ont des cannes blanches.

On cultive la canne à sucre dans les pays chauds.

La cannelle est une épice que l'on tire de l'écorce d'un arbre des pays chauds.

cannelle n. f.
Poudre marron clair très parfumée que l'on met dans des plats pour leur donner du goût. *M. Bellec met de la cannelle dans la compote de pommes.*

Attention ! deux ***n*** et deux ***l*** dans *cannelle.*

Les habitants de l'île, de féroces sauvages cannibales ont surpris Céleste pendant son sommeil *(Babar).*

cannibale n. m.
Personne qui mange de la chair humaine ; vois ***anthropophage.*** *En mangeant le corps de leurs adversaires, les cannibales pensaient s'emparer de leur force.* — adj. *Quelques tribus indiennes d'Amérique du Sud sont cannibales.*

Il n'y a plus de cannibales, nous avons mangé le dernier la semaine passée !

Au pluriel : *des canoës.*

canoë n. m.
Petit bateau léger et fin que l'on peut porter. *Yasmina a fait du canoë sur la rivière lorsqu'elle était en colonie de vacances.*

Ohé ! crie Zoé
Sur son canoë.

Le canoë était le bateau des Indiens.

① canon n. m.
1. Arme en forme de gros tube très lourd qui sert à lancer des obus. *On a tiré un coup de canon pour donner le départ de la course.* **2.** Tube de métal par où partent les balles, dans une arme à feu. *Le bandit appuyait le canon de son revolver sur la tempe de l'otage.*

Autrefois, les canons lançaient des boulets.

Autre membre de la famille : **canonner.**

Dans une armée, c'est l'artillerie qui s'occupe des canons.

② canon n. m.
Chant dans lequel on reprend le même air, décalé, à plusieurs voix. *Yasmina et Antoine chantent « Frère Jacques » en canon.*

On peut prononcer le ***n*** de la fin, ou non : [kanjɔn] ou [kanjɔ̃].

cañon n. m.
Ravin étroit et profond, creusé par un cours d'eau. *Réjean a visité le Grand canyon du Colorado, aux États-Unis.*

Attention au petit signe sur le ***ñ.*** On peut aussi écrire : *canyon.*

Conjugaison 1

La *canonnade* a duré plusieurs heures.

canonner v.
Tirer au canon sur un objectif ; vois ***bombarder.*** *Les artilleurs ont canonné la ville pendant plusieurs heures.*

Famille de ① **canon**

À Paris, on dit [kano], les gens de la côte disent [kanɔt].

canot n. m.
Petit bateau ouvert sur le dessus ; vois ***barque.*** *Les naufragés ont été retrouvés sur le canot de sauvetage.*

Il y a des canots à rames et des canots à moteur.

Il l'a emmenée faire du *canotage.*

▸ ***canoter*** v. Se promener en barque. *Denis Prost a emmené Julie canoter sur le lac.*

Conjugaison 1

Maurice Chevalier (1888-1972) était un chanteur français très célèbre.

canotier n. m.
Chapeau de paille rond, à fond plat, porté par les hommes. *Maurice Chevalier portait un canotier.*

Au pluriel : *des cantals.*

cantal n. m.
Fromage à pâte jaune très ferme, fait avec du lait de vache, dans le Cantal. *Le docteur Séverac aime beaucoup le cantal.*

Le Cantal est un département d'Auvergne.

Compare ***cantate*** et ***cantique :*** on **chante.**

cantate n. f.
Morceau de musique joué par un orchestre et comportant des parties chantées. *Denis Prost écoute une cantate de Bach à la radio.*

J.-S. Bach a écrit de nombreuses cantates.

Compare ***cantatrice*** et ***cantique :*** on **chante.**

cantatrice n. f.
Chanteuse d'opéra ou de chant classique. *La Callas, qui vécut de 1923 à 1977, était une grande cantatrice.*

Dans *Tintin,* la Castafiore est une cantatrice de Milan.

cantine n. f.
1. Endroit d'une école, d'un lieu de travail, où l'on sert à manger. *Presque tous les enfants de la classe déjeunent à la cantine.* **2.** Grosse malle en métal ou en bois. *Les enfants ont trouvé dans le grenier une cantine remplie de vieux vêtements.*

Les élèves qui mangent à la cantine sont des demi-pensionnaires.

Va voir aussi ***réfectoire.***

Compare ***cantique*** et ***cantate :*** on **chante.**

cantique n. m.
Chant religieux. *Yves chante des cantiques à la messe, avec la chorale.*

canton n. m.

Dans chaque canton, on élit des conseillers généraux, lors des élections *cantonales.*

1. Partie d'un département, plus petite que l'arrondissement. *Cette ville est un chef-lieu de canton.* **2.** *La Suisse est formée de vingt-trois cantons,* vingt-trois États qui forment la Confédération helvétique. *Mme Hespel est allée aux sports d'hiver dans le canton du Valais.*

Va voir aussi ***arrondissement.***

à la **cantonade** adv.

Antoine a dit bonjour à la cantonade, à tout le monde en même temps, sans s'adresser à quelqu'un en particulier.

N'oublie pas les deux ***n*** !

cantonner v.

1. *Cantonner quelqu'un dans un endroit,* c'est l'y mettre sans lui demander son avis. *Tous les émigrés ont été cantonnés dans le même quartier.* **2.** Faire camper. *Les troupes ont été cantonnées dans des bâtiments inhabités.*

Conjugaison 1

▸ ***cantonnement*** n. m. Endroit où l'on cantonne des soldats. *Ces bâtiments ont servi de cantonnement aux soldats.*

canular n. m.

Le 1er avril, on fait des canulars.

Blague, farce. *Antoine a fait croire à la classe que Mme Harpie allait remplacer l'institutrice : c'était un canular,* une fausse nouvelle.

La chasse au dahut, c'est un canular.

N'oublie pas le ***c*** final, qui ne se prononce pas.

caoutchouc n. m.

Le plus connu des arbres à caoutchouc est l'hévéa.

Substance élastique et imperméable qui provient du liquide qui s'écoule de certains arbres. *Quand il pleut, Julie met des bottes en caoutchouc.*

Ce liquide s'appelle le *latex.* Aujourd'hui on fabrique du caoutchouc synthétique.

▸ ***caoutchouteux*** adj. Qui a la consistance du caoutchouc. *Cette viande est caoutchouteuse.*

On prononce le ***p*** de ***cap*** : [kap].

Ne confonds pas *cap* et *cape.*

cap n. m.

1. Pointe de terre qui s'avance dans la mer. *Yves est allé au cap Fréhel.* **2.** Direction que suit un bateau ou un avion. *Le bateau a mis le cap sur Binic,* il va vers Binic.

Vasco de Gama a doublé le cap de Bonne-Espérance en 1497.

capable adj.

Les castors sont capables de construire des barrages de 4 m de haut et de 500 m de long.

Être capable de faire quelque chose, c'est pouvoir le faire, avoir les qualités nécessaires pour le faire. *Angèle est capable de changer la roue de sa voiture. Mme Harpie est capable des pires méchancetés.*

Le contraire, c'est *incapable.* Autre membre de la famille : **incapable.**

capacité n. f.

1. Aptitude. *Le docteur Séverac a de grandes capacités de travail,* il peut travailler beaucoup. **2.** Ce que peut contenir quelque chose ; vois ***contenance.*** *Ce tonneau a une capacité de cinquante litres.*

La capacité des poumons d'un adulte est d'environ 4 litres d'air.

Le contraire, c'est *incapacité* Autre membre de la famille : **incapacité.**

Attention à la place du ***p*** et du ***r*** ; les chevaux n'ont pas de carapace !

caparaçonné adj.

Un cheval caparaçonné, c'est un cheval recouvert d'une armure. *Pour les tournois, les chevaux étaient caparaçonnés.*

Au féminin : *caparaçonnée.*

Ne confonds pas *cape* et *cap.*

cape n. f.

Manteau sans manches qui enveloppe le corps et les bras. *Les mousquetaires avaient des capes et des épées. Julie a une cape à carreaux.*

Les romans *de cape et d'épée* racontent les aventures des mousquetaires.

Prononce [kapilɛʀ].

capillaire adj.

Attention, un ***p*** et deux ***l.***

1. Relatif aux cheveux. *Denis Prost utilise une lotion capillaire,* pour les cheveux. **2.** *Les vaisseaux capillaires,* ce sont des vaisseaux sanguins fins comme des cheveux. *Les vaisseaux capillaires ne sont visibles qu'au microscope.*

On dit aussi *les capillaires.*

Prononce [kapilaʀite].

▸ ***capillarité*** n. f. *Dans un bac à fleurs à réserve d'eau, la terre est humidifiée par capillarité,* l'eau monte le long d'une mèche.

Les briquets à essence, les lampes à pétrole sont alimentés par capillarité.

capitaine n. m.

1. Officier qui est à la tête d'une compagnie. *Le capitaine des pompiers est arrivé tout de suite sur le lieu de l'incendie.* **2.** Officier qui commande un navire de commerce. *Il faut obéir aux ordres du capitaine. Le capitaine est maître à bord.* **3.** Chef d'une équipe sportive. *David a été choisi comme capitaine de l'équipe de football.*

Le capitaine porte trois galons

« Au revoir, capitaine. Je me réjouis de ce qu'il y ait un marin parmi les premiers hommes qui prendront pied sur la Lune ! », dit Baxter au capitaine Haddock.

À vos ordres, mon capitaine !

① **capital** adj.

1. Qui est le plus important. *Il est capital de comprendre l'accord du*

Au masculin pluriel : *capitaux*

participe passé pour ne pas faire de fautes d'orthographe. **2.** *La peine capitale,* c'est la peine de mort. *L'assassin a été condamné à la peine capitale.*

La peine de mort a été abolie en France en 1981.

Au pluriel : *des capitaux.* Ne confonds pas *capital* et *capitale.*

② ***capital*** n. m.
1. Somme d'argent que l'on place dans une banque ou dans une entreprise et qui rapporte des intérêts. *Le docteur Séverac a mis des capitaux dans une clinique.* **2.** Richesse possédée par quelqu'un ; vois ***fortune.*** *Hippolyte n'a pas un gros capital. Alex a sa moto pour tout capital.*

Un capital peut être constitué d'argent, d'immeubles, de terrains, d'objets d'art, de bijoux, etc.

On dit parfois de quelqu'un de riche que c'est un *capitaliste.*

▸ ***capitalisme*** n. m. Système économique dans lequel les capitaux n'appartiennent pas à l'État, mais à des personnes. *Les communistes sont hostiles au capitalisme.*

Ne confonds pas *capitale* et *capital.*

capitale n. f.
1. Ville où siège le gouvernement d'un pays. *Madrid est la capitale de l'Espagne.* **2.** Lettre majuscule. *Julie a écrit son nom en capitales sur la couverture de son cahier : JULIE PROST.*

Omsk est la capitale officielle de la Sibérie occidentale *(Michel Strogoff).*

Attention aux deux ***n*** !

capitonné adj.
Un fauteuil capitonné, c'est un fauteuil qu'on a rembourré et recouvert de tissu en piquant par endroits. *Mamie Lou s'est assise dans un fauteuil capitonné.*

Au féminin : *capitonnée.*

Conjugaison 1

capituler v.
Cesser de se battre, s'avouer vaincu. *Vercingétorix a capitulé à Alésia.*
▸ ***capitulation*** n. f. Action de capituler. *La capitulation de Vercingétorix eut lieu à Alésia.*

C'est après deux mois de siège que Vercingétorix se rendit à César.

Au pluriel : *des caporaux.*

caporal n. m.
Celui qui a le grade le moins élevé dans l'armée. *Généralement, le caporal commande une équipe de quatre ou cinq hommes.*

Napoléon Ier fut surnommé le Petit Caporal.

Attention au ***t*** final !

capot n. m.
Ce qui recouvre le moteur d'une voiture. *Angèle a soulevé le capot de sa voiture pour sortir la roue de secours.*

capote n. f.
1. Grand manteau. *Pendant son service militaire, Hippolyte avait une capote kaki.* **2.** Toit pliant d'une voiture. *Quand il fait chaud, c'est agréable de pouvoir enlever la capote.*

Autre membre de la famille : **décapotable.**

Conjugaison 1

capoter v.
La voiture a capoté, elle s'est retournée, s'est retrouvée sur le toit.

Câpre est un nom féminin.

câpre n. f.
Bouton d'un arbuste que l'on conserve dans le vinaigre et que l'on utilise comme condiment. *M. Bellec prépare de la raie aux câpres.*

Les câpres sont vert foncé et ont un goût un peu piquant.

caprice n. m.
Envie subite et passagère. *Denis Prost passe à sa fille Julie tous ses caprices. Julie a fait un caprice pour aller au cinéma avec Marie-Tévy,* elle a fait une colère pour qu'on lui en donne la permission.

On parle des *caprices de la mode* pour dire que la mode change souvent.

Les caprices d'Alice,
les folies d'Amélie,
les marottes de Charlotte.

Le temps est *capricieux :* il change sans arrêt.

▸ ***capricieux*** adj. *Une personne capricieuse,* c'est une personne qui fait des caprices. *Julie est très capricieuse.*

Les bouteilles de boissons gazeuses sont souvent fermées avec une capsule.

capsule n. f.
1. Bouchon en métal qui sert à fermer certaines bouteilles. *Yves ramasse les capsules des bouteilles de bière.* **2.** *La capsule spatiale,* c'est la partie de la fusée où sont les cosmonautes ; vois ***cabine.*** *Les cosmonautes ont pris place dans la capsule spatiale.*

Autres membres de la famille : **décapsuler, décapsuleur.**

Compare ***capter*** et ***capturer*** : on **attrape** quelque chose.

capter v.
1. *Capter l'attention de quelqu'un,* c'est retenir son attention. *Angèle, la maîtresse, a réussi à capter l'attention de toute la classe en parlant des dinosaures.* **2.** *Capter l'eau d'une source,* c'est recueillir l'eau et l'amener ailleurs au moyen de canaux ou de tuyaux. *On capte l'eau des rivières pour alimenter les villes en eau.* **3.** *Capter une émission de radio ou de télévision,* c'est la recevoir. *À Roubaix, Mme Hespel capte la télévision belge.*

Conjugaison 1

En Alsace, on peut capter la télévision allemande.

C'est en captant les rayons du soleil que l'on chauffe les maisons solaires.

Dans les zoos, les animaux sont en captivité.

Ne confonds pas *captiver, capter* et *capturer.*

Les romans d'aventures de Jules Verne sont captivants.

Compare ***capture, capter*** et ***captif*** : dans ces mots, il est question d'**attraper.**

Ne confonds pas *capturer* et *captiver.*

Compare ***capuche, cape, capot*** et ***capote*** : il est question de **recouvrir.**

Le capuchon empêche l'encre de sécher.

Dansons la capucine
Y a plus de pain chez nous
(chanson).

Conjugaison 4 ▭ Indic. présent : *je caquette, nous caquetons.* Imparfait : *je caquetais.* Futur : *je caquetterai.*

Car annonce l'explication de ce qui précède.

Car est l'abréviation de *autocar.*

Conjugaison 1

Les livres pour enfants sont écrits en gros caractères.

Sylvain a de la fièvre et des boutons rouges.

Conjugaison 1

Le brouillard est une caractéristique du climat de Londres.

captif n. m., ***captive*** n. f.
Personne emprisonnée ; vois ***prisonnier.*** *Les captifs ont essayé de s'évader.* — adj. *Les soldats captifs sont regroupés dans un camp.*
▸ ***captivité*** n. f. État de celui qui est prisonnier. *Pendant la Deuxième Guerre mondiale, le père de Mme Hespel était en captivité.*

captiver v.
Passionner. *Les histoires de dinosaures captivent les élèves d'Angèle,* les intéressent énormément. *Julie et Antoine sont captivés par la préhistoire.*
▸ ***captivant*** adj. Passionnant. *L'histoire des dinosaures est captivante,* elle est très intéressante.

capture n. f.
1. Action de s'emparer de ce que l'on chassait. *La capture des bandits a été difficile.* **2.** Ce que l'on chassait et que l'on a réussi à attraper. *Les chasseurs ont attrapé un lion ; ils sont fiers de leur capture !*
▸ ***capturer*** v. Attraper vivant. *Les chasseurs ont capturé un lion pour le zoo.*

capuche n. f.
Large bonnet attaché à un vêtement et que l'on peut rabattre sur la tête ; vois ***capuchon.*** *Julie a un imperméable à capuche.*
▸ ***capuchon*** n. m. **1.** Capuche d'un vêtement. *Julie relève son capuchon quand il fait froid ou quand il pleut.* **2.** Bouchon de stylo. *Antoine a perdu le capuchon de son stylo.*

capucine n. f.
Plante à feuilles rondes et à fleurs jaunes, orangées ou rouges. *Yves a offert un pot de capucines à sa grand-mère.*

caqueter v.
Les poules caquettent, elles poussent des cris au moment de pondre. *Les poules ont caqueté, Claire va pouvoir aller ramasser les œufs.*
▸ ***caquet*** n. m. Bavardage désagréable. *Vivement que quelqu'un rabaisse le caquet de Mme Harpie,* la fasse taire.
▸ ***caquètement*** n. m. Cri de la poule quand elle est en train de pondre. *Claire a entendu des caquètements, elle va aller ramasser les œufs.*

① ***car*** conjonction
Parce que. *Mamie Lou met des lunettes, car elle voit mal. Mme Séverac fait un régime amaigrissant, car elle se trouve trop grosse.*

② ***car*** n. m.
Autocar. *Angèle et ses élèves sont partis en car faire un pique-nique en forêt.*

carabine n. f.
Fusil léger. *Dans les fêtes foraines, il y a des stands de tir à la carabine.*
▸ ***carabinier*** n. m. Gendarme italien ou douanier espagnol. *Les carabiniers ont fouillé la caravane des Bellec à la frontière.*

caracoler v.
Un cheval qui caracole, c'est un cheval qui fait des sauts. *Denis Prost fait caracoler sa jument.*

caractère n. m.
1. Lettre d'imprimerie. *Mamie Lou n'arrive pas à lire les petits caractères.* **2.** Manière d'être, de réagir. *Antoine rit toujours, c'est dans son caractère. Mme Harpie a mauvais caractère,* elle est désagréable. **3.** Particularité. *La maladie de Sylvain présente les caractères de la rougeole. La maison des Séverac a du caractère,* elle n'est pas comme les autres.
▸ ***caractériser*** v. Constituer le caractère d'une personne ou d'une chose. *C'est sa méchanceté qui caractérise Mme Harpie.*
▸ ***caractéristique*** n. f. Ce qui caractérise ; vois ***caractère.*** *De la fièvre et des boutons rouges : voilà les caractéristiques de la rougeole.* — adj. *Les boutons de Sylvain sont des symptômes caractéristiques de la rougeole. Cette odeur de poisson est caractéristique.*

Le contraire de *captivité,* c'est *liberté.*

Conjugaison 1

Va voir aussi ***prise.***

Conjugaison 1

La feuille de capucine ressemb[le] à un bouclier et la fleur à u[n] casque.

On dit d'une personne qui bavarde tout le temps qu'*elle caquette.*

Ne confonds pas *car* et *quar[t].*

Nous sommes les carabinier[s]
La sécurité des foyers !
(chanson).

Pour avoir un pedigree, un chie[n] doit présenter tous les cara[c]tères propres à sa race.

C'est son unique cheveu q[ui] caractérise la tête du professeu[r] Nimbus.

La culture de la lavande es[t] caractéristique d'une région a[u] climat chaud et sec.

carafe n. f.

)n peut aussi servir le vin en ›ichet.

Large bouteille en verre, resserrée dans le haut. *M. Bellec sert le vin en carafe.*

Garçon ! Une carafe d'eau, s'il vous plaît.

carambolage n. m.

Attention au ***m*** devant le ***b*** de *cara**m**bolage* !

Suite d'accidents de voiture provoqués les uns par les autres. *Une voiture a calé, la suivante l'a heurtée, une troisième a dérapé en freinant et tamponné une quatrième, quel carambolage !*

caramel n. m.

1. Sucre cuit avec de l'eau et devenu un sirop brun, brillant, collant, parfumé. *Le caramel durcit très vite en refroidissant.* **2.** Bonbon au caramel. *Julie a acheté des caramels mous chez Mme Harpie.*

Mme Harpie est marchande de bonbons.

Compare : *caramel → caraméliser* et *alcool → alcooliser.*

▸ **caraméliser** v. **1.** Devenir du caramel. *Le sucre a caramélisé. — Le dessus de la tarte s'est caramélisé dans le four.* **2.** Mêler, couvrir de caramel. *Mamie Lou caramélise le moule pour faire une crème au caramel.*

Conjugaison 1

carapace n. f.

.a carapace des crustacés de-·ient rose ou rouge quand on les ·ait cuire.

Partie dure du corps de certains animaux, qui les enveloppe et les protège comme une armure. *La tortue effrayée a vite rentré sa tête et ses pattes sous sa carapace.*

Les crevettes, les homards, les écrevisses ont une carapace.

① **caravane** n. f.

1. Groupe de voyageurs qui traversent une région difficile à franchir. *Une caravane de nomades a traversé le désert à dos de dromadaire.* **2.** Groupe de personnes qui se déplacent. *Une caravane de ravitaillement a secouru les victimes du tremblement de terre.*

Les chameaux, les dromadaires, les éléphants, les ânes, les lamas sont des animaux qui peuvent marcher longtemps et transporter les hommes et les marchandises des caravanes.

Au pluriel : *des caravansérails.*

▸ **caravansérail** n. m. Grande cour entourée de bâtiments où les caravanes s'arrêtent. *Les nomades ont passé la nuit au caravansérail.*

② **caravane** n. f.

)n ne doit pas rester dans la :aravane pendant le transport.

Remorque d'automobile équipée comme une petite maison. *Les Bellec partent en vacances en caravane.*

caravelle n. f.

.es caravelles à trois ou quatre nâts étaient des bateaux ra-·ides et assez faciles à ma-œuvrer.

1. Bateau à voiles qu'on utilisait aux XVe et XVIe siècles. *L'équipage d'une caravelle pouvait comprendre quatre-vingts hommes.* **2.** Avion à réaction qui transporte des passagers.

Christophe Colomb partit avec trois caravelles le 3 août 1492.

carbone n. m.

Le *carbone 14* est du carbone radioactif qui permet de dater des restes très anciens.

1. Corps chimique que l'on trouve dans beaucoup d'éléments qui composent la terre et dans tous les organismes vivants. *La mine de crayon et le diamant sont du carbone.* **2.** Papier chargé d'une couleur, que l'on place entre deux feuilles blanches pour faire des doubles. *Mme Roussel a tapé sa lettre en trois exemplaires avec deux carbones.*

Le charbon, le pétrole, le jais contiennent du carbone.

On dit aussi : du *papier carbone.*

▸ **carbonique** adj. *Le gaz carbonique,* c'est un mélange de carbone et d'oxygène. *L'air qu'on expire est chargé de gaz carbonique.*

C'est un gaz très dangereux ; il est incolore et inodore.

Conjugaison 1

▸ **carboniser** v. Brûler complètement et transformer en charbon. *Les animaux fuyaient devant l'incendie qui carbonisait la forêt.*

carburant n. m.

.'essence, le pétrole, le gas-oil ·ont des carburants.

Matière liquide qu'on utilise pour faire marcher un moteur. *L'avion s'est posé pour se ravitailler en carburant.*

Le carburant se mélange à l'air et produit de l'énergie en explosant dans le cylindre.

.e carburant pénètre dans le :arburateur à l'état de vapeur.

▸ **carburateur** n. m. Partie du moteur où le carburant se mélange à l'air. *Le garagiste nettoie le carburateur de la voiture.*

carcan n. m.

Le carcan des habitudes, c'est la contrainte des habitudes.

Collier de fer fixé à un poteau en plein air où l'on attachait un condamné par le cou ; vois ***pilori.*** *L'accusé a été condamné au carcan.*

carcasse n. f.

;i on enlève les ailes, les cuisses, ɛ blanc d'un poulet rôti, il ne ·este que la carcasse.

1. Squelette d'un animal mort ; vois ***ossements.*** *Les vautours n'ont laissé que la carcasse du zèbre tué par le lion.* **2.** *On peut couler du béton sur une carcasse métallique,* des éléments métalliques qui soutiennent la construction ; vois ***armature, charpente.***

cardiaque adj.
1. Du cœur. *Le père de Denis Prost a une maladie cardiaque. Il a déjà fait une crise cardiaque,* qui atteint le cœur. **2.** *Une personne cardiaque,* c'est une personne atteinte d'une maladie de cœur. *Le père de Denis Prost est cardiaque.* — n. m. et f. *C'est un cardiaque.*

Mettez un cardigan
Et des gants
Dans l'ouragan !

cardigan n. m.
Veste de laine tricotée, à manches longues, qui se ferme sur le devant ; vois ***gilet.*** *Mamie Lou met son cardigan pour aller dehors.*

Au pluriel : *des cardinaux.*

① **cardinal** n. m.
1. Dans l'Église catholique, prêtre de rang élevé, nommé par le pape, membre d'une assemblée qui élit et conseille le pape. *Le cardinal de Richelieu était ministre de Louis XIII.* **2.** Oiseau passereau au plumage rouge foncé. *On trouve des cardinaux en Amérique.*

On donne le titre d'Éminence à un cardinal.

Sa couleur est celle des vêtements des cardinaux.

Troisième est un adjectif numéral ordinal. Va voir aussi ***ordinal.***

② **cardinal** adj.
1. *Un adjectif numéral cardinal,* c'est un adjectif qui indique une quantité. *Dans « Mme Séverac a trois enfants », « trois » est un adjectif numéral cardinal.* **2.** *Les quatre points cardinaux,* ce sont les quatre points à partir desquels on situe les autres points de l'horizon. *Le nord, le sud, l'est et l'ouest sont les quatre points cardinaux.*

C'est un déterminant.

Les points cardinaux sont indiqués sur la rose des vents, sur le cadran de la boussole.

carême n. m.
Période de quarante-six jours qui va de Mardi gras au jour de Pâques. *Le carême est une période de jeûne pour les chrétiens.*

Autre membre de la famille : **Mi-Carême.**

carence n. f.
Manque. *Marie-Tévy souffre d'une carence en vitamines,* d'une insuffisance ou d'une absence de vitamines.

caresse n. f.
Faire des caresses, c'est toucher doucement pour avoir et donner une sensation agréable. *Le chat Félix aime les caresses de Julie.*

Conjugaison 1

▸ ***caresser*** v. **1.** Faire des caresses par plaisir, par tendresse. *Julie a horreur qu'on lui caresse la joue.* **2.** *Hippolyte caresse Angèle du regard,* il la regarde amoureusement, tendrement. **3.** *Sylvain caressait l'espoir de revoir Nathalie,* il espérait la revoir et y pensait souvent.

Le chien allongea le cou, offrant sa grosse tête aux deux petites qui lui caressèrent son poil ébouriffé. Et, en effet, sa queue se mit à frétiller
(les Contes du Chat perché).

Le contraire de *caressant,* c'est *froid.*

▸ ***caressant*** adj. *Une personne caressante,* c'est une personne qui aime caresser, qui est tendre et affectueuse. *Claire est très caressante ;* vois ***câlin.***

cargaison n. f.
Marchandises transportées par un bateau, un avion ou un camion. *On a envoyé par avion une cargaison de médicaments.*

Attention, *cargo* se termine par un ***o***, comme *brav**o**, numér**o*** et *domin**o**.*

cargo n. m.
Gros bateau qui transporte surtout des marchandises. *Les bananiers sont les cargos qui transportent les cargaisons de bananes.*

caribou n. m.
Renne du Canada. *Les caribous grimpent dans les montagnes en été et descendent dans les vallées en hiver.*

Il y a environ 300 000 caribous au Canada.

Va voir aussi ***renne.***

caricature n. f.
Dessin comique qui accentue les défauts. *Antoine a fait une caricature de Mme Harpie.*

Il n'a pas oublié de dessiner la verrue qu'elle a sur le nez !

Dans les journaux, il y a souvent des caricatures d'hommes politiques.

Au féminin : *caricaturale.* Au masculin pluriel : *caricaturaux.*

▸ ***caricatural*** adj. Qui est naturellement comme une caricature. *Le nez de Mme Harpie est caricatural, il est grand et porte une grosse verrue.*

Les sœurs de Cendrillon sont caricaturales.

▸ ***caricaturer*** v. Dessiner ou décrire en ridiculisant. *Antoine a caricaturé Mme Harpie,* il a fait sa caricature.

Conjugaison 1

carie n. f.
Maladie qui détruit l'émail et l'ivoire de la dent en formant un trou. *Si Antoine mange trop de bonbons, il va avoir des caries.*

Pour éviter d'avoir des caries, il faut se laver les dents après chaque repas.

Avant le XVIIIe siècle, les brosses à dents n'existaient pas.

▸ ***carié*** adj. *Une dent cariée,* c'est une dent qui a une carie. *Quand on a une dent cariée, on va chez le dentiste.*

Le dentiste met alors un plombage.

Prononce [kaʀijɔ̃].

Il y a de très beaux carillons dans les beffrois du nord de la France.

carillon n. m.
1. Ensemble de cloches qui sonnent en même temps en donnant des sons différents. *Le carillon de l'église ne fonctionne plus.* **2.** Horloge qui joue un air tous les quarts d'heure. *Le carillon de Mamie Lou retarde.*

Attention ! deux *l* et deux *n*.

▷ ***carillonner*** v. **1.** *Les cloches carillonnent,* elles sonnent en carillon. **2.** Sonner bruyamment. *Qui carillonne ainsi à la porte ? C'est Julie.*

Conjugaison 1

carlingue n. f.
Partie d'un avion où se trouvent l'équipage et les passagers. *Les animaux ne sont pas admis dans la carlingue.*

Les animaux voyagent dans la soute.

carmin n. m.
Rouge vif. *Sophie Pelletier a une jupe d'un beau carmin.* — adj. invariable *Mme Séverac a des habits carmin.*

carnage n. m.
Massacre. *La bataille a été un véritable carnage ;* vois ***boucherie.***

Compare *carnassier, carnage, carnier* et *carnivore* : dans tous ces mots, il s'agit de **viande.**

carnassier n. m., ***carnassière*** n. f.
Animal qui chasse et se nourrit de viande crue. *Le lion et le loup sont des carnassiers.* — adj. *Le tigre est un animal carnassier.*

Ne confonds pas avec *carnivore :* le carnassier mange crues les proies qu'il a tuées.

Au pluriel : *des carnavals.*

carnaval n. m.
Grande fête où l'on se déguise et où il y a des défilés. *Pour le carnaval de Mardi gras, Julie était déguisée en fée.*

Le carnaval de Rio et celui de Nice sont très célèbres.

carnet n. m.
1. Petit cahier. *Le docteur Séverac note ses rendez-vous sur un carnet de rendez-vous. Julie a noté l'adresse et le numéro de téléphone de tous ses amis dans son carnet d'adresses. Tous les trimestres, les carnets de notes doivent être signés par les parents.* **2.** *M. Doucet a acheté un carnet de tickets de métro,* un paquet de tickets vendus ensemble.

Le directeur nous a lu le carnet d'Agnan : « Élève appliqué, intelligent. Arrivera. » *(le Petit Nicolas).*

Dans les journaux, il y a une rubrique *Carnet du jour* ou *Carnet mondain* où l'on annonce les naissances, les mariages et les décès.

Compare *carnier* et *carnivore* : il s'agit de **viande.**

carnier n. m.
Sac qui sert aux chasseurs pour rapporter le gibier ; vois ***gibecière.*** *M. Bellec est rentré de la chasse avec son carnier vide.*

Compare *carnivore, herbivore, insectivore, dévorer* et *vorace :* il s'agit de **manger.**

carnivore n. m. et f.
Être qui mange de la viande. *Le chien, le lion, l'homme sont des carnivores.* — adj. *Le requin est carnivore. Les plantes carnivores capturent de petits animaux et des insectes.*

Ne confonds pas avec *carnassier* : l'homme est *carnivore* mais pas *carnassier.*

Attention ! un seul *r* et deux *t*.

Poil de carotte avait les cheveux roux comme une carotte.

carotte n. f.
Racine d'une plante potagère, qui est d'un rouge orangé et que l'on mange crue ou cuite. *Mme Hespel a épluché des carottes pour le pot-au-feu. À la cantine, on mange souvent des carottes râpées.*

La plante s'appelle aussi *carotte.*

La carpe nage à la vitesse de 12 km/h.

carpe n. f.
Gros poisson d'eau douce bon à manger, qui peut mesurer plus d'un mètre et peser plus de vingt kilogrammes. *Une carpe peut vivre plus de trente ans.*

Être muet comme une carpe, c'est ne pas parler du tout.

On dit aussi : une *descente de lit.*

carpette n. f.
Petit tapis. *De chaque côté du lit, il y a une carpette.*

Attention au *s* final !

carquois n. m.
Étui à flèches. *Les Indiens mettent leurs flèches dans leur carquois.*

carré n. m. et adj.

Dans un jardin, les surfaces plantées ont souvent la forme de carrés et on les appelle des *carrés.*

▭ **n. m. 1.** Figure géométrique qui a ses quatre côtés égaux et ses quatre angles droits. *Quelle est la surface d'un carré qui a 3 cm de côté ?* **2.** *Le carré d'un nombre,* c'est le produit de ce nombre par lui-même. *16 est le carré de 4,* quatre multiplié par quatre égale seize.

Le carré de l'Est est un fromage carré.

On écrit $4^2 = 16$ et on dit 4 au carré égale 16.

▭ **adj. 1.** *Une chose carrée,* c'est une chose qui a la forme d'un carré. *Angèle a une table carrée dans sa cuisine.* **2.** *Un mètre carré,* c'est la surface d'un carré qui a un mètre de côté. *L'appartement de M. Doucet fait cent vingt mètres carrés.*

On écrit m^2.

Autres membres de la famille : **carreau, carrelage, carrelé, carrément, carrure.**

Famille de **carré**

Les carreaux peuvent être de n'importe quelle forme, mais le plus souvent ils sont carrés.

Les autres couleurs sont trèfle, pique et cœur.

carreau n. m.
1. Pavé plat. *Le sol et les murs de la salle de bains sont recouverts de carreaux de faïence.* **2.** Vitre d'une fenêtre ou d'une porte-fenêtre. *Antoine a cassé un carreau en jouant au ballon.* **3.** Dessin fait de carrés. *Claire apprend à écrire sur du papier à gros carreaux. Julie a une jupe à petits carreaux.* **4.** Dans un jeu de cartes, l'une des quatre couleurs dont la marque est un losange rouge. *Claire a pioché la dame de carreau.*

Va voir aussi ***carrelage.***

Encore un carreau de cassé,
V'là le vitrier qui passe !
(chanson).

Attention aux deux *r* !

carrefour n. m.
Endroit où se croisent plusieurs rues ou plusieurs routes ; vois ***croisement.*** *Pour aller à la poste, vous tournez à droite au prochain carrefour.*

Pour éviter les accidents, il y a des feux rouges aux carrefours dangereux.

Même famille que **carreau**

carrelage n. m.
Sol d'une pièce recouvert de carreaux. *Le carrelage de la salle de bains est bleu. Dans l'entrée, il y a du carrelage, dans le salon du parquet et dans les chambres de la moquette.*

Attention de ne pas glisser sur le carrelage !

Même famille que **carreau**

carrelé adj.
Une surface carrelée, c'est une surface recouverte de carreaux. *Le sol et les murs de la salle de bains sont carrelés.*

Attention ! *carrément* s'écrit avec deux *r*.

Pauvre Hippolyte !

carrément adv.
D'une façon nette et décidée. *Angèle n'avait pas envie de dîner avec Hippolyte, elle le lui a dit carrément ;* vois ***franchement.***

Famille de **carré**

Attention ! *carrière* s'écrit avec deux *r* puis un *r*.

① ***carrière*** n. f.
Lieu d'où l'on extrait du sable, des pierres qui servent de matériau de construction. *Les carrières de marbre de Paros, en Grèce, sont célèbres.*

Contrairement aux mines, les carrières sont à ciel ouvert, en plein air.

On appelle *militaires de carrière* les militaires qui ont fait de l'armée leur métier.

② ***carrière*** n. f.
Profession dans laquelle on progresse. *Angèle aimerait finir sa carrière comme directrice d'école. Mme Hespel fait carrière dans l'industrie textile,* elle réussit. *Nathalie suivra peut-être la carrière médicale comme son père.*

C'est ainsi que j'ai abandonné, à l'âge de six ans, une magnifique carrière de peintre
(le Petit Prince).

Deux *r* dans *carriole.*

carriole n. f.
Petite charrette, tirée par un cheval ou par un âne. *Autrefois, les grands-parents de Claire allaient au marché en carriole.*

Compare *carriole* et *carrosse* : il s'agit de **voitures.**

Attention aux deux *r* !

Les jeeps peuvent emprunter des chemins non carrossables.

carrossable adj.
Un chemin carrossable, c'est un chemin où les voitures peuvent circuler sans difficultés ; vois ***praticable.*** *Les chemins de montagne ne sont pas carrossables.*

Compare *carrossable, carriole, carrosse* et *carrosserie* : dans tous ces mots, on parle de **voitures.**

Deux *r* et deux *s*.

Seuls les nobles avaient des carrosses.

carrosse n. m.
Autrefois, voiture luxueuse à quatre roues, qui était tirée par des chevaux. *Sous Louis XIV, les carrosses sont devenus plus confortables.*

La fée changea la citrouille en carrosse d'un coup de baguette magique.

Compare *carrosserie, carriole* et *carrosse* : on parle de **voitures.**

carrosserie n. f.
Partie en tôle d'une voiture. *La carrosserie de la voiture est en bon état.*

Les ailes, les portières, le toit, le capot constituent la carrosserie.

Attention aux deux *r* !

carrure n. f.
Largeur du dos d'une épaule à l'autre. *Alex a une carrure d'athlète.*

Famille de **carré**

Quand on est plus grand, on a un porte-documents ou une serviette.

cartable n. m.
Sac d'écolier à bretelles ou à poignée. *Julie a mis ses cahiers, ses livres et sa trousse dans son cartable. Antoine porte son cartable sur le dos.*

Beaucoup de jeux de cartes se jouent à 32 ou 52 cartes. Les quatre couleurs des cartes sont carreau, cœur, pique et trèfle.

Une *carte de visite* est une carte où l'on a fait imprimer son nom et son adresse.

La carte orange permet d'utiliser les transports en commun dans Paris et sa région.

① ***carte*** n. f.
1. Petit carton rectangulaire portant une figure et qui fait partie d'un jeu. *Antoine et Yves ont joué aux cartes tout l'après-midi. Ils ont fait des parties de cartes. Mme Séverac sait faire des tours de cartes.* **2.** Liste des plats dans un restaurant. *M. Bellec apporte la carte à ses clients. La carte des vins propose des vins très variés.* **3.** *Une carte postale,* c'est une carte illustrée d'une photographie sur une face et dont l'autre face sert à écrire. *Pendant les vacances, Angèle a envoyé des cartes postales de Corse à Hippolyte.* **4.** Document établissant certains droits de la personne à qui il appartient. *La carte d'identité permet de prouver qui on est. La carte grise indique les caractéristiques d'une voiture et à qui elle appartient.*

On dit aussi *carte à jouer.*

Désirez-vous prendre le menu à 80 F ou manger à la carte ?

La première carte postale française date de 1872.

Un étudiant a une *carte d'étudiant.*

Autre membre de la famille : **porte-cartes.**

② **carte** n. f.

Un *atlas* est un recueil de cartes.

Dessin représentant la surface du monde ou d'une partie du monde. *Julie regarde la carte de l'Europe pour voir où est située l'Italie.*

cartilage n. m.

usqu'à l'âge adulte, les os ontiennent du cartilage qui leur ermet de grandir.

Sorte d'os souple et élastique. *Le squelette des embryons est en cartilage. Les ailes du nez sont formées de cartilage.*

▸ **cartilagineux** adj. Qui est fait de cartilage. *L'oreille est cartilagineuse.*

cartomancienne n. f.

n verra aux prochaines élec-ons municipales si elle s'est rompée !

Femme qui prédit l'avenir d'après des cartes à jouer. *Une cartomancienne a prédit à Mme Séverac qu'elle serait maire de sa ville.*

On dit qu'*elle tire les cartes.*

carton n. m.

l était un petit homme,
irouette, cacahuète,
ui avait une drôle de maison.
a maison est en carton,
irouette, cacahuète,
es escaliers sont en papier
(chanson).

1. Papier dur et épais. *Mme Séverac range ses chaussures dans des boîtes en carton. L'herbier d'Antoine a une couverture en carton.* **2.** Boîte, dossier en carton. *Les livres ont été livrés dans un carton. Nathalie a rangé tous ses dessins dans un carton à dessin.*

▸ **cartonné** adj. Fait de carton. *La couverture de l'herbier d'Antoine est cartonnée.*

Attention ! *cartonné* s'écrit avec deux ***n***.

cartouche n. f.

Une *cartouche à blanc* ne contient pas de plombs.

1. Petit cylindre rempli de poudre et de plombs que l'on met dans une arme à feu. *M. Bellec va à la chasse avec un fusil et des cartouches.* **2.** *Une cartouche d'encre,* c'est un petit tube contenant de l'encre que l'on met dans un stylo à encre ; vois ***recharge.*** *Nathalie a changé la cartouche de son stylo.* **3.** *Une cartouche de cigarettes,* c'est un étui contenant dix paquets de cigarettes. *Denis Prost achète toujours ses cigarettes par cartouche.*

On la met dans un *stylo à cartouche.*

▸ **cartouchière** n. f. Étui où le chasseur met ses cartouches. *M. Bellec a une cartouchière en cuir.*

cas n. m.

Attention au ***s*** final qui ne se prononce pas.

1. Ce qui arrive, événement, circonstance. *Le restaurant Bellec fermé ? Si c'était le cas, on le saurait ! Il faut que le docteur Séverac vienne tout de suite, c'est un cas de vie ou de mort. Mme Harpie est une harpie, c'est bien le cas de le dire. Le docteur Séverac a dit de prendre un cachet en cas de douleur. Hippolyte s'est rasé de près, au cas où il rencontrerait Angèle.* **2.** *Faire cas de quelque chose,* c'est y attacher de l'importance. *Angèle ne fait pas grand cas de l'amour d'Hippolyte.* **3.** État d'une personne, du point de vue médical. *C'était un cas désespéré.* **4.** Chacune des formes que prend un mot selon sa fonction grammaticale, dans certaines langues. *En allemand et en russe, il y a des cas.*

La naissance de quintuplés est un cas assez rare.

Va voir le *cas échéant* à ***échéant.***

On dit de quelqu'un qui est très original que *c'est un cas.*

utres membres de la famille : **le cas échéant, en-cas, occasion, occasionnel, occasionnellement, occasionner.**

casanier adj.

Une personne casanière, c'est une personne qui aime rester à la maison. *En vieillissant, Mme Hespel devient casanière.*

casaque n. f.

Veste de jockey. *Le cheval était monté par un jockey en casaque vert clair.*

cascade n. f.

Chute d'eau. *Le torrent tombe en cascade dans le lac.*

cascadeur n. m., **cascadeuse** n. f.

Acrobate qui tourne les scènes dangereuses d'un film. *Ce n'est pas la vedette du film que l'on voit sauter de l'hélicoptère, c'est un cascadeur.*

① **case** n. f.

Habitation très simple des villages d'Afrique noire. *Le sorcier du village est dans sa case.*

② **case** n. f.

1. Compartiment d'une boîte, d'un meuble. *Les épingles sont rangées dans une case de la boîte à couture. Julie a oublié son cahier dans la case de sa table, à l'école.* **2.** Chaque carré du jeu de l'oie, de dames, d'une grille de mots-croisés. *Dans une grille de mots-croisés, il y a des cases blanches et des cases noires.*

n échiquier a soixante-quatre ases.

Autre membre de la famille : **casier.**

Conjugaison 1

caser v.
Mettre dans une place qui suffit. *Angèle a pu caser tous ses livres dans sa bibliothèque.*

Ce mot est familier, il faudrait plutôt dire *placer.*

caserne n. f.
La discipline est dure à la caserne.
Bâtiment où vivent des soldats. *Les soldats font des exercices dans la cour de la caserne.*

Famille de ② **case**
casier n. m.
1. Meuble composé de compartiments, de cases. *M. Bellec range le vin dans des casiers à bouteilles.* **2.** Panier que l'on pose au fond de la mer pour attraper des crabes, des homards. *Loïc est parti relever ses casiers.* **3.** *Un casier judiciaire,* c'est un document sur lequel on inscrit les condamnations infligées à quelqu'un. *Hippolyte a un casier judiciaire vierge,* il n'a jamais été condamné.

Au pluriel : *des casinos.*
casino n. m.
Maison où l'on donne des spectacles et où les jeux d'argent sont autorisés. *M. et Mme Séverac sont allés jouer au casino de Cannes.*

Au casino, on peut jouer à la roulette, au baccara.

casque n. m.
Les militaires, les pompiers, les ouvriers qui travaillent sur les chantiers portent des casques.
1. Objet dur et solide qui couvre la tête et la protège des chocs. *Alex met un casque pour faire de la moto.* **2.** Appareil rigide, muni d'écouteurs, qui coiffe la tête. *Alex écoute de la musique avec un casque pour ne pas gêner sa mère.* **3.** Séchoir à cheveux en forme de casque. *Mme Bellec n'entend rien, elle est sous le casque !*

Obélix collectionne les casques des Romains qu'il assomme.

▸ ***casqué*** adj. Qui a la tête couverte d'un casque. *Les soldats sont casqués quand ils partent au combat.*

Les casquettes, les chapeaux, les bonnets sont des coiffures.
▸ **casquette** n. f. Coiffure plate qui a une visière. *L'hiver, Denis Prost aime bien porter des casquettes assorties à ses vestes.*

Le képi a une visière, comme la casquette.

Famille de **casser**
cassant adj.
1. Qui se casse facilement. *Julie a les cheveux cassants.* **2.** *Un ton cassant,* c'est un ton autoritaire, sec, catégorique ; vois ***coupant, péremptoire, tranchant.*** *La directrice a ordonné à Yves de se taire sur un ton cassant.*

Le contraire de *cassant,* c'est *doux.*

Famille de **casser**
casse n. f.
1. *Quand Julie fait la vaisselle, il y a souvent de la casse,* elle casse souvent quelque chose, il y a des dégâts. **2.** *M. Doucet a mis sa vieille voiture à la casse,* il l'a mise à la ferraille, dans un endroit où on l'a démontée pour récupérer les pièces qui étaient encore bonnes.

Le *casseur* achète les vieilles voitures.

Au pluriel : *des casse-cou.*
Famille de **casser** et de **cou**
casse-cou adj. invariable
Julie est casse-cou, elle fait des choses dangereuses, elle prend des risques sans réfléchir ; vois ***audacieux, imprudent, téméraire.*** — n. m. invariable *Antoine est un casse-cou.*

Le contraire de *casse-cou,* c'est *prudent.*

Au pluriel : *des casse-croûte.*
casse-croûte n. m. invariable
Repas rapide et léger. *Antoine a mangé un casse-croûte en rentrant de l'école.*

Famille de **casser** et de **croûte**

Au pluriel : *des casse-noix.*
casse-noix n. m.
Petit instrument qui sert à casser les coquilles des noix, des noisettes ou des amandes. *Yves n'a pas trouvé le casse-noix, il a écrasé la noix entre deux cailloux.*

Famille de **casser** et de **noix**

Conjugaison 1
casser v.
Encore un carreau d'cassé,
V'là l'vitrier qui passe.
Encore un carreau d'cassé,
V'là l'vitrier passé !
(chanson).

1. Mettre en morceaux une chose rigide, par un choc ou un coup brusque ; vois ***briser.*** *Antoine a cassé un carreau en jouant au ballon.* **2.** *Julie s'est cassé la jambe en faisant du ski,* elle s'est rompu l'os de la jambe ; vois *se* ***fracturer.*** **3.** Mettre quelque chose en mauvais état de manière à l'empêcher de marcher. *Yves a cassé sa montre.* **4.** *Casser les prix,* c'est les faire diminuer brusquement. *Cette semaine, le supermarché casse les prix.*

Autres membres de la famille **cassant, casse, casse-cou, casse-croûte, casse-noix, casse-tête, cassure, concasser, autocassable, incassable.**

casserole n. f.
Récipient assez haut, muni d'un manche, qu'on utilise pour faire cuire des aliments. *M. Bellec a mis ses casseroles sur le feu.*

Attention ! deux *s* et un seul *l*

Au pluriel : *des casse-têtes.*

casse-tête n. m.
Travail très difficile et très compliqué. *Ce problème de mathématiques est un vrai casse-tête.*

Famille de **casser** et de **tête**

cassette n. f.
1. Étui en matière plastique qui contient une bande magnétique enroulée sur des bobines. *Alex met une cassette dans son magnétophone.* **2.** Petit coffre où l'on rangeait autrefois des objets précieux, de l'argent. *Harpagon a une cassette remplie de pièces d'or.*

Harpagon est un personnage de *l'Avare* de Molière.

Autre membre de la famille : **vidéocassette.**

On prononce le *s* à la fin : [kasis], comme dans *oasis.*

Les cassis ressemblent aux groseilles.

① **cassis** n. m.
Fruit noir, poussant sur un petit arbuste, avec lequel on peut faire de la confiture, du sirop, de la liqueur. *Sophie Pelletier aime beaucoup le sorbet au cassis.*

Cet arbuste s'appelle un *cassis.*

On prononce [kasis] ou [kasi].

② **cassis** n. m.
Creux en travers d'une route. *Il y a de nombreux cassis dans la route qui conduit à la ferme.*

Le cassoulet est une spécialité du sud-ouest de la France.

cassoulet n. m.
Plat composé de haricots blancs et d'oie, de canard, de porc ou de mouton cuits ensemble. *M. Bellec a mis le cassoulet à cuire au four, dans une terrine.*

Le cassoulet est un ragoût.

Compare : *casser* → *cassure* et *blesser* → *blessure.*

cassure n. f.
Endroit où un objet est cassé. *Julie a recollé le bol, mais on voit encore la cassure.*

Famille de **casser**

Les castagnettes sont d'origine espagnole.

castagnettes n. f. plur.
Instrument de musique à percussion, composé de deux morceaux de bois creusés, réunis par un cordon, et que le joueur fait claquer l'un contre l'autre dans sa main. *La danseuse espagnole jouait des castagnettes en dansant.*

Les castagnettes servent surtout à marquer le rythme.

Jusqu'en 1947, la société indienne était divisée en quatre castes : les prêtres, les soldats, les marchands et les paysans.

caste n. f.
1. Groupe de gens qui, chez certains peuples, ont le même genre de métier, le même mode de vie, et n'ont pas de relations avec les membres des autres groupes. *Deux personnes de castes différentes ne peuvent se marier entre elles.* **2.** Groupe de gens attachés à leurs privilèges, et qui ne se mêlent pas au reste de la société ; vois ***clan, classe.***

Une caste est une classe sociale très fermée.

Autrefois, il y avait des castors en France ; maintenant, on en trouve surtout en Amérique du Nord.

castor n. m.
Petit rongeur des pays froids, qui a une large queue plate et des pattes arrière palmées. *Au Canada, Alex a vu les digues et les huttes construites par les castors sur les rivières.*

Les castors vivent en petites colonies. Ils ont une très belle fourrure.

Conjugaison 1

castrer v.
Pratiquer sur un animal mâle une opération qui l'empêche d'avoir des petits ; vois ***châtrer.*** *Un bœuf est un taureau castré.*

Les tremblements de terre, les raz-de-marée sont des cataclysmes.

cataclysme n. m.
Catastrophe naturelle qui bouleverse la surface de la Terre. *La ville a été détruite et cent mille personnes ont trouvé la mort dans le cataclysme.*

Attention au ***y*** !

Les premiers chrétiens enterraient leurs morts dans des catacombes, à Rome.

catacombes n. f. plur.
Souterrain où l'on enterrait les morts et où l'on gardait leurs ossements. *Antoine a visité les catacombes de Paris.*

Les catacombes de Paris sont d'anciennes carrières.

Un catalogue peut être une simple liste, ou un livre avec des photos.

catalogue n. m.
Liste détaillée de marchandises, d'objets à vendre. *Mme Roussel reçoit plusieurs catalogues de vente par correspondance.*

cataplasme n. m.
Bouillie épaisse, chaude, que l'on applique entre deux linges sur une partie du corps pour combattre une inflammation. *Autrefois, on mettait des cataplasmes à la moutarde sur la poitrine pour soigner les bronchites.*

Les catapultes pouvaient lancer des poids de quatre-vingts kilos à un kilomètre.

catapulte n. f.
Machine de guerre utilisée autrefois pour lancer des pierres ou des flèches. *Les Romains utilisaient des catapultes pour détruire les murs des villes qu'ils assiégeaient.*

Les catapultes ont été remplacées par les canons.

Une cataracte est beaucoup plus grande qu'une cascade.

cataracte n. f.
Très grande chute d'eau. *Le petit bateau disparut soudain, englouti dans la cataracte.*

catastrophe n. f.
Malheur terrible et brutal ; vois ***calamité, cataclysme, désastre.*** *Ce tremblement de terre a été une terrible catastrophe pour le pays. La catastrophe aérienne a fait trois cents victimes. L'avion a atterri en catastrophe,* très vite, sans prendre toutes les précautions nécessaires.
▸ **catastrophé** adj. Attristé par un événement malheureux. *Nathalie a été catastrophée d'apprendre que Sylvain ne viendrait pas la voir.*
▸ **catastrophique** adj. *Un événement catastrophique,* c'est un événement qui a le caractère d'une catastrophe ; vois ***affreux, désastreux, effroyable, épouvantable.*** *Le tremblement de terre a eu des conséquences catastrophiques pour le pays.*

Les tremblements de terre, les inondations, les raz-de-marée, les éruptions volcaniques sont des *catastrophes naturelles.*

Les matchs de catch ont lieu sur un ring, comme les matchs de boxe.

catch n. m.
Lutte où presque tous les coups sont permis, mais qui est surtout un spectacle destiné à faire rire. *Yves a vu un match de catch à quatre.*

Les personnes qui font du catch sont des *catcheurs.*

Au catéchisme, on apprend les prières, on se prépare à la communion.

catéchisme n. m.
Cours où l'on apprend aux enfants les principes de la religion chrétienne. *Yves va au catéchisme tous les mercredis.*

catégorie n. f.
Classe, groupe, sorte d'objets du même genre ; vois ***espèce, famille, série.*** *À la bibliothèque, les livres sont rangés par catégories.*

catégorique adj.
Une réponse catégorique, c'est une réponse nette, claire, qui ne permet aucun doute ; vois ***indiscutable.*** *La réponse de M. Bellec a été catégorique.*

Le contraire de *catégorique,* c'est *équivoque, évasif.*

La cathédrale de Chartres est gothique, celle d'Autun est romane.

cathédrale n. f.
Grande église qui dépend d'un évêque. *La classe est allée visiter la cathédrale de Chartres.*

N'oublie pas le ***h***.

N'oublie pas le ***h*** de *catholique.*

catholique n. m. et f.
Les catholiques sont des chrétiens qui reconnaissent l'autorité du pape, et croient en l'Immaculée Conception. *Mme Bellec est une bonne catholique.* — adj. *Yves est catholique ; il va à la messe et fera sa communion. Les Bellec sont de religion catholique.*
▸ **catholicisme** n. m. Religion des catholiques. *Le catholicisme est la religion la plus répandue en France.*

Les catholiques, les protestants et les orthodoxes sont des *chrétiens.*

Quand on fait des choses en catimini, c'est souvent parce que c'est interdit, et qu'on ne veut pas être vu.

en **catimini** adv.
En cachette, discrètement, secrètement ; vois *en* ***tapinois.*** *Julie s'approche en catimini d'Antoine et lui met les mains sur les yeux : « Coucou ! Qui est-ce ? ».*

cauchemar n. m.
1. Rêve qui fait peur, mauvais rêve. *Antoine a crié dans son sommeil parce qu'il faisait un cauchemar.* **2.** Chose qui fait peur, et à laquelle on ne peut s'empêcher de penser. *Les dictées sont le cauchemar de Marie-Tévy ;* vois ***hantise, tourment.***
▸ **cauchemardesque** adj. Digne d'un cauchemar ; vois ***horrible.*** *Chaque fois que l'on s'arrêtait, la voiture ne pouvait plus repartir : c'était cauchemardesque.*

Cela arrive à tout le monde de faire des cauchemars. C'est quelquefois le même qui revient régulièrement.

Approchez, je suis sourd, les ans en sont la cause
(La Fontaine).

cause n. f.
1. Ce qui fait qu'un événement arrive, qu'une chose se produit ; vois ***motif, origine, raison.*** *Quelle est la cause du chagrin de Sophie Pelletier ? La police enquête sur les causes de l'incendie. Julie s'est fait punir à cause d'Antoine.*

Julie en a voulu à Antoine, et pour cause, pour une raison évidente. **2.** Affaire que plaide un avocat devant la justice. *La cause de ce dangereux assassin paraît perdue d'avance.* **3.** *Plaider la cause de quelqu'un,* c'est le défendre. *Marie-Tévy plaide la cause d'Antoine auprès de sa mère. Elle n'obtiendra pas gain de cause,* elle n'obtiendra pas ce qu'elle demande. **4.** *Remettre en cause,* c'est remettre en question, revenir sur ce qui avait été décidé. *La directrice a demandé que sa décision ne soit pas remise en cause.*

On dit aussi *soutenir la cause de quelqu'un.*

En connaissance de cause signifie en sachant de quoi il est question.

▸ ① **causer** v. Être la cause de quelque chose ; vois **provoquer.** *L'arrivée de Nathalie a causé une grande joie à Sylvain. La grève des transports a causé de sérieux embouteillages dans la ville.*

Conjugaison 1

Ah vous dirai-je Maman
Ce qui cause mon tourment
(chanson).

② causer v.

Conjugaison 1

Parler tranquillement, bavarder avec quelqu'un. *Le charcutier causait avec Mme Harpie, devant son magasin. Ils causaient ensemble.*

caustique adj.

1. Qui attaque, brûle la peau. *Tenez les produits caustiques hors de la portée des enfants ;* vois **corrosif.** **2.** Qui attaque, blesse quelqu'un par des phrases moqueuses et féroces. *Ce journaliste a l'esprit caustique ;* vois **mordant.**

Le contraire de *caustique,* c'est *bienveillant.*

La chaux est un produit caustique.

caution n. f.

Caution [kosjɔ̃] rime avec *attention.*

1. Somme d'argent qui sert de garantie. *Pour louer une voiture, il faut verser une caution.* **2.** Personne qui fournit une garantie à une autre personne. *Le docteur Séverac sert de caution à son frère qui fait un emprunt à la banque.*

La caution est rendue à la fin de la location.

Il remboursera l'emprunt si son frère ne le fait pas.

cavalcade n. f.

Compare ***caval**cade, **caval**ier* et ***caval**erie* : dans ces mots, il s'agit de **cheval.**

1. Défilé de cavaliers, de chars. *Au carnaval de Nice, on organise une cavalcade de chars fleuris dans les rues.* **2.** Course désordonnée et bruyante. *Les enfants ont monté et descendu l'escalier plusieurs fois en criant, quelle cavalcade !*

cavalerie n. f.

Le premier ***e*** ne se prononce pas : [kavalri].

Dans l'armée, ensemble des troupes qui combattaient à cheval. *À la fin du western, une sonnerie de clairon annonce la charge de la cavalerie.*

① cavalier n. m., cavalière n. f.

Compare ***caval**ier, **caval**erie* et ***caval**cade* : il s'agit de **cheval.**

1. Personne qui est à cheval. *Denis Prost est un excellent cavalier,* il monte bien à cheval. **2.** Personne avec qui l'on forme un couple dans un cortège, un bal, une cérémonie. *Au milieu de la danse, les hommes devaient changer de cavalière.*

Faire cavalier seul, c'est agir tout seul.

② cavalier adj.

Une attitude cavalière, c'est une attitude désinvolte, qui manifeste un manque de considération pour les autres. *Alex ne s'est pas excusé : c'est un peu cavalier.*

Le contraire de *cavalier,* c'est *respectueux.*

▸ **cavalièrement** adv. D'une manière désinvolte, un peu impolie. *Alex s'est comporté un peu cavalièrement.*

Compare : *cavalier → cavalièrement* et *familier → familièrement.*

cave n. f.

Partie souterraine d'un bâtiment. *Mamie Lou est descendue à la cave pour ranger ses conserves. Dans le château, il y a de belles caves voûtées. Julie a cherché son chat de la cave au grenier,* partout dans la maison.

Va voir aussi **cellier.**

La cave d'une habitation doit être fraîche et aérée.

▸ **caveau** n. m. Petit édifice souterrain servant de tombeau. *La mère de Sophie Pelletier est enterrée dans le caveau de famille.*

caverne n. f.

Creux naturel, dans un terrain rocheux ; vois **grotte.** *L'ours s'installe dans une caverne pour hiberner.*

Le *spéléologue* explore et étudie les cavernes.

L'âge des cavernes, c'est l'époque préhistorique où les hommes vivaient dans des cavernes.

▸ **caverneux** adj. Qui semble venir des profondeurs d'une caverne. *L'inconnu avait une voix caverneuse,* très grave.

caviar n. m.

Petits œufs noirs de l'esturgeon que l'on mange crus. *Denis Prost mange du caviar avec des toasts.*

Le caviar vient d'Iran ou d'U. R. S. S.

Le caviar est un hors-d'œuvre très apprécié et très cher.

Les cavités du nez s'appellent les *narines,* celles des yeux les *orbites.*

cavité n. f.
Creux, trou. *La mer s'est retirée en laissant des flaques dans les cavités des rochers. Le dentiste a creusé la dent et bouché la cavité avec un plombage.*

Ce prend la forme *cet* [sɛt] devant une voyelle ou un ***h*** muet.

Va voir aussi ① ***ci*** et ***là.***

① ce adj. démonstratif m., ***cette*** adj. démonstratif f., ***ces*** adj. démonstratif pluriel
Ce dictionnaire est amusant. Cette coiffure va bien à Julie. Ces nuages annoncent la pluie. Mme Hespel a beaucoup de travail ces jours-ci. En ce temps-là, il n'y avait pas encore l'électricité.

Autres membres de la famille : **ceci, cela.**

Ce s'écrit *c'* devant *est* et *était.*

Ne confonds pas *ce* et *se.*

② ce pronom démonstratif
Ce ne s'emploie qu'avec le verbe être et sert à désigner ou à montrer une personne ou une chose. *Qui est la meilleure en dessin ? C'est Marie-Tévy. Le rêve d'Alex, c'est une grosse moto. Ce serait bien de partir demain.*

Autres membres de la famille : **cependant, c'est-à-dire, est-ce-que, n'est-ce-pas, parce que.**

Famille de ① **ce** et de **ici**

Va voir aussi ***cela*** et ***ça.***

ceci pronom démonstratif
Cette chose-ci. *Comment s'appelle ceci ? Angèle m'a dit exactement ceci : « j'irai à la piscine samedi ». « Avec trois balles, on peut jongler comme ceci et comme cela » explique Julie,* de cette manière et de cette autre manière.

Ceci désigne une chose que l'on montre ou une chose dont on va parler.

cécité n. f.
État d'une personne qui est aveugle. *Ce vieux monsieur ne voit presque plus, sa cécité est presque complète.*

Conjugaison 6 ▭ Indic. présent : *je cède, nous cédons.* Imparfait : *je cédais.* Passé simple : *je cédai.* Futur : *je céderai.* — Subj. présent : *que je cède, que nous cédions.*

céder v.
1. Laisser, donner à quelqu'un une chose que l'on avait. *Antoine a cédé un sac de billes à Yves contre une tablette de chocolat. Dans l'autobus, Yasmina cède toujours sa place aux personnes âgées.* **2.** *Céder à quelqu'un,* c'est faire ce qu'il veut ; vois ***obéir.*** *Mamie Lou a cédé à Claire qui ne voulait pas aller au lit.* **3.** *Si vous montez tous sur la balançoire, elle cédera !,* elle lâchera, elle se cassera.

Céder du terrain : reculer.

Le contraire de *céder,* c'est *résister.*

On écrit ç et on dit *c cédille.*

cédille n. f.
Petit signe en forme de crochet qu'on place sous la lettre ***c*** quand elle est suivie d'un ***a***, d'un ***o*** ou d'un ***u*** et qui indique que ce ***ç*** doit être prononcé [s]. *Le c de soupçon s'écrit avec une cédille.*

cèdre n. m.
Grand arbre de la famille du pin et du sapin, qui a des branches très étalées, presque horizontales. *Les cèdres du Liban sont très réputés.*

Les cèdres sont originaires d'Afrique et d'Asie.

Les cèdres sont des conifères.

ceinture n. f.
1. Bande de tissu ou de cuir que l'on met autour de la taille. *Julie met une ceinture pour tenir son pantalon. Alex se serre la ceinture pour faire un voyage cet été,* il se prive, pour faire des économies. **2.** *Une ceinture de sécurité,* c'est une courroie qui, dans une voiture ou dans un avion, maintient les passagers contre leur siège. *La ceinture de sécurité protège contre les chocs en cas d'accident.* **3.** *Yves avait de l'eau jusqu'à la ceinture,* jusqu'à la taille.

Elle pourrait mettre aussi des bretelles.

Mets ta robe blanche
Et ta ceinture dorée (chanson).

C'est obligatoire d'attacher sa ceinture de sécurité.

Les judokas ont des ceintures dont la couleur indique leur force : on peut être ceinture blanche, jaune, orange, verte, bleue, marron ou noire.

▸ ***ceinturer*** v. *Ceinturer quelqu'un,* c'est l'attraper en lui entourant la taille avec ses bras. *Les policiers ont ceinturé le voleur quand il est sorti de la bijouterie.*

Conjugaison 1

Compare : *ceinture → ceinturon* et *médaille → médaillon.*

▸ ***ceinturon*** n. m. Ceinture large. *Quand il faisait son service militaire, Hippolyte avait un ceinturon.*

Ça est l'abréviation courante et familière de *cela.*

Ceci est une souris, cela est un rat.

cela pronom démonstratif
1. Cette chose-là. *Qu'est-ce que c'est que cela ? Ne pense plus à cela. Il ne faut pas montrer du doigt, cela ne se fait pas. « Pour faire un nœud, tu peux faire comme ceci ou comme cela » explique Loïc à Yves.*

Famille de ① **ce** et de **là**

Cela désigne une chose plus éloignée que *ceci.*

Attention aux accents : d'abord ***é***, puis ***è***.

célèbre adj.
Très connu. *Denis Prost commence à être un acteur célèbre. Antoine est célèbre dans l'école pour ses histoires drôles.*

La tour Eiffel est célèbre dans le monde entier.

Célébrité s'écrit avec trois *é.*

▸ ***célébrité*** n. f. **1.** Renommée. *La célébrité de Denis Prost ne cesse d'augmenter.* **2.** Personne célèbre. *Les célébrités du monde du spectacle étaient à la première du film.*

La célébrité de Tintin est mondiale.

LE TEMPS ET LES CLIMATS

La télévision, les journaux donnent chaque jour la carte des températures, la répartition des pluies et de l'ensoleillement prévue par les météorologues.

La météo observe la température, la pression atmosphérique, l'humidité de l'air, le vent, les précipitations et la longueur du jour qui sont les six éléments principaux du temps.

Elle peut prévoir celui du lendemain, des quelques jours suivants.

Les observations météo sont regroupées, travaillées, comparées. Par exemple, la température la plus froide est enregistrée juste avant le lever du jour; la plus chaude vers 14 h (heure solaire). Chaque jour, on fait la moyenne des deux : c'est la température moyenne de la journée, celle de la carte de la télé. On répète la même opération pour un mois, une année, plusieurs années. Chaque élément du temps est observé sur une, puis plusieurs années. On obtient ainsi un film où se succèdent les images quotidiennes du temps : le climat.

Ce film n'est pas le même à Paris, à Montréal ou à Abidjan : il existe plusieurs climats à la surface du globe.

Dans ce dossier, tu trouveras :

page 2 – **Une inégale répartition des climats.**
page 4 – **Les climats chauds.**
page 6 – **Les zones tempérées et froides.**
page 8 – **Les hommes et les climats.**

Les nuages, comme la température, sont les éléments les plus perceptibles du temps. Ils apparaissent quand l'air est suffisamment refroidi pour que la vapeur d'eau qu'il contient se condense (se transforme en eau).
Formés de cristaux de glace, les **cirrus** *montent très haut (6000 m) dans le ciel très bleu. On les confond souvent avec des nuages de beau temps, mais quand ils avancent très vite, ils annoncent une dépression.*
Les **alto-stratus** *forment une couche épaisse et basse (2000 m) qui cache le soleil. Ils annoncent la pluie.*
Les **cumulo-nimbus** *bourgeonnent en "enclume" dans des zones de basses pressions. Ce sont les nuages d'averses violentes ou d'orages.*
Les **nimbo-stratus** *forment une couverture très chargée, la pluie est violente, persistante ; le temps très gris.*
Les **radiosondes** *permettent de mesurer la pression, l'humidité de l'air et la température en altitude.*
Les **strato-cumulus** *sont les plus fréquents. Soudés les uns aux autres, ce sont des nuages gris de faible altitude.*
Pour que naisse un arc-en-ciel, il faut de l'eau et quelques rayons de soleil. En passant à travers les gouttes d'eau, la lumière se décompose. Toutes les composantes de la lumière solaire apparaissent, du bleu-violet au rouge.
Le radar météorologique permet de localiser avec précision les pluies et les orages éloignés de 100 km.
Le thermographe enregistre les températures. L'écart maximum entre les températures d'une journée est l'amplitude thermique diurne. L'écart entre les températures moyennes du mois le plus chaud et du mois le plus froid est l'amplitude thermique annuelle.
Les averses d'été font naître l'arc-en-ciel.
MARDI
MERCREDI
JEUDI
VENDRE
985
1006
1020
A
421
Les images satellite donnent la position des masses d'air au-dessus de la mer ou d'un continent. Pour qu'elles soient plus faciles à comprendre, les météorologues y tracent les lignes d'égales pressions (isobares). Ils repèrent ainsi les **anticyclones (A)** *et les* **dépressions (D)**.
*L'*anémomètre *mesure la vitesse du vent, exprimée en mètres parcourus en une seconde. Il est associé à une girouette qui donne la direction du vent. Les quatre points cardinaux (Nord, Sud, Est, Ouest) y sont indiqués.*
Le **pluviomètre** *mesure les précipitation d'une journée. L'eau est recueillie dans un récipient gradué en millimètres. Les précipitations se définissent aussi par leur nature : pluie, neige ou grêle.*
L'humidité de l'air est mesurée par l' **hygromètre**. *Un* **hygrographe** *(ici dans le même boîtier qu'un thermographe) dessine une courbe des quantités de vapeur d'eau contenue dans un m³ d'air. L'air chaud peut contenir davantage de vapeur d'eau que l'air froid.*

Pour se repérer, les hommes ont divisé la Terre selon plusieurs lignes imaginaires. Les méridiens la divisent comme si l'on découpait une orange en quartiers. À partir des méridiens on définit la longitude. L'équateur coupe la Terre en deux parties (hémisphères) comme l'on fait quand on veut presser une orange. Les parallèles divisent chaque hémisphère parallèlement à l'équateur.

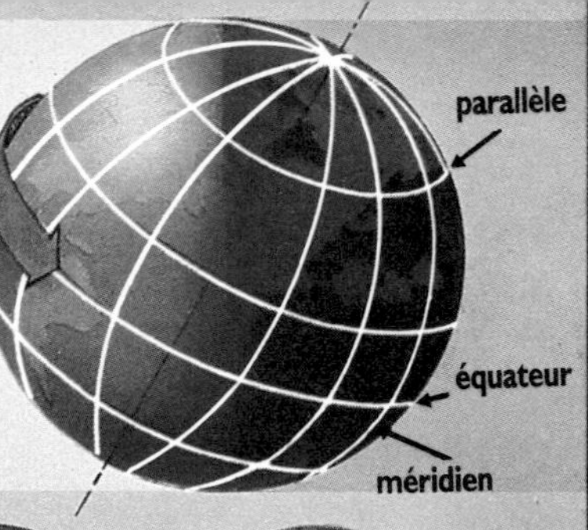

parallèle
équateur
méridien

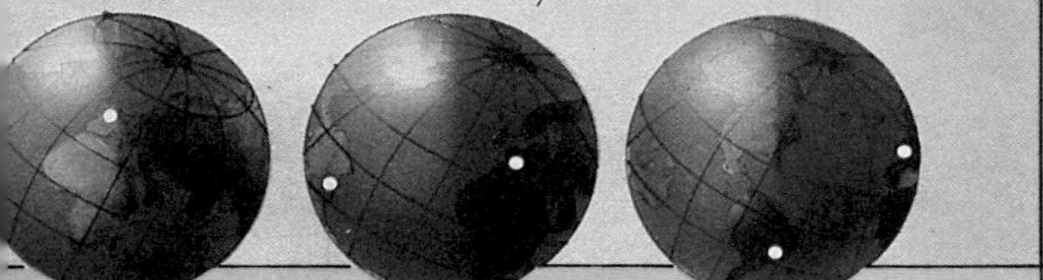

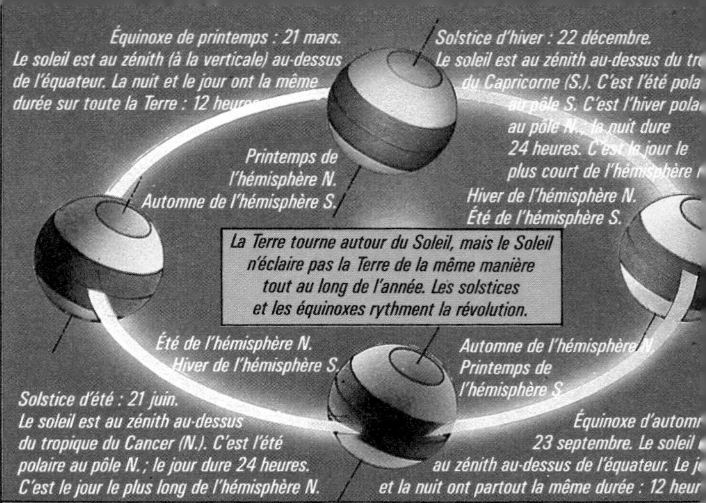

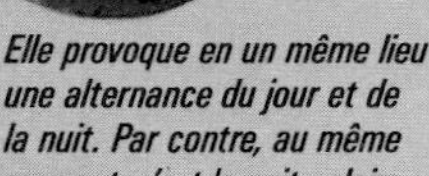

La Terre tourne sur elle-même, autour d'un axe imaginaire qui passe par les deux pôles. Chaque rotation dure 24 h. Elle provoque en un même lieu une alternance du jour et de la nuit. Par contre, au même moment, c'est la nuit polaire au pôle Nord ; il est 20 h en Algérie ; il est 17 h au Brésil (Rio de Janeiro) ; c'est le jour polaire au pôle Sud.

Équinoxe de printemps : 21 mars.
Le soleil est au zénith (à la verticale) au-dessus de l'équateur. La nuit et le jour ont la même durée sur toute la Terre : 12 heures.
Solstice d'hiver : 22 décembre.
Le soleil est au zénith au-dessus du tr
du Capricorne (S.). C'est l'été pola
au pôle S. C'est l'hiver pola
au pôle N. ; la nuit dure
24 heures. C'est le jour le
plus court de l'hémisphère
Printemps de l'hémisphère N.
Automne de l'hémisphère S.
Hiver de l'hémisphère N.
Été de l'hémisphère S.
La Terre tourne autour du Soleil, mais le Soleil n'éclaire pas la Terre de la même manière tout au long de l'année. Les solstices et les équinoxes rythment la révolution.
Été de l'hémisphère N.
Hiver de l'hémisphère S.
Automne de l'hémisphère N.
Printemps de l'hémisphère S.
Solstice d'été : 21 juin.
Le soleil est au zénith au-dessus du tropique du Cancer (N.). C'est l'été polaire au pôle N. ; le jour dure 24 heures. C'est le jour le plus long de l'hémisphère N.
Équinoxe d'autom
23 septembre. Le soleil
au zénith au-dessus de l'équateur. Le j
et la nuit ont partout la même durée : 12 heur

Dans les zones tempérées, les équinoxes et les solstices divisent l'année en quatre saisons : le printemps, l'été, l'automne, l'hiver. À proximité des pôles, l'automne et l'hiver sont confondus, le printemps et l'été aussi. Il n'y a donc que deux saisons de six mois. À l'équateur, le te semble identique toute l'année. Les sais sont inversées d'un hémisphère à l'au Comme la latitude, elles déterminent la d du jour et de la nuit.

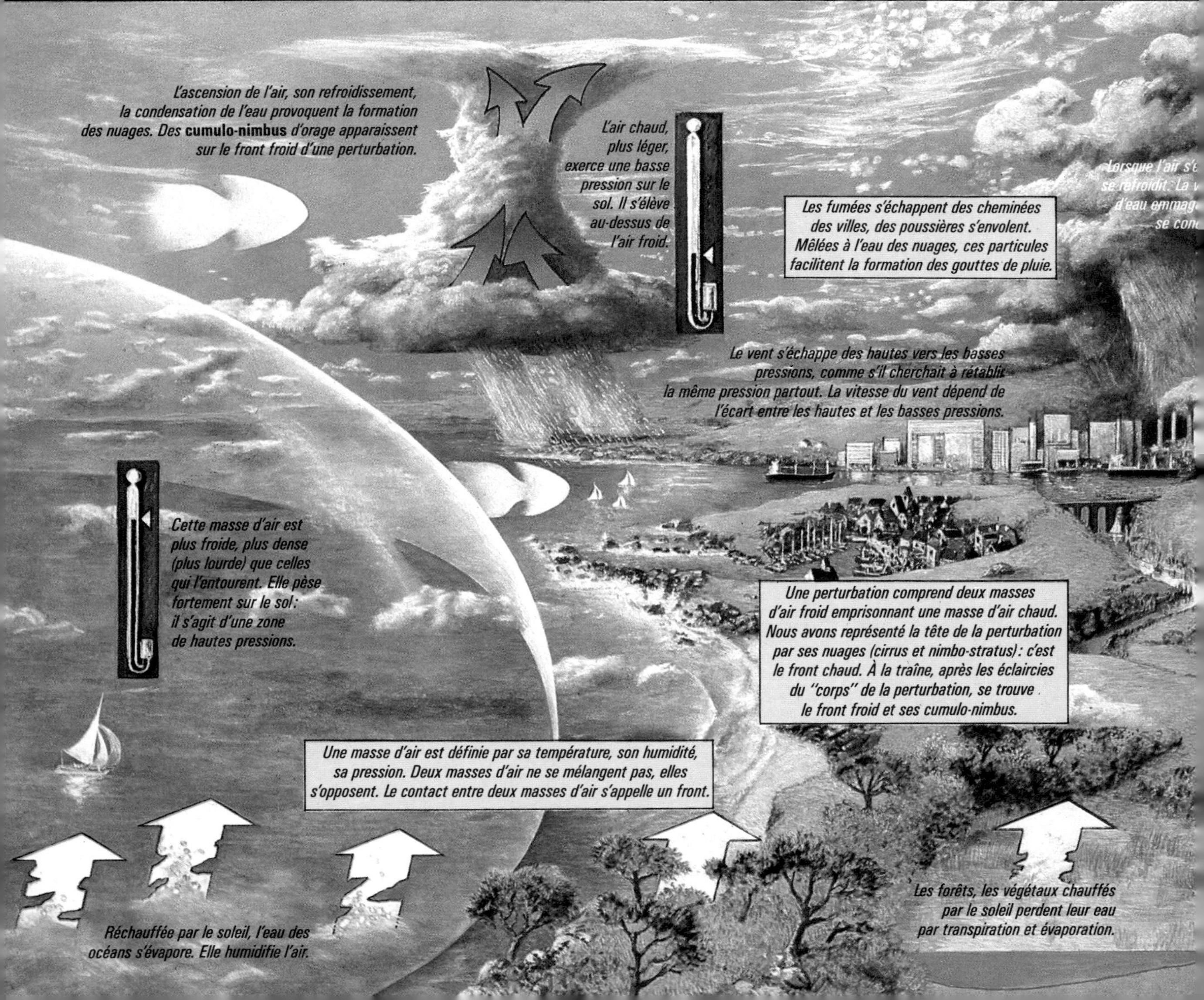

L'ascension de l'air, son refroidissement, la condensation de l'eau provoquent la formation des nuages. Des **cumulo-nimbus** d'orage apparaissent sur le front froid d'une perturbation.

L'air chaud, plus léger, exerce une basse pression sur le sol. Il s'élève au-dessus de l'air froid.

Lorsque l'air s'
se refroidit. La v
d'eau emmaga
se cond

Les fumées s'échappent des cheminées des villes, des poussières s'envolent. Mêlées à l'eau des nuages, ces particules facilitent la formation des gouttes de pluie.

Le vent s'échappe des hautes vers les basses pressions, comme s'il cherchait à rétablir la même pression partout. La vitesse du vent dépend de l'écart entre les hautes et les basses pressions.

Cette masse d'air est plus froide, plus dense (plus lourde) que celles qui l'entourent. Elle pèse fortement sur le sol : il s'agit d'une zone de hautes pressions.

Une perturbation comprend deux masses d'air froid emprisonnant une masse d'air chaud. Nous avons représenté la tête de la perturbation par ses nuages (cirrus et nimbo-stratus) : c'est le front chaud. À la traîne, après les éclaircies du "corps" de la perturbation, se trouve le front froid et ses cumulo-nimbus.

Une masse d'air est définie par sa température, son humidité, sa pression. Deux masses d'air ne se mélangent pas, elles s'opposent. Le contact entre deux masses d'air s'appelle un front.

Réchauffée par le soleil, l'eau des océans s'évapore. Elle humidifie l'air.

Les forêts, les végétaux chauffés par le soleil perdent leur eau par transpiration et évaporation.

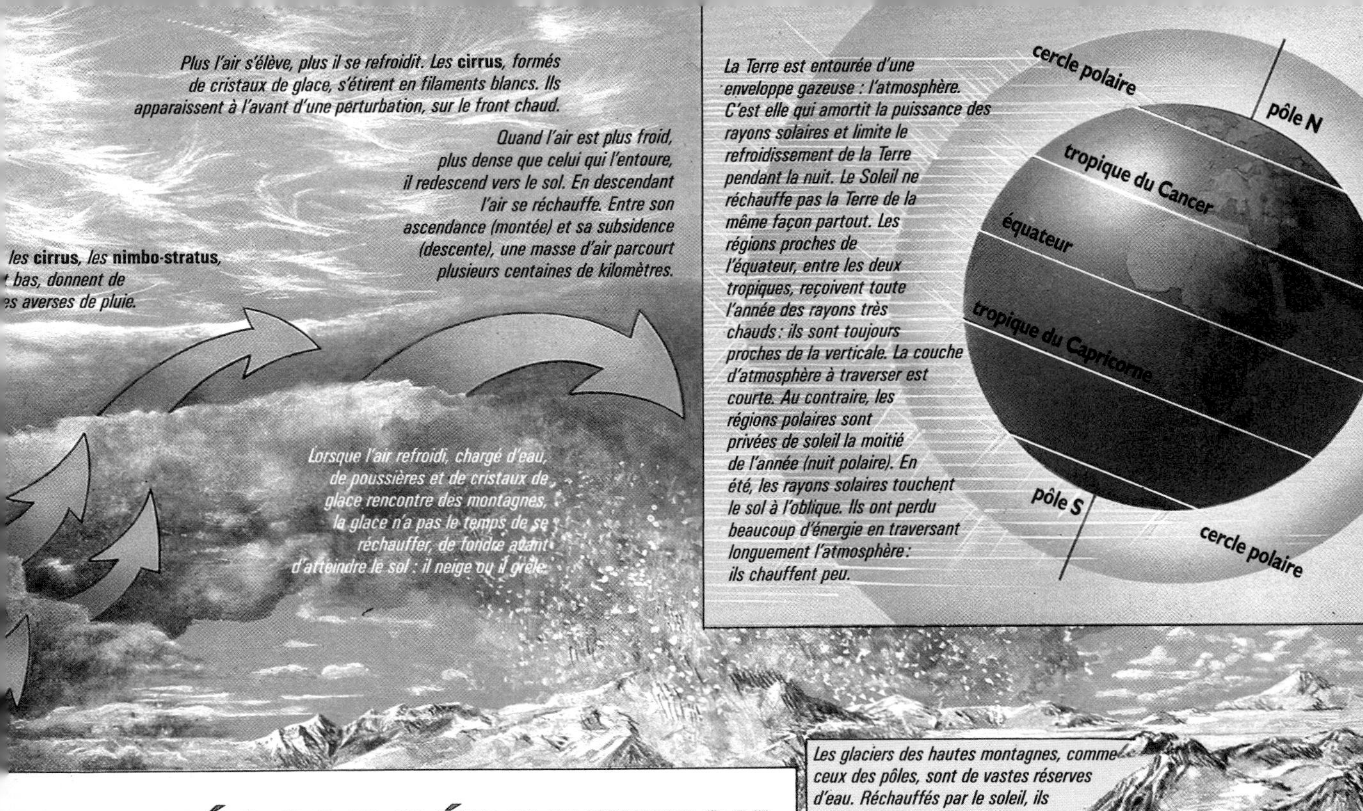

Plus l'air s'élève, plus il se refroidit. Les **cirrus**, *formés de cristaux de glace, s'étirent en filaments blancs. Ils apparaissent à l'avant d'une perturbation, sur le front chaud.*

Quand l'air est plus froid, plus dense que celui qui l'entoure, il redescend vers le sol. En descendant l'air se réchauffe. Entre son ascendance (montée) et sa subsidence (descente), une masse d'air parcourt plusieurs centaines de kilomètres.

les **cirrus**, *les* **nimbo-stratus**, *t bas, donnent de es averses de pluie.*

Lorsque l'air refroidi, chargé d'eau, de poussières et de cristaux de glace rencontre des montagnes, la glace n'a pas le temps de se réchauffer, de fondre avant d'atteindre le sol : il neige ou il grêle.

La Terre est entourée d'une enveloppe gazeuse : l'atmosphère. C'est elle qui amortit la puissance des rayons solaires et limite le refroidissement de la Terre pendant la nuit. Le Soleil ne réchauffe pas la Terre de la même façon partout. Les régions proches de l'équateur, entre les deux tropiques, reçoivent toute l'année des rayons très chauds : ils sont toujours proches de la verticale. La couche d'atmosphère à traverser est courte. Au contraire, les régions polaires sont privées de soleil la moitié de l'année (nuit polaire). En été, les rayons solaires touchent le sol à l'oblique. Ils ont perdu beaucoup d'énergie en traversant longuement l'atmosphère : ils chauffent peu.

Les glaciers des hautes montagnes, comme ceux des pôles, sont de vastes réserves d'eau. Réchauffés par le soleil, ils fondent. Les eaux ruissellent aux abords des glaciers puis forment des torrents.

UNE INÉGALE RÉPARTITION DES CLIMATS

Le rayonnement solaire est nécessaire à la vie sur terre, mais l'échauffement est inégal selon les latitudes de la planète : les rayons atteignent le sol verticalement ou obliquement. La longueur des jours varie au cours de l'année et le nombre des saisons change selon les latitudes. Dans chaque hémisphère, les rayonnements solaires délimitent trois zones climatiques : la zone polaire, où le réchauffement solaire est minimal ; la zone tropicale, où le réchauffement solaire est maximal ; la zone tempérée, où le réchauffement varie du Nord au Sud et du 1er janvier au 31 décembre.

L'air et l'eau sont en mouvement continuel. Ils compensent partiellement l'inégale répartition des rayonnements.

Les courants d'air de très haute altitude, les courants marins, les mouvements atmosphériques fonctionnent un peu comme des régulateurs d'une zone climatique à l'autre. À l'intérieur d'une même zone, ce sont les mouvements verticaux de l'air, les vents, les précipitations et l'évaporation de l'eau qui permettent le déplacement de l'énergie (chaleur) due au rayonnement solaire.

Tout cela distingue les différents types de climats dans chaque grande zone climatique.

L'eau s'échappe des lacs et s'écoule en rivière.

Les lacs se forment dans des creux, des cuvettes du relief. Les eaux des torrents dont une partie s'évapore s'y rassemblent.

Les climats équatoriaux, tropicaux et arides, composent la zone climatique chaude. Dans la zone tempérée coexistent : les climats océaniques (tempérés moyens) continentaux (tempérés froids) et méditerranéens. Seule la zone polaire ne possède qu'un type climatique : le climat polaire.

Toute l'eau ne s'écoule pas à la surface du sol. Quand le sol et le sous-sol sont perméables (sable, roches fendues), une partie des eaux s'infiltre. Sous la terre, l'eau continue son ruissellement vers le niveau de la mer, ou bien s'enfonce. Arrêtée par des roches imperméables (marnes, argiles), l'eau forme des lacs souterrains ou des nappes phréatiques, c'est-à-dire des nappes qui alimentent des sources.

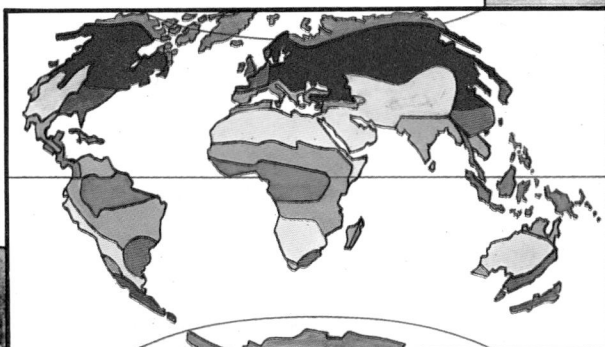

.es eaux souterraines jaillissent en source. Elles rejoignent alors les rivières puis les fleuves, qui se jettent dans la mer.

LES CLIMATS CHAUDS

La zone chaude s'étend du 30e parallèle Nord au 30e parallèle Sud. Elle déborde donc légèrement les tropiques Nord et Sud et couvre les 2/5 de la surface terrestre.

Partout, la température moyenne annuelle dépasse 20 °C : il n'existe pas de véritable hiver.

Les jours et les nuits conservent toute l'année une durée constante. L'amplitude thermique annuelle est faible, le plus souvent inférieure à 10 °C. Par contre l'amplitude thermique diurne est très importante (jusqu'à 30 °C au Sahara).

La position du Soleil, toujours très proche de la verticale, explique la chaleur et sa régularité.

Les masses d'air se déplacent peu : une zone de basses pressions demeure toute l'année à proximité de l'équateur. Au contraire, les tropiques sont des zones de hautes pressions. Il existe donc des vents réguliers des tropiques vers l'équateur : les alizés. La rotation de la Terre dévie ces vents. Ils soufflent du N.-E. vers le S.-O. dans l'hémisphère Nord et du S.-E. vers le N.-O. dans l'hémisphère Sud. Leur vitesse varie de 10 à 35 km/h.

La rencontre des alizés Nord et Sud à proximité de l'équateur (convergence intertropicale) provoque une ascendance de l'air et des pluies.

Les précipitations et leur répartition dans l'année différencient les climats de la zone chaude.

Pendant l'été de l'hémisphère Nord, les anticyclo tropicaux remontent vers le 45e parallèle N (latitude approximative de Bordeaux).

La convergence intertropicale se déplace égalem vers le nord. Elle provoque une saison des pl dans la zone tropicale Nord. Le phénomène s'inv en hiver : c'est alors la zone tropicale Sud qui arrosée.

Le phénomène s'atténue lorsqu'on s'éloigne l'équateur : la quantité d'eau tombée et la durée la saison humide diminuent. La saison des pl n'existe plus au Sahara, situé au nord du tropi du Cancer. Il existe trois types de climats en z chaude.

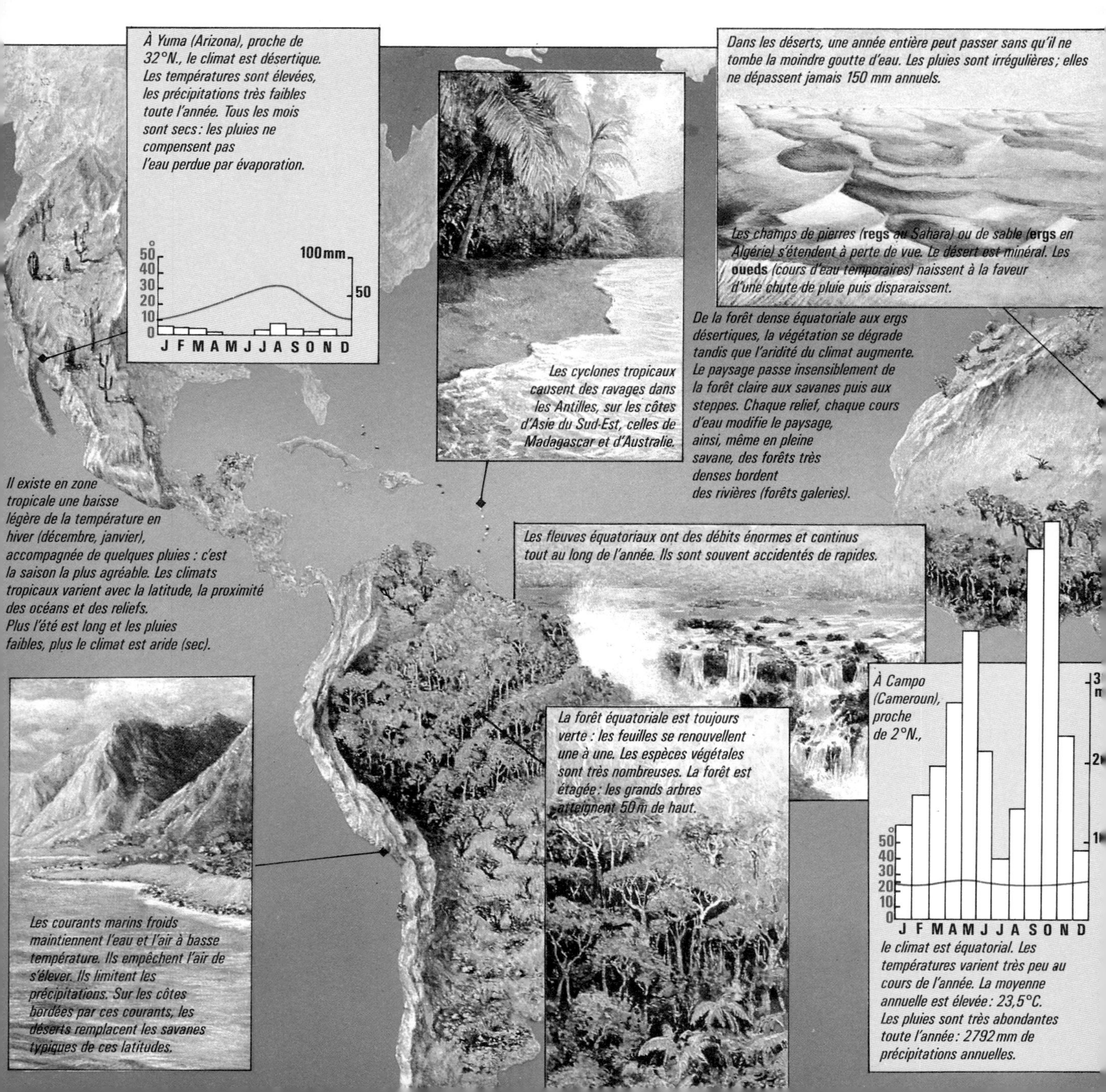

À Yuma (Arizona), proche de 32°N., le climat est désertique. Les températures sont élevées, les précipitations très faibles toute l'année. Tous les mois sont secs : les pluies ne compensent pas l'eau perdue par évaporation.

Les cyclones tropicaux causent des ravages dans les Antilles, sur les côtes d'Asie du Sud-Est, celles de Madagascar et d'Australie.

Dans les déserts, une année entière peut passer sans qu'il ne tombe la moindre goutte d'eau. Les pluies sont irrégulières ; elles ne dépassent jamais 150 mm annuels.

*Les champs de pierres (**regs** au Sahara) ou de sable (**ergs** en Algérie) s'étendent à perte de vue. Le désert est minéral. Les **oueds** (cours d'eau temporaires) naissent à la faveur d'une chute de pluie puis disparaissent.*

De la forêt dense équatoriale aux ergs désertiques, la végétation se dégrade tandis que l'aridité du climat augmente. Le paysage passe insensiblement de la forêt claire aux savanes puis aux steppes. Chaque relief, chaque cours d'eau modifie le paysage, ainsi, même en pleine savane, des forêts très denses bordent des rivières (forêts galeries).

Il existe en zone tropicale une baisse légère de la température en hiver (décembre, janvier), accompagnée de quelques pluies : c'est la saison la plus agréable. Les climats tropicaux varient avec la latitude, la proximité des océans et des reliefs. Plus l'été est long et les pluies faibles, plus le climat est aride (sec).

Les fleuves équatoriaux ont des débits énormes et continus tout au long de l'année. Ils sont souvent accidentés de rapides.

La forêt équatoriale est toujours verte : les feuilles se renouvellent une à une. Les espèces végétales sont très nombreuses. La forêt est étagée : les grands arbres atteignent 50 m de haut.

À Campo (Cameroun), proche de 2°N., le climat est équatorial. Les températures varient très peu au cours de l'année. La moyenne annuelle est élevée : 23,5°C. Les pluies sont très abondantes toute l'année : 2792 mm de précipitations annuelles.

Les courants marins froids maintiennent l'eau et l'air à basse température. Ils empêchent l'air de s'élever. Ils limitent les précipitations. Sur les côtes bordées par ces courants, les déserts remplacent les savanes typiques de ces latitudes.

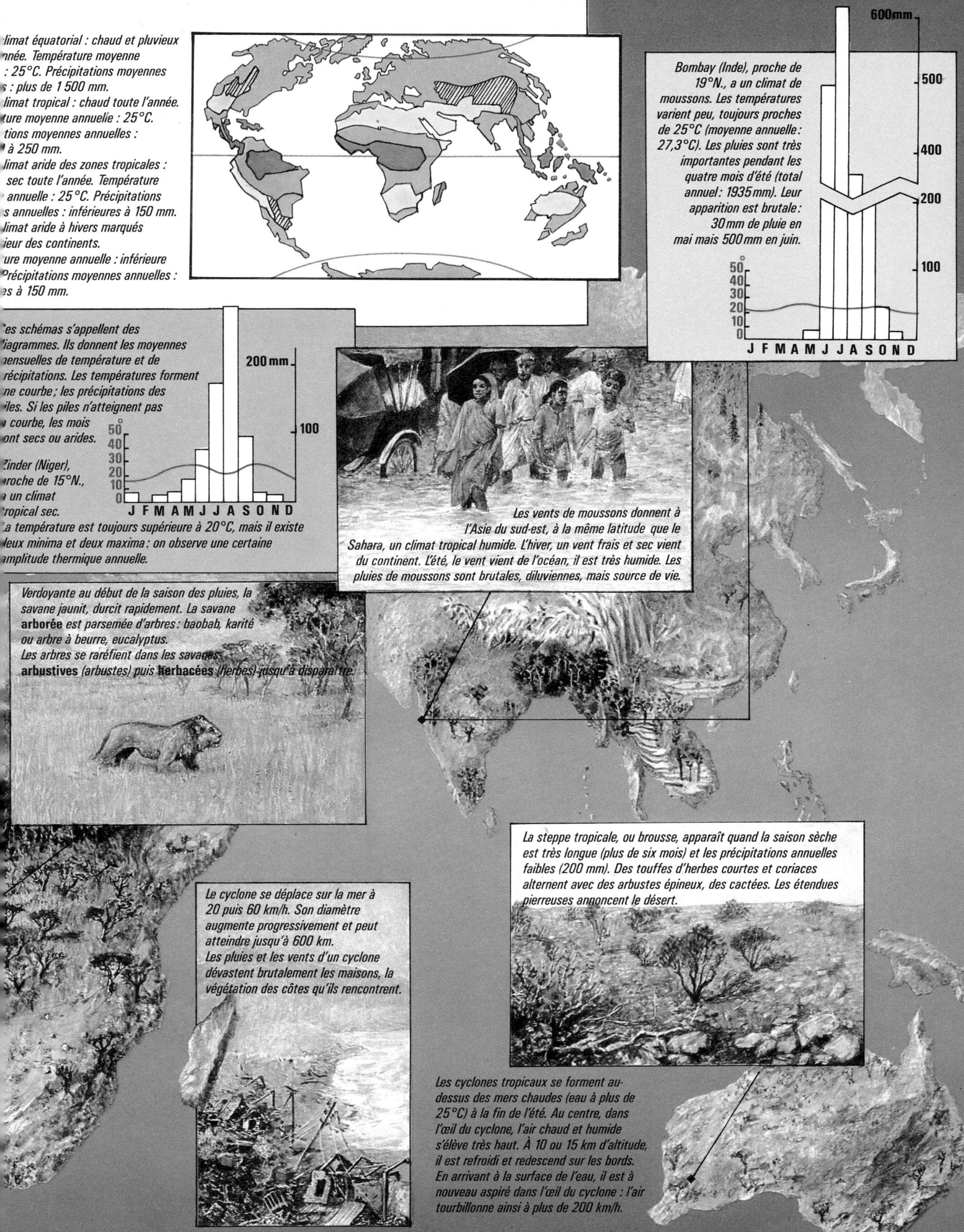

limat équatorial : chaud et pluvieux nnée. Température moyenne : 25°C. Précipitations moyennes s : plus de 1 500 mm.
limat tropical : chaud toute l'année. ture moyenne annuelle : 25°C. tions moyennes annuelles : à 250 mm.
limat aride des zones tropicales : sec toute l'année. Température annuelle : 25°C. Précipitations s annuelles : inférieures à 150 mm.
limat aride à hivers marqués ieur des continents. ure moyenne annuelle : inférieure Précipitations moyennes annuelles : es à 150 mm.

Bombay (Inde), proche de 19°N., a un climat de moussons. Les températures varient peu, toujours proches de 25°C (moyenne annuelle : 27,3°C). Les pluies sont très importantes pendant les quatre mois d'été (total annuel : 1935 mm). Leur apparition est brutale : 30 mm de pluie en mai mais 500 mm en juin.

es schémas s'appellent des iagrammes. Ils donnent les moyennes mensuelles de température et de récipitations. Les températures forment ne courbe ; les précipitations des iles. Si les piles n'atteignent pas courbe, les mois ont secs ou arides.

Zinder (Niger), proche de 15°N., a un climat ropical sec.
La température est toujours supérieure à 20°C, mais il existe deux minima et deux maxima : on observe une certaine amplitude thermique annuelle.

Les vents de moussons donnent à l'Asie du sud-est, à la même latitude que le Sahara, un climat tropical humide. L'hiver, un vent frais et sec vient du continent. L'été, le vent vient de l'océan, il est très humide. Les pluies de moussons sont brutales, diluviennes, mais source de vie.

Verdoyante au début de la saison des pluies, la savane jaunit, durcit rapidement. La savane ***arborée*** *est parsemée d'arbres : baobab, karité ou arbre à beurre, eucalyptus.*
Les arbres se raréfient dans les savanes ***arbustives*** *(arbustes) puis* ***herbacées*** *(herbes) jusqu'à disparaître.*

La steppe tropicale, ou brousse, apparaît quand la saison sèche est très longue (plus de six mois) et les précipitations annuelles faibles (200 mm). Des touffes d'herbes courtes et coriaces alternent avec des arbustes épineux, des cactées. Les étendues pierreuses annoncent le désert.

Le cyclone se déplace sur la mer à 20 puis 60 km/h. Son diamètre augmente progressivement et peut atteindre jusqu'à 600 km.
Les pluies et les vents d'un cyclone dévastent brutalement les maisons, la végétation des côtes qu'ils rencontrent.

Les cyclones tropicaux se forment au-dessus des mers chaudes (eau à plus de 25°C) à la fin de l'été. Au centre, dans l'œil du cyclone, l'air chaud et humide s'élève très haut. À 10 ou 15 km d'altitude, il est refroidi et redescend sur les bords. En arrivant à la surface de l'eau, il est à nouveau aspiré dans l'œil du cyclone : l'air tourbillonne ainsi à plus de 200 km/h.

La prairie est un tapis continu de hautes herbes (jusqu'à 2 m de hauteur) mêlées à des plantes à fleurs très variées. Entre la steppe et la **taïga** *(forêt de conifères du Grand Nord), la prairie se développe quand les précipitations sont supérieures à 350 mm annuels.*

De la forêt **boréale** *on passe insensiblement, irrégulièrement, aux prairies, aux steppes, puis aux déserts froids.*

Au Groënland, le climat est po[...] La température moye[...] annuelle est de −17,8 °C, le maxi[...] n'excède pas 5 °C mais l'ampli[...] thermique annuelle est forte. On y re[...] 148 mm de précipitations pour l'an[...]

Une forêt d'arbres à feuilles caduques de 30 à 35 m de haut caractérise le paysage traditionnel des milieux océaniques. Les chênes, les hêtres, les charmes et les frênes sont les grands arbres de la forêt. Le sous-bois est riche, bien éclairé.

LES ZONES TEMPÉRÉES ET FROIDES

Les zones tempérées s'étendent des 30es aux 60es parallèles dans chaque hémisphère. Dans l'hémisphère Sud, les océans prédominent. Dans l'hémisphère Nord, l'Amérique du Nord, l'Europe et une partie de l'Asie se trouvent aux latitudes tempérées. Zone de conflit entre les masses d'air polaire et les anticyclones tropicaux, soumise à l'influence des océans Pacifique et Atlantique, la zone tempérée Nord est dominée par les vents d'ouest et les perturbations atmosphériques. Il existe partout quatre saisons, mais la répartition des précipitations et des températures varie en fonction des latitudes, de la proximité des océans et de l'altitude.

Les plus hautes latitudes sont influencées par le froid polaire tandis que les latitudes méditerranéennes subissent l'influence des chaleurs tropicales. L'eau se réchauffe et se refroidit moins vite que la terre. Les régions côtières ont donc des chaleurs d'été atténuées par la proximité des océans. La rigueur hivernale est également diminuée.

Au-dessus des océans, l'air est humide. Les côtes exposées aux vents d'ouest dominants reçoivent donc d'importantes précipitations.

Ces influences océaniques sur les températures et les précipitations sont accentuées par la pré[...] de courants marins chauds le long des côtes [...] des continents (Europe, Californie). Ils récha[...] l'eau, facilitent l'évaporation et donc les pré[...]tions sur les côtes.

L'altitude fait baisser les températures et au[...]ter les précipitations. Elle en change égalem[...] nature : la neige est plus fréquente en mon[...] que dans les plaines avoisinantes. Les ba[...] montagneuses américaines arrêtent les [...] venues du Pacifique; elles limitent le climat [...]nique à une frange littorale.

On distingue trois types de climats tempéré[...] zones froides ou polaires se situent au-del[...] 60es parallèles.

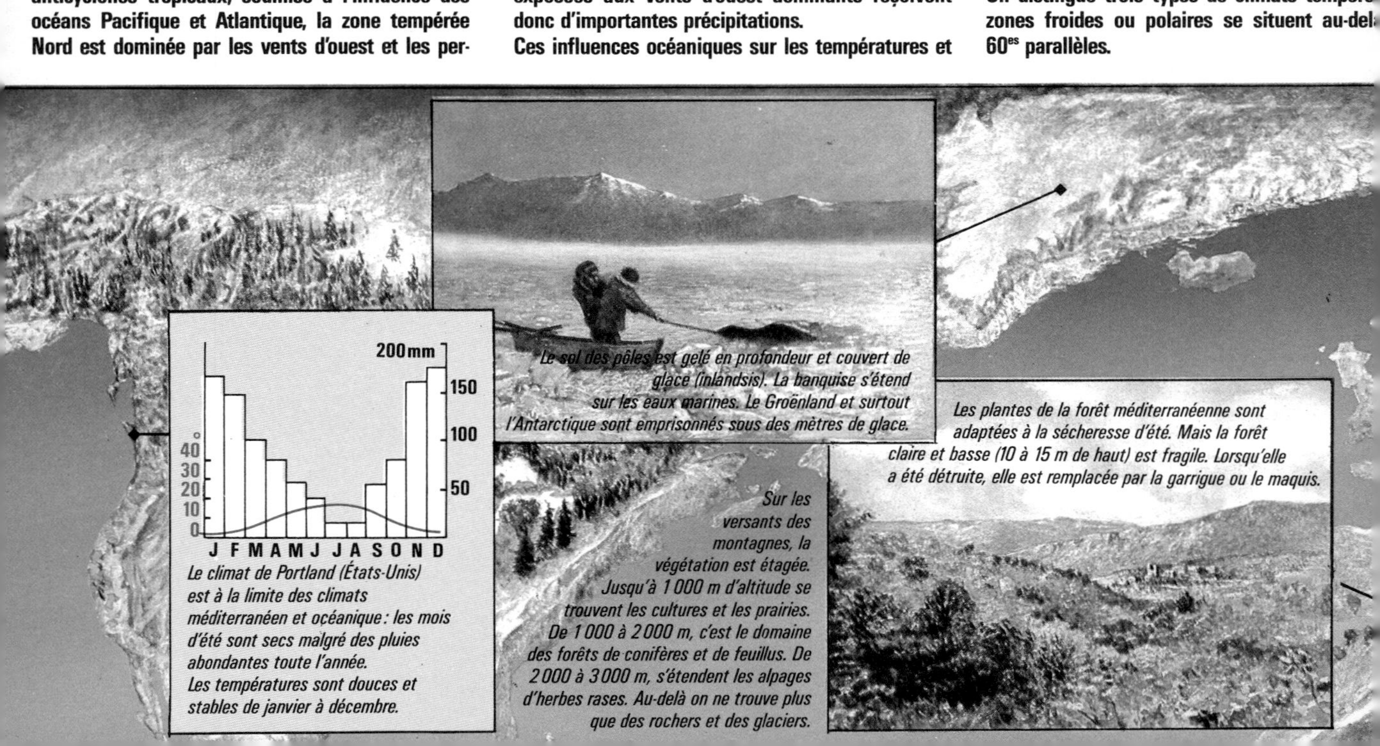

Le sol des pôles est gelé en profondeur et couvert de glace (inlandsis). La banquise s'étend sur les eaux marines. Le Groënland et surtout l'Antarctique sont emprisonnés sous des mètres de glace.

Le climat de Portland (États-Unis) est à la limite des climats méditerranéen et océanique : les mois d'été sont secs malgré des pluies abondantes toute l'année. Les températures sont douces et stables de janvier à décembre.

Sur les versants des montagnes, la végétation est étagée. Jusqu'à 1 000 m d'altitude se trouvent les cultures et les prairies. De 1 000 à 2 000 m, c'est le domaine des forêts de conifères et de feuillus. De 2 000 à 3 000 m, s'étendent les alpages d'herbes rases. Au-delà on ne trouve plus que des rochers et des glaciers.

Les plantes de la forêt méditerranéenne sont adaptées à la sécheresse d'été. Mais la forêt claire et basse (10 à 15 m de haut) est fragile. Lorsqu'elle a été détruite, elle est remplacée par la garrigue ou le maquis.

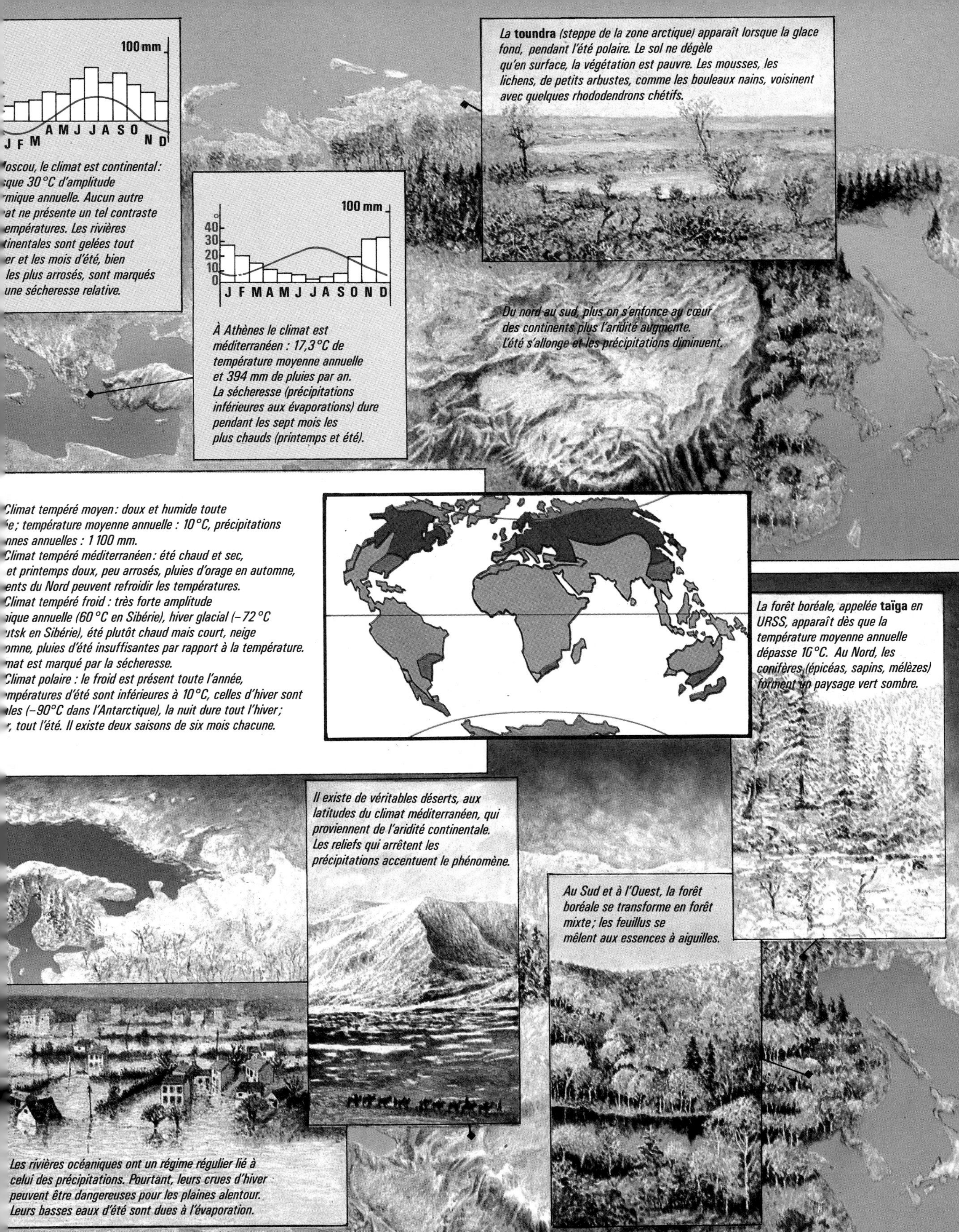

'oscou, le climat est continental : ;que 30 °C d'amplitude ·mique annuelle. Aucun autre 'at ne présente un tel contraste empératures. Les rivières tinentales sont gelées tout er et les mois d'été, bien les plus arrosés, sont marqués une sécheresse relative.

À Athènes le climat est méditerranéen : 17,3 °C de température moyenne annuelle et 394 mm de pluies par an. La sécheresse (précipitations inférieures aux évaporations) dure pendant les sept mois les plus chauds (printemps et été).

La **toundra** (steppe de la zone arctique) apparaît lorsque la glace fond, pendant l'été polaire. Le sol ne dégèle qu'en surface, la végétation est pauvre. Les mousses, les lichens, de petits arbustes, comme les bouleaux nains, voisinent avec quelques rhododendrons chétifs.

Du nord au sud, plus on s'enfonce au cœur des continents plus l'aridité augmente. L'été s'allonge et les précipitations diminuent.

Climat tempéré moyen : doux et humide toute 'e ; température moyenne annuelle : 10 °C, précipitations nnes annuelles : 1 100 mm.
Climat tempéré méditerranéen : été chaud et sec, et printemps doux, peu arrosés, pluies d'orage en automne, ents du Nord peuvent refroidir les températures.
Climat tempéré froid : très forte amplitude ıique annuelle (60 °C en Sibérie), hiver glacial (– 72 °C ıtsk en Sibérie), été plutôt chaud mais court, neige omne, pluies d'été insuffisantes par rapport à la température. nat est marqué par la sécheresse.
Climat polaire : le froid est présent toute l'année, mpératures d'été sont inférieures à 10 °C, celles d'hiver sont les (–90°C dans l'Antarctique), la nuit dure tout l'hiver ; , tout l'été. Il existe deux saisons de six mois chacune.

La forêt boréale, appelée **taïga** en URSS, apparaît dès que la température moyenne annuelle dépasse 10 °C. Au Nord, les conifères (épicéas, sapins, mélèzes) forment un paysage vert sombre.

Il existe de véritables déserts, aux latitudes du climat méditerranéen, qui proviennent de l'aridité continentale. Les reliefs qui arrêtent les précipitations accentuent le phénomène.

Au Sud et à l'Ouest, la forêt boréale se transforme en forêt mixte ; les feuillus se mêlent aux essences à aiguilles.

Les rivières océaniques ont un régime régulier lié à celui des précipitations. Pourtant, leurs crues d'hiver peuvent être dangereuses pour les plaines alentour. Leurs basses eaux d'été sont dues à l'évaporation.

Les déserts chauds et les déserts blancs des pôles sont des milieux inhospitaliers. Ils ne peuvent donner que très peu aux hommes qui y vivent. Les pasteurs nomades se nourrissent de leur troupeau, ils se déplacent sans cesse de pâturage éphémère en point d'eau. Les Esquimaux vivent de chasse et de pêche. Pour rechercher leur nourriture, ils sont eux aussi obligés de se déplacer continuellement. Ces formes de vie, presque entièrement soumises aux climats, nécessitent peu de moyens techniques et financiers. Très anciennes, elles sont aujourd'hui transformées et tendent à disparaître.

LES HOMMES ET LES CLIMATS

Le climat conditionne la croissance et la nature de la végétation, comme les possibilités de vie humaine. Mais les hommes peuvent s'adapter et maîtriser ou utiliser les éléments climatiques en fonction des moyens techniques et financiers dont ils disposent.

Par exemple, la forêt équatoriale semble repousser la vie humaine. Pourtant, l'île de Java est depuis longtemps habitée et cultivée grâce à des techniques agricoles adaptées au climat. Aujourd'hui, la forêt amazonienne est exploitée. La percée de la route transamazonienne a permis aux hommes d'y pénétrer, mais ils doivent sans cesse lutter contre la croissance de la forêt.

Lorsque l'utilisation humaine va à l'encontre du milieu naturel, les hommes doivent intervenir constamment. Ils doivent aussi mesurer à long terme les conséquences de leurs transformations pour ne pas détruire un équilibre parfois précaire. L'avancée du désert saharien s'explique sans doute par des modifications climatiques. Mais les famines qui déciment la population du Sahel s'expliquent aussi par l'exploitation humaine de ces régions peu hospitalières. Les incendies de savanes, à terme, appauvrissent les sols. La sédentarisation des nomades, les progrès médicaux font croître la population. Les États du Sahel n'ont pas toujours les moyens d'irriguer de grands espaces. L'équilibre entre le milieu et la population est alors momentanément rompu.

La maîtrise de l'eau a permis de cultiver et d'habiter de façon sédentaire les oasis du Sahara. Il n'y pleut presque jamais ; il faut donc capter l'eau souterraine qui vient des reliefs ou des régions plus arrosées. L'eau est ensuite canalisée en un réseau d'irrigation.

Maîtriser l'eau, c'est aussi savoir garder et utiliser celle de la saison des pluies. Les rizières, entourées de diguettes, emprisonnent l'eau de la mousson d'été. Le riz peut ainsi germer et grandir. Sans ces aménagements, l'eau ruissellerait et ravinerait le sol empêchant toute agriculture.

La technologie du XXe siècle et l'économie des pays producteurs de pétrole permettent une maîtrise de l'eau plus scientifique que celle, ancestrale, des oasis ou des rizières. À Abū Dhabi, peu importe l'aridité climatique : l'eau de mer est dessalinisée, les légumes sont cultivés dans des serres réfrigérées et l'air des immeubles est climatisé à 20 °C toute l'année. Un tel bouleversement du milieu naturel exige d'énormes financements.

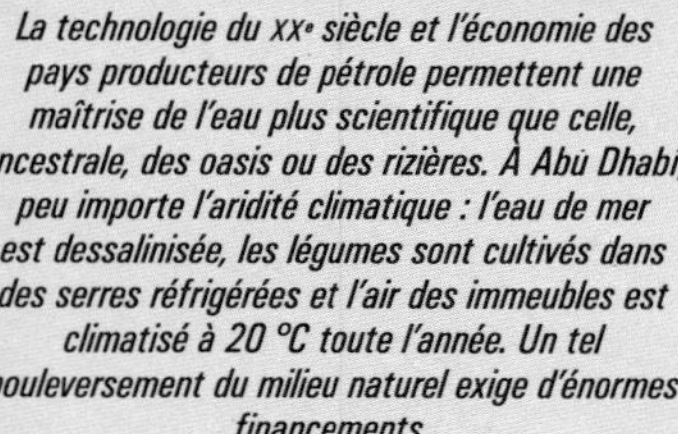

Le soleil et la chaleur des îles tropicales attirent les touristes qui fuient l'hiver des zones tempérées. Le tourisme y devient la principale source de revenus. Dans les régions de montagne, le ski et le tourisme ont relégué au second plan l'agriculture traditionnelle. Ce sont deux façons de tirer parti des bons et des mauvais côtés d'un climat.

Conjugaison 6
▭ Indic. présent :
je célèbre, nous célébrons.

célébrer v.
1. Fêter un événement ou le souvenir d'un événement. *Le 11 novembre, on célèbre l'armistice de 1918.* **2.** Accomplir solennellement. *Le maire a célébré un mariage ce matin.*

Attention à l'accent aigu du *é* de *céleri.* Le deuxième *e* ne se prononce pas : [sɛlʀi].

céleri n. m.
Plante dont on mange les tiges, les feuilles ou la racine. *On appelle céleri en branches le céleri dont on mange les tiges et céleri-rave celui dont on mange la racine.*

Le céleri se mange cru ou cuit.

Céleste n'est pas un mot très courant.

céleste adj.
Relatif au ciel. *Les oiseaux volent dans l'espace céleste.*

Attention au *t* final.

célibat n. m.
Situation d'une personne qui n'est pas mariée. *Les prêtres catholiques doivent vivre dans le célibat.*

On peut être marié, célibataire, veuf ou divorcé.

▸ **célibataire** adj. Qui n'est pas marié. *Angèle est célibataire. Mme Hespel est une mère célibataire.* — n. m. et f. *Angèle et Hippolyte sont tous les deux des célibataires.*

Astérix est un célibataire endurci.

celle, celle-ci, celle-là va voir **celui.**

Il y a deux *l* dans *cellier.*

cellier n. m.
Endroit frais installé pour conserver des provisions et des boissons. *Le vin est rangé dans le cellier.*

Cellophane est le nom d'une marque déposée.

cellophane n. f.
Fine feuille de plastique transparent qui sert à emballer. *Acheter du fromage sous cellophane.*

La plupart des cellules ne sont visibles qu'au microscope.

① **cellule** n. f.
Élément très petit qui entre dans la composition de tous les organismes vivants. *Les cellules contiennent un noyau.*

On appelle *cellule* la chambre d'un moine.

② **cellule** n. f.
Petite pièce. *Les prisonniers sont enfermés dans des cellules.*

Les alvéoles sont parfois appelées *cellules.*

Au masculin pluriel : *ceux.* Au féminin pluriel : *celles.*

celui pronom démonstratif m., **celle** pronom démonstratif f.
1. *Le frère de Nathalie s'appelle David et celui de Julie, Martin. Celle qui est toujours méchante, c'est Mme Harpie. Tous ceux qui ont terminé leur devoir peuvent partir. Que celles qui connaissent la réponse lèvent le doigt !* **2.** *Celui-ci* sert à désigner celui qui est différent de *celui-là. Regarde bien ces champignons : ceux-ci sont comestibles et ceux-là sont mortels. — « De tous ces gâteaux, c'est celui-là que je préfère » dit Antoine en montrant un éclair au chocolat. « Ce qu'il peut être gourmand celui-là », pense Julie.* **3.** *Celui-ci* sert à désigner la personne dont on vient juste de parler. *Voilà Antoine et Yves ; celui-ci est blond, celui-là est châtain,* Antoine est châtain et Yves est blond.

Au féminin : *celle-ci, celle-là.* Au pluriel : *ceux-ci, ceux-là, celles-ci, celles-là.* Attention à l'accent grave du *à* de *celui-là* !

Astérix est tout petit ; Obélix c'est celui qui est très gros.

Qui sortira-t-il ?
Sortira-t-elle ?
Ce n'est ni lui ni elle,
A dit ma tante Michelle ;
Ni celle-là,
Dit ma tante Emma ;
Ni celle-ci,
Dit ma tante Émilie
(comptine).

Les cendres de quelqu'un, ce sont les restes de son corps, après sa mort.

cendre n. f.
Ce qui reste de quelque chose qui a brûlé. *Denis Prost met la cendre de sa cigarette dans le cendrier. L'incendie a réduit la maison en cendres.*
▸ **cendrier** n. m. Récipient où l'on met les cendres et les mégots de cigarettes. *Denis Prost éteint sa cigarette dans le cendrier.*

Compare : *cendre → cendrier* et *poudre → poudrier.*

Lorsqu'elle avait fait son ouvrage, elle s'allait mettre au coin de la cheminée, et s'asseoir dans les cendres *(Cendrillon).*

Ne confonds pas *censé* et *sensé.*

censé adj.
Quelqu'un est censé faire quelque chose quand il est prévu ou qu'il est normal qu'il le fasse. *Julie est censée avoir appris ses leçons.*

Nul n'est censé ignorer la loi.

Compare ***censeur*** et ***censure*** : dans ces mots, on **juge.**

censeur n. m.
1. Personne qui est chargée de faire respecter la discipline dans un lycée. *Le censeur a réuni le conseil de discipline.* **2.** Personne qui est chargée par le gouvernement de juger si la sortie d'un livre, d'un film, d'un spectacle peut être autorisée. *Les censeurs ont interdit ce film aux moins de treize ans.*

Quand le censeur est une femme, on dit *Madame le censeur.*

Compare *censure* et *censeur* : on **juge.**

Compare : *censure → censurer* et *caricature → caricaturer.*

censure n. f.
Autorisation que donne le gouvernement pour la sortie d'un livre, d'un film, d'un spectacle. *Le film a obtenu son visa de censure.*

On appelle aussi *censure* la réunion des censeurs.

▸ **censurer** v. Interdire complètement ou en partie un livre, un film, un spectacle. *Une scène du film qui était très violente a été censurée.*

Conjugaison 1

Ne confonds pas *cent, sans, sang* et *sens.*

On emploie aussi *cent* pour dire *un grand nombre.* Quand *on fait les cent pas,* on va et on vient mais on ne compte pas ses pas !

cent adj.
1. Qui est formé de dix dizaines d'unités. *Julie a économisé cent francs. Antoine a deux cents billes. Il y a quatre cent soixante-dix kilomètres de Paris à Lyon. Il y a plus de neuf cent mille habitants à Marseille. L'U.R.S.S. a presque trois cents millions d'habitants.* — n. m. Le nombre cent. *Soixante et quarante font cent.* **2.** *Pour cent* exprime une proportion par rapport à cent. *Ce fromage contient quarante pour cent de matière grasse,* dans cent grammes de fromage, il y a quarante grammes de matière grasse. *Le candidat n'a obtenu que deux pour cent des voix,* sur cent personnes qui ont voté, deux ont voté pour lui.

Cent prend un *s* au pluriel, sauf quand il est suivi d'un autre nombre : 500 s'écrit *cinq cents,* mais 501 s'écrit *cinq cent un.*

On écrit plutôt **40 %.**

Compare : *cent → centaine* et *vingt → vingtaine.*

▸ **centaine** n. f. **1.** Groupe de cent unités. *Dans « mille cinq cent vingt-trois », « cinq » est le chiffre des centaines. Il y a dix centaines dans mille.* **2.** Groupe d'environ cent personnes ou cent choses semblables. *Il y avait une centaine de manifestants. Hippolyte, le facteur, a des centaines de lettres à distribuer.*

Une *centaine* : dix dizaines.

Autres membres de la famille **centenaire, centième, centime, centuple, pourcentage.**

centaure n. m.
Être imaginaire, moitié homme et moitié cheval. *Le centaure a la tête et le buste d'un homme et le corps d'un cheval.*

Dans les légendes, les centaures sont méchants et brutaux.

Prononce [sɑ̃tnɛʀ].

centenaire adj. et n.
1. Qui a au moins cent ans. *Il y a des chênes centenaires dans la forêt.* — n. m. et f. *Personne qui a cent ans. Le député a rendu visite à une centenaire.* **2.** n. m. Centième anniversaire. *En 1981, on a célébré le centenaire de la naissance de Fleming qui découvrit la pénicilline.*

Le poète Fontenelle est mort centenaire.

1950 était l'année du centenaire de la mort de Balzac.

Famille de **cent**

centième n. m. et adj.
1. n. m. Partie d'un tout qui est divisé en cent parties égales. *Le centimètre est le centième du mètre.* **2.** adj. Qui a le numéro cent. *Le coureur cycliste a abandonné la course au centième kilomètre.*

Compare : *cent → centième* et *vingt →vingtième.*

5,5 est le centième de 550.

Famille de **cent**

Famille de **gramme**

centigramme n. m.
Le centième du gramme. *Ce comprimé contient huit centigrammes d'aspirine.*

On écrit **cg** en abrégé.

Famille de **litre**

centilitre n. m.
Le centième du litre. *M. Bellec met vingt centilitres de lait dans sa crème.*

On écrit **cl** en abrégé.

centime n. m.
Le centième du franc. *Julie a trouvé une pièce de cinquante centimes. Mme Harpie vend des bonbons à vingt centimes.*

Il y a des pièces de 5, de 10, de 20 et de 50 centimes.

Famille de **cent**

centimètre n. m.
1. Le centième du mètre. *À la naissance, un bébé mesure environ cinquante centimètres. Un centimètre carré est la surface d'un carré qui a un centimètre de côté.* **2.** Ruban qui a une marque tous les centimètres et qui sert à prendre les mesures. *La couturière mesure le tissu avec son centimètre.*

Compare **centi**gramme, **centi**litre et **centi**mètre : il s'agit de **centièmes.**

On écrit **cm** en abrégé.

On écrit **cm²**.

On dit aussi *un mètre.*

Famille de **mètre**

① **central** adj.
Qui est situé au centre. *La mairie se trouve dans un quartier central. Le Massif central est au centre de la France.*

Au féminin : *centrale.* Au masculin pluriel : *centraux.*

Famille de **centre**

Le contraire de *central,* c'est *excentrique.*

② **central** n. m.
Un central téléphonique, c'est un lieu où aboutissent les fils d'un même réseau. *Il y a de nombreux centraux téléphoniques à Paris.*

Ne confonds pas *central* et *centrale.*

Au pluriel : *des centraux.*

Famille de **centre**

centrale n. f.
Usine qui produit de l'électricité. *Une centrale nucléaire doit s'implanter dans la région.*

Ne confonds pas *centrale* et *central.*

Famille de **centre**

Conjugaison 1

Certains sont contre cette *centralisation.*

centraliser v.
Grouper dans un seul endroit. *En France, les pouvoirs sont centralisés à Paris,* beaucoup de décisions doivent être prises à Paris.

Famille de **centre**

Le contraire de *centraliser,* c'est *décentraliser.*

n situe le centre géométrique e la France dans le Cher ou ans l'Allier.

Paris, le Centre Georges-ompidou est un centre culturel.

centre n. m.
1. Point qui est au milieu. *Le centre d'un cercle se trouve à égale distance de tous les points de la circonférence. Mme Séverac a mis un bouquet de fleurs au centre de la table.* **2.** Endroit où sont regroupées des activités. *Mme Séverac fait ses courses dans le centre commercial. Dans le centre sportif, il y a une piscine et un gymnase.*

Autres membres de la famille : ① **central,** ② **central, centrale, centraliser, décentraliser, concentrer, concentré, concentration, concentrique, excentrique, excentricité.**

Famille de **cent**

centuple n. m.
Nombre qui est cent fois plus grand. *Cent est le centuple de un, trois cents le centuple de trois et mille le centuple de dix.*

Cep [sɛp] rime avec *crêpe, guêpe* et *steppe.*

cep n. m.
Pied de vigne. *Le viticulteur taille les ceps.*

Ne confonds pas *cep* et *cèpe.*

Ne confonds pas *cèpe* et *cep.*

cèpe n. m.
Gros champignon très bon à manger, à chapeau brun et à chair blanche. *M. Bellec prépare du confit d'oie aux cèpes.*

Le cèpe appartient à la famille des bolets.

Famille de ② **ce** et de ② **pendant**

cependant adv. et conjonction
Pourtant. *Antoine n'arrête pas de manger des bonbons et des gâteaux, et cependant il est maigre ;* vois ***néanmoins.*** *Il y a du soleil, cependant il pleut.*

n fait cuire la céramique dans n four.

céramique n. f.
Matière à base d'argile avec laquelle on fabrique des objets de poterie en terre cuite, en faïence, en porcelaine. *Des carreaux de céramique recouvrent les murs de la salle de bains.*

Au pluriel : *des cerceaux.*

cerceau n. m.
Cercle de bois, de plastique. *Quand elle était petite, Mamie Lou jouait au cerceau,* elle faisait rouler un cerceau en le poussant avec un bâton.

Le dompteur fait sauter le lion à travers un cerceau enflammé.

our dessiner un cercle, on se ert d'un compas.

cercle n. m.
1. Figure géométrique en forme de rond. *On peut calculer la circonférence, le rayon, le diamètre, la surface d'un cercle.* **2.** Objet qui a la forme d'un cercle. *Le cerceau est un cercle de bois ou de plastique.* **3.** Ensemble de personnes ou d'objets placés en rond. *Les curieux ont formé un cercle autour du blessé.* **4.** *Mme Séverac a un cercle d'amis,* un groupe d'amis.
▸ ***cerclé*** adj. Entouré d'un cercle. *Le docteur Séverac a des lunettes cerclées d'or.*

On appelle *demi-cercle* la moitié d'un cercle.

Autres membres de la famille : **encercler, encerclement.**

Prononce [sɛʀkœj].

cercueil n. m.
Caisse dans laquelle on met le corps d'un mort pour l'enterrer. *Sophie Pelletier s'est recueillie devant le cercueil de sa mère.*

Les sept nains mirent Blanche-neige dans un cercueil de cristal.

lus de la moitié des terres ultivées en France est consa-rée à la culture des céréales.

céréale n. f.
1. Plante dont les grains servent à nourrir l'homme et les animaux. *Le blé, l'avoine, le maïs, l'orge, le riz et le seigle sont des céréales.* **2.** Flocons de céréales que l'on met dans du lait froid. *Antoine mange des céréales au petit déjeuner.*

Ne confonds pas *cérébral* et *cervical.*

cérébral adj.
Qui a rapport au cerveau. *La voisine d'Angèle a une maladie cérébrale.*

Au masculin pluriel : *cérébraux.*

cérémonie n. f.
1. Célébration solennelle. *Des cérémonies ont accompagné la visite du pape à Lourdes.* **2.** *Faire des cérémonies,* c'est manquer de simplicité, faire trop de politesses. *Les Séverac ont invité des amis à dîner sans cérémonie,* en toute simplicité.
▸ ***cérémonieux*** adj. Qui fait trop de cérémonies. *Julie est parfois cérémonieuse quand elle reçoit des amis pour le goûter.*

Compare : *cérémonie* → *cérémonieux* et *harmonie* → *harmonieux.*

Un peu de simplicité, Julie !

Le *f* ne se prononce pas : [sɛʀ].

Ne confonds pas *cerf* et *serf.*

Le cerf est un ruminant.

cerf n. m.
Grand animal mâle qui porte des bois sur la tête et a une queue très courte. *Les cerfs vivent en petites troupes dans les forêts. La biche est la femelle du cerf ; le faon est son petit. Le cerf brame.*

Cerf, cerf, ouvre-moi
Ou le chasseur me tuera !
Lapin, lapin, entre et viens
Me serrer la main (chanson).

Attention à la place du *e*, du *u* et du *i*. Prononce [sɛʀfœj].

cerfeuil n. m.
Plante aromatique qui atteint cinquante centimètres de haut et que l'on utilise comme condiment. *Mme Roussel fait une omelette au cerfeuil.*

Un écureuil en deuil
Mange du cerfeuil
Dans un fauteuil.

Ne prononce pas le *f* : [sɛʀvɔlɑ̃]. Famille de ① **voler**

cerf-volant n. m.
Jouet fait de tissu ou de papier tendu sur des baguettes, que l'on tire avec une ficelle pour le faire voler dans le vent. *M. Bellec a fabriqué un cerf-volant pour son fils.*

Au pluriel : *des cerfs-volants.*

On peut prononcer ou non le premier *e* : [səʀiz] ou [sʀiz].

cerise n. f.
Petit fruit rouge arrondi, charnu, qui a un noyau et une longue queue. *Les cerises sont mûres en été. Mme Séverac a fait une tarte aux cerises.*

Les vergers plantés de cerisiers sont des *cerisaies.*

▷ **cerisier** n. m. Arbre fruitier à fleurs blanches qui produit des cerises. *Les cerisiers sont en fleur. On utilise le bois de cerisier pour fabriquer des meubles.*

Un, deux, trois
— j'irai dans les bois
Quatre, cinq, six
— cueillir des cerises
Sept, huit, neuf
— dans un panier neuf
(comptine).

Attention ! *cerne* est un nom masculin.

cerne n. m.
Cercle bleuâtre sous l'œil. *Quand elle est fatiguée, Angèle a des cernes sous les yeux.*

Au féminin : *cernée.*

▷ **cerné** adj. *Angèle a les yeux cernés,* elle a des cernes sous les yeux.

Conjugaison 1

cerner v.
Entourer, encercler. *Les policiers ont cerné le quartier pour empêcher les cambrioleurs de fuir.*

Rendez-vous ! Vous êtes cernés

certain adj. et pronom
▭ **adj. 1.** Sûr, assuré. *Hippolyte est certain d'aimer Angèle.* **2.** Imprécis, difficile à fixer. *Il y a un certain nombre de personnes dans la salle d'attente. Une certaine Mme Duparc est venue. C'est une femme d'un certain âge,* elle n'est plus toute jeune.

J'essaierai, bien sûr, de faire des portraits le plus ressemblants possible. Mais je ne suis pas tout à fait certain de réussir *(le Petit Prince).*

Le contraire, c'est *incertain.*

Certain n'a pas le même sens quand il est placé avant ou après le nom.

▭ **pronom** *Certains savent qu'Hippolyte est amoureux d'Angèle,* quelques personnes.

Compare *certain, certes, certificat* et *certitude* : tout cela est **assuré.**

Ce pronom est toujours au pluriel.

▷ **certainement** adv. **1.** D'une manière sûre. *Il va certainement pleuvoir ;* vois ***sûrement.*** **2.** Probablement. *Denis Prost arrivera certainement dans la semaine.*

Autre membre de la famille : **incertain.**

N'oublie pas le *s* à la fin de *certes.*

certes adv.
Certainement. *Mme Harpie est désagréable, certes, mais elle a peut-être de bons côtés.*

On n'emploie plus beaucoup ce mot.

Conjugaison 7

certifier v.
Affirmer, assurer. *Mme Bellec a certifié à l'institutrice que son fils n'était pas allé à l'école parce qu'il était malade.*

Compare *certifier* et *certain* : tout cela est **assuré.**

La carte grise est un certificat d'immatriculation.

▷ **certificat** n. m. Document qui certifie quelque chose. *Le docteur Séverac a fait un certificat médical à Angèle pour qu'elle puisse s'inscrire à un cours de gymnastique.*

Un C. A. P. est un certificat d'aptitude professionnelle.

Compare *certitude, certain* et *certifier* : tout cela est **assuré.**

certitude n. f.
1. Chose certaine. *Mme Harpie est méchante, c'est une certitude,* c'est sûr. **2.** *Avoir la certitude de quelque chose,* c'est en être sûr. *J'ai la certitude que Mme Harpie dit du mal de son beau-frère.*

Le contraire, c'est *incertitude*

Autre membre de la famille : **incertitude.**

Cérumen [seʀymɛn] rime avec *abdomen* et *humaine.*

cérumen n. m.
Matière jaune et poisseuse comme de la cire qui se forme dans l'oreille. *Il faut se laver les oreilles pour ne pas avoir de bouchons de cérumen.*

Attention ! *cérumen* est un nom masculin.

cerveau n. m.
Organe qui est contenu dans le crâne. *Le cerveau est le siège des centres nerveux et de la pensée.*

Un cerveau humain pèse e moyenne 1 400 g.

Prononce [sɛʀvəla].

Le cervelas est entouré d'une peau rouge.

▷ **cervelas** n. m. Saucisson cuit, gros et court, assez épicé. *M. Bellec prépare du cervelas à la vinaigrette.*

Le cervelas était fait autrefo avec de la cervelle de porc.

▷ **cervelet** n. m. Petit organe situé à la base arrière du cerveau. *Le cervelet est le siège de l'équilibre.*

▷ **cervelle** n. f. Cerveau des animaux. *Mme Séverac a fait des cervelles d'agneau au beurre.*

Autre membre de la famille : **écervelé.**

Ne confonds pas *cervical* et *cérébral.*

cervical adj.
De la région du cou. *Mme Bonnot souffre des vertèbres cervicales.*

Au masculin pluriel : *cervicaux.*

Prononce [sɛʀvwaz].

cervoise n. f.
Bière que l'on buvait dans l'Antiquité et au Moyen Âge. *Jolithorax, le cousin d'Astérix, commande trois cervoises tièdes.*

La cervoise était fabriquée sans houblon.

Ne confonds pas *ces* et *ses.*

ces va voir ① ***ce.***

Conjugaison 1

cesser v.
Arrêter. *Antoine ne cesse pas de s'acheter des bonbons. Les enfants, cessez ce bruit ! La pluie a cessé.*
▹ ***cesse*** n. f. *Sans cesse,* sans arrêt. *Il a plu sans cesse pendant deux jours.*

La guerre de Sécession a cessé, c'est sûr !

Au pluriel : *des cessez-le-feu.*
Famille de **feu**

▹ ***cessez-le-feu*** n. m. invariable Arrêt des combats. *Le cessez-le-feu a été proclamé à onze heures.*

Autres membres de la famille : **incessant, incessamment.**

N'oublie pas les deux traits d'union et l'accent grave du *à.*

c'est-à-dire conjonction
C'est-à-dire annonce une explication, une précision. *Il est trois heures de l'après-midi, c'est-à-dire quinze heures ;* vois ***ou.***

Famille de ② **ce,** de ① **être,** de **à** et de **dire**

cet, cette va voir ① ***ce.***

C'est assez ! dit la baleine, mon dos fin, je le cache à l'eau.

cétacé n. m.
Animal qui vit dans la mer, qui ressemble à un très gros poisson, mais qui est un mammifère. *Les cétacés respirent par les poumons et doivent venir souvent à la surface.*

Le dauphin, la baleine, le cachalot sont des cétacés.

ceux, ceux-ci, ceux-là va voir ***celui.***

Au pluriel : *des chacals.*

chacal n. m.
Animal sauvage ressemblant au loup et au renard. *Les chacals vivent en troupeaux et se nourrissent de cadavres d'animaux.*

Dans les bals des carnavals, les chacals bancals ne sont pas banals !

Famille de **chaque** et de **un**

chacun pronom indéfini m., ***chacune*** pronom indéfini f.
Chaque personne, chaque chose. *Les enfants, répondez chacun à votre tour ! Julie et Marie-Tévy sont parties chacune de leur côté. Ces bonbons coûtent deux francs chacun.*

Je me demande si les étoiles sont éclairées afin que chacun puisse retrouver la sienne
(le Petit Prince).

Compare : *chagrin* → *chagriner* et *vaccin* → *vacciner.*

chagrin n. m.
Grande peine. *Sophie Pelletier a eu beaucoup de chagrin à la mort de sa mère. Quand il quitte son père, Antoine pleure parce qu'il a du chagrin.*

Conjugaison 1

▹ ***chagriner*** v. Faire de la peine ; vois ***peiner.*** *L'échec d'Alex au bac a chagriné sa mère.*

Mon petit lapin
A bien du chagrin
Il ne saute plus
Dans son grand jardin
(chanson).

Prononce [ʃay].

chahut n. m.
Agitation bruyante. *Colle et Rat ont fait du chahut dans la classe pendant toute la matinée.*

Conjugaison 1

▹ ***chahuter*** v. Faire du chahut. *Colle et Rat ont chahuté après la récréation.*
▹ ***chahuteur*** n. m., ***chahuteuse*** n. f. Personne qui chahute. *Colle et Rat sont des chahuteurs.* — adj. *Colle et Rat sont chahuteurs.*

Attention à l'accent circonflexe du *î* !

Ne confonds pas *chaîne* et *chêne.*

chaîne n. f.
1. Suite d'anneaux de métal entrelacés. *L'ancre est attachée au bateau par une lourde chaîne en acier. Mme Hespel a une chaîne en or autour du cou.* **2.** *Une chaîne de montagnes,* c'est une suite de montagnes. *La chaîne des Pyrénées sépare l'Espagne et la France.* **3.** *Une chaîne stéréo,* c'est un électrophone, un magnétophone ou une radio, composé d'éléments reliés par des fils. *Alex a travaillé pendant les vacances pour s'acheter une chaîne puissante.* **4.** Émetteur de télévision. *Julie regarde la deuxième chaîne mais son père veut mettre la troisième.* **5.** *Une chaîne de montage,* c'est une installation pour fabriquer des objets en série, où les ouvriers font toujours la même opération. *Les voitures sont construites à la chaîne.*

La chaîne d'une bicyclette transmet le mouvement du pédalier à la roue arrière.

[I]l y a la platine, l'amplificateur [e]t les haut-parleurs.

On dit aussi : une *chaîne haute-fidélité* ou une *chaîne hi-fi.*

[L]e travail à la chaîne est apparu [a]ux États-Unis en 1912, dans les [u]sines Ford.

Autres membres de la famille : **chaînette, chaînon, déchaîner, enchaîner, enchaînement.**

N'oublie pas l'accent circonflexe du *î* !

chaînette n. f.
Petite chaîne. *Julie a une jolie chaînette dorée autour du poignet.*

Famille de **chaîne**

N'oublie pas l'accent circonflexe du *i* !

chaînon n. m.
Anneau d'une chaîne ; vois ***maillon.*** *Les Dalton ont scié un chaînon de leur chaîne et ont pu s'échapper de la prison.*

Famille de **chaîne**

Ne confonds pas *chair, chaire, cher* et *chère.*

[L'Ogre] flairait à droite et à gauche, disant qu'il sentait la chair fraîche *(le Petit Poucet).*

chair n. f.
1. Matière molle du corps de l'homme et des animaux. *La chair du bœuf est rouge et celle du veau est blanche ;* vois ***viande.*** *Mme Harpie est bien en chair,* elle est assez grosse. *Pendant qu'on parlait de lui, Denis Prost est arrivé en chair et en os,* en personne. **2.** Partie tendre des fruits. *Les poires ont une chair parfumée.*

Avoir la chair de poule, c'est avoir la peau qui se hérisse par la peur ou par le froid.

Ne confonds pas *chaire, chair, cher* et *chère.*

chaire n. f.
Tribune élevée, dans une église. *L'abbé Gauthier monte en chaire pour faire un sermon.*

Une *chaise longue* est un siège de toile pliant sur lequel on peut s'allonger.

chaise n. f.
Siège avec un dossier et sans bras pour une seule personne. *Julie s'est assise sur une chaise et Antoine dans un fauteuil.*

Attention au *d* final !

chaland n. m.
Bateau à fond plat qui sert à transporter des marchandises sur les fleuves et les canaux ; vois ***péniche.*** *Un chaland peut mesurer de quarante à quatre-vingts mètres.*

Un grand chaland peut transporter deux mille tonnes de marchandises.

Attention à l'accent circonflexe du *â*. Prononce [ʃal].

châle n. m.
Grand morceau de tissu ou de laine que l'on porte sur les épaules. *Ce soir il fait frais, Mamie Lou a mis son châle.*

Souvent, les châles sont bordés de franges.

Mon premier est un animal,
Mon second n'est pas beau,
Mon tout est une habitation.

chalet n. m.
Maison de bois en montagne. *L'école a loué un grand chalet dans les Alpes pour que les élèves partent en classe de neige.*

Une chaleur peut être douce, modérée, accablante, torride, sèche, humide, tropicale.

chaleur n. f.
1. Température élevée. *Mamie Lou se réchauffe à la chaleur du feu de bois. Il fait une chaleur étouffante ici,* il fait très chaud. **2.** Animation, enthousiasme, vivacité. *Sophie Pelletier accueille les amis de sa fille avec chaleur.*

▷ ***chaleureux*** adj. Plein d'enthousiasme, de chaleur. *L'accueil de Sophie Pelletier est toujours chaleureux. Odile Séverac est une femme très chaleureuse.*

Le contraire de *chaleur,* c'est *fraîcheur, froid.*

Le contraire de *chaleur,* c'est *froideur, indifférence.*

Le contraire de *chaleureux,* c'est *froid, glacial, sec.*

chaloupe n. f.
Bateau ouvert sur le dessus, sans pont ; vois ***canot.*** *Les chaloupes de sauvetage ont été mises à la mer dès que le paquebot a commencé à couler.*

Au pluriel : *des chalumeaux.*

chalumeau n. m.
Appareil qui produit un jet de gaz enflammé. *M. Bellec met des lunettes pour faire une soudure au chalumeau.*

Le filet s'appelle un *chalut.* Il traîne au fond de la mer et ramasse tout sur son passage.

chalutier n. m.
Bateau de pêche d'où l'on pêche avec un grand filet en forme d'entonnoir qui est attaché à l'arrière. *Les marins pêcheurs sont partis pêcher le hareng sur un chalutier.*

Conjugaison 1

se **chamailler** v.
Se disputer pour des raisons sans importance. *Nathalie et Marie-Tévy se sont chamaillées pendant toute la soirée.*

Ce mot est familier.

Attention ! deux *r* dans *chamarré.*

chamarré adj.
Une étoffe chamarrée, c'est une étoffe décorée d'ornements de soie ou de métal aux couleurs vives. *Les laquais montèrent derrière le carrosse avec leurs habits chamarrés.*

Attention ! deux *l* dans *chambellan.*

chambellan n. m.
Noble qui s'occupait de la chambre du roi ou de l'empereur et de sa garde-robe. *Le grand chambellan présentait au roi sa chemise quand il s'habillait.*

Le chambellan avait sous ses ordres de nombreux valets de chambre.

chambranle n. m.
Cadre fixé au mur qui entoure une porte ou une fenêtre. *La directrice de l'école était appuyée au chambranle de la porte de la classe.*

chambre n. f.
On dit aussi : *une chambre à coucher.*
Va voir *robe de chambre* à **robe.**
1. Pièce où l'on couche. *Mme Bellec monte dans la chambre de son fils pour lui dire bonsoir. Sylvain a dû garder la chambre,* il a dû rester chez lui parce qu'il était malade. **2.** Pièce aménagée dans un but particulier. *Le boucher a accroché le bœuf dans la chambre froide. Les cambrioleurs ont pénétré dans la chambre forte de la banque,* la pièce où sont les coffres-forts. **3.** *La Chambre des députés,* c'est l'ensemble des députés ; vois **parlement.** *La Chambre discute et vote les projets de loi.* **4.** *La chambre à air,* c'est le tube de caoutchouc gonflé d'air qui est à l'intérieur d'un pneu. *Quand la roue est crevée, la chambre à air se dégonfle.*
Pour réparer une chambre à air, il faut de la colle et des rustines.
Il pleut dans ma chambre
J'écoute la pluie
Douce pluie de septembre
Qui tombe dans mon lit
(Ch. Trenet).
Aujourd'hui, on dit l'*Assemblée nationale.*
Autre membre de la famille : **antichambre.**

chameau n. m.
Grand animal qui a deux bosses sur le dos, et dont on se sert pour transporter des gens ou des marchandises, dans le désert. *Des caravanes de chameaux traversent le désert.*
▷ **chamelier** n. m. Homme qui conduit les chameaux et s'occupe d'eux. *Le chamelier fait agenouiller son chameau.*
▷ **chamelle** n. f. Femelle du chameau. *On peut faire du beurre avec le lait de chamelle.*
Le chameau est un mammifère ruminant au pelage laineux. Il boit et mange peu : il est d'une endurance exceptionnelle.
Le chameau a deux bosses, il vit en Asie. Le dromadaire n'en a qu'une, et vit en Afrique.

chamois n. m.
Le chamois est un mammifère.
On appelle *isards* les chamois des Pyrénées.
Animal ruminant, très agile, qui a des cornes lisses, recourbées, et vit dans les montagnes. *Aujourd'hui, le chamois est un animal protégé, on n'a plus le droit de le chasser.*
Une *peau de chamois* sert à nettoyer les vitres et les carrosseries de voiture.

champ n. m.
Ne confonds pas *chant* et *champ.*
Va voir aussi *pré.*
Un hippodrome est un *champ de courses.*
Laisser le champ libre à quelqu'un, c'est le laisser faire ce qu'il veut.
1. Étendue de terre cultivée. *Pierre Séverac laboure le champ de maïs. Pierre Séverac est aux champs. Le paysan coupait à travers champs pour rentrer chez lui,* il passait hors des chemins. **2.** Terrain. *Ce héros est mort sur le champ de bataille,* sur le lieu du combat. **3.** *Denis Prost a débuté comme acteur de cinéma, puis il a étendu le champ de ses activités à la télévision,* il a étendu son domaine d'activité à la télévision, il s'est mis à travailler pour la télévision. **4.** *Julie interrompt Angèle à tout bout de champ en posant des questions,* à tout moment, sans arrêt.
Dans certaines régions, les champs sont bordés de haies, de talus, d'arbres. Dans d'autres régions, les champs sont immenses et sans séparation.
Autres membres de la famille : **champêtre, sur-le-champ.**

champagne n. m.
Vin blanc ou rosé mousseux, fabriqué en Champagne. *Denis Prost a ouvert une bouteille de champagne pour fêter la naissance de son fils Martin.*
La Champagne est une région de l'est de la France.

champêtre adj.
Va voir *garde champêtre* à ② **garde.**
Odile Séverac aime la vie champêtre, la vie des champs, de la campagne.
Famille de **champ**

champignon n. m.
Petite plante sans feuilles, formée d'un pied surmonté d'un chapeau. *Les Bellec ont ramassé des champignons dans la forêt.*
Certains champignons sont comestibles, d'autres sont vénéneux.
Les moisissures sont aussi des champignons.

champion n. m., **championne** n. f.
1. Vainqueur d'une épreuve sportive. *Le vainqueur du match sera champion du monde de boxe.* **2.** Personne très forte dans un domaine. *Marie-Tévy est une championne en mathématiques.*
▷ **championnat** n. m. Épreuve sportive officielle dont le vainqueur est déclaré champion. *L'équipe de football participera au championnat de France.*
Attention ! deux *n* à *championnat.*
Je savais que papa avait été un champion terrible de football, de rugby, de natation et de boxe, mais pour le vélo, c'était nouveau *(le Petit Nicolas).*

chance n. f.
1. *La chance,* c'est le hasard, le sort, qui fait que l'on est favorisé ou non. *Sylvain a souhaité bonne chance à Alex pour son bac. Les enfants ont de la chance d'avoir Angèle comme institutrice.* **2.** *Une chance,* c'est une possibilité que quelque chose se produise. *Il y a une chance sur deux pour que Denis Prost rentre demain.*
« Horreur des courants d'air... Ce n'est pas de chance, pour une plante, avait remarqué le petit prince. Cette fleur est bien compliquée... » *(le Petit Prince).*
Le contraire de *chance,* c'est *malchance.*
Autres membres de la famille : **malchance, malchanceux.**

Conjugaison 4 ▭ Indic. présent : *je chancelle, nous chancelons.* Imparfait : *je chancelais.* Futur : *je chancellerai.*

chanceler v.
Pencher d'un côté puis de l'autre, comme si on allait tomber ; vois ***tituber, vaciller.*** *Julie était si fatiguée qu'elle chancelait en montant se coucher.*
▹ **chancelant** adj. Qui manque d'équilibre. *Julie marchait d'un pas chancelant.*

Prononce [ʃɑ̃sle].

chancelier n. m.
1. *Le chancelier de l'Échiquier,* c'est le ministre des Finances en Grande-Bretagne. *Churchill fut chancelier de l'Échiquier de 1924 à 1929.* **2.** Premier ministre en Allemagne et en Autriche. *Adenauer fut chancelier de la République fédérale d'Allemagne pendant quatorze ans.*

Il le fut de 1949 à 1963.

Au pluriel : *des chandails.*

chandail n. m.
Gros vêtement tricoté, qui couvre le haut du corps, et que l'on enfile par la tête ; vois ***pull-over, tricot.*** *Yasmina a mis un chandail à col roulé pour faire du ski.*

Ma chandelle est morte,
Je n'ai plus de feu (chanson).

chandelle n. f.
1. Bâton de suif, contenant une mèche, que l'on faisait brûler pour s'éclairer. *Dans les châteaux forts, on s'éclairait à la chandelle ;* vois ***bougie.*** **2.** *Alex doit une fière chandelle à Réjean qui l'a sauvé de la noyade,* il lui doit beaucoup de reconnaissance.

[Les nains] allèrent chercher leurs sept petites chandelles, et éclairèrent Blancheneige (*Blancheneige*).

Attention, il y a deux *l* à *chandelle* et un seul à *chandelier.*

▹ **chandelier** n. m. Support sur lequel on met des chandelles, des bougies ; vois ***bougeoir.*** *Il y avait un chandelier en cuivre sur la table.*

Un chandelier est plus grand qu'un bougeoir.

Conjugaison 3 ▭ Indic. présent : *je change, nous changeons.* Imparfait : *je changeais, nous changions.* Passé simple : *je changeai.* Futur : *je changerai.* — Subj. présent : *que je change, que nous changions.*

changer v.
1. Rendre différent ; vois ***modifier, transformer.*** *La naissance de Martin a changé la vie de Julie, qui jusque-là était fille unique. Le mauvais temps ne changera rien aux projets de Loïc, il partira en mer demain. La fée a changé le prince en crapaud.* **2.** *Angèle a changé son pneu crevé,* elle l'a remplacé par un pneu neuf. **3.** *Changer une chose de place,* c'est la déplacer, la mettre ailleurs. *De temps en temps, Sophie Pelletier change les meubles de place.* **4.** Devenir différent, se modifier. *« Comme tu as grandi, comme tu as changé ! Je te reconnais à peine ! » dit Mamie Lou à son petit-fils. Le temps change ; il va pleuvoir.* **5.** *Mme Roussel aimerait changer d'appartement,* elle aimerait en habiter un autre. **6.** *La baby-sitter change le bébé,* elle lui met une couche propre. — *Mme Séverac se change pour le dîner,* elle met d'autres vêtements. **7.** *À son arrivée en France, Réjean a changé ses dollars canadiens contre des francs,* il les a échangés contre des francs.

L'ogre se changea en souris, qui se mit à courir sur le plancher (*Le Chat Botté*).

De temps en temps, pour changer, Babar joue de la trompette (*Babar*).

▹ **change** n. m. *Denis Prost a changé de l'argent au bureau de change de l'aéroport,* au bureau qui change l'argent.

Au féminin : *changeante.*

▹ **changeant** adj. Qui change souvent. *Le temps est très changeant, ces jours-ci ;* vois ***incertain, variable.***
▹ **changement** n. m. Modification, transformation. *La naissance de Martin a été un grand changement dans la vie de sa grande sœur. La météo a annoncé un changement pour demain ;* vois ***évolution, variation.*** *Sylvain a besoin d'un changement d'air,* de changer d'endroit.

Autres membres de la famille **échanger, échange, échangeur, interchangeable,** de **rechange.**

Une chanson douce
Que me chantait ma maman
(chanson).

chanson n. f.
Suite de paroles qui se chante sur un air ; vois ***chant.*** *Mme Bellec aime les chansons d'amour.*

Dans une chanson, il y a un refrain et plusieurs couplets.

Ne confonds pas *chant* et *champ.*

chant n. m.
1. Air, mélodie que l'on chante, en général sur des paroles. *Mme Touati apprend des chants arabes à ses enfants ;* vois ***chanson, mélodie.*** **2.** Art de chanter. *Mme Bellec pratique le chant.* **3.** Bruit agréable, musique. *Antoine sait reconnaître le chant des oiseaux.*

Patali Dirapata, Cromda Cromda Ripalo, Pata Pata ko ko ko [...] C'est la chanson des éléphants Le vieux chant des Mammouths (*Babar*).

Famille de **chanter**

Conjugaison 1

Je chante !
Je chante soir et matin
Je chante sur mon chemin
(Ch. Trenet).

chanter v.
1. Former avec la voix des sons musicaux. *Yasmina chante juste. Julie chante à tue-tête, et Yves l'accompagne à la guitare.* **2.** *Les oiseaux chantent,* ils poussent leur cri ; vois ***gazouiller, siffler.*** **3.** *Chanter une chanson,* c'est l'interpréter, former avec sa voix l'air et les paroles de la chanson. *Loïc chante des chants de marin.* **4.** *Faire chanter quelqu'un,* c'est tenter d'obtenir quelque chose de lui en faisant pression sur lui, en le menaçant. *Cet individu sans scrupules a essayé de faire chanter sa victime.*

Mademoiselle Vanderblergue qui est professeur de chant, nous a fait chanter *la Marseillaise.* Il paraît que ce n'était pas trop réussi, pourtant on faisait un drôle de bruit (*le Petit Nicolas*).

▸ ***chantage*** n. m. Ensemble de menaces que l'on exerce sur quelqu'un pour obtenir quelque chose de lui. *Le malfaiteur s'est livré à un véritable chantage sur sa victime.*

Une chanteuse professionnelle de musique classique est une *cantatrice.*

▸ ***chanteur*** n. m., ***chanteuse*** n. f. Personne dont le métier est de chanter. *Mme Bellec a acheté tous les disques de son chanteur préféré. Mme Roussel aurait aimé être chanteuse.*

Autres membres de la famille : **chant, chantonner, déchanter, maître-chanteur.**

chantier n. m.

Mettre quelque chose en chantier, c'est le commencer.

Endroit où de nombreuses personnes travaillent ensemble pour construire quelque chose de grand. *M. Touati travaille sur le chantier du nouveau gymnase.*

On construit des bateaux dans les *chantiers navals.*

Attention aux deux ***n*** !

chantonner v.

Famille de **chanter**

Chanter à mi-voix, très doucement. *Yasmina chantonne une berceuse pour endormir son petit frère.*

Conjugaison 1

chanvre n. m.

Le chanvre est cultivé surtout en U. R. S. S. et en Inde.

Plante à feuilles en forme de palme, à tige droite. *Le chanvre sert à fabriquer de la ficelle et de la corde.*

La toile de chanvre n'est plus guère utilisée.

On ne prononce ni le ***h*** ni le ***s*** de *chaos* : [kao].

chaos n. m.

Grand désordre. *La révolution a brusquement plongé le pays dans le chaos ;* vois ***confusion.***

Ne confonds pas *chaos* et *cahot.*

▸ ***chaotique*** adj. Qui a l'aspect d'un chaos, qui est en désordre ; vois ***désordonné.*** *Un amas chaotique d'objets divers jonchait le sol de la chambre de Julie.*

Le contraire de *chaotique,* c'est *ordonné.*

Conjugaison 1

chaparder v.

Voler de petites choses. *Yves a chapardé une orange au marché.*

chapeau n. m.

Les canotiers, les melons, les hauts-de-forme, les capelines, les toques sont des chapeaux.

Autre membre de la famille : **chapelier.**

1. Coiffure d'homme ou de femme, assez rigide. *Angèle abrite son visage du soleil sous un grand chapeau de paille.* **2.** *Le chapeau d'un champignon,* c'est la partie plate qui forme le dessus du champignon. *Les morilles ont un chapeau brun, conique, criblé d'alvéoles.* **3.** *M. Bellec a pris le virage sur les chapeaux de roue,* très vite.

Pour la marche, le plus beau chapeau du monde ne vaut pas une paire de chaussures (P. Dac).

Prononce : [ʃaplɛ].

chapelet n. m.

Objet formé de petites boules enfilées comme un collier que l'on fait glisser entre ses doigts en récitant des prières. *L'abbé Gauthier dit son chapelet tous les jours.*

C'est la *modiste* qui confectionne les chapeaux de femme.

chapelier n. m., ***chapelière*** n. f.

Personne qui fait ou vend des chapeaux d'homme. *M. Bonnot s'est acheté une casquette chez le chapelier.*

Famille de **chapeau**

Un seul ***p*** et deux ***l*** dans *chapelle.*

chapelle n. f.

1. Petite église. *Une chapelle abandonnée dominait la colline.* **2.** Partie d'une église à l'écart de la partie centrale, où se trouve un autel. *L'église compte plusieurs chapelles.*

À l'intérieur des châteaux, il y avait souvent une chapelle où l'on pouvait célébrer la messe.

Le ***e*** de *chapelure* ne se prononce pas : [ʃaplyʀ].

chapelure n. f.

Pain sec ou biscotte que l'on a râpé ou émietté. *M. Bellec passe les escalopes dans l'œuf battu puis dans la chapelure.*

Ce sont des escalopes *panées.*

Au pluriel : *des chapiteaux.*

chapiteau n. m.

1. Partie la plus haute et la plus large d'une colonne. *Ces chapiteaux égyptiens sont décorés de branches de palmier sculptées.* **2.** Tente d'un cirque. *Le cirque a installé son chapiteau sur la place.*

chapitre n. m.

Dans un roman policier, on ne découvre le coupable qu'au dernier chapitre.

1. Chacune des parties d'un livre qui porte un numéro et parfois un titre. *D'Artagnan est nommé mousquetaire au chapitre quarante-sept du roman « les Trois Mousquetaires ».* **2.** Sujet, question. *La directrice de l'école est très sévère sur le chapitre de la discipline.*

Chaque ne s'emploie jamais dans une phrase négative ni dans une phrase interrogative.

chaque adj. indéfini singulier
Chaque s'emploie quand on veut parler en particulier d'une personne ou d'une chose qui fait partie d'un groupe. *Chaque enfant a un père et une mère. On donne à chaque voiture un numéro d'immatriculation : toutes les voitures ont un numéro différent. Chaque jour, le soleil se lève. À chaque départ, Antoine a le cœur serré.*

Chaque jour, j'apprenais quelque chose sur la planète (*le Petit Prince*).

Autre membre de la famille : **chacun.**

char n. m.
1. Dans l'Antiquité, voiture à deux roues tirée par un ou plusieurs chevaux. *Le conducteur du char se tenait debout.* **2.** Grande voiture décorée transportant des personnages déguisés ou masqués. *Le Carnaval s'est terminé par un défilé de chars fleuris.* **3.** Véhicule blindé et armé monté sur chenilles ; vois ***tank.*** *Le 14 Juillet, les chars descendent majestueusement les Champs-Élysées.*

Autres membres de la famille **chariot, charrette, charretier, charrue.**

Charabia est un mot familier.

charabia n. m.
Langage incorrect et difficile à comprendre. *« Qu'est-ce que c'est que ce charabia ? »*

Mon premier guette les oiseaux ; mon deuxième abrite les bateaux ; mon tout est un jeu sur un mot.

charade n. f.
Énigme où l'on doit deviner un mot de plusieurs syllabes, décomposé en plusieurs parties dont chacune forme un mot défini, le plus souvent d'une seule syllabe, et dont on donne la définition. *Antoine invente de nombreuses charades pour ses amis.*

charbon n. m.
Matière noire que l'on tire du sol et que l'on brûle pour produire de l'énergie ; vois ***houille.*** *On utilisait le bois et le charbon comme combustibles dans les locomotives à vapeur.*

Le charbon sert aussi à fabriquer du gaz de ville, du goudron et des matières plastiques.

Compare : *charbon → charbonnier* et *poisson → poissonnier.*

▷ ***charbonnier*** n. m. Marchand de charbon. *Les charbonniers ont livré trente sacs de charbon.*

Attention aux deux ***n*** !

charcutier n. m., **charcutière** n. f.
Personne qui prépare et vend du porc frais, des produits fabriqués avec de la viande de porc et souvent des plats chauds. *Mme Roussel a acheté des rillettes, du saucisson et du jambon chez le charcutier.*

— Monsieur le charcutier, avez-vous des pieds de porc ?
— Non, j'ai des pieds comme tout le monde...

L'andouille, le boudin, le cervelas, le jambon, le pâté et la saucisse sont des charcuteries.

▷ ***charcuterie*** n. f. **1.** Produit fabriqué avec de la viande de porc. *Dans ce restaurant, il y a un grand choix de charcuteries parmi les entrées.* **2.** Boutique, rayon où on vend de la charcuterie. *Mme Roussel va chercher un rôti de porc à la charcuterie.*

Les ânes mangent les chardons. Les abeilles en butinent la fleur.

chardon n. m.
Plante à épines, dont la fleur bleu mauve devient piquante quand elle est sèche. *Odile Séverac a arraché les chardons et le chiendent du potager.*

Deux ***n*** à *chardonneret.*
Prononce [ʃaʀdɔnʀɛ].

chardonneret n. m.
Petit oiseau chanteur à la tête rouge, noire et blanche, aux ailes noires et jaunes. *Julie a installé une mangeoire sous le sapin pour les mésanges et les chardonnerets.*

Les chardonnerets s'approchent facilement des habitations.

Conjugaison 3 ▭ Indic. présent : *je charge, nous chargeons.* Imparfait : *je chargeais.*

charger v.
1. *Aux halles, M. Bellec charge sa camionnette de fruits et de légumes,* il y met des fruits et des légumes pour les transporter. *Cette valise est trop chargée, on ne peut plus la fermer,* on y a mis trop de choses. **2.** Mettre de la poudre, des balles dans une arme à feu. *Attention, ce fusil est chargé.* **3.** *Charger quelqu'un de quelque chose,* c'est lui confier une tâche, un travail. *Antoine est chargé de nourrir le hamster Cajou chaque matin. — Pour le pique-nique, Yasmina s'était chargée de la boisson.* **4.** *Charger,* c'est attaquer en fonçant sur l'adversaire. *L'éléphant chargea le camion.*

Le contraire de *charger,* c'est *décharger.*

Charger une caméra, un appareil photo, c'est mettre la pellicule à l'intérieur.

La *charge utile* d'un camion, c'est le poids des marchandises qu'il peut transporter.

▷ ***charge*** n. f. **1.** Poids à transporter ; vois ***fardeau.*** *On transporte la même charge sur le dos ou sur la tête plus facilement qu'à bout de bras.* **2.** Quantité de poudre, de munitions qu'une arme à feu peut contenir. *Les obus sont remplis d'une charge d'explosif.* **3.** Travail à faire, tâche. *C'est Antoine qui a la charge de nourrir le hamster Cajou. Angèle a pris en charge l'organisation de la fête,* elle s'en est occupée entièrement, elle en a pris la responsabilité. **4.** *L'entretien du jardin public est à la charge de la ville,*

Les *charges d'un immeuble,* ce sont les frais d'entretien.

doit être payé par la ville. **5.** *De lourdes charges pèsent sur l'accusé,* des accusations, des preuves contre lui. **6.** Attaque brusque et violente. *Une charge de police a fait reculer les manifestants.*

Revenir à la charge, c'est insister, refaire une demande.

Autres membres de la famille : **décharger, décharge, déchargement, recharger, recharge, rechargeable, monte-charge, surcharger.**

▷ ***chargement*** n. m. **1.** *Le chargement du camion a pris trois heures,* il a fallu trois heures pour charger les marchandises dans le camion. **2.** *Le chargement est-il bien attaché ?,* les marchandises transportées ; vois ***cargaison.***

Le contraire de *chargement,* c'est *déchargement.*

chariot n. m.

Chariot ne prend qu'un *r.*

Voiture à quatre roues qu'on utilise pour transporter quelque chose. *Denis Prost met son sac et sa valise sur le chariot à bagages.*

Famille de **char**

charité n. f.

1. Amour et générosité envers les autres. *L'abbé Gauthier a fait un sermon sur la charité.* **2.** *Demander la charité,* c'est demander de l'argent. *Assis sur le trottoir, le mendiant demandait la charité.*

Une *vente de charité* est une vente dont le bénéfice va à une organisation charitable.

Faire la charité, c'est donner de l'argent.

▷ ***charitable*** adj. Bon et généreux envers les autres. *Mme Bonnot est une personne charitable. Mme Séverac donne régulièrement de l'argent à une organisation charitable,* une organisation qui vient en aide aux gens les plus défavorisés.

Le contraire de *charitable,* c'est *dur, égoïste.*

La Croix-Rouge, le Secours catholique sont des organisations charitables.

charivari n. m.

Grand bruit, agitation ; vois ***chahut, tapage.*** *Les spectateurs sifflaient, criaient, se levaient, faisaient un charivari dans la salle.*

charlatan n. m.

Un charlatan, c'est quelqu'un qui fait croire aux gens qu'il peut les guérir. *Mme Hespel a emmené Sylvain chez un guérisseur pour son asthme, mais c'était un charlatan.*

Pour Molière, tous les médecins étaient des charlatans.

① *charme* n. m.

Arbre à écorce lisse et grise, qui a des feuilles ovales. *Le bois du charme est blanc et dur.*

Il y a beaucoup de charmes en France.

Les charmes peuvent atteindre 20 mètres de haut.

② *charme* n. m.

Avoir du charme, c'est être agréable à regarder et à entendre, être séduisant. *Denis Prost n'est pas beau, mais il a du charme. Faire du charme,* c'est essayer de plaire, de séduire. *Julie fait du charme à son père pour qu'il lui donne l'autorisation d'aller au cinéma.*

▷ ***charmant*** adj. Très agréable. *M. Séverac est un homme charmant,* très aimable. *Nous avons passé une charmante soirée en votre compagnie.*

Au féminin : *charmante.*

▷ ***charmer*** v. **1.** Séduire par son charme. *Denis Prost sait charmer les femmes.* **2.** *J'ai été charmée de faire votre connaissance,* j'ai été enchantée.

Conjugaison 1

▷ ***charmeur*** adj. Qui charme, séduit. *Denis Prost a des yeux et un sourire charmeurs.*

Au féminin : *charmeuse.*

charnière n. f.

Pièce métallique articulée qui permet d'ouvrir et de fermer une porte, un couvercle ; vois ***gond.*** *M. Bellec a huilé la charnière de la porte parce qu'elle grinçait.*

charnu adj.

Compare ***charnu*** et *dé**charné*** : on parle de la **chair.**

Qui est formé de chair. *Les fesses sont les parties les plus charnues du corps. Cette pêche est très charnue,* elle a beaucoup de chair.

charogne n. f.

Cadavre d'animal en train de pourrir. *Les hyènes et les vautours se nourrissent de charognes.*

Souvent, les insectes déposent leurs œufs sur des charognes.

▷ ***charognard*** n. m. Vautour. *Les charognards se nourrissent de cadavres d'animaux en décomposition.*

N'oublie pas le ***d*** final.

charpente n. f.

Assemblage de pièces de bois ou de métal qui soutient le toit d'une maison. *La charpente de la ferme est en bois.*

▷ ***charpentier*** n. m. Celui qui fabrique des charpentes. *Le charpentier doit venir vérifier l'état de la charpente.*

Compare : *charpente → charpentier* et *serrure → serrurier.*

Astérix et Obélix ont réduit en charpie une compagnie de Romains.

charpie n. f.
Mettre une chose en charpie, c'est la déchirer. *Le chien Rex a mis les espadrilles de Mamie Lou en charpie.*

Autres membres de la famille : **écharper.**

Attention ! *charrette* s'écrit avec deux *r* et deux *t.*

charrette n. f.
Voiture à deux roues tirée par un cheval. *Les bottes de foin sont chargées sur une charrette.*

Famille de **char**

Attention ! deux *r* et un *t.* Ne prononce pas le premier *e* : [ʃaʀtje].

▷ **charretier** n. m. Celui qui conduit une charrette. *On ne rencontre plus beaucoup de charretiers conduisant des charrettes, mais on voit des conducteurs de tracteurs tirant des remorques.*

Jurer comme un charretier, c'est être très grossier.

Charrier s'écrit avec deux *r.*

charrier v.
La rivière charrie des glaçons, elle les entraîne dans son cours.

Conjugaison 7

Famille de **char**

La charrue apparaît au Ier siècle après Jésus-Christ.

charrue n. f.
Instrument qui sert à creuser des sillons dans la terre pour semer des plantes. *Autrefois la charrue était tirée par des bœufs, de nos jours elle est tirée par un tracteur.*

Mettre la charrue devant les bœufs, c'est essayer de commencer par la fin.

À l'*École des chartes,* on étudie des documents anciens.

charte n. f.
Document qui institue et contient le règlement d'une organisation. *La Charte des Nations unies fut signée à San Francisco le 26 juin 1945 par cinquante et une nations.*

Ne prononce pas le *s* : [ʃa] ou [ʃɑ].

chas n. m.
Le chas de l'aiguille, c'est le trou de l'aiguille. *Mamie Lou fait passer son fil dans le chas de son aiguille.*

Ne confonds pas *chas* et *chat.*

Famille de **chasser**

Les hommes préhistoriques vivaient de la chasse, de la pêche et de la cueillette.

chasse n. f.
1. Action de poursuivre des animaux, pour les tuer ou les attraper. *M. Bellec aime beaucoup la chasse ; il va à la chasse au sanglier. Antoine est parti à la chasse aux papillons.* **2.** Période où l'on a le droit de chasser. *M. Bellec attend avec impatience l'ouverture de la chasse.* **3.** Endroit où l'on chasse. *Il y a de nombreuses chasses gardées en Sologne.* **4.** *La chasse d'eau,* c'est, dans les toilettes, le réservoir d'eau qui envoie un jet puissant dans la cuvette. *On tire la chasse d'eau après avoir utilisé les toilettes.*

La chasse à courre est une chasse sans fusil, où les chasseurs à cheval et leurs chiens poursuivent le gibier jusqu'à ce qu'il tombe épuisé de fatigue.

Famille de **chasser** et de **neige**

chasse-neige n. m. invariable
Véhicule qui enlève la neige sur les routes. *Les chasse-neige ont déblayé la route.*

Conjugaison 1

Certains animaux sont chassés pour être mis dans des zoos ou des cirques.

chasser v.
1. Poursuivre des animaux pour les tuer ou les attraper. *M. Bellec aime bien chasser. M. Bellec chasse le sanglier.* **2.** Faire partir de force. *Le vent a chassé les nuages. Mme Séverac utilise un désodorisant pour chasser les odeurs de cuisine.*

Les hommes, dit le renard, ils ont des fusils et ils chassent. C'est bien gênant ! *(le Petit Prince).*

Le féminin de *chasseur,* c'est *chasseresse,* mais on ne l'emploie pas souvent.

▷ **chasseur** n. m. **1.** Personne qui chasse. *M. Bellec est un bon chasseur, il rapporte souvent du gibier.* **2.** *Un chasseur alpin,* c'est un soldat qui est spécialisé dans les exercices en montagne. *Il a fait son service militaire dans les chasseurs alpins.* **3.** Avion utilisé dans les combats aériens. *Le chasseur a mitraillé le bombardier ennemi.*

Un chasseur sachant chasser doit savoir chasser sans son chien !
Autres membres de la famille : **chasse, chasse-neige, garde-chasse, pourchasser.**

N'oublie pas l'accent circonflexe du *â* ni le *s* final. Prononce [ʃɑsi].

châssis n. m.
Le châssis d'une voiture, c'est l'armature sur laquelle est fixée la carrosserie. *Le châssis de la voiture d'Angèle est un peu rouillé.*

Le *châssis d'une fenêtre,* c'est le cadre qui entoure les vitres.

Ne confonds pas *chat* et *chas.*

Le chat est un mammifère carnivore qui peut vivre vingt ans. Il a des griffes qu'il peut rentrer. Dans l'Égypte antique, c'était un animal sacré.

chat n. m., **chatte** n. f.
Petit animal domestique à poil doux, aux oreilles triangulaires et qui voit très bien dans le noir. *Félix, le chat de Julie, miaule quand il veut aller dehors et ronronne quand on le caresse. Quand Antoine lui a posé sa devinette, Julie a dû donner sa langue au chat,* elle n'a pas su répondre. *Tous les élèves sont en classe, il n'y a pas un chat dans la cour de récréation,* il n'y a personne.

Chat vit rôt
Rôt tenta chat
Chat mit patte à rôt
Rôt brûla chat
Chat lâcha rôt (comptine).
Autres membres de la famille : **chat-huant, ① chaton.**

N'oublie pas l'accent circonflexe du *â.*

châtaigne n. f.
Fruit du châtaignier que l'on mange grillé ou bouilli ; vois ***marron.*** *Les châtaignes ont une écorce lisse de couleur marron.*

La châtaigne est contenue dans une enveloppe verte, la bogue, hérissée de piquants.

Les endroits plantés de châtaigniers sont des *châtaigneraies.*

▸ ***châtaignier*** n. m. Grand arbre des régions tempérées, à feuilles longues et à écorce rougeâtre. *Les châtaigniers peuvent atteindre vingt-cinq mètres de haut.*

N'oublie pas le ***i*** entre le ***n*** et le ***e*** !

Attention à l'accent circonflexe du ***â*** de *châtain* !

châtain adj. m.

Des cheveux châtains, ce sont des cheveux brun clair. *Antoine a les cheveux châtain clair. Mme Hespel est châtain.*

Châtain ne s'emploie qu'au masculin.

N'oublie pas l'accent circonflexe du ***â*** !

château n. m.

1. Grande habitation. *Les rois et les seigneurs habitaient dans de luxueux châteaux. Louis XIV a fait construire le château de Versailles ;* vois **palais.** *Le film était précédé d'un documentaire sur les châteaux de la Loire.* **2.** *Château fort,* château fortifié du Moyen Âge. *Les châteaux forts étaient construits sur les collines et étaient entourés de fossés et de murailles.* **3.** *Château d'eau,* grand réservoir qui fournit de l'eau aux habitants d'une région. *Dans les châteaux d'eau, l'eau est sous pression.*

Le maître Chat arriva enfin dans un beau Château dont le Maître était un Ogre, le plus riche qu'on ait jamais vu ; car toutes les terres par où le Roi avait passé étaient de la dépendance de ce Château *(le Chat botté).*

Le château fort était dominé par le donjon. On tirait sur les attaquants et on leur jetait des projectiles par les créneaux, les mâchicoulis et les meurtrières.

Ne prononce pas le ***e*** : [ʃɑtlɛ̃].

▸ ***châtelain*** n. m., ***châtelaine*** n. f. Personne qui possède un château. *Le châtelain nous a fait visiter son château.*

Famille de **chat** et de **huées**

Va voir aussi ***chouette*** et ***hibou.***

chat-huant n. m.

Oiseau de proie couvert de taches brunes qui vit dans les vieux troncs d'arbres. *Le chat-huant chasse pendant la nuit les mulots et les campagnols.*

Les chats-huants ont deux touffes de plumes qui ressemblent à des oreilles de chat.

Conjugaison 7

N'oublie pas l'accent circonflexe du ***â*** de *châtier* et de *châtiment.*

châtier v.

Punir. *Les cambrioleurs ont été durement châtiés, ils ont été condamnés à dix ans de prison.*

Qui aime bien châtie bien (proverbe).

▸ ***châtiment*** n. m. Punition sévère. *Autrefois les écoliers recevaient des châtiments corporels,* on les battait.

Compare : *chat → chaton* et *rat → raton.*

① chaton n. m.

Petit du chat. *Une chatte peut avoir de trois à six chatons par portée.*

Famille de **chat**

② chaton n. m.

Fleur en épi de certains arbres. *Les noisetiers, les saules et les peupliers ont des chatons.*

Au début du printemps, on fait les bouquets de chatons.

Conjugaison 1

chatouiller v.

Toucher certains endroits du corps d'une personne de manière à la faire rire. *Julie n'aime pas qu'on la chatouille.*

▸ ***chatouille*** n. f. *Faire des chatouilles,* c'est chatouiller. *Julie craint les chatouilles.*

Ce mot est familier.

▸ ***chatouilleux*** adj. **1.** Qui est sensible aux chatouilles. *Julie est très chatouilleuse.* **2.** Qui se fâche facilement. *Angèle, l'institutrice, ne veut pas que les élèves disent de gros mots, elle est très chatouilleuse sur ce point.*

Conjugaison 8

chatoyer v.

La robe de Mme Séverac chatoie au soleil, elle change de couleur avec la lumière.

▸ ***chatoyant*** adj. Qui a des reflets changeants. *Le satin est une étoffe chatoyante.*

N'oublie pas l'accent circonflexe du ***â*** !

châtrer v.

Enlever les organes sexuels d'un animal ; vois ***castrer.*** *Le bœuf est un taureau que l'on a châtré.*

Conjugaison 1

chatte va voir *chat.*

Ne confonds pas *chaud* et *chaux.*

chaud adj. et n. m.

▭ **adj. 1.** Qui est à une température élevée. *Angèle boit son thé très chaud. Sylvain a le front chaud,* il a de la fièvre. **2.** Qui réchauffe. *Yves a mis des vêtements chauds pour aller skier.* **3.** Animé, passionné. *Mme Roussel et Mme Harpie ont eu une chaude discussion au sujet de l'éducation d'Antoine ;* vois ***vif.***

Le contraire de *chaud,* c'est *frais, froid, tiède.*

Mme Roussel, sa mère, et Mme Harpie, sa tante, ne sont pas d'accord.

Soyez tranquille, ma bonne ! J'avais très grand'faim, et je ne serai pas malade. C'est si bon, la crème et le pain tout chaud ! *(les Malheurs de Sophie).*

▭ **n. m. 1.** *Au chaud,* dans un endroit chaud. *Sylvain a dû rester au chaud,* il n'est pas sorti. *Le cuisinier tient ses plats au chaud dans le four.* **2.** *Yves a chaud avec son anorak. Il fait trop chaud dans la classe.*

Compare : *chaud* → *chaudement* et *froid* → *froidement.*

▹ ***chaudement*** adv. **1.** De manière à avoir chaud. *Yves s'est habillé chaudement pour aller skier.* **2.** Vivement. *Le spectacle a été chaudement applaudi.*

On ne prononce pas le ***e*** entre le ***d*** et le ***m*** : [ʃodmɑ̃].

▹ ***chaudière*** n. f. Appareil qui sert à chauffer. *Les Bellec ont une chaudière à mazout.*

Quand il était petit, Obélix était tombé dans le chaudron de potion magique.

▹ ***chaudron*** n. m. Récipient en métal avec une grande anse que l'on suspend au-dessus du feu dans une cheminée. *Autrefois, Mamie Lou faisait cuire la soupe dans un chaudron de cuivre.*

Famille de **chauffer**

chauffage n. m.

1. Manière de chauffer, production de chaleur. *Mme Harpie a baissé le chauffage pour faire des économies. Denis Prost a fait installer un chauffage solaire chez lui.* **2.** Appareil qui procure de la chaleur. *Le chauffage est en panne.*

Le *chauffage central* permet de chauffer toutes les pièces à partir d'une seule chaudière.

N'oublie pas le ***d*** final !

chauffard n. m.

Mauvais conducteur. *Un chauffard a brûlé le feu rouge.*

Famille de **chauffer** et de **eau**

chauffe-eau n. m. invariable

Appareil qui chauffe l'eau. *Mme Hespel a un chauffe-eau à gaz.*

Au pluriel : *des chauffe-eau.*

Le contraire de *chauffer,* c'est *refroidir.*

La femme de l'Ogre [...] les laissa entrer et les mena se chauffer auprès d'un bon feu *(le Petit Poucet).*

chauffer v.

Conjugaison 1

1. Rendre chaud. *La maison des Bellec est chauffée au mazout. — Les Bellec se chauffent au mazout,* ils chauffent leur maison. **2.** Devenir chaud. *Angèle fait chauffer de l'eau pour son thé. La soupe est en train de chauffer.* **3.** Devenir trop chaud. *M. Bellec a dû s'arrêter sur le bord de la route parce que le moteur de sa camionnette chauffait.*

Autres membres de la famille : **chauffage, chauffe-eau, échauffer, échauffement, réchaud, réchauffer,** se **réchauffer, réchauffement, surchauffé.**

Ce mot n'a pas de féminin. Pour une femme, on dit aussi *un chauffeur.*

chauffeur n. m.

Personne dont le métier est de conduire un véhicule ; vois ***conducteur.*** *Le chauffeur du car qui emmène les enfants en promenade est très prudent. Les chauffeurs de taxi doivent bien connaître la ville où ils travaillent.*

Geoffroy, qui a un papa trè riche, est venu avec Albert, l chauffeur de son papa *(le Petit Nicolas).*

chaume n. m.

1. Partie de la tige des céréales qui reste plantée après la moisson ; vois ***paille.*** *Il ne reste plus que les chaumes dans ce champ de blé.* **2.** Paille qui recouvre certains toits. *Les fermes normandes ont parfois encore des toits de chaume.*

▹ ***chaumière*** n. f. Petite maison qui a un toit de chaume. *Le bûcheron rentre dans sa chaumière.*

chaussée n. f.

Attention, chaussée glissante !

Partie de la rue, de la route, où circulent les voitures. *Dans la rue, il faut marcher sur le trottoir et non sur la chaussée.*

Autre membre de la famille : **rez-de-chaussée.**

Conjugaison 1

chausser v.

1. *Chausser quelqu'un,* c'est lui mettre des chaussures. *Yasmina chausse ses petits frères. — Claire se chausse toute seule.* **2.** *M. Bellec chausse ses bottes pour aller à la chasse,* il met ses bottes. *Julie chausse du 32,* elle porte des chaussures de taille 32.

Chausser ses skis, c'est mettre ses skis.

Les bottes de l'Ogre avaient l don de s'agrandir et de s'apetis ser selon la jambe de celui qu les chaussait *(le Petit Poucet,*

Les chaussettes de l'archiduchesse sont-elles sèches ? Elles sont sèches, archi-sèches.

▹ ***chaussette*** n. f. Vêtement tricoté qui couvre le pied et une partie de la jambe. *Quand il fait froid, on met de grosses chaussettes de laine.*

▹ ***chausson*** n. m. **1.** Pantoufle qui tient chaud. *Mamie Lou met ses chaussons pour rester à la maison.* **2.** Chaussure souple. *Sophie Pelletier a tricoté des chaussons pour son bébé. Julie a des chaussons de danse.* **3.** *Un chausson aux pommes,* c'est une pâtisserie faite de pâte feuilletée et remplie de compote de pommes. *Antoine adore les chaussons aux pommes.*

Chaussons nos chaussons !

On met aussi des chaussons pou la gymnastique, la boxe, l'es crime...

▹ ***chaussure*** n. f. Ce que l'on met aux pieds et qui a une semelle ; vois ***soulier.*** *Hippolyte use beaucoup ses chaussures, il doit souvent en racheter. Quand il pleut, Julie met ses bottes plutôt que ses chaussures vernies. Yasmina cire les chaussures de ses petits frères et sœurs.*

Geoffroy [...] était venu habillé en footballeur, avec des chaussures terribles avec des clous en dessous *(le Petit Nicolas).*

Comme il est facteur, il march beaucoup.

Autre membre de la famille : **déchausser.**

On peut aussi écrire *chausse-trappe,* avec deux ***p***.

chausse-trape n. f.
Trou recouvert cachant un piège. *Le loup a été pris dans une chausse-trape.*

Au pluriel : *des chausses-trapes* ou *des chausse-trapes.*

chauve adj.
Qui n'a pas de cheveux. *M. Bonnot est chauve.*

Famille de **souris**

Les chauves-souris ne font aucun mal : il ne faut pas avoir peur !

chauve-souris n. f.
Petit animal qui a des yeux très petits et des oreilles très grandes, qui ressemble a une souris et qui a des ailes. *Les chauves-souris se nourrissent d'insectes qu'elles chassent pendant la nuit.*

Le jour, les chauves-souris restent suspendues la tête en bas, serrées les unes contre les autres.

Au féminin : *chauvine.*

chauvin adj.
Qui admire exagérément son pays et trouve que tout est moins bien à l'étranger. *M. Bellec est chauvin ; quand il regarde un match de football, il trouve toujours que ce sont les Français qui jouent le mieux.*

Mon premier n'est pas froid,
Mon second se boit,
Mon tout manque d'impartialité.

Les Français sont connus pour leur chauvinisme.

▸ ***chauvinisme*** n. m. *M. Bellec est d'un chauvinisme exaspérant,* il est très chauvin.

Sophie posa son pied sur la chaux, pensant que c'était solide comme la terre *(les Malheurs de Sophie).*

chaux n. f.
Matière blanche obtenue quand on chauffe du calcaire. *On utilise la chaux dans la construction des maisons. Le ciment est un mélange de chaux et d'argile.*

Ne confonds pas *chaux* et *chaud.*

Conjugaison 1

chavirer v.
Le bateau a chaviré, il s'est retourné complètement. *Le bateau a failli chavirer pendant la tempête.*

Chef [ʃɛf] rime avec *bref, greffe.*

Pour une femme, on dit *le chef* ou *la chef.*

chef n. m.
Personne qui commande, qui dirige. *Mme Hespel voudrait devenir chef d'entreprise ;* vois ***patron.*** *Le chef de chantier exige que les ouvriers mettent leur casque. Le chef de gare siffle le départ du train. Le chef de la bande des cambrioleurs a réussi à s'enfuir.*

Le président de la République est le *chef de l'État.*

Au pluriel : *des chefs.*

Ne prononce pas le ***f*** : [ʃɛdœvʀ].

Famille de **œuvre**

chef-d'œuvre n. m.
La meilleure œuvre d'un auteur, d'un artiste. *Le Cid est le chef-d'œuvre de Corneille. La Joconde, de Léonard de Vinci, est un chef-d'œuvre,* une œuvre parfaite.

Au pluriel : *des chefs-d'œuvre.*

Prononce le ***f*** : [ʃɛfljø].

Au pluriel : *des chefs-lieux.*

Famille de ① **lieu**

chef-lieu n. m.
Ville principale. *La préfecture se trouve dans le chef-lieu du département. Cette ville est un chef-lieu de canton.*

Marseille est le chef-lieu des Bouches-du-Rhône.

On peut prononcer ou non le ***e*** : [ʃəmɛ̃] ou [ʃmɛ̃].

L'Ogre se trouvait fort las du long chemin qu'il avait fait inutilement *(le Petit Poucet).*

chemin n. m.
1. Petite route qui n'est pas goudronnée. *Le chemin de la ferme est caillouteux.* **2.** Distance que l'on a à parcourir. *Il n'y a pas beaucoup de chemin à faire pour aller de la poste à la mairie.* **3.** Direction que l'on doit prendre. *Pouvez-vous m'indiquer le chemin de la poste ?,* la direction pour aller à la poste.

En marchant il avait laissé tomber le long du chemin les petits cailloux blancs *(le Petit Poucet).*

Famille de **fer**

La S. N. C. F., c'est la Société nationale des chemins de fer français.

▸ ***chemin de fer*** n. m. **1.** Moyen de transport utilisant la voie ferrée. *M. Doucet consulte l'indicateur des chemins de fer pour savoir à quelle heure arrive le train.* **2.** Entreprise qui s'occupe des chemins de fer. *Un frère d'Angèle travaille dans les chemins de fer.*

Le premier chemin de fer date de 1821.

Autres membres de la famille : **acheminer, cheminer, cheminot,** à **mi-chemin.**

Lorsqu'elle avait fait son ouvrage, elle s'allait mettre au coin de la cheminée, et s'asseoir dans les cendres *(Cendrillon).*

cheminée n. f.
1. Endroit où l'on fait du feu dans une maison. *Les soirs d'hiver, Mamie Lou aime bien lire devant la cheminée ;* vois ***âtre.*** **2.** Ce qui encadre l'endroit où l'on fait du feu. *Dans leur salon, les Séverac ont une cheminée en marbre.* **3.** Partie supérieure du tuyau qui sert à évacuer la fumée, que l'on voit sur les toits. *Mamie Lou a fait du feu, la cheminée fume.*

Il faut ramoner les cheminées tous les ans.

Conjugaison 1

cheminer v.
Faire un chemin long et pénible. *Le docteur Séverac a cheminé longtemps dans la brousse avant d'arriver dans un village.*

Famille de **chemin**

N'oublie pas le ***t*** final.

cheminot n. m.
Personne qui travaille dans les chemins de fer. *Un des frères d'Angèle est cheminot.*

Famille de **chemin**

chemise n. f.

Une *chemise de nuit* est une sorte de robe que l'on met pour dormir.

1. Vêtement boutonné devant qui couvre le torse. *Denis Prost a mis une chemise blanche et une cravate bleue.* **2.** Grande feuille cartonnée pliée en deux dans laquelle on range des papiers. *Mme Séverac range les factures de gaz dans une chemise bleue et les factures de téléphone dans une chemise jaune.*

Être en manches de chemise, c'est être sans veston.

Après, elle range sûrement toutes ces chemises dans un dossier.

▸ ***chemisette*** n. f. Chemise à manches courtes. *Julie avait une chemisette en coton et un short.*

▸ ***chemisier*** n. m. Chemise de femme ; vois ***corsage.*** *Mme Séverac a un chemisier en soie.*

chenal n. m.

On prononce toujours le ***e*** : [ʃənal].

Passage où les eaux sont assez profondes pour que les bateaux puissent y naviguer. *Les chenaux sont indiqués par des balises.*

Au pluriel : *des chenaux.*

chenapan n. m.

On peut prononcer ou non le ***e*** : [ʃənapɑ̃] ou [ʃnapɑ̃].

Enfant insupportable. *Ces chenapans ont encore fait des leurs ;* vois ***galopin.***

On n'emploie plus beaucoup ce mot.

chêne n. m.

Ne confonds pas *chêne* et *chaîne.*

Saint Louis rendait la justice sous un chêne dans le bois de Vincennes.

Grand arbre à feuilles échancrées, dont le fruit est le gland, qui peut atteindre quarante mètres de haut et peut vivre plus de cinq cents ans. *Le bois du chêne est très dur. Le parquet du salon des Séverac est en chêne.*

N'oublie pas l'accent circonflexe du ***ê***.

Un endroit planté de chênes s'appelle une *chênaie.*

▸ ***chêne-liège*** n. m. Chêne dont l'écorce fournit le liège. *Les chênes-lièges sont des arbres de la région méditerranéenne.*

Famille de **liège**

N'oublie pas le trait d'union entre *chêne* et *liège.*

chenet n. m.

On peut prononcer ou non le premier ***e*** : [ʃənɛ] ou [ʃnɛ].

Les chenets, ce sont les supports de métal sur lesquels on pose les bûches dans une cheminée. *Il y a une paire de chenets en fer forgé dans la cheminée.*

Chenet s'écrit sans accent.

chenil n. m.

On peut prononcer ou non le ***e*** et le ***l*** : [ʃənil], [ʃnil], [ʃəni] ou [ʃni].

Endroit où l'on élève et où l'on garde des chiens. *Pendant les vacances, Sylvain laisse sa chienne Diane dans un chenil.*

chenille n. f.

Les chenilles se nourrissent de feuilles et grandissent très vite.

1. Larve du papillon, au corps allongé et mou, divisé en anneaux, et souvent recouvert de poils. *La chenille change plusieurs fois de peau avant de devenir papillon.* **2.** Bande formée de plaques en métal articulées qui s'enroule autour des roues d'un véhicule. *Les tanks peuvent rouler sur tous les terrains grâce à leurs chenilles.*

Les chars français et anglais ont été équipés de chenilles dès la Première Guerre mondiale (1914-1918).

chenu adj.

On prononce le ***e*** : [ʃəny].

Qui est devenu blanc par la vieillesse. *Mamie Lou a une tête chenue,* elle a les cheveux blancs.

On n'emploie pas beaucoup ce mot.

cheptel n. m.

On peut prononcer ou non le ***e*** et le ***p*** : [ʃɛptɛl] ou [ʃtɛl].

Ensemble des animaux que l'on élève. *Pierre Séverac a un beau cheptel,* il a de nombreux bestiaux.

chèque n. m.

On peut payer par chèque ou en espèces.

Papier fabriqué par une banque sur lequel on inscrit une somme d'argent et qui sert à payer quelqu'un. *Angèle a envoyé un chèque pour payer son loyer. Pour tout paiement par chèque, veuillez présenter une pièce d'identité.*

Quand on a un compte en banque, on fait des *chèques bancaires ;* si on a un compte à la poste, on fait des *chèques postaux.*

▸ ***chéquier*** n. m. Carnet de chèques. *Angèle a utilisé le dernier chèque de son chéquier pour payer son loyer.*

Attention à l'accent grave du ***è*** de *chèque* et à l'accent aigu du ***é*** de *chéquier.*

① cher adj.

Ne confonds pas *cher, chair, chaire* et *chère.*

1. Que l'on aime beaucoup. *Marie-Tévy et Yasmina sont les amies très chères de Julie.* **2.** Formule de politesse. *Quand elle écrit à Mamie Lou, Nathalie commence sa lettre par « Ma chère petite Mamie ».*

Autres membres de la famille : **chèrement, chéri, chérir.**

② cher adj.

Le contraire de *cher,* c'est *bon marché.*

Quand il est adverbe, *cher* est invariable.

Qui coûte beaucoup d'argent. *La voiture qu'aimerait acheter Angèle est très chère.* — adv. *Les voitures coûtent cher. Hippolyte n'a pas payé cher ses dernières chaussures.*

Autres membres de la famille : **enchère, surenchère.**

Conjugaison 1

Enchaîné par les bandits, Tintin cherche à s'enfuir.

« Je vous le confie, a dit Maman, j'espère qu'il ne fera pas trop de bêtises, je reviendrai le chercher à six heures » *(le Petit Nicolas)*.

chercher v.
1. Essayer de trouver, de découvrir. *Mamie Lou cherche ses lunettes partout. Angèle cherche un appartement plus grand.* **2.** Essayer de faire quelque chose. *Hippolyte cherche à séduire Angèle.* **3.** *Denis Prost est allé chercher sa fille Julie à l'école,* il l'a rejointe pour l'emmener avec lui. *Mme Séverac doit aller chercher une lettre recommandée à la poste,* elle doit aller la prendre.

▸ ***chercheur*** n. m., ***chercheuse*** n. f. **1.** *Un chercheur d'or,* c'est une personne qui cherche de l'or dans le sol, les rivières. *Les chercheurs d'or espèrent devenir riches.* **2.** Personne qui fait de la recherche scientifique. *Mme Séverac a une amie qui est chercheuse au Centre national de la recherche scientifique.*

— Tu n'es pas d'ici, dit le renard, que cherches-tu ?
— Je cherche les hommes, dit le petit prince *(le Petit Prince)*.

Autres membres de la famille : **rechercher, recherche.**

Ne confonds pas *chère, cher, chair* et *chaire.*

chère n. f.
Faire bonne chère, c'est bien manger. *Au restaurant Bellec, vous êtes assurés de faire bonne chère.*

Ils feraient bonne chère de ce qui nous reste là ! *(le Petit Poucet)*.

Prononce [ʃɛʀmɑ̃].

Mamie Lou est leur mère.

chèrement adv.
D'une manière affectueuse et tendre. *Pierre et Louis Séverac aiment chèrement Mamie Lou ;* vois ***affectueusement, tendrement.***

Famille de ① **cher**

Conjugaison 2

Famille de ① **cher**

« Mais, mon chéri, m'a dit Maman, il faut être raisonnable » *(le Petit Nicolas)*.

chérir v.
Aimer tendrement. *Mamie Lou chérit ses petits-enfants.*

▸ ***chéri*** n. m., ***chérie*** n. f. *Chéri* se dit à une personne que l'on aime. *Bonsoir ma petite chérie, dit Mamie Lou à Claire.* — adj. *Louis Séverac est l'enfant chéri de Mamie Lou.*

La photo de la classe sera pour nous un souvenir que nous allons chérir toute notre vie *(le Petit Nicolas)*.

Louis est le fils chéri de Mamie Lou.

chérubin n. m.
Enfant mignon et très sage. *Mamie Lou dit toujours que Louis était un chérubin quand il était petit.*

Un *Chérubin,* c'est aussi un ange.

Le contraire de *chétif,* c'est *robuste, vigoureux.*

chétif adj.
Petit, faible, de santé fragile. *Sylvain est un enfant chétif ;* vois ***malingre.***

Au féminin : *chétive.*

Au pluriel : *des chevaux.*

Le cheval est un mammifère de la famille des équidés.

Les poneys sont des chevaux de petite taille.

cheval n. m.
1. Grand animal domestique à crinière qui peut porter de lourdes charges sur son dos et tirer des charrettes. *Denis Prost monte à cheval au manège. Le cheval est parti au galop.* **2.** Équitation. *Denis Prost aime beaucoup faire du cheval. Le cavalier avait des bottes et une culotte de cheval,* pour faire du cheval. **3.** *Être à cheval sur quelque chose,* c'est être à califourchon dessus. *Yves était à cheval sur une branche d'arbre,* une jambe de chaque côté de la branche. **4.** *M. Doucet est monté sur ses grands chevaux quand Mme Harpie l'a insulté,* il s'est mis en colère.

La femelle du cheval est la *jument.* Son petit est le *poulain.*

Être à cheval sur les principes, c'est y tenir, les respecter.

Ne confonds pas *chevalier* et *cavalier.*

▸ ***chevalier*** n. m. Seigneur du Moyen Âge assez riche pour se payer un cheval et ses armes. *Les chevaliers protégeaient les faibles.*

Bayard était surnommé le chevalier sans peur et sans reproche.

▸ ***chevaleresque*** adj. *Le prince a eu une conduite chevaleresque,* il a eu une conduite noble et généreuse, digne d'un chevalier.

▸ ***chevalerie*** n. f. Ensemble des chevaliers du Moyen Âge. *Pour entrer dans la chevalerie, le jeune noble devait prouver sa force et son adresse.*

▸ ***chevalière*** n. f. Bague dont la partie aplatie porte des armoiries ou des initiales gravées. *Le docteur Séverac porte une chevalière à la main droite.*

Compare : *cheval → chevalin, porc → porcin* et *enfant → enfantin.*

▸ ***chevalin*** adj. **1.** Du cheval. *On achète de la viande de cheval dans une boucherie chevaline.* **2.** Qui fait penser à un cheval. *Le père de Réjean a un profil chevalin.*

Conjugaison 1

▸ ***chevaucher*** v. **1.** Être à cheval, à califourchon. *Denis Prost chevauche sa jument Pâquerette.* **2.** Recouvrir en partie. *David avait deux dents qui chevauchaient.*

On peut dire aussi qu'*elles se chevauchaient.*

Compare : *chevaucher → chevauchée* et *traverser → traversée.*

▸ ***chevauchée*** n. f. Promenade, course à cheval. *Denis Prost fait de longues chevauchées dans la forêt.*

chevalet n. m.
Support de bois sur lequel un peintre pose sa toile pour peindre un tableau. *Un peintre a installé son chevalet devant le château.*

Famille de **cheveu**

Va voir *cuir chevelu* à ***cuir.***

chevelu adj.
Quelqu'un de chevelu, c'est quelqu'un qui a beaucoup de cheveux ou les cheveux longs. *Mme Harpie n'aime pas les jeunes gens chevelus.*

Le contraire de *chevelu,* c'est *rasé, tondu, chauve.*

On prononce [ʃəvlyʀ].

chevelure n. f.
Ensemble des cheveux. *Angèle peigne longuement sa chevelure brune. Quelle belle chevelure !*

Famille de **cheveu**

Le chevet d'un lit, c'est l'endroit où l'on pose la tête.

chevet n. m.
1. *Angèle lit dans son lit, à la lumière de la lampe de chevet,* la lampe qui est posée à la tête du lit. **2.** *Sophie Pelletier est restée au chevet de sa fille Julie quand elle était malade,* elle est restée à côté de son lit, près d'elle pour la soigner.

Au pluriel : *des cheveux.*

Quand on perd ses cheveux, on devient *chauve.*

Couper les cheveux en quatre : chercher des complications.

cheveu n. m.
1. Poil qui pousse sur le crâne d'un être humain. *Julie a de beaux cheveux roux et bouclés. Marie-Tévy a les cheveux noirs et raides, Yasmina les a frisés, Hippolyte, crépus. Angèle est allée chez le coiffeur pour se faire couper les cheveux.* **2.** *Faire dresser les cheveux sur la tête,* c'est donner un sentiment d'horreur. *C'est une histoire à faire dresser les cheveux sur la tête.* **3.** *L'excuse d'Antoine est un peu tirée par les cheveux,* elle est peu vraisemblable.

Y'a qu'un cheveu sur la tête à Mathieu
Y'a qu'une dent dans la mâchoire à Jean
(chanson).

Autres membres de la famille : **chevelu, chevelure, échevelé.**

① cheville n. f.
Petit morceau de bois allongé que l'on enfonce dans un trou pour le boucher ou pour assembler les parties d'un meuble. *Les portes de l'armoire sont fixées par des chevilles.*

Ne pas arriver à la cheville de quelqu'un, c'est lui être très inférieur.

② cheville n. f.
Articulation située entre la jambe et le pied. *Julie s'est tordu la cheville en sautant. Maintenant, Julie a la cheville bandée.*

Chèvre désigne surtout la femelle. Le mâle s'appelle *bouc.* La chèvre *bêle.*

Une jeune chèvre est *une chevrette.*

chèvre n. f.
Animal ruminant, à cornes courbées, au poil épais, capable de grimper et de sauter ; vois ***bique.*** *Les chèvres mangent les pousses des arbres et détruisent la végétation ; mais elles peuvent vivre dans des terrains très pauvres et donnent beaucoup de lait. Avec le lait de chèvre, on fait du fromage de chèvre.*

Au pluriel : *des chevreaux.*

▷ ***chevreau*** n. m. Petit de la chèvre ; vois ***cabri.*** *On fait des gants et des chaussures avec la peau du chevreau.*

Ah ! Qu'elle était jolie la petite chèvre de M. Seguin ! qu'elle était jolie avec ses yeux doux, sa barbiche de sous-officier, ses sabots noirs et luisants...
(les Lettres de mon moulin).

Autres membres de la famille : **chèvrefeuille, chevreuil, chevrier, chevrotant.**

Famille de **chèvre** et de **feuille**

chèvrefeuille n. m.
Plante grimpante, à fleurs jaunes très parfumées. *L'odeur sucrée du chèvrefeuille embaumait les haies, le long des chemins creux.*

Le chèvrefeuille pousse dans les haies.

Famille de **chèvre**

Le chevreuil *brâme.*

chevreuil n. m.
Animal ruminant, de la famille du cerf, assez petit, à la robe fauve et au ventre blanchâtre. *Le chevreuil est sauvage, il vit dans les bois.*

Le petit du chevreuil s'appelle un *faon.*

Famille de **chèvre**

chevrier n. m., **chevrière** n. f.
Personne qui garde des chèvres. *Le chevrier mène paître les chèvres dans la montagne.*

Cadet Roussel a trois maisons
Qui n'ont ni poutres ni chevrons
(chanson).

chevron n. m.
1. Pièce de bois inclinée dans le sens de la pente du toit, sur laquelle on fixe les lattes qui portent les tuiles ou les ardoises de la toiture. *Les chevrons s'appuient sur les poutres.* **2.** Ruban cousu sur les manches des uniformes, formant un V renversé. *Pendant son service militaire, Hippolyte avait trois chevrons à son uniforme.* **3.** Dessin décoratif en forme de zigzag. *Julie portait une jupe en tissu à chevrons.*

Les chevrons sont des pièces de la charpente.

Les galons des officiers ne sont pas des chevrons mais des rubans droits.

N'oublie pas les deux ***n*** !

chevronné adj.
Expérimenté. *Angèle est une conductrice chevronnée.*

Famille de **chèvre**

chevrotant adj.
Une voix chevrotante, c'est une voix qui tremblote, comme un bêlement de chèvre. *Les vieillards ont parfois une voix chevrotante.*

Chewing-gum [ʃwiŋgɔm] rime avec *gomme.* C'est un mot qui vient de l'anglais.

chewing-gum n. m.
Pâte que l'on mâche, gomme à mâcher. *Hippolyte mâche du chewing-gum toute la journée. Jetez vos chewing-gums !*

Au pluriel : *des chewing-gums.*

Ne prononce pas le *z* : [ʃe].

Va chez la voisine,
je crois qu'elle y est,
Car dans la cuisine
on bat le briquet
(chanson).

chez préposition
1. *Je suis chez moi,* dans la maison où j'habite. *Va chez le boulanger,* dans la boutique du boulanger. *Julie se sent chez elle partout,* elle est à l'aise, elle n'est pas gênée. **2.** *Il y a une chose que je ne comprends pas chez Julie,* dans le caractère de Julie. **3.** *C'est une tradition, chez les Anglais, de boire du thé,* en Angleterre.

Derrière chez moi y a un étang (chanson).

Dansons la Capucine
Y a plus de pain chez nous
(chanson).

Attention ! au féminin et au pluriel, on écrit toujours *chic.*

Tu m'apprendras à faire de la pêche sous-marine pour apporter des gros poissons à maman ? Oh ! Ça va être chic, chic, chic ! *(le Petit Nicolas).*

chic adj. invariable, n. m. et interjection
▭ **adj. invariable 1.** *Mme Séverac est une femme chic,* élégante, bien habillée. *Les Séverac sont des gens chic,* élégants et riches. **2.** Beau, agréable. *Ce serait chic si tu me prenais sur ta moto !* **3.** Sympathique, généreux, serviable. *Angèle est une chic fille.*
▭ **n. m. 1.** Élégance, caractère, allure. *La coiffure de Mme Séverac a beaucoup de chic.* **2.** Adresse, facilité à faire quelque chose. *Sophie Pelletier a le chic pour réussir les crêpes. Sylvain a le chic pour tomber malade pendant les vacances,* c'est comme s'il le faisait exprès.
▭ **interjection** *Chic* exprime la satisfaction, la joie ; vois ② **chouette.** *« Chic, alors », s'écrie Antoine, « mon dessert préféré ! »*

La vieille dame trouve Babar très chic dans son costume neuf *(Babar).*

Chic, j'ai dit, je pourrai y aller, moi aussi ? *(le Petit Nicolas).*

Autre membre de la famille : **chiqué.**

Conjugaison 1

chicaner v.
Chercher querelle à quelqu'un sur des choses sans importance. *Mme Harpie, la confiseuse, a chicané Marie-Tévy sur le nombre de bonbons qu'elle avait pris.*
▸ **chicane** n. f. Querelle, dispute où l'on est de mauvaise foi. *Mme Harpie cherche chicane à tout le monde.*

Mon premier est élégant
Mon second est une voyelle
Mon troisième est au milieu de la figure.

① **chiche** adj.
1. *Mme Harpie est chiche de paroles aimables,* avare. **2.** *Aujourd'hui, c'était bon à la cantine, mais un peu chiche,* pas très abondant.

Le contraire de *chiche,* c'est *généreux.*

Prononce [ʃiʃmɑ̃].

▸ **chichement** adv. *Mme Harpie vit chichement,* pauvrement, comme une avare.

② **chiche** adj. *Pois chiche ;* va voir **pois.**

Chiche est un mot familier.

③ **chiche** interjection
Chiche sert à exprimer le défi. *« Tu n'es pas capable de sauter jusque-là ! » dit Yves. — « Chiche ! répond Antoine, tu vas voir. »*

chicorée n. f.
1. Plante dont on mange les feuilles en salade. *Mme Roussel a préparé une chicorée aux lardons.* **2.** Boisson qui ressemble au café, faite à partir de la racine de la chicorée. *Yasmina boit de la chicorée au petit déjeuner.*

La scarole est une variété de chicorée.

chicot n. m.
Morceau qui reste d'une dent cassée. *Ce n'est pas joli un sourire avec des chicots !*

En sortant de l'école, j'ai suivi un petit chien. [...] je lui ai offert la moitié de mon petit pain au chocolat et le petit chien [...] s'est mis à remuer la queue dans tous les sens *(le Petit Nicolas).*

chien n. m., **chienne** n. f.
1. Animal domestique carnivore. *Le chien des Séverac aboie quand un visiteur approche de la ferme. Sylvain promène sa chienne en laisse. Mme Harpie et sa sœur se regardent en chiens de faïence,* elles se regardent sans se parler en s'observant d'un air hostile. *Angèle n'aime pas conduire entre chien et loup,* au crépuscule, quand la nuit commence à tomber. *Il fait un temps de chien,* très mauvais temps. *Yves est d'une humeur de chien,* de très mauvaise humeur. **2.** Pièce coudée d'un fusil ou d'un pistolet. *Julie est couchée en chien de fusil,* sur le côté, les genoux repliés.

Va voir aussi **chiot.**
Le chien de berger surveille les troupeaux, *le chien de chasse* chasse avec son maître et *le chien de garde* garde la maison.

Autres membres de la famille : **chiendent, chien-loup.**

Famille de **chien** et de **dent**

chiendent n. m.
1. Mauvaise herbe dont les racines sont très développées. *Odile Séverac arrache le chiendent dans le potager.* **2.** *Une brosse de chiendent* est faite avec les racines séchées de cette herbe. *Mme Roussel frotte le sol de la cuisine avec une brosse de chiendent.*

Le chiendent est nuisible aux cultures.

Famille de **chien** et de **loup**

chien-loup n. m.
Grand chien qui ressemble à un loup. *Yves a peur des chiens-loups.*

On l'appelle aussi *berger allemand.*

N'oublie pas les deux *f* !

chiffon n. m.
Vieux morceau de tissu. *Pierre Séverac s'essuie les mains avec un chiffon.*

Avec des chiffons, on fait du très beau papier.

Conjugaison 1

▸ ***chiffonner*** v. Froisser ; vois ***friper.*** *Julie a chiffonné sa jupe en s'asseyant.*

Attention ! deux *f* et deux *n* à *chiffonner* et *chiffonnier.*

▸ ***chiffonné*** adj. Froissé. *La jupe de Julie est chiffonnée ;* vois ***fripé.***

Compare : *chiffon → chiffonnier* et *poisson → poissonnier.*

▸ ***chiffonnier*** n. m., ***chiffonnière*** n. f. Personne qui ramasse les vieux vêtements et les vieux objets pour les vendre. *Nathalie et David se battent comme des chiffonniers,* très violemment.

① ***chiffre*** n. m.
1. *Un chiffre,* c'est un signe qui sert à écrire un nombre. *Lorsque l'on fait un chèque, on écrit la somme en chiffres et en lettres. 382 est un nombre de trois chiffres.* **2.** Somme. *À quel chiffre les dégâts s'élèvent-ils ?,* quel est le montant des dégâts ? *Mme Harpie a fait un chiffre d'affaires important cette année,* elle a gagné beaucoup d'argent en vendant beaucoup de marchandises.

1, 2, 3, 4, 5, 6, 7, 8, 9, 0 sont des *chiffres arabes* ; I, V, X, L, C, D, M sont des *chiffres romains.*

Conjugaison 1

▸ ***chiffrer*** v. Évaluer le prix de quelque chose. *L'entrepreneur a chiffré les travaux à vingt mille francs.*

② ***chiffre*** n. m.
Le chiffre, c'est un ensemble de signes qui servent à correspondre secrètement ; vois ***code.*** *Les cambrioleurs connaissaient le chiffre du coffre-fort ;* vois ***combinaison.***

Autres membres de la famille : **déchiffrer, indéchiffrable.**

chignole n. f.
Outil que l'on utilise pour percer des trous ; vois ***perceuse.*** *M. Bellec fait des trous à la chignole avant d'enfoncer les vis dans la planche.*

Chignon [ʃiɲɔ̃] rime avec *mignon.*

chignon n. m.
Coiffure dans laquelle les cheveux longs sont roulés et attachés derrière la tête ou sur la tête. *Angèle s'est fait un chignon.*

chimère n. f.
1. Monstre imaginaire à tête de lion, à corps de chèvre, à queue de dragon et qui crache des flammes. *Dans la légende, la Chimère séduisait et perdait ceux qui se livraient à elle.* **2.** Rêve impossible à réaliser ; vois ***illusion.*** *Alex voudrait devenir très riche, c'est une de ses chimères.*

La Chimère fut tuée par Bellérophon aidé par son cheval ailé, Pégase.

Compare : *chimère → chimérique* et *colère → colérique.*

▸ ***chimérique*** adj. *Un projet chimérique,* c'est un projet qui n'est pas raisonnable, qui n'est pas réalisable. *Alex fait souvent des projets chimériques.*

Le contraire de *chimérique,* c'est *raisonnable.*

Le *professeur de chimie* fait faire aux élèves des *expériences de chimie.*

chimie n. f.
Science qui étudie comment sont faits les éléments de la nature, la manière dont ils se combinent, se transforment et réagissent entre eux. *Les progrès de la chimie sont utiles aux autres sciences et à l'industrie.*

Les Chinois et les Égyptiens dans l'Antiquité, puis les Arabes au Moyen Âge avaient des connaissances dont est née la chimie moderne.

Les *engrais chimiques* sont des engrais fabriqués industriellement.

▸ ***chimique*** adj. Relatif à la chimie, aux corps qu'elle étudie ou qui sont fabriqués à partir de ses expériences. *Alex n'a pas su donner la formule chimique de l'acide sulfurique.*

▸ ***chimiste*** n. m. et f. Personne qui étudie et pratique la chimie. *Un ingénieur chimiste parle avec le docteur Séverac d'un nouveau médicament.*

Attention au ***m*** devant le ***p*** de *chimpanzé.*

Prononce [ʃɛ̃pɑ̃ze].

chimpanzé n. m.
Grand singe intelligent qui vit en petits groupes dans les arbres des forêts humides d'Afrique. *Le chimpanzé est l'un des animaux les plus intelligents ; il s'apprivoise très facilement.*

Un chimpanzé mâle peut mesurer 1,70 m et peser 80 kg.

La fourrure du chinchilla atteint des prix très élevés.

chinchilla n. m.
Petit rongeur d'Amérique du Sud. *La fourrure de chinchilla est gris clair.*

chiné adj.
Un tissu chiné, c'est un tissu fait de fils de couleurs différentes, alternés de façon irrégulière. *Denis Prost portait une veste chinée.*

Prononce [ʃjo].

chiot n. m.
Très jeune chien. *Sylvain a eu sa chienne quand elle était encore un chiot.*

Conjugaison 1

chiper v.
Voler, prendre en cachette. *Antoine a chipé des enveloppes dans le bureau de sa mère.*

Chiper est un mot familier.

Chipie est un mot familier.

chipie n. f.
Fille, femme méchante, insupportable. *Mme Harpie est une vieille chipie.*

Conjugaison 1

chipoter v.
1. Manger par petits morceaux, sans plaisir. *Il est rare qu'Antoine chipote.* **2.** Hésiter, faire des histoires pour rien. *Nous n'allons pas chipoter pour le prix !*

Il est plutôt gourmand.

Prononce [ʃips].

chips n. f. plur.
Tranches très fines de pommes de terre frites. *Antoine a ouvert un paquet de chips.*

On dit aussi des *pommes chips.*

chique n. f.
Tabac que l'on met dans la bouche pour le mâcher. *Le vieux paysan mâchait sa chique.*

Autre membre de la famille : **chiquer.**

Prononce [ʃiknod].

chiquenaude n. f.
Léger coup donné par un doigt replié sur l'intérieur du pouce, que l'on détend brusquement. *D'une chiquenaude, Yves a poussé la bille.*

Conjugaison 1

chiquer v.
Chiquer du tabac, c'est le mâcher. *Le vieux paysan avait un sachet de tabac à chiquer dans sa poche.*

Les feuilles de tabac à chiquer sont roulées et tordues.

Famille de **chique**

Compare : *chirurgie → chirurgien, comédie → comédien* et *pharmacie → pharmacien.*

chirurgie n. f.
Partie de la médecine qui s'occupe des opérations. *Julie a été hospitalisée dans le service de chirurgie,* où sont les médecins et les installations nécessaires aux opérations.

Elle a été opérée de l'appendicite.

▸ ***chirurgical*** adj. *Une intervention chirurgicale,* c'est une opération à l'intérieur du corps. *Julie a subi une intervention chirurgicale.*

Le chirurgien se sert d'*instruments chirurgicaux.*

▸ ***chirurgien*** n. m. Médecin qui opère les malades et les blessés. *Le chirurgien opère avec l'aide de ses assistants.*

Les femmes qui font ce métier s'appellent aussi des *chirurgiens.*

Prononce [klɔʀ].

chlore n. m.
Gaz jaune verdâtre, d'odeur très désagréable. *L'eau de javel contient du chlore.*

On désinfecte l'eau de la piscine avec du chlore.

Prononce [klɔʀɔfɔʀm].

▸ ***chloroforme*** n. m. Liquide incolore utilisé pour endormir des malades qui doivent être opérés. *On a endormi le malade au chloroforme.*

Attention au ***ph***, au ***y*** et aux deux ***l*** de *chloro**ph**y**ll**e.*

chlorophylle n. f.
Substance verte des plantes, qui se forme à la lumière. *Si une plante est privée de lumière, la chlorophylle disparaît et la plante se décolore.*

Prononce [klɔʀɔfil].

choc n. m.
1. Rencontre brutale de deux choses. *La montre d'Antoine résiste aux chocs ;* vois ***coup, heurt.*** **2.** Émotion brutale. *Hippolyte a eu un choc en voyant la poste en feu.*

Autres membres de la famille : **choquer, entrechoquer, parechocs.**

C'est lui le facteur !

chocolat n. m.
Mélange de cacao et de sucre. *Antoine aime beaucoup le gâteau au chocolat. Hippolyte a offert une boîte de chocolats à Angèle. Le matin, Yves boit un chocolat chaud,* du chocolat délayé dans du lait.

Il y a du chocolat en poudre, du chocolat à croquer, du chocolat au lait.

Avec les dix francs, je pourrais avoir des tas de tablettes de chocolat *(le Petit Nicolas).*

N'oublie pas le ***h*** et prononce [kœʀ]. Ne confonds pas *chœur* et *cœur.*

① **chœur** n. m.
1. Groupe de chanteurs qui chantent ensemble. *Mme Bellec ne chante pas assez bien pour faire partie des chœurs de l'opéra de Paris.* **2.** *En chœur,* ensemble. *Les anciens combattants ont chanté la Marseillaise en chœur. Les enfants ont répondu en chœur à la question d'Angèle, l'institutrice.*

Va voir aussi ***chorale.***

N'oublie pas le *h* et prononce [kœʀ].

② **chœur** n. m.
Partie de l'église où se trouve l'autel. *Pendant la messe, le prêtre est dans le chœur. Le prêtre est assisté par des enfants de chœur,* de jeunes garçons qui servent la messe.

Ne confonds pas *chœur* et *cœur.*

Conjugaison ▭ Indic. présent : *je chois, ils choient.* Futur : *je choirai* ou *je cherrai.* — Participe passé : *chu.*

Laissez choir les séchoirs !

choir v.
Choir se disait autrefois pour *tomber. La grand-mère crie au petit chaperon rouge : « tire la chevillette, la bobinette cherra. » — Laisser choir quelqu'un,* c'est l'abandonner. *Julie a laissé choir tous ses amis quand elle a aperçu son père qui rentrait. Angèle est un bourreau des cœurs : elle laisse choir tous ses amoureux !*

Autres membres de la famille : **chute, chuter, parachute, parachuter, parachutisme, parachutiste, rechute ; déchoir, déchéance, déchu ; échéance,** le cas **échéant.**

Conjugaison 2

Boire ou conduire, il faut choisir !

choisir v.
Choisir une chose, c'est la prendre de préférence à une autre. *Hippolyte a du mal à choisir des chaussures. Denis Prost a été choisi pour jouer le premier rôle du film.*

On s'est tous accroupis autour de la roulette, on a mis nos sous par terre et on a choisi nos numéros *(le Petit Nicolas).*

Attention ! le *x* final ne se prononce pas : [ʃwa].

▸ **choix** n. m. **1.** Action de choisir, possibilité que l'on a de choisir. *Hippolyte n'arrive pas à faire son choix entre les chaussures noires et les jaunes. Antoine n'a pas le choix, il doit faire sa punition. Chez Mme Harpie, il n'y a que l'embarras du choix quand on veut des bonbons.* **2.** Ce que l'on a choisi. *Hippolyte a pris les chaussures noires, il est content de son choix.* **3.** Ensemble de choses parmi lesquelles on peut choisir. *Il y a un grand choix de bonbons chez Mme Harpie.* **4.** *Le foie gras et le caviar sont des mets de choix,* de qualité.

Mme Harpie, c'est la marchande de bonbons.

Dans les supermarchés, il y a toujours beaucoup de choix.

choléra n. m.
Grave maladie contagieuse dont on peut mourir, caractérisée par des vomissements, des diarrhées, des crampes et une grande soif. *Le docteur Séverac a dû se faire vacciner contre le choléra avant d'aller en Afrique.*

Le choléra apparut en Europe en 1832, mais il existait en Inde depuis l'Antiquité.

Conjugaison 1

Le jour de l'An est un jour chômé.

chômer v.
Être sans travail. *Un frère d'Angèle chôme depuis six mois. Les jours chômés,* on ne travaille pas mais on est payé quand même.

On dit plutôt *être au chômage.*

▸ **chômage** n. m. Situation d'une personne qui ne trouve pas de travail. *Un frère d'Angèle est au chômage.*

On dit *être au chômage* ou *être en chômage.*

N'oublie pas l'accent circonflexe du *ô* de *chômer, chômage* et *chômeur.*

▸ **chômeur** n. m., **chômeuse** n. f. Personne qui n'a pas de travail. *L'un des frères d'Angèle est chômeur.*

chope n. f.
Grand verre épais muni d'une anse. *On sert souvent la bière dans des chopes.*

Conjugaison 1
Famille de **choc**

choquer v.
Déplaire en n'agissant pas comme il le faudrait, en causant une impression désagréable. *Mme Séverac a été choquée que Mme Harpie n'ait rien donné pour la vente de charité.*

Certaines scènes de ce film risquent de choquer les personnes sensibles.

▸ **choquant** adj. *D'après Mme Harpie, M. Doucet a des manières choquantes,* contraires à la bonne éducation.

Prononce [kɔʀal].

chorale n. f.
Groupe de personnes qui chantent ensemble. *Mme Bellec fait partie de la chorale de la paroisse.*

Compare *chorale* et *choriste* : on chante en **chœur.**

Attention au *ch* et au *ph* et prononce [kɔʀegʀafi].

chorégraphie n. f.
Ensemble des figures de danse d'un ballet. *Angèle a réglé la chorégraphie du Bourgeois gentilhomme pour la fête de l'école.*

C'est Marius Petipa qui a fait la chorégraphie du *Lac des cygnes* en 1894.

Prononce [kɔʀist].

choriste n. m. et f.
Chanteur qui chante dans un chœur ou dans une chorale. *Mme Bellec est choriste dans la chorale de la paroisse.*

Compare *choriste* et *chorale* : on chante en **chœur.**

chose n. f. et m.
▭ **n. f. 1.** Objet. *Une lampe est une chose qui éclaire. Dans un supermarché, on trouve toutes sortes de choses.* **2.** Fait, événement. *Antoine a toujours des tas de choses à raconter. Il arrive souvent des choses bizarres à Julie.*
▭ **n. m.** Ce que l'on ne peut pas ou que l'on ne veut pas nommer. *Qu'est-ce que c'est que ce chose ?* ; vois ***machin, truc.***

Où avez-vous mis les choses qui étaient dans ma boîte ? *(les Malheurs de Sophie).*

Pour fêter le départ à la retraite du directeur, on prépare des choses terribles, à l'école *(le Petit Nicolas).*

Autres membres de la famille : **grand-chose, quelque chose.**

Au pluriel : *des choux.*
Il y a de nombreuses sortes de choux : le chou blanc, le chou vert, le chou rouge, le chou de Bruxelles, le chou-fleur.

chou n. m.
1. Plante qui a des feuilles lisses et arrondies qui se recouvrent les unes les autres formant une grosse boule dure, et qui est cultivée pour l'alimentation. *Aujourd'hui, M. Bellec a fait du chou farci.* **2.** *Un chou à la crème,* c'est un gâteau en forme de boule, rempli de crème. *Qui a acheté des choux à la crème pour son goûter ?*

Le chou est riche en vitamine C.

Autres membres de la famille : **chouchou, chouchouter, chou-fleur.**

Ne prononce pas le *s* : [ʃuka].

choucas n. m.
Oiseau noir, voisin de la corneille, de la taille d'un pigeon. *Les choucas vivent en groupes dans les clochers et les vieux châteaux.*

Le choucas se nourrit de graines et d'insectes.

Attention au pluriel : *des chouchous.*

chouchou n. m., **chouchoute** n. f.
Enfant que l'on préfère. *Louis Séverac a toujours été le chouchou de Mamie Lou.*

Agnan qui est le premier de la classe et le chouchou de la maîtresse *(le Petit Nicolas).*

Conjugaison 1

▸ **chouchouter** v. Dorloter. *Mamie Lou chouchoute Claire ;* vois **choyer.**

Famille de **chou**

choucroute n. f.
Chou coupé en fins rubans que l'on a fait fermenter. *En hiver, M. Bellec fait souvent de la choucroute garnie,* un plat composé de chou fermenté et de charcuterie.

Ma mère fait de la choucroute ce soir, avec du lard et des saucisses *(le Petit Nicolas).*

La chouette *ulule.*
Va voir aussi ***effraie.***

① **chouette** n. f.
Oiseau rapace à grosse tête et aux gros yeux ronds, qui chasse la nuit. *La chouette se nourrit de petits rongeurs et de petits oiseaux.*

La chouette peut voler à 72 km/h.

Ce mot est familier.
« Bonjour, Alceste, j'ai dit, c'est chouette d'être venu » *(le Petit Nicolas).*

② **chouette** adj. et interjection
1. adj. Agréable, beau. *Le nouveau gymnase va être chouette. Julie est une fille très chouette,* très gentille. **2.** interjection Qui exprime la satisfaction. *Chouette ! aujourd'hui il fait beau ;* vois **chic.**

Chouette ! j'ai crié, et je me suis mis à danser *(le Petit Nicolas).*

Au pluriel : *des choux-fleurs.*
Le brocoli est une variété de chou-fleur.

chou-fleur n. m.
Chou dont les fleurs blanches forment une grosse boule que l'on mange. *Le rôti de porc est accompagné d'un gratin de choux-fleurs.*

Famille de **chou** et de **fleur**

Conjugaison 8 ▭ Indic. présent : *je choie.* Imparfait : *nous choyions.*

choyer v.
Dorloter, donner beaucoup de tendresse. *Mamie Lou choye tous ses petits-enfants. Claire est une enfant choyée ;* vois **chouchouter.** *Mme Harpie ne choiera sûrement jamais personne.*

Elle est bien trop méchante !

Ne confonds pas *choyer* et *choir.*

N'oublie pas le ***h*** entre le ***c*** et le ***r.***
Prononce [kʀetjɛ̃].
L'*ère chrétienne* commence à la naissance de Jésus-Christ.

chrétien n. m., **chrétienne** n. f.
Personne qui croit en Jésus-Christ. *Les catholiques, les orthodoxes et les protestants sont des chrétiens.* — adj. *Les Bellec sont chrétiens. La religion des Bellec est la religion chrétienne.*

Les premiers chrétiens furent persécutés.

▸ **chrétienté** n. f. *La chrétienté,* c'est l'ensemble de tous les chrétiens et des pays où le christianisme est la religion la plus importante. *La France, l'Italie et l'Espagne font partie de la chrétienté.*

christianisme n. m.
Religion des chrétiens. *Le christianisme est fondé sur l'enseignement et la vie de Jésus-Christ.*

N'oublie pas le ***h.***
Prononce [kʀom].

chrome n. m.
1. Métal gris, brillant et dur. *Le chrome sert à fabriquer l'acier inoxydable.* **2.** Pièce d'une voiture, d'une bicyclette en acier chromé. *M. Bellec fait briller les chromes de sa voiture.*

Les pare-chocs et les poignées d'une voiture sont des chromes.

▸ **chromé** adj. *De l'acier chromé,* c'est de l'acier recouvert de chrome. *L'acier chromé ne peut pas rouiller.*

N'oublie pas le ***h.***

Les grands fumeurs sont souvent atteints de bronchite chronique.

① **chronique** adj.
Une maladie chronique, c'est une maladie qui dure longtemps et revient souvent. *Mme Harpie est d'une mauvaise humeur chronique,* habituelle, très fréquente.

Prononce [kʀɔnik].
Le contraire de *chronique,* c'est *aigu.*

Compare ***chronique,*** et ***anachronique*** : dans ces deux mots, il est question de **temps.**

② **chronique** n. f.
1. Recueil de faits historiques. *Les chroniques racontent les événements dans l'ordre où il se sont passés.* **2.** Partie d'un journal où l'on parle d'un sujet particulier. *Dans son journal, Mme Hespel regarde d'abord la chronique financière.*

Nous connaissons bien la vie de Saint Louis par les chroniques de Joinville.

N'oublie pas le *h* et prononce [kʀɔnɔlɔʒi].

chronologie n. f.

Ordre dans lequel des événements se succèdent. *Hippolyte se souvient de la chronologie de l'incendie de la poste : d'abord, il a entendu une petite explosion ; puis il a vu des flammes de toutes parts.*

Compare ***chronologie*** et ***chronomètre*** : il est question de **temps.**

Dans l'ordre chronologique, lundi vient avant mardi, juillet avant août et 1914 avant 1918.

▸ ***chronologique*** adj. *L'ordre chronologique,* c'est l'ordre dans lequel les choses se sont passées. *Le commissaire demande à Hippolyte de faire un résumé chronologique de l'incendie de la poste.*

N'oublie pas le *h* et prononce [kʀɔnɔmɛtʀ].

chronomètre n. m.

Instrument très précis servant à mesurer les durées. *L'arbitre regarde son chronomètre pour savoir qui a gagné la course.*

Compare *chrono**mètre**, thermo**mètre*** et *baro**mètre*** : dans ces trois mots, il est question de **mesure.**

Conjugaison 6 ▭ Indic. présent : *je chronomètre, nous chronométrons.*

▸ ***chronométrer*** v. Mesurer une durée avec un chronomètre. *L'arbitre chronomètre la course. Les coureurs ont été chronométrés.*

Attention au *h* et au *y* et prononce [kʀizalid].

chrysalide n. f.

État par lequel passe la chenille avant de devenir un papillon. *Avant de se changer en chrysalide, la chenille se cache pour être à l'abri.*

La durée de l'état de chrysalide peut varier de quelques jours à deux ans.

Attention aux deux *h* et au *y* et prononce [kʀizɑ̃tɛm].

Chrysanthème est un nom masculin !

chrysanthème n. m.

Fleurs à pétales nombreux et fins d'une plante qui fleurit en automne et dont il existe de nombreuses variétés. *Julie a déposé un bouquet de chrysanthèmes sur la tombe de sa grand-mère.*

Certains chrysanthèmes ressemblent à des marguerites.

Conjugaison 1

chuchoter v.

Parler tout bas. *Julie chuchote quelques mots à l'oreille de Yasmina.*

Compare : *chuchoter → chuchotement* et *picoter → picotement.*

▸ ***chuchotement*** n. m. Bruit que font des personnes qui chuchotent. *Angèle, l'institutrice, ne veut plus entendre de chuchotements dans la classe.*

Prononce [ʃyʃɔtmɑ̃].

Chut [ʃyt] se prononce comme *chute.*

chut ! interjection

Chut ! s'emploie pour demander le silence. *Chut ! Taisez-vous, maman dort.*

Famille de **choir**

chute n. f.

L'automne voit la chute des feuilles.

Les chutes du Niagara sont spectaculaires.

1. Le fait de tomber. *Julie a fait une chute dans l'escalier,* elle est tombée. *Des chutes de neige sont à prévoir. Denis Prost utilise un shampooing contre la chute des cheveux.* **2.** *Une chute d'eau,* c'est l'eau d'un torrent qui tombe d'une grande hauteur. *Les cascades sont des chutes d'eau.* **3.** Le fait d'être renversé. *La Révolution française a provoqué la chute de la monarchie.* **4.** Reste de tissu. *Mme Séverac a utilisé les chutes du tissu de sa robe pour se faire un foulard.*

Quand un parachutiste n'ouvre pas son parachute tout de suite, il est *en chute libre.*

La chute de l'Empire romain a eu lieu en 476.

Conjugaison 1

▸ ***chuter*** v. Diminuer. *La natalité a chuté,* il y a moins de naissances. *Il est rare que les prix chutent ;* vois ***baisser.***

Famille de **ici**
Ne confonds pas *ci* et *si.*

① ci adv.

1. Devant un adjectif ou un adverbe, *ci* veut dire *ici. Recevez ci-joint la photocopie de ma lettre. Relisez le passage ci-dessus.* **2.** Après un nom précédé d'un adjectif démonstratif, *ci* apporte une précision. *Il devrait venir ces jours-ci. Assieds-toi sur cette chaise-ci, l'autre est cassée.* **3.** *Ci-gît,* ici est enterré. *Ci-gît Voltaire.*

Dans ce cas, *ci* est toujours suivi d'un trait d'union.

Dans ce cas, *ci* est toujours précédé d'un trait d'union.

Cette chaise-ci est plus confortable que *cette chaise-là.*

Ci est l'abréviation de *ceci* et s'emploie avec *ça.*

② ci pronom démonstratif

Ceci. *Comme ci comme ça,* tant bien que mal. *Comment allez-vous ? Comme ci comme ça !,* pas très bien.

cible n. f.

Objet que l'on vise avec une carabine ou des flèches. *Des cercles concentriques sont dessinés sur la cible et il faut viser le centre.*

Plus on se rapproche du centre de la cible, plus cela rapporte de points.

ciboulette n. f.

La ciboulette fait partie des fines herbes.

Plante dont les longues feuilles cylindriques et creuses sont utilisées pour aromatiser. *Odile Séverac met de la ciboulette de son jardin dans la salade.*

La ciboulette a un léger goût d'oignon.

cicatrice n. f.

Marque laissée sur la peau par une blessure ou par une couture. *Depuis son opération de l'appendicite, Julie a une cicatrice sur le ventre.*

Conjugaison 1
La *cicatrisation* a été longue.

▸ ***cicatriser*** v. *La plaie a cicatrisé,* elle a guéri et il ne reste qu'une cicatrice. *Le genou d'Antoine a mis longtemps à cicatriser.*

On peut dire aussi : *la plaie s'est cicatrisée.*

cidre n. m.

On fabrique beaucoup de cidre en Normandie.

Jus de pomme fermenté pétillant. *M. Bellec aime boire du cidre quand il mange des crêpes.*

Il y a du cidre doux et du cidre brut.

ciel n. m.

On dit : *nous avons vu de beaux ciels d'orage ;* mais : *je partirai sous d'autres cieux,* dans un autre pays.

Le contraire de *ciel,* c'est *enfer.*

1. Espace qu'on voit au-dessus de nos têtes et au loin jusqu'à l'horizon ; vois ***firmament.*** *Aujourd'hui, le ciel est nuageux. Le vol des oies sauvages forme un V dans le ciel. Yves a les yeux bleu ciel,* bleu clair. **2.** *Angèle regarde la carte du ciel,* la carte des étoiles et des planètes dans l'espace. **3.** Paradis. *Prions pour que l'âme du défunt monte au ciel. Les saints sont dans le royaume des cieux,* de Dieu.

Le ciel est par dessus le toit, si bleu, si calme (Verlaine).

À ciel ouvert : en plein air.

Autres membres de la famille : **arc-en-ciel, gratte-ciel.**

cierge n. m.

Les cierges sont faits en cire d'abeille.

Longue et fine bougie que l'on allume dans une église pour une cérémonie. *Yves a brûlé un cierge à saint Antoine.*

cigale n. f.

Les cigales mâles font vibrer leurs ailes avec un bruit aigu qui attire les femelles.

Insecte à quatre ailes que l'on trouve dans les arbres des régions méditerranéennes et qui fait un bruit strident. *Pendant l'été, en Corse, on entend les cigales toute la journée.*

Il y a au moins cinq cents espèces de cigales à travers le monde.

cigare n. m.

Rouleau de feuilles de tabac. *Après un bon déjeuner, Denis Prost aime fumer un gros cigare.*

Un *cigarillo* [sigaʀijo], c'est un petit cigare.

Compare : *cigare → cigarette* et *fourche → fourchette.*

▸ ***cigarette*** n. f. Petit rouleau de tabac haché et enveloppé dans un papier fin. *Denis fume des cigarettes brunes.*

cigogne n. f.

La cigogne est un échassier.

Les cigognes sont des oiseaux migrateurs.

Grand oiseau blanc, au bout des ailes noir, aux longues pattes rouges et au bec rouge, long et droit. *Les cigognes ne chantent pas mais claquent du bec.*

Les cigognes se nourrissent d'insectes, de mulots, de limaces, de serpents.

cil n. m.

Prononce [sil].

Les cils, ce sont les poils qui bordent les paupières. *Yasmina a de longs cils noirs.*

cime n. f.

Pas d'accent circonflexe. Le chapeau de la *cime* est tombé dans l'*abîme.*

Sommet pointu. *On pose une étoile à la cime du sapin de Noël. Les cimes des montagnes disparaissaient dans les nuages.*

ciment n. m.

Poudre à base de calcaire ou de chaux qui sèche quand elle est mélangée avec de l'eau et qui sert de matériau de construction ; vois ***mortier.*** *Le ciment fait tenir les pierres du mur. Le sol est en ciment.*

Le ciment sert à faire le béton.

cimeterre n. m.

Deux ***r*** dans *cimeterre.*

Sabre qui a une lame large et recourbée. *Autrefois, les Turcs étaient armés de cimeterres.*

cimetière n. m.

Lieu où l'on enterre les morts. *Sophie Pelletier est allée au cimetière se recueillir sur la tombe de sa mère.*

cinéaste n. m. et f.

Personne qui fait des films. *Une jeune cinéaste a tourné ce film.*

ciné-club n. m.

Attention au trait d'union ! Au pluriel : *des ciné-clubs.*

Famille de **club**

Groupement de personnes qui aiment le cinéma et organisent des projections de films. *Hippolyte s'occupe d'un ciné-club.*

Compare ***cinéaste*** et ***ciné-club*** : il s'agit de **cinéma.**

cinéma n. m.

Cinéma est l'abréviation de *cinématographe.*

1. Techniques qui permettent de filmer et de projeter des images en mouvement. *Charlot est un personnage célèbre du cinéma muet. Denis Prost est acteur de cinéma.* **2.** Salle où sont projetés les films. *Angèle et Sophie Pelletier ont rendez-vous devant le cinéma.*

Le cinéma fut inventé en 1895 par les frères Lumière.

cingler v.

Conjugaison 1

Pendant la tempête, la pluie cinglait le visage de Loïc, le frappait comme un fouet.

▸ ***cinglant*** adj. Très blessant. *Mme Harpie a fait une réponse cinglante à sa sœur,* qui blesse beaucoup, fait beaucoup de peine.

Va voir aussi ***quintupler.***
On prononce [sɛ̃k] devant une voyelle ; on prononce le plus souvent [sɛ̃] devant une consonne.

cinq adj. et n. m. invariable
1. adj. invariable Quatre plus un. *Les Touati ont cinq enfants. Il est cinq heures.* **2.** n. m. invariable Le nombre cinq. *Cinq fois cinq égalent vingt-cinq.*

5 en chiffre arabe
V en chiffre romain

▸ ***cinquième*** adj. et n.
▭ **adj.** Qui suit le quatrième. *La cinquième page du livre est déchirée.*
▭ **n. 1.** n. f. Classe de cinquième. *David et Nathalie sont dans deux cinquièmes différentes.* **2.** n. m. Partie d'un tout qui est divisé en cinq parties égales. *Antoine a perdu les quatre cinquièmes de ses billes.*

Quatrième, cinquième, sixième...
4/5 ou $\frac{4}{5}$.

50 en chiffres arabes
L en chiffre romain

▸ ***cinquante*** adj. et n. m. invariable **1.** adj. invariable Dix fois cinq. *Le docteur Séverac a fait un rapport de cinquante pages sur les singes verts.* **2.** n. m. invariable Le nombre cinquante. *Antoine habite au cinquante rue Jules-Ferry.*

Cinquante pour cent, c'est la moitié.

▸ ***cinquantaine*** n. f. Groupe de cinquante unités ou environ. *Mme Harpie approche de la cinquantaine,* de cinquante ans.

cintre n. m.
Barre courbée, qui a un crochet et sert à suspendre les habits. *Yasmina met son manteau sur un cintre.*

cintré adj.
Angèle portait une veste cintrée, un peu serrée à la taille.

Compare : *cire → cirage* et *laine → lainage.*

cirage n. m.
Produit qui sert à faire briller le cuir. *Où est le tube de cirage noir ?*

Famille de **cire**

Trois ***c*** et un ***s*** dans *circoncision.*

circoncision n. f.
Opération qui consiste à enlever un peu de la peau qui recouvre l'extrémité du sexe du petit garçon. *Les petits frères de Yasmina ont subi la circoncision.*

La circoncision est pratiquée sur les petits garçons juifs et musulmans.

On trace une circonférence avec un compas.

circonférence n. f.
Rond parfait, comme une roue ; vois ***cercle, rond.*** *Tous les points de la circonférence sont à égale distance du centre du cercle.*

La circonférence est le périmètre du cercle.

Tu es prêt ? Tu es sûr ? Ôte en hâte ton vêtement !

circonflexe adj.
Un accent circonflexe, c'est un accent en forme de petit chapeau pointu qui se place au-dessus de certaines voyelles. *Fêter, âme, hôpital et fût s'écrivent avec un accent circonflexe.*

Va voir aussi ***accent.***

circonscription n. f.
Partie d'un territoire, d'un pays, découpée pour des raisons administratives. *Le député est dans sa circonscription,* la partie du département où il a été élu et dont il s'occupe.

C'est la *circonscription électorale.*

Le diocèse est une circonscription ecclésiastique.

Le ***c*** et le ***t*** ne se prononcent pas au masculin : [siʀkɔ̃spɛ].

circonspect adj.
Qui fait attention à ce qu'il dit et à ce qu'il fait ; vois ***prudent.*** *Sophie Pelletier est très circonspecte dans le choix des livres qu'elle achète pour sa fille.*

Le féminin *circonspecte* se prononce [siʀkɔ̃spɛkt].

Ce mot s'emploie surtout au pluriel.

circonstance n. f.
1. Ce qui se passe. *Étant donné les circonstances, l'école sera fermée.* **2.** *Les circonstances,* ce sont les conditions dans lesquelles se déroule un événement. *On ne connaît toujours pas les circonstances dans lesquelles la poste a pris feu.*

Va voir *circonstances atténuantes* à ***atténuant.***

Les *propositions circonstancielles* indiquent dans quelles circonstances se passe l'action.

▸ ***circonstanciel*** adj. *Un complément circonstanciel,* c'est un complément qui indique dans quelles circonstances se passe une action. *Il y a des compléments circonstanciels de temps, de lieu, de manière.*

Va voir aussi ***complément.***

Un *circuit automobile* est un parcours que doivent effectuer les voitures dans une course.

circuit n. m.
1. Parcours qui ramène généralement à son point de départ. *Les Bellec ont fait un circuit touristique en Bretagne.* **2.** *Un circuit électrique,* c'est l'ensemble des fils électriques par où passe le courant. *Pour installer une nouvelle prise de courant, M. Bellec a coupé le circuit.*

De nombreux touristes font le circuit des châteaux de la Loire.

Autre membre de la famille : **court-circuit.**

① ***circulaire*** adj.
1. Qui est en forme de cercle. *La piste d'un cirque est circulaire ;* vois ***rond.*** **2.** Qui décrit un cercle. *À la gymnastique, les enfants font des mouvements circulaires avec les bras.*

Un *boulevard circulaire* fait le tour d'une ville ; va voir aussi ***périphérique.***

② ***circulaire*** n. f.
Au moment des élections, les candidats envoient beaucoup de circulaires aux électeurs.

Lettre identique que l'on envoie à plusieurs personnes en même temps. *Les parents ont reçu une circulaire leur indiquant les dates de la classe de neige.*

circuler v.
Conjugaison 1

1. Se déplacer. *Les voitures circulent difficilement ce soir, il y a des embouteillages.* **2.** *Le sang circule dans le corps,* il coule dans les veines et les artères. **3.** *La nouvelle a circulé dans toute la ville,* elle s'est propagée d'une personne à une autre.

Circulez ! il n'y a rien à voir, dit l'agent de police.

La circulation du sang a été découverte en 1629 par un médecin anglais, Harvey.

▸ ***circulation*** n. f. **1.** *La circulation du sang,* c'est le mouvement du sang dans le corps. *Mme Harpie a une mauvaise circulation.* **2.** Le fait de se déplacer dans les rues, sur les routes. *À Paris, la circulation est difficile.*

Le cœur, les veines et les artères font partie de l'*appareil circulatoire.*

cire n. f.
Je t'avais dit qu'il arriverait un malheur à ta poupée de cire si tu t'obstinais à la mettre au soleil
(les Malheurs de Sophie).

1. Matière molle et jaune que produisent les abeilles. *Les bougies sont fabriquées avec de la cire.* **2.** Produit que l'on utilise pour l'entretien des parquets et des meubles en bois. *Mme Séverac passe de la cire sur le buffet de la salle à manger ;* vois ***encaustique.***

Les alvéoles d'une ruche sont en cire.

On passe de la cire, ensuite on frotte et on fait briller avec un chiffon doux.

Conjugaison 1

▸ ***cirer*** v. **1.** Mettre de la cire. *Mme Séverac cire le buffet de la salle à manger.* **2.** Mettre du cirage. *Hippolyte a ciré ses chaussures.*

▸ ① ***ciré*** adj. Que l'on a passé à la cire, au cirage. *Attention de ne pas glisser sur le parquet ciré ! Hippolyte a mis des chaussures bien cirées.*

Autres membres de la famille : **cirage, cireux.**

② ***ciré*** adj. et n. m.
1. adj. *Une toile cirée,* c'est une toile enduite d'un produit qui la rend imperméable. *Mamie Lou a mis une toile cirée sur la table de la cuisine.* **2.** n. m. *Un ciré,* c'est un imperméable fait en toile cirée ou en plastique. *Sur son bateau, Loïc a son ciré et ses bottes en caoutchouc.*

Les cirés des marins sont jaunes.

cireux adj.
Au féminin : *cireuse.*

Jaune comme de la cire. *Pendant son hépatite, Mme Séverac avait le teint cireux.*

Famille de **cire**

cirque n. m.
Les cirques des anciens Romains étaient des théâtres construits en plein air ; c'est là qu'avaient lieu les courses de chars et les combats de gladiateurs.

1. Lieu de spectacle souvent couvert d'une tente, avec au centre une piste circulaire où des clowns, des acrobates, des prestidigitateurs, des dompteurs présentent leur numéro. *Le docteur Séverac a emmené ses enfants au cirque.* **2.** Montagnes disposées en cercle ou en demi-cercle. *Le cirque de Gavarnie, dans les Pyrénées, est très beau.*

Va voir aussi ***chapiteau.***
Les spectateurs sont assis autour de la piste sur des gradins.

cirrhose n. f.
Attention aux deux ***r*** et au ***h*** de *cirrhose.*

Maladie très grave du foie. *Les cirrhoses sont souvent provoquées par l'abus d'alcool.*

Six roses valent mieux qu'une cirrhose !

cisaille n. f.
Prononce [sizaj].
On dit aussi *des cisailles.*

Gros ciseaux qui servent à couper le métal ou de petites branches. *Odile Séverac coupe les ronces avec sa cisaille ;* vois ***sécateur.***

Compare ***cisaille, ciseaux*** et *circoncision* : dans tous ces mots, on **coupe.**

Conjugaison 1

▸ ***cisailler*** v. Couper avec une cisaille. *Odile Séverac cisaille les branches qui dépassent de la haie.*

ciseau n. m.
Ne confonds pas *ciseau* et *ciseaux.*

Outil composé d'une lame d'acier tranchante qui sert à tailler des matières dures comme le bois, la pierre, le métal. *Le sculpteur se sert d'un ciseau.*

Attention !
il faut dire *des ciseaux* ou *une paire de ciseaux.*

▸ ***ciseaux*** n. m. plur. **1.** Instrument à deux branches tranchantes qui sert à couper. *Julie fait des découpages avec ses ciseaux à papier.* **2.** *Sauter en ciseaux,* c'est sauter de côté en faisant avec les jambes le même mouvement que des ciseaux qui coupent. *Yves est très bon au saut en ciseaux.*

Il y a aussi des ciseaux de couturière, des ciseaux à ongles, des ciseaux à bout rond.

Prononce [sizle].

▸ ***ciseler*** v. Sculpter avec un ciseau. *Le joaillier cisèle une broche en or.*

Conjugaison 5

Famille de **cité**

citadelle n. f.
Forteresse qui domine une ville. *Les assiégés se sont réfugiés dans la citadelle.*

Le contraire de *citadin,* c'est *campagnard.*

citadin n. m., ***citadine*** n. f.
Personne qui habite dans une ville. *M. Doucet, qui habite Paris, est un citadin.*

Famille de **cité**

« Dessine-moi un mouton ! » est une citation du *Petit Prince.*

citation n. f.
Phrase d'un personnage célèbre que l'on cite. *Dans sa dissertation, Alex a fait une citation d'Albert Camus.*

Famille de **citer**

cité n. f.
1. Ville. *Paris est une grande cité.* **2.** Groupe d'immeubles où habitent des gens qui ont les mêmes occupations. *Les cités universitaires sont habitées par des étudiants.*

Autres membres de la famille : **citadelle, citadin, citoyen, concitoyen.**

Conjugaison 1

citer v.
1. Rapporter exactement ce qu'a dit ou écrit quelqu'un. *Angèle a cité à ses élèves une phrase de Napoléon. Angèle aime citer Napoléon.* **2.** Nommer. *Dans leur devoir, les élèves devaient citer trois fleuves français,* dire leur nom. *Angèle a cité Hippolyte en exemple pour son courage pendant l'incendie de la poste,* elle l'a donné en exemple.

On cite souvent le courage du chevalier Bayard.

Par exemple, le Rhône, le Rhin et la Seine.

Autre membre de la famille : **citation.**

On transporte les liquides dans des *camions-citernes* et des *wagons-citernes.*

citerne n. f.
Grand réservoir. *Les eaux de pluie sont recueillies dans une citerne. M. Bellec a fait remplir sa citerne à mazout ;* vois ***cuve.***

Aux armes, citoyens ! Formez vos bataillons *(la Marseillaise).*

citoyen n. m., ***citoyenne*** n. f.
Un citoyen français, c'est une personne de nationalité française. *Les citoyens ont le droit de vote. Hippolyte a fait son service militaire en France parce qu'il est citoyen français.*

Famille de **cité**

Un citoyen a des droits mais aussi des devoirs envers son pays.

Les citrons poussent sur le *citronnier,* arbre à fleurs blanches, cultivé dans les pays chauds.

citron n. m.
Fruit jaune de forme ovale au goût acide. *Angèle met une rondelle de citron dans son thé. M. Bellec ajoute un jus de citron dans sa mousse de poisson.* — adj. invariable *Julie a une jupe jaune citron.*

Il y a aussi des citrons verts. Le citron est riche en vitamine C.

Attention aux deux *n* !

▸ ***citronnade*** n. f. Boisson faite avec du jus de citron, de l'eau et du sucre. *Mme Séverac a préparé de la citronnade et de l'orangeade.*

Autre membre de la famille : **presse-citron.**

La citrouille fut aussitôt changée en un beau carrosse tout doré *(Cendrillon).*

citrouille n. f.
Gros fruit rond jaune orangé de la famille des courges, que l'on mange cuit. *On utilise la citrouille pour faire de la soupe.*

La citrouille peut atteindre 50 kilos.

civet n. m.
Gibier cuit dans du vin rouge. *M. Bellec a fait un civet de lièvre.*

civière n. f.
Sorte de lit formé d'une toile tendue entre des barres de bois sur lequel on transporte des malades, des blessés ; vois ***brancard.*** *Quand Julie a eu sa crise d'appendicite, on l'a emmenée sur une civière jusqu'à l'ambulance.*

Il faut être deux pour porter une civière.

Ne confonds pas *civil* et *civique.*

① ***civil*** adj. et n. m.

Une guerre civile eut lieu en Espagne entre 1936 et 1939.

▭ **adj. 1.** Qui concerne tous les citoyens. *Les citoyens ont des droits civils. Une guerre civile oppose les citoyens d'un même pays.* **2.** Qui n'est pas religieux. *Le mariage civil a lieu à la mairie.* **3.** Qui n'est pas militaire. *Les populations civiles ont pu être évacuées avant le bombardement.*

Le droit à l'instruction est un droit civil.

Un soldat en permission met des *habits civils.*

Compare *civil, civique,* et ***civiliser*** : dans ces mots, il s'agit de **citoyens.**

▭ **n. m. 1.** *Les civils,* ce sont ceux qui ne sont pas des militaires. *Les civils ont été épargnés.* **2.** *Être habillé en civil,* comme un civil. *Le général est venu dîner en civil,* il n'était pas en uniforme.

Au féminin : *civile.* Il les reçoit avec *civilité.*

② ***civil*** adj.
Très aimable et poli. *Le docteur Séverac est fort civil avec ses patients.*

Des militaires peuvent être civils !

Famille de **civiliser**

civilisation n. f.
1. Manière de vivre et de penser d'un peuple. *La civilisation égyptienne était très avancée.* **2.** Ensemble des progrès qu'une société a faits et fait encore. *On parle souvent des bienfaits de la civilisation.*

Une civilisation est caractérisée par son art, sa religion, ses techniques, ses connaissances.

Famille de **civiliser**

Le contraire de *civilisé,* c'est *barbare, sauvage.*

civilisé adj.
Poli, courtois. *Vous pouvez vous adresser à lui, c'est un homme civilisé. Nous sommes entre gens civilisés, nous n'allons pas nous battre !*

Les *pays civilisés* sont des pays qui ont une civilisation évoluée.

Conjugaison 1

civiliser v.
Civiliser un peuple, c'est lui apporter une manière de vivre considérée comme plus évoluée, permettant de faire des progrès dans tous les domaines. *Les Romains ont voulu civiliser les Gaulois.*

Autres membres de la famille : **civilisation, civilisé.**

Ne confonds pas *civique* et *civil.*

civique adj.
Les droits et les devoirs civiques, ce sont les droits et les devoirs politiques du citoyen. *La possibilité d'être élu député est un droit civique. Voter est un devoir civique.*

Compare *civiliser* et *civique* : dans ces mots, il s'agit de **citoyens.**

clair adj., n. m. et adv.

Un atelier d'artiste est toujours très clair.

À la claire fontaine
M'en allant promener
J'ai trouvé l'eau si claire
Que je m'y suis baignée
(chanson).

De la lune, on voit le clair de terre.

Il faudrait voir plus clair
Pour voir tous les objets
Comme entre eux ils se voient
(Guillevic).

□ **adj. 1.** Qui reçoit beaucoup de lumière. *La maison des Prost est très claire,* elle n'est pas sombre. **2.** Qui n'est pas foncé. *Antoine a les cheveux châtain clair. Julie a les yeux clairs.* **3.** Pur. *L'eau de la source est claire ;* vois ***limpide, transparent.*** *Angèle, la maîtresse, parle d'une voix claire,* d'une voix nette. **4.** Qui est facile à comprendre. *L'explication d'Angèle était claire. Angèle est très claire quand elle explique quelque chose.*

On dit que *le temps est clair* quand il n'y a pas de nuages.

□ **n. m. 1.** *Le clair de lune,* c'est la lumière que donne la lune. *Mme Bellec se promène au clair de lune.* **2.** *Tirer au clair,* c'est expliquer. *Les enquêteurs veulent tirer au clair l'affaire de l'incendie de la poste.* **3.** *Le plus clair,* c'est la plus grande partie. *Mme Harpie passe le plus clair de son temps à dire du mal des gens.*

Au clair de la lune
Mon ami Pierrot (chanson).

Ne confonds pas *clair* et *clerc.*

□ **adv.** *Il ne fait pas clair,* il n'y a pas beaucoup de lumière. *Mamie Lou ne voit plus très clair,* elle ne voit plus bien. *Les enquêteurs essaient d'y voir clair,* de comprendre.

▸ ***clairement*** adv. D'une manière claire. *La maîtresse a expliqué très clairement comment faire germer un haricot.*

Famille de **voie**

▸ ***claire-voie*** n. f. *Un volet à claire-voie,* c'est un volet qui laisse passer la lumière. *Le jour qui passe à travers les volets à claire-voie réveille Mme Séverac.*

▸ ***clairière*** n. f. Endroit d'une forêt où il n'y a pas d'arbres et où il fait plus clair. *Les Bellec se sont arrêtés dans une clairière pour pique-niquer.*

Autres membres de la famille : **clairsemé, clairvoyant,** ① **éclair, éclaircir, éclaircissement, éclaircie,** ① **éclairer, éclairage.**

clairon n. m.
Instrument de musique à vent en cuivre utilisé dans l'armée. *Les soldats sont réveillés par une sonnerie de clairon.*

Le son du clairon est strident.

Conjugaison 1
Attention aux deux ***n*** !

▸ ***claironner*** v. Annoncer d'une manière bruyante. *Mme Séverac est une femme réservée, elle n'a pas claironné sa victoire aux élections.*

Une voix *claironnante* est une voix forte et aiguë.

Famille de **clair** et de **semer**

clairsemé adj.
Qui n'est pas serré. *Pierre Séverac a les cheveux clairsemés,* il n'a pas beaucoup de cheveux.

Au féminin : *clairvoyante.*

clairvoyant adj.
Qui a une vue claire des choses, un jugement sûr. *Le docteur Séverac est clairvoyant dans ses diagnostics.*

Famille de **clair** et de **voir**

Conjugaison 1

clamer v.
Faire savoir en criant, en hurlant. *Mme Harpie clamait son indignation devant sa vitrine brisée.*

Le contraire de *clamer,* c'est *taire.*

Compare *clameur* et *acclamation* : il s'agit de **cris.**

▸ ***clameur*** n. f. Ensemble de cris poussés par plusieurs personnes en même temps ; vois ***tumulte.*** *À chaque but, une immense clameur s'élève de la foule.*

clan n. m.

Les loups sont un peuple libre, dit Père Loup. Ils ne prennent d'ordre que du conseil supérieur du Clan *(le Livre de la jungle).*

1. Groupe formé par un certain nombre de familles ayant un ancêtre commun, en Écosse et en Irlande. *En Écosse, chaque clan portait un tissu écossais différent.* **2.** Groupe de personnes qui ont les mêmes goûts, les mêmes idées et s'opposent aux autres. *Antoine, Marie-Tévy, Julie, Yves et Yasmina font un clan dans la classe.*

En Afrique et en Australie, il y a aussi des clans, qui, regroupés, forment une tribu.

clandestin adj.

1. Qui se fait en cachette, et qui est interdit par la loi ; vois ***secret.*** *Les rebelles tenaient une réunion clandestine.* **2.** *Un passager clandestin,* c'est un passager qui n'a pas de billet, et se cache. *On a découvert un passager clandestin dans la cale du navire.*

Le contraire de *clandestin,* c'est *autorisé, légal.*

Compare : *clandestin → clandestinité* et *égal → égalité.*

▸ ***clandestinité*** n. f. *Les résistants vivaient dans la clandestinité,* en se cachant parce que ce qu'ils faisaient était interdit.

clapet n. m.

Petit couvercle maintenu par une charnière dans une pompe ou une machine ; vois ***soupape.*** *Le clapet de la pompe s'ouvre pour laisser passer l'air.*

clapier n. m.

Cage où l'on élève des lapins. *Le lapin passe son nez à travers la grille du clapier, et Claire lui donne des brins d'herbe.*

clapotis n. m.

Bruit et mouvement de petites vagues qui se soulèvent et s'entrechoquent. *On entend le clapotis de l'eau le long du quai.*

On dit aussi *un clapotement.*

claquer v.

Conjugaison 1

1. Faire un bruit sec et fort. *Le volet claque contre le mur ;* vois ***battre.*** *Yves a froid, il claque des dents.* **2.** *Yves est parti en claquant la porte,* il a refermé bruyamment la porte. **3.** *Antoine s'est claqué un muscle en jouant au football,* il s'est fait mal à un muscle en faisant un effort violent.

Un *chapeau claque,* c'est un haut-de-forme que l'on peut aplatir.

▸ ***claque*** n. f. Coup donné avec le plat de la main ; vois ***gifle, tape.*** *Si tu continues, Julie, tu vas recevoir une claque.*

Une *tête à claques,* c'est quelqu'un d'agaçant, que l'on a envie de gifler.

▸ ***claquement*** n. m. Choc, bruit que fait quelque chose qui claque. *On entendit le claquement sec d'une portière.*

clarifier v.

Compare ***clarifier*** et ***clarté*** : il est question d'être **clair.**

Conjugaison 7

Rendre plus clair, plus facile à comprendre. *Tu n'arrives pas à te décider ? Attends un jour ou deux, cela te clarifiera les idées.*

Le contraire de *clarifier,* c'est *compliquer, embrouiller.*

clarinette n. f.

Attention ! un ***n*** et deux ***t.***

Le musicien qui en joue est un *clarinettiste.*

Instrument de musique long et droit, dans lequel on souffle. *Alex a un ami qui joue de la clarinette.*

C'est un instrument à vent.

clarté n. f.

Compare ***clarifier*** et ***clarté*** : il s'agit de choses **claires.**

1. Lumière. *La lune répand une douce clarté ;* vois ***lueur.*** **2.** *Angèle, la maîtresse, parle avec clarté,* d'une manière facile à comprendre, clairement. *Je ne comprends pas tes explications : elles manquent de clarté,* de précision, de netteté, elles ne sont pas claires.

Le contraire de *clarté,* c'est *obscurité.*

Le contraire de *clarté,* c'est *confusion.*

① classe n. f.

Chaque classe a des intérêts différents, et généralement contraires.

Les mammifères constituent une classe d'animaux.

1. Groupe de gens qui ont le même genre d'activité, le même genre de vie, dans une société. *Les différentes classes sociales forment la société.* **2.** Groupe d'objets ou de personnes qui ont quelque chose en commun ; vois ***catégorie, espèce, sorte, type.*** *Les mots se divisent en plusieurs classes : les noms, les adjectifs, les verbes, etc.* **3.** Catégorie selon l'importance, la valeur ou la qualité. *Dans le train, Mme Roussel voyage en deuxième classe.*

Certains rêvent d'une société sans classes, où tous les gens seraient égaux.

Autres membres de la famille : **classer, classement, classeur, classification, déclasser, reclasser, surclasser.**

② classe n. f.

C'est vrai qu'Agnan est le premier de la classe, c'est aussi le chouchou et un mauvais camarade *(le Petit Nicolas).*

1. Groupe d'élèves qui suivent les mêmes cours, sont au même niveau dans leurs études. *Sylvain est en classe de cinquième. Il y a vingt-quatre élèves dans la classe d'Angèle.* **2.** *Angèle fait la classe à des élèves de CE 2,* elle enseigne, elle fait cours. *Angèle et ses élèves vont partir en classe de neige,* dans une école en montagne, où l'on étudie et où l'on fait du ski. **3.** Salle où ont lieu les cours. *Colle et Rat sont assis au fond de la classe.*

Les *livres de classe,* ce sont les livres d'école.

Autre membre de la famille : **classique.**

Conjugaison 1

classer v.

1. Ranger dans une catégorie. *On classe les papillons parmi les insectes. — Au collège, Sylvain se classe parmi les cinq premiers dans toutes les matières.* **2.** Mettre dans un certain ordre. *Mme Séverac classe ses papiers ;* vois ***ranger, trier.***

Famille de ① **classe**

Le contraire de *classer,* c'est *déclasser, mélanger.*

Les mots du dictionnaire sont classés par ordre alphabétique.

▸ ***classement*** n. m. **1.** *Faire du classement,* c'est ranger. *Mme Séverac a fait du classement dans ses papiers.* **2.** Place d'une personne dans une compétition. *Sylvain a un bon classement au collège,* une bonne place, un bon rang.

▸ ***classeur*** n. m. Chemise cartonnée dans laquelle on range des papiers. *Sylvain range ses cours de biologie dans un classeur.*

Un *classeur,* c'est aussi un meuble.

▸ ***classification*** n. f. *Antoine connaît bien la classification des papillons,* la façon dont on classe les papillons en catégories.

Famille de ② **classe**

classique adj. et n. m.

▭ **adj. 1.** *Les auteurs classiques,* ce sont les écrivains que l'on considère comme des modèles et que l'on étudie en classe. *La Fontaine et Victor Hugo sont des auteurs classiques.* **2.** *La musique classique,* c'est la musique composée par les grands auteurs occidentaux. *Alex n'écoute jamais de musique classique.* **3.** *Les vêtements de Mme Séverac sont d'un style très classique,* conforme aux habitudes, sans fantaisie.

▭ **n. m. 1.** *Alex étudie les classiques,* les livres des auteurs classiques. **2.** Œuvre considérée comme excellente. *Ce film est devenu un classique.* **3.** *Sylvain ne joue que du classique,* de la musique classique.

On qualifie de *classiques* l'art et la littérature en Europe au XVIIe siècle.

Bach, Beethoven et Mozart sont des compositeurs de musique classique.

Il préfère le rock !

La Ruée vers l'or, le Dictateur sont des classiques de Charlie Chaplin.

clavecin n. m.

Instrument de musique à claviers et à cordes pincées. *Aux XVIIe et XVIIIe siècles, en Europe, les compositeurs écrivirent beaucoup de morceaux pour le clavecin.*

Les musiciens qui jouent du clavecin sont des *clavecinistes.*

Le clavecin ressemble à un petit piano à queue.

clavicule n. f.

Os en forme d'S très allongé, qui forme une partie de l'épaule. *En tombant sur l'épaule, on peut se faire une fracture de la clavicule.*

Les os du bras s'articulent sur la clavicule.

clavier n. m.

Ensemble des touches d'un instrument de musique, sur lesquelles on appuie pour obtenir des sons. *Les doigts du pianiste courent sur le clavier.*

On appelle aussi *clavier* l'ensemble des touches d'une machine à écrire.

Le piano, le clavecin, l'orgue sont des instruments à clavier.

clé n. f.

1. Instrument de métal qui sert à ouvrir ou à fermer une serrure. *Voici la clé de la maison. Julie a perdu son trousseau de clés. Le docteur Séverac garde les médicaments sous clé,* dans un meuble fermé à clé. **2.** Outil qui sert à serrer ou à démonter des écrous, des boulons. *M. Bellec serre un boulon avec une clé plate.* **3.** *La clé du mystère,* c'est ce qui permet de le comprendre, son explication, sa solution. *Personne n'a trouvé la clé du mystère.* **4.** Signe que l'on met au début d'une portée musicale, et qui indique le nom de la note placée sur la ligne où il est. *Marie-Tévy sait lire les notes en clé de sol. Cette chanson a un dièse à la clé.*

On écrit aussi *clef,* mais on ne prononce pas le ***f*** : [kle].

Je vais à la noce,
Ma clef dans ma poche ;
Ma poche est percée,
J'ai perdu ma clef
(comptine).

Prendre la clé des champs, c'est s'enfuir.

Il existe des clés anglaises, des clés à molette, des clés à douille, des clés à pipe.

Autre membre de la famille : **porte-clés.**

clématite n. f.

Plante à fleurs disposées en bouquets, qui grimpe le long des troncs, des murs. *Mme Séverac a planté des clématites dans son jardin.*

Prononce [klematit].

Il y a des clématites blanches, bleues, violettes ou jaunes.

clément adj.

1. Généreux, indulgent. *Le général ennemi s'est montré clément envers les prisonniers.* **2.** Doux. *L'hiver a été clément,* il n'a pas fait très froid.

▸ ***clémence*** n. f. Indulgence. *Le général a fait preuve de clémence,* il a fait preuve de générosité.

Le contraire de *clément,* c'est *rigoureux, sévère.*

Compare : *clément* → *clémence* et *indulgent* → *indulgence.*

Le contraire, c'est *rude.*

Le contraire de *clémence,* c'est *rigueur, sévérité.*

clémentine n. f.

Sorte de petite mandarine à peau fine, souvent sans pépins. *Antoine a épluché sa clémentine et en a donné trois quartiers à Marie-Tévy.*

La clémentine est un fruit d'hiver.

clerc n. m.

Un clerc de notaire, c'est l'employé d'un notaire. *Le docteur Séverac a été reçu par un clerc de notaire.*

Ne prononce pas le ***c*** à la fin de *clerc.*

Ne confonds pas *clerc* et *clair.*

clergé n. m.
Ensemble des prêtres et des religieux. *Les moines, les religieuses, les évêques font partie du clergé.*

cliché n. m.
1. Photographie. *Les clichés de Julie sont flous.* **2.** Idée banale, lieu commun, expression toute faite trop souvent utilisée. *Il faut éviter les clichés dans les rédactions.*

Prononce [klijɑ̃].

client n. m., **cliente** n. f.
Personne qui achète quelque chose ou qui paie pour un service. *Les clients de Mme Harpie sont surtout des enfants. Le docteur Séverac reçoit ses clients sur rendez-vous.*

Mme Harpie vend des bonbons !

Toi, Nicolas, tu serais le premier client, mais comme tu serais très pauvre, tu n'aurais pas de quoi acheter à manger
(*le Petit Nicolas*).

▸ **clientèle** n. f. Ensemble des clients. *M. Bellec, le restaurateur, a une clientèle fidèle.*

Conjugaison 1

cligner v.
1. *Cligner les yeux,* c'est les fermer à moitié, ou les fermer et les ouvrir rapidement. *Les phares des voitures qui arrivent en face obligent M. Bellec à cligner les yeux.* **2.** *Julie était si fatiguée que ses yeux clignaient sans cesse,* ils s'ouvraient et se fermaient sans cesse.

Cligner de l'œil, c'est ouvrir et fermer rapidement un œil, pour faire un signe à quelqu'un.

Compare : *cligner → clignoter, siffler → siffloter* et *tousser → toussoter.*

▸ **clignoter** v. Éclairer et s'éteindre rapidement plusieurs fois de suite. *Les feux de la voiture clignotent, indiquant qu'elle va tourner.*

Conjugaison 1

▸ **clignotant** adj. *Une lumière clignotante,* c'est une lumière qui s'allume et qui s'éteint rapidement plusieurs fois de suite. *Il y a des feux clignotants au carrefour.* — n. m. *Le clignotant,* c'est la lumière qui clignote, sur une voiture, indiquant qu'on va changer de direction. *Angèle met son clignotant à gauche pour indiquer qu'elle va dépasser.*

Autre membre de la famille : **clin d'œil.**

climat n. m.
1. *Le climat d'une région,* c'est le type de temps qu'il fait habituellement dans cette région. *La France a un climat tempéré. Le climat de la Bretagne est humide.* **2.** Atmosphère d'un endroit, façon dont les choses se passent dans un endroit. *Le climat est excellent dans la classe d'Angèle ;* vois ***ambiance.***

La météorologie étudie le climat des régions. Le climat est caractérisé par la température, les vents, la pluie, la neige...

Peux-tu décrire le climat de ta région ? Est-il sec, humide, chaud, froid, doux ?

▸ **climatisé** adj. *Les bureaux de la banque sont climatisés,* un système les maintient à une température agréable, qu'il fasse froid ou chaud dehors.

Ces bureaux ont l'air conditionné.

Au pluriel : *des clins d'œil* ou *des clins d'yeux.*

clin d'œil n. m.
1. Mouvement rapide de la paupière. *Hippolyte fait un clin d'œil à Angèle.* **2.** *En un clin d'œil,* très vite. *La maîtresse est revenue dans la classe, et en un clin d'œil, chacun était à sa place.*

Famille de **cligner** et de **œil**

clinique n. f.
Établissement où l'on soigne les malades et les blessés. *Mme Bellec doit accoucher à la clinique de Motbourg.*

Va voir aussi ***hôpital.***

clinquant adj.
Très voyant et de mauvais goût. *Mme Harpie a des bijoux clinquants.*

clique n. f.
Groupe de personnes que l'on ne tient guère en estime, que l'on suppose unies par des intérêts communs ; vois ***bande.*** *Mme Harpie a accusé Antoine et sa clique d'avoir cassé la vitrine de son magasin.*

Conjugaison 4 ▭ Indic. présent : *je cliquette, nous cliquetons.* Imparfait : *il cliquetait.* Futur : *il cliquettera.*

cliqueter v.
Les clés suspendues à la ceinture de Mme Harpie cliquettent, elles font une série de bruits secs en se heurtant les unes aux autres.

▸ **cliquetis** n. m. Bruit que font des objets qui s'entrechoquent. *On entend un cliquetis de verres et d'assiettes.*

Compare : *cliqueter → cliquetis* et *hacher → hachis.*

Prononce [klɔak].

cloaque n. m.
Endroit boueux, malpropre ou malsain. *Après l'orage, le chemin qui va à la mare était devenu un cloaque.*

clochard n. m., **clocharde** n. f.
Personne pauvre et souvent alcoolique, qui vit sans travail ni domicile, dans les grandes villes. *Souvent, les clochards couchent sous les ponts.*

cloche n. f.
1. Instrument en métal, creux, évasé, que l'on fait résonner en l'agitant ou en le frappant. *Les cloches de l'église sonnaient à toute volée.* 2. Objet creux qui protège. *Mme Roussel a rangé le camembert sous une cloche à fromage.*
▸ **clocher** n. m. Partie d'une église, plus haute que le toit, où sont les cloches. *De chez eux, Colle et Rat peuvent apercevoir le clocher de l'église Sainte-Marie.*
▸ **clochette** n. f. 1. Petite cloche. *On entend les clochettes des vaches qui rentrent du pré.* 2. Fleur, corolle en forme de petite cloche. *Le muguet a des clochettes.*

Les cloches de Bredon sont tombées sous le pont. Qui les pleure ? les grenouilles (comptine).

En haut du clocher, souvent, il y a une girouette.

Compare : *cloche* → *clochette* et *fille* → *fillette.*

Un *chapeau cloche* est un chapeau en forme de cloche.

à **cloche-pied** adv.
Yasmina saute à cloche-pied sur les cases de la marelle, sur un pied, en tenant l'autre en l'air.

Dans *à cloche-pied, pied* est au singulier.

Famille de ① **pied**

Si elle sautait avec les deux pieds rapprochés, ce serait *à pieds joints.*

cloison n. f.
Mur intérieur qui sert de séparation entre les pièces. *Colle et Rat écoutent derrière la cloison ce que se disent Angèle, leur institutrice, et la directrice.*

cloître n. m.
Galerie à colonnes qui fait le tour d'une cour ou d'un jardin, dans un couvent ou une église. *L'abbé Gauthier lit son bréviaire dans le cloître de Sainte-Marie.*
▸ se **cloîtrer** v. S'enfermer, se retirer dans un endroit où l'on ne voit personne. *Denis Prost s'est cloîtré dans sa chambre pour lire.*

Attention à l'accent circonflexe du *î* !

Conjugaison 1

clopin-clopant adv.
Aller clopin-clopant, c'est marcher avec difficulté, en traînant le pied. *Après sa chute de vélo, Antoine est rentré chez lui clopin-clopant,* en boitant.

Cette expression est familière.

cloque n. f.
Petite poche sous la peau provoquée par une brûlure, un frottement, et remplie de liquide. *Mme Bellec s'est brûlé la main sur le grille-pain et maintenant elle a une cloque.*

Les coups de soleil peuvent provoquer des cloques.

clore v.
Clore une discussion, c'est la terminer, l'empêcher de continuer. *Le départ de Mme Séverac a clos la discussion.*
▸ ① **clos** adj. 1. Fermé. *Le restaurant semble fermé, il a les volets clos. Le chat Félix ronronne, les yeux mi-clos,* à moitié fermés. 2. Fini, terminé. *L'incident est clos, n'en parlons plus.*
▸ ② **clos** n. m. Vignoble. *Le clos Vougeot donne un grand cru.*
▸ **clôture** n. f. 1. Ce qui sert à fermer. *Malgré le grillage, des lapins sont passés sous la clôture du jardin,* ce qui entoure et ferme le jardin. 2. Ce qui termine. *Le maire a prononcé le discours de clôture,* qui finissait la réunion.
▸ **clôturer** v. 1. Fermer par une clôture. *Le jardin est clôturé par une barrière blanche.* 2. *Le maire a clôturé la séance,* il a déclaré qu'elle était finie.

Conjugaison 45 ; *clore* ne s'emploie ni à l'imparfait ni au passé simple. ▭ Indic. présent : *je clos, tu clos, il clôt, ils closent.* Futur : *je clorai.* — Subj. présent : *que je close, que nous closions.* — Impératif présent : *clos.*

Vougeot est le nom d'un village de Bourgogne.

Ils viennent manger les carottes !

Après la clôture du scrutin, plus personne ne peut voter.

Conjugaison 1

Autres membres de la famille : **éclore, enclore, enclos.**

clou n. m.
Petite tige métallique pointue qui sert à fixer ou à suspendre quelque chose. *Hippolyte a planté un clou dans le mur pour suspendre un tableau.*
▸ **clouer** v. 1. Fixer avec des clous. *M. Bellec a cloué des planches pour faire une niche.* 2. Immobiliser. *La peur a cloué Marie-Tévy sur place,* elle l'a empêchée de bouger.
▸ **clouté** adj. 1. Garni de clous. *Le moniteur de ski a équipé sa voiture de pneus cloutés pour rouler dans la neige.* 2. *Pour traverser la rue, les piétons empruntent le passage clouté,* l'endroit de la chaussée marqué par des têtes de gros clous.

Au pluriel : *des clous.*

Va voir *clou de girofle* à **girofle.**

Conjugaison 1

Le contraire de *clouer,* c'est *déclouer.*

Souvent, il y a des bandes blanches à la place des clous.

Autre membre de la famille : **déclouer.**

Clown est un mot qui vient de l'anglais ; il se prononce [klun].

clown n. m.
1. Au cirque, personnage qui fait rire le public par son costume, ses répliques, ses grimaces. *Les clowns savent faire des acrobaties et de la musique.* **2.** *Antoine fait le clown,* il fait rire comme au cirque ; vois ***pitre.***

Attention au *w* de *clown* !

Prononce [klunʀi].

▸ ***clownerie*** n. f. Farce, chose drôle digne d'un clown. *Antoine fait des clowneries dès que la maîtresse a le dos tourné.*

Prononce [klœb]. Au pluriel : *des clubs.*

club n. m.
Groupe de gens qui se réunissent régulièrement. *David fait partie du club de football. Mme Séverac appartient à un club de bridge.*

Autre membre de la famille : **ciné-club.**

Conjugaison 1

Un caillot de sang est formé de sang coagulé.

se **coaguler** v.
Certains liquides se coagulent, ils deviennent solides ; vois ***cailler.*** *Le blanc d'œuf se coagule si on le chauffe ;* vois *se* ***figer.***

Le contraire de *se coaguler,* c'est *se liquéfier.*

Conjugaison 1

se **coaliser** v.
S'allier pour combattre un même adversaire. *L'Angleterre, la Russie et l'Autriche s'étaient coalisées contre Napoléon.*

Prononce [kɔalisjɔ̃].

▸ ***coalition*** n. f. Union entre des personnes ou des groupes contre un ennemi commun ; vois ***alliance, ligue.*** *Napoléon fut vaincu par la coalition de ses ennemis.*

Ne confonds pas *coasser* et *croasser.*

coasser v.
La grenouille et le crapaud coassent, ils poussent leur cri. *On entend les crapauds coasser.*

Conjugaison 1

Prononce [kɔbaj]. On l'appelle aussi : *cochon d'Inde.*

cobaye n. m.
Petit rongeur, qui ressemble au rat, à pattes courtes et sans queue. *On utilise les cobayes pour faire des expériences scientifiques.*

Le cobaye est originaire du Brésil.

J'ai vu un coco
Un drôle de cobra (Obaldia).

cobra n. m.
Grand serpent venimeux, que l'on trouve en Afrique et surtout en Inde, qui porte sur le cou un dessin en forme de lunettes. *Certains cobras font plus de quatre mètres de long.*

On l'appelle aussi : *naja* ou *serpent à lunettes.*

[...] ce véritable pays de cocagne désigné sur la carte de géographie sous le nom séduisant de *Pays des Jouets (Pinocchio).*

cocagne n. f.
1. *Antoine rêve du pays de cocagne,* d'un pays imaginaire où l'on a tout ce que l'on désire. **2.** *Un mât de cocagne,* c'est un mât au sommet duquel sont accrochés des objets, des jambons, des bonbons que gagnent ceux qui réussissent à les attraper. *Souvent le mât de cocagne est enduit de savon.*

Les députés ont une cocarde sur le pare-brise de leur voiture.

cocarde n. f.
Insigne rond portant les couleurs du drapeau du pays. *Les avions militaires français ont une cocarde tricolore bleu, blanc, rouge.*

cocasse adj.
Qui est drôle et étonne. *Antoine raconte toujours des histoires cocasses.*

Prononce [kɔksinɛl].

En hiver, on trouve les coccinelles parmi les feuilles sèches et sous les écorces.

coccinelle n. f.
Petit insecte de forme arrondie dont l'espèce la plus répandue en France est rouge avec sept points noirs sur les ailes. *Une coccinelle mange de cent à deux cents pucerons par jour.*

On l'appelle aussi : *bête à bon Dieu.*

Attention à l'orthographe de *coccyx.* Prononce [kɔksis].

coccyx n. m.
Petit os situé en bas de la colonne vertébrale. *M. Bonnot s'est fait une fracture du coccyx en tombant.*

Le coccyx est triangulaire.

Les *coches d'eau* étaient des bateaux à fond plat tirés par des chevaux qui allaient au pas le long de la berge.

coche n. m.
Grande voiture tirée par des chevaux, qui servait au transport des voyageurs ; vois ***diligence.*** *Les coches sont apparus au début du XVIIe siècle.*

▸ ① ***cocher*** n. m. Personne qui conduit une voiture tirée par un cheval ; vois ***postillon.*** *Les fiacres étaient conduits par des cochers.*

Manquer le coche, c'est perdre l'occasion de faire quelque chose.

Autre membre de la famille : **cochère.**

Conjugaison 1

Cochons nos noms.

② **cocher** v.
Marquer d'un signe. *Angèle, l'institutrice, a coché le nom des élèves qui partent en classe de neige,* elle a fait une marque à côté de leur nom.

Compare ***cocher*** et ***encoche*** : on fait des **marques.**

Famille de **coche**

cochère adj. f.

Une porte cochère, c'est la porte d'entrée d'un immeuble, assez grande pour laisser passer une voiture. *Angèle s'est abritée de la pluie sous une porte cochère.*

Il ne faut pas garer sa voiture devant une porte cochère.

Un petit cochon
Pendu au plafond.
Tirez-lui la queue
Il pondra des œufs (comptine).

cochon n. m.

1. Porc. *Odile Séverac porte des épluchures de pommes de terre aux cochons. Aujourd'hui, il fait un temps de cochon,* un très mauvais temps. *Antoine mange ses asperges comme un cochon,* salement. **2.** Personne sale. *Antoine, tu es un cochon ! Regarde toutes les taches sur ton cahier !*

Un *cochon de lait* est un petit cochon ; un *cochon d'Inde* est un cobaye.

Au féminin : *une cochonne.*

Deux ***n*** dans *cochonnerie.*

▸ **cochonnerie** n. f. Saleté. *Antoine a fait des cochonneries sur son cahier.*

N'oublie pas le ***c*** avant le ***k***. *Cocker* [kɔkɛʀ] rime avec *vicaire.*

cocker n. m.

Petit chien de chasse à poil long et doux, qui a de grandes oreilles pendantes. *Les cockers sont très affectueux.*

Le cocker est une variété d'épagneul.

Cocktail [kɔktɛl] rime avec *hôtel.* N'oublie pas le ***c*** avant le ***k***.

cocktail n. m.

1. Mélange de boissons contenant de l'alcool. *Le gin-fizz est un cocktail à base de gin et de jus de citron.* **2.** Réunion de fin d'après-midi où l'on boit. *L'inauguration du nouveau gymnase sera suivie d'un cocktail. Mme Séverac mettra sa robe de cocktail.*

Au pluriel : *des cocktails.*

La noix de coco est grosse comme la tête d'un homme.

coco n. m.

La noix de coco, c'est le fruit du cocotier. *Angèle a fait un gâteau à la noix de coco.*

Autre membre de la famille : **cocotier.**

Le ver à soie met environ trois jours pour filer son cocon.

cocon n. m.

Enveloppe qui contient la chrysalide du ver à soie. *Un cocon est formé d'un seul fil qui fait plus d'un kilomètre de long.*

La chrysalide, devenue papillon, casse son cocon.

Famille de **coco**

Le bois du cocotier est utilisé comme bois de charpente.

cocotier n. m.

Grand palmier qui peut atteindre vingt-cinq mètres de haut, au tronc assez fin surmonté de feuilles longues d'environ cinq mètres, et qui produit les noix de coco. *Les cocotiers poussent au bord de la mer dans les régions tropicales.*

Les feuilles peuvent servir à couvrir les cases.

Famille de **coq**

Les enfants appellent les poules des *cocottes.*

① **cocotte** n. f.

Une cocotte en papier, c'est un carré de papier plié en forme d'oiseau. *Colle et Rat font des cocottes en papier pendant que la maîtresse écrit au tableau.*

Attention aux deux ***t*** !

② **cocotte** n. f.

Marmite. *M. Bellec a fait cuire un lapin dans une cocotte en fonte.*

Le code de la route, a dit Maixent, c'est un petit livre qu'on vous donne à l'auto-école et qu'il faut apprendre par cœur *(le Petit Nicolas).*

code n. m.

1. Ensemble de lois, de règlements. *On doit savoir parfaitement le code de la route pour passer son permis de conduire,* l'ensemble des règles que doivent suivre les usagers de la route, automobilistes et piétons. **2.** Langage secret. *Colle et Rat s'écrivent des messages en code,* avec des signes qu'eux seuls peuvent comprendre. **3.** *Les codes d'une voiture,* ce sont les feux de croisement. *Les codes éblouissent moins que les phares.*

▸ **codé** adj. *Un message codé,* c'est un message écrit en code. *L'espion a réussi à lire le message codé provenant du camp ennemi.*

Le *code civil,* ou *code Napoléon,* est l'ensemble des lois qui concernent les citoyens.

Autre membre de la famille : **décoder.**

Attention au ***œ*** et au ***h*** ! Prononce [selakɑ̃t].

cœlacanthe n. m.

Grand poisson de mer pouvant mesurer un mètre soixante-quinze de long et peser quatre-vingts kilos. *Les cœlacanthes existaient déjà il y a trois cents millions d'années.*

On pensait que ce poisson avait disparu quand on en a pêché un en 1935.

Attention ! *coéquipier* s'écrit en un seul mot.

Famille de **équipe**

coéquipier n. m., **coéquipière** n. f.

Joueur qui fait équipe avec d'autres. *La maîtresse a organisé un match de football : Yves et Antoine étaient coéquipiers,* ils étaient dans la même équipe.

Compare ***coéquipier*** et *cohabiter* : on est **ensemble.**

Ne confonds pas *cœur* et *chœur.*

Le cœur d'un homme de 60 kg pèse 300 g et bat 80 fois par minute.

cœur n. m.

1. Organe situé dans la poitrine, entre les deux poumons, qui reçoit le sang apporté par les veines et l'envoie dans les artères. *Les battements du cœur correspondent aux contractions du cœur. Le cœur bat plus vite quand on fait un effort physique.* **2.** Estomac. *Mme Bellec avait mal au cœur,* elle avait

Une opération *à cœur ouvert,* c'est une opération à l'intérieur de la cage thoracique que l'on ouvre.

Mon petit prince,
Si tu crois que je t'aime,
Mon petit cœur
N'est pas fait pour toi
(chanson).

L'île de la Cité est au cœur de Paris.

Les autres couleurs sont trèfle, carreau et pique.

envie de vomir. *Cette odeur me soulève le cœur,* me dégoûte. **3.** *Antoine a le cœur gros quand il quitte son père,* il est très triste. *Julie a bon cœur,* elle est généreuse. *Antoine prête ses affaires de bon cœur,* gentiment. *Claire aime Mamie Lou de tout son cœur,* de toutes ses forces. **4.** *Par cœur,* de mémoire, sans rien oublier et sans se tromper. *Yasmina sait sa récitation par cœur.* **5.** Partie qui se trouve au milieu. *M. Bellec a fait une salade avec des cœurs de laitue, des cœurs de palmier et des cœurs d'artichaut.* **6.** Dans un jeu de cartes, l'une des quatre couleurs dont la marque est un cœur rouge. *M. Bellec a joué le valet de cœur.*

Parler à cœur ouvert, c'est parler avec sincérité.

Entre les deux
Mon cœur balance
Je ne sais pas
Lequel aimer des deux (ronde)

Autres membres de la famille : à **contrecœur, écœurant, haut-le-cœur.**

Attention aux deux *f* !

coffre n. m.

1. Caisse munie d'un couvercle. *Claire range ses poupées dans son coffre à jouets.* **2.** Caisse munie d'une serrure où l'on met de l'argent, des objets précieux ; vois ***coffre-fort.*** *Quand elle part en vacances, Mme Séverac met ses bijoux dans son coffre.* **3.** *Le coffre d'une voiture,* c'est l'endroit aménagé dans une voiture pour mettre les bagages. *Denis Prost a mis sa valise dans le coffre.*

On peut louer un coffre dans une banque.

Souvent, c'est à l'arrière de la voiture.

Au pluriel : *des coffres-forts.*

Famille de ① **fort**

▸ ***coffre-fort*** n. m. Coffre métallique fermé par une serrure spéciale ; vois ***coffre.*** *Après la fermeture de sa boutique, le boucher met l'argent de la recette de la journée dans son coffre-fort.*

▸ ***coffret*** n. m. Petit coffre. *Mme Hespel a rangé ses bagues dans son coffret à bijoux.*

Voilà [...] les clefs des deux grands garde-meubles [...] voilà celles de mes coffres-forts, où est mon or et mon argent
(la Barbe-bleue).

Cognac est une ville de Charente.

cognac n. m.

Eau-de-vie de raisin produite dans la région de Cognac. *M. Bellec a dans sa cave de très vieux cognacs.*

Maintenant, ils ont des tronçonneuses.

cognée n. f.

Grosse hache. *Les bûcherons d'autrefois se servaient de cognées.*

Conjugaison 1

cogner v.

Frapper fort. *Mme Harpie affirme qu'elle a vu un homme cogner contre la vitrine ;* vois ***heurter, taper.*** — *Claire s'est cognée contre le coin de la table,* elle s'y est heurtée.

Attention au ***h*** après le ***o*** !

Famille de **habiter**

cohabiter v.

Partager un logement avec quelqu'un. *Avant d'avoir son appartement, Angèle cohabitait avec une amie.*

Conjugaison 1

Attention au ***h*** !

Le contraire, c'est *incohérent.*

cohérent adj.

Logique, sans aucune contradiction. *Le récit du témoin est très cohérent.*

Autre membre de la famille : **incohérent.**

La légion romaine comprenait dix cohortes de six cents hommes.

cohorte n. f.

Groupe de gens ; vois ***troupe.*** *Antoine a invité à goûter une cohorte d'amis. Julie a une cohorte d'admirateurs.*

Pense au ***h*** entre les deux ***o***.

N'oublie pas le ***h*** entre le ***o*** et le ***u***.

cohue n. f.

Foule de gens qui se bousculent. *Juste avant Noël, c'est la cohue dans les grands magasins.*

Quelle cohue !
Quel chahut !

Attention aux deux ***f*** de *coiffer* et de tous les mots de la famille.

coiffer v.

1. *Être coiffé d'un chapeau,* c'est avoir un chapeau sur la tête. *Mme Harpie est coiffée d'un drôle de chapeau.* **2.** Arranger les cheveux ; vois ***peigner.*** *Marie-Tévy habille et coiffe sa poupée dans un coin du jardin. Nathalie est toujours mal coiffée.* — *Julie se coiffe devant la glace de la salle de bain.*

Conjugaison 1

Une autre que Cendrillon les aurait coiffées de travers ; mais elle était bonne, et elle les coiffa parfaitement bien
(Cendrillon).

Les coiffes sont très différentes d'une région à l'autre.

▸ ***coiffe*** n. f. Bonnet de tissu fin ou de dentelle que portaient les femmes en costume folklorique. *La grand-mère de M. Bellec portait la coiffe du pays de Paimpol.*

Compare :
coiffer → *coiffeur,*
contrôler → *contrôleur*
et *voler* → *voleur.*

▸ ***coiffeur*** n. m., ***coiffeuse*** n. f. Personne dont le métier est de coiffer, de couper les cheveux. *Mme Hespel est allée chez le coiffeur. La coiffeuse a très bien coupé les cheveux de Julie.*

Il y a des coiffeurs pour dames et des coiffeurs pour hommes.

Un coiffeur travaille dans un *salon de coiffure.*

▸ ***coiffure*** n. f. **1.** Ce qui sert à couvrir la tête. *Un chapeau, une casquette sont des coiffures.* **2.** Façon dont les cheveux sont arrangés. *Julie a changé de coiffure.*

Autres membres de la famille : **décoiffer, recoiffer.**

Ne confonds pas *coin* et *coing.*

— Clotaire ! Allez au coin ! a dit la maîtresse.
— Lequel, mademoiselle ? a demandé Clotaire
(le Petit Nicolas).

coin n. m.
1. *Le coin d'une table,* c'est l'angle que font entre eux les deux bords. *Claire s'est cogné le front contre le coin de la table.* **2.** *Le coin d'une pièce,* c'est l'angle formé par deux murs. *M. Bellec a mis un portemanteau dans un coin du restaurant.* **3.** *Le coin de la rue,* c'est l'endroit où se croisent deux rues. *Hippolyte a donné rendez-vous à ses amis au café du coin.* **4.** Endroit. *La ferme des Séverac est dans un coin tranquille.*

Regarder du coin de l'œil, sans en avoir l'air.

Au coin du feu : près du feu, devant la cheminée.

Autre membre de la famille : **recoin.**

Prononce [kwɛ̃se].

Conjugaison 3

coincer v.
Bloquer. *M. Doucet est resté coincé dans l'ascenseur pendant la panne d'électricité. Dans le métro, Angèle était coincée entre deux gros messieurs et n'arrivait pas à sortir. Julie s'est coincé le doigt dans la porte,* elle s'est pincé le doigt. — *La fermeture éclair du pantalon d'Antoine se coince tout le temps.*

On a dû se mettre à plusieurs pour enlever le bocal de Geoffroy qui s'était coincé
(le Petit Nicolas).

N'oublie pas le tréma du *ï* et prononce [kɔɛ̃side].

coïncider v.
Arriver, se produire en même temps. *Grand jour pour Denis Prost : la sortie de son film a coïncidé avec la naissance de son fils Martin !*

Conjugaison 1

▸ ***coïncidence*** n. f. Hasard, concours de circonstances qui fait que deux événements se produisent en même temps. *La sortie du film de Denis Prost et la naissance de son fils ont eu lieu le même jour : quelle coïncidence !*

Compare *coïncidence, accident* et *incident* : il s'agit de choses qui **arrivent.**

Le *g* final ne se prononce pas. *Coing* [kwɛ̃] rime avec *loin.*

coing n. m.
Fruit jaune de la forme et de la taille d'une poire et qui a un goût un peu âcre. *On utilise les coings pour faire de la compote, de la confiture et des pâtes de fruits.*

Ne confonds pas *coing* et *coin.*

Ne confonds pas *col* et *colle.*

Roland, le neveu de Charlemagne, est mort au col de Roncevaux.

col n. m.
1. Partie du vêtement qui entoure le cou. *Denis Prost a relevé le col de son imperméable. Julie a mis son pull-over à col roulé.* **2.** *Le col du fémur,* c'est la partie la plus étroite du fémur. *La mère de M. Bellec s'est cassé le col du fémur.* **3.** En montagne, passage entre deux sommets. *Le col du Tourmalet est le plus haut col routier des Pyrénées : 2 114 mètres.*

Autrefois, le cou s'appelait *col.*

Autres membres de la famille : **accolade, collet, collier, décolleté, encolure, torticolis.**

Attention aux accents dans *colère* et *coléreux* !

Autre membre de la famille : **décolérer.**

Au féminin : *coléreuse.*

colère n. f.
Être en colère, c'est être mécontent et le montrer avec violence. *M. Bellec est souvent en colère. Yves se met facilement en colère. Ce jour-là, il était vraiment très en colère ;* vois ***furieux.*** *Dans un mouvement de colère, M. Bellec a giflé Yves. Les colères de M. Bellec sont terribles.*

▸ ***coléreux*** adj. Qui se met facilement en colère. *M. Bellec est très coléreux.*

En voyant les morceaux du plat en faïence, les parents furent si en colère qu'ils se mirent à sauter comme des puces au travers de la cuisine
(les Contes du Chat perché).

Le colibri est aussi appelé *oiseau-mouche.*

colibri n. m.
Oiseau d'Amérique, de très petite taille, au bec long et au plumage éclatant. *Le colibri est le plus petit des oiseaux.*

Il peut voler dans tous les sens, même à reculons.

N'oublie pas la cédille du *ç* de *colimaçon.*

colimaçon n. m.
Un escalier en colimaçon, c'est un escalier en spirale. *On monte en haut du phare par un escalier en colimaçon.*

Le colin est aussi appelé *lieu* ou *merlu,* selon les régions.

colin n. m.
Poisson de mer, de la même famille que la morue. *À la cantine, il y avait des tranches de colin froid avec de la mayonnaise.*

Pense au trait d'union entre *colin* et *maillard.*

colin-maillard n. m.
Jeu où l'un des joueurs, les yeux bandés, doit chercher les autres à tâtons, en attraper un et le reconnaître. *À l'anniversaire de Julie, on a joué à colin-maillard.*

colique n. f.
Diarrhée. *Yves a mangé des pommes vertes ; il a la colique.*

Attention au *s* final !

colis n. m.
Paquet que l'on expédie à quelqu'un. *Nathalie a reçu un colis de Roubaix, le jour de son anniversaire.*

Attention, deux *l* et un seul *r* !

Compare *collaborer*, *élaborer* et *labeur* : il est question de **travailler.**

collaborer v.
Travailler avec d'autres gens ; vois ***coopérer, participer.*** *Sophie Pelletier collabore à un dictionnaire. Toute la classe a collaboré avec Angèle pour préparer la fête de l'école.*

Conjugaison 1

▷ ***collaborateur*** n. m., ***collaboratrice*** n. f. Personne qui travaille avec d'autres pour faire quelque chose. *M. Doucet a de nombreux collaborateurs.*

On a appelé *collaborateurs* les Français qui, pendant l'occupation allemande, soutenaient l'envahisseur.

▷ ***collaboration*** n. f. Travail que l'on fait à plusieurs. *Sophie Pelletier apporte sa collaboration à un dictionnaire ;* vois ***concours, participation.*** *Le dictionnaire est écrit en collaboration.*

Collage s'écrit avec deux *l*.

collage n. m.
Yves fait un collage avec des bouts de papier et de tissu, il les colle pour faire un tableau.

Famille de **colle**

Famille de **colle**

collant adj.
1. *Un papier collant,* c'est un papier qui colle, qui est fait pour coller ; vois ***adhésif.*** *Alex a fixé une affiche au mur avec du papier collant.* **2.** Gluant, visqueux, poisseux. *Julie a laissé une sucette toute collante sur la table.* **3.** *Ce gamin est collant !,* on ne peut s'en débarrasser, il ne vous quitte pas. **4.** *Un pantalon collant,* c'est un pantalon très serré, moulant. *Angèle portait un jean collant.* **5.** n. m. *Un collant,* c'est un vêtement qui réunit en une seule pièce une culotte et des bas. *Sous son maillot de danse, Marie-Tévy porte un collant noir.*

On dit aussi *des collants.*

collation n. f.
Petit repas léger. *Comme elle n'avait pas assez faim pour dîner, Angèle n'a pris qu'une collation.*

Ce peut être du pain et du fromage, un fruit ou un yaourt.

Attention ! deux *l* dans *collation.*

Ne confonds pas *colle* et *col.*

colle n. f.
Produit épais, plus ou moins visqueux, gluant, qui permet de faire tenir ensemble, de faire adhérer deux objets. *Yves colle une carte postale sur son cahier avec de la colle blanche.*

On trouve la colle en tube, en pot ou en bâton.

Autres membres de la famille : **autocollant, collage, collant, coller, colleur, ② décoller, recoller.**

Deux *l* dans *collecte.*

collecte n. f.
Mme Séverac organise une collecte de vêtements pour son œuvre de bienfaisance, elle réunit, elle rassemble des vêtements qu'on lui donne ; vois ***quête.***

La *collecte des ordures,* c'est le ramassage des ordures.

collectif adj.
Un travail collectif, c'est un travail que l'on fait à plusieurs, en groupe. *Le dictionnaire auquel a collaboré Sophie Pelletier est une œuvre collective.*

Un *billet collectif,* c'est un billet de groupe.

Le contraire de *collectif,* c'est *individuel.*

▷ ***collectivement*** adv. Ensemble, à plusieurs. *La classe a préparé collectivement la fête de l'école.*

Compare : *collectif → collectivement* et *attentif → attentivement.*

Le contraire de *collectivement,* c'est *individuellement, séparément.*

▷ ***collectivité*** n. f. Ensemble de personnes qui forment un groupe ayant des intérêts communs ; vois ***communauté, groupe.*** *Julie n'aime pas vivre en collectivité.*

Une colonie de vacances est une collectivité.

collection n. f.
1. Ensemble d'objets que l'on garde parce qu'on les trouve intéressants. *Antoine fait collection de papillons. David a une superbe collection de modèles réduits d'avions.* **2.** Série de livres présentés de la même façon. *Dans quelle collection as-tu lu « les Malheurs de Sophie » ? Dans la Bibliothèque Rose.* **3.** Ensemble des vêtements créés chaque année par un couturier. *Les collections sont présentées au public par des mannequins.*

On peut faire collection de timbres, de boîtes de camembert, d'affiches de cinéma, de n'importe quoi...

Les collections d'un musée, ce sont les objets qu'il renferme.

▷ ***collectionner*** v. Réunir, garder des objets pour en faire une collection. *Antoine collectionne les papillons.*

Conjugaison 1

Deux *n* dans *collectionner* et *collectionneur.*

▷ ***collectionneur*** n. m., ***collectionneuse*** n. f. Personne qui fait une collection. *Antoine est un collectionneur de papillons.*

N'oublie pas les deux *l*.

collège n. m.
Établissement d'enseignement secondaire, entre l'école primaire et le lycée, qui comporte les classes de la sixième à la troisième. *Sylvain va au collège depuis l'année dernière.*

▷ ***collégien*** n. m., ***collégienne*** n. f. Élève d'un collège. *Sylvain, Nathalie et David sont des collégiens.*

Compare : *collège → collégien* et *galère → galérien.*

N'oublie pas les deux *l* et l'accent grave du *è*.

collègue n.
Personne qui travaille dans la même entreprise ou le même établissement qu'une autre. *Mme Roussel a déjeuné à la cantine de la biscuiterie avec une de ses collègues.*

Conjugaison 1

coller v.
1. Faire tenir deux choses ensemble avec de la colle. *Sylvain colle un timbre sur l'enveloppe. Yves colle une carte postale sur son cahier avec de la colle blanche.* 2. *La sueur a collé ses cheveux,* elle les fait tenir ensemble, elle les a fait adhérer ; vois ***agglutiner.*** 3. Appuyer quelque chose contre quelque chose d'autre. *Julie colle son oreille à la porte pour écouter les conversations.*

[Q]uelle différence y a-t-il entre un [a]vion et un chewing-gum ? [L]'avion, ça décolle et le chewing-[g]um, ça colle.

Être collé à un examen, c'est échouer.

Le contraire de *coller,* c'est *décoller.*

Famille de **colle**

Attention aux deux *l* !

collet n. m.
Nœud coulant servant à prendre certains animaux au cou. *Le braconnier a posé des collets pour attraper des lapins.*

Famille de **col**

colleur n. m., **colleuse** n. f.
Un colleur d'affiches, c'est un homme dont le métier est de coller des affiches. *Les colleurs d'affiches ont collé les affiches des candidats aux élections sur les panneaux électoraux.*

Collier s'écrit avec deux *l.*

collier n. m.
1. Bijou qui se porte autour du cou. *Mme Séverac porte un collier de perles. Julie a enfilé des coquillages pour faire un collier.* 2. Cercle de cuir, de métal que l'on met autour du cou de certains animaux. *Rex a son nom écrit sur la plaque de son collier.* 3. *Alex devra donner un coup de collier s'il veut réussir son bac,* il devra fournir un gros effort. 4. *Un collier de barbe,* c'est une barbe assez courte qui remonte sur les joues jusqu'aux cheveux. *Quand Mme Bellec a connu son mari, il portait un collier de barbe.*

[U]ne chaîne, un sautoir sont des [c]olliers.

Un collier de diamants s'appelle une *rivière de diamants.*

Cette expression est familière.

Famille de **col**

Attention ! deux *l* et un seul *n.*

colline n. f.
Petite hauteur de terrain de forme arrondie ; vois ***butte.*** *Le village est au pied de la colline. Le sommet et les versants de la colline sont couverts d'épaisses forêts.*

Attention aux deux *l* !

collision n. f.
Choc entre deux véhicules ; vois ***heurt.*** *La collision n'a pas été violente, il n'y a pas eu de blessés. La camionnette de M. Bellec est entrée en collision avec une autre voiture.*

Compare *colloque,* *éloquent* et *loquace* : il s'agit de **parler.**

colloque n. m.
Réunion, débat entre des spécialistes d'un sujet, d'une question. *Le docteur Séverac a fait une conférence à un colloque de médecins.*

Un colloque réunit moins de participants qu'un congrès.

Conjugaison 1

colmater v.
Boucher, fermer un trou, une ouverture étroite. *M. Bellec a colmaté une fissure du mur avec du plâtre.*

[D]ans les dessins religieux, la [c]olombe représente le Saint-[E]sprit.

colombe n. f.
Pigeon blanc, considéré comme le symbole de la paix. *Le tableau représente une colombe, portant un rameau d'olivier.*

colon n. m.
Personne qui s'est installée dans une colonie. *Les premiers colons d'Amérique du Nord furent surtout des Anglais. Les colons défrichent des terres nouvelles, font du commerce et tirent leur richesse du pays qu'ils occupent.*

Autres membres de la famille : **colonie, colonial, colonialisme, coloniser, colonisation.**

colonel n. m.
Officier qui commande un régiment. *Le père de Mme Hespel était colonel dans l'armée de l'air.*

Autre membre de la famille : **lieutenant-colonel.**

Famille de **colon**

[M]adagascar, l'Indochine, l'Algé[r]ie, la Côte d'Ivoire, le Sénégal [f]urent des colonies françaises.

colonie n. f.
1. Pays qui est occupé par un autre pays plus fort et plus développé qui en tire profit. *La plupart des colonies sont devenues des États indépendants depuis la Deuxième Guerre mondiale.* 2. *Une colonie de vacances,* c'est un groupe d'enfants qui passent leurs vacances sans leurs parents, hors des villes. *Nathalie et Sylvain se sont rencontrés en colonie de vacances.* 3. Groupe d'animaux vivant ensemble. *L'essaim est une colonie d'abeilles. Les abeilles et les fourmis vivent en colonie.*

Va voir aussi ***métropole.***

Il paraît que c'est terrible, les colonies de vacances : on se fait des tas de copains, on fait des promenades, des jeux, on chante autour d'un gros feu
(le Petit Nicolas).

Un *casque colonial* est un chapeau en liège à bords assez larges, et généralement blanc, fait pour protéger du soleil.

▷ **colonial** adj. Des colonies. *L'Indochine, l'Algérie et Madagascar faisaient autrefois partie de l'empire colonial français.*

Va voir aussi ***métropolitain.***

▷ **colonialisme** n. m. *Le colonialisme,* c'est la politique d'un pays qui cherche à conquérir des pays plus faibles pour en faire des colonies. *Au XIXe siècle, les pays les plus développés d'Europe ont pratiqué le colonialisme.*

L'époque du colonialisme est révolue. La plupart des anciens pays coloniaux sont maintenant indépendants.

Conjugaison 1

▷ **coloniser** v. Faire d'un pays une colonie. *La France a colonisé l'Algérie au XIXe siècle.*

▷ **colonisation** n. f. *La colonisation de l'Afrique par les pays européens se fit au XIXe siècle,* l'Afrique fut colonisée par les pays européens.

Attention ! un seul *l* et deux *n* dans *colonne* et *colonnade.*

colonne n. f.

1. Support vertical d'un bâtiment ; vois ***pilier, poteau.*** *Les temples grecs étaient soutenus par des colonnes.* **2.** Monument formé d'une seule colonne. *Place de la Bastille à Paris, il y a une grande colonne surmontée d'une statue.* **3.** *La colonne vertébrale,* c'est l'ensemble des vertèbres. *La colonne vertébrale est la partie centrale du squelette.* **4.** File de gens, de véhicules se déplaçant les uns derrière les autres. *Les pensionnaires en uniforme marchaient en colonne par deux.* **5.** Division verticale d'une page de journal. *La nouvelle occupait trois colonnes en première page.* **6.** Ensemble de chiffres disposés les uns sous les autres. *Devant sa caisse, Mme Bellec additionne des colonnes de chiffres.*

Le haut évasé d'une colonne s'appelle le *chapiteau.* La partie droite est le *fût.*

La colonne vertébrale compte 33 vertèbres, chez l'homme.

On additionne d'abord la colonne des unités, puis celle des dizaines.

▷ **colonnade** n. f. Alignement de colonnes. *Il ne reste du temple antique qu'une très belle colonnade.*

Ne confonds pas *colorer* et *colorier.*

Conjugaison 1

colorer v.

Donner une couleur à quelque chose ; vois ***teindre, teinter.*** *Angèle a acheté un produit pour colorer le bois blanc. — Les tomates commencent à se colorer,* à prendre de la couleur.

Le contraire de *colorer,* c'est *décolorer.*

▷ **coloré** adj. Qui a une couleur, des couleurs. *Le sang et l'encre sont colorés. L'autocar a des vitres colorées pour protéger les passagers du soleil. Yves a le teint coloré.*

Le contraire de *coloré,* c'est *incolore.*

▷ **colorant** n. m. *Un colorant,* c'est un produit qui se fixe à une matière et lui donne une couleur. *Mme Harpie vend des bonbons garantis sans colorant.*

Autre membre de la famille : **décolorer.**

Conjugaison 7 ▭ Indic. présent : *nous colorions.* Imparfait : *nous coloriions.*

colorier v.

Mettre des couleurs sur un dessin. *Marie-Tévy colorie son dessin.*

▷ **coloriage** n. m. Dessin à colorier. *Claire a eu un album de coloriages pour son anniversaire.*

Coloris [kɔlɔʀi] rime avec *riz* et *mari.*

coloris n. m.

Couleur, teinte. *Ce tissu existe dans différents coloris.*

Deux *s* dans *colosse, colossal* et *colossalement.*

colosse n. m.

Homme de très grande taille, donnant une impression de force extraordinaire ; vois ***géant.*** *L'ogre était un colosse de deux cents kilos.*

Les Égyptiens construisaient d'énormes statues représentant un dieu ou un pharaon, que l'on appelle des colosses.

Le contraire de *colossal,* c'est *minuscule.*

▷ **colossal** adj. Très grand. *L'ogre a des jambes colossales ;* vois ***énorme, gigantesque.*** *Des piliers colossaux soutiennent le pont.*

▷ **colossalement** adv. Extrêmement. *Crésus était colossalement riche ;* vois ***immensément.***

Conjugaison 1

colporter v.

Colporter une nouvelle, c'est la répandre, la dire à tout le monde. *Mme Harpie est toujours prête à colporter les histoires scandaleuses.*

colza n. m.

Plante à fleurs jaunes dont les graines sont utilisées pour fabriquer de l'huile. *Les champs de colza font de beaux carrés jaunes dans la campagne.*

Le colza s'utilise aussi comme fourrage pour les bêtes.

coma n. m.

Être dans le coma, c'est avoir perdu conscience, ne plus se rendre compte de rien, être profondément évanoui. *Mme Pelletier est restée dans le coma pendant deux jours.*

Le lama de Lima est dans le coma, il n'a pas supporté le climat de Panamá.

On peut être dans le coma quand on a eu un très grave accident.

Conjugaison 41 ; *combattre* se conjugue comme *battre.* ▭ Indic. présent : *je combats, nous combattons.* Futur : *je combattrai.*

combattre v.
1. Se battre contre un ennemi. *Les Gaulois ont combattu les Romains avec vaillance.* **2.** Lutter contre un danger, une maladie. *Les pompiers combattent les incendies. Les antibiotiques combattent l'infection.* **3.** Lutter pour obtenir quelque chose. *Le père de Marie-Tévy est mort en combattant pour l'indépendance de son pays.*

Astérix et Obélix combattent pour empêcher les armées de César d'envahir leur village.

Être hors de combat, c'est ne plus pouvoir se battre.

▸ **combat** n. m. **1.** Bataille entre des ennemis armés. *Les armées ennemies se sont livré combat. Le combat fut acharné.* **2.** Lutte organisée entre des adversaires ; vois ***match.*** *Alex regarde un combat de boxe à la télévision.*

En Belgique, on organise des combats de coqs.

Attention ! *combatif* s'écrit avec un seul *t*.

▸ **combatif** adj. Qui aime lutter. *Notre équipe de football s'est montrée très combative,* elle s'est bien battue pour gagner le match. *David est un garçon très combatif,* qui aime bien lutter contre les difficultés.

Combattant s'écrit avec deux *t*, comme *combattre.*

▸ **combattant** n. m. Personne qui se bat, qui participe à un combat, une guerre. *Il y avait trois mille combattants dans cette bataille ;* vois ***guerrier, soldat.*** *Comme les boxeurs continuaient à se battre après le coup de gong, l'arbitre a dû séparer les combattants.*

Et le combat cessa, faute de combattants (Corneille).

Un *ancien combattant,* c'est quelqu'un qui a fait la guerre.

Famille de **battre**

Attention au *m* devant le *b*.

combien adv.
Combien sont-ils dans la classe d'Angèle ?, quel nombre ? *Dites-moi combien ils sont. Combien coûte ce gâteau ?,* quel prix ? *Combien vous dois-je, Mme Harpie ?,* quelle somme d'argent ? *Combien y a-t-il d'ici à la mer ?,* quelle distance ? — *Combien d'élèves y a-t-il dans la classe d'Angèle ? Il y a vingt-quatre élèves. Depuis combien de temps le docteur Séverac est-il parti en Afrique ? Depuis trois semaines.*

« À combien la grosse, là, qui remue les pattes ? », a demandé Papa au marchand de langoustes *(le Petit Nicolas).*

Les combinaisons ont souvent de la dentelle et peuvent être en soie, en nylon ou en coton.

① **combinaison** n. f.
1. Sous-vêtement en tissu léger que portent les femmes et qui ressemble à une robe avec des bretelles. *Mme Harpie a toujours sa combinaison qui dépasse.* **2.** Vêtement qui est formé d'un haut et d'un pantalon, d'une seule pièce. *Marie-Tévy a une combinaison de ski rouge vif.*

Famille de **combiner**

La *combinaison d'un coffre-fort,* c'est la façon de disposer les chiffres pour pouvoir l'ouvrir.

② **combinaison** n. f.
1. Façon de mettre plusieurs choses ensemble, de les combiner. *La combinaison du verre et du béton donne une grande légèreté à la maison de Denis Prost.* **2.** Moyen habile pour réussir quelque chose. *Alex trouve toujours des combinaisons pour se sortir d'affaire ;* vois ***arrangement, manœuvre.***

En mettant trois chiffres différents côte à côte, on peut faire six combinaisons.

Conjugaison 1

combiner v.
1. Réunir plusieurs choses en les arrangeant d'une certaine façon. *En construisant la maison des Prost, l'architecte a combiné le verre et le béton pour en faire une habitation presque transparente.* **2.** Organiser quelque chose. *Julie et Marie-Tévy ont tout combiné pour être dans la même chambre en classe de neige.*

Autre membre de la famille : ② **combinaison.**

Attention au *m* devant le *b* !

① **comble** n. m.
1. *Quand Antoine mange un gros steak avec des frites, il est au comble du bonheur,* il ne peut pas être plus heureux. **2.** *À la campagne, les Séverac ont aménagé une chambre sous les combles,* au dernier étage, juste sous le toit. **3.** *L'incendie a détruit la grange de fond en comble,* complètement.

C'est le comble, il ne manquait plus que cela.

Dans ce sens, on emploie toujours le mot au pluriel.

Prononce [dəfɔ̃tɑ̃kɔ̃bl]

Famille de **combler**

② **comble** adj.
Rempli de monde. *Impossible d'entrer dans le cinéma, la salle est comble ;* vois ***plein.***

Le contraire de *comble,* c'est *vide.*

Attention ! n'oublie pas de mettre un *m* devant le *b*.

combler v.
1. Remplir un vide, un creux. *Les ouvriers ont comblé le trou qu'ils avaient creusé dans la rue ;* vois ***boucher.*** **2.** *Les Séverac ont comblé Claire de cadeaux pour son anniversaire,* ils lui en ont donné beaucoup.

Conjugaison 1

▸ **comblé** adj. *Avec tous ces cadeaux, Claire était comblée,* très contente d'avoir eu tout ce qu'elle voulait.

Autre membre de la famille : ② **comble.**

combustible n. m.
Matière que l'on fait brûler pour produire de la chaleur. *Le charbon, le bois, le mazout sont des combustibles.* — adj. *Le bois est combustible,* il peut brûler.

La houille, l'essence, le pétrole, le gaz sont aussi des combustibles.

Attention au ***m*** devant le ***b*** ! Prononce [kɔ̃bystjɔ̃].

combustion n. f.

Le fait de brûler entièrement. *La combustion du bois dans la cheminée produit de la chaleur et de la lumière.*

Compare **combustion** et **combustible** : cela **brûle.**

comédie n. f.

Les pièces sérieuses, qui ne font pas rire, s'appellent des *drames* ou des *tragédies.*

1. Pièce de théâtre qui fait rire. *Julie et Marie-Tévy regardent une comédie de Molière, à la télévision. Une comédie est une pièce comique.* **2.** *Quand elle n'a pas envie d'aller en classe, Julie dit qu'elle a mal au ventre, mais c'est de la comédie,* elle fait semblant.

Une *comédie musicale,* c'est une pièce ou un film avec de la musique, où les comédiens chantent et dansent par moments.

Compare : *comédie → comédien, pharmacie → pharmacien* et *chirurgie → chirurgien.*

▸ **comédien** n. m., **comédienne** n. f. **1.** Personne qui joue des pièces de théâtre, tourne des films. *Denis Prost est un comédien connu ;* vois ***acteur.*** **2.** Personne qui fait semblant. *Cette Julie, quelle comédienne !* — adj. *Elle est très comédienne.*

comestible adj. et n. m.

Ne confonds pas *comestible* et *mangeable.*

1. adj. Qui peut servir d'aliment. *Les groseilles sont de petites baies rouges comestibles. Il y a des champignons comestibles et des champignons vénéneux.* **2.** n. m. Chose qui se mange ; vois ***aliment.*** *Une nouvelle boutique de comestibles s'est ouverte près de chez Mme Roussel.*

comète n. f.

Certaines comètes, comme la comète de Halley, réapparaissent régulièrement dans le ciel.

Astre qui forme une traînée lumineuse quand il passe dans le ciel. *Une comète est formée d'un noyau de glaces et de poussières cosmiques entouré d'une masse de gaz. Les comètes sont très nombreuses, mais la plupart sont invisibles à l'œil nu.*

La queue de la comète forme une traînée lumineuse qui peut mesurer des millions de kilomètres.

comique adj. et n. m.

▭ **adj.** Qui fait rire ; vois ***drôle.*** *Julie aime bien les films comiques. Antoine fait rire tout le monde avec ses histoires comiques.*

Le contraire de *comique,* c'est *sérieux, triste.*

Le contraire de *comique,* c'est *tragique.*

▭ **n. m. 1.** *Le comique,* c'est ce qui fait rire. *Antoine a le sens du comique.* **2.** *Un comique,* c'est un comédien qui joue des personnages comiques. *Cet acteur a vraiment un tempérament de comique.*

comité n. m.

Petit groupe de personnes qui se réunissent pour s'occuper de certaines affaires. *Mme Séverac fait partie du comité des fêtes de la ville,* du petit groupe qui organise les fêtes.

commandant n. m.

Famille de **commander**

Le commandant est au-dessus du *capitaine.*

1. Officier qui commande un bataillon. *À vos ordres, mon commandant !* **2.** Officier qui commande un navire. *Le commandant est sur la passerelle.*

Le *commandant de bord* pilote un avion.

commande n. f.

Attention ! *commande* s'écrit avec deux ***m.***

1. Ordre par lequel un client demande une marchandise. *Mme Séverac a passé une commande chez l'épicier.* **2.** Mécanisme qui sert à diriger une machine, un appareil. *Il est interdit d'entrer dans le poste de commande. Le pilote de l'avion est aux commandes.*

Famille de **commander**

commandement n. m.

Attention ! *commandement* s'écrit avec deux ***m.***

Ordre bref donné à haute voix. *À mon commandement, feu !*

Famille de **commander**

commander v.

Attention ! *commander* s'écrit avec deux ***m.***

Conjugaison 1

Le contraire de *commander,* c'est *décommander.*

1. Être le chef. *César commandait l'armée romaine,* il la dirigeait. **2.** Donner un ordre. *La directrice commanda aux élèves de se taire.* **3.** Demander à quelqu'un de fournir quelque chose, passer une commande. *Au restaurant, Antoine a commandé une choucroute.* **4.** Faire fonctionner. *Cette pédale commande les freins.*

Autres membres de la famille : **commandant, commande, commandement, commando, décommander, télécommande, télécommander.**

commando n. m.

Attention ! *commando* s'écrit avec deux ***m.***

Petit groupe de soldats entraînés pour des combats rapides et isolés. *Des commandos de parachutistes ont attaqué le village.*

Famille de **commander**

comme conjonction et adv.

Comme indique la comparaison.

1. De la même manière que. *Yves est têtu comme une mule. Antoine est gourmand, Yves n'est pas comme lui. Mme Harpie danse comme si elle avait* *vingt ans.* **2.** Ainsi que. *« C'est la vie », comme on dit. Ne te balance pas comme cela, tu vas tomber,* ne te balance pas ainsi. **3.** Puisque, parce que, étant donné que. *Comme Antoine était en retard, il a dû inventer une nouvelle excuse.* **4.** En tant que. *Mme Roussel travaille comme secrétaire à la biscuiterie.* **5.** Combien, que. *Comme il a grandi ! Comme c'est doux ! Regardez comme il court !,* comment.

Dans ce sens, *comme* indique la manière.

Dans ce sens, *comme* indique la cause et se met de préférence en tête de phrase.

Comme indique ici la qualité.

Dans ce sens, *comme* marque l'exclamation.

commémorer v.

Rappeler le souvenir d'un événement ou d'une personne par une cérémonie. *Le défilé du 14 Juillet commémore la prise de la Bastille.*

▸ **commémoratif** adj. *Le maire de la ville a dévoilé une plaque commémorative sur le mur de la maison où a habité Picasso,* une plaque qui rappelle le souvenir de Picasso.

Compare *commémorer, mémorable* et *se remémorer* : il est question de **mémoire.**

Conjugaison 1

Au féminin : *commémorative.*

Attention ! *commémorer* et *commémoratif* s'écrivent avec deux ***m*** puis un ***m***.

commencer v.

1. *Commencer quelque chose,* c'est se mettre à le faire. *Marie-Tévy commencera à ranger sa chambre après le goûter. Angèle a interrogé tous les élèves en commençant par Julie,* elle a d'abord interrogé Julie. *Sylvain a commencé l'anglais l'année dernière,* il a entamé l'étude de l'anglais. **2.** Débuter. *Le film a déjà commencé.*

▸ **commencement** n. m. Début. *Yves était en retard, il a manqué le commencement du film.*

Conjugaison 3 ▭ Indic. présent : *nous commençons.* Imparfait : *je commençais, nous commencions.*

Le contraire de *commencer,* c'est *finir, terminer.*

Le contraire de *commencement,* c'est *fin.*

Autre membre de la famille : **recommencer.**

comment adv.

1. De quelle façon. *Comment as-tu fait pour casser le vase du salon ? Je ne sais pas comment c'est arrivé. Ce travail a été fait n'importe comment,* très mal. **2.** *Comment !,* quoi ! *Comment, vous n'avez pas encore rangé vos affaires !*

Bon, a dit M. Kiki, le petit gros, là, viens ici. C'est ça... Alors, on y va... Comment t'appelles-tu, mon petit ? *(le Petit Nicolas).*

Comment ? dit Tournesol qui n'entend pas très bien.

commenter v.

Donner des explications, faire des remarques. *Le journaliste qui commente le match de football à la télévision parle plus vite et plus fort chaque fois que les joueurs marquent un but.*

▸ **commentaire** n. m. Remarque personnelle, désagréable, sur ce que dit, écrit ou fait quelqu'un. *« Cessez de faire des commentaires, pendant que je parle », dit la maîtresse à ses élèves.*

Attention ! *commenter* et *commentaire* s'écrivent avec deux ***m***.

Conjugaison 1

Cela se passe de commentaires, c'est évident.

commérage n. m.

Bavardage indiscret et méchant sur les autres. *Le passe-temps favori de Mme Harpie est de faire des commérages ;* vois ***cancan, potin, racontar, ragot.***

Attention ! *commérage* s'écrit avec deux ***m*** et un accent aigu.

Famille de **commère**

commerce n. m.

1. Achat et vente de marchandises. *Le grand-père de Yasmina fait du commerce.* **2.** Magasin. *Le grand-père de Yasmina tient un commerce à Marrakech ;* vois ***boutique.***

▸ **commerçant** n. m. et adj., **commerçante** n. f. et adj. **1.** n. Personne qui fait du commerce. *Le grand-père de Yasmina est un commerçant ;* vois ***marchand, négociant.*** *Mme Harpie est commerçante à Motbourg.* **2.** adj. Où il y a beaucoup de magasins. *M. Doucet habite dans une rue très commerçante.*

▸ **commercial** adj. Qui s'occupe de commerce. *M. Doucet travaille dans une société commerciale.*

▸ **commercialiser** v. Mettre en vente dans les magasins. *Ce nouveau dentifrice est déjà fabriqué, mais il n'est pas encore commercialisé,* il n'est pas encore en vente.

Le commerce, l'agriculture et l'industrie sont les principales activités qui font vivre un pays.

On dit qu'*un produit est dans le commerce* quand il est en vente.

Au masculin pluriel : *commerciaux.*

Conjugaison 1

commère n. f.

Femme curieuse qui connaît les histoires de tout le monde et passe son temps à raconter ce qu'elle sait. *Mme Harpie est une vraie commère.*

Attention ! *commère* s'écrit avec deux ***m*** et un accent grave.

Autre membre de la famille : **commérage.**

commettre v.

Faire, accomplir quelque chose de mal. *Jack l'Éventreur a commis de nombreux meurtres. Yves n'a commis qu'une seule erreur dans son problème.*

Conjugaison 56 ; *commettre* se conjugue comme *mettre.*

Attention ! *commettre* s'écrit avec deux ***m*** et deux ***t***.

Attention ! *commis* s'écrit avec deux ***m***.

commis n. m.

Employé de magasin ou de bureau qui fait des livraisons et des rangements. *Le boucher a fait livrer la viande par son commis.*

Le commis n'a pas commis d'erreur.

Attention ! *commissaire* s'écrit avec deux ***m*** et deux ***s***.

commissaire n. m.

Fonctionnaire de police d'un grade élevé qui s'occupe du maintien de l'ordre et de la sécurité des citoyens. *Le commissaire mène l'enquête. Le commissaire donne ses ordres à l'inspecteur et aux agents.*

On dit aussi : un *commissaire de police.*

Famille de **prix**

Au pluriel : *des commissaires-priseurs.*

▸ ***commissaire-priseur*** n. m. Personne dont le métier est de faire des ventes aux enchères. *Le commissaire-priseur a un petit marteau avec lequel il tape sur sa table pour montrer qu'un objet est vendu.*

« Trente mille francs, ce tableau ; qui dit mieux ? Trente mille francs... Adjugé... vendu ! »

Les voitures de police sont garées devant le commissariat.

▸ ***commissariat*** n. m. Endroit où se trouvent les bureaux du commissaire de police. *Les agents de police ont mis les menottes au voleur et l'ont emmené au commissariat.*

Attention ! *commission* s'écrit avec deux ***m*** et deux ***s***.

① commission n. f.

1. Message que quelqu'un vous charge de transmettre. *Julie m'a chargé de te faire une commission.* **2.** *Les commissions,* ce sont les courses, les achats. *Antoine est allé faire les commissions.* **3.** Somme d'argent proportionnelle au prix de vente. *Quand il vend un appartement, le vendeur touche une commission.*

Il touche cinq pour cent de commission.

▸ ***commissionnaire*** n. m. Personne dont le métier est de porter des messages ou des paquets. *Un commissionnaire a apporté une lettre urgente ;* vois ***coursier.***

Attention ! *commissionnaire* s'écrit avec deux ***m***, deux ***s*** et deux ***n***.

② commission n. f.

Réunion de personnes choisies pour étudier une affaire. *Mme Séverac est membre d'une commission chargée d'étudier les plans du nouveau gymnase ;* vois ***bureau, comité.***

Deux ***m*** et deux ***s*** dans *commissure.*

commissure n. f.

La commissure des lèvres, c'est l'angle qu'elles font au coin de la bouche. *Mme Bellec a un petit bouton à la commissure des lèvres.*

① commode n. f.

Meuble à tiroirs, de la hauteur d'une table, dans lequel on range du linge, des vêtements. *Mme Séverac range les mouchoirs dans la commode de sa chambre.*

Elle se mit à chercher dans les tiroirs de la petite commode, dans l'armoire de la poupée *(les Malheurs de Sophie).*

Attention aux deux ***m*** !

Attention aux deux ***m*** !

② commode adj.

1. *Une chose commode,* c'est une chose facile à utiliser et qui donne le résultat que l'on veut ; vois ***pratique.*** *Ce sac est très commode pour le voyage.* **2.** Facile. *L'explication de ce mot n'est pas commode.*

Ce mot ne s'emploie pas beaucoup.

▸ ***commodément*** adv. Confortablement. *Installez-vous commodément,* à votre aise.

Compare : *commode → commodité, facile → facilité* et *tranquille → tranquillité.*

▸ ***commodité*** n. f. **1.** Facilité. *Pour plus de commodité, le docteur Séverac a installé son cabinet au rez-de-chaussée de sa maison.* **2.** *Les commodités d'une habitation,* ce sont les équipements qui font son confort. *La caravane des Bellec est équipée de toutes les commodités.*

Autres membres de la famille : **accommoder, accommodant, incommode, incommoder.**

commotion n. f.

Grand choc qui n'entraîne pas de blessures apparentes. *Il ne peut plus parler depuis sa commotion cérébrale.*

Deux ***m*** dans *commun.*

commun adj.

1. Qui concerne plusieurs personnes. *En classe de neige, Julie et Marie-Tévy ont une chambre commune,* une chambre qu'elles partagent. *Yasmina et Julie ont un goût commun pour la danse ;* vois ***semblable.*** *Cette décision a été prise dans l'intérêt commun,* dans l'intérêt de tous ; vois ***général.*** **2.** Qui se fait ensemble. *Yves et Antoine ont décidé d'un commun accord de ne plus adresser la parole à Colle et Rat. Alex et Sylvain ont des disques en commun,* qui leur appartiennent à tous les deux. **3.** *« Chat » est un nom commun, « Félix » est un nom propre.* **4.** Ordinaire. *Loïc est d'une force peu commune,* très grande ; vois ***banal, courant.***

Le contraire de *commun,* c'est *individuel, particulier.*

Va voir *transports en commun* à ***transport.***

Va voir *lieu commun* à ***lieu.***

Le contraire de *commun,* c'est *extraordinaire.*

▸ ***communauté*** n. f. **1.** Groupe de gens qui vivent ensemble ou qui sont unis par des idées ou des intérêts ; vois ***collectivité.*** *Alex voudrait vivre en communauté,* en mettant tout en commun avec d'autres personnes. *Yasmina connaît beaucoup d'enfants de la communauté musulmane.* **2.** *Angèle possède en communauté avec ses frères une petite maison en Corse,* ils en sont tous également propriétaires.

La *Communauté économique européenne* regroupe des pays d'Europe unis pour défendre leurs intérêts.

▸ ***communautaire*** adj. *Alex est tenté par la vie communautaire,* en groupe.

commune n. f.

La commune, le canton, le département, la région, ce sont les divisions administratives de la France.

Ville qui est la plus petite division administrative française. *Les habitants d'une commune élisent leurs représentants au conseil municipal.*

▸ ***communal*** adj. Qui appartient à la commune. *L'école Jules-Ferry est une école communale. À Motbourg, les chemins communaux sont bien entretenus.*

communicatif adj.

Au féminin : *communicative.*

Famille de **communiquer**

1. Qui se communique facilement ; vois ***contagieux.*** *Angèle a un rire communicatif.* **2.** *Une personne communicative,* c'est une personne qui aime parler, dire ce qu'elle pense. *Sophie Pelletier est une femme communicative.*

Le contraire de *communicatif,* c'est *renfermé, secret, taciturne.*

communication n. f.

Famille de **communiquer**

La Terre n'arrive pas à entrer en communication avec la fusée qui emporte Tintin vers la Lune.

1. Échange d'informations à l'aide de paroles, de gestes ou de signes. *À son arrivée en France, Marie-Tévy avait des difficultés de communication.* **2.** Action de téléphoner. *Mme Hespel ne peut pas répondre, elle est en communication sur une autre ligne. Combien coûte la communication ?,* le coup de téléphone. **3.** *Le directeur a eu communication du rapport de Mme Hespel,* on le lui a remis. **4.** Message, information. *Le maire a une communication importante à faire au conseil municipal,* une chose importante à dire. **5.** Passage d'un endroit à un autre. *Yasmina a fermé la porte de communication entre sa chambre et la salle à manger. L'avion est le moyen de communication le plus rapide,* le moyen le plus rapide utilisé pour se déplacer.

La poste, le téléphone, la radio, la télévision, les journaux sont des *moyens de communication.*

communier v.

Conjugaison 7 ▭ Indic. présent : *je communie.* Imparfait : *nous communiions.* Futur : *je communierai.*

Recevoir la communion. *Dimanche dernier, Mme Bellec a communié.*

▸ ***communiant*** n. m., ***communiante*** n. f. Personne qui communie. *Un premier communiant reçoit la communion pour la première fois.*

▸ ***communion*** n. f. Dans les Églises catholique et protestante, sacrement, cérémonie religieuse en souvenir de Jésus-Christ ; vois ***eucharistie.*** *Mme Bellec a reçu la communion des mains de l'abbé Gauthier. Yves fera sa communion solennelle dans deux ans,* sa profession de foi.

Pour communier, les catholiques reçoivent des mains du prêtre une hostie, les protestants partagent du pain et du vin.

communiquer v.

Conjugaison 1

Deux *m* dans *communiquer* et dans tous les mots de la famille.

1. Faire savoir, faire connaître. *Le service météorologique nous a communiqué les prévisions pour demain. Mme Hespel communiquera son rapport au directeur,* elle le lui remettra. **2.** Faire partager. *La maîtresse communique sa joie de vivre à toute la classe. — La gaieté d'Angèle s'est communiquée à toute la classe.* **3.** Échanger des informations, des idées. *Les sourds-muets communiquent par gestes.* **4.** *La chambre de Yasmina communique avec la salle à manger,* elle donne directement dedans, on passe directement de l'une à l'autre pièce.

▸ ***communiqué*** n. m. Avis, déclaration qu'on fait pour le public. *Voici un communiqué du gouvernement.*

Autres membres de la famille : **communicatif, communication, télécommunication.**

communisme n. m.

Deux ***m*** dans *communisme* et *communiste.*

Le contraire de *communisme,* c'est *capitalisme.*

Organisation de la vie dans un pays où les terres et les matières premières, les usines et les machines appartiennent à tous. *Marx est le père du communisme.*

▸ ***communiste*** adj. *Le parti communiste a organisé une grande manifestation,* le parti de ceux qui défendent le communisme. — n. m. et f. *Les communistes sont pour le partage des richesses.*

Deux hommes, Friedrich Engels et Karl Marx, écrivirent, en 1848, *le Manifeste du parti communiste,* qui expliquait ce qu'était pour eux le communisme.

Attention au *m* devant le *p* de *compact* !

compact adj.

Très serré ou très épais ; vois **dense.** *Le brouillard était très compact ; on ne distinguait plus rien.*

Compact [kɔ̃pakt] rime avec *pacte.*

Compare **compagne**, *compagnie* et *accompagner* : on **est avec** quelqu'un.

compagne n. f.

1. *Mme Séverac a retrouvé d'anciennes compagnes de classe à Motbourg,* des camarades de classe. **2.** Femme avec qui un homme vit. *Sophie Pelletier est la compagne de Denis Prost.*

Ils ne sont pas mariés.

Va voir aussi **compagnon.**
Va voir aussi **concubinage.**

compagnie n. f.

1. *Hippolyte aime la compagnie d'Angèle,* il aime être avec elle, il aime sa présence. *Yves tient souvent compagnie à son grand-père,* il reste souvent auprès de lui. *Je me sens bien en ta compagnie,* auprès de toi. **2.** *Le docteur Séverac écrit au directeur de sa compagnie d'assurances,* de la société qui s'occupe de ses assurances. **3.** *Le capitaine commande une compagnie,* une troupe de l'armée de terre formée de 120 à 180 soldats.

Une *dame de compagnie* veille sur une personne âgée ou malade, et lui tient compagnie.

Une *compagnie théâtrale,* c'est une troupe de théâtre.

Fausser compagnie à quelqu'un, c'est le quitter brusquement.

Une *compagnie aérienne* est une entreprise de transports aériens.

compagnon n. m.

Alex cherche un compagnon de voyage pour aller au Canada, quelqu'un pour aller avec lui au Canada, pour l'accompagner. *Yves est le meilleur compagnon de jeux d'Antoine,* son meilleur camarade de jeux.

Va voir aussi **compagne.**

comparaître v.

L'accusé a comparu devant le juge, il s'est présenté devant le juge après en avoir reçu l'ordre.

Attention à l'accent circonflexe du *î*.

Famille de **paraître**

Conjugaison 57 ▭ Indic. présent : *il comparaît.* Futur : *il comparaîtra.*

comparer v.

Attention au *m* devant le *p* ! Conjugaison 1

1. Examiner les ressemblances et les différences. *Au jeu des sept erreurs, on compare deux dessins légèrement différents. Yasmina compare sa vie avec celle de ses cousines restées au Maroc.* **2.** Établir des ressemblances entre des choses différentes. *Antoine compare Mme Harpie à un dragon.*

C'est en comparant les animaux que les savants ont pu les classer.

▸ **comparable** adj. *Deux choses comparables* sont deux choses que l'on peut comparer. *Ces deux tissus sont d'une qualité comparable,* on peut comparer leur qualité.

Le contraire de *comparable,* c'est *différent, incomparable.*

Compare : *comparer* → *comparaison* et *terminer* → *terminaison.*

▸ **comparaison** n. f. **1.** *Il n'y a pas de comparaison entre Motbourg et Paris,* on ne peut pas les comparer. **2.** Manière de s'exprimer en rapprochant deux choses différentes. *« Mme Harpie est aimable comme une porte de prison »* est une comparaison.

La comparaison est introduite par *comme.*

▸ **comparatif** adj. et n. m. **1.** adj. *Le journal a publié une étude comparative des différents modèles d'automobiles,* une étude comparant ces différents modèles. **2.** n. m. Vois l'encadré ci-dessous.

Autre membre de la famille : **incomparable.**

le comparatif

■ Le comparatif d'un adjectif ou d'un adverbe, c'est cet adjectif ou cet adverbe précédé de ***plus, moins*** ou ***aussi***. On l'emploie dans les comparaisons.

Plus vieux	est le comparatif de supériorité de	*vieux.*
Moins longtemps	est le comparatif d'infériorité de	*longtemps.*
Aussi grand	est le comparatif d'égalité de	*grand.*

■ Le complément du comparatif est introduit par ***que*** :
Angèle est plus jeune ***que la directrice.***

■ Il existe des comparatifs irréguliers :
bon a pour comparatif de supériorité ***meilleur***
mauvais a pour comparatif de supériorité ***pire***

■ Va voir aussi ***superlatif.***

comparse n.

Au féminin : *une comparse.*

Complice de peu d'importance, qui ne fait qu'obéir. *La police n'a pu arrêter que les comparses de l'assassin.*

compartiment n. m.

1. Division aménagée pour le rangement dans une boîte, un tiroir, un

Famille de **part**

Comme il n'était pas seul dans son compartiment, il ne dormit que d'un œil [...] *(Michel Strogoff).*

casier ; vois ***case.*** *Les fourchettes, les cuillers et les couteaux sont rangés dans les compartiments du casier à couverts.* **2.** Partie d'une voiture de chemin de fer délimitée par des cloisons. *Mme Roussel s'est assise dans le premier compartiment de la voiture 6.*

N'oublie pas le *s* final de *compas.*

compas n. m.
1. Instrument à deux branches qui s'écartent, avec lequel on trace des cercles. *Angèle a appris aux enfants à utiliser un compas.* **2.** Boussole des marins et des aviateurs. *Sur son bateau, Loïc trace sa route au compas.*

Attention au *m* devant le *p* de *compassion.*

compassion n. f.
Sentiment qui nous fait partager les peines des autres ; vois ***pitié.*** *Mme Roussel a de la compassion pour les aveugles.*

Quand on a de la *compassion,* on *compatit.*

Le contraire de *compatible,* c'est *incompatible.*

compatible adj.
Deux choses compatibles, ce sont deux choses qui s'accordent, qui peuvent exister en même temps. *« Le métier de restaurateur est difficilement compatible avec la vie de famille », dit souvent M. Bellec.*

Autre membre de la famille : **incompatible.**

Conjugaison 2

compatir v.
Je compatis à votre peine, je la partage.

Famille de **patrie**

compatriote n.
Personne qui est originaire du même pays qu'une autre. *Marie-Tévy, comme beaucoup de ses compatriotes, a quitté son pays.*

Le contraire de *compatriote,* c'est *étranger.*

Conjugaison 1

compenser v.
Équilibrer, contrebalancer. *Mamie Lou trouve que les avantages de la vie à la campagne compensent largement les inconvénients.*

▹ ***compensation*** n. f. *Hippolyte accepte de gagner peu d'argent si, en compensation, il a beaucoup de temps libre,* en contrepartie.

La laideur de Riquet à la Houppe était compensée par son intelligence.

Compère n'est pas le masculin de *commère !*

compère n. m.
Le prestidigitateur n'a pas choisi un spectateur au hasard : il a désigné son compère, celui qui l'aide à réussir ses tours sans que les spectateurs le sachent.

Autrefois, *compère* voulait dire « ami, camarade ».

Attention au *m* devant le *p* !

compétent adj.
Angèle est une institutrice compétente, une institutrice très capable, qui connaît parfaitement son métier ; vois ***capable.***

Le contraire de *compétent,* c'est *incompétent.*

Le contraire de *compétence,* c'est *incompétence.*

▹ ***compétence*** n. f. Connaissance approfondie dans l'exercice d'un métier ; vois ***capacité.*** *La compétence d'Angèle est reconnue par la directrice de l'école et les parents des élèves,* sa qualité, sa valeur.

Autres membres de la famille : **incompétent, incompétence.**

compétitif adj.
Un produit compétitif, c'est un produit qui peut supporter la concurrence d'autres produits. *Le vendeur proposait à Pierre Séverac un tracteur à un prix très compétitif,* à un prix très intéressant par rapport à celui des autres tracteurs.

compétition n. f.
Épreuve sportive dans laquelle on cherche à gagner ; vois ***course, épreuve, match.*** *Yves participe à des compétitions de natation.*

Famille de **plaindre**

complainte n. f.
Chanson triste au ton plaintif. *Loïc chante parfois des complaintes de matelots.*

Il y a un *m* devant le *p* de *complaisant* et *complaisance.*

complaisant adj.
Toujours prêt à rendre service aux autres ; vois ***obligeant, serviable.*** *Sophie Pelletier est une femme très complaisante.*

Au féminin : *complaisante.*

Famille de **plaire**

▹ ***complaisance*** n. f. Disposition à rendre service, à aider les autres ; vois ***obligeance.*** *J'apprécie beaucoup votre complaisance.*

On prononce [kɔ̃plemɑ̃].

complément n. m.
1. Ce qui s'ajoute ou doit s'ajouter à une chose pour la compléter. *Angèle s'assure un complément de salaire en surveillant la cantine.* **2.** Groupe de mots qui dépend d'un autre mot ; vois l'encadré page suivante.

Compare : *complément* → *complémentaire* et *supplément* → *supplémentaire.*

▹ ***complémentaire*** adj. Qui apporte un complément. *Pour tout renseignement complémentaire, écrivez à la mairie de votre commune.*

Un *complément,* complète ce qui n'est pas suffisant. Un *supplément,* s'ajoute à une chose qui était déjà complète.

le complément

■ Il existe des **compléments de nom** :

*Les phares **de la côte**.*
*Des patins **à glace**.*

Ils font partie du groupe du nom.

■ Il existe des **compléments de l'adjectif** :

*Hippolyte est facile **à vivre**.*
*Angèle est contente **de son sort**.*
*Antoine est plus grand **qu'Yves**.*

Ils font partie du groupe de l'adjectif.

■ Il existe des **compléments du verbe**. Ils font partie du groupe du verbe. Comme les précédents, ils ne peuvent pas être déplacés.
Les **compléments indirects** sont introduits par une préposition :

*Sylvain va **à la plage**.*
*David offre un cadeau **à sa sœur**.*

Les **compléments directs** ne sont pas introduits par une préposition :

*Julie a invité **Yasmina**.*
*Elle veut **des bonbons**.*
*Les bonbons coûtent **dix francs**.*

Certains compléments directs sont des **compléments d'objet directs**. Ce sont ceux qui peuvent devenir sujet du verbe à la voix passive, par exemple ***Yasmina*** dans *Julie a invité Yasmina,* puisqu'on peut dire : *Yasmina a été invitée par Julie.*
Les verbes qui peuvent avoir un complément d'objet direct sont appelés verbes transitifs.
Dans les phrases à la voix passive, le complément du verbe introduit par *par* est le complément d'agent : *Yasmina a été invitée **par Julie.***

■ Il existe aussi des **compléments de la phrase** :

***Le matin,** Antoine mange des yaourts.*
*Yves est en vacances **depuis trois jours**.*

Ce sont des compléments circonstanciels. On les distingue des compléments du verbe parce qu'ils peuvent changer de place.

*Antoine mange des yaourts **le matin**.*
***Depuis trois jours,** Yves est en vacances.*

Certains sont introduits par une préposition : *depuis trois jours.*
D'autres se présentent sans préposition : *le matin.*
On distingue des compléments circonstanciels de

- lieu : *Yves marche **dans la forêt.***
- temps : ***Le matin,** il va à la plage.*
- manière : *Il marche **d'un bon pas.***
- cause : *Il marche **par plaisir.***

① *complet* adj.

« Vous verrez comme c'est complet ; tout ce qui est nécessaire pour travailler se trouve dans la boîte » *(les Malheurs de Sophie).*

1. *Une chose complète,* c'est une chose où il ne manque rien. *Sylvain a sorti sa collection complète de Tintin. Le jeu de cartes de Sylvain est complet.* **2.** *Au mois d'août, les hôtels sont complets,* ils sont pleins, il n'y a plus de place. **3.** *Il ne faut pas descendre avant l'arrêt complet du train,* avant que le train ne soit complètement arrêté.

Le contraire de *complet,* c'est *incomplet.*

Le contraire de *complet,* c'est *vide.*

Autre membre de la famille : **incomplet.**

▸ ***complètement*** adv. Tout à fait. *Yves a complètement démonté son vélo ;* vois ***entièrement.***

Conjugaison 6
▭ Indic. présent : *je complète, nous complétons.*

▸ ***compléter*** v. Apporter ce qui manque. *Antoine voudrait compléter sa collection de papillons.*

Le *complément* d'un verbe *complète* la phrase.

② *complet* n. m.

Costume d'homme dont la veste et le pantalon sont du même tissu et de la même couleur. *Denis Prost a mis son complet bleu et sa cravate à rayures.*

Il peut aussi y avoir un gilet sans manches assorti.

① *complexe* adj.

Qui est composé de plusieurs éléments qui s'entremêlent ; vois ***compliqué.*** *Le phénomène des marées est un phénomène complexe.*

Le contraire de *complexe,* c'est *simple.*

▸ ***complexité*** n. f. Caractère de ce qui est complexe. *Le phénomène des marées est d'une grande complexité.*

② **complexe** n. m.
Avoir des complexes, c'est ne pas être sûr de soi, avoir l'impression d'être moins bien que les autres. *Julie n'a pas de complexes, elle est toujours contente d'elle.*

Obélix n'a pas de complexes bien qu'il soit très gros.

▸ ***complexé*** adj. Qui s'estime moins bien que les autres. *David est complexé à cause de son appareil dentaire.*

Famille de **compliquer**

complication n. f.
1. Caractère de ce qui est compliqué. *Le mécanisme de cette machine est d'une grande complication ;* vois ***complexité.*** **2.** *Les complications,* ce sont les difficultés qui apparaissent dans une situation. *Mme Hespel n'aime pas les complications.*

Compare : *compliquer → complication* et *expliquer → explication.*

complice n. m. et f.
Personne qui en aide une autre à faire quelque chose de mal. *Un des complices du cambrioleur a réussi à s'enfuir.* — adj. *Un employé de la bijouterie était complice.*

Compare : *complice → complicité* et *complexe → complexité.*

▸ ***complicité*** n. f. Participation à une mauvaise action. *L'employé de la bijouterie a été accusé de complicité de vol.*

compliment n. m.
1. Petit discours fait en l'honneur de quelqu'un. *Les enfants récitent un compliment à leur maman le jour de la fête des mères.* **2.** *Faire des compliments à quelqu'un,* c'est le féliciter ; vois ***félicitation.*** *Hippolyte a reçu de nombreux compliments pour son courage pendant l'incendie de la poste. On n'a pas fait de compliments à Alex pour son échec au bac !*

Un ancien élève va réciter un compliment et nous dire que c'est parce que le directeur lui a donné de bons conseils qu'il est devenu un homme et secrétaire à la mairie *(le Petit Nicolas).*

▸ ***complimenter*** v. Faire des compliments ; vois ***féliciter.*** *Le maire a complimenté Hippolyte pour son courage.*

Conjugaison 1

Conjugaison 1

compliquer v.
Rendre difficile. *Mme Bonnot complique toujours tout. Il ne faut pas se compliquer la vie. — Les choses se compliquent,* elles deviennent plus difficiles.

Le contraire de *compliquer,* c'est *simplifier.*

▸ ***compliqué*** adj. Difficile à faire, à comprendre. *Pour aller à la poste, ce n'est pas compliqué : vous prenez la première rue à droite. Antoine, ton histoire est trop compliquée, on ne comprend rien.*

Le contraire de *compliqué,* c'est *simple.*

Autre membre de la famille : **complication.**

N'oublie pas le *t* final.

complot n. m.
Projet préparé en secret par plusieurs personnes contre quelqu'un. *Des révolutionnaires ont préparé un complot contre le président.*

Dans *Tintin et les Picaros,* la Castafiore est accusée de complot visant à supprimer le général Tapioca.

Conjugaison 1
Ils *complotent contre* lui.

▸ ***comploter*** v. Préparer un acte en secret et à plusieurs. *Des révolutionnaires complotent de renverser le président.*

Conjugaison 1

① **comporter** v.
La maison des Bellec comporte deux étages, elle se compose de deux étages, elle a deux étages.

Conjugaison 1

② *se* **comporter** v.
Se conduire. *Hippolyte s'est très bien comporté pendant l'incendie de la poste,* il a agi comme il le fallait.

Bravo Hippolyte !

▸ ***comportement*** n. m. Façon de se comporter. *Hippolyte a été félicité pour son comportement pendant l'incendie de la poste.*

Les entomologistes observent le comportement des insectes.

Conjugaison 1

composer v.
1. Faire. *Julie a choisi des narcisses et des marguerites pour composer un bouquet.* **2.** Écrire une œuvre musicale. *Mozart a composé son premier opéra à douze ans.* **3.** *Se composer de plusieurs choses,* c'est être formé de plusieurs choses. *L'équipement de football d'Antoine se compose d'un maillot, d'un short et de chaussures à crampons.*

Sur le cadran, *on compose un numéro de téléphone,* on le forme.

La journée est composée de vingt-quatre heures.

▸ ***composant*** n. m. *L'hydrogène et l'oxygène sont les composants de l'eau,* les éléments qui forment l'eau.

▸ ***composé*** adj. **1.** *Un mot composé* est un mot formé de plusieurs mots. *« Oiseau-mouche » et « pomme de terre » sont des mots composés.* **2.** *Un* *temps composé* est un temps conjugué avec un verbe auxiliaire et le participe passé du verbe conjugué. *Le passé composé, le passé antérieur et le futur antérieur sont des temps composés de l'indicatif.*

On peut dire au féminin *compositrice,* mais on emploie plus souvent *compositeur.*

▸ ***compositeur*** n. m. Personne qui compose de la musique. *Les compositeurs, les chefs d'orchestre et les exécutants sont des musiciens.*

▸ ***composition*** n. f. **1.** *La composition de ce parfum est un secret,* ce qui compose ce parfum. **2.** Devoir fait en classe qui compte pour passer dans la classe supérieure. *Les enfants attendent les résultats de la composition de géographie.*

Une *composition française,* c'est une rédaction.

Autres membres de la famille : **décomposer, décomposition.**

Conjugaison 1

composter v.

Antoine a composté son billet avant de monter dans le train, il l'a mis dans une machine qui l'a perforé et a imprimé des lettres et des chiffres dessus.

Attention ! un seul *t* dans *compote.*

compote n. f.

Dessert fait de fruits cuits avec de l'eau et du sucre. *Mamie Lou a fait une compote de pommes parfumée à la cannelle.*

Les fruits d'une compote peuvent être entiers, en morceaux ou écrasés.

Compare : *compote → compotier* et *sucre → sucrier.*

▸ ***compotier*** n. m. Plat en forme de coupe qu'on utilise pour servir de la compote, des fruits. *Les fruits sont disposés dans le compotier.*

Pense au *h* entre le *é* et le *e.*

compréhensible adj.

Autre membre de la famille : **incompréhensible.**

Que l'on peut comprendre facilement. *Les explications que vient de donner l'institutrice sont très compréhensibles.*

Le contraire de *compréhensible,* c'est *incompréhensible.*

Attention au *h* entre le *é* et le *e.*

compréhensif adj.

Au féminin : *compréhensive.*

Quelqu'un de compréhensif, c'est quelqu'un qui comprend et accepte les actions, les attitudes des autres. *L'institutrice s'est montrée compréhensive envers Antoine : elle a excusé son retard.*

Le contraire de *compréhensif,* c'est *borné.*

N'oublie pas le *h* entre le *é* et le *e.*

compréhension n. f.

1. Fait de comprendre. *La ponctuation est utile à la compréhension du texte ;* vois ***clarté.*** **2.** *Merci de votre compréhension,* de votre indulgence, de votre sympathie.

Conjugaison 58 ▭ Indic. présent : *je comprends, nous comprenons.* Imparfait : *je comprenais.* Passé simple : *je compris.* Futur : *je comprendrai.* — Subj. présent : *que je comprenne.*

① comprendre v.

1. *Comprendre une chose,* c'est avoir une idée claire de ce qu'elle veut dire, de ce qu'elle signifie. *Yasmina a compris l'explication d'Angèle. Réjean comprend le français et l'anglais. Sophie Pelletier n'a jamais rien compris aux mathématiques.* **2.** Connaître les raisons, les causes de quelque chose. *L'institutrice comprenait la fatigue des enfants. On comprend mal comment l'incendie de la poste s'est déclaré.* **3.** *Comprendre quelqu'un,* c'est être compréhensif, tolérant envers lui. *Alex trouve que sa mère ne le comprend pas.*

Les grandes personnes ne comprennent jamais rien toutes seules et c'est fatigant, pour les enfants, de toujours leur donner des explications

(le Petit Prince).

Comprendre la plaisanterie, c'est l'admettre sans se vexer.

Conjugaison 58

② comprendre v.

Avoir, contenir, être formé de. *La semaine comprend sept jours ;* vois ***comporter.***

Attention au *m* devant le *p* de *compresse.*

compresse n. f.

Linge fin replié en plusieurs épaisseurs que l'on met sur une blessure. *L'infirmière a mis des compresses sur la brûlure de Sylvain.*

Compare *compresse* et *oppression :* dans ces mots, il s'agit de **presser.**

Pense au *m* devant le *p* et aux deux *s.*

compressible adj.

Les gaz sont compressibles, on peut les comprimer, en diminuer le volume.

Compare : *comprimer → compression* et *imprimer → impression.*

compression n. f.

1. *On gonfle un pneu par compression de l'air dans la chambre à air,* en comprimant l'air. **2.** *Une compression de personnel est prévue à la biscuiterie,* une diminution forcée de personnel ; vois ***licenciement.***

Attention au *m* devant le *p* et aux deux *s* de *compression.*

Compare *comprimer, imprimer,* et *opprimer :* dans tous ces verbes, il s'agit de **pression.**

comprimer v.

Serrer en appuyant sur quelque chose pour en diminuer le volume. *Quand on fait une prise de sang, on comprime le bras pour faire ressortir les veines. M. Bellec porte un pantalon qui lui comprime le ventre.*

Conjugaison 1

▸ ① ***comprimé*** adj. *De l'air comprimé,* c'est de l'air dont on a augmenté la pression en diminuant son volume. *Les camions ont des freins à air comprimé.*

Il y a aussi des gaz comprimés.

▷ ② ***comprimé*** n. m. Médicament fait de poudre que l'on a pressée, tassée en forme de pastille. *Mme Séverac a pris un comprimé pour dormir;* vois ***cachet.***

compris adj.

Inclus dans quelque chose. *Le service est compris,* inclus dans la somme à payer. *Tous les chats, y compris Félix, aiment attraper les souris et les oiseaux,* sans oublier Félix.

Va voir aussi ② ***comprendre.***

compromettre v.

Conjugaison 56 ▭ Indic. présent : *je compromets, nous compromettons.* Imparfait : *je compromettais.* Futur : *je compromettrai.*

1. *Compromettre quelqu'un,* c'est le mettre dans une situation difficile vis-à-vis d'autres personnes, lui faire perdre sa bonne réputation. *Le directeur de l'usine a été compromis dans une affaire de fausses factures.* **2.** Mettre en danger. *Denis Prost compromet sa santé en fumant trop.*

▷ ***compromis*** n. m. Arrangement qui aboutit à un accord entre plusieurs personnes. *La direction de l'usine et les syndicats sont arrivés à un compromis sur les salaires.*

Les ouvriers n'ont pas été augmentés mais ils ont obtenu une prime.

comptabilité n. f.

Famille de **compter**

1. Compte des recettes et des dépenses. *Mme Bellec tient la comptabilité du restaurant de son mari.* **2.** Service qui s'occupe des comptes d'une entreprise. *Votre facture est à la comptabilité.*

comptable n. m. et f.

Famille de **compter**

Personne qui s'occupe de la comptabilité. *Une comptable a vérifié les comptes de Mme Bellec.*

comptant adv.

Ne confonds pas *comptant* et *content.*

Payer comptant, c'est payer entièrement au moment où l'on achète quelque chose. *La maison ne fait pas crédit, il faut payer comptant.*

Famille de **compter**

compte n. m.

Ne confonds pas *compte, comte* et *conte.*

Famille de **compter**

1. Action de compter, d'évaluer une quantité ; vois ***calcul.*** *Mamie Lou fait le compte des rangs de son tricot.* **2.** *Faire ses comptes,* c'est calculer ce qu'on a dépensé et gagné. *Mme Harpie s'est trompée dans ses comptes. M. Bellec vérifie son livre de comptes,* où sont inscrites ses dépenses et ses recettes. *Mme Roussel a un compte en banque,* une somme d'argent déposée à la banque. **3.** *Colle et Rat ont été pris sur le fait, leur compte est bon,* ils auront ce qu'ils méritent. **4.** *En fin de compte, Colle et Rat ont été exclus de l'école,* finalement. **5.** *Loïc travaille à son compte,* il n'est pas employé par quelqu'un, il n'a pas de patron. **6.** *On raconte des quantités d'histoires sur le compte de Mme Harpie,* à son sujet. **7.** *La directrice de l'école a tenu compte de l'avis des instituteurs,* elle a accordé de l'importance à leur avis. **8.** *Mme Roussel estime qu'elle n'a pas de comptes à rendre à sa sœur,* qu'elle n'a pas à lui expliquer ce qu'elle fait. **9.** *Mme Séverac s'est rendu compte que son fils avait de la fièvre,* elle s'en est aperçue.

Va voir *compte à rebours* à ***rebours.***

Quand on dépose son argent à la poste, on a un *compte postal.*

On dit aussi : *un compte bancaire.*

Être loin du compte, c'est se tromper de beaucoup.

Mais en voilà assez. On n'a pas de comptes à rendre au chien. Allons-nous-en *(les Contes du Chat perché).*

compte-gouttes n. m. invariable

Au pluriel : *des compte-gouttes.*

Petit tube en verre qui a un capuchon souple. *En pressant sur le capuchon du compte-gouttes, on fait sortir le liquide goutte à goutte.*

Famille de **compter** et de **goutte**

compter v.

Conjugaison 1

Ne confonds pas *compter* et *conter* qui se prononcent de la même façon : [kɔ̃te].

1. Trouver une quantité en se servant des chiffres ; vois ***calculer.*** *Mamie Lou compte les mailles de son tricot. Claire sait compter,* elle connaît les chiffres et leur valeur. **2.** Mettre dans une quantité ou un total. *La caissière du restaurant a oublié de compter les cafés dans mon addition. Les Séverac avaient invité quinze personnes, sans compter les enfants.* **3.** Penser, prévoir. *Mme Harpie compte inviter Hippolyte à déjeuner.* **4.** *Compter sur quelqu'un,* c'est avoir confiance en lui. *Mme Séverac compte sur le maire pour sa campagne électorale.* **5.** Avoir de l'importance. *Tant pis si on perd, ce qui compte, c'est de jouer ;* vois ***importer.***

Le seul moyen de savoir combien il y a de chênes, de hêtres et de bouleaux, c'est d'aller les compter *(les Contes du Chat perché).*

Autres membres de la famille : **acompte, comptabilité, comptable, comptant, compte, compte-gouttes, compte rendu, compteur, comptine, comptoir.**

Le canard lui-même, sur lequel on comptait beaucoup, n'avait rien trouvé *(les Contes du Chat perché).*

compte rendu n. m.

Compte rendu s'écrit en deux mots. Au pluriel : *des comptes rendus.*

Récit d'un événement fait par une personne qui l'a vécu ; vois ***rapport.*** *Julie a fait un compte rendu enthousiaste du pique-nique de la classe.*

Famille de **compter** et de **rendre**

Famille de **compter**

compteur n. m.
Appareil qui sert à mesurer la vitesse ou la quantité de quelque chose que l'on utilise. *Dans un taxi, le prix de la course s'inscrit au compteur.*

Famille de **compter**

comptine n. f.
Petite poésie chantée ou parlée.

Famille de **compter**

comptoir n. m.
Longue table sur laquelle le marchand présente les marchandises, reçoit l'argent et rend la monnaie. *Mme Harpie a posé la monnaie sur le comptoir.*

Attention au ***m*** devant le ***t*** de *comte, comtesse, comté* !

comte n. m., **comtesse** n. f.
Titre de noblesse, entre le vicomte et le marquis. *Le comte a une couronne dans ses armoiries. Madame la Comtesse donne un bal au château.*

Ne confonds pas *comte, compte* et *conte.*

▸ ***comté*** n. m. Domaine qui donnait le titre de comte ou de comtesse à celui qui le possédait. *Le comté de Toulouse fut rattaché à la France en 1271.*

Autre membre de la famille : **vicomte.**

Conjugaison 1

concasser v.
Concasser quelque chose, c'est l'écraser pour en faire de tout petits morceaux ; vois ***broyer.*** *Pour faire du béton, on concasse des cailloux que l'on mélange avec du mortier.*

Famille de **casser**

Le contraire de *concave,* c'est *convexe.*

concave adj.
Creux. *C'est amusant de se regarder dans un miroir concave.*

Conjugaison 1

concentrer v.
1. Réunir en un seul endroit. *L'ennemi a concentré ses troupes autour de la ville ;* vois ***masser.*** **2.** *Au concert, Angèle concentrait son attention sur le violon,* elle mettait toute son attention sur le violon. — *Antoine n'arrive pas à se concentrer,* à mettre toute son attention sur un seul point.

Le contraire de *concentrer,* c'est *disperser.*

Famille de **centre**

Au féminin : *concentrée.* On dit aussi du *lait condensé.*

▸ ***concentré*** adj. *Un produit concentré,* c'est un produit dont on a enlevé une grande partie de l'eau. *Angèle met du lait concentré dans son thé.* — n. m. *M. Bellec met du concentré de tomates dans la sauce.*

1 litre de lait donne 600 centilitres de lait concentré.

▸ ***concentration*** n. f. **1.** *Un camp de concentration,* c'est un camp où sont réunis de nombreux prisonniers. *Sous le régime nazi, les Juifs étaient exterminés dans des camps de concentration.* **2.** *Le jeu d'échecs demande une grande concentration,* une attention soutenue, intense.

Les courbes et les sphères peuvent aussi être concentriques.

concentrique adj.
Des cercles concentriques, ce sont des cercles qui ont le même centre et sont dans un même plan. *Les bandes rouges et blanches d'une cible sont concentriques.*

Famille de **centre**

Prononce [kɔ̃sɛpsjɔ̃].

conception n. f.
1. Création par l'imagination ; vois ***idée.*** *Les deux sœurs, Mme Roussel et Mme Harpie, n'ont pas la même conception de la vie,* elles ne voient pas la vie de la même façon. **2.** *La conception d'un enfant,* c'est la formation de l'œuf à partir d'un ovule et d'un spermatozoïde. *Un enfant naît neuf mois après sa conception.*

Va voir aussi ***concevoir.***

Conjugaison 1

concerner v.
S'appliquer à. *Cette loi concerne tous les citoyens.*

concert n. m.
1. Séance musicale. *L'orchestre donnera un concert en plein air.* **2.** *Colle et Rat font toujours leurs bêtises de concert,* ensemble.

Autre membre de la famille : **concerto.**

Conjugaison 1

se **concerter** v.
S'entendre pour faire quelque chose. *Tous les élèves se sont concertés pour choisir le cadeau de leur maîtresse.*

Concerto est un mot qui vient de l'italien.

Famille de **concert**

concerto n. m.
Œuvre musicale pour orchestre et un instrument soliste. *Le docteur Séverac écoute un concerto pour violon et orchestre.*

Au pluriel : *des concertos.*

Prononce [kɔ̃sɛsjɔ̃].

concession n. f.
Faire des concessions à quelqu'un, c'est renoncer à certaines choses pour arriver à se mettre d'accord avec lui. *Mme Harpie ne fait jamais de concessions à personne.*

Celui qui fait des concessions est *conciliant.*

Conjugaison 28 ▭ Indic. présent : *je conçois, nous concevons.* Imparfait : *je concevais.* Futur : *je concevrai.* — Subj. présent : *que je conçoive.*

Va voir aussi **conception.**

concevoir v.

1. *Concevoir une chose,* c'est en avoir une idée claire. *On conçoit facilement l'attachement des enfants pour leur maîtresse,* on comprend facilement. **2.** Imaginer, composer. *Le plan de la maison des Prost a été bien conçu.* **3.** *Ce sont les femmes qui conçoivent les enfants,* c'est dans leur utérus que fusionnent un ovule et un spermatozoïde.

Concevoir de l'amitié pour quelqu'un, c'est se prendre d'amitié pour lui.

Autres membres de la famille : **inconcevable, préconçu.**

Dans les grands hôtels, le concierge accueille et renseigne les clients.

concierge n. m. et f.

Personne qui a la garde d'un immeuble ; vois ***gardien, portier.*** *La concierge est en train de passer l'aspirateur dans l'escalier.*

Un concile peut réunir les évêques d'un seul pays ou du monde entier.

concile n. m.

Assemblée des évêques de l'Église catholique. *Le pape Jean XXIII convoqua le concile de Vatican II.*

Ce concile eut lieu de 1962 à 1965.

conciliabule n. m.

Conversation à voix basse. *Après un conciliabule, Colle et Rat sont partis en courant.*

Conjugaison 7 ▭ Indic. présent : *je concilie.* Imparfait : *je conciliais, nous conciliions, vous conciliiez.* Futur : *je concilierai.* — Subj. présent : *que je concilie, que nous conciliions.*

concilier v.

Concilier plusieurs choses très différentes, c'est les faire aller ensemble ; vois ***réunir.*** *Pour dresser les lions, il faut concilier la force et la douceur.*

Le contraire de *concilier,* c'est *opposer.*

▹ ***conciliant*** adj. *Une personne conciliante,* c'est une personne qui cherche à arranger les choses avec les autres. *Mme Harpie n'est pas conciliante : elle a refusé de rendre service à sa sœur.*

Elle fait des *concessions.*

Le contraire de *conciliant,* c'est *intraitable.*

▹ ***conciliation*** n. f. *Le juge a fait une procédure de conciliation,* une proposition d'arrangement entre des adversaires.

Autres membres de la famille : **réconcilier, réconciliation.**

Un ***s*** à la fin de *concis.*

Compare : *concis → concision, confus → confusion* et *précis → précision.*

concis adj.

Qui dit ce qu'il y a à dire en peu de mots. *Le maire a fait une réponse concise aux conseillers municipaux.*

Il faut être concis dans un télégramme, car on paie chaque mot !

▹ ***concision*** n. f. Façon de dire en peu de mots. *L'inspecteur a exposé l'affaire avec concision.*

Même famille que **citoyen**

concitoyen n. m., concitoyenne n. f.

Des concitoyens, ce sont des citoyens du même État ou de la même ville ; vois ***compatriote.*** *Le maire de Motbourg s'est adressé à ses concitoyens,* aux habitants de Motbourg.

conclave n. m.

Assemblée de cardinaux réunis pour élire un nouveau pape. *Le conclave a lieu dix jours après la mort du pape.*

Conjugaison 35 ▭ Indic. présent : *je conclus, nous concluons.* Imparfait : *je concluais.* Futur : *je conclurai.* — Subj. présent : *que je conclue.* — Impératif présent : *conclus, concluons.*

conclure v.

1. *Conclure une affaire,* c'est la réaliser en arrivant à un accord. *Après cent seize ans de guerre, la France et l'Angleterre ont conclu la paix.* **2.** Terminer ce qu'on dit ou ce qu'on écrit. *Le maire a conclu son discours en disant : « Vive Motbourg ! »* **3.** Juger après avoir réfléchi. *Personne ne posait de questions ; Angèle en a conclu que tout le monde avait compris.*

La guerre de Cent Ans a commencé en 1337 ; la paix fut conclue en 1453.

▹ ***concluant*** adj. Qui prouve, donne un résultat clair. *L'expérience est concluante : les élèves sont moins dissipés quand Colle et Rat ne sont pas là.*

Le contraire de *concluant,* c'est *contestable.*

▹ ***conclusion*** n. f. **1.** Arrangement final de quelque chose. *À la conclusion du traité, les Indiens fumèrent le calumet de la paix.* **2.** Partie finale d'un texte ou d'un discours. *Dans la conclusion de son rapport, le docteur Séverac résumait ses arguments.* **3.** *Tirer une conclusion de quelque chose,* c'est comprendre une chose après avoir fait un raisonnement. *De ses observations, Galilée tira la conclusion que la Terre tournait autour du Soleil.*

Le contraire de *conclusion,* c'est *introduction.*

Une conclusion qui date seulement du XVIIe siècle !

Attention au ***n*** et au ***m.***

Le concombre est riche en vitamines A et C. On l'utilise dans la fabrication de produits de beauté.

concombre n. m.

Fruit vert allongé à peau lisse qui contient de nombreuses graines et se mange souvent cru en hors-d'œuvre. *Mme Hespel a coupé un concombre en rondelles fines et va le servir avec de la vinaigrette.*

Le cornichon est une variété de concombre.

Compare *concorde, accord* et *concorder* : il s'agit d'**entente.**

concorde n. f.

Bonne entente. *La concorde ne règne pas toujours entre Yves et Antoine,* ils se disputent parfois.

Le contraire de *concorde,* c'est *discorde.*

Conjugaison 1

concorder v.

Être en accord. *Le témoignage d'Hippolyte concorde avec ceux des autres témoins. Tous les témoignages concordent.*

Les témoignages sont *concordants.*

Conjugaison 11, comme *courir.*

concourir v.

Participer à un concours, une compétition. *Les coureurs cyclistes ont concouru pour le titre de champion du monde.*

Compare : *concourir → concours* et *parcourir → parcours.*

▸ ① ***concours*** n. m. Épreuve, compétition, jeu où le nombre des gagnants est fixé à l'avance. *M. Bellec a gagné le concours de pêche.*

Pour entrer à l'École polytechnique, il faut passer un concours.

② ***concours*** n. m.
1. Aide, collaboration. *L'enquête sur l'incendie de la poste avance grâce au concours des témoins.* **2.** *Un concours de circonstances,* c'est un hasard. *Un concours de circonstances a voulu que le film de Denis Prost sorte le jour de la naissance de son fils Martin.*

Va voir aussi ***coïncidence.***

Denis Prost est comédien.

« Crayon » est un *mot concret,* « tristesse » un *mot abstrait.*

concret adj.

Une chose concrète, c'est une chose que l'on peut voir, toucher, entendre. *Mon crayon, c'est une chose concrète ; la tristesse c'est une chose abstraite.*

Le contraire de *concret,* c'est *abstrait.*

Celui qui vit en concubinage s'appelle un *concubin ;* sa compagne est sa *concubine.*

concubinage n. m.

Cet homme et cette femme vivent en concubinage, ils vivent ensemble sans être mariés. *Denis Prost et Sophie Pelletier vivent en concubinage.*

On dit aussi qu'ils vivent *maritalement.*

Attention aux deux ***r*** !

concurrent n. m., *concurrente* n. f.

1. Personne qui participe à une compétition, un jeu. *Les concurrents sont prêts à partir ;* vois ***candidat.*** **2.** Celui qui se trouve en compétition par rapport à un autre. *Les enfants ont décidé de ne plus acheter de bonbons chez Mme Harpie, ils vont aller chez sa concurrente.*

▸ ***concurrence*** n. f. Rivalité entre plusieurs personnes. *Un nouveau restaurant va faire concurrence au restaurant Bellec.*

Les supermarchés font concurrence aux petits commerçants car ils vendent souvent moins cher.

Conjugaison 3 ▭ Indic. présent : *nous concurrençons.*

▸ ***concurrencer*** v. *Concurrencer quelqu'un,* c'est lui faire concurrence. *M. Bellec a peur que le nouveau restaurant le concurrence sérieusement.*

Le ***m*** ne se prononce pas : [kɔ̃dane].

Conjugaison 1

condamner v.

1. *Condamner quelqu'un,* c'est faire subir une peine à quelqu'un qui est reconnu coupable. *M. Bellec a été condamné à mille francs d'amende pour excès de vitesse.* **2.** *Être condamné à faire quelque chose,* c'est être obligé de le faire. *Sylvain est condamné à faire une cure tous les ans.* **3.** *Condamner quelque chose,* c'est l'interdire ou le désapprouver. *Les pacifistes condamnent la guerre.* **4.** *Condamner une ouverture,* c'est la fermer de telle sorte qu'on ne puisse plus s'en servir. *Mme Séverac a condamné une des fenêtres du salon pour éviter les courants d'air.*

Le contraire de *condamner,* c'est *acquitter.*

Il a de fréquentes crises d'asthme.

Gandhi (1869-1948) condamnait la violence.

▸ ***condamnable*** adj. Qui mérite d'être condamné. *Les gens qui maltraitent les animaux sont condamnables.*

La condamnation à mort n'existe plus en France.

▸ ***condamnation*** n. f. Peine infligée par un tribunal. *Le cambrioleur a eu une lourde condamnation.*

Le contraire de *condamnation,* c'est *acquittement.*

▸ ***condamné*** n. m., ***condamnée*** n. f. Personne qui a été condamnée. *Le condamné a été libéré pour bonne conduite.*

Conjugaison 1

Famille de **dense**

condenser v.

1. Réduire le volume. *On condense le lait en lui enlevant une partie de son eau.* **2.** Résumer. *Quand on condense une histoire, on ne raconte que l'essentiel.*

Va voir aussi ***concentré.***

On n'est pas obligé de donner tous les détails !

Les nuages sont formés par la condensation de la vapeur d'eau contenue dans l'air.

▸ ***condensation*** n. f. Transformation de vapeur d'eau en eau. *Quand il fait froid dehors et très chaud à l'intérieur d'une maison ou d'une voiture, il y a de la condensation sur les vitres ;* vois ***buée.***

condiment n. m.

Produit qui donne plus de goût aux aliments ; vois ***aromate.*** *M. Bellec relève sa sauce avec des condiments.*

Le sel et le poivre sont les condiments les plus utilisés.

Le thym, les cornichons, la moutarde sont des condiments.

Attention au ***s*** devant le ***c*** !

condisciple n. m.

Des condisciples, ce sont des personnes qui font ou ont fait leurs études ensemble. *Antoine, Yves et Julie sont condisciples à l'école.*

Famille de **disciple**

J'accepte les conditions, maman, j'accepte. Quand aurai-je ma tortue ?
(les Malheurs de Sophie).

condition n. f.
1. Situation sociale. *La famille de Yasmina est de condition modeste.* **2.** État dans lequel on est. *Alex est en bonne condition physique,* il est en bonne forme. **3.** Chose nécessaire qui est exigée ou que l'on exige. *Il y a certaines conditions à remplir pour obtenir cet emploi. Alex ira cet été au Canada, à condition d'être reçu à son bac.* **4.** *Denis Prost a voyagé dans de très bonnes conditions,* dans des circonstances agréables.

Avoir 18 ans est une condition pour pouvoir voter.

Conditions, dans ce sens, est toujours au pluriel.

Dans certains trains, l'air est conditionné.

Va voir aussi ***climatisé.***

▹ ***conditionné*** adj. *L'air conditionné,* c'est un système réglable qui maintient une température fraîche dans une pièce. *Dans son bureau, Mme Hespel a l'air conditionné.*
▹ ***conditionnel*** n. m. Vois l'encadré ci-dessous.

le conditionnel

Le **conditionnel** est un temps du verbe.

- Dans une proposition subordonnée, il indique un futur par rapport au verbe de la principale qui est au passé :
  *Alex a promis qu'il **viendrait** ce soir*
  (qui est le passé de : *Alex promet qu'il viendra ce soir*).
- Il peut aussi indiquer qu'une action n'est pas sûre, ou qu'elle est imaginée :
  ***Aimerais**-tu qu'il vienne ?*
  *S'il venait, sa mère **serait** contente.*
- Il existe un conditionnel présent : *je parlerais,*
  et un conditionnel passé : *j'aurais parlé.*

condoléances n. f. plur.
Faire ses condoléances à quelqu'un, c'est lui dire qu'on partage sa peine. *Mme Séverac a présenté ses condoléances à Sophie Pelletier après l'enterrement de sa mère.*

L'envergure du condor peut atteindre trois mètres.

condor n. m.
Grand oiseau rapace noir et blanc, de la famille du vautour, dont la tête est surmontée d'une crête charnue. *Le condor se nourrit d'animaux morts ou en train de mourir.*

Le condor vole très haut. Il y a des condors dans les Andes.

Famille de **conduire**
Va voir aussi ***chauffeur.***

conducteur n. m. et adj., ***conductrice*** n. f.
1. n. Personne qui conduit un véhicule. *Angèle est une bonne conductrice,* elle conduit bien. **2.** adj. m. *Un corps conducteur,* c'est un corps qui laisse passer le courant électrique, la chaleur. *Les métaux sont des corps conducteurs.*

Il y a des conducteurs de métro, de train, de bus, de car, de machines.

Conjugaison 38

En retour, tu me serviras de guide. Je te passerai une ficelle au cou et tu me conduiras sur les chemins
(les Contes du chat perché).

conduire v.
1. Accompagner ; vois ***emmener.*** *M. Doucet conduira son fils à la gare.* **2.** Diriger un véhicule. *Angèle conduit sa voiture. M. Bellec conduit souvent trop vite !* **3.** Mener quelque part. *Ce chemin conduit à la ferme. Un gazoduc conduit du gaz,* il sert à transporter du gaz.
▹ *se* ***conduire*** v. Agir, se comporter, se tenir. *Colle et Rat se conduisent très mal en classe.*

Pour conduire une voiture ou une moto, il faut passer son *permis de conduire.*

Autres membres de la famille : **conducteur, conduit, conduite, reconduire.**

Famille de **conduire**

conduit n. m.
Tuyau par lequel passe un liquide ou un gaz. *Un gazoduc est un conduit.*

Famille de **conduire**

conduite n. f.
1. *Les élèves ont visité un musée sous la conduite d'Angèle, leur institutrice,* accompagnés par Angèle. **2.** Action de conduire un véhicule. *Alex prend des leçons de conduite.* **3.** Façon dont on se comporte, on se tient. *Angèle est très contente de la conduite de Yasmina en classe ;* vois ***tenue.*** *Les élèves trop dissipés auront un zéro de conduite.* **4.** *Une conduite d'eau,* c'est un

Il suit aussi des cours de code.

tuyau qui sert à transporter l'eau ; vois ***canalisation, conduit.*** *Quand il gèle, les conduites d'eau peuvent éclater.*

N'oublie pas l'accent circonflexe du ***ô***.

cône n. m.
Objet dont le bas est rond et le haut pointu. *Un cornet de glace, une pochette-surprise ont la forme d'un cône.*

Autres membres de la famille **conifère, conique.**

Compare *confection*, *effectuer* et *perfection* : dans tous ces mots, **on fait** quelque chose.

confection n. f.
1. Fabrication, préparation. *Mme Séverac a servi une tarte de sa confection,* qu'elle a faite elle-même. **2.** *La confection,* c'est l'industrie des vêtements qui ne sont pas faits sur mesure. *Hippolyte s'est acheté un costume en confection,* qui était déjà fait.

On appelle aussi la confection le *prêt-à-porter*.

Attention aux deux ***n*** !

▷ ***confectionner*** v. Préparer. *Mme Séverac a confectionné une tarte aux abricots.*

Conjugaison 1

Famille de **fédération**

confédération n. f.
Groupement, fédération d'associations, de syndicats, d'États. *La Confédération helvétique est la fédération de tous les cantons suisses.*

C'est le nom officiel de la Suisse.

La Confédération générale d[u] travail, la C. G. T. est le nom d'un syndicat.

conférence n. f.
1. Réunion de travail. *Le directeur de l'usine et ses adjoints sont en conférence.* **2.** Réunion publique où une personne parle d'un sujet. *Mme Séverac a assisté à une conférence sur l'astrologie. Le docteur Séverac a donné une conférence sur la médecine en Afrique.*

Une *conférence de presse :* une réunion où une personne s'adresse aux journalistes et répond à leurs questions.

Compare : *conférence → conférencier* et *guerre → guerrier.*

▷ ***conférencier*** n. m., ***conférencière*** n. f. Personne qui fait une conférence. *Le docteur Séverac est un conférencier très intéressant.*

Conjugaison 1

confesser v.
1. Avouer. *Je confesse mon erreur. Je confesse que j'ai eu tort.* **2.** *Se confesser,* c'est avouer ses péchés à un prêtre. *Yves est allé à l'église pour se confesser.* **3.** *Confesser quelqu'un,* c'est l'entendre se confesser. *Le prêtre qui a confessé Yves lui a donné une petite pénitence.*

Ce sont les catholiques qui se confessent.

On se confesse pour être pa[rdonné] donné par Dieu.

▷ ***confesseur*** n. m. Prêtre à qui l'on se confesse. *Mme Bellec se confesse toujours au même confesseur.*

▷ ***confession*** n. f. Ce que l'on dit à un prêtre quand on se confesse. *Le prêtre a entendu Yves en confession.*

Attention aux deux ***n*** !

▷ ***confessionnal*** n. m. Sorte de cabine en bois dans laquelle on se confesse. *Dans un confessionnal, le prêtre est assis derrière une grille et la personne qui se confesse est agenouillée.*

Au pluriel : *des confessionnaux.*

confetti n. m.
Petite rondelle de papier qu'on lance par poignées dans une fête. *Julie et Antoine font une bataille de confettis.*

Les confettis sont de toutes les couleurs.

Les confettis se vendent pa[r] sacs.

Famille de **se fier**

confiance n. f.
1. *Avoir confiance en quelqu'un,* être sûr de lui, pouvoir compter sur lui. *Mme Touati a confiance en sa fille Yasmina. Sophie Pelletier fait une entière confiance au docteur Séverac, son médecin. On peut faire confiance à Hippolyte en toutes circonstances. Marie-Tévy se sent en confiance avec le moniteur de ski. On peut aller dîner au restaurant Bellec de confiance,* on est sûr que ce sera bon. *Mme Harpie n'inspire pas confiance,* on se méfie d'elle. **2.** *Avoir confiance en soi,* c'est être sûr de soi. *Marie-Tévy manque de confiance en elle.*

Milou fait confiance à Tintin : il est sûr qu'il ne l'oubliera pas.

On peut faire confiance au capitaine Haddock : il n'oubliera pas d'emporter du whisky !

Va voir aussi ① ***assurance.***

Le contraire de *confiance*, c'est *méfiance, défiance.*

Quand on a *confiance* en quelqu'un, on peut *se confier* à lui, lui faire des *confidences* sans *méfiance.*

Obélix a confiance en lui, il n'[a] jamais peur.

▷ ***confiant*** adj. Qui a confiance, fait confiance. *Antoine est trop confiant,* il fait confiance à tout le monde.

Le contraire de *confiant*, c'est *méfiant.*

confidence n. f.
Une confidence, c'est un secret qui nous concerne et que l'on dit à quelqu'un. *Marie-Tévy a fait une confidence à Yasmina : elle est amoureuse d'Antoine. Marie-Tévy fait toujours ses confidences à Yasmina.*

Elle le lui a dit *en confidence,* secrètement.

Être *dans la confidence*, c'est être dans le secret.

▷ ***confident*** n. m., ***confidente*** n. f. Personne à qui l'on fait ses confidences. *Yasmina est la confidente de Marie-Tévy.*

Un *confident*, c'est quelqu'un qui on se *confie* en toute *confiance*, à qui on peut se fier.

Compare : *confidence → confidentiel* et *providence → providentiel.*

▷ ***confidentiel*** adj. Qui se dit, se fait en secret. *Mme Hespel a remis un rapport confidentiel à son patron.*

Au féminin : *confidentielle.*

Conjugaison 7
Famille de se **fier**

confier v.

1. Laisser en garde. *La maîtresse a confié les clés de son bureau à Julie pendant la récréation. Sophie Pelletier a confié son bébé à une voisine pour l'après-midi.* **2.** Dire en confidence. *Marie-Tévy a confié à Yasmina qu'elle est amoureuse d'Antoine. — Marie-Tévy s'est confiée à Yasmina,* elle lui a fait ses confidences.

On *se confie* à un *confident* en qui on a *confiance.*

— Je suis ton chef d'équipe, Nicolas. — Nous vous le confions, a dit Papa en rigolant *(le Petit Nicolas).*

confiné adj.

1. Enfermé. *Julie est de mauvaise humeur, elle reste confinée dans sa chambre.* **2.** *Il faudrait ouvrir la fenêtre, l'air est confiné,* il n'a pas été renouvelé.

Cela sent le renfermé.

Famille de ① **fin**

confins n. m. plur.

Le Mont-Saint-Michel est aux confins de la Normandie et de la Bretagne, à la limite de la Normandie et de la Bretagne.

Le Tchad est aux confins du Sahara.

Conjugaison 1

confirmer v.

1. Rendre certain ce qu'on a déjà annoncé. *Antoine a téléphoné à son père pour lui confirmer l'heure d'arrivée de son train.* **2.** Affirmer qu'une chose annoncée est vraie. *Hippolyte a confirmé aux policiers qu'il avait entendu une explosion provenant de la poste. Le maire a confirmé qu'il y aurait un nouveau gymnase à Motbourg. — La bonne nouvelle se confirme.*

▸ ***confirmation*** n. f. *M. Doucet attend la confirmation de l'heure d'arrivée d'Antoine,* il attend qu'Antoine lui confirme son heure d'arrivée.

Compare : *confirmer → confirmation* et *affirmer → affirmation.*

La *confirmation* est aussi un sacrement de l'Église catholique.

confiserie n. f.

1. Magasin où l'on vend des bonbons. *La boutique de Mme Harpie est une confiserie-pâtisserie.* **2.** Bonbon, sucrerie. *Antoine mange tout le temps des confiseries.*

▸ ***confiseur*** n. m., ***confiseuse*** n. f. Personne qui fabrique et vend des confiseries. *Mme Harpie est une confiseuse.*

On vend des confiseries dans les confiseries et aussi dans les boulangeries.

Les fruits confits sont des confiseries.

Conjugaison 1

confisquer v.

Prendre un objet à quelqu'un pour le punir. *Angèle, l'institutrice, a confisqué à Julie le journal qu'elle lisait pendant la classe.*

confit adj.

Des fruits confits, ce sont des fruits que l'on a trempés dans un sirop de sucre. *Mme Roussel décore son gâteau au chocolat avec des cerises confites. Hippolyte ne sait pas si Angèle préfère les fruits confits, les pâtes de fruits ou les marrons glacés.*

Le *confit* est une préparation de viande cuite et conservée dans sa graisse. On fait du *confit de canard* ou du *confit d'oie.*

Nous allons enfin ouvrir le fameux paquet et goûter à nos fruits confits, dit Mme de Réan *(les Malheurs de Sophie).*

confiture n. f.

Fruits que l'on a fait cuire dans du sucre. *En été, Mme Bellec fait de la confiture de fraises. Les pots de confitures sont dans le placard. Claire s'est mis de la confiture sur les doigts.*

Elle *fait des confitures.*

Alceste a lâché sa tartine, qui est tombée du côté de la confiture *(le Petit Nicolas).*

N'oublie pas le *t* final.

conflit n. m.

Lutte entre des personnes ou entre des pays. *Les deux guerres mondiales ont été de grands conflits internationaux. M. Doucet est en conflit avec son chef de service ;* vois ***désaccord.***

Des pays en guerre peuvent avoir recours à l'O. N. U. pour régler leur conflit.

Compare *confluent, affluent et fluide* : il est question de **couler.**

confluent n. m.

Endroit où se joignent deux cours d'eau. *Bayonne se trouve au confluent de la Nive et de l'Adour.*

Lyon est au confluent de la Saône et du Rhône.

Conjugaison 41

① *confondre* v.

1. Étonner énormément. *L'insolence de Julie confond Angèle, sa maîtresse. Angèle en est restée confondue.* **2.** *Se confondre en excuses,* c'est s'excuser plusieurs fois de suite. *Hippolyte s'est confondu en remerciements quand Angèle lui a prêté des livres.*

La force d'Astérix et d'Obélix confondait les Romains.

Conjugaison 41

② *confondre* v.

Prendre une personne pour une autre, quelque chose pour autre chose.

Va voir aussi ***confusion.***

Elle *a confondu* l'écriture de Julie *avec* celle d'Antoine.

Quand les jumeaux David et Nathalie étaient petits, on les confondait souvent. Angèle a confondu l'écriture de Julie et celle d'Antoine. Claire confond les b et les d.

On confond souvent certains mots : par exemple *coasser* et *croasser.*

Une *copie conforme,* c'est une copie sans aucun changement, strictement fidèle à l'original.

conforme adj.
Qui est exactement semblable, qui est en accord avec quelque chose. *Le témoignage d'Hippolyte est conforme à la réalité.*

▸ **conformément** adv. *Conformément à la loi,* d'après, selon la loi. *La construction du nouveau gymnase a commencé, conformément à ce qui a été décidé par le conseil municipal.*

Le contraire de *conformément,* c'est *contrairement.*

Conjugaison 1

▸ *se* **conformer** v. *Se conformer à une chose,* c'est en tenir compte, la respecter. *Il faut se conformer aux règles du jeu.*

Sur les boîtes de médicaments, il est écrit : « Se conformer à la prescription du médecin ».

Le contraire de *conformiste,* c'est *anticonformiste.*

▸ **conformiste** adj. Qui agit en respectant les usages. *Mme Bellec est très conformiste, elle ne fait jamais rien d'original.*

▸ **conformité** n. f. *Le témoignage d'Hippolyte est en conformité avec la déclaration des voisins,* en accord avec la déclaration des voisins.

Autre membre de la famille : **anticonformiste.**

Confort prend un *t* à la fin.

confort n. m.
Le confort, c'est ce qui rend la vie matérielle plus agréable et plus facile. *Il y a tout le confort dans la caravane des Bellec. La voiture d'Angèle manque de confort.*

Les chats aiment bien leur confort.

Le funambule sur son fil n'est pas dans une situation bien confortable.

▸ **confortable** adj. *Un endroit confortable,* c'est un endroit où il y a du confort. *La caravane des Bellec est très confortable. Ce fauteuil est confortable,* on y est bien.

▸ **confortablement** adv. D'une manière confortable. *Mme Bellec s'est installée confortablement dans un fauteuil.*

Autre membre de la famille : **inconfortable.**

Famille de **frère**

confrère n. m.
Personne qui exerce le même métier qu'une autre. *Le docteur Séverac a rencontré un de ses confrères à la clinique.*

Si c'est une femme, on dit *une consœur.*

Conjugaison 1
Famille de **front**

confronter v.
1. Mettre des personnes en présence pour comparer leurs affirmations. *Les policiers ont confronté Hippolyte avec les autres témoins de l'incendie de la poste.* **2.** *Être confronté à un problème,* c'est se trouver en face d'un problème. *Les policiers sont confrontés à une enquête difficile.*

On peut dire aussi qu'*ils ont confronté Hippolyte et les autres témoins.*

Compare : *confronter → confrontation* et *observer → observation.*

▸ **confrontation** n. f. Mise en présence. *La confrontation des témoins a eu lieu dans les locaux de la police.*

confus adj.
1. *Une chose confuse,* c'est une chose qui manque de clarté, que l'on distingue mal. *L'explication qu'a donnée Antoine pour excuser son retard était confuse,* elle était difficile à comprendre. *Yasmina entend un bruit confus de voix dans l'escalier ;* vois ***indistinct.*** **2.** *Être confus,* c'est être gêné, honteux. *Mme Séverac était confuse d'arriver en retard à la réunion.*

Les rats tout confus
Sonnaient l'angélus
Au son de la fanfare
(chanson).

En arrivant en avance, nous trouverons le quai vide et nous éviterons les bousculades et la confusion *(le Petit Nicolas).*

▸ **confusion** n. f. **1.** Situation embrouillée, confuse ; manque de clarté. *Quelle confusion dans les explications d'Antoine !* **2.** Le fait de confondre des personnes ou des choses. *Claire fait souvent la confusion entre le b et le d.* **3.** Embarras, gêne que l'on manifeste quand on est confus. *Au moindre compliment, Mme Bellec rougit de confusion.*

congé n. m.

Les congés payés, vacances payées tous les ans par l'employeur, datent de 1936.

1. *Être en congé,* c'est avoir la permission de ne pas aller travailler. *Hippolyte est en congé,* il est en vacances. *M. Doucet a dû prendre un congé de maladie.* **2.** *M. Bellec a donné son congé à un des serveurs de son restaurant,* il l'a renvoyé. *Le docteur Séverac a pris congé de ses confrères pour ne pas être en retard à sa consultation,* il les a salués et il est parti.

Conjugaison 7

▸ **congédier** v. *Congédier un employé,* c'est le renvoyer. *M. Bellec a congédié un de ses serveurs ;* vois ***licencier.***

Conjugaison 5
Famille de **gel**

congeler v.
Congeler des aliments, c'est les mettre à moins dix-huit degrés pour les conserver. *Odile Séverac congèle les haricots verts de son jardin.*

Va voir aussi ***surgelé.***

▸ ***congélateur*** n. m. Appareil qui congèle. *Odile Séverac a mis des haricots verts frais dans le congélateur.*

congère n. f.
Amas de neige entassée par le vent. *Une congère bloquait la route de montagne.*

Il faut faire venir le chasse-neige !

Congestion [kɔ̃ʒɛstjɔ̃] rime avec *question, digestion, combustion.*

congestion n. f.
Maladie causée par une trop grande quantité de sang dans une partie du corps. *On peut mourir d'une congestion pulmonaire.*

Une *congestion cérébrale* est un afflux de sang dans le cerveau.

On peut avoir le visage congestionné quand on fait un effort ou quand on est en colère.

▸ ***congestionné*** adj. *Avoir le visage congestionné,* c'est avoir le visage rouge. *M. Bellec avait le visage congestionné car il faisait très chaud.*

Conjugaison 1

congratuler v.
Féliciter. *Le docteur Séverac a congratulé sa femme quand elle a été élue au conseil municipal. — Tous les conseillers se sont congratulés.*

congre n. m.

Le congre chasse la nuit et reste caché dans la journée.

Poisson de mer au corps cylindrique sans écailles, de la famille de l'anguille, et que l'on peut manger. *À leur naissance, les congres sont des larves transparentes comme du verre.*

La femelle peut mesurer 2 m de long.

congrès n. m.
Réunion de personnes qui se communiquent leurs idées et leurs études. *Le maire de Motbourg a participé au congrès de son parti.*

Compare : *congrès → congressiste* et *progrès → progressiste.*

▸ ***congressiste*** n. m. et f. Personne qui participe à un congrès. *Chaque congressiste portait un badge.*

Famille de **cône**
Attention au *o* de *conifère.*

conifère n. m.
Arbre qui porte des aiguilles, produit de la résine et dont les fruits sont en forme de cônes ; vois ***résineux.*** *Le pin, le sapin, le cèdre, le cyprès sont des conifères.*

Famille de **cône**
Attention au *o* de *conique.*

conique adj.
Qui a la forme d'un cône. *Les pommes de pin sont coniques.*

Ne confonds pas *conjecture* et *conjoncture.*

conjecture n. f.
Supposition ; vois ***hypothèse.*** *Sophie Pelletier se perd en conjectures sur l'endroit où peut être caché le chat Félix.*

Le féminin *conjointe* existe, mais on l'emploie rarement.
Famille de **joindre**

conjoint n. m.
Personne liée à une autre par les liens du mariage ; vois ***époux.*** *Ce papier doit être signé par les deux conjoints,* par le mari et la femme.

On emploie le mot *conjoint* dans les textes administratifs.

conjonction n. f. Vois l'encadré ci-dessous.

la conjonction

Les conjonctions sont des mots invariables.

- Les **conjonctions de coordination** relient entre eux des mots, des groupes de mots ou des propositions de même fonction.
Ce sont : *mais, ou, et, donc, or, ni, car.*
- Les **conjonctions de subordination** relient entre elles des propositions. La proposition introduite par une conjonction de subordination est une proposition subordonnée. Les principales conjonctions de subordination sont : *que, si, comme, comment, combien, quand, pourquoi, lorsque, puisque, quoique, parce que, bien que, alors que...*

Ne confonds pas *conjoncture* et *conjecture.*

conjoncture n. f.
Situation. *Quand il y a peu de chômage et que la production industrielle augmente, on peut dire que la conjoncture économique est bonne.*

Famille de **conjuguer**

conjugaison n. f.

Ensemble des formes d'un verbe. *Angèle a donné à apprendre la conjugaison du verbe « aller » au futur et à l'imparfait. Le verbe « aller » a une conjugaison irrégulière.*

la conjugaison

L'ensemble des formes que peut prendre un verbe est sa conjugaison.

- Ces formes varient avec la personne ou les personnes représentées par le sujet :
  tu parles, nous parlons, ils parlent (présent de l'indicatif)
  Elles varient aussi avec le mode et le temps :
  tu parlais, nous parlions, ils parlaient (imparfait de l'indicatif)
- Pour certains verbes, c'est non seulement la terminaison qui change, mais aussi le radical :
  *tu **peux**, nous **pouvons**, ils **peuvent*** (présent de l'indicatif)
  *tu **pourras*** (futur de l'indicatif)
  *que tu **puisses*** (présent du subjonctif)
- On distingue trois groupes de verbes pour la conjugaison ; va voir ***groupe.***
- Dans le dictionnaire, chaque verbe porte le numéro de sa conjugaison. Ce numéro renvoie aux tableaux en annexe, à la fin du dictionnaire, où tu trouveras les formes des verbes conjugués.

Au féminin : *conjugale.*

conjugal adj.

Relatif au mari et à sa femme. *Le domicile conjugal des Bellec est au-dessus de leur restaurant,* le domicile de M. et Mme Bellec.

Au masculin pluriel : *conjugaux.*

Conjugaison 1

conjuguer v.

1. *Deux personnes conjuguent leurs efforts* quand elles unissent leurs efforts. *Le maire de Motbourg et Mme Séverac ont conjugué leurs efforts pendant la campagne électorale.* **2.** *Conjuguer un verbe,* c'est réciter ou écrire toutes les formes d'un verbe. *Les élèves apprennent à conjuguer le verbe « aller » au futur et à l'imparfait. — Angèle demande avec quel auxiliaire se conjugue le verbe « manger ».*

La maîtresse m'a donné à conjuguer le verbe « Je ne dois pas apporter des nez en carton en classe d'histoire » *(le Petit Nicolas).*

Autre membre de la famille : **conjugaison.**

Famille de ① **jurer**

conjuré n. m., conjurée n. f.

Personne qui participe à une conjuration ; vois ***conspirateur.*** *Les conjurés ont préparé un attentat contre le président de la République.*

▸ ***conjuration*** n. f. Entente secrète pour renverser le pouvoir établi ; vois ***complot, conspiration.*** *On a découvert une conjuration contre le président.*

Brutus organisa une conjuration pour tuer César.

Conjugaison 57 ▭ Il y a un accent circonflexe sur le *i* quand il est suivi d'un *t.*

connaître v.

1. Savoir. *Connaissez-vous la nouvelle ? Toute la classe connaissait la date de la bataille de Marignan.* **2.** *Connaître un endroit,* c'est y être déjà allé. *Le docteur Séverac connaît bien l'Afrique.* **3.** *Connaître quelqu'un,* c'est avoir des relations avec lui. *Julie ne connaît pas M. Doucet. — Mme Séverac et Sophie Pelletier se connaissent bien. Elles se sont connues par leurs enfants.* **4.** Avoir. *Le film de Denis Prost connaît un grand succès.*

Le contraire, c'est *ignorer.*

Bien connaître quelqu'un, c'est savoir comment il est vraiment.

S'y connaître en quelque chose, c'est être compétent.

L'industrie a connu un grand essor au XIXe siècle.

Attention ! deux *n* et deux *s.*

▸ ***connaissance*** n. f. **1.** Le fait de connaître. *Le docteur Séverac a une bonne connaissance de l'anglais. Denis Prost a pris connaissance d'un scénario qu'on lui a envoyé,* il l'a lu. *À ma connaissance, Colle et Rat sont cousins,* autant que je sache. **2.** *Perdre connaissance,* c'est s'évanouir. *Mme Bellec a perdu connaissance ;* vois ***conscience.*** **3.** Personne que l'on connaît mais avec qui on n'est pas ami. *Mme Séverac a rencontré quelques connaissances pendant le cocktail.* **4.** *Faire connaissance avec quelqu'un,* c'est le rencontrer. *Angèle et Hippolyte ont fait connaissance à la piscine. Julie a fait de nouvelles connaissances en classe de neige.*

Les connaissances, tout ce que l'on sait.

Tintin a reçu un coup sur la tête et il a perdu connaissance.

▸ ***connaisseur*** n. m. Personne compétente, qui s'y connaît. *M. Bellec est connaisseur en vins.*

Le contraire, c'est *inconnu.*

▸ ***connu*** adj. Que l'on connaît. *Denis Prost commence à être connu ;* vois ***célèbre.*** *« Le Petit Prince » est un livre très connu.*

Autres membres de la famille : **inconnu, méconnaître, méconnaissable, méconnu, reconnaître, reconnaissable, reconnaissance, reconnaissant.**

Attention aux deux *n* !

connivence n. f.
Ces personnes sont de connivence, elles sont d'accord en secret. *Un employé de la bijouterie était de connivence avec les cambrioleurs.*

Conjugaison 21
Participe passé : *conquis.*
Va voir aussi **conquête.**

conquérir v.
Conquérir un pays, c'est en devenir le maître, l'occuper, le soumettre par la force, par les armes, en combattant. *Les Romains conquirent une grande partie de l'Europe.*

Le contraire de *conquérir,* c'est *perdre.*

▷ **conquérant** n. m., **conquérante** n. f. Personne qui fait des conquêtes en combattant ; vois ***vainqueur.*** *César fut le conquérant de la Gaule.*

La conquête de l'espace a commencé dans la deuxième moitié du XXe siècle.

conquête n. f.
Les Romains ont fait la conquête de la Gaule, ils ont conquis la Gaule. *La Gaule fut une conquête des Romains,* un pays conquis par les Romains.

Va voir aussi ***conquérir.***

Conjugaison 1

consacrer v.
1. *Consacrer une église,* c'est en faire un lieu sacré. *Sainte-Marie-de-Motbourg est une église qui a été consacrée à la Sainte Vierge,* elle est dédiée à la Sainte Vierge. **2.** *Angèle consacre beaucoup de temps à ses élèves,* elle leur accorde beaucoup de temps.

Famille de **sacrer**

▷ **consacré** adj. Qui est normal, habituel dans une circonstance. *Mme Bellec attend un heureux événement, selon l'expression consacrée.*

Elle attend un enfant.

Compare *conscient* et *science* : il s'agit de **savoir.**

conscient adj.
1. Qui a sa connaissance, n'est pas évanoui. *Le malade est resté conscient jusqu'à sa mort.* **2.** *Être conscient de quelque chose,* c'est en avoir la connaissance. *Yves n'est jamais conscient du danger,* il ne se rend pas compte qu'il y a du danger.

Le contraire de *conscient,* c'est *inconscient.*

Compare : *conscient* → *consciemment* et *prudent* → *prudemment.* Attention aux deux *m* !

▷ **consciemment** adv. En étant conscient, en sachant très bien ce que l'on a fait ; vois ***sciemment, volontairement.*** *Colle et Rat font des bêtises consciemment.*

Le contraire de *consciemment,* c'est *inconsciemment, involontairement.*

▷ **conscience** n. f. **1.** *Mme Bellec a perdu conscience,* elle s'est évanouie ; vois ***connaissance.*** **2.** *Yasmina a conscience du danger,* elle sait qu'il y a un danger. **3.** *La conscience,* c'est ce qui permet de juger si quelque chose est bien ou mal. *« C'est à toi de décider ce qu'il faut faire, agis selon ta conscience » a dit l'abbé Gauthier à Yves. Julie a encore fait une bêtise, elle n'a pas la conscience tranquille.* **4.** *Sylvain fait toujours ses devoirs avec conscience,* avec application, aussi bien qu'il le peut.

Et nous, alors ? Si Alphonse est noyé, est-ce que notre conscience ne nous fera pas de reproches ? (*les Contes du Chat perché*).

Va voir *acquit de conscience* à ***acquit.***

▷ **consciencieux** adj. *Sylvain est un élève consciencieux,* qui fait son travail avec conscience, en s'appliquant ; vois ***travailleur.***

▷ **consciencieusement** adv. *Sylvain fait consciencieusement ses devoirs,* avec conscience, sérieusement, en s'appliquant.

Autres membres de la famille : **inconscient, objecteur de conscience.**

conscrit n. m.
Soldat qui vient d'être recruté pour le service militaire. *Quand les conscrits arrivent à la caserne, on leur distribue des uniformes.*

consécration n. f.
L'acteur Denis Prost a reçu un prix qui a été la consécration de son talent, qui a confirmé officiellement son talent.

consécutif adj.
Des choses consécutives, ce sont des choses qui se suivent. *Denis Prost n'a pas dormi pendant deux nuits consécutives,* pendant deux nuits de suite.

conseil n. m.
1. Réunion de personnes qui discutent, donnent leurs avis sur un problème ; vois ***assemblée.*** *Le Conseil des ministres se réunit une fois par semaine.* **2.** Opinion donnée à quelqu'un sur ce qu'il doit faire ; vois ***avis, recommandation.*** *Mme Harpie donne toujours des conseils à sa sœur.*

Le *conseil général* s'occupe des affaires du département, le *conseil municipal* de celles de la commune.

Autre membre de la famille : **déconseiller.**

La nuit porte conseil (proverbe).

▷ ① **conseiller** n. m., **conseillère** n. f. **1.** Personne qui fait partie d'un conseil. *Mme Séverac est conseillère municipale,* elle fait partie du conseil municipal. **2.** Personne qui donne des conseils. *Mme Harpie n'est pas toujours une bonne conseillère.*

Les grandes personnes m'ont conseillé de laisser de côté les dessins des serpents boas ouverts ou fermés *(le Petit Prince).*

▸ ② **conseiller** v. **1.** *Conseiller quelque chose à quelqu'un,* c'est dire, indiquer à quelqu'un ce qu'il devrait faire. *Il nous a conseillé la patience. Je vous conseille d'attendre.* **2.** *Conseiller quelqu'un,* c'est lui donner des conseils. *Conseille-moi, je ne sais pas quoi décider.*

Conjugaison 1

Cendrillon les conseilla le mieux du monde *(Cendrillon).*

Conjugaison 16 ▭ Indic. présent : *je consens, il consent, nous consentons, ils consentent.* Imparfait : *je consentais.* Futur : *je consentirai* — Subj. présent : *que je consente.*

Famille de **sentir**

consentir v.

1. *Consentir à quelque chose,* c'est accepter que cette chose se fasse ; vois **acquiescer.** *Angèle a enfin consenti à dîner avec Hippolyte. Mme Séverac a consenti à ce que ses enfants restent debout jusqu'à minuit.* **2.** *Consentir quelque chose à quelqu'un,* c'est le lui accorder, le lui donner. *La banque a consenti un prêt au docteur Séverac.*

▸ **consentement** n. m. Accord, approbation. *Julie n'ira pas au cinéma sans le consentement de ses parents,* si ses parents ne sont pas d'accord.

Qui ne dit mot consent (proverbe).

Le contraire de *consentir,* c'est *refuser.*

Le contraire de *consentement,* c'est *interdiction, refus.*

par conséquent adv.

Ainsi, donc, comme suite logique. *Cela s'est passé il y a juste une semaine, nous sommes le 12, par conséquent c'était le 5.*

▸ **conséquence** n. f. Effet, résultat, suite de quelque chose. *La guerre a des conséquences tragiques. On subit les conséquences de ses actes.*

Ne pas tirer à conséquence, ne pas avoir d'importance.

Autre membre de la famille : **inconséquent.**

conservatoire n. m.

École qui forme des musiciens, des comédiens. *Sylvain suit des cours de piano au conservatoire.*

Compare *conserver, préserver* et *réserver* : dans tous ces mots, il s'agit de **garder** quelque chose.

conserver v.

1. Garder en bon état. *Odile Séverac conserve de la viande et des légumes dans son congélateur. Hippolyte fait de la course à pied pour conserver la forme.* **2.** Ne pas perdre, garder. *Mme Roussel tient à conserver son travail.* **3.** Ne pas jeter, garder. *Nathalie conserve toutes les lettres de Sylvain.*

▸ **conservateur** n. m., **conservatrice** n. f. **1.** *Angèle a demandé des renseignements au conservateur du musée,* à la personne chargée de le diriger. **2.** Personne qui, en politique, défend les idées du passé, veut garder ce qui existe. *Les conservateurs s'opposent au changement.* — adj. *Ce député appartient au parti conservateur.* **3.** *Un conservateur,* c'est un produit que l'on met dans certains aliments pour les conserver. *Ce pain est garanti sans conservateur ni colorant.*

▸ **conservation** n. f. *La congélation est un moyen de conservation des aliments,* un moyen de les conserver.

▸ **conserve** n. f. Aliment conservé dans une boîte de métal ou un bocal. *Quand il part plusieurs jours en mer, Loïc emporte de nombreuses boîtes de conserve.*

Conjugaison 1

Michel Strogoff avait conservé tout son sang-froid, et, se glissant entre les hautes herbes, il chercha à voir, puis à entendre *(Michel Strogoff).*

Dans *Tintin et les 7 Boules de cristal,* M. Hornet est le conservateur du musée d'Histoire naturelle.

Compare : *conserver → conservateur, conservation* et *accuser → accusateur, accusation.*

Les aliments en boîte sont des aliments *en conserve.*

On commence à s'amuser en jetant des pierres contre les boîtes de conserve *(le Petit Nicolas).*

Conjugaison 6 ▭ Indic. présent : *je considère, nous considérons.*

Le contraire, c'est *mépriser.*

considérer v.

1. Examiner, observer de façon attentive. *Julie considéra le nouveau venu avec curiosité.* **2.** Apprécier, estimer quelqu'un. *Le docteur Séverac est un homme que l'on considère beaucoup à Motbourg.* **3.** *Mme Bellec considère le docteur Séverac comme un excellent médecin,* elle estime, elle pense qu'il est un excellent médecin. *Je considère que tu as raison.*

▸ **considérable** adj. Très grand, très important. *La maison de Denis Prost a coûté une somme considérable.*

▸ **considération** n. f. **1.** *Prendre une chose en considération,* c'est en tenir compte. *La directrice de l'école a pris toutes les remarques des instituteurs en considération avant de se décider.* **2.** Estime. *Mme Roussel jouit de la considération de ses chefs.*

J'ai bien regardé. Et j'ai vu un petit bonhomme tout à fait extraordinaire qui me considérait gravement *(le Petit Prince).*

Le contraire de *considérable,* c'est *faible, petit.*

Autres membres de la famille : **déconsidérer, inconsidéré.**

Le contraire de *considération,* c'est *mépris.*

Conjugaison 1

consigner v.

1. *Consigner un élève,* c'est l'empêcher de sortir de l'école ou l'obliger à y revenir pour le punir. *Toute la classe de Sylvain a été consignée samedi après-midi.* **2.** *Consigner un emballage,* c'est le faire payer et le rembourser si on le rapporte. *Ne jette pas cette bouteille, elle est consignée.* **3.** Noter par écrit, enregistrer, écrire. *Le commandant du bateau consigne dans le journal de bord ce qui se passe à bord.*

– Pourquoi viens-tu de rallumer on réverbère ?
– C'est la consigne, répondit 'allumeur.
– Je ne comprends pas, dit le etit prince.
– Il n'y a rien à comprendre, it l'allumeur. La consigne c'est a consigne *(le Petit Prince).*

▸ **consigne** n. f. **1.** Instruction, ordre de faire quelque chose. *Les soldats se transmettent la consigne : il ne faut laisser passer personne.* **2.** Punition consistant à retenir un élève à l'école ou à l'obliger à y revenir ; vois ***retenue.*** *La classe de Sylvain a eu deux heures de consigne.* **3.** Endroit où l'on peut laisser ses bagages dans une gare, un aéroport. *M. Doucet a laissé ses valises à la consigne.* **4.** Prix d'un emballage qui sera remboursé si on le rapporte. *Le litre de limonade coûte quatre francs plus un franc de consigne.*

Seulement, comme personne ne m'attendait à la gare, j'ai préféré laisser ma valise à la consigne ; elle est très lourde *(le Petit Nicolas).*

consistant adj.
Ferme, épais, presque solide. *Quand les bébés grandissent, on leur donne des bouillies de plus en plus consistantes ;* vois ***épais.***
▸ **consistance** n. f. **1.** *Avoir de la consistance,* c'est être ferme, épais. *La mayonnaise prend consistance,* elle durcit, elle épaissit. **2.** *La crème a une consistance molle,* elle est molle.

Ne confonds pas *consister* et *constituer.*

consister v.
1. *Le docteur Séverac est médecin, son travail consiste à soigner les gens,* son travail est de soigner les gens. **2.** *Le repas consistait en un plat et un dessert,* il se composait d'un plat et d'un dessert.

Conjugaison 1

consolant, consolateur, consolation va voir **consoler.**

console n. f.
Petite table appuyée contre un mur. *Mme Séverac a posé une pendule sur la console de l'entrée.*

Conjugaison 1

'lore est sauvée, mais elle pleure rès fort. Sa maman la console *(Babar).*

Au féminin : *consolante.*

consoler v.
Consoler quelqu'un, c'est calmer son chagrin ; vois ***apaiser, réconforter.*** *Antoine a consolé Marie-Tévy qui pleurait. — Marie-Tévy s'est vite consolée.*
▸ **consolant** adj. Qui peut consoler. *Il est consolant de se dire que c'est bientôt l'été.*
▸ **consolateur** adj. Qui console. *Antoine a prononcé des paroles consolatrices.*
▸ **consolation** n. f. Soulagement apporté au chagrin de quelqu'un, réconfort. *Quelques mots de consolation ont calmé Marie-Tévy.*

Ça ne l'a pas empêché, Agnan, de se mettre à pleurer et à hurler qu'il ne voyait plus, que personne ne l'aimait et qu'il voulait mourir. La maîtresse l'a consolé, l'a mouché, l'a repeigné et a puni Alceste *(le Petit Nicolas).*

Autre membre de la famille : **inconsolable.**

Conjugaison 1

consolider v.
Rendre plus solide. *M. Bellec a consolidé la chaise avec des clous et de la colle ;* vois ***renforcer.***

Famille de **solide**

Attention ! *consommé* s'écrit avec deux *m.*

consommé n. m.
Bouillon de viande concentré. *Julie boit un délicieux consommé de poulet.*

Va voir aussi ***potage.***

Attention ! *consommer, consommateur* et *consommation* s'écrivent avec deux *m.* Ne confonds pas *consommer* et *consumer.*

consommer v.
1. Absorber quelque chose pour se nourrir. *Antoine consomme beaucoup de pain pendant les repas,* il en mange beaucoup. **2.** *M. Bellec trouve que sa voiture consomme trop d'essence,* qu'elle en utilise trop pour fonctionner. **3.** Boire quelque chose dans un café. *L'été, c'est agréable de consommer en terrasse.*

Conjugaison 1

Si sa voiture consomme trop, il faut qu'il la fasse régler.

Il existe des associations pour la défense des consommateurs.

▸ **consommateur** n. m., **consommatrice** n. f. **1.** Personne qui achète et qui utilise les produits que l'on vend dans les magasins ; vois ***acheteur, client.*** *Les commerçants veulent satisfaire les consommateurs.* **2.** Personne qui boit quelque chose dans un café. *L'été, il y a beaucoup de consommateurs à la terrasse des cafés.*

La personne qui fabrique le produit qu'achètera le consommateur s'appelle le *producteur.*

▸ **consommation** n. f. **1.** Usage. *Sylvain fait une grande consommation de mouchoirs quand il est enrhumé,* il en utilise beaucoup. *Quelle est la consommation de la voiture de M. Bellec ?,* combien d'essence utilise-t-elle ? **2.** Boisson que l'on consomme au café. *Hippolyte a pris sa consommation au comptoir.*

Elle consomme 16 litres aux 100 km.

consonne n. f.
Lettre qui représente un bruit produit par le passage de l'air dans la gorge et dans la bouche. *Le mot « mer » a une voyelle,* E, *et deux consonnes,* M *et* R. *Dans les mots français, les consonnes sont toujours accompagnées de voyelles.*

B, C, D, F, G sont des consonnes.

Conjugaison 1

conspirer v.
S'entendre en secret pour renverser quelqu'un qui est au pouvoir. *Les révolutionnaires conspiraient pour renverser le roi ;* vois **comploter.**

Dans *les Cigares du Pharaon,* les trafiquants d'opium conspirent contre le Maharadjah de Rawhajpoutalah.

Prendre un air de conspirateur, prendre un air mystérieux.

▷ **conspirateur** n. m., **conspiratrice** n. f. Personne qui conspire. *Les conspirateurs portaient une cagoule et se réunissaient la nuit dans une cave ;* vois **conjuré.**

▷ **conspiration** n. f. Accord secret entre plusieurs personnes pour renverser quelqu'un qui est au pouvoir. *La conspiration a échoué ;* vois **complot.**

Conjugaison 1

conspuer v.
Conspuer quelqu'un, c'est manifester contre lui en faisant beaucoup de bruit et en lui criant des injures. *La foule en délire a conspué l'arbitre qui s'était trompé ;* vois **huer.**

Le contraire de *conspuer,* c'est *acclamer, applaudir.*

constant adj.
1. Qui ne s'arrête jamais. *Des pluies constantes ont empêché Loïc de partir en mer ;* vois **continuel, incessant, permanent. 2.** Qui ne change pas. *Grâce au thermostat du radiateur, la température de la pièce reste constante,* elle reste toujours la même.

Le contraire de *constant,* c'est *variable.*

▷ **constamment** adv. Sans cesse, tout le temps. *Mme Harpie est constamment de mauvaise humeur,* en permanence, toujours.

Attention aux deux ***m*** !

Compare : *constant → constamment, constance* et *élégant → élégamment, élégance.*

▷ **constance** n. f. Persévérance. *Mme Hespel espère que son fils va travailler avec constance pour avoir son bac. Mme Bellec a de la constance d'écouter les histoires interminables de Mme Harpie,* de la patience.

Autre membre de la famille : **inconstant.**

Conjugaison 1

constater v.
Constater quelque chose, c'est le remarquer en le voyant, en l'entendant, en le touchant ; vois **observer.** *Angèle a constaté l'absence de Yasmina,* elle s'en est rendu compte.

Attention ! un ***t*** à la fin de *constat.*

▷ **constat** n. m. *Faire un constat,* c'est décrire, sur un papier spécial, comment s'est passé quelque chose. *Après l'accident, les deux automobilistes ont établi un constat.*

Pour écrire, ils se sont appuyés sur le capot d'une des deux voitures.

▷ **constatation** n. f. Action de remarquer quelque chose. *Aujourd'hui, Yasmina est absente, Angèle en a fait la constatation,* elle s'en est rendu compte.

Chaque constellation a un nom : la Grande Ourse, la Petite Ourse, la Balance...

constellation n. f.
Groupe d'étoiles qui forment un dessin particulier dans le ciel. *Antoine apprend à reconnaître toutes les constellations dans un grand livre d'astronomie.*

Va voir aussi ***zodiaque.***

Conjugaison 1

Le contraire de *consterner,* c'est *réjouir.*

consterner v.
Causer une très mauvaise surprise. *L'échec d'Alex à son bac, l'année dernière, a consterné sa mère ;* vois **désoler, navrer.**

Cet échec fut *consternant.*

Le contraire de *consternation,* c'est *joie.*

▷ **consternation** n. f. Tristesse, accablement. *La nouvelle de l'échec d'Alex a plongé sa mère dans la consternation ;* vois **désolation.**

Compare : *consterner → consternation* et *désoler → désolation.*

constipé adj.
Qui a du mal à faire ses besoins, à aller aux W.-C. *Antoine a mangé trop de chocolat, il est constipé.*

Maintenant, il faut qu'il mange des pruneaux, c'est laxatif !

▷ **constipation** n. f. Le fait d'avoir du mal à faire ses besoins. *Le chocolat provoque la constipation.*

Le contraire de *constipation,* c'est *colique, diarrhée.*

Conjugaison 1

constituer v.
1. Composer, former. *La table est constituée d'une planche et de quatre pieds.* **2.** Organiser, créer. *Les élèves d'Angèle ont constitué une équipe de football.* **3.** *Le poulain qui vient de naître est bien constitué,* il est bien formé physiquement, il a une bonne constitution.

Ne confonds pas *constituer* et *consister.*

▷ **constituant** adj. et n. m.

Sais-tu quels sont les éléments constituants de l'eau ?

▭ **adj. 1.** Qui compose, qui forme quelque chose. *L'oxygène et l'azote sont des éléments constituants de l'air.* **2.** *Une assemblée constituante,* c'est un groupe de personnes qui se réunissent afin de créer une constitution pour un pays. *Les États généraux prirent le nom d'Assemblée nationale constituante le 9 juillet 1789.*

□ **n. m.** *Les constituants d'une phrase,* ce sont les parties d'une phrase que l'on met en évidence quand on l'analyse. *Le déterminant est un constituant du groupe du nom.*

Le groupe du nom sujet et le groupe du verbe sont les principaux constituants de la phrase.

Compare : *constituer → constitution* et *instituer → institution.*

▸ ***constitution*** n. f. **1.** Manière dont une chose est composée. *Antoine demande à sa mère quelle est la constitution de l'air,* quelle est sa composition, quels en sont les éléments constituants. **2.** Action d'organiser, de créer quelque chose. *Yves a participé à la constitution de l'équipe de football.* **3.** *Le poulain qui vient de naître a déjà une robuste constitution,* il est fort et bien bâti. **4.** *La constitution d'un pays,* c'est l'ensemble des lois qui disent comment il doit être gouverné. *La première constitution écrite de la France date de septembre 1791.*

Les institutions de la Vᵉ République sont fixées par la constitution de 1958.

▸ ***constitutionnel*** adj. Qui concerne la constitution d'un pays. *Cette loi n'est pas constitutionnelle,* elle n'est pas en accord avec la constitution du pays.

Autres membres de la famille : **reconstituer, reconstitution.**

Conjugaison 38

On peut aussi *construire* des voitures, des navires, c'est-à-dire les *fabriquer.*

construire v.

1. Bâtir. *La maison des Prost a été construite il y a deux ans ;* vois ***édifier.*** *On construit beaucoup autour de la ville cette année,* on bâtit beaucoup de maisons. **2.** *Construire une phrase,* c'est mettre les mots dans le bon ordre. *On ne construit pas les phrases de la même façon en français et en anglais.*

Le contraire de *construire,* c'est *démolir, détruire.*

▸ ***constructeur*** n. m., ***constructrice*** n. f. Personne ou groupe de personnes qui construit. *Les grands constructeurs d'automobiles se sont réunis en congrès.*

Compare : *construire → constructif, construction* et *instruire → instructif, instruction.*

▸ ***constructif*** adj. Qui change les choses en mieux, qui ne critique pas sans cesse. *Yasmina fait toujours des remarques très constructives.*

Le contraire de *constructif,* c'est *négatif.*

On peut passer des heures à jouer avec un *jeu de construction !*

▸ ***construction*** n. f. **1.** Action de bâtir, de fabriquer quelque chose. *La construction de la maison des Prost a été achevée il y a deux ans ;* vois ***édification.*** **2.** Maison, immeuble. *Il y a de belles constructions dans le centre de la ville.* **3.** *La construction d'une phrase,* c'est la façon dont les mots sont placés dans la phrase. *Antoine a fait une faute de construction dans sa rédaction.*

Le contraire de *construction,* c'est *démolition, destruction.*

Autre membre de la famille : **reconstruire.**

Consul [kɔ̃syl] rime avec *capsule.*

consul n. m.

Personne qui est chargée, à l'étranger, de défendre les intérêts de ceux qui viennent du même pays que lui. *Le consul de France à Madrid s'occupe des Français qui vivent en Espagne. Le consul d'Espagne à Paris s'occupe des Espagnols qui vivent en France.*

Va voir aussi ***ambassadeur, diplomate.***

Dans l'Antiquité, à Rome, sous la République, le nom de consul était donné aux deux personnes qui gouvernaient l'État romain.

Va voir aussi ***ambassade.***

▸ ***consulat*** n. m. Endroit où travaillent le consul et son personnel. *Avant d'aller à New York, Denis Prost a demandé un visa au consulat des États-Unis à Paris.*

Conjugaison 1

consulter v.

1. Demander un avis, un conseil. *Avant d'adopter Marie-Tévy, Mme Séverac a consulté un avocat. Mme Roussel est très fatiguée, elle devrait consulter un médecin,* aller se faire examiner par un médecin. **2.** *Le docteur Séverac consulte l'après-midi,* il reçoit des malades l'après-midi. **3.** Regarder quelque chose pour y chercher des renseignements. *M. Doucet consulte l'horaire des trains.*

Si tu ne connais pas le sens d'un mot, consulte ton dictionnaire !

▸ ***consultation*** n. f. Le fait de recevoir des malades et de les examiner. *Le docteur Séverac reçoit ses malades en consultation l'après-midi.*

Consultation sur rendez-vous.

Ne confonds pas *consumer* et *consommer.*

se consumer v.

Brûler et devenir de la cendre. *Une cigarette se consumait lentement dans le cendrier.*

Conjugaison 1

Contact [kɔ̃takt] rime avec *pacte.*

contact n. m.

1. Position de choses qui se touchent. *Julie ne supporte pas le contact du nylon,* elle ne supporte pas de le toucher. *Denis Prost a des verres de contact,* des verres qui corrigent la vue et qui se mettent directement sur l'œil. **2.** *Mettre le contact* c'est, dans une voiture, faire passer le courant électrique de la batterie au démarreur, pour que le moteur fonctionne. *Angèle met*

Va voir aussi ***lentille.***

intin a mis le contact et a émarré en trombe.

On met le contact avec la *clef de contact.*

Prendre contact avec quelqu'un, c'est entrer en relation avec lui.

le contact et s'en va. **3.** Relations entre des personnes. *Le docteur Séverac a beaucoup de contacts avec les Africains.*

Conjugaison 1

▸ ***contacter*** v. *Le docteur Séverac a contacté son notaire,* il est entré en relation avec lui ; vois ***joindre, rencontrer, toucher.***

Il vaut mieux dire : *il a pris contact avec son notaire.*

contagion n. f.

Dans *le Temple du Soleil,* le médecin a mis le *Pachacamac* en quarantaine pour éviter la contagion.

Transmission d'une maladie à quelqu'un. *En buvant dans le même verre qu'une personne qui a la grippe, on risque la contagion,* d'attraper sa maladie, d'être contaminé.

▸ ***contagieux*** adj. **1.** Qui se transmet facilement. *La grippe est une maladie contagieuse,* elle s'attrape facilement. **2.** Qui peut communiquer sa maladie. *En allant voir Sylvain, tu risques d'attraper la rougeole car il est encore contagieux.* **3.** Communicatif. *Antoine a eu un fou rire contagieux,* tout le monde s'est mis à rire en le voyant rire.

Conjugaison 1

contaminer v.

Transmettre une maladie. *Sylvain, qui a la rougeole, ne va pas en classe car il risque de contaminer ses camarades. Les déchets rejetés par l'usine ont contaminé la rivière,* ils l'ont polluée.

Et tous les poissons sont morts !

Ne confonds pas *conte, compte* et *comte.*

conte n. m.

Histoire inventée qui raconte les aventures merveilleuses de princesses, de fées, de magiciens, d'ogres ou de lutins. *Le Chat botté, Cendrillon, le Petit Chaperon rouge sont des contes écrits par Perrault.*

Les contes commencent souvent par : « Il était une fois... »

Famille de **conter**

Attention au ***m*** devant le ***p*** !

contempler v.

Regarder attentivement et pendant longtemps. *Claire contemplait ses cadeaux sans rien dire.*

Conjugaison 1

Compare : *contempler → contemplation* et *admirer → admiration.*

▸ ***contemplation*** n. f. Admiration. *Mme Roussel était en contemplation devant le coucher du soleil ;* vois ***extase.***

Compare *con**tempor**ain* et ***tempor**aire* : dans ces mots, il s'agit du **temps.**

contemporain adj.

1. *Jeanne d'Arc était contemporaine de Charles VII,* elle vivait à la même époque que Charles VII. *Jeanne d'Arc et Charles VII étaient contemporains.* **2.** Actuel, moderne. *Mme Hespel aime la musique contemporaine.*

Le contraire, c'est *ancien.*

Prononce [kɔ̃tniʀ].
Conjugaison 22
Famille de **tenir**

contenir v.

1. Avoir en soi, renfermer. *Les fruits contiennent des vitamines. Cette boîte contient des bonbons.* **2.** Avoir une capacité, une contenance. *Cette bouteille contient un litre. Le cinéma contient cinq cents spectateurs.* **3.** Empêcher d'avancer. *Les policiers contenaient la foule.* **4.** *Se contenir,* c'est se retenir, se maîtriser. *Angèle avait envie de se mettre en colère mais elle se contenait.*

« Les bois de la commune ont une étendue de seize hectares. Sachant qu'un are est planté de trois chênes, de deux hêtres et d'un bouleau, combien les bois de la commune contiennent-ils d'arbres de chaque espèce ? » *(les Contes du Chat perché).*

▸ ***contenance*** n. f. **1.** Quantité de ce qu'un récipient peut contenir. *La contenance de ce réservoir est de vingt litres,* on peut mettre vingt litres dedans ; vois ***capacité.*** **2.** Attitude que l'on prend. *Il a perdu contenance quand l'inspecteur lui a demandé ce qu'il faisait à l'heure du crime,* il n'a pas su quoi répondre.

Sa *contenance* est de 20 litres, son *contenu* est de l'essence.

Va voir aussi ***décontenancer.***

▸ ***contenant*** n. m. Ce qui peut contenir quelque chose. *Une boîte, une bouteille, une carafe, un sac, une valise, un tonneau sont des contenants.*

Ne confonds pas *contenant, contenance* et *contenu.*

Ne confonds pas *content* et *comptant.*

content adj.

1. Satisfait. *Sylvain est content de son vélo tout neuf ;* vois ***enchanté, ravi.*** *Marie-Tévy est contente de partir en classe de neige.* **2.** *Être content de quelqu'un,* c'est être satisfait de ce qu'il a fait. *« Je suis contente de vous, vous avez fait beaucoup de progrès », a dit l'institutrice à ses élèves.* **3.** Gai, joyeux. *Antoine avait l'air tout content.*

Le contraire, c'est *mécontent.*

Le vaniteux est toujours *content de lui.*

Ah ! je suis bien content que vous pensiez comme moi *(les Contes du Chat perché)*

Agnan, tout content, est allé s'asseoir au bureau de la maîtresse et le Bouillon est parti *(le Petit Nicolas).*

Conjugaison 1
Le contraire, c'est *mécontenter.*

▸ ***contenter*** v. **1.** Rendre quelqu'un content en lui donnant ce qu'il désire. *M. Bellec, le patron du restaurant, essaie de contenter tous ses clients ;* vois ***satisfaire.*** **2.** *Se contenter de quelque chose,* c'est n'avoir besoin de rien de plus. *Quand il a beaucoup de travail, le docteur Séverac se contente d'un repas par jour.*

Autres membres de la famille **mécontent, mécontentement, mécontenter.**

Le contraire, c'est *mécontentement.*

▸ ***contentement*** n. m. Satisfaction, joie. *Le contentement de Sylvain se lit sur son visage.*

Même famille que **contenir**

contenu n. m.
1. Ce qui est dans une boîte, une bouteille, un sac. *Marie-Tévy se demandait quel était le contenu du gros paquet que son père avait rapporté d'Afrique. Yves a bu le contenu de son verre.* **2.** *Je ne me souviens plus du contenu de ce livre,* de ce qui est écrit dedans, de ce qu'il raconte.

Si tu prends une bouteille de lait de 1 litre : le *contenu,* c'est le lait, le *contenant,* c'est la bouteille et la *contenance,* c'est 1 litre.

Ne confonds pas *conter* et *compter.*

Conjugaison 1

conter v.
1. Raconter. *Mamie Lou nous a conté l'histoire de la Petite Sirène.* **2.** *Antoine dit beaucoup de mensonges, mais sa mère ne s'en laisse pas conter,* elle ne s'y laisse pas tromper.

Autres membres de la famille : **conte, conteur, raconter, racontar.**

Conjugaison 1

Denis Prost est comédien.

contester v.
Refuser d'admettre. *Denis Prost conteste les décisions du metteur en scène,* il n'est pas d'accord avec elles. *Angèle, l'institutrice, n'aime pas que les élèves contestent ce qu'elle dit ;* vois ***discuter.***

Compare *contester, attester, protester :* on fait des **déclarations.**

Compare : *contester → contestable, contestation* et *apprécier → appréciable, appréciation.*

▸ **contestable** adj. Que l'on peut contester ; vois ***discutable.*** *Les décisions du metteur en scène sont parfois contestables. Il n'est pas contestable que Denis Prost a raison de se mettre en colère.*

Le contraire de *contestable,* c'est *incontestable.*

▸ **contestation** n. f. *Il a raison, sans contestation possible,* sans aucun doute. *« Allons, allons, pas de contestation ! », dit l'institutrice ;* vois ***protestation.***

Autre membre de la famille : **incontestable.**

Ne confonds pas *conteur* et *compteur.*

Famille de **conter**

conteur n. m., **conteuse** n. f.
Personne qui dit des contes, raconte des histoires. *Mamie Lou est une excellente conteuse.*

Un *conteur,* c'est aussi celui qui écrit des contes.

Au féminin : *contiguë.* Attention au tréma du *ë* !

contigu adj.
Deux pièces contiguës sont deux pièces situées l'une à côté de l'autre. *La chambre de Julie est contiguë à celle de ses parents. Les deux chambres sont contiguës,* elles se touchent.

continent n. m.
1. Grande étendue de terre comprise entre deux océans, qui constitue une partie du monde, et à laquelle on rattache les îles. *Les cinq continents sont : l'Europe, l'Asie, l'Afrique, l'Amérique et l'Océanie.* **2.** La partie du continent qui est proche d'une île. *Les habitants de la Corse appellent la France « le Continent ».*

On peut considérer l'Antarctique comme un sixième continent.

Compare : *continent → continental* et *occident → occidental.*

▸ **continental** adj. Qui concerne les continents. *Le climat continental,* c'est le climat des régions éloignées de la mer. *Le climat continental est caractérisé par des étés chauds et des hivers longs et froids.*

L'Alsace et la Pologne ont un climat continental.

contingent n. m.
Les soldats du contingent, ce sont les jeunes gens qui font leur service militaire en même temps. *Hippolyte et un des frères d'Angèle étaient du même contingent.*

Dans l'armée, il y a les militaires de carrière et les soldats du contingent.

continu adj.
1. Qui ne s'arrête pas. *Il y a eu une pluie continue toute la journée,* la pluie n'a pas cessé. **2.** *Une ligne continue,* c'est une ligne qui n'est pas interrompue. *Quand il y a une ligne blanche continue au milieu de la route, on n'a pas le droit de la dépasser en doublant.*

Faire la journée continue, c'est s'arrêter peu de temps pour déjeuner afin de terminer plus tôt sa journée de travail.

Le contraire de *continu,* c'est *intermittent.*

Le contraire de *continu,* c'est *discontinu.*

Compare : *continuel → continuellement* et *habituel → habituellement.*

▸ **continuel** adj. Qui ne s'arrête pas ou se répète régulièrement. *Il y a eu des pluies continuelles pendant toutes les vacances,* il a plu presque tout le temps.

▸ **continuellement** adv. Sans arrêt. *Le téléphone sonne continuellement. Mme Hespel se plaint continuellement de ses migraines.*

Attention aux deux *l.*

Conjugaison 1

▸ **continuer** v. **1.** Ne pas arrêter de faire quelque chose. *Quand il aura son bac, Alex continuera ses études. Julie et Yasmina continuaient à parler alors que l'institutrice avait demandé le silence.* **2.** Ne pas s'arrêter. *La fête a continué jusqu'à minuit,* elle s'est prolongée jusqu'à minuit. *Le chemin continue après la ferme,* il va encore plus loin. — *La fête s'est continuée très tard ;* vois *se* ***poursuivre.***

Quand la maîtresse vous dit « vous », c'est qu'elle n'est pas contente ; alors moi, j'ai continué à pleurer *(le Petit Nicolas).*

On peut dire aussi : *elles continuaient de parler.*

Autres membres de la famille : **discontinu,** sans **discontinuer.**

Le mot *contondant* se trouve surtout dans les livres ou dans les journaux.

contondant adj.
Une arme contondante, c'est une arme qui blesse sans couper. *Les malfaiteurs ont assommé le bijoutier avec une arme contondante.*

Un bâton, une matraque sont des armes contondantes.

Famille de **tordre**

contorsion n. f.
Faire des contorsions, c'est se tordre dans tous les sens. *Antoine fait rire toute la classe avec ses contorsions.*

Même famille que ② **tour**

contour n. m.
1. Ligne qui fait le tour de quelque chose. *Marie-Tévy fait le portrait de sa mère ; elle commence par dessiner le contour du visage.* **2.** Détour d'un chemin, d'un cours d'eau ; vois ***lacet, méandre.*** *Les contours du sentier se perdaient dans l'épaisseur de la forêt.*

Le périmètre est le contour d'une figure géométrique.

Conjugaison 1

contourner v.
La route contourne l'aéroport, elle l'évite en en faisant le tour.

Famille de **tourner**

Conjugaison 1

① **contracter** v.
Contracter une assurance, c'est prendre une assurance, signer un contrat d'assurance. *Le docteur Séverac a contracté une assurance-vie.*

Va voir aussi ***contrat.***

Ne confonds pas *contracter* et *contacter.*

② **contracter** v.
1. *Contracter une maladie,* c'est l'attraper. *Sylvain a contracté la rougeole.* **2.** *Contracter une habitude,* prendre une habitude. *Denis Prost a contracté très jeune l'habitude de fumer.*

Conjugaison 1

Conjugaison 1

Quand un muscle se contracte, il raccourcit.

③ **contracter** v.
Contracter ses muscles, c'est les raidir, les tendre. *L'haltérophile contracte ses muscles. — Ses muscles se contractent.*
▸ ***contracté*** adj. Qui est tendu. *Les muscles de l'haltérophile sont contractés. Mme Hespel a la migraine, son visage est contracté par la douleur.*
▸ ***contraction*** n. f. Le fait de se contracter. *On voit à la contraction de son visage que Mme Hespel souffre.*

Compare *contraction, traction, extraction* : il est question de **tirer.**

Quand on plie le bras, le biceps est contracté.

Autres membres de la famille : se **décontracter, décontracté, décontraction.**

À Paris, on les surnomme les *pervenches* parce qu'elles ont un uniforme bleu pervenche.

contractuelle n. f.
Femme chargée par la police de mettre des contraventions aux automobilistes en stationnement interdit. *La contractuelle a mis une contravention à M. Doucet qui était garé en double file.*

Compare *contradiction, malédiction, prédiction* : on **dit** quelque chose.

contradiction n. f.
1. Le fait de dire le contraire de ce qui a été dit. *M. Bellec n'aime pas la contradiction,* il n'aime pas qu'on le contredise. *Yves a l'esprit de contradiction,* il prend plaisir à dire le contraire de ce qui a été dit. **2.** Opposition entre deux choses que l'on affirme en même temps. *Il y a contradiction entre « Julie part en vacances » et « Julie ne part pas en vacances »,* il y a opposition entre les deux affirmations.
▸ ***contradictoire*** adj. *Deux choses contradictoires,* ce sont deux choses qui se contredisent, s'opposent. *C'est contradictoire d'aimer les animaux et de les faire souffrir.*

Va voir aussi ***contredire.***

Les deux choses sont *en contradiction.*

Conjugaison 52

Compare : *contraindre → contrainte* et *craindre → crainte.*

contraindre v.
Obliger. *Ses crises d'asthme contraignent Sylvain à faire une cure tous les ans. Sylvain est contraint de faire une cure tous les ans.*
▸ ***contrainte*** n. f. **1.** *Le bijoutier a dû donner la caisse aux bandits sous la contrainte,* en y étant forcé, obligé. **2.** Chose que l'on est obligé de faire ; vois ***devoir, obligation.*** *Surveiller les récréations est une des contraintes du métier d'Angèle.*

Angèle est institutrice.

Les pirates de l'air ont contrain le pilote à changer de cap.

Parler sans contrainte, c'est parler librement.

Famille de **contre**

contraire adj. et n. m.
▭ **adj.** Opposé. *« Oui » et « non » sont des mots de sens contraire. Mme Harpie et sa sœur ont des avis contraires sur l'éducation des enfants. Se coucher tôt est contraire aux habitudes de Denis Prost.*
▭ **n. m. 1.** *Le contraire d'une chose,* c'est ce qui lui est opposé. *Mme Harpie est tout le contraire de sa sœur, Mme Roussel. Mme Harpie est odieuse ; au contraire, sa sœur est très aimable.* **2.** Mot de sens opposé. *« Oui » est le contraire de « non ».*
▸ ***contrairement*** adv. D'une manière contraire. *Contrairement à sa sœur, Mme Roussel est jolie. Contrairement à ce qu'on pourrait penser, Antoine est bon élève.*

Le contraire de *contraire,* c'est *semblable, pareil, même*

Moi, c'est le contraire, a dit Eudes. J'ai un grand frère et c'est lui le chouchou *(le Petit Nicolas).*

Tu t'es fait mal, pauvre Paul Non, au contraire, puisqu'er tombant j'ai fait finir notre que relle *(les Malheurs de Sophie)*

Conjugaison 7
Famille de **contre**

contrarier v.

1. S'opposer à quelque chose, empêcher la réalisation d'une chose. *La tempête a contrarié les projets de Loïc.* **2.** Mécontenter quelqu'un en s'opposant à lui. *Mme Harpie contrarie souvent sa sœur.* **3.** Rendre mécontent, inquiet. *Ça me contrarie d'avoir perdu mes lunettes, dit Mamie Lou.*

Tu n'es pas gentil, a dit maman à papa, pourquoi contrarier le petit ? *(le Petit Nicolas).*

Claire ! où les as-tu cachées ?

▸ ***contrariant*** adj. Qui empêche de faire ce que l'on voulait ; vois ***fâcheux, gênant.*** *Ce retard est vraiment contrariant.*

▸ ***contrarié*** adj. Mécontent. *Mamie Lou est contrariée de ne pas trouver ses lunettes.*

Compare : *contrarier → contrariété* et *varier → variété.*

▸ ***contrariété*** n. f. Mécontentement causé par quelque chose ou quelqu'un qui contrarie. *Cela a été une contrariété pour Yves de ne pas aller en mer. Toutes ces contrariétés ont mis Mme Séverac de mauvaise humeur ;* vois ***ennui.***

Le contraire de *contrariété,* c'est *satisfaction.*

Famille de **contre**

contraste n. m.

1. Opposition qui fait ressortir les différences. *Quel contraste entre Mme Harpie et sa sœur ! La méchanceté de Mme Harpie fait un contraste saisissant avec la gentillesse de sa sœur.* **2.** *Le contraste d'une image de télévision,* c'est la différence de lumière entre les parties claires et les parties sombres. *Denis Prost règle le contraste.*

Ne confonds pas *contraste* et *contraire.*

Conjugaison 1

▸ ***contraster*** v. S'opposer de façon frappante. *La méchanceté de Mme Harpie contraste avec la gentillesse de sa sœur.*

contrat n. m.

Accord entre plusieurs personnes fixant les droits et les devoirs de chacun. *Le docteur Séverac a signé un nouveau contrat d'assurance.*

Un contrat d'assurance est un accord entre l'assureur et l'assuré.

Va voir aussi ① *contracter.*

contravention n. f.

Amende. *M. Bellec a eu une contravention pour excès de vitesse ;* vois ***procès-verbal.***

contre préposition, adv. et n. m.

▭ **préposition 1.** *Angèle a poussé son lit contre le mur,* tout près du mur. *Claire se serre contre sa mère,* tout près d'elle. **2.** *Contre* indique l'idée d'opposition. *Angèle est en colère contre Yves. Nathalie nage contre le courant.* **3.** *Contre* indique l'idée d'échange. *Yves a donné à Antoine un Astérix contre un Tintin.*

Alceste et moi on est allés se mettre contre la vitrine de l'horloger *(le Petit Nicolas).*

▭ **adv.** *On fait une farce à Angèle ? Je suis contre, dit Marie-Tévy,* je ne suis pas d'accord. *Mme Harpie est odieuse, par contre sa sœur est charmante,* en revanche, au contraire.

Colle et Rat étaient pour !

▭ **n. m.** *Avant d'accepter un rôle, Denis Prost pèse le pour et le contre,* les avantages et les inconvénients.

Denis Prost est comédien.

Autres membres de la famille : **contraire, contrairement, contrarier, contrariant, contrariété, contraste, contrer, à l'encontre, malencontreux, rencontrer, rencontre.**

Au pluriel : *des contre-allées.*

contre-allée n. f.

Allée qui longe une avenue. *À Paris, Denis Prost a garé sa voiture dans la contre-allée de l'avenue Foch.*

Famille de ① **aller**

N'oublie pas le trait d'union entre *contre* et *attaque.*

contre-attaque n. f.

Attaque lancée alors qu'on est attaqué, ou que l'on vient d'être attaqué. *Les Indiens sont passés à la contre-attaque et ont battu les cow-boys.*

Famille de **attaquer**
Au pluriel : *des contre-attaques.*

Conjugaison 1

▸ ***contre-attaquer*** v. Faire une contre-attaque. *Les Indiens ont contre-attaqué.*

Conjugaison 3

contrebalancer v.

Compenser, équilibrer. *Les avantages contrebalancent les inconvénients.*

Famille de **balance**

contrebande n. f.

La contrebande, c'est le fait de passer en fraude des marchandises d'un pays dans un autre sans payer les droits de douane. *Ces malfaiteurs vivent de la contrebande d'alcool et de cigarettes.*

Ils *font de la contrebande.*

« Ah ! Ah ! Tintin... Comme on se retrouve !... Trafic de cocaïne, contrebande d'armes, rébellion contre l'autorité... Votre affaire est claire, mon gaillard ! » *(les Cigares du Pharaon).*

▸ ***contrebandier*** n. m., ***contrebandière*** n. f. Personne qui fait de la contrebande. *Les douaniers ont arrêté des contrebandiers dans la montagne.*

Contrebas s'écrit en un seul mot.

en **contrebas** adv.
La route passe en contrebas, plus bas, en dessous. *De la ferme, on voit la Dordogne en contrebas.*

Famille de ① **bas**

Famille de ① **bas**

On joue de la contrebasse avec ou sans archet.

contrebasse n. f.
Grand instrument de musique à cordes qui ressemble à un gros violon et qui donne des sons très graves. *La contrebasse a quatre cordes.*

Celui qui joue de la contrebasse est un *contrebassiste* ou un *bassiste.*

Attention aux deux ***r*** ! Conjugaison 1

contrecarrer v.
Contrecarrer les plans de quelqu'un, c'est s'y opposer, y faire obstacle ; vois ***contrarier.*** *La tempête a contrecarré les plans de Loïc.*

Le contraire de *contrecarrer,* c'est *favoriser.*

Contrecœur s'écrit en un seul mot.

Famille de **cœur**

à **contrecœur** adv.
Faire une chose à contrecœur, c'est la faire en se forçant, de mauvaise grâce. *Yasmina prête ses livres à contrecœur.*

Le contraire d'*à contrecœur,* c'est *de bon cœur, volontiers.*

Contrecoup s'écrit en un seul mot.

contrecoup n. m.
Événement, qui se produit en réaction à un autre. *La biscuiterie subit actuellement les contrecoups de la crise.*

Famille de **coup**

Contredire s'écrit en un seul mot.

Va voir aussi ***contradiction, contre-pied.***

Famille de **dire**

contredire v.
1. *Contredire quelqu'un,* c'est dire le contraire de ce qu'il dit. *Alex n'arrête pas de contredire sa mère.* **2.** *Se contredire,* c'est dire le contraire de ce que l'on avait dit d'abord. *Le témoin du vol de la bijouterie s'est contredit à plusieurs reprises.* **3.** *Ce beau soleil contredit les prévisions de la météo,* il va à l'encontre des prévisions de la météo.

Conjugaison 37 ▭ *Contredire* se conjugue comme *dire,* sauf à la deuxième personne de l'indicatif présent : *vous contredisez* et à l'impératif : *contredisez !*

Quand on parle, on dit plutôt *région.*

contrée n. f.
Pays, région. *Yves rêve de découvrir des contrées lointaines.*

Contrefaçon s'écrit en un seul mot. Attention à la cédille du ***ç*** !

Famille de **façon**

contrefaçon n. f.
1. *La contrefaçon d'une chose,* c'est son imitation faite pour tromper les gens ; vois ***copie, plagiat.*** *La contrefaçon des billets de banque est un délit.* **2.** Objet imité. *Méfiez-vous des contrefaçons !*

Quand on *contrefait* une chose, c'est une *contrefaçon.*

Conjugaison 60
Famille de **faire**

contrefaire v.
1. Imiter une chose pour faire croire qu'elle est vraie. *Le faussaire contrefaisait la signature d'un peintre célèbre.* **2.** *Antoine sait à merveille contrefaire sa voix,* la changer, la transformer ; vois ***déguiser.***

Va voir aussi ***contrefaçon.***

Il peut ainsi faire des farces au téléphone à tous ses amis.

Au féminin : *contrefaite.*

▸ ***contrefait*** adj. *Quelqu'un de contrefait,* c'est quelqu'un dont le corps n'a pas une forme normale ; vois ***difforme.*** *La fée Carabosse est contrefaite.*

On trouve ce mot surtout dans les livres.

Il y a un trait d'union entre *contre* et *jour.*

à **contre-jour** adv.
Éclairé par derrière. *Les barques se détachaient à contre-jour sur l'eau, éclairées par le soleil couchant.*

Famille de **jour**

Famille de **maître**

contremaître n. m., **contremaîtresse** n. f.
Personne qui dirige le travail d'une équipe d'ouvriers. *Le père de Mme Roussel était contremaître dans une imprimerie.*

Famille de **part,** comme ***partie.***

en **contrepartie** adv.
En échange de ce que l'on donne, du service que l'on rend. *Les Prost logent une jeune fille, qui, en contrepartie, garde leur fils Martin dans la journée.*

Il y a un trait d'union dans *contre-pied.*

Famille de ① **pied**

contre-pied n. m.
Prendre le contre-pied de quelque chose, c'est faire ou dire le contraire de cette chose, pour s'opposer. *Alex exaspère son grand-père en prenant le contre-pied de tout ce qu'il dit.*

En sport, *être à contre-pied,* c'est être sur le mauvais pied pour rattraper le ballon.

N'oublie pas le trait d'union entre *contre* et *plaqué.*

contre-plaqué n. m.
Bois formé de plaques minces collées. *Sylvain a utilisé du contre-plaqué pour faire une maquette d'avion.*

Famille de **plaquer**

Contrepoids s'écrit en un seul mot.

Famille de **poids**

contrepoids n. m.
Poids qui fait équilibre à un autre poids. *Le contrepoids d'un ascenseur descend quand l'ascenseur monte.*

Pense au ***s*** final.

Famille de **poison**

contrepoison n. m.
Produit qui agit contre un poison ; vois ***antidote.*** *Il n'y a pas de contrepoisons naturels contre les champignons vénéneux.*

Va voir ***empoisonner.***

Conjugaison 1

contrer v.
Notre équipe de football a réussi à contrer l'attaque de l'équipe adverse, à s'y opposer victorieusement.

Famille de **contre**

Contresens [kɔ̃tʀəsɑ̃s] rime avec *essence* et *puissance.*

contresens n. m.
Faire un contresens sur un mot, c'est se tromper sur le sens de ce mot, l'interpréter de travers. *Nathalie a fait trois contresens dans sa version anglaise.*

Famille de ② **sens**

Famille de ① **sens**

à **contresens** adv.
Dans une direction contraire à la direction normale. *La voiture a pris la mauvaise voie, elle roule à contresens.*

La voie est en sens interdit.

Famille de ① **temps**

À contretemps signifie au mauvais moment.

contretemps n. m.
Événement inattendu qui retarde, complique ce que l'on voulait faire. *Une série de contretemps a retardé la sortie du dernier film de Denis Prost.*

Denis Prost est comédien.

Conjugaison 1 ; n'oublie pas le ***e*** au futur : *je contribuerai.*

contribuer v.
Contribuer à quelque chose, c'est aider à réaliser cette chose. *Sophie Pelletier a contribué à la rédaction d'un dictionnaire destiné aux enfants ;* vois ***coopérer.*** *Les enfants ont fait un cadeau à leur institutrice, chacun d'eux y a contribué,* y a participé.

Compare : *contribuer → contribuable* et *compter → comptable.*

▸ ***contribuable*** n. Personne qui paye des impôts. *Les contribuables remplissent leur feuille d'impôts chaque année.*

▸ ***contribution*** n. f. Part que l'on prend à la réalisation d'une chose ; vois ***aide, concours, participation.*** *Le docteur Séverac a apporté une importante contribution à l'étude de la nutrition des enfants africains.*

Les *contributions,* ce sont les impôts.

N'oublie pas l'accent circonflexe du ***ô.***

contrôle n. m.
1. Examen, vérification. *Les douaniers sont chargés du contrôle des passeports et des bagages des voyageurs.* **2.** *M. Bellec a perdu le contrôle de sa voiture en passant sur une plaque de verglas,* il a quitté la route, dérapé.

De la tour de contrôle, les aiguilleurs du ciel donnent des instructions aux pilotes.

Perdre le contrôle de soi-même, c'est ne plus pouvoir se maîtriser.

▸ ***contrôler*** v. **1.** Faire un contrôle ; vois ***inspecter, vérifier.*** *Dans le train, on a contrôlé deux fois les billets. L'oculiste a contrôlé la vue d'Antoine ;* vois ***tester.*** **2.** *M. Bellec a parfois du mal à se contrôler,* à rester maître de lui. **3.** *Les Indiens contrôlaient la plaine,* ils en étaient les maîtres.

Conjugaison 1

Il se met facilement en colère.

▸ ***contrôleur*** n. m., ***contrôleuse*** n. f. Personne dont le métier est de faire des contrôles. *Dans le train, le contrôleur demande aux voyageurs leur billet.*

On peut aussi écrire *contre-ordre.*

contrordre n. m.
Ordre qui ordonne le contraire d'un ordre déjà donné. *Partez demain, sauf contrordre. Il y a contrordre, vous ne partez pas.*

Famille de ② **ordre**

Deux ***o*** dans *contr**o**verse :* [kɔ̃tʀɔvɛʀs].

controverse n. f.
Discussion qui oppose ceux qui y participent. *L'existence de soucoupes volantes a provoqué une vive controverse parmi les élèves d'Angèle.*

contusion n. f.
Blessure faite par un choc, sans déchirure de la peau ; vois ***bleu, bosse, meurtrissure.*** *Julie est tombée de la balançoire, elle souffre de légères contusions.*

On t'avait bien dit : « Pas si haut, Julie ! »

Conjugaison 42 ▭ Indic. présent : *je convaincs, nous convainquons.*

convaincre v.
Convaincre quelqu'un, c'est le persuader, l'amener à croire qu'une chose est vraie ou nécessaire. *L'accusé n'a pas convaincu le juge de son innocence. — J'en suis convaincu,* j'en suis certain.

Va voir aussi ***conviction.***

Attention au ***s*** devant le ***c*** : *convale**sc**ent.*

convalescent adj.
Une personne convalescente, c'est une personne qui vient d'être malade et qui va mieux, tout en étant encore faible. *Julie est encore convalescente, elle se fatigue vite.*

Compare : *convalescent → convalescence* et *adolescent → adolescence.*

▸ ***convalescence*** n. f. Temps de repos après une maladie. *Pendant sa convalescence, Julie a lu tous les albums de Tintin.*

Trois ***c*** dans *convalescence* : [kɔ̃valesɑ̃s].

Conjugaison 22 ▭ Indic. présent : *je conviens, nous convenons.* Imparfait : *je convenais.* Futur : *je conviendrai.* — Subj. présent : *que je convienne.*

convenir v.

1. Reconnaître, admettre. *Antoine a convenu de son erreur. Il a eu tort et il en a convenu.* **2.** Se mettre d'accord pour faire quelque chose. *Sylvain et Nathalie ont convenu de s'écrire chaque semaine.* **3.** Être approprié, aller bien. *Le judo est un sport qui convient à Yves,* qui lui plaît. **4.** *Il convient de remercier la maîtresse de maison en partant,* il le faut.

Ils sont très amoureux l'un de l'autre.

▸ **convenable** adj. **1.** Qui convient, qui va bien ; vois ***approprié.*** *Je n'ai pas les outils convenables pour faire ce travail.* **2.** Assez bon, suffisant. *Le salaire de M. Touati est à peine convenable ;* vois ***acceptable, correct.*** **3.** Conforme aux règles de la politesse. *La tenue de Colle et Rat n'est pas toujours convenable.*

Le contraire de *convenable,* c'est *incorrect, inconvenant.*

▸ **convenablement** adv. Correctement. *Claire se tient convenablement à table,* comme il faut ; vois ***proprement.***

Compare : *convenir → convenance* et *provenir → provenance.*

▸ **convenance** n. f. **1.** *Les enfants se sont assis à leur convenance,* selon leur goût, à la place qui leur plaisait le mieux. **2.** *Les convenances,* ce qui est en accord avec les usages. *Autrefois, les petites filles faisaient la révérence pour respecter les convenances.*

Autres membres de la famille : **inconvenant, inconvénient.**

Va voir aussi **convention.**

Convention [kɔ̃vɑ̃sjɔ̃] rime avec *pension.*

convention n. f.

1. Accord entre plusieurs personnes sur un sujet précis. *Les deux pays ont signé une convention commerciale ;* vois ***entente.*** **2.** *Les conventions,* ce sont les règles qu'il est d'usage de respecter. *Mme Séverac est très attachée aux conventions sociales.*

Va voir aussi **convenance.**

Elle a des idées *conventionnelles.*

Conjugaison 3

converger v.

1. Aller vers le même point. *Plusieurs routes convergent à Motbourg,* elles se rencontrent à Motbourg. **2.** Aboutir au même résultat. *Les idées de Mme Séverac et du maire convergeaient : il fallait construire un nouveau gymnase dans la ville.*

Le contraire de *converger,* c'est *diverger.*

Ils avaient des idées *convergentes.*

Conjugaison 1

converser v.

Parler avec quelqu'un. *Hippolyte et Mme Harpie ont conversé un long moment ;* vois ***bavarder.***

Papa n'aime pas faire la conversation avec M. Lanterneau *(le Petit Nicolas).*

▸ **conversation** n. f. Échange de paroles entre des personnes. *Dans le train, Antoine a engagé la conversation avec sa voisine ;* vois ***dialogue.*** *Dans le cours de la conversation, Antoine a réussi à faire croire que son père était ministre.*

La *conversation* peut n'avoir aucun but précis, à la différence de l'*entretien,* de la *discussion.*

Conversion [kɔ̃vɛʀsjɔ̃] rime avec *attention.*

conversion n. f.

1. Le fait de changer de religion. *La conversion de Clovis au christianisme eut lieu à Reims en 496.* **2.** Le fait de transformer un poids ou une mesure en d'autres unités. *Angèle, l'institutrice, a fait faire la conversion de 1,5 m en centimètres et de 3,8 kg en grammes.*

Va voir aussi **convertir.**

1,5 m, c'est 150 cm ; 3,8 kg, c'est 3 800 g.

Compare *conversion, diversion, inversion* et *réversible :* il y a quelque chose qui **change.**

Conjugaison 2

convertir v.

1. *Convertir quelqu'un,* c'est l'amener à adopter une religion ou à changer de religion. *Saint Rémi a converti Clovis au christianisme. — Henri IV s'est converti au catholicisme,* il est devenu catholique. **2.** Transformer. *Angèle apprend à ses élèves à convertir les heures en secondes.*

Va voir aussi **conversion.**

1 heure, c'est 60 minutes ; 1 minute, c'est 60 secondes.

Compare *convertir* et *intervertir :* on **change.**

Autre membre de la famille : **reconvertir.**

Prononce [kɔ̃vɛks].

convexe adj.

Arrondi en dehors, vers l'extérieur ; vois ***bombé.*** *On se voit déformé dans un miroir convexe.*

Le contraire de *convexe,* c'est *concave.*

conviction n. f.

1. Certitude. *Mme Séverac a la conviction que son mari n'a pas voté pour elle,* elle en est convaincue. **2.** *Avec conviction,* avec sérieux. *Antoine ment avec tellement de conviction qu'on le croit toujours.* **3.** *Les convictions de quelqu'un,* ce sont ses opinions. *Le docteur Séverac ne partage pas les convictions politiques de sa femme.*

Galilée avait la conviction que la Terre tournait.

Une *pièce à conviction* est un objet qui sert de preuve contre un coupable.

Conjugaison 7

convier v.

Inviter. *Vous êtes aimablement convié à la soirée du gala des artistes. Mme Séverac a convié le maire de Motbourg et sa femme à dîner.*

C'est un mot que l'on écrit sur les cartes d'invitation.

convive n. m. et f.
Personne invitée à un repas. *Le maire et sa femme étaient au nombre des convives ;* vois ***invité.***

Compare : *convoquer* → *convocation* et *évoquer* → *évocation.*

convocation n. f.
Papier officiel par lequel on demande à quelqu'un de venir. *Alex a reçu sa convocation au baccalauréat. Le secrétaire a envoyé toutes les convocations pour la prochaine réunion du conseil municipal.*

Famille de **convoquer**

Un *convoi funèbre,* c'est l'ensemble des personnes qui suivent un cercueil.

convoi n. m.
Groupe de véhicules, de personnes qui font route ensemble. *Un convoi militaire a traversé la ville.*

Conjugaison 1
Prononce [kɔ̃vwate].

convoiter v.
Désirer. *Mme Hespel convoite le poste de directeur.*
▷ ***convoitise*** n. f. Désir intense de posséder quelque chose ; vois ***avidité.*** *En sortant de l'école, les enfants regardent la vitrine du marchand de vélos avec convoitise.*

Compare : *convoiter* → *convoitise* et *hanter* → *hantise.*

Conjugaison 1

convoquer v.
Faire venir. *Alex est convoqué à huit heures pour les premières épreuves du bac.*

Autre membre de la famille : **convocation.**

La fièvre peut provoquer des convulsions.

convulsion n. f.
Contraction violente et involontaire des muscles. *Le malade a été pris de convulsions.*

Conjugaison 6
Prononce les deux *o* : [kɔɔpeʀe].

coopérer v.
Travailler avec quelqu'un à la même chose ; vois ***collaborer.*** *Sophie Pelletier a coopéré à un dictionnaire pour enfants. Angèle et les autres instituteurs ont coopéré au succès de la fête de l'école.*

Famille de **opérer**

Il y a des ingénieurs, des médecins, des enseignants, des techniciens.

▷ ***coopérant*** n. m. Spécialiste qui travaille dans un pays en voie de développement. *Le docteur Séverac a fait son service militaire comme coopérant à l'hôpital de Lomé.*
▷ ***coopération*** n. f. **1.** Participation. *La coopération d'Angèle à la fête de l'école a été appréciée.* **2.** Aide qu'apporte un pays industrialisé à un pays en voie de développement. *Le docteur Séverac a fait son service militaire dans la coopération.*

Angèle est institutrice.

Compare : *coopérer* → *coopération, coopératif* et *affirmer* → *affirmation, affirmatif.*

▷ ***coopératif*** adj. Qui apporte son aide. *Nathalie s'est montrée très coopérative, elle a aidé sa mère à préparer le dîner.*
▷ ***coopérative*** n. f. Association de personnes unies pour vendre, acheter ou produire. *Pierre Séverac vend le lait de ses vaches à une coopérative laitière.*

On peut ou non prononcer le deuxième *o* : [kɔɔpeʀativ] ou [kɔpeʀativ].

Compare *coordination* et *subordination :* il est question d'**ordre.**

coordination n. f.
1. Organisation de plusieurs choses pour atteindre un but. *Il y a un manque de coordination entre l'école et la mairie : les parents ont reçu deux lettres semblables au sujet de la cantine.* **2.** *Conjonction de coordination ;* vois ***conjonction.***

Attention aux deux *n* !
Prononce les deux *o* : [kɔɔʀdɔne].

coordonner v.
Organiser pour faire marcher ensemble ; vois ***harmoniser.*** *Les sauveteurs ont coordonné leurs efforts pour sortir les blessés des décombres.*

Conjugaison 1
Famille de ① **ordonner**

Ce mot est familier.

copain n. m., **copine** n. f.
Camarade. *Julie et Antoine ont une bande de copains.*

copeau n. m.
Déchet, en forme de ruban, que l'on obtient en égalisant une pièce de bois ou de métal. *Quand le menuisier se sert de son rabot, il laisse tomber des copeaux.*

copie n. f.
1. Feuille volante sur laquelle les élèves font leurs devoirs. *Nathalie et David utilisent des copies à grands carreaux. Le professeur corrige les copies,* les

devoirs faits sur des feuilles volantes. **2.** Ce qui est copié, reproduit ; vois ***reproduction.*** *Mme Hespel a gardé une copie de la lettre. Le musée expose des copies de statues grecques ;* vois ***réplique.***

Avant l'invention de l'imprimerie, des *copistes* recopiaient les livres à la main.

Conjugaison 7 ▭ Indic. présent : *nous copions.* Imparfait : *nous copiions.*

▸ ***copier*** v. **1.** Reproduire. *Sylvain copie sur un cahier des passages de ses livres préférés ;* vois ***recopier.*** **2.** *Colle et Rat ont copié sur Yasmina,* ils ont écrit la même chose qu'elle.

Autres membres de la famille : **photocopie, photocopier, photocopieur, recopier.**

Au féminin : *copieuse.*

copieux adj.
Abondant. *Le menu est très copieux.*

Famille de **pilote**

copilote n. m. et f.
Second pilote d'un avion qui peut remplacer le pilote. *Le copilote est assis à côté du pilote.*

copropriété n. f.
L'immeuble où habite Mme Hespel est en copropriété, il appartient à plusieurs propriétaires.

Même famille que **propriété**

Compare : *copropriété → copropriétaire* et *propriété → propriétaire.*

▸ ***copropriétaire*** n. m. et f. *Mme Hespel est allée à la réunion des copropriétaires de son immeuble,* de toutes les personnes qui possèdent un appartement dans cet immeuble.

coq n. m.
Mâle de la poule. *Les coqs et les poules picorent des grains dans la basse-cour. Le coq chante : cocorico ! Aujourd'hui, M. Bellec, le patron du restaurant, sert du coq au vin.*

Les combats de coqs sont très appréciés en Amérique du Sud.

Autre membre de la famille : ① **cocotte.**

Ne confonds pas *coque* et *coq.*

coque n. f.
1. Enveloppe rigide qui protège certains fruits ; vois ***coquille.*** *La noix est dans une coque.* **2.** *Un œuf à la coque,* c'est un œuf cuit avec sa coquille dans l'eau bouillante sans qu'il soit dur. *Julie a mangé deux œufs à la coque.* **3.** *La coque d'un bateau,* c'est la partie d'un bateau formée du fond et des côtés et sur laquelle on construit le pont et on installe les mâts. *Loïc a repeint la coque de son bateau.* **4.** Petit coquillage arrondi dont la coquille est en deux parties et qui vit dans le sable des plages. *Le poissonnier vend des coques bien fraîches.*

On laisse cuire l'œuf trois à quatre minutes.

C'est amusant de ramasser des coques sur la plage à marée basse.

Autre membre de la famille : **coquetier.**

coquelicot n. m.
Petite fleur rouge vif qui pousse dans les champs en été. *Claire et Nathalie ont ramassé des coquelicots et des bleuets. Antoine est devenu rouge comme un coquelicot,* très rouge.

Prononce [kɔkliko].

Gentil coquelicot
Mesdames
Gentil coquelicot
Nouveau (chanson).

coqueluche n. f.
Maladie contagieuse qui fait tousser. *Le docteur Séverac a vacciné Martin contre la coqueluche.*

La coqueluche donne des quintes de toux qui ressemblent au chant du coq.

Prononce [kɔklyʃ].

Au féminin : *coquette.*

coquet adj.
Qui veut plaire par sa façon de s'habiller, son élégance. *Hippolyte est très coquet.*

Deux *t* à *coquetterie.*

▸ ***coquetterie*** n. f. Désir de plaire, en étant élégant et soigné. *La coquetterie d'Hippolyte amuse Angèle.*

Prononce [kɔkɛtʀi].

Prononce [kɔktje].

coquetier n. m.
Petite coupe dans laquelle on met un œuf à la coque pour le manger. *Julie a un coquetier en argent.*

Famille de **coque**

coquille n. f.
1. Enveloppe dure qui recouvre le corps de certains animaux ; vois ***carapace, coquillage.*** *La moule ouvre et ferme sa coquille.* **2.** Enveloppe de l'œuf des oiseaux. *Pour sortir de l'œuf, le poussin brise sa coquille.* **3.** Enveloppe dure de certains fruits ; vois ***coque.*** *Julie veut casser des noisettes avec ses dents, mais la coquille est trop dure.*

Grâce aux coquilles à l'état de fossiles, les géologues peuvent dater de nombreux terrains.

▸ ***coquillage*** n. m. **1.** Animal le plus souvent marin, dont le corps est protégé par une coquille. *Yves ramasse des coquillages dans les rochers. Les coquillages doivent être mangés très frais.* **2.** La coquille vide. *Yves collectionne les coquillages.*

Les praires, les palourdes, les moules, les huîtres, les bigorneaux, les couteaux sont des coquillages.

Va voir aussi ***mollusque.***

On peut faire des colliers de coquillages.

Autrefois, *coquin* voulait dire « bandit, canaille, fripouille ».

coquin n. m., **coquine** n. f.
Personne malicieuse et taquine. *Claire est une coquine : elle a caché les lunettes de Mamie Lou.* — adj. *Claire est très coquine ;* vois ***espiègle, malicieux, polisson.***

Ne confonds pas *cor* et *corps.*

① **cor** n. m.
Instrument de musique composé d'une embouchure dans laquelle on souffle et d'un long tube en métal enroulé sur lui-même, terminé par une partie évasée. *Le jour de la Saint-Hubert, les chasseurs avaient organisé un concert de cors de chasse.*

Roland, le neveu de Charlemagne, sonnait du cor à Roncevaux.

Autrefois, les cors étaient en corne, en ivoire.

Ne confonds pas *cor* et *corps.*

② **cor** n. m.
Petite boule de peau dure qui s'est formée sur un doigt de pied. *Hippolyte souffre d'un cor au pied.*

Peut-être met-il des chaussures trop étroites ?

Au pluriel : *des coraux.*

Il y a de nombreuses îles de corail dans l'océan Pacifique.

corail n. m.
1. Petit animal recouvert de calcaire, qui vit dans les mers chaudes en colonies, formant des rochers. *Les coraux ressemblent à des arbres de pierre.* **2.** La matière calcaire qui recouvre ces animaux et dont on fait des bijoux. *Mme Séverac portait un joli collier de corail rouge.*

Va voir aussi ***atoll.***

Le corail utilisé par les bijoutiers est blanc ou rouge.

Le corbeau peut causer de gros dégâts dans les champs.

corbeau n. m.
Oiseau à plumage noir ou gris, au grand bec courbe. *Les corbeaux croassent.*

Dans une *corbeille à pain,* on met du pain. Dans une *corbeille à papier,* on jette les papiers.

corbeille n. f.
1. Panier léger. *Nathalie apporte la corbeille de fruits sur la table.* **2.** Balcon situé au-dessus de l'orchestre, au théâtre. *M. et Mme Séverac avaient loué deux places en corbeille.*

Corbillard s'écrit avec un ***d*** à la fin.

corbillard n. m.
Voiture qui sert à transporter les morts jusqu'au cimetière. *La famille et les amis suivaient le corbillard.*

corde n. f.
1. Ensemble de fils tordus ensemble, plus épais qu'une ficelle. *On avait ligoté le prisonnier sur une chaise avec une corde. Marie-Tévy aime bien sauter à la corde.* **2.** Fil très solide. *Une corde relie les deux extrémités de l'arc. La balle de tennis rebondit sur les cordes de la raquette. Les funambules font des acrobaties sur une corde raide.* **3.** Sur certains instruments de musique, fil de métal ou de boyau qui sert à produire des sons. *Yves tend une des cordes de sa guitare.* **4.** *Les cordes vocales,* ce sont des membranes situées dans la gorge. *Les cordes vocales vibrent quand on parle.*

La mandoline, le violon, le piano, la harpe sont des *instruments à cordes.*

Compare : *corde → cordage* et *plume → plumage.*

▸ **cordage** n. m. Grosse corde servant à la manœuvre des bateaux, des machines. *Les corsaires se suspendaient aux cordages et s'élançaient à l'abordage du bateau ennemi.*

Cordage s'emploie surtout au pluriel.

▸ **cordée** n. f. Groupe d'alpinistes reliés les uns aux autres par une corde pour faire une ascension. *On apercevait deux cordées sur le flanc de la montagne.*

Le *premier de cordée* conduit la cordée.

Compare : *corde → cordelette* et *tarte → tartelette.*

▸ **cordelette** n. f. Corde fine. *Le braconnier utilisait de la cordelette pour faire des collets.*

Autres membres de la famille : **cordon,** s'**encorder.**

Compare *cor**d**ial, ac**cord*** et *con**corde** :* dans ces trois mots, il s'agit d'**entente.**

cordial adj.
Qui vient du cœur ; vois ***accueillant, affectueux, bienveillant.*** *Alex a trouvé l'accueil des Québécois très cordial. Les Bellec sont des gens cordiaux ;* vois ***chaleureux.***

Le contraire de *cordial,* c'est *froid, hostile.*

▸ **cordialement** adv. D'une façon sympathique, chaleureuse. *Les Québécois ont accueilli Alex cordialement.*

Compare : *cordial → cordialité* et *égal → égalité.*

▸ **cordialité** n. f. Attitude d'une personne cordiale. *Alex a été accueilli avec cordialité ;* vois ***chaleur, sympathie.***

Le contraire de *cordialité,* c'est *froideur.*

Famille de **corde**

cordon n. m.
1. Petite corde. *Le cow-boy passa le cordon de son chapeau sous son menton.* **2.** Rangée de plusieurs personnes alignées ; vois ***file, ligne.*** *Un cordon d'agents de police barrait la route.*

Le *cordon ombilical* est un conduit qui permet au fœtus de vivre dans le ventre de sa mère.

N'oublie pas le trait d'union.

cordon-bleu n. m.
Personne qui fait très bien la cuisine. *M. Bellec est un fin cordon-bleu.*

Au pluriel : *des cordons-bleus.*

C'est un petit cordonnier Qu'a eu la préférence (chanson).

cordonnier n. m.
Personne qui répare les chaussures. *Le cordonnier a ressemelé les chaussures d'Hippolyte.*

Attention ! deux ***n*** à *cordonnier.*

Coriace [kɔʀjas] rime avec *carcasse.*

coriace adj.
Une viande coriace, c'est une viande très dure. *Ce steak est tellement coriace que je n'arrive pas à le couper.*

Le contraire de *coriace,* c'est *tendre.*

Un cormoran est capable d'avaler son propre poids de poissons chaque jour.

cormoran n. m.
Oiseau de mer, au plumage sombre, dont les pattes sont palmées comme celles du canard. *Les cormorans plongent pour capturer des poissons.*

Les cormorans doivent sécher leur plumage avant de s'envoler.

Avec leurs cornes, ces animaux se défendent ou attaquent.

Autres membres de la famille : ① **corner, cornet, cornu, licorne, racorni.**

corne n. f.
1. Chacune des deux pointes dures qui ornent la tête de certains animaux. *Le taureau a blessé le torero d'un coup de corne. On représente le diable avec des cornes.* **2.** Matière dans laquelle sont faites les parties dures du corps des animaux. *Les sabots du cheval sont formés de corne.* **3.** Pli au coin d'une feuille de papier. *Yasmina a fait une corne à la page où elle a arrêté sa lecture.* **4.** Instrument sonore qui sert à avertir, prévenir. *La corne de brume sert à signaler la présence d'un bateau dans le brouillard.*

Les cornes d'un cerf s'appellent des *bois.*

La corne sert à fabriquer des objets, par exemple des peignes et des manches de couteaux.

cornée n. f.
Partie transparente du globe de l'œil. *La cornée est une membrane.*

corneille n. f.
Oiseau noir plus petit que le corbeau. *Les corneilles mangent des hannetons.*

Le joueur de cornemuse souffle dans un tuyau pour que le sac se remplisse d'air.

cornemuse n. f.
Instrument de musique composé d'un sac de cuir et de plusieurs tuyaux. *Les soldats écossais marchaient au son de la cornemuse.*

Va voir aussi ***biniou.***

Conjugaison 1

① corner v.
Faire une corne, relever un coin d'une feuille de papier. *Yasmina corne les pages de ses livres.*

Famille de **corne**

Corner [kɔʀnɛʀ] rime avec *tonnerre.*

② corner n. m.
Faute commise par un joueur de football qui a envoyé le ballon derrière la ligne de but de son équipe. *Un but a été marqué après le corner.*

Après un corner, la remise en jeu se fait à partir d'un angle du terrain.

Famille de **corne**

cornet n. m.
Objet en forme de corne. *Mme Harpie vend des glaces en cornets. Antoine a acheté un cornet de frites,* des frites dans un cône en papier.

On dit aussi une *corniche.*

corniche n. f.
1. Partie en saillie en haut d'un mur ou d'un meuble. *Les corniches protègent les murs de la pluie.* **2.** *Une route en corniche,* c'est une route qui surplombe la mer. *À Nice, il y a trois routes en corniche qui longent la mer à des hauteurs différentes.*

cornichon n. m.
Variété de petit concombre cueilli avant qu'il ne soit mûr et conservé dans du vinaigre. *Avec le pâté de campagne, le serveur apporte un bocal de cornichons.*

Famille de **corne**

cornu adj.
Qui a des cornes. *Le bouc est un animal cornu.*

On utilise les cornues pour *distiller* les liquides.

cornue n. f.
Récipient à col étroit, long et courbé, utilisé par les chimistes ; vois ***alambic.*** *Le sorcier faisait chauffer un liquide dans une cornue.*

Deux *l* à *corolle.*

corolle n. f.
Ensemble des pétales d'une fleur. *Les coquelicots ont une corolle rouge.*

Au Moyen Âge, les corporations avaient beaucoup de pouvoir.

corporation n. f.
Ensemble des personnes qui exercent le même métier. *M. Bellec appartient à la corporation des restaurateurs.*

Il est le patron du restaurant Bellec.

Au féminin : *corporelle.*

On pouvait battre les élèves !

corporel adj.

Qui concerne le corps ; vois **physique.** *Autrefois, les châtiments corporels étaient autorisés à l'école.*

Compare ***corporel*** et ***incorporer*** : il est question du **corps.**

Corps [kɔʀ] rime avec *encore.*

Il avait de l'eau *à mi-corps.*

Les astres sont des *corps célestes.*

L'ensemble des électeurs forme le *corps électoral.*

corps n. m.

1. Partie matérielle des personnes et des animaux. *Les parties du corps humain sont la tête, le tronc, les bras et les jambes. Yves est entré dans l'eau jusqu'au milieu du corps. Le meurtrier a enterré le corps de sa victime dans son jardin,* le cadavre. *Les deux adversaires luttent corps à corps,* de près. **2.** Substance déterminée, minérale, végétale ou animale. *La chimie étudie les corps. Le fer, l'oxygène sont des corps simples.* **3.** Groupe organisé de personnes. *Angèle, l'institutrice, appartient au corps enseignant,* à l'ensemble des instituteurs et professeurs.

Ne confonds pas *corps* et *cor.*

L'eau est un corps composé d'oxygène et d'hydrogène.

Corpulent s'écrit avec un ***e*** comme *virulent, succulent.*

▸ ***corpulent*** adj. *Une personne corpulente,* c'est une personne large et grosse. *Ces trois messieurs corpulents ne rentreront pas dans l'ascenseur !*

Le contraire de *corpulent,* c'est *mince, fluet.*

Louis pèse 78 kilos et Pierre 90.

▸ ***corpulence*** n. f. Taille et grosseur du corps. *Les deux frères Séverac n'ont pas la même corpulence.*

Attention ! *corpuscule* est un nom masculin.

▸ ***corpuscule*** n. m. Très petite parcelle d'un corps, d'une substance. *Dans un rayon de soleil on voit des corpuscules.*

Autre membre de la famille : à **bras-le-corps.**

Correct [kɔʀɛkt] rime avec *direct, infect.*

N'oublie pas les deux ***r*** de *correct, correctement, correction* et *correcteur.*

correct adj.

1. Qui ne présente pas d'erreurs. *Cette phrase est correcte,* elle ne comporte pas de fautes. **2.** Qui a de bonnes manières, qui respecte les règles. *Voyons Julie, attends ton tour, ce n'est pas correct de passer avant les autres !* ; vois ***convenable, poli.*** *M. Doucet est correct en affaires,* il est honnête, tient ses promesses.

Le contraire de *correct,* c'est *incorrect.*

▸ ***correctement*** adv. **1.** Sans erreur, sans faute. *Le docteur Séverac parle correctement l'anglais ;* vois ***bien.*** **2.** Convenablement. *Mme Hespel gagne correctement sa vie,* assez bien. *Antoine, tiens-toi correctement !*

Va voir aussi ***corriger.***

▸ ***correction*** n. f. **1.** Action de corriger des devoirs. *Angèle fait la correction de la dictée.* **2.** Faute corrigée. *Angèle met les corrections en rouge dans la marge.* **3.** *Mme Harpie a donné une correction à Antoine,* elle lui a donné des coups pour le punir. **4.** Attitude d'une personne correcte. *M. Doucet est un homme d'une parfaite correction.*

Angèle est institutrice.

Le contraire de *correction,* c'est *incorrection.*

▸ ***correcteur*** n. m., ***correctrice*** n. f. **1.** Professeur qui corrige des devoirs d'examen. *Les correcteurs du baccalauréat ne savent pas le nom de l'élève dont ils corrigent la copie.* **2.** Personne dont le métier est de relire des textes à imprimer, pour corriger les fautes d'orthographe et de typographie. *Un correcteur doit être bon en orthographe.*

Autres membres de la famille : **incorrect, incorrection.**

Attention aux deux ***r*** et au ***a*** !

Ils sont très amoureux l'un de l'autre.

correspondance n. f.

1. Relation entre deux choses. *Il y a une correspondance entre le poids et la taille d'une personne.* **2.** Relation entre deux moyens de transport. *Un autocar assure la correspondance entre les deux aéroports ;* vois ***liaison.*** *La station Concorde est une station de métro avec correspondance ;* vois ***changement.*** **3.** Échange de lettres entre des personnes. *Sylvain est en correspondance avec Nathalie,* Sylvain et Nathalie s'écrivent. **4.** Lettres qu'on envoie ou qu'on reçoit. *Denis Prost reçoit une abondante correspondance ;* vois ***courrier.*** *La correspondance de cet écrivain va être publiée.*

Famille de **correspondre**

Denis Prost est un comédien célèbre.

Famille de **correspondre**

correspondant n. m., *correspondante* n. f.

1. Personne avec qui on correspond par lettre. *Sylvain a une correspondante anglaise.* **2.** Journaliste qui est loin et envoie des informations. *Voici les informations transmises par notre correspondant à Rome.*

Conjugaison 41 ▭ Indic. présent : *je corresponds, nous correspondons.*

correspondre v.

1. Être en relation, en accord. *Ce que racontait Antoine ne correspondait pas à la réalité.* **2.** Échanger des lettres. *Nathalie et Sylvain correspondent régulièrement.*

Autres membres de la famille : **correspondance, correspondant.**

Attention ! deux ***r*** dans *corrida.*

corrida n. f.

Spectacle au cours duquel un torero combat et tue un taureau. *Les Séverac ont assisté à une corrida dans les arènes de Dax.*

On dit aussi : une *course de taureaux.*

Attention aux deux *r* ! Prononce [kɔʀidɔʀ].

corridor n. m.
Couloir étroit où donnent les portes de plusieurs pièces. *Au fond de l'entrée à droite il y a un corridor qui mène aux chambres.*

Conjugaison 3 ▭ Indic. présent : *nous corrigeons.*

Angèle est l'institutrice.

Va voir aussi *correction.*

corriger v.
1. *Corriger une faute,* c'est la faire disparaître en indiquant à la place ce qu'il aurait fallu écrire ou dire. *Julie a corrigé une faute avant de rendre son devoir à Angèle. Angèle a corrigé les dictées,* elle a relevé les fautes et mis des notes. **2.** Donner des coups pour punir. *Antoine s'est fait corriger par sa tante ;* vois ***battre.***

Un *corrigé,* c'est un devoir modèle, sans faute, fait par le professeur.

Autre membre de la famille : **incorrigible.**

Conjugaison 41 ▭ Indic. présent : *je corromps, il corrompt.*

corrompre v.
Corrompre une personne, c'est lui donner de l'argent, des avantages en échange d'une action malhonnête dont on profite. *L'employé de la bijouterie a été corrompu par les cambrioleurs ;* vois ***acheter.***

Va voir aussi *corruption.*

Attention aux deux *r* ! Prononce [kɔʀɔzif].

corrosif adj.
Un produit corrosif est un produit qui brûle, qui ronge. *Les acides sont corrosifs.*

Au féminin : *corrosive.*

Compare *corruption* et *incorruptible* : il est question de **corrompre.**

corruption n. f.
Moyens que l'on emploie pour faire agir quelqu'un contre son devoir. *Il est en prison pour corruption de fonctionnaire,* parce qu'il a corrompu un fonctionnaire.

Va voir aussi *corrompre.*

corsage n. m.
Vêtement de femme qui couvre le buste ; vois ***chemisier.*** *Mme Roussel portait un tailleur et un corsage blanc.*

Les *pirates,* au contraire, attaquaient tous les vaisseaux, sans distinction de pays.

corsaire n. m.
Capitaine de navire qui attaquait et pillait les navires marchands des pays ennemis. *Jean Bart fut un célèbre corsaire.*

Les corsaires combattaient officiellement avec l'accord de leur gouvernement.

corsé adj.
Un café corsé est un café fort, qui a beaucoup de goût. *Denis Prost a bu un café corsé pour se réveiller.*

Les femmes en portaient autrefois pour avoir la taille fine.

corset n. m.
Sous-vêtement rigide qui serre le buste et le ventre. *Les corsets ont des baleines et des lacets.*

Va voir aussi *gaine.*

cortège n. m.
Ensemble de personnes qui marchent les unes derrière les autres. *Les mariés sont à la tête du cortège nuptial. Un cortège de manifestants partira de la place de la Bastille.*

Autrefois, on appelait *cortège* les gens qui accompagnaient le roi ou la reine.

Attention au *e* final !

Ah ! quelle corvée !

corvée n. f.
1. *Une corvée,* c'est une chose qu'on doit faire mais qui est très ennuyeuse. *Pour Julie, c'est une corvée de ranger ses jouets.* **2.** Travail obligatoire et non payé que les paysans devaient à leur seigneur. *Les serfs ne pouvaient refuser les corvées.*

Le contraire de *corvée,* c'est *plaisir.*

Prononce [kɔzak].

cosaque n. m.
Autrefois, cavalier de l'armée russe. *Les cosaques attaquaient toujours en ordre dispersé.*

Compare *cosmique* et *cosmonaute* : il s'agit de l'**univers.**

cosmique adj.
Qui est dans l'espace, loin de la Terre et de son atmosphère. *Tous les enfants aimeraient faire un voyage cosmique ;* vois ***interplanétaire, spatial.***

Au-delà de 15 000 mètres d'altitude, il y a des rayons cosmiques dangereux.

Compare *cosmonaute, astronaute* et *nautisme* : il est question de **naviguer.**

cosmonaute n. m. et f.
Personne qui voyage dans l'espace, dans un vaisseau spatial ; vois ***astronaute.*** *Gagarine fut le premier cosmonaute ; il fit le tour de la Terre en cent huit minutes, le 12 avril 1961.*

Compare *cosmonaute* et *cosmique* : il s'agit de l'**univers.**

Compare *cosmopolite* et *cosmique* : dans ces mots, il est question de l'**univers.**

cosmopolite adj.
Une ville cosmopolite est une ville où l'on rencontre beaucoup d'étrangers. *Les grandes capitales sont cosmopolites.*

Compare *cosmopolite* et *métropole* : il s'agit de la **ville.**

Cosmos [kɔsmos] rime avec *sauce.*

cosmos n. m.
Immense espace, hors de l'atmosphère terrestre, où se trouvent la Lune, le Soleil, les étoiles, les planètes. *Les fusées et les vaisseaux spatiaux vont dans le cosmos.*

Il n'y a pas d'air dans le cosmos.

cosse n. f.
Enveloppe allongée qui contient plusieurs graines de légumes. *Mamie Lou garde les cosses de petits pois pour nourrir les lapins.*

Autre membre de la famille : **écosser.**

cossu adj.
Riche. *Les Séverac sont des gens cossus ;* vois ***aisé.*** *Ils habitent une maison cossue,* très confortable.

Au féminin : *costaud* ou *costaude.*

costaud adj.
Fort et résistant. *Yves est costaud pour son âge.*

Ce mot est familier.

costume n. m.
1. Vêtement fait de plusieurs éléments qui vont ensemble. *David a eu pour Noël un costume de cow-boy.* **2.** Pantalon et veste de même tissu portés par un homme ; vois ② ***complet.*** *Denis Prost aime porter des costumes de velours.*

Conjugaison 1

▸ ***costumer*** v. *Costumer quelqu'un,* c'est lui mettre un costume de déguisement. *À la fête de l'école on a costumé Julie en astronaute. — Julie s'est costumée en astronaute ;* vois *se* ***déguiser.***

Un *bal costumé,* c'est un bal où tout le monde est déguisé.

Ne confonds pas *cote* [kɔt], *cotte* [kɔt] et *côte* [kot].

cote n. f.
1. Estimation générale de la popularité de quelqu'un. *La cote du ministre a baissé.* **2.** Chiffre qui exprime les dimensions, sur un plan. *L'architecte a fait le plan de la maison, en respectant les cotes.*

La *cote d'un cheval de course,* c'est l'estimation de ses chances de victoire.

Ne confonds pas *coté* [kɔte] et *côté* [kote].

▸ ***coté*** adj. **1.** Estimé, renommé. *M. Bellec est très coté dans la profession.* **2.** Qui donne les cotes, les dimensions. *Angèle a demandé aux enfants de faire un croquis coté de la classe.*

M. Bellec tient un restaurant.

N'oublie pas l'accent circonflexe du *ô*. Prononce [kot].

① **côte** n. f.
1. *Les côtes,* ce sont les os longs et courbes du thorax. *Les êtres humains ont douze paires de côtes.* **2.** *Côte à côte,* l'un à côté de l'autre. *Yasmina et Marie-Tévy marchaient côte à côte.* **3.** Rayure en relief d'un tissu ou d'un tricot. *Loïc met un pull à grosses côtes. Yves avait un pantalon de velours à côtes.*

On peut dire aussi : *en velours côtelé.*

Les côtes s'articulent sur la colonne vertébrale et le sternum.

Autres membres de la famille : **côtelé, côtelette, entrecôte.**

Ne confonds pas *côte* [kot] et *cote* [kɔt].

② **côte** n. f.
Route qui monte ; vois ***pente.*** *Antoine a monté la côte à bicyclette. Nous nous arrêterons en haut de la côte ;* vois ***montée.***

Autre membre de la famille : **coteau.**

③ **côte** n. f.
Le bord de la mer. *Le voilier a jeté l'ancre dans un port de la côte bretonne. Mme Hespel a passé ses vacances sur la côte d'Azur.*

La France compte plus de 3 000 km de côtes.

Autre membre de la famille : **côtier.**

N'oublie pas l'accent circonflexe du *ô*. Prononce [kote].

côté n. m.
1. Partie du corps qui va de l'épaule à la hanche ; vois ***flanc.*** *Le boxeur a reçu un coup au côté droit.* **2.** Partie gauche ou droite. *Il y a des maisons de chaque côté de la route.* **3.** Direction. *Angèle est allée se promener du côté du zoo.* **4.** *Yasmina est assise à côté de Julie,* tout près de Julie. *Hippolyte habite à côté de l'école,* près de l'école. *C'est la maison d'à côté.* **5.** *Mettre de côté,* mettre en réserve. *Angèle met de l'argent de côté pour aller en Grèce,* elle économise de l'argent. **6.** Ligne. *Un carré a quatre côtés.* **7.** Face. *Un cube a six côtés.* **8.** Aspect. *Le métier d'institutrice a de bons côtés,* des aspects agréables. *Yves est coléreux, c'est son mauvais côté,* son défaut.

On portait l'épée au côté.

Moi, j'étais assis par terre, à côté d'Alceste *(le Petit Nicolas).*

Elles sont *à côté l'une de l'autre.*

Les deux côtés d'une feuille sont le *recto* et le *verso.*

Autres membres de la famille : **accotement, bas-côté, côtoyer.**

coteau n. m.
Pente d'une colline ; vois ***versant.*** *La vigne pousse bien sur les coteaux ensoleillés.*

Famille de ② **côte**

Attention à l'accent circonflexe du ***ô*** ! Ne prononce pas le ***e*** : [kotle].

côtelé adj.
Du velours côtelé, c'est du velours à côtes. *Yves a un pantalon en velours côtelé.*

Famille de ① **côte**

Prononce [kɔtlɛt] ou [kotlɛt].

côtelette n. f.
Côte d'un animal de taille moyenne. *M. Bellec a fait griller des côtelettes de porcs et des côtelettes de mouton.*

Famille de ① **côte**

Attention à l'accent circonflexe du ***ô*** !

côtier adj.
De la côte, du bord de la mer. *Une route côtière suit la plage.*

Famille de ③ **côte**

Conjugaison 1

cotiser v.
1. Donner régulièrement de l'argent à un groupe pour en faire partie. *Alex cotise à son club de moto.* **2.** *Se cotiser,* c'est donner chacun une somme d'argent pour faire une dépense commune. *David, Nathalie et Marie-Tévy se sont cotisés pour offrir des fleurs à leur mère.*
▸ ***cotisation*** n. f. Somme d'argent que l'on donne tous les ans pour faire partie d'une association. *Alex a envoyé sa cotisation à son club de moto.*

Les copains, on s'est cotisés pour acheter un cadeau à la maîtresse, parce que, demain ça va être sa fête *(le Petit Nicolas).*

Cette plante s'appelle aussi *coton.*

coton n. m.
1. Matière textile fournie par les graines d'une plante des pays chauds. *Denis Prost porte des chemises en coton.* **2.** *Le coton hydrophile,* c'est cette matière non tissée, qui sert à absorber les liquides ; vois ***ouate.*** *Antoine a nettoyé sa plaie avec du coton imbibé d'alcool.*

Les jeans sont des pantalons de coton.

Attention aux deux *n* de *cotonnade* et *cotonneux* !

▸ ***cotonnade*** n. f. Tissu de coton. *Un magasin de tissu vend des lainages, des soieries, des cotonnades.*

Au féminin : *cotonneuse.*

▸ ***cotonneux*** adj. Qui a la consistance du coton. *Ces abricots sont cotonneux.*

Les bons abricots sont juteux !

Attention à l'accent circonflexe du ***ô*** de *côtoyer.*

côtoyer v.
1. Longer. *Le chemin de fer côtoie la rivière ;* vois ***suivre.*** **2.** *Côtoyer quelqu'un,* c'est être souvent avec lui. *Denis Prost côtoie les célébrités du spectacle.*

Famille de **côté**

Conjugaison 8

Denis Prost est comédien.

Ne confonds pas *cotte* [kɔt], *cote* [kɔt] et *côte* [kot].

cotte n. f.
Une cotte de mailles, c'est une tunique en fils d'acier. *Au Moyen Âge, les soldats avaient des cottes de mailles.*

Ne confonds pas *cou, coup* et *coût* [ku].

Jusqu'au cou : complètement.

cou n. m.
Partie du corps qui unit la tête au tronc. *La girafe a un long cou. Yves a une écharpe autour du cou. Julie s'est jetée au cou de son père,* elle s'est précipitée pour l'embrasser. *Quand il voit arriver sa tante, Antoine prend ses jambes à son cou,* il part en courant.

Va voir aussi ② ***col.***

Autres membres de la famille : **casse-cou, cou-de-pied.**

Famille de ① **coucher**

couchage n. m.
Un sac de couchage, c'est une sorte de grand sac garni de duvet dans lequel on se couche. *Quand ils font du camping, Alex et Réjean dorment dans leur sac de couchage.*

Va voir aussi ***duvet.***

Famille de ① **coucher**

couchant adj. et n. m.
1. adj. *Le soleil couchant,* c'est le soleil qui se couche. *Alex et Réjean admirent la montagne au soleil couchant.* **2.** n. m. *Le couchant,* c'est le côté de l'horizon où le soleil se couche ; vois ***ouest.*** *Les nuages étaient roses au couchant.*

Le contraire de *couchant,* c'est *levant.*

Dans le hachis Parmentier, on fait alterner une couche de purée et une couche de viande hachée.

couche n. f.
1. Matière étalée sur une surface. *Mme Hespel se met deux couches de vernis rouge sur les ongles. Dans la cave, les bouteilles sont recouvertes d'une épaisse couche de poussière.* **2.** Morceau de tissu ou de matière absorbante que l'on place entre les jambes d'un bébé. *La baby-sitter change la couche de Martin.*

Les *champignons de couche* poussent sur une couche d'engrais.

Conjugaison 1

Maman était couchée, mais elle avait l'air aussi contente que Papa, et près de son lit, il y avait mon petit frère *(le Petit Nicolas).*

① **coucher** v.
1. *Coucher quelqu'un,* c'est le mettre au lit. *Sophie Pelletier couche son bébé quand il a pris son biberon. — Se coucher,* se mettre au lit. *Denis Prost se couche tard tous les soirs. Quand on est malade, il faut se coucher et rester au lit ;* vois ***s'aliter.*** **2.** S'étendre, passer la nuit. *Pendant les vacances, Marie-Tévy couche dans la même chambre que Claire ;* vois ***dormir.*** *Cet été, Alex et Réjean coucheront sous la tente.* **3.** Rapprocher de l'horizontale.

Le contraire de *se coucher,* c'est *se lever.*

On dort dans une *chambre à coucher.*

En été, le soleil se lève tôt et se couche tard.

Je voudrais voir un coucher de soleil... Faites-moi plaisir... ordonnez au soleil de se coucher... *(le Petit Prince).*

Le vent couche les blés. **4.** *Le soleil se couche,* descend vers l'horizon. *Le soleil se couche à l'ouest.*

▹ ② **coucher** n. m. *Le coucher du soleil,* c'est le moment où le soleil se couche. *Yves aime regarder les couchers de soleil sur la mer.*

▹ **couchette** n. f. Petit lit dans un train, un bateau. *Dans son bateau, Loïc dort sur une couchette.*

Quand le soleil est couché, c'est la nuit.

Le contraire de ② *coucher,* c'est ② *lever.*

Autres membres de la famille : **couchage, couchant, découcher, recoucher.**

Au pluriel : *des coucous.*

Dans la forêt lointaine
On entend le coucou,
Du haut de son grand chêne
Lui répond le hibou (chanson).

coucou n. m.

1. Oiseau gris rayé de noir, gros comme un pigeon. *La femelle du coucou pond et abandonne ses œufs dans le nid d'autres oiseaux qui les couvent et élèvent ensuite les petits.* **2.** Pendule dont la sonnerie imite le cri du coucou. *Mamie Lou a un coucou dans sa salle à manger.* **3.** Primevère sauvage à fleurs jaunes qui fleurit au début du printemps. *David et Nathalie ont cueilli des coucous.*

Le cri du coucou ressemble à « coucou ».

Autres membres de la famille : s'**accouder, accoudoir.**

coude n. m.

1. Articulation qui permet de plier le bras. *Quand on mange, il ne faut pas poser les coudes sur la table.* **2.** Partie de la manche d'un vêtement qui recouvre le coude. *Mme Hespel coud des coudes en cuir sur le pull-over de son fils.* **3.** Angle qui ressemble à celui que fait un bras plié. *La rivière fait un coude. Le tuyau de la machine à laver est trop long, il fait un coude.*

▹ **coudé** adj. Qui fait un coude. *Le tuyau de la machine à laver est coudé.*

Conjugaison 8

▹ **coudoyer** v. *Coudoyer les gens,* c'est passer tout près d'eux. *Dans le métro, aux heures de pointe, on coudoie des centaines de personnes.*

Se serrer les coudes, c'est s'entraider.

Ne confonds pas *coudoyer* et *côtoyer.*

Ne confonds pas *cou-de-pied* et *coup de pied.*

Famille de **cou** et de ① **pied**

cou-de-pied n. m.

Partie bombée du dessus du pied, comprise entre la cheville et le milieu du pied. *Quand on a le cou-de-pied un peu fort, on a du mal à se chausser.*

N'oublie pas les deux traits d'union.

Au pluriel : *des cous-de-pied.*

Conjugaison 48

On met un *dé à coudre* pour pousser l'aiguille sans se piquer le doigt.

coudre v.

Assembler, fixer au moyen d'un fil passé dans une aiguille. *Mme Séverac coud une robe pour sa fille. Mamie Lou coudra demain les boutons du blouson de Claire. Julie ne sait pas coudre. Sophie Pelletier a une machine à coudre. Elle coud à la machine ;* vois ***piquer.***

Autres membres de la famille : **cousu, couture, couturier, couturière, découdre, décousu, recoudre.**

coudrier n. m. Autre nom du *noisetier ;* va voir **noisetier.**

Couenne [kwan] rime avec *douane* et *macédoine.*

couenne n. f.

Peau de porc flambée qui recouvre le lard et le jambon. *Mme Roussel met de la couenne dans la soupe pour lui donner bon goût.*

La couenne est très dure et ne se mange pas.

① **couette** n. f.

Édredon que l'on met dans une housse et qui sert de drap de dessus et de couverture. *David dort sous une couette.*

② **couette** n. f.

Mèche de cheveux retenue par une barrette, un ruban ou un élastique. *Yasmina aime bien se faire des couettes.*

Famille de **couler**

coulant adj.

Un nœud coulant, c'est un nœud formant une boucle qui se resserre quand on tire. *Loïc apprend à son neveu à faire des nœuds coulants.*

Le lasso est une corde à nœud coulant.

Famille de **couler**

coulée n. f.

Écoulement. *Une coulée de lave s'échappait du volcan en éruption,* de la lave liquide.

La coulée dévale les pentes du volcan.

Conjugaison 1

Sous le pont Mirabeau coule la Seine (Apollinaire).

couler v.

1. *Un liquide qui coule,* c'est un liquide qui se déplace. *La Dordogne coule de l'est vers l'ouest. Le sang coule dans les veines ;* vois **circuler. 2.** Laisser échapper un liquide. *Le stylo de Yasmina coule,* l'encre s'échappe ; vois ***fuir.*** *Sylvain est enrhumé, il a le nez qui coule.* **3.** *Couler un liquide dans un moule,* c'est le verser pour le mouler. *Le sculpteur coule du bronze.* **4.** *Se couler,* c'est se glisser. *Félix, le chat de Julie, s'est coulé derrière le lavabo.* **5.** S'enfoncer dans l'eau par accident. *Pendant la tempête, un chalutier a coulé ;* vois **sombrer. 6.** *Couler un bateau,* c'est le faire s'enfoncer dans l'eau. *Le navire a été coulé par un sous-marin ennemi.*

Ça coule de source signifie c'est évident.

Autres membres de la famille : **coulant, coulée, découler, écouler,** s'**écouler, écoulement.**

En 1912, le Titanic a coulé après avoir heurté un iceberg.

Le contraire de *couler,* c'est *flotter.*

couleur n. f.

Babar [...] voit un costume d'une agréable couleur verte qui lui rappelle les feuilles de palmier *(Babar).*

Un *homme de couleur,* c'est un homme qui n'est pas de race blanche.

1. Teinte. *L'arc-en-ciel est composé de sept couleurs : violet, indigo, bleu, vert, jaune, orangé, rouge. Mamie Lou s'habille toujours avec des robes de couleur foncée.* **2.** *Les couleurs,* le drapeau. *Le capitaine du bateau a donné l'ordre de hisser les couleurs.* **3.** Chacune des marques dans un jeu de cartes. *Un jeu de cartes comprend quatre couleurs : trèfle, carreau, cœur, pique.* **4.** Apparence de la peau. *En rentrant du Mont-Dore, Sylvain avait de belles couleurs,* il avait bonne mine. **5.** Toute couleur autre que noir, blanc et gris. *Denis Prost a toujours joué dans des films en couleurs, jamais dans un film en noir et blanc.*

On fait des coloriages avec des *crayons de couleur.*

Bleu, blanc et rouge sont les couleurs de la France.

Denis Prost est un comédien célèbre.

les mots désignant les couleurs

■ Les adjectifs de couleur s'accordent en général en genre et en nombre avec le nom auquel ils se rapportent :
*des robes **vertes.***

■ Les adjectifs de couleur sont invariables quand ils sont accompagnés d'un autre mot qui les précise :
*des yeux **vert** clair ; une nappe **bleu** nuit.*

■ Les noms de choses désignant des couleurs sont invariables :
*des yeux **marron** ; des jupes **abricot.***
Il y a six exceptions : *écarlate, fauve, incarnat, mauve, pourpre* et *rose :*
*des joues **écarlates.***

■ Entre deux termes de couleur, on met un trait d'union :
*une maison **gris-bleu.***
Entre deux mots dont l'un n'est pas un nom de couleur, on ne met pas de trait d'union :
*des volets **vert pomme**.*

couleuvre n. f.

Contrairement à la vipère, la couleuvre a une tête arrondie et n'a pas de crochets.

Serpent non venimeux qui peut atteindre un mètre soixante-dix de long et qui se nourrit de petits rongeurs. *La couleuvre rampe très rapidement ; elle sait nager et grimper aux arbres.*

Une couleuvre femelle pond de 10 à 45 œufs par an.

coulisse n. f.

Ne confonds pas *coulisse* et *coulisses.*

C'est une porte *coulissante.*

Conjugaison 1

1. Rainure le long de laquelle glisse une porte, une fenêtre. *Le salon est séparé de la salle à manger par une porte à coulisse.* **2.** Ourlet dans lequel on fait passer un cordon. *Les paquets de coton sont fermés par une coulisse.*
▷ ***coulisser*** v. Glisser sur une coulisse. *La porte qui sépare le salon de la salle à manger coulisse bien.*

Va voir *trombone à coulisse* à ***trombone.***

coulisses n. f. plur.

Dans un théâtre, partie qui est située sur les côtés et en arrière de la scène et que le spectateur ne peut pas voir. *Le comédien attendait dans les coulisses, prêt à entrer en scène.*

Dans les coulisses, il y a les machinistes.

couloir n. m.

Le chef leur a dit qu'il allait les faire voyager debout dans le couloir s'ils continuaient *(le Petit Nicolas).*

1. Long passage que l'on emprunte pour aller d'une pièce à l'autre ; vois ***corridor.*** *Mme Séverac a interdit à son fils de faire du patin à roulettes dans le couloir. Dans un wagon de chemin de fer, les compartiments donnent sur un couloir.* **2.** Passage réservé à certains véhicules. *À Paris, il y a plus de cent kilomètres de couloirs réservés aux autobus et aux taxis.*

Dans le métro, des couloirs permettent d'accéder aux quais.

Un *couloir aérien,* c'est l'itinéraire que doit suivre un avion dans le ciel.

coup n. m.

Ne confonds pas *coup, cou* et *coût.*

Eudes a croisé Alceste et lui a donné un coup de poing sur le nez. Alceste a voulu donner un coup de pied à Eudes, mais Eudes a esquivé *(le Petit Nicolas).*

1. Mouvement que l'on fait en tapant, en heurtant. *Le footballeur a donné un coup de pied dans le ballon. Yves et Antoine étaient si fâchés qu'ils en sont venus aux coups,* ils se sont battus. **2.** Décharge d'une arme à feu. *Cette nuit, M. Doucet a entendu trois coups de feu dans la rue.* **3.** Mouvement d'une partie du corps. *Denis Prost a jeté un coup d'œil sur son texte,* il l'a regardé rapidement. *Loïc a besoin d'un coup de main pour amarrer son bateau,* il a besoin d'aide. **4.** Mouvement rapide qu'on fait

Bibi Lolo
De Saint-Malo
Qui tue sa femme
À coups de couteau,
Qui la console
À coups de casserole,
Qui la guérit
À coups de fusil
(comptine).

endrillon entendit sonner le remier coup de minuit, lors-u'elle ne croyait pas qu'il fût ncore onze heures
(*Cendrillon*).

faire à un objet. *Mme Séverac a donné un coup de balai dans la salle à manger. Mme Hespel s'est donné un coup de peigne avant de sortir.* **5.** Bruit que font certains appareils. *M. Doucet a entendu un coup de sonnette à la porte. L'arbitre annonce la fin du match d'un coup de sifflet.* **6.** Action de lancer un objet. *Un joueur peut gagner une fortune sur un simple coup de dés.* **7.** *Le président a été renversé par un coup d'État,* une révolution. **8.** Action soudaine ou violente. *Un coup de vent a décoiffé Mme Hespel. Claire a attrapé un coup de soleil sur le nez.* **9.** Fois. *Angèle a eu son permis de conduire du premier coup.* **10.** Action hasardeuse. *Colle et Rat sont en train de préparer un mauvais coup.* **11.** Action rapide, faite en une seule fois. *Denis Prost a joué dans deux films coup sur coup,* l'un après l'autre. *Il s'est mis à pleuvoir tout d'un coup,* brusquement. **12.** *Être dans le coup,* c'est être au courant. *En ce qui concerne la mode, Mme Harpie n'est vraiment pas dans le coup.*

On a entendu des coups de freins et des cris. C'était Alceste qui traversait la rue en courant
(*le Petit Nicolas*).

Un *coup de théâtre,* 'est quelque chose d'inattendu.

Passer en coup de vent : en s'arrêtant peu de temps.

Ils [...] résolurent de les perdre encore ; et pour ne pas manquer leur coup, de les mener bien plus loin que la première fois
(*le Petit Poucet*).

On peut dire *tout d'un coup* ou *tout à coup.*

utres membres de la famille : **à-coup, contrecoup.**

coupable adj.

Une personne coupable, c'est une personne qui a commis une faute. *Le cambrioleur est coupable de vol. Il a été reconnu coupable par le tribunal.* — n. m. et f. *La police a arrêté les coupables.*

coupant adj.

Qui coupe. *Attention, ces couteaux de cuisine sont très coupants ! ;* vois ***tranchant.***

uand un couteau n'est plus ssez coupant, il faut l'aiguiser.

Famille de **couper**

① coupe n. f.

1. Verre à pied, peu profond et très large. *On boit le champagne dans des coupes ou dans des flûtes.* **2.** Vase que l'on remet comme récompense au vainqueur d'une compétition sportive. *Le champion a mis dans une vitrine toutes les coupes qu'il a gagnées.* **3.** Compétition sportive. *Notre équipe de football a participé à la coupe de France.*

n peut servir de la mousse au nocolat, de la crème, de la alade de fruits dans une grande oupe.

Les coupes à champagne sont souvent en cristal.

Autres membres de la famille : **coupole, soucoupe.**

Famille de **couper**

② coupe n. f.

1. Façon dont les cheveux sont coupés. *Sophie Pelletier a une nouvelle coupe de cheveux.* **2.** Manière dont on coupe le tissu, le cuir pour faire des vêtements. *Mme Roussel a suivi des cours de coupe pour pouvoir faire ses robes elle-même.* **3.** Dessin qui représente un objet comme s'il était coupé en deux. *Pour expliquer la circulation du sang, Angèle, l'institutrice, a dessiné au tableau une coupe du cœur.*

n peut faire une coupe aux seaux ou au rasoir.

On peut dire *une coupe* ou *une coupe de cheveux.*

On voit bien les ventricules, les oreillettes, l'aorte et l'artère pulmonaire.

Au pluriel : *des coupe-papier.*

Famille de **couper** et de **papier**

coupe-papier n. m. invariable

Sorte de couteau qui sert à couper le papier plié. *Le docteur Séverac ouvre son courrier avec un coupe-papier.*

Le Bouillon a vu Joachim et il lui a confisqué le coupe-papier
(*le Petit Nicolas*).

Conjugaison 1

couper v.

1. Diviser, séparer avec un objet tranchant. *Mamie Lou coupe la viande de Claire en petits morceaux. Odile Séverac coupe de l'herbe pour les lapins.* **2.** Rendre plus court en enlevant une partie. *Mme Hespel s'est fait couper les cheveux. Alex se coupe les ongles avec des ciseaux à ongles.* **3.** Faire une entaille. *M. Bellec s'est coupé le doigt en découpant le poulet. — Denis Prost s'est coupé en se rasant.* **4.** Être tranchant. *M. Bellec a des couteaux de cuisine qui coupent bien.* **5.** Interrompre. *Julie, ne me coupe pas la parole ! Antoine a eu une mauvaise note mais cela ne lui a pas coupé l'appétit. La route a été coupée en raison des risques d'avalanche,* elle a été barrée. *On a coupé l'eau,* on a fermé le compteur. **6.** Croiser. *Le chemin qui mène à la ferme coupe une ancienne voie ferrée. — Les deux routes se coupent à angle droit.* **7.** Prendre un chemin plus court. *David et Nathalie ont coupé à travers champs pour aller à la ferme.*

À la une, je surprends la lune
À la deux, je la coupe en deux
(comptine).

'Ogre] coupa sans balancer la orge à ses sept filles
(*le Petit Poucet*).

Autres membres de la famille : **coupant, ② coupe, coupe-papier, coupon, coupure, découper, découpage, découpé, entrecouper, recouper.**

couple n. m.

1. Un homme et une femme réunis. *Denis Prost et Sophie Pelletier forment un beau couple.* **2.** Un mâle et une femelle ensemble. *Un couple d'hirondelles a élu domicile dans le grenier.*

Autres membres de la famille : **accoupler, accouplement.**

couplet n. m.

Chacune des parties d'une chanson qui sont séparées par le refrain. *Claire ne connaît pas tous les couplets de Cadet Rousselle.*

Il y en a treize !

La Marseillaise a sept couplets.

Famille de ① **coupe**

coupole n. f.
Toit en forme de demi-sphère ; vois **dôme.** *À Paris, le palais de l'Institut, qui abrite l'Académie française, est surmonté d'une coupole.*

Être reçu sous la Coupole, c'est être élu à l'Académie française.

Famille de **couper**

coupon n. m.
Reste d'une pièce de tissu. *Mme Roussel s'est fait un chemisier dans un coupon de soie.*

Famille de **couper**
Compare : *couper → coupure* et *brûler → brûlure.*

coupure n. f.
1. Blessure faite par un instrument tranchant ; vois **entaille.** *M. Bellec s'est fait une coupure au doigt avec un couteau de cuisine.* **2.** Interruption. *Il y a eu une coupure d'eau dans l'immeuble d'Angèle.* **3.** *Une coupure de journal,* c'est un article découpé dans un journal. *Julie garde toutes les coupures de journaux où l'on parle de son père.* **4.** Billet de banque. *Les ravisseurs ont exigé une rançon en petites coupures.*

On prévoit des coupures de cou rant en raison des grèves.

Le père de Julie, Denis Prost, est un comédien célèbre.

Les billets de vingt francs son de petites coupures.

Ne confonds pas *cour, cours* et *court.*
Autre membre de la famille : **basse-cour.**

① **cour** n. f.
Espace découvert situé entre des bâtiments. *La fenêtre de la chambre d'Angèle donne sur la cour de l'immeuble. Il y a des marronniers dans la cour de récréation de l'école.*

Maixent a dit : « Allons au fonc de la cour, là on sera tran quilles » *(le Petit Nicolas).*

② **cour** n. f.
1. Résidence d'un roi et ensemble des personnes qui vivent auprès de lui. *Louis XIV installa la cour à Versailles.* **2.** *Faire la cour à une femme,* c'est chercher à lui plaire. *Hippolyte fait la cour à Angèle.* **3.** Tribunal. *Le témoin jure de dire la vérité devant la cour.*

Va voir aussi ***courtisan.***
Va voir aussi ***courtiser.***

Va voir *cour d'assises* à ***assises.***

courage n. m.
1. Ardeur ; vois **énergie.** *Yves n'a pas eu le courage de se lever à quatre heures du matin pour aller à la pêche.* **2.** *Une personne qui a du courage,* c'est une personne qui n'a pas peur du danger. *Hippolyte est entré dans la poste en feu avec beaucoup de courage.*
▸ **courageux** adj. **1.** Énergique. *Yves ne s'est pas senti bien courageux pour se lever tôt.* **2.** Qui agit malgré le danger ; vois **brave.** *Hippolyte est très courageux, il n'a pas hésité à entrer dans la poste en feu.*
▸ **courageusement** adv. Avec courage. *Hippolyte est entré courageusement dans la poste en feu.*

Tu as beaucoup de courage de venir en classe avec un bras dans le plâtre *(le Petit Nicolas).*

Elle eut envie un instan d'avouer à sa bonne que c'étai elle qui avait tout fait, mais l courage lui manqua *(les Malheurs de Sophie).*

Le contraire de *courageux,* c'est *lâche, peureux.*

Autres membres de la famille : **décourager, décourageant, découragement, encourager, encourageant, encouragement.**

Famille de **courir**
Compare : *courant → couramment* et *méchant → méchamment.*

① **courant** adj.
1. *L'eau courante,* c'est l'eau qui arrive directement dans les habitations par des tuyaux. *Angèle et ses frères ont fait installer l'eau courante dans leur maison de Corse.* **2.** Que l'on utilise, qui se produit fréquemment ; vois **commun, fréquent, habituel.** *Antoine est en retard, c'est une chose courante. Il est courant qu'il soit en retard.*
▸ **couramment** adv. **1.** Bien, avec facilité. *Le docteur Séverac parle anglais couramment.* **2.** D'une façon habituelle. *Antoine arrive couramment en retard à l'école.*

Le contraire de *courant,* c'est *rare.*

Le contraire de *couramment,* c'est *rarement.*

Famille de **courir**

Dans les océans, il y a des courants chauds et des courants froids.

On branche le fil électrique dans une *prise de courant.*

② **courant** n. m.
1. Mouvement de l'eau. *Quand on se baigne dans une rivière, il faut faire attention de ne pas être emporté par le courant.* **2.** *Un courant d'air,* c'est de l'air froid qui passe par une ouverture. *La fenêtre est mal fermée, on sent un courant d'air.* **3.** *Le courant électrique,* c'est l'électricité qui passe dans les câbles. *Quand elle part en vacances, Angèle coupe le courant dans son appartement.* **4.** *Les enfants vont partir en classe de neige dans le courant du mois de janvier,* pendant le mois de janvier. **5.** *Être au courant de quelque chose,* c'est en être informé. *Yves doit arriver demain, est-ce que tu es au courant ?*

« Horreur des courants d'air. ce n'est pas de chance, pour ur plante, avait remarqué le pet prince. Cette fleur est bie compliquée... » *(le Petit Prince).*

courbature n. f.
Douleur que l'on sent dans un muscle après un effort qui a duré longtemps ou quand on a de la fièvre. *Après sa première journée de ski, Marie-Tévy avait des courbatures.*

Elle était *courbatue.*

courbe adj. et n. f.

Une ligne qui change de direction en formant des angles est une *ligne brisée.*

▭ **adj.** Qui change de direction sans former d'angles, qui est arrondi. *La surface de la Terre est courbe.*

Le contraire de *courbe,* c'est *droit, rectiligne.*

▭ **n. f. 1.** Ligne courbe. *La route suit les courbes de la rivière.* **2.** Ligne, graphique qui donne la valeur de quelque chose à différents moments. *L'infirmière trace la courbe de température de Julie.*

Compare : *courbe → courber* et *calme → calmer.*

▸ **courber** v. **1.** Rendre courbe une chose qui était droite. *Le poids des fruits courbe les branches de l'arbre. — La branche s'est courbée.* **2.** Pencher quelque chose vers le bas ; vois ***incliner.*** *Yves courbe la tête sur son livre pour faire semblant de travailler.* **3.** Devenir courbe, pencher vers le bas. *La branche courbe sous le poids des fruits.*

Conjugaison 1

Le contraire de *courber,* c'est *redresser.*

▸ **courbette** n. f. *Les courtisans faisaient des courbettes devant le roi,* s'inclinaient exagérément devant lui pour le saluer ; vois ***révérence.***

Compare : *courber → courbure* et *plier → pliure.*

▸ **courbure** n. f. Forme d'un objet courbe ; vois ***galbe.*** *En mer, on ne peut pas voir les phares de très loin en raison de la courbure de la Terre.*

Autre membre de la famille : **recourber.**

Famille de **courir**

coureur n. m., **coureuse** n. f.

Personne qui participe à une course. *Eddy Merckx a été un grand coureur cycliste.*

courge n. f.

Plante potagère dont le fruit est la citrouille aussi appelée potiron. *Les courges ont de très longues tiges qui poussent à ras de terre.*

Le concombre ressemble à la courgette, mais il a la peau brillante.

▸ **courgette** n. f. Fruit vert, allongé, à peau mate. *Mamie Lou a fait un gratin de courgettes et d'aubergines.*

courir v.

Conjugaison 11 ▭ Indic. présent : *je cours, il court, nous courons, ils courent.* Imparfait : *je courais.* Futur : *je courrai.* — Subj. présent : *que je coure.*

1. Se déplacer en reposant le corps sur une jambe puis sur une autre, de telle sorte qu'à un moment aucun des pieds ne touche terre. *Antoine a couru à toutes jambes pour rattraper Marie-Tévy.* **2.** Aller vite, se dépêcher, se presser. *Nathalie, cours chercher du pain, la boulangerie va fermer !* **3.** *L'eau du ruisseau court entre deux rangées d'arbres en bas du champ,* elle se déplace rapidement, elle coule. **4.** Circuler. *Le bruit court que Mme Harpie cache de l'argent sous son matelas,* le bruit se répand. **5.** Participer à une course. *Yves court un cent mètres avec Antoine.* **6.** *Courir un danger,* c'est y être exposé. *Les pompiers courent de grands dangers.* **7.** Aller dans de nombreux endroits. *Juste avant Noël, les gens courent les magasins.*

Rien ne sert de courir, il faut partir à point (La Fontaine).

Ma petite est comme l'eau
Elle est comme l'eau vive
Elle court comme un ruisseau
Que des enfants poursuivent
(G. Béart).

Autres membres de la famille : **accourir, ① courant, couramment, ② courant, coureur, ① cours, course, coursier.**

couronne n. f.

Un seul *r* et deux *n.*

« Au nom de notre peuple, mon cher Babar, je te sacre roi des éléphants. » Et il lui pose la couronne sur la tête *(Babar).*

1. Cercle qui se porte autour de la tête. *Les rois et les reines ont des couronnes.* **2.** *Une couronne mortuaire,* c'est un cercle de fleurs et de feuilles que l'on pose sur une tombe. *Sophie Pelletier a déposé une couronne sur la tombe de sa mère.* **3.** Capsule dont on entoure une dent malade. *Mme Séverac s'est fait poser une couronne en or par le dentiste.*

Elles étaient toutes sept dans un grand lit, ayant chacune une couronne d'or sur la tête *(le Petit Poucet).*

On appelle aussi *couronne* la partie de la dent qui sort de la gencive.

▸ **couronner** v. **1.** *Couronner quelqu'un,* c'est faire de lui un souverain en lui donnant une couronne ; vois ***sacrer.*** *Charlemagne fut couronné empereur d'Occident en l'an 800.* **2.** Récompenser. *Tes efforts seront sûrement couronnés de succès.*

Conjugaison 1

Le contraire de *couronner,* c'est *détrôner.*

▸ **couronnement** n. m. Cérémonie au cours de laquelle on couronne un roi. *Le couronnement de Charlemagne eut lieu en l'an 800 ;* vois ***sacre.***

Dimanche prochain, grande fête pour le couronnement du roi des éléphants ! *(Babar).*

courrier n. m.

Attention, deux *r* !

Hippolyte est facteur.

Ensemble des lettres et des journaux envoyés par la poste. *Hippolyte distribue le courrier. Le docteur Séverac est en train de faire son courrier,* il écrit les lettres qu'il a à écrire, il fait sa correspondance.

C'est le courrier du cœur
Le courrier du bonheur
(Ch. Trenet).

courroie n. f.

Attention ! deux *r* dans *courroie.*

Longue bande étroite d'une matière souple et résistante, qui sert à attacher ; vois ***lanière, sangle.*** *On attache les patins à roulettes aux chaussures avec des courroies.*

On peut attacher ses livres avec une courroie au lieu de les mettre dans un cartable.

courroux n. m.

Attention ! deux *r* dans *courroux* et *courroucer.*

Colère, fureur. *Le roi entra dans un grand courroux.*

Conjugaison 3

▸ **courroucer** v. Mettre en colère. *Les réflexions d'Yves ont courroucé sa mère. Le roi était fort courroucé.*

Courroux et *courroucer* se trouvent surtout dans les livres.

Famille de **courir**
Ne confonds pas *cours, cour* et *court.*

① ***cours*** n. m.
1. Mouvement de l'eau qui s'écoule. *Les torrents ont un cours rapide,* leur eau coule rapidement. **2.** Suite dans le temps. *Denis Prost a rencontré de nombreux metteurs en scène au cours de sa carrière ;* vois ***durant, pendant.*** *Le gymnase est en cours d'aménagement,* on est en train de l'aménager. **3.** Prix d'une marchandise qui change tous les jours. *Le cours du café est en hausse.* **4.** *Avoir cours,* c'est être reconnu, utilisé. *Ces coutumes n'ont plus cours,* elles sont démodées, elles n'existent plus. **5.** Grande avenue. *Le soir, à Aix-en-Provence, les gens vont se promener sur le cours Mirabeau.*

Les ruisseaux, les torrents, les fleuves et les rivières sont des *cours d'eau.*

Le cours Mirabeau, à Aix, est bordé de grands arbres.

Les *cours du soir* sont des classes qui ont lieu pour les adultes.

② ***cours*** n. m.
1. Leçon sur une matière. *Ce matin, Sylvain a eu un cours d'anglais. Alex n'a pas cours cet après-midi.* **2.** Chacune des classes de l'enseignement primaire. *La classe d'Angèle est un cours élémentaire deuxième année.* **3.** École privée. *Sylvain va au cours Godefroi de Bouillon.*

Un *cours particulier,* c'est une leçon pour un seul élève.
Il y a le *cours préparatoire,* le *cours élémentaire* et le *cours moyen.*

Famille de **courir**

course n. f.
1. Action de courir. *Yves court, il s'arrête, il reprend sa course,* il se remet à courir. *Yves et Antoine font la course jusqu'à l'école,* chacun essaie d'arriver le premier à l'école en courant. **2.** Épreuve où l'on essaye d'aller le plus vite possible. *Alex a participé à une course de motos. M. Bellec aime aller voir les courses de chevaux.* **3.** Marche, randonnée ; vois ***excursion.*** *Mme Hespel a fait une course en montagne avec un guide.* **4.** *Faire des courses,* c'est faire des achats. *Mme Roussel a fait ses courses au supermarché ;* vois ***commission.***

Eh bien, puisque c'est comme ça, tu feras les courses, toi qui es si malin, a dit maman *(le Petit Nicolas).*

On appelle aussi le coursier un *garçon de courses.*

▸ ***coursier*** n. m., ***coursière*** n. f. Personne qui fait les courses dans une entreprise, qui va porter et chercher des papiers, des paquets. *Le coursier doit passer à cinq heures pour prendre les paquets.*

La ligne droite est le plus court chemin d'un point à un autre.

① ***court*** adj. et adv.
▭ **adj. 1.** Qui a peu de longueur. *Julie a les cheveux courts.* **2.** Qui dure peu de temps ; vois ***bref.*** *En hiver, les jours sont plus courts qu'en été.*
▭ **adv. 1.** De manière courte. *Julie a les cheveux coupés court. Mme Roussel a coupé court à la conversation,* elle a interrompu la conversation. **2.** *Tout court,* sans rien d'autre. *Son prénom n'est pas Jean-Pierre, mais Jean, tout court.* **3.** *Être pris de court,* c'est ne pas avoir assez de temps pour agir, se préparer. *J'ai été prise de court, je n'ai pas eu le temps de vous prévenir.* **4.** *Être à court de quelque chose,* c'est en manquer. *Colle et Rat ne sont jamais à court d'idées quand il s'agit de faire des bêtises.*

Le contraire de *court,* c'est *long.*

Tourner court : ne pas aboutir.

Autres membres de la famille : **court-bouillon, court-circuit, écourter, raccourcir, raccourci.**

Ne confonds pas *court, cour* et *cours.*

② ***court*** n. m.
Un court de tennis, c'est un terrain aménagé pour jouer au tennis. *Il y a quatre courts de tennis à côté de la piscine.*

Au pluriel : *des courts-bouillons.*

court-bouillon n. m.
Bouillon assaisonné dans lequel on fait cuire du poisson. *Sophie Pelletier fait cuire un turbot au court-bouillon.*

Famille de ① **court** et de **bouillir**

Au pluriel : *des courts-circuits.*

court-circuit n. m.
Interruption du courant électrique quand deux fils électriques se touchent. *L'incendie de la poste a peut-être été provoqué par un court-circuit.*

Famille de ① **court** et de **circuit**

Les courtisans étaient les ministres, les conseillers et les nobles.

courtisan n. m.
Homme qui vivait à la cour, dans l'entourage du roi. *Le roi est entouré de ses courtisans.*

Va voir aussi ② *cour.*

Conjugaison 1

courtiser v.
Courtiser quelqu'un, c'est lui faire la cour, chercher à lui plaire. *Hippolyte courtise Angèle.*

Va voir aussi ② *cour.*

courtois adj.
Très poli, aimable. *Le docteur Séverac est un homme courtois. Le docteur Séverac a des manières courtoises.*

Le contraire de *courtois,* c'est *grossier, impoli.*

Le contraire de *courtoisie,* c'est *grossièreté.*

▸ ***courtoisie*** n. f. Politesse, amabilité. *Le docteur Séverac est un homme d'une grande courtoisie.*

On prononce tous les *s* de *couscous* : [kuskus].

couscous n. m.
Semoule servie avec de la viande, des légumes et de la sauce piquante. *Mme Touati prépare un couscous au mouton et au poulet.*

La sauce piquante s'appelle la *harissa.*

① **cousin** n. m., **cousine** n. f.
Des cousins, ce sont des personnes de la même famille, qui ont des ancêtres communs. *Colle et Rat sont cousins. Hippolyte a de nombreux cousins à la Martinique.*

Va voir *cousin germain* à ***germain.***

② **cousin** n. m.
Gros moustique aux pattes très longues. *Les piqûres de cousin ne sont généralement pas dangereuses.*

Ce sont les femelles qui piquent.

coussin n. m.
1. Sac rembourré d'une matière souple, sur lequel on s'assied, on s'appuie. *Mme Bellec a recouvert les coussins du fauteuil avec du tissu à fleurs.* **2.** *Un coussin d'air,* c'est de l'air comprimé qui sert de support. *Les aéroglisseurs avancent sur coussin d'air.*

Les *oreillers,* ce sont des coussins, sur lesquels on pose sa tête dans un lit.

Un *pouf,* c'est un gros coussin que l'on pose par terre pour s'asseoir.

Famille de **coudre**

cousu adj.
Attaché par des points de couture. *Un cahier est composé de feuilles cousues. Mme Séverac s'est acheté des gants cousus main,* faits à la main, non à la machine. *Ce bouton est mal cousu.*

Être cousu d'or, c'est être très riche.

Va voir aussi **décousu.**

N'oublie pas l'accent circonflexe du *û.*

Famille de **coûter**

coût n. m.
Prix que coûte une chose. *M. Bellec calcule le coût de son voyage en Italie. Le coût de la vie augmente,* le prix de toutes les choses qu'on achète.

Ne confonds pas *coût, cou* et *coup.*

Au pluriel : *des couteaux.*

Un *couteau à scie* est un couteau dont la lame a des dents.

couteau n. m.
1. Instrument composé d'un manche et d'une lame servant à couper. *M. Bellec découpe la viande avec un couteau bien affûté. Antoine a un couteau de poche ;* vois ***canif.*** **2.** Coquillage fait de deux coquilles très longues, que l'on trouve dans le sable des plages. *Yves pêche des couteaux en mettant du sel sur les trous qu'ils laissent dans le sable.*

L'Ogre alla prendre un grand couteau, et en approchant de ces pauvres enfants, il l'aiguisait sur une longue pierre qu'il tenait à sa main gauche
(le Petit Poucet).

On ne prononce pas le *s* à la fin : [kutlɑ].

coutelas n. m.
Grand couteau à large lame. *Le boucher découpe la viande avec un coutelas.*

Les pirates aussi avaient des coutelas.

Une *coutellerie,* c'est aussi l'usine où l'on fabrique des couteaux.

coutellerie n. f.
Boutique où l'on vend des couteaux, des ciseaux et des rasoirs. *Les bouchers vont choisir leurs couteaux dans une très bonne coutellerie.*

Prononce [kutɛlʀi].

N'oublie pas l'accent circonflexe du *û* !

Conjugaison 1

coûter v.
1. Valoir un certain prix. *Le repas coûte cent francs,* le prix du repas est de cent francs. *Cette voiture coûte cher,* elle a un prix élevé. **2.** Causer une peine, un effort. *Ce travail nous a coûté bien des efforts. Le pilote a fait une erreur qui a failli lui coûter la vie,* son erreur a failli causer sa mort. *Cette année, Alex a décidé d'avoir son bac, coûte que coûte,* quels que soient les efforts à faire, à tout prix.

Attention ! on écrit : *les deux cents francs que ce pull m'a coûté ;* mais : *les efforts que ce travail lui a coûtés.*

Autre membre de la famille : **coût.**

Le contraire de *coûteux,* c'est *bon marché.*

▸ ***coûteux*** adj. Qui coûte cher. *Les voitures sont coûteuses.*

coutume n. f.
1. Habitude, tradition d'un pays, d'un groupe de gens ; vois ***usage.*** *En Europe, la coutume est de fêter Noël, même si l'on n'est pas chrétien.* **2.** *Avoir coutume de faire quelque chose,* c'est avoir l'habitude de le faire. *Les Séverac ont coutume de passer les vacances de Pâques chez Mamie Lou. Ce matin, Antoine est encore plus en retard que de coutume,* que d'habitude.

Une fois n'est pas coutume veut dire pour une fois, on peut faire une exception.

Autres membres de la famille : s'**accoutumer, accoutumé,** à l'**accoutumée, accoutumance, inaccoutumé.**

Famille de **coudre**

couture n. f.
1. *Faire de la couture,* c'est coudre. *Cet après-midi, Mamie Lou fait de la couture.* **2.** Suite de points que l'on fait avec du fil et une aiguille pour assembler deux tissus. *Julie est tombée de vélo et la couture de son blue-jean a craqué.*

Examiner une chose sous toutes les coutures, c'est l'examiner très attentivement.

Les *tailleurs* font les vêtements d'homme.

▸ ***couturier*** n. m. Personne qui crée des modèles de vêtements de luxe et dirige une maison où on les fabrique. *Les couturiers présentent leurs collections deux fois par an.*

On dit aussi *un couturier* pour une femme.

▸ **couturière** n. f. Femme dont le métier est de coudre, de faire des vêtements de femme. *Mme Séverac doit passer chez la couturière pour essayer sa nouvelle robe.*

La *couvée,* c'est aussi l'ensemble des œufs couvés par un oiseau.

couvée n. f.
Ensemble des petits oiseaux qui viennent de sortir de l'œuf ; vois ***nichée.*** *La cane se dirige vers la mare, suivie de sa couvée.*

Famille de **couver**

couvent n. m.
Maison dans laquelle des moines ou des religieuses vivent en communauté. *Les religieuses assistent à la messe dans la chapelle du couvent.*

Pour les moines, on parle plus souvent de *monastère.*

Conjugaison 1

Dans une de ces retraites une cane avait établi son nid et couvait ses œufs ; il lui tardait de voir ses petits éclore
(le Vilain Petit Canard).

couver v.
1. *Les oiseaux couvent,* ils restent un certain temps sur leurs œufs pour les faire éclore. *La poule couve ses œufs pendant vingt et un jours.* **2.** *Couver quelqu'un,* c'est s'occuper de lui avec beaucoup d'attention. *Mme Séverac couve ses enfants.* **3.** *Sylvain couve la grippe,* il est sur le point de l'avoir. **4.** *Le feu couve sous la cendre,* il brûle sans qu'on le voie.

Une *poule couveuse,* c'est une poule qui couve les œufs.

Autres membres de la famille : **couvée, couveuse.**

Prononce [kuvɛʀkl].

Famille de **couvrir**

couvercle n. m.
Ce qui sert à fermer l'ouverture d'un récipient assez large. *Julie soulève le couvercle de la casserole pour voir ce qu'il y a à manger ce soir.*

Les boîtes, les coffres ont des couvercles. Les montres aussi.

① **couvert** n. m.
Ensemble des objets que l'on met sur la table pour le repas. *Antoine met le couvert,* il prépare la table pour le repas. *Les Séverac ont retenu une table de deux couverts au restaurant Bellec,* une table pour deux personnes.

On dit aussi qu'*il met la table.*

② *à* **couvert** adv.
Dans un lieu où l'on est couvert, protégé ; vois *à* ***l'abri.*** *Quand l'orage a éclaté, les enfants se sont mis à couvert.*

Le contraire de *à couvert,* c'est *à découvert.*

Famille de **couvrir**

③ **couvert** adj.
1. Qui a un vêtement chaud. *Nathalie n'était pas assez couverte ; elle a pris froid.* **2.** Qui a quelque chose sur lui, au-dessus de lui. *Yves va à la piscine couverte. La météo prévoit un ciel couvert,* un ciel nuageux.

Le contraire de *couvert,* c'est *découvert.*

Famille de **couvrir**

La couverture se borde sous le matelas avec le drap du dessus.

couverture n. f.
1. Pièce de tissu qui sert à couvrir, à tenir chaud. *Angèle dort avec deux couvertures.* **2.** Ce qui couvre, recouvre l'ensemble des pages d'un livre, d'un cahier. *Les livres de cette collection ont tous une couverture rose et blanche.* **3.** Toit. *Il pleut dans la maison, la couverture a besoin d'être réparée.*

Une chaumière a une couverture en chaume.

C'est aussi un appareil utilisé pour faire éclore des œufs qui ne sont pas couvés.

couveuse n. f.
Appareil destiné à garder les nouveau-nés très fragiles à une température toujours égale. *Quand un bébé sort trop tôt du ventre de sa mère, on le met dans une couveuse.*

Famille de **couver**

Au pluriel : *des couvre-feux.*

Famille de **couvrir** et de **feu**

couvre-feu n. m.
Heure à partir de laquelle on n'a plus le droit de circuler dans les rues. *Les soldats ont reçu l'ordre de tirer sur toute personne qui sera dehors après le couvre-feu.*

Cette interdiction n'existe qu'en temps de guerre.

Un couvreur ne doit pas avoir le vertige !

couvreur n. m.
Ouvrier qui fait ou répare les toitures des maisons. *Le couvreur a remplacé les tuiles qui étaient tombées pendant la tempête.*

Famille de **couvrir**

Conjugaison 18

▭ Indic. présent : *je couvre, nous couvrons.* Imparfait : *je couvrais, nous couvrions.* Passé simple : *je couvris, nous couvrîmes.* Futur : *je couvrirai, nous couvrirons.* — Impératif présent : *couvre.*

couvrir v.
1. *Couvrir une chose,* c'est placer quelque chose sur elle ; vois ***recouvrir.*** *À la rentrée, Marie-Tévy a couvert ses livres de classe avec du papier transparent.* **2.** *Se couvrir,* c'est se mettre des vêtements chauds. *Il fait froid, couvre-toi bien. Mamie Lou s'est couverte d'un grand châle.* **3.** Être disposé sur quelque chose. *La table était couverte d'une jolie nappe.* **4.** *Le ciel se couvre,* il se remplit de nuages. **5.** *Colle et Rat ont couvert les murs de la classe d'inscriptions,* ils ont mis beaucoup d'inscriptions. *À l'automne, les feuilles mortes couvrent le sol ;* vois ***joncher.*** *Denis Prost couvre sa fille de cadeaux ;* vois ***combler.*** **6.** *Couvrir quelqu'un,* c'est le protéger. *Mme Hespel estime qu'elle doit toujours couvrir ses subordonnés,* les défendre. **7.** Assurer le paiement de quelque chose. *M. Touati peut tout juste couvrir ses dépenses avec son salaire.*

Le *couvre-lit* couvre le lit. Le *couvre-livre* couvre le livre.

Le contraire de *se couvrir,* c'est *se découvrir.*

C'est le retour de l'hiver
Tiens le ciel s'est couvert
(Ch. Trenet).

Autres membres de la famille : **couvercle ; ② à couvert ; ③ couvert ; couverture ; couvre-feu ; couvreur ; découvert, à découvert, découverte, recouvrir.**

Cow-boy se prononce [kɔbɔj].

Au pluriel : *des cow-boys.*

cow-boy n. m.
Celui qui garde de grands troupeaux dans l'ouest des États-Unis. *Les cow-boys parcouraient la prairie à cheval. Yves adore les films de cow-boys ;* vois ***western.***

Cow-boy est un mot anglais qui veut dire « garçon de vaches ».

coyote n. m.
Animal sauvage d'Amérique, à la fourrure fauve, qui ressemble au loup et au chacal. *Les coyotes se nourrissent surtout d'animaux morts.*

crabe n. m.

Marcher en crabe, c'est marcher de côté.

Animal marin à carapace, qui possède huit pattes et deux pinces. *M. Bellec a fait une salade de crabe à la mayonnaise.*

Les plus grands crabes vivent au Japon.

Conjugaison 1

cracher v.
1. Projeter de la salive, des crachats de la bouche. *Ces garnements de Colle et Rat s'amusaient à cracher par la fenêtre.* **2.** Projeter hors de la bouche. *Yves, crache ce chewing-gum avant de répondre !*

Le volcan crache de la lave : il l'éjecte, la propulse.

Compare : *cracher → crachat* et *résulter → résultat.*

▸ ***crachat*** n. m. Salive ou substance plus épaisse et gluante que l'on rejette par la bouche. *Le docteur Séverac a ordonné l'analyse des crachats d'un de ses malades.*

Crachat s'écrit avec un *t* à la fin.

▸ ***crachin*** n. m. Pluie fine et serrée ; vois ***bruine.*** *Loïc avait mis son ciré pour se protéger du crachin.*

Le crachin est fréquent sur l'ouest de la France.

craie n. f.

On fait de la chaux avec la craie.

1. Roche blanche qui s'effrite facilement. *Les falaises d'Étretat sont en craie.* **2.** Petit bâton de cette roche servant à écrire au tableau et sur des ardoises. *Il y a des craies blanches et des craies de couleur.*

La craie est une roche calcaire.

Autre membre de la famille : **crayeux.**

Conjugaison 52
▭ Indic. présent : *je crains, nous craignons.* Imparfait : *je craignais, nous craignions.* Futur : *je craindrai, nous craindrons.* Passé composé : *j'ai craint.*

craindre v.
1. Avoir peur ; vois ***appréhender, redouter.*** *Mamie Lou craint la solitude. Ne craignez rien, cette chienne n'est pas méchante.* **2.** Mal supporter. *Mamie Lou craint les courants d'air,* elle est sensible aux courants d'air.

Prononce [kʀɛ̃dʀ].

De nombreuses plantes craignent le gel.

▸ ***crainte*** n. f. Peur. *N'ayez aucune crainte, cette chienne n'est pas méchante ;* vois ***frayeur.*** *Mme Harpie vit dans la crainte d'être cambriolée.*

Compare : *craindre → crainte* et *plaindre → plainte.*

Le contraire de *craintif,* c'est *audacieux.*

▸ ***craintif*** adj. Peureux. *Marie-Tévy est une enfant craintive,* elle a tendance à avoir peur de tout.

cramoisi adj.
Rouge foncé presque violet. *Les fauteuils sont recouverts d'une étoffe cramoisie.*

crampe n. f.
Douleur brusque et passagère qui survient quand un muscle se contracte plus qu'il ne le devrait. *Sans cette crampe au mollet, Yves aurait pu gagner la course.*

crampon n. m.
Des chaussures à crampons, ce sont des chaussures dont la semelle est garnie de petites pointes de métal ou de matière plastique. *Grâce à leurs chaussures à crampons, les joueurs de football et de rugby ne glissent pas sur le terrain.*

Les alpinistes ont des chaussures à crampons pour pouvoir marcher sur la glace.

Deux ***n*** à *se cramponner.*

▸ *se* ***cramponner*** v. S'accrocher fermement ; vois ***s'agripper, se retenir.*** *Claire s'est cramponnée à David pour traverser le ruisseau.*

Conjugaison 1

cran n. m.

Un *couteau à cran d'arrêt* est un couteau pliant qui ne peut se fermer que si l'on tire en arrière le ressort qui le tient ouvert.

1. Entaille que l'on fait dans quelque chose de dur et qui sert à accrocher, à retenir quelque chose d'autre ; vois ***encoche.*** *Il faudrait baisser l'étagère de deux crans. M. Bellec met le cran de sûreté à son fusil,* il cale la gâchette afin d'empêcher le coup de partir. **2.** Trou qui permet de régler une courroie, une ceinture. *Après un bon repas, on desserre parfois sa ceinture d'un cran.*

N'oublie pas l'accent circonflexe du ***â*** dans *crâne* et *crânien.*

crâne n. m.
1. Ensemble des os de la tête. *Quand on fait de la moto, on met un casque pour éviter une fracture du crâne en cas de chute.* **2.** Sommet de la tête. *M. Bonnot met un chapeau pour se protéger le crâne.*

Pour connaître l'histoire de l'humanité, des savants étudient l'évolution de la forme du crâne humain au cours des millénaires.

▸ ***crânien*** adj. Du crâne. *Tous les os du crâne forment la boîte crânienne.*

N'oublie pas l'accent circonflexe du ***â*** dans *crâner* et *crâneur.*

crâner v.
Prendre un air supérieur. *Antoine crâne depuis qu'il a eu une bonne note en sciences.*

Conjugaison 1

Crâner et crâneur sont des mots familiers.

▸ **crâneur** n. m., **crâneuse** n. f. Personne prétentieuse. *Denis Prost est un peu crâneur.*

Attention ! un ***d*** à la fin.

crapaud n. m.

Les crapauds sont des animaux utiles car ils mangent des larves d'insectes.

Petit animal au corps massif, aux pattes arrière courtes et à la peau rugueuse, qui appartient à la même famille que la grenouille. *Au printemps, les crapauds vont s'accoupler et pondre leurs œufs dans l'eau.*

Pendant la saison froide, les crapauds s'enfouissent sous terre.

crapule n. f.

Rastapopoulos, c'est l'infâme crapule des aventures de Tintin.

Individu très malhonnête ; vois ***bandit, canaille.*** *Ce bar n'est fréquenté que par des crapules.*

Conjugaison 1

craquer v.

Une des planches du radeau a craqué et le capitaine Haddock est tombé à l'eau.

1. Produire un bruit sec. *Le parquet craquait sous les pas de M*[me] *Harpie.* **2.** Se déchirer, se casser en produisant un bruit sec. *La branche a craqué sous le poids des pommes. La salle de cinéma est pleine à craquer,* complètement pleine. **3.** S'effondrer physiquement ou nerveusement ; vois ***céder.*** *Après trois heures d'interrogatoire, le gangster a craqué,* il a avoué.

Croquez des craquelins, ces biscuits qui craquent sous la dent. Crac ! Crac !

Ce sens de *craquer* est familier.

Prononce [kʀakmɑ̃].

▸ **craquement** n. m. Bruit sec. *L'arbre est tombé avec un grand craquement.*

crasse n. f.

Il n'y avait pas d'hygiène, et l'on pensait que la crasse protégeait des maladies.

Couche de saleté sur la peau, le linge, les objets. *Autrefois, les gens vivaient dans la crasse.*

▸ **crasseux** adj. Couvert de crasse, très sale. *Antoine aime son vieux blouson crasseux.*

Autres membres de la famille : **décrasser, encrasser.**

cratère n. m.

Dans les cratères des volcans éteints, il y a parfois des lacs.

1. Ouverture évasée d'un volcan par laquelle s'échappent les laves, les cendres. *De la lave en fusion s'écoulait du cratère.* **2.** Trou fait par un corps céleste qui tombe à la surface d'une planète. *On voit les cratères de la lune à l'œil nu.*

cravache n. f.

Baguette flexible dont se sert le cavalier pour stimuler son cheval. *Denis Prost donnait des coups de cravache à son cheval.*

cravate n. f.

Bande d'étoffe que les hommes passent sous le col de leur chemise et nouent par-devant. *Le docteur Séverac porte toujours une cravate.*

Sais-tu faire un nœud de cravate ?

Prononce [kʀol] ce mot d'origine anglaise.

crawl n. m.

Nage sur le ventre qui consiste à battre des jambes et à tirer les bras en avant tour à tour. *Marie-Tévy n'aime pas nager le crawl, elle préfère la brasse.*

Le crawl est la nage la plus rapide.

Prononce [kʀɛjø].

crayeux adj.

Formé de craie. *Les falaises d'Étretat sont crayeuses.*

Famille de **craie**

Prononce [kʀɛjɔ̃].

crayon n. m.

J'ai alors beaucoup réfléchi sur les aventures de la jungle et, à mon tour, j'ai réussi, avec un crayon de couleur, à tracer mon premier dessin *(le Petit Prince).*

Petite baguette de bois contenant une longue mine, qui sert à écrire, à dessiner. *Le docteur Séverac a offert à sa fille une magnifique boîte de crayons de couleur. Sophie Pelletier a un bon coup de crayon,* elle dessine bien.

Le crayon tel qu'on le connaît a été inventé en 1795.

▸ **crayonner** v. Dessiner, écrire au crayon sans y apporter beaucoup de soin. *Hippolyte a crayonné son numéro de téléphone sur une pochette d'allumettes.*

Conjugaison 1

Autre membre de la famille : **taille-crayon.**

créancier n. m., **créancière** n. f.

Celui qui doit de l'argent est le *débiteur.*

Personne à qui l'on doit de l'argent. *Il doit vendre sa maison pour rembourser ses créanciers.*

Famille de **créer**

créateur n. m., **créatrice** n. f.

On dit que Dieu est le créateur du ciel et de la terre.

Auteur d'une chose nouvelle. *Des créateurs du monde entier se sont rencontrés au Salon international de la bijouterie.* — adj. *Le pays a besoin de personnes créatrices ;* vois ***inventif.***

Les Américains Simon et Shuster sont les créateurs du livre de poche.

Famille de **créer**

création n. f.
1. Action de donner l'existence à partir de rien. *La Bible raconte la création du monde.* **2.** Action de faire une chose qui n'existait pas encore. *Le gouvernement favorise la création d'entreprises.* **3.** Nouveau modèle. *Voici les dernières créations de ce grand couturier.*

Le contraire de *création,* c'est *suppression.*

Famille de **créer**

créativité n. f.
Angèle organise des activités qui stimulent la créativité des enfants, leurs possibilités de création ; vois ***imagination.***

Compare : *créer → créature* et *signer → signature.*

créature n. f.
Être animé, être humain. *Mme Harpie est une horrible créature ;* vois ***personne.*** *Les films nous montrent souvent des créatures d'un autre monde.*

Famille de **créer**

Prononce [kʀesɛl].

crécelle n. f.
Petit instrument en bois, formé d'une petite planche qui tourne autour d'un axe en faisant du bruit. *Mme Harpie a une voix de crécelle,* une voix aiguë et désagréable.

crèche n. f.
1. Représentation de la naissance de Jésus dans une étable à Bethléem. *Yves a aidé l'abbé Gauthier à installer la crèche de l'église.* **2.** Établissement qui reçoit dans la journée les jeunes enfants dont les parents travaillent ; vois ***pouponnière.*** *Il emmène sa fille à la crèche avant d'aller travailler.*

On installe la crèche au moment de Noël.

La crèche accueille les enfants jusqu'à l'âge de trois ans.

Les *cartes de crédit* permettent de ne pas payer immédiatement les commerçants.

crédit n. m.
1. *À crédit,* sans que la somme due soit payable immédiatement. *Hippolyte a acheté sa télévision à crédit. Ce commerçant ne fait pas crédit,* on doit le payer immédiatement. **2.** Somme d'argent prêtée ; vois ***prêt.*** *La banque a accordé à Denis Prost un crédit sur cinq ans,* une somme d'argent qu'il doit rembourser avec les intérêts en cinq ans. **3.** Somme d'argent d'un budget destinée à un usage particulier. *Les conseillers municipaux ont voté un crédit de cent mille francs pour refaire la toiture de la mairie.* **4.** *Le crédit,* c'est l'argent disponible sur un compte en banque. *La banque envoie à ses clients des relevés qui indiquent les débits et les crédits,* les sommes dépensées et les sommes versées. **5.** Influence fondée sur la confiance ; vois ***autorité, influence, pouvoir.*** *Mme Hespel jouit d'un grand crédit auprès de son directeur.*

Le contraire de *à crédit,* c'est *au comptant.*

Un *crédit gratuit,* c'est un prêt sans intérêt.

Le contraire de *crédit,* c'est *débit.*

Autre membre de la famille : **discréditer.**

Conjugaison 1

▸ **créditer** v. Verser une somme d'argent sur un compte en banque. *Le docteur Séverac a crédité son compte de cinq mille francs.*

Le contraire de *créditer,* c'est *débiter.*

crédule adj.
Qui croit tout ce qu'il entend ou lit ; vois ***naïf.*** *Muriel Doucet est très crédule, elle croit tout ce que lui dit son beau-fils.*

Le contraire de *crédule,* c'est *incrédule.*

Le contraire de *crédulité,* c'est *incrédulité, méfiance.*

▸ **crédulité** n. f. Grande facilité à croire ; vois ***naïveté.*** *Muriel Doucet écoute son beau-fils avec crédulité.*

Autres membres de la famille : **incrédule, incrédulité.**

Conjugaison 1 ▭ Indic. présent : *je crée, nous créons.* Imparfait : *je créais, nous créions.* Futur : *je créerai, nous créerons.* Passé composé : *j'ai créé.*

créer v.
1. Faire que quelque chose existe à partir de rien. *On dit que Dieu créa l'homme et l'univers.* **2.** Faire, fabriquer, réaliser quelque chose qui n'existait pas avant. *Le mouchoir en papier a été créé en 1924 ;* vois ***inventer.*** *Cette équipe d'architectes crée une ville nouvelle ;* vois ***fonder.*** **3.** Être à l'origine de l'existence de quelque chose. *La commune de Motbourg créera cinquante emplois en deux ans.* **4.** Causer quelque chose de pénible ; vois ***engendrer, occasionner.*** *La remise à neuf de la chaussée crée des encombrements. Nous ne voudrions pas vous créer des ennuis,* être pour vous une cause d'ennuis ; vois ***causer.***

Prononce [kʀee].

Autres membres de la famille : **créateur, création, créativité, créature ; procréer.**

Pendre la crémaillère, c'est fêter son installation dans un nouveau logement.

crémaillère n. f.
1. Tige de fer à crans pendue dans une cheminée. *La marmite est accrochée à la crémaillère.* **2.** *Il y a dans la montagne un chemin de fer à crémaillère,* un chemin de fer composé de trois rails, dont un rail central denté.

Les chemins de fer à crémaillère permettent de gravir de fortes pentes.

crématoire adj.
Un four crématoire, c'est un four dans lequel on brûle le corps des morts. *Les cadavres sont incinérés dans des fours crématoires.*

Les clowns adorent se lancer à la figure des tartes à la crème.

La crème de menthe, de cacao, de banane sont des liqueurs épaisses.

crème n. f.
1. Matière grasse que contient le lait et que l'on utilise pour faire le beurre. *Mamie Lou a mis de la crème fraîche dans la sauce. La crème fouettée se met sur les gâteaux et les glaces.* **2.** Plat sucré fait avec du lait et des œufs. *Antoine aime la crème à la vanille et la crème au chocolat. Julie adore les choux à la crème.* **3.** Mélange doux au toucher que l'on utilise pour la toilette, les soins de la peau. *Sophie Pelletier se met de la crème de nuit sur le visage avant de se coucher.* — adj. invariable D'une couleur blanche légèrement teintée de jaune. *Mme Séverac a mis ses gants crème.*

Un *café crème,* c'est un café avec un peu de lait ou de crème.

La crème de marrons est ur mélange onctueux de châtaigne cuites et de sucre.

Compare : *crème → crémeux* et *colère → coléreux.* Attention aux accents !

▹ **crémeux** adj. Qui contient beaucoup de crème. *La sauce était bien crémeuse. Les nuages étaient d'un blanc crémeux,* comme de la crème.

Au féminin : *crémeuse.*

Prononce [kʀɛmʀi].

▹ **crémerie** n. f. Boutique, rayon où l'on vend du lait, des produits laitiers et des œufs. *Dans cette crémerie, on vend un fromage blanc aux herbes délicieux.*

Attention à l'accent aigu du *é* dans *crémerie !*

▹ **crémier** n. m., **crémière** n. f. Personne qui tient une crémerie. *Elle est allée acheter des œufs chez le crémier.*

Autre membre de la famille : **écrémé.**

Au pluriel : *des créneaux.*

créneau n. m.
1. Ouverture rectangulaire située en haut d'un rempart et qui servait à la défense. *Une pluie de flèches tombait des créneaux de la tour.* **2.** Espace assez grand pour se garer entre deux voitures qui stationnent. *Angèle a fait un créneau devant l'école,* elle a garé sa voiture devant l'école.

Va voir aussi ***meurtrière.***

créole n. m. et f.
1. Blanc né aux Antilles. *L'impératrice Joséphine était une créole.* — adj. *Elle était créole.* **2.** Langue maternelle parlée par les habitants des Antilles. *Hippolyte parle le créole avec ses amis de la Martinique.* — adj. *Hippolyte connaît beaucoup de chants créoles.*

Le créole parlé dans les Antille françaises est différent du créol de la Jamaïque.

N'oublie pas l'accent circonflexe du *ê* dans *crêpe.*

Mardi gras, t'en vas-pas ! On f'ra des crêpes et t'en auras (comptine).

① **crêpe** n. f.
Mince couche d'une pâte faite avec de la farine, du lait et des œufs, cuite à la poêle ou sur une plaque ronde ; vois ***galette.*** *Mamie Lou laisse reposer la pâte à crêpes. Mme Roussel a fait des crêpes flambées pour le dessert.*

En France, on mange des crêpe à la Chandeleur, le 2 février.

▹ **crêperie** n. f. Lieu où l'on vend et où l'on mange des crêpes. *Angèle ira déjeuner à la crêperie demain.*

Prononce [kʀɛpʀi].

Crêpe est un nom masculin. Le papier *crépon* est épais et légèrement élastique.

② **crêpe** n. m.
1. Tissu léger de soie ou de laine, qui a un aspect granuleux. *Mme Séverac portait une robe longue en crêpe noir.* **2.** Caoutchouc. *Le détective marchait sans bruit, grâce à ses semelles de crêpe.*

Le *crêpe de Chine* est un tissu de soie.

Le crêpe est formé de fine couches de caoutchouc.

crépi n. m.
Couche de plâtre ou de ciment qu'on met sur les murs et qui fait une surface inégale, rugueuse. *Pierre Séverac a refait le crépi de la grange.*

crépiter v.
Faire entendre des bruits secs et répétés. *Le bois sec crépitait dans la cheminée. L'acteur salua et les applaudissements crépitèrent.*

Conjugaison 1

Compare : *crépiter → crépitement* et *craquer → craquement.*

▹ **crépitement** n. m. Bruit sec et répété. *Soudain le crépitement d'une mitrailleuse déchira le silence.*

crépu adj.
Des cheveux crépus, ce sont des cheveux frisés très serré. *Hippolyte a les cheveux crépus.*

Le contraire de *crépu,* c'est *lisse, raide.*

Prononce [kʀepyskyl].

crépuscule n. m.
Lumière du jour qui s'affaiblit, juste après le coucher du soleil ; moment où le soleil se couche. *Dans les zones équatoriales, le crépuscule est très court.*

Le soleil se couche, c'est l crépuscule ; le soleil se lève, c'es l'aurore.

Il y a deux façons de prononcer *cresson* : [kʀəsɔ̃] ou [kʀesɔ̃].

cresson n. m.
Plante qui pousse dans l'eau douce et dont on mange les feuilles arrondies vert foncé. *Antoine aime beaucoup la salade de cresson.*

Le cresson est vendu en botte Il se fane très vite.

Attention à l'accent circonflexe du *ê* dans *crête.*

crête n. f.
1. Morceau de chair rouge et dentelé situé sur le dessus de la tête de certains oiseaux. *La crête des poules est plus petite que celle des coqs.* **2.** Ligne formée par le sommet d'une montagne, d'un toit. *Le ramoneur marchait sur la crête du toit.* **3.** Partie haute d'une vague. *Il y avait de l'écume sur la crête des vagues.*

Les oiseaux qui ont des crête font partie de la famille du coq comme le dindon ou la pintade

Le capitaine Haddock a traité les Dupondt de triples crétins !

crétin n. m., ***crétine*** n. f.
Personne stupide ; vois ***idiot, imbécile.*** *David a traité sa sœur de crétine.*

Conjugaison 1
Famille de **creux**

creuser v.
1. Rendre creux en enlevant quelque chose, faire un trou dans quelque chose. *David a creusé une citrouille pour se faire un masque,* il a vidé la citrouille. **2.** Donner faim. *Antoine a toujours faim en sortant de la piscine ; nager, cela creuse !* **3.** *Se creuser la tête,* beaucoup réfléchir ou chercher dans sa mémoire. *Colle et Rat se creusent la tête pour trouver une nouvelle farce.* **4.** Faire quelque chose en enlevant de la terre ou une autre matière. *On creusait des fossés autour des châteaux forts. Le pivert creuse son nid dans le tronc d'un arbre.*

Babar creuse le sable avec un coquillage *(Babar).*

On peut dire aussi : *cela creuse l'estomac.*

Quand le tracé est terminé, les terrassiers peuvent creuser les fondations de chaque maison *(Babar).*

Le contraire de *creuser,* c'est *combler.*

creuset n. m.
Récipient dans lequel on fait fondre des métaux. *Il existe des creusets en platine.*

Le *creuset,* c'est aussi la partie basse d'un haut fourneau.

Famille de **creux**

N'oublie pas le ***x*** à la fin de *creux.*

creux adj. et n. m.
▭ **adj. 1.** Vide. *La cloison est en briques creuses. L'œuf en chocolat était léger parce qu'il était creux,* il ne contenait rien. *Antoine a le ventre creux,* il a faim. **2.** Sans valeur. *Les promesses de Colle et Rat sont des paroles creuses.* **3.** *Les heures creuses,* ce sont les heures où les activités sont ralenties. *Muriel Doucet préfère prendre le métro aux heures creuses, il y a moins de monde.* **4.** *Une assiette creuse,* c'est une assiette qui peut contenir un liquide. *On sert la soupe dans des bols ou des assiettes creuses.*
▭ **n. m. 1.** Partie vide, enfoncée ; vois ***cavité, trou.*** *Alex fonce sur sa moto malgré les creux et les bosses du chemin. Yves a trouvé un crabe dans un creux de rocher.* **2.** Partie basse. *Yves nage dans le creux des vagues.*

Le contraire de *creux,* c'est *plein, rempli.*

Le contraire de *creux,* c'est *plat.*

Le creux de la main, c'est la paume.

Autres membres de la famille : **creuser, creuset.**

Prononce [kʀəvɛzɔ̃].

crevaison n. f.
Ouverture brutale qui se produit dans un objet gonflé ou tendu. *En cas de crevaison, il faut changer la roue.*

Famille de **crever**

Famille de **crever**

crevant adj.
1. Qui fait crever, mourir de fatigue ; vois ***épuisant, exténuant, tuant.*** *M. Touati fait un travail crevant.* **2.** Qui fait beaucoup rire. *Regarde Antoine qui fait des grimaces, il est crevant !*

Crevant est un mot familier.

Famille de **crever**

crevasse n. f.
1. Fente profonde qui se fait à la surface de quelque chose. *La terre desséchée était craquelée et formait des crevasses.* **2.** Cassure étroite et profonde dans la glace. *Les crevasses représentent un grand danger pour les alpinistes.* **3.** Petite fente de la peau provoquée par le froid. *Lorsqu'il fait très froid, il est recommandé de se protéger les mains et les lèvres pour éviter d'avoir des crevasses.*
▸ ***crevassé*** adj. Qui a une surface fendue par des crevasses. *Alex avait les mains crevassées.*

Une crevasse peut avoir plusieurs mètres de largeur et des dizaines de mètres de profondeur.

Les gerçures sont de petites crevasses.

Conjugaison 5 ▭ Indic. présent : *je crève, nous crevons.* Imparfait : *je crevais.* Futur : *je crèverai.* — Subj. présent : *que je crève.*

crever v.
1. S'ouvrir brutalement, éclater. *Les bulles de savon crèvent en touchant un obstacle. Un pneu de ma bicyclette a crevé.* **2.** Mourir. *Le poisson rouge crèvera si tu lui donnes trop à manger.* **3.** Faire éclater une chose qui était gonflée ou tendue. *Claire a crevé sa bouée en tombant sur le rocher. Antoine a failli se crever un œil avec une fléchette. La solution crève les yeux !,* elle est évidente.
▸ ***crevé*** adj. Mort. *Pierre Séverac a trouvé un rat crevé dans la cave.*

Crever de jalousie, c'est être empli de jalousie.

Crever s'emploie pour les animaux et les plantes.

Crever de rire, c'est mourir de rire.

Autres membres de la famille : **crevaison, crevasse, crevassé.**

crevette n. f.
Petit crustacé que l'on trouve en mer ou en eau douce. *Yves va à la pêche avec son filet à crevettes. M. Bellec sert des crevettes grises à l'apéritif.*

Les plus grandes des crevettes peuvent dépasser 20 centimètres.

Il y a de nombreuses espèces de crevettes.

Famille de **crier**

cri n. m.
1. Son perçant produit par la voix. *Effrayée, Julie a poussé un cri. L'arrivée des clowns a provoqué des cris de joie.* **2.** Parole prononcée très fort, sur un ton aigu. *L'assemblée poussait des cris de protestation. Les enfants réclament à grands cris une part de gâteau supplémentaire,* bruyamment et avec insistance. **3.** Son que font les animaux. *Le cri du chat est le miaulement. Le coq pousse son cri avant le lever du soleil.*

Le bébé qui vient de naître pousse son premier cri dès que l'air a atteint ses poumons.

Peux-tu imiter le cri de Tarzan ?

Le *cri du cœur,* c'est ce qu'on dit spontanément et sincèrement.

Il y a des *cris d'alarme,* des *cris d'appel...*

Quel est le cri du chien, du loup, du lion ?

Famille de **crier**

criant adj.
Qui fait protester. *Antoine trouve que cette punition est d'une injustice criante ;* vois ***révoltant.***

Famille de **crier**

criard adj.

1. Aigu et désagréable. *La voix criarde de Mme Harpie est encore plus désagréable au téléphone.* **2.** Désagréable à voir ; vois **voyant.** *Alex a acheté un pull-over d'un vert criard,* trop vif.

Ne confonds pas *criard* et *criant.*

crible n. m.

Instrument percé de trous qui sert à trier des objets de différente grosseur ; vois **passoire, tamis.** *Le crible laisse passer les objets plus fins que ses trous. Le commissaire a passé au crible l'emploi du temps de tous les amis de la victime,* il l'a examiné avec beaucoup de soin, pour distinguer le vrai du faux.

▸ **criblé** adj. Percé de nombreux trous, comme un crible. *Sous les coups de fusil, le perdreau est tombé, criblé de balles.*

Le meunier employait un crible en forme de cylindre dont les parois étaient en gaze.

Cric [kʀik] rime avec *chic, pic, bique.*

cric n. m.

Appareil à manivelle qui sert à soulever des choses très lourdes. *Le garagiste place le cric sous la voiture pour changer la roue.*

Ne confonds pas *cric* et *crique.*

Conjugaison 7
▭ Indic. présent : *je crie, nous crions.* Imparfait : *nous criions.* Futur : *nous crierons.*

Elle alla crier famine
Chez la fourmi sa voisine
(La Fontaine).

crier v.

1. Faire entendre un ou plusieurs cris. *À la campagne, les enfants peuvent crier sans gêner les voisins.* **2.** Parler fort, élever la voix ; vois **hurler.** *Angèle était obligée de crier pour se faire entendre.* **3.** Dire d'une voix très forte. *Les enfants criaient « Guignol ! » « Guignol ! ». Antoine a crié à Yves de plonger.* **4.** Faire connaître quelque chose en le proclamant. *L'accusé criait son innocence. Mme Harpie crie sur les toits que son beau-frère est très violent,* elle le dit fort et partout.

Crier comme un putois, c'est crier très fort.

Autres membres de la famille : **cri, criant, criard,** s'**écrier,** se **récrier.**

Minuit, l'heure du crime... Un homme, un couteau à la main... étalait du beurre sur sa tartine !

crime n. m.

1. Faute très grave punie par la loi. *Il est jugé pour crime contre la sûreté de l'État.* **2.** Assassinat, meurtre. *L'auteur du crime a été arrêté par la police.* **3.** Acte que l'on condamne avec force. *Ce serait un crime de construire un parking sur la place du marché de Motbourg.*

L'*arme du crime,* c'est l'arme qui a servi à tuer.
Ce n'est pas un crime : ce n'est pas interdit.

Un *criminel de guerre* commet des atrocités au cours d'une guerre.

C'était un incendie accidentel.

criminel n. m., criminelle n. f.

Personne coupable d'un crime. *Les criminels seront jugés.* — adj. *L'enquête a révélé que l'incendie de la poste n'était pas un acte criminel,* provoqué par un criminel.

À Rome, les gladiateurs étaient souvent des criminels condamnés à mort.

Le cheval, l'âne, le mulet, le bœuf, la chèvre ont des crins.

Prononce [kʀinjɛʀ].

crin n. m.

1. Poil long et rude qui pousse sur le cou, la queue et sur le bas des pattes de certains animaux. *Le bébé dort sur un petit matelas de crin. Angèle se frictionne après la douche avec un gant de crin.* **2.** *À tous crins,* ardent, passionné. *M. Bellec est partisan à tous crins des vacances en caravane.*

▸ **crinière** n. f. Poils qui poussent sur le cou de certains animaux. *Le cheval secoue sa crinière.*

Connais-tu l'histoire du cheval Crin-Blanc ?

On peut écrire *à tous crins* ou *à tout crin.*

Le lion a une crinière, la lionne n'en a pas.

Ne confonds pas *crique* et *cric.*

crique n. f.

Partie du rivage où la mer s'enfonce dans la terre en formant un abri. *Yves a amarré la barque dans la crique ;* vois **anse, baie.**

C'est très agréable de se baigner dans une crique.

Les criquets ont des antennes plus courtes que celles des sauterelles.

criquet n. m.

Insecte des pays chauds, très vorace, qui vole et qui saute. *Des nuées de criquets migrateurs s'abattent sur les cultures et les dévorent en quelques minutes.*

crise n. f.

1. Accident qui atteint une personne en bonne santé. *Julie a eu une crise d'appendicite. Le pollen donne des crises d'asthme à Sylvain.* **2.** *Yves a piqué une crise de colère,* il s'est mis en colère d'une manière soudaine et violente. **3.** Période difficile d'une époque ou d'une situation. *L'adolescence est souvent une période de crise. Le pays souffre de la crise économique,* des difficultés de l'économie.

Une crise économique très grave éclata aux États-Unis en 1929.

Conjugaison 1

crisper v.

Contracter les muscles d'une partie du corps. *Julie avait très mal, la douleur lui crispait le visage. — Détendez-vous, ne vous crispez pas !*

Conjugaison 1

crisser v.

Faire un bruit grinçant de frottement. *Les lames des patins crissaient sur la glace.*

Le gravier crisse sous les pas.

cristal n. m.

…a voyante prédit l'avenir en …egardant sa boule de cristal.

1. *Du cristal,* c'est du verre que l'on a rendu plus transparent et plus lourd que le verre ordinaire et qui donne un joli son si on le frappe légèrement. *Mme Séverac sert le champagne dans des coupes de cristal.* **2.** *Le cristal de roche,* c'est une roche transparente et dure. *Le quartz est du cristal de roche.* **3.** Petit élément aux formes géométriques. *Les cristaux de neige sont en étoile.*

On taille le cristal à la main depuis l'Antiquité égyptienne. Il existe aussi une fabrication industrielle du cristal.

Une *voix cristalline* est très pure.

▸ **cristallin** adj. et n. m. **1.** adj. Clair, transparent comme le cristal. *L'eau de la source est cristalline.* **2.** n. m. Partie transparente de l'œil, en forme de lentille, à l'arrière de la pupille. *Le cristallin prend une forme bombée pour permettre la vision des objets rapprochés.*

Attention aux deux *l* de *cristallin* !

…e cristallin change de forme …râce aux muscles et à la mem…rane qui l'entourent.

Si le cristallin est trop bombé, on ne voit pas bien de loin.

▸ **cristallisé** adj. *Mme Roussel a mis du sucre cristallisé sur le gâteau,* du sucre formé de petits cristaux.

Deux *l* dans *cristallisé.*

critère n. m.

Caractère distinctif qui permet de juger, de trier. *Antoine utilise plusieurs critères pour classer ses papillons : leur origine, leurs couleurs, la forme de leurs ailes.*

Selon quels critères ranges-tu tes livres ?

① **critique** adj.

La situation est critique, elle est difficile et peut avoir des conséquences fâcheuses ; vois ***alarmant, préoccupant.*** *Ces gens se trouvent dans une situation critique, il faut les aider.*

…e malade est dans un état …ritique : il va peut-être mourir.

② **critique** n. m. et f.

1. n. f. *La critique d'un livre, d'un film,* c'est ce qu'on en dit en bien et en mal. *Angèle a fait avec ses élèves la critique d'une émission de télévision. Denis Prost lit toutes les critiques de ses films,* ce qu'on écrit dans les journaux à propos de ses films ; vois ***compte rendu.*** **2.** n. m. Personne dont le métier est de juger les livres ou les spectacles. *Les critiques de cinéma assistent au Festival de Cannes.* **3.** n. f. Jugement défavorable ; vois ***reproche.*** *Julie ne supporte pas qu'on lui fasse des critiques.*

…enis Prost est un comédien …élèbre.

Le critique écrit dans des journaux ou bien on l'entend à la radio, à la télévision.

Conjugaison 1

▸ **critiquer** v. Juger en faisant ressortir les défauts ; vois ***blâmer, condamner.*** *Mme Harpie critique toujours tout le monde.*

Le contraire de *critiquer,* c'est *approuver, louer.*

Ne confonds pas *croasser* et *coasser.*

croasser v.

Le corbeau et la corneille croassent, ils poussent leur cri.

Conjugaison 1

Prononce [kʀo], mais n'oublie pas le ***c*** final.

croc n. m.

1. Dent pointue de certains animaux ; vois ***canine.*** *Le chien montre ses crocs aux moutons qui s'éloignent du troupeau.* **2.** Tige de métal pointue et recourbée servant à suspendre quelque chose. *Le boucher suspend la viande à des crocs.*

As-tu lu l'histoire de Croc-Blanc, cet animal mi-chien, mi-loup ?

Famille de ① **en** et de **jambe**

▸ **croc-en-jambe** n. m. Manière de faire tomber quelqu'un en accrochant sa jambe avec le pied ; vois ***croche-pied.*** *Julie a fait un croc-en-jambe à Antoine.*

Au pluriel : *des crocs-en-jambe* [dekʀɔkɑ̃ʒɑ̃b].

…a queue de la note porte un …rochet.

croche n. f.

Note de musique. *La croche équivaut à la moitié d'une noire.*

Au pluriel : *des croche-pieds.*

croche-pied n. m.

Manière de faire tomber quelqu'un en accrochant sa jambe avec le pied ; vois ***croc-en-jambe.*** *Yves a fait un croche-pied à Marie-Tévy.*

Famille de ① **pied**

Compare ***crochet*** et ***crochu*** : il s'agit d'**objets recourbés.**

crochet n. m.

1. Pièce de métal recourbée pour pendre ou retenir quelque chose. *M. Bellec a fixé un crochet dans le mur pour suspendre un tableau.* **2.** Aiguille dont l'extrémité recourbée retient le fil qui doit passer dans la maille. *Mamie Lou a acheté un crochet et une pelote de fil à la mercerie.* **3.** Changement de direction qui allonge la route suivie ; vois ***détour.*** *Lorsqu'ils sont allés à Sarlat, les Séverac ont fait un crochet par Saint-Savin.* **4.** Sorte de parenthèse dont les extrémités sont en angle droit. *Les mots écrits en alphabet phonétique sont entre crochets.*

Faire du crochet, c'est faire un ouvrage en se servant d'un crochet.

Vivre aux crochets de quelqu'un, c'est vivre à ses frais.

Les parenthèses ont cette forme : ( ), et les crochets celle-ci : [ ].

Conjugaison 5
▭ Indic. présent : *je crochète, nous crochetons.*

▸ ***crocheter*** v. *Crocheter une serrure,* c'est l'ouvrir avec un instrument dont l'extrémité est recourbée. *Les cambrioleurs ont crocheté la serrure.*

On prononce [kʀɔʃte] à l'infinitif.

Les sorcières ont de longs ongles crochus.

crochu adj.

Recourbé. *L'aigle a un bec crochu.*

crocodile n. m.

Les crocodiles ont de nombreux ennemis : les hommes qui les chassent et les oiseaux qui mangent leurs œufs.

1. Reptile carnivore vivant dans les fleuves des pays chauds, au corps massif recouvert d'écailles, aux pattes courtes et qui respire aussi bien dans l'air que dans l'eau. *Les crocodiles noient leurs proies avant de les dévorer. Mme Harpie a versé des larmes de crocodile quand sa sœur a divorcé,* elle a fait semblant d'être triste. **2.** Peau du crocodile utilisée pour faire des sacs, des chaussures, des ceintures, des portefeuilles. *Denis Prost a une ceinture en crocodile.*

Le crocodile a un crâne triangu laire, moins large que celui d l'alligator. Quand sa gueule es fermée, il montre deux de se dents.

On dit familièrement *en croco.*

crocus n. m.

Crocus [kʀɔkys] rime avec *autobus* et *puce.*

Plante à bulbe, à tige courte, qui fleurit très tôt au printemps. *Mme Séverac fait pousser des crocus violets dans son jardin.*

Le safran provient d'une variét de crocus.

croire v.

Conjugaison 44
▭ Indic. présent : *je crois, nous croyons.* Imparfait : *je croyais, nous croyions.* Futur : *je croirai, nous croirons.*

Mon ami ne donnait jamais d'explications. Il me croyait peut-être semblable à lui (*le Petit Prince*).

Autres membres de la famille : **croyable, incroyable, croyant, incroyant, croyance.**

1. *Croire quelque chose,* c'est penser que c'est vrai. *Muriel Doucet croit tout ce que lui raconte Antoine. Antoine a fait croire à Muriel qu'il était venu en auto-stop.* **2.** *Croire quelqu'un,* c'est penser que ce qu'il dit est vrai. *Il ne faut jamais croire Antoine.* **3.** Considérer comme vraisemblable, sans en être sûr ; vois ***estimer, juger, penser, supposer.*** *Angèle croyait être seule. Sylvain croit que Nathalie va répondre à sa lettre. — Mme Harpie se croit belle,* elle s'imagine qu'elle est belle. **4.** *Croire à une chose,* c'est penser qu'elle est réelle. *Antoine croyait à la victoire de son équipe.* **5.** *Yves croit en Dieu,* il est convaincu que Dieu existe. **6.** Avoir la foi religieuse. *Yves croit.*

Ne confonds pas les conjugaisons des verbes *croire* et *croître.*
Ne pas en croire ses yeux, ses oreilles, s'étonner de ce qu'on voit, entend.

Ceux qui croient
Ceux qui croient croire
Ceux qui croa-croa (Prévert).

croisé n. m.

Famille de **croix**

Chevalier chrétien qui prenait les armes pour chasser les musulmans de la Terre sainte. *Une armée de croisés prit Jérusalem en 1099.*

Les croisés cousaient une croi d'étoffe sur leur vêtement.

Il y a eu huit grandes croisades, de 1095 à 1289.

▸ ***croisade*** n. f. **1.** Expédition militaire qui était menée par les chrétiens pour chasser les musulmans de la Terre sainte. *Pendant que Richard Cœur de Lion était en croisade, son frère Jean sans Terre essaya de s'emparer du trône d'Angleterre.* **2.** Action que l'on exerce sur les gens pour les amener à lutter contre quelque chose ; vois ② ***campagne.*** *Le ministère de la Santé mène une croisade contre l'alcoolisme.*

Les croisades permirent au chrétiens et aux musulmans d se connaître et de faire d commerce.

croiser v.

Conjugaison 1

Famille de **croix**

1. Mettre deux choses l'une sur l'autre, en forme de croix. *Angèle s'est assise et a croisé les jambes. Aide-moi au lieu de te croiser les bras !,* de rester sans rien faire. **2.** Passer au travers d'une ligne, d'une route ; vois ***couper, traverser.*** *La voie ferrée croise la route. — Les deux routes se croisent à angle droit.* **3.** Rencontrer en allant en sens contraire. *Yasmina a croisé Marie-Tévy dans la rue. — Yasmina et Marie-Tévy se sont croisées. Les deux trains se croiseront à 11 h 47.* **4.** Naviguer en allant et venant dans les mêmes parages. *Le navire croisait au large des côtes de Bretagne.*

▸ ***croisement*** n. m. **1.** *Le code de la route indique les règles de croisement aux automobilistes,* les règles que doivent suivre les automobilistes quand ils croisent des véhicules. **2.** Carrefour, intersection. *Vous me laisserez au prochain croisement.*

Sur une automobile, *les feux de croisement,* ce sont des lumières qui n'éblouissent pas le chauffeur de la voiture que l'on croise. On appelle aussi ces feux des *codes.*

Les premiers croiseurs modernes datent de 1870.

▸ ***croiseur*** n. m. Grand navire de guerre puissamment armé. *Loïc a fait son service militaire sur un croiseur.*

▸ ***croisière*** n. f. Voyage touristique en bateau. *Angèle aimerait faire une croisière en Grèce.*

croissance n. f.

Famille de **croître**

1. Le fait de croître, de grandir ; vois ***développement.*** *Quand on a huit ans comme Julie, on est en pleine croissance.* **2.** Progression. *La biscuiterie de Motbourg est en pleine croissance ;* vois ***expansion.***

Le contraire de *croissance,* c'est *déclin, régression.*

Famille de **croître**

Suite des phases de la lune : nouvelle lune, premier croissant, pleine lune, dernier croissant. On voit toutes ces phases en 29 jours et demi.

① ***croissant*** n. m.
1. Partie visible de la lune quand elle n'est pas éclairée tout entière. *On voyait un croissant de lune. Le croissant est le symbole des musulmans.* **2.** Petite pâtisserie en forme de croissant. *Julie aime tremper un croissant dans son chocolat au lait.*

La lune croît et décroît dans le ciel.

Le contraire de ② *croissant,* c'est *décroissant.*

② ***croissant*** adj.
Qui croît, s'accroît. *Les enfants se sont rangés par ordre croissant de taille,* des plus petits aux plus grands.

Famille de **croître**

Conjugaison 55 ; ne confonds pas certaines formes de ce verbe avec celles de *croire.* ▭ Indic. présent : *il croît, ils croissent.* Imparfait : *il croissait.* Futur : *il croîtra.* Passé composé : *il a crû.*

croître v.
1. *Une plante qui croît,* c'est une plante qui pousse, qui grandit ; vois ***pousser.*** *Les mauvaises herbes croissent plus vite que le gazon.* **2.** Devenir plus grand, plus nombreux ; vois ***s'accroître, augmenter.*** *Les jours croissent au printemps. Le nombre des naissances ne croît pas assez en France. À mesure qu'on approchait de la fête foraine, le bruit croissait. La méchanceté de Mme Harpie ne fait que croître et embellir,* Mme Harpie est de plus en plus méchante.

Le contraire de *croître,* c'est *diminuer, décroître.*

Autres membres de la famille : **accroître, accroissement ; croissance, ① croissant, ② croissant, ① cru, crue ; décroître, décroissant, décrue ; surcroît.**

Croix [kʀwa] rime avec *effroi, froid, étroit.*

La Croix-Rouge est un organisme international qui a été créé pour venir en aide aux victimes des guerres.

Le *point de croix* est un point de broderie en forme de croix.

croix n. f.
1. Instrument de supplice fait de deux poteaux de bois qui se croisent à angle droit, sur lequel on attachait les condamnés pour les faire mourir. *Jésus-Christ est mort sur la croix ;* vois ***crucifix.*** *En Bretagne, il y a beaucoup de croix au bord des chemins,* de croix qui rappellent la mort de Jésus. **2.** Décoration en forme de croix. *M. Bonnot a reçu la croix de la Légion d'honneur pour les services qu'il a rendus à la France.* **3.** Marque formée de deux traits croisés. *Les gens qui ne savent pas écrire font une croix pour signer. Vous cochez d'une croix la bonne réponse.*

Quand on fait *le signe de la croix,* on porte la main droite au front, à la poitrine puis aux deux épaules.

Autres membres de la famille : **croisé, croisade, croiser, croisement ; croiseur, croisière ; entrecroiser.**

Famille de **croquer**

croquant adj.
Qui croque sous la dent. *Julie aime les pommes croquantes.*

Un gâteau sec est *croustillant.*

Au pluriel : *des croque-monsieur.*

croque-monsieur n. m. invariable
Sandwich chaud fait de pain de mie grillé avec du jambon et du fromage. *Antoine adore les croque-monsieur.*

Famille de **croquer**

Croque-mort est un mot familier. Famille de **croquer** et de **mourir**

croque-mort n. m.
Employé des pompes funèbres chargé du transport des morts au cimetière. *Les croque-morts déposent le cercueil dans le corbillard.*

Le croque-mort suit Lucky Luke. Peut-être aura-t-il bientôt du travail.

Conjugaison 1

Oh ! quelle joie de pouvoir croquer à belles dents quelque chose de bien sucré, de ferme, de consistant *(Charlie et la Chocolaterie).*

croquer v.
1. Faire un bruit sec ; vois ***craquer.*** *La pomme verte croquait sous la dent.* **2.** Réduire en petits morceaux avec les dents. *Antoine croque un bonbon. Yasmina aime le chocolat à croquer. — Julie croque dans une pomme verte,* elle mord dedans.

La pomme *croque,* le pain *croustille.*

▸ ***croquette*** n. f. **1.** Boulette de pâte, de hachis, frite dans l'huile. *Des croquettes de pommes de terre accompagnaient le rôti.* **2.** Boulette sèche que l'on donne à manger aux chats ou aux chiens. *Julie donne des croquettes et de l'eau à son chat.*

Autres membres de la famille : **croquant, croque-monsieur, croque-mort.**

croquet n. m.
Jeu qui consiste à faire passer des boules de bois sous des arceaux au moyen d'un maillet. *Yasmina et Julie jouent au croquet dans le jardin.*

N'oublie pas le *s.*

croquis n. m.
Dessin rapide ; vois ***esquisse.*** *Angèle a expliqué à l'aide d'un croquis comment était fait un violon ;* vois ***schéma.***

Angèle est institutrice.

Ne confonds pas *cross* et *crosse.*

cross n. m.
Course à pied comportant des obstacles, qui est effectuée sur diverses sortes de terrains. *Réjean aime faire du cross dans les bois.*

Autres membres de la famille : **cyclo-cross, moto-cross.**

Ne confonds pas *crosse* et *cross.*

crosse n. f.
1. Bâton recourbé. *Les évêques tiennent une crosse à la main pendant les cérémonies religieuses.* **2.** Partie d'un fusil que l'on appuie sur l'épaule. *La crosse du fusil de M. Bellec est en bois.*

Les joueurs de hockey sur glace font glisser le palet avec une crosse.

crotale n. m.

Certains crotales peuvent mesurer plus de deux mètres.

Serpent très venimeux qui signale ses déplacements par le bruit qu'il fait avec sa queue. *Les crotales vivent en Amérique.*

On l'appelle aussi : *serpent à sonnette.*

Attention ! deux *t* dans *crotte* et *crottin.*

crotte n. f.

1. Excrément solide. *Mamie Lou a trouvé des crottes de souris dans la cuisine.* **2.** *Une crotte de chocolat,* c'est un bonbon de chocolat. *À l'époque de Noël, on offre des crottes de chocolat.*

▹ ***crottin*** n. m. **1.** Excréments du cheval. *Le garçon d'écurie balaie le crottin.* **2.** Petit fromage de chèvre. *M. Bellec propose aujourd'hui une salade au crottin chaud.*

Le crottin est un bon engra pour les fleurs.

crotté adj.

Couvert de boue. *En rentrant de la chasse, M. Bellec avait ses chaussures toutes crottées.*

Conjugaison 1

crouler v.

Tomber en pliant sous l'effet de son propre poids ; vois ***s'ébouler, s'écrouler, s'effondrer.*** *Le vieux mur du jardin croule. La salle croulait sous les applaudissements,* les spectateurs enthousiastes applaudissaient très fort.

Autres membres de la famille s'**écrouler, écroulement.**

croupe n. f.

Partie arrière arrondie du corps de certains animaux ; vois ***derrière, fesse.*** *Le cow-boy donne un coup de cravache sur la croupe de la vache pour la faire avancer. Quand elle était petite, Mme Hespel montait en croupe derrière son père,* sur la croupe d'un cheval.

Le bandit a pris en croupe le prisonnier qu'il aide à s'évader.

La croupe d'une colline, c'est son sommet arrondi.

▹ ***croupion*** n. m. Partie arrière du corps des oiseaux qui porte les plumes de la queue. *Yasmina mange le croupion du poulet.*

Autre membre de la famille : s'**accroupir.**

Conjugaison 2

croupir v.

1. *De l'eau qui croupit,* c'est de l'eau qui devient mauvaise parce qu'elle reste immobile, ne s'écoule pas. *Le puits est à sec ; il n'y reste qu'un peu d'eau croupie.* **2.** Rester dans un endroit sans en sortir. *Il ne voulait pas croupir dans ce village perdu.*

Il ne faut pas boire de l'eau croupie.

Les prisonniers croupissaier dans les bagnes.

Conjugaison 1

croustiller v.

Croquer sous la dent. *Julie aime les gâteaux secs qui croustillent.*

▹ ***croustillant*** adj. Qui craque sous la dent, comme une croûte de pain frais. *Julie aime les gâteaux secs bien croustillants.*

Si on laisse des gâteaux secs à l'air, ils deviennent mous et rassis !

Une pomme est *croquante.*

N'oublie pas l'accent circonflexe du ***û*** dans *croûte* et *croûton.*

croûte n. f.

1. Partie extérieure du pain qui a durci à la cuisson. *Sylvain mange la croûte mais laisse la mie.* **2.** Partie extérieure du fromage. *Claire enlève la croûte du camembert avant de le manger.* **3.** Plaque dure qui se forme sur une plaie. *N'arrache pas la croûte, ta plaie se refermera plus vite.*

Du *pâté en croûte,* c'est du pâté entouré d'une pâte cui

Compare : *croûte → croûton* et *maille → maillon.*

▹ ***croûton*** n. m. **1.** Extrémité d'un pain long. *Quand Sylvain rapporte le pain, il mange souvent les deux croûtons en chemin.* **2.** Morceau de pain frit. *Odile Séverac a mis des croûtons dans la salade.*

Autre membre de la famille : **casse-croûte.**

Famille de **croire**

croyable adj.

Une chose croyable, c'est une chose que l'on peut croire ; vois ***imaginable, pensable, possible.*** *Ce n'est pas croyable le culot que tu peux avoir !*

Le contraire de *croyable,* c'est *incroyable.*

Famille de **croire**

croyant adj.

Qui croit en Dieu. *Yves est croyant.* — n. *Les croyants ne sont pas tous pratiquants,* les personnes qui croient en Dieu.

Le contraire de *croyant,* c'est *athée, incroyant.*

▹ ***croyance*** n. f. Ce que l'on croit. *Les Touati et les Bellec n'ont pas les mêmes croyances.*

Les Touati sont musulmans, les Bellec catholiques.

Famille de **croître**

① **cru** n. m.

Le vin d'un bon vignoble est un grand *cru.*

1. Vignoble. *La France est réputée pour ses grands crus.* **2.** *M. Bellec a fait une recette de son cru,* de son invention.

M. Bellec est le patron d'u restaurant.

Le contraire de *cru,* c'est *cuit.*

Autre membre de la famille : **crudités.**

② **cru** adj.
1. Qui n'est pas cuit. *Les carottes se mangent cuites ou crues.* **2.** *Une lumière crue,* c'est une lumière vive et violente. *La lumière crue fait mal aux yeux.* **3.** Qui dévoile les choses telles qu'elles sont même si c'est pénible. *La présentatrice a annoncé que certains passages de l'émission étaient assez crus.*

Le cavalier monte à cru : il monte à cheval sans selle.

…ndignée de la cruauté de So…hie, Mme de Réan lui tira fortement l'oreille *(les Malheurs de Sophie).*

cruauté n. f.
Méchanceté des personnes qui ont du plaisir à faire souffrir. *Antoine n'aime pas qu'on lui dise que c'est de la cruauté de collectionner les papillons.*

C'est quelqu'un de *cruel* qui traite les autres avec *cruauté.*

cruche n. f.
1. Pot, étroit dans le haut, muni d'un bec et d'une anse. *Odile Séverac a posé une cruche à eau sur la table.* **2.** Personne bête. *Quelle cruche ! ;* vois ***imbécile.***

Ce sens de *cruche* est familier.

Conjugaison 7

crucifier v.
Crucifier quelqu'un, c'est l'attacher sur une croix afin qu'il meure. *Les Romains crucifiaient les condamnés à mort.*

Jésus-Christ est mort crucifié.

…n ***x*** que l'on ne prononce pas à la fin de *crucifix* : [krysifi].

▸ **crucifix** n. m. Croix sur laquelle est représenté Jésus. *Mamie Lou a accroché un crucifix au-dessus de son lit.*

…arottes râpées, céleri rémou…ade, concombre, tomates.

crudités n. f. plur.
Légumes que l'on mange crus, en salade, comme hors-d'œuvre. *Mme Roussel a commencé son repas par une assiette de crudités.*

Famille de ② **cru**

…es pluies et la fonte des neiges …rovoquent les crues.

crue n. f.
Montée des eaux d'un cours d'eau. *Quand une rivère est en crue, tous les champs qui la bordent peuvent être inondés.*

Famille de **croître**

…e suis bien sûre que tu sens …ombien tu as été cruelle pour …es pauvres petits poissons *(les Malheurs de Sophie).*

cruel adj.
1. Qui aime faire souffrir. *Yves trouve qu'Antoine est cruel avec les papillons.* **2.** Qui fait souffrir. *La mort de sa mère a été une cruelle épreuve pour Sophie Pelletier.*

Antoine a une collection de papillons.

Va voir aussi ***cruauté.***

▸ **cruellement** adv. **1.** Avec cruauté. *Colle et Rat traitent cruellement les animaux.* **2.** D'une façon douloureuse. *Mme Hespel souffre cruellement de ses migraines.*

Compare : *cruel → cruellement* et *naturel → naturellement.*

…a crevette, le crabe, l'écrevisse, …homard, la langouste sont des …rustacés.

crustacé n. m.
Animal recouvert d'une carapace rigide, muni de pattes articulées, de branchies et d'antennes, qui vit dans l'eau et qui est bon à manger. *Mme Roussel aime beaucoup manger des crustacés.*

Les plateaux de fruits de mer sont composés de crustacés et de coquillages.

…ans certaines cryptes sont …onservées des reliques.

crypte n. f.
Partie souterraine d'une église. *Parfois, le catéchisme a lieu dans la crypte de l'église.*

Attention au ***y*** !

Un dé à jouer est en forme de cube : il est *cubique.*

On dit aussi : *4 puissance 3.*

…m³ est le volume d'un cube qui …1 m de côté.

cube n. m.
1. Corps dont les six faces sont des carrés égaux. *Sylvain doit calculer le volume d'un cube de quatre centimètres de côté.* **2.** *Le cube d'un nombre,* c'est ce même nombre multiplié par lui-même trois fois de suite. *Le cube de quatre, c'est soixante-quatre. Quatre au cube égale soixante-quatre.* **3.** *Le mètre cube,* c'est l'unité de mesure des volumes. *Ce camion a un volume utile de vingt mètres cubes.*

Un cube a 8 sommets et 12 arêtes.

$4 \times 4 \times 4 = 64$; on écrit $4^3 = 64$.

On écrit **m³** en abrégé.

Conjugaison 12

Prononce [kœjiʀ].

…'ai descendu dans mon jardin …our y cueillir du romarin (chanson).

cueillir v.
Cueillir des fleurs, c'est les détacher de la plante qui les porte. *Pendant les vacances de Pâques, Nathalie cueillera des coucous. Odile Séverac cueille des haricots verts dans le potager,* elle les ramasse.

Dans les parcs naturels, on n'a pas le droit de cueillir les fleurs.

▸ **cueillette** n. f. **1.** Action de cueillir. *La cueillette des aubergines se fait en juillet et en août ;* vois ***récolte.*** **2.** Ce que l'on a cueilli. *Odile Séverac a fait une belle cueillette.*

Les premiers hommes vivaient de la chasse et de la cueillette.

Cuiller [kɥijɛʀ] et *mer* sont les deux seuls noms féminins terminés par ***er.***

cuiller n. f.
Couvert composé d'un manche et d'une partie creuse dont on se sert pour manger ou pour faire la cuisine. *On mange la soupe avec une cuiller à soupe. Mme Roussel a sorti les petites cuillers en argent.*

On peut écrire *cuillère.*

On se sert aussi de *cuillers à dessert* et de *cuillers à café.*

Une cuillerée à soupe, c'est le contenu d'une cuiller à soupe.

▸ ***cuillerée*** n. f. Contenu d'une cuiller. *Sylvain doit prendre une cuillerée de sirop contre la toux avant de se coucher.*

Prononce [kɥijʀe] ou [kɥijeʀe].

Ne confonds pas *cuir* et *cuire.*

cuir n. m.
1. Peau d'un animal sans son poil, avec laquelle on fait des chaussures, des sacs, des ceintures, des vêtements. *Sophie Pelletier a une veste en cuir. Le cartable d'Antoine n'est pas en cuir.* **2.** *Le cuir chevelu,* c'est la peau du crâne. *Quand on se blesse au cuir chevelu, cela saigne beaucoup.*

Il est en plastique.

Attention ! *cuirasse* s'écrit avec un seul *r* et deux *s.*

cuirasse n. f.
1. Armure qui recouvre la poitrine, le ventre et le dos. *Pour se protéger, les soldats romains avaient une cuirasse, un casque et un bouclier.* **2.** Revêtement d'acier qui protège les navires de guerre. *La cuirasse d'un navire le protège contre les projectiles.*

Ne confonds pas *cuirassé* et *cuirassier.*

▸ ***cuirassé*** n. m. Navire de guerre blindé. *Le cuirassé Potemkine, à bord duquel une mutinerie éclata en 1905, appartenait à la flotte impériale russe.*

Le *cuirassé* est protégé par une *cuirasse.*

En 1665, fut créé le régiment des cuirassiers du roi.

▸ ***cuirassier*** n. m. Soldat revêtu d'une cuirasse, qui combattait à cheval. *Les cuirassiers appartenaient à la cavalerie.*

Conjugaison 38

Maman a dit qu'elle allait faire chauffer l'eau pour cuire les langoustes que nous allions lui rapporter *(le Petit Nicolas).*

cuire v.
1. *Cuire un aliment,* c'est le rendre mangeable en le faisant chauffer. *Mme Hespel cuit un poulet dans le four. Elle cuira les haricots verts à la vapeur. Les pommes à cuire sont meilleures en compote que crues.* **2.** Transformer une matière par l'action de la chaleur. *Le potier cuisait les objets qu'il avait fabriqués pour les durcir.* **3.** Devenir bon à manger par l'action de la chaleur. *Le poulet cuit dans le four. M. Bellec fait cuire les pommes de terre à feu doux.* **4.** Brûler, faire mal. *Marie-Tévy a les mains qui lui cuisent après avoir touché la neige,* elle ressent une brûlure aux mains.

Ces objets sont en *terre cuite.*

Ne confonds pas *cuire* et *cuir.*

Toujours il en cuit
À l'imprudent qui
Chipe les biscuits
Par le Parsi cuits
(Histoires comme ça).

Autres membres de la famille : **biscuit, cuisine, cuisiner, cuisinier, cuisinière, cuisson, cuit.**

Maman a dit qu'elle allait préparer le dîner et elle est partie dans la cuisine *(le Petit Nicolas).*

cuisine n. f.
1. Pièce dans laquelle on prépare les repas. *Les Séverac ont une grande cuisine. Quand elle est seule, Mme Hespel dîne dans la cuisine.* **2.** Préparation des aliments. *Au restaurant Bellec, c'est M. Bellec qui fait la cuisine. La cuisine du restaurant est excellente,* les plats qui y sont préparés.

Va voir aussi **culinaire.**

On trouve des *recettes de cuisine* dans un *livre de cuisine.*

Conjugaison 1

▸ ***cuisiner*** v. Faire la cuisine. *M. Bellec cuisine très bien.*

Des plats cuisinés, ce sont des plats que l'on achète tout préparés.

J'ai déjà prévenu le cuisinier pour lui dire que nous lui apporterons du poisson pour midi *(le Petit Nicolas).*

▸ ***cuisinier*** n. m., ***cuisinière*** n. f. **1.** Personne dont le métier est de faire la cuisine. *M. Bellec est un cuisinier réputé.* **2.** Personne qui fait la cuisine. *Mamie Lou est une fine cuisinière.*

Famille de **cuire**

▸ ***cuisinière*** n. f. Appareil qui sert à cuire les aliments. *Mme Hespel a une cuisinière à gaz.*

Il y a aussi des *cuisinières électriques.*

La cuisse du porc, c'est le *jambon* ; la *cuisse du mouton,* c'est le *gigot.*

cuisse n. f.
Partie de la jambe comprise entre la hanche et le genou. *Alex a les cuisses musclées. David mange une cuisse de poulet ; Nathalie préfère l'aile.*

Aimes-tu les cuisses de grenouille ?

Le cuisinier m'a expliqué que les poissons, ça gonfle à la cuisson *(le Petit Nicolas).*

cuisson n. f.
Action de cuire ; préparation des aliments par l'action de la chaleur. *Mme Hespel compte une heure de cuisson pour son poulet. Quelle cuisson voulez-vous pour votre entrecôte, saignante ou à point ?*

Famille de **cuire**

Le contraire de *cuit,* c'est ② *cru.*

cuit adj.
Que l'on a fait cuire. *Le poulet n'est pas assez cuit. Julie aime la viande très cuite.*

Famille de **cuire**

Il y a des mines de cuivre en Amérique du Nord et du Sud, en Afrique et en U. R. S. S.

cuivre n. m.
1. Métal rouge assez mou. *Les fils électriques sont en cuivre.* **2.** *Les cuivres,* ce sont les objets en cuivre. *Mamie Lou astique les cuivres.* **3.** *Les cuivres d'un orchestre,* ce sont les instruments à vent en cuivre. *La trompette et le trombone sont des cuivres.*

On fabrique des casseroles, des instruments de musique, des poignées de porte en cuivre.

On ne prononce pas le *l* : [ky].

Ce mot est grossier.

cul n. m.
1. Le derrière, les fesses. *Julie, aide ta mère au lieu de rester le cul sur ta chaise !,* remue-toi. **2.** *Le cul d'une bouteille,* c'est le fond d'une bouteille. *Le cul de la bouteille est fendu.*

Autres membres de la famille **cul-de-jatte, cul-de-sac, culotte**

Prononce le *l* : [kylbyt].

culbute n. f.
Tour que l'on fait sur soi-même en faisant passer les jambes par-dessus la tête. *Marie-Tévy fait des culbutes sur la pelouse ;* vois ***galipette.*** *Hippolyte a fait une culbute dans l'escalier,* il est tombé.

Arrêtée brusquement en pleine vitesse, la voiture se cabre et manque de faire la culbute *(Babar).*

Conjugaison 1

▸ ***culbuter*** v. **1.** Tomber en faisant une culbute. *Hippolyte a culbuté dans l'escalier.* **2.** Faire tomber brusquement, renverser. *Yves s'est fait culbuter par une fille qui arrivait à patins à roulettes.*

Prononce [kydʒat].

Celui qui n'a plus qu'une seule jambe, c'est un *unijambiste.*

cul-de-jatte n. m. et f.
Personne qui n'a plus de jambes. *Les culs-de-jatte se déplacent dans des fauteuils roulants.*

Famille de **cul** et de **jatte**

Prononce [kydsak].

Famille de **cul** et de ① **sac**

cul-de-sac n. m.
Rue, chemin, passage sans issue ; vois ***impasse.*** *Angèle a garé sa voiture dans un cul-de-sac.*

Au pluriel : *des culs-de-sac.*

L'art culinaire, c'est l'art de faire la cuisine.

culinaire adj.
Qui concerne la cuisine, la préparation des aliments. *M. Bellec connaît de nombreuses recettes culinaires,* des recettes de cuisine.

Le mont Blanc est le point culminant de la France : 4 807 m.

culminant adj.
Le point culminant, c'est le point le plus élevé. *L'Everest est le point culminant de la Terre, à la frontière du Tibet et du Népal.*

Il atteint 8 848 m.

Culot et *culotté* sont des mots familiers.

culot n. m.
Audace ; vois ***toupet.*** *Julie a eu le culot de prendre le livre de son père sans lui demander la permission.*

▸ ***culotté*** adj. Qui a du culot. *Julie est vraiment culottée,* elle exagère.

Le contraire de *culotté,* c'est *timide.*

Deux *t* à *culotte.*

Le bon roi Dagobert a mis sa culotte à l'envers (chanson).

Famille de **cul**

culotte n. f.
1. Pantalon d'homme. *Quand il fait beau, Antoine est en culottes courtes. Les footballeurs de l'équipe de Motbourg ont une culotte bleue et un maillot blanc ;* vois ***short.*** **2.** Vêtement féminin de dessous, couvrant le bas du ventre et du dos ; vois ***slip.*** *Claire a une robe très courte, quand elle se penche on voit sa culotte.*

Dans ce sens, on emploie *culotte* au singulier ou au pluriel.

Compare *culpabilité, disculper* et *inculper :* il s'agit de **faute.**

culpabilité n. f.
Le fait d'être coupable. *Les policiers ont pu prouver la culpabilité de l'employé de la bijouterie dans le cambriolage.*

Le contraire de *culpabilité,* c'est *innocence.*

culte n. m.
1. Hommage religieux à un dieu ou à un saint. *Les Égyptiens rendaient un culte à Amon.* **2.** Pratique d'une religion. *L'église est le lieu de culte des catholiques, le temple celui des protestants.* **3.** Cérémonie religieuse protestante. *Les protestants assistent au culte.*

Quand on admire beaucoup quelqu'un, on peut dire qu'on lui *voue un culte.*

Les catholiques vont à la messe.

Conjugaison 1

① **cultiver** v.
1. *Cultiver la terre,* c'est la travailler pour qu'elle produise des plantes. *Odile Séverac cultive le jardin potager.* **2.** *Cultiver une plante,* c'est la faire pousser. *Pierre Séverac cultive le maïs et le tabac.*

Les terres cultivées : l'ensemble des terres que l'on cultive.

Compare : *cultiver → cultivateur* et *organiser → organisateur.*

▸ ***cultivateur*** n. m., ***cultivatrice*** n. f. Personne qui cultive la terre. *Pierre Séverac est un cultivateur ;* vois ***agriculteur.***

Va voir aussi ① ***culture.***

Conjugaison 1

② *se* **cultiver** v.
S'instruire, enrichir son esprit. *Le docteur Séverac s'est cultivé au cours de ses voyages.*

Va voir aussi ② ***culture.***

▸ ***cultivé*** adj. Instruit. *Le docteur Séverac est un homme cultivé.*

Le contraire de *cultivé,* c'est ② *inculte.*

Autres membres de la famille : **agriculture, apiculture, arboriculture, horticulture, ostréiculture, polyculture.**

① **culture** n. f.
1. Le fait de travailler la terre, de faire pousser des plantes. *La culture des orangers demande beaucoup de soleil.* **2.** *Les cultures,* les terres cultivées. *Les cultures occupent 35 % du sol français.*

Va voir aussi ① ***cultiver.***

② **culture** n. f.
1. Les connaissances, l'instruction que l'on a. *Le docteur Séverac a une solide culture générale.* **2.** Les traditions et les connaissances propres à un pays, à une civilisation. *La culture des pays occidentaux est très différente*

de celle des pays orientaux. **3.** *La culture physique,* c'est la gymnastique. *M. Doucet fait de la culture physique tous les matins.*

En faisant de la culture physique, on développe et on fortifie son corps.

Elle les emmène au musée, leur parle de théâtre...

▷ ***culturel*** adj. Qui permet de se cultiver. *Angèle organise des activités culturelles pour ses élèves.*

Conjugaison 1

cumuler v.

Cumuler des fonctions, c'est les exercer en même temps. *Un député-maire cumule les fonctions d'un député et celles d'un maire.*

Compare **cumuler** et **accumuler** : il s'agit d'**entassement.**

Cumulus [kymylys] rime avec *autobus* et *puce.*

▷ ***cumulus*** n. m. Gros nuage arrondi. *Les cumulus annoncent l'orage.*

Le contraire de *cupide,* c'est *désintéressé.*

cupide adj.

Qui est avide d'argent. *Mme Harpie est cupide.*

① *cure* n. f.

Cette expression se disait surtout autrefois.

Autre membre de la famille : **curiste.**

1. *N'avoir cure de quelque chose,* c'est s'en moquer, ne pas s'en soucier. *On se moque de Mme Harpie, mais elle n'en a cure.* **2.** Traitement médical qui dure un certain temps. *Sylvain fait tous les ans une cure de trois semaines à la Bourboule pour soigner son asthme.*

Faire une cure de vitamines, c'est prendre beaucoup de vitamines pendant un certain temps.

② *cure* n. f.

Maison du curé ; vois ***presbytère.*** *L'abbé Gauthier se promène dans le jardin de la cure.*

▷ ***curé*** n. m. Prêtre catholique qui est responsable d'une paroisse. *L'abbé Gauthier est le curé de l'église Sainte-Marie, à Motbourg.*

Un bonnet carré
Pour monsieur l'curé
(comptine).

Conjugaison 1

curer v.

Nettoyer en raclant. *Pierre Séverac cure la citerne d'eau de pluie une fois par an.*

Autre membre de la famille : **récurer.**

On peut écrire aussi : *un cure-dents.*

▷ ***cure-dent*** n. m. Petit instrument pointu qui sert à se curer les dents. *David s'est taillé des cure-dents dans une petite branche.*

Famille de **dent**

Aux sens 1 et 2, *curieux* est toujours après le nom. Au sens 3, il est parfois avant, parfois après.

curieux adj.

1. Qui veut voir, savoir quelque chose. *Antoine est curieux de tout ce qui concerne les animaux et les plantes. Je serais curieuse de savoir où Colle et Rat se sont cachés,* j'aimerais le savoir. **2.** Qui cherche à connaître ce qui ne le regarde pas ; vois ***indiscret.*** *Julie, tu es trop curieuse !* — n. Personne qui veut voir ou savoir sans raison particulière, par simple curiosité. *La police a eu du mal à disperser l'attroupement des curieux qui venaient voir la poste en feu ;* vois ***badaud.*** **3.** Bizarre, étonnant, étrange. *Mme Harpie a une curieuse façon de s'habiller. C'est une chose curieuse ;* vois ***singulier.***

Le contraire de *curieux,* c'est *indifférent.*

Le contraire de *curieux,* c'est *discret.*

Ne me regarde pas comme une bête curieuse !

Le contraire de *curieux,* c'est *banal, ordinaire.*

▷ ***curieusement*** adv. Bizarrement, étrangement. *Curieusement, le chemin d'Hippolyte croise souvent celui d'Angèle.*

Hippolyte est amoureux d'Angèle.

Compare : *curieux → curiosité* et *nerveux → nervosité.*

▷ ***curiosité*** n. f. **1.** Envie d'apprendre, de connaître les choses nouvelles. *Mme Roussel a satisfait la curiosité de son fils en lui offrant un livre sur les animaux préhistoriques.* **2.** Envie de savoir les secrets de quelqu'un, de connaître ses affaires ; vois ***indiscrétion.*** *Julie est d'une curiosité incroyable.* **3.** *Une curiosité,* c'est une chose intéressante parce qu'elle sort de l'ordinaire. *Mme Séverac court les magasins de brocante à la recherche de curiosités.*

Le contraire de *curiosité,* c'est *indifférence.*

La curiosité est un vilain défaut !

Le contraire de *curiosité,* c'est *discrétion.*

Un rocher en forme de dinosaure, un geyser sont des curiosités de la nature.

Famille de ① **cure**

curiste n. m. et f.

Personne qui fait une cure thermale. *Les curistes prennent des bains de boue pour soigner leurs rhumatismes.*

Curriculum vitæ [kyʀikylɔmvite] est un mot latin. On utilise aussi l'abréviation **C. V.**

curriculum vitæ n. m. invariable

Papier sur lequel on écrit son nom, son âge, ses diplômes et les emplois que l'on a occupés. *Quand M. Doucet a cherché un nouvel emploi, il a envoyé son curriculum vitæ à de nombreuses maisons d'informatique.*

Au pluriel : *des curriculum vitæ.*

curry n. m.

On peut aussi dire et écrire : *cari* ou *carry* [kaʀi].

Poudre composée de nombreuses épices mélangées, qui est utilisée dans la cuisine indienne. *Nathalie mange du poulet au curry.*

On prononce [kyʀi].

cutané adj.

Les maladies cutanées, ce sont les maladies de la peau. *L'eczéma est une maladie cutanée.*

Autre membre de la famille : **sous-cutané.**

On écrit aussi *cuti-réaction.* On abrège souvent ce mot en *cuti.*

cutiréaction n. f.
Petite griffure que l'on fait sur le bras, dans laquelle on introduit un liquide permettant de voir si le vaccin contre la tuberculose a pris. *Le docteur Séverac fait une cutiréaction à ses enfants tous les ans.*

Au pluriel : *des cutiréactions.*

Même famille que **réaction**

cuve n. f.
Grand récipient. *Pour faire du vin, on laisse le raisin fermenter dans de grandes cuves. À l'automne, Pierre Séverac fait remplir la cuve à mazout.*
▹ **cuvée** n. f. Vin produit par une vigne. *La cuvée 1976 a été très bonne, celle de 1977, médiocre.*

C'est aussi la quantité de vin contenue dans une cuve.

Compare : *cuve → cuvette* et *cloche → clochette.*

▹ **cuvette** n. f. **1.** Récipient large, peu profond, dans lequel on met de l'eau ; vois ***bassine.*** *Mme Bellec laisse tremper les chaussettes dans une cuvette en plastique.* **2.** Partie d'un terrain plus basse que ce qui l'entoure ; vois ***bassin.*** *Motbourg est dans le fond d'une cuvette.*

Le Bassin parisien est une vaste cuvette.

Autrefois, quand il n'y avait pas l'eau courante, on se servait d'un broc et d'une cuvette pour faire sa toilette.

La première syllabe de *cyanure* [sjanyʀ] se prononce comme celle de *siamois.*

cyanure n. m.
Produit chimique très dangereux. *L'espion s'est suicidé en avalant du cyanure. L'autopsie a révélé des traces de cyanure.*

Cyclamen [siklamɛn] rime avec *semaine* et *abdomen.*

cyclamen n. m.
Petite plante à fleurs très jolies, mauves, roses ou blanches, portées par des queues recourbées en forme de crosses. *Tout l'hiver, on trouve des pots de cyclamens chez le fleuriste.*

Attention au *y* ! *Le cycle solaire* dure vingt-huit ans.

① **cycle** n. m.
1. Suite d'événements qui se répètent sans arrêt, et toujours dans le même ordre. *Le cycle des saisons dure un an.* **2.** *Un cycle d'études,* c'est une suite de plusieurs années d'études qui forment un ensemble complet. *Sylvain est en cinquième, c'est un élève du premier cycle de l'enseignement secondaire.*

Le premier cycle va de la sixième à la troisième, le second cycle de la seconde à la terminale.

Autres membres de la famille : **recycler, recyclage.**

② **cycle** n. m.
Véhicule à deux ou trois roues, sans carrosserie. *Sur le côté de la route, il y a une piste réservée aux cycles.*

Les motos, les vélos sont des cycles.

▹ **cyclable** adj. *Une piste cyclable,* c'est une piste réservée aux bicyclettes et aux cyclomoteurs. *À vélo, Antoine emprunte toujours les pistes cyclables.*
▹ **cyclisme** n. m. Sport de la bicyclette. *M. Bellec regarde le cyclisme à la télévision.*
▹ **cycliste** n. m. et f. et adj. **1.** n. m. et f. Personne qui fait du vélo. *M. Bellec a failli renverser un cycliste.* **2.** adj. Qui concerne le cyclisme. *Anquetil fut un grand champion cycliste,* un champion de course à vélo. *Demain, il y a une course cycliste à Motbourg,* une course de bicyclettes.

Le Tour de France est une grande course cycliste.

Autres membres de la famille : **bicyclette, motocyclette, motocycliste, tricycle.**

Compare ***cyclo**-cross* et ***cyclo**moteur* : il s'agit de **cycles.**

cyclo-cross n. m.
Faire du cyclo-cross, c'est faire du vélo en dehors des routes ou des chemins, dans des terrains difficiles, accidentés. *Hippolyte fait du cyclo-cross dans les bois.*

Famille de **cross**

Il faut avoir au moins quatorze ans pour conduire un cyclomoteur.

cyclomoteur n. m.
Vélo à moteur de faible puissance ; vois ***vélomoteur.*** *Avant d'avoir une moto, Alex avait un cyclomoteur.*

Famille de ① **moteur**

Attention au *y* ! Les cyclones se déplacent très vite et de façon imprévisible.

cyclone n. m.
Forte tempête avec un vent très, très violent. *Le village d'Hippolyte, à la Martinique, a été détruit par un cyclone ;* vois ***ouragan, tornade, typhon.***

Les cyclones se produisent surtout dans les pays tropicaux.

Ne confonds pas *cygne* et *signe.*

cygne n. m.
Grand oiseau qui a les pattes palmées, le plumage blanc et le cou long et souple. *Marie-Tévy a lancé du pain aux cygnes de l'étang.*

Le vilain petit canard était en fait un cygne.

Attention au *y* !

cylindre n. m.
1. Objet en forme de rouleau dont les deux extrémités sont des cercles égaux. *Un rouleau à pâtisserie, un tambour, un kaléidoscope sont des cylindres.* **2.** Partie d'un moteur, de forme cylindrique, dans laquelle bouge le piston. *La voiture d'Angèle a six cylindres.*

▸ ***cylindrée*** n. f. Volume des cylindres d'un moteur. *La voiture d'Angèle a une cylindrée de 1 000 cm³.*

Les cyclomoteurs ont une cylindrée inférieure à 50 cm³.

Compare : *cylindre → cylindrique* et *cône → conique.*

▸ ***cylindrique*** adj. Qui a la forme d'un cylindre. *La plupart des boîtes de conserve sont cylindriques.*

cymbale n. f.

On fait résonner les cymbales en les frappant l'une contre l'autre.

Les cymbales, ce sont deux disques un peu creux au centre, qui composent un instrument de musique. *Le musicien donne un coup de cymbales.*

Les cymbales sont en cuivre ou en bronze.

Attention au *y* après le *c* !

cynique adj.

Une personne cynique, c'est une personne qui se moque durement de tout sans peur de choquer, d'être désagréable. *Mme Harpie est cynique.*

Prononce [sipʀɛ].

cyprès n. m.

Je n'avais pas vu de si près l'allée de cyprès !

Arbre de forme droite et élancée, qui ne perd jamais son feuillage vert sombre. *Les allées du cimetière sont bordées de cyprès.*

Le cyprès est un conifère.

Dactylographier un texte, c'est
e taper à la machine à écrire.

dactylo n.
1. n. m. et f. Personne dont le métier est de taper des textes à la machine à écrire. *Des dactylos tapent les textes écrits par Sophie Pelletier.* **2.** n. f. Abréviation de *dactylographie. Mme Roussel connaît la dactylo et la sténo.*
▷ ***dactylographie*** n. f. Technique d'écriture à la machine à écrire. *Mme Roussel a appris la dactylographie à l'école.*

Elle est *sténodactylo.*
Autre membre de la famille : **sténodactylo.**

anger, c'est son dada, que
oulez-vous ?
(Charlie et la Chocolaterie).

dada n. m.
Le dada de quelqu'un, c'est le sujet qui l'intéresse le plus, la chose qu'il préfère faire ; vois ***marotte.*** *Le dada d'Antoine, c'est la vie des animaux ; il raconte à Marie-Tévy tout ce qu'il apprend sur eux.*

Dada est un mot familier.

N'oublie pas le ***s*** final.

dadais n. m.
Un grand dadais, c'est un garçon qui a l'air un peu bête, nigaud, et maladroit. *Alex est un grand dadais.*

dague n. f.
Épée courte. *Le chevalier acheva son ennemi d'un coup de dague.*

N'oublie pas le ***h*** avant le ***l.***

dahlia n. m.
Grosse fleur décorative qui pousse dans les jardins. *Mme Bellec fait un bouquet de dahlias de toutes les couleurs.*

Les dahlias fleurissent en août et en automne.

Conjugaison 1

daigner v.
Daigner faire une chose, c'est condescendre à la faire, s'abaisser à la faire. *Antoine et Marie-Tévy n'ont pas daigné répondre aux quolibets de Colle et Rat.*

Autres membres de la famille : **dédaigner, dédaigneux, dédain.**

Attention au ***m*** final !

es daims sont des cervidés,
mme les cerfs, les chevreuils,
s élans et les rennes.

daim n. m.
1. Animal de la même famille que le cerf, qui a une robe tachetée de blanc et des bois reliés entre eux comme des palmes. *Antoine donne du pain aux daims dans le parc du château.* **2.** Cuir fin, doux au toucher, qui ressemble à de la peau de daim tannée. *Denis Prost portait un superbe pantalon de daim fauve.*

Les daims sont des ruminants.

À l'origine, c'était de la véritable peau de daim.

Les tombes sont recouvertes de dalles de marbre.

dalle n. f.
Plaque de pierre ou de ciment dont on recouvre le sol. *La terrasse de la maison des Séverac est recouverte de dalles de pierre.*

— Peux-tu porter une dalle ?
— Non.
— Deux dalles ? — Non.
— Trois dalles ? — Non.
— Cent dalles ? — Oui (sandale).

Compare : *dalle → dallage* et *feuille → feuillage.*

▸ **dallé** adj. Revêtu de dalles. *L'entrée de la mairie est dallée de marbre.*
▸ **dallage** n. m. Ensemble des dalles qui recouvrent un sol ; vois **carrelage.** *Mme Séverac fait refaire le dallage de la terrasse.*

Et qui est ce *monsieur* ?

① **dame** n. f.
1. Femme. *Qui est cette dame, là-bas ? — C'est Mme Roussel. Denis Prost est toujours très aimable avec les dames.* **2.** Autrefois, femme de la haute société. *Pendant le tournoi, le chevalier portait au bout de sa lance l'écharpe d'une dame.* **3.** Carte à jouer représentant une reine. *M. Bellec a joué la dame de cœur.*

Autre membre de la famille : **madame.**

② **dame** n. f.
Le jeu de dames, c'est un jeu qui se joue à deux, avec des pions noirs et des pions blancs, sur un damier. *Yves joue souvent aux dames avec son grand-père.*
▸ **damier** n. m. Surface divisée en cent carreaux blancs et noirs, sur laquelle on joue aux dames. *Yves et son grand-père se placent de chaque côté du damier et commencent la partie.*

Un tissu en damier, c'est un tissu à carreaux réguliers.

Conjugaison 1

damer v.
Damer la neige, c'est la tasser. *Quand il a neigé, il faut damer les pistes de ski.*

N'oublie pas le ***m*** qui ne se prononce pas : [dane].

damné adj.
Condamné à aller en enfer après sa mort. *Les catholiques pensent que s'ils meurent en état de péché mortel, ils seront damnés.*

Conjugaison 1

se **dandiner** v.
Balancer le corps d'une jambe sur l'autre, d'une patte sur l'autre. *Les canards se dandinent en marchant.*

La fleur que tu aimes n'est pas en danger... Je lui dessinerai une muselière, à ton mouton... *(le Petit Prince).*

danger n. m.
Ce qui menace l'existence d'un être, d'une chose ; ce qui fait courir un risque ; vois ***péril.*** *Hippolyte a affronté le danger : il est entré dans la poste en feu. Il a couru un grand danger ;* vois ***risque.*** *Le blessé a été opéré, il est maintenant hors de danger.*

Prononce [dɑ̃ʒʀø].

▸ **dangereux** adj. Qui présente un danger, peut faire du mal. *Attention au ravin, cette route est très dangereuse. C'est dangereux de manger des champignons que l'on ne connaît pas. Un chien enragé est dangereux.*

C'était trop dangereux pour les filles. On faisait des choses terribles *(le Petit Nicolas).*

Prononce [dɑ̃ʒʀøzmɑ̃].

▸ **dangereusement** adv. D'une manière dangereuse. *M. Bellec conduit souvent dangereusement.*

Ne confonds pas *dans* et *dent.*

dans préposition
1. *Dans* indique le lieu. *Julie est dans sa chambre. Colle et Rat habitent dans le même immeuble. Angèle est dans sa voiture. L'aspirateur est rangé dans le placard. Denis Prost est parti dans le Midi. Mme Hespel lit les petites annonces dans le journal. Claire se regarde dans la glace.* **2.** *Dans* indique le temps. *Dans sa jeunesse, Mamie Lou aimait beaucoup danser,* quand elle était jeune. *Denis Prost doit rentrer dans la semaine,* au cours de la semaine. *Il sera là dans deux jours,* d'ici deux jours. **3.** *Dans* indique la manière. *Dans le meilleur des cas, Denis Prost sera là demain,* au mieux. *Angèle voudrait s'acheter une nouvelle voiture, elle fait des économies dans ce but,* pour cela. **4.** *Cette voiture coûte dans les cinquante mille francs,* environ cinquante mille francs.

Le surveillant, on l'appelle le Bouillon [...] parce qu'il dit tout le temps : « Regardez-moi dans les yeux » et dans le bouillon il y a des yeux *(le Petit Nicolas).*

Je vous en ferai souvenir, mademoiselle, d'abord en vous ôtant votre couteau, que je ne vous rendrai que dans un an *(les Malheurs de Sophie).*

Autre membre de la famille : **dedans.**

danse n. f.
Suite de mouvements, de pas que l'on fait au rythme de la musique. *Julie fait de la danse rythmique, Marie-Tévy de la danse classique. Les Séverac ont assisté à un spectacle de danses folkloriques.*

La valse, le tango, le rock sont des danses. En connais-tu d'autres ?

Conjugaison 1

▸ **danser** v. Exécuter une danse. *Les Bellec sont allés danser au bal du 14 Juillet. Hippolyte a invité Angèle à danser. Mme Harpie danse très bien le tango. Hippolyte ne sait pas danser la valse.*

La classe au-dessus de la nôtre va danser. Ils seront tous habillés en paysans, avec des sabots *(le Petit Nicolas).*

Sur le pont d'Avignon
On y danse tous en rond
(chanson).

▸ **danseur** n. m., **danseuse** n. f. **1.** Personne dont le métier est de danser. *Julie aimerait être danseuse à l'Opéra.* **2.** Personne qui danse. *Mme Harpie regarde les couples de danseurs avec envie.*

N'oublie pas le ***d*** final qui ne se prononce pas : [daʀ].

dard n. m.
Aiguillon de certains animaux, avec lequel ils piquent et introduisent leur venin. *Les guêpes et les abeilles ont un dard.*

Attention ! *dartre* est un nom féminin.

dartre n. f.
Plaque de peau rugueuse et légèrement rosée que l'on a parfois sur le visage lorsque la peau est desséchée. *Quand il fait très froid, Mme Séverac a parfois des dartres.*

Ne confonds pas *date* et *datte.*

date n. f.
1. Indication du jour, du mois et de l'année. *Angèle a écrit la date d'aujourd'hui au tableau. Le 15 août 1769 est la date de naissance de Napoléon Ier. Le docteur Séverac a oublié de mettre la date sur son ordonnance.* **2.** Époque où un événement s'est produit. *Mme Roussel et Mme Bellec se connaissent de longue date,* depuis longtemps.

Le 14 juillet 1789 est la date de la prise de la Bastille ; c'est une *date historique.*

Conjugaison 1

À dater d'aujourd'hui : à partir d'aujourd'hui.

Leur amitié *ne date pas d'hier.*

▸ **dater** v. **1.** Mettre la date. *Le docteur Séverac a oublié de dater une ordonnance.* **2.** *Dater d'une époque,* c'est avoir commencé à exister, être apparu à cette époque. *L'église du village date du Moyen Âge. L'amitié de Mme Roussel et de Mme Bellec date d'il y a longtemps.*

Un chèque doit être daté et signé.

Les premiers miroirs datent du XIVe siècle.

Ne confonds pas *datte* et *date.*

datte n. f.
Petit fruit brun et allongé, très sucré, qui pousse en grappes sur le dattier. *La datte contient un noyau allongé.*

On mange les dattes fraîches ou sèches.

Compare : *datte → dattier, pomme → pommier* et *cerise → cerisier.*

▸ **dattier** n. m. Grand palmier qui peut atteindre vingt mètres de haut, dont le fruit est la datte. *Les dattiers sont nombreux dans les oasis.*

On trouve des dattiers en Afrique du Nord et au Moyen-Orient.

Attention au ***ph*** !

Le dauphin peut faire des sauts de 7 mètres de haut et nage très vite : il peut atteindre une vitesse de 63 km/h.

① **dauphin** n. m.
Animal marin qui peut atteindre cinq mètres de long et a un museau allongé en forme de bec muni de nombreuses dents pointues. *Les dauphins, qui vivent en groupe, communiquent entre eux en émettant des sons jouant le rôle d'un langage.*

Le dauphin est un mammifère.

Le cerveau du dauphin est très développé.

Dauphin s'écrit avec un *D* majuscule.

② **Dauphin** n. m.
Autrefois, fils aîné du roi de France. *À partir du règne de Louis XIV, on a appelé le Dauphin Monseigneur.*

La femme du Dauphin s'appelait *la Dauphine.*

On écrit aussi *dorade.*

daurade n. f.
Poisson de mer à reflets dorés ou argentés. *La chair de la daurade est très savoureuse.*

Une daurade peut peser jusqu'à 10 kilos.

Famille de **avantage**

davantage adv.
1. Plus. *Alex doit travailler davantage s'il veut avoir son bac.* **2.** Plus longtemps. *Je n'attendrai pas davantage.*

Il a déjà été recalé deux fois.

De devient *d'* devant une voyelle ou un *h* muet. On ne dit pas *de le,* on dit *du ;* on ne dit pas *de les,* on dit *des.*

J'ai pris le train de 15 h 47, au lieu de celui de 16 h 13 *(le Petit Nicolas).*

① **de** préposition
1. *De* indique le lieu d'où l'on vient, d'où provient quelque chose. *Julie sort de sa chambre. Denis Prost est rentré des États-Unis. Nathalie a reçu une lettre de Sylvain. Ce vase est en porcelaine de Chine.* **2.** *De* indique le temps. *Yves va chez son oncle du 1er au 14 juillet,* à partir du 1er juillet. *Denis Prost a voyagé de nuit,* pendant la nuit. **3.** *De* indique la cause, le moyen, la manière. *Yves est rouge de colère. Antoine m'a donné un coup de pied. Julie pleure de joie. Marie-Tévy tremble de peur. Il ne faut pas montrer quelqu'un du doigt,* avec le doigt. **4.** *De* indique la mesure. *Cet arbre mesure trois mètres de haut. Les Bellec habitent une maison de deux étages. La pendule de la mairie retarde de cinq minutes.* **5.** *De* indique l'appartenance. *Claire est la fille d'Odile et de Pierre Séverac. M. et Mme Bonnot sont les grands-parents d'Yves. Le chat de Julie s'appelle Félix. La voiture d'Angèle est en panne. La porte de la chambre d'Alex est fermée. Le centre sportif de Motbourg est moderne.* **6.** *De* indique la matière. *Mme Séverac a un manteau de fourrure ;* vois **en.** *Il y a un tas de sable sur le trottoir.* **7.** *De* indique le genre. *Angèle aime les livres d'histoire.* **8.** *De* indique le contenu. *Mme Séverac a bu une tasse de thé. Denis Prost fume un paquet de cigarettes par jour. Antoine a une collection de papillons. Pierre Séverac a un troupeau de moutons.*

De introduit des compléments de verbe : *se souvenir de quelqu'un, penser du mal de quelqu'un, taper du pied ;* des compléments de nom : *la cour de récréation, le livre du maître, un abus de confiance ;* des compléments d'adjectif : *vert de rage, fou de joie.*

À cheval, à cheval,
Sur le dos d'un original ;
À chevaux, à chevaux,
Sur le dos des originaux
(chanson).

Autres membres de la famille : **au-delà, en deçà, dedans, dehors, depuis, dessous, dessus, pardessus, par-delà.**

Allons boire un verre de vin
Chez le père Capucin
(chanson).

Il y a eu du canard avec des petits pois, et puis du fromage, et puis un gâteau à la crème, et puis des fruits *(le Petit Nicolas).*

② **de** article partitif
De s'emploie devant des noms de choses qu'on ne compte pas ou qu'on ne peut pas compter. *Mme Hespel fait chauffer de l'eau pour faire cuire des pâtes. Voulez-vous du vin ou de la bière ? Julie fait de la danse. Alex écoute de la musique. Il joue du saxo.*

De devient *d'* devant une voyelle ou un *h* muet. On ne dit pas *de le,* on dit *du ;* on ne dit pas *de les,* on dit *des.*

De devient d' devant une voyelle ou un h muet.

③ de article indéfini
De s'emploie à la place de des devant un adjectif. *Antoine a toujours de bonnes histoires à raconter. Angèle a de longs cheveux bruns. Sylvain a fait d'affreux cauchemars.*

Va voir aussi ② **des.**

On dit aussi un *dé à jouer.*

① dé n. m.
Petit cube qui porte une marque de un à six points sur chacune de ses faces. *Yves et Antoine jouent aux dés.*

On jouait déjà aux dés dans l'Antiquité.

On dit aussi un *dé à coudre.*

② dé n. m.
Petit étui dans lequel on met le bout du doigt qui pousse l'aiguille quand on coud. *Mme Séverac coud toujours avec un dé.*

C'est le médius qui pousse l'aiguille.

Compare *déambuler, ambulance* et *somnambule* : il est question d'**aller.**

déambuler v.
Marcher sans but précis ; vois ***errer.*** *Colle et Rat, désœuvrés, déambulaient dans les rues, à la recherche d'un mauvais coup à faire.*

Conjugaison 1

N'oublie pas l'accent circonflexe du ***â*** !

débâcle n. f.
Fuite précipitée ; vois ***débandade, déroute.*** *La retraite des soldats s'est achevée en débâcle.*

Attention aux deux ***l*** !

Le contraire de *déballer,* c'est *emballer.*

déballer v.
Sortir quelque chose de son emballage. *Mme Harpie déballe la marchandise qu'on lui a livrée.*

Conjugaison 1

Le contraire de *déballage,* c'est *emballage.*

▸ **déballage** n. m. *Mme Harpie a procédé au déballage de la marchandise qu'on lui a livrée,* elle l'a déballée.

Famille de ② **balle**

Famille de ② **bande**

débandade n. f.
Fuite désordonnée en tous sens. *Quand les policiers sont arrivés face aux manifestants, quelle débandade !*

Conjugaison 1

se **débarbouiller** v.
Se laver le visage. *Antoine se débarbouille avant d'aller à l'école.*

Famille de **barbouiller**

Attention ! *débarcadère* s'écrit avec un ***c.***

débarcadère n. m.
Lieu aménagé pour l'embarquement ou le débarquement des voyageurs, des marchandises. *Les voyageurs attendent leurs bagages sur le débarcadère.*

Famille de **barque**

débardeur n. m.
1. Personne qui charge et décharge un navire ; vois ***docker.*** *Les débardeurs sont musclés.* **2.** Tricot, maillot de corps sans manches ni col, très échancré. *Julie a mis un short rouge et un débardeur blanc.*

Conjugaison 1

Famille de **barque**

débarquer v.
1. Quitter un navire. *Les passagers ont débarqué. Les troupes ennemies ont débarqué sur la plage pendant la nuit.* **2.** Faire sortir d'un navire. *Les voyageurs attendent que l'on débarque leurs bagages qui sont dans la soute. Le passager clandestin a été débarqué.*

Bon voyage,
Monsieur Dumollet,
À Saint-Malo,
Débarquez sans naufrage
(chanson).

Le 6 juin 1944 eut lieu le débarquement des troupes alliées en Normandie.

▸ **débarquement** n. m. *Le débarquement des bagages a pris une heure,* il a fallu une heure pour débarquer les bagages.

Le contraire de *débarquement,* c'est *embarquement.*

Attention ! *débarrasser* s'écrit avec un seul ***b,*** deux ***r*** et deux ***s.***

débarrasser v.
Enlever ce qui encombre, ce qui embarrasse. *Hippolyte a débarrassé sa chambre pour poser de la moquette. Odile Séverac débarrasse le grenier des objets inutiles. Julie aide sa mère à débarrasser la table,* à enlever le couvert. — *Odile Séverac s'est débarrassée des vieilleries qui étaient dans le grenier.*

Conjugaison 1

Attention ! un seul ***b*** et deux ***r.***

C'est un peu familier de dire *bon débarras.*

▸ **débarras** n. m. **1.** Endroit où l'on range les objets qui encombrent. *Sophie Pelletier a mis les manuscrits de ses livres dans le débarras.* **2.** *Mme Harpie tourna les talons. « Bon débarras ! » murmura Antoine,* quel soulagement.

Attention aux deux ***t*** !

Conjugaison 41

Famille de **battre**

débattre v.
1. *Débattre d'un problème,* c'est en discuter. *Les conseillers municipaux ont débattu de l'emplacement du nouveau gymnase.* **2.** *Se débattre,* c'est faire des efforts, s'agiter pour se dégager. *Le poisson se débattait au bout de la ligne du pêcheur.*

Voiture à vendre : 83 000 km
Prix à débattre.

▸ ***débat*** n. m. Discussion. *Les débats du conseil municipal portent sur l'emplacement du nouveau gymnase. Denis Prost a participé à un débat télévisé sur le cinéma.*

Il est comédien.

débauche n. f.
Vivre dans la débauche, c'est abuser des plaisirs, satisfaire ses vices. *À Rome, l'empereur Néron vivait dans la débauche.*

Il menait une vie de débauche.

Celui qui vit dans la débauche est un *débauché.*

Conjugaison 1

débaucher v.
Débaucher du personnel, c'est le renvoyer parce qu'il n'y a plus assez de travail. *La biscuiterie a débauché cinquante personnes.*

50 ouvrières ont été licenciées.

Le contraire de *débaucher,* c'est *embaucher.*

débile n. m. et f.
Personne dont l'intelligence ne s'est pas développée normalement. *Certains débiles arrivent à lire et à écrire, mais ils ont du mal à se débrouiller tout seuls.* — adj. *Les enfants débiles ont du retard dans leur développement.*

Les débiles ne dépassent jamais le niveau mental d'un enfant de dix ans.

① ***débit*** n. m.
Partie d'un compte où sont inscrites les sommes que l'on doit. *Sur un relevé de banque, il y a la colonne du débit et celle du crédit.*

Le contraire de *débit,* c'est *crédit.*

Autres membres de la famille : **① débiter, débiteur.**

Famille de **② débiter**

② ***débit*** n. m.
1. *Un débit de boissons,* c'est un endroit où l'on vend des boissons. *Les cafés, les bars et les buvettes sont des débits de boissons.* **2.** Quantité de liquide qui s'écoule pendant un temps donné. *La baignoire est longue à remplir car le robinet a un débit trop faible.* **3.** Vitesse à laquelle on parle. *Je ne comprends pas ce qu'il dit, il a un débit trop rapide,* il parle trop vite.

Un débit de tabac est un bureau de tabac.

Le débit d'un fleuve est la quantité d'eau qui s'écoule en une seconde.

Ah qu'il est beau le débit
de lait
Ah qu'il est laid le débit
de l'eau
(Ch. Trenet).

Conjugaison 1
Famille de **① débit**

① ***débiter*** v.
Débiter une somme d'un compte, c'est enlever une somme d'un compte. *Angèle a demandé à sa banque si le chèque qu'elle a fait pour son loyer a été débité.*

Le contraire de *débiter,* c'est *créditer.*

Conjugaison 1

② ***débiter*** v.
1. *Débiter une marchandise,* c'est la vendre au détail. *Le charcutier débite le jambon tranche par tranche.* **2.** Faire s'écouler régulièrement une quantité donnée de liquide. *Le robinet de la baignoire débite quatre litres par minute.* **3.** Dire d'une façon monotone. *Julie a débité sa récitation à toute vitesse.*

Autre membre de la famille : **② débit.**

La Loire débite 850 m³ d'eau par seconde.

débiteur n. m., ***débitrice*** n. f.
Personne qui doit de l'argent. *Mme Harpie a prêté de l'argent à sa sœur : sa sœur est sa débitrice.*

Le contraire de *débiteur,* c'est *créancier.*

Même famille que **① débiter**

Déblayer [debleje] rime avec *réveiller.*

déblayer v.
Débarrasser un endroit de ce qui l'encombre. *Quand la maison des Prost a été finie, il a fallu déblayer le terrain qui l'entoure pour planter les arbres et faire le jardin.*

Le contraire de *déblayer,* c'est *remblayer.*

Conjugaison 8 ▭ Indic. présent : *je déblaie* ou *je déblaye, nous déblayons.* Futur : *je déblaierai* ou *je déblayerai.*

▸ ***déblais*** n. m. plur. Terre, débris que l'on enlève quand on déblaie. *Les ouvriers ont chargé les déblais dans un camion.*

Conjugaison 1
Famille de **bloc**

débloquer v.
1. Remettre en marche une chose qui était bloquée. *Le docteur Séverac a débloqué la serrure de la cave.* **2.** *La commune a débloqué des crédits pour la construction du nouveau gymnase,* elle a donné de l'argent pour qu'on le construise.

Le contraire de *débloquer,* c'est *bloquer.*

Compare : *bloquer → blocage* et *truquer → trucage.*

▸ ***déblocage*** n. m. Le fait de débloquer quelque chose. *Le déblocage des crédits n'a pas été facile à obtenir.*

Le contraire de *déblocage,* c'est *blocage.*

déboires n. m. plur.
Ennuis. *Angèle a eu des déboires avec sa voiture.*

Conjugaison 1
Famille de **bois**

déboiser v.
Couper les arbres qui poussent sur un terrain. *Avant de construire l'autoroute, il a fallu déboiser de très nombreux terrains.*

Il arrive qu'on reboise une région déboisée.

Conjugaison 1
N'oublie pas l'accent circonflexe du *î.*

① ***déboîter*** v.
Sortir d'une file de voitures. *L'automobiliste met son feu clignotant pour indiquer qu'il déboîte.*

Le cycliste, lui, fait un signe avec le bras.

N'oublie pas l'accent circonflexe du *î*.

② *déboîter* v.

Antoine s'est déboîté l'épaule en tombant de bicyclette, l'os est sorti de l'articulation ; vois *se* ***démettre,*** *se* ***luxer.***

Famille de **boîte**

Conjugaison 1
Famille de ① **bord**

déborder v.

1. Se répandre, passer par-dessus le bord. *Julie a laissé l'eau déborder de la baignoire. La baignoire a débordé,* l'eau est passée par-dessus bord. *Quand il a beaucoup plu, la rivière déborde,* elle sort de son lit. **2.** *Julie déborde de vie,* elle est pleine de joie de vivre. **3.** *Le docteur Séverac est débordé, il n'a plus une minute à lui,* il est submergé de travail.

Elle est *débordante* de vie.

C'est la goutte d'eau qui fait déborder le vase, c'est la petite chose pénible qui s'ajoute au reste et rend l'ensemble insupportable.

Conjugaison 1

① *déboucher* v.

1. Débarrasser de ce qui bouche. *Mme Roussel a acheté un produit chez le droguiste pour déboucher le lavabo.* **2.** Retirer le bouchon ; vois ***ouvrir.*** *Pierre Séverac a débouché une bonne bouteille pour fêter l'arrivée de son frère.*

Famille de ② **boucher**
Le contraire de *déboucher,* c'est *boucher.*

Conjugaison 1

② *déboucher* v.

1. Sortir d'une rue étroite, d'un passage. *La voiture débouchait brusquement et Angèle n'a pas pu l'éviter.* **2.** Aboutir à une place, une rue plus large. *Cette rue débouche sur une avenue,* elle donne sur une avenue. **3.** Aboutir, mener à quelque chose. *Ces études ne débouchent sur aucune profession.*

▸ ***débouché*** n. m. **1.** *Cet industriel vend maintenant ses machines à l'étranger ; il a trouvé de nouveaux débouchés,* de nouveaux endroits où il peut vendre ses machines. **2.** *Alex voudrait savoir quels sont les débouchés offerts aux bacheliers,* quelles situations, quels métiers on propose aux bacheliers.

Famille de **bouche**

Douze avenues débouchent sur la place Charles-de-Gaulle à Paris.

Conjugaison 1

débouler v.

1. Tomber en roulant. *Mme Bonnot a manqué une marche et a déboulé l'escalier jusqu'en bas ;* vois ***dégringoler.*** **2.** Descendre à grande vitesse. *Le champion de ski est impressionnant quand il déboule les pentes neigeuses ;* vois ***dévaler.***

Débouler est un peu familier

Conjugaison 1

débourser v.

Verser de l'argent ; vois ***dépenser, payer.*** *Alex voyage sans presque rien débourser.*

Famille de ① **bourse**

debout adv.

1. Sur ses pieds. *Ils sont restés deux heures debout à faire la queue. M. Bellec se tenait debout, derrière le bar.* **2.** Levé. *Pierre Séverac est debout dès l'aube. Debout Julie ! Il est huit heures.* **3.** Posé verticalement, dans le sens de la hauteur. *Pour ne pas abîmer les disques, il faut les ranger debout.* **4.** *Cette histoire ne tient pas debout,* elle n'est pas vraisemblable, on ne peut pas y croire.

Dans le car, il y a vingt *places assises* et dix *places debout.*

Selon les cas, le contraire de *debout,* c'est *assis* ou *couché.*

Conjugaison 1
Attention aux deux *n* !
Famille de **bouton**

déboutonner v.

Ouvrir un vêtement en défaisant les boutons. *M. Doucet a chaud ; il desserre sa cravate et déboutonne le col de sa chemise.*

Le contraire de *déboutonner,* c'est *boutonner.*

débraillé adj.

Quelqu'un de débraillé, c'est quelqu'un dont les vêtements sont en désordre. *Antoine a mis son chandail à l'envers et a mal boutonné sa veste ; il est tout débraillé.*

Sa tenue est débraillée.

Conjugaison 1
Famille de **brancher**

débrancher v.

Supprimer le branchement d'un appareil électrique. *Sylvain débranche son train électrique quand il a fini de jouer. La lampe n'éclairait plus, elle était débranchée.*

Le contraire de *débrancher,* c'est *brancher.*

On débranche un appareil en enlevant la fiche de la prise de courant.

Conjugaison 8
▭ Indic. présent : *je débraie* ou *je débraye.*

débrayer v.

Interrompre la liaison entre le moteur et les roues d'un véhicule. *M. Bellec débraya, puis passa la vitesse supérieure.*

▸ ***débrayage*** n. m. *Sur les voitures de course, il faut faire un double débrayage avant de rétrograder,* il faut débrayer deux fois.

Le contraire de *débrayer,* c'est *embrayer.*

Le contraire de *débrayage,* c'est *embrayage.*

Famille de **bride**

débridé adj.

Antoine a une imagination débridée, très libre, sans bornes.

Le *s* final de *débris* ne se prononce pas.

débris n. m.
Les débris, ce sont les restes d'un objet cassé ; vois ***fragment, morceau.*** *Des débris de verre étaient éparpillés sur le sol.*

Famille de **briser**

Conjugaison 1

débrouiller v.
1. Rendre clair, compréhensible ; vois ***démêler, éclaircir.*** *Les policiers ont eu bien du mal à débrouiller l'affaire.* **2.** *Se débrouiller,* c'est se tirer d'affaire, s'arranger. *Mme Roussel n'a pas un très gros salaire, mais elle se débrouille avec ce qu'elle a. Alex se débrouille bien en anglais,* il parle assez bien l'anglais.

Famille de **brouiller**

Le contraire de *débrouillard,* c'est *empoté.*

▸ ***débrouillard*** adj. Capable de se débrouiller, de se tirer facilement d'affaire. *Antoine est un petit garçon très débrouillard.*

Au féminin : *débrouillarde.*

N'oublie pas le *t* à la fin de *début.*

début n. m.
1. Commencement. *Antoine a manqué le début du film. Angèle a lu le livre d'une seule traite du début à la fin. Denis Prost part en voyage au début de la semaine prochaine.* **2.** *Denis Prost a fait ses débuts au théâtre,* il a commencé à travailler comme comédien de théâtre.

Le contraire de *début,* c'est *fin.*

Maintenant, il fait surtout du cinéma.

Conjugaison 1

▸ ***débuter*** v. **1.** Commencer. *Le film avait débuté quand Antoine est arrivé.* **2.** Commencer dans une profession. *Denis Prost a débuté au théâtre. M. Bellec a débuté comme apprenti cuisinier.*

Le contraire de *débuter,* c'est *finir, s'achever, se terminer.*

▸ ***débutant*** n. m., ***débutante*** n. f. Personne qui commence à apprendre quelque chose. *Alex a son permis de conduire depuis peu, c'est encore un débutant.* — adj. *Alex est un conducteur débutant.*

Attention à la cédille du *ç* et à l'accent grave du *à.*

'Alsace est en deçà du Rhin et a Forêt-Noire au-delà.

en ***deçà*** adv. et préposition
1. adv. De ce côté-ci, sans franchir un endroit donné. *Le pont s'était écroulé ; l'autocar dut s'arrêter en deçà,* avant le pont. **2.** préposition *Les soldats sont restés en deçà de la frontière,* ils n'ont pas franchi la frontière.

Famille de ① **en**, de ① **de** et de ② **çà**

Le contraire d'*en deçà,* c'est *au-delà.*

Conjugaison 4
Famille de **cachet**

décacheter v.
Ouvrir ce qui est cacheté. *Sylvain décachette une lettre de Nathalie.*

Le contraire, c'est *cacheter.*

Compare ***déc****ade,* ***déc****ennie* et ***déc****upler* : il s'agit de **dix.**

décade n. f.
Période de dix jours. *Pendant la Révolution, la décade a remplacé la semaine.*

décadence n. f.
Le fait de s'affaiblir, d'aller vers la ruine ; vois ***affaiblissement, chute, déclin.*** *Les invasions barbares marquèrent le début de la décadence de l'Empire romain.*

Famille de ② **cale**

décalage n. m.
Écart, différence. *Il y a une heure de décalage entre l'heure d'hiver et l'heure d'été.*

Famille de **calque**

décalcomanie n. f.
Image que l'on détache du papier sur lequel elle adhère pour la fixer ailleurs. *Sylvain a collé des décalcomanies sur les garde-boue de son vélo.*

Conjugaison 1

décaler v.
Déplacer. *Le départ de l'avion a été décalé d'une heure.*

Famille de ② **cale**

Famille de **litre**
Compare ***déca****litre* et ***déca****mètre* : il s'agit de **dix.**

décalitre n. m.
Mesure de capacité valant dix litres. *Pierre Séverac met le lait de ses vaches dans de gros bidons d'un décalitre.*

Décalitre s'écrit **dal** en abrégé.

Conjugaison 1

décalquer v.
Reproduire un dessin à l'aide d'un papier transparent. *Alex décalque une carte de l'Italie.*

Famille de **calque**

Famille de **mètre**
Compare ***déca****mètre* et ***déca****litre* : il s'agit de **dix.**

décamètre n. m.
Mesure de longueur valant dix mètres. *Trente mètres correspondent à trois décamètres.*

Décamètre s'écrit **dam** en abrégé.

Conjugaison 1

décamper v.
S'en aller précipitamment ; vois ***déguerpir, s'enfuir.*** *Colle et Rat ont allumé un pétard devant la porte du bureau de la directrice, puis ont décampé sans plus attendre.*

Ce mot est un peu familier.

Pour décanter un liquide, on le transvase d'un récipient dans un autre.

décanter v.

Décanter un liquide, c'est le débarrasser des impuretés qu'il contient ; vois ***filtrer.*** *M. Bellec décante un vieux vin de Bourgogne. — Le vin se décante peu à peu.*

Conjugaison 1

Pour décaper le vernis ou la peinture, on utilise des *décapants.*

décaper v.

Nettoyer un objet en grattant les dépôts de rouille, de vieille peinture ou de saleté qui recouvre la surface. *Mme Roussel décape le parquet à la paille de fer.*

Conjugaison 1

Avant la guillotine, on décapitait avec une hache.

décapiter v.

Trancher la tête de quelqu'un ; vois ***guillotiner.*** *Louis XVI et Marie-Antoinette ont été décapités.*

Conjugaison 1

Famille de **capote**

décapotable adj.

Une voiture décapotable, c'est une voiture dont la capote se replie. *C'est agréable de rouler, l'été, en voiture décapotable.*

Famille de **capsule**

décapsuler v.

Enlever la capsule qui est sur une bouteille ; vois ***ouvrir.*** *Julie décapsule une bouteille de limonade.*

Conjugaison 1

▸ ***décapsuleur*** n. m. Ustensile servant à décapsuler les bouteilles ; vois ***ouvre-bouteilles.*** *Le décapsuleur est rangé dans l'un des tiroirs du buffet.*

Conjugaison 6

décéder v.

Mourir. *La mère de Sophie Pelletier est décédée,* elle est morte.

Va voir aussi ***décès.***

Conjugaison 5 ▭
Indic. présent :
je décèle, nous décelons.

déceler v.

Découvrir, trouver ; vois ***détecter.*** *Le plombier a décelé l'origine de la fuite d'eau. Le moniteur décela immédiatement les qualités de skieuse de Marie-Tévy.*

À l'infinitif, on ne prononce pas le second ***e*** : [desle].

décembre n. m.

Douzième et dernier mois de l'année. *Yasmina est née en décembre. Le mois de décembre compte trente et un jours.*

Le 25 décembre, c'est Noël.

Ne confonds pas *décennie* et *décade.*

décennie n. f.

Durée de dix ans. *On ne s'éclaire plus au pétrole depuis des décennies,* depuis longtemps.

Le contraire de *décent,* c'est *indécent.*

Autre membre de la famille : **indécent.**

décent adj.

Conforme aux convenances. *Mme Séverac met des robes décentes;* vois ***convenable, correct.***

▸ ***décemment*** adv. D'une manière décente. *Mme Séverac s'habille décemment.*

▸ ***décence*** n. f. Respect des convenances. *Mme Séverac s'habille avec décence.*

Compare :
décent → décemment, décence
et *prudent → prudemment, prudence.*

Conjugaison 1
Famille de **centre**

décentraliser v.

Décentraliser une entreprise, c'est l'installer loin d'un grand centre industriel, d'une grande ville. *Les services commerciaux de cette grande entreprise parisienne viennent d'être décentralisés à Motbourg.*

Le contraire de *décentraliser,* c'est *centraliser.*

Attention au ***t*** après le ***p*** ! Prononce [desɛpsjɔ̃].

déception n. f.

Tristesse que l'on éprouve lorsque l'on n'a pas eu ce que l'on espérait avoir. *L'échec d'Alex au bac a causé une vive déception à sa mère. Quelle déception pour elle !*

Va voir aussi **décevoir.**

Conjugaison 1

décerner v.

Décerner un prix à quelqu'un, c'est le lui attribuer, le lui donner. *Le premier prix d'anglais a été décerné à Sylvain.*

Sylvain est très bon élève.

Le ***s*** final ne se prononce pas : [desɛ].

décès n. m.

Mort d'une personne. *Sophie Pelletier a été longue à se remettre du décès de sa mère.*

Va voir aussi **décéder.**

Conjugaison 28

décevoir v.

Causer une déception, une désillusion quand les choses ou les gens ne sont pas comme on l'espérait. *L'échec d'Alex au bac a beaucoup déçu sa mère. Alex a bien déçu sa mère en échouant au bac.*

Le contraire de *décevoir*, c'est *satisfaire*.

▸ ***décevant*** adj. Qui déçoit, ne correspond pas à ce que l'on attendait. *Mme Séverac a trouvé le dernier film de Denis Prost un peu décevant.*

Denis Prost est comédien.

Autre membre de la famille : **déçu.**

Attention à l'accent circonflexe du **î** !
Famille de **chaîne**

déchaîner v.

1. Déclencher, provoquer. *La chute de Mme Harpie a déchaîné les rires de tous les enfants qui passaient.* **2.** *Se déchaîner,* c'est devenir violent. *La tempête s'est déchaînée et Loïc a dû rester au port.*

Conjugaison 1

Conjugaison 1

déchanter v.

Perdre ses illusions. *Après avoir essayé la douceur, puis la fermeté avec Colle et Rat, Angèle, l'institutrice, a dû déchanter.*

Famille de **chanter**
Ils sont vraiment incorrigibles !

Conjugaison 3 ▭ Indic. présent : *nous déchargeons.* Imparfait : *je déchargeais, nous déchargions.* Futur : *je déchargerai.* — Subj. présent : *que nous déchargions.* — Impératif présent : *décharge, déchargeons.*

décharger v.

1. Débarrasser d'un chargement. *En rentrant des halles, M. Bellec décharge sa camionnette pleine de marchandises. Alex a déchargé sa mère du panier qu'elle portait.* **2.** *Décharger quelqu'un d'une corvée,* c'est l'en débarrasser. *Yasmina décharge sa mère de beaucoup de travaux ménagers.* **3.** *Décharger une arme à feu,* c'est la vider en tirant toutes les balles. *M. Bellec a déchargé son fusil sur un sanglier.*

Famille de **charger**
Le contraire de *décharger*, c'est *charger*.

▸ ***décharge*** n. f. **1.** *Une décharge publique,* c'est un terrain où l'on jette les ordures. *Hippolyte est allé porter un tas de gravats à la décharge publique.* **2.** Coup tiré avec une arme à feu. *Le sanglier reçut une décharge de plombs en plein flanc.* **3.** *Une décharge électrique,* c'est une secousse provoquée par le passage du courant électrique lorsque l'on touche un fil dénudé ou un appareil mal isolé. *Si on touche une prise de courant, on risque de recevoir une décharge électrique.*

▸ ***déchargement*** n. m. *Le déchargement des marchandises a pris un bon quart d'heure à M. Bellec,* M. Bellec a mis un quart d'heure pour décharger les marchandises.

Le contraire de *déchargement*, c'est *chargement*.

Compare *décharné* et *charnu* : il est question de **chair.**

décharné adj.

Très maigre. *Le mourant avait le visage décharné. Julie a ramené chez elle un chat tout décharné qu'elle a trouvé dans le terrain vague.*

Conjugaison 1

déchausser v.

Enlever ses chaussures. *Claire déshabille sa poupée et la déchausse. — Les musulmans se déchaussent avant de pénétrer dans une mosquée.*

Famille de **chausser**

Famille de **choir**

déchéance n. f.

Situation inférieure à celle dans laquelle on était avant. *Quelle déchéance ce serait pour Denis Prost s'il ne faisait plus que de la figuration !*

C'est un comédien célèbre.

Va voir aussi ***déchoir.***

déchet n. m.

Ce qui reste et qu'on ne peut pas utiliser ; vois ***résidu.*** *Odile Séverac donne tous les déchets de nourriture aux cochons.*

Conjugaison 1
Famille de ② **chiffre**

déchiffrer v.

1. *Déchiffrer un code,* c'est réussir à comprendre tous les signes de ce code. *L'espion ennemi avait réussi à déchiffrer le code secret de ses adversaires.* **2.** *Déchiffrer une écriture,* c'est arriver à la lire. *Julie déchiffre mal l'écriture de son père.* **3.** *Déchiffrer une partition,* c'est la lire. *Sylvain a déchiffré facilement ce nouveau morceau de musique.*

Champollion réussit le premier à déchiffrer les hiéroglyphes.

Le professeur Tournesol a réussi à déchiffrer le message de Rackham le Rouge.

Conjugaison 4 ▭ Indic. présent : *je déchiquette, nous déchiquetons.*

déchiqueter v.

Déchirer en petits morceaux, mettre en pièces. *Diane, la chienne, a déchiqueté les pantoufles de Sylvain.*

Les fauves déchiquettent leurs proies avec les dents.

Conjugaison 1

déchirer v.

1. Mettre en morceaux. *Angèle, l'institutrice, a déchiré le devoir d'Antoine tellement il y avait de ratures. Julie déchire une page de son cahier,* elle l'arrache. **2.** Faire un accroc. *Yves a déchiré son pantalon. — Son pantalon s'est déchiré.* **3.** *Être déchiré,* c'est souffrir beaucoup. *Antoine est déchiré à l'idée de quitter son père.*

Il faut que tu sois tombée bien rudement, dit à Sophie Mme de Réan, pour que ta robe soit déchirée et salie comme elle est *(les Malheurs de Sophie).*

[...] il a enlevé son insigne, il l'a déchiré, il l'a jeté par terre, il l'a piétiné et il a craché dessus *(le Petit Nicolas).*

Les parents d'Antoine sont divorcés.

▸ ***déchirant*** adj. Qui fait beaucoup de peine, fait souffrir. *Antoine et son père se sont fait des adieux déchirants.*

Ne confonds pas *déchirement* et *déchirure.*

▸ ***déchirement*** n. m. Grande peine. *C'est toujours un déchirement pour Antoine de quitter son père.*

▸ ***déchirure*** n. f. Fente que l'on fait en déchirant un tissu. *Le pantalon d'Yves a une déchirure.*

Conjugaison 25 ; *déchoir* s'emploie surtout à l'infinitif.

déchoir v.

S'abaisser, tomber dans une situation inférieure à celle que l'on avait avant. *Denis Prost aurait l'impression de déchoir en acceptant de petits rôles.*

Denis Prost est comédien.

Famille de **choir**

▸ ***déchu*** adj. Privé de pouvoir, retombé à un rang inférieur. *Déchu et abandonné par tous, le pauvre roi n'eut plus qu'à prendre le chemin de l'exil.*

Va voir aussi ***déchéance.***

Conjugaison 1

Va voir aussi ***décision.***

décider v.

1. *Décider de faire quelque chose,* c'est choisir de le faire. *Angèle a décidé de passer ses vacances en Corse. Mme Roussel a décidé qu'elle partirait le 14 juillet.* **2.** *Décider quelqu'un à faire quelque chose,* c'est le pousser à le faire. *Yves a décidé Antoine à l'accompagner à la piscine.* **3.** *Se décider,* c'est faire un choix. *Mme Roussel s'est décidée à apprendre à conduire. Après quelques hésitations, Marie-Tévy s'est finalement décidée pour la robe rouge.*

Écoutez-moi bien ! Cette année, je ne veux pas de discussions, c'est moi qui décide ! *(le Petit Nicolas).*

Babar essaie toutes sortes de chaussures. Il se décide pour une paire noire avec des guêtres blanches *(Babar).*

▸ ***décidé*** adj. **1.** *Quelqu'un de décidé,* c'est quelqu'un qui n'hésite pas longtemps pour prendre une décision, qui sait ce qu'il veut. *Julie est une petite personne décidée.* **2.** *Angèle passera ses vacances en Corse, c'est décidé,* c'est réglé, fixé.

Le contraire de *décidé,* c'est *indécis, hésitant.*

▸ ***décidément*** adv. D'une manière certaine, définitive. *Décidément, Antoine est toujours en retard !*

Décigramme s'écrit **dg** en abrégé.

décigramme n. m.

Unité de poids, valant le dixième du gramme. *Dix décigrammes valent un gramme.*

Famille de **gramme**

Famille de **litre**

Compare ***décilitre*** et ***décimètre*** : il s'agit de **dixième partie.**

décilitre n. m.

Mesure de capacité valant le dixième du litre. *Il faut dix décilitres pour faire un litre.*

Décilitre s'écrit **dl** en abrégé.

Compare ***décimal, décennie*** et ***décupler*** : il est question de **dix.**

décimal adj. et n. f.

▭ **adj. 1.** *Le système décimal,* c'est un système qui a pour base le nombre dix. *Le système métrique est un système décimal.* **2.** *Un nombre décimal,* c'est un nombre qui a des chiffres placés à droite de la virgule. *2,65 est un nombre décimal.*

Au masculin pluriel : *décimaux.*

▭ **n. f.** *Une décimale,* c'est un chiffre placé à droite de la virgule, dans un nombre décimal. *Les décimales de 2,65 sont 6 et 5.*

Conjugaison 1

décimer v.

Faire mourir une grande quantité d'êtres vivants. *Au Moyen Âge, les famines décimaient des populations entières.*

Famille de **mètre**

Décimètre s'écrit **dm** en abrégé.

1 dm = 10 cm

décimètre n. m.

1. Unité de longueur correspondant à la dixième partie d'un mètre. *Un décimètre égale dix centimètres.* **2.** *Un double décimètre,* c'est une règle graduée mesurant deux décimètres. *Sylvain trace soigneusement un triangle à l'aide de son double décimètre.*

Compare ***décimètre*** et ***décigramme*** : il s'agit de **dixième partie.**

Compare ***décisif, décision*** et ***indécis*** : il s'agit de **décider.**

décisif adj.

Une action décisive, c'est une action qui conduit à un résultat. *L'intervention d'Hippolyte pendant l'incendie de la poste a été décisive. Yves a marqué un but décisif au cours du match,* un but capital, très important.

Va voir aussi ***décider.***

Ce qui est dit est dit !

Le contraire de *décision,* c'est *indécision.*

décision n. f.

1. Résolution. *Angèle a pris la décision d'aller en Corse pour les vacances. Elle ne reviendra pas sur sa décision,* elle ne changera pas d'avis. **2.** Qualité d'une personne qui décide sans hésitation. *Pendant l'incendie de la poste de Motbourg, Hippolyte fit preuve de beaucoup de décision.*

Il faut, maintenant, prendre une décision pour les noms, dit Céleste à Babar *(Babar).*

déclamer v.

Dire d'une voix solennelle, en rythmant les phrases. *Le maire a déclamé son discours d'inauguration du gymnase.*

Conjugaison 1

Compare : *déclamer → déclamatoire* et *préparer → préparatoire.*

▸ ***déclamatoire*** adj. Trop solennel ; vois ***emphatique, pompeux.*** *Le maire a dit son discours d'un ton déclamatoire.*

Conjugaison 1

La Grande-Bretagne et la France ont déclaré la guerre à l'Allemagne le 3 septembre 1939.

Compare : *déclarer* → *déclaration* et *considérer* → *considération*.

déclarer v.

1. Faire savoir, annoncer ; vois ***révéler.*** *Le maire a déclaré que le nouveau gymnase serait inauguré dans un mois. Julie a déclaré son intention d'inviter des amis pour son anniversaire. Hippolyte a déclaré avoir entendu une explosion provenant de la poste juste avant l'incendie.* **2.** Faire connaître l'existence de quelqu'un, de quelque chose. *Denis Prost a déclaré la naissance de son fils Martin à la mairie. Tous les ans, il faut déclarer ses revenus au service des impôts.* **3.** *L'incendie s'est déclaré dans le sous-sol de la poste,* il a commencé dans le sous-sol de la poste.

Accusé, levez-vous ! Qu'avez-vous à déclarer pour votre défense ?

À la frontière, le douanier demande si l'*on a quelque chose à déclarer,* si l'on a dans ses bagages des objets pour lesquels on doit payer une taxe.

En sortant de la réunion, le ministre a dit aux journalistes : « Je n'ai aucune déclaration à faire. »

▸ ***déclaration*** n. f. Ce que l'on fait savoir. *Le journal local a reproduit la déclaration du maire. Le docteur Séverac a fait sa déclaration d'impôts. Sylvain a fait une déclaration d'amour à Nathalie.*

Conjugaison 1

Famille de ① **classe**

déclasser v.

1. Déranger des objets qui étaient classés. *Les livres de la bibliothèque ont été déclassés, on ne s'y retrouve plus !* **2.** Donner, dans un classement, une moins bonne place que celle qu'on avait eue d'abord. *On a déclassé le coureur ; la photo a prouvé qu'il était quatrième et non troisième.*

Le contraire de *déclasser,* c'est *classer.*

Conjugaison 1

déclencher v.

Provoquer. *Denis Prost a appuyé sur le bouton qui déclenche l'ouverture de la porte du garage. L'histoire qu'a racontée Antoine a déclenché l'hilarité générale. — L'alarme se déclenche quand on passe devant le radar,* elle se met en marche.

▸ ***déclenchement*** n. m. *Le déclenchement de l'alarme s'effectue dès que l'on essaie de pénétrer dans la maison,* la mise en marche de l'alarme.

déclic n. m.

1. Mécanisme qui déclenche quelque chose. *Pour faire une photo, il faut faire fonctionner le déclic de l'appareil.* **2.** Bruit sec que fait un mécanisme en se déclenchant. *La photo a été prise, j'ai entendu le déclic.*

Ils ont tous fait des sourires, et clic ! j'ai pris la photo *(le Petit Nicolas).*

Conjugaison 1

① **décliner** v.

Diminuer, baisser. *Le jour décline,* il tombe. *Ses forces déclinent ;* vois ***décroître.*** *Le malade décline de jour en jour ;* vois *s'****affaiblir.***

D'instant en instant, Jean Valjean déclinait. Il baissait [...] Son souffle était devenu intermittent *(les Misérables).*

▸ ***déclin*** n. m. **1.** *Le déclin du jour,* c'est le moment où le jour décline, baisse. *Le jour était déjà sur son déclin.* **2.** *Le déclin d'une civilisation,* c'est la diminution de son importance, de sa puissance ; vois ***affaiblissement, décadence.*** *L'Empire romain, après être parvenu à l'apogée de sa puissance, connut une période de déclin.*

Le déclin de l'Empire romain commença au IVe siècle après Jésus-Christ.

Conjugaison 1

② **décliner** v.

1. *Décliner son identité,* c'est donner son identité, dire qui on est. *M. Bellec a décliné ses nom et prénom à l'agent de police.* **2.** *Décliner une invitation,* c'est la refuser. *Mme Séverac a décliné l'invitation du maire.* **3.** *Je décline toute responsabilité dans cette affaire,* je refuse de prendre sur moi la responsabilité de cette affaire.

Le contraire de *décliner,* c'est *accepter.*

déclivité n. f.

Pente, inclinaison. *La route présente une forte déclivité.*

Conjugaison 1

déclouer v.

Arracher, enlever des clous. *M. Bellec a décloué la caisse de bouteilles.*

Famille de **clou**

Conjugaison 1

décocher v.

1. Lancer brusquement. *Yves décoche une flèche qui rate son but et atteint la vitre de la cuisine.* **2.** Envoyer, lancer comme une flèche. *M. Bellec décoche un regard terrible à son fils.*

Conjugaison 1

Famille de **code**

décoder v.

Décoder un message, c'est le traduire en langage clair, en déchiffrant le code secret. *L'espion a réussi à décoder le message du camp ennemi.*

On décode les messages écrits en *code,* en *langage codé.*

Conjugaison 1

Famille de **coiffer**

décoiffer v.

Déranger la coiffure de quelqu'un ; vois ***dépeigner.*** *Le vent a décoiffé Sophie Pelletier. Quand Julie enlève son bonnet de laine, elle est toute décoiffée.*

Le contraire de *décoiffer,* c'est *coiffer, recoiffer.*

Conjugaison 6
▭ Indic. présent : *je décolère, nous décolérons.*

décolérer v.

Ne pas décolérer, c'est ne pas cesser d'être en colère. *Yves n'a pas décoléré depuis deux jours.*

Famille de **colère**

Conjugaison 1

① décoller v.

L'avion décolle, il quitte le sol, il s'envole. *L'avion de Denis Prost décollera à 18 h 40 ;* vois ***partir.***

Deux *l* dans *décoller* et *décollage.*

▸ ***décollage*** n. m. *Les passagers doivent attacher leur ceinture pendant le décollage,* pendant que l'avion décolle.

Le contraire de *décoller,* c'est *atterrir.*

Le contraire de *décollage,* c'est *atterrissage.*

Des oreilles décollées, ce sont des oreilles qui s'écartent de la tête.

② décoller v.

Détacher quelque chose qui était collé. *Hippolyte décolle les timbres des enveloppes pour les ranger dans son album. — L'affiche s'est décollée.*

Conjugaison 1
Famille de **colle**

N'oublie pas les deux *l*. Le second *e* ne se prononce pas : [dekɔlte].

décolleté adj. et n. m.

▭ **adj.** *Un vêtement décolleté,* c'est un vêtement féminin qui laisse voir le cou et une partie de la poitrine ou du dos. *Mme Séverac portait une robe noire très décolletée dans le dos ;* vois ***échancré.***

Famille de **col**

▭ **n. m.** *Le décolleté,* c'est la partie décolletée d'un vêtement ; vois ***échancrure.*** *La robe de Mme Séverac avait un décolleté profond.*

Il y a des décolletés arrondis, carrés ou en pointe.

Conjugaison 1
Famille de **colorer**
On décolore les cheveux avec des produits à base d'eau oxygénée.

décolorer v.

Effacer, rendre plus claire la couleur de quelque chose. *Le soleil a décoloré les rideaux. L'eau de Javel décolore les tissus. — Se décolorer,* c'est perdre sa couleur ; vois ***passer.*** *Les cheveux d'Antoine se décolorent au soleil.*

▸ ***décoloré*** adj. Qui a perdu sa couleur. *Les rideaux sont tout décolorés par le soleil.*

Le contraire de *décolorer,* c'est *colorer.*

décombres n. m. plur.

Quand un bâtiment s'est abîmé avec le temps, on parle plutôt de *ruines.*

Tas de matériaux, pierres, plâtre, ferraille qui restent d'un bâtiment détruit. *Après l'explosion de la bombe, on a retrouvé plusieurs blessés enfouis sous les décombres.*

Décombres ne s'emploie qu'au pluriel.

Conjugaison 1

décommander v.

1. Annuler une commande. *Mme Roussel a décommandé les articles qu'elle avait commandés sur catalogue.* **2.** Annuler une invitation. *Mme Séverac a décommandé ses invités,* elle leur a dit de ne pas venir. — *Se décommander,* c'est annuler un rendez-vous. *Grippée, Sophie Pelletier n'a pu aller dîner chez ses amis, elle s'est donc décommandée.*

Famille de **commander**

Conjugaison 1
Famille de **composer**
Une phrase complexe se décompose en propositions plus simples.

décomposer v.

1. Analyser, séparer les différentes parties d'un ensemble. *Le professeur de danse décompose le mouvement pour bien l'expliquer à ses élèves.* **2.** *Se décomposer,* c'est pourrir. *Le cadavre de l'oiseau était en train de se décomposer lentement.* **3.** *À la vue de l'énorme araignée sur le mur blanc, le visage de Claire se décomposa de terreur,* il devint très pâle, perdit l'expression qu'il avait avant sous l'effet de la terreur.

▸ ***décomposition*** n. f. *Le cadavre de l'oiseau était en décomposition,* en train de pourrir.

Un prisme décompose la lumière.

Et Blancheneige demeura longtemps, longtemps dans le cercueil, et elle ne se décomposait pas, elle avait l'air de dormir *(Blancheneige).*

Conjugaison 1

déconcerter v.

Troubler, embarrasser quelqu'un, le mettre dans l'incertitude de ce qu'il faut faire ou penser ; vois ***désarçonner, décontenancer.*** *La réponse d'Angèle a déconcerté Hippolyte.*

▸ ***déconcertant*** adj. *Une attitude déconcertante,* c'est une attitude qui trouble, désarçonne. *L'insolence de Colle et Rat est vraiment déconcertante, se dit Angèle, l'institutrice.*

Le petit prince fut surpris par l'absence de reproches. Il restait là tout déconcerté... *(le Petit Prince).*

déconfit adj.

Le contraire de *déconfit,* c'est *triomphant.*

Déçu et honteux ; vois ***dépité, penaud.*** *Yves est tout déconfit d'avoir perdu la course.*

Il a *une mine déconfite.*

Conjugaison 1
Famille de **conseil**

déconseiller v.

Déconseiller quelque chose à quelqu'un, c'est lui conseiller de ne pas faire cette chose. *Le médecin a déconseillé les sports violents à Sylvain. Pour Marie-Tévy qui a le foie fragile, les œufs sont déconseillés.*

Le contraire de *déconseiller,* c'est *conseiller, recommander.*

Conjugaison 6 ▭ Indic. présent : *je déconsidère, nous déconsidérons.* Imparfait : *je déconsidérais.*

déconsidérer v.
Déconsidérer quelqu'un, c'est faire que les gens ne l'estiment plus, ne le considèrent plus comme quelqu'un de bien ; vois ***discréditer.*** *La méchanceté de Mme Harpie l'a complètement déconsidérée auprès des enfants. — Mme Harpie s'est déconsidérée en accusant injustement Antoine et Yves d'avoir cassé sa vitrine.*

Famille de **considérer**
Le contraire de *déconsidérer,* c'est *honorer.*

Conjugaison 3 ▭ Indic. présent : *je décontenance, nous décontenançons.* Imparfait : *je décontenançais, nous décontenancions.*

décontenancer v.
Décontenancer quelqu'un, c'est lui faire perdre contenance, lui faire perdre son assurance, agir de telle façon qu'il ne sait plus que faire ou que penser ; vois ***déconcerter.*** *Quand Julie a demandé à Angèle si elle allait épouser Hippolyte, Angèle n'a su que répondre : elle était décontenancée.*

Le second ***e*** ne se prononce pas : [dekɔ̃tnɑ̃se].
Même famille que **contenance**

Conjugaison 1
Famille de ③ **contracter**
Il est comédien.

se ***décontracter*** v.
Se détendre, se relaxer. *Denis Prost se décontracte avant de jouer une scène particulièrement difficile.*
▸ ***décontracté*** adj. Insouciant, détendu, sans peur. *Julie est très décontractée, personne ne l'intimide.*
▸ ***décontraction*** n. f. **1.** Relâchement des muscles, détente du corps. *Lorsque l'on dort, la décontraction des muscles est totale.* **2.** Calme, insouciance, absence de peur. *Julie est entrée dans la salle d'opération avec la plus parfaite décontraction.*

Le contraire de *décontracter,* c'est *contracter.*
Le contraire de *décontraction,* c'est *contraction.*
Elle allait se faire opérer de l'appendicite.

Ne prononce pas le second ***e*** : [dekɔ̃vny].

déconvenue n. f.
Déception. *Hippolyte a éprouvé une grande déconvenue en ne trouvant pas Angèle à la piscine.*

Conjugaison 1

décorer v.
1. Orner de manière à rendre plus beau. *Mme Bellec décore les tables du restaurant avec des fleurs. À Noël, la salle de classe était décorée de guirlandes.* **2.** *Décorer quelqu'un,* c'est lui donner une décoration. *M. Bonnot a été décoré de la Légion d'honneur, à cause de son passé de résistant.*
▸ ***décor*** n. m. **1.** Ce qu'il y a sur une scène de théâtre ou un plateau de cinéma et qui représente l'endroit où se passe l'action de la pièce ou du film. *Entre chaque acte de la pièce, on change les décors. Toutes les scènes du film ont été tournées en décors naturels.* **2.** Endroit où l'on vit, cadre de vie. *Les Séverac vivent dans un décor agréable.*
▸ ***décorateur*** n. m., ***décoratrice*** n. f. Personne dont le métier est de décorer des maisons ou de faire des décors de théâtre ou de cinéma. *Les Séverac ont fait appel à un décorateur pour aménager leur maison.*
▸ ***décoratif*** adj. Qui sert à décorer. *Au restaurant Bellec, il y a sur toutes les tables des lampes très décoratives.*
▸ ***décoration*** n. f. **1.** *Nathalie veut changer la décoration de sa chambre,* la façon dont sa chambre est décorée. **2.** Insigne que l'on donne à quelqu'un qui a accompli un exploit ou qui a fait quelque chose de très bien. *M. Bonnot ne porte jamais sa décoration.*

Dans ce sens, *décor* s'emploie plutôt au pluriel.
Il y a la Légion d'honneur, les Palmes académiques, la médaille du Travail...
Ce sont des rubans, des croix ou des médailles.

Elles décortiquent les cacahuètes qui sont ensuite grillées et salées *(Charlie et la Chocolaterie).*

décortiquer v.
Enlever l'enveloppe dure de quelque chose qui se mange. *Loïc montre à Yves comment on décortique les crevettes. Mme Séverac a acheté des amandes décortiquées pour faire un gâteau.*

Conjugaison 1

Conjugaison 48 ▭ Indic. présent : *je découds, nous décousons.* Imparfait : *je décousais.*

découdre v.
Défaire la couture de quelque chose, ce qui est cousu. *Il faut que Mme Bellec découse la doublure du blouson pour réparer la poche. — Le pantalon de Julie s'est décousu.*

Famille de **coudre**
Va voir aussi ***décousu.***

Conjugaison 1

découler v.
Être la conséquence, le résultat ; vois ***provenir, résulter.*** *L'échec d'Alex au bac découle de son manque de travail.*

Famille de **couler**

Conjugaison 1
On découpe la viande avec un couteau, le papier avec des ciseaux, le bois avec une scie.

découper v.
1. *Mme Hespel découpe le poulet,* elle le coupe en morceaux. **2.** Couper en suivant un tracé. *Julie a passé son après-midi à découper des photos dans un journal et à les coller sur son cahier.* **3.** *À la nuit tombante, les montagnes se découpent sur le ciel,* elles se détachent avec des contours nets, précis.

Famille de **couper**

▸ ***découpé*** adj. De forme irrégulière, en dents de scie. *Les feuilles de platane sont découpées.*

Une côte découpée a beaucoup de baies et de caps.

▸ ***découpage*** n. m. **1.** *Julie a passé l'après-midi à faire des découpages,* à découper des images. **2.** Image à découper. *Mamie Lou a offert à Claire un album de découpages.*

Conjugaison 3 ▭ Indic. présent : *nous décourageons.* Imparfait : *je décourageais, nous découragions.*

décourager v.

1. Enlever à quelqu'un son courage, son énergie, son envie de faire quelque chose ; vois ***abattre, accabler, démoraliser.*** *Alex n'a pas eu son bac, mais cela ne l'a pas découragé, il s'est remis à travailler. — Alex ne s'est pas découragé.* **2.** Empêcher quelqu'un d'agir, de faire ce qu'il avait envie de faire. *Angèle a découragé Hippolyte en ne répondant jamais à ses invitations.*

Le contraire de *décourager,* c'est *encourager, stimuler.*

La vieille dame dit à ses amis : « Voyez-vous dans la vie, il ne faut jamais se décourager » *(Babar).*

Attention au ***e*** devant le ***a*** ! Au féminin : *décourageante.*

▸ ***décourageant*** adj. Qui décourage, démoralise. *Un échec, c'est toujours décourageant.*

Famille de **courage**

▸ ***découragement*** n. m. Sentiment d'abattement, de tristesse que l'on éprouve quand on a perdu courage. *Alex ne s'est pas laissé aller au découragement quand il a appris son échec.*

Le contraire de *découragement,* c'est *courage.*

Famille de **coudre**

décousu adj.

1. *Un vêtement décousu,* c'est un vêtement dont les coutures sont défaites. *Mme Bellec a recousu la poche décousue.* **2.** Incohérent, sans suite. *Dans son sommeil, Julie prononce des mots décousus.*

Le contraire de *décousu,* c'est *cohérent, suivi.*

découvert adj.

Le contraire de *découvert,* c'est *couvert.*

Qui n'est pas couvert. *M. Bellec n'aime pas les chapeaux ; il a toujours la tête découverte.*

Famille de **couvrir**

Famille de **couvrir**

à ***découvert*** adv.

1. Dans un endroit qui n'est pas couvert, pas protégé. *Les cow-boys, qui chevauchaient à découvert, se sont fait attaquer par les Indiens.* **2.** *Un compte en banque à découvert,* c'est un compte sur lequel il n'y a pas d'argent. *Le compte en banque de Denis Prost est à découvert ce mois-ci.*

Denis Prost a un découvert sur son compte.

Famille de **couvrir**

La découverte de l'Amérique par Christophe Colomb date de 1492.

découverte n. f.

1. *Faire une découverte,* c'est découvrir, trouver une chose qui était cachée ou inconnue. *David et Nathalie ont fait une drôle de découverte dans le grenier.* **2.** *Antoine et Yves sont partis à la découverte des souterrains du château,* ils sont partis découvrir, explorer les souterrains du château. **3.** Chose que l'on a découverte. *David et Nathalie montrent leur découverte à Marie-Tévy et à Claire.*

C'est à Lavoisier que l'on doit la découverte de la composition de l'eau et à Röntgen celle des rayons X.

Conjugaison 18 ▭ Indic. présent : *je découvre, nous découvrons.* Imparfait : *je découvrais.* Futur : *je découvrirai.* — Subj. présent : *que je découvre.*

découvrir v.

1. Trouver, arriver à connaître ce qui était caché ou ignoré. *David et Nathalie ont découvert la robe de mariée de Mamie Lou dans une malle d'osier. C'est Pasteur qui a découvert le vaccin contre la rage ;* vois ***inventer.*** **2.** Apercevoir. *Du haut de la colline, on découvre la mer.*

Famille de **couvrir**

Christophe Colomb a découvert l'Amérique en 1492.

▸ *se* ***découvrir*** v. **1.** *Martin s'est découvert en dormant,* il a défait ses couvertures. **2.** Enlever son chapeau. *Les hommes doivent se découvrir dans une église en signe de respect.* **3.** Devenir moins couvert. *Après l'orage, le ciel s'est découvert.*

Conjugaison 1

décrasser v.

Débarrasser de la crasse ; vois ***laver, nettoyer.*** *Mme Roussel a lavé cette nappe très sale deux fois pour bien la décrasser.*

Famille de **crasse**

décret n. m.

Décision écrite fixée par le gouvernement. *Les décrets sont publiés au Journal officiel.*

Va voir aussi **arrêté** et **loi.**

Conjugaison 6 ▭ Indic. présent : *je décrète, nous décrétons.*

▸ ***décréter*** v. Décider avec autorité. *Angèle, l'institutrice, a décrété que personne ne sortirait de la classe avant le silence complet.*

Conjugaison 39 ▭ Indic. présent : *je décris, nous décrivons.*

décrire v.

1. *Décrire une chose,* c'est dire comment elle est, quel est son aspect. *Antoine décrit à Yves le papillon qu'il a vu.* **2.** Tracer. *La Seine décrit des courbes,* elle forme des courbes.

Il indique la taille du papillon, sa forme, la couleur de ses ailes.

Va voir aussi ***description.***

Conjugaison 1

Le contraire de *décrocher*, c'est *raccrocher*.

décrocher v.
1. *Décrocher une chose,* c'est détacher une chose qui était accrochée. *Après la fête, Angèle et les enfants ont décroché les guirlandes.* **2.** Soulever le récepteur du téléphone. *Claire décroche et dit : « Allô ! »*

Le contraire de *décrocher*, c'est *accrocher*.

Conjugaison 55

Le contraire de *décroître*, c'est *s'accroître, croître, augmenter*.

Elle est tellement désagréable !

décroître v.
Diminuer petit à petit ; vois ***baisser.*** *La vue de Mamie Lou décroît ;* vois ***s'affaiblir, décliner.***

▸ ***décroissant*** adj. Qui diminue petit à petit. *Les amis de Mme Harpie sont en nombre décroissant,* ils sont de moins en moins nombreux.

▸ ***décrue*** n. f. Baisse du niveau d'un fleuve ou d'une rivière après une crue. *Les paysans attendent avec impatience la décrue du fleuve.*

Famille de **croître**

Le contraire de *décroissant*, c'est ② *croissant.*

Le contraire de *décrue*, c'est *crue.*

Attention au **ç** ! *Déçu* [desy] rime avec *bossu* et *dessus.*

Le contraire de *déçu*, c'est *content, satisfait.*

déçu adj.
Une personne déçue, c'est une personne qui attendait ou espérait une chose qui ne s'est pas réalisée. *Antoine était très déçu de ne pas voir son père le jour de son anniversaire.*

Famille de **décevoir**

Les parents d'Antoine sont divorcés.

Compare *décupler* et *décade* : il est question de **dix.**

décupler v.
1. Devenir dix fois plus grand. *Le prix de ce tableau a décuplé.* **2.** Augmenter de beaucoup. *Les épinards décuplent la force de Popeye.*

Conjugaison 1

Conjugaison 1

Famille de **daigner**

Prononce [dedɛɲø].

dédaigner v.
Dédaigner une chose, c'est la regarder de haut avec mépris, considérer qu'elle n'est pas intéressante ; vois ***mépriser.*** *Angèle dédaigne les flatteries. Un jour de vacances, ce n'est pas à dédaigner !,* ce n'est pas à négliger.

▸ ***dédaigneux*** adj. Qui montre du dédain ; vois ***fier, hautain, méprisant.*** *Mme Harpie regarde Angèle d'un air dédaigneux.*

▸ ***dédain*** n. m. Sentiment que l'on a pour quelqu'un ou quelque chose que l'on trouve indigne d'attention ; vois ***hauteur, mépris.*** *Mme Harpie adresse à Angèle un sourire de dédain. Le docteur Séverac n'a que du dédain pour les lettres anonymes.*

Le contraire de *dédaigner*, c'est *apprécier.*

Au féminin : *dédaigneuse.*

Le contraire de *dédain*, c'est *estime.*

On dit que c'est l'architecte grec Dédale qui inventa le Labyrinthe.

dédale n. m.
Lieu où l'on risque de se perdre ; vois ***labyrinthe.*** *Les vieilles rues du village forment un véritable dédale.*

Famille de ① **de** et de **dans**

Le magicien fit transporter le palais d'Aladdin de Chine en Afrique avec toutes les personnes qui étaient dedans.

dedans adv. et n. m.
▭ **adv. 1.** À l'intérieur. *Va dehors ou reste dedans, mais ferme la porte ! Ouvre ton paquet, Claire ! Qu'y a-t-il dedans ? Julie n'a pas vu la porte, elle est rentrée dedans,* elle l'a heurtée violemment. **2.** *Mme Bonnot marche les pieds en dedans,* les pieds tournés vers l'intérieur.

▭ **n. m.** *Le dedans,* c'est l'intérieur. *Le bruit venait du dedans.*

Le contraire de *dedans*, c'est *dehors.*

Prononce [dedikas].

dédicace n. f.
Mots qu'une personne célèbre écrit sur son livre, sur son disque ou sur sa photographie pour un admirateur. *Julie a promis à Yasmina une photographie de son père avec une dédicace.*

Conjugaison 3 ▭ Indic. présent : *nous dédicaçons.*

▸ ***dédicacer*** v. Mettre une dédicace. *Le comédien dédicace à un admirateur le programme de la pièce.*

Va voir aussi ***autographe.***

Le père de Julie, Denis Prost, est un comédien célèbre.

Conjugaison 7 ▭ Indic. présent : *je dédie, nous dédions.* Imparfait : *je dédiais, nous dédiions.*

dédier v.
L'auteur a dédié son livre à sa mère, il a placé son nom au début de son œuvre, en signe d'amitié ou de reconnaissance. *Sophie Pelletier a dédié son roman à son père.*

Je demande pardon aux enfants d'avoir dédié le livre à une grande personne
(le Petit Prince).

Conjugaison 37 ▭ Indic. présent : *vous vous dédisez.*

se dédire v.
Ne pas tenir sa parole. *S'il ne rapportait pas un cadeau à sa fille, Denis Prost se dédirait. On ne doit pas se dédire d'une promesse.*

Famille de **dire**

Conjugaison 3 ▭ Indic. présent : *je dédommage, nous dédommageons.* Imparfait : *je dédommageais.* Futur : *je dédommagerai.*

dédommager v.
Dédommager quelqu'un, c'est le payer pour réparer un dégât ou une perte ; vois ***indemniser.*** *Qui dédommagera Mme Harpie de sa vitrine cassée ?*

▸ ***dédommagement*** n. m. Réparation, arrangement que l'on obtient pour remplacer une chose qui a été perdue ou abîmée. *Mme Harpie a obtenu de sa compagnie d'assurances de l'argent en dédommagement.*

Famille de **dommage**

Deux ***m*** dans *dédommager* et *dédommagement.*

On lui a remboursé sa vitrine cassée.

Conjugaison 1

Elle emmène seulement une douzaine d'élèves à la fois.

dédoubler v.

Partager en deux. *Angèle a dédoublé sa classe pour aller à la piscine,* elle a fait deux groupes.

Famille de **double**

Conjugaison 38
▭ Indic. présent : *je déduis, nous déduisons.* Imparfait : *je déduisais.* Futur : *je déduirai.*

① *déduire* v.

Enlever une certaine somme d'un total à payer. *L'épicier a déduit de la note la consigne des bouteilles que Yasmina a rapportées.*

Le contraire de *déduire,* c'est *additionner, ajouter.*

▸ ① ***déduction*** n. f. *Faire la déduction d'une somme,* c'est la soustraire d'un total à payer ; vois ***soustraction.*** *Quel est le prix du billet de train pour Julie, après déduction de la réduction ?*

Les enfants de moins de 12 ans payent demi-tarif.

Conjugaison 38

② *déduire* v.

Trouver en raisonnant ; vois ***conclure.*** *En voyant l'air de Colle et Rat, Angèle, l'institutrice, en a déduit qu'ils avaient encore fait une bêtise.*

▸ ② ***déduction*** n. f. Raisonnement qu'on fait sur quelque chose et qui fait comprendre une autre chose. *D'après les déductions du commissaire de police, l'employé de la bijouterie aurait aidé les cambrioleurs.*

Prononce [dees].

déesse n. f.

Être divin de sexe féminin. *Dans la religion romaine, Vénus était la déesse de l'amour.*

Va voir aussi ***dieu.***

Conjugaison 13
▭ Indic. présent : *je défaille, nous défaillons.* Imparfait : *je défaillais.* Futur : *je défaillirai.*

défaillir v.

Se trouver mal ; vois ***s'évanouir.*** *À la vue du sang, Sylvain se sent défaillir.*

Famille de **faillir**

▸ ***défaillance*** n. f. **1.** Moment de faiblesse physique. *La défaillance de Mme Séverac était due à son régime trop sévère.* **2.** Mauvais fonctionnement passager. *Pendant le voyage, le moteur de la voiture d'Angèle a eu plusieurs défaillances.*

Conjugaison 60
▭ Indic. présent : *je défais, nous défaisons, vous défaites.* Imparfait : *je défaisais.* Futur : *je déferai.* — Subj. présent : *que je défasse.* — Impératif : *défais, défaisons.*

défaire v.

1. Faire une action, un geste qui supprime ce qui avait été fait. *Mamie Lou a défait trois rangs de tricot. Denis Prost défera sa valise en arrivant,* il en sortira le contenu. — *Le nœud s'est défait,* il s'est dénoué. **2.** *Se défaire d'une chose,* c'est s'en débarrasser. *Denis Prost voudrait se défaire de son habitude de fumer ;* vois ***perdre.*** **3.** *Napoléon fut défait par les Anglais à Waterloo,* il a été battu, vaincu.

Famille de **faire**

Cela se passa le 18 juin 1815.

▸ ***défait*** adj. **1.** Qui n'est plus fait, plus arrangé. *Alex est parti en laissant son lit défait.* **2.** Qui semble épuisé. *Sophie Pelletier avait le visage défait par le chagrin.*

Au féminin : *défaite.*

▸ ***défaite*** n. f. **1.** Perte d'une bataille ou de la guerre. *Napoléon subit une grave défaite à Waterloo.* **2.** Échec. *Si l'équipe perd le match, cette défaite l'éliminera du championnat.*

Le contraire de *défaite,* c'est *victoire.*

▸ ***défaitiste*** adj. Qui ne croit pas à la victoire, au succès, et veut abandonner la lutte. *Pendant la guerre, M. Bonnot n'était pas défaitiste.*

Il était dans la Résistance.

défaut n. m.

Si le jour il possède tous les défauts, la nuit il a principalement celui de ronfler. Il ronfle exprès, sans aucun doute
(Poil de Carotte).

1. *Un défaut,* c'est ce qui n'est pas bien, est imparfait chez quelqu'un. *Antoine a le défaut d'être menteur,* il a la mauvaise habitude de mentir. *Claire a un léger défaut de prononciation,* elle prononce mal certains sons. **2.** Ce qui ne va pas bien dans une chose ; vois ***imperfection.*** *La veste de Mme Séverac a un défaut,* elle a une partie mal faite. *Ce film a le défaut d'être trop long ;* vois ***inconvénient.*** **3.** *Faire défaut,* c'est manquer. *Le courage a soudain fait défaut à Marie-Tévy et elle est descendue du plongeoir.* **4.** *Prendre en défaut,* c'est prendre en faute. *Antoine a été pris en défaut quand on a découvert ses mensonges.* **5.** *À défaut d'une chose,* par manque de cette chose. *À défaut de tomates fraîches, M. Bellec a mis des tomates en conserve dans sa sauce,* faute de tomates fraîches.

Le contraire de *défaut,* c'est *qualité.*

Elle a une manche trop courte.

Dans ce bourg perdu de la Baraba, les nouvelles de la guerre faisaient absolument défaut
(Michel Strogoff).

Famille de **favorable**

défavorable adj.

Qui n'est pas favorable, qui n'aide pas à la réalisation de quelque chose. *Malgré un vent défavorable, Loïc a conduit le bateau jusqu'au port.*

Le contraire de *défavorable,* c'est *favorable.*

Famille de **favoriser**

défavorisé adj.

Qui n'a pas reçu le même avantage, les mêmes chances qu'un autre. *Au basket-ball, les petits sont défavorisés par rapport aux grands,* ils sont désavantagés.

Le contraire de *défavorisé,* c'est *privilégié.*

Compare *défection* et *défectueux* : on parle de **défaut.**

défection n. f.
Fait de ne pas venir là où l'on était attendu. *Les défections furent si nombreuses que la réception fut un désastre.*

Faire défection, c'est ne pas se trouver là où l'on était attendu.

défectueux adj.
Qui a des défauts, qui ne fonctionne pas bien. *L'aspirateur qu'a acheté Mme Hespel est défectueux.*

Il faut le renvoyer au fabricant.

Au féminin : *défectueuse.*

Conjugaison 41
▭ Indic. présent : *je défends, nous défendons.*

① défendre v.
1. Protéger contre une attaque en se battant. *Si quelqu'un touche un cheveu de Marie-Tévy, Antoine se précipite pour la défendre. — Yves peut se défendre tout seul.* **2.** Soutenir contre des accusations, des attaques. *Les conseillers municipaux ont pris chacun la parole pour défendre leurs idées.*

Les avocats défendent leurs clients.

Faire une chose *à son corps défendant,* c'est la faire à contrecœur, malgré soi.

▸ **① défense** n. f. **1.** Protection d'un lieu contre une attaque. *La garde assure la défense du château.* **2.** Protection que l'on accorde à quelqu'un contre des attaques. *Antoine prend toujours la défense de Marie-Tévy contre Colle et Rat. Au judo, Sylvain apprend des mouvements de défense,* pour se défendre. **3.** Protection que l'on accorde à quelqu'un en le soutenant contre des accusations. *Pour la défense d'Antoine, on peut dire que ses excuses sont pleines d'imagination. L'avocat assure la défense de son client,* il le défend. **4.** Dent très saillante de certains animaux, qui leur sert à se défendre. *Les sangliers et les éléphants ont des défenses.*

Le ministère de la Défense d'un pays s'occupe des armées et de l'armement de ce pays.

Quand le juge dit : *la parole est à la défense,* c'est au tour des avocats de parler.

Au bout de ses défenses, Cornélius a installé une balançoire *(Babar).*

Les défenses des mâles sont plus développées que celles des femelles.

Le contraire de *défenseur,* c'est *attaquant.*

▸ **défenseur** n. m. **1.** Personne qui défend quelqu'un ou quelque chose contre une attaque. *Antoine est le défenseur de Marie-Tévy ;* vois ***protecteur.*** **2.** Personne qui soutient une cause ou une idée. *Les défenseurs de la nature ont réussi à faire protéger les baleines.* **3.** Personne qui défend un accusé. *L'accusé a choisi comme défenseur un avocat célèbre.*

Robin des Bois était le défenseur des pauvres gens.

▸ **défensif** adj. Qui est fait pour la défense. *Le bouclier est une arme défensive.*

▸ **défensive** n. f. *Être sur la défensive,* c'est être prêt à se défendre contre une attaque. *Dès qu'elle voit arriver Colle et Rat, Marie-Tévy est sur la défensive.*

Une personne sur la défensive est prête à se défendre, mais n'attaque pas.

Autre membre de la famille : **indéfendable.**

Conjugaison 41

Le contraire de *défendre,* c'est *autoriser, permettre, tolérer.*

② défendre v.
Interdire. *Mamie Lou défend à Claire de s'approcher de la mare. En avion, il est défendu de fumer pendant le décollage et l'atterrissage.*

Claire n'a que 5 ans.

▸ **② défense** n. f. Interdiction. *Défense de marcher sur la pelouse.*

déférence n. f.
Respect. *Mme Hespel parle à son directeur avec déférence.*

déferler v.
Les vagues déferlaient, elles retombaient en roulant sur elles-mêmes et formaient de l'écume.

On parle du *déferlement* des vagues sur la plage.

Conjugaison 1

Compare : *défier → défi, oublier → oubli* et *trier → tri.*

défi n. m.
Lancer un défi à quelqu'un, c'est le provoquer en lui disant qu'il est incapable de faire quelque chose. *Yves a mis Antoine au défi de sauter du grand plongeoir. Antoine a relevé le défi.*

Famille de **① défier**

Même famille que se **défier**

défiance n. f.
Sentiment d'une personne qui n'a pas confiance ; vois ***méfiance.*** *Les promesses d'Antoine peuvent inspirer de la défiance.*

Il est tellement menteur !

Le contraire de *défiance,* c'est *confiance.*

déficient adj.
Qui présente une insuffisance, une faiblesse. *Cet enfant est déficient,* il n'est pas en bonne santé. *Il a une santé déficiente ;* vois ***fragile.***

Déficit [defisit] rime avec *huit.*

déficit n. m.
Somme d'argent qui manque quand les dépenses sont plus importantes que les recettes. *L'entreprise en déficit a dû fermer ses portes.*

Le contraire de *déficit,* c'est *bénéfice.*

▸ **déficitaire** adj. Qui a plus de dépenses que de recettes. *Le budget de l'entreprise était déficitaire.*

Conjugaison 7
▭ Indic. imparfait : *je défiais, nous défiions.*
Il l'a *mis au défi.*

① défier v.
David a défié Nathalie au baby-foot, il lui a proposé de jouer avec elle tout en étant persuadé qu'il allait gagner. *Yves a défié Antoine de sauter du grand plongeoir,* il l'a provoqué en lui disant qu'il était incapable de le faire.

Autre membre de la famille : **défi.**

Conjugaison 7

② se défier v.
Se défier de quelqu'un, c'est ne pas avoir confiance en lui ; vois *se* ***méfier.*** *Angèle, l'institutrice, a appris à se défier d'Antoine et de ses promesses.*

Famille de se **fier**

Conjugaison 1

défigurer v.
Enlaidir. *Mme Harpie a une verrue sur le nez qui la défigure. L'autoroute défigure le paysage aux abords du village.*

Famille de **figure**

Conjugaison 1
Tous les éléphants qui ne défilent pas regardent ce spectacle inoubliable *(Babar).*
On y passe *à la file.*

défiler v.
1. Marcher en file, en rangs. *Les soldats défilent le 14 juillet.* **2.** Se suivre sans interruption. *Au Louvre, les touristes défilent devant la Joconde.*

▸ ① ***défilé*** n. m. Passage étroit entre deux montagnes. *Les Indiens ont attaqué le convoi à la sortie du défilé.*

▸ ② ***défilé*** n. m. Marche de personnes, de véhicules en file. *Le 14 juillet, M. Bonnot participe au défilé des anciens combattants.*

On va inaugurer une statue dans le quartier de l'école, et nous on va défiler *(le Petit Nicolas).*
Famille de **file**

Conjugaison 2
Si on ne connaît pas le sens d'un mot, on le cherche dans un dictionnaire.

définir v.
Définir un mot, c'est expliquer ce qu'il veut dire. *Après la dictée, la maîtresse demande aux élèves de définir certains mots.*

▸ ***défini*** adj. *Article défini ;* va voir ***article.***

Autres membres de la famille : **définition, indéfini.**

définitif adj.
1. Qui ne changera pas. *Alex a atteint sa taille définitive,* il ne grandira plus. **2.** *En définitive,* finalement. *En définitive, Denis Prost a accepté de tourner dans le film d'un jeune cinéaste inconnu.*

▸ ***définitivement*** adv. Pour toujours. *Les Touati se sont installés définitivement en France.*

Il a 18 ans.
Denis Prost est un comédien déjà célèbre.
Compare : *définitif → définitivement* et *progressif → progressivement.*
Ils ne retournent au Maroc que pour les vacances.

Définition [definisjɔ̃] rime avec *pension.*
Famille de **définir**

définition n. f.
Explication du sens d'un mot, d'une expression. *Angèle, l'institutrice, a donné la définition du mot « grange ».*

Cherche la définition de *grange* dans ton dictionnaire.

déflagration n. f.
Explosion. *La déflagration qui a précédé l'incendie a fait sauter les vitres.*

Conjugaison 3

défoncer v.
1. *Défoncer une porte,* c'est la casser en l'enfonçant. *La maison était fermée et on entendait des cris à l'intérieur ; la police a défoncé la porte.* **2.** Creuser. *Les ouvriers défoncent les trottoirs avec des marteaux piqueurs pour atteindre les canalisations.*

Quel bruit !

▸ ***défoncé*** adj. Qui a des creux, des bosses et des trous. *Le chemin qui mène à la ferme est défoncé.*

Il y a beaucoup de nids de poules.

Conjugaison 1

déformer v.
Changer la forme. *Ce miroir déforme la silhouette. Mamie Lou a les doigts déformés par les rhumatismes.*

▸ ***déformation*** n. f. Changement de forme. *Les rhumatismes provoquent la déformation des doigts.*

Famille de **forme**

N'oublie pas l'accent circonflexe du *î* de *défraîchi.*

défraîchi adj.
Qui n'est plus neuf et a perdu sa fraîcheur. *Mme Harpie a mis une robe un peu défraîchie.*

Famille de ① **frais**

On appelle *défrichage* ou *défrichement* l'action de défricher.

défricher v.
Préparer une terre pour la culture en enlevant les plantes sauvages et les arbres. *Pierre Séverac a défriché une terre pour y planter du maïs.*

Conjugaison 1
Famille de **friche**

Défunt [defœ̃] rime avec *emprunt, parfum* et *brun.*

défunt n. m., défunte n. f.
Personne morte. *« Prions pour les défunts ! » dit l'abbé Gauthier.* — adj. *Mamie Lou parle de son défunt mari à Claire.*

On emploie plus souvent le mot *mort.*

Conjugaison 3

dégager v.
1. Rendre libre. *Le camion de déménagement ne dégagera la rue que dans deux heures,* il cessera d'encombrer la rue. — *L'embouteillage a duré longtemps et la rue s'est dégagée difficilement. Le ciel se dégage,* les nuages partent. **2.** Laisser échapper. *Les roses dégagent un parfum agréable. — Une épaisse fumée se dégageait du bâtiment en feu.* **3.** *Le footballeur a dégagé son camp,* il a envoyé le ballon très loin.

Famille de **gage**

À la vingtième minute, Geoffroy [...] dégagea son camp d'un shoot terrible *(le Petit Nicolas).*

▸ **dégagé** adj. Qui n'est pas encombré. *Le ciel est dégagé,* sans nuages. *Mamie Lou a les cheveux tirés en arrière et le front dégagé,* nu, sans cheveux dessus.

Le contraire, c'est *couvert.*
Prendre un air dégagé, c'est prendre un air désinvolte et innocent.

Compare : *dégager → dégagement* et *dépouiller → dépouillement.*

▸ **dégagement** n. m. **1.** Action de libérer de ce qui gêne. *Il a fallu attendre pendant deux heures le dégagement de la rue.* **2.** *Le gardien de but a fait un dégagement au pied,* il a envoyé le ballon très loin. **3.** Espace libre, passage. *La maison des Séverac a de nombreux dégagements.*

Ne prononce pas le deuxième ***e*** : [degaʒmɑ̃].

Conjugaison 1

dégainer v.
Tirer une arme de son étui. *Le bandit a dégainé son revolver.*

Famille de **gaine**

Conjugaison 2

dégarnir v.
Enlever ce qui garnit. *Le jour de la rentrée des vacances de Noël, Angèle et ses élèves ont dégarni le sapin qui était dans la classe,* ils ont enlevé les boules et les décorations. — *M. Bellec a les tempes qui se dégarnissent,* il n'a plus beaucoup de cheveux sur les tempes.

Famille de **garnir**

N'oublie pas l'accent circonflexe du ***â***.
Famille de ② **gâter**

dégât n. m.
Dommage causé par un accident, une catastrophe. *La grêle a fait des dégâts dans les champs de maïs. Il faut assurer son logement contre les dégâts des eaux.*

Ce mot s'emploie surtout au pluriel.

Famille de **gel**

dégel n. m.
Fonte de la neige et de la glace quand le temps devient plus chaud. *Souvent des rochers tombent sur les routes de montagne au moment du dégel.*

Le contraire de *dégel,* c'est *gel.*

Conjugaison 5

▸ **dégeler** v. Fondre, cesser d'être gelé. *Au printemps, le lac dégèle. Odile Séverac sort le gigot du congélateur pour le mettre à dégeler.*

Le contraire de *dégeler,* c'est *geler.*

Conjugaison 6
▭ Indic. présent : *il dégénère, nous dégénérons.*

dégénérer v.
Se transformer en quelque chose de pire. *Le rhume de Sylvain a dégénéré en bronchite. Les disputes entre Yves et Antoine dégénèrent toujours en bagarre.*

Conjugaison 1
Il a procédé au *dégivrage* du pare-brise.

dégivrer v.
Enlever le givre. *Il a fait très froid cette nuit et ce matin M. Bellec a dû dégivrer le pare-brise de sa camionnette.*

Famille de **givre**

Conjugaison 1
Famille de **gonfler**

dégonfler v.
1. *Dégonfler un ballon,* c'est laisser échapper l'air qui le gonflait. *Yves a dégonflé son ballon. — Les pneus de la voiture se sont dégonflés.* **2.** Cesser d'être gonflé. *Julie a beaucoup pleuré, ses paupières commencent juste à dégonfler.*

Un dernier coup de vent jette le ballon sur une côte où il s'aplatit dégonflé *(Babar).*

Conjugaison 1

dégouliner v.
Couler lentement. *Antoine a très chaud, la sueur lui dégouline dans le dos.*

Conjugaison 2

dégourdir v.
1. *Se dégourdir les jambes,* c'est les remuer après être resté longtemps dans la même position. *Après un long trajet en voiture, cela fait du bien de marcher pour se dégourdir les jambes.* **2.** *Se dégourdir,* c'est devenir moins timide et plus débrouillard. *Claire se dégourdit au contact de David et de Nathalie.*

Famille de **gourd**

David et Nathalie sont ses grands cousins.

▸ **dégourdi** adj. Qui sait se débrouiller tout seul ; vois ***débrouillard, malin.*** *Claire est dégourdie pour son âge.*

Elle n'a que 5 ans.

Conjugaison 1
Les Anglais ne mangent pas d'escargots ni de cuisses de grenouille : cela les dégoûte.

dégoûter v.
1. Inspirer du dégoût ; vois ***répugner.*** *Les tripes me dégoûtent. Cela me dégoûte !* **2.** Ôter l'envie de faire quelque chose. *Le mauvais temps dégoûte d'aller à la plage.* **3.** *Se dégoûter de quelque chose,* c'est ne plus l'aimer, s'en lasser. *Peut-être qu'un jour Antoine se dégoûtera des gâteaux.*

N'oublie pas l'accent circonflexe du ***û***.

▸ ***dégoût*** n. m. Impression désagréable que l'on a devant quelque chose ou quelqu'un. *Mme Séverac a du dégoût pour les tripes.*

Famille de **goût**

▸ ***dégoûtant*** adj. Très sale. *Antoine a les mains dégoûtantes.*

▸ ***dégoûté*** adj. Qui éprouve du dégoût. *Mme Séverac prend un air dégoûté devant un plat de tripes.*

dégradé n. m.
Couleur qui passe progressivement du foncé au clair. *Le pull de Denis Prost était dans un dégradé de verts,* sa couleur allait du vert foncé au vert clair.

Conjugaison 1

dégrader v.
1. Abîmer. *Colle et Rat ont dégradé un mur de la classe en écrivant dessus ;* vois ***détériorer.*** — *La toiture de la maison des Séverac se dégrade, il faut la refaire.* **2.** Faire perdre sa dignité. *La misère dégrade souvent ceux qu'elle frappe. — En mentant, en trahissant ses amis, elle s'est dégradée ;* vois *s'**abaisser,** se **déconsidérer.*** **3.** *Dégrader un officier,* c'est le priver de son grade pour le punir. *Le colonel a été dégradé.*

Compare : *dégrader → dégradant, dégradation* et *humilier → humiliant, humiliation.*

▸ ***dégradant*** adj. Qui dégrade, fait perdre la dignité. *C'est dégradant d'être obligé de flatter les gens dont on a besoin ;* vois ***humiliant.***

Au féminin : *dégradante.*

▸ ***dégradation*** n. f. Dégât, détérioration. *Colle et Rat sont coupables des dégradations commises dans la classe. La dégradation de la situation économique est préoccupante,* le fait que la situation économique soit de plus en plus mauvaise.

dégrafer v.
Détacher ce qui est agrafé. *Julie n'arrive pas à dégrafer sa jupe. — La robe de Mme Harpie s'est dégrafée.*

Le contraire de *dégrafer,* c'est *agrafer.*

Conjugaison 1

degré n. m.
1. Unité qui sert à mesurer les températures. *Il fait trente degrés à l'ombre. L'eau bout à cent degrés.* **2.** Unité qui sert à mesurer les angles. *Un angle de 90 degrés est un angle droit.* **3.** Unité qui sert à mesurer l'alcool dans les liquides. *Ce vin fait onze degrés.* **4.** Échelon ; vois ***niveau.*** *Denis Prost espère parvenir au plus haut degré de la gloire.*

On mesure la température avec un thermomètre.

On écrit **30°, 100°**.

On mesure un angle avec un rapporteur.

On écrit **90°**.

On écrit **11°**.

Il est comédien.

Au féminin : *dégressive.*

dégressif adj.
Qui va en diminuant. *M. Bellec achète l'huile par grandes quantités, il bénéficie ainsi d'un tarif dégressif,* le prix à l'unité est de moins en moins cher.

Le contraire de *dégressif,* c'est *progressif.*

Conjugaison 1

dégringoler v.
1. Tomber de haut. *Après l'orage, l'eau dégringole du toit.* **2.** *Julie dégringole l'escalier,* elle le descend à toute allure, mais sans tomber ; vois ***dévaler.***

Conjugaison 2

dégrossir v.
Le sculpteur dégrossit un bloc de pierre, il le taille grossièrement pour donner la forme générale de sa sculpture.

Famille de **gros**

Famille de **guenilles**

déguenillé adj.
Vêtu de guenilles, de vieux vêtements. *Un clochard déguenillé demandait la charité à la sortie de la messe.*

Conjugaison 2

déguerpir v.
Se sauver à toute allure. *Après avoir tiré la sonnette pour faire une farce, Julie a déguerpi,* elle s'est enfuie.

Conjugaison 1

Prononce [degize].

déguiser v.
1. *Se déguiser,* c'est s'amuser à mettre des vêtements qui évoquent un personnage, un animal ; vois *se* ***travestir.*** *Pour le Mardi gras, Nathalie s'était déguisée en papillon et David en cosmonaute.* **2.** Transformer quelque chose pour tromper. *Au téléphone, Julie déguise sa voix pour faire des farces ;* vois ***contrefaire.***

▸ ***déguisement*** n. m. Habits avec lesquels on se déguise. *Qu'est-ce que tu veux comme déguisement pour le bal masqué ?*

Un costume de shérif, de fée ?

On peut aussi ajouter des perruques, des masques...

Conjugaison 1

déguster v.
Apprécier par le goût un aliment, une boisson ; vois **goûter, savourer.** *M. Bellec déguste un bon vin.*
▹ **dégustation** n. f. Consommation d'aliments, de boissons, pour les goûter. *À la foire agricole, il y a des stands de dégustation pour les visiteurs.*

Attention au *h* et au *s* ! Prononce [dəɔʀ].
Le contraire de *dehors,* c'est *dedans, à l'intérieur.*

dehors adv. et n. m.
▭ **adv. 1.** À l'extérieur. *Claire est allée dehors,* elle est sortie hors de la maison. *Odile Séverac fait sécher le linge dehors. M. Bellec a mis un de ses employés dehors,* il l'a renvoyé. **2.** *La balle est tombée en dehors du terrain,* à l'extérieur. *Mme Harpie devrait rester en dehors des affaires de sa sœur,* à l'écart.
▭ **n. m. 1.** *Le dehors,* c'est l'extérieur. *Le bruit venait du dehors.* **2.** *Les dehors,* l'apparence, ce qu'on voit d'abord. *Sous des dehors un peu brutaux, M. Bellec est un homme très affectueux.*

Famille de ① **de** et de **hors**

Attention aux deux accents !
Le contraire de *déjà,* c'est *enfin.*

déjà adv.
1. Dès ce moment. *C'est déjà la fin des vacances. Claire sait déjà compter, mais elle ne sait pas encore lire.* **2.** Avant. *Yasmina a déjà pris l'avion,* il lui est arrivé de prendre l'avion.

Elle n'a que 5 ans.
Autre membre de la famille : **d'ores et déjà.**

Attention ! il n'y a rien sur le *u* de *déjeuner.*
Famille de **jeûner**
Prononce [deʒœne].

① **déjeuner** v.
1. Prendre le repas de midi. *Julie déjeune à la cantine de l'école. M. et Mme Bellec ont invité Mme Roussel à déjeuner.* **2.** Prendre le repas du matin. *Marie-Tévy est allée à l'école sans déjeuner,* sans prendre son petit déjeuner.
▹ ② **déjeuner** n. m. **1.** Repas de midi. *Angèle rentre chez elle à l'heure du déjeuner.* **2.** *Le petit déjeuner,* c'est le repas du matin. *Mme Hespel prend du thé au petit déjeuner.*

Conjugaison 1
Le repas du soir s'appelle le *dîner.*

Prononce [deʒwe].

déjouer v.
Déjouer les plans de quelqu'un, c'est les faire échouer, empêcher qu'ils réussissent. *Antoine a déjoué les plans de Colle et Rat.*

Conjugaison 1

delà va voir **au-delà, par-delà.**

Conjugaison 1

délabrer v.
Mettre en mauvais état. *L'alcoolisme délabre la santé. — Le toit de la ferme se délabre, il faut le réparer,* il s'abîme ; vois **dégrader.**
▹ **délabrement** n. m. *Le toit est dans un état de délabrement avancé,* il est en mauvais état.

Une maison très délabrée est une ruine.

Famille de **lacer**
Ne confonds pas *délacer* et *délasser.*

délacer v.
Desserrer ou défaire des lacets. *Après une longue course, Hippolyte a délacé ses chaussures.*

Conjugaison 3

délai n. m.
Temps que l'on a pour faire quelque chose, qu'il ne faut pas dépasser. *Vous avez un délai de deux mois pour livrer la marchandise. Sylvain demande à Nathalie de répondre à sa lettre sans délai,* immédiatement, sans retard.

Conjugaison 1

délaisser v.
1. *Délaisser quelqu'un,* c'est ne plus s'en occuper, l'abandonner. *« Julie, tu me délaisses, dit Yasmina ; tu joues plus souvent avec Marie-Tévy, maintenant. »* **2.** *Délaisser quelque chose,* c'est ne plus s'y intéresser. *Alex délaisse son travail et préfère partir en moto.*

Famille de **laisser**

Conjugaison 1
Ne confonds pas *délasser* et *délacer.*

délasser v.
Faire disparaître la fatigue, l'ennui. *« Assez travaillé les enfants, on va parler de la fête de l'école pour vous délasser », dit Angèle, l'institutrice. — Pour se délasser, Angèle va à la piscine ;* vois *se* **détendre,** *se* **distraire,** *se* **reposer.**
▹ **délassement** n. m. Détente. *Denis Prost écoute de la musique dans son fauteuil, c'est un bon délassement ;* vois **distraction.**

Le contraire de *délasser,* c'est *fatiguer, lasser.*
Famille de **las**

délateur n. m., **délatrice** n. f.
Personne qui dénonce quelqu'un pour en tirer profit ou par vengeance ; vois **indicateur, mouchard.** *Antoine n'a pas dénoncé Colle et Rat à la directrice, ce n'est pas un délateur.*

Le délateur fait une *délation.*

Famille de **laver**

délavé adj.
Décoloré par l'eau, par les lavages. *Yves a un blue-jean bleu délavé.*

Délayer [deleje] rime avec *payer* et *conseiller.*

délayer v.
Délayer une substance, c'est la mélanger avec un liquide. *Pour faire des crêpes, on délaie de la farine dans du lait.*

Conjugaison 8 ▭ Indic. présent : *je délaie* ou *je délaye.*

Le contraire de *délayé,* c'est *condensé, concis.*

▸ ***délayé*** adj. *Le discours du maire était trop délayé,* il était trop long, exprimé avec trop de mots.

se ***délecter*** v.
Prendre beaucoup de plaisir. *Antoine se délecte à la lecture des livres de Jules Verne ;* vois *se* ***régaler.***

Un repas *délectable,* c'est un repas très bon, délicieux.

Conjugaison 1

déléguer v.
Charger d'une mission. *La classe a délégué Antoine pour acheter un cadeau à Angèle, l'institutrice,* la classe a chargé Antoine de s'en occuper.

Conjugaison 6 ▭ Indic. présent : *je délègue, nous déléguons.*

Compare : *déléguer → délégué* et *envoyer → envoyé.*

▸ ***délégué*** n. m., ***déléguée*** n. f. Personne qui est chargée d'une mission. *Les employés ont élu Mme Roussel déléguée du personnel ;* vois ***représentant.***

▸ ***délégation*** n. f. Groupe de délégués. *Une délégation d'ouvriers a été reçue par le patron.*

Conjugaison 1
Famille de **lest**

délester v.
Rendre moins lourd en enlevant un chargement. *Pierre Séverac déleste l'âne d'un bidon de lait,* il lui enlève un bidon de lait qu'il portait.

Le contraire de *délester,* c'est *lester.*

Conjugaison 6 ▭ Indic. présent : *je délibère, nous délibérons.*

délibérer v.
Réfléchir et discuter ensemble avant de prendre une décision commune. *Les jurés sont en train de délibérer.*

▸ ***délibération*** n. f. Discussion avant de prendre une décision. *Le conseil municipal est en délibération.*

▸ ***délibéré*** adj. Qui est volontaire, a été mûrement réfléchi. *C'est délibéré, chez Mme Harpie, d'être désagréable avec tout le monde,* c'est exprès.

Le contraire de *délibéré,* c'est *involontaire.*

délicat adj.

Le contraire de *délicat,* c'est *fort, violent, grossier.*

Le contraire de *délicat,* c'est *facile, simple.*

1. Agréable et fin. *La violette a un parfum délicat. Marie-Tévy n'aime que les plats délicats ;* vois ***raffiné.*** **2.** Fragile. *Sylvain a une santé délicate.* **3.** Difficile, embarrassant. *C'est délicat pour Antoine de dire à sa tante de se taire.* **4.** Qui fait attention aux autres, évite de gêner. *Mamie Lou est une femme délicate.*

Le contraire de *délicat,* c'est *robuste, solide.*

Une délicate attention, c'est un petit cadeau, un petit service, une chose qui fait plaisir.

Le contraire de *délicatement,* c'est *brutalement, violemment.*

▸ ***délicatement*** adv. **1.** Finement. *Sophie Pelletier utilise un savon délicatement parfumé,* légèrement parfumé. **2.** Doucement. *Yasmina sort délicatement les verres de la boîte,* avec précaution.

Compare : *délicat → délicatesse* et *fin → finesse.*

▸ ***délicatesse*** n. f. **1.** Finesse. *Mme Hespel admire la délicatesse de la broderie.* **2.** Discrétion. *Par délicatesse, Mme Roussel refusa qu'on la raccompagne,* pour ne pas déranger ; vois ***tact.***

Le contraire de *délicatesse,* c'est *grossièreté.*

délice n. m.
1. Plaisir vif et délicat. *Quel délice de rester au lit le matin !* **2.** Régal. *Ce gâteau est un délice,* il est très bon, délicieux.

Mon Dieu, quelle délicieuse journée nous allons passer ensemble !
(Charlie et la Chocolaterie).

▸ ***délicieux*** adj. Qui est très bon, très agréable. *Cette tarte aux pommes est délicieuse ;* vois ***exquis.*** *Mme Roussel a passé des vacances délicieuses à Paimpol. Mamie Lou est une femme délicieuse ;* vois ***charmant.***

Le contraire de *délicieux,* c'est *mauvais, exécrable, infect.*

Famille de **lier**

Le contraire de *délier,* c'est *attacher, lier, ligoter.*

délier v.
1. Enlever des liens. *On a délié le prisonnier.* **2.** *Délier les doigts,* c'est les rendre agiles. *Sylvain fait des exercices au piano pour se délier les doigts.*

Conjugaison 7 ▭ Indic. imparfait : *nous déliions.*

Conjugaison 1

délimiter v.
Fixer les limites. *Les places de parking sont délimitées par des lignes blanches.*

Famille de **limite**

délinquant n. m., ***délinquante*** n. f.
Personne qui a commis un délit, qui a fait ce qui était interdit par la loi. *Le jeune délinquant a été emmené dans la voiture de police.*

délire n. m.
Il est comédien.
1. État, généralement causé par une forte fièvre, dans lequel on imagine comme vraies des choses qui n'existent pas. *Dans son délire, Julie disait que son père était chevalier.* **2.** Enthousiasme très grand. *Denis Prost rêve souvent qu'il est applaudi par une foule en délire.*

▸ **délirer** v. **1.** Avoir le délire. *Après son opération de l'appendicite, Julie délirait,* elle disait des choses invraisemblables ; vois ***divaguer.*** **2.** *La veille des vacances, Antoine délire de joie,* il fait n'importe quoi parce qu'il est fou de joie.
Conjugaison 1

▸ **délirant** adj. Extravagant ; vois ***fou.*** *Antoine a une imagination délirante.*
Le contraire, c'est *raisonnable.*

Un *t* à la fin de *délit.*
délit n. m.
Acte puni par la loi. *Le vol est un délit. Le voleur a été pris en flagrant délit,* on l'a vu en train de voler, on l'a pris sur le fait.

Conjugaison 1
Famille de **livrer**
délivrer v.
1. Remettre en liberté ; vois ***libérer.*** *Le prisonnier a été délivré par un complice.* **2.** Débarrasser. *Marie-Tévy n'a plus peur de l'eau, elle est délivrée de sa crainte.* **3.** Donner un document officiel, un imprimé qui sert de garantie. *Alex s'est fait délivrer un passeport pour aller au Canada.*
Le permis de conduire est délivré par la préfecture de police.
Obélix ne délivrera pas Assurancetourix avant la fin du festin.

▸ **délivrance** n. f. **1.** Libération. *Le prisonnier a attendu longtemps sa délivrance.* **2.** Soulagement. *Mme Roussel éprouve toujours un sentiment de délivrance quand sa sœur s'en va.* **3.** *La délivrance d'un passeport est très rapide,* on l'obtient très rapidement.

Conjugaison 3
Famille de **loge**
déloger v.
Déloger quelqu'un, c'est le faire partir de la place qu'il occupait. *En furetant dans le grenier, le chien a délogé toute une famille de souris.*
Le coucou déloge les oiseaux de leur nid pour prendre leur place.

Famille de **loi**
déloyal adj.
Qui n'est pas honnête, qui ne respecte pas ses promesses. *Le joueur déloyal gagnait parce qu'il trichait.*
Le contraire de *déloyal,* c'est *franc, honnête, loyal.*
Au masculin pluriel : *déloyaux.*

delta n. m.
1. *En delta,* en forme de triangle. *L'avion avait des ailes en delta.* — adj. invariable *L'avion avait des ailes delta.* **2.** Embouchure d'un fleuve qui se divise en plusieurs bras. *La Camargue est située dans le delta du Rhône.*
Delta est la 4e lettre de l'alphabet grec. Le delta majuscule a la forme d'un triangle : Δ
Le delta du Nil a une superficie de 23 000 km².

déluge n. m.
1. *Le Déluge,* c'est, selon la Bible, l'inondation qui aurait recouvert la Terre et noyé ses habitants. *Seuls Noé et les passagers de son arche échappèrent au Déluge.* **2.** Très forte pluie. *Quel déluge !* — Très grande quantité. *Angèle n'arrive pas à consoler Marie-Tévy qui verse un déluge de larmes.*
Remonter au déluge, c'est remonter très loin dans le passé.
La Castafiore noie le capitaine Haddock sous un déluge de paroles.

déluré adj.
Qui réfléchit vite et se tire facilement des difficultés. *Julie est une petite fille délurée ;* vois ***débrouillard, dégourdi, malin.***
Le contraire de *déluré,* c'est *empoté.*

Prononce [demagɔʒik].
démagogique adj.
Fait pour flatter un très grand nombre de gens en les trompant. *Le candidat tenait des propos démagogiques pour se faire élire.*

demain adv. et n. m.
1. adv. *Demain,* c'est le jour qui suit celui où l'on dit ce mot. *Aujourd'hui, nous sommes le 20 mars, demain, c'est le printemps ! Antoine partira demain matin en vacances.* **2.** n. m. *Denis Prost aura tout demain pour faire ses bagages,* toute la journée de demain. *« À demain, Julie ! »,* nous nous reverrons demain.
Le monde de demain, c'est l'avenir.
Autres membres de la famille : **après-demain, lendemain, surlendemain.**

Conjugaison 1
demander v.
1. Faire savoir ce que l'on veut obtenir ; vois ***réclamer, souhaiter.*** *Yasmina demande de l'argent à sa mère. Les ravisseurs ont demandé une rançon ;* vois ***exiger.*** *Je vous demande de vous taire. Angèle a demandé qu'on se taise.* **2.** *Ne demander qu'une chose,* c'est avoir grande envie de cette chose, la désirer. *Après la classe de neige, les enfants ne demandaient qu'une chose, c'était d'y retourner.* **3.** Avoir besoin d'une personne. *On demande une*
Elle se jeta aux pieds de son Mari, en pleurant et en lui demandant pardon, avec toutes les marques d'un vrai repentir de n'avoir pas été obéissante *(la Barbe-bleue).*

vendeuse. *On demande Mme Roussel au téléphone,* on veut lui parler au téléphone. **4.** Nécessiter. *Ce travail demande de la patience et de l'habileté,* il faut de la patience et de l'habileté pour faire ce travail. **5.** Essayer de savoir en interrogeant. *M. Bellec a demandé son chemin à un passant. — Mamie Lou se demande où sont ses lunettes.*

— Sur quelle planète suis-je tombé ? demanda le petit prince.
— Sur la Terre, en Afrique, répondit le serpent
(le Petit Prince).

▸ ***demande*** n. f. *Faire une demande,* c'est demander. *Trois mois après en avoir fait la demande, Mme Roussel a eu une nouvelle machine à écrire. Mme Séverac est venue à la demande du maire,* parce que le maire le lui a demandé.

Mme Séverac est conseillère municipale.

Conjugaison 3

démanger v.

Provoquer un picotement qui donne envie de se gratter. *Le nez lui démangeait, mais il n'osait pas se gratter.*

On peut dire aussi : *le nez le démangeait.*

Attention au ***e*** entre le ***g*** et le ***a*** de *démangeaison* : [demɑ̃ʒɛzɔ̃].

▸ ***démangeaison*** n. f. Picotement que l'on sent sur la peau, qui donne envie de se gratter. *Comment calmer les démangeaisons que font les piqûres de moustiques ?*

L'urticaire provoque des démangeaisons.

Conjugaison 5 ▭ Indic. présent : *je démantèle, nous démantelons.* Futur : *je démantèlerai.*

démanteler v.

1. Démolir des murailles. *La Bastille fut prise le 14 juillet 1789 et démantelée pendant l'été.* **2.** Détruire. *Au seizième siècle, l'empire des Incas fut démantelé par les conquérants espagnols.*

Prononce [demɑ̃tle].

Démantibulé est un mot familier.

démantibulé adj.

Mis en pièces, rendu inutilisable ; vois ***démoli.*** *Le vieux vélo de Loïc est tout démantibulé.*

Conjugaison 1
On se démaquille avec du *démaquillant.*

démaquiller v.

Enlever le maquillage. *Après la fête, Angèle, l'institutrice, a démaquillé les enfants. — Muriel Doucet s'est démaquillée avant de se coucher.*

Famille de **maquiller**

démarcation n. f.

La ligne de démarcation séparait la zone occupée par les Allemands de la zone libre.

Une ligne de démarcation, c'est une ligne qui sépare deux régions, deux territoires. *Une ligne de démarcation divisait la France en deux pendant la Deuxième Guerre mondiale.*

Famille de **marquer**

Famille de **marcher**

démarche n. f.

1. Façon de marcher ; vois ***allure, pas.*** *Sophie Pelletier a une démarche souple et assurée.* **2.** *Faire une démarche,* c'est essayer d'obtenir quelque chose de quelqu'un, des autorités. *Angèle, l'institutrice, a fait des démarches auprès du maire pour pouvoir partir en classe de neige.*

Une démarche peut être rapide, lente, aisée, lourde, digne, majestueuse.

Conjugaison 1

démarquer v.

1. Changer la marque, l'étiquette d'un objet. *Le marchand a démarqué les vêtements qui avaient de petits défauts pour les vendre moins cher.* **2.** *Se démarquer de quelqu'un,* c'est agir de façon différente, pour ne pas être confondu avec lui. *Le nouveau directeur de la biscuiterie cherche à se démarquer de son prédécesseur.*

Famille de **marquer**

Conjugaison 1
Le contraire de *démarrer,* c'est *s'arrêter, stopper.*

démarrer v.

Se mettre à fonctionner, se mettre en marche. *Le moteur démarre au quart de tour. La voiture démarra brusquement,* elle commença à rouler, elle partit.

Autrefois, on faisait démarrer les voitures en tournant une manivelle.

Compare : *démarrer → démarrage* et *dépanner → dépannage.*

▸ ***démarrage*** n. m. *La voiture d'Angèle cale au démarrage,* au moment où elle démarre.

Attention aux deux ***r*** !

▸ ***démarreur*** n. m. Appareil qui sert à mettre un moteur en marche. *Angèle tourne la clé du démarreur, met son clignotant et part.*

La batterie fournit le courant nécessaire au fonctionnement du démarreur.

Conjugaison 1
Tintin a démasqué de nombreux bandits.

démasquer v.

Démasquer quelqu'un, c'est montrer qui il est vraiment. *La police n'a pas encore démasqué le coupable.*

Famille de **masque**

Ce mot est employé le plus souvent au pluriel.

démêlé n. m.

Avoir des démêlés avec quelqu'un, c'est rencontrer des difficultés avec lui parce que l'on n'est pas d'accord ou que l'on a des intérêts opposés. *Il a eu des démêlés avec la justice parce qu'il n'avait pas payé ses impôts,* il a eu des ennuis avec la justice.

Famille de **mêler**

La grive (45 cm d'envergure, 130 g) *capture les escargots et les limaces au pied du chêne et les mange, perchée sur une haute branche.*
La martre (45 cm de long, plus 25 cm de queue, 2 kg), *habile et silencieux chasseur, cherche sa proie à terre ou sur les branches, faisant son repas de petits passereaux, telle la mésange.*
auvette cm d'envergure, g), *difficile à observer elle est discrète, nourrit des insectes pullulent sur l'arbre.*
Le geai des chênes (52 cm d'envergure, 170 g), *« concierge de la forêt » annonçant à qui veut l'entendre l'intrusion du visiteur, se régale des glands du chêne.*
mésange charbonnière (14 cm de hauteur, m d'envergure, 20 g), *à la belle cravate noire sur son plastron jaune, attrape les chenilles et les autres insectes.*
La chenille tordeuse **chêne** (5 cm, 2 g) *découpe en dentelle les feuilles dont elle se nourrit.*
La chouette hulotte (90 cm d'envergure, 300 g) *glisse silencieusement dans la nuit à la recherche de petits rongeurs.*
Le pic épeiche (42 cm d'envergure, 80 g), *à la calotte rouge et au corps noir et blanc, perce les troncs des arbres malades à la recherche des insectes xylophages (« mangeurs de bois »).*
L'abeille (2 cm, 1 g) *vole de fleur en fleur, récoltant le nectar et accrochant les grains de pollen aux poils de ses pattes.*
Le faucon crécerelle (70 cm d'envergure, 200 g). *Il vole sur place au-dessus de ses proies et capture les petits rongeurs de la prairie.*
Le campagnol (15 cm de longueur, 15 g) *dévore les épis de blé et les jeunes pousses.*
Le lapin (40 cm, 2 kg) *broute l'herbe et les fleurs des champs.*
La musaraigne (7 cm de longueur, 12 g), *chasseur nocturne, capture les insectes du sol, les vers de terre et les larves de hanneton.*

POURQUOI LES ANIMAUX SE MANGENT ENTRE EUX

Dans le grand chêne et à ses pieds, vit une multitude d'animaux.
Certains se nourrissent des feuilles, des glands, de l'écorce ou du bois.
D'autres se mangent entre eux. Ce n'est pas parce qu'ils sont cruels ou méchants, mais parce que tous ont besoin de nourriture pour vivre. Les animaux subsistent en mangeant des plantes ou en dévorant d'autres animaux.
Afin que tu comprennes que chaque animal et chaque plante jouent un rôle essentiel dans la nature, ne serait-ce que par cette relation « manger, être mangé », tu trouveras dans ce dossier :

Page 2 — **Comment les animaux se nourrissent sur la terre**
Page 4 — **Comment les animaux se nourrissent dans la mer**
Page 6 — **Le menu des animaux de la haie**
Page 8 — **La pyramide des animaux**

La buse, au vol planant, chasse la couleuvre.
La couleuvre (1,20 m, 250 g), inoffensive pour l'homme, capture petits rongeurs et insectes.
La musaraigne (7 cm, 12 g) attrape des insectes comme le hanneton.
Le hanneton (25 mm, 3 g) chasse les chenilles et les larves d'autres insectes.
La chenille (3 cm, 3 g) grignote les feuilles.
Le héron (1,60 m d'envergure, 1,700 kg), immobile, attend le brochet.
La limnée (3 cm, 5 g) broute l'herbe et les algues.
Le brochet (1 m, 9 kg), rapide chasseur, se dissimule à l'affût du sandre.
Le sandre (25 cm, 120 g), sur le fond de l'eau, chasse le goujon et les crustacés.
Le goujon (15 cm). Poisson commun dans les étangs et les viviers, le goujon est un herbivore qui « broute » les herbes et les plantes aquatiques.
L'hermine (20 cm, 300 g), blanche en hiver, fauve en été, capture des rongeurs et des passereaux.
Le merle de roche (42 cm d'envergure, 120 g) se régale de fruits et d'insectes.
Le long de la haie
Au bord de l'étang
Dan
Le hibou moyen duc (90 cm d'envergure, 280 g), grand chasseur de la nuit, cherche, au cours de ses longs périples nocturnes, les rongeurs et les musaraignes, mais aussi les insectes.
Le rat des moissons (12 cm, 6 g) est un habile acrobate qui grimpe aux tiges de céréales et se régale des épis.
Le renard (70 cm, 7 kg), rusé et habile, capture quelques jeunes lapins, mais surtout des rongeurs qui broutent la prairie et dévorent le grain.
Le lapin (40 cm, 2 kg), famil
aux grandes oreilles,
grignote sans arrêt le trèfle e
d'autres herbes couvertes de
La musaraigne (7 cm, 12 g), au long museau sensible, capture les insectes du sol.
Le carabe (3 cm, 3 g), insecte carnassier aux belles couleurs, capture la limace et d'autres insectes herbivores.
La limace (7 cm, 5 g), qui glisse lentement sur le sol, affectionne les feuilles de salade et l'herbe tendre.
Dans la prairie, vivent de nombreux animaux. En voici qui sont mangeurs ou mangés, ou les deux.
Le ver de terre (15 cm, 10 g) avale la terre et digère les éléments qu'elle contient.
Le campagnol (15 cm, 1
dont la famille prolifère dans les cha
de céréales, se nourrit des jeunes pousses et des gr

…nt de grands cercles
…ciel de montagne,
…ême bouger une aile,
…oyal (2,30 m
…gure, 6 kg)
… sa proie…
La marmotte (60 cm, 7 kg), au sifflement aigu d'alerte, grignote les herbes et les fleurs de la prairie alpine.
…rdix
…eiges
…n d'envergure,
…gale
…aies
…névriers.
…ntagne
…l silencieux,
…nds cercles en spirale,
…elques cris perçants,
…e apparaît la buse
…30 m d'envergure,
…00 kg) qui
…rçoit de très haut
…proie à
…mi-dissimulée
…s l'herbe.
La sauterelle (4 cm, 3 g), aux grandes pattes arrière de sauteur, et dont les cousins africains, les criquets, détruisent les récoltes, grignote l'herbe et les feuilles.
Le merle noir (42 cm d'envergure, 120 g), au bec jaune, sautille dans le pré d'insecte en insecte et se régale des fruits de l'automne.
Le fruit, qui contient les graines, riche en vitamines, est apprécié par de nombreux animaux.
L'herbe et les végétaux se fabriquent eux-mêmes à partir de l'eau, du soleil et des matières minérales et organiques du sol.
Décomposition : après la mort, animaux et végétaux se décomposent petit à petit en eau et en matières minérale et organique.
Le blaireau (90 cm 18 kg), ami méconnu, actif la nuit, cherche sa nourriture parmi les ennemis de l'homme et des cultures, et se régale des fruits.

COMMENT LES ANIMAUX SE NOURRISSENT SUR LA TERRE

Seules les plantes vertes fabriquent elles-mêmes leur propre substance organique à partir de l'eau, du soleil et du gaz carbonique grâce à leurs feuilles, à partir des sels minéraux et de l'eau par leurs racines, dans la terre.
Le soleil leur fournit l'énergie nécessaire à ces activités.

Au contraire, les animaux ne peuvent subsister sans consommer des plantes ou d'autres animaux. Il y a plusieurs sortes d'animaux :

les Herbivores mangent de l'herbe, des feuilles... (le lapin, le campagnol, le rat des moissons, la limace, la sauterelle par exemple) ;

les Carnivores mangent de la viande (la musaraigne attrape les insectes, le hibou chasse les rongeurs, la buse se nourrit de campagnols) ;

les Nécrophages se nourrissent de végétaux ou d'animaux morts (le ver de terre avale la terre et digère la matière organique qui s'y trouve) ;

les Omnivores absorbent des végétaux et des animaux (le merle, le blaireau... et l'homme).

Macareux moine (90 cm d'envergure, 800 g). Ce clown en habit de soirée, qu'on appelle aussi « perroquet des mers », passe toute sa vie à pêcher les poissons de haute mer, et ne revient à la terre que pour se reproduire... dans des terriers !
Fou de Bassan (1,70 m d'envergure, 3,500 kg). Ce grand oiseau plonge dans l'eau pour attraper les poissons.
Grand cormoran (1,40 m d'envergure, 3,400 kg). C'est un excellent nageur et plongeur. On l'aperçoit souvent, perché sur un rocher, les ailes offertes au soleil pour se sécher.
Fulmar pétrel (1,20 m d'envergure, 2 kg). Reconnaissable à son vol typique, glissant et pilotant au ras des vagues ou le long des falaises. Il pêche en haute mer et ne vient à terre que pour se reproduire.
illemot (90 cm envergure, 1,500 kg). et oiseau marin st un grand cheur de poisson ; niche en colonies denses r les corniches des laises abruptes.
FALAISE ET AIRES DE NIDIFICATION
Goéland argenté (1,55 m d'envergure, 2,200 kg). Familier, il s'apprivoise. Il se nourrit de tout ce qui est à sa portée et fréquente même les dépôts d'ordures.
Tournepierre à collier (25 cm d'envergure, 400 g). Il retourne les pierres et les coquillages avec son bec, pour se nourrir.
CÔTE ROCHEUSE
Sternes et mouettes. Ces oiseaux marins vivent de la mer. La sterne est un grand chasseur qui pêche en haute mer. La mouette, quant à elle, sans dédaigner le poisson vivant, se contente souvent des déchets de la mer et même... des tas d'ordures qu'elle partage avec le goéland.
Crabe
Mouette
Sterne
Varech, goémon
Bigorneaux et littorines. Ces mollusques gastéropodes sont tous deux herbivores, mais chacun a une algue préférée.
Méduse. Ce drôle d'animal, comprenant jusqu'à 97% de son poids en eau, se nourrit du phytoplancton. Il possède des tentacules souvent urticants (qui brûlent la peau comme des orties). Certaines méduses sont phosphorescentes.
Sardine
Crabe et crevette. Détritivores, ils se nourrissent de déchets, mais aussi de plantes ou d'animaux.
Anémone de mer. Ce curieux animal rouge et blanc, encore appelé actinie, émet des tentacules urticants qui brûlent la peau et digère les débris alimentaires.
Fucus
Crevette rose
Bigorneau
Pour le bigorneau le fucus platycarpus, pour la littorine plate le laminaire baudrier de Neptune, à une plus grande profondeur.
Moule
Anémone de mer
Moule et huître. Ces coquillages vivent accrochés à un support et se nourrissent des déchets contenus dans l'eau qu'ils filtrent grâce à leurs coquilles.

COMMENT LES ANIMAUX SE NOURRISSENT DANS LA MER

À la mer aussi, le soleil est le principal fournisseur d'énergie. Les algues fixées (varech, goémon, fucus, laminaire, etc...) et de minuscules plantes flottantes, invisibles à l'œil nu (phytoplancton), sont les végétaux de la mer. Ils utilisent l'eau, le soleil et les sels minéraux pour vivre et fabriquer leur propre substance.

Les petits animaux du plancton animal (zooplancton) se nourrissent de ces minuscules plantes ; tout comme les coquillages filtrants (moules, huîtres par exemple), les crevettes, les méduses, les anémones de mer, certains poissons tels que les anchois, les sardines et les maquereaux, ou le dauphin et la baleine (mammifères marins).

Les algues fixées sont broutées par des coquillages (bigorneaux, littorines) et quelques poissons herbivores.

Les poissons herbivores, les coquillages et les crustacés sont à leur tour dévorés par des poissons carnivores (loup de mer, thon notamment).

Tous sont pêchés par l'homme ou les oiseaux de mer.

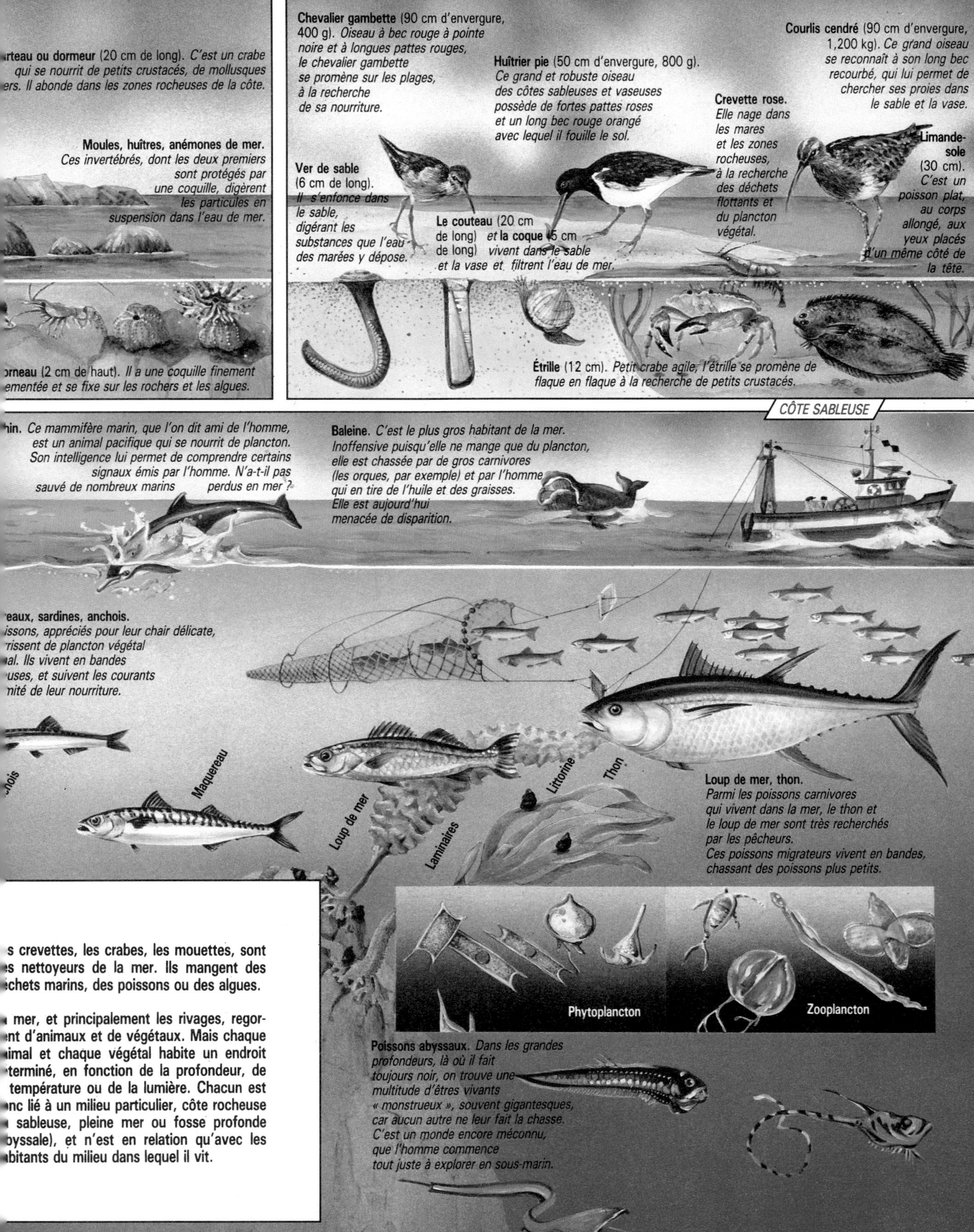

s crevettes, les crabes, les mouettes, sont ·s nettoyeurs de la mer. Ils mangent des ·chets marins, des poissons ou des algues.

· mer, et principalement les rivages, regor- ·nt d'animaux et de végétaux. Mais chaque ·imal et chaque végétal habite un endroit ·terminé, en fonction de la profondeur, de température ou de la lumière. Chacun est ·nc lié à un milieu particulier, côte rocheuse · sableuse, pleine mer ou fosse profonde ·byssale), et n'est en relation qu'avec les ·bitants du milieu dans lequel il vit.

...rteau ou dormeur (20 cm de long). *C'est un crabe qui se nourrit de petits crustacés, de mollusques ... Il abonde dans les zones rocheuses de la côte.*

Moules, huîtres, anémones de mer. *Ces invertébrés, dont les deux premiers sont protégés par une coquille, digèrent les particules en suspension dans l'eau de mer.*

...rneau (2 cm de haut). *Il a une coquille finement ...mentée et se fixe sur les rochers et les algues.*

Chevalier gambette (90 cm d'envergure, 400 g). *Oiseau à bec rouge à pointe noire et à longues pattes rouges, le chevalier gambette se promène sur les plages, à la recherche de sa nourriture.*

Ver de sable (6 cm de long). *Il s'enfonce dans le sable, digérant les substances que l'eau des marées y dépose.*

Le couteau (20 cm de long) *et la coque* (5 cm de long) *vivent dans le sable et la vase, et filtrent l'eau de mer.*

Huîtrier pie (50 cm d'envergure, 800 g). *Ce grand et robuste oiseau des côtes sableuses et vaseuses possède de fortes pattes roses et un long bec rouge orangé avec lequel il fouille le sol.*

Crevette rose. *Elle nage dans les mares et les zones rocheuses, à la recherche des déchets flottants et du plancton végétal.*

Courlis cendré (90 cm d'envergure, 1,200 kg). *Ce grand oiseau se reconnaît à son long bec recourbé, qui lui permet de chercher ses proies dans le sable et la vase.*

Limande- sole (30 cm). *C'est un poisson plat, au corps allongé, aux yeux placés d'un même côté de la tête.*

Étrille (12 cm). *Petit crabe agile, l'étrille se promène de flaque en flaque à la recherche de petits crustacés.*

CÔTE SABLEUSE

...hin. *Ce mammifère marin, que l'on dit ami de l'homme, est un animal pacifique qui se nourrit de plancton. Son intelligence lui permet de comprendre certains signaux émis par l'homme. N'a-t-il pas sauvé de nombreux marins perdus en mer ?*

Baleine. *C'est le plus gros habitant de la mer. Inoffensive puisqu'elle ne mange que du plancton, elle est chassée par de gros carnivores (les orques, par exemple) et par l'homme qui en tire de l'huile et des graisses. Elle est aujourd'hui menacée de disparition.*

...eaux, sardines, anchois. ...ssons, appréciés pour leur chair délicate, ...rissent de plancton végétal ...al. Ils vivent en bandes ...euses, et suivent les courants ...mité de leur nourriture.

...hois

Maquereau

Loup de mer

Laminaires

Littorine

Thon

Loup de mer, thon. *Parmi les poissons carnivores qui vivent dans la mer, le thon et le loup de mer sont très recherchés par les pêcheurs. Ces poissons migrateurs vivent en bandes, chassant des poissons plus petits.*

Phytoplancton

Zooplancton

...s crevettes, les crabes, les mouettes, sont ...s nettoyeurs de la mer. Ils mangent des ...chets marins, des poissons ou des algues.

... mer, et principalement les rivages, regor- ...nt d'animaux et de végétaux. Mais chaque ...imal et chaque végétal habite un endroit ...terminé, en fonction de la profondeur, de ... température ou de la lumière. Chacun est ...nc lié à un milieu particulier, côte rocheuse ... sableuse, pleine mer ou fosse profonde ...byssale), et n'est en relation qu'avec les ...abitants du milieu dans lequel il vit.

Poissons abyssaux. *Dans les grandes profondeurs, là où il fait toujours noir, on trouve une multitude d'êtres vivants « monstrueux », souvent gigantesques, car aucun autre ne leur fait la chasse. C'est un monde encore méconnu, que l'homme commence tout juste à explorer en sous-marin.*

Dans la nature

Les animaux sauvages vivent libres dans la nature. Chacun y occupe une place et chacun est en relation avec les autres animaux qui l'entourent : il est tour à tour mangeur ou mangé.
Certains animaux sont difficiles et ne se nourrissent que de certaines proies ou de certaines plantes, parfois même d'une seule.
Mais la plupart ont à leur menu un grand choix, d'autant plus varié qu'il y a beaucoup d'animaux et de plantes qui vivent auprès de lui.
Dans un milieu naturel qui possède beaucoup d'espèces animales et végétales différentes, aucune d'entre elles ne se trouve normalement menacée de disparition.
Un équilibre s'établit et le milieu est résistant aux agressions extérieures.

La buse et le renard *peuvent attraper au cours de leur vie quelques lapins jeunes ou malades, parmi des milliers de petits rongeurs.* **La belette** *capture parfois des lapins, soit dans leur terrier, soit au gîte.* **Le lapin de garenne** *se nourrit des herbes et des fleurs de la prairie. La population des lapins, animaux très prolifiques, est normalement limitée par ses prédateurs (ceux qui les mangent).*

La haie, milieu naturel simple constitué d'une rangée d'arbres, d'arbustes et de plantes séparant deux champs, abrite de très nombreux animaux. Dans la haie, chacun a son menu.

LE MENU DES A

Menu (Végétaux)	« Client » (Herbivores)
Le puceron (2 mm, 0,3 g) *suce la sève des tiges et des boutons de fleurs.*	
Le lapin de garenne (40 cm, 2 kg) *ronge écorce, feuilles de ronces, fruits variés et trèfle.*	
La grive draine (45 cm d'envergure, 130 g) *raffole des baies de gui.* **La grive musicienne** (40 cm d'envergure, 100 g) *se régale des baies d'aubépine et de prunellier.*	
Le merle (27 cm, 120 g, 42 cm d'envergure) *chaparde les baies d'un sorbier et les merises.*	
Le mulot (17 cm, 28 g) *décortique graines et fruits.*	

Menu (Végétaux)	« Client » (Herbivores)
Le campagnol (15 cm, 15 g) *grignote tiges, racines et graines.*	
Le rat des moissons (12 cm, 6 g) *apprécie les épis de céréales.*	
La chenille (5 cm, 2 g) *se nourrit de fruits charnus et de feuilles.*	
Le renard (70 cm, 7 kg) *et* **le blaireau** (90 cm, 18 kg) *croquent des fruits rouges.*	
L'écureuil (25 cm + 20 cm de queue, 300 g) *stocke noisettes et fruits secs.*	

À la ferme

Pour augmenter le nombre des animaux domestiques, l'homme tend à supprimer tout ce qui ne paraît pas immédiatement utile. Pour agrandir ses champs, il détruit les haies et supprime de ce fait la faune et la flore qui y habitent.
Il fait disparaître les carnivores qui mangent les petits rongeurs herbivores (rapaces diurnes et nocturnes, belette, fouine, renard) et ceux qui mangent les insectes (oiseaux, crapaud, musaraigne, hérisson).
Les petits rongeurs et les insectes qui vivent dans les champs n'étant plus mangés, ils deviennent de plus en plus nombreux et mangent de plus en plus d'herbe et de céréales que l'homme s'efforce de faire pousser pour nourrir les animaux domestiques.

Le lapin domestique *est protégé. Il se nourrit de granulés et d'herbe coupée que l'homme lui apporte dans son clapier. Il ne participe que très peu à l'équilibre du milieu.*
Les animaux domestiques *sont élevés hors des conditions naturelles de vie ; ils n'ont pratiquement plus d'ennemis et leur nourriture est spécialement fabriquée pour eux.*

Comme tu peux le constater, un grand choix existe pour beaucoup d'animaux.
L'ensemble des relations qui s'établissent ainsi entre les habitants d'un même milieu forment un réseau ou chaîne alimentaire.

UX DE LA HAIE

Menu (Herbivores)		« Superclient » (Carnivores)
	**La coccinelle** (5 mm, 2 g) *suce les pucerons.*	
	La mésange (22 cm d'envergure, 20 g) *et* **la fauvette** (20 cm d'envergure, 22 g) *gobent les insectes, larves et adultes.*	
	La musaraigne (11 cm, 12 g) *se régale d'insectes, de larves, de mille-pattes et de vers de terre.* **Le crapaud** (8 cm, 30 g) *happe insectes et mille-pattes.*	
	La taupe (13 cm, 100 g) *cherche insectes, vers de terre, et larves de hanneton,* **et le hérisson** (20 cm, 200 g) *vers de terre et insectes.*	
	La couleuvre (1,20 m, 250 g) *avale mulot, campagnol et rat des moissons.*	

Menu (Herbivores)		« Superclient » (Carnivores)
	**La belette** (20 cm, 150 g) *et* **la fouine** (23 cm, 180 g) *saisissent mulot, campagnol, rat des moissons et lapin.*	
	**Le renard** (70 cm + 40 cm de queue, 7 kg) *capture mulot, campagnol et lapin.*	
	**Le blaireau** (70 cm + 20 cm de queue, 18 kg) *mange à l'occasion insectes et petits rongeurs.*	
	**Rapaces diurnes : le faucon crécerelle, la buse** *et* **l'épervier** *guettent mulot, campagnol et oiseaux.*	
	Rapaces nocturnes : **Le hibou moyen duc** *et* **la chouette chevêche** *chassent rat des moissons et musaraigne.*	

LA PYRAMIDE DES ANIMAUX

Un animal tire de l'énergie des aliments qu'il consomme. Il en utilise la plus grande partie pour se maintenir en vie, c'est-à-dire pour respirer, pour se déplacer, pour se reproduire.
Seule une très petite partie de cette énergie sert à sa croissance, en permettant de produire de la matière organique.
C'est cette matière qui peut servir de nourriture à d'autres espèces.

Ainsi, par exemple,
en un an,
un **campagnol** adulte de 15 g
mange 5 kg de grains de blé.

Durant la même période,
un **faucon crécerelle** de 200 g
(33 cm, 70 cm d'envergure)
capture 6 000 campagnols pesant au total 90 kg.
Le faucon protège ainsi 30 000 kg de blé (30 tonnes).
C'est un ami de l'homme.

5 Kg

X 6 000 =

Pour résumer, dans la nature,
on peut classer chaque être vivant
sur un niveau correspondant
à son régime alimentaire.

En haut de cette pyramide,
nous trouverons certains animaux
très spécialisés
qui ne chassent pratiquement
que des carnivores :
ils sont très peu nombreux et fragiles.
Les omnivores, quant à eux,
se nourrissent indifféremment de végétaux et d'animaux.

Au niveau supérieur,
les carnivores,
qui se nourrissent
en grande partie d'herbivores,
sont moins nombreux
que ces derniers.

Au-dessus, **les herbivores,**
petits ou gros,
qui mangent
principalement
des végétaux :
ils représentent
une quantité
de matière vivante
dix fois moins
importante
que les premiers.

En bas, les plus nombreux, **les végétaux,**
qui fabriquent leur propre matière à partir du soleil,
de l'eau et des minéraux.

Conjugaison 1

démêler v.

1. Séparer des choses qui étaient emmêlées. *Yasmina démêle ses cheveux,* elle les coiffe, les peigne. **2.** Débrouiller, éclaircir une chose compliquée. *Il est difficile de démêler le vrai du faux dans ce que dit Antoine.*

Famille de **mêler**

Conjugaison 3 ▭ Indic. présent : *je déménage, nous déménageons.* Imparfait : *je déménageais, nous déménagions.*

déménager v.

1. Aller habiter ailleurs, changer de logement. *Après son divorce, M. Doucet a déménagé.* **2.** Transporter des objets d'un logement dans un autre. *Il a fallu deux jours à M. Doucet pour déménager ses affaires.*

Le contraire de *déménager,* c'est *emménager.*

▹ ***déménagement*** n. m. *M. Doucet a fait son déménagement en deux jours,* il a déménagé en deux jours. *Un camion de déménagement bloque la rue,* un camion qui sert à faire des déménagements.

Compare : *déménager → déménagement* et *arranger → arrangement.*

Compare : *déménager → déménageur* et *élever → éleveur.*

▹ ***déménageur*** n. m. Homme dont le métier est de faire des déménagements. *Les déménageurs portent les meubles et les caisses dans le camion.*

Conjugaison 5 ▭ Indic. présent : *je me démène, nous nous démenons, ils se démènent.* Imparfait : *je me démenais.* Futur : *je me démènerai.*

se ***démener*** v.

1. Se débattre, remuer dans tous les sens, s'agiter violemment. *Mme Harpie a attrapé Antoine, qui s'est démené comme un beau diable et a réussi à lui échapper.* **2.** Se donner du mal, de la peine. *Denis Prost a eu des débuts difficiles ; il devait se démener pour trouver du travail.*

Prononce [demne]. Famille de **mener**

Il est maintenant un comédien célèbre.

dément adj.

Fou. *L'assassin était dément.* — n. *C'était un dément.*

▹ ***démence*** n. f. Folie. *La démence est une grave maladie mentale.*

Conjugaison 16 ▭ Indic. présent : *je démens, il dément, nous démentons.* Imparfait : *je démentais.* Futur : *je démentirai.*

démentir v.

1. *Démentir une personne,* c'est dire le contraire de ce qu'elle a dit, en prétendant qu'elle a menti. *Angèle, l'institutrice, savait que la directrice avait tort, mais elle n'a pas osé la démentir.* **2.** *Démentir des paroles,* c'est dire qu'elles sont fausses. *Le bruit courait que l'inspecteur allait venir, mais Angèle, l'institutrice, l'a démenti.*

Famille de **mentir**

Le dément dément que Clément ment !

▹ ***démenti*** n. m. *Opposer un démenti à une nouvelle,* c'est la démentir, dire qu'elle est fausse. *Le ministre a opposé un démenti aux accusations portées contre lui.*

Prononce [deməzyʀe].

démesuré adj.

1. Énorme, immense, qui dépasse la mesure habituelle ; vois ***colossal, gigantesque.*** *Les Romains avaient un empire démesuré.* **2.** Trop grand, excessif, sans borne ; vois ***énorme, exagéré, illimité, immense.*** *Denis Prost est d'un orgueil démesuré.*

Famille de **mesure**

Conjugaison 56 ▭ Indic. présent : *je démets, nous démettons, ils démettent.* Imparfait : *je démettais.* Futur : *je démettrai.*

démettre v.

1. *Démettre une personne de son emploi,* c'est lui enlever son emploi. *Mme Hespel a failli être démise de ses fonctions parce qu'elle avait fait une grave erreur dans son travail.* — *Le directeur de la biscuiterie s'est démis de ses fonctions,* il a quitté ses fonctions, il a démissionné. **2.** *Se démettre un os,* c'est se déplacer un os, se déboîter une articulation ; vois *se* ***luxer.*** *Julie s'est démis le poignet en tombant de vélo.*

Famille de **mettre**

Ce mot se trouve surtout dans les livres.

au ***demeurant*** adv.

En ce qui concerne le reste, tout bien considéré. *Antoine arrive souvent en retard en classe ; au demeurant il travaille bien.*

Famille de **demeurer**

Conjugaison 1

Dans ce sens, *demeurer* se conjugue avec l'auxiliaire *être.*

demeurer v.

1. Rester, continuer à être dans un endroit, dans une situation. *Yves ne peut pas demeurer en place, il a toujours envie de bouger. La porte est demeurée fermée.* **2.** Habiter. *M. Doucet n'a pas demeuré longtemps à Motbourg.*

Demeurer se conjugue, dans ce sens, avec l'auxiliaire *avoir.*

Les hommes naissent et demeurent libres et égaux en droit *(Déclaration des droits de l'homme).*

▹ ***demeure*** n. f. **1.** *Mettre une personne en demeure de faire quelque chose,* c'est lui en donner l'ordre. *Angèle, l'institutrice, a mis Colle et Rat en demeure de rester tranquilles.* **2.** *À demeure,* en permanence, tout le temps, d'une manière stable. *Hippolyte rêve de s'installer à demeure à la Martinique.* **3.** Belle et grande maison ; vois ***résidence.*** *Les grands-parents de Mme Hespel avaient une très belle demeure à la frontière belge.*

C'est là qu'il est né.

La dernière demeure, c'est le tombeau.

Autre membre de la famille : au **demeurant.**

demi adj., adv. et n. m., **demie** adj. et n. f.

Quand *demi* est après le nom, il s'accorde avec lui. Quand *demi* précède le nom, il est suivi d'un trait d'union et il est invariable.

▭ **adj. 1.** *Mamie Lou a ramassé une douzaine et demie d'œufs,* une douzaine et la moitié d'une douzaine. *Il est deux heures et demie,* deux heures et la moitié d'une heure. **2.** Divisé par deux. *Encore un demi-kilomètre avant d'arriver,* encore la moitié d'un kilomètre. *Antoine a acheté une demi-baguette,* la moitié d'une baguette. *Nous étions dans une demi-obscurité,* dans une obscurité pas totale.

Cela fait 18 œufs ! Il est deux heures trente ou quatorze heures trente.

On peut dire aussi : une *semi-obscurité.*

▭ **adv. 1.** *À demi,* à moitié. *Yasmina ouvre le tiroir à demi. Antoine a recueilli deux petits oiseaux à demi morts de froid,* presque morts de froid. **2.** *La boîte était demi-pleine,* à moitié pleine. *Julie et Yasmina étaient demi-nues,* pas complètement nues.

Autres membres de la famille : **demi-frère, demi-heure, demi-mal, demi-mesure, à demi-mot, demi-pension, demi-pensionnaire, demi-sœur, demi-tarif, demi-tour.**

▭ **n. m. 1.** La moitié de l'unité. *Un demi et un demi font un.* **2.** Verre de bière. *Denis Prost a bu deux demis,* deux verres de bière. **3.** Joueur de rugby ou de football, entre les avants et les arrières. *Le demi d'ouverture a lancé le ballon.*

Un demi s'écrit aussi **0,5** ou **1/2.**

▭ **n. f.** La fin de la demi-heure. *La cloche sonne à la demie.*

Au pluriel : *des demi-frères.*

demi-frère n. m.

Frère par l'un des parents seulement. *Si M. Doucet avait un fils de Muriel, ce serait le demi-frère d'Antoine.*

Antoine est le fils de M. Doucet mais pas celui de Muriel.

Famille de **demi** et de **frère**

Famille de **demi** et de **heure**

demi-heure n. f.

Moitié d'une heure. *Il y a un train pour Paris toutes les demi-heures,* toutes les trente minutes.

On n'emploie jamais ce mot au pluriel.

demi-mal n. m.

Chose ennuyeuse qui se produit, mais moins grave qu'on ne pouvait craindre. *Julie s'est démis le poignet en tombant de vélo, ce n'est qu'un demi-mal.*

Famille de **demi** et de **mal**

Elle aurait pu se casser le bras !

Au pluriel : *des demi-mesures.*

demi-mesure n. f.

Moyen insuffisant pour atteindre un but. *La directrice a exclu Colle et Rat de l'école pendant huit jours ; elle ne se contente pas de demi-mesures.*

Famille de **demi** et de **mesure**

Famille de **demi** et de **mot**

à demi-mot adv.

Sans avoir besoin de tout expliquer. *Ils se sont compris à demi-mot.*

Famille de **demi** et de **pension**

demi-pension n. f.

1. *À l'hôtel, les Bellec étaient en demi-pension,* ils y dormaient et y prenaient le petit déjeuner et un seul repas par jour. **2.** *Être en demi-pension dans une école,* c'est y prendre le repas de midi. *Antoine, Julie et Yasmina sont inscrits à la demi-pension.*

Au pluriel : *des demi-pensionnaires.*

▹ ***demi-pensionnaire*** n. m. et f. Élève qui déjeune à la cantine. *Antoine, Julie et Yasmina sont demi-pensionnaires.*

Au pluriel : *des demi-sœurs.*

demi-sœur n. f.

Sœur par l'un des parents seulement. *Si M. Doucet avait une fille de Muriel, ce serait la demi-sœur d'Antoine.*

Antoine est le fils de M. Doucet, mais pas celui de Muriel.

Famille de **demi** et de **sœur**

démission n. f.

Même famille que **démettre**

Donner sa démission, c'est quitter son travail, ses fonctions. *M. Doucet a donné sa démission parce qu'il a trouvé un travail plus intéressant.*

On envoie *une lettre de démission* pour prévenir son patron que l'on part.

Deux *s* et deux *n.* Conjugaison 1

▹ ***démissionner*** v. Donner sa démission, se démettre de ses fonctions. *M. Doucet a démissionné de son emploi précédent.*

La personne qui démissionne est *démissionnaire.*

Au pluriel : *des demi-tarifs.*

demi-tarif n. m.

Tarif, prix qui est la moitié du prix normal. *Dans le train, les enfants payent demi-tarif jusqu'à douze ans.*

Famille de **demi** et de **tarif**

Famille de **demi** et de **tourner** Au pluriel : *des demi-tours.*

demi-tour n. m.

Faire demi-tour, c'est se retourner, de façon à se retrouver en sens contraire à celui où l'on était avant. *Angèle fit demi-tour pour retourner chercher son parapluie chez elle.*

Demi-tour à droite. Demi-tour, droite !

Conjugaison 1

démobiliser v.

Le contraire de *démobiliser,* c'est *mobiliser.*

Démobiliser un soldat, c'est le rendre à la vie civile. *À la fin de la guerre, les troupes ont été démobilisées.*

Famille de **mobiliser**

▸ ***démobilisation*** n. f. *La démobilisation des troupes a eu lieu dès la fin de la guerre,* on a démobilisé les troupes.

démocratie n. f.

Forme de gouvernement dans laquelle le pouvoir appartient à des personnes élues par les citoyens. *Les républiques sont des démocraties.*

Les pays dans lesquels existe cette forme de gouvernement s'appellent des *démocraties.*

▸ ***démocrate*** n. m. et f. Personne qui est pour la démocratie. *Les démocrates ont gagné les élections.*

▸ ***démocratique*** adj. **1.** Qui respecte la démocratie. *Des élections démocratiques seront organisées.* **2.** Qui favorise le plus grand nombre de gens. *Une loi démocratique a instauré l'école gratuite pour tous.*

Conjugaison 1

▸ ***démocratiser*** v. Rendre quelque chose plus populaire, accessible à tous. *La baisse du prix des billets d'avion a démocratisé les voyages à l'étranger.*

Famille de ① **mode**

démodé adj.

Qui n'est plus à la mode. *Mme Harpie porte des robes démodées. Le colonel Hespel a des idées démodées sur l'éducation des enfants ;* vois ***désuet, périmé.***

Conjugaison 1

▸ *se* ***démoder*** v. Ne plus être à la mode, passer de mode. *À la longue, les robes de Mme Harpie se sont démodées.*

Mme Harpie porte les mêmes robes depuis des années !

démographie n. f.

Les personnes qui font de la démographie sont des *démographes.*

Étude de la population, de sa composition. *Grâce à la démographie, on connaît le nombre des naissances et des morts par an, le nombre des mariages, etc.*

demoiselle n. f.

Deux demoiselles qui courent après deux demoiselles sans jamais les rattraper. Qu'est-ce que c'est ? *(les Contes du Chat perché).*

1. Jeune fille. *Il y avait une dame, une demoiselle et un monsieur.* **2.** Femme qui ne s'est jamais mariée. *L'épicerie est tenue par une vieille demoiselle.* **3.** *Une demoiselle d'honneur,* c'est une jeune fille qui accompagne la mariée. *Les demoiselles et les garçons d'honneur suivent la mariée.*

Demoiselle est aussi l'autre nom de la libellule.

Autre membre de la famille : **mademoiselle.**

Conjugaison 2

démolir v.

1. *Démolir une maison,* c'est la détruire. *On a démoli des maisons pour construire le gymnase ;* vois ***abattre, raser.*** **2.** Mettre en pièces, casser. *Julie démolit tous ses jouets.*

Le contraire de *démolir,* c'est *construire, édifier.*

Va voir aussi ***démantibulé.***

Compare : *démolir* → *démolisseur* et *fournir* → *fournisseur.*

▸ ***démolisseur*** n. m. Homme qui détruit des bâtiments. *L'équipe de démolisseurs a abattu les maisons en une journée.*

Compare : *démolir* → *démolition* et *finir* → *finition.*

▸ ***démolition*** n. f. Destruction. *La démolition de la maison a pris une journée.*

démon n. m.

1. *Le démon,* c'est le diable dans la religion chrétienne. *Le démon est aussi appelé Satan ou Lucifer.* **2.** Enfant espiègle. *Mamie Lou appelle souvent Claire « mon petit démon ».*

Compare : *démon* → *démoniaque* et *paradis* → *paradisiaque.*

▸ ***démoniaque*** adj. Digne du démon ; vois ***diabolique, infernal, satanique.*** *Mme Harpie a souvent des idées démoniaques. Mme Harpie est vraiment démoniaque.*

Compare *démonstrateur, démonstratif* et *démonstration* : il s'agit de **montrer.**

démonstrateur n. m., ***démonstratrice*** n. f.

Personne qui montre comment fonctionne un appareil avant de le vendre. *Le démonstrateur explique à Mme Hespel comment nettoyer le filtre de la machine à laver.*

Compare *démonstratif, démonstrateur, démonstration* : dans ces mots, on **montre.**

démonstratif adj.

1. Qui manifeste ses sentiments. *Julie est très démonstrative : quand son père rentre, elle lui saute au cou.* **2.** *Un adjectif démonstratif* est un déterminant utilisé devant un nom qui désigne une personne ou une chose dont on a déjà parlé ou que l'on montre. *Les adjectifs démonstratifs sont « ce », « cet », « cette » et « ces ».* **3.** *Un pronom démonstratif* désigne une personne ou une chose dont on a déjà parlé ou que l'on montre. *« Ça », « ce », « ceci », « cela », « celui » sont des pronoms démonstratifs.*

Va voir aussi ***ce.***

Va voir aussi ***ça, ce, ceci, cela, celui.***

Compare *démonstration*, *démonstrateur* et *démonstratif* : il s'agit de **montrer.**

C'est le démonstrateur qui fait des démonstrations aux clients.

démonstration n. f.
1. Manifestation de ses sentiments, de ses intentions. *Julie accueille son père avec des démonstrations de joie.* **2.** Raisonnement qui montre comment on arrive à un résultat. *Les élèves ont compris pourquoi un carré a quatre angles droits grâce à la démonstration d'Angèle, l'institutrice.* **3.** Action de montrer comment fonctionne un appareil. *Avant de se décider à acheter la machine à laver, Mme Hespel a demandé qu'on lui fasse une démonstration.*

Elle lui saute au cou, l'embrasse et ne le quitte plus !

Conjugaison 1

démonter v.
1. *Démonter une chose,* c'est séparer les pièces qui la composent. *Sylvain démonte le circuit de son train électrique pour le ranger.* **2.** *Le cheval démonte son cavalier,* il le fait tomber ; vois ***désarçonner.*** **3.** *Démonter quelqu'un,* c'est l'étonner au point de lui faire perdre son assurance ; vois ***déconcerter.*** *Hippolyte était sûr qu'Angèle voudrait bien dîner avec lui ; son refus l'a démonté.*

Famille de **monter**
Quand la mer est très agitée, on dit qu'*elle est démontée.*

Compare : *démonter → démontable, démontage* et *plier → pliable, pliage.*

▸ ***démontable*** adj. Qui peut être démonté. *M. Bellec a une canne à pêche démontable.*

▸ ***démontage*** n. m. Action de démonter. *Le démontage du train électrique a pris une heure.*

Conjugaison 1

démontrer v.
Prouver. *Angèle, l'institutrice, démontre aux élèves que la surface d'un carré est égale au produit de ses deux côtés. L'avocat a démontré que l'accusé n'était pas coupable.*

Famille de **montrer**
Va voir aussi ***démonstration.***

Conjugaison 1
Famille de **moral**
Un échec est *démoralisant.*

démoraliser v.
Faire perdre le moral, décourager. *Antoine doit quitter son père demain et cela le démoralise. Après son échec au bac, Alex était démoralisé.*

Les parents d'Antoine sont divorcés.

Conjugaison 41
Démordre s'emploie surtout à la forme négative.

démordre v.
Ne pas démordre d'une idée, c'est ne pas en changer, ne pas y renoncer. *Sylvain veut partir dans la même colonie de vacances que Nathalie, il n'en démordra pas.*

Famille de **mordre**
Sylvain est très amoureux de Nathalie !

Conjugaison 1

démouler v.
Retirer du moule. *Mamie Lou démoule la tarte aux pommes qu'elle vient de retirer du four.*

Famille de ② **moule**

Conjugaison 2
Démunir s'emploie surtout à l'infinitif et au passif.

démunir v.
Démunir quelqu'un de quelque chose, c'est le priver de quelque chose. *Êtes-vous sûr que si vous me prêtez deux cents francs, cela ne va pas vous démunir ?,* cet argent ne va-t-il pas vous manquer ? — *Angèle regrette de s'être démunie de ses cahiers d'écolière,* de ne pas les avoir gardés.

Famille de se **munir**

Conjugaison 1
Trop de sel dénature le goût des aliments.

dénaturer v.
Donner une fausse apparence. *Colle et Rat ont dénaturé les paroles d'Angèle,* ils n'ont pas dit ce qu'elle avait vraiment dit.

Famille de **nature**

Conjugaison 3

déneiger v.
Enlever la neige. *Il a fallu déneiger la route de montagne avec le chasse-neige.*

Famille de **neige**

Conjugaison 1
Ils avaient déniché le gagnant du cinquième ticket d'or *(Charlie et la Chocolaterie).*

dénicher v.
1. Enlever du nid. *Antoine a déniché un oiseau et ses œufs.* **2.** Trouver, après avoir beaucoup cherché. *Angèle a déniché des livres anciens sur Napoléon au marché aux puces.*

Même famille que **nicher**

Conjugaison 1
Le contraire de *dénigrer,* c'est *louer, vanter.*

dénigrer v.
Critiquer, mépriser. *Mme Harpie dénigre tout ce que fait sa sœur. Mme Harpie dénigre sa sœur,* elle dit du mal d'elle.

C'est sûrement parce qu'elle est jalouse !

Le village est à 500 m d'altitude et le sommet de la montagne à 2 000 m.

dénivellation n. f.
Différence de niveau, d'altitude. *Il y a mille cinq cents mètres de dénivellation entre le village et le sommet de la montagne qui le surplombe.*

Famille de **niveler**

Conjugaison 1

Ils ont tous la grippe !

dénombrer v.

Faire le compte ; vois ***compter.*** *Angèle, l'institutrice, a dénombré les élèves absents : il y en a onze.*

Famille de **nombre**

Attention aux deux ***m*** !

Conjugaison 1

dénommer v.

Donner un nom ; vois ***appeler.*** *On dénomme les habitants de Paris les Parisiens.*

▸ ***dénommé*** adj. *On attend le dénommé Prost,* celui qui s'appelle Prost.

Famille de **nom**

Conjugaison 3

Compare *dénoncer, annoncer, énoncer, prononcer* et *renoncer* : on **dit** quelque chose.

dénoncer v.

1. Signaler, faire connaître. *Mme Séverac dénonce le manque d'initiative de certains conseillers municipaux.* **2.** Désigner comme coupable ou responsable d'une action. *Le cambrioleur a dénoncé son complice à la police,* il a dit le nom de son complice. — *L'assassin ne se dénoncera certainement pas à la police,* il ne se présentera pas à la police de lui-même.

Elle est elle-même conseillère municipale.

▸ ***dénonciateur*** n. m., ***dénonciatrice*** n. f. Personne qui en dénonce une autre ; vois ***délateur, mouchard.*** *Angèle n'aime pas les dénonciateurs.*

▸ ***dénonciation*** n. f. Ce que l'on fait quand on dénonce quelqu'un. *Angèle, l'institutrice, n'encourage pas les dénonciations, elle préfère que le coupable se dénonce lui-même.*

Compare *dénoter, notable, notamment, notice* et *notion* : il s'agit de **remarquer.**

dénoter v.

Indiquer, montrer. *La décision de construire un nouveau gymnase dénote la bonne volonté du conseil municipal,* cela témoigne de sa bonne volonté.

Conjugaison 1

Conjugaison 1

dénouer v.

1. Défaire un nœud. *Mme Séverac a dénoué la ceinture de sa robe.* — *Les lacets des baskets d'Antoine se dénouent tout le temps,* les nœuds de ses lacets se défont. **2.** *Se dénouer,* c'est se résoudre, s'éclaircir. *Il faut lire le livre jusqu'au bout pour savoir comment se dénoue l'intrigue.*

Famille de **nouer**

C'est un livre à suspense !

Compare : *dénouer → dénouement* et *se dévouer → dévouement.*

▸ ***dénouement*** n. m. Façon dont se termine une histoire. *Marie-Tévy a lu son livre très vite pour connaître le dénouement.*

Ne confonds pas *dénouement* et *dénuement.*

Prononce [denwajote].

Famille de **noyau**

dénoyauter v.

Enlever le noyau. *M. Bellec dénoyaute des olives.*

Conjugaison 1

denrée n. f.

Une denrée rare, c'est quelque chose de rare.

Produit alimentaire ; vois ***aliment.*** *Les produits frais, comme les fruits et le lait, sont des denrées périssables.*

Ne confonds pas *dense* et *danse.*

Autres membres de la famille : **condenser, condensation.**

Compare : *dense → densité* et *immense → immensité.*

dense adj.

1. Épais, compact. *Le brouillard est si dense qu'on ne voit pas l'autre côté de la rue.* **2.** *L'eau est plus dense que l'air,* à volume égal, l'eau est plus lourde que l'air.

Une *foule dense,* c'est une foule nombreuse et serrée.

▸ ***densité*** n. f. **1.** Épaisseur. *La densité du brouillard a empêché Denis Prost de partir en voiture.* **2.** *La densité d'un corps,* c'est le rapport entre le poids d'un certain volume de ce corps et le poids du même volume d'eau. *La densité de l'or est plus forte que celle du plomb.*

La *densité de la population,* c'est le nombre d'habitants par km².

L'or a une densité de 19,30 ; le plomb en a une de 11,34.

dent n. f.

Il y a plusieurs sortes de dents : les canines, les incisives, les molaires et les prémolaires.

Un adulte a 32 dents.

Ne pas desserrer les dents, c'est ne pas dire un seul mot.

En dents de scie : d'une manière irrégulière.

1. Ce qui, dans la bouche, est planté dans les gencives et qui sert à mordre et à mâcher. *Julie se lave les dents avant de se coucher. Les dents de sagesse d'Alex commencent à sortir,* les molaires du fond qui poussent vers l'âge de 18 ans. *Mme Séverac a mal aux dents, elle a pris rendez-vous chez le dentiste. Mme Harpie a une dent contre M. Doucet,* elle lui en veut. *Mme Hespel a les dents longues,* elle est ambitieuse. *M. Bellec est toujours sur les dents,* il est très occupé. **2.** Chacune des parties pointues de certains objets. *Un peigne a des dents. Il manque une dent au rateau de Pierre Séverac.*

Les *dents de lait* tombent vers l'âge de sept ans et sont alors remplacées par les dents définitives.

Quand les poules auront des dents : jamais.

Une fourchette a trois ou quatre dents.

▸ ***dentaire*** adj. Qui concerne les dents. *David a un appareil dentaire,* un appareil qui redresse les dents.

▸ ***denté*** adj. Dont le bord présente des dents pointues, des entailles. *Le mécanisme d'une montre comprend des roues dentées.*

Autres membres de la famille : **chiendent, cure-dent, dentier, dentifrice, dentiste, dentition, édenté.**

Prononce [dɑ̃tle].

▸ ***dentelé*** adj. Qui présente de petites dents. *Les feuilles d'orties sont dentelées.*

Dentelle rime avec *aile* et *bretelle*.

N'oublie pas les deux *l*.

dentelle n. f.
Tissu comprenant des jours qui forment des dessins. *La robe de Mme Bellec a un col de dentelle. Mme Séverac a mis un napperon en dentelle sur la table.*

La personne qui fabrique de la dentelle s'appelle une *dentellière*.

Le premier dentier était en ivoire d'hippopotame.

dentier n. m.
Appareil composé de fausses dents. *Mme Bonnot a un dentier.*

Famille de **dent**

Famille de **dent**

dentifrice n. m.
Préparation qui sert à laver les dents. *Mme Hespel a acheté un tube de dentifrice à la chlorophylle.* — adj. *Denis Prost utilise de la pâte dentifrice à la menthe.*

Le dentifrice peut être en pâte ou en poudre.

Famille de **dent**

dentiste n. m. et f.
Personne dont le métier est de soigner les dents. *Mme Séverac a pris rendez-vous chez le dentiste.*

Famille de **dent**

dentition n. f.
Ensemble des dents. *Mme Séverac a une mauvaise dentition.*

Compare *dénuder, nudiste* et *nudité* : on est **nu.**

dénuder v.
Mettre à nu. *L'électricien a dénudé les fils électriques,* il a retiré la gaine en plastique qui les recouvre. — *Sur la plage, les baigneurs se dénudent,* ils sont presque nus.

Conjugaison 1

Famille de **nu**

dénué adj.
Être dénué de quelque chose, c'est en être dépourvu. *Mme Harpie a trouvé le dernier film de Denis Prost dénué d'intérêt,* sans intérêt. *Antoine n'est pas dénué d'imagination,* il a de l'imagination.

Denis Prost est comédien.

N'oublie pas le *e* entre le *u* et le *m* !

Ils ont émigré du Maroc.

▷ **dénuement** n. m. État dans lequel vit celui qui n'a pas le nécessaire. *Pendant les mois qui ont suivi leur arrivée en France, les Touati ont vécu dans un complet dénuement,* dans une grande pauvreté.

Ne confonds pas *dénuement* et *dénouement*.

Conjugaison 1

dépanner v.
Réparer quelque chose qui est en panne. *Le garagiste est venu dépanner la voiture d'Angèle.*

Famille de **panne**

Attention ! deux *n* dans *dépanner, dépannage, dépanneur* et *dépanneuse*.

▷ **dépannage** n. m. Réparation de quelque chose qui est en panne. *Le camion de dépannage est venu dépanner la voiture d'Angèle.*

▷ **dépanneur** n. m. Personne dont le métier est de faire des dépannages. *La télévision ne marche plus, il faut faire venir le dépanneur.*

Dupont et Dupond ne sont pas de fameux dépanneurs : ils ne savent pas dépanner leur dépanneuse qui est en panne !

▷ **dépanneuse** n. f. Voiture de dépannage qui se rend auprès des véhicules en panne et les remorque. *La camionnette de M. Bellec a été remorquée par une dépanneuse.*

Conjugaison 4

Le contraire de *dépaqueter*, c'est *empaqueter*.

dépaqueter v.
Défaire un paquet. *Antoine dépaquette le cadeau que lui a envoyé son père pour son anniversaire.*

Famille de **paquet**

Famille de **pareil**

dépareillé adj.
Qui n'est pas pareil à un autre objet du même genre. *Antoine a mis des chaussettes dépareillées,* qui ne forment pas une paire. *Les verres de Mme Harpie sont dépareillés,* ils ne font pas partie du même service.

Il a mis une chaussette jaune et une chaussette beige !

Le contraire de *dépareillé*, c'est *assorti*.

Conjugaison 1

Famille de se **parer**

déparer v.
Enlaidir. *L'autoroute dépare le paysage.*

Famille de **partir**

Le contraire de *départ*, c'est *arrivée*.

départ n. m.
1. Action de partir. *Denis Prost prépare son départ en voyage. Julie est triste du départ de son père. Les coureurs sont sur la ligne de départ,* sur la ligne d'où ils partent. *Les coureurs prendront le départ vers quatorze heures.*
2. Commencement. *Dès le départ, M. Doucet a compris que Mme Harpie lui ferait des ennuis,* dès le début de leurs relations.

Babar remercie les mécaniciens et leur offre à déjeuner avant leur départ *(Babar)*.

Mais, a dit Papa, il manque encore une heure et demie jusqu'au départ du train *(le Petit Nicolas)*.

Conjugaison 3

Même famille que **partage**

départager v.
Départager des concurrents, c'est désigner le vainqueur parmi les concurrents qui sont à égalité. *Une question subsidiaire départagera les gagnants.*

Ou un tirage au sort.

département n. m.
Division administrative du territoire français placée sous l'autorité d'un préfet. *Sur les plaques d'immatriculation des voitures est inscrit le numéro du département. Sarlat est dans le département de la Dordogne qui porte le numéro 24.*

La Corse forme deux départements : la Haute-Corse et la Corse-du-Sud.

Périgueux est le chef-lieu de la Dordogne.

Le préfet est aussi appelé *commissaire de la République.* Il travaille et il habite à la préfecture qui se trouve au *chef-lieu du département.*

▷ **départemental** adj. Qui appartient au département, dépend du département. *Les routes départementales sont moins importantes que les routes nationales.*

L'entretien des routes départementales dépend des autorités du département.

Au masculin pluriel : *départementaux.*

Conjugaison 16

se **départir** v.
Se départir de son calme, c'est abandonner son calme. *Angèle ne se départ jamais de son calme.*

Conjugaison 1

dépasser v.
1. Passer devant en doublant. *M. Bellec a dépassé un camion. Les élèves font la course : Yves dépasse Antoine juste avant l'arrivée ;* vois **doubler.** **2.** Aller plus loin. *Yves a dépassé la ligne d'arrivée avant Antoine,* il est arrivé au-delà de la ligne d'arrivée. *L'entretien de Mme Séverac avec le maire a dépassé une demi-heure,* il a duré plus d'une demi-heure. *Pierre Séverac dépasse son frère de cinq centimètres,* il mesure cinq centimètres de plus que lui. *La jupe de Julie dépasse de son manteau,* elle est plus longue que son manteau. **3.** Aller au-delà de certaines limites. *Yves dépasse la mesure quand il tient tête à l'institutrice,* il exagère. *Colle et Rat ont un comportement qui dépasse l'entendement. — Yves s'est dépassé pendant la course,* il s'est surpassé. **4.** *Être dépassé par quelque chose,* c'est ne plus comprendre. *Mme Harpie est dépassée par la jeunesse d'aujourd'hui,* elle ne la comprend plus.

Famille de **passer**

En voiture, il ne faut pas dépasser les lignes blanches continues.

Yves a gagné !

Delphine, devenue un bel ânon, était beaucoup plus petite que sa sœur, un solide percheron qui la dépassait d'une bonne encolure *(les Contes du chat perché).*

C'est grâce à cela qu'il a gagné la course.

▷ **dépassé** adj. *Quelque chose de dépassé,* c'est quelque chose que l'on a remplacé par quelque chose de plus nouveau. *Mme Harpie a des idées dépassées sur l'éducation des enfants.*

▷ **dépassement** n. m. Le fait de dépasser un véhicule. *Attention, dépassement interdit !*

Ne prononce pas le deuxième ***e*** : [depasmɑ̃].

Prononce [depeize].
Famille de **pays**

dépayser v.
Changer les habitudes, troubler en changeant de pays, d'endroit. *Les voyages en Afrique dépaysent le docteur Séverac. Quand elle est arrivée en France, Marie-Tévy a été dépaysée,* elle s'est sentie perdue.

Conjugaison 1
Avant, elle vivait au Cambodge.

▷ **dépaysement** n. m. Changement qui intervient quand on est dans un autre pays. *En vacances, les Prost cherchent le dépaysement.*

Compare : *dépayser → dépaysement* et *amuser → amusement.*

Ne prononce pas le deuxième ***e*** : [depeizmɑ̃].

Le ***c*** prend une cédille devant ***a*** et ***o***.

dépecer v.
Mettre en morceaux. *Le boucher dépèce un mouton.*

Conjugaison 5

N'oublie pas l'accent circonflexe du ***ê*** de *dépêcher.*

dépêcher v.
Dépêcher un messager, c'est envoyer un messager. *Autrefois, on dépêchait des messagers pour annoncer rapidement les nouvelles importantes.*

Conjugaison 1
Maintenant, on téléphone.

▷ **dépêche** n. f. Message transmis rapidement ; vois ***télégramme.*** *Les journalistes reçoivent des dépêches qui les informent.*

se **dépêcher** v.
Faire vite, se presser ; vois *se* ***hâter.*** *Julie s'est dépêchée de finir ses devoirs pour pouvoir aller jouer. Dépêchez-vous, nous allons être en retard !*

Les cuisiniers se dépêchent de préparer des gâteaux et des friandises de toutes sortes *(Babar).*

Conjugaison 1

Conjugaison 1
Famille de **peigner**

dépeigner v.
Décoiffer. *Le vent a dépeigné Mme Séverac.*

Conjugaison 52
Famille de **peindre**

dépeindre v.
Décrire. *Nathalie et David dépeignent à Claire la vie à la ville. En dépeignant Mme Harpie, Antoine n'a pas oublié de parler de sa verrue.*

Claire habite à la campagne.

Conjugaison 41

① **dépendre** v.
1. Exister en fonction de quelque chose d'autre. *Le succès d'Alex au bachot dépend du travail qu'il va fournir. Il n'est pas sûr qu'Angèle ira à la piscine ; cela dépendra du temps.* **2.** Faire partie de quelque chose. *La piscine dépend du centre sportif.* **3.** Être sous l'autorité. *Sarlat dépend de la préfecture de la Dordogne.*

Tu pourras juger ce vieux rat. Tu le condamneras à mort de temps en temps. Ainsi sa vie dépendra de ta justice. Mais tu le gracieras chaque fois pour l'économiser *(le Petit Prince).*

Cela dépend de toi, Alex !

Les enfants mineurs dépendent de leurs parents.

▸ ***dépendance*** n. f. **1.** *Être sous la dépendance de quelqu'un,* c'est dépendre de lui, être sous son autorité. *La France n'a plus de colonies sous sa dépendance.* **2.** *Les dépendances d'une propriété,* ce sont les bâtiments annexes qui en font partie. *Le château a de nombreuses dépendances : les écuries, les garages et un pavillon de chasse.*

Autres membres de la famille : **indépendance, indépendant.**

▸ ***dépendant*** adj. Qui dépend de quelqu'un ou de quelque chose. *Les esclaves étaient totalement dépendants de leurs maîtres.*

Le contraire de *dépendant,* c'est *indépendant.*

Conjugaison 41

② ***dépendre*** v.

Retirer ce qui est pendu ; vois ***décrocher.*** *Mme Séverac a dépendu les rideaux du salon pour les laver.*

Famille de **pendre**

aux ***dépens*** préposition

« Mon bon Monsieur, Apprenez que tout flatteur Vit aux dépens de celui qui l'écoute » (La Fontaine).

1. *Aux dépens de quelqu'un,* à son détriment. *Yves mentait si mal que tous les élèves ont ri à ses dépens.* **2.** *Vivre aux dépens de quelqu'un,* c'est vivre à sa charge, se faire nourrir. *Pendant longtemps, Mme Harpie a vécu aux dépens de sa sœur.*

dépense n. f.

Le contraire de *dépense,* c'est *recette.*

1. Somme d'argent consacrée à un achat, un paiement. *Angèle a eu des dépenses imprévues à cause de sa voiture. La construction du nouveau gymnase est une grosse dépense pour la commune,* une somme d'argent importante. **2.** Perte. *Les réunions du conseil municipal sont une grande dépense de temps pour Mme Séverac,* cela lui prend du temps.

Ne pas regarder à la dépense, c'est ne pas être avare.

Mme Séverac est conseillère municipale.

Conjugaison 1

[...] mais lorsque l'argent fut dépensé, ils retombèrent dans leur premier chagrin, et résolurent de les perdre encore *(le Petit Poucet).*

▸ ***dépenser*** v. **1.** Employer de l'argent. *Angèle a dépensé beaucoup d'argent pour faire réparer sa voiture. Mme Séverac dépense sans compter.* **2.** Consommer. *Les Bellec dépensent beaucoup d'électricité.* **3.** *Se dépenser,* c'est faire des efforts. *Mme Séverac se dépense sans compter,* elle se donne beaucoup de mal. *Hier, Yves et Antoine se sont dépensés,* ils ont fait des efforts physiques.

Il y a bien longtemps vivait un empereur qui aimait tant se parer de beaux habits neufs qu'il dépensait ainsi tout son argent *(les Habits neufs de l'empereur).*

▸ ***dépensier*** adj. Qui dépense trop d'argent. *Mme Séverac est dépensière.*

Le contraire, c'est *économe.*

Famille de **perdre**

déperdition n. f.

Diminution ; vois ***perte.*** *La fenêtre ferme mal, cela fait une déperdition de chaleur.*

Conjugaison 2

dépérir v.

S'affaiblir peu à peu. *Il faut arroser les plantes régulièrement pour qu'elles ne dépérissent pas.*

Famille de **périr**

Attention à l'accent circonflexe du ***ê*** de ***dépêtrer.***

se ***dépêtrer*** v.

Se dégager. *Sylvain s'est pris les pieds dans la chaîne de son vélo et il a eu du mal à s'en dépêtrer.*

Conjugaison 1

Conjugaison 1
Famille de **peuple**

dépeupler v.

Faire perdre des habitants. *Au Moyen Âge, la peste dépeuplait des régions entières. — Les campagnes se dépeuplent au profit des villes.*

On parle du *dépeuplement* des campagnes.

Conjugaison 1
Famille de **piste**

dépister v.

1. Trouver en suivant une trace. *Les policiers ont dépisté le malfaiteur qui se cachait dans le métro. Les chiens ont dépisté un cerf.* **2.** *Dépister une maladie,* c'est la reconnaître. *Le docteur Séverac a dépisté rapidement l'appendicite de Julie.*

Tintin et Milou ont dépisté de dangereux trafiquants.

Il lui a fait des examens de *dépistage.*

① ***dépit*** n. m.

Il s'en allait soigner son dépit de poisson au débit de boisson (B. Lapointe).

Chagrin mêlé de colère et de déception. *Son refus lui causa un grand dépit.*

Le Dépit amoureux est une comédie de Molière.

▸ ***dépité*** adj. Qui éprouve du dépit. *Hippolyte est tout dépité.*

② *en* ***dépit*** *de* préposition

En dépit du bon sens, n'importe comment, très mal.

Malgré. *Denis Prost a accepté un rôle en dépit des conseils de son entourage,* sans en tenir compte.

Conjugaison 3
▭ Indic. présent : *je déplace, nous déplaçons.*

déplacer v.

1. *Déplacer une chose,* c'est la changer de place. *Mme Hespel a déplacé son lit. Mme Séverac s'est déplacé une vertèbre en déplaçant un meuble.* **2.** *Déplacer quelqu'un,* c'est le faire changer de poste. *M. Doucet a été*

Famille de **place**

déplacé, il est maintenant à la direction générale. **3.** *Se déplacer,* c'est changer de place. *Julie s'est déplacée pour aller au tableau. Denis Prost doit souvent se déplacer pour son travail,* il doit voyager.

Un avion se déplace dans les airs, un bateau se déplace sur l'eau, un train se déplace sur des rails.

Il est comédien.

▷ ***déplacé*** adj. Inconvenant, de mauvais goût. *Mme Harpie trouve que M. Bellec fait souvent des plaisanteries déplacées.*

Compare : *déplacer → déplacement* et *remplacer → remplacement.*

▷ ***déplacement*** n. m. **1.** Action de déplacer. *Le déplacement de la grande armoire a été très laborieux.* **2.** Voyage que l'on fait pour son travail. *Les représentants de commerce sont la plupart du temps en déplacement.*

Ne prononce pas le deuxième ***e*** : [deplasmɑ̃].

Conjugaison 54 ; n'oublie pas l'accent circonflexe du ***i*** devant un ***t*** !

déplaire v.

1. Ne pas plaire. *Mme Harpie déplaît à tout le monde. — M. Doucet et Mme Harpie se sont déplu dès qu'ils se sont vus.* **2.** *Se déplaire quelque part,* c'est ne pas s'y trouver bien. *M. Doucet se déplaisait à Motbourg.*

Famille de **plaire**

Le contraire de *déplaisant,* c'est *plaisant.*

▷ ***déplaisant*** adj. Qui déplaît. *Mme Harpie est très déplaisante,* elle est antipathique, désagréable.

Conjugaison 7

Le contraire de *déplier,* c'est *plier, replier.*

déplier v.

Défaire les plis, étendre ce qui est plié. *M. Bellec a déplié la carte de la Bretagne pour organiser son voyage ;* vois ***déployer.*** — *Angèle a un canapé-lit qui se déplie,* qui peut être déplié.

Famille de **pli**

Dépliant [deplijɑ̃] rime avec *client, fuyant.*

▷ ***dépliant*** n. m. Feuille de papier imprimée et pliée que l'on déplie pour lire. *Mme Séverac a rapporté des dépliants sur les Bahamas ;* vois ***prospectus.***

Compare : *déployer → déploiement* et *aboyer → aboiement.*

déploiement n. m.

Les bandits n'ont pas pu s'échapper grâce au déploiement des policiers, au grand nombre de policiers déployés.

Même famille que **déployer**

Compare *déplorer* et *implorer* : il est question de **plainte.**

déplorer v.

1. Pleurer sur quelque chose. *On déplore de nombreuses victimes et d'importants dégâts matériels causés par le tremblement de terre.* **2.** Regretter beaucoup. *Mme Roussel déplore d'avoir à supporter les réflexions de sa sœur.*

Conjugaison 1

▷ ***déplorable*** adj. **1.** Qui donne envie de pleurer. *Après le tremblement de terre, la région était dans un état déplorable ;* vois ***lamentable.*** **2.** Très regrettable, mauvais. *Mme Harpie trouve l'éducation de son neveu Antoine déplorable.*

Conjugaison 8

Au bout de cinq minutes le rouge-gorge était revenu à la vie ; il s'agitait, il déployait et repliait ses ailes *(les Petites Filles modèles).*

déployer v.

1. Déplier, étendre complètement ce qui est plié. *L'oiseau déploie ses ailes et s'envole. M. Bellec déploie une carte routière.* **2.** *Se déployer,* c'est se disposer sur une grande étendue. *Les policiers se sont déployés et ont bouclé le quartier.* **3.** Montrer. *Les naufragés déployèrent toute leur énergie pour survivre.*

Famille de **ployer**

Va voir aussi ***déploiement.***

Famille de **polir**

dépoli adj.

Du verre dépoli, c'est du verre qui laisse passer la lumière mais n'est pas transparent ; vois ***translucide.*** *Les vitres des salles de bain sont généralement en verre dépoli.*

Conjugaison 1

Dès 1933, Hitler a fait déporter les opposants au régime nazi.

déporter v.

1. Exiler. *Pendant la Deuxième Guerre mondiale, de nombreux juifs et résistants furent déportés par les nazis,* envoyés dans des camps de concentration. **2.** Faire changer de direction. *Le vent était si violent qu'il déportait la voiture vers la gauche.*

Famille de **porter**

▷ ***déportation*** n. f. Emprisonnement dans un camp de concentration. *Beaucoup de juifs et de résistants sont morts en déportation.*

Entre 1939 et 1945, il y a eu près de dix millions de morts en déportation.

▷ ***déporté*** n. m., ***déportée*** n. f. Personne internée dans un camp de concentration. *M. Bonnot est un ancien déporté.*

Conjugaison 1

Famille de **poser**

déposer v.

1. Poser une chose que l'on portait. *Les clients déposent leur parapluie à l'entrée du restaurant.* **2.** *Déposer une personne,* c'est la conduire et la laisser quelque part lorsqu'on est en voiture. *Denis Prost a déposé Marie-Tévy chez elle.* **3.** Mettre quelque chose dans un endroit où on ne peut pas le voler. *M. Bellec dépose son argent à la banque.* **4.** *La poussière se dépose sur les meubles,* elle se met sur les meubles, elle retombe sur eux. **5.** Témoigner.

Défense de déposer des ordures.

Justement je vais voir ma famille dans l'océan glacial du nord. Je vous déposerai où vous voudrez *(Babar).*

Va voir aussi ***dépôt.***

On peut aussi *déposer en faveur d'une personne.*

Le témoin a déposé contre l'accusé. **6.** Renverser. *Le roi a été déposé par les révolutionnaires ;* vois ***détrôner.***

▸ ***dépositaire*** n. m. et f. Personne à qui on confie une chose. *Antoine a confié un secret à Marie-Tévy ; Marie-Tévy est la dépositaire du secret d'Antoine.*

Le *dépositaire d'une marque,* c'est le commerçant qui vend des objets de cette marque.

▸ ***déposition*** n. f. Déclaration faite par un témoin dans un procès, dans une enquête ; vois ***témoignage.*** *Le commissaire a recueilli les dépositions des témoins de l'incendie de la poste.*

Les témoins signent leur déposition.

dépossèder v.

Conjugaison 6 ▭ Indic. présent : *je dépossède, nous dépossédons.* Imparfait : *je dépossédais.*

Déposséder une personne de ce qu'elle a, c'est lui enlever ce qu'elle a, l'en priver ; vois ***dépouiller.*** *Mme Harpie a dépossédé sa sœur de la bague de leur mère.*

Famille de **posséder**

dépôt n. m.

N'oublie pas l'accent circonflexe du ***ô*** !

1. *M. Bellec a fait un dépôt à la banque,* il a déposé de l'argent à la banque. **2.** Endroit où l'on dépose du matériel, où on le range ; vois ***entrepôt.*** *Les livreurs ont vidé le camion dans le dépôt de marchandises. Les autobus rentrent au dépôt.* **3.** Matière qui se dépose au fond d'un liquide. *Il y a du dépôt dans le fond de la bouteille de vin ;* vois ***lie.***

Même famille que **déposer**

Le *dépôt,* c'est aussi une prison dans laquelle sont gardées provisoirement des personnes arrêtées.

Les alluvions sont des dépôts laissés par des cours d'eau.

▸ ***dépotoir*** n. m. Endroit où l'on met les choses dont on ne veut plus. *Le fond de la grange sert de dépotoir.*

Ce mot est familier.

dépouiller v.

Conjugaison 1

1. *Dépouiller un animal,* c'est lui enlever la peau après l'avoir tué. *Mme Bellec dépouille les lièvres que son mari a tués.* **2.** *Dépouiller quelqu'un,* c'est lui enlever ce qu'il possède ; vois ***déposséder.*** *Les bandits ont attaqué la diligence et ont dépouillé les passagers de leur argent.* **3.** *Dépouiller le courrier,* c'est l'ouvrir et le lire. *Le docteur Séverac dépouille son courrier après avoir pris son petit déjeuner.*

Dépouiller des bulletins de vote, c'est les retirer des enveloppes et les compter.

▸ ***dépouille*** n. f. *Une dépouille mortelle,* c'est le corps d'une personne qui vient de mourir. *Le président s'est recueilli devant les dépouilles des victimes.*

La *dépouille d'un animal,* c'est sa peau enlevée après sa mort.

▸ ***dépouillement*** n. m. *Le dépouillement des bulletins de vote,* c'est l'ouverture des enveloppes, le compte et le classement des bulletins. *Mme Séverac a assisté au dépouillement.*

dépourvu adj.

Famille de **pourvoir**

Mme Harpie est totalement dépourvue d'humour, elle manque d'humour, elle n'a pas d'humour.

▸ *au* ***dépourvu*** adv. Sans que l'on soit préparé, averti. *Votre question me prend au dépourvu,* elle me surprend et je ne sais quoi répondre.

La Cigale, ayant chanté
Tout l'été,
Se trouva fort dépourvue
Quand la bise fut venue
(La Fontaine).

déprécier v.

Conjugaison 7 ▭ Indic. présent : *nous déprécions.* Imparfait : *nous dépréciions.*

1. Ne pas apprécier à sa juste valeur ; vois ***critiquer.*** *Mme Harpie déprécie tout ce que fait Antoine.* **2.** *Se déprécier,* c'est perdre de sa valeur ; vois *se* ***dévaloriser.*** *Le magasin de Mme Harpie se dépréciera si elle ne refait pas les peintures.*

Compare ***déprécier, apprécier*** et ***précieux*** : il est question de **prix.**

dépressif adj.

Une personne dépressive, c'est une personne qui est souvent déprimée, triste et abattue. *Mme Roussel est dépressive.*

Va voir aussi ***dépression.***

dépression n. f.

Va voir aussi : ***déprimer*** et ***dépressif.***

1. *Une dépression nerveuse,* c'est une crise d'abattement, de découragement, de très grande fatigue. *Mme Roussel a fait une dépression nerveuse quand son mari l'a quittée.* **2.** *Une dépression de terrain,* c'est un endroit où le terrain forme un creux. *Dans le bois, il y a une petite dépression dans laquelle l'eau s'accumule et forme une mare en hiver.* **3.** *Une dépression atmosphérique,* c'est une baisse de la pression de l'air qui amène du mauvais temps. *Une dépression est actuellement centrée sur l'Irlande.*

Le contraire de *dépression,* c'est *hauteur, éminence.*

Dans un anticyclone, au contraire, la pression de l'air est élevée.

déprimer v.

Va voir aussi : ***dépressif*** et ***dépression.***

Décourager, rendre triste et sans énergie ; vois ***démoraliser.*** *L'échec d'Alex au bac a beaucoup déprimé sa mère.*

Conjugaison 1

Famille de **de** et de **puis**

Depuis ce jour, tous les rhinocéros ont la peau qui fait de grands plis, et un mauvais caractère *(Histoires comme ça).*

depuis préposition et adv.
1. *M. Bellec est arrivé depuis cinq minutes,* il y a cinq minutes qu'il est arrivé. *M. et Mme Bellec sont mariés depuis dix ans. Depuis son arrivée, il a plu sans arrêt,* à partir de son arrivée. *Nathalie a vu Sylvain il y a un mois, mais elle n'a pas de nouvelles depuis lors. Angèle a vu son frère en vacances mais elle ne l'a pas revu depuis. Depuis qu'Antoine connaît Marie-Tévy, il pense sans cesse à elle,* à partir du moment où il a connu Marie-Tévy. **2.** *Le chien nous a suivis depuis la ferme,* à partir de la ferme.

C'est l'anniversaire de ma maman et j'ai décidé de lui acheter un cadeau comme toutes les années depuis l'année dernière, parce qu'avant j'étais trop petit *(le Petit Nicolas).*

En France, les députés sont élus pour cinq ans.

député n. m.
Personne élue pour faire partie de l'Assemblée nationale. *Le maire de la ville est aussi député.*

Les députés votent les lois.

Le vent redouble ses efforts,
Et fait si bien qu'il déracine
Celui de qui la tête au Ciel
était voisine
(La Fontaine).

déraciner v.
1. Arracher ce qui tient au sol par des racines. *L'orage a déraciné deux arbres.* **2.** *Déraciner une personne,* c'est l'arracher de son pays, du milieu où elle vivait. *La guerre a déraciné la famille de Marie-Tévy.*

Conjugaison 1
Famille de **racine**

Marie-Tévy vivait au Cambodge.

Conjugaison 1

dérailler v.
Sortir des rails. *Des bandits ont fait sauter la voie de chemin de fer pour faire dérailler le train.*
▷ ***dérailleur*** n. m. *Le dérailleur d'une bicyclette,* c'est ce qui permet de changer de vitesse sur la bicyclette. *Les bicyclettes n'ont pas toutes de dérailleur.*

Famille de **rail**

Le dérailleur fait passer la chaîne d'un pignon sur un autre.

Conjugaison 1

déraisonner v.
Dire des choses qui n'ont aucun sens ; vois ***divaguer.*** *N'écoutez pas Mme Harpie, elle déraisonne !*

Famille de **raison**

Conjugaison 3 ▭ Indic. présent : *je dérange, nous dérangeons.* Imparfait : *je dérangeais, nous dérangions.*

déranger v.
1. *Déranger des objets,* c'est les mettre en désordre, à une place qui n'est pas la leur ; vois ***bouleverser, déplacer.*** *Maman, David a dérangé mes affaires !* **2.** *Déranger quelqu'un,* c'est le gêner dans ce qu'il fait. *Julie sait qu'elle ne doit pas déranger sa mère quand elle travaille. — Le docteur Séverac a dû se déranger au milieu de la nuit pour aller voir un malade,* il a dû quitter l'endroit où il était.
▷ ***dérangé*** adj. *Mme Harpie a l'esprit dérangé,* elle est un peu folle.
▷ ***dérangement*** n. m. **1.** *Le téléphone est en dérangement,* il est en panne, il ne fonctionne pas. **2.** *Causer du dérangement à quelqu'un,* c'est le déranger, lui causer de la gêne. *Je ne voudrais pas vous causer du dérangement.*

Même famille que **ranger**

C'est le bruit que fait un serpent quand il réfléchit et ne veut pas qu'on le dérange. Faisons un serpent pour le bruit *(Histoires comme ça).*

Conjugaison 1

déraper v.
Glisser sur le sol sans le faire exprès. *Le vélo a dérapé sur du gravier, et Julie est tombée.*
▷ ***dérapage*** n. m. *Faire un dérapage,* c'est déraper. *Sur sa moto, Alex fait des dérapages contrôlés,* il fait exprès de déraper.

Attention aux dérapages sur le verglas !

Conjugaison 6

dérégler v.
Faire qu'une chose ne soit plus bien réglée. *Julie dérègle sa montre en appuyant sur tous les boutons.*

Famille de **règle**

Léon fut un peu maussade, mais il finit par se dérider et par rire comme les autres *(les Vacances).*

dérider v.
Rendre moins triste, moins soucieux ; vois ***égayer.*** *Quand sa mère est triste, Julie lui raconte des histoires pour essayer de la dérider. — Mme Harpie ne s'est pas déridée de la soirée,* elle n'a pas souri.

Conjugaison 1
Famille de **ride**

Famille de ① **rire**

Tourner quelque chose en dérision, c'est s'en moquer.

dérision n. f.
Moquerie. *Antoine a dit par dérision que sa tante était très belle. Mme Harpie est un objet de dérision ;* vois ***raillerie, sarcasme.***

Sa tante, c'est Mme Harpie.

Famille de ① **rire**

dérisoire adj.
Si insuffisant que c'est ridicule. *Pour son premier film, Denis Prost avait reçu une somme dérisoire,* une très petite somme.

Denis Prost est comédien.

Conjugaison 1

① ***dériver*** v.
1. *Dériver un cours d'eau,* c'est le faire aller dans une autre direction ; vois

Famille de **rive**

dévier. Pierre Séverac a dérivé un ruisseau. **2.** *Le bateau dérive,* il s'écarte de son chemin, à cause des vents ou des courants.

▷ ***dérivatif*** n. m. Distraction, occupation qui permet d'oublier ses soucis, son chagrin. *La lecture d'un roman est un bon dérivatif.*

▷ ***dérive*** n. f. **1.** *Le matelas pneumatique est parti à la dérive,* il est parti sur l'eau sous l'effet du vent et du courant, sans être guidé. **2.** Partie d'un bateau qui s'enfonce profondément dans l'eau pour l'empêcher de dériver et qu'on peut relever. *Les petits bateaux à voile ont une dérive.*

Certains bateaux ont une *quille,* qui a le même effet mais est fixe.

Un dériveur est un bateau qui a une dérive.

② *dériver* v.

Dériver de quelque chose, c'est venir de quelque chose. *« Chaudement » dérive de l'adjectif « chaud ».*

On dit que *chaudement* est un *dérivé.* Va voir aussi l'encadré ***famille.***

Conjugaison 1

dernier adj.

1. Qui vient après tous les autres. *Le 31 décembre est le dernier jour de l'année. C'est la dernière fois que je te le dis. Faisons un dernier effort ;* vois ***suprême, ultime.*** *Alex a été dernier en maths.* — n. *Julie est arrivée la dernière.* **2.** Le plus bas, le pire. *Hippolyte n'achète jamais de chaussures de dernière qualité,* de la plus mauvaise qualité. *C'est le dernier de mes soucis,* le moins important de mes soucis. **3.** Qui est le plus proche du moment présent. *M. Doucet s'est remarié l'an dernier,* l'an passé. *Sophie Pelletier est habillée à la dernière mode. Quel est le dernier livre que tu as lu ?,* le livre que tu as lu le plus récemment.

▷ ***dernièrement*** adv. Ces derniers temps, récemment. *Le docteur Séverac est allé en Afrique dernièrement,* il y a peu de temps.

Le contraire, c'est *premier.*

Va voir *avoir le dernier mot* à ***mot.***

En dernier, à la fin, après tous les autres.

Je l'ai appelé Rex, comme dans un film policier que j'avais vu jeudi dernier *(le Petit Nicolas).*

Le 1er *février !* s'écria Mrs. Bucket. Mais c'est *demain !* Puisque nous sommes aujourd'hui le dernier jour de janvier ! *(Charlie et la Chocolaterie).*

On dit aussi : *c'est le cadet de mes soucis.*

Le contraire, c'est *prochain.*

Autre membre de la famille : **avant-dernier.**

dérober v.

1. *Dérober un objet,* c'est prendre en cachette un objet qui appartient à quelqu'un d'autre ; vois ***subtiliser, voler.*** *Un pickpocket a dérobé le portefeuille de M. Doucet dans le métro.* **2.** *Dérober aux regards,* c'est cacher, masquer. *Des arbres dérobent la maison des Séverac aux regards des passants.*

▷ *se* ***dérober*** v. **1.** *Se dérober à quelque chose,* c'est y échapper, fuir cette chose. *Denis Prost était fatigué, il cherchait à se dérober à la discussion,* à l'éviter. *Denis Prost cherchait à se dérober.* **2.** *Le sol se déroba sous ses pas,* s'effondra.

▷ *à la* ***dérobée*** adv. En cachette, furtivement. *Il observait ses voisins à la dérobée,* sans se faire voir.

Conjugaison 1

Ce mot se trouve surtout dans les livres.

Une porte dérobée est une porte qui permet d'entrer et de sortir d'une maison sans être vu.

Sophie court se cacher dans un massif pour manger les fruits dérobés *(les Petites Filles modèles).*

dérogation n. f.

Autorisation spéciale, exceptionnelle. *Le camion a pu traverser la ville dans l'après-midi par dérogation.*

On demande une dérogation à quelqu'un, qui l'accorde ou la refuse.

dérouler v.

1. Défaire, étendre une chose qui était roulée ; vois ***déployer, développer.*** *Mamie Lou a déroulé une pelote de laine.* **2.** *Se dérouler,* c'est se passer, prendre place dans le temps. *L'action du film se déroule à Marseille. La cérémonie s'est déroulée normalement.*

▷ ***déroulement*** n. m. **1.** *Loïc surveille le déroulement du câble,* la façon dont le câble se déroule. **2.** Façon dont les choses se passent, les unes à la suite des autres. *Les enquêteurs ont reconstitué le déroulement du cambriolage.*

Conjugaison 1

Même famille que **rouler**

Le contraire de *dérouler,* c'est *rouler, enrouler.*

dérouter v.

1. Faire changer de route, de destination. *Les pirates de l'air ont dérouté l'avion de Moscou vers Londres ;* vois ***détourner.*** **2.** *Dérouter une personne,* c'est la rendre incapable de réagir, de se conduire comme il faudrait ; vois ***déconcerter, démonter, désorienter.*** *Alex ne s'attendait pas à la question du professeur de géographie ; il a été dérouté et n'a pas su répondre ;* vois ***embarrasser.***

▷ ***déroute*** n. f. Fuite désordonnée de troupes de soldats battus ; vois ***débâcle, débandade.*** *Le général a mis l'armée ennemie en déroute.*

Conjugaison 1

Famille de **route**

La question était « Qu'est-ce que l'Amour ? ». Il fallait répondre « C'est un fleuve d'Asie ».

On dit aussi : *une tour de forage.*

derrick n. m.

Échafaudage métallique monté au-dessus d'un puits de pétrole. *Les champs du Texas sont couverts de derricks.*

Attention ! deux *r* à *derrière,* comme à *arrière.*

Il nous prend, dirent les parents, qu'on ne veut plus d'un chat qui passe sa patte derrière son oreille tous les soirs. Assez de pluie comme ça *(les Contes du Chat perché).*

derrière adv., préposition et n. m.

▭ **adv. et préposition 1.** En arrière. *La caravane est accrochée derrière la voiture,* à l'arrière de la voiture. *Antoine se cache derrière un arbre. Regarde derrière toi : Yasmina et Julie arrivent. La souris est sortie de derrière le buffet. Passez par derrière ; la porte de devant est fermée. On l'a attaqué par derrière,* dans le dos. *La robe de Mme Roussel se ferme derrière,* dans le dos. **2.** À la suite l'un de l'autre ; vois ***après.*** *Julie et Yasmina marchaient l'une derrière l'autre. Julie marchait devant et Yasmina venait derrière. Yves a gagné la course ; Antoine est arrivé bien derrière.*

Le contraire de *derrière,* c'est *devant.*

Quand trois poules s'en vont aux champs,
La première va devant,
La seconde suit la première,
La troisième va derrière
(comptine).

On dit *le derrière d'un immeuble, d'un buffet* mais *l'arrière d'un train, d'un bateau, d'une voiture.*

▭ **n. m. 1.** Le côté qui est placé derrière, la partie postérieure ; vois ***arrière.*** *Le derrière de l'immeuble donne sur une petite cour. Ce n'est pas commode de nettoyer le derrière du buffet. Sylvain essuie les pattes de sa chienne Diane : celles de devant d'abord, puis celles de derrière.* **2.** Les fesses de l'homme et de certains animaux. *Yasmina est tombée sur le derrière. Antoine a donné à Yves un coup de pied au derrière.*

Sur son derrière s'assit kangourou [...] la queue toute droite sous lui
(Histoires comme ça).

① *des* va voir ① *de* et ② *de.*

② *des* article indéfini

Va voir aussi ***un.***

Des est le pluriel de *un, une. Des livres, des cahiers et des stylos étaient éparpillés sur le sol.*

Va voir aussi ③ ***de.***

dès préposition

Si tu viens, par exemple à quatre heures de l'après-midi, dès trois heures je commencerai d'être heureux *(le Petit Prince).*

À partir de. *Pierre Séverac travaille dès l'aube,* depuis l'aube. *Le film a eu du succès dès sa sortie. Je vous en remercie dès à présent,* tout de suite. *Le film a eu du succès dès qu'il est sorti. Dès que Yasmina sera là, les enfants commenceront la partie ;* vois ***aussitôt que, si tôt que.***

N'oublie pas l'accent grave du *è.*

Même famille que **abuser**

désabusé adj.

Qui a perdu ses illusions ; vois ***déçu, dégoûté.*** *L'institutrice n'espère plus rien de Colle et Rat, elle est désabusée.*

Le contraire de *désaccord,* c'est *accord.*

désaccord n. m.

Le fait de n'être pas d'accord ; vois ***différend, discorde.*** *Le docteur Séverac et sa femme sont en désaccord au sujet des vacances.*

Famille de **accorder**

L'accordeur va venir l'accorder.

désaccordé adj.

Un instrument de musique désaccordé, c'est un instrument de musique qui n'est plus accordé. *Le piano de Sylvain est désaccordé.*

Famille de **accorder**

Ne confonds pas *désaffecté* et *désinfecté.*

désaffecté adj.

Qui n'est plus utilisé comme on l'avait prévu au départ. *On a créé des logements dans l'usine désaffectée.*

Famille de ② **affecter**

Famille de **gré**

désagréable adj.

1. Qui déplaît ; vois ***déplaisant, pénible.*** *Le docteur Séverac trouve la sonnerie du téléphone très désagréable. Ce n'est pas désagréable de rester à la maison quand on est un peu malade,* c'est assez agréable. **2.** Dont le comportement choque, blesse. *Une femme aussi désagréable que Mme Harpie, c'est heureusement assez rare ;* vois ***antipathique, odieux.***
▸ ***désagréablement*** adv. D'une façon désagréable. *Mme Harpie a répondu désagréablement à M. Doucet.*

Le contraire de *désagréable,* c'est *agréable.*

Le contraire de *désagréablement,* c'est *agréablement.*

Conjugaison 3 et 6
▭ Indic. présent : *je désagrège, nous désagrégeons.*

désagréger v.

Séparer les différents éléments qui étaient unis. *La pluie, le vent et le gel ont désagrégé la roche de la falaise. — Le sucre se désagrège dans le café ;* vois *se* ***dissoudre.***

Le sable provient de la désagrégation des roches.

Famille de **gré**

désagrément n. m.

Chose désagréable, qui contrarie ; vois ***ennui, souci.*** *Colle et Rat causent bien des désagréments à Angèle, l'institutrice.*

Le contraire de *désagrément,* c'est *agrément, plaisir.*

Conjugaison 6
Famille de ② **altérer**

désaltérer v.
Calmer la soif. *C'est l'eau qui désaltère le mieux. — Claire s'est désaltérée en buvant l'eau de la fontaine.*

On se désaltère quand on est *assoiffé.*

▹ **désaltérant** adj. Qui désaltère. *Mme Séverac a offert à ses invités des boissons désaltérantes.*

Conjugaison 3 ; attention à la cédille du *ç* devant un *a* et un *o* ▭ Indic. présent : *nous désamorçons.* Imparfait : *il désamorçait.*
Famille de **amorcer**

désamorcer v.
1. Enlever le détonateur qui fait exploser une bombe, un obus, une grenade. *Les soldats désamorcèrent la bombe que des terroristes avaient placée dans l'aéroport.* **2.** Empêcher quelque chose d'ennuyeux, de dangereux de se produire. *En accordant une augmentation aux ouvriers, la direction a désamorcé la grève.*

Le contraire, c'est *amorcer.*
Désamorcer une pompe, c'est enlever le liquide qui se trouve dedans.

Attention aux deux *p.*
Elle n'a pas pu cacher son *désappointement.*

désappointé adj.
Qui n'a pas obtenu ce qu'il attendait et en est déçu ; vois ***déçu, dépité.*** *Claire était toute désappointée quand elle a appris que ses cousins ne viendraient pas pour les vacances.*

Le contraire de *désapprobateur,* c'est *approbateur.*

désapprobateur adj.
Qui montre que l'on n'est pas d'accord, que l'on désapprouve. *La maîtresse a regardé Colle et Rat d'un air désapprobateur.*

Famille de **approbateur**

Le contraire de *désapprobation,* c'est *approbation.*

désapprobation n. f.
Mécontentement qui montre que l'on n'est pas d'accord, que l'on désapprouve. *Le ministre a exprimé publiquement sa désapprobation.*

Famille de **approbation**

Conjugaison 1
Famille de **approuver**
Va voir aussi ***désapprobation.***

désapprouver v.
Trouver mauvais ; vois ***condamner, critiquer.*** *Marie-Tévy et Yasmina désapprouvent parfois la conduite de Julie ;* vois ***blâmer.***

Le contraire de *désapprouver,* c'est *approuver.*

Conjugaison 1
N'oublie pas la cédille du *ç,* ni les deux *n* !

désarçonner v.
1. *Le cheval a désarçonné son cavalier,* il l'a jeté à bas de la selle, il l'a fait tomber. **2.** *Désarçonner quelqu'un,* c'est le surprendre dans une conversation et lui faire perdre son assurance ; vois ***déconcerter.*** *Certaines questions de Claire désarçonnent son père.*

La bombe a protégé la tête du cavalier désarçonné.

Conjugaison 1

désarmer v.
1. *Désarmer quelqu'un,* c'est lui enlever ses armes par la force. *Les policiers ont désarmé les pirates de l'air. Les Alliés ont désarmé l'Allemagne,* ils ont supprimé les armements de l'Allemagne. **2.** Faire cesser la colère de quelqu'un. *La drôlerie d'Antoine désarme l'institutrice.*

Famille de **arme**
Désarmer un navire, c'est en retirer le matériel et l'équipement.

L'Allemagne a été désarmée à la fin de la Deuxième Guerre mondiale. Le désarmement a été prévu à la conférence de Potsdam (17 juillet - 2 août 1945).

▹ **désarmant** adj. Qui fait cesser la colère. *Antoine est d'une drôlerie désarmante.*

▹ **désarmement** n. m. Action de désarmer. *Le désarmement des pirates de l'air s'est fait très vite. Des conférences sur le désarmement ont réuni les grandes puissances,* des conférences destinées à réduire ou à supprimer les armements dans le monde.

Le contraire de *désarmement,* c'est *armement.*

Attention aux deux *r.*

désarroi n. m.
Anxiété accompagnée d'indécision. *L'assassinat du président a jeté le pays dans le désarroi.*

désastre n. m.
Événement grave qui cause de grands malheurs ; vois ***catastrophe.*** *Un incendie a ravagé la poste ; c'est un désastre.*

La France a connu un désastre militaire en 1940.

▹ **désastreux** adj. Très mauvais ; vois ***catastrophique.*** *Il a fait un temps désastreux.*

Famille de **avantage**

désavantage n. m.
1. Ce qui rend quelqu'un inférieur ; vois ***handicap.*** *Être grand quand on veut être jockey, c'est un gros désavantage.* **2.** Inconvénient. *Quels sont les désavantages de ce métier ?*

Le contraire de *désavantage,* c'est *avantage.*

Conjugaison 3

▹ **désavantager** v. Mettre dans un état d'infériorité ; vois ***handicaper.*** *Marie-Tévy est désavantagée par sa timidité.*

Le contraire de *désavantager,* c'est *avantager.*

Au féminin : *désavantageuse.*

▹ **désavantageux** adj. Qui cause un désavantage ; vois ***défavorable.*** *Mme Hespel a refusé le contrat qu'on lui proposait ; il était trop désavantageux.*

Le contraire de *désavantageux,* c'est *avantageux.*

Conjugaison 1

désavouer v.
Dire qu'on n'est pas d'accord avec quelqu'un, avec ce qu'il fait ; vois ***condamner, désapprouver.*** *La directrice ne désavoue jamais Angèle, son institutrice préférée.*

Famille de **avouer**

Conjugaison 1
Ne confonds pas *desceller* [desele] et *déceler* [desle].

desceller v.
Arracher, détacher ce qui est fixé dans la pierre. *Le prisonnier a descellé les barreaux de la lucarne. Ne t'appuie pas sur la barre d'appui de la fenêtre ; elle est descellée.*

Famille de **sceller**

Famille de **descendre**

① **descendant** n. m., **descendante** n. f.
Personne qui descend d'un ancêtre. *L'héritage a été partagé entre les divers descendants.*

Le contraire de ① *descendant,* c'est ① *ascendant.*

On fête ses noces d'or après cinquante ans de mariage.

▸ **descendance** n. f. Ensemble des personnes qui descendent du même ancêtre. *Les grands-parents ont réuni pour leurs noces d'or leur nombreuse descendance.*

Le contraire de *descendance,* c'est *ascendance.*

Le contraire de ② *descendant,* c'est ② *ascendant, montant.*

② **descendant** adj.
Qui descend. *Yves a ramassé des coquillages à marée descendante,* quand la marée descendait.

Famille de **descendre**

Conjugaison 41
▭ Indic. présent : *je descends, nous descendons.*
Imparfait : *je descendais.*
Futur : *je descendrai, nous descendrons.*

descendre v.
1. Aller du haut vers le bas. *Mme Bellec est descendue à la cave. Descends de là ; tu vas tomber. L'avion a commencé à descendre. Les rivières descendent vers la mer. Le soleil descend sur l'horizon,* il se couche. **2.** Sortir d'une voiture, d'un train. *Antoine descendra à la prochaine station de métro.* **3.** Aller en pente. *La route descend à pic. Nous avons pris un petit sentier qui descendait vers la rivière.* **4.** Diminuer de niveau ; vois ***baisser.*** *La mer descend. Le thermomètre est descendu au-dessous de zéro.* **5.** Être le descendant de quelqu'un. *Antoine dit qu'il descend de Victor Hugo.* **6.** Aller en bas, vers le bas de quelque chose. *Marie-Tévy a descendu la pente. Antoine voudrait descendre des rapides en kayac.* **7.** Porter de haut en bas. *Julie a descendu des bouteilles vides à la cave. Les déménageurs descendent les meubles du camion.* **8.** Faire tomber, abattre. *Le pilote de chasse a descendu des avions ennemis.*

Cependant la Barbe-bleue, tenant un grand coutelas à la main, criait de toute sa force à sa femme : « Descends vite, ou je monterai là-haut » *(la Barbe-bleue).*

Le contraire de *descendre,* c'est *monter.*

Le bateau se mit à descendre la rivière à toute allure *(Charlie et la Chocolaterie).*

Julie *a* descendu les bouteilles mais Mme Bellec *est* descendue à la cave.

Autres membres de la famille : **① descendant, descendance, ② descendant, descente, redescendre.**

Famille de **descendre**

descente n. f.
1. Action de descendre, d'aller d'un lieu élevé dans un autre plus bas. *Marie-Tévy a fait une descente à ski sans tomber. L'ascenseur va plus vite à la montée qu'à la descente. Mme Roussel attend Antoine à la descente du train.* **2.** Chemin par lequel on descend. *Les conducteurs freinent dans les descentes.* **3.** *Une descente de lit,* c'est un petit tapis sur lequel on pose les pieds en descendant du lit ; vois ***carpette.*** *Mme Séverac a acheté des descentes de lit.*

Le contraire de *descente,* c'est *montée.*

Nous avons la chance qu'il nous tourne le dos. Profitez-en et poussez-moi à fond dans la descente *(les Contes du Chat perché).*

description n. f.
Action de décrire, de donner des détails sur ce qu'on voit. *Yasmina a fait la description de la boutique de son grand-père à Marrakech.*

Va voir aussi ***décrire.***

Attention au ***m*** devant le ***p*** dans *désemparé* !

désemparé adj.
Qui ne sait plus où il en est, ne sait plus que dire ou que faire. *Claire s'était perdue ; elle était désemparée quand des voisins l'ont trouvée au bord d'un chemin.*

sans **désemparer** adv.
Sans s'arrêter. *Pierre Séverac travaille sans désemparer depuis six heures du matin.*

Famille de **enchanter**

désenchanté adj.
Qui a perdu son enthousiasme ; vois ***désabusé, déçu.*** *Hippolyte regardait Angèle d'un air désenchanté.*

Elle avait encore refusé son invitation.

Famille de **équilibre**

déséquilibre n. m.
Absence d'équilibre. *Marie-Tévy était en position de déséquilibre sur ses skis,* elle risquait de tomber. *Les livres sont en déséquilibre.*

Le contraire de *déséquilibre,* c'est *équilibre.*

Conjugaison 1

▸ ***déséquilibrer*** v. **1.** Faire perdre l'équilibre. *Le judoka cherche à déséquilibrer son adversaire,* à le faire tomber. **2.** Faire perdre la raison, rendre un peu fou. *La disparition de leur fils les a déséquilibrés.*

Le contraire de *déséquilibrer,* c'est *équilibrer.*

▸ ***déséquilibré*** n. m., ***déséquilibrée*** n. f. Personne folle. *Le crime a été commis par un déséquilibré.*

« Mais, mon Dieu ! nous sommes sur une île ! s'écrie Babar. Une île déserte... Qu'allons-nous devenir ? » *(Babar).*

① ***désert*** adj.
1. Sans habitants ; vois ***inhabité.*** *Les naufragés ont pu atteindre une île déserte.* **2.** Qui a perdu, pour quelque temps, ses occupants. *Au mois d'août, la ville est déserte.*

J'ai toujours aimé le désert. On s'assoit sur une dune de sable. On ne voit rien. On n'entend rien. Et cependant quelque chose rayonne en silence *(le Petit Prince).*

▸ ② ***désert*** n. m. Région très sèche, sans végétation et très peu peuplée. *Des caravanes de chameaux traversent le désert.*

Le Sahara est le plus grand des déserts.

▸ ***déserter*** v. **1.** Abandonner un lieu où l'on était installé ; vois ***abandonner, quitter.*** *Les jeunes ont déserté ce village de montagne pour aller travailler en ville.* **2.** Abandonner l'armée sans permission. *Des soldats ont déserté.*

Conjugaison 1

▸ ***déserteur*** n. m. Soldat qui a déserté. *Les déserteurs sont sévèrement punis.*

Ils sont condamnés pour *désertion.*

▸ ***désertique*** adj. *Une région désertique,* c'est une région très sèche, sans végétation et très peu peuplée. *Les pionniers traversèrent des zones désertiques.*

Conjugaison 6
▭ Indic. présent : *je désespère, nous désespérons.*
Imparfait : *je désespérais.*
Futur : *je désespérerai.*

désespérer v.
1. Cesser d'espérer. *Il ne faut pas désespérer, le printemps revient toujours. Angèle désespère de retrouver ses clés.* **2.** Décourager, décevoir profondément. *L'étourderie d'Yves désespère Angèle, son institutrice.* **3.** *Se désespérer,* c'est perdre l'espoir, se désoler. *Marie-Tévy avait de mauvais résultats en français, mais elle ne s'est pas désespérée,* elle ne s'est pas découragée.

Famille de **espérer**

Cependant la Reine sa Mère, Qui n'a que lui d'enfant, pleure et se désespère *(Peau d'Âne).*

Au féminin : *désespérante.*
Le contraire de *désespérant,* c'est *encourageant, prometteur.*

▸ ***désespérant*** adj. Qui fait perdre espoir. *Yves refait toujours les mêmes fautes, c'est désespérant,* c'est décourageant. *Il fait un temps désespérant,* très mauvais.

▸ ***désespéré*** adj. **1.** Qui n'a plus aucun espoir. *L'homme désespéré s'est suicidé.* — n. *Le désespéré s'est pendu.* **2.** Qui montre du désespoir. *Marie-Tévy avait un regard désespéré,* très triste. **3.** Extrême, très grand. *Alex faisait des efforts désespérés pour sortir du lac dans lequel il était tombé.* **4.** Qui ne laisse aucune espérance. *Le blessé est dans un état désespéré,* on n'espère plus le guérir.

Prononce [dezɛspwaʀ].
Famille de **espoir**

désespoir n. m.
1. Très grande tristesse. *Pierre Séverac vit avec désespoir la grêle tomber sur ses champs de maïs.* **2.** Ce qui cause une grande contrariété. *Yasmina voudrait avoir les cheveux raides, ses cheveux frisés font son désespoir.* **3.** *Faire une chose en désespoir de cause,* c'est la faire parce que rien d'autre n'a réussi et sans qu'on soit sûr qu'elle ait du succès. *En désespoir de cause, Yasmina se brosse les cheveux pendant des heures.*

Le contraire de *désespoir,* c'est *espoir.*

N'oublie pas le ***h.***
Conjugaison 1
Famille de **habiller**

déshabiller v.
Déshabiller une personne, c'est lui enlever ses vêtements. *Sophie Pelletier déshabille son fils Martin avant de le coucher.* — *Claire s'est déshabillée et s'est baignée toute nue dans la rivière,* elle a enlevé tous ses vêtements.

Le contraire de *déshabiller,* c'est *habiller, rhabiller.*

N'oublie pas le ***h.***
Conjugaison 1
Famille de **herbe**

désherber v.
Désherber un terrain, c'est en enlever les mauvaises herbes ; vois ***sarcler.*** *Odile Séverac a désherbé l'allée.*

Un *désherbant* est un produit qui fait mourir les mauvaises herbes.

N'oublie pas le ***h.***

déshérité adj.
1. Privé d'héritage. *Un enfant déshérité ne reçoit presque rien à la mort de ses parents.* **2.** *Les personnes déshéritées,* ce sont les personnes pauvres qui ont le moins de chances de pouvoir améliorer leur sort ; vois ***défavorisé.*** *Le docteur Séverac va souvent en Afrique soigner les populations déshéritées.*

Famille de **hériter**

N'oublie pas le ***h*** de *déshonorer.*

déshonorer v.
Déshonorer une personne, c'est lui faire perdre son honneur, sa bonne

Conjugaison 1

Famille de **honorer**

réputation ; vois ***salir.*** *Lès calomnies que raconte Mme Harpie la déshonorent. — Colle et Rat se sont déshonorés en laissant punir Antoine à leur place.*

Vatel, maître d'hôtel du château de Chantilly, se crut déshonoré parce que le festin de la fête n'était pas prêt : il se suicida. Cela se passait en 1671.

Compare *déshonorant, honorable* et *honorifique* : on parle d'**honneur.**

▷ ***déshonorant*** adj. Qui déshonore. *Celui qui frappe un homme sans défense a une conduite déshonorante. Pleurer quand on a du chagrin n'est pas déshonorant,* ce n'est pas honteux.

Les flocons de pommes de terre, le lait en poudre sont déshydratés.

déshydraté adj.

Privé de son eau. *Les légumes déshydratés se conservent longtemps. Mme Séverac a la peau déshydratée,* sa peau est sèche.

Attention au ***h*** et au ***y***. Famille de **hydrater**

Conjugaison 1

désigner v.

1. Indiquer par un signe ; vois ***montrer.*** *Angèle a désigné Toulouse sur la carte de France.* **2.** Représenter. *Le mot « enfant » désigne un être humain en bas âge.* **3.** Choisir une personne pour faire quelque chose. *Antoine a été désigné par ses camarades pour aller acheter le cadeau de la maîtresse.*

Famille de **signe**

Quand on tire au sort, c'est le sort qui désigne le gagnant... ou celui qui doit faire la corvée !

Prononce [deziɲɑsjɔ̃].

▷ ***désignation*** n. f. Choix, nomination. *La désignation du successeur de M. Doucet a été difficile.*

Famille de **illusion**

désillusion n. f.

Déception provoquée par la perte d'une illusion. *Quelle désillusion pour Hippolyte quand Angèle a refusé de dîner avec lui !*

Conjugaison 1

désinfecter v.

Nettoyer en tuant les microbes. *Yves désinfecte à l'alcool la plaie qu'il s'est faite au genou.*

Famille de **infect**

Va voir aussi ***antiseptique.***

▷ ***désinfectant*** adj. Qui sert à désinfecter. *L'alcool est un produit désinfectant.* — n. m. *L'alcool est un désinfectant.*

L'eau de javel est un produit désinfectant.

▷ ***désinfection*** n. f. Nettoyage qui débarrasse des microbes. *Il faut procéder à la désinfection de la salle d'opération.*

Conjugaison 6 ▭ Indic. présent : *je désintègre, nous désintégrons.*

désintégrer v.

Détruire en faisant éclater en morceaux. *L'explosion a désintégré la fusée. — La fusée s'est désintégrée dans l'espace.*

Quand on désintègre l'uranium, on le transforme en énergie par la rupture des noyaux d'atomes.

Famille de **intégrer**

▷ ***désintégration*** n. f. Transformation des atomes d'un élément qu'on désintègre. *La désintégration de l'uranium produit de l'énergie nucléaire.*

Famille de **intérêt**

désintéressé adj.

Une personne désintéressée, c'est une personne qui n'agit pas par intérêt personnel, ne cherche pas d'avantage ni d'argent pour elle ; vois ***généreux.*** *Hippolyte s'occupe gratuitement du ciné-club, il est désintéressé.*

Le contraire de *désintéressé,* c'est *intéressé.*

▷ ***désintéressement*** n. m. Qualité d'une personne qui agit sans se soucier de son intérêt personnel. *Hippolyte s'occupe du ciné-club avec désintéressement ;* vois ***générosité.***

Le contraire de *désintéressement,* c'est *avidité.*

Conjugaison 1
Famille de **intérêt**

se ***désintéresser*** v.

Négliger, ne pas porter intérêt. *Dès qu'il a fait beau, les enfants se sont désintéressés de la télévision,* ils ne s'y sont plus intéressés.

Le contraire de *se désintéresser,* c'est *s'intéresser.*

Prononce [desɛ̃tɔksikasjɔ̃].

désintoxication n. f.

Traitement que suit une personne qui boit trop d'alcool ou qui se drogue, pour s'arrêter et ne pas recommencer. *On fait des cures de désintoxication à l'hôpital.*

Famille de **toxique**

Prononce [dezɛ̃vɔlt].

désinvolte adj.

Qui montre de l'insouciance et un peu d'insolence. *Antoine a répondu d'un ton désinvolte que cela lui était égal d'être privé de dessert.*

Ceux qui polluent la nature traitent notre environnement avec désinvolture.

▷ ***désinvolture*** n. f. *Agir avec désinvolture,* c'est agir avec sans-gêne ou avec négligence. *Alex n'a pas prévenu sa mère de son retard, il a agi avec désinvolture.*

Le contraire de *désinvolture,* c'est *respect, sérieux.*

Conjugaison 1

Il gémit, il pleure, il soupire,
Il ne dit rien, si ce n'est
qu'il désire
Que Peau d'Âne lui fasse un
gâteau de sa main
(Peau d'Âne).

désirer v.

1. Vouloir, avoir envie de quelque chose. *Angèle désire un appartement plus grand. Angèle désirerait déménager ;* vois **souhaiter. 2.** *Laisser à désirer,* c'est être imparfait. *Le goût de Mme Harpie laisse à désirer.* **3.** *Se faire désirer,* c'est se faire attendre. *Antoine se fait toujours désirer,* il est toujours en retard.

Quand on peut, disait-elle,
obtenir un Empire,
De l'or, des perles, des rubis,
Des diamants, de beaux habits,
Est-ce alors du Boudin qu'il
faut que l'on désire ?
(les Souhaits ridicules).

Compare : *désirer → désir* et *soupirer → soupir.*

▷ ***désir*** n. m. Envie d'avoir, de faire quelque chose. *Hippolyte a exprimé le désir de sortir avec Angèle. Claire est trop gâtée : Mamie Lou satisfait tous ses désirs !*

▸ ***désirable*** adj. Qui mérite d'être désiré. *Hippolyte pense qu'Angèle a toutes les qualités désirables pour devenir sa femme.*

Au féminin : *désireuse.*

▸ ***désireux*** adj. *Être désireux de faire quelque chose,* c'est avoir envie de faire quelque chose. *Hippolyte est désireux de faire la connaissance des frères d'Angèle.*

Autre membre de la famille : **indésirable.**

Conjugaison 1

se ***désister*** v.
Renoncer à se présenter au deuxième tour d'élections quand on n'a pas été élu au premier tour. *Mme Roussel s'est présentée aux élections de son comité d'entreprise et elle s'est désistée en faveur de Mme Selroux.*

On se désiste au profit d'un candidat qui a plus de voix et des idées assez voisines des siennes.

Conjugaison 2
Famille de **obéir**

désobéir v.
Ne pas faire ce qui était ordonné. *Julie a désobéi à ses parents, elle est sortie alors qu'elle était punie.*

Le contraire, c'est *obéir.*

« Mademoiselle, je devrais vous fouetter pour votre désobéissance »
(les Malheurs de Sophie).

▸ ***désobéissance*** n. f. Fait de désobéir. *Julie sera punie pour sa désobéissance.*

Le contraire, c'est *obéissance.*

▸ ***désobéissant*** adj. Qui désobéit. *Julie est souvent désobéissante.*

Le contraire, c'est *obéissant.*

désobligeant adj.
Peu aimable, désagréable. *Mme Harpie a encore fait des réflexions très désobligeantes au sujet de M. Doucet.*

Famille de ② **obliger**

Compare *désodorisant* et *inodore* : il s'agit d'**odeur.**

désodorisant n. m.
Produit qui chasse les mauvaises odeurs. *Sophie Pelletier utilise du désodorisant pour enlever les odeurs de cuisine dans la maison.*

Attention au *œ.*

désœuvré adj.
Qui n'a rien à faire. *Mme Séverac est rarement désœuvrée, elle trouve toujours quelque chose à faire.*

Famille de **œuvre**

▸ ***désœuvrement*** n. m. Manque d'occupation ; vois ***oisiveté.*** *Julie a taquiné son chat par désœuvrement,* pour passer le temps.

① ***désolé*** adj.
Inhabité et triste. *Alex et Réjean ont campé dans un endroit désolé au bord d'un lac.*

Conjugaison 1
Le contraire de *désoler,* c'est *réjouir.*

désoler v.
Faire de la peine, contrarier. *L'échec d'Alex au bac désole sa mère. — Hippolyte se désole de ne pas plaire à Angèle.*

Beau-Minou avait un seul défaut qui désolait Sophie : il était cruel pour les oiseaux
(les Malheurs de Sophie).

▸ ***désolant*** adj. Qui rend triste. *L'échec d'Alex est vraiment désolant.*

▸ ***désolation*** n. f. Grande tristesse. *Pierre Séverac regarde avec désolation son champ de maïs saccagé par la grêle.*

Babar a l'air si désolé que le photographe s'attendrit
(Babar).

▸ ② ***désolé*** adj. *Être désolé,* c'est être triste, regretter. *Excusez-moi, je suis désolé de vous avoir dérangé.*

Attention aux deux ***n*** !

désordonné adj.
Qui ne range pas ses affaires, manque d'ordre. *Julie est très désordonnée, elle laisse traîner ses affaires.*

Famille de ① **ordonner**

Famille de ① **ordre**

désordre n. m.
Absence d'ordre. *Julie a mis du désordre dans sa chambre. La chambre de Julie est en désordre.*

Julie ! tu pourrais ranger tes affaires !

Conjugaison 1
Même famille que **organiser**

désorganiser v.
Détruire l'organisation ; vois ***déranger.*** *La pluie a désorganisé mes plans.*

Le contraire de *désorganiser,* c'est *organiser.*

Le contraire de *désorganisation,* c'est *organisation.*

▸ ***désorganisation*** n. f. *Le directeur de la biscuiterie se plaint de la désorganisation du service comptabilité,* du fait que ce service soit désorganisé.

Conjugaison 1

désorienter v.
1. Faire perdre la bonne direction. *Les traces de sanglier que M. Bellec a suivies l'ont désorienté et il s'est perdu.* **2.** Rendre hésitant, déconcerter. *Cette nouvelle nous a désorientés.*

Famille de **orienter**

Il a retrouvé son chemin en s'orientant par rapport au soleil.

désormais adv.
À partir de maintenant ; vois ***dorénavant.*** *Désormais, la piscine sera ouverte le mardi jusqu'à 22 heures.*

Conjugaison 1
Famille de **os**

désosser v.
Enlever les os. *Le charcutier a désossé le rôti de porc.*

despote n. m.
Souverain qui a un pouvoir absolu ; vois **tyran**. *Les despotes sont souvent injustes et ne sont pas aimés de leurs sujets.*

desquels, desquelles va voir **lequel**.

Conjugaison 2

dessaisir v.
1. *Dessaisir un tribunal d'une affaire,* c'est enlever une affaire à un tribunal. *Le tribunal a été dessaisi d'une affaire qu'il devait juger le mois prochain.* **2.** *Se dessaisir d'une chose,* c'est la céder, s'en séparer. *Pour rien au monde, Antoine ne se dessaisirait de sa collection de papillons.*

Famille de **saisir**

Le contraire de *se dessaisir,* c'est *garder.*

Conjugaison 1

dessaler v.
Enlever le sel, complètement ou en partie. *M. Bellec a fait tremper de la morue pour la dessaler. Il a mis de la morue à dessaler.*

Famille de **saler**

dessécher v.
1. Rendre sec. *La chaleur a desséché la terre. Le froid dessèche la peau. — La peau se dessèche quand il fait très froid ou très chaud.* **2.** Rendre insensible. *Qu'est-ce qui a pu dessécher le cœur de Mme Harpie ?*

Je vis avec bonheur ses lèvres desséchées par la soif se tremper dans le lait rafraîchissant des noix de coco *(les Vacances).*

Conjugaison 6
Famille de **sec**

dessein n. m.
1. Projet. *Il y a longtemps qu'Alex a formé le dessein d'aller au Québec.* **2.** *À dessein,* exprès. *C'est à dessein que Mme Roussel n'a pas répondu à l'invitation de sa sœur.*

Ne confonds pas *dessein* et *dessin.*

Elle n'avait pas envie de la voir.

Conjugaison 1
Attention ! deux ***s*** et deux ***r***.
Famille de **serrer**

desserrer v.
Relâcher ce qui est serré. *Angèle desserre le frein à main de sa voiture. — Les vis se sont desserrées et la poignée de la porte est tombée.*

Ne pas desserrer les dents, c'est ne pas parler du tout.

dessert n. m.
1. Plat que l'on sert à la fin du repas, après le fromage. *Antoine aime beaucoup les desserts que prépare sa mère. Quand Mme Roussel veut punir son fils, elle le prive de dessert.* **2.** Moment où l'on sert le dessert. *Le maire est passé voir Mme Séverac après le dessert.*

Si tu es bien sage et tu te conduis comme un grand garçon, a dit Maman, ce soir pour le dessert, il y aura de la tarte *(le Petit Nicolas).*

Les gâteaux, les glaces, les fruits sont des desserts.

Conjugaison 14
Famille de **servir**

desservir v.
1. *Un train dessert la ville,* il s'y arrête. *Des trains et des cars très nombreux desservent notre ville. C'est une ville bien desservie,* elle est reliée aux autres villes par de nombreux moyens de transport. **2.** *Desservir la table,* c'est enlever les plats qui ont été servis ; vois **débarrasser**. *Le serveur desservait la table quand M. Bellec est venu saluer ses clients.* **3.** Rendre un mauvais service. *Yves a un mauvais caractère qui le dessert ;* vois **nuire**.

Des trains et des cars assurent la *desserte* de la ville.

Le contraire de *desservir,* c'est *aider.*

M. Bellec est le patron du restaurant.

Ne confonds pas *dessin* et *dessein.*

dessin n. m.
1. Représentation d'un objet, traits que l'on trace sur une surface. *Claire fait un dessin pour Mamie Lou. Sophie Pelletier a affiché des dessins de sa fille dans sa chambre.* **2.** *Un dessin animé,* c'est un film composé de dessins qui s'enchaînent. *Angèle a emmené ses élèves voir un dessin animé au cinéma. Claire aime beaucoup les dessins animés.* **3.** L'art de dessiner. *Sophie Pelletier a suivi des cours de dessin.*

Connais-tu Walt Disney, Tex Avery, Jean Image, Paul Grimault, Jiri Trnka qui ont fait de nombreux dessins animés ?

Mon dessin ne représentait pas un chapeau. Il représentait un serpent boa qui digérait un éléphant *(le Petit Prince).*

Conjugaison 1

▸ **dessiner** v. **1.** Faire un dessin. *Claire dessine sa maison,* elle représente sa maison par un dessin. *Sophie Pelletier dessine bien.* **2.** *Se dessiner,* c'est apparaître avec un contour net. *Nathalie et David savent qu'ils sont bientôt arrivés à la ferme, ils voient la colline se dessiner au loin.*

S'il vous plaît... dessine-moi un mouton *(le Petit Prince).*

Mes cheveux ne se tiennent pas droits comme j'ai fait, mais ils sont plus faciles à dessiner de cette manière-là *(Histoires comme ça).*

▸ **dessiné** adj. Représenté par le dessin. *La maison dessinée par Claire n'a pas de cheminée.*

Va voir *bande dessinée* à ***bande.***

▸ **dessinateur** n. m., **dessinatrice** n. f. Personne dont le métier est de dessiner. *Sophie Pelletier aurait aimé être dessinatrice de mode.*

Compare : *dessiner → dessinateur* et *explorer → explorateur.*

Famille de ① **de** et de **sous**

dessous adv., préposition et n. m.
▭ **adv. et préposition** À la partie inférieure, sous quelque chose. *Le prix du vase est marqué dessous. Pour aller dans le champ, David a enjambé les fils de fer barbelés, Claire est passé par-dessous. Claire est passée par-dessous les fils de fer barbelés. Que fais-tu là-dessous ? Mme Séverac a des robes qui lui arrivent au-dessous du genou,* plus bas que le genou.

Alors le locataire qui est en dessous a tendance à envier celui qui est au-dessus et à mépriser celui qui est en dessous (R. Devos).

Le contraire de *dessous,* c'est *dessus.*

Attention au trait d'union de *par-dessous, là-dessous, au-dessous, ci-dessous.*

Vous êtes en train de lire l'article « dessous » ; vous trouverez ci-dessous l'article « dessus » !

Vous trouverez ci-dessous le nom des personnes qui étaient présentes à la réunion, sous ce que l'on vient d'écrire.

En hiver, les températures sont souvent au-dessous de zéro.

Avoir le dessous, être perdant.

▭ **n. m. 1.** Ce qui est sous quelque chose, plus bas que quelque chose. *Le prix du vase est collé sur le dessous. Angèle a une amie qui habite à l'étage du dessous.* **2.** *Des dessous,* ce sont des sous-vêtements féminins. *En hiver, Claire met des dessous bien chauds.*

Des *dessous-de-bouteille,* des *dessous-de-plat* se mettent sous les bouteilles, sous les plats.

dessus adv., préposition et n. m.

Cunégonde, veux-tu du fromage ? Oui, papa, avec du beurre dessus ! (comptine).

1. adv. et préposition À la face supérieure, sur quelque chose. *Attention, cette chaise est cassée, ne vous asseyez pas dessus ! Alex a sauté par-dessus la barrière. Mamie Lou aime son fils Louis par-dessus tout,* plus que tout. *Les enfants avaient cueilli des noisettes mais ils n'avaient pu attraper celles qui étaient au-dessus. Là-dessus, Pierre Séverac est arrivé,* sur ce. *Il a pu attraper les noisettes dont nous parlions ci-dessus,* dont nous parlions plus haut. *Mamie Lou cherche ses lunettes, elle n'arrive pas à mettre la main dessus,* à les trouver. **2.** n. m. Ce qui est sur quelque chose, partie supérieure de quelque chose. *Mme Séverac cire le dessus de la table. Les voisins du dessus sont très bruyants.*

Le contraire de *dessus,* c'est *dessous.*

En avoir par-dessus la tête, en avoir assez.

Allan demande au capitaine Haddock s'il dort avec la barbe au-dessus ou en dessous des couvertures.

Attention au trait d'union de *par-dessus, au-dessus, là-dessus, ci-dessus* !

Avoir le dessus, gagner.

Remarquez... moi je lui céderais bien mon appartement à celui du dessous à condition d'obtenir celui du dessus ! (R. Devos).

Famille de **lit**

▸ ***dessus-de-lit*** n. m. invariable Tissu qui recouvre un lit. *Mme Séverac a acheté des dessus-de-lit pour les lits des enfants.*

Conjugaison 1

destiner v.

1. Décider à l'avance de l'attribution de quelque chose, de l'emploi de quelque chose. *Les remarques de l'institutrice étaient destinées à Yves. Angèle destine ses économies à l'achat d'une nouvelle voiture.* **2.** Préparer quelqu'un à un emploi, un état. *Les parents d'Angèle la destinaient à l'enseignement. — Antoine se destine à l'astronomie.*

Les livres de la comtesse de Ségur sont destinés aux enfants.

▸ ***destin*** n. m. **1.** Ensemble des fatalités et des hasards qui composent la vie et contre lesquels on ne peut rien faire ; vois ***sort.*** *Parfois le destin fait bien les choses.* **2.** Ce que deviendra quelque chose. *Personne ne sait ce que sera le destin de ce film,* quel sera son avenir.

Suleiman-bin-Daoud dit à Balkis : Ô ma Dame et Contentement de mon cœur, je continuerai d'endurer mon destin, aux mains de ces neuf cent quatre-vingt-dix-neuf reines qui me vexent de leurs continuelles disputes *(Histoires comme ça).*

▸ ***destinée*** n. f. Destin. *Denis Prost et Sophie Pelletier ont uni leurs destinées,* leurs vies.

Le Prince, par hasard, ou par sa destinée,
Prit une route détournée,
Où nul des chasseurs ne le suit
(Grisélidis).

▸ ***destination*** n. f. **1.** Ce pour quoi une chose est faite ; vois ***usage.*** *Je ne vois pas la destination de cet engin,* à quoi il sert. **2.** Lieu où l'on va. *Marseille est la destination de ce train. Ce train est à destination de Marseille.*

Le car *à destination de* Caen, c'est le car *pour* Caen.

▸ ***destinataire*** n. m. et f. Personne à qui est envoyé quelque chose. *Nathalie est la destinataire de la lettre de Sylvain.*

Sylvain est l'*expéditeur* de cette lettre.

Conjugaison 1

destituer v.

Destituer quelqu'un, c'est le priver de sa fonction, de son emploi. *Le capitaine de gendarmerie a été destitué pour faute professionnelle ;* vois ***licencier, renvoyer.***

destruction n. f.

1. Démolition. *Le conseil municipal a décidé la destruction de vieux immeubles pour permettre la construction d'un nouveau gymnase.* **2.** Extermination. *La destruction des insectes se fait avec des insecticides.*

Le contraire de *destruction,* c'est *construction, édification.*

Va voir aussi ***détruire.***

désuet adj.

Qui fait ancien, démodé. *Sophie Pelletier a des gravures anciennes qui ont un charme désuet.*

Un *mot désuet* est un mot que l'on n'emploie plus.

Au féminin : *désuète.*

Conjugaison 2

désunir v.

Brouiller. *Des questions d'héritage ont désuni les membres de la famille ;* vois ***séparer.***

Le contraire de *désunir,* c'est *unir.*

Compare : *unir* → *désunir* et *habituer* → *déshabituer.*

Même famille que **unir**

▸ ***désunion*** n. f. Désaccord entre des personnes qui devraient être unies ; vois ***division.*** *Cet héritage jette la désunion dans la famille.*

Le contraire de *désunion,* c'est *union.*

Famille de **tache**

détachant n. m.

Produit qui enlève les taches. *Mme Séverac essaie de faire disparaître une tache de graisse avec du détachant.*

Va voir aussi ② ***détacher.***

Famille de ① **détacher**

détaché adj.

Des pièces détachées, ce sont des pièces qui sont vendues séparément pour remplacer les pièces usées d'un moteur, d'un mécanisme. *Mme Roussel a trouvé un nouveau bol à mixer au rayon des pièces détachées.*

Famille de ① **détacher**

détachement n. m.

1. Petit groupe de soldats qui quittent la troupe pour un service spécial. *On avait envoyé un détachement militaire observer les positions ennemies.* **2.** Indifférence. *Mme Roussel a parlé de son divorce avec le plus grand détachement.*

Conjugaison 1

Niko a réussi à détacher Tintin. Il était temps. L'eau leur arrivait à la poitrine.

Dans une maison humide, les papiers peints se détachent des murs.

Autres membres de la famille : **détaché, détachement.**

① détacher v.

1. Dégager de ce qui tenait attaché. *Les gendarmes ont détaché le prisonnier,* ils ont enlevé les cordes qui l'attachaient. *Le soir, les chiens sont détachés. Yasmina s'est détaché les cheveux.* **2.** Séparer quelque chose de ce à quoi il était attaché. *Yasmina détache un timbre en suivant le pointillé. — Les fruits mûrs se détachent de l'arbre,* ils s'en séparent et tombent. **3.** *Détacher quelqu'un,* c'est le faire partir loin d'autres personnes, pour faire quelque chose de précis. *Le commandant a détaché des éclaireurs.* **4.** Faire apparaître nettement. *Angèle détache les mots de la dictée,* elle les prononce bien séparément. — *Son visage se détache bien sur le fond sombre ;* vois ***ressortir.*** **5.** *Se détacher de quelqu'un,* c'est perdre l'affection, l'amitié que l'on avait pour lui. *Les parents d'Antoine se sont détachés l'un de l'autre.*

Le contraire de *détacher,* c'est *attacher.*

Sur ton cahier, tu mets le titre de la leçon au milieu de la ligne pour le détacher.

Ils ont divorcé.

Conjugaison 1

Famille de **tache**

② détacher v.

Enlever des taches. *Mme Séverac détache la cravate de son mari.*

Va voir aussi ***détachant.***

Conjugaison 1

▭ Indic. imparfait : *je détaillais, nous détaillions.*

Il donne un plan *détaillé.*

détailler v.

1. Vendre au détail, par petites quantités. *Le commerçant détaillait les verres.* **2.** Examiner en détail. *Julie a détaillé le nouvel arrivant des pieds à la tête.* **3.** Donner tous les détails à propos de quelque chose. *Le général détaille son plan aux officiers.*

Compare : *détailler → détail* et *travailler → travail.*

Détail [detaj] rime avec *travail* et *médaille.*

On joue avec mon premier,
Mon second change souvent
quand on est enfant.
Mon tout n'est pas toujours
important.

▸ ***détail*** n. m. **1.** *Un détail,* c'est un élément peu important dont on pourrait, à la rigueur, se passer. *Quand Antoine raconte des histoires, il ajoute toujours des détails amusants.* **2.** Description minutieuse, très précise. *Yasmina a raconté son voyage au Maroc en détail.* **3.** *Vendre au détail,* c'est vendre à la pièce, en petites quantités. *Vous n'êtes pas obligé d'acheter les six verres, nous les vendons au détail. Mme Harpie a un commerce de détail,* où l'on vend par petites quantités aux particuliers.

Photographier un détail d'une œuvre d'art, c'est en photographier une partie, souvent en l'agrandissant.

Le contraire de *au détail,* c'est *en gros.*

Le contraire de *détaillant,* c'est *grossiste.*

▸ ***détaillant*** n. m., ***détaillante*** n. f. Personne qui a un commerce de détail. *Mme Harpie est une détaillante.*

Conjugaison 1

détaler v.

Partir subitement en courant ; vois ***déguerpir, filer.*** *Colle et Rat, surpris par la directrice de l'école, détalèrent. Le voleur a détalé comme un lapin.*

Conjugaison 1

On détartre ce qui est *entartré.*

détartrer v.

Enlever le tartre. *Mme Roussel se fait détartrer les dents par le dentiste. Mme Hespel met du vinaigre dans la bouilloire pour la détartrer.*

Famille de **tartre**

L'eau calcaire dépose du tartre.

Conjugaison 1

Famille de **taxe**

détaxer v.

Détaxer un produit, c'est diminuer ou supprimer la taxe qui est dessus. *Dans les aéroports, le parfum, les cigarettes et les alcools sont détaxés.*

Le contraire de *détaxer,* c'est *taxer.*

Conjugaison 1

détecter v.

Détecter quelque chose, c'est découvrir la présence de quelque chose de caché. *Le plombier détecte une fuite de gaz. Le docteur Séverac a détecté une maladie du cœur.*

Les enfants du Club des Cinq sont d'excellents détectives.

détective n. m.

Personne qui fait des enquêtes policières pour un client. *Le détective recherchait une personne disparue.*

On dit aussi un *détective privé.*

Conjugaison 52 ▭ Indic. présent : *ils déteignent.* Imparfait : *ils déteignaient.* Futur : *ils déteindront.*

déteindre v.

1. Perdre sa couleur. *La jupe rouge de Julie a déteint au lavage ;* vois se ***décolorer.*** **2.** *Déteindre sur quelque chose,* c'est lui donner un peu de sa couleur. *Les chaussettes d'Yves ont déteint sur le chemisier blanc de sa mère.*

Famille de **teindre**

Conjugaison 4
▭ Indic. présent : *il dételle, nous dételons.*

dételer v.

1. Détacher une bête attelée. *Pierre Séverac dételle l'âne.* **2.** *Le cocher a dételé la diligence,* il a détaché les chevaux de la diligence.

Le contraire de *dételer,* c'est *atteler.*

Conjugaison 41
▭ Indic. présent : *je détends, nous détendons.* Imparfait : *je détendais.* Futur : *je détendrai.* Passé simple : *je détendis.*

détendre v.

1. Rendre un objet moins tendu, moins tiré. *Yves a détendu une des cordes de sa guitare. Le serre-tête de Yasmina est détendu ; il tombe sur son front. — Quand on ouvre la boîte, le ressort se détend et le bonhomme sort.* **2.** Délasser, supprimer la fatigue nerveuse ou intellectuelle. *Allons au cinéma : cela nous détendra. — Mme Roussel s'est détendue en prenant un bain chaud ;* vois *se* ***décontracter.***

Famille de ① **tendre**

Le contraire de *détendre,* c'est ① *tendre.*

Va voir aussi ***détente.***

Le contraire de *détendu,* c'est *tendu.*

▹ ***détendu*** adj. Calme, pas nerveux. *Le docteur Séverac avait l'air détendu ;* vois ***décontracté.***

Conjugaison 22
▭ Indic. présent : *je détiens, nous détenons.* Futur : *je détiendrai, nous détiendrons.*

détenir v.

1. Garder, tenir en sa possession. *Ce brocanteur détenait des objets volés.* **2.** Avoir, posséder. *Le record du monde du cent mètres brasse qui était détenu par une nageuse américaine vient d'être battu.* **3.** Retenir quelqu'un prisonnier. *Les voleurs détiennent le caissier de la banque comme otage.*

Famille de **tenir**

Va voir aussi ***détention, détenu.***

Même famille que **détendre**

détente n. f.

1. Mouvement rapide du sportif quand il projette son corps ou une partie de son corps en avant. *Grâce à sa détente, le gardien de but a pu bloquer le ballon.* **2.** Pièce d'une arme à feu qui sert à faire partir le coup. *Le policier a visé les jambes du malfaiteur et appuyé sur la détente.* **3.** Repos ; vois ***délassement, répit.*** *Mme Hespel n'a pas beaucoup de moments de détente.* **4.** *Le gouvernement mène une politique de détente,* qui vise à diminuer les tensions et les risques de guerre.

Le sportif est comparé à un ressort qui se détend !

Va voir aussi ***détendu.***

détention n. f.

Le fait d'être en prison ; vois ***emprisonnement, réclusion.*** *Le tribunal a condamné le chauffard à un mois de détention.*

Va voir aussi ***détenir, détenu.***

détenu n. m., *détenue* n. f.

Personne en prison ; vois ***prisonnier.*** *Le juge a convoqué le détenu dans son bureau.*

Va voir aussi ***détenir, détention.***

Famille de **tenir**

On dit aussi : un *produit détergent.*

détergent n. m.

Produit nettoyant qui dissout les saletés. *Les lessives sont des détergents.*

Conjugaison 1

détériorer v.

1. Mettre en mauvais état ; rendre inutilisable ; vois ***abîmer, endommager.*** *L'humidité a détérioré les livres. — La viande hachée se détériore très vite,* elle s'abîme très vite. **2.** *Se détériorer,* c'est devenir moins bien, moins bon. *Les rapports entre les parents d'Antoine s'étaient détériorés.*

Le contraire de *se détériorer,* c'est *s'améliorer.*

▹ ***détérioration*** n. f. Le fait d'être abîmé, détérioré. *Une fuite d'eau a provoqué la détérioration de la peinture.*

Le contraire de *détérioration,* c'est *amélioration.*

Conjugaison 1

déterminer v.

1. Indiquer, établir avec précision. *Une enquête permettra de déterminer les causes de l'accident. La date de lancement de la fusée a été déterminée,* la date a été fixée, choisie. **2.** Être la cause de quelque chose ; vois ***causer, provoquer.*** *Le manque de travail a déterminé l'échec d'Alex au baccalauréat.* **3.** *Déterminer quelqu'un,* c'est l'amener à agir d'une certaine façon ; vois ***décider.*** *Qu'est-ce qui a déterminé le docteur Séverac à choisir sa profession ? — Hippolyte ne se déterminait pas à partir,* il ne se décidait pas à partir.

Les déterminants déterminent le nom.

J'ai passé cinq années entouré de dangers et avec l'homme le plus courageux, le plus déterminé que je connaisse
(les Vacances).

▹ ***déterminé*** adj. Décidé, résolu. *Julie est très déterminée ; elle ira à ce goûter même si ses parents ne veulent pas.*

▹ ***déterminant*** adj. et n. **1.** adj. Qui amène à agir de telle ou telle façon. *La peur de s'ennuyer de sa mère a été déterminante dans le refus de Claire d'aller en colonie de vacances.* **2.** n. m. Vois l'encadré ci-dessous.

▹ ***détermination*** n. f. Manière de se comporter d'une personne décidée, qui sait ce qu'elle veut. *Avec calme, mais détermination, Mme Roussel a dit à sa sœur qu'elle ne lui prêterait plus d'argent.*

Autre membre de la famille : **indéterminé.**

le déterminant

■ Le déterminant est un mot qui précède le nom, qui s'accorde avec lui, et qui n'est pas un adjectif qualificatif. C'est un constituant du groupe du nom.
Parmi les déterminants on distingue
- les articles définis : *le, la, les ;*
- les articles indéfinis : *un, une, des ;*
- les articles partitifs : *du, de la ;*
- les adjectifs démonstratifs : *ce, cet, cette, ces ;*
- les adjectifs possessifs : *mon, ma, mes, ton, ta, tes, son, sa, ses, notre, nos, votre, vos, leur, leurs ;*
- les adjectifs numéraux ordinaux : *premier, deuxième, troisième...*
- les adjectifs numéraux cardinaux : *un, deux, trois...*
- les adjectifs indéfinis : *aucun, certain, chaque, différents, divers, maint, nul, plusieurs, quelque, tel, tout.*

■ Dans un groupe du nom, il peut y avoir plusieurs déterminants :
Un bébé boit un biberon ***toutes les quatre*** *heures.*

■ Va voir à l'article concernant chacun de ces mots comment il s'emploie.

Conjugaison 1
Famille de **terre**

déterrer v.
Sortir de terre ce qui y était enfoui. *Le chien a déterré un os.*

Le contraire, c'est *enterrer.*

Conjugaison 1

Méchante Sophie, se disait Marguerite, c'est elle qui est la cause du chagrin de ma pauvre Camille. Je la déteste
(les Petites Filles modèles).

détester v.
1. Ne pas aimer du tout ; vois ***haïr.*** *Tous les gens qui connaissent Mme Harpie la détestent. Julie déteste le fromage. — M. Doucet et Mme Harpie se détestent.* **2.** Ne pas pouvoir supporter. *Le docteur Séverac déteste être dérangé quand il travaille.*
▸ ***détestable*** adj. Très désagréable, très mauvais. *Ne m'énerve pas ; je suis d'une humeur détestable ;* vois ***exécrable.*** *Quel temps détestable ! ;* vois ***abominable, affreux.***

Le contraire de *détester,* c'est *aimer, adorer.*

Attention ! *détoner* s'écrit avec un seul ***n.*** Ne confonds pas *détoner* et *détonner.*

Avec un seul détonateur, on peut faire sauter plusieurs charges d'explosif.

détoner v.
Exploser avec bruit. *Le chimiste a fait détoner un gaz.*
▸ ***détonateur*** n. m. Ce qui sert à provoquer la détonation d'un explosif. *Le soldat appuie sur le détonateur.*
▸ ***détonation*** n. f. Bruit soudain et violent de ce qui explose. *Les voisins ont entendu des détonations et ont appelé immédiatement la police,* des coups de feu.

Conjugaison 1
Famille de **tonner**

La détonation fait un bruit de tonnerre.

Deux ***n*** à *détonner* !
Ne confonds pas *détonner* et *détoner.*

détonner v.
1. Chanter faux, ne pas être dans le ton. *Antoine ! tu détonnes.* **2.** Ne pas aller ensemble ; vois ③ ***jurer.*** *Ces deux rouges détonnent,* ils ne sont pas en harmonie.

Conjugaison 1
Famille de ② **ton**

Même famille que **détourner**

détour n. m.
1. Chemin, rivière qui ne suit pas une ligne droite. *La route fait des détours par le port et la zone industrielle. M. Bellec a vu un sanglier au détour du chemin,* à un tournant. **2.** Action de parcourir un chemin plus long que le chemin direct. *Les Séverac ont fait un détour par Saint-Savin quand ils sont partis en vacances ;* vois ***crochet.*** **3.** *Sans détour,* directement, simplement. *Je vous le dis sans détour,* franchement.

Le contraire de *détour,* c'est *raccourci.*

Conjugaison 1
Détourner quelqu'un de sa route, c'est l'écarter du chemin qu'il devait suivre.

C'est toujours pour éviter de voir ou d'être vu que l'on détourne le regard ou la tête.

détourner v.
1. Changer la direction. *Des pirates de l'air ont détourné l'avion. Antoine ne voulait pas parler de son père, il détourna la conversation ;* vois ***dévier.***
2. Tourner d'un autre côté. *Marie-Tévy détourne la tête quand elle croise Mme Harpie. — Yasmina s'est détournée pour cacher ses larmes.*
3. *Détourner de l'argent,* c'est prendre et garder pour soi de l'argent, d'une façon malhonnête ; vois ***voler.*** *Le caissier de la banque a détourné cent mille francs.*

Famille de **tourner**
Les paysans détournent parfois des rivières pour irriguer leurs champs.

Le père et la mère, les voyant occupés à travailler [...] s'enfuirent tout à coup par un petit sentier détourné
(le Petit Poucet).

▸ ***détourné*** adj. Qui n'est pas direct, fait des détours. *Les bandits empruntèrent des chemins détournés pour éviter les barrages de police. Mme Roussel a des ennuis d'argent ; elle m'en a parlé de façon détournée,* elle ne m'en a pas parlé directement.

Le contraire de *détourné,* c'est *direct.*

▸ ***détournement*** n. m. **1.** Action de changer la direction. *Les pirates de l'air sont jugés pour plusieurs détournements d'avion.* **2.** Action de soustraire à son profit ; vois ***vol.*** *Le caissier est accusé de détournement de fonds.*

Le premier détournement d'avion a eu lieu au Pérou en 1930.

Conjugaison 1

détraquer v.
Détraquer un appareil, c'est l'abîmer, faire qu'il ne fonctionne plus correctement ; vois ***dérégler.*** *Julie, ne touche pas les boutons du poste de télévision, tu vas le détraquer. — Ces machines se détraquent vite.*

Conjugaison 1

détremper v.
Amollir en mélangeant avec un liquide. *La pluie a détrempé les chemins,* elle les a beaucoup mouillés. *Le sol est détrempé.*

Famille de **tremper**

détresse n. f.
1. Situation très pénible ; vois ***malheur, misère.*** *La détresse de ces pauvres gens a ému le docteur Séverac.* **2.** Situation périlleuse d'un bateau ou d'un avion. *L'avion est en détresse ; le pilote va essayer d'atterrir dans un champ.*

S. O. S. est un *appel de détresse.*

Va voir aussi **perdition.**

au **détriment** de préposition
Au détriment de quelqu'un, au désavantage de quelqu'un. *Julie a pris la plus grosse part du gâteau au détriment de ses invités. La caissière s'est trompée à mon détriment,* à mon désavantage.

Quand on travaille très vite, c'est souvent au détriment de la qualité !

Le contraire de *au détriment,* c'est *à l'avantage.*

détritus n. m. plur.
Restes sales ou inutilisables, ordures. *Le chien cherche un os au milieu des détritus dans la poubelle.*

Détritus [detʀitys] rime avec *autobus, puce* et *russe.*

détroit n. m.
Bras de mer entre deux terres rapprochées, qui fait communiquer deux mers. *Le Pas de Calais est un détroit entre la France et l'Angleterre qui fait communiquer la Manche et la mer du Nord.*

Le détroit de Gibraltar sépare l'Europe de l'Afrique et fait communiquer l'océan Atlantique et la Méditerranée.

Conjugaison 1

détromper v.
Détromper une personne, c'est lui dire ou lui montrer qu'elle se trompe. *Mme Roussel n'a pas osé détromper son chef. — Détrompez-vous !,* n'en croyez rien.

Famille de **tromper**

N'oublie pas l'accent circonflexe du *ô.*

détrôner v.
1. *Détrôner un roi,* c'est lui enlever son pouvoir, le chasser du trône. *La Révolution de 1848 détrôna Louis-Philippe.* **2.** Faire passer au second rang ; vois ***éclipser, supplanter.*** *La machine à laver a détrôné la lessiveuse,* elle a pris sa place ; vois ***éliminer.***

Conjugaison 1
Famille de **trône**

Conjugaison 38
▭ Indic. présent : *je détruis, nous détruisons.*

Va voir aussi ***destruction.***

détruire v.
1. Défaire complètement une construction ; vois ***abattre, démolir, raser.*** *Les vieilles maisons qui se trouvaient à l'emplacement du nouveau gymnase ont été détruites.* **2.** Faire disparaître ; vois ***anéantir.*** *L'espion a détruit le message en l'avalant.* **3.** Faire mourir. *Pierre Séverac a pulvérisé du produit pour détruire les doryphores.*

Le contraire de *détruire,* c'est *construire.*

Ce qu'on ne peut pas détruire est *indestructible.*

Avoir une dette de reconnaissance envers quelqu'un, c'est devoir lui être reconnaissant.

dette n. f.
Somme d'argent qu'une personne doit à une autre. *Mme Harpie a emprunté plusieurs sommes d'argent à sa sœur, elle doit rembourser ses dettes.*

Autre membre de la famille : **endetter**.

Deuil [dœj] rime avec *œil.*

deuil n. m.
1. Mort d'une personne de la famille ou d'un ami. *Il y a eu un deuil dans la famille de Julie.* **2.** *Être en deuil,* c'est mettre des vêtements noirs en signe de tristesse parce que l'on a perdu un membre de sa famille. *Sophie Pelletier était encore en deuil.*

Sa grand-mère est morte.

On dit aussi *porter le deuil.*

N'oublie pas le ***x*** à la fin de *deu**x*** [dø].

deux adj. et n. m. invariable

▭ **adj. invariable 1.** Un plus un. *Mme Hespel a deux fils. M. Bonnot lit le tome deux des « Misérables ». 2. La boutique de Mme Harpie n'est pas loin, vous y serez en deux minutes,* en quelques minutes.

2 en chiffre arabe
II en chiffres romains

Jamais deux sans trois (proverbe).

▭ **n. m. invariable** Le nombre deux. *Un et un font deux. Mettez-vous en rang deux par deux. Le docteur Séverac rentre le deux,* le deuxième jour du mois.

Entre les deux
Mon cœur balance,
Je ne sais pas
Lequel aimer des deux
(chanson).

Compare : *deux → deuxième, six → sixième* et *dix → dixième.*

▸ ***deuxième*** adj. Qui succède au premier. *Angèle a posé une deuxième fois sa question ;* vois ***second.*** *Le bureau de la directrice est au deuxième étage.*

Son bureau est au *deuxième.*

Prononce [døzjɛmmɑ̃].

▸ ***deuxièmement*** adv. En deuxième lieu. *Julie a deux raisons d'être contente : premièrement, c'est dimanche, deuxièmement, c'est son anniversaire.*

Au pluriel : *des deux-pièces.*
Famille de ① **pièce**

▸ ***deux-pièces*** n. m. invariable Maillot de bain formé de deux parties, un slip et un soutien-gorge. *Angèle n'aime pas être en deux-pièces pour nager.*

Elle préfère mettre un maillot une pièce.

Conjugaison 1

dévaler v.

Aller vers le bas, descendre très rapidement. *Le skieur dévalait la pente à grande vitesse. La lave dévale du volcan.*

Famille de **val**

Conjugaison 1
Famille de **valise**

dévaliser v.

Prendre de force tout ce qu'une personne a sur elle ou avec elle. *Les cambrioleurs ont dévalisé la bijouterie,* ils ont volé tout ce qu'elle contenait.

Conjugaison 1

dévaloriser v.

Faire perdre sa valeur, diminuer la valeur. *Le gouvernement a dévalorisé le franc ;* vois ***dévaluer.*** *Colle et Rat cherchent à dévaloriser Marie-Tévy ;* vois ***rabaisser.***

Famille de **valoir**

Conjugaison 1
▭ Indic. futur : *je dévaluerai.*

dévaluer v.

Le gouvernement a dévalué la monnaie, il a diminué sa valeur par rapport aux monnaies des autres pays ; vois ***dévaloriser.*** — *Se dévaluer,* c'est perdre de sa valeur. *À la Bourse, ce matin, le franc qui s'était dévalué la semaine dernière commence à remonter.*

Famille de **valoir**

▸ ***dévaluation*** n. f. Diminution de la valeur d'une monnaie par rapport aux monnaies des autres pays. *Il y a eu de nombreux touristes étrangers en France cet été, en raison de la dévaluation du franc.*

Conjugaison 3 ; attention au ***ç*** devant ***a*** et ***o*** !

devancer v.

1. *Devancer quelqu'un,* c'est être devant lui. *Le nageur qui devance les autres, celui qui va gagner, c'est Yves ! Yves a devancé Antoine de quelques secondes,* il est arrivé quelques secondes avant Antoine. **2.** *Devancer les désirs d'une personne,* c'est les deviner, aller au-devant d'eux. *Sylvain a devancé les désirs de Nathalie en lui écrivant dès son arrivée.* **3.** *Devancer l'appel,* c'est s'engager dans l'armée avant l'âge du service militaire. *Ce n'est pas Alex qui devancera l'appel !*

Famille de **devant**
Le contraire de *devancer,* c'est *suivre.*

Compare : *devant → devancer* et *avant → avancer.*

devant adv., préposition et n. m.

▭ **adv. et préposition 1.** En avant. *Yves est passé devant Antoine. Yves est passé devant. Quand la Lune passe devant le Soleil, il y a une éclipse de Soleil. Ce tablier se boutonne devant,* sur la poitrine, sur le ventre. **2.** *Julie attend Yasmina devant chez elle,* en face de chez elle. **3.** *Il ne faut pas dire du mal de Marie-Tévy devant Antoine,* en sa présence. **4.** *Julie a couru au-devant de son père,* à sa rencontre. **5.** *Alex a la vie devant lui pour faire des voyages,* il a du temps en réserve.

Le petit cheval dans
le mauvais temps,
qu'il avait donc du courage !
C'était un petit cheval blanc,
tous derrière et lui devant
(P. Fort).

Le contraire de *devant,* c'est *derrière.*

Les parents s'approchèrent et, regardant l'âne de plus près, virent qu'il n'avait plus, en effet, que deux pattes, une devant et une derrière
(les Contes du Chat perché).

▭ **n. m. 1.** Partie qui est placée devant. *La chambre de Julie donne sur le devant de la maison. Le cheval se cabre en soulevant ses pattes de devant.* **2.** *Prendre les devants,* c'est agir le premier, à la place de quelqu'un d'autre ou pour empêcher quelque chose d'arriver. *Antoine et Julie ont pris les devants en prévenant les autres de ce que Colle et Rat voulaient faire.*

▸ ***devanture*** n. f. Place où des marchandises sont montrées, en vitrine ou devant le magasin. *Mme Harpie a mis en devanture un énorme œuf de Pâques.*

Autre membre de la famille : **devancer.**

Mme Harpie tient une confiserie.

Conjugaison 1

dévaster v.

Dévaster un pays, c'est détruire toutes ses richesses, le ruiner ; vois ***ravager.*** *En une nuit, l'ouragan avait dévasté toute l'île.*

Famille de ① **veine**

déveine n. f.

Malchance. *Il pleut le jour du pique-nique, quelle déveine !* ; vois ***guigne.***

Déveine est un mot familier.

Prononce [devlɔpe]. Le photographe développe la pellicule dans une chambre noire.

Le tennis développe les muscles du bras droit des droitiers et les muscles du bras gauche des gauchers.

Un *l* et deux *p* à *développer* et *développement.*

Les pays en voie de développement sont les pays dont l'économie est en train de se développer.

développer v.

1. *Développer une pellicule,* c'est faire apparaître les images fixées sur la pellicule par des procédés chimiques. *Alex a envoyé au laboratoire un film à développer.* **2.** Faire grandir, augmenter. *La natation développe tous les muscles.* — *Se développer,* c'est grandir. *Cette plante a besoin de soleil pour se développer. La biscuiterie s'est beaucoup développée.* **3.** *Développer une idée,* c'est l'expliquer, donner plus de détails. *Votre idée m'intéresse, pouvez-vous la développer ?*

Conjugaison 1

Le lendemain, papa a pris le rouleau pour le faire développer, comme il dit. Il a fallu attendre plusieurs jours pour voir les photos, et moi j'étais drôlement impatient *(le Petit Nicolas).*

▸ ***développement*** n. m. **1.** Opération qui consiste à faire apparaître les images fixées sur une pellicule photographique. *Après le développement de la pellicule, le photographe effectue le tirage des photos.* **2.** Augmentation, progrès. *La biscuiterie est en plein développement ;* vois ***croissance.*** **3.** Texte où l'on développe une idée. *Dans une rédaction, il y a l'introduction, le développement et la conclusion.*

Conjugaison 22 ▭ Indic. présent : *je deviens, nous devenons.* Imparfait : *je devenais.* Futur : *je deviendrai.* — Subj. présent : *que je devienne.*

devenir v.

1. Commencer à être. *Quand Yasmina rougit, elle devient rouge comme une tomate. Les jours deviennent doux, le printemps arrive. La chenille est devenue papillon. Personne n'était d'accord, la discussion devenait orageuse.* **2.** *Que devient notre ami ?,* que fait-il, comment va-t-il ? *Que sont devenues mes lunettes ?, se demande Mamie Lou,* où sont-elles ?

La chambre devenait un endroit joyeux et toute la famille oubliait la faim et la misère *(Charlie et la Chocolaterie).*

Conjugaison 1

Famille de **verser**

déverser v.

1. Laisser tomber, déposer. *Le camion a déversé son chargement dans le terrain vague.* **2.** *Se déverser,* c'est couler d'un lieu dans un autre. *Les eaux usées se déversent dans les égouts.*

La Loire se déverse dans l'océan Atlantique.

Conjugaison 20

dévêtir v.

Déshabiller. *Julie dévêtait sa poupée quand sa mère est arrivée.* — *Angèle s'est dévêtue pour prendre une douche,* elle s'est déshabillée.

Famille de **vêtir**

Conjugaison 7 ▭ Indic. imparfait : *nous déviions.* — Subj. présent : *que nous déviions.*

dévier v.

1. Détourner. *La circulation a été déviée en raison des travaux. Antoine a dévié la conversation quand sa mère a commencé à parler des livrets scolaires.* **2.** S'écarter de la bonne direction. *Il y a eu du vent et la balle a dévié.*

▸ ***déviation*** n. f. **1.** Chemin que l'on prend quand on est dévié. *Les camions n'ont pas le droit de traverser la ville, ils doivent emprunter une déviation.* **2.** Déformation. *Si on ne se tient pas droit, on peut avoir une déviation de la colonne vertébrale.*

Le féminin de *devin,* c'est *devineresse,* mais on ne l'emploie pas beaucoup.

devin n. m.

Personne qui prétend prédire l'avenir. *Il faudrait être devin pour savoir si Sylvain et Nathalie se marieront ensemble.*

Va voir aussi ① ***voyant.***

Conjugaison 1

▸ ***deviner*** v. Trouver, par supposition ou par déduction, ce que l'on ne savait pas. *Devinez qui a caché les lunettes de Mamie Lou !*

C'est Claire !

▸ ***devinette*** n. f. Question amusante dont il faut deviner la réponse. *Antoine a toujours de nouvelles devinettes à poser.*

Quel était le prénom de Napoléon ?

Devis [dəvi] ou [dvi] rime avec *tapis, riz* et *mari.*

devis n. m.

Estimation du prix que coûteront des travaux. *Angèle a demandé un devis au peintre avant de se décider à faire repeindre son appartement.*

Conjugaison 3 ▭ Indic. présent : *nous dévisageons.*

dévisager v.

Regarder le visage de quelqu'un avec insistance. *Mme Harpie dévisageait Angèle.*

Famille de **visage**

① *devise* n. f.

« Un pour tous, tous pour un » était la devise des Trois Mousquetaires.

Phrase, le plus souvent courte, qui exprime un idéal. *« Mieux vaut tard que jamais » pourrait être la devise d'Antoine.*

La devise de la France est : « Liberté, Égalité, Fraternité ».

② ***devise*** n. f.
Monnaie étrangère. *Avant de partir pour les États-Unis, Denis Prost est allé chercher des devises à la banque.*

Il a échangé des francs contre des dollars.

Conjugaison 1

dévisser v.
1. Défaire ce qui est vissé. *Sophie Pelletier dévisse le couvercle du pot de confiture.* **2.** *L'alpiniste a dévissé,* il a lâché prise et il est tombé.

Famille de **vis**

Conjugaison 1

dévoiler v.
1. Enlever le voile qui cache quelque chose ou quelqu'un. *Le maire a dévoilé la statue après son discours.* **2.** Révéler ce que l'on cachait. *Hippolyte a dévoilé ses sentiments à Angèle.*

Famille de ① **voile**

Conjugaison 28
▭ Indic. présent : *je dois, nous devons.* Imparfait : *je devais, nous devions.* Futur : *je devrai, nous devrons.* — Subj. présent : *que je doive, que nous devions.* — Participe passé : *dû, due.*

Mais moi, malheureusement, je ne sais pas voir les moutons à travers les caisses. Je suis peut-être un peu comme les grandes personnes. J'ai dû vieillir *(le Petit Prince).*

Autres membres de la famille : **dû, indu, redevable, redevance.**

① ***devoir*** v.
1. Être obligé de faire quelque chose, être tenu à quelque chose. *M. Bellec doit se lever tôt pour aller aux halles,* il faut qu'il se lève tôt. *On doit le respect aux personnes âgées. — Le docteur Séverac se doit de téléphoner souvent à sa mère,* il s'y sent obligé. *Un médecin se doit à ses malades,* il est obligé de s'y consacrer. **2.** Avoir l'intention de faire quelque chose, être prêt à faire quelque chose, être supposé faire quelque chose. *Yves devait partir chez son oncle Loïc pour les vacances de Pâques mais il est tombé malade.* **3.** Être redevable de quelque chose. *Mme Harpie doit de l'argent à sa sœur. Alex doit son échec au bac à son manque de travail,* son manque de travail est la cause de son échec. **4.** *Devoir* peut exprimer la probabilité. *Le client a dit au serveur : « Vous devez vous tromper, j'avais commandé une bière. » À force de faire des acrobaties sur son vélo, Julie est tombée : cela devait arriver.* **5.** *Comme il se doit,* comme il le faut. *Comme il se doit, le maire présidera la réunion.*
▸ ② ***devoir*** n. m. **1.** Ce que l'on doit faire. *Voter, c'est accomplir son devoir électoral.* **2.** Exercice écrit qu'un enseignant donne à faire à ses élèves. *Ce soir, Julie n'a pas de devoirs à faire, elle a seulement une leçon à apprendre.*

Les enfants doivent être très indulgents envers les grandes personnes *(le Petit Prince).*

« Nous avons reçu une lettre de mon frère, ce matin ! Il vient en permission ! Il arrive aujourd'hui ! Il doit déjà être à la maison ! » crie Eudes *(le Petit Nicolas).*

Je suis fâchée, dit Sophie à Paul, de n'avoir pas pris d'angélique ni de prune ; ce doit être très bon *(les Malheurs de Sophie).*

Voter n'est pas seulement un droit, c'est aussi un devoir.

Conjugaison 1
Compare *dévorer, vorace* et *carnivore* : on **mange.**

On dévore un livre que l'on trouve intéressant.

dévorer v.
1. Manger en déchirant avec ses dents. *Le lion a dévoré la gazelle. Antoine dévore une tablette de chocolat,* il la mange avec avidité. **2.** Lire très rapidement. *Denis Prost a dévoré le scénario et a accepté le rôle.* **3.** Faire disparaître rapidement. *La poste a failli être dévorée par les flammes. Mme Séverac trouve que ses activités au conseil municipal lui dévorent tout son temps.*

Le Loup tira la chevillette, et la porte s'ouvrit. Il se jeta sur la bonne femme, et la dévora en moins de rien ; car il y avait plus de trois jours qu'il n'avait mangé *(le Petit Chaperon rouge).*

Dévotion [devosjɔ̃] rime avec *pension.*

dévotion n. f.
Attachement à la religion. *Mme Harpie est pleine de dévotion.*

C'est une *dévote.*

Conjugaison 1

se ***dévouer*** v.
Faire quelque chose de pénible au profit de quelqu'un ; vois *se* ***sacrifier.*** *David s'est dévoué pour aller acheter du pain.*
▸ ***dévoué*** adj. Toujours prêt à rendre service. *L'abbé Gauthier est très dévoué à ses paroissiens.*
▸ ***dévouement*** n. m. Qualité d'une personne dévouée. *Les paroissiens de l'église Sainte-Marie se félicitent du dévouement de leur abbé.*

Famille de **vouer**

Heureusement qu'il y a la Cornette, si raisonnable et si dévouée, surtout *(les Contes du Chat perché).*

N'oublie pas le ***e*** entre le ***u*** et le ***m*** ! Compare *dévouement* et *engouement.*

Le contraire de *dextérité,* c'est *gaucherie, maladresse.*

dextérité n. f.
Adresse, habileté. *Le pâtissier dresse la pièce montée avec dextérité.*

Le pâtissier est très adroit.

diabète n. m.
Maladie causée par l'incapacité du corps à transformer les sucres. *M. Bonnot a du diabète.*
▸ ***diabétique*** adj. Qui a du diabète. *M. Bonnot est diabétique.* — n. m. et f. *M. Bonnot suit un régime pour diabétiques.*

Attention à l'accent grave du ***è*** de *diabète* et à l'accent aigu du ***é*** de *diabétique* !

diable n. m.
1. Esprit qui représente le mal ; vois ***démon.*** *Le diable est souvent représenté avec des cornes, des pieds fourchus et une longue queue. Les Touati tirent le diable par la queue,* ils ont du mal à vivre parce qu'ils n'ont pas assez d'argent. *Mme Roussel avait envie d'envoyer sa sœur au diable,* très loin. *C'est bien le diable si Antoine n'a pas une histoire à raconter,* ce serait

On oppose souvent le Diable à Dieu.

On dit aussi *au diable Vauvert,* très loin.

Un bon petit diable est un livre de la comtesse de Ségur.

étonnant. **2.** Enfant espiègle, coquin. *Claire est un vrai diable !* **3.** *Un pauvre diable,* c'est un homme malheureux qui fait pitié. *Mme Séverac a donné de vieux vêtements à un pauvre diable.*

Diablement est un mot familier.

▸ ***diablement*** adv. Très. *Loïc est diablement fort.*

▸ ***diablerie*** n. f. Espièglerie. *Claire ne sait plus quelles diableries inventer pour faire enrager Mamie Lou.*

Autre membre de la famille : **endiablé.**

diabolique adj.

Très méchant, digne du diable ; vois ***démoniaque.*** *Colle et Rat sont diaboliques : ils ont encore mis un pétard dans la boîte aux lettres.*

Attention à l'accent grave du ***è*** de *diadème.*

diadème n. m.

Couronne que l'on pose sur les cheveux. *Julie s'est déguisée en princesse : elle porte une robe longue et un diadème.*

Les diadèmes sont sertis de pierres précieuses.

Prononce le ***g*** de *diagnostic* : [djagnɔstik].

diagnostic n. m.

Faire un diagnostic, c'est dire quel est le nom de la maladie. *Le docteur Séverac a examiné Julie ; son diagnostic a été immédiat : crise d'appendicite.*

Attention au ***c*** final. Compare avec *trafic* et *pronostic.*

Il y a deux diagonales dans une figure à quatre côtés.

Lire en diagonale, c'est lire très rapidement, parcourir.

diagonale n. f.

1. Droite qui relie deux angles opposés dans une figure géométrique qui a au moins quatre côtés. *Quand on trace les diagonales d'un carré, on obtient quatre triangles égaux.* **2.** *En diagonale,* en biais. *Ce n'est pas prudent de traverser la rue en diagonale.*

Il faut emprunter les passages pour piétons.

Le *dialoguiste* écrit les dialogues des films.

dialogue n. m.

1. Conversation entre deux personnes. *Antoine a surpris un dialogue entre Angèle et un inconnu.* **2.** Paroles qu'échangent les personnages d'un film, d'une pièce, d'un livre. *Les dialogues du film sont très drôles.*

Un dialogue de sourds, c'est un dialogue où les deux personnes ne se comprennent pas.

On taille les diamants depuis l'Antiquité. On peut voir au Louvre l'un des plus gros diamants du monde : le Régent.

diamant n. m.

1. Pierre précieuse, très brillante et très dure. *M. Bellec a offert à sa femme une bague ornée d'un diamant pour leurs dix ans de mariage.* **2.** Instrument au bout duquel on a mis un diamant et qui sert à couper le verre. *Les cambrioleurs ont utilisé un diamant pour découper la vitre et sont entrés dans la maison par la fenêtre.*

Attention à l'accent grave du ***è*** de *diamètre* et à l'accent aigu du ***é*** de *diamétralement.*

diamètre n. m.

Droite qui passe par le centre d'un cercle et coupe ce cercle en deux demi-cercles. *Le rayon est la moitié du diamètre.*

▸ ***diamétralement*** adv. *Mme Roussel et sa sœur ont des opinions diamétralement opposées sur l'éducation des enfants,* tout à fait opposées.

Leurs opinions sont opposées comme les deux extrémités d'un diamètre.

diapason n. m.

Petit instrument qui donne la note « la » quand on le fait vibrer. *On se sert d'un diapason pour accorder un instrument de musique.*

Un diapason a la forme d'un U.

Attention au ***ph*** qui se prononce [f], comme dans ***phrase*** et ***phare.***

diaphragme n. m.

1. Muscle large et mince qui sépare la poitrine du ventre. *Les contractions du diaphragme permettent de respirer.* **2.** Ouverture réglable qui laisse passer plus ou moins de lumière dans un appareil photo. *Il faut régler le diaphragme avant de prendre une photo.*

Pour regarder les diapositives, on a besoin d'un projecteur.

diapositive n. f.

Photo que l'on projette sur un écran. *Le docteur Séverac a projeté les diapositives qu'il a prises en Afrique.*

Le contraire de *diarrhée,* c'est *constipation.*

diarrhée n. f.

Avoir la diarrhée, c'est avoir des selles liquides et fréquentes ; vois ***colique.*** *Martin avait la diarrhée.*

Attention à l'orthographe !

Beaucoup de dictateurs arrivent au pouvoir par un coup d'État.

dictateur n. m.

Homme qui gouverne seul, sans être contrôlé par personne. *Hitler était un dictateur.*

Il exerçait une *dictature.*

Le contraire de *dictatorial,* c'est *démocratique.*

dictatorial adj.

Imposé par un dictateur. *Hitler avait des pouvoirs dictatoriaux,* les pouvoirs d'un dictateur.

Au féminin : *dictatoriale.*

dictature n. f.
Régime politique dans lequel tous les pouvoirs sont concentrés entre les mains d'une personne ou d'un groupe de personnes. *Dans certains pays d'Amérique du Sud, des militaires exercent une dictature.*

Ces pays sont des *dictatures militaires.*

Ces personnes sont des *dictateurs.*

dicter v.
1. *Dicter un texte,* c'est dire un texte à voix haute pour que quelqu'un l'écrive. *Angèle a dicté un poème de Victor Hugo à ses élèves. Mme Hespel dicte une lettre à sa secrétaire.* **2.** *Dicter à quelqu'un ce qu'il doit faire,* c'est le lui indiquer précisément. *C'est la jalousie qui dicte son attitude à Mme Harpie.*

▸ **dictée** n. f. Exercice qui consiste à écrire un texte que l'on vous lit. *Yves a fait une seule faute d'orthographe dans sa dictée. L'institutrice corrigera la dictée après la récréation.*

Conjugaison 1

Compare ***dicter, dicton*** et ***contradiction*** : on **dit** quelque chose.

La dictée était terrible, avec des cas de mots comme « chrysanthème » *(le Petit Nicolas).*

dictionnaire n. m.
Livre où l'on trouve l'orthographe et le sens des mots ou leur traduction dans une autre langue. *Dans un dictionnaire, les mots sont classés par ordre alphabétique. Angèle a demandé à ses élèves de chercher le mot « bilingue » dans le dictionnaire.*

Attention aux deux ***n*** !

Angèle est institutrice.

Les dictionnaires qui donnent la traduction des mots dans une autre langue sont des *dictionnaires bilingues.*

dicton n. m.
Proverbe qui fait allusion à la vie quotidienne ou au temps qu'il fait. *« En avril ne te découvre pas d'un fil » est un dicton.*

Il peut encore faire froid.

Après Sainte-Angèle, le jardinier ne craint plus le gel.

dièse n. m.
Signe de musique qui fait monter une note d'un demi-ton. *Un dièse est placé devant le fa.* — adj. *Attention aux fa dièses !*

Le signe qui fait descendre une note d'un demi-ton, c'est le *bémol.*

est le signe qui représente le dièse.

diesel n. m.
Moteur qui marche au gas-oil. *La camionnette de M. Bellec est équipée d'un diesel. Les diesels sont plus économiques que les moteurs à essence.*

On dit aussi un *moteur Diesel.* Dans ce cas, attention à la majuscule.

L'inventeur du diesel, Rudolph Diesel, vécut de 1858 à 1913.

diète n. f.
Traitement médical qui prescrit de manger très peu pendant quelques jours. *Antoine a eu une indigestion ; le docteur Séverac l'a mis à la diète.*

▸ **diététique** n. f. Science qui étudie l'alimentation, s'occupe de l'adapter aux besoins des gens. *Le docteur Séverac a fait un stage dans le service de diététique d'un hôpital.* — adj. *Mme Séverac mange des aliments diététiques,* des aliments de régime.

La diététique a montré qu'un employé de bureau et un maçon devaient se nourrir différemment.

dieu n. m.
1. Être unique, pur esprit, tout-puissant et éternel. *Les croyants pensent que Dieu existe et qu'il a créé l'univers.* **2.** Être supérieur qui a un rôle particulier et exerce son pouvoir sur l'homme, dans certaines régions ; vois ***divinité, idole.*** *Les anciens faisaient des sacrifices pour que les dieux leur soient favorables. — Marie-Tévy trouve qu'Antoine est beau comme un dieu,* très beau.

Allah est le dieu des musulmans et Yahvé celui des juifs.

Va voir aussi **déesse.**

Chez les Romains, Mars est le dieu de la guerre.

Quand il s'agit du dieu unique, le mot s'écrit avec une majuscule.

Autres membres de la famille : **adieu, prie-Dieu.**

diffamer v.
Diffamer quelqu'un, c'est dire des choses fausses sur lui pour lui faire une mauvaise réputation ; vois ***calomnier.*** *Mme Harpie a diffamé M. Doucet.*

▸ **diffamation** n. f. Calomnie. *M. Doucet pourrait attaquer Mme Harpie pour diffamation.*

Compare *diffamer, infamie* et *fameux* : il s'agit de **réputation.**

Attention aux deux *f* de *diffamer* et de *diffamation.*

Conjugaison 1

La diffamation est punie par la loi.

différence n. f.
1. Ce qui distingue une chose d'une autre, un être d'un autre. *Mme Séverac ne fait pas de différence entre ses enfants,* elle agit de la même façon avec tous. *Sylvain est très travailleur à la différence de son frère,* contrairement à son frère. **2.** Écart. *Il y a une grande différence d'âge entre Pierre Séverac et sa femme. Sylvain et Alex ont six ans de différence.*

▸ **différencier** v. Marquer ou apercevoir une différence ; vois ***distinguer.*** *Il est difficile de différencier des jumeaux. — Les joueurs des deux équipes se différencient par la couleur de leurs maillots.*

Famille de **différer**

Conjugaison 7 ▭ Indic. futur : *je différencierai.*

Ne confonds pas *différend* et *différent.*

différend n. m.
Désaccord qui est dû à une différence d'opinion ; vois ***dispute.*** *Mme Séverac et son mari ont eu un différend à propos des enfants.*

Famille de **différer**

Famille de **différer**

différent adj.
1. Qui n'est pas semblable. *Chaque jour, Julie porte une tenue différente. Le docteur Séverac et son frère n'ont pas le même caractère : ils sont différents. Mamie Lou a vieilli, elle est différente maintenant.* **2.** Plusieurs ; vois ***divers.*** *La vendeuse a montré différents modèles à Mme Hespel. Différentes personnes m'ont dit la même chose : ce doit être vrai.*

Je connaîtrai un bruit de pas qui sera différent de tous les autres. Les autres pas me font rentrer sous terre. Le tien m'appellera hors du terrier *(le Petit Prince).*

Le contraire de *différent,* c'est *identique, semblable.*

Dans ce sens, *différent* est toujours au pluriel et toujours placé devant le nom.

Prononce [difeʀamɑ̃].

▸ ***différemment*** adv. D'une manière différente ; vois ***autrement.*** *Mme Séverac n'est pas de l'avis de son mari, elle pense différemment.*

Attention aux deux *m.*

Deux *f* à *différer* et à tous les membres de la famille.

Autres membres de la famille : **différend, différent, différemment, différence, différencier, indifférent, indifféremment, indifférence.**

différer v.
1. Remettre à plus tard ; vois ***remettre, renvoyer, repousser, retarder.*** *Angèle différera son départ. La réunion du conseil a été différée.* **2.** Être différent, dissemblable ; vois *se* ***différencier,*** *se* ***distinguer.*** *Mme Séverac n'est pas du même avis que son mari ; leurs opinions diffèrent. Le prix des fruits diffère selon les saisons,* il varie.

Le contraire de *différer,* c'est *avancer.*

Conjugaison 6 ▭ Indic. présent : *je diffère, nous différons.*

Le contraire, c'est *facile.*

difficile adj.
1. Qui demande un effort ; vois ***ardu, dur.*** *Marie-Tévy trouve que le problème est très difficile ;* vois ***compliqué.*** *Les noms étrangers sont parfois difficiles à prononcer.* **2.** Pénible, éprouvant. *Denis Prost a eu des débuts difficiles dans sa carrière de comédien. Les chômeurs vivent des moments difficiles.* **3.** Gênant, embarrassant. *Il est difficile de refuser un service à un ami.* **4.** *Julie est difficile à contenter,* c'est rare qu'elle soit contente de ce qu'on fait pour elle. *Antoine n'est pas difficile, il mange de tout ;* vois ***exigeant.***

Il avait quatre-vingt-seize ans et demi, et il est très difficile d'être plus vieux que lui *(Charlie et la Chocolaterie).*

Pour traverser la mer
C'est pas plus difficile que ça
On vient, on va travers.
On n' s'y reconnaît pas
(chanson).

Va voir aussi ***difficulté.***

Compare : *difficile → difficilement* et *facile → facilement.*

▸ ***difficilement*** adv. Avec peine, avec difficulté. *M. Bonnot marche difficilement. Je peux difficilement lui refuser ce service,* sans être gêné.

Deux *f* à *difficile* et à *difficilement.*

Compare *difficulté* avec *beauté, bonté, facilité, nouveauté.*

difficulté n. f.
1. Caractère d'une chose difficile. *Les exercices sont classés par ordre de difficulté croissante,* le classement va du plus facile au plus difficile. **2.** Peine. *Antoine a trouvé la maison sans difficulté. M. Bonnot a de la difficulté à marcher.* **3.** Embarras, problème. *Marie-Tévy a des difficultés en français. Cela ne fait aucune difficulté,* c'est facile. **4.** *En difficulté,* dans une situation pénible. *On a signalé cinq bateaux en difficulté. Cette entreprise est en difficulté,* elle connaît de graves problèmes.

Va voir aussi ***difficile.***

Je ne redoute pas, madame, la méchanceté de Sophie ; je suis bien sûre que je me ferai obéir d'elle sans difficulté *(les Petites Filles modèles).*

— J'ai des difficultés avec une fleur, dit le petit prince.
— Ah ! fit le serpent
(le Petit Prince).

Attention ! deux *f* à *difforme.*

difforme adj.
Qui n'a pas la forme qu'il devrait avoir normalement ; vois ***contrefait.*** *Les bossus sont difformes.*

Quasimodo était un monstre « plus difforme qu'un caillou ».

Famille de **forme**

Conjugaison 1

diffuser v.
1. Répandre. *Un radiateur diffuse la chaleur.* **2.** Émettre, transmettre par la radio ou la télévision ; vois ***retransmettre.*** *La première chaîne diffuse une émission musicale.* **3.** Faire connaître à un public, répandre dans le public. *Les journalistes diffusent les nouvelles.*

L'émission est-elle diffusée en direct ou en différé ?

▸ ***diffusion*** n. f. **1.** Transmission. *Nous recevons mal cette station de radio ; la diffusion est mauvaise.* **2.** *On a rendu l'école obligatoire pour permettre une plus grande diffusion de l'instruction,* pour que tous les gens soient instruits.

Autre membre de la famille : **radiodiffusion.**

L'imprimerie a permis la diffusion des connaissances.

C'est l'œuvre de Jules Ferry.

Conjugaison 6 ▭ Indic. présent : *je digère, nous digérons.*

digérer v.
Transformer dans son corps les aliments qu'on a mangés. *Marie-Tévy n'a pas digéré son repas. Marie-Tévy a mal digéré.*

Va voir aussi ***digestion.***

Le contraire de *digeste,* c'est *indigeste.*

digeste adj.
Qui peut être facilement digéré ; vois ***léger.*** *Le café au lait n'est pas une boisson très digeste.*

On dit aussi *digestible.*

▸ ***digestif*** adj. et n. m. **1.** adj. Qui sert à la digestion. *Le foie, l'estomac et l'intestin sont des organes de l'appareil digestif.* **2.** n. m. *Un digestif,* c'est un alcool, une liqueur qui se boit après le repas. *M. Bellec offre un digestif à ses bons clients.*

La salive et la bile sont des sucs digestifs. Ils servent à la digestion.

Au féminin : *digestive.*

Il est patron d'un restaurant.

Les aliments mettent, en moyenne, 24 heures à se transformer complètement.

▸ ***digestion*** n. f. Transformation des aliments à l'intérieur de l'appareil digestif. *La digestion dure plus ou moins longtemps, selon ce que l'on a mangé.*

Autres membres de la famille : **indigeste, indigestion.**

Compare *digital* et *prestidigitateur* : il est question des **doigts.**

digital adj.
Les empreintes digitales, ce sont les empreintes laissées par les doigts. *Le cambrioleur avait mis des gants pour ne pas laisser d'empreintes digitales.*

Personne n'a les mêmes empreintes digitales.

On soigne certaines maladies cardiaques avec la digitale.

▸ ***digitale*** n. f. Plante portant une longue grappe de fleurs rouges, jaunes ou blanches en forme de doigt de gant. *Les digitales poussent dans les clairières.*

digne adj.
1. Qui mérite quelque chose. *Pour Angèle, Napoléon est un personnage digne d'admiration. Denis Prost pense que toutes les affiches de cinéma sont dignes de figurer dans sa collection.* **2.** Qui est en accord avec la valeur de quelqu'un. *Ce roman est digne d'un grand écrivain. Tu accuses sans preuves, Marie-Tévy ! Ce n'est pas digne de toi.* **3.** Dont l'attitude, la manière d'être mérite le respect. *Sophie a su rester digne dans sa douleur.*

Le contraire de *digne,* c'est *indigne.*

Compare : *digne → dignement, dignité,* et *timide → timidement, timidité.*

▸ ***dignement*** adv. Avec dignité. *Le ministre a dignement continué son chemin sans se soucier de la foule qui l'injuriait.*

Je ne comprends pas qu'on puisse à ce point manquer de sérieux et de dignité *(les Contes du Chat perché).*

▸ ***dignité*** n. f. **1.** Respect de soi, attitude calme et retenue ; vois ***amour-propre, fierté.*** *Un peu de dignité ! Cesse de te rouler par terre en hurlant.* **2.** Respect que mérite quelqu'un ou quelque chose. *Torturer des gens, c'est porter atteinte à la dignité de l'homme,* c'est abaisser l'homme. **3.** Distinction honorifique. *L'évêque a été élevé à la dignité de cardinal.*

Autre membre de la famille : **indigne.**

digression n. f.
Faire une digression, c'est s'écarter du sujet que l'on traite. *Le maire a fait des digressions pendant son discours.*

Les rives de la Loire sont défendues par des digues.

digue n. f.
Longue construction qui protège de la mer, d'un fleuve ; vois ***jetée, môle.*** *Les vagues ont rompu la digue en plusieurs points. Loïc s'installe parfois sur la digue pour pêcher.*

Autre membre de la famille : **endiguer.**

Conjugaison 1

dilapider v.
Dépenser de l'argent de façon excessive et désordonnée ; vois ***gaspiller.*** *Un riche héritier dilapidait sa fortune sur les champs de course.*

Le contraire de *dilapider,* c'est *amasser, épargner.*

Conjugaison 1

dilater v.
Augmenter de volume. *La chaleur dilate le mercure contenu dans le thermomètre. — À chaque aspiration, nos poumons se dilatent,* ils gonflent quand ils se remplissent d'air.

Le contraire de *dilater,* c'est *contracter.*

Le contraire de *dilatation,* c'est *contraction.*

▸ ***dilatation*** n. f. Augmentation de volume. *La dilatation du mercure permet de mesurer la température.*

Dilemme [dilɛm] rime avec *totem* et *poème.*

dilemme n. m.
Choix difficile que l'on a à faire entre deux solutions. *Punir Colle et Rat ou fermer les yeux, quel dilemme pour la directrice !*

Attention aux deux ***m*** !

Attention à l'orthographe !

dilettante n. m. et f.
Personne qui s'occupe de quelque chose sans grand sérieux. *Dans cette entreprise, on a besoin de gens sérieux, non de dilettantes ;* vois ***amateur.***

Les grandes diligences pouvaient être tirées par huit chevaux.

diligence n. f.
Voiture à chevaux qui servait à transporter des voyageurs. *Des bandits attaquèrent la diligence.*

On changeait de chevaux dans les relais de poste.

Conjugaison 1
▭ Indic. futur : *je diluerai, nous diluerons.*

diluer v.
Mélanger avec du liquide. *Yasmina verse du sirop de citron dans son verre et le dilue avec de l'eau.*

C'est demain dimanche
La fête à ma tante
Qui balaie ses planches
Avec une robe blanche
(comptine).

dimanche n. m.
Dernier jour de la semaine, souvent consacré au repos. *Le dimanche, Mme Séverac fait la grasse matinée. Yves va à la messe tous les dimanches. Yasmina a mis sa robe du dimanche pour le goûter de Julie.* — adv. *Yves ira à la messe dimanche.*

Autre membre de la famille : s'**endimancher.**

dîme n. f.

Ancien impôt sur les récoltes qui était versé à l'Église catholique. *Toutes les personnes qui possédaient des terres payaient la dîme.*

Même les protestants devaient payer cet impôt à l'Église.

La dîme a été abolie en 1789.

dimension n. f.

Grandeur qui mesure un corps dans une direction ; vois ***mesure.*** *Angèle a pris les dimensions de ses fenêtres avant d'aller acheter des rideaux.*

Compare *dimension* et *immense* : il s'agit de **mesurer**.

diminuer v.

1. Rendre plus petit ; vois ***réduire.*** *Denis Prost essaie de diminuer sa consommation de cigarettes.* **2.** Devenir moins grand ; vois ***baisser, décroître.*** *En automne, les jours diminuent,* ils raccourcissent.

Conjugaison 1
▭ Indic. futur : *je diminuerai, il diminuera.*

Le contraire de *diminuer,* c'est *accroître, augmenter.*

▸ ***diminutif*** n. m. Mot formé sur un autre mot pour désigner quelque chose de plus petit. *« Jardinet » est le diminutif de « jardin ».*

Un jardinet est un petit jardin.

▸ ***diminution*** n. f. Action de diminuer ; vois ***baisse, réduction.*** *Les robots permettront-ils une diminution du temps de travail ?*

Le contraire de *diminution,* c'est *augmentation, hausse.*

dinde n. f.

1. Oiseau de basse-cour qui est la femelle du dindon. *À Noël, on mange la dinde aux marrons.* **2.** Femme sotte. *Quelle petite dinde !*

Les dindes et les dindons n'ont pas de plumes sur la tête et le cou.

▸ ***dindon*** n. m. Oiseau de basse-cour qui est le mâle de la dinde. *Il y a quelques dindons à la ferme.*

Le jars avait le cou si dénudé que les poulets feignaient de le prendre pour le dindon
(les Contes du Chat perché).

Didon dina dit-on du dos dodu d'un dodu dindon.

▸ ***dindonneau*** n. m. Petit de la dinde. *Claire donne à manger aux dindonneaux dans la cour de la ferme. Mme Hespel fait cuire un rôti de dindonneau.*

① **dîner** v.

Prendre le repas du soir. *Les Touati dînent à vingt heures. Mme Bellec a invité Mme Roussel à dîner.*

N'oublie pas l'accent circonflexe du *î*.

Conjugaison 1

▸ ② ***dîner*** n. m. Repas du soir. *Mme Séverac a fait de la soupe aux légumes pour le dîner.*

Mon papa donne-moi du thé.
— Non ma fille après dîner
(comptine).

Le petit déjeuner, le déjeuner et le dîner sont les trois principaux repas.

▸ ***dînette*** n. f. **1.** Jeu dans lequel les enfants font semblant de prendre un repas. *Les enfants jouent à la dînette.* **2.** Service de table miniature qui sert de jouet. *Claire voudrait une dînette pour son anniversaire.*

dingo n. m.

Chien sauvage d'Australie qui ressemble au chien loup. *Les dingos ont attaqué un troupeau de moutons.*

Prononce [dɛ̃go].

Le dingo hurle, il n'aboie pas.

Dingo est aussi le nom d'un ami de Mickey.

dinosaure n. m.

Animal préhistorique de très grande taille. *On a trouvé des os de dinosaures en faisant des fouilles.*

Certains dinosaures mesuraient plus de 30 mètres.

Attention ! d'abord ***o***, puis ***au***.

diocèse n. m.

Région placée sous l'autorité d'un évêque ou d'un archevêque. *La France est divisée en quatre-vingt-sept diocèses.*

Diocèse [djɔsɛz] rime avec *seize* et *française.*

diplodocus n. m.

Grand reptile de l'ère secondaire. *Gros comme des baleines, les diplodocus avaient une toute petite tête au bout d'un long cou, quatre pattes et une grande queue.*

Diplodocus [diplɔdɔkys] rime avec *autobus* et *puce.*

Ils ont disparu 63 millions d'années avant Jésus-Christ.

Les diplodocus se nourrissaient d'herbes aquatiques.

diplomate n. m. et adj.

1. n. m. Personne chargée par un gouvernement de représenter son pays, de faire des négociations avec un gouvernement étranger. *Les ambassadeurs sont des diplomates.* **2.** adj. Qui agit avec finesse, résout les problèmes entre les gens en évitant la violence. *La directrice a été très diplomate avec les parents de Colle et Rat.*

Compare : *diplomate* → *diplomatie, diplomatique* et *acrobate* → *acrobatie, acrobatique.*

▸ ***diplomatie*** n. f. **1.** Activité politique des diplomates. *La diplomatie essaie d'obtenir un accord satisfaisant pour tous les pays.* **2.** Habileté, tact d'une personne diplomate. *La directrice a parlé aux parents de Colle et Rat avec diplomatie.*

Diplomatie [diplɔmasi] rime avec *assis, pharmacie* et *aristocratie.*

▸ ***diplomatique*** adj. *Ces deux pays ont établi des relations diplomatiques,* des relations entre eux par l'intermédiaire de leurs diplomates.

Le *corps diplomatique,* c'est l'ensemble des diplomates d'un pays.

Va voir *valise diplomatique* à ***valise.***

Prononce [diplom].

diplôme n. m.

Document qui prouve que l'on a réussi un examen. *Mme Hespel a un diplôme d'ingénieur.*

Le capitaine Haddock a traité les Dupondt de « cornichons diplômés » !

▸ **diplômé** adj. Qui a obtenu un diplôme. *Mme Hespel est diplômée d'une école d'ingénieurs.*

Compare : *diplôme → diplômé* et *grade → gradé.*

Conjugaison 37
▭ Indic. présent : *je dis, nous disons, vous dites.* Imparfait : *je disais.* Futur : *je dirai.* — Subj. présent : *que je dise, que nous disions, que vous disiez.* — Impératif présent : *dis, disons, dites.*

dire v.

1. Faire connaître une chose à une personne par la parole. *Antoine m'a dit son nom. Dis-moi que tu m'aimes. Angèle n'a pas dit pourquoi ni comment. Antoine a toujours quelque chose de très important à dire à Marie-Tévy. Dis bonjour à la dame,* prononce ce mot. — *Se dire,* c'est penser, dire à soi-même. *Angèle se dit que cela ira mieux demain.* **2.** Exprimer ce que l'on pense. *Qu'avez-vous à dire sur cette question ? Qu'en disent les journaux ? Que diriez-vous d'une tarte comme dessert ? On dirait qu'il va pleuvoir,* on croirait. *On dirait une orange,* cela ressemble à une orange. *Dire que Claire a déjà cinq ans !* **3.** Raconter. *Marie-Tévy dira le début et Antoine la fin de l'histoire.* **4.** *Vouloir dire,* signifier. *Une hirondelle, cela veut dire que le printemps approche. Ces deux mots ne veulent pas dire la même chose.*

Excusez-moi je croyais
qu'on saluait
a dit le commandant
Vous êtes tout excusé
tout le monde peut se
tromper a dit l'oiseau (Prévert).

Autres membres de la famille : **c'est-à-dire, contredire,** se **dédire, diseur, édit, lieu-dit, maudire, médire, médisance, on-dit, oui-dire, prédire, qu'en dira-t-on, redire, redite, soi-disant.**

À vrai dire : pour dire la vérité. *C'est beaucoup dire :* c'est exagéré. *C'est tout dire :* il n'y a rien à ajouter. *Pour ainsi dire :* à peu près.

Pronance [diʀɛkt].

direct adj. et n. m.

▭ **adj. 1.** Qui est en ligne droite, sans détour. *Pierre Séverac a pris le chemin le plus direct pour aller à la ferme.* **2.** Sans détour, sans précaution. *Hippolyte a fait une allusion directe à l'âge de Mme Harpie.* **3.** Sans rien ni personne d'autre, sans intermédiaire. *Mme Hespel a une ligne téléphonique directe,* qui ne passe pas par un standard. *Dans la phrase : Angèle dit : « Taisez-vous », on utilise le style direct,* on rapporte des paroles telles qu'elles ont été dites. **4.** Qui va sans détour où il doit aller, en s'arrêtant peu ou pas du tout. *Entre Bordeaux et Toulouse, il y a un train direct,* un train qui relie Bordeaux et Toulouse sans qu'on ait à changer de train.

Le contraire de *direct,* c'est *indirect.*

Va voir *complément d'objet direct* à **complément.**

Va voir aussi **indirect.**

▭ **n. m.** *Une émission en direct,* c'est une émission transmise, à la radio ou à la télévision, au moment même où elle a lieu. *Nous sommes en direct, à bord d'un hélicoptère.*

Le contraire de *en direct,* c'est *en différé.*

▸ **directement** adv. **1.** En ligne droite, sans détour. *Les enfants sont rentrés directement de l'école.* **2.** Sans rien ni personne d'autre, sans intermédiaire. *Pierre Séverac a acheté du vin directement chez le viticulteur.*

Le contraire de *directement,* c'est *indirectement.*

Autres membres de la famille : **indirect, indirectement.**

directeur n. m., directrice n. f.

Personne qui dirige, qui commande, qui est le chef. *La directrice de l'école est très sévère.*

Va voir aussi : ***direction, diriger.***

Va voir *P.-D. G.* à ***président.***

direction n. f.

1. Action de diriger. *On a confié à un polytechnicien la direction de l'entreprise. Mme Hespel a dix personnes sous sa direction,* elle dirige leur travail. **2.** Poste de directeur. *Mme Hespel voudrait être nommée à la direction d'un autre service. Adressez-vous à la direction,* au directeur. **3.** Orientation, chemin à suivre. *La girouette indique la direction du vent. Hippolyte a accompagné Angèle, il allait dans la même direction qu'elle,* du même côté. *Yasmina et Marie-Tévy sont parties en direction de la gare,* vers la gare. **4.** Mécanisme qui permet de diriger les roues d'une voiture. *Angèle a fait réviser la direction de sa voiture.*

L'orchestre est placé sous la direction du chef d'orchestre.

Va voir aussi ***directeur, diriger.***

À la 16e minute, un père de l'autre école donna un grand coup de pied en direction d'un père qu'il espérait être un père de l'autre école
(le Petit Nicolas).

Dans l'hémisphère Nord, l'étoile polaire donne la direction du nord.

Directive s'emploie surtout au pluriel.

directive n. f.

Indication donnée par un chef, une personne qui dirige ; vois ***instruction.*** *Mme Roussel attend les directives de son chef.*

Attention au ***e*** entre le ***g*** et le ***a*** de *dirigeable* !

Famille de **diriger**

dirigeable adj.

Un ballon dirigeable, c'est un ballon dirigé par un pilote. *On a utilisé des ballons dirigeables pendant la Première Guerre mondiale.*

On dit aussi *un dirigeable.*

Conjugaison 3
▭ Indic. présent : *je dirige, nous dirigeons.*

diriger v.

1. Être le chef, le maître, le responsable. *Mme Hespel aimerait diriger une entreprise. Le capitaine dirige son équipage. Cet archéologue a dirigé des fouilles en Grèce* **2.** Guider vers un endroit ; vois ***conduire.*** *Loïc dirige le*

Va voir aussi ***directeur, direction.***

bateau vers le port. — La fusée se dirige vers la Lune, elle va vers la Lune. **3.** Orienter dans une certaine direction ; vois ***braquer.*** *Le cadreur a dirigé la caméra sur l'acteur principal.*

Babar est très content et se dirige vers le rayon de chaussures *(Babar).*

Dirigeant [diʀiʒɑ̃] rime avec *agent.*

▸ ***dirigeant*** n. m., ***dirigeante*** n. f. Personne qui dirige. *Le maire a félicité les dirigeants du festival de jazz.*

discaire va voir ***disquaire.***

Prononce [disɛʀne].

discerner v.

1. Arriver à voir ou à apercevoir ce qui est difficilement visible. *On discernait quelques silhouettes dans le brouillard. Le genou d'Yves est guéri, on discerne à peine la cicatrice.* **2.** *Discerner une chose d'une autre chose,* c'est la distinguer, faire la différence entre les deux choses. *Le commissaire a du mal à discerner le vrai du faux dans les déclarations des suspects ;* vois ***démêler.***

Conjugaison 1

Le contraire de *discerner,* c'est *confondre.*

Prononce [disɛʀnəmɑ̃].

▸ ***discernement*** n. m. Capacité de réfléchir et de porter un jugement exact. *Colle et Rat agissent sans discernement.*

Attention au ***s*** avant le ***c*** ! Prononce [disipl].

disciple n. m. et f.

Personne qui reçoit l'enseignement d'un maître et continue la même recherche que lui. *Le docteur Séverac a été le disciple d'un grand professeur.*

Autres membres de la famille : **condisciple, indiscipliné.**

Prononce [disiplin].

▸ ***discipline*** n. f. **1.** Ce que l'on étudie, ce que l'on enseigne à l'école ou à l'université ; vois ***matière, science.*** *David aime les disciplines scientifiques.* **2.** Règlement que les membres d'un groupe doivent respecter pour que l'ordre règne. *La directrice fait régner la discipline dans l'école.*

« Vous avez, je vois, quelques ennuis avec la discipline, a dit l'inspecteur à la maîtresse [...] » *(le Petit Nicolas).*

Le contraire de *discipliné,* c'est *indiscipliné.*

▸ ***discipliné*** adj. Qui respecte la discipline ; vois ***obéissant, soumis.*** *Les conducteurs disciplinés respectent le code de la route.*

Famille de **continu**

Le contraire de *discontinu,* c'est *continu.*

discontinu adj.

Qui n'est pas continu, qui s'interrompt. *La voiture a doublé le camion en franchissant la ligne discontinue marquée sur la chaussée.*

La sonnerie du téléphone est discontinue.

▸ *sans* ***discontinuer*** adv. Sans arrêt, sans cesse. *Le film est si drôle qu'on rit deux heures sans discontinuer !*

Le contraire de *discorde,* c'est *concorde.*

discorde n. f.

Désaccord. *L'éducation d'Antoine est un sujet de discorde entre ses parents.*

Compare *discorde, accord* et *concorder* : il s'agit d'**entente.**

La *discordance* de leurs caractères est évidente.

▸ ***discordant*** adj. Qui ne s'accorde pas. *Mme Roussel et sa sœur ont des caractères discordants.*

N'oublie pas le ***h*** entre le ***t*** et le ***è*** !

discothèque n. f.

1. Collection de disques. *Denis Prost a une discothèque bien fournie.* **2.** Boîte de nuit où l'on passe des disques. *Alex et Réjean sont allés danser dans une discothèque.*

discourir v.

Parler abondamment sur un sujet. *Le maire a demandé aux conseillers municipaux de se décider au lieu de discourir pendant des heures.*

Conjugaison 11 ▭ Indic. présent : *je discours, il discourt.* Futur : *je discourrai.*

Compare : *discourir → discours* et *concourir → concours.*

▸ ***discours*** n. m. Paroles dites au public lors d'une occasion solennelle. *Le maire a prononcé le discours d'inauguration du gymnase.*

Conjugaison 1

L'Affaire du Collier avait discrédité la reine Marie-Antoinette auprès de ses sujets.

discréditer v.

Discréditer quelqu'un, c'est faire perdre la confiance que l'on avait en lui. *Cette mesure impopulaire a discrédité le gouvernement. — Ce député, en s'opposant à son parti, s'est discrédité auprès de ses électeurs.*

Famille de **crédit**

discret adj.

1. Qui n'intervient pas dans les affaires des autres. *Sophie Pelletier est discrète, elle n'a pas demandé à Angèle avec qui elle était partie en week-end.* **2.** Qui sait garder un secret. *Yasmina est discrète, elle ne raconte à personne ce que lui confie Julie.* **3.** Qui n'attire pas l'attention. *Mme Séverac aime les bijoux discrets.*

Le contraire de *discret,* c'est *indiscret.*

Le contraire de *discret,* c'est *voyant.*

▸ ***discrètement*** adv. D'une manière discrète. *Mme Séverac est partie discrètement avant la fin de la réunion,* sans se faire remarquer.

Le contraire de *discrètement,* c'est *ostensiblement.*

Le contraire de *discrétion,* c'est *indiscrétion.*

▸ ***discrétion*** n. f. **1.** Réserve. *Sophie Pelletier n'a pas posé de question à Angèle par discrétion.* **2.** Qualité de quelqu'un qui sait garder un secret.

Julie sait qu'elle peut compter sur la discrétion de Yasmina. **3.** *À discrétion,* autant que l'on veut. *Le menu gastronomique propose des hors-d'œuvre à discrétion,* à volonté.

Autres membres de la famille : **indiscret, indiscrétion.**

discrimination n. f.

La loi s'applique à tous sans discrimination, elle s'applique à tous de façon égalitaire, sans distinction.

Compare *disculper*, ***culp**abilité* et *in**culp**er* : il s'agit de **faute**.

disculper v.

Disculper quelqu'un, c'est prouver son innocence. *Les deux suspects ont été relâchés ; ils ont fourni des alibis qui les disculpaient. — L'accusé n'a pu se disculper,* se justifier.

Conjugaison 1

Discussion rime avec *attention* et *pension.*

discussion n. f.

1. Conversation pendant laquelle chacun donne son avis. *Le docteur Séverac et sa femme ont eu une discussion au sujet des vacances. Les enfants ont pris part à la discussion.* **2.** Le fait de s'opposer à une décision. *Julie est allée se coucher sans discussion.*

Va voir aussi ***discuter.***

Cette année, je ne veux pas de discussions, c'est moi qui décide ! *(le Petit Nicolas).*

Conjugaison 1
Va voir aussi ***discussion.***

discuter v.

1. Parler avec quelqu'un, échanger des idées. *Julie et ses amies ont discuté tout l'après-midi. Les conseillers municipaux ont discuté du budget de la commune.* **2.** Mettre en question, contester. *Julie est allée se coucher sans discuter.*

Maman n'était pas contente non plus et elle disait à papa [...] qu'elle retournerait chez sa mère et qu'il ne fallait pas discuter de cela devant l'enfant *(le Petit Nicolas).*

Le contraire de *discutable,* c'est *indiscutable.*

▸ ***discutable*** adj. Que l'on peut mettre en doute ; vois ***contestable.*** *Les opinions de Mme Harpie sont discutables. Mme Harpie a un goût discutable,* plutôt mauvais ; vois ***douteux.***

Autre membre de la famille : **indiscutable.**

disette n. f.

La disette survient à la suite de mauvaises récoltes.

Manque de nourriture ; vois ***famine.*** *De nos jours, on ne craint plus la disette en France.*

Le contraire de *disette,* c'est *abondance.*

Un *diseur de bons mots,* c'est quelqu'un qui dit de bons mots.

diseur n. m., *diseuse* n. f.

Une diseuse de bonne aventure, c'est une femme qui prédit l'avenir. *Mme Séverac a consulté une diseuse de bonne aventure.*

Famille de **dire**

Attention au ***a*** !

disgracieux adj.

Qui manque d'élégance. *Mme Harpie a une démarche disgracieuse.*

Famille de **grâce**

Famille de **joindre**

disjoindre v.

Disjoindre deux choses, c'est les écarter l'une de l'autre. *Le gel a disjoint les pierres du mur. — Les pierres se sont disjointes sous l'effet du gel.*

Conjugaison 49 ▭ Indic. présent : *je disjoins, il disjoint, nous disjoignons.*

▸ ***disjoint*** adj. Qui n'est plus joint. *Il va falloir cimenter les pierres disjointes.*

Des *ensembles disjoints* n'ont pas d'élément commun.

disjoncteur n. m.

Le disjoncteur se trouve souvent sous le compteur.

Interrupteur automatique de courant électrique. *Quand le courant est trop fort, le disjoncteur le coupe.*

Conjugaison 1

disloquer v.

Disloquer une chose, c'est séparer les éléments qui la composent. *Le vent était si violent qu'il a disloqué la cabane,* il l'a cassée, démolie.

Conjugaison 57 ; attention à l'accent circonflexe du ***î*** devant le ***t*** ! ▭ Indic. présent : *je disparais, il disparaît, nous disparaissons.*
Va voir aussi ***disparu.***
Famille de **paraître**

disparaître v.

1. Cesser d'être visible, être introuvable. *Le soleil disparaît derrière la montagne. Claire a disparu depuis une heure, ses parents s'inquiètent. Les lunettes de Mamie Lou ont encore disparu.* **2.** Cesser d'exister. *Sophie Pelletier a changé depuis que sa mère a disparu,* depuis qu'elle est morte. *Les mammouths ont disparu il y a des milliers d'années. Mme Séverac espère que la tache qu'elle a sur sa jupe disparaîtra au lavage,* que la tache partira.

On ne voyait presque pas le vélo et les gens qui passaient dans la rue se retournaient en rigolant pour le regarder, monsieur Blédurt. Il n'allait pas très vite et puis, il a tourné le coin et il a disparu *(le Petit Nicolas).*

disparate adj.

Des choses disparates, ce sont des choses qui ne sont pas assorties, ne vont pas bien ensemble. *Mme Harpie a des meubles disparates.*

Compare *apparition* et *disparition* : il est question de **paraître.**

disparition n. f.

1. Le fait de n'être plus visible, d'être introuvable. *La disparition de Claire inquiète ses parents.* **2.** Le fait de ne plus exister. *Sophie Pelletier a été*

Elle a dû se perdre en se promenant.

On n'a plus le droit de les tuer.

bouleversée par la disparition de sa mère, par sa mort. *Depuis quelques années, on protège les lynx car ils sont en voie de disparition.*

Même famille que **disparaître**

disparu adj.
1. Que l'on ne voit plus, qui est introuvable. *Certaines coutumes sont complètement disparues.* **2.** *Une personne disparue,* c'est une personne qui n'a pas été retrouvée, ni vivante ni morte. *Après le naufrage, trois marins ont été portés disparus,* on n'a pas retrouvé leur corps. — n. *Il y a eu deux morts et un disparu.*

Famille de **dispenser**

dispensaire n. m.
Endroit où l'on peut consulter un médecin et recevoir des soins au tarif le plus bas. *Mme Touati a fait vacciner ses enfants au dispensaire.*

Famille de **dispenser**

dispense n. f.
Autorisation spéciale qui permet de faire ce qui est défendu ou de ne pas faire ce qui est obligatoire ; vois ***dérogation.*** *Alex aimerait obtenir une dispense de service militaire.*

Conjugaison 1

dispenser v.
1. *Dispenser quelqu'un de quelque chose,* c'est l'autoriser à ne pas faire quelque chose d'obligatoire. *Le docteur Séverac a dispensé Julie de gymnastique. Julie est dispensée de gymnastique. — Julie s'est dispensée de faire sa punition,* elle s'est permis de ne pas la faire. **2.** Distribuer avec générosité. *Mme Bellec dispense des sourires à tous ses clients.*

Julie s'est fait une entorse.

Le contraire de *dispenser,* c'est *obliger.*

Autres membres de la famille : **dispensaire, dispense, indispensable.**

Conjugaison 1
Le contraire de *disperser,* c'est *rassembler, regrouper, réunir.*

disperser v.
1. Faire aller dans plusieurs directions. *Une rafale de vent a dispersé les lettres que le facteur avait dans sa sacoche. — La foule s'est dispersée au premier coup de tonnerre.* **2.** *Disperser son attention,* c'est ne pas la concentrer sur une seule chose. *Antoine fait des fautes d'étourderie, parce qu'il disperse son attention.*

Le contraire de *se disperser,* c'est *se masser, se regrouper.*

▸ **dispersion** n. f. Action de disperser ou de se disperser. *L'orage a provoqué la dispersion de la foule,* il a dispersé la foule.

Va voir aussi ***disposer.***

disponible adj.
1. Que l'on peut utiliser. *Le train est complet, il n'y a plus de places disponibles ;* vois ***libre.*** **2.** *Une personne disponible,* c'est une personne qui a du temps pour faire quelque chose ou qui n'est engagée par rien. *Angèle est toujours disponible pour s'occuper de ses élèves.*

Il aurait fallu louer une place.

On peut compter sur sa *disponibilité.*

Au féminin : *dispose.*
Famille de **disposer**
Hippolyte est facteur.

dispos adj.
En forme pour agir. *Aujourd'hui, Hippolyte est frais et dispos, il fait sa tournée en sifflotant.*

Le contraire de *dispos,* c'est *fatigué, las.*

Conjugaison 1

disposer v.
1. Placer d'une certaine façon. *Mme Séverac a disposé les chaises autour de la table.* **2.** *Se disposer à faire quelque chose,* c'est être sur le point de faire quelque chose, être prêt à le faire. *Angèle se disposait à partir quand le téléphone a sonné.* **3.** *Disposer de quelque chose,* c'est pouvoir s'en servir. *Yasmina ne dispose pas d'une chambre pour elle toute seule. En Afrique, le docteur Séverac disposait d'une voiture tout terrain.*

Le photographe a dit à la maîtresse qu'on avait le temps de se laver pendant que lui disposait les caisses et la chaise pour la photo *(le Petit Nicolas).*

Nous disposons de nos yeux pour voir et de nos oreilles pour entendre.

▸ **disposé** adj. **1.** *Être bien, mal disposé,* c'est être de bonne, de mauvaise humeur. *Ce matin, Yves n'est pas bien disposé. Mme Harpie a toujours été mal disposée à l'égard de M. Doucet,* elle lui a toujours voulu du mal. **2.** *Être disposé à faire quelque chose,* c'est être prêt à le faire, être dans l'humeur de le faire. *Ce matin, Yves n'est pas disposé à rendre service à sa mère.*

Yves s'est peut-être levé du pied gauche !

▸ **dispositif** n. m. Mécanisme. *Un dispositif de sûreté empêche d'ouvrir la machine à laver quand elle est remplie d'eau.*

Cela évite bien des catastrophes !

Compare : *disposer → disposition* et *poser → position.*

▸ **disposition** n. f. **1.** Façon dont des choses sont disposées. *Mme Séverac a changé la disposition des meubles du salon.* **2.** *Avoir quelque chose à sa disposition,* c'est pouvoir en disposer. *Le docteur Séverac avait une voiture tout terrain à sa disposition.* **3.** *Prendre ses dispositions pour faire quelque chose,* c'est faire le nécessaire pour pouvoir le faire. *Le docteur Séverac a pris ses dispositions pour rejoindre sa famille en vacances.* **4.** *Avoir des dispositions pour quelque chose,* c'est avoir des aptitudes, être capable de

Denis Prost est maintenant un comédien célèbre.

faire quelque chose. *Denis Prost a toujours eu des dispositions pour la comédie.* **5.** *Être dans de bonnes, de mauvaises dispositions,* être bien, mal disposé. *Mme Harpie est dans de mauvaises dispositions envers M. Doucet.*

Autres membres de la famille : **dispos, indisposer, indisposition.**

Il reçoit un salaire *disproportionné* à son travail.

disproportion n. f.

Trop grande différence entre plusieurs choses. *Il y a une grande disproportion entre le peu de travail qu'il fournit et l'énorme salaire qu'il reçoit.*

Même famille que **proportion**

Conjugaison 1

disputer v.

1. *Disputer un match,* c'est participer à un match pour gagner. *Les élèves d'Angèle et ceux d'une autre classe disputeront un match de football demain. — Les deux équipes vont se disputer la victoire,* lutter pour obtenir la victoire. **2.** *Se disputer,* c'est avoir une querelle ; vois *se* ***quereller.*** *Mme Harpie se dispute avec tout le monde. Yves et Antoine se disputaient pour savoir qui donnerait à manger au hamster Cajou ;* vois *se* **chamailler.**

▸ **dispute** n. f. Échange de paroles violentes et désagréables ; vois ***querelle.*** *La dispute a éclaté en arrivant à l'école. Yves cherche souvent la dispute.*

Le match doit *se disputer* demain.

Moi, je n'aime pas quand Papa et Maman se disputent, mais ce que j'aime bien, c'est quand ils se réconcilient *(le Petit Nicolas).*

Balkis la Très Adorable ne se disputait jamais avec Suleiman-bin-Daoud. Elle l'aimait trop bien *(Histoires comme ça).*

Famille de **qualifier**

disqualifier v.

Disqualifier un coureur, c'est l'éliminer d'une course parce qu'il a commis une faute. *Le skieur a été disqualifié parce qu'il s'était trompé de parcours pendant le slalom.*

▸ **disqualification** n. f. Élimination. *En slalom, une faute de parcours entraîne la disqualification du skieur.*

Conjugaison 7 ▭ Indic. présent : *nous disqualifions.* Imparfait : *nous disqualifiions.*

Compare : *disqualifier → disqualification* et *simplifier → simplification.*

disque n. m.

1. Objet plat et rond qu'un athlète doit lancer le plus loin possible. *On lance le disque d'une seule main en pivotant sur soi-même.* **2.** Plaque sur laquelle sont enregistrés des sons. *Pour écouter un disque, on le met sur un tourne-disque. Denis Prost a de nombreux disques de jazz.*

▸ **disquaire** n. m. et f. Personne qui vend des disques. *Hippolyte veut offrir un disque à Angèle, il demande conseil au disquaire.*

▸ **disquette** n. f. Disque souple utilisé en informatique. *Mme Hespel a enregistré tout son budget sur une disquette.*

Un disque pèse 2 kilos pour les hommes et 1 kilo pour les femmes.

Va voir aussi *discothèque.*

On écrit aussi *discaire.*

Les champions arrivent à lancer le disque à 70 mètres.

Les disques traditionnels sont creusés de sillons ; les disques compacts sont lus par un rayon laser.

Autre membre de la famille : **tourne-disque.**

Va voir aussi *disséquer.* La dissection d'un corps vivant s'appelle la *vivisection.*

dissection n. f.

Ouverture et observation scientifique d'un corps. *Sylvain a assisté à la dissection d'une souris morte.*

Au Moyen Âge, la dissection des cadavres était interdite par l'Église.

disséminer v.

1. Laisser tomber, répandre quelque chose en plusieurs endroits assez écartés, comme lorsque l'on sème ; vois ***disperser, éparpiller.*** *L'abeille dissémine dans la nature le pollen des fleurs qu'elle butine.* **2.** *La famille s'est disséminée aux quatre coins du monde,* ses membres se sont séparés et établis aux quatre coins du monde.

Dans les déserts, il n'y a de l'eau que dans de rares oasis, disséminées çà et là.

Conjugaison 1

Conjugaison 6 ▭ Indic. présent : *je dissèque, nous disséquons.*

disséquer v.

1. Séparer méthodiquement les parties d'une plante ou d'un corps mort pour les étudier scientifiquement. *Le professeur de sciences a disséqué une souris.* **2.** Analyser très soigneusement et méthodiquement ; vois ***éplucher.*** *Le critique disséquait la mélodie en la décomposant phrase par phrase.*

Va voir aussi *dissection.*

On peut dire *disserter d'une chose* ou *sur une chose.*

disserter v.

Parler longuement d'un sujet. *Denis Prost peut disserter des heures sur un film qui lui a plu.*

Conjugaison 1

dissident n. m., dissidente n. f.

Personne qui se sépare d'un groupe dont elle faisait partie. *Les dissidents du mouvement ont fondé un nouveau parti.*

Un dissident se sépare d'un groupe religieux, politique ou social.

Les dissidents sont en *dissidence.*

Conjugaison 1

dissimuler v.

1. Ne pas laisser paraître, cacher ce que l'on ressent ou ce que l'on sait. *Angèle baisse la tête pour dissimuler son envie de rire.* **2.** Cacher, tenir à l'abri du regard. *Antoine a dissimulé dans sa manche le poisson d'avril qu'il veut accrocher dans le dos d'Hippolyte. Dans le château, une tenture*

Au carnaval, on dissimule son visage sous un masque.

dissimule un escalier dérobé. — Le lièvre se dissimule en s'aplatissant au sol.

Deux **s** et un seul **p** dans *dissiper.*

Dissiper sa fortune, c'est la dépenser dans des dépenses folles, la dilapider.

dissiper v.

Conjugaison 1

1. *Dissiper une chose,* c'est la faire disparaître en la dispersant ; vois ***chasser.*** *Le vent a dissipé les nuages. Le docteur Séverac a dissipé les craintes du malade. — Les craintes du malade se sont dissipées ;* vois *s'****envoler,*** *s'****évanouir.*** **2.** Distraire des personnes qui devraient être attentives. *Antoine dissipe les autres élèves en faisant des grimaces. — Les élèves se sont dissipés en fin de journée,* ils sont devenus dissipés.

▸ ***dissipé*** adj. Inattentif et turbulent. *Julie est bonne élève, mais elle est souvent dissipée.*

Conjugaison 7

Les frères Lumière ont mis au point le cinéma en 1895.

dissocier v.

Dissocier deux choses, c'est les séparer pour les examiner. *On ne peut pas dissocier les recherches de Louis Lumière de celles de son frère Auguste.*

Le contraire de *dissocier,* c'est *associer, joindre.*

dissolution n. f.

Va voir aussi ***dissoudre.***

1. *Le président de la République a prononcé la dissolution de l'Assemblée nationale,* il a mis fin à son existence légale. **2.** *La dissolution du sucre dans l'eau chaude est rapide,* le sucre fond rapidement.

Le divorce est la dissolution du mariage.

dissolvant n. m.

Produit qui sert à ôter le vernis à ongles. *Le dissolvant s'évapore très vite.*

Le dissolvant *dissout* le vernis.

Conjugaison 51

▭ Indic. présent : *je dissous, nous dissolvons.* Imparfait : *je dissolvais.* Futur : *je dissoudrai.* — Subj. présent : *que je dissolve.*

dissoudre v.

1. *Un liquide dissout un produit* quand il forme avec lui une solution. *L'eau dissout le sucre. — La lessive se dissout et mousse dans l'eau ;* vois ***fondre.*** **2.** *Dissoudre un groupe,* c'est mettre fin à son existence. *Le président de la République a dissous l'Assemblée nationale. — La compagnie théâtrale s'est dissoute après trois ans d'existence.*

Les produits que l'on peut dissoudre sont des produits *solubles.*

Va voir aussi ***dissolution.***

Conjugaison 1

Le contraire de *dissuader,* c'est *persuader.*

Compare : *dissuader → dissuasion* et *persuader → persuasion.*

dissuader v.

Dissuader quelqu'un de faire quelque chose, c'est l'amener à y renoncer ; vois ***décourager.*** *Angèle, l'institutrice, a dissuadé la directrice de renvoyer définitivement Colle et Rat.*

▸ ***dissuasion*** n. f. *La force de dissuasion d'un pays,* c'est ce que ce pays possède pour dissuader l'adversaire d'attaquer. *Les armes atomiques font partie de la force de dissuasion d'un pays.*

Compare *dis**suader*** et *per**suader*** : il s'agit de **conseiller.**

Attention au **y** !

Famille de **symétrie**

Va voir aussi ***asymétrique.***

dissymétrique adj.

Une chose est dissymétrique quand ses parties, placées de part et d'autre d'un axe, ne sont pas semblables. *Les tours de la cathédrale de Chartres sont dissymétriques.*

Le contraire de *dissymétrique,* c'est *symétrique.*

distant adj.

1. Séparé par un intervalle. *La Terre et la Lune sont distantes de 350 000 km.* **2.** *Une personne distante,* c'est une personne qui ne se lie pas facilement avec les autres ; vois ***froid, réservé.*** *Mme Hespel s'est montrée distante avec nous.*

Il y a des gens qui ont l'air distant mais qui sont simplement timides !

Le contraire de *distant,* c'est *familier.*

▸ ***distance*** n. f. **1.** Longueur qui sépare deux choses ; vois ***éloignement.*** *À quelle distance sommes-nous de la mer ? Les deux arrêts d'autobus sont à égale distance de l'école. Malgré la distance, Sylvain et Nathalie ne s'oublient pas. Hippolyte garde ses distances avec Mme Harpie,* il est réservé, il n'est pas familier. **2.** Temps passé entre deux moments. *Les jumeaux sont nés à vingt minutes de distance ;* vois ***intervalle.*** **3.** Différence importante. *Il y a une distance entre dire une chose et la faire !*

Le marathon se court sur une distance de 42,195 km.

Conjugaison 3

▭ Indic. présent : *je distance, nous distançons.*

▸ ***distancer*** v. Dépasser d'une certaine longueur. *Réjean distançait largement les autres nageurs.*

Autre membre de la famille : **équidistant.**

Conjugaison 1

Prononce [distile].

L'eau distillée est une eau vaporisée et refroidie qui a ainsi perdu ses sels et ses gaz.

distiller v.

Chauffer un liquide pour en extraire un autre liquide. *Dans la région de Cognac, on distille des vins blancs pour obtenir du cognac.*

▸ ***distillation*** n. f. Procédé qui permet de transformer en vapeur une partie d'un mélange liquide. *Par distillation du pétrole, on obtient de l'essence.*

On utilise un alambic pour distiller les fruits et obtenir les eaux de-vie.

Prononce [distilʀi].

▸ ***distillerie*** n. f. Lieu où l'on fabrique les produits de la distillation. *Hippolyte a acheté du rhum directement à la distillerie.*

Distinct se prononce [distɛ̃], *distincte* se prononce [distɛ̃kt].

distinct adj.

1. Qui ne se confond pas avec autre chose, différent. *Les jumeaux ont des caractères bien distincts.* **2.** Qui se voit ou s'entend bien. *Parlez plus haut, d'une voix distincte. Les cratères de la Lune sont distincts même à l'œil nu.*

Le contraire de *distinct,* c'est *confus, indistinct, vague.*

Prononce [distɛ̃ktəmɑ̃].

▸ ***distinctement*** adv. Nettement, clairement, d'une manière distincte. *On voit distinctement des traces de pas sur la neige.*

Autre membre de la famille : **indistinct.**

Compare *distinctif* et *distinction* : il est question de **distinguer.**

distinctif adj.

Qui permet de distinguer, de faire une différence ; vois ***caractéristique.*** *Les signes distinctifs de l'hirondelle de cheminée sont sa gorge roux sombre et sa queue fourchue très fine.*

Au féminin : *distinctive.*

Prononce [distɛ̃ksjɔ̃]. Compare *distinction* et *distinctif* : il est question de **distinguer.**

distinction n. f.

1. *Faire la distinction entre deux choses,* c'est faire une différence entre elles, les distinguer l'une de l'autre. *La natation est un sport qui peut être pratiqué par tous, sans distinction d'âge ni de sexe,* sans qu'une différence soit établie par l'âge ni le sexe. **2.** Marque d'honneur. *Ce film a reçu la plus haute distinction du festival.* **3.** Élégance, délicatesse et réserve dans la tenue et les manières ; vois ***raffinement.*** *Le docteur Séverac a de la distinction,* il est distingué.

Le contraire de *distinction,* c'est *confusion.*

À Cannes, la plus haute distinction du festival est la Palme d'or ; à Venise, c'est le Lion d'or.

Le contraire de *distinction,* c'est *vulgarité.*

distinguer v.

1. Permettre de reconnaître, être un signe caractéristique. *Qu'est-ce qui distingue Dupond de Dupont ? — La maison se distingue des autres par ses volets bleus,* elle est différente des autres. **2.** Faire une différence entre plusieurs personnes ou plusieurs choses. *Impossible de distinguer ces chatons, ils sont tous pareils !* **3.** Voir, entendre ou sentir. *Le pilote distingue les lumières de l'aéroport. Angèle distinguait de la tristesse dans le silence d'Hippolyte,* elle sentait de la tristesse. — *L'ombre se distinguait à peine,* se voyait à peine. **4.** *Se distinguer,* c'est être au-dessus des autres, se faire remarquer. *Yasmina s'est distinguée en histoire.*

La seule chose qui distingue Dupond de Dupont, les policiers jumeaux dans les albums de *Tintin,* c'est l'orthographe de leur nom !

Conjugaison 1 ▭ Indic. présent : *je distingue, nous distinguons.* N'oublie pas le ***u*** !

▸ ***distingué*** adj. **1.** *Recevez l'assurance de mes sentiments distingués,* choisis parmi les meilleurs. **2.** Élégant et réservé. *Le docteur Séverac est un homme distingué.*

Le contraire de *distingué,* c'est *vulgaire.*

Va voir aussi ***distinction.***

distraction n. f.

1. Manque d'attention à ce que l'on fait, parce que l'on pense à autre chose ; vois ***inattention.*** *Le travail de Julie se ressent de sa distraction.* **2.** Occupation qui change les idées, qui permet de se détendre, de se distraire ; vois ***amusement, divertissement, passe-temps.*** *La grande distraction d'Antoine, c'est de ramasser des plantes pour son herbier ;* vois ***plaisir.***

Va voir aussi ***distraire.***

Le professeur Tournesol est d'une distraction légendaire.

Tu n'avais eu longtemps pour distraction que la douceur des couchers de soleil *(le Petit Prince).*

Conjugaison 50 ▭ Indic. présent : *je distrais, il distrait, nous distrayons, ils distraient.* Imparfait : *je distrayais.* Futur : *je distrairai.*

distraire v.

1. *Distraire quelqu'un,* c'est détourner son attention, l'empêcher de se concentrer sur ce qu'il est en train de faire ; vois ***déranger.*** *Sophie Pelletier a du mal à ne pas se laisser distraire de son travail quand ses enfants sont là.* **2.** Faire passer le temps agréablement ; vois ***divertir, égayer.*** *Cette émission de télévision a distrait Mamie Lou,* cela a été une distraction pour Mamie Lou. — *Denis Prost se distrait en jouant au billard,* il se détend, se délasse.

Va voir aussi ***distraction.***

Ma pauvre Sophie, ne pleure pas, nous t'aimons bien ; viens nous voir souvent, nous tâcherons de te distraire *(les Petites Filles modèles).*

Le contraire de *distrait,* c'est *attentif.*

▸ ***distrait*** adj. Qui ne pense pas à ce qu'il fait, à ce qu'on lui dit. *Antoine est souvent distrait en classe, il n'écoute pas bien ce que dit la maîtresse.*

Il écoute *distraitement.*

Le contraire de *distrayant,* c'est *ennuyeux.*

▸ ***distrayant*** adj. Qui distrait, amuse ; vois ***amusant, divertissant.*** *Ce film était très distrayant.*

Conjugaison 1

distribuer v.

1. Donner à chaque personne d'un groupe une partie d'une chose, ou une chose parmi un ensemble ; vois ***partager, répartir.*** *Alex distribuera des prospectus pour gagner de l'argent. Angèle, l'institutrice, a distribué du travail à chaque élève.* **2.** *Mme Bellec distribue des sourires à ses clients,*

La maîtresse a commencé à les distribuer drôlement, les punitions, on avait tous des tas de lignes à faire *(le Petit Nicolas).*

On distribue les cartes aux joueurs avant de commencer la partie.

elle en fait beaucoup. **3.** Répartir dans plusieurs endroits. *Ces canalisations distribuent l'eau dans la ville.*

Ce distributeur rend la monnaie.

▷ ***distributeur*** n. m. Appareil, machine qui sert à distribuer. *Julie a mis une pièce dans le distributeur automatique pour avoir un paquet de chewing-gums.*

Dans les banques, il y a des distributeurs de billets.

Hippolyte est facteur.

▷ ***distribution*** n. f. **1.** *Hippolyte s'occupe de la distribution du courrier à Motbourg,* de distribuer le courrier. **2.** *La distribution d'un film,* c'est l'ensemble des acteurs qui jouent dans ce film. *Le film dans lequel joue Denis Prost a une bonne distribution.*

On a distribué les rôles aux acteurs.

District [distʀikt] rime avec *strict* et *verdict.*

district n. m.
Groupe de plusieurs communes, de plusieurs villes. *Les villes de la banlieue font partie du district du grand Paris.*

Compare *diurne* et ***midi*** : il s'agit du **jour.**

diurne adj.
Qui se montre le jour. *Les faucons et les aigles sont des rapaces diurnes.*

Le contraire, c'est *nocturne.*

Conjugaison 1 ; n'oublie pas le ***u*** après le ***g.***

divaguer v.
Dire n'importe quoi, dire des choses qui n'ont pas de sens ; vois ***dérailler, déraisonner.*** *En se réveillant après son opération, Julie divaguait.*

divan n. m.
Long siège sans bras ni dossier, qui peut servir de lit. *Denis Prost s'est endormi sur le divan du salon.*

Le canapé a, lui, un dossier.

Conjugaison 3 ; n'oublie pas le ***e*** après le ***g*** devant ***a*** et ***o.***

diverger v.
1. S'écarter l'un de l'autre. *Il sont allés ensemble jusqu'au carrefour ; après, leurs routes divergeaient.* **2.** Être en désaccord ; vois ***s'opposer.*** *Leurs idées sur l'éducation des enfants divergent.*

Le contraire de *diverger,* c'est *converger.*

Compare : *diverger → divergence* et *négliger → négligence.*

▷ ***divergence*** n. f. Désaccord, différence. *Il y a une divergence d'opinions entre Mme Harpie et Mme Roussel.*

Elles ont des idées *divergentes.*

On ne prononce pas le ***s*** de *divers* : [divɛʀ].

divers adj.
1. *Diverses choses,* ce sont des choses différentes. *Antoine a des papillons de diverses couleurs,* de plusieurs couleurs, de couleurs différentes, variées. *Il existe des papillons des couleurs les plus diverses. Diverses personnes sont venues voir Julie,* plusieurs personnes, quelques personnes. **2.** *Les faits divers,* ce sont les articles d'un journal qui concernent les incidents du jour, comme des accidents ou des vols. *L'incendie de la poste a été raconté dans les faits divers.*

Dans un article de dictionnaire on trouve les divers sens d'un mot.

▷ ***diversité*** n. f. Variété. *Les papillons d'Antoine sont d'une grande diversité,* ils sont très divers, il y en a de toutes les sortes.

Conjugaison 2
Le contraire, c'est *ennuyer.*

divertir v.
Distraire, amuser. *La fête de l'école a bien diverti les parents. — Les parents se sont bien divertis.*

Quand ses deux sœurs revinrent du Bal, Cendrillon leur demanda si elles s'étaient encore bien diverties *(Cendrillon).*

Le contraire, c'est *ennuyeux.*

▷ ***divertissant*** adj. Distrayant, amusant. *Le spectacle était très divertissant.*

Compare : *divertir → divertissement* et *avertir → avertissement.*

▷ ***divertissement*** n. m. Moyen de se divertir ; vois ***amusement, délassement, distraction.*** *La pêche est un des divertissements favoris de M. Bellec ;* vois ***loisir, passe-temps.***

divin adj.
1. Qui concerne Dieu, les dieux. *Mme Bellec respecte la volonté divine,* la volonté de Dieu. **2.** Excellent, parfait ; vois ***merveilleux, sublime.*** *Il fait un temps divin,* délicieux. *M. Bellec a fait un repas divin,* exquis.

Le *divin enfant* [lədivinɑ̃fɑ̃], c'est l'enfant Jésus.

Zeus et Apollon étaient des divinités grecques.

▷ ***divinité*** n. f. Être divin ; vois ***Dieu, déesse.*** *Les Grecs croyaient en de nombreuses divinités.*

divination n. f.
Pratiquer la divination, c'est deviner l'avenir ou des choses cachées par des moyens magiques. *Les voyantes pratiquent parfois la divination en observant du marc de café.*

Les devins pratiquent la divination.

Conjugaison 1

L'année est divisée en mois, qui sont divisés en semaines, qui sont divisées en jours.

172 : 4 = 43.

diviser v.
1. Séparer en plusieurs parties ; vois ***fractionner, morceler, partager.*** *Mme Roussel a divisé la tarte en huit. — Le chemin se divise en deux au gros chêne,* il bifurque. **2.** Calculer combien de fois une quantité est contenue dans une autre. *Divisez 172 par 4. 172 divisé par 4 égale 43.* **3.** *Diviser des personnes,* c'est faire en sorte qu'elles ne soient pas d'accord. *Le conseil municipal est divisé sur la décision à prendre.*

Le contraire de *diviser,* c'est *multiplier.*

Le contraire de *diviser,* c'est *rapprocher, unir.*

172 est le *dividende ;* le résultat, 43, est le *quotient.*

▸ **diviseur** n. m. Nombre par lequel on en divise un autre. *Quand on divise 172 par 4, 4 est le diviseur.*

▸ **divisible** adj. Qui peut être divisé. *172 est divisible par 4.*

Par quoi est divisible 183 ?

▸ **division** n. f. **1.** Opération qui consiste à calculer combien de fois un nombre est contenu dans un autre. *Les élèves viennent d'apprendre à faire des divisions à deux chiffres.* **2.** Trait qui divise. *Un thermomètre a des divisions ;* vois **graduation.** **3.** Désaccord. *Il y a des divisions au sein du conseil municipal,* les membres du conseil ne sont pas d'accord. **4.** Partie de l'armée, composée de plusieurs régiments. *Le général de division a ordonné l'attaque.*

Le contraire de *division,* c'est *multiplication.*

Autre membre de la famille : **subdiviser.**

La principale cause de divorce, c'est le mariage ! (A. Allais).

divorce n. m.
Rupture légale d'un mariage. *M. Doucet a demandé le divorce.*

▸ **divorcer** v. Se séparer légalement de son mari ou de sa femme. *Les parents d'Antoine ont divorcé. Mme Roussel est divorcée depuis quatre ans.*

Conjugaison 3 ; n'oublie pas la cédille du ***ç*** devant ***a*** ou ***o*** !

Conjugaison 1

N'oublie pas le ***u*** après le ***g***.

divulguer v.
Faire connaître à tout le monde quelque chose qui était connu par peu de personnes ; vois ***dévoiler, ébruiter, proclamer, répandre, révéler.*** *Julie divulgue tous les secrets qu'on lui confie.*

Le contraire de *divulguer,* c'est *cacher, taire.*

Prononce [di] devant une consonne, [diz] devant une voyelle et [dis] avant une pause.

dix adj. et n. m. invariable
1. adj. invariable Neuf plus un. *Antoine a dix francs dans son porte-monnaie. Ce soir, nous sommes dix à table. Il est dix heures.* **2.** n. m. invariable Le nombre dix. *Dix et dix font vingt. Yves a eu dix sur dix à sa dictée.*

10 en chiffres arabes
X en chiffre romain

Va voir aussi ***décupler.***

▸ **dixième** adj. et n. m. **1.** adj. Qui suit le neuvième. *Julie est montée à pied au dixième étage.* **2.** n. m. Partie d'un tout qui est divisé en dix parties égales. *Antoine a mangé les neuf dixièmes du gâteau au chocolat.*

Dix-sept, dix-huit, dix-neuf.

Le dixième d'un litre, c'est un *décilitre,* le dixième d'un mètre, c'est un *décimètre.*

▸ **dizaine** n. f. **1.** Groupe de dix unités. *Le chiffre des dizaines s'écrit à gauche de celui des unités.* **2.** Groupe d'environ dix personnes ou dix choses semblables. *Julie a invité une dizaine d'amis à son anniversaire.*

Attention au ***z*** !

Autres membres de la famille : **soixante-dix, quatre-vingt-dix.**

do n. m. invariable
Note de musique. *La gamme de do commence par un do. N'oublie pas les do dièses !*

Ut est l'autre nom de *do.*

Do, ré, mi, fa, sol, la, si.

docile adj.
Qui obéit facilement. *Marie-Tévy est une enfant docile,* disciplinée, obéissante. *Marie-Tévy a un caractère docile,* facile, soumis.

Qu'elle était jolie la petite chèvre de M. Seguin ! [...] et puis, docile, caressante, se laissant traire sans bouger *(les Lettres de mon moulin).*

Le contraire de *docile,* c'est *rebelle, récalcitrant, rétif.*

▸ **docilité** n. f. Caractère de celui qui est obéissant, docile ; vois ***obéissance, soumission.*** *Marie-Tévy est d'une grande docilité.*

Compare : *docile → docilité* et *facile → facilité.*

Attention au ***c*** et au ***k*** !

dock n. m.
1. Bassin, dans un port, où vont les bateaux que l'on charge et que l'on décharge. *Loïc aime bien se promener du côté des docks.* **2.** *Les docks,* ce sont les hangars où l'on entrepose les marchandises dans un port ; vois ***entrepôt.*** *Des céréales sont entreposées dans les docks.*

▸ **docker** n. m. Ouvrier qui charge et décharge les bateaux ; vois ***débardeur.*** *Les dockers transportent les marchandises du bateau jusqu'au camion.*

Docker [dɔkɛʀ] rime avec *équerre* et *calcaire.*

Docte est un mot que l'on trouve surtout dans les livres.

docte adj.
Pédant, prétentieux. *Mme Harpie a répondu avec un air docte qu'elle le savait.*

docteur n. m.
1. Personne qui a le plus haut diplôme de l'université. *Sophie Pelletier est docteur en histoire de l'art. Louis Séverac est docteur en médecine.*

Pour avoir le titre de docteur, il faut soutenir une thèse.

2. Personne qui est docteur en médecine ; vois ***médecin.*** *Sophie Pelletier a appelé le docteur Séverac quand Julie est tombée malade.*

Les docteurs vont tout simplement vous passer à la radio, ça ne fait pas mal du tout (*le Petit Nicolas*).

Ce mot ne s'emploie plus beaucoup.

▸ ***doctoresse*** n. f. Femme médecin. *Mme Hespel a consulté une doctoresse.*

doctrine n. f.

Théorie que l'on croit vraie. *Mme Séverac et le maire ont la même doctrine politique,* les mêmes idées politiques.

document n. m.

Texte, objet qui sert de preuve ou de renseignement. *Le docteur Séverac a rapporté de nombreux documents photographiques de ses voyages.*

Des livres, des journaux, des archives, des dessins, des photos, des films peuvent être des documents.

▸ ***documentaliste*** n. m. et f. Personne dont le métier est de réunir des documents et de s'en occuper. *Nathalie est allée voir la documentaliste à la bibliothèque du collège, pour préparer son dossier sur les costumes anciens.*

Compare : *document* → *documentaire* et *aliment* → *alimentaire.*

▸ ***documentaire*** adj. *Un film documentaire,* c'est un film qui donne des renseignements sur quelque chose. *À l'école, les enfants ont vu un film documentaire sur les baleines.*

On dit aussi *un documentaire.*

Conjugaison 1

▸ *se* ***documenter*** v. Se renseigner, s'informer en regardant des documents. *Nathalie est allée à la bibliothèque pour se documenter sur les costumes anciens.*

▸ ***documentation*** n. f. Ensemble de documents, de renseignements. *La documentaliste a aidé Nathalie à réunir la documentation sur les costumes anciens.*

Autre membre de la famille : **porte-documents.**

dodeliner v.

Prononce [dɔdline].

Dodeliner de la tête, c'est balancer doucement la tête ; vois ***branler.*** *Mamie Lou, assise dans son fauteuil, dodeline de la tête.*

Elle va sûrement s'endormir !

Conjugaison 1

dodo n. m.

Dodo est un mot employé par les jeunes enfants ou quand on leur parle.

1. *Faire dodo,* c'est dormir. *Claire, c'est l'heure d'aller faire dodo !* 2. Lit. *Claire a couché ses poupées dans leur dodo.*

Dodo, l'enfant do
L'enfant dormira
Bientôt ! (chanson).

dodu adj.

Didon dîna dit-on du dos d'un dodu dindon du Don.

Bien gras. *Les oies sont bien dodues. Claire a des bras dodus ;* vois ***potelé.***

Le contraire, c'est *maigre.*

dogue n. m.

Être d'une humeur de dogue : être de très mauvaise humeur.

Chien de garde à grosse tête et au museau écrasé ; vois ***bouledogue.*** *Hugo, le braque de M. Bellec, s'est battu avec un dogue allemand.*

Les dogues sont de très grands chiens.

doigt n. m.

Ne prononce pas le *g. Doigt* [dwa] rime avec *roi* et *fois.*

1. Chacune des cinq parties qui terminent la main. *Mme Bellec a des doigts longs et fins. Angèle, l'institutrice, interroge les élèves qui ont levé le doigt. Claire compte sur ses doigts. Le commissaire a mis le doigt sur la clé de l'énigme,* il l'a découverte. *Sylvain savait sa leçon sur le bout des doigts,* parfaitement. *Mme Roussel s'est mordu les doigts d'avoir agi ainsi,* elle l'a regretté. 2. Mesure qui équivaut approximativement à un doigt. *Mme Séverac s'est servi un doigt de whisky,* très peu de whisky. *Le ballon est passé à deux doigts du but,* très près du but.

Les pieds ont des *orteils.*

J'ai ta main dans ma main
je joue avec tes doigts
(Ch. Trenet).

Chaque doigt a un nom : le pouce, l'index, le majeur ou médius, l'annulaire et l'auriculaire ou petit doigt.

Les *doigts d'un gant* sont les parties d'un gant qui recouvrent les doigts.

▸ ***doigté*** n. m. *Un musicien qui a du doigté,* c'est un musicien qui utilise ses doigts avec habileté. *Sylvain a un bon doigté.*

dollar n. m.

La monnaie du Canada et de l'Australie s'appelle aussi *dollar.*

Monnaie des États-Unis d'Amérique et de quelques autres pays. *Avant de partir pour New York, Denis Prost est allé chercher des dollars à la banque.*

On appelle le dollar le *billet vert.*

dolmen n. m.

Un dolmen ressemble à une table. À côté des dolmens, on voit aussi des menhirs.

Monument préhistorique fait d'une grosse pierre posée horizontalement sur d'autres pierres verticales. *Il y a de nombreux dolmens en Bretagne.*

Dolmen [dɔlmɛn] rime avec *domaine, reine* et *abdomen.*

domaine n. m.

1. Grande propriété à la campagne. *Le domaine de Pierre et Odile Séverac est en Dordogne.* 2. Lieu où l'on se considère comme chez soi. *Le grenier, c'est le domaine de Nathalie, David et Marie-Tévy.* 3. *Le domaine public,* c'est l'ensemble des biens qui appartiennent à l'État. *Les voies ferrées font partie du domaine public.* 4. *Le domaine de quelqu'un,* c'est ce que

Mais aussi celui des souris !

Les forêts *domaniales* appartiennent au domaine public.

quelqu'un connaît particulièrement bien. *Le bricolage, c'est le domaine de M. Bellec.*

N'oublie pas l'accent circonflexe du *ô* de *dôme*.

dôme n. m.
Toit arrondi de certains édifices ; vois ***coupole.*** *À Paris, le Panthéon et les Invalides sont recouverts d'un dôme.*

Compare *domestique* et *domicile* : il est question de la **maison.**

domestique adj., n. m. et f.
▭ **adj. 1.** Qui concerne la maison, la famille. *Sophie Pelletier n'aime pas les travaux domestiques ;* vois ***ménager.*** **2.** *Un animal domestique,* c'est un animal apprivoisé qui vit près de l'homme. *Le chien, le chat, le cheval, la vache sont des animaux domestiques.*

Le contraire de *domestique*, c'est *sauvage*.

On ne parle plus de domestiques mais d'*employés de maison*.

▭ **n. m. et f.** Personne dont le métier est d'être au service de quelqu'un. *Autrefois, les gens riches avaient de nombreux domestiques. Les domestiques forment le personnel de la maison.*

Sophie entend la voix de Mme Réan, qui appelait les domestiques ; elle entend parler haut comme si elle grondait ; les domestiques vont et viennent *(les Malheurs de Sophie).*

Conjugaison 1

▸ ***domestiquer*** v. Rendre domestique un animal sauvage ; vois ***apprivoiser.*** *Le cheval a été domestiqué il y a très longtemps.*

Compare *domicile* et *domestique* : il s'agit de la **maison.**

domicile n. m.
Logement dans lequel on habite. *Le domicile d'Angèle est à Motbourg. Sophie Pelletier travaille à domicile,* chez elle.
▸ ***domicilié*** adj. *Angèle est domiciliée rue Émile-Littré,* elle a son domicile rue Émile-Littré.

Les clochards n'ont pas de domicile.

Conjugaison 1

Les châteaux forts dominaient les villages dont ils assuraient la protection.

dominer v.
1. Avoir au-dessous de soi. *Une colline domine la ville.* **2.** Maîtriser. *Yves ne réussit pas à dominer sa colère ;* vois ***contrôler.*** *— Il ne se domine pas.* **3.** Être plus fort. *Notre équipe a dominé l'équipe adverse pendant tout le match.*
▸ ***dominant*** adj. Qui est le plus important, le plus fort. *Le trait dominant du caractère d'Yves est sa facilité à se mettre en colère.*

Les vents dominants en Bretagne sont les vents d'ouest.

Au féminin : *dominatrice*.

▸ ***dominateur*** adj. Autoritaire. *Mme Hespel avait un air dominateur.*
▸ ***domination*** n. f. Autorité. *Les esclaves vivaient sous la domination de leurs maîtres.*

Autre membre de la famille : **prédominer.**

Au masculin pluriel : *dominicaux*.

dominical adj.
Du dimanche. *L'abbé Gauthier célèbre la messe dominicale. Hippolyte fait son jogging dominical.*

domino n. m.
Petite plaque rectangulaire marquée de points noirs qui sert à jouer. *Claire et Mamie Lou jouent aux dominos.*

Il y a 28 dominos dans un jeu de dominos.

N'oublie pas les deux *m* de *dommage* !

On va coucher dans des maisons en bois, et c'est dommage, parce que moi je croyais qu'on allait vivre dans des tentes *(le Petit Nicolas).*

dommage n. m.
1. Dégât subi par quelque chose. *L'averse de grêle a provoqué de grands dommages dans les champs de maïs.* **2.** Chose triste. *Quel dommage de travailler quand il fait beau ! C'est vraiment dommage que Sylvain n'ait pas pu aller en Bretagne ;* vois ***regrettable.*** *Il est bien dommage d'être malade pendant les vacances.*

Autres membres de la famille : **dédommager, dédommagement, endommager, endommagé.**

Conjugaison 1

dompter v.
Dompter un animal sauvage, c'est se faire obéir par lui ; vois ***dresser.*** *Il faut beaucoup de courage pour dompter des fauves.*

N'oublie pas le *p* entre le *m* et le *t* de *dompter* et de *dompteur,* mais ne le prononce pas.

À un signe du dompteur, Babar joue un morceau de trompette et Céleste danse en mesure *(Babar).*

▸ ***dompteur*** n. m., ***dompteuse*** n. f. Personne dont le métier est de dompter des animaux sauvages. *Ce qu'Antoine préfère au cirque, c'est le numéro du dompteur.*

Autre membre de la famille : **indomptable.**

don n. m.
1. Chose, argent que l'on donne. *Mme Séverac recueille des dons pour les pauvres du quartier.* **2.** *Sophie Pelletier a fait don de quelques exemplaires de son livre à la bibliothèque municipale,* elle les a donnés. **3.** *Sylvain a un don pour le piano,* il est doué pour le piano.

Famille de **donner**

Va voir aussi ***talent.***

Attention, *donation* s'écrit avec un seul *n* !

donation n. f.
Faire une donation, c'est faire un don d'une manière officielle. *Le musée a reçu une importante donation.*

Famille de **donner**

Celui qui fait une donation est un *donateur*.

Prononce le *c* de *donc* quand *donc* est en tête de proposition ou devant une voyelle ou un *h* muet.

donc conjonction

1. Par conséquent, en conclusion. *Il y a une cigarette qui brûle dans le cendrier, donc Denis Prost n'est pas loin. Personne ne répond chez Angèle ; elle est donc sortie.* **2.** *Donc* s'emploie pour renforcer ce que l'on dit. *Julie, tais-toi ! laisse donc Yasmina finir sa phrase. Restez donc dîner avec nous !* **3.** *Donc* exprime la surprise. *C'était donc Claire qui avait caché les lunettes de Mamie Lou !*

Puisque les cheveux deviennent plus épais quand on les coupe, les sourcils, qui sont de petits cheveux, doivent faire de même. Je vais donc les couper pour qu'ils repoussent très épais *(les Malheurs de Sophie).*

donjon n. m.

Tour la plus haute d'un château fort. *Le châtelain et sa famille se sont réfugiés dans le donjon pendant l'attaque.*

Conjugaison 1

donner v.

Le contraire de *donner,* c'est *recevoir.*

Il arriva que le fils du roi donna un bal *(Cendrillon).*

1. Offrir. *Antoine a donné un chewing-gum à Marie-Tévy. Mme Hespel donne de l'argent de poche à ses fils. Julie donnera à boire à son petit frère quand il aura soif. Denis Prost a donné une réception.* **2.** Fournir. *Mme Séverac a demandé à son mari de donner des chaises aux invités. Donnez-moi un kilo de pommes ;* vois ***vendre.*** **3.** Confier. *Angèle a donné ses clés au gardien pour que le peintre puisse venir pendant qu'elle n'est pas là. Hippolyte a donné ses chaussures à ressemeler.* **4.** Provoquer. *Les chocolats donnent soif. Cette affaire m'a donné des soucis. Cela a donné une bonne leçon à Alex.* **5.** Indiquer, communiquer. *Hippolyte a donné son nom et son adresse aux policiers. Pendant son voyage, Alex donnera de ses nouvelles. Mme Harpie donne des conseils à tout le monde. M. Doucet avait donné sa démission pour venir travailler à Paris.* **6.** Accorder. *Sophie Pelletier a donné à sa fille la permission d'aller au cinéma. Julie ne rentrera pas tard, elle a donné sa parole,* elle l'a promis. **7.** *Yasmina a donné une gifle à son petit frère,* elle l'a giflé. *Mme Séverac s'est donné un coup de peigne,* elle s'est coiffée. *Mme Harpie a donné un coup de balai dans sa boutique,* elle a balayé. **8.** *Donner sur quelque chose,* c'est avoir vue, accès sur quelque chose. *Le restaurant Bellec donne sur la place du Marché. La chambre de Julie donne sur le jardin.* **9.** Produire. *Le jardin potager d'Odile Séverac donne de nombreux légumes.*

Donner c'est donner, Reprendre c'est voler !

Donnez-moi vos tasses que j'y mette du sucre... *(les Malheurs de Sophie).*

Si votre Majesté désirait être obéie ponctuellement, elle pourrait me donner un ordre raisonnable *(le Petit Prince).*

Tous les jours maintenant un savant professeur lui donne des leçons *(Babar).*

Il n'y a que mon papa, ma maman, tonton et pépé qui ont le droit de me donner des fessées ! *(le Petit Nicolas).*

Eudes a croisé Alceste et lui a donné un coup de poing sur le nez *(le Petit Nicolas).*

Il y a un gentil petit hôtel qui donne sur une plage de sable et de galets *(le Petit Nicolas).*

▷ ***donné*** adj. **1.** Déterminé, connu, précis. *Mme Séverac a pris la parole à un moment donné,* à un certain moment. **2.** *Étant donné les circonstances,* en raison des circonstances ; vois ***vu.*** *Étant donné les circonstances, Yves n'est pas parti en Bretagne. Étant donné qu'il est malade, il est resté chez lui ;* vois ***puisque.***

▷ ***donneur*** n. m., ***donneuse*** n. f. Personne qui donne quelque chose. *Hippolyte est un donneur de sang,* il donne son sang pour les malades qui en ont besoin. *Mme Harpie est une donneuse de conseils,* elle donne sans arrêt des conseils.

Autres membres de la famille : s'**adonner, don, donation, redonner.**

Ne confonds pas *dont* et *donc.*

dont pronom relatif

La pièce dont sort Julie est la bibliothèque, la pièce d'où elle sort. *Julie a pris les livres dont elle a besoin,* les livres qu'il lui faut. *J'ai vu le film dont Denis Prost est la vedette,* le film dans lequel il est la vedette. *Antoine est le garçon dont Marie-Tévy est amoureuse,* de qui Marie-Tévy est amoureuse. *Julie a de nombreux amis, dont Antoine et Yasmina,* parmi lesquels Antoine et Yasmina.

Dont peut être le complément du verbe, du nom ou de l'adjectif.

Celui-là est le seul dont j'eusse pu faire mon ami *(le Petit Prince).*

doper v.

Donner un médicament, une drogue qui augmente les forces. *Le jockey avait dopé son cheval. — Le coureur a été disqualifié parce qu'il s'était dopé avant le départ de la course.*

Conjugaison 1

Le *dopage* est interdit parce qu'il est dangereux.

dorénavant adv.

À partir de maintenant, à l'avenir ; vois ***désormais.*** *Dorénavant, Angèle ira à la piscine le mercredi matin.*

Conjugaison 1

dorer v.

1. Recouvrir un objet d'une mince couche d'or. *Le relieur a doré la tranche du livre.* **2.** Prendre une couleur dorée. *Le poulet dorait dans le four.*

Famille de ① **or**

▸ ***doré*** adj. **1.** Recouvert d'une mince couche d'or. *Julie a une chaîne dorée,* plaquée or. **2.** Qui a la couleur de l'or. *Julie a une ceinture dorée. Nathalie est rentrée de vacances toute dorée,* bronzée.

[...] et la citrouille fut aussitôt changée en un beau carrosse tout doré *(Cendrillon).*

Conjugaison 1

dorloter v.
Dorloter quelqu'un, c'est s'occuper de lui avec beaucoup de tendresse ; vois **cajoler.** *Mme Hespel dorlote son fils quand il est malade.*

Conjugaison 16
▭ Indic. présent : *je dors, nous dormons.* Imparfait : *je dormais.* Futur : *je dormirai.* — Subj. présent : *que nous dormions.* — Impératif présent : *dors, dormons.*

dormir v.
1. Être en état de sommeil. *Julie, va te coucher ! C'est l'heure de dormir. Martin dort à poings fermés. Mme Séverac a mal dormi cette nuit. Yves est si fatigué qu'il dort debout. Antoine raconte souvent des histoires à dormir debout,* des histoires incroyables. **2.** Rester inactif. *Ce n'est pas le moment de dormir, il faut s'en aller.*

Elle s'est réveillée fatiguée.

Ce soir-là, quand Babar se couche, il ferme les yeux mais ne peut dormir *(Babar).*

▸ ***dormant*** adj. *De l'eau dormante,* c'est de l'eau qui n'est agitée par aucun courant. *Les étangs sont constitués d'eau dormante.*

Dans *Blancheneige,* le nain qui a toujours sommeil s'appelle Dormeur.

▸ ***dormeur*** n. m., ***dormeuse*** n. f. Personne qui dort. *À l'hôtel, Denis Prost entendait ronfler un dormeur dans la chambre d'à côté. Hippolyte est un grand dormeur,* il dort beaucoup.

Autres membres de la famille : **dortoir, endormant, endormi, endormir,** se **rendormir.**

Au masculin pluriel : *dorsaux.*

dorsal adj.
Qui appartient au dos d'une personne ou d'un animal. *Un poisson a des nageoires dorsales et des nageoires ventrales.*

Famille de **dormir**

dortoir n. m.
Grande salle où dorment plusieurs personnes. *Les soldats dorment dans des dortoirs.*

Compare : *dorer → dorure* et *doubler → doublure.*

dorure n. f.
Mince couche d'or. *La dorure des grilles du château est partie.*

Famille de ① **or**

Attention au ***y*** et au ***ph*** de *doryphore* !

doryphore n. m.
Insecte jaune à rayures noires qui dévore les feuilles des plants de pommes de terre. *Pour détruire les doryphores, on utilise les insecticides.*

Originaire d'Amérique, le doryphore a été introduit en France en 1922.

N'oublie pas le ***s*** final qui ne se prononce pas.

Derrière son dos, Charlie pouvait entendre les cris des gens venus en foule *(Charlie et la Chocolaterie).*

Mettre quelque chose sur le dos de quelqu'un, c'est l'en rendre responsable.

Autres membres de la famille : s'**adosser, dossard,** ① **dossier.**

dos n. m.
1. Partie du corps qui s'étend du cou aux reins. *Loïc a le dos large et musclé. Mme Séverac a une robe décolletée dans le dos. Claire a fait une promenade à dos de mulet. Je ne sais pas si c'est bien Denis Prost que j'ai aperçu, je ne l'ai vu que de dos. Yves cache un bouquet de fleurs derrière son dos. Yves et Antoine se sont mis dos à dos pour voir lequel est le plus grand. Mme Harpie est toujours sur le dos de sa sœur,* elle surveille tout ce qu'elle fait. *Dès qu'Angèle, l'institutrice, a le dos tourné, les élèves se dissipent.* **2.** Dessus d'une chose. *Le dos de la cuiller est sa partie convexe.* **3.** *Le dos d'une feuille de papier,* c'est l'envers ; vois **verso.** *Quand on vous fait un chèque, il faut signer au dos pour l'encaisser.*

Un soir à la fontaine,
Jacques glisse sur le dos
Renverse son seau
Et bouscule Madeleine
(chanson).

Renvoyer deux personnes dos à dos, c'est ne donner raison ni à l'une ni à l'autre.

dose n. f.
Quantité que l'on doit prendre en une fois. *Quand on prend un médicament, il ne faut pas dépasser la dose prescrite par le médecin.*

Pour réussir un gâteau, il ne faut pas se tromper dans les doses de farine et de sucre.

Conjugaison 1

▸ ***doser*** v. Mesurer la bonne dose. *Pour doser plus facilement la quantité à prendre, le flacon est vendu avec un compte-gouttes.*

Attention au ***d*** final.
Famille de **dos**

dossard n. m.
Carré de tissu portant un numéro qu'un coureur a sur le dos. *Le cycliste portant le dossard 35 a abandonné la course.*

Compare : *dos → dossard* et *bras → brassard.*

Attention aux deux ***s*** !
Quelle différence y a-t-il entre une chaise et un tabouret ?

① ***dossier*** n. m.
Partie d'un siège sur laquelle on appuie le dos. *Mme Séverac avait posé la main sur le dossier du fauteuil.*

Famille de **dos**

② ***dossier*** n. m.
Ensemble de papiers, de documents relatifs à un sujet. *Mme Hespel établit un dossier par client.*

Dot [dɔt] rime avec *biscotte* et *compote.*

dot n. f.
Argent, biens qu'une jeune fille apportait en se mariant. *Les parents avaient donné une belle dot à leur fille.*

Conjugaison 1

doter v. **1.** Donner une dot. *Ce noble était si pauvre qu'il ne put doter sa fille.* **2.** Équiper. *Cette usine est dotée de machines très modernes.* **3.** *Mme Hespel est dotée d'une grande intelligence,* elle possède une grande intelligence.

douane n. f.

Le service des douanes est présent aux postes frontière, dans les aéroports et les ports.

1. Administration chargée de contrôler le passage des marchandises d'un pays dans un autre. *On doit payer des droits de douane quand on rapporte certains objets de l'étranger.* **2.** Lieu où travaillent les douaniers. *Denis Prost a passé la douane.*

Douane [dwan] rime avec *moine.*

douanier n. m. et adj. **1.** n. m. Employé de la douane. *Les douaniers ont fouillé les bagages de Denis Prost.* **2.** adj. De la douane. *Les contrôles douaniers sont renforcés.*

Au féminin : *douanière.*

Les douaniers traquent les contrebandiers.

doublage n. m.

Le doublage d'un film, c'est le remplacement de la voix des comédiens qui jouent dans le film par la voix d'autres comédiens qui parlent une autre langue. *Denis Prost a assisté au doublage de son film en italien.*

Denis Prost est comédien.

Même famille que **doubler**

double adj. et n. m.

M. Seguin emporta la chèvre dans une étable toute noire, dont il ferma la porte à double tour *(les Lettres de mon moulin).*

▭ **adj. 1.** Qui est répété deux fois ou qui est formé de deux choses semblables. *À Motbourg, l'avenue du Général-de-Gaulle est à double sens, mais la rue des Vignes est à sens unique. M. Bellec a garé sa voiture en double file. Marie-Tévy a fait un double nœud à ses baskets.* **2.** Qui a deux aspects dont l'un est caché. *Dans un de ses films, Denis Prost jouait le rôle d'un agent double,* d'un espion qui travaillait pour deux camps adverses. *Mme Harpie a peut-être une double vie,* une vie cachée, à côté de sa vie normale.

Quand le capitaine Haddock a bu trop de whisky, il voit double.

Denis Prost est comédien.

▭ **n. m. 1.** Quantité qui équivaut à deux fois une autre. *Dix est le double de cinq.* **2.** Chose semblable à une autre. *Julie a un double de la clé de la maison. Mme Roussel garde un double de toutes les lettres qu'elle tape.*

Pour calculer le double, on multiplie par 2.

doublement adv. Pour deux raisons. *Julie est arrivée en retard en classe sans avoir appris sa leçon, elle est doublement fautive.*

Conjugaison 1

doubler v. **1.** Multiplier par deux. *Le médicament ne lui fait plus assez d'effet, il faut doubler la dose.* **2.** *Doubler un véhicule,* c'est le dépasser en allant plus vite. *M. Bellec a doublé un camion.* **3.** Garnir l'intérieur d'un vêtement avec un autre tissu. *Le blouson de Julie est doublé de fourrure.* **4.** Remplacer un comédien qui ne peut pas jouer. *Dans le film, Denis Prost s'est fait doubler pour la scène de l'accident.* **5.** Faire le doublage d'un film. *Ce film américain est doublé en français,* les paroles sont en français.

Doubler un cap, c'est le passer, le contourner en bateau.

Attention ! il ne faut pas doubler en haut d'une côte.

C'est un *cascadeur* qui l'a doublé.

Un film qui n'est pas doublé, c'est un film *en version originale.*

doublure n. f. **1.** Tissu ou fourrure qui est cousu à l'intérieur d'un vêtement. *Le blouson de Julie a une doublure en lapin.* **2.** Comédien qui en remplace un autre qui ne peut pas jouer. *Dans la scène de l'accident, la doublure de Denis Prost était un cascadeur.*

Compare : *double → doubler, doublure et courbe → courber, courbure.*

Autres membres de la famille : **dédoubler, doublage, redoubler, redoublant, redoublement.**

en **douce** adv.

C'est familier de dire *en douce.*

Sans bruit, discrètement. *Pendant qu'Angèle, l'institutrice, était au tableau, Yves a marché sur la pointe des pieds jusqu'à la porte et il est sorti en douce. Colle et Rat font leurs coups en douce,* ils se cachent pour faire des bêtises.

Famille de **doux**

On peut dire aussi : *il a filé à l'anglaise.*

douceâtre adj.

Attention au *â* de *douceâtre.* Compare avec *jaunâtre.*

Qui est d'une douceur fade et écœurante. *Ce jus de fruit a un goût douceâtre.*

Famille de **doux**

doucement adv.

Famille de **doux**

1. Lentement, sans violence. *La voiture roulait doucement. Mamie Lou dort, ferme la porte doucement !* **2.** Gentiment, sans faire de peine. *Angèle, l'institutrice, a expliqué très doucement à Marie-Tévy les fautes qu'elle avait faites dans sa dictée.*

Le contraire de *doucement,* c'est *méchamment, sévèrement.*

Le contraire de *doucement,* c'est *rapidement, violemment, fort.*

douceur n. f.

Famille de **doux**

1. Qualité de ce qui est doux et agréable. *Mme Bellec apprécie la douceur du climat breton,* un climat qui n'est ni trop chaud ni trop froid. *Claire aime la douceur des joues de Mamie Lou.* **2.** Gentillesse, bonté. *Angèle parle à ses élèves avec beaucoup de douceur.* **3.** *En douceur,* doucement. *L'avion* *a atterri en douceur.* **4.** Friandise, sucrerie. *En sortant de l'école, Julie est allée s'acheter des douceurs chez Mme Harpie.*

Dans ce sens, on emploie ce mot surtout au pluriel.

Mme Harpie tient une confiserie.

Au féminin : *doucereuse.*

▸ **doucereux** adj. Doux et hypocrite. *Quand elle veut avoir l'air aimable, Mme Harpie parle sur un ton doucereux ;* vois **mielleux**.

douche n. f.

1. Projection d'eau en pluie qui arrose le corps. *Julie prend une douche tous les soirs avant de se coucher.* **2.** Système qui permet de prendre des douches. *Dans le cabinet de toilette, il n'y a pas de baignoire, il y a une douche.*

Le plus agréable, c'est de s'envoyer de l'eau sur tout le corps avec la trompe pendant que l'on est sous la douche : cela fait deux douches à la fois *(Babar).*

On peut préférer prendre un *bain.*

▸ *se* **doucher** v. Prendre une douche. *Julie s'est douchée avant de se coucher.*

Conjugaison 1

doué adj.

Quelqu'un qui est doué pour quelque chose, c'est quelqu'un qui est capable d'apprendre vite à faire cette chose et de la faire bien. *Marie-Tévy est très douée pour les mathématiques,* elle est forte en mathématiques.

Il a fallu apprendre à conduire, mais cela n'a pas été long. Le moniteur lui a dit qu'il était doué *(Babar).*

Celui qui est doué a des *dons.*

douille n. f.

1. Pièce de métal rattachée au fil électrique dans laquelle on fixe l'ampoule d'une lampe, d'un spot. *Nathalie a vissé une ampoule neuve dans la douille de sa lampe de chevet.* **2.** Cylindre qui contient la poudre d'une cartouche. *Après le passage des chasseurs, Julie a retrouvé des douilles vides dans la forêt.*

Il y a aussi des douilles à baïonnette qui ont des petites encoches dans lesquelles on fixe l'ampoule.

douillet adj.

1. Beaucoup trop sensible aux petites douleurs physiques. *Mme Bellec est très douillette.* — n. *Quelle douillette !* **2.** Doux et confortable. *Les oiseaux sont serrés l'un contre l'autre dans leur nid douillet.*

douleur n. f.

1. *Julie ressentit une violente douleur au ventre,* elle eut très mal au ventre. *Mme Bellec pousse des cris de douleur quand on lui fait une piqûre.* **2.** *Sophie Pelletier a eu la douleur de perdre sa mère,* elle en a éprouvé beaucoup de chagrin, elle a beaucoup souffert.

Le contraire de *douleur,* c'est *plaisir.*

Le contraire de *douleur,* c'est *bonheur, joie.*

Mme de Rosbourg était absorbée dans ses tristes souvenirs, Mme de Fleurville et les enfants respectaient sa douleur *(les Petites Filles modèles).*

▸ **douloureux** adj. **1.** *La crise d'appendicite de Julie a été douloureuse,* elle lui a fait très mal. **2.** *Quand le docteur Séverac part en voyage, la séparation est toujours douloureuse pour ses enfants,* la séparation les rend tristes.

Le contraire de *douloureux,* c'est *indolore.*

Le contraire de douloureux, c'est *agréable.*

Autre membre de la famille : **souffre-douleur.**

doute n. m.

Avoir un doute, c'est ne pas être sûr que quelque chose est vrai ou existe. *Antoine raconte qu'il a vu un loup dans la forêt, mais j'ai des doutes. Il n'y a pas de doute,* c'est certain. *Mme Harpie est entrée à la poste avec Hippolyte, c'était bien elle, cela ne fait aucun doute. C'est sans doute Claire qui a caché les lunettes de Mamie Lou,* probablement.

Mais ce qui ne faisait plus de doute, dit grand-papa Joe, c'est que la chocolaterie fonctionnait *(Charlie et la Chocolaterie).*

▸ **douter** v. **1.** Ne pas être sûr que quelque chose est vrai ou existe. *Antoine raconte qu'il a vu un loup dans la forêt, mais j'en doute.* **2.** *Douter de quelqu'un,* c'est ne pas avoir confiance en lui. *Mme Hespel commence à douter sérieusement de son fils Alex.* **3.** *Antoine s'imagine qu'Angèle va croire à ses mensonges, il ne doute de rien !,* il se fait des illusions.

Conjugaison 1

Après ses deux échecs au bac.

Ainsi le petit prince, malgré la bonne volonté de son amour, avait vite douté d'elle *(le Petit Prince).*

▸ *se* **douter** v. *Se douter de quelque chose,* c'est l'imaginer, le soupçonner. *Colle et Rat ont mis du chocolat sur la chaise d'Angèle mais celle-ci ne s'en est pas doutée et s'est assise dessus.*

Conjugaison 1

▸ **douteux** adj. **1.** Qui n'est pas certain, est peu probable. *Est-ce que tu crois qu'Alex sera reçu à son bac ? Cela me paraît douteux.* **2.** Louche. *Ne mange pas cette viande, elle est douteuse,* elle n'a pas l'air fraîche. **3.** Qui n'est pas très propre. *Ce verre est douteux, je n'ai pas envie de boire dedans.*

Compare : *doute → douteux, honte → honteux,* et *brume → brumeux.*

Le contraire de *douteux,* c'est *certain, sûr, indubitable.*

douve n. f.

Fossé rempli d'eau autour d'un château fort. *Pour passer les douves, les habitants du château abaissaient le pont-levis.*

Les douves empêchaient les assaillants de s'approcher du château.

doux adj. et adv.

Au féminin : *douce.*

Le contraire de *doux,* c'est *amer, piquant, salé.*

▭ **adj. 1.** Agréable à toucher. *Félix, le chat de Julie, a une fourrure très douce.* **2.** Qui n'a pas un goût fort, piquant ou amer. *La confiture et le miel ont une saveur douce.* **3.** Ni trop chaud, ni trop froid. *Cette année, l'hiver a été doux.* **4.** Qui n'est pas très fort. *Le chemin descend en pente douce jusqu'à la rivière. Mme Roussel fait cuire les légumes à feu doux.* **5.** Gentil et patient. *Angèle, l'institutrice, est très douce avec les enfants.*
▭ **adv. 1.** *Il fait doux,* il ne fait ni trop chaud, ni trop froid. **2.** *Tout doux !,* doucement. *« Tout doux, Rex, arrête d'aboyer ! »* **3.** *Filer doux,* c'est obéir sans protester. *Quand M. Bellec élève la voix, son fils n'a qu'à filer doux.*

Le contraire de *doux,* c'est *rêche, rugueux.*

Le contraire de *doux,* c'est *rude.*
Autres membres de la famille : **adoucir, adoucissant, adoucissement, adoucisseur,** en **douce, douceâtre, doucement, douceur, doucereux,** se **radoucir, redoux.**

Le chat se mit à ronronner tout bas, tout doux, jusqu'à ce que le bébé s'endormît
(Histoires comme ça).

douze adj. et n. m. invariable

1. adj. invariable Dix plus deux. *Claire sait le nom des douze mois de l'année.* **2.** n. m. invariable Le nombre douze. *Trois fois quatre font douze.*

Claire a 5 ans.

12 en chiffres arabes
XII en chiffres romains

Compare : *douze → douzaine* et *quinze → quinzaine.*

▸ ***douzaine*** n. f. **1.** Groupe de douze choses de même nature. *Mme Roussel a acheté deux douzaines d'œufs.* **2.** Groupe d'environ douze personnes ou douze choses semblables. *La ferme des Séverac est à une douzaine de kilomètres de Sarlat.*

▸ ***douzième*** adj. et n.

▭ **adj.** Qui succède au onzième. *Décembre est le douzième mois de l'année. M. Doucet habite dans le douzième arrondissement, à Paris.*

Il habite dans *le douzième.*

▭ **n. 1.** n. m. et f. *Yasmina est arrivée la douzième à la compétition de crawl.* **2.** n. m. Partie d'un tout qui est divisé en douze parties égales. *Sophie Pelletier a déjà servi les onze douzièmes du gâteau d'anniversaire.*

ou $\frac{11}{12}$

doyen n. m., **doyenne** n. f.

On prononce [dwajɛ̃, dwajɛn].

La personne la plus âgée. *Le doyen des habitants du village a eu 103 ans.*

Cette hyène est la doyenne de la forêt.

dragée n. f.

Attention au ***e*** après le ***é*** !

Les parents offrent des dragées pour le baptême de leur bébé.

Bonbon fait d'une amande recouverte de sucre durci. *Mme Harpie vend des dragées de toutes les couleurs.*

Mme Harpie a une confiserie.

dragon n. m.

Animal imaginaire qui a des ailes, des griffes et une queue de serpent. *Un énorme dragon vert crachait du feu à l'entrée de la grotte.*

dragonne n. f.

Attention ! *dragonne* s'écrit avec deux ***n.***

Courroie qui est attachée à la poignée d'un parapluie ou d'un bâton de ski et sert à les tenir. *Alex a passé ses mains dans les dragonnes pour ne pas perdre ses bâtons de ski.*

draguer v.

Conjugaison 1

Nettoyer le fond d'une rivière ou d'un port en enlevant la vase, le sable, les graviers qui s'y sont accumulés. *Yves regardait un énorme engin qui draguait le bassin du port.*

L'engin qui sert à draguer s'appelle une *drague.*

drain n. m.

Tube souple ouvert aux deux bouts qui permet au sang ou au pus de s'écouler hors d'une plaie. *Le médecin a mis un drain dans la plaie de Julie, après son opération de l'appendicite.*

Les *drains* sont aussi des sortes de tubes qui servent à enlever l'eau d'un sol trop humide.

Conjugaison 1

▸ ***drainer*** v. Enlever l'eau d'un sol trop humide en creusant des fossés dans lesquels on enfouit des drains ; vois ***assécher.*** *Avant de semer, il a fallu drainer le champ qui avait été inondé.*

drakkar n. m.

Quand un chef viking mourait, on le mettait sur son drakkar qu'on coulait.

Navire à voile carrée et à rames utilisé autrefois par les Vikings. *La proue des drakkars était souvent ornée d'un dragon sculpté.*

Les drakkars mesuraient environ 20 mètres de long.

drame n. m.

Va voir aussi ***tragédie.***

[...] le troisième jour, je connus le drame des baobabs
(le Petit Prince).

1. Pièce de théâtre où il se passe des choses graves et tristes. *Les enfants regardent un drame de Victor Hugo à la télévision.* **2.** Événement terrible. *Ce serait un drame pour les enfants si Cajou, le hamster de la classe, mourait.*

Une pièce gaie, c'est une *comédie.*

▸ ***dramatique*** adj. Très grave, terrible, tragique. *La situation est dramatique.*

Une *dramatique,* c'est une pièce réalisée spécialement pour la télévision.

▸ ***dramatiquement*** adv. D'une manière tragique. *L'histoire s'est terminée dramatiquement.*

Il ne faut pas dramatiser : les choses ne sont pas si graves que cela.

▸ ***dramatiser*** v. Exagérer la gravité d'une chose. *Mme Séverac dramatise toujours la situation,* elle prend toujours tout au tragique.

Conjugaison 1

drap n. m.

Chaque élève s'est glissé dans les draps, comme dans un étui, en se faisant tout petit afin de ne pas déborder (Poil de Carotte).

Les draps, ce sont les grands morceaux de toile que l'on met dans le lit entre le matelas et la couverture et dans lesquels on dort. *Mme Roussel change ses draps tous les quinze jours. « Vous voilà dans de beaux draps ! » dit Angèle à Colle et Rat avant de les envoyer chez la directrice,* vous voilà dans une très mauvaise situation.

Attention ! *drap* s'écrit avec un ***p*** à la fin.

Ils avaient encore fait une énorme bêtise et étaient bien embêtés d'avoir été pris.

Au pluriel : *des drapeaux.*

▸ ***drapeau*** n. m. Morceau d'étoffe attaché à un manche, qui porte les couleurs d'un pays et le représente. *Le drapeau français est bleu, blanc et rouge ; le drapeau italien est vert, blanc et rouge.*

Le manche où est attaché le drapeau s'appelle la *hampe.*

Conjugaison 1

▸ ***draper*** v. Disposer un tissu sur quelque chose ou quelqu'un en faisant de grands plis. *Julie a drapé un dessus-de-lit autour de ses épaules pour se faire une cape. — Julie s'est drapée dans un dessus-de-lit.*

Prononce [dʀapʀi].

▸ ***draperie*** n. f. Morceau de tissu qui forme de grands plis. *Marie-Tévy aimerait bien dormir dans un lit entouré de draperies.*

Conjugaison 1

① ***dresser*** v.

On a kidnappé Milou. Tintin part à sa recherche et dresse l'oreille dès qu'il entend un aboiement.

Tintin et le capitaine Haddock essaient de dresser leur tente, mais la tempête se met à souffler et la tente s'envole.

1. Tenir droit et vertical. *Quand le chat de Julie entend un bruit, il dresse les oreilles. Antoine est caché derrière la porte et dresse l'oreille ; il veut entendre ce que la directrice dit à sa mère,* il écoute attentivement. — *Le chien se dresse sur ses pattes de derrière pour avoir un sucre.* **2.** Faire tenir droit. *Les ouvriers ont dressé un échafaudage qui monte jusqu'au toit de la maison,* ils l'ont installé, ils l'ont monté. **3.** *Se dresser,* c'est s'élever tout droit. *La montagne se dresse à l'horizon.* **4.** Faire avec soin. *Angèle, l'institutrice, a dressé la liste des absents,* elle l'a établie.

Quand il a peur, il *baisse* les oreilles.

Autres membres de la famille : **redresser, redressement, redresseur.**

Conjugaison 1

② ***dresser*** v.

M. Bellec va souvent à la chasse.

Habituer un animal à faire docilement et régulièrement quelque chose. *M. Bellec a dressé son chien à rapporter le gibier. Le dompteur dresse les lions avec son fouet ;* vois **dompter.** — *Les araignées s'apprivoisent mais ne se dressent pas,* ne peuvent pas être dressées.

Attention ! *dresser* et *dressage* s'écrivent avec deux ***s***.

Compare : *dresser → dressage* et *repasser → repassage.*

▸ ***dressage*** n. m. Action de dresser un animal. *Le dressage des lions est difficile et dangereux.*

Attention ! *dri**bb**ler* s'écrit avec deux ***b***.

dribbler v.

Au football, courir en poussant devant soi le ballon à petits coups de pied sans en perdre le contrôle. *David arrive en dribblant, il évite tous ses adversaires, il va marquer un but !*

Conjugaison 1

drogue n. f.

Tintin a arrêté le chef des trafiquants de drogue.

Dans ce sens, on emploie surtout le mot au pluriel.

1. Produit qui agit sur le cerveau en procurant des sensations bizarres et qui est extrêmement mauvais pour la santé ; vois ***stupéfiant.*** *L'opium, la cocaïne et le haschisch sont des drogues.* **2.** Médicament inutile ou qui fait du mal. *Mme Séverac prend trop de drogues pour dormir.*

Le trafic de drogue est puni par la loi.

▸ ***drogué*** n. m., ***droguée*** n. f. Personne qui prend régulièrement de la drogue et ne peut plus s'en passer. *À l'hôpital, on accueille les drogués qui veulent faire une cure de désintoxication ;* vois ***toxicomane.***

Conjugaison 1

▸ ***droguer*** v. **1.** *Droguer quelqu'un,* c'est lui donner beaucoup de calmants ou de somnifères. *On droguait le mourant quand la douleur était trop forte.* **2.** *Se droguer,* c'est prendre de la drogue. *Elle se drogue depuis des années.*

Au Lotus Bleu, les clients se droguent à l'opium.

droguerie n. f.

Magasin où l'on vend des produits d'entretien. *Mme Harpie a acheté de l'eau de Javel, un pot de peinture et un balai à la droguerie.*

Prononce [dʀɔgʀi].

On dit aussi : un *marchand de couleurs.*

▸ ***droguiste*** n. m. et f. Commerçant qui tient une droguerie. *Le droguiste a vendu à Mme Harpie un balai de crin.*

① ***droit*** adj. et adv.

Le contraire de *droit,* c'est *courbe, tordu.*

Le contraire de *droit,* c'est *oblique, penché.*

▭ **adj. 1.** Qui est sans déviation, sans courbure d'un bout à l'autre. *L'avenue du Général-de-Gaulle est toute droite ;* vois ***rectiligne.*** *Tiens-toi droit !* **2.** Vertical. *Les piquets ont été arrachés par le vent, il faut les remettre droits ;* vois ***debout.*** *Tiens ton verre bien droit.* **3.** *Un angle droit,* c'est un

Au féminin : *droite.*

La ligne droite est le plus court chemin pour aller d'un point à un autre.

angle de 90°. *Les deux rues se coupent à angle droit,* en formant une croix. **4.** Franc et honnête. *M. Bonnot est un homme simple et droit.*

Va voir aussi ***aigu*** et ***obtus.***

Le contraire de *droit,* c'est *fourbe.*

Tintin ne se perd pas dans les explications, il va droit au fait.

▭ **adv.** En ligne droite. *David a envoyé le ballon droit dans le but. C'est tout droit devant vous.*

Essaie de faire comme elle.

▸ ① ***droite*** n. f. Ligne qui est comme un fil parfaitement tendu. *Marie-Tévy a dessiné deux points sur un papier puis elle a tracé une droite qui passe par ces deux points.*

Le contraire de *droite,* c'est *courbe.*

▸ ***droiture*** n. f. Qualité d'une personne franche et honnête. *M. Bonnot est d'une grande droiture ;* vois ***loyauté.***

Au féminin : *droite.*

② *droit* adj.

1. Pour une personne, du côté opposé à celui du cœur. *Le foie est du côté droit du corps. Julie écrit de la main droite et Nathalie de la main gauche.* **2.** *Le côté droit d'un bateau s'appelle tribord,* le côté de la main droite lorsque l'on regarde vers l'avant du bateau.

Le bras droit de quelqu'un : son principal adjoint.

Le contraire de *droit,* c'est *gauche.*

Dans l'Antiquité, le côté droit symbolisait la force, le succès. Les présages favorables apparaissaient à droite. Dans la Bible, la droite, c'est la direction du paradis.

▸ ② ***droite*** n. f. **1.** Le côté droit, la partie droite. *Claire ne sait pas toujours distinguer la droite de la gauche. Le magasin est un peu plus loin sur votre droite. Tournez d'abord à droite puis à gauche,* du côté droit puis du côté gauche. *En France, les voitures roulent à droite,* sur la partie droite de la chaussée. **2.** *La droite,* c'est l'ensemble des personnes qui ont des idées conservatrices en politique et dans la société. *La droite l'a emporté aux dernières élections.*

Le contraire de *droite,* c'est *gauche.*

Michel Strogoff cherchait du re gard, à droite et à gauche, quel que maison qui n'eût pas ét délaissée *(Michel Strogoff).*

Au féminin : *droitière.*

▸ ***droitier*** adj. Qui se sert de la main droite pour écrire, pour manger, etc. *Julie est droitière mais Nathalie est gauchère.*

③ *droit* n. m.

1. Autorisation, permission. *Julie n'a pas le droit de sortir seule le soir. Vous n'avez pas le droit d'entrer dans cette propriété, c'est privé.* **2.** Ensemble des lois qui règlent les rapports des hommes entre eux. *Pour être avocat ou notaire, il faut faire des études de droit.* **3.** Somme d'argent à payer. *Lorsque l'on fait venir des produits de l'étranger, il faut acquitter des droits de douane,* des taxes.

Il n'avait plus droit qu'à trois maigres repas par jour, repas où dominaient les choux *(Charlie et la Chocolaterie).*

Quand on fait un héritage, on paye des *droits de succession.*

On a le droit de voter à 18 ans

Le droit de grève est reconnu e France depuis 1946.

Autre membre de la famille : **passe-droit.**

drôle adj.

Attention à l'accent circonflexe du ***ô*** !

1. Qui fait rire, amusant. *Antoine raconte toujours des histoires drôles,* comiques. **2.** Qui est anormal, étonnant. *La porte du jardin était ouverte, cela m'a semblé drôle,* bizarre, étrange, curieux. *Une drôle d'odeur venait de la cabane du jardinier.* **3.** Fameux, sacré. *On a eu une drôle de veine de rentrer avant l'orage,* on a eu beaucoup de veine.

Les Dupondt font une drôle de tête après avoir avalé l'aspirine qu'ils ont trouvée par terre, dans le désert.

Le contraire de *drôle,* c'est *triste.*

C'est familier de dire cela.

▸ ***drôlement*** adv. **1.** D'une façon anormale, étonnante. *Il y a là-bas un monsieur qui nous regarde drôlement,* bizarrement, étrangement, curieusement. *Mme Harpie est drôlement accoutrée.* **2.** Très, terriblement. *La directrice est drôlement sévère.*

C'est familier de dire cela.

▸ ***drôlerie*** n. f. Qualité d'une personne drôle, caractère de ce qui est drôle. *Antoine est d'une drôlerie incroyable.*

dromadaire n. m.

Animal qui ressemble au chameau mais n'a qu'une seule bosse. *Les dromadaires vivent dans le désert, en Inde et en Afrique ; ils servent aux nomades de monture et de bête de somme.*

Le jeune dromadaire méconten mordit le conférencier (Prévert).

dru adj.

Qui pousse épais et serré. *L'herbe est haute et drue ;* vois ***touffu.*** — adv. *La pluie tombe dru,* fort et serrée.

Le capitaine Haddock a une barbe drue et noire.

Le contraire de *dru,* c'est *clairsemé.*

druide n. m.

Prêtre gaulois ou celte. *Chaque année les druides coupaient le gui sacré sur les chênes avec une faucille d'or et, avec ce gui, ils faisaient des remèdes pour toutes les maladies.*

Les druides organisaient les cérémonies religieuses et rendaient la justice.

Dans *Astérix,* le druide Panora mix cueille le gui et prépare l potion magique.

du article

1. Article défini masculin singulier qui est la contraction de *de* et de *le ;* vois ① ***de*** et ***le.*** *Le docteur Séverac revient du Gabon. Les enfants iront à la montagne du 15 au 28 février,* à partir du 15. *Le fils du docteur Séverac s'appelle David. Marie-Tévy tape du pied,* avec son pied. **2.** Article partitif

Parlez-moi de la pluie
Et non pas du beau temps,
Le beau temps me dégoûte
Et m'fait grincer des dents
(Brassens).

masculin singulier qui est la contraction de *de* et de *le ;* vois ② **de** et **le.** *Antoine mange du pain et du fromage,* un peu de pain et de fromage.

Famille de ① **devoir**

Chose promise, chose due (proverbe).

dû adj.

1. *M. Bonnot a payé la somme due,* qu'il devait payer. *Le colis a été expédié en port dû,* le transport doit être payé par le destinataire. — n. m. *Il vient vous réclamer son dû,* ce que vous lui devez. **2.** *Ces odeurs sont dues aux fauves du zoo,* causées par les fauves du zoo.

Attention à l'accent circonflexe du *û* au masculin singulier ! Pas d'accent circonflexe au féminin, ni au pluriel.

Compare *dubitatif* et *indubitable* : il s'agit de **douter.**

dubitatif adj.

Qui marque le doute, l'incertitude. *La femme assura qu'elle n'était pas là à l'heure du crime, le commissaire la regarda d'un air dubitatif,* d'un air qui montrait qu'il ne la croyait pas.

Au féminin : *dubitative.*

duc n. m., **duchesse** n. f.

e duc de Guise a été assassiné.

Personne qui porte le titre de noblesse le plus élevé après celui de prince ou de princesse. *Au Moyen Âge, les comtes étaient les vassaux du duc.*

▸ **duché** n. m. Territoire gouverné autrefois par un duc. *Le duché de Bretagne fut rattaché à la France au XVIe siècle.*

La couronne d'un duc est une *couronne ducale.*

duel n. m.

Combat, à armes égales, entre deux personnes dont l'une a provoqué l'autre en l'injuriant ou en blessant son honneur. *Autrefois, les nobles se battaient en duel à l'épée ou au pistolet.*

Maintenant on ne se bat plus en duel.

Duffel-coat [dœfœlkot] rime avec *entrecôte.*

duffel-coat n. m.

Manteau court avec un capuchon, en gros tissu de laine. *Les enfants ont mis leurs duffel-coats et leurs écharpes pour sortir.*

On écrit aussi *duffle-coat.*

dune n. f.

a dune du Pilat, près d'Arcaіon, a plus de 100 mètres de aut.

Colline de sable fin formée par le vent le long de la mer ou dans le désert. *On plante des pins pour retenir le sable des dunes.*

duo n. m.

our faire un duo, il faut être eux.

Air de musique pour deux voix ou deux instruments. *Julie et Yasmina chantent en duo.*

Au pluriel : *des duos.*

dupe adj.

Antoine raconte beaucoup d'histoires qui ne sont pas vraies, mais les enfants ne sont pas dupes, ils ne se laissent pas tromper.

Conjugaison 1

Duper et *duperie* ne sont pas les mots très courants ; on les trouve plutôt dans les livres.

▸ **duper** v. Tromper, berner. *Le marchand avait proposé à M. Bonnot une bonne affaire et celui-ci s'est laissé duper.*

En fait, c'était une très mauvaise affaire.

▸ **duperie** n. f. Tromperie. *Cette fameuse bonne affaire était une véritable duperie.*

Prononce [dypʀi].

Au pluriel : *des duplex.*

duplex n. m.

Appartement sur deux étages. *M. Doucet habite un duplex à Paris, près de la Bastille.*

duplicata n. m. invariable

Le contraire de *duplicata,* c'est *original.*

Copie exacte d'un document important. *Quand M. Bellec a perdu son permis de conduire on lui a donné un duplicata,* un double.

Au pluriel : *des duplicata.*

duplicité n. f.

. Rastapopoulos, dans *Tintin,* st d'une grande duplicité.

Caractère d'une personne qui dit une chose et en fait une autre ; vois ***hypocrisie.*** *Il faut se méfier de la duplicité de Mme Harpie.*

Attention ! *duquel* s'écrit en un seul mot.

Famille de **quel**

duquel pronom m. singulier, **de laquelle** f. singulier, **desquels** m. plur., **desquelles** f. plur.

Pronoms relatifs et interrogatifs. *L'homme duquel je vous parlais tout à l'heure est en train de nous épier ;* vois ***dont.*** — *J'ai acheté deux tartelettes : de laquelle as-tu envie ?*

Va voir aussi ***lequel.***

dur adj. et adv.

ne poule sur un mur ui picotait du pain dur (comptine).

▭ **adj. 1.** Qui résiste quand on appuie, quand on touche ; qui ne se laisse pas entamer facilement. *Le fer et l'acier sont des métaux durs. Cette viande est trop dure, elle est dure comme du bois. À la cantine, aujourd'hui, il*

Le contraire de *dur,* c'est *mou, tendre.*

Le contraire de *dur,* c'est *facile, aisé.*

Le contraire de *dur,* c'est *indulgent, tendre.*

y avait des œufs durs mayonnaise. **2.** Difficile. *La dictée qu'a fait faire Angèle était très dure. Cette fenêtre est dure à fermer.* **3.** Pénible à supporter. *L'hiver a été dur,* rigoureux. *Ouf ! le plus dur est passé. Ce fut une dure épreuve.* **4.** Insensible, inflexible. *La directrice est souvent dure envers les élèves.* ▭ **adv.** Fort, beaucoup. *Le soleil tape dur aujourd'hui. Alex travaille dur pour avoir son bac.*

Autres membres de la famille : **durement, dureté ; durcir, durcissement, endurcir ; endurer, endurance, endurant**

durable adj.

Le contraire de *durable,* c'est *passager.*

Qui va durer longtemps. *Angèle gardera de son merveilleux voyage un souvenir durable.*

Famille de **durer**

durant préposition

Famille de **durer**

Dans ce sens, *durant* se met avant le nom.

1. Pendant. *Sylvain et Nathalie se sont connus durant les vacances,* pendant la durée des vacances. **2.** *Mme Harpie nous a parlé des heures durant,* pendant des heures sans s'arrêter. *Il a neigé deux jours durant,* deux jours de suite.

Dans ce sens, *durant* se met après le nom.

durcir v.

Conjugaison 2

1. Devenir dur. *Ce pain durcit très vite,* il rassit. **2.** Rendre plus sévère. *La fatigue durcit ses traits. Son ton s'est durci,* est devenu plus rude. **3.** Rendre plus intransigeant. *Les deux pays ont durci leur position depuis quelques mois.*

Famille de **dur**

Compare : *durcir → durcissement* et *refroidir → refroidissement.*

▸ ***durcissement*** n. m. **1.** Le fait de devenir dur. *Le durcissement du ciment est très rapide.* **2.** Le fait de devenir plus intransigeant. *On constate un certain durcissement dans la politique du gouvernement.*

durement adv.

Le contraire de *durement,* c'est *gentiment.*

Brutalement, sévèrement. *La directrice a parlé durement à Julie.*

Famille de **dur**

durer v.

Conjugaison 1

Ces bonnes gens étaient ravis de revoir leurs enfants avec eux et cette joie dura tant que les dix écus durèrent *(le Petit Poucet).*

1. *Le film a duré une heure et demie,* il s'est déroulé pendant une heure et demie. *La mauvaise humeur de Marie-Tévy dure depuis deux jours,* elle persiste depuis deux jours. *Le beau temps n'a pas duré, c'est déjà fini !* **2.** Résister à la destruction, à l'usure, rester en bon état. *Ces chaussures ont duré trois ans. Une maison en pierre dure plus longtemps qu'une maison en bois.*

Plaisir d'amour ne dure qu'un moment, chagrin d'amour dure toute la vie (chanson).

« Qu'allons-nous devenir ? nos provisions ne dureront pas longtemps. » Babar est complètement désemparé.

Autres membres de la famille : **durable, durant.**

▸ ***durée*** n. f. Espace de temps qui s'écoule entre le début et la fin de quelque chose. *Mme Harpie a éternué pendant toute la durée du film. Le magasin est fermé pour une durée indéterminée.*

dureté n. f.

Prononce [dyʀte].

Compare : *dur → dureté* et *saint → sainteté.*

1. Caractère de ce qui résiste quand on appuie et qui ne se laisse pas entamer facilement. *La dureté du marbre est plus grande que celle de la craie.* **2.** Manque de sensibilité, manque de cœur. *La directrice de l'école a parlé à Julie avec dureté,* avec sévérité, avec rudesse.

Famille de **dur**

Le contraire de *dureté,* c'est *douceur, tendresse.*

duvet n. m.

Un oreiller de duvet, c'est un oreiller rempli de ces petites plumes.

1. Petites plumes molles et très légères qui poussent les premières sur le corps des petits oiseaux et que l'on trouve sur le ventre et le dessous des ailes chez les oiseaux adultes. *Les poussins sont couverts de duvet.* **2.** Sac de couchage bourré de duvet ou d'une autre matière semblable. *Alex dort dans un duvet quand il fait du camping.* **3.** Poils fins et doux chez certains animaux et certaines plantes. *Les petits chats ont du duvet sous le ventre. Les pêches sont recouvertes d'un duvet très doux.*

On appelle aussi *duvet* la barbe naissante d'un jeune homme.

dynamique adj.

Attention ! *dynamique* s'écrit d'abord avec un ***y*** et ensuite avec un ***i.***

Qui est actif et a beaucoup d'entrain et d'énergie. *Mme Hespel est une femme dynamique,* énergique et efficace.

Le contraire de *dynamique,* c'est *mou, indolent.*

Compare **dynamisme** et **dynamite** : il s'agit de **force.**

▸ ***dynamisme*** n. m. Caractère d'une personne dynamique. *Mme Hespel est pleine de dynamisme,* d'énergie et de vitalité.

dynamite n. f.

La dynamite fut inventée par Alfred Nobel en 1867.

Explosif très puissant. *Les bandits ont fait sauter le pont à la dynamite.*

Un bâton de dynamite, c'est un petit cylindre de dynamite avec une mèche.

Conjugaison 1

▸ ***dynamiter*** v. Faire sauter à la dynamite. *Les bandits ont dynamité le pont.*

Attention ! *dynamo* s'écrit avec un *y*.

dynamo n. f.
Petit appareil qui produit du courant électrique. *C'est une dynamo qui fait marcher les phares d'un vélo.*

Attention ! *dynastie* s'écrit d'abord avec un *y* et ensuite avec un *i*.

dynastie n. f.
Suite de rois ou d'empereurs qui ont régné les uns après les autres et qui appartenaient à la même famille. *Louis XIV et Louis XVI appartenaient à la dynastie des Bourbons.*

La dynastie des Capétiens, issue d'Hugues Capet, régna en France de 987 à 1328.

Attention au *y* !

dysenterie n. f.
Maladie grave qui donne très mal au ventre et provoque des diarrhées. *On peut attraper la dysenterie en buvant de l'eau polluée, dans les pays chauds.*

e

eau n. f.

L'eau de pluie est douce, l'eau de mer est salée.

Dans mes oreilles durait le chant de la poulie et, dans l'eau qui tremblait encore, je voyais trembler le soleil *(le Petit Prince).*

L'eau gèle à 0 °C. C'est alors de la glace. Elle bout à 100 °C et se transforme en vapeur d'eau.

1. Liquide naturel sans odeur, sans goût, sans couleur et transparent quand il est pur. *Nathalie boit de l'eau à la fontaine. La rivière charrie des eaux boueuses. L'eau de vaisselle se déverse dans les égouts. Les enfants jouent au bord de l'eau. Ils nagent sous l'eau,* sous la surface de l'eau. *Sylvain est tombé à l'eau. Son projet est tombé à l'eau,* il ne s'est pas réalisé, il n'a pas marché. *Marie-Tévy a fini par se jeter à l'eau,* par se mettre à faire ce qu'elle avait à faire avec courage et énergie. *Il a passé beaucoup d'eau sous les ponts,* il s'est écoulé beaucoup de temps. *Les vieilles bottes de David prennent l'eau car elles sont percées.* **2.** *Une ville d'eaux,* c'est une ville où il y a des sources qui permettent de soigner des maladies. *La Bourboule est une ville d'eaux.* **3.** *L'eau de Cologne,* c'est un liquide parfumé qui sert pour la toilette. *David s'est aspergé d'eau de Cologne.* **4.** *Antoine regarde la devanture de la pâtisserie, les gâteaux lui mettent l'eau à la bouche,* le font saliver.

Va voir *jet d'eau* à ***jet.***

Un avion qui peut se poser sur l'eau est un *hydravion.*

Les plantes qui vivent dans l'eau sont des plantes *aquatiques.*

On dit aussi *une station thermale.*

Va voir *eau de Javel* à ***javel.***

▸ **eau-de-vie** n. f. Boisson qui contient beaucoup d'alcool et qui est faite à partir du jus fermenté des fruits. *Mamie Lou a fait des cerises à l'eau-de-vie.*

Au pluriel : *des eaux-de-vie.*
Famille de **vie**

Autres membres de la famille : **chauffe-eau, tirant d'eau, à vau-l'eau.**

ébahir v.

N'oublie pas le ***h.***
Conjugaison 2

Étonner, stupéfier. *Parfois, les réponses des élèves ébahissent Angèle.*

Angèle est l'institutrice.

▸ **ébahi** adj. Très étonné. *Angèle est restée tout ébahie devant la réponse de Julie ;* vois ***abasourdi, ahuri, stupéfait.***

*s'*ébattre** v.

Conjugaison 41
▭ Indic. présent : *je m'ébats, il s'ébat, nous nous ébattons.*

Bouger, s'agiter dans tous les sens pour s'amuser ; vois ***batifoler, folâtrer, jouer.*** *Les nageurs s'ébattent dans la piscine.*

Ce mot se trouve surtout dans les livres.

ébaucher v.

Conjugaison 1

1. Commencer à faire quelque chose ; donner la première forme à un objet qu'on fabrique, préparer grossièrement ; vois ***esquisser.*** *Le peintre a ébauché plusieurs tableaux mais n'en a achevé aucun.* **2.** Commencer quelque chose sans le terminer. *À travers ses larmes, Yasmina ébaucha un sourire.*

▸ ***ébauche*** n. f. **1.** Première forme qu'on donne à quelque chose ; vois ***esquisse.*** *Le tableau est encore à l'état d'ébauche.* **2.** Commencement, début de quelque chose. *L'ébauche d'un sourire se dessina sur les lèvres de Yasmina.*

Attention ! un accent aigu puis un accent grave.

ébène n. f.
Bois noir très dur et lisse. *Elle rangea son collier dans un coffret d'ébène. L'ébène est un bois précieux.*

La reine eut une petite fille aussi noire de cheveux que l'ébène *(Blancheneige).*

Attention ! *ébéniste* a deux accents aigus.

▸ ***ébéniste*** n. m. Artisan qui fabrique des meubles de luxe. *Boulle fut un célèbre ébéniste de l'époque de Louis XIV.*

Les meubles ordinaires sont fabriqués par un *menuisier.*

▸ ***ébénisterie*** n. f. Art de l'ébéniste, fabrication des meubles de luxe. *L'ébène et l'acajou sont des bois d'ébénisterie.*

Famille de **berlue**

éberlué adj.
Très étonné. *Marie-Tévy est éberluée par le culot de Julie ;* vois ***ébahi, stupéfait.***

Conjugaison 2

éblouir v.
1. Troubler la vue par une lumière trop forte ; vois ***aveugler.*** *Les phares des voitures éblouissaient les piétons.* **2.** Émerveiller quelqu'un, provoquer son admiration. *L'habileté des jongleurs éblouit les enfants ;* vois ***fasciner.***

Compare : *éblouir* → *éblouissant, éblouissement* et *étourdir* → *étourdissant* → *étourdissement.*

▸ ***éblouissant*** adj. **1.** Qui éblouit ; vois ***éclatant.*** *La neige est d'une blancheur éblouissante.* **2.** Merveilleux, très beau, fascinant. *Les jongleurs sont d'une habileté éblouissante.*

L'éblouissant bateau de fondant rose se dirigeait vers le rivage *(Charlie et la Chocolaterie).*

▸ ***éblouissement*** n. m. **1.** Trouble de la vue accompagné de vertige. *Mme Bellec a eu des éblouissements.* **2.** Émerveillement, enchantement. *Le spectacle des jongleurs était un éblouissement.*

Conjugaison 1

éborgner v.
Rendre borgne, crever un œil à quelqu'un. *Attention à tes skis, tu vas éborgner quelqu'un !*

Famille de **borgne**

Famille de **boue**

éboueur n. m.
Employé dont le travail est de ramasser les ordures. *Les éboueurs vident les poubelles dans le camion.*

Conjugaison 1
Famille de **bouillir**

ébouillanter v.
1. Passer à l'eau bouillante. *On ébouillante la théière avant d'y mettre le thé.* **2.** *S'ébouillanter,* se brûler avec un liquide bouillant. *Julie s'est ébouillantée en voulant préparer le café.*

Elle s'est renversé la casserole d'eau chaude sur le bras.

Conjugaison 1

s'ébouler v.
Tomber par morceaux en s'affaissant ; vois ***s'écrouler, s'effondrer.*** *À la fonte des neiges, le talus s'est éboulé.*

▸ ***éboulement*** n. m. Chute de pierres, de terre, de matériaux qui s'éboulent. *Un éboulement a bloqué la route.*

En montagne, on met parfois des grillages le long des routes pour les préserver des éboulements.

Compare : *ébouler* → *éboulis* et *cliqueter* → *cliquetis.*

▸ ***éboulis*** n. m. Tas de pierres, de matériaux éboulés. *La route est bloquée par des éboulis de roches.*

N'oublie pas les deux *f.*

ébouriffer v.
Ébouriffer les cheveux, c'est les mettre en désordre, les dépeigner. *Le vent a ébouriffé les cheveux de Julie.*

Conjugaison 1

Conjugaison 1

ébranler v.
1. Faire trembler, faire vibrer par un choc ; vois ***secouer.*** *La détonation a ébranlé les vitres.* **2.** Mettre en danger, affaiblir. *La défaite de Waterloo a ébranlé le régime de Napoléon.* **3.** *Le cortège s'ébranle,* il se met en branle, il se met en marche.

Famille de **branler**
Le contraire d'*ébranler,* c'est *affermir, consolider.*

Le contraire de *s'ébranler,* c'est *s'arrêter.*

Conjugaison 6
▭ Indic. présent : *j'ébrèche, nous ébréchons.*

ébrécher v.
Endommager en cassant le bord. *Mamie Lou a ébréché un bol en le cognant contre l'évier. Julie a donné à manger au chat dans l'assiette ébréchée.*

Famille de **brèche**

Ce mot s'emploie surtout dans les textes officiels.

ébriété n. f.
État d'une personne ivre ; vois ***ivresse.*** *Il est interdit de conduire en état d'ébriété.*

Et il arrose tout le monde.

s'ébrouer v.
Le chien s'ébroue en sortant de l'eau, il souffle en s'agitant.

Conjugaison 1

Conjugaison 1
Famille de **bruit**

ébruiter v.
Faire connaître à de nombreuses personnes une nouvelle qui était secrète ; vois ***divulguer.*** *Denis Prost ne veut rien ébruiter de ses projets.*

Attention ! deux *l.*

ébullition n. f.
1. *Un liquide en ébullition,* c'est un liquide qui bout. *Il faut attendre l'ébullition avant de jeter les pâtes dans l'eau.* **2.** *Toute l'école était en ébullition à la veille de la fête,* dans un état de grande agitation, de surexcitation.

À quelle température l'eau entre-t-elle en ébullition ?

écaille n. f.
1. Chacune des petites plaques juxtaposées ou imbriquées qui recouvrent la peau des poissons, des serpents. *Les sardines ont des écailles argentées.* **2.** Petit morceau qui se détache d'une chose. *Des écailles de peinture sont tombées du plafond.* **3.** Matière qui recouvre la carapace des tortues de mer. *Mme Séverac a un bracelet en écaille.*

Les serpents, les lézards, les crocodiles, les tortues ont des écailles.

Conjugaison 1

▷ ***écailler*** v. **1.** *Écailler un poisson,* c'est lui enlever ses écailles. *M. Bellec écaille les daurades avant de les faire cuire.* **2.** *La peinture du mur s'écaille,* elle part en petites plaques.

écarlate adj.
1. D'un rouge éclatant. *Julie porte un pantalon écarlate.* **2.** Rouge de honte. *À ces mots, Claire est devenue écarlate ;* vois ***cramoisi.***

Conjugaison 1

écarquiller v.
Écarquiller les yeux, c'est les ouvrir très grands. *Antoine écarquillait les yeux d'étonnement. Il avait les yeux écarquillés.*

Conjugaison 5
▭ Indic. présent : *j'écartèle, nous écartelons.*
Futur : *j'écartèlerai.*

écarteler v.
Écarteler un condamné, c'est le déchirer en quatre en faisant tirer ses membres par quatre chevaux. *En 1610, Ravaillac, l'assassin d'Henri IV, fut condamné à être écartelé.*

C'est un supplice que l'on infligeait autrefois aux condamnés à mort.

Conjugaison 1

À peine le Prince s'avança-t-il vers les bois, que tous ces grands arbres, ces ronces, et ces épines s'écartèrent d'elles-mêmes pour le laisser passer
(la Belle au bois dormant).

écarter v.
Mettre plusieurs choses à une certaine distance les unes des autres ; vois ***séparer.*** *Julie va à la fenêtre et écarte les rideaux pour regarder dehors. Muriel Doucet a écarté le fauteuil du mur. Yves a écarté Marie-Tévy pour passer,* il l'a repoussée car elle lui barrait le passage. — *Julie s'est écartée d'Antoine qui lui donnait des coups de pied,* elle s'est éloignée de lui.

Le contraire d'*écarter,* c'est *rapprocher.*

▷ ***écart*** n. m. **1.** *Faire le grand écart,* c'est écarter les jambes au maximum, de telle façon qu'elles soient à l'horizontale, l'une en avant, l'autre en arrière. *La danseuse a fait le grand écart.* **2.** Différence. *L'écart de température est très grand, dans le désert, entre le jour et la nuit ;* vois ***variation.*** **3.** *Le cheval a fait un écart,* il a brusquement changé de direction. **4.** *Nathalie se tenait à l'écart et observait son frère,* à une certaine distance de lui. *La ferme est un peu à l'écart de la route.*

Le coup passa si près que le chapeau tomba
Et que le cheval fit un écart en arrière
(Victor Hugo).

▷ ***écarté*** adj. Éloigné des endroits où il y a du monde. *Les amoureux ont pris un chemin écarté ;* vois ***isolé.***

L'écartement des rails le plus fréquent est de 1,435 m.

▷ ***écartement*** n. m. Espace qui sépare une chose d'une autre ; vois ***distance.*** *L'écartement des rails de chemin de fer varie suivant les pays.*

Attention aux deux *c*, au *h* et au *y* !
Prononce [ekimoz].

ecchymose n. f.
Tache bleu noir sur la peau laissée par un coup ; vois ***bleu, hématome.*** *Yves est tombé de vélo, il est couvert d'ecchymoses.*

Une ecchymose est un épanchement de sang sous la peau.

Le pape, les religieux sont des ecclésiastiques.

ecclésiastique n. m.
Membre du clergé ; vois ***pasteur, prêtre.*** *L'abbé Gauthier est un ecclésiastique.*

N'oublie pas les deux *c*.

Famille de **cerveau**

écervelé adj.
Étourdi, sans cervelle. *Julie est un peu écervelée.* — n. *C'est une écervelée.*

Le *d* ne se prononce pas : [eʃafo].

échafaud n. m.
1. Estrade où montaient le condamné à mort et le bourreau qui lui coupait

la tête. *Le 21 janvier 1793, Louis XVI monta sur l'échafaud.* **2.** Peine de mort par décapitation. *L'assassin risque l'échafaud ;* vois ***guillotine.***

Conjugaison 1

échafauder v.

Échafauder un plan, un projet, c'est l'imaginer, le combiner. *Colle et Rat ont échafaudé un plan pour ne pas aller à la gymnastique.*

▷ ***échafaudage*** n. m. Passerelle, plate-forme que l'on installe pour construire ou réparer un bâtiment et que l'on retire quand la construction ou la réparation est faite. *Les ouvriers ont dressé un échafaudage pour ravaler la façade.*

Michel-Ange a peint le plafond de la chapelle Sixtine au Vatican, en 1512, couché sur un échafaudage.

Le ***s*** ne se prononce pas : [eʃalɑ].

échalas n. m.

1. Pieu que l'on enfonce dans le sol pour soutenir une plante grimpante ou un cep de vigne ; vois ***tuteur.*** *Les haricots ont poussé autour des échalas.* **2.** *Un grand échalas,* c'est une personne grande et maigre ; vois ***escogriffe.*** *Quel est ce grand échalas qui parle avec Angèle ?*

échalote n. f.

Plante dont le bulbe est utilisé, cru ou cuit, dans les assaisonnements et les sauces. *Loïc mange des huîtres avec une sauce à l'échalote.*

Le bulbe de l'échalote est rose.

échancré adj.

Creusé en arrondi ou en pointe. *Muriel Doucet porte un pull échancré dans le dos ;* vois ***décolleté.*** *La côte ouest de la Corse est profondément échancrée ;* vois ***découpé.***

▷ ***échancrure*** n. f. Partie échancrée. *L'échancrure de sa jupe laisse voir sa jambe.*

Conjugaison 3
▭ Indic. présent : *j'échange, nous échangeons.*
Imparfait : *j'échangeais.*
Futur : *j'échangerai.*

échanger v.

1. *Échanger une chose contre une autre,* c'est la donner à quelqu'un et recevoir une autre chose à la place. *Antoine a échangé trois billes contre un calot. Les vêtements en solde ne sont ni repris ni échangés.* **2.** Adresser et recevoir en retour. *Hippolyte et Angèle ont échangé un sourire. M. Bellec a échangé des injures avec son voisin.*

Famille de **changer**

Ce qui serait bien, nous a dit Rufus, c'est que vous fassiez tous collection de timbres ; alors on pourrait faire des échanges *(le Petit Nicolas).*

▷ ***échange*** n. m. Action de donner une chose et d'en recevoir une autre. *Antoine a fait un échange avec Yves. Antoine a donné trois billes à Yves et Yves lui a donné un calot en échange.*

Il a échangé trois billes contre un calot.

▷ ***échangeur*** n. m. Intersection de routes qui s'entrelacent à des niveaux différents. *M. Doucet est sorti de l'autoroute et a pris l'échangeur pour faire demi-tour.*

échantillon n. m.

1. Petite quantité d'un produit que l'on montre ou que l'on donne aux clients pour qu'ils puissent se faire une idée de la marchandise. *La parfumeuse a donné à Julie un échantillon d'eau de toilette.* **2.** Exemple. *Vous avez là un bel échantillon de sa bêtise.*

Attention ! deux ***p*** à *échapper.*

échapper v.

Conjugaison 1

1. *Échapper à quelqu'un,* c'est le quitter par force ou par ruse alors qu'il voulait vous retenir. *Le prisonnier a échappé à ses poursuivants en plongeant dans la rivière. — Un lion s'est échappé du zoo,* il s'est enfui, il s'est sauvé du zoo. **2.** N'être pas perçu, remarqué, compris. *Ce détail m'avait échappé. L'air triste d'Yves n'a pas échappé à l'institutrice,* elle l'a remarqué. *Comment s'appelle-t-il ? son nom m'échappe,* je l'ai oublié. **3.** Tomber, glisser. *Le verre lui a échappé des mains.* **4.** *La voiture a failli le renverser, il l'a échappé belle,* il a échappé de justesse au danger. **5.** *La fumée s'échappe par la cheminée,* elle sort par la cheminée.

Kiki s'est échappé pendant que je lui faisais faire sa promenade et on m'a dit qu'on avait vu un gamin l'emmener par ici *(le Petit Nicolas).*

Attention ! *échappatoire* est un mot féminin.

▷ ***échappatoire*** n. f. Moyen de se tirer d'embarras ; vois ***faux-fuyant, subterfuge.*** *Angèle cherche une échappatoire pour refuser l'invitation d'Hippolyte sans le vexer.*

▷ ***échappement*** n. m. Sortie des gaz du moteur. *La voiture de M. Bellec a perdu son pot d'échappement.*

Elle est à *échappement libre.*

Elle fait beaucoup de bruit !

écharde n. f.

Petit fragment de bois ou épine qui a pénétré sous la peau par accident. *Sylvain retire les échardes des pattes de Diane, sa chienne.*

Elle a marché sur des chardons.

écharpe n. f.
On se protège du froid avec une écharpe.
1. Large bande d'étoffe qui sert d'insigne. *Le maire porte une écharpe tricolore.* **2.** Longue bande de tissu ou de tricot qu'on porte autour du cou ; vois ***cache-nez.*** *Julie a une écharpe assortie à son bonnet.*
Avoir un bras en écharpe, c'est avoir un bras soutenu par un bandage passé par-dessus une épaule.

Conjugaison 1
Famille de **charpie**
écharper v.
Massacrer, mettre en charpie. *Il a fallu protéger l'arbitre que les spectateurs fous furieux voulaient écharper.*

Prononce [eʃas].
échasses n. f. plur.
Longs bâtons, munis d'un support où l'on pose le pied, utilisés pour se déplacer dans des terrains marécageux ou difficiles. *Les bergers des Landes étaient montés sur des échasses.*
▸ ***échassier*** n. m. Oiseau des marais qui a de longues pattes. *La cigogne et la bécasse sont des échassiers.*
Connais-tu d'autres échassiers ?
Leurs longues pattes leur permettent de marcher sur des fonds vaseux.

Deux *f* dans *échauffer* et dans *échauffement.*
Famille de **chauffer**
échauffer v.
Échauffer ses muscles, c'est les faire bouger, les entraîner pour les rendre capables de faire des efforts. *Avant la course, les athlètes échauffent leurs muscles. — Les danseurs s'échauffent au début de chaque répétition,* ils entraînent leurs muscles.
Conjugaison 1
Compare : *échauffer → échauffement* et *frotter → frottement.*
▸ ***échauffement*** n. m. *Le cours de gymnastique commence par des exercices d'échauffement,* qui échauffent les muscles.
Prononce [eʃofmɑ̃].

Deux *f* et un seul *r* dans *échauffourée.*
échauffourée n. f.
Combat confus et de courte durée ; vois ***bagarre.*** *Il y a eu une échauffourée entre des voyous.*
Échauffourée est un mot qu'on n'emploie pas souvent.

Famille de **choir**
Une *échéance,* c'est aussi le paiement que l'on doit faire à une date fixe.
échéance n. f.
1. Date fixée comme dernier délai pour un paiement. *Quelle est l'échéance de la facture d'électricité ?* **2.** *Le projet de construction du gymnase est à courte échéance,* c'est un projet qui doit se réaliser dans peu de temps.
Un projet *à longue échéance* doit se réaliser dans un temps éloigné.

le cas **échéant** adv.
Michel Strogoff voulait être seul pour agir seul, le cas échéant *(Michel Strogoff).*
Si l'occasion se présente, à l'occasion. *Antoine a lu un livre sur les hamsters pour pouvoir soigner Cajou, le cas échéant.*
Famille de **cas** et de **choir**

Le contraire d'*échec,* c'est *réussite, succès, triomphe.*
échec n. m.
Le fait d'échouer, de ne pas réussir ; vois ***revers.*** *Alex a subi un échec au baccalauréat. L'échec d'Alex n'a pas vraiment étonné sa mère.*
Va voir aussi ***échouer.***

Les pièces avec lesquelles on joue aux échecs sont les pions, les fous, les cavaliers, les tours, le roi et la dame.
échecs n. m. plur.
Jeu qui se joue à deux, avec des pièces que l'on bouge sur un échiquier. *Le docteur Séverac apprend à son fils à jouer aux échecs. M. Bonnot fait une partie d'échecs avec sa femme.*
Autre membre de la famille : **échiquier.**

échelle n. f.
Papa et maman
C'est des grands,
c'est des grands
Papa et maman
C'est comme des échelles
Qui vont jusqu'au ciel
(Anne Sylvestre).

1. *Une échelle* est constituée de deux longs montants réunis par des barreaux qui servent de marches. *Pour cueillir les cerises, Marie-Tévy est montée sur une échelle appuyée contre une branche de l'arbre.* **2.** Rapport qui existe entre une longueur et sa représentation. *Sur un plan à l'échelle 1/100e, un mètre est représenté par un centimètre.*
Faire la courte échelle à quelqu'un, c'est lui offrir ses mains et ses épaules comme points d'appui pour qu'il puisse grimper.

On ne prononce pas le second *e* : [eʃlɔ̃].
▸ ***échelon*** n. m. **1.** Barreau d'une échelle ; vois ***degré.*** *Marie-Tévy n'a pas osé monter sur le dernier échelon.* **2.** *L'élection du maire se fait à l'échelon de la commune,* au niveau de la commune.
Attention ! deux *l* dans *échelle* mais un seul dans *échelon* et *échelonner.*

Attention ! un *l* et deux *n.*
▸ ***échelonner*** v. Répartir régulièrement dans le temps. *Denis Prost a acheté une voiture à crédit ; les paiements sont échelonnés sur deux ans,* les paiements sont répartis régulièrement sur deux ans.
Conjugaison 1

Au pluriel : *des écheveaux.*
écheveau n. m.
Assemblage de fils repliés et réunis par un fil. *Mamie Lou défait un écheveau de laine pour la mettre en pelote.*
Démêler l'écheveau d'une histoire : essayer d'éclaircir une histoire compliquée.

Famille de **cheveu**
échevelé adj.
Qui a les cheveux en désordre, décoiffés, ébouriffés. *Yasmina est rentrée complètement échevelée après avoir joué dehors.*

échine n. f.

Courber l'échine, c'est se soumettre.

1. Colonne vertébrale. *Sylvain a tapé sa chienne sur l'échine,* sur le dos. **2.** *L'échine de porc,* c'est la viande du dos du porc. *M. Bellec prépare une échine de porc au vin blanc.*

Devant ses yeux luisants [du loup], passaient et repassaient les jambes des deux petites. Un frémissement lui courut sur l'échine, les babines se froncèrent *(les Contes du Chat perché).*

Conjugaison 1

▸ ***s'échiner*** v. *S'échiner à faire quelque chose,* c'est se donner beaucoup de mal pour faire quelque chose ; vois ***s'escrimer.*** *Mme Séverac s'échine à persuader son mari de se reposer.*

Il travaille trop !

Famille de **échecs**

échiquier n. m.

Va voir aussi ***damier.***

Plateau divisé en soixante-quatre cases noires et blanches, sur lequel on joue aux échecs. *David dispose les pièces sur l'échiquier avant de commencer la partie.*

Écho [eko] rime avec *tricot.*

écho n. m.

1. Répétition d'un son renvoyé par un obstacle. *En montagne, il y a souvent de l'écho.* **2.** Ce qui est répété par quelqu'un ; vois ***bruit, nouvelle.*** *L'institutrice a eu des échos de la visite de l'inspecteur,* elle en a entendu parler, on lui a dit ce qui s'était passé.

— Bonjour, dit-il à tout hasard.
— Bonjour... Bonjour... Bonjour... répondit l'écho *(le Petit Prince).*

On trouve ce mot surtout dans les livres.

échoppe n. f.

Petite boutique. *Le cordonnier est dans son échoppe.*

N'oublie pas les deux ***p.***

Conjugaison 1

▭ Indic. futur : *il échouera.*

échouer v.

Le contraire d'*échouer,* c'est *marcher, réussir.*

1. *Le bateau a échoué,* il a touché le fond par accident et ne peut plus avancer. **2.** Ne pas réussir. *Alex a échoué au bac l'année dernière. Yves et Antoine ont fait échouer le plan de Colle et Rat ;* vois ***rater.***

On dit aussi que *le bateau s'est échoué.*

Conjugaison 1

éclabousser v.

Couvrir d'un liquide que l'on fait rejaillir ; vois ***arroser, asperger.*** *Les voitures qui roulent dans les flaques d'eau éclaboussent Julie.*

Compare : *éclabousser → éclaboussure* et *casser → cassure.*

▸ ***éclaboussure*** n. f. Tache faite par une goutte d'un liquide dont on a été éclaboussé. *Julie est couverte d'éclaboussures.*

Famille de **clair**

① **éclair** n. m.

Va voir *fermeture éclair* à ***fermeture.***

1. Lumière très forte, qui dure peu de temps et forme une ligne en zigzag, pendant un orage. *Le ciel était sillonné d'éclairs. Yves est arrivé avec la rapidité de l'éclair,* très vite. **2.** Lumière vive qui ne dure pas longtemps. *Yasmina a été éblouie par l'éclair du flash. Un éclair de malice est passé dans les yeux d'Antoine,* une lueur de malice.

Il y a un éclair lorsque la foudre tombe. Après l'éclair, on entend le tonnerre.

② **éclair** n. m.

Petit gâteau allongé, fourré d'une crème au café ou au chocolat et glacé par-dessus. *Antoine aime beaucoup les éclairs au chocolat.*

Conjugaison 2

éclaircir v.

Le canard toussa pour s'éclaircir la voix *(les Contes du Chat perché).*

1. Rendre plus clair. *On met du blanc dans la peinture pour l'éclaircir. — Le temps s'éclaircit,* il devient plus clair. **2.** Rendre moins épais. *Les bûcherons ont coupé des arbres pour éclaircir la forêt.* **3.** Rendre claire une affaire embrouillée ; vois ***débrouiller, élucider.*** *On n'a toujours pas éclairci le mystère de l'incendie de la poste.*

Le contraire d'*éclaircir,* c'est *assombrir.*

Le contraire d'*éclaircir,* c'est *brouiller, embrouiller, obscurcir.*

▸ ***éclaircissement*** n. m. Explication, renseignement sur une chose obscure. *Le juge tente d'obtenir des éclaircissements.*

▸ ***éclaircie*** n. f. Moment bref où il ne pleut plus. *La météo a annoncé du temps pluvieux avec quelques éclaircies.*

Famille de **clair**

Conjugaison 1

éclairer v.

Au p'tit feu Au grand feu ! C'est pour éclairer l'bon dieu ! (comptine).

1. Donner de la lumière. *La cuisine est éclairée par des spots. Cette lampe éclaire mal. — Autrefois, on s'éclairait à la bougie.* **2.** Rendre plus clair, plus gai. *Un sourire éclaira le visage de Mme Harpie.* **3.** Rendre compréhensible, expliquer. *Les explications d'Angèle, l'institutrice, ont éclairé le texte qui était difficile.*

Les sept nains allèrent chercher leurs sept petites chandelles, et éclairèrent Blancheneige qui dormait *(Blancheneige).*

▸ ***éclairage*** n. m. Manière d'éclairer, lumière. *Mme Bellec n'aime pas l'éclairage au néon. L'éclairage de la rue est insuffisant.*

Famille de **clair**

éclaireur n. m.

On appelle aussi *éclaireurs* les membres de certains groupes de scouts.

Soldat que l'on envoie en reconnaissance. *Un détachement d'éclaireurs a été pris dans une embuscade.*

① ***éclat*** n. m.

1. Force, intensité d'une lumière ; vois ***luminosité.*** *L'éclat de la neige éblouit Yasmina.* **2.** Couleur vive et fraîche. *Mamie Lou complimente Nathalie pour l'éclat de son teint.* **3.** *Cette réception avait beaucoup d'éclat,* elle était très brillante, magnifique.

Une *action d'éclat* : une action remarquable.

Le canard avait du mal à cacher son anxiété et plusieurs de ses belles plumes en perdirent leur éclat *(les Contes du Chat perché).*

▸ ***éclatant*** adj. **1.** Qui brille avec éclat, avec force. *Sophie Pelletier avait un vernis à ongles d'un rouge éclatant ;* vois ***vif.*** **2.** Remarquable. *Ce film a remporté un succès éclatant ;* vois ***triomphal.***

éclater v.

Conjugaison 1

1. Se briser avec violence et avec bruit, en s'ouvrant, en projetant des morceaux ; vois ***exploser, sauter.*** *Le pneu arrière droit de la voiture a éclaté.* **2.** Faire entendre un bruit violent et soudain. *À la fin du spectacle, les applaudissements éclatent. Antoine a éclaté de rire,* il s'est mis à rire brusquement. **3.** Commencer brutalement. *L'incendie a éclaté dans la matinée.* **4.** Apparaître de façon évidente. *La vérité va-t-elle éclater ?*

Delphine et Marinette se mirent à renifler et le cochon, qui, lui aussi, avait une très belle âme, éclata en sanglots *(les Contes du Chat perché).*

es noces ne furent pas plutôt aites que la Belle-mère fit éclaer sa mauvaise humeur *(Cendrillon).*

▸ ② ***éclat*** n. m. **1.** Morceau d'un objet qui éclate, qu'on casse. *Yves s'est coupé avec un éclat de verre.* **2.** *Angèle a entendu un éclat de rire,* le bruit que fait tout à coup une personne qui rit.

Mon verre s'est brisé comme un éclat de rire (Apollinaire).

▸ ***éclatement*** n. m. Rupture brutale d'un objet, explosion. *L'éclatement du pneu a failli causer un accident.*

éclipse n. f.

Il y a une éclipse de Soleil, on ne voit plus le Soleil pendant un moment, parce qu'il est caché par la Lune.

es éclipses de Soleil, de Lune ou 'un autre astre sont totales ou artielles.

C'est une éclipse de Soleil qui a sauvé la vie à Tintin, alors que les Incas l'avaient lié au bûcher du Temple du Soleil.

▸ ***éclipser*** v. **1.** Provoquer l'éclipse d'un astre. *La Lune a éclipsé le Soleil.* **2.** *Éclipser quelqu'un,* c'est se montrer plus brillant que lui, plaire plus que lui ; vois ***surclasser, surpasser.*** *Dans ce film, Denis Prost a éclipsé tous les autres comédiens.* **3.** *S'éclipser,* c'est s'en aller discrètement ; vois ***s'esquiver.*** *Mme Séverac s'est éclipsée avant la fin de la réunion.*

Conjugaison 1

Denis Prost est un comédien célèbre.

éclopé adj.

Compare *éclopé* et *clopin-clopant* : il est question de gens **boiteux.**

Qui boite ou marche difficilement, à cause d'une blessure. *Aucun élève n'est revenu éclopé de classe de neige.*

On emploie souvent ce mot pour plaisanter.

éclore v.

Conjugaison 45 ; le verbe *éclore* ne s'emploie qu'à la troisième personne.

1. *L'œuf éclôt,* il s'ouvre. *Dès que les œufs sont éclos, les poussins en sortent.* **2.** *La rose a éclos,* la rose en bouton s'est ouverte. *Julie a cueilli des roses à peine écloses.*

Famille de **clore**

Compare : *éclore → éclosion* et *conclure → conclusion.*

▸ ***éclosion*** n. f. **1.** *La femelle couve les œufs jusqu'à l'éclosion,* jusqu'au moment où ils éclosent. **2.** *L'éclosion des bourgeons a lieu au printemps,* les bourgeons éclosent au printemps.

écluse n. f.

Partie d'une rivière ou d'un canal limitée par deux portes, dans laquelle on fait changer le niveau de l'eau pour que les bateaux puissent franchir les dénivellations. *Une péniche franchit l'écluse.*

n laisse passer l'eau par des annes, jusqu'à ce qu'elle soit au ıême niveau des deux côtés de ı porte, puis on ouvre la porte our laisser passer les bateaux.

▸ ***éclusier*** n. m., ***éclusière*** n. f. Personne dont le travail est de manœuvrer une écluse. *L'éclusier habite dans une petite maison, le long du canal.*

écœurer v.

Conjugaison 1

Famille de **cœur**

1. Dégoûter au point de donner envie de vomir. *Cette crème est trop sucrée, elle m'écœure.* **2.** Dégoûter au plus haut point, en inspirant l'indignation et le mépris. *Toutes ces intrigues m'écœurent.* **3.** Décourager, démoraliser. *Alex a été écœuré par son échec au bac.*

Elle donne mal au cœur.

▸ ***écœurant*** adj. **1.** Qui écœure, donne envie de vomir ; vois ***répugnant.*** *Cette crème est écœurante.* **2.** Moralement répugnant, révoltant. *Ce serait écœurant qu'Yves et Antoine soient punis à la place de Colle et Rat.* **3.** Qui décourage, démoralise. *M. Bellec a une chance écœurante à la belote.*

Le contraire d'*écœurant,* c'est *appétissant.*

école n. f.

Une école est un établissement *scolaire.*

Faire l'école buissonnière, c'est aller se promener au lieu d'aller à l'école.

1. Endroit où est donné un enseignement à des groupes de personnes. *Yves est à l'école primaire Jules-Ferry, en classe de CE2. M. Doucet a suivi les cours d'une école d'ingénieurs.* **2.** Ensemble des élèves et des enseignants d'une école. *Toute l'école a participé à la fête.* **3.** Ce qui apprend quelque chose. *La mer est une école de courage.* **4.** Groupe de savants, d'artistes

On dit *l'école,* plus particulièrement pour l'école primaire, par opposition au *collège,* au *lycée,* à l'*université.*

ou d'écrivains qui ont les mêmes idées ou suivent le modèle d'un même maître. *Chagall est un peintre de l'école de Paris.*

▸ ***écolier*** n. m., ***écolière*** n. f. Enfant qui va à l'école primaire ; vois ***élève.*** *Les écoliers apprennent à lire au cours préparatoire.*

Autre membre de la famille : **auto-école.**

écologie n. f.

L'écologie étudie aussi les rapports des plantes, des animaux et des hommes avec le milieu où ils vivent.

Science qui étudie le milieu, l'environnement naturel dans lequel vivent les êtres vivants. *Antoine est un passionné d'écologie.*

▸ ***écologique*** adj. Qui concerne l'écologie. *La pollution est un problème écologique.*

▸ ***écologiste*** n. m. et f. Personne qui veut protéger la nature. *Les écologistes ont manifesté contre la construction d'une centrale nucléaire dans la région.*

Les écologistes protègent les ar[imaux] en voie de disparition.

économe adj. et n.

Le contraire d'*économe,* c'est *dépensier.*

1. adj. Qui dépense peu d'argent, ne fait pas de dépense inutile. *Mme Hespel est une femme économe.* **2.** n. m. et f. Personne dont le métier est de compter l'argent reçu et l'argent dépensé dans un hôpital, un collège, un couvent ; vois ***intendant.*** *L'économe gère le budget du collège.*

Une personne économe dépense avec *parcimonie.* Une personne trop économe est *avare.*

Le contraire d'*économie,* c'est *gaspillage.*

Bien, a dit Papa, nous allons prouver à ta mère que c'est facile comme tout de faire le marché, et nous allons lui apprendre à faire des économies *(le Petit Nicolas).*

▸ ***économie*** n. f. **1.** Ce que l'on évite de dépenser. *Les Bellec ont fait une sérieuse économie en ne partant pas en vacances l'année dernière. Voyager en avion permet une économie de temps et de fatigue ;* vois ***gain.*** *Mme Harpie a mis ses économies à la Caisse d'épargne,* une somme d'argent qu'elle a gardée, économisée. **2.** *L'économie d'un pays,* c'est la façon dont sont organisés son agriculture, son industrie et son commerce. *L'économie du pays est en crise. Les États-Unis ont une économie capitaliste.*

Des économies de bouts de chandelle sont toutes petites, ridicules.

Un *économiste* est une person[ne] qui s'occupe d'économie.

▸ ***économique*** adj. **1.** Qui cause moins de dépense, fait faire des économies ; vois ***avantageux.*** *Loïc a un système de chauffage très économique.* **2.** Qui concerne le commerce, l'industrie et l'agriculture d'un pays. *Ce pays a des difficultés économiques.*

Conjugaison 1

▸ ***économiser*** v. **1.** Dépenser peu, utiliser avec modération, sans excès. *Il faut économiser l'énergie. Yves ne sait pas économiser ses forces ;* vois ***ménager.*** **2.** Ne pas dépenser son argent, le mettre de côté ; vois ***épargner.*** *Alex économise pour retourner au Québec.*

Le contraire d'*économiser,* c'est *gâcher, gaspiller.*

écoper v.

Conjugaison 1

Vider l'eau qui s'est introduite dans un bateau. *La barque prend l'eau, il faut écoper.*

écorce n. f.

Prononce [ekɔʀs].

1. Partie de l'arbre qui entoure le tronc et les branches et qui protège la sève. *Les piverts se nourrissent des insectes qu'ils attrapent sous l'écorce des arbres.* **2.** Enveloppe assez dure de certains fruits ; vois ***peau.*** *Mamie Lou a fait de la liqueur avec de l'écorce d'orange.* **3.** *L'écorce terrestre,* c'est la partie de la Terre qui forme sa surface ; vois ***croûte.*** *L'épaisseur de l'écorce terrestre est d'environ trente kilomètres.*

La cannelle est tirée de l'écor[ce] du cannelier.

L'écorce terrestre est plus min[ce] sous les océans.

écorcher v.

Compare : *écorcher → écorchure, blesser → blessure* et *égratigner → égratignure.*

Conjugaison 1

La Castafiore écorche toujours le nom du capitaine Haddock.

1. *Écorcher un animal,* c'est lui enlever sa peau ; vois ***dépouiller.*** *M. Bellec écorche le lièvre qu'il a rapporté de la chasse.* **2.** Blesser en déchirant légèrement la peau ; vois ***égratigner, griffer.*** *Antoine a les jambes écorchées par des ronces. — Julie s'est écorchée en cueillant des roses.* **3.** *Écorcher un mot,* c'est le déformer en le prononçant mal. *Mme Bonnot écorche les mots anglais.*

▸ ***écorchure*** n. f. Déchirure légère de la peau ; vois ***égratignure.*** *Il est douillet, il pleure même pour une écorchure.*

Être comme un chat écorché, c'est être très maigre.

Un bruit qui écorche les oreilles est désagréable ou pénible à entendre.

écossais adj.

1. De l'Écosse. *Les vaches écossaises ont de très longs poils. —* n. *Les Écossais sont les habitants de l'Écosse.* **2.** *Un tissu écossais,* c'est un tissu tissé de fils de plusieurs couleurs qui se croisent et forment des rayures et des carreaux. *Julie porte une jupe plissée écossaise.*

Conjugaison 1

écosser v.

Écosser des haricots ou des petits pois, c'est les retirer de leur cosse. *Mamie Lou écosse des haricots.*

Famille de **cosse**

Conjugaison 1

écouler v.

Vendre régulièrement et complètement une marchandise. *Il faut écouler les produits laitiers avant la date inscrite sur leurs emballages.*

Famille de **couler**

Le contraire d'*écouler,* c'est *stocker.*

▸ *s'**écouler*** v. **1.** Couler hors d'un endroit. *La pluie ruisselle sur le toit et s'écoule par la gouttière.* **2.** *Le temps qui s'écoule,* c'est le temps qui passe. *Dix ans se sont écoulés depuis le mariage des Bellec.*

Les feuilles
Qu'on foule.
Un train
Qui roule.
La vie
S'écoule (Apollinaire).

▸ ***écoulement*** n. m. *L'écoulement des eaux usées est assuré par le tout-à-l'égout,* leur sortie ; vois ***évacuation.***

Conjugaison 1

écourter v.

Rendre plus court en durée ; vois ***abréger.*** *Mme Hespel a écourté la réunion parce qu'elle devait prendre le train,* elle a fait durer la réunion moins longtemps que prévu.

Famille de ① **court**

Le contraire d'*écourter,* c'est *allonger.*

Conjugaison 1

écouter v.

1. S'appliquer à entendre, faire attention à des bruits, des sons, des paroles. *Les enfants écoutent la maîtresse. Hippolyte a écouté les informations à la radio. Antoine n'a écouté que d'une oreille,* il a écouté distraitement. — *Mamie Lou a horreur des gens qui s'écoutent et se plaignent sans cesse,* qui prêtent trop d'attention à leur santé. **2.** *Écouter quelqu'un,* c'est suivre le conseil ou l'ordre qu'il a donné ; vois ***obéir.*** *M. Bonnot a écouté le docteur Séverac, il s'est mis à la diète. — Si je m'écoutais, dit Antoine, je mangerais trois cornets de frites.*

…ls n'osèrent d'abord entrer, …nais ils se mirent tous contre …a porte pour écouter ce que …isaient leur père et leur mère *(le Petit Poucet).*

Accourus en grand nombre, les éléphants écoutent respectueusement *(Babar).*

Une personne très écoutée donne des avis qui sont largement suivis.

▸ ***écoute*** n. f. *Être à l'écoute,* c'est écouter. *Restez à l'écoute de notre émission !,* continuez à l'écouter.

▸ ***écouteur*** n. m. Partie d'un récepteur téléphonique ou d'un casque qu'on applique sur l'oreille pour écouter. *Julie a pris l'écouteur pour écouter la conversation entre ses parents.*

Grâce à ses écouteurs, Tintin a capté un message en morse.

Écoutille [ekutij] rime avec *vanille.*

écoutille n. f.

Ouverture rectangulaire dans le pont d'un navire qui permet de descendre dans les étages inférieurs. *Le capitaine a fait fermer les écoutilles.*

Conjugaison 1

écrabouiller v.

Écraser, réduire en bouillie. *Les fraises étaient au fond du panier, elles sont écrabouillées.*

…n en fera un sorbet, ou une …rème !

Écrabouiller est un mot familier.

écran n. m.

1. Ce qui cache ou qui protège. *Les peupliers forment un écran contre le vent ;* vois ***rideau.*** **2.** Surface sur laquelle on projette un film ou des photographies. *Un drap sert d'écran à Antoine qui fait des ombres chinoises. Au cinéma, Mme Hespel aime être placée près de l'écran.*

Le petit écran, c'est la télévision.

Une vedette de l'écran, c'est une vedette de cinéma.

Conjugaison 1

écraser v.

1. *Écraser une chose,* c'est l'aplatir complètement et la déformer en la pressant avec beaucoup de force ; vois ***broyer.*** *Mamie Lou écrase des pommes de terre pour faire de la purée. — L'avion s'est écrasé au sol,* il s'est abattu. **2.** Tuer en aplatissant. *Julie a écrasé une araignée avec sa chaussure. Le hérisson s'est fait écraser par une voiture.* **3.** Faire supporter un poids trop lourd ; vois ***accabler, surcharger.*** *M. Bellec se plaint d'être écrasé de soucis.* **4.** Vaincre ; vois ***anéantir.*** *L'armée a écrasé la révolte. Le champion a écrasé les autres joueurs,* il a gagné en étant de loin le plus fort.

Eudes et Rufus n'ont pas pu se battre, parce que l'agent de police qui est là pour empêcher les autos de nous écraser, s'est fâché *(le Petit Nicolas).*

▸ ***écrasant*** adj. Très lourd ; vois ***accablant.*** *Le docteur Séverac a un travail écrasant.*

▸ ***écrasement*** n. m. Destruction complète des forces d'un adversaire ; vois ***anéantissement.*** *Le combat s'est terminé par l'écrasement des Indiens.*

Trois *é* dans *écrémé.*

écrémé adj.

Du lait écrémé, c'est du lait dont on a enlevé la crème, la matière grasse. *Mme Séverac prend du lait écrémé ou un yaourt maigre pour son petit déjeuner.*

Famille de **crème**

100 g de lait demi-écrémé ne contiennent plus que 12 g de matière grasse.

L'écrevisse est un crustacé.

écrevisse n. f.

Petit animal d'eau douce qui a cinq paires de pattes dont la première a de fortes pinces. *Une écrevisse pèse environ 35 g. Antoine était rouge comme une écrevisse,* comme l'écrevisse quand elle est cuite.

Le gratin d'écrevisses, c'es[t] bon !

Conjugaison 7
Indic. imparfait : *nous nous écriions.*

s'écrier v.

Dire d'une voix forte ; vois ***s'exclamer.*** *« C'est à cette heure-là que tu arrives, Antoine ! » s'est écriée Angèle.*

Famille de **crier**

écrin n. m.

Boîte dans laquelle on range des bijoux, des objets précieux. *Mme Séverac a rangé sa bague dans son écrin.*

Conjugaison 39
Indic. présent : *j'écris, nous écrivons.*
Imparfait : *j'écrivais.*
Futur : *j'écrirai.*

écrire v.

1. Tracer des lettres, des signes d'écriture. *Claire apprend à écrire. Antoine a écrit son nom sur son cahier.* **2.** *Savoir écrire un mot,* c'est savoir l'orthographe de ce mot. *Claire ne sait pas écrire son nom de famille. — Comment s'écrit « chrysanthème » ?,* quelle est son orthographe ? **3.** Faire une lettre, un message par écrit. *Sylvain a écrit une lettre de cinq pages à Nathalie. Mme Bellec a écrit à Loïc qu'Yves était malade. — Sylvain et Nathalie s'écrivent toutes les semaines,* ils s'envoient des lettres ; vois ***correspondre.*** **4.** Faire un livre, un récit par écrit. *Hippolyte écrit des chansons et compose la musique. Le docteur Séverac a écrit un article pour une revue médicale ;* vois ***publier.***

Va voir *machine à écrire* à ***machine.***

Elle n'a que 5 ans.

Écoute, Nicolas, m'a dit Mama[n]. Si tu es sage et si tu écris cet[te] lettre sans faire d'histoires, t[u] pourras prendre deux fois d[u] dessert *(le Petit Nicolas).*

Le contraire de *par écrit,* c'est *oralement.*

▸ ① ***écrit*** n. m. **1.** Texte écrit. *Angèle, l'institutrice, a fait une demande à la directrice par écrit,* par un document écrit. *Angèle a tous les écrits de Victor Hugo,* ce qu'il a écrit, son œuvre. **2.** Épreuve écrite d'un examen. *Alex est meilleur à l'oral qu'à l'écrit.*

Les paroles s'envolent, les écri[ts] restent (proverbe).

Il fait trop de fautes d'orthographe !

▸ ② ***écrit*** adj. Tracé par l'écriture. *Ce mot est mal écrit, c'est illisible.*

Au pluriel : *des écriteaux.*

▸ ***écriteau*** n. m. Panneau qui porte en grosses lettres une inscription ; vois ***pancarte.*** *Un écriteau sur un mur indiquait que la maison était à vendre.*

▸ ***écriture*** n. f. **1.** Ensemble de signes que l'on utilise pour noter le langage parlé. *Champollion a déchiffré l'écriture de l'Égypte antique.* **2.** Manière que chaque personne a d'écrire. *Yasmina a une écriture très fine. Julie imite l'écriture de son père.*

▸ ***écrivain*** n. m. Personne qui écrit des livres ; vois ***auteur.*** *Sophie Pelletier est écrivain. Victor Hugo et Jules Verne furent de grands écrivains français.*

Un *écrivain public* écrit des lettres pour ceux qui ne savent pas écrire.

Au pluriel : *des écrous.*

écrou n. m.

Pièce de métal ou de bois percée d'un trou, qui maintient une vis ou un boulon. *Sylvain serre les écrous des freins de sa bicyclette.*

On serre un écrou avec une c[lé] anglaise.

Conjugaison 1
Famille de **crouler**

s'écrouler v.

1. Tomber tout d'un coup de tout son poids ; vois ***s'abattre, s'affaisser, s'effondrer.*** *Attention, la pile de livres est trop haute, elle va s'écrouler ! L'explosion a fait s'écrouler le pont.* **2.** Être détruit brutalement ; vois ***sombrer.*** *Tous ses espoirs se sont écroulés.*

C'est difficile de faire tenir u[n] château de cartes ; il menac[e] toujours de s'écrouler !

▸ ***écroulement*** n. m. **1.** Le fait de s'écrouler. *L'explosion a provoqué l'écroulement du pont.* **2.** Destruction brutale et totale ; vois ***chute, ruine.*** *Ce fut alors l'écroulement de l'Empire.*

écru adj.

Qui n'a pas été blanchi et garde une teinte naturelle. *Alex portait un pull en laine écrue.*

Le chanvre, la soie peuvent êt[re] écrus.

Attention à l'orthographe ! On inverse le ***e*** et le ***u*** comme dans *accueil* et *recueil.*

écueil n. m.

1. Rocher à fleur d'eau que les bateaux doivent éviter pour ne pas se briser dessus. *La carte signale des écueils le long de la côte.* **2.** Danger, piège. *La dictée qu'Angèle a fait faire à sa classe était pleine d'écueils.*

Écueil [ekœj] rime avec *accueil* et *fauteuil.*

Écuelle [ekɥɛl] rime avec *cruel.*

écuelle n. f.

Assiette creuse sans rebord. *Le chien mange sa pâtée dans son écuelle.*

Avant le XIVe siècle, les écuell[es] étaient en bois.

① ***écume*** n. f.
Matière naturelle blanche, qui contient du magnésium. *Loïc sortit de sa poche une pipe en écume qu'il se mit à bourrer consciencieusement.*

On dit aussi *écume de mer.*

② ***écume*** n. f.
Mousse blanchâtre qui se forme sur les vagues ou sur des liquides que l'on chauffe ou qui fermentent. *La vague se brise et l'écume bouillonne. De l'écume se forme pendant la cuisson des confitures.*

La mythologie grecque raconte que la déesse de l'amour était née de l'écume de la mer.

▸ ***écumer*** v. **1.** Enlever l'écume qui s'est formée à la surface d'un liquide. *Mamie Lou écume la mousse qui s'est formée à la surface de la bassine de confiture. M. Bellec écumait de rage devant la mauvaise foi de son interlocuteur,* il était au comble de la fureur. **2.** *Écumer les mers,* c'est y faire de la piraterie. *Ce vieux corsaire avait écumé toutes les mers.*

Écumoire est féminin, comme *baignoire* et *passoire.*

▸ ***écumoire*** n. f. Ustensile de cuisine qui a un manche et une partie plate, arrondie et percée de trous, que l'on utilise pour écumer le bouillon, les confitures, le sirop. *Mamie Lou retire un beignet de la friture avec une écumoire.*

écureuil n. m.
Petit rongeur au pelage roux, gris ou noir, à la queue longue et en panache. *Deux écureuils sautaient souplement de branche en branche.*

L'écureuil est un mammifère. Très agile, il vit dans les arbres.

L'écureuil se nourrit de noisettes et de glands.

écurie n. f.
1. Bâtiment où l'on loge les chevaux, les ânes ou les mulets. *Denis Prost selle la jument grise et la sort de l'écurie.* **2.** *Une écurie de course,* c'est l'ensemble des chevaux de course appartenant au même propriétaire. *Le riche armateur possédait une très belle écurie de course.*

Toi, cheval noir, tu as désormais ta place à l'écurie. Sans plus tarder, nous allons t'y conduire *(les Contes du Chat perché).*

Pour les vaches, on dit *une étable.*

On parle aussi d'*écurie* pour les voitures de course d'une même marque.

Deux *s* dans *écusson.*

écusson n. m.
Petit insigne d'étoffe cousu sur un vêtement et montrant l'appartenance à un groupe. *Les militaires, les membres d'un club portent un écusson.*

L'écusson des marins est en forme de losange, décoré d'une ancre.

Prononce [ekɥije] et [ekɥijɛʀ]. *Écuyer* rime avec *appuyer.*

écuyer n. m., ***écuyère*** n. f.
1. n. m. Gentilhomme qui, au Moyen Âge, était au service d'un chevalier ou d'un prince. *L'écuyer a suivi le chevalier à la guerre.* **2.** Personne qui fait un numéro d'acrobatie sur un cheval au trot ou au galop, dans un cirque. *L'écuyère, debout sur le cheval, a sauté à travers un cerceau enflammé.*

Du temps des rois, le grand Écuyer de France s'occupait des équipages et des écuries du roi.

Prononce [ɛgzema].

eczéma n. m.
Maladie caractérisée par des plaques rouges sur la peau. *Mme Roussel a parfois de l'eczéma.*

Attention ! un ***w*** et deux ***s*** à la fin.

edelweiss n. m. invariable
Plante qui pousse surtout en haute montagne et qui a des fleurs blanches couvertes d'un duvet blanc et laineux. *Nathalie garde deux petits edelweiss séchés que lui a donnés Sylvain.*

Prononce [edɛlvajs] ou [edɛlvɛs]. Le mot *edelweiss* vient de l'allemand.

édenté adj.
Qui a perdu ses dents. *Le sourire du vieillard montrait sa mâchoire édentée.*

Un peigne édenté ne sert plus à grand-chose !

Famille de **dent**

Famille de ② **édifier**

édifiant adj.
Une histoire édifiante, c'est une histoire très morale, qui montre l'exemple à suivre. *Les romans de la comtesse de Ségur sont toujours très édifiants.*

édifice n. m.
Grand bâtiment. *Cet édifice contient un musée, une bibliothèque et un théâtre. L'école est un édifice public.*

Les édifices publics appartiennent à la commune ou à l'État.

Conjugaison 7
▭ Indic. imparfait : *j'édifiais, nous édifions.*

① ***édifier*** v.
Bâtir un édifice, un monument ; vois ***construire, élever.*** *Le château de Motbourg a été édifié au XIIe siècle.*

Conjugaison 7

Le contraire d'*édifier,* c'est *scandaliser.*

② ***édifier*** v.
Donner un bon exemple, inspirer de la piété. *La comtesse de Ségur a écrit « les Malheurs de Sophie » pour édifier ses petits lecteurs.*

Autre membre de la famille : **édifiant.**

N'oublie pas le *t* final.
Famille de **dire**

édit n. m.
Autrefois, loi promulguée par le roi de France. *En 1598, Henri IV proclama l'édit de Nantes qui accordait aux protestants le droit de pratiquer leur religion.*

L'édit de Nantes mit fin aux guerres de Religion. Louis XIV le révoqua en 1685.

Conjugaison 1

éditer v.
Éditer un livre, c'est le fabriquer, l'imprimer et le mettre en vente ; vois **publier.** *C'est un jeune éditeur qui éditera le prochain livre de Sophie Pelletier.*

▹ **éditeur** n. m., **éditrice** n. f. Personne ou société qui édite des livres. *Sophie Pelletier a trouvé un éditeur pour son prochain livre.*

Édition [edisjɔ̃] rime avec *mission.*

▹ **édition** n. f. **1.** *Une maison d'édition,* c'est une entreprise qui édite, publie des livres. *La sœur de Mme Hespel travaille dans une maison d'édition.* **2.** Série de livres édités en une fois. *Il y a eu de nombreuses éditions des « Misérables »,* ce livre a été publié de nombreuses fois. **3.** Ensemble des exemplaires d'un journal imprimés en une fois. *Une édition spéciale du journal local a rendu compte de l'incendie de la poste de Motbourg.*

Autre membre de la famille : **inédit.**

Au pluriel : *des éditoriaux.*

éditorial n. m.
Article dans lequel un journal donne son opinion sur un événement important. *Dans un quotidien, l'éditorial est généralement en première page.*

C'est souvent le directeur du journal qui écrit l'éditorial.

N'oublie pas l'accent aigu du premier *é.*

édredon n. m.
Couvre-lit garni de duvet, de plume ou de matière synthétique. *Mamie Lou a un gros édredon sur son lit.*

Attention ! *éduquer* s'écrit avec ***qu***, mais *éducateur, éducatif* et *éducation* prennent un ***c***.

éduquer v.
Éduquer un enfant, c'est l'élever en cherchant à développer toutes ses qualités. *Mme Séverac éduque très bien ses enfants.*

Conjugaison 1

Elle est institutrice de CE2.

▹ **éducateur** n. m., **éducatrice** n. f. Personne chargée de l'éducation et de l'instruction des enfants. *Angèle est une bonne éducatrice.*

Les enseignants sont des éducateurs.

Au féminin : *éducative.*

▹ **éducatif** adj. Qui développe l'intelligence et l'habileté. *Les jeux éducatifs instruisent tout en amusant.*

Les puzzles, les jeux de construction sont éducatifs.

▹ **éducation** n. f. **1.** Formation, instruction. *Les parents s'occupent de l'éducation de leurs enfants. Les enseignants dépendent du ministère de l'Éducation nationale. Les professeurs d'éducation physique font faire de la gymnastique à leurs élèves.* **2.** *Avoir de l'éducation,* c'est être bien élevé. *Mme Harpie dit toujours que M. Doucet n'a pas d'éducation.*

Autre membre de la famille : **rééducation.**

Conjugaison 3
▭ Indic. présent : *nous effaçons.*
Imparfait : *j'effaçais.*

effacer v.
1. Faire disparaître ce qui est écrit, marqué. *La maîtresse a effacé le tableau avec un chiffon. Julie prend sa gomme pour effacer le résultat de la soustraction. — Les traces de pas se sont effacées.* **2.** Faire oublier. *Le temps efface les mauvais souvenirs. — Sophie Pelletier sait que le souvenir de sa mère ne s'effacera jamais de sa mémoire.* **3.** *Mme Bonnot s'est effacée pour laisser passer Mme Bellec,* elle s'est mise de côté.

Papa a commencé la dictée : — Cher monsieur, virgule, à la ligne... C'est avec joie... Non, efface... Attends... C'est avec plaisir... Oui, c'est ça. C'est avec plaisir que j'ai eu la grande surprise... *(le Petit Nicolas).*

Mais ce n'est pas le cas de Mme Harpie !

▹ **effacé** adj. *Mme Bellec est une femme effacée,* elle ne se fait pas remarquer.

Deux ***f*** dans *effaré* et *effarant.*

Nous avons vu revenir notre âne au galop avec la sangle cassée ; il avait l'air effrayé, effaré *(les Malheurs de Sophie).*

effaré adj.
Effrayé, affolé. *Les passants regardaient la poste en feu avec un air effaré.*

▹ **effarant** adj. Qui étonne en indignant ou en faisant peur. *Ce restaurant pratique des prix effarants ;* vois **effrayant.**

Au bruit de ses pas, les poules effarées s'agitent en gloussant sur leur perchoir *(Poil de Carotte).*

Attention aux deux ***f*** !
Famille de **farouche**

effaroucher v.
Effaroucher un animal, c'est le faire fuir en l'effrayant. *Les enfants s'approchent du hamster Cajou sans l'effaroucher.*

Conjugaison 1
Il est apprivoisé !

Attention ! deux ***f*** dans *effectif.*

① **effectif** n. m.
Nombre de personnes qui forment un groupe. *L'effectif de la classe d'Angèle est de vingt-quatre élèves.*

Compare : *effectif → effectivement* et *progressif → progressivement.*

② **effectif** adj.
Qui produit un effet, apporte des résultats. *Yasmina apporte une aide effective à sa mère.*

▹ **effectivement** adv. En effet. *Effectivement, tu avais raison.*

Conjugaison 1

Denis Prost est un comédien célèbre.

effectuer v.
Faire, exécuter. *Denis Prost va effectuer un numéro de trapèze au gala des artistes. Julie a des multiplications et des divisions à effectuer pour demain.*

Compare *effectuer, confection, perfection* : on **fait** quelque chose.

Compare *efféminé* et *féminin* : il est question de **femme.**

efféminé adj.
Un homme efféminé, c'est un homme qui a quelque chose de féminin dans le physique ou dans les manières. *Ce chanteur est un peu efféminé.*

Le contraire d'*efféminé,* c'est *mâle, viril.*

Attention aux deux *f* et au *s* entre le *e* et le *c* dans *effervescence* et *effervescent.*

effervescence n. f.
1. Bouillonnement d'un liquide produit par un dégagement de bulles gazeuses. *La chaux vive entre en effervescence au contact de l'eau.* **2.** Agitation. *À la nouvelle de l'incendie de la poste, toute la ville était en effervescence.*
▷ ***effervescent*** adj. Qui provoque l'effervescence d'un liquide. *Mme Séverac prend des comprimés effervescents de vitamine C.*

La nouvelle de la disparition des vaches les mit en effervescence. Les oies se lamentaient, les poules couraient en tous sens *(les Contes du Chat perché).*

effet n. m.
1. *Un effet,* c'est ce qui est produit par une cause ; vois ***résultat.*** *L'effet de l'aspirine est rapide. Ce médicament fait effet rapidement. La fièvre baisse sous l'effet de l'aspirine,* sous l'action de l'aspirine. *Une coïncidence est un pur effet du hasard.* **2.** *Sous l'effet de la colère, Mme Harpie a giflé sa sœur,* sous l'action de la colère. **3.** *En effet,* car. *Hippolyte va à la piscine le mardi soir, il y a en effet une nocturne ce jour-là ;* vois ***effectivement.***

On appelle *effets* le linge et les vêtements.

En effet sert à introduire une explication, un argument.

Effeuiller prend deux *f.*
Conjugaison 1
Famille de **feuille**

effeuiller v.
1. Enlever les feuilles. *Le vent effeuille les arbres.* **2.** Enlever les pétales. *Antoine effeuillait une rose fanée pour mettre les pétales dans son herbier.*

Sais-tu effeuiller la marguerite ? Je t'aime, un peu, beaucoup...

Attention ! deux *f* dans *efficace, efficacement* et *efficacité.*

efficace adj.
1. Qui produit l'effet qu'on attend. *Mme Séverac veut un sirop efficace contre la toux.* **2.** *Quelqu'un d'efficace,* c'est quelqu'un qui fait ce qu'il faut quand il le faut. *Mme Hespel est très efficace dans son travail.*

Le contraire d'*efficace,* c'est *inefficace.*

Autres membres de la famille : **inefficace, inefficacité.**

Ne prononce pas le deuxième *e* : [efikasmɑ̃].

▷ ***efficacement*** adv. D'une manière efficace. *Hippolyte a agi efficacement.*
▷ ***efficacité*** n. f. Caractère d'une chose, d'une personne efficace. *Le pharmacien a garanti à Mme Séverac l'efficacité de son sirop.*

Le contraire d'*efficacité,* c'est *inefficacité.*

N'oublie pas les deux *f* de *effigie.*

effigie n. f.
Portrait d'une personne sur une médaille, une pièce de monnaie. *Les rois faisaient frapper la monnaie à leur effigie.*

Deux *f* dans *effilé.*
Famille de **fil**

effilé adj.
Mince et allongé. *Marie-Tévy a des doigts effilés.*

S'effilocher s'écrit avec deux *f.*
Famille de **fil**

s'effilocher v.
Un tissu qui s'effiloche, c'est un tissu dont les fils des bords se défont. *Ce tissu de mauvaise qualité s'est complètement effiloché.*

Conjugaison 1

Attention ! *efflanqué* s'écrit avec deux *f.*

efflanqué adj.
Trop maigre. *Claire s'occupe bien de son âne : il ne risque pas d'être efflanqué !*

Famille de **flanc**

Attention ! *effleurer* s'écrit avec deux *f.*
Famille de ① **fleur**

effleurer v.
1. Toucher légèrement ; vois ***frôler.*** *Hippolyte a effleuré la main d'Angèle.* **2.** *Cette idée ne m'avait pas effleuré,* elle ne m'était pas venue.

Conjugaison 1

Effluve s'emploie surtout au pluriel.

effluve n. m.
Odeur qui se dégage ; vois ***parfum.*** *Des effluves parfumés parviennent de la roseraie.*

Effluve n'est pas un mot très courant.

Attention ! deux *f* dans *s'effondrer, effondré* et *effondrement.*

s'effondrer v.
1. S'écrouler. *L'escalier s'est effondré pendant l'incendie.* **2.** Ne plus tenir, ne plus résister. *Après plusieurs heures d'interrogatoire, le cambrioleur s'est effondré et a dénoncé son complice ;* vois ***craquer.***
▷ ***effondré*** adj. Très abattu après un malheur. *Mme Hespel était complètement effondrée après l'échec de son fils au baccalauréat.*
▷ ***effondrement*** n. m. Écroulement. *L'effondrement de l'escalier n'a heureusement pas fait de victime.*

Conjugaison 1

Deux *f* dans *s'efforcer* et *effort.*
Conjugaison 3

s'efforcer v.
S'efforcer de faire quelque chose, c'est faire tout ce que l'on peut pour y arriver. *M. Bellec s'efforce de pratiquer des prix raisonnables dans son restaurant. Quand M*[me] *Harpie s'efforcera-t-elle d'être aimable ?*

Haussé sur la pointe des pieds, il s'efforce d'embrasser son père *(Poil de Carotte).*

Camille, Madeleine et Marguerite eurent besoin de faire de grands efforts pour être polies à table avec Mme Fichini *(les Petites Filles modèles).*

▸ **effort** n. m. Mal que l'on se donne pour faire quelque chose. *Yves fait tous ses efforts pour gagner la course. Encore un petit effort et il arrivera en tête ! Alex n'aura pas son bac s'il ne fait pas plus d'efforts. Il ne réussira pas sans effort ;* vois ***peine.***

Les paresseux sont partisans du moindre effort.
Famille de **force**

Effraction prend deux *f.*
Ne confonds pas *effraction* et *infraction.*

effraction n. f.
Entrer quelque part par effraction, c'est y entrer en cassant la porte, la fenêtre, la serrure. *Les cambrioleurs sont entrés dans la maison par effraction.*

Il y a eu *vol avec effraction.*

Une effraie mange 1 500 petits rongeurs et 350 insectivores par an.

effraie n. f.
Chouette au plumage jaune-roux et gris clair. *Les effraies sont très utiles car elles mangent les rongeurs.*

L'effraie niche dans les granges, les greniers ou les clochers.

Conjugaison 8 ▭ Indic. présent : *j'effraie* ou *j'effraye, nous effrayons.* Imparfait : *j'effrayais.* Futur : *j'effraierai* ou *j'effrayerai.*

effrayer v.
Faire peur ; vois ***terrifier, terroriser.*** *L'orage effraye Claire. Claire est effrayée par l'orage. — Ne t'effraye pas, Claire ; tu ne risques rien,* n'aie pas peur.

La souris, effrayée, faisait des bonds à l'intérieur du sac *(les Contes du Chat perché).*

▸ **effrayant** adj. Qui fait peur ; vois ***effroyable, terrible, terrifiant.*** *Sylvain a fait un cauchemar effrayant. Le lion poussait des rugissements effrayants.*

Des prix effrayants font peur tellement ils sont élevés.

N'oublie pas les deux *f* de *effréné.*

effréné adj.
Qui est sans frein, qu'on ne peut arrêter. *Yves et Antoine font une course effrénée.*

Compare *effréné* et *refréner* : on parle de **frein.**

S'effriter s'écrit avec deux *f* et un seul *t.*

s'effriter v.
Tomber en petits morceaux, en poussière, se désagréger. *La roche s'effritait dangereusement sous les pieds de l'alpiniste.*

Conjugaison 1

Deux *f* dans *effroi.*

effroi n. m.
Grande peur ; vois ***épouvante, frayeur, terreur.*** *L'orage remplit Claire d'effroi.*

Autre membre de la famille : **effroyable.**

Deux *f* dans *effronté* et *effronterie.*
Prononce [efʀɔ̃tʀi].

effronté adj.
Très insolent. *Julie est une petite fille effrontée.*

Le contraire d'*effronté,* c'est *réservé, respectueux.*

▸ **effronterie** n. f. Grande insolence. *Julie a répondu à la maîtresse avec effronterie.*

Effroyable s'écrit avec deux *f.*

effroyable adj.
Très effrayant ; vois ***terrifiant.*** *Quand l'escalier s'est effondré, cela a fait un bruit effroyable ;* vois ***épouvantable.***

Famille de **effroi**

M. Lepic, hostile aux effusions, ne témoigne sa joie de le revoir qu'en le taquinant *(Poil de Carotte).*

effusion n. f.
1. Marque de tendresse. *Quand les Séverac arrivent à la ferme de leurs cousins pour les vacances, quelles effusions !* **2.** *La bagarre s'est terminée sans effusion de sang,* sans que le sang coule.

Cela m'est égal : cela ne me fait rien, m'indiffère.
Traiter d'égal à égal, en personnes égales.

égal adj.
1. *Des choses égales,* ce sont des choses de même dimension, qui se ressemblent ; vois ***équivalent, identique, semblable.*** *C'est difficile de couper la tarte en parts égales. Les tartes de Mamie Lou sont sans égales,* on ne peut les comparer à rien. **2.** *Deux personnes sont égales* quand elles ont les mêmes droits ou les mêmes devoirs. *Tous les citoyens sont égaux devant la loi.* — n. *À ski, Marie-Tévy s'est montrée l'égale d'une championne,* elle a montré les mêmes qualités qu'une championne. **3.** Qui est toujours le même, qui ne change pas ; vois ***constant, régulier.*** *Le bébé a gardé une respiration égale pendant tout son sommeil. M. Doucet est d'un caractère égal.*

Le contraire d'*égal,* c'est *inégal, différent.*
Sans égal s'accorde au féminin singulier et pluriel mais n'a pas de masculin pluriel.
Elle est très douée pour le ski.

Prononce [egalmɑ̃].

▸ **également** adv. **1.** D'une manière égale. *Les enfants se sont partagés également le sac de billes.* **2.** De même, aussi. *Alex joue du saxo ; il joue également de la guitare.*

Le contraire d'*également,* c'est *inégalement.*

Conjugaison 1
2 + 2 = 4

▸ **égaler** v. **1.** Être égal par la quantité ou la valeur. *Deux plus deux égalent quatre. Un franc égale cent centimes.* **2.** *Égaler un record,* c'est faire

On peut écrire aussi *deux plus deux égale quatre.*

le même temps, le même nombre de points que ce record. *Le champion a égalé le record du monde.*

Conjugaison 1

▸ ***égaliser*** v. **1.** Rendre égal. *Le coiffeur égalise les cheveux de Julie.* **2.** Obtenir le même nombre de points que l'adversaire. *Par ce dernier but, l'équipe égalisait.*

Le contraire d'*égalité,* c'est *inégalité.*

▸ ***égalité*** n. f. **1.** *Il y a égalité de poids entre un kilo de plumes et un kilo de plomb,* les deux poids sont égaux. *À la mi-temps, les joueurs étaient à égalité,* ils avaient le même nombre de points. **2.** *Il y a égalité entre tous les hommes,* ils sont égaux, ils ont les mêmes droits. **3.** *Montrer une égalité d'humeur,* c'est montrer une humeur égale, toujours la même. *Hippolyte admire l'égalité d'humeur d'Angèle.*

Va voir *comparatif d'égalité* à ***comparatif.***

« Liberté, Égalité, Fraternité » est la devise de la République française.

De tous temps, les bœufs ont été loués pour leur parfaite égalité d'humeur, et l'on n'en a jamais vu un s'entêter à rester sur place *(les Contes du Chat perché).*

▸ ***égalitaire*** adj. Qui est fait pour établir l'égalité entre tous. *Une loi égalitaire a donné en France le droit de vote aux femmes, en 1944.*

Autres membres de la famille : **inégal, inégalable, inégalement, inégalité.**

Le ***d*** final ne se prononce pas : [egaʀ].

égard n. m.
1. *Antoine a été insolent à l'égard d'Angèle, l'institutrice,* envers Angèle. **2.** Respect, marque d'estime. *Mme Harpie voudrait que son neveu lui parle avec plus d'égards,* de marques de respect.

Le neveu de Mme Harpie, c'est Antoine.

Conjugaison 1

égarer v.
1. *Avoir égaré une chose,* c'est ne plus la trouver, l'avoir perdue momentanément. *Mamie Lou avait égaré ses lunettes ;* vois ***perdre.*** **2.** Faire perdre la raison ; vois ***tromper.*** *La colère avait égaré M. Bellec, il disait n'importe quoi.* **3.** *S'égarer,* se perdre. *Claire s'était égarée dans la forêt. La lettre a dû s'égarer.*

Plus ils marchaient, plus ils s'égaraient et s'enfonçaient dans la forêt *(le Petit Poucet).*

Compare : *égarer → égarement* et *affoler → affolement.*

▸ ***égarement*** n. m. *Un moment d'égarement,* c'est un moment où on ne sait plus ce que l'on fait, un moment de folie. *Dans un moment d'égarement, Mme Roussel a oublié une casserole sur le feu.*

Prononce [egaʀmɑ̃].

Conjugaison 8
▭ Indic. présent : *j'égaye, nous égayons.* Futur : *j'égaierai, nous égaierons.*

égayer v.
Rendre gai. *Personne ne parlait, alors Antoine a raconté une histoire qui a égayé l'atmosphère,* qui a rendu tout le monde gai. *Mme Séverac a choisi un papier peint très vif pour égayer l'entrée.*

Égayer [egeje] rime avec *réveiller.*

Famille de **gai**

L'églantine fleurit dans les haies et les buissons.

églantine n. f.
Fleur blanc rosé d'un rosier sauvage qui fleurit de mai à juillet. *Le sentier sentait l'églantine et le chèvrefeuille.*

L'églantine est la fleur de l'*églantier.*

On écrit aussi *aiglefin.*

On trouve les églefins surtout en mer du Nord.

églefin n. m.
Poisson de mer, proche de la morue, qui porte une tache noire sur le flanc. *Les églefins ne mesurent pas plus d'un mètre de long.*

Le haddock, c'est de l'églefin fumé.

Dans ce sens, ***Église*** s'écrit avec un ***é*** majuscule.

Les protestants vont au *temple.*

église n. f.
1. *L'Église,* c'est l'ensemble des chrétiens. *Le pape est le chef de l'Église catholique.* **2.** Bâtiment qui sert au culte des religions catholique et orthodoxe ; vois ***basilique, cathédrale, chapelle.*** *L'abbé Gauthier dit la messe dans l'église Sainte-Marie.*

C'est la poule grise qui pond dans l'église (comptine).

N'oublie pas le tréma du ***ï*** de *égoïsme* [egɔism] et de *égoïste* [egɔist].

égoïsme n. m.
Trop grand attachement qu'une personne a pour elle-même, qui lui fait chercher son seul plaisir ou son seul intérêt et ne jamais s'occuper de ceux des autres. *L'égoïsme empêche d'avoir des amis.*

Le contraire d'*égoïsme,* c'est *générosité.*

▸ ***égoïste*** adj. Qui montre de l'égoïsme. *Mme Harpie est égoïste.* — n. m. et f. Personne égoïste. *Mme Harpie est une égoïste.*

Le contraire d'*égoïste,* c'est *généreux.*

Conjugaison 3
▭ Indic. présent : *j'égorge, nous égorgeons.*

égorger v.
Tuer en coupant la gorge. *Dans l'Antiquité, les prêtres romains égorgeaient des animaux sur l'autel des dieux.*

Famille de **gorge**

Conjugaison 1

s'égosiller v.
Se fatiguer la gorge à force de parler fort ou de crier. *Les spectateurs du match s'égosillaient en encourageant les joueurs.*

Compare *s'égosiller* et ***gosier*** : il est question de **gorge.**

Compare : *goutte → égoutter, crème → écrémer* et *cosse → écosser.*

égoutter v.
Égoutter une chose, c'est lui faire perdre goutte à goutte le liquide qu'elle contient. *Mme Roussel égoutte les pâtes dans la passoire. — Le linge s'égoutte au-dessus de la baignoire,* il perd son eau goutte à goutte.

Conjugaison 1

Famille de **goutte**

Compare : *égout → égoutier* et *plomb → plombier.*

▸ ***égout*** n. m. Canalisation souterraine qui sert à évacuer les eaux sales. *L'eau du caniveau se déverse dans l'égout.*

▸ ***égoutier*** n. m. Personne qui travaille à l'entretien des égouts. *L'égoutier descend dans l'égout par une échelle et porte de grandes bottes.*

Compare : *égoutter → égouttoir* et *laver → lavoir.*

▸ ***égouttoir*** n. m. Récipient qui sert à égoutter la vaisselle. *Les assiettes ont séché dans l'égouttoir.*

Deux **t** dans *égouttoir.*

Conjugaison 1

égratigner v.
Écorcher en déchirant la peau très légèrement ; vois ***érafler.*** *« Mon chat m'a égratigné la main », dit Julie en pleurnichant. — Claire s'est égratignée en cueillant des mûres.*

Famille de ① **gratter**

Compare : *égratigner → égratignure* et *blesser → blessure.*

▸ ***égratignure*** n. f. Blessure très légère. *Ce n'est qu'une égratignure. La voiture était hors d'usage, mais le conducteur s'est tiré de l'accident sans une égratignure,* sans aucune blessure.

Compare *égrener, grenier* et *grenu : dans ces mots, on parle de* **grain.**

égrener v.
1. Détacher les grains d'un épi, d'une cosse ou d'une grappe. *Mamie Lou égrène patiemment des groseilles.* **2.** *Mme Bellec égrène son chapelet,* elle fait passer chaque grain du chapelet entre ses doigts en changeant de grain à chaque prière.

Conjugaison 5 ▭ Indic. présent : *j'égrène, nous égrenons.* Imparfait : *j'égrenais.* Futur : *j'égrènerai.*

Conjugaison 1

éjecter v.
Projeter au dehors avec violence. *Le conducteur a été éjecté de sa voiture au moment du choc.*

Compare : *éjecter → éjectable* et *jeter → jetable.*

▸ ***éjectable*** adj. *L'avion est équipé d'un siège éjectable,* d'un siège qui peut être éjecté hors de l'avion, avec son occupant, en cas d'accident.

Conjugaison 1

élaborer v.
Élaborer une chose, c'est la préparer soigneusement en y réfléchissant pendant longtemps ; vois ***combiner.*** *Le cuisinier a élaboré une nouvelle sauce.*

Conjugaison 1

élaguer v.
1. *Élaguer un arbre,* c'est lui couper certaines branches ; vois ***tailler.*** *Pierre Séverac a élagué un noyer.* **2.** *Élaguer un texte,* c'est lui enlever des parties trop longues. *Angèle, l'institutrice, a demandé à Julie d'élaguer sa rédaction.*

① ***élan*** n. m.

Les élans peuvent vivre vingt-cinq ans.

Grand cerf des pays du Nord, qui a une grosse tête et des bois aplatis en éventail. *Les élans vivent dans les forêts humides.*

Les élans ont deux petits pa[r] portée.

Conjugaison 3 ▭ Indic. présent : *je m'élance, nous nous élançons.* Imparfait : *je m'élançais.* Futur : *je m'élancerai.*

s'élancer v.
Se lancer en avant avec force. *La panthère s'est élancée sur sa proie.*

▸ ② ***élan*** n. m. **1.** Mouvement rapide vers l'avant. *Dans son élan, la panthère a franchi quatre mètres. Yves a pris son élan et a plongé.* **2.** Mouvement vif provoqué par un sentiment très fort. *Dans un élan de générosité, Yves a donné toutes ses billes à Antoine.*

Yves est un excellent nageur

Yves et Antoine sont très amis.

▸ ***élancé*** adj. Grand, mince et souple. *Angèle est une jeune femme élancée.*

Même famille que ① **lancer**

Conjugaison 3

élancer v.
Causer des douleurs brusques et vives. *Denis Prost avait la mâchoire qui lui élançait.*

On peut dire aussi que *sa mâchoire l'élançait.*

Même famille que ① **lancer**

Conjugaison 2

Famille de **large**

élargir v.
1. Rendre plus large. *Il va falloir élargir la route. — Le pull s'est élargi au lavage,* il est devenu plus large. **2.** Faire paraître plus large. *Les épaulettes élargissent la carrure.*

Le contraire d'*élargir,* c'est *rétrécir.*

Compare : *élargir → élargissement* et *agrandir → agrandissement.*

▸ ***élargissement*** n. m. *Des travaux ont commencé pour l'élargissement de la route,* pour l'élargir.

Famille de **élastique**

élasticité n. f.
Souplesse de certaines matières qui peuvent se déformer et reprendre leur forme. *Le caoutchouc est une matière d'une grande élasticité.*

L'élasticité des gaz permet de les comprimer.

élastique adj. et n. m.
1. adj. Qui peut se déformer et reprendre sa forme ; vois ***extensible,***

flexible. *Julie a mis une ceinture élastique.* **2.** n. m. Ruban, lien en matière élastique ; vois ***caoutchouc.*** *Angèle a enroulé l'affiche et mis un élastique autour.*

Autre membre de la famille : **élasticité.**

Compare *électeur, élection* et *électoral* : il est question d'**élire.**

électeur n. m., ***électrice*** n. f.
Personne qui a le droit de vote dans une élection. *Le député a remercié les électeurs et les électrices qui l'ont élu.*

Compare *élection* et *électeur* : il est question d'**élire.**

élection n. f.
Vote qui a pour résultat d'élire une ou plusieurs personnes. *Mme Séverac s'est présentée aux élections municipales à Motbourg.*

Au masculin pluriel : *électoraux.*

électoral adj.
Qui concerne une élection. *Mme Séverac a participé à une réunion électorale.*

La découverte de l'électricité remonte à l'Antiquité, mais ses moyens de production industrielle sont très récents.

électricité n. f.
Forme de l'énergie, qui permet de s'éclairer, se chauffer, faire fonctionner des moteurs, utilisée dans l'industrie ou à la maison. *Angèle se chauffe à l'électricité.*
▷ ***électricien*** n. m. Personne qui installe et répare le matériel et les installations électriques. *L'électricien du théâtre a réparé le projecteur.*

L'électricité peut être produite par la force de l'eau, du soleil, de la chaleur ou par la force atomique.

Famille de **électrique**

Conjugaison 7 ▭ Indic. présent : *nous électrifions.* Imparfait : *nous électrifiions.*

électrifier v.
Électrifier une chose, c'est l'équiper pour qu'elle fonctionne à l'électricité. *Pierre Séverac a électrifié une clôture. De nos jours, les lignes de chemin de fer sont électrifiées.*

électrique adj.
1. Produit par l'électricité. *Le courant électrique passe dans les fils de la lampe.* **2.** Qui utilise l'électricité pour fonctionner. *Denis Prost se rase avec un rasoir électrique.*

Autres membres de la famille : **électricité, électricien, hydro-électrique, hydro-électricité.**

Conjugaison 1
Ne confonds pas *électriser* et *électrifier.*

électriser v.
Exciter, provoquer une très grande envie d'agir ; vois ***enflammer, galvaniser.*** *La promesse d'une fête avait électrisé la classe.*

C'est le p'tit bout d'la queue du chat, qui vous électrise... (chanson).

Conjugaison 1

électrocuter v.
Tuer par une décharge électrique. *Il a été électrocuté en touchant la prise. — Il a failli s'électrocuter.*

Électrocution [elɛktʀɔkysjɔ̃] rime avec *pension.*

▷ ***électrocution*** n. f. Action d'électrocuter ou de s'électrocuter. *Il est mort par électrocution.*

Compare ***électro****ménager* et ***électro****phone* : c'est **électrique.**

électroménager adj. m.
Des appareils électroménagers, ce sont des appareils dont on se sert pour faire la cuisine et entretenir une maison et qui fonctionnent à l'électricité. *Un aspirateur, un réfrigérateur et un fer à repasser sont des appareils électroménagers.*

Famille de **ménage**

électron n. m.
Partie de l'atome chargée d'électricité. *Les électrons tournent autour du noyau.*
▷ ***électronique*** n. f. et adj. **1.** n. f. Science qui fait partie de la physique et qui étudie les électrons. *M. Doucet est ingénieur en électronique.* **2.** adj. *Un appareil électronique,* c'est un appareil qui fonctionne grâce aux propriétés des électrons. *Certains microscopes sont électroniques.*

Les ordinateurs sont des appareils électroniques.

Compare *électro****phone*** et *télé****phone*** : il s'agit de **sons.**

électrophone n. m.
Appareil électrique qui permet d'écouter des disques. *Mme Bellec met un disque de tango sur l'électrophone.*

Compare ***électrophone*** et ***électro****ménager* : c'est **électrique.**

L'astronome refit sa démonstration en 1920, dans un habit très élégant *(le Petit Prince).*

élégant adj.
1. De bon goût. *Mme Séverac portait une robe élégante ;* vois ***chic.*** *Mme Séverac est une femme élégante,* qui s'habille avec bon goût. **2.** Qui montre de la délicatesse pour les autres. *Mme Harpie parle de M. Doucet d'une manière peu élégante.*

Elle l'a toujours détesté.

Compare : *élégant → élégamment* et *méchant → méchamment.*

▷ ***élégamment*** adv. Avec élégance. *Mme Séverac était élégamment chaussée d'escarpins vernis assortis à son sac.*

▸ **élégance** n. f. **1.** *Une chose a de l'élégance* quand sa forme, ses dimensions sont élégantes. *L'élégance de la fontaine tient à sa simplicité.* **2.** Bon goût. *Mme Séverac s'habille avec élégance.* **3.** Délicatesse. *Mme Harpie use de procédés qui manquent d'élégance.*

élément n. m.

1. Chacune des choses qui forment un tout, un ensemble ; vois ***morceau, partie.*** *La bibliothèque est composée d'éléments. Trouvez les éléments communs aux ensembles A et B.* **2.** *Les éléments d'une science,* ce sont les premières choses à savoir, les bases ; vois ***notion.*** *M. Bellec connaît quelques éléments de cuisine indienne.* **3.** Personne qui appartient à un groupe. *L'entraîneur de l'équipe de football recherche de nouveaux éléments.* **4.** *Les éléments,* ce sont les forces qui agitent la terre, la mer, l'atmosphère. *Dans la tempête, le capitaine luttait contre les éléments déchaînés.* **5.** Corps chimique qui peut se combiner avec d'autres corps. *L'oxygène est un élément.* **6.** Milieu, sujet dans lequel on est à l'aise. *Quand on parle cinéma, Denis Prost est dans son élément.*

Les *éléments* d'un mot sont les parties de mot qui ont un sens et que l'on retrouve dans plusieurs mots ; va voir aussi ***préfixe, radical, suffixe.***

Il luttait contre le vent, la pluie, les éclairs.

Il est comédien.

▸ **élémentaire** adj. **1.** Réservé aux débutants. *Les élèves d'Angèle ont un livre de grammaire élémentaire.* **2.** Très simple, très facile. *Angèle a fait faire à ses élèves un exercice élémentaire.*

À l'école, le *cours élémentaire* suit le cours préparatoire.

Le contraire, c'est *compliqué.*

— Élémentaire, mon cher Watson, dit Sherlock Holmes.

éléphant n. m.

1. Très grand animal qui a une peau rugueuse, de grandes oreilles plates, le nez allongé en trompe et les incisives supérieures développées en défenses. *Les éléphants d'Afrique peuvent mesurer trois mètres cinquante et sont un peu plus grands que ceux d'Asie. Mme Hespel a une mémoire d'éléphant,* une mémoire très fidèle. **2.** *Un éléphant de mer,* c'est un grand phoque qui a un nez allongé en forme de trompe. *Les éléphants de mer vivent dans les mers antarctiques.*

Au féminin, on peut dire *éléphante.*

À sa naissance, le petit de l'éléphant, *l'éléphanteau,* pèse environ cent kilos et mesure un mètre.

Les éléphants sont des mammifères herbivores.

Celui qui soigne et conduit un éléphant s'appelle un *cornac.*

Seuls les mâles adultes ont une trompe.

élevage n. m.

Même famille que **élever**

1. *Odile Séverac s'occupe de l'élevage des oies,* elle élève des oies. **2.** *Le Charolais est une région d'élevage,* une région où l'on élève du bétail.

élévateur n. m.

Même famille que **élever**

Appareil qui sert à soulever et monter des choses lourdes. *Les grues sont des élévateurs.*

élévation n. f.

Augmentation, hausse. *La météo annonce une forte élévation de la température.*

Le contraire d'*élévation,* c'est *baisse.*

Même famille que **élever**

élève n. m. et f.

Jeune personne qui suit l'enseignement d'un établissement scolaire. *Il y a vingt-quatre élèves dans la classe d'Angèle. Marie-Tévy est une élève attentive.*

Les personnes qui suivent un enseignement à l'université s'appellent des *étudiants.*

Va voir aussi ***collégien, écolier, lycéen.***

élever v.

Conjugaison 5 ▭ Indic. présent : *j'élève, nous élevons.* Futur : *j'élèverai.*

1. Construire en hauteur. *Après la guerre, on a élevé des monuments aux morts.* **2.** Augmenter. *Les pluies ont élevé le niveau du fleuve. — La température s'est élevée,* elle a augmenté. **3.** S'occuper d'un enfant pour qu'il grandisse et s'épanouisse. *M. Doucet a été élevé par sa grand-mère.* **4.** Nourrir et soigner des animaux. *Odile Séverac élève des oies.*

Famille de ① **lever**

Élever la voix, c'est parler plus fort.

Vraiment ce n'est pas facile d'élever des enfants, dit Babar. *(Babar)*

Si je les rencontrais, vos parents, je leur dirais qu'ils élèvent bien mal leurs filles, dit le jars *(les Contes du Chat perché).*

▸ *s'***élever** v. **1.** Monter. *Le cerf-volant s'élève et s'abaisse selon le vent.* **2.** Se dresser. *Un temple s'élevait en haut de la colline.* **3.** *S'élever contre une chose,* c'est s'opposer à elle, la combattre. *Le conseil municipal s'est élevé contre la construction d'un parking.*

▸ **élevé** adj. **1.** Haut. *Le sommet est le point le plus élevé de la montagne.* **2.** *Une personne bien élevée,* c'est une personne qui a reçu une bonne éducation et qui est polie. *David, Nathalie et Marie-Tévy sont des enfants bien élevés.*

Saint-Véran, dans les Hautes-Alpes, est le village le plus élevé d'Europe : il est à 2 000 m d'altitude.

Une personne qui a reçu une mauvaise éducation est *mal élevée.*

éleveur n. m., **éleveuse** n. f.

Même famille que **élever**

Personne qui élève des animaux. *M. Bellec a acheté Hugo, son braque, chez un éleveur de chiens.*

elfe n. m.
Génie de l'air, du feu ou de la terre, dans les légendes des pays du Nord. *Le petit elfe Ferme-l'Œil raconte des histoires aux enfants pour les endormir.*

Les elfes peuvent être bienveillants ou malveillants.

Famille de **lime**

élimé adj.
Une étoffe élimée, c'est une étoffe usée par le frottement ; vois ***râpé.*** *Mme Harpie avait un chemisier élimé au col et aux poignets.*

Conjugaison 1

éliminer v.
1. Écarter. *Quand un joueur n'a plus de billes, il est éliminé,* il ne participe plus au jeu. **2.** Faire disparaître ; vois ***supprimer.*** *On ne peut pas éliminer toutes les difficultés.* **3.** Rejeter. *La transpiration permet au corps d'éliminer des substances nuisibles.*

▸ ***élimination*** n. f. **1.** Fait d'éliminer ou d'être éliminé. *Les spectateurs manifestaient contre l'élimination d'un joueur par l'arbitre.* **2.** Évacuation. *La transpiration permet l'élimination de substances nuisibles.*

Procéder par élimination, c'est rejeter une à une des hypothèses, des solutions.

▸ ***éliminatoire*** adj. et n. f. **1.** adj. *Une note éliminatoire,* c'est une note qui élimine un concurrent, quelles que soient ses autres notes. *Alex n'a pas eu son bac à cause d'une note éliminatoire.* **2.** n. f. *Les éliminatoires,* ce sont les épreuves que les joueurs doivent réussir pour se qualifier. *Denis Prost a passé le cap des éliminatoires au championnat de tennis.*

Conjugaison 43
▭ Indic. présent : *j'élis, nous élisons.* Imparfait : *j'élisais.* Futur : *j'élirai.*

élire v.
1. Nommer une personne à une place, en votant pour elle. *Mme Séverac a été élue au conseil municipal.* **2.** *Élire domicile,* c'est se fixer dans un lieu pour y habiter. *Une hirondelle a élu domicile dans l'étable.*

Va voir aussi ***élection.***
Autres membres de la famille : **élu, réélire.**

élision n. f.
Remplacement par une apostrophe de la voyelle finale d'un mot devant un autre mot commençant par une voyelle ou un H muet. *Dans « l'ami », il y a élision du e de l'article « le ».*

Un *tireur d'élite* est un très bon tireur.

élite n. f.
Ensemble des personnes considérées comme les plus remarquables d'un groupe. *Le père de Mme Hespel faisait partie de l'élite de l'armée.*

Il était colonel.

Dans les contes, l'*élixir* est souvent une boisson magique.

élixir n. m.
Médicament liquide à base de sirop. *Mme Roussel a acheté de l'élixir contre la toux.*

Elle est le féminin de *il* et de *lui ; elles,* celui de *ils* et de *eux.*

elle pronom personnel f.
Pronom personnel féminin de la troisième personne, sujet ou complément. *Claire a disparu : où est-elle ? Elle est partie il y a une heure. Parle-moi d'elle. Voici une photo d'elle. La télévision marche, elle est réparée.*

Elle s'appelait Françoise
Mais on l'appelait Framboise
(B. Lapointe).

① ***ellipse*** n. f.
Omission volontaire d'un mot dans une phrase. *Il y a ellipse du verbe dans la phrase : « Julie est en CE2, Sylvain en 5e »,* on ne répète pas *est* après *Sylvain.*

La phrase reste compréhensible.

▸ ① ***elliptique*** adj. *Une phrase elliptique,* c'est une phrase où un ou plusieurs mots ne sont pas exprimés. *Dans la phrase : « Julie est en CE2, Sylvain en 5e », « Sylvain en 5e » est un tour elliptique.*

② ***ellipse*** n. f.
Figure géométrique de la forme d'une courbe ovale fermée. *La Terre décrit une ellipse en tournant autour du Soleil.*

▸ ② ***elliptique*** adj. Qui est en forme d'ellipse. *La courbe que la Terre décrit autour du Soleil est elliptique.*

Compare *élocution* et *inter**locu**teur* : on **parle.**

élocution n. f.
Manière de parler, de s'exprimer. *Denis Prost a une bonne élocution.*

Attention ! *éloge* est un nom masculin.

éloge n. m.
Faire l'éloge de quelqu'un, c'est dire du bien de lui. *Le maire a fait l'éloge des anciens combattants. Les anciens combattants ont été couverts d'éloges,* de compliments.

Va voir aussi ***louanges.***

Toi, bonne et généreuse Camille, tu ne mérites que des éloges et des récompenses
(les Petites Filles modèles).

▸ ***élogieux*** adj. Qui contient des éloges. *Le maire a parlé des anciens combattants en termes élogieux ;* vois ***flatteur.***

Conjugaison 1

éloigner v.

Mettre plus loin. *Mme Séverac a éloigné le canapé de la cheminée. — Claire, ne t'éloigne pas du chemin ! Ne t'éloigne pas !,* reste tout près d'ici, ne va pas plus loin.

Le contraire d'*éloigner,* c'est *rapprocher.*

Nous ne rentrerons qu'à la nuit. Soyez sages et surtout, ne vous éloignez pas de la maison, dirent les parents *(les Contes du Chat perché).*

▸ ***éloigné*** adj. *La ferme des Séverac est éloignée de la route nationale,* elle est loin de la route nationale.

Le contraire d'*éloigné,* c'est *proche.*

▸ ***éloignement*** n. m. Fait d'être loin. *Le docteur Séverac est au courant de tout ce qui se passe chez son frère malgré l'éloignement.*

Compare *éloquent, loquace* et *ventriloque* : on **parle.**

éloquent adj.

1. Qui parle bien et arrive à convaincre les personnes qui écoutent. *Le maire est un orateur éloquent.* **2.** Qui exprime ce que l'on voudrait dire sans avoir besoin de parler. *Mme Séverac lança à sa voisine un regard éloquent ;* vois ***significatif.***

Il fait des *discours éloquents.*

▸ ***éloquence*** n. f. Facilité à bien parler. *Le maire de Motbourg s'adresse à ses concitoyens avec éloquence.*

Famille de **élire**

élu adj.

Désigné par un vote. *Les députés élus siègent à l'Assemblée nationale.* — n. *Mme Séverac est une nouvelle élue du conseil municipal.*

Conjugaison 1

élucider v.

Éclaircir, expliquer. *Les policiers n'ont pas encore élucidé l'affaire.*

Élucubration s'emploie surtout au pluriel.

élucubration n. f.

Idée bizarre et compliquée. *Angèle, l'institutrice, n'a pas pris au sérieux les élucubrations d'Antoine.*

Le contraire d'*émacié,* c'est *empâté.*

émacié adj.

Très maigre. *Le grand-père de Yasmina a le visage émacié.*

Au pluriel : *des émaux.*

émail n. m.

1. Vernis dur et brillant. *Les lavabos et les baignoires sont recouverts d'émail.* **2.** Matière très dure et blanche qui recouvre l'ivoire des dents. *L'émail protège les dents.* **3.** *Des émaux,* ce sont des objets d'art, des bijoux recouverts d'émail. *Angèle a fait faire des émaux à ses élèves pour la fête des mères.*

Il faut se laver les dents pour éviter que des déchets restent entre les dents, fermentent et attaquent l'émail.

▸ ***émaillé*** adj. Recouvert d'émail. *Les élèves ont fabriqué des broches émaillées.*

Il y a des éviers émaillés et des éviers en inox.

émanation n. f.

Odeur, gaz qui se dégage. *On sent des émanations d'égout.*

Conjugaison 1

émanciper v.

Libérer d'une autorité. *Le maître a émancipé quelques esclaves,* il leur a donné la liberté.

Le contraire d'*émanciper,* c'est *soumettre.*

▸ ***émancipation*** n. f. Libération. *Les colonies ont lutté pour obtenir leur émancipation ;* vois ***indépendance.***

Conjugaison 1

Famille de ② **balle**

① *emballer* v.

Envelopper, faire un paquet ; vois ***empaqueter.*** *Les déménageurs emballent la vaisselle.*

Le contraire d'*emballer,* c'est *déballer.*

▸ ***emballage*** n. m. **1.** *Les déménageurs se chargent de l'emballage de la vaisselle,* de l'emballer. **2.** Ce qui sert à emballer. *Il faut rendre l'emballage du sorbet, il est consigné.*

Ils ont des caisses, des cartons et des papiers d'emballage très résistants.

Le contraire d'*emballage,* c'est *déballage.*

Conjugaison 1

② *emballer* v.

1. Enthousiasmer. *Alex a été emballé par son voyage au Canada.* **2.** *Le cheval s'emballe,* il n'est plus dirigé par son cavalier.

Ce sens est familier.

On dit aussi qu'*un moteur s'emballe.*

▸ ***emballement*** n. m. Enthousiasme irréfléchi ; vois ***engouement.*** *C'est un emballement qui ne durera pas.*

Attention ! *embarcadère* s'écrit avec un ***c.***

embarcadère n. m.

Endroit aménagé pour l'embarquement des personnes ou des marchandises. *Les passagers achètent leurs billets à l'embarcadère.*

Même famille que **embarquer.** Va voir aussi ***débarcadère.***

Attention ! *embarcation* s'écrit avec un ***c***.

embarcation n. f.

Petit bateau ; vois ***barque, canot.*** *Je ne voudrais pas traverser la Manche à bord de cette embarcation !*

Même famille que **embarquer**

embardée n. f.

Brusque changement de direction que fait un bateau, une voiture. *La voiture a fait une embardée sur le verglas.*

Au pluriel : *des embargos.*

embargo n. m.

Interdiction faite par le gouvernement de laisser sortir un produit du pays. *Le gouvernement a mis l'embargo sur les avions de guerre.*

Conjugaison 1

Famille de **barque**

Noé avait embarqué des couples d'animaux dans son arche.

embarquer v.

1. Faire monter des passagers, des marchandises dans un bateau, un avion. *Loïc embarque tout son matériel de pêche.* **2.** Monter à bord d'un bateau, d'un avion. *Loïc a embarqué à l'aube. Le docteur Séverac embrasse sa femme et ses enfants : c'est l'heure d'embarquer.* **3.** Entraîner. *Le conseil municipal ne doit pas embarquer la commune dans des frais excessifs. — La commune ne doit pas s'embarquer dans des travaux trop coûteux.*

Le contraire d'*embarquer*, c'est *débarquer.*

On peut dire aussi *s'embarquer.*

Cet emploi est familier.

Vol à destination de Moscou, embarquement immédiat !

▸ ***embarquement*** n. m. Action d'embarquer. *L'embarquement des bagages se fait avant celui des passagers.*

Le contraire d'*embarquement*, c'est *débarquement.*

Conjugaison 1

Attention ! un seul ***b*** et deux ***r***.

embarrasser v.

1. Encombrer et gêner. *Les valises de Denis Prost embarrassent le couloir. — Mme Séverac s'est embarrassée d'un grand sac.* **2.** Mettre dans une situation difficile, troubler. *La question de la maîtresse embarrassait Antoine, il ne savait que répondre. — Mme Harpie ne s'embarrasse pas de l'opinion des autres,* elle ne s'en soucie pas.

Le contraire d'*embarrasser*, c'est *débarrasser.*

▸ ***embarrassé*** adj. **1.** Gêné dans ses mouvements. *Mme Séverac est embarrassée par son grand sac.* **2.** Qui est dans une situation délicate. *Antoine ne sait que répondre à Angèle, la maîtresse, il est bien embarrassé.*

Babar est bien embarrassé devant ces tiroirs remplis de chemises de toutes les couleurs *(Babar).*

Cendrillon aurait été grandement embarrassée si sa sœur eût bien voulu lui prêter son habit *(Cendrillon).*

▸ ***embarrassant*** adj. **1.** Qui encombre. *Le sac de Mme Séverac est vraiment embarrassant.* **2.** Qui met dans une situation délicate. *La question d'Angèle est embarrassante, Antoine ne sait plus quoi dire.*

Compare : *embarrasser → embarras* et *débarrasser → débarras.*

▸ ***embarras*** n. m. **1.** Situation difficile, ennuyeuse. *La question d'Angèle a mis Antoine dans l'embarras. Pour se tirer d'embarras, Antoine a dit un mensonge.* **2.** *Avoir l'embarras du choix,* c'est avoir de nombreuses possibilités de choix. *Hippolyte a l'embarras du choix, il ne sait pas quelles chaussures mettre aujourd'hui.*

Embarras [ɑ̃baʀa] rime avec *rat, opéra* et *bras.*

Conjugaison 1

embaucher v.

Engager pour un travail. *M. Bellec a embauché un nouveau serveur pour son restaurant.*

Le contraire d'*embaucher*, c'est *débaucher.*

▸ ***embauche*** n. f. *Dans cette usine, il y a de l'embauche,* on engage des ouvriers.

Conjugaison 1

embaumer v.

1. *Embaumer un cadavre,* c'est le remplir de matières qui le conservent. *Les Égyptiens embaumaient le corps des pharaons.* **2.** Remplir d'une odeur agréable ; vois ***parfumer.*** *Le lilas embaume la maison. Ce lilas embaume,* il sent bon.

Le contraire d'*embaumer*, c'est *empester.*

Famille de **baume**

Il ne faut jamais écouter les fleurs [...] La mienne embaumait ma planète *(le Petit Prince).*

Conjugaison 2

embellir v.

1. Rendre plus beau. *Cette coiffure embellissait Mme Séverac. Antoine embellira sûrement l'histoire quand il la racontera à Marie-Tévy ;* vois ***enjoliver.*** **2.** Devenir plus beau. *Angèle embellit de jour en jour.*

Famille de **beau**

Le contraire d'*embellir*, c'est *enlaidir.*

Les mots *embêter, embêtant, embêtement* sont familiers.

Conjugaison 1

embêter v.

1. Ennuyer. *Les ballets embêtent M. Bellec. — Julie s'embêtait toute seule.* **2.** Agacer, tourmenter. *Julie aime bien embêter Félix, son chat.*

On n'a pas été étonnés que Joachim soit en retard et embêté, parce qu'il est souvent en retard et toujours embêté quand il vient à l'école *(le Petit Nicolas).*

Fabrice m'a expliqué que c'était très embêtant d'avoir une fille comme sœur *(le Petit Nicolas).*

▸ ***embêtant*** adj. Ennuyeux, contrariant. *Le chat Félix doit trouver Julie bien embêtante. C'est embêtant qu'Yves soit tombé malade la veille des vacances.*

▸ ***embêtement*** n. m. Chose qui donne du souci ; vois ***contrariété.*** *Angèle a des embêtements avec sa voiture ;* vois ***ennui.***

d'emblée adv.
Tout de suite. *Notre équipe a marqué un but d'emblée;* vois ***immédiatement.***

Attention ! *emblème* est un nom masculin.

emblème n. m.
Objet, dessin qui représente une idée, un parti, un métier, une autorité. *La fleur de lys est l'emblème de la monarchie française.*

La faucille et le marteau sont les emblèmes du parti communiste

N'oublie pas l'accent circonflexe du ***î***.
Conjugaison 1

emboîter v.
1. *Emboîter deux choses,* c'est faire entrer une chose dans une autre. *La petite sœur de Yasmina emboîte des cubes. — Les cubes s'emboîtent parfaitement.* **2.** Envelopper comme une boîte. *Ces chaussures lui emboîtent bien le pied.*

Emboîter le pas à quelqu'un : marcher juste derrière lui.
Famille de **boîte**

embolie n. f.
Fermeture d'une veine par un caillot de sang. *On peut mourir d'une embolie.*

Attention ! un ***m*** devant le ***b*** et un ***n*** devant le ***p***.

embonpoint n. m.
État d'une personne un peu grasse. *Mme Séverac a tendance à prendre de l'embonpoint,* à grossir, à prendre du poids.

Famille de ① **bon** et de ① **point**

Attention ! un ***m*** devant le ***b***.

embouchure n. f.
1. Partie d'un instrument de musique que l'on met contre les lèvres pour jouer. *Alex souffle dans l'embouchure de son saxo.* **2.** Endroit où un fleuve se jette dans la mer ou dans un lac. *L'embouchure de la Garonne forme un estuaire.*

Famille de **bouche**
Va voir aussi ***delta, estuaire.***

Compare *s'em**bourb**er* et ***bourb**ier* : il s'agit de **boue.**

s'embourber v.
S'enfoncer dans un endroit plein de boue ; vois ***s'enliser.*** *La voiture s'est embourbée dans un chemin creux.*

Conjugaison 1

Attention ! un ***m*** devant le ***b***.

embout n. m.
Morceau de métal ou de caoutchouc qui se place au bout d'un objet. *La canne de M. Bonnot a un embout en caoutchouc.*

Famille de **bout**

Attention ! un ***m*** devant le ***b*** dans *embouteiller* et *embouteillage.*

embouteiller v.
Empêcher la circulation dans une rue, sur une route par un encombrement. *La rue est embouteillée.*

Conjugaison 1

▸ **embouteillage** n. m. Encombrement qui arrête la circulation ; vois ***bouchon.*** *M. Doucet est pris dans un embouteillage, il sera en retard.*

Famille de **bouteille**

Une *presse à emboutir* sert à courber ou à arrondir une plaque de métal.

emboutir v.
Enfoncer avec violence. *En se garant, le conducteur a embouti la voiture d'Angèle.*

Conjugaison 2

Famille de **branche**

embranchement n. m.
1. Endroit où une route se divise en deux ou en plusieurs routes ; vois ***ramification.*** *Prenez à droite à l'embranchement.* **2.** Division parmi le classement scientifique des plantes et des animaux. *L'embranchement des mollusques comprend dix-sept mille espèces.*

L'homme appartient à l'embranchement des vertébrés.

Conjugaison 1

embraser v.
1. Enflammer. *Une cendre de cigarette a embrasé la forêt,* elle a mis la forêt en feu. **2.** Illuminer. *Le feu d'artifice a embrasé le ciel.*

Ne confonds pas *embraser* et *embrasser.*

Conjugaison 1

C'est avec joie qu'Alexandre embrasse sa Maman *(Babar).*

embrasser v.
1. Donner un baiser en prenant ou non dans ses bras. *Muriel Doucet embrasse Antoine sur la joue. — Julie et Yasmina se sont embrassées pour se dire bonjour.* **2.** *Embrasser du regard,* c'est voir dans toute son étendue. *Du haut de la colline, on embrasse du regard toute la région.* **3.** Adopter. *Le docteur Séverac n'a pas embrassé les mêmes idées politiques que sa femme.*

Serre-moi dans tes bras
Embrasse-moi
Embrasse-moi longtemps
Embrasse-moi
Plus tard, il sera trop tard
(Prévert).

Compare : *embrass**er** → embrass**ade*** et *bouscul**er** → bouscul**ade**.*

▸ **embrassade** n. f. Action de personnes qui s'embrassent. *Que d'embrassades quand les Séverac de Motbourg arrivent chez leurs cousins.*

Famille de **bras**

embrasure n. f.
Ouverture dans un mur correspondant à une fenêtre ou à une porte. *La silhouette d'Hippolyte apparut dans l'embrasure de la porte.*

Conjugaison 8
▭ Indic. présent : *je débraie, nous débrayons.* Imparfait : *je débrayais.* Futur : *je débraierai.*

embrayer v.
Commander le mécanisme qui permet au moteur d'un véhicule d'entraîner les roues. *Angèle change de vitesse et embraie.*
▸ ***embrayage*** n. m. Mécanisme qui permet d'embrayer. *La voiture du docteur Séverac a un embrayage automatique.*

Le contraire d'*embrayer*, c'est *débrayer.*
Compare : *embrayer → embrayage* et *débrayer → débrayage.*

Conjugaison 1

embrigader v.
Embrigader une personne, c'est l'entraîner et la faire participer à une action de groupe. *Yves ne s'est pas laissé embrigader par Colle et Rat.*

Famille de **brigade**

Conjugaison 1

embrocher v.
Enfiler sur une broche pour faire rôtir. *Mamie Lou a embroché un poulet.*

Famille de **broche**

Conjugaison 1
Le contraire d'*embrouiller,* c'est *éclaircir.*

embrouiller v.
1. *Embrouiller des fils,* c'est les emmêler. *En jouant, le chat avait embrouillé la pelote de laine.* **2.** Rendre difficile à comprendre ; vois ***compliquer.*** *Ce nouvel assassinat embrouille la situation.* **3.** *Le témoin s'embrouille dans ses explications,* il donne des explications confuses ; vois *s'**empêtrer.***
▸ ***embrouillé*** adj. **1.** Emmêlé. *Les fils de l'écheveau sont tout embrouillés.* **2.** Très compliqué et confus. *Cette affaire policière est très embrouillée.*

Le contraire d'*embrouiller*, c'est *démêler.*
Famille de **brouiller**
Le contraire, c'est *clair.*

Embruns [ɑ̃bʀœ̃] rime avec *chacun* et *brun.*

embruns n. m. plur.
Poussière de gouttelettes formées par les vagues qui se brisent, et emportée par le vent. *Sur son bateau, Loïc avait le visage mouillé par les embruns.*

Embryon [ɑ̃bʀijɔ̃] rime avec *pavillon.*

embryon n. m.
Être vivant qui commence à se développer dans un œuf ou dans le ventre de sa mère. *Un embryon humain devient un fœtus avant de naître.*

Le kangourou naît sous forme d'embryon et se développe dans la poche de sa mère.

Attention à l'accent circonflexe du ***û***.

embûches n. f. plur.
Difficultés qui se présentent comme un piège, un traquenard. *Le commissaire a déjoué les embûches que lui avait tendues l'assassin.*

Embûches est un vieux mot que l'on n'utilise plus beaucoup.

Conjugaison 1

embuer v.
Couvrir d'une buée. *Les vitres de la salle de bains sont embuées. Marie-Tévy était si émue qu'elle avait les yeux embués de larmes.*

Famille de **buée**

embuscade n. f.
Piège que l'on tend à quelqu'un pour l'attaquer par surprise ; vois ***guet-apens.*** *Les cow-boys sont tombés dans une embuscade.*

Conjugaison 1

*s'***embusquer** v.
Se cacher pour surprendre l'ennemi. *Les Indiens s'étaient embusqués dans les rochers.*

Ce mot est familier.

éméché adj.
Un peu ivre. *À la fin du dîner, M. Bellec était un peu éméché ;* vois ***gai.***

émeraude n. f. et adj. invariable
1. n. f. Pierre précieuse verte. *La reine portait un collier d'émeraudes.* **2.** adj. invariable D'un vert qui rappelle celui de l'émeraude. *La mer avait des reflets émeraude.*

Conjugaison 3 ▭ Indic. présent : *nous émergeons.*

émerger v.
1. Apparaître hors de l'eau. *Ces rochers émergent à marée basse.* **2.** Apparaître plus clairement. *Des souvenirs émergent dans la mémoire du vieil homme.*

À marée haute, ils sont complètement *immergés.*

Conjugaison 1
Famille de **merveille**
Delphine et Marinette étaient tellement émerveillées qu'elles ne trouvaient rien à dire *(les Contes du Chat perché).*

émerveiller v.
Remplir d'admiration et d'étonnement ; vois ***éblouir.*** *Le coucher du soleil sur le lac a émerveillé Alex. Alex est émerveillé par ce spectacle. — Mamie Lou s'émerveille que Claire sache compter,* elle juge cela merveilleux.
▸ ***émerveillement*** n. m. Grande admiration ; vois ***enchantement.*** *Alex regardait le coucher du soleil avec émerveillement.*

— Et les étoiles vous obéissent ? — Bien sûr, lui dit le roi [...] Un tel pouvoir émerveilla le petit prince *(le Petit Prince).*

Conjugaison 56
▭ Indic. présent : *j'émets, nous émettons.* Imparfait : *j'émettais, nous émettions.* Futur : *j'émettrai.* — Subj. présent : *que j'émette.* — Impératif présent : *émets.*

émettre v.
1. Faire sortir hors de soi ; vois ***produire.*** *Ce piano émet des sons discordants.* **2.** Envoyer des signaux, des images au moyen d'ondes électromagnétiques. *La station de radio locale émet de 7 heures à 24 heures.* **3.** Exprimer. *Les conseillers municipaux ont émis des avis contradictoires sur le projet qui leur était présenté.* **4.** *On vient d'émettre une nouvelle pièce de dix francs,* on vient de la mettre en circulation.

Famille de **mettre**
Va voir aussi ***émission.***

C'est le *récepteur* qui reçoit les ondes.

▸ ***émetteur*** n. m. Appareil qui produit des ondes électromagnétiques capables de transmettre des sons et des images. *Les émissions sont momentanément interrompues en raison d'une panne d'émetteur.*

On dit aussi un *poste émetteur.*

émeute n. f.
Rassemblement de personnes qui se révoltent avec violence. *La manifestation a tourné à l'émeute.*

Conjugaison 1

émietter v.
Réduire en miettes. *Antoine émiette du pain dur pour les oiseaux.*

Famille de **miette**

Compare *émigrer, immigration* et ***migration** : on* **se déplace.**
Conjugaison 1

émigrer v.
Quitter son pays pour aller s'installer dans un autre. *Les parents de Yasmina ont émigré en France.*

Pendant la Révolution française, beaucoup de nobles ont émigré en Angleterre.

Les émigrants anglais qui arrivèrent en 1620 en Amérique sur le *Mayflower* fondèrent la ville de Plymouth.

▸ ***émigrant*** n. m., ***émigrante*** n. f. Personne qui émigre. *De nombreux émigrants européens s'installèrent aux États-Unis au XIXᵉ siècle.*
▸ ***émigration*** n. f. Départ définitif de personnes vers un autre pays. *La misère est l'un des principaux facteurs d'émigration.*
▸ ***émigré*** n. m., ***émigrée*** n. f. Personne qui a quitté définitivement son pays pour s'établir dans un pays étranger. *Les émigrés politiques ont fui leur pays parce qu'ils étaient persécutés.*

Ne confonds pas *émigré* et *immigré.*

éminence n. f.
1. Petite élévation de terrain. *L'observatoire a été construit sur une éminence* ; vois ***butte, colline, hauteur, tertre.*** **2.** Titre d'honneur que l'on donne à un cardinal. *Son Éminence est absente,* le cardinal est absent.

L'*éminence grise* d'un chef politique, c'est son conseiller secret.

Ne confonds pas *éminent* et *imminent.*

▸ ***éminent*** adj. Très important. *Mme Séverac a un rôle éminent au sein du conseil municipal.*

émir n. m.
Nom donné à certains souverains dans les pays musulmans. *Les émirs sont coiffés d'un carré de tissu plié en quatre et retenu par un lien.*
▸ ***émirat*** n. m. État gouverné par un émir. *Les Émirats du golfe Persique sont de grands producteurs de pétrole.*

Le fils de l'émir Mohammed Ben Kalish Ezab, le petit Abdallah, vient d'être enlevé ; Tintin part à la poursuite du ravisseur.

émissaire n. m.
Personne chargée d'une mission secrète. *Un émissaire du gouvernement est parti négocier la libération des otages.*

Même famille que **émettre**

émission n. f.
Partie d'un programme de radio, de télévision. *Julie a participé à une émission de radio. Alex a regardé une émission sur le Canada à la télévision.*

Attention ! deux ***m.***
Conjugaison 1

emmagasiner v.
1. Amasser, accumuler. *L'écureuil a emmagasiné un tas de provisions pour l'hiver.* **2.** Garder dans sa mémoire. *Alex a emmagasiné beaucoup de connaissances au cours de l'année.*

Famille de **magasin**
Il prépare son baccalauréat.

Attention ! deux ***m.***
Conjugaison 1

emmailloter v.
Autrefois, on emmaillotait les nouveau-nés, on les enveloppait dans des langes.

Famille de **maillot**

Conjugaison 1
Famille de ② **manche**

emmancher v.
Fixer à un manche. *Mme Harpie a mal emmanché le balai qu'elle vient d'acheter.*

Le héron au long bec emmanché d'un long cou (La Fontaine).

Compare : *manche → emmanchure* et *col → encolure.*

emmanchure n. f.
Endroit d'un vêtement où est cousue la manche. *Le chemisier de Julie a des emmanchures très larges.*

Famille de ① **manche**

Conjugaison 1
Famille de **mêler**
Ils sont tout *emmêlés.*

emmêler v.
Mêler de manière désordonnée ; vois ***embrouiller, enchevêtrer.*** *Mamie Lou a emmêlé les fils de son écheveau. — Les fils de l'écheveau se sont emmêlés.*

Le contraire d'*emmêler,* c'est *démêler.*

Conjugaison 3

emménager v.
S'installer dans un nouveau logement. *M. Doucet a emménagé à Paris après son divorce.*

Le contraire d'*emménager,* c'est *déménager.*

Conjugaison 5

Quand les enfants sont habillés, la nurse les emmène en promenade dans leur grande voiture *(Babar)*.

emmener v.

1. Mener avec soi en allant d'un lieu dans un autre. *Sylvain est sorti et a emmené le chien. Demain, Mme Séverac emmènera David chez le dentiste. Nathalie a emmené sa petite sœur au cinéma. Angèle emmène ses élèves visiter un musée.* **2.** Conduire, transporter au loin. *Julie regarde partir l'avion qui emmène son père aux États-Unis.*

On *emmène* quelqu'un mais on *emporte* quelque chose.

Famille de **mener**

N'oublie pas le ***h*** entre le ***t*** et le ***a***. Prononce [emɑ̃tal].

emmenthal n. m.

Fromage à croûte jaune et à grands trous qui ressemble au gruyère. *Mme Roussel râpe de l'emmenthal pour faire un gratin.*

L'emmenthal était fabriqué à l'origine en Suisse dans la vallée qui porte ce nom.

*s'*emmitoufler v.

S'envelopper, des pieds à la tête, dans des vêtements chauds. *Mamie Lou s'est emmitouflée dans un châle.*

Conjugaison 1

Conjugaison 1

Je hais les haies
Qui nous emmurent (R. Devos).

emmurer v.

Enfermer derrière des murs, des pierres. *Un éboulement a emmuré les mineurs.*

Famille de **mur**

émoi n. m.

Quand la poste a brûlé, tout le quartier était en émoi, inquiet, troublé.

Va voir aussi ***émotion.***

émotif adj.

Très sensible, qui se trouble facilement. *Marie-Tévy est une petite fille émotive ;* vois ***impressionnable.***

Le contraire d'*émotif*, c'est *calme*.

Le chat, qui se mordait les lèvres pour dissimuler son émotion, avala sa moustache *(les Contes du Chat perché)*.

émotion n. f.

État de trouble dans lequel on est lorsque l'on éprouve une grande joie, une grande tristesse ou une grande peur. *Marie-Tévy a rougi d'émotion quand la maîtresse l'a félicitée. Sophie Pelletier parle de sa mère, morte récemment, avec émotion.*

Le contraire d'*émotion*, c'est *froideur*.

Va voir aussi ***émouvoir.***

Conjugaison 1

émousser v.

1. Rendre moins coupant, moins pointu. *Si l'on coupe du papier avec des ciseaux de couture, on risque d'émousser les lames.* **2.** Rendre moins vif, moins douloureux. *Le temps émoussera sa peine ;* vois ***atténuer.***

Le contraire d'*émousser*, c'est *aiguiser*.

Conjugaison 1

émoustiller v.

Mettre de bonne humeur ; vois ***égayer, exciter.*** *Yves est tout émoustillé à l'idée d'aller à la chasse avec son père.*

Conjugaison 27

▭ Indic. présent : *j'émeus, nous émouvons.* Futur : *j'émouvrai, nous émouvrons.*

émouvoir v.

1. Troubler, bouleverser. *Cet air de musique émeut toujours Mme Bellec. Le chagrin de Marie-Tévy a ému tout le monde ;* vois ***toucher.*** **2.** *Antoine a tenu tête à sa mère sans s'émouvoir,* sans se troubler.

« Ce qui m'émeut si fort de ce petit prince endormi, c'est sa fidélité pour une fleur [...] » *(le Petit Prince)*.

Autre membre de la famille : **ému.**

▸ ***émouvant*** adj. Touchant ; vois ***attendrissant, pathétique, poignant.*** *L'histoire que raconte Mamie Lou est très émouvante.*

Va voir aussi ***émotion.***

Conjugaison 1
Famille de **paille**

empailler v.

Bourrer de paille la peau d'animaux morts que l'on veut conserver. *Il y a deux renards empaillés dans le hall de l'hôtel ;* vois ② ***naturaliser.***

La personne qui empaille les animaux s'appelle un *taxidermiste*.

Conjugaison 4

empaqueter v.

Faire un paquet. *Mme Séverac empaquette de vieux vêtements pour les donner à la Croix-Rouge ;* vois ***emballer.***

Famille de **paquet**

Conjugaison 1

*s'*emparer v.

S'emparer de quelque chose, c'est le prendre de force ou sans en avoir le droit ; vois ***conquérir.*** *Le tyran s'est emparé du pouvoir ;* vois ***usurper.*** *Le gardien de but réussit à s'emparer du ballon.*

Leurs espions ne peuvent plus pénétrer dans l'usine pour s'emparer de la recette *(Charlie et la Chocolaterie)*.

Le contraire d'*empâté*, c'est *émacié*.

empâté adj.

Devenu épais. *M. Bellec a le visage un peu empâté.*

Famille de **pâte**

Attention à l'accent circonflexe du deuxième ***ê***.

empêcher v.

1. Rendre quelque chose impossible, agir pour que quelque chose ne puisse pas se produire. *L'aviation essaie d'empêcher la progression des ennemis.*

Conjugaison 1

Voyez-vous que j'empêche mes marcassins de jouer pendant tout un après-midi pour leur faire faire un problème ? Ils ne m'obéiraient pas, dit le sanglier *(les Contes du Chat perché).*

2. *Empêcher quelqu'un de faire quelque chose,* c'est faire en sorte qu'il ne puisse pas le faire. *Alex empêche son frère de travailler en faisant du bruit. Rien n'empêchera Angèle de partir en vacances.* **3.** *Antoine a du mal à s'empêcher de rire,* il ne peut se retenir de le faire. *Mme Harpie ne peut s'empêcher d'être désagréable.*

Je viens encore de m'amuser. C'est plus fort que moi, je ne peux pas m'en empêcher, dit le petit chien blanc *(les Contes du Chat perché).*

▸ ***empêchement*** n. m. Ce qui empêche de faire ce que l'on voudrait ou ce que l'on devrait faire. *Mme Séverac n'a pas pu se rendre à la réunion du conseil municipal, elle a eu un empêchement.*

Elle est conseillère municipale.

Va voir aussi ***impératrice.***

empereur n. m.

Chef d'un empire. *Auguste fut le premier empereur romain. Napoléon Ier, puis Napoléon III, furent empereurs des Français.*

Charlemagne fut empereur d'Occident de 800 à 814.

Conjugaison 5

empeser v.

Empeser un col de chemise, c'est le durcir avec de l'amidon ; vois ***amidonner.*** *Autrefois, Mamie Lou empesait ses jupons.*

Conjugaison 1

empester v.

Dégager une très mauvaise odeur. *La décharge municipale empeste,* elle sens très mauvais ; vois ***puer.*** *Le compartiment fumeur empestait le tabac.*

Le contraire d'*empester,* c'est *embaumer.*

Conjugaison 1

s'empêtrer v.

S'empêtrer dans quelque chose, c'est ne pas pouvoir s'en dégager. *Antoine s'empêtre dans ses explications,* il n'arrive pas à s'en sortir.

Marinette était empêtrée dans les draps *(les Contes du Chat perché).*

emphase n. f.

Emploi d'un ton prétentieux ; vois ***grandiloquence.*** *Le maire s'est adressé aux conseillers municipaux avec emphase.*

Le contraire d'*emphase,* c'est *simplicité.*

▸ ***emphatique*** adj. Plein d'emphase ; vois ***grandiloquent, pompeux.*** *Le maire a fait un discours emphatique.*

Le contraire d'*emphatique,* c'est *discret, simple.*

Attention ! deux ***r.***
Conjugaison 1

empierrer v.

Couvrir d'une couche de pierres, de cailloux. *Pierre Séverac empierre le chemin qui mène à la bergerie.*

Famille de **pierre**

Conjugaison 6

empiéter v.

La terrasse du café empiète sur le trottoir, elle déborde sur le trottoir.

Deux ***f*** dans *s'empiffrer. S'empiffrer* est un mot familier.

s'empiffrer v.

Manger énormément, comme un glouton ; vois *se* ***bourrer,*** *se* ***gaver,*** *se* ***goinfrer.*** *Julie s'est empiffrée de gâteaux.*

Conjugaison 1

Conjugaison 1

empiler v.

1. Mettre en pile. *Claire a empilé des cubes.* **2.** *S'empiler,* c'est former un tas ; vois ***s'accumuler, s'entasser.*** *Denis Prost a rangé les journaux qui s'empilaient dans le salon.*

Famille de ① **pile**

empire n. m.

Le *Premier Empire,* c'est le règne de Napoléon Ier ; le *Second Empire,* celui de Napoléon III.

1. Ensemble d'États gouverné par un empereur ou par une impératrice. *Napoléon Ier régna sur un vaste empire.* **2.** Ensemble de colonies sur lequel règne un pays. *Autrefois, la France possédait un empire colonial.* **3.** Très grand pouvoir, très grande force. *Sous l'empire de la colère, M. Bellec a giflé son fils.*

Pas pour un empire : pour rien au monde.

Conjugaison 1
Famille de **pire**

empirer v.

Devenir pire, plus grave ; vois ***s'aggraver.*** *L'état du malade a empiré.*

Le contraire d'*empirer,* c'est *s'améliorer.*

Pense au ***m*** devant le ***p.***

empirique adj.

Une méthode empirique, c'est une méthode qui s'appuie sur l'expérience pratique et non sur la science. *Au Moyen Âge, les médecins utilisaient souvent des remèdes empiriques.*

Famille de **place**

emplacement n. m.

Place, endroit choisi pour faire ou pour installer quelque chose. *Alex et Réjean ont trouvé l'emplacement idéal pour planter leur tente. Le château est édifié sur l'emplacement de ruines romaines.*

Emplette est un mot qui ne s'emploie pas beaucoup.

emplette n. f.
Achat. *Angèle a fait quelques emplettes dans les grands magasins ;* vois ***course, commission.***

Conjugaison 2

Emplir ne s'emploie pas beaucoup. On dit plutôt *remplir.*

emplir v.
Remplir. *Une foule nombreuse emplissait les rues. La nouvelle l'emplit de joie. — Les yeux de Marie-Tévy s'étaient emplis de larmes.*

Autres membres de la famille : **remplir, remplissage.**

Famille de **employer**

emploi n. m.
1. Utilisation ou manière de se servir d'une chose ; vois ***usage.*** *Cette peinture est prête à l'emploi. Angèle explique à sa classe l'emploi du mot « empirique ».* **2.** *Un emploi du temps,* c'est l'ensemble des choses à faire dans un laps de temps donné ; vois ***planning, programme.*** *Mme Hespel a un emploi du temps chargé aujourd'hui.* **3.** Travail que l'on fait pour gagner sa vie ; vois ***place, situation.*** *Mme Roussel aimerait changer d'emploi. L'un des frères d'Angèle a perdu son emploi.*

Va voir *mode d'emploi* à ② ***mode.***

M. Bucket était le seul, dans cette famille, à avoir un emploi *(Charlie et la Chocolaterie).*

Les demandeurs d'emploi lisent les offres d'emploi dans les petites annonces.

Conjugaison 8

▭ Indic. présent : *j'emploie, nous employons.* Imparfait : *j'employais, nous employions.* Futur : *j'emploierai.*

employer v.
1. Utiliser ; vois *se* ***servir.*** *Avec ses élèves, Angèle emploie la douceur plutôt que la force. Hippolyte employa son dimanche à repeindre sa chambre. — L'impératif s'emploie pour donner un ordre. Ce mot ne s'emploie pas très souvent.* **2.** *Employer quelqu'un,* c'est le faire travailler en le payant. *L'usine emploie deux mille personnes. Les Prost emploient une femme de ménage tous les matins.* **3.** *S'employer à faire une chose,* c'est s'en occuper très activement, s'y consacrer. *La Croix-Rouge s'emploie à soigner les blessés de guerre.*

Compare : *employer → employé* et *salarier → salarié.*

▸ **employé** n. m., **employée** n. f. Personne employée à un travail non manuel. *Hippolyte est employé des postes.*

Il est facteur.

▸ **employeur** n. m. Personne ou entreprise qui emploie un personnel salarié ; vois ***patron.*** *Mme Roussel a demandé un certificat de travail à son employeur.*

Autre membre de la famille : **emploi.**

Le capitaine Haddock est l'employeur de Nestor, la Castafiore l'employeur d'Irma.

Conjugaison 1

Famille de **poche**

empocher v.
1. Recevoir, toucher de l'argent. *Si le film est un succès, le producteur empochera une grosse somme.* **2.** Mettre dans sa poche. *Denis Prost a distraitement empoché le briquet de son voisin de table.*

Conjugaison 1

Famille de **poigne**

empoigner v.
1. Prendre en serrant fort dans la main. *Le bûcheron a empoigné sa hache.* **2.** *Un joueur a empoigné le tricheur,* il l'a saisi brutalement.

On *empoigne* avec le *poing.*

▸ **empoignade** n. f. Discussion violente, dispute. *L'empoignade s'est terminée en bagarre.*

Conjugaison 1

Famille de **poison**

Agrippine, la mère de Néron, empoisonna Claude, son mari.

empoisonner v.
Faire mourir ou mettre en danger de mort par un poison ; vois ***intoxiquer.*** *Toute une famille a été empoisonnée par des conserves périmées. — On s'empoisonne en mangeant des champignons vénéneux.*

Le même jour, hélas ! le roi des éléphants a mangé un mauvais champignon. Empoisonné, il a été très malade, si malade qu'il en est mort *(Babar).*

▸ **empoisonnement** n. m. *Toute la famille a été victime d'un empoisonnement,* a été empoisonnée.

▸ **empoisonneur** n. m., **empoisonneuse** n. f. Criminel qui utilise du poison. *La Brinvilliers et la Voisin étaient de célèbres empoisonneuses.*

Elles vécurent au XVIIe siècle.

Conjugaison 1

On *emporte* quelque chose, mais on *emmène* quelqu'un.

emporter v.
1. Prendre avec soi quand on s'en va. *En voyage, Claire emporte son ours en peluche. Denis Prost a emporté par mégarde le briquet de son voisin de table.* **2.** Entraîner avec force. *Le cyclone a tout emporté sur son passage. Le courant emporte la barque. Yves a été emporté par son élan.* **3.** *La mère de Sophie Pelletier a été emportée par un cancer,* elle est morte d'un cancer. **4.** *S'emporter,* c'est se mettre en colère. *M. Bellec s'emporte facilement.* **5.** *L'emporter,* c'est gagner, avoir le dessus. *Yves l'a emporté sur Antoine, à la course. L'audace l'a emporté sur la prudence,* l'audace a été plus forte que la prudence.

Le contraire d'*emporter,* c'est *laisser.*

Famille de **porter**

Le contraire d'*emporté,* c'est *calme, flegmatique.*

▸ **emporté** adj. Qui se met en colère, s'emporte facilement ; vois ***coléreux, irritable, violent.*** *M. Bellec est un homme emporté.*

Il a un *caractère emporté.*

▸ ***emportement*** n. m. Violent mouvement de colère. *Dans un moment d'emportement, M. Bellec a giflé son fils.*

Emportement ne s'emploie pas très souvent.

Famille de ① **pièce**

▸ *à l'****emporte-pièce*** adv. *Mme Hespel a parfois des jugements à l'emporte-pièce,* très tranchés, sans nuance ; vois ***catégorique.***

Famille de **pot**
Empoté est un mot familier.

empoté adj.
Maladroit, peu dégourdi. *Quel empoté, ce Sylvain, il ne sait même pas faire du café !*

Le contraire d'*empoté,* c'est *débrouillard, déluré.*

Conjugaison 1
Famille de **pourpre**

*s'****empourprer*** v.
Devenir rouge, pourpre. *Le ciel s'empourpre à l'est, le soleil va se lever. Le visage de M. Bellec s'empourpra de colère ;* vois ***rougir.***

S'empourprer est un mot rare : on emploie plutôt *rougir.*

Ne confonds pas *empreint* et *emprunt.*

empreint adj.
Mamie Lou a un visage empreint de bonté, qui exprime la bonté, marqué par la bonté.

On trouve ce mot surtout dans les livres.

empreinte n. f.

Les empreintes d'un animal sont différentes selon qu'il est arrêté, qu'il marche ou qu'il court.

1. Marque laissée en creux ou en relief. *Mamie Lou a reconnu des empreintes de renard près du poulailler,* des traces laissées par les pattes d'un renard. **2.** *Les empreintes digitales,* ce sont les traces laissées par les doigts qui permettent d'identifier la personne qui les a laissées. *Le malfaiteur avait laissé ses empreintes digitales sur la poignée de la porte.*

Chacun possède des empreintes digitales différentes.

Conjugaison 1
Famille de ② **presser**

*s'****empresser*** v.
1. *S'empresser autour de quelqu'un,* c'est s'occuper de lui avec beaucoup de soin pour le servir ou pour lui plaire. *Tout le monde s'empressa autour de la vedette.* **2.** *Mme Harpie s'est empressée de divulguer la nouvelle,* elle l'a fait immédiatement, sans attendre.

On dit aussi *s'empresser auprès* de quelqu'un.

▸ ***empressé*** adj. Qui manifeste du zèle envers quelqu'un. *Mme Bellec est très empressée auprès des clients, dans son restaurant.*

▸ ***empressement*** n. m. Zèle, hâte que l'on manifeste pour s'occuper de quelqu'un, pour lui être agréable. *Mme Bellec accueille les clients de son restaurant avec empressement.*

Dès que la princesse vit entrer le magicien [...] elle se leva avec empressement
(les Mille et Une Nuits).

Pense au ***m*** devant le ***p.***

emprise n. f.
Sous l'emprise de la colère, M. Bellec a giflé son fils, sous l'effet de la colère.

Famille de **prendre**

Conjugaison 1
Famille de **prison**

emprisonner v.
Mettre, retenir en prison ou dans un endroit fermé. *Avant la Révolution, les condamnés étaient emprisonnés à la Bastille.*

Le contraire d'*emprisonner,* c'est *libérer.*

Attention ! deux ***n*** dans *emprisonner* et *emprisonnement.*

▸ ***emprisonnement*** n. m. *Le meurtrier a été condamné à un emprisonnement de dix ans,* à dix ans de prison.

Ne confonds pas *emprunt* [ɑ̃pʀœ̃] et *empreint* [ɑ̃pʀɛ̃].

emprunt n. m.
1. *Faire un emprunt,* c'est se faire prêter de l'argent que l'on remboursera plus tard. *Denis Prost a fait de gros emprunts pour payer la construction de sa maison.* **2.** *Dans quinze ans, Denis Prost aura remboursé ses emprunts,* l'argent qui lui a été prêté.

Famille de **emprunter**

Conjugaison 1

emprunter v.
Obtenir une chose que l'on rendra ensuite. *Julie a emprunté un chapeau à sa mère pour se déguiser. Denis Prost a emprunté de l'argent à la banque pour payer sa maison.*

▸ ***emprunté*** adj. Qui n'est pas à l'aise, qui manque de naturel ; vois ***gauche.*** *Odile Séverac se sentait un peu empruntée dans sa robe neuve.*

Autre membre de la famille : **emprunt.**

Famille de **émouvoir**

ému adj.
1. Touché, bouleversé. *Marie-Tévy se sentit tout émue quand Angèle, l'institutrice, la félicita.* **2.** *Un souvenir ému,* c'est un souvenir qui touche, bouleverse. *Sylvain garde un souvenir ému de sa première promenade avec Nathalie.*

Va voir aussi ***émotion.***

émulation n. f.
Envie qui pousse à faire aussi bien ou mieux qu'une autre personne. *Dans la classe d'Angèle, il y a une certaine émulation entre les élèves.*

émulsion n. f.
Mélange formé d'un liquide et d'un produit huileux réparti en très fines gouttelettes. *La vinaigrette est une émulsion.*

La mayonnaise est une émulsion entre l'huile et l'œuf.

① **en** préposition et adv.
1. *En* indique le lieu où l'on est. *Les enfants sont en classe. Denis Prost est venu en voiture,* dans une voiture. **2.** *En* indique le lieu où l'on va. *Angèle ira en Corse cet été.* **3.** Pendant. *Quelqu'un est passé en votre absence. En quelle année es-tu né ?* **4.** *Les abeilles vont de fleur en fleur,* d'une fleur à l'autre. **5.** *En* indique la matière. *Claire a un ours en peluche. Mme Séverac a une robe en soie ;* vois ***de.*** **6.** *En* indique l'état dans lequel on est. *Marie-Tévy était en larmes. Yves se met en short.* **7.** De là. *Antoine va chez son père ; il en revient le dimanche soir et y retourne le samedi suivant.* **8.** *Hippolyte siffle en travaillant,* pendant qu'il travaille. — *Julie s'est fait mal en tombant,* parce qu'elle est tombée.

l ramona soigneusement ses olcans en activité *(le Petit Prince).*

Autres membres de la famille : **arc-en-ciel, croc-en-jambe, en-cas,** à l'**encontre** de, **malencontreux, rencontrer, rencontre, en-deçà, ① endroit, ② endroit, enfin, enjeu, ensuite, entrain, ② envers, lendemain, surlendemain.**

Alceste nous attendait au coin de la rue en mangeant un petit pain au chocolat *(le Petit Nicolas).*

② **en** pronom personnel
Je n'en ai plus, de cette chose. *Hippolyte s'en souviendra toujours,* de cela. *Angèle aime beaucoup ses élèves, elle en est très contente,* elle est contente d'eux.

:royant que c'était un œuf, ils 'en écartèrent presque aussitôt 'un air ennuyé *(les Contes du Chat perché).*

Autre membre de la famille : **qu'en-dira-t-on.**

Conjugaison 1
Famille de **cadre**

encadrer v.
1. Mettre dans un cadre. *Mme Séverac a fait encadrer la photo de ses enfants.* **2.** *Encadrer un groupe,* c'est le diriger et être responsable de lui. *Trois moniteurs encadraient les enfants en classe de neige.*
▸ **encadré** n. m. Texte entouré d'un trait, dans une page. *Dans ce dictionnaire, les encadrés contiennent des articles sur la grammaire.*
▸ **encadrement** n. m. **1.** Ce qui entoure un tableau ; vois ***cadre.*** *L'encadrement du tableau est en acier.* **2.** Personnes responsables d'un groupe. *Mme Hespel fait partie de l'encadrement de son entreprise.*

L'*encadreur* fabrique et pose des cadres.

encaissé adj.
Resserré entre deux pentes. *Les gorges du Tarn sont encaissées,* profondes et étroites.

Conjugaison 1
Famille de **caisse**

encaisser v.
Recevoir de l'argent. *Mme Bellec encaisse les additions des clients.*

Elle tient la caisse du restaurant.

Au pluriel : *des en-cas.*

en-cas n. m. invariable
Repas léger préparé en cas de besoin. *Antoine et Yves sont partis faire une promenade à vélo et ont emporté un en-cas ;* vois ***casse-croûte.***

Famille de ① **en** et de **cas**

Conjugaison 1

encastrer v.
Encastrer un objet, c'est le faire entrer dans un trou, un creux de sa dimension. *Le docteur Séverac a fait encastrer un coffre-fort dans le mur.*

Ce coffre-fort est *encastrable.*

Attention ! *encaustique* est un nom féminin.

encaustique n. f.
Produit fait de cire et d'essence que l'on utilise pour faire briller le bois. *Mme Séverac passe de l'encaustique sur les meubles et le parquet du salon.*

Conjugaison 1

▸ **encaustiquer** v. Passer à l'encaustique. *Mme Séverac encaustique le parquet ;* vois ***cirer.***

① **enceinte** n. f.
1. Muraille fortifiée qui défend l'accès d'un lieu. *Le château fort était entouré d'une enceinte ;* vois ***fortification, rempart.*** **2.** Ensemble des haut-parleurs d'une chaîne haute-fidélité. *Alex voudrait s'acheter une nouvelle enceinte.*

On dit aussi *une enceinte acoustique.*

② **enceinte** adj. f.
Qui attend un bébé. *Mme Bellec est enceinte de six mois. J'ai fait la connaissance de Sophie Pelletier quand elle était enceinte de Julie.*

On dit que les femelles des animaux sont *pleines.*

Encens [ɑ̃sɑ̃] rime avec *sang* et *innocent.*

encens n. m.
Résine provenant de certains arbres qui répand une odeur spéciale en brûlant. *Sophie Pelletier fait brûler des bâtonnets d'encens pour combattre l'odeur du tabac.*

On fait brûler de l'encens dans les églises au cours de cérémonies.

Conjugaison 1

▸ ***encenser*** v. **1.** *Le prêtre encense le cercueil,* il agite l'encensoir au-dessus du cercueil. **2.** *Encenser quelqu'un,* c'est faire son éloge, chanter ses louanges. *Mamie Lou encense toujours son fils Louis.*

▸ ***encensoir*** n. m. Petit récipient, suspendu à des chaînettes, dans lequel on brûle l'encens. *Le prêtre balance l'encensoir devant le cercueil.*

Conjugaison 1
Famille de **cercle**

encercler v.
Entourer de tous côtés. *L'ennemi a encerclé la ville.*

▸ ***encerclement*** n. m. Action d'encercler. *L'encerclement de nos troupes a permis la victoire de l'ennemi.*

Attention à l'accent circonflexe du *i*.

enchaîner v.
1. Attacher avec une chaîne. *Les prisonniers ne sont plus enchaînés.* **2.** *S'enchaîner,* c'est être lié comme les maillons d'une chaîne. *Les explications que donne M. Doucet s'enchaînent bien,* elles se suivent logiquement.

Conjugaison 1
Famille de **chaîne**

Ne prononce pas le deuxième ***e*** : [ɑ̃ʃɛnmɑ̃].

▸ ***enchaînement*** n. m. Liaison de choses qui se succèdent. *Un enchaînement de circonstances imprévisibles a empêché Angèle d'aller en Corse.*

Conjugaison 1

enchanter v.
Plaire beaucoup. *Le dernier film de Denis Prost a enchanté Mme Séverac ;* vois ***enthousiasmer.***

Denis Prost y jouait le rôl principal.

La Flûte enchantée est un opéra de Mozart.

▸ ***enchanté*** adj. **1.** Magique. *Le monde des contes de fées est un monde enchanté.* **2.** Très content ; vois ***ravi.*** *Mme Séverac est enchantée de sa soirée. Mamie Lou est enchantée que tous ses petits-enfants soient réunis. Enchanté de faire votre connaissance, dit Hippolyte au frère d'Angèle.*

Je vais porter cette heureus nouvelle à mes filles ; elle en seront enchantées, di Mme de Fleurville
(les Petites Filles modèles).

Alors, comme la fin de l'enchantement était venue, la Princesse s'éveilla
(la Belle au bois dormant).

▸ ***enchantement*** n. m. **1.** Résultat d'une opération magique. *Les lunettes de Mamie Lou ont disparu comme par enchantement,* comme par un effet de la magie. **2.** Chose qui fait un grand plaisir ; vois ***délice.*** *Le coucher de soleil sur le lac est un véritable enchantement.*

L'ascenseur s'arrêta, comm par enchantement
(Charlie et la Chocolaterie).

▸ ***enchanteur*** n. m. et adj., ***enchanteresse*** n. f. et adj. **1.** n. Personne qui fait de la magie ; vois ***magicien.*** *Merlin l'Enchanteur et la fée Viviane vivaient dans la forêt de Brocéliande.* **2.** adj. Très beau et très agréable ; vois ***charmant, ravissant.*** *La ferme est située dans un cadre enchanteur.*

Autre membre de la famille : **désenchanté.**

Famille de ② **cher**

enchère n. f.
Une vente aux enchères, c'est une vente publique dans laquelle chaque chose est vendue à celui qui offre la plus grosse somme d'argent. *Mme Séverac a acheté un meuble dans une vente aux enchères.*

Qui dit mieux ? J'ai 3 000 F pou ce tableau... Personne ne di mieux ? Adjugé ! dit l commissaire-priseur.

Attention à l'accent circonflexe du **ê**.

s'enchevêtrer v.
S'emmêler. *Les fils électriques se sont enchevêtrés.*

Conjugaison 1

Conjugaison 1

enclencher v.
Faire fonctionner un mécanisme. *Dans la voiture d'Angèle, la deuxième vitesse est difficile à enclencher,* à passer.

enclin adj.
Être enclin à faire quelque chose, c'est être poussé à le faire, avoir tendance à le faire. *Mme Roussel est encline à se méfier de sa sœur.*

Conjugaison 45

enclore v.
Entourer d'une clôture ; vois ***clôturer.*** *Pierre Séverac a enclos le jardin.*

Famille de **clore**

Ne prononce pas le ***s*** : [ɑ̃klo].

▸ ***enclos*** n. m. Terrain entouré d'une clôture. *Les brebis sont dans l'enclos.*

enclume n. f.
Masse de métal sur laquelle on forge les métaux. *Le maréchal-ferrant martèle ses fers sur l'enclume.*

Une enclume est toujours très lourde.

encoche n. f.
Petite entaille. *M. Bellec doit couper la planche à la hauteur de l'encoche.*

Prononce [ɑ̃kɔɲyʀ] ou [ɑ̃kwaɲyʀ].

encoignure n. f.
Angle intérieur formé par deux murs ; vois ***coin.*** *Mme Séverac a placé un fauteuil dans une encoignure du salon.*

Famille de **col**

encolure n. f.

1. *L'encolure d'un cheval,* c'est la partie de son corps qui s'étend entre la tête et les épaules. *Claire caresse l'encolure de son âne.* **2.** Largeur du col d'une chemise. *Hippolyte met des chemises d'encolure 40.* **3.** Ouverture d'un vêtement par où passe la tête. *Sophie Pelletier a mis un pull-over à encolure en V.*

Delphine, devenue un bel ânon, était beaucoup plus petite que sa sœur, un solide percheron qui la dépassait d'une bonne encolure *(les Contes du Chat perché).*

Conjugaison 1

encombrer v.

1. Gêner en occupant trop de place ou en empêchant les mouvements. *Les valises de Denis Prost encombraient le couloir ;* vois ***embarrasser.*** **2.** Gêner avec des objets embarrassants. *Denis Prost encombre le couloir avec ses valises. — Mme Séverac s'est encombrée d'un grand sac.*

Un baobab, si l'on s'y prend trop tard, on ne peut jamais plus s'en débarrasser. Il encombre toute la planète *(le Petit Prince).*

▸ *sans* **encombre** adv. Sans ennui, sans rencontrer d'obstacle. *Le voyage s'est passé sans encombre.*

▸ **encombrant** adj. Qui encombre, prend trop de place et gêne ; vois ***embarrassant.*** *Le sac de Mme Séverac est très encombrant.*

Les encombrements de Paris étaient déjà célèbres au XVIIIe siècle.

▸ **encombrement** n. m. Véhicules qui encombrent une voie. *M. Doucet est arrivé en retard à cause des encombrements ;* vois ***embouteillage.***

Famille de ① **en** et de **contre**

*à l'***encontre** *de* préposition

À l'opposé de. *Votre demande va à l'encontre du but recherché ;* vois ***contre.***

Conjugaison 1
Famille de **corde**

*s'***encorder** v.

S'attacher avec une même corde. *Les alpinistes se sont encordés pour l'ascension du pic.*

Va voir aussi ***cordée.***

encore adv.

Piquant Pointu et Courtaude Pataude se mirent en quête de Jaguar Moucheté, qu'ils trouvèrent encore en train de dorloter sa patte pelote qui avait eu du mal la nuit d'avant *(Histoires comme ça).*

1. *Encore* indique qu'une action, un état continue. *Denis Prost s'est couché tard et il dort encore. Si Yves a encore de la fièvre demain, il ne pourra pas aller chez Loïc ;* vois ***toujours.*** *Il fait encore nuit.* **2.** *Encore* indique une idée de répétition, de supplément. *Veux-tu encore du café ? Mamie Lou a encore égaré ses lunettes,* elle a de nouveau égaré ses lunettes. *Julie est encore plus gourmande qu'Antoine.* **3.** Seulement. *Si encore Mme Harpie était moins bavarde, on la supporterait mieux.*

Le contraire d'*encore,* c'est *déjà.*

Alors, j'aime encore mieux devenir aveugle que d'être mangée *(les Contes du Chat perché).*

Conjugaison 3
Famille de **courage**

encourager v.

1. Donner du courage. *Toute la classe encourage Antoine avant le départ. Mme Hespel encourage son fils à travailler ;* vois ***inciter.*** **2.** Aider, favoriser. *Le maire encourage les sports dans sa ville.*

Le contraire d'*encourager,* c'est *décourager.*

▸ **encourageant** adj. Qui encourage ; vois ***prometteur.*** *Les résultats de Yasmina en classe sont encourageants.*

Le contraire d'*encourageant,* c'est *décourageant.*

Ne prononce pas le deuxième **e** : [ɑ̃kuʀaʒmɑ̃].

▸ **encouragement** n. m. Parole ou cri qui encourage. *Antoine a gagné la course grâce aux encouragements de ses camarades.*

Conjugaison 11

encourir v.

Encourir quelque chose, c'est s'exposer à quelque chose de désagréable. *M. Bellec encourt une amende pour excès de vitesse.*

Conjugaison 1

encrasser v.

Salir en empêchant le bon fonctionnement. *La poussière a encrassé le moteur. — Le moteur s'est encrassé.*

Famille de **crasse**

Ne confonds pas *encre* et *ancre.*

encre n. f.

On note d'abord au crayon les récits des explorateurs. On attend, pour noter à l'encre, que l'explorateur ait fourni des preuves *(le Petit Prince).*

Liquide coloré utilisé pour écrire. *Julie a fait une tache d'encre sur son cahier. Julie écrit avec un stylo à encre. Ce film a fait couler beaucoup d'encre,* il a fait beaucoup parler de lui, on a beaucoup écrit à son sujet.

Les calamars et les pieuvres répandent un liquide noir que l'on appelle de l'*encre.*

▸ **encrier** n. m. Petit récipient dans lequel on met de l'encre. *Autrefois, on écrivait avec une plume d'oie que l'on trempait dans un encrier.*

Compare : *encre → encrier* et *poudre → poudrier.*

encyclopédie n. f.

Le premier volume de l'*Encyclopédie* de Diderot parut en 1751.

Ouvrage qui traite de tous les sujets dans tous les domaines ou qui traite un domaine spécial. *Mme Hespel a une encyclopédie en quatorze volumes. Le docteur Séverac consulte son encyclopédie d'architecture.*

Dans une encyclopédie, les articles sont généralement rangés par ordre alphabétique, comme dans un dictionnaire.

▸ **encyclopédique** adj. **1.** *Un dictionnaire encyclopédique,* c'est un dictionnaire qui donne des renseignements sur les mots et sur les choses qu'ils désignent. *Angèle a plusieurs dictionnaires encyclopédiques dans sa* *classe.* **2.** *L'abbé Gauthier a des connaissances encyclopédiques,* très étendues et sur de nombreux sujets.

▸ **encyclopédiste** n. m. et f. Auteur d'une encyclopédie. *De nombreux encyclopédistes firent des articles pour l'« Encyclopédie » de Diderot et d'Alembert au XVIIIe siècle.*

Parmi eux, il y eut les écrivains J.-J. Rousseau, Voltaire, Montesquieu.

Conjugaison 1

endetter v.

Charger de dettes. *L'achat d'une nouvelle voiture endetterait Angèle.* — *Mme Hespel s'est endettée pour acheter une voiture.*

Famille de **dette**

Famille de **diable**

endiablé adj.

Très rapide. *Alex joue un air au rythme endiablé.*

Conjugaison 1

endiguer v.

1. Retenir au moyen d'une digue. *On a endigué le fleuve.* **2.** Contenir, retenir. *Les policiers endiguaient la foule des manifestants.*

Famille de **digue**

Conjugaison 1

*s'***endimancher** v.

Mettre des vêtements plus soignés que d'habitude, dans lesquels on n'est pas à l'aise. *Mme Bellec s'est endimanchée pour aller à la messe.*

Famille de **dimanche**

endive n. f.

Plante à feuilles blanches, qui pousse à l'abri de la lumière et que l'on mange crue ou cuite. *Mme Roussel a fait de la salade d'endives.*

Être blanc comme une endive, c'est avoir la peau blanche, être très pâle.

Compare *endolori* et *indolore :* dans ces mots, on parle de **douleur.**

endolori adj.

Qui fait mal, qui est envahi par la douleur. *Après le match de football, Antoine avait les jambes endolories ;* vois **douloureux.**

Conjugaison 3 ▭ Indic. présent : *nous endommageons, vous endommagez.*

endommager v.

Causer des dégâts, mettre en mauvais état ; vois **abîmer, détériorer.** *La grêle a endommagé les récoltes.*

Le contraire d'*endommager,* c'est *arranger, réparer.*

▸ **endommagé** adj. Qui a été abîmé. *Pierre Séverac a réparé la toiture endommagée.*

Famille de **dommage**

Conjugaison 16 ▭ Indic. présent : *j'endors, nous endormons.* Imparfait : *j'endormais.* Futur : *j'endormirai.*

endormir v.

1. Faire dormir, amener au sommeil. *Denis Prost a endormi Martin en le berçant. Julie a été endormie avant d'être opérée ;* vois **anesthésier.** — *Mamie Lou s'est endormie devant la télévision,* elle a commencé à dormir. **2.** Faire disparaître, rendre moins fort ; vois **calmer.** *Ce médicament endormira la douleur.*

Le contraire d'*endormir,* c'est *éveiller, réveiller.*

Dès qu'elle les eut touchés, ils s'endormirent tous, pour ne se réveiller qu'en même temps que leur Maîtresse *(la Belle au bois dormant).*

Famille de **dormir**

▸ **endormant** adj. Qui ennuie profondément et donne envie de dormir. *Le discours du maire était un peu endormant.*

▸ **endormi** adj. Qui est en train de dormir. *Claire a trouvé Mamie Lou endormie devant la télévision.*

Le contraire d'*endormi,* c'est *éveillé.*

Conjugaison 1

Quel costume Clark Kent endosse-t-il quand il devient Superman ?

endosser v.

1. *Endosser un vêtement,* c'est le mettre sur son dos ; vois **revêtir.** *M. Bellec endosse son pardessus avant de sortir.* **2.** *Endosser une responsabilité,* c'est la prendre, l'accepter. *Mme Hespel est prête à endosser la responsabilité d'un nouveau service.*

Famille de **dos**

Endosser un chèque, c'est le signer au dos avant de le remettre à la banque.

Famille de ① **en** et de ① **droit**

① **endroit** n. m.

1. Partie précise d'un espace ; vois **lieu, place.** *Julie cherche un endroit pour se cacher.* **2.** Partie du corps ou d'une chose. *À quel endroit avez-vous mal ? Hippolyte indique sur le carnet l'endroit où il faut signer.* **3.** *Par endroits,* çà et là. *Des genêts poussaient par endroits sur les dunes,* à différents endroits.

Les fougères aiment les endroits humides, les cactus, les endroits secs et ensoleillés.

Famille de ① **en** et de ① **droit**

Le contraire, c'est *envers.*

② **endroit** n. m.

Côté destiné à être montré, à être vu. *Mme Roussel repasse sa jupe sur l'endroit. Julie remet son pull à l'endroit,* du bon côté.

L'endroit d'une feuille s'appelle le *recto.*

Conjugaison 38 ▭ Indic. présent : *j'enduis, nous enduisons.* Imparfait : *j'enduisais.* Futur : *j'enduirai.* — Participe passé : *enduit.*

enduire v.

Recouvrir d'une couche de produit liquide ou pâteux. *Loïc a enduit la coque de son bateau,* il l'a recouverte d'une peinture qui combat la rouille. *Angèle s'enduit le visage et le corps de crème solaire.*

▸ **enduit** n. m. Produit que l'on applique sur un mur pour égaliser sa surface avant de le peindre. *M. Bellec passe de l'enduit sur le mur.*

Même famille que **endurer**

endurance n. f.

Force qu'une personne possède pour résister à la fatigue, à la souffrance ; vois ***résistance.*** *Un coureur de marathon doit avoir une grande endurance.*

▸ ***endurant*** adj. Qui résiste bien à la fatigue, à la souffrance ; vois ***résistant.*** *Le coureur de marathon doit être endurant.*

Il doit courir 42,195 km.

Le contraire d'*endurant*, c'est *fragile, délicat.*

Conjugaison 2
Famille de **dur**

endurcir v.

Rendre plus dur, moins sensible. *La vie de marin pêcheur a endurci Loïc. — Yves s'endurcit au contact de son oncle Loïc.*

▸ ***endurci*** adj. *Loïc est un célibataire endurci,* il ne veut pas se marier.

Le contraire d'*endurcir*, c'est *attendrir.*

Conjugaison 1

endurer v.

Supporter avec patience. *Marie-Tévy doit endurer la méchanceté de Colle et Rat.*

Famille de **dur**

énergie n. f.

1. Force et volonté qui rendent capable de faire des choses très difficiles. *Malgré les échecs, le chercheur poursuit son travail avec une énergie indomptable.* **2.** Force capable de produire du travail, de la chaleur, du mouvement. *Le charbon, le pétrole et le vent sont des sources d'énergie.*

Compare :
énergie → énergique
et *magie → magique.*

▸ ***énergique*** adj. **1.** Très actif, efficace. *M. Bonnot a pris un remède énergique contre la toux.* **2.** Qui a de la force et de la volonté. *Mme Hespel est une femme énergique ;* vois ***dynamique, ferme, résolu.***

▸ ***énergiquement*** adv. Avec énergie ; vois ***fermement.*** *Je proteste énergiquement !*

énergumène n. m.

Personne qui s'agite beaucoup pour manifester son enthousiasme, sa joie ou sa fureur. *Une bande d'énergumènes sifflaient l'arbitre.*

Conjugaison 1
Famille de **nerf**

énerver v.

Énerver une personne, c'est l'agacer, l'exciter, lui faire perdre son calme ; vois ***crisper, irriter.*** *Les cris des enfants énervent Mme Harpie. — Yves s'énerve quand il n'arrive pas à faire quelque chose,* il devient de plus en plus agité.

Le contraire d'*énerver*, c'est *calmer.*

Le contraire de *s'énerver*, c'est *se détendre.*

Compare :
énerver → énervant
et *troubler → troublant.*

▸ ***énervant*** adj. Qui provoque une excitation désagréable. *Antoine est énervant, avec sa manie d'être en retard ! ;* vois ***agaçant, pénible.***

▸ ***énervé*** adj. Qui est agité, dans un état d'excitation inhabituelle ; vois ***nerveux.*** *Julie est très énervée en attendant son père.*

Compare :
énerver → énervement
et *contenter → contentement.*

▸ ***énervement*** n. m. État d'une personne énervée ; vois ***nervosité.*** *Mme Harpie ne cachait pas son énervement.*

enfant n. m. et f.

On n'a jamais vu une enfant, ni même une grande personne, se changer en bourrique ou en n'importe quel animal
(les Contes du Chat perché).

1. Être humain dans les premières années de sa vie, avant l'adolescence. *Venez par ici, les enfants ! Julie est une enfant turbulente.* **2.** Être humain considéré par rapport à ses parents ; vois ***fille, fils.*** *Louis et Pierre Séverac sont les enfants de Mamie Lou. Antoine est enfant unique. Marie-Tévy est l'enfant adoptive des Séverac.*

Il n'avait en rien l'apparence d'un enfant perdu au milieu du désert, à mille milles de toute région habitée *(le Petit Prince).*

Douce France
Cher pays de mon enfance
Bercée de tendre insouciance
Je t'ai gardée dans mon cœur
(Ch. Trenet).

▸ ***enfance*** n. f. **1.** Période de la vie où l'on est enfant, de la naissance à l'adolescence. *Le docteur Séverac a passé son enfance à la ferme.* **2.** Les enfants, la jeunesse. *Mme Séverac s'occupe d'œuvres pour l'enfance abandonnée.*

C'est l'enfance de l'art : c'est simple, élémentaire.

▸ ***enfantillage*** n. m. Manière de se conduire qui ressemble à celle des enfants. *Sois sérieux, cesse tes enfantillages !*

Va voir aussi
infantile et ***puéril.***

▸ ***enfantin*** adj. **1.** *C'est une voix enfantine qui a répondu au téléphone,* une voix d'enfant. **2.** Très facile, très simple ; vois ***élémentaire.*** *Le problème était d'une simplicité enfantine.*

Autres membres de la famille : **bon enfant, petits-enfants, arrière-petits-enfants.**

Enfer [ɑ̃fɛʀ] rime avec *faire.*
Dans la mythologie, les morts séjournaient dans *les enfers.*

enfer n. m.

1. Dans la religion chrétienne, endroit où vont, après la mort, les âmes de ceux qui ont beaucoup péché. *Les croyants ont peur de l'enfer. La voiture faisait un bruit d'enfer,* un bruit très fort, épouvantable. *La voiture roulait à un train d'enfer,* très vite. **2.** Situation insupportable, chose très pénible. *Quel enfer de passer des vacances avec Mme Harpie !*

Les âmes des justes vont au *paradis.*

Va voir aussi ***infernal.***

Conjugaison 1

Famille de **fermer**

enfermer v.

Mettre dans un endroit fermé. *La nuit, on enferme les vaches dans l'étable. Mamie Lou enferme les biscuits dans une boîte en fer. — Julie s'est enfermée à clef dans sa chambre.*

Quand je serai roi, déclara le cochon, j'enfermerai les parents dans une cage *(les Contes du Chat perché).*

Conjugaison 1

s'enferrer v.

Se mettre dans une situation de plus en plus difficile, rendue encore plus délicate par des explications et des arguments maladroits ; vois ***s'enfoncer, s'empêtrer.*** *En essayant de se justifier, Antoine s'enferrait dans ses mensonges.*

Famille de **file**

enfilade n. f.

Suite de choses à la file l'une de l'autre. *Les chambres sont en enfilade,* les unes à la suite des autres.

Conjugaison 1

Famille de **fil**

enfiler v.

1. *Enfiler une aiguille,* c'est faire passer du fil dans le trou d'une aiguille. *Mamie Lou met ses lunettes pour enfiler son aiguille.* **2.** *Enfiler un vêtement,* c'est le mettre. *Le docteur Séverac a enfilé sa veste avant de partir.*

Dans un flacon
Un limaçon
Enfilait sa culotte
(chanson).

Famille de ① **en** et de ① **fin**

Le chant d'un coq enroué monta d'une métairie. « Enfin ! » dit la pauvre bête, qui n'attendait plus que le jour pour mourir *(les Lettres de mon moulin).*

enfin adv.

1. *Enfin* sert à marquer la fin d'une longue attente. *Enfin, je te retrouve ! Voilà enfin Antoine !* **2.** *Enfin* sert à présenter le dernier élément d'une succession. *« Nous irons d'abord à la poste, ensuite au marché et enfin chez ta tante. »* **3.** *Enfin* sert à tirer une conclusion ; vois ***bref, finalement,*** *en* ***somme.*** *M. Bellec n'a pas été blessé dans son accident, sa voiture est à peine abîmée ; enfin il a eu de la chance.*

Le contraire d'*enfin*, c'est *déjà*.

Le contraire d'*enfin*, c'est *d'abord*.

N'oublie pas les deux *m*.
Famille de **flamme**

Conjugaison 1

enflammer v.

1. Mettre en flammes ; vois ***allumer.*** *Le bois est humide, je n'arrive pas à l'enflammer. — L'essence s'enflamme rapidement,* elle prend feu. **2.** Remplir d'ardeur, de passion ; vois ***exciter.*** *Les histoires de Mamie Lou enflamment l'imagination des enfants.* **3.** *La plaie s'est enflammée,* elle est rouge et elle fait mal.

On enflamme une allumette en la frottant sur le grattoir de la boite.

Il y a une *inflammation.*

C'est une allumette que j'avais cru jeter dans le cendrier... Une allumette enflammée... *(Babar).*

▷ ***enflammé*** adj. **1.** Qui est en flammes. *Une poutre enflammée est tombée du toit.* **2.** Rempli d'ardeur, passionné, excité. *Antoine raconte une histoire d'un ton enflammé.*

Conjugaison 1

enfler v.

1. Augmenter de volume anormalement ; vois ***gonfler.*** *Julie s'est fait une entorse, sa cheville a enflé. La cheville de Julie est enflée.* **2.** Donner du volume ; vois ***gonfler.*** *Le vent enfle les voiles du bateau.*

Autre membre de la famille : **renflé.**

Conjugaison 3 ; n'oublie pas la cédille du ***ç*** devant ***o*** et ***a***.

Enfoncer une porte ouverte : démontrer une chose évidente.

enfoncer v.

1. Faire aller vers le fond, faire pénétrer profondément. *Pierre Séverac tape sur les pieux de la clôture pour les enfoncer dans le sol. Julie enfonce son béret jusqu'aux oreilles,* elle le met de telle façon que sa tête y entre profondément. — *Le navire s'enfonçait lentement dans la mer,* il coulait. **2.** Aller vers le fond. *Les roues de la voiture enfoncent dans le sable.* **3.** Briser en poussant, en forçant ; vois ***défoncer.*** *Le policier enfonce la porte d'un coup d'épaule.*

Delphine et Marinette, encore ensommeillées, s'enfonçaient jusqu'aux cheveux sous les couvertures *(les Contes du Chat perché).*

Autre membre de la famille : **renfoncement.**

Conjugaison 2

enfouir v.

1. Mettre quelque chose dans la terre, après avoir creusé le sol ; vois ***enterrer.*** *On n'a pas retrouvé le trésor que les brigands avaient enfoui.* **2.** *Alex enfouit les pommes de terre sous la cendre pour les faire cuire,* il les met dans la cendre. *Julie enfouit son visage dans l'oreiller,* elle l'enfonce dans l'oreiller pour le cacher.

Souvent les chiens enfouissent des os, et les déterrent quelque temps après.

Babar enfourche sa bicyclette et à toute vitesse il retourne chez lui *(Babar).*

enfourcher v.

Se mettre à califourchon sur un cheval, une bicyclette. *Denis Prost enfourcha le cheval qui partit au galop.*

Conjugaison 1

Famille de **fourche**

Compare *enfourner* et *fourneau* : il s'agit de **four.**

enfourner v.

Mettre dans un four. *Le boulanger enfourne le pain.*

Conjugaison 1

Conjugaison 52

enfreindre v.
Ne pas respecter un règlement, une loi ; vois ***transgresser, violer.*** *Julie a enfreint le règlement de l'école en sortant à midi sans permission.*

Le contraire d'*enfreindre,* c'est *observer, respecter.*

Conjugaison 17
Famille de **fuir**

s'enfuir v.
S'en aller très vite, s'éloigner en fuyant. *Le prisonnier s'enfuit par le toit,* il se sauve, il s'échappe. *À l'arrivée de la police, les cambrioleurs se sont enfuis à toutes jambes ;* vois ***déguerpir.***

La pauvre enfant s'enfuit, et alla se sauver dans la forêt prochaine *(les Fées).*

Conjugaison 1

enfumer v.
Remplir de fumée. *Pierre Séverac enfume les ruches pour y récolter le miel.*
▷ ***enfumé*** adj. Plein de fumée. *La pièce était enfumée.*

Famille de **fumer**

Conjugaison 3
Le contraire d'*engager,* c'est *renvoyer.*

engager v.
1. Embaucher ; vois ***recruter.*** *M. Bellec a engagé un nouveau serveur.* **2.** Introduire dans un endroit resserré, étroit. *Angèle engage la clef dans la serrure.* **3.** Commencer ; vois ***entamer.*** *Hippolyte a engagé la conversation avec son voisin.*

Le contraire d'*engager,* c'est *dégager, retirer.*

▷ ***s'engager*** v. **1.** *S'engager à faire quelque chose,* c'est promettre de le faire. *Julie s'est engagée à aider Antoine.* **2.** *Le père de Mme Hespel s'était engagé dans l'armée,* il était entré au service de l'armée sans y être obligé. **3.** Avancer en pénétrant. *Yasmina s'engage dans un chemin ombragé.*
▷ ***engageant*** adj. Qui plaît, attire, encourage. *Angèle a fait un sourire engageant à Marie-Tévy ;* vois ***encourageant.***
▷ ***engagement*** n. m. **1.** *Julie a respecté son engagement,* elle a fait ce qu'elle avait promis. **2.** *Denis Prost ne reste jamais longtemps sans engagement,* sans être engagé pour jouer dans un film.

Ayant passé la rivière, les petites s'engagèrent dans la forêt où elles firent un long chemin *(les Contes du Chat perché).*

Dans tous les cas, vous devez regarder à droite et à gauche, avant de vous engager sur la chaussée, et surtout, surtout, ne jamais courir *(le Petit Nicolas).*

Famille de **gage**

Famille de **gel**

engelure n. f.
Boursouflure de la peau provoquée par le froid. *Le clochard avait des engelures aux mains et aux pieds.*

Conjugaison 1

engendrer v.
Faire naître, avoir pour effet ; vois ***causer, créer, produire.*** *L'injustice peut engendrer la révolte ;* vois ***provoquer.***

engin n. m.
1. Appareil, instrument, machine. *Les satellites sont des engins spatiaux ;* vois ***véhicule.*** *Les chars et les missiles sont des engins de guerre.* **2.** Objet bizarre, dont on ne sait à quoi il sert. *Qu'est-ce que c'est que cet engin ? ;* vois ***machin.***

Les bulldozers sont des engins de terrassement.

Les lignes et les filets sont des engins de pêche ; les fusils sont des engins de chasse.

Conjugaison 1

englober v.
1. Contenir, comprendre. *La classe des mammifères englobe tous les animaux qui allaitent leurs petits ;* vois ***rassembler.*** **2.** Réunir en un tout. *Angèle, l'institutrice, englobait toute la classe dans sa remarque.*

Conjugaison 2
Antoine est un glouton.

engloutir v.
1. Avaler avec avidité, gloutonnement. *Antoine a englouti son goûter en cinq minutes avant de repartir jouer ;* vois ***dévorer, engouffrer.*** **2.** Faire disparaître brusquement. *Un village a été englouti par le tremblement de terre.*

Maman était disparue ; tous avaient été engloutis par la vague *(les Vacances).*

Conjugaison 3 ▭ Indic. présent : *nous engonçons.* Imparfait : *j'engonçais.*

engoncer v.
Être enfoncé dans un vêtement, c'est être gêné, mal à l'aise, à l'étroit. *Mme Harpie est engoncée dans un vieux manteau.*

Conjugaison 3

engorger v.
Engorger un conduit, c'est le boucher, l'obstruer. *Les feuilles mortes engorgeaient la gouttière.*

Famille de **gorge**

Prononce [ɑ̃gumɑ̃].

engouement n. m.
Admiration, passion soudaine ; vois ***emballement.*** *Depuis quelques mois, Alex s'est pris d'un engouement extraordinaire pour la photo.*

Souvent, un engouement ne dure pas longtemps.

Conjugaison 1
Attention aux deux *f.*

engouffrer v.
1. Manger beaucoup et rapidement ; vois ***engloutir.*** *Antoine engouffra trois éclairs au chocolat à la suite.* **2.** *S'engouffrer,* c'est pénétrer rapidement ou

Famille de **gouffre**

avec violence dans une ouverture, dans un passage. *Le vent s'engouffrait dans la cheminée.*

Conjugaison 2
Famille de **gourd**
Ils ont bien failli s'endormir.

engourdir v.
1. *Le froid engourdit les doigts,* il les rend en partie insensibles et difficiles à bouger. **2.** Ôter toute envie de bouger, de réagir. *Le film était ennuyeux, et la chaleur de la salle engourdissait les spectateurs.*
▸ ***engourdi*** adj. *Yasmina avait les mains tout engourdies de froid,* gourdes, insensibles.

L'hiver, le froid engourdit certains animaux, qui hibernent. Peux-tu en citer quelques-uns ?

On utilise aussi des engrais chimiques.

engrais n. m.
Produit que l'on met dans la terre pour que les plantes poussent mieux. *Le fumier et les algues sont des engrais naturels.*

Les engrais rendent la terre plus fertile.

Conjugaison 1
Famille de **graisse**
Le contraire d'*engraisser,* c'est *maigrir.*

engraisser v.
1. Faire grossir des animaux. *Pierre Séverac engraisse des cochons pour les vendre.* **2.** Devenir gros, gras. *M. Bellec a tendance à engraisser, il devrait faire attention ! ;* vois ***grossir.***

Pour engraisser les oies, on les gave.

engrenage n. m.
Système formé de plusieurs roues dentées qui entrent les unes dans les autres et se transmettent ainsi leur mouvement. *La direction d'une automobile est formée d'engrenages.*

Un engrenage entraîne le ressort des aiguilles des montres mécaniques.

Prononce [sɑ̃aʀdiʀ].
Conjugaison 2
Famille de **hardi**

s'enhardir v.
Devenir plus hardi, prendre de l'assurance. *Marie-Tévy était très timide au début de l'année, mais depuis, elle s'est enhardie.*

Il prend une pose raide, serre ses jambes et s'enhardit *(Poil de Carotte).*

Compare :
énigme → énigmatique
et *problème → problématique.*

énigme n. f.
Chose difficile à comprendre, à expliquer ; vois ***mystère, problème.*** *L'origine de l'incendie de la poste reste une énigme.*
▸ ***énigmatique*** adj. Obscur, peu clair, difficile à comprendre. *Ce mot parut à Julie bien énigmatique.*

Le Club des Cinq a résolu de nombreuses énigmes.

Un personnage énigmatique, mystérieux.

Prononce [ɑ̃nivʀe].
Conjugaison 1
Famille de **ivre**

enivrer v.
1. Rendre ivre ; vois ***griser, soûler.*** *Angèle ne boit presque jamais d'alcool ; deux verres de vin suffisent à l'enivrer.* **2.** Remplir d'excitation, d'une émotion très forte. *Antoine se laisse enivrer par la vitesse du manège.*

Les dames s'amusaient à enivrer le porteur *(les Mille et Une Nuits).*

Conjugaison 1
Famille de **jambe**

enjambée n. f.
Grand pas. *Denis Prost a rattrapé Julie en quelques enjambées.*
▸ ***enjamber*** v. Passer par-dessus un obstacle en étendant la jambe, en faisant un grand pas. *Yves a dû se mouiller les pieds pour franchir le ruisseau ; il était trop petit pour l'enjamber.*

Il marche à grandes enjambées.

On dit aussi qu'un pont *enjambe* une rivière.

Famille de ① **en** et de **jeu**

enjeu n. m.
1. Somme d'argent que l'on met en jeu en commençant la partie et qui revient au gagnant ; vois ***mise.*** *Les joueurs posent les enjeux sur la table.* **2.** Ce que l'on peut gagner ou perdre. *L'enjeu de la course, c'est une paire de patins à roulettes.*

Conjugaison 1
Famille de **joli**

enjoliver v.
Embellir, orner. *Des roses en sucre enjolivaient le gâteau. Mamie Lou enjolive l'histoire de détails nouveaux chaque fois qu'elle la raconte.*
▸ ***enjoliveur*** n. m. Plaque ronde métallique qui cache le milieu d'une roue d'automobile. *Les enjoliveurs sont en acier chromé.*

Le contraire d'*enjoliver,* c'est *enlaidir.*

enjoué adj.
Qui montre de la bonne humeur, de la gaieté. *Angèle lui répondit d'une voix enjouée.*

Le contraire d'*enjoué,* c'est *triste.*

Conjugaison 3
▭ Indic. présent
j'enlace, nous enlaçons.
Imparfait : *j'enlaçais.*

enlacer v.
Serrer dans ses bras ou en passant un bras autour de la taille. *Le danseur enlaçait sa cavalière. — Les amoureux s'enlacent et s'embrassent. Ils se sont promenés enlacés.*

Quelles sont les danses où l'on enlace sa cavalière ?

Conjugaison 2

La cadette enlaidissait à vue d'œil *(Riquet à la Houppe).*

enlaidir v.

1. Rendre laid ; vois ***défigurer.*** *Des papiers gras enlaidissent la clairière. La méchanceté enlaidissait son visage.* **2.** Devenir laid. *Mme Harpie a beaucoup enlaidi en vieillissant.*

Le contraire d'*enlaidir*, c'est *enjoliver, embellir.*

Famille de **laid**

Conjugaison 5

▭ Indic. présent : *j'enlève, nous enlevons.* Imparfait : *j'enlevais.* Futur : *j'enlèverai.* — Impératif présent : *enlève, enlevons.*

enlever v.

1. *Enlever une chose,* c'est la changer de place, faire qu'elle ne soit plus où elle était ; vois ***ôter, retirer.*** *Mme Harpie veut qu'Antoine enlève ses coudes de la table.* **2.** *Enlever un vêtement,* c'est le retirer, le mettre ailleurs que sur soi ; vois ***quitter.*** *En arrivant en classe, les enfants enlèvent leurs manteaux et leurs écharpes.* **3.** Faire disparaître ; vois ***ôter.*** *Je n'arrive pas à enlever cette tache. — Les taches de sang s'enlèvent à l'eau froide.* **4.** *Enlever quelqu'un,* c'est l'emmener de force et le retenir prisonnier ; vois ***kidnapper, ravir.*** *Les malfaiteurs ont finalement libéré l'enfant qu'ils avaient enlevé.*

Puis ayant enlevé à son tour ses mocassins, il les déposa soigneusement devant le feu *(Croc-Blanc).*

Compare : *enlever → enlèvement* et *soulever → soulèvement.*

▸ ***enlèvement*** n. m. **1.** *En ville, l'enlèvement des ordures se fait très tôt,* les ordures sont enlevées très tôt. **2.** Rapt. *Des malfaiteurs ont organisé l'enlèvement du riche banquier.*

Famille de ① **lever**

Conjugaison 1

*s'****enliser*** v.

1. S'enfoncer dans du sable, de la boue et ne plus pouvoir en sortir. *La voiture s'est enlisée près des marécages.* **2.** *L'enquête s'enlise,* elle n'avance pas ; vois ***piétiner.***

Va voir aussi *s'**ensabler.***

Attention aux deux ***n*** dans *enneigé* et *enneigement.*

enneigé adj.

Couvert de neige. *Les skieurs dévalent les pentes enneigées.*

Famille de **neige**

▸ ***enneigement*** n. m. Hauteur de la neige sur un terrain. *L'enneigement de la station est suffisant pour faire du ski.*

Le *bulletin d'enneigement* est donné à la radio, en hiver.

Attention ! deux ***n*** dans *ennemi.*

Le contraire, c'est *partisan.*

ennemi n. m., ***ennemie*** n. f.

1. Personne qui déteste quelqu'un et qui lui veut du mal. *Mme Harpie et M. Doucet sont de véritables ennemis.* **2.** Personne qui déteste une chose. *Les ennemis du progrès s'opposaient au chemin de fer.* **3.** *Des ennemis,* ce sont des pays en guerre les uns contre les autres. *La France et l'Angleterre ont été longtemps des ennemies.* — adj. *La France et l'Angleterre étaient autrefois des nations ennemies.* **4.** *L'ennemi,* c'est l'armée ennemie. *L'ennemi a attaqué par surprise.*

Le contraire d'*ennemi*, c'est *ami.*

Prononce [ɛnmi].

Conjugaison 8

▭ Indic. présent : *j'ennuie, nous ennuyons.* Imparfait : *j'ennuyais.* Futur : *j'ennuierai.*

ennuyer v.

1. Donner du souci, contrarier ; vois ***inquiéter, tracasser.*** *Un bruit anormal dans le moteur ennuyait Angèle.* **2.** Déranger, importuner ; vois ***agacer, embêter.*** *Mme Harpie ennuie tout le monde avec le récit de ses malheurs.* **3.** Ne pas intéresser, ne pas amuser. *Ce film nous a terriblement ennuyés. — Hippolyte s'est tellement ennuyé au cinéma qu'il s'est endormi.*

Avec la vieille dame, le travail n'est jamais ennuyeux *(Babar).*

▸ ***ennuyeux*** adj. **1.** Qui cause du souci ou qui gêne ; vois ***contrariant, embêtant.*** *Cette panne est très ennuyeuse.* **2.** Qui n'intéresse pas. *Hippolyte a trouvé le film très ennuyeux.*

Le contraire d'*ennuyeux*, c'est *intéressant.*

▸ ***ennui*** n. m. **1.** Chose qui donne du souci, du tracas ; vois ***problème.*** *Angèle a bien des ennuis avec sa voiture. M. Bonnot a des ennuis de santé.* **2.** *Hippolyte a trouvé le film d'un ennui mortel,* très ennuyeux.

▸ ***ennuyé*** adj. Contrarié, préoccupé. *Angèle est ennuyée de devoir laisser sa voiture au garage.*

Compare *énoncer, annoncer* et *prononcer* : dans ces mots, on **dit** quelque chose.

énoncer v.

Exprimer une chose très clairement. *Ce papier énonce la règle du jeu ;* vois ***exposer.***

Conjugaison 3

▭ Indic. présent : *j'énonce, nous énonçons.* Imparfait : *j'énonçais.*

Compare : *énoncer → énoncé* et *résumer → résumé.*

▸ ***énoncé*** n. m. *L'énoncé d'un problème,* c'est le texte qui contient les questions posées. *Angèle, l'institutrice, lit à haute voix l'énoncé du problème.*

Le garçon qui est âgé de neuf ans était installé devant un énorme poste de télévision, les yeux collés à l'écran *(Charlie et la Chocolaterie).*

énorme adj.

Très grand, très gros ; vois ***gigantesque, immense.*** *Antoine a mangé une énorme part de gâteau.*

Le contraire d'*énorme*, c'est *minuscule.*

▸ ***énormément*** adv. Vraiment beaucoup. *En classe de neige, les élèves d'Angèle se sont énormément amusés.*

Énormément sert de superlatif à *beaucoup.*

Compare : *énorme → énormité* et *conforme → conformité.*

▸ ***énormité*** n. f. Très grosse sottise. *Colle et Rat ont répondu une énormité à la question que leur posait Angèle.*

Conjugaison 21 ▭ Indic. présent : *je m'enquiers, nous nous enquérons.* Futur : *je m'enquerrai.*

s'enquérir v.
Chercher à savoir, se renseigner. *M. Doucet s'enquiert des horaires des trains pour Paris.*

S'enquérir est un mot que l'on trouve surtout dans les livres.

N'oublie pas l'accent circonflexe du *ê* de *enquête.*

enquête n. f.
1. Recherche de la vérité. *Après le cambriolage de la bijouterie, la police mène l'enquête.* **2.** Recherche, étude qui s'appuie sur des témoignages, des réponses à des questions. *Alex a répondu à un questionnaire dans le cadre d'une enquête effectuée par un journal de Roubaix.*

Conjugaison 1

▸ ***enquêter*** v. Faire une enquête. *La police enquête sur le cambriolage de la bijouterie.*

▸ ***enquêteur*** n. m., ***enquêteuse*** n. f. Personne qui fait une enquête. *Alex a répondu très aimablement à l'enquêteuse.*

Au féminin, on dit aussi *enquêtrice.*

Famille de **racine**

enraciné adj.
Profondément, solidement fixé. *C'est une croyance bien enracinée dans les esprits.*

Conjugaison 3
Famille de **rage**

enrager v.
Être en rage, très mécontent et énervé. *Yves enrageait d'être malade et de ne pouvoir partir chez Loïc. Claire fait enrager Mamie Lou en lui cachant ses lunettes,* elle la met en colère.

Mon petit
Tu n'as pas mangé tes radis
Ni la soupe au pissenlit,
Tu ne te laves jamais les mains
Tu baves
Tu fais enrager Firmin
Je ne te dirai plus rien !
(Obaldia).

Le bœuf blanc devient impossible, disait le père, et ce matin encore j'ai cru devenir enragé à cause de ses sottises
(les Contes du Chat perché).

▸ ***enragé*** adj. **1.** Fou de colère ; vois ***furieux.*** *Quand on lui tient tête, M. Bellec peut devenir enragé.* **2.** Passionné. *Alex est enragé de moto.* — n. *C'est un enragé de la moto.* **3.** Atteint de la rage. *Un chien enragé doit être abattu.*

Conjugaison 8
▭ Indic. présent : *j'enraye* ou *j'enraie.* Imparfait : *j'enrayais, nous enrayions.*

enrayer v.
1. *Enrayer une épidémie,* c'est arrêter sa progression. *Le docteur Séverac essaie avec d'autres médecins de l'Organisation mondiale de la santé d'enrayer le paludisme en Afrique.* **2.** *S'enrayer,* c'est se coincer. *Le fusil de M. Bellec s'est enrayé.*

La tuberculose a été enrayée grâce à un vaccin : le B. C. G.

Conjugaison 1

enregistrer v.
1. Inscrire sur un registre. *L'acte de vente a été enregistré.* **2.** *Enregistrer des bagages,* c'est les faire inscrire et les confier à un service qui assure leur transport. *Denis Prost a fait enregistrer ses valises en arrivant à l'aéroport.* **3.** Fixer dans sa mémoire. *Angèle espère que ses élèves ont bien enregistré la leçon.* **4.** Fixer un son, une image sur un film, une bande magnétique, un disque. *Alex enregistrera le concert qui sera retransmis demain à la radio.* **5.** Produire des sons, des images destinés à être recueillis et gardés. *Hippolyte voudrait enregistrer un disque.*

Famille de **registre**

Si le concert passait à la télévision, on pourrait l'enregistrer avec un magnétoscope sur une bande vidéo.

Il enregistrera avec son magnétophone.

▸ ***enregistrement*** n. m. **1.** *Denis Prost se dirige vers le guichet d'enregistrement des bagages,* l'endroit où l'on fait enregistrer ses bagages. **2.** *L'enregistrement de ce disque n'est pas très bon,* ce disque n'est pas très bien enregistré.

Dans un aéroport, l'enregistrement doit se faire environ une heure avant le départ de l'avion.

▸ ***enregistreur*** adj. Qui enregistre. *Un magnétoscope est un appareil enregistreur. Le prix des achats est inscrit sur le ticket délivré par la caisse enregistreuse.*

Attention au ***h*** après le ***r.***
Famille de **rhume**

s'enrhumer v.
Attraper un rhume. *Yves s'est enrhumé en restant sous la pluie. Yves est un peu enrhumé.*

Conjugaison 1

Conjugaison 2

enrichir v.
Rendre riche. *Le commerce des vins a enrichi la ville de Bordeaux. — La ville s'est enrichie dans le commerce des vins.*

Le contraire d'*enrichir,* c'est *appauvrir.*

Conjugaison 1

enrober v.
Ces caramels sont enrobés de chocolat, recouverts d'une couche de chocolat.

Pense à l'accent circonflexe du ***ô.***
Famille de **rôle**

enrôler v.
Engager dans l'armée. *Autrefois, on enrôlait de force les paysans dans les armées du roi. — Le père de Mme Hespel s'est enrôlé très jeune dans l'armée de l'air.*

Conjugaison 1

enroué adj.
Une voix enrouée, c'est une voix devenue rauque, qui n'a pas des sons clairs ; vois ***éraillé.*** *Angèle a la voix enrouée. Angèle est enrouée ce matin.*

Conjugaison 1
enrouler v.
Le contraire d'*enrouler,* c'est *dérouler.*
1. Disposer autour de quelque chose. *Le docteur Séverac a enroulé une bande autour de la cheville de Julie. — Des lianes s'enroulent autour des branches.* 2. *S'enrouler dans une couverture,* c'est s'envelopper en roulant la couverture autour de soi. *Claire s'enroula dans ses couvertures et s'endormit presque aussitôt.*
Même famille que **rouler**
[Le serpent] s'enroula autour de la cheville du Petit Prince, comme un bracelet d'or *(le Petit Prince).*

Conjugaison 1
s'ensabler v.
1. S'enfoncer dans le sable ; vois ***s'enliser.*** *Le camion risque de s'ensabler sur la plage.* 2. Se remplir de sable. *L'entrée du port s'est ensablée.*
Famille de **sable**

Conjugaison 1
ensanglanter v.
Tacher avec du sang, couvrir de sang. *En tombant de vélo, Antoine a ensanglanté son pantalon. Le pays a été ensanglanté par la guerre civile,* la guerre a fait couler le sang.
Même famille que **sanglant**

enseigne n. f.
L'enseigne rouge des bureaux de tabac s'appelle une *carotte.*
Panneau, portant une inscription ou un objet, qui signale un magasin, un café, un cinéma. *Mme Harpie a fait mettre une enseigne lumineuse au-dessus de sa boutique.*
L'enseigne d'une pharmacie est une croix verte.

Conjugaison 1
enseigner v.
1. *Enseigner quelque chose à quelqu'un,* c'est lui apprendre quelque chose qu'il doit comprendre et retenir. *C'est le même professeur qui nous enseigne l'histoire et la géographie. — Angèle enseigne dans le primaire,* elle fait son métier d'enseignante dans le primaire. 2. Apprendre, montrer. *Cette expérience lui enseignera peut-être la prudence.*

Les professeurs et les instituteurs sont des enseignants.
▸ ***enseignant*** n. m., ***enseignante*** n. f. Personne dont le métier est d'enseigner. *Angèle est une enseignante.* — adj. *Angèle fait partie du corps enseignant,* de l'ensemble des professeurs et des instituteurs.

Va voir aussi ***éducation.***
▸ ***enseignement*** n. m. 1. Instruction que l'on donne aux élèves. *Julie et Antoine deviennent savants grâce à l'enseignement d'Angèle !* 2. Profession de l'enseignant. *Angèle est dans l'enseignement.*
L'*enseignement public* est organisé par l'État.

① **ensemble** adv.
On a vu arriver la maîtresse et le directeur de l'école ; ils parlaient ensemble en nous regardant *(le Petit Nicolas).*
1. L'un avec l'autre, les uns avec les autres. *Denis Prost et Sophie Pelletier vivent ensemble. Julie et Yasmina jouent ensemble. Ce rouge et ce bleu vont bien ensemble,* ils s'accordent bien, ils sont bien assortis. 2. En même temps. *Mme Séverac et le maire sont arrivés ensemble. « Ne parlez pas tous ensemble », dit Angèle à ses élèves.*
Le contraire d'*ensemble,* c'est *séparément.*
[...] ils racontaient la peur qu'ils avaient eue dans la Forêt, en parlant presque toujours ensemble *(le Petit Poucet).*

En mathématiques, un *ensemble* est une collection d'éléments qui ont certaines propriétés et qui possèdent entre eux certaines relations.
Autre membre de la famille : **grand ensemble.**
▸ ② ***ensemble*** n. m. 1. Groupe. *Le pin et le sapin font partie de l'ensemble des conifères. Les conifères appartiennent à l'ensemble des arbres. Une chorale est un ensemble de chanteurs. Angèle s'adresse à l'ensemble de ses élèves,* à tous ses élèves. 2. *Sophie Pelletier portait un ensemble de lainage blanc,* une veste et une jupe assorties. 3. *Dans l'ensemble,* en général. *Dans l'ensemble, les élèves d'Angèle sont plutôt sages. Dans l'ensemble, le voyage s'est bien passé,* en gros.
Un ensemble peut aussi être composé d'un pantalon et d'une veste ou d'un pull-over et d'un gilet.

Conjugaison 3
ensemencer v.
Semer des graines. *Pierre Séverac a ensemencé le champ de maïs.*
Famille de **semence**

Conjugaison 2
ensevelir v.
1. Mettre au tombeau. *Les pharaons étaient ensevelis dans les pyramides ;* vois ***enterrer, inhumer.*** 2. Recouvrir complètement. *Les voleurs ont enseveli leur butin dans le jardin. Des skieurs ont été ensevelis par l'avalanche ;* vois ***engloutir.***
Pompéi fut ensevelie sous les cendres lors de l'éruption du Vésuve, en 79 après Jésus-Christ.

Famille de **soleil**
ensoleillé adj.
Un endroit ensoleillé, c'est un endroit où il y a beaucoup de soleil. *La chambre de Julie est très ensoleillée.*
Le midi de la France est une région ensoleillée.

Attention ! *ensommeillé* s'écrit avec deux ***m*** et deux ***l.***
ensommeillé adj.
Qui a envie de dormir, est mal réveillé. *Angèle s'est couchée tard et ce matin elle est tout ensommeillée.*
Famille de ② **somme**

Conjugaison 4
▭ Indic. présent : *j'ensorcelle, nous ensorcelons.* Imparfait : *j'ensorcelais.* Futur : *j'ensorcellerai.*

ensorceler v.
Jeter un sort, exercer une influence magique ; vois **envoûter.** *La méchante fée a ensorcelé la princesse.*
▸ ***ensorcellement*** n. m. État d'une personne sur qui on a jeté un sort. *Une bonne fée a mis fin à l'ensorcellement de la princesse.*

Compare *ensorceler* et *sorcellerie* : il s'agit de **sorcier.**
Compare : *ensorceler* → *ensorcellement* et *amonceler* → *amoncellement*

Famille de ① **en** et de **suivre**

ensuite adv.
1. Après cela, plus tard ; vois ***puis.*** *Angèle reste là jusqu'au 14 juillet, elle partira pour la Corse ensuite.* **2.** Derrière en suivant. *Pour le défilé, les petits marcheront devant et les grands viendront ensuite.*

Mangefeu éternue et pardonne à Pinocchio, qui sauve ensuite la vie à son ami Arlequin *(Pinocchio).*

Conjugaison 40 ; *s'ensuivre* ne s'emploie qu'à l'infinitif et à la troisième personne.

s'ensuivre v.
Venir après cela, être la conséquence de cela. *Le prisonnier a été torturé jusqu'à ce que mort s'ensuive.*

Famille de **suivre**

Famille de **tailler**

entaille n. f.
Coupure. *Le bûcheron a fait une entaille dans le tronc de l'arbre ;* vois ***encoche.*** *Claire s'est fait une entaille dans le doigt en jouant avec un canif,* elle s'est fait une coupure profonde.

On fait des entailles dans les pins pour recueillir la résine.

Conjugaison 1

▸ ***entailler*** v. Faire une entaille. *Le bûcheron entaillait le tronc de l'arbre. Claire s'est entaillé le doigt.*

La première tranche d'un rôti s'appelle *l'entame.*

entamer v.
1. Couper le premier morceau. *Antoine a entamé le saucisson.* **2.** Pénétrer et abîmer. *La rouille entame le fer.* **3.** Commencer à faire. *Les deux pays en guerre vont entamer des négociations de paix ;* vois ***entreprendre.***

Conjugaison 1

Conjugaison 1
Famille de **tartre**

entartrer v.
Recouvrir de tartre. *L'eau calcaire entartre les tuyaux. Le radiateur est entartré.*

Le contraire d'*entartrer,* c'est *détartrer.*

Conjugaison 1

entasser v.
1. Mettre en tas, sans ordre. *Odile Séverac a entassé de vieux vêtements dans le grenier.* **2.** *Les gens s'entassent dans le métro,* ils sont serrés les uns contre les autres.
▸ ***entassement*** n. m. Amoncellement ; vois ***amas, tas.*** *Il y a un entassement de vieux vêtements dans le grenier.*

Famille de **tas**

Conjugaison 41

Cendrillon entendit sonner onze heures trois quarts *(Cendrillon).*

entendre v.
1. Percevoir les sons avec les oreilles. *Angèle entend du bruit dans l'escalier. Les élèves entendent la cloche sonner. Mme Harpie n'a pas encore entendu parler du film dans lequel a joué Denis Prost. Mamie Lou n'entend pas bien,* elle est un peu sourde. **2.** Écouter. *Alex est allé entendre un concert de rock.* **3.** Vouloir. *Angèle entend se faire obéir.* **4.** Comprendre. *Mme Séverac m'a laissé entendre qu'elle savait où était partie Angèle. Mme Harpie n'entend rien à la politique. — M. Bellec s'y entend en bricolage,* il s'y connaît. **5.** *Yasmina et Julie s'entendent bien,* elles sont bien ensemble. *Elles se sont entendues pour faire une farce à Antoine,* elles se sont mises d'accord.
▸ ***entendu*** adj. **1.** *Un air entendu,* c'est un air complice. *Mme Séverac m'a dit d'un air entendu qu'elle savait où était Angèle.* **2.** Décidé après accord ; vois ***convenu.*** *Alex doit retourner au Québec chez Réjean, c'est entendu. Bien entendu, Antoine est arrivé en retard,* bien sûr ; vois ***évidemment.***

Et maintenant je ne veux plus entendre parler de la chasse. C'est fini. Je voulais vous demander si vos parents avaient toujours envie d'un chien *(les Contes du Chat perché).*

Autres membres de la famille : **malentendu, mésentente, sous-entendu.**

Mes sœurs devinrent jalouses de la bonne entente qu'elles remarquèrent entre le jeune prince et moi *(les Mille et Une Nuits).*

▸ ***entente*** n. f. **1.** Relations amicales entre des personnes. *Il règne une parfaite entente entre Julie et Yasmina.* **2.** Accord. *Les deux entreprises commerciales sont arrivées à une entente. Les deux pays mènent une politique d'entente.*

Le contraire d'*entente,* c'est *mésentente.*

Conjugaison 1

Être enterré tout vif ne me paraissait pas une fin moins déplorable que celle d'être dévoré par les cannibales *(les Mille et Une Nuits).*

enterrer v.
1. *Enterrer un mort,* c'est mettre son corps dans la terre ; vois ***ensevelir, inhumer.*** *La mère de Sophie Pelletier a été enterrée dans le cimetière de son quartier.* **2.** Mettre dans la terre. *Les voleurs ont enterré leur magot dans le jardin. Le chien enterre un os.*
▸ ***enterrement*** n. m. Cérémonie au cours de laquelle on enterre un mort. *Mme Séverac est allée à l'enterrement de la mère de Sophie Pelletier.*

Le contraire, c'est *déterrer.*

À l'enterrement d'une feuille morte
Deux escargots s'en vont
(Prévert).

Famille de **terre**

Conjugaison 1

s'entêter v.
Ne pas céder ; vois ***s'obstiner.*** *Yves s'entête à vouloir partir chez Loïc malgré sa fièvre.*

Famille de **tête**

▸ ***entêté*** adj. Têtu. *Yves est entêté, rien ne peut le faire changer d'avis.* — n. *C'est un entêté.*

Je suis ennuyé pour vous qui êtes bonne personne, mais ce jars est un entêté qui fait le malheur de sa famille *(les Contes du Chat perché).*

▸ ***entêtement*** n. m. Obstination à persister dans un comportement, une idée malgré les circonstances ou les conseils que l'on reçoit. *Yves est d'un entêtement incroyable.*

N'oublie pas le ***h*** entre le ***t*** et le ***o*** dans *enthousiasme, enthousiasmer* et *enthousiaste.*

enthousiasme n. m.
1. Grande admiration. *Alex raconte son voyage au Québec avec enthousiasme.* **2.** Grande joie. *Yasmina a accepté avec enthousiasme de passer le week-end chez Julie.*

Conjugaison 1

▸ ***enthousiasmer*** v. Remplir d'admiration ou de joie ; vois ***enchanter.*** *Alex a été enthousiasmé par son voyage au Québec.*

▸ ***enthousiaste*** adj. Très joyeux, plein d'admiration. *Les spectateurs étaient enthousiastes,* ils étaient pleins d'enthousiasme.

Le contraire d'*enthousiaste,* c'est *froid, indifférent.*

entier adj.
1. Dans toute son étendue. *Le restaurant Bellec ferme un mois entier,* tout un mois. *Denis Prost n'est pas encore connu dans le monde entier,* partout. **2.** À quoi il ne manque rien. *Antoine a mangé une boîte entière de chocolats ;* vois ***complet.*** *Le vase est arrivé entier,* il n'a pas été cassé ; vois ***intact.*** **3.** *Un nombre entier* c'est un nombre qui ne contient pas de virgule. *613 est un nombre entier.* **4.** Parfait, total. *M. Bonnot fait entière confiance au docteur Séverac ;* vois ***plein.*** **5.** Qui n'admet aucune nuance. *M. Bellec est entier dans ses opinions,* il a des opinions tranchées.

En entier : complètement.

Il y avait un Mouton tout entier à la broche pour le souper de l'Ogre *(le Petit Poucet).*

61,3 est un nombre *décimal.*

▸ ***entièrement*** adv. Complètement. *La poste n'a pas été entièrement détruite par l'incendie ;* vois ***totalement.*** *Tu as entièrement raison ;* vois ***tout à fait.***

Le contraire d'*entièrement,* c'est *en partie.*

Attention ! deux ***n*** dans *entonner.*
Famille de ② **ton**

entonner v.
Entonner un air, c'est commencer à le chanter. *Loïc a entonné une chanson de marin.*

Conjugaison 1

entonnoir n. m.
Petit instrument creux, en forme de cône terminé par un tube qui sert à verser un liquide dans un récipient à ouverture étroite. *Mamie Lou a mis un entonnoir dans le goulot de la bouteille pour transvaser du lait.*

Famille de **tordre**

entorse n. f.
Blessure que l'on se fait quand on se tord une articulation. *Julie s'est fait une entorse à la cheville en tombant de vélo.*

Va voir aussi ***foulure.***

Conjugaison 1

entortiller v.
Envelopper en tortillant. *Les oranges sont entortillées dans du papier,* elles sont enroulées dans un papier tordu aux deux bouts.

Famille de **tordre**

Conjugaison 1
Famille de **tourner**

entourer v.
1. Mettre autour. *Pierre Séverac a entouré le champ d'une clôture électrique.* **2.** Être ou se tenir autour. *Un fossé entoure le château. Les soldats entourent la ville ;* vois ***cerner, encercler.*** **3.** *Mamie Lou aime s'entourer de ses petits-enfants,* avoir ses petits-enfants autour d'elle. **4.** *Mamie Lou est très entourée par ses enfants,* ils s'occupent d'elle, lui montrent leur affection.

De jolis enfants lui faisaient signe d'avancer, elle courut à eux, ils l'entourèrent en riant, et se mirent les uns à la pincer, les autres à la tirailler, à lui jeter du sable dans les yeux *(les Malheurs de Sophie).*

▸ ***entourage*** n. m. Personnes qui entourent habituellement quelqu'un. *L'assassin a été dénoncé par une personne de son entourage.*

Famille de ② **acte**

entracte n. m.
Temps d'arrêt entre deux parties d'un spectacle. *Au cirque, pendant l'entracte, les enfants ont visité la ménagerie.*

Conjugaison 1

s'entraider v.
S'aider les uns les autres. *Pierre Séverac et ses voisins s'entraident pour faire la moisson.*

Famille de **aider**

▸ ***entraide*** n. f. Aide mutuelle ; vois ***solidarité.*** *Un comité d'entraide s'est constitué pour porter secours aux sans-abri.*

entrailles n. f. plur.
Organes contenus dans le ventre ; vois ***boyau, intestin, tripes, viscère.*** *Les hyènes ont dévoré les entrailles du zèbre.*

Famille de ① **en** et de ③ **train**

entrain n. m.
Vivacité, bonne humeur. *Sophie Pelletier fait ses bagages avec entrain.*

Manquer d'entrain, c'est manquer d'animation.

N'oublie pas l'accent circonflexe du *î*.

① **entraîner** v.
1. Emporter au loin. *Le courant entraîne la barque.* **2.** Communiquer son mouvement. *La chaîne du vélo entraîne les roues.* **3.** *Entraîner quelqu'un,* c'est le pousser à faire quelque chose qu'il ne voulait pas. *Antoine s'est laissé entraîner par Colle et Rat.* **4.** Causer. *L'accident a entraîné un ralentissement de la circulation ;* vois ***provoquer.***

Conjugaison 1

▸ **entraînant** adj. Qui entraîne à la gaieté, donne de l'entrain. *Cette musique a un rythme entraînant.*

Famille de **traîner**

Conjugaison 1

② **entraîner** v.
1. Préparer à une compétition sportive. *Le jockey entraîne son cheval tous les jours. — Les athlètes s'entraînent pour les Jeux olympiques.* **2.** *S'entraîner à faire quelque chose,* c'est apprendre à le faire en le refaisant plusieurs fois. *Angèle s'entraîne à plonger.*

Prononce [ɑ̃tʀɛnmɑ̃].

▸ **entraînement** n. m. Action d'entraîner, de s'entraîner. *Il faut des heures d'entraînement pour devenir un champion.*

▸ **entraîneur** n. m. Personne qui entraîne des sportifs. *Elle est l'entraîneur de l'équipe féminine de natation.*

L'*entraîneur* est aussi la personne qui entraîne les chevaux pour la course.

Conjugaison 1

entraver v.
Entraver un animal, c'est attacher ses jambes pour l'empêcher de s'en aller. *Le maréchal-ferrant entrave le cheval pour le ferrer.*

Entraver un projet, c'est empêcher sa réalisation.

entre préposition
1. Dans l'espace qui sépare. *Il y a neuf cent quatre-vingt-dix-neuf kilomètres par la route entre Marseille et Bruxelles. Le chat dort entre les pattes du chien.* **2.** Dans le temps qui sépare. *Denis Prost arrivera entre neuf heures et dix heures.* **3.** *Entre* indique que l'on compare. *Il faut choisir entre toutes ces solutions,* au milieu de toutes ces solutions ; vois ***parmi.*** *Quelle différence y a-t-il entre un cheval et une carotte ?* **4.** *Nous serons entre amis,* il n'y aura que des amis. **5.** *Yves et Antoine ont souvent des disputes entre eux,* l'un avec l'autre.

Entre les deux, mon cœur balance (ronde).

Le cheval tire, la carotte pousse !

Cela restera entre nous : nous ne le dirons pas aux autres.

N'oublie pas l'accent circonflexe du *â* de *entrebâiller* et de *entrebâillement.*

entrebâiller v.
Ouvrir très peu ; vois ***entrouvrir.*** *Denis Prost entrebâille la porte pour voir si le bébé dort bien.*

Conjugaison 1

▸ **entrebâillement** n. m. Ouverture laissée par une porte ou une fenêtre entrebâillée. *Denis Prost passe la tête dans l'entrebâillement de la porte.*

Prononce [ɑ̃tʀəbajmɑ̃].
Famille de **bâiller**

Conjugaison 1

entrechoquer v.
Choquer, heurter l'un contre l'autre. *Pour trinquer, les invités entrechoquent leurs verres. — Les verres s'entrechoquent.*

Famille de **choc**

Famille de ① **côte**

entrecôte n. f.
Morceau de viande de bœuf coupée entre les côtes. *Mme Roussel fait griller une entrecôte.*

Conjugaison 1

entrecouper v.
Interrompre par moments. *Antoine entrecoupe son histoire de rires.*

Famille de **couper**

Conjugaison 1

entrecroiser v.
Croiser ensemble de nombreuses fois ; vois ***entrelacer.*** *On entrecroise des brins d'osier pour tresser un panier.*

Famille de **croix**

Famille de **entrer**

Le contraire d'*entrée,* c'est *sortie.*

entrée n. f.
1. Passage de l'extérieur à l'intérieur. *Les athlètes sont applaudis à leur entrée sur le stade ;* vois ***arrivée.*** **2.** Possibilité ou droit d'entrer. *L'entrée dans le cinéma est interdite aux animaux. L'entrée en sixième est un moment difficile.* **3.** Endroit par où l'on entre. *La maison des Séverac a plusieurs entrées.* **4.** Pièce où donne la porte d'entrée d'une maison. *Un visiteur vous attend dans l'entrée.* **5.** Plat qui est servi au commencement du repas. *Mme Roussel a servi un feuilleté au roquefort en entrée.*

Entrée interdite au public.

Le contraire d'*entrée,* c'est *issue.*

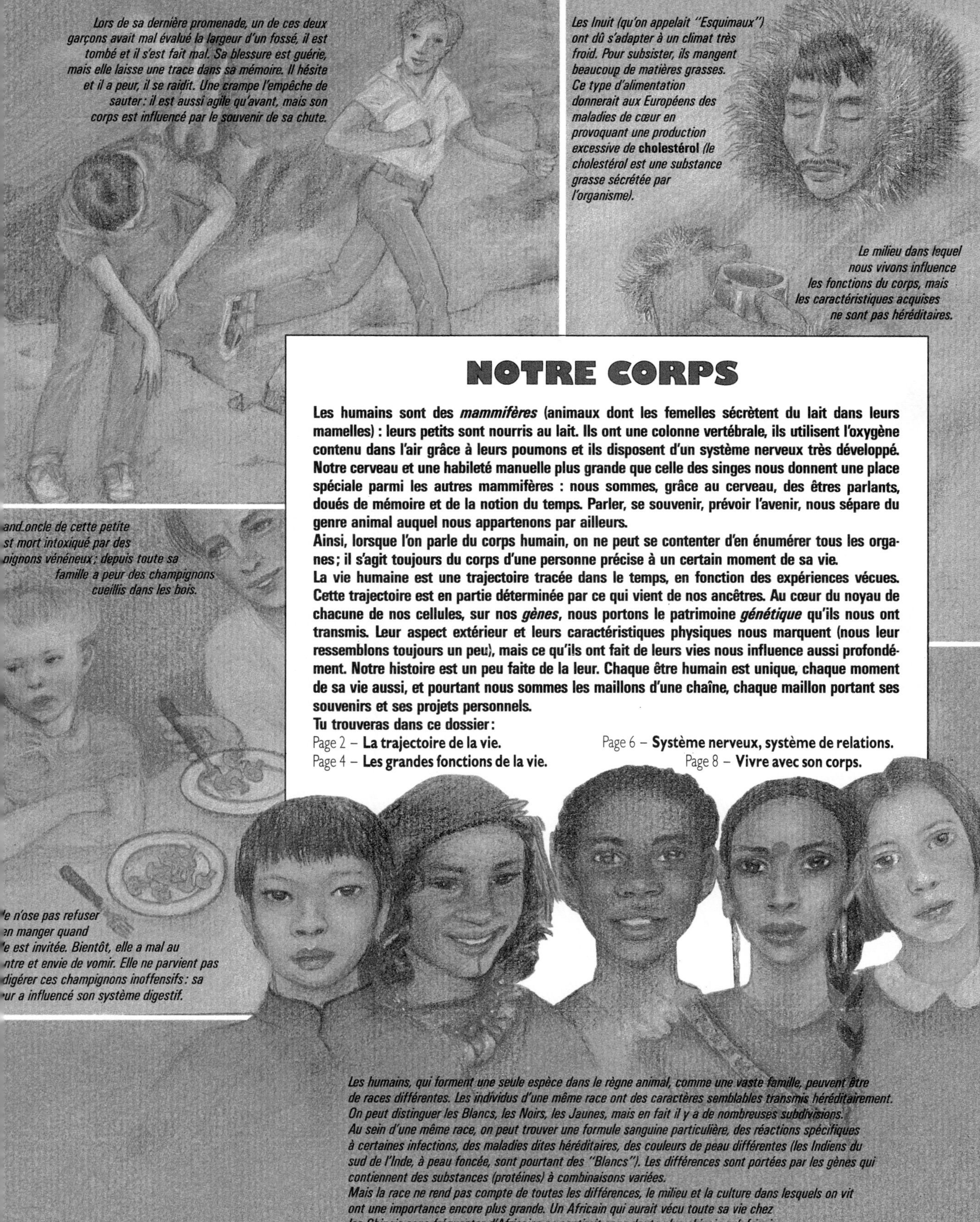

Lors de sa dernière promenade, un de ces deux garçons avait mal évalué la largeur d'un fossé, il est tombé et il s'est fait mal. Sa blessure est guérie, mais elle laisse une trace dans sa mémoire. Il hésite et il a peur, il se raidit. Une crampe l'empêche de sauter : il est aussi agile qu'avant, mais son corps est influencé par le souvenir de sa chute.

Les Inuit (qu'on appelait "Esquimaux") ont dû s'adapter à un climat très froid. Pour subsister, ils mangent beaucoup de matières grasses. Ce type d'alimentation donnerait aux Européens des maladies de cœur en provoquant une production excessive de **cholestérol** (le cholestérol est une substance grasse sécrétée par l'organisme).

Le milieu dans lequel nous vivons influence les fonctions du corps, mais les caractéristiques acquises ne sont pas héréditaires.

NOTRE CORPS

Les humains sont des *mammifères* (animaux dont les femelles sécrètent du lait dans leurs mamelles) : leurs petits sont nourris au lait. Ils ont une colonne vertébrale, ils utilisent l'oxygène contenu dans l'air grâce à leurs poumons et ils disposent d'un système nerveux très développé. Notre cerveau et une habileté manuelle plus grande que celle des singes nous donnent une place spéciale parmi les autres mammifères : nous sommes, grâce au cerveau, des êtres parlants, doués de mémoire et de la notion du temps. Parler, se souvenir, prévoir l'avenir, nous sépare du genre animal auquel nous appartenons par ailleurs.

Ainsi, lorsque l'on parle du corps humain, on ne peut se contenter d'en énumérer tous les organes ; il s'agit toujours du corps d'une personne précise à un certain moment de sa vie.

La vie humaine est une trajectoire tracée dans le temps, en fonction des expériences vécues. Cette trajectoire est en partie déterminée par ce qui vient de nos ancêtres. Au cœur du noyau de chacune de nos cellules, sur nos *gènes*, nous portons le patrimoine *génétique* qu'ils nous ont transmis. Leur aspect extérieur et leurs caractéristiques physiques nous marquent (nous leur ressemblons toujours un peu), mais ce qu'ils ont fait de leurs vies nous influence aussi profondément. Notre histoire est un peu faite de la leur. Chaque être humain est unique, chaque moment de sa vie aussi, et pourtant nous sommes les maillons d'une chaîne, chaque maillon portant ses souvenirs et ses projets personnels.

Tu trouveras dans ce dossier :

Page 2 – **La trajectoire de la vie.**
Page 4 – **Les grandes fonctions de la vie.**
Page 6 – **Système nerveux, système de relations.**
Page 8 – **Vivre avec son corps.**

...and oncle de cette petite ...st mort intoxiqué par des ...pignons vénéneux ; depuis toute sa famille a peur des champignons cueillis dans les bois.

...le n'ose pas refuser ...en manger quand ...le est invitée. Bientôt, elle a mal au ...ntre et envie de vomir. Elle ne parvient pas ... digérer ces champignons inoffensifs : sa ...ur a influencé son système digestif.

Les humains, qui forment une seule espèce dans le règne animal, comme une vaste famille, peuvent être de races différentes. Les individus d'une même race ont des caractères semblables transmis héréditairement. On peut distinguer les Blancs, les Noirs, les Jaunes, mais en fait il y a de nombreuses subdivisions.
Au sein d'une même race, on peut trouver une formule sanguine particulière, des réactions spécifiques à certaines infections, des maladies dites héréditaires, des couleurs de peau différentes (les Indiens du sud de l'Inde, à peau foncée, sont pourtant des "Blancs"). Les différences sont portées par les gènes qui contiennent des substances (protéines) à combinaisons variées.
Mais la race ne rend pas compte de toutes les différences, le milieu et la culture dans lesquels on vit ont une importance encore plus grande. Un Africain qui aurait vécu toute sa vie chez les Chinois sans fréquenter d'Africains se sentirait sans doute plus chinois qu'africain.

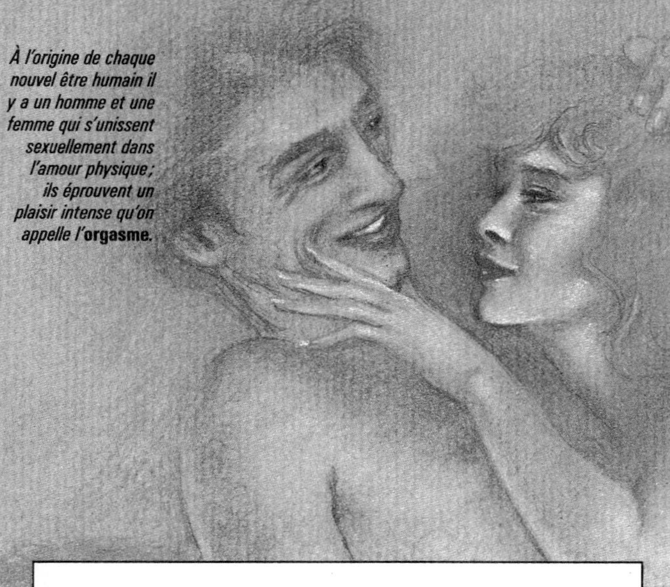

*À l'origine de chaque nouvel être humain il y a un homme et une femme qui s'unissent sexuellement dans l'amour physique ; ils éprouvent un plaisir intense qu'on appelle l'**orgasme**.*

spermatozoïdes

*Les cellules sexuelles de l'homme s'appellent les **spermatozoïdes**. Ce sont eux qui sont porteurs d'un chromosome masculin ou féminin qui déterminera le sexe de l'enfant. Ils sont contenus dans le sperme qui jaillit de la verge de l'homme. Les cellules sexuelles de la femme, produites par les ovaires, s'appellent des **ovules**. Chaque mois, l'ovaire expulse un seul ovule. Les spermatozoïdes doivent remonter dans l'appareil génital de la femme pour rencontrer l'ovule. Des milliers d'entre eux meurent en chemin et un seul pénétrera à l'intérieur de l'ovule : c'est la fécondation ; dès ce moment l'**œuf** est créé.*

ovule

L'œuf se construit pour moitié des éléments venus de la mère, pour l'au moitié, des éléments venus du père. la première division cellulaire se fait. L'histoire de l'individu humain comme par une série de divisions, les cellule produites étant d'abord toutes identi

morula

L'œuf g ju ressem une mûre (ap en latin mo Tout en se divis voyage, et arrive dans l'utérus où creuse un nid dans la paroi : c'est la nid

LA TRAJECTOIRE DE LA VIE

La vie humaine est une trajectoire qui commence avant la naissance, à la conception, pour s'achever avec la mort. Tous les événements vécus par l'individu laissent leur trace et infléchissent cette trajectoire.
On a trop souvent tendance à faire comme si la vie commençait à la naissance, alors que la vie fœtale est très importante ; dans le ventre de sa mère, le futur bébé réagit à ce qui se passe dans le corps de sa mère et il communique avec elle. Par sa mère, l'embryon est en relation avec le milieu extérieur ; les échanges sont permanents et ils influencent son développement physique et affectif. Puis vient le grand événement de la naissance. Le fœtus est devenu nouveau-né, mais il n'est pas encore capable de vivre seul : de tous les mammifères, le bébé humain est celui qui naît le plus inachevé. Peu à peu, il devient autonome, grandit, mûrit. Arrive alors le passage, par l'adolescence, à l'âge adulte ; puis viennent la maturité et la vieillesse, si l'organisme n'est pas détruit par accident ou par maladie.

Dès les premières minutes de sa vie, le nouveau-né est capable de chercher le sein de sa mère pour téter. À notre naissance, nous manquons complètement d'expérience, mais l'intelligence et la sensibilité sont là. L'odorat et le goût sont plus sensibles qu'ils ne le seront jamais, le toucher est très développé, ainsi que l'audition et la vision rapprochée. Le nouveau-né a déjà une personnalité très affirmée : il faut lui donner un sentiment de sécurité et l'aider à vivre de manière indépendante, et c'est pourquoi la manière dont on s'en occupe est essentielle.

L'adolescence est une période de transition entre l'enfance et l'âge adulte. Elle est marquée par la puberté, qui est une mutation du corps et des sentiments.

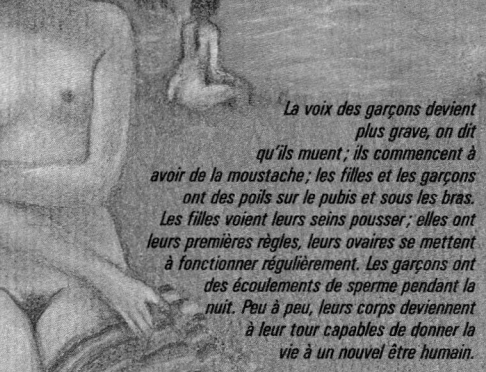

La voix des garçons devient plus grave, on dit qu'ils muent ; ils commencent à avoir de la moustache ; les filles et les garçons ont des poils sur le pubis et sous les bras. Les filles voient leurs seins pousser ; elles ont leurs premières règles, leurs ovaires se mettent à fonctionner régulièrement. Les garçons ont des écoulements de sperme pendant la nuit. Peu à peu, leurs corps deviennent à leur tour capables de donner la vie à un nouvel être humain.

La maturité, c'est l'âge auquel on est cer être en pleine possession de ses moyens, l'âge où la majorité des gens sont deven des parents. Certains jeunes gens ou jeu filles sont toutefois plus mûrs que bien d adultes. Peu à peu, on vieillit. En vérité,

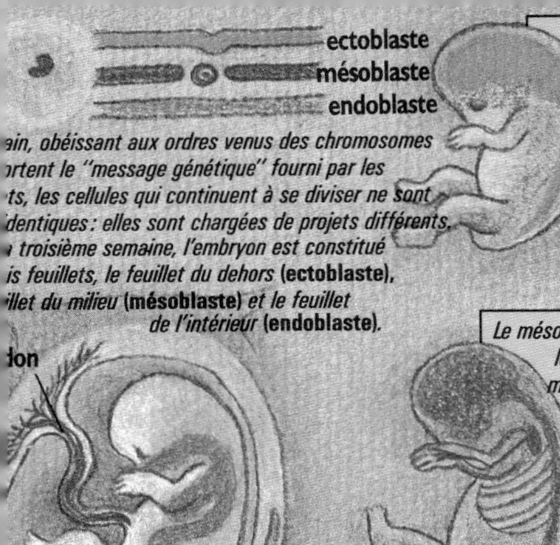

L'ectoblaste donnera le tissu nerveux.

…ain, obéissant aux ordres venus des chromosomes …ortent le "message génétique" fourni par les …ts, les cellules qui continuent à se diviser ne sont …identiques : elles sont chargées de projets différents. … troisième semaine, l'embryon est constitué …is feuillets, le feuillet du dehors (**ectoblaste**)*, …illet du milieu* (**mésoblaste**) *et le feuillet de l'intérieur* (**endoblaste**).

Le mésoblaste donnera le squelette, les muscles, le tissu conjonctif, l'appareil respiratoire et les reins.

L'endoblaste donnera les glandes digestives et le tissu pulmonaire.

Pour recevoir l'oxygène et les éléments nécessaires à son développement, l'embryon dispose d'un organe d'échange, le **placenta**, *à l'intérieur duquel son sang et celui de sa mère circulent sans jamais se mélanger. Du placenta part le cordon ombilical dont la cicatrice, à la naissance, formera le nombril.*

Le fœtus est sensible au monde qui l'entoure. Il cherche le contact avec les mains que ses parents posent sur le ventre de sa mère, il réagit aux émotions de sa mère et aux bruits extérieurs.

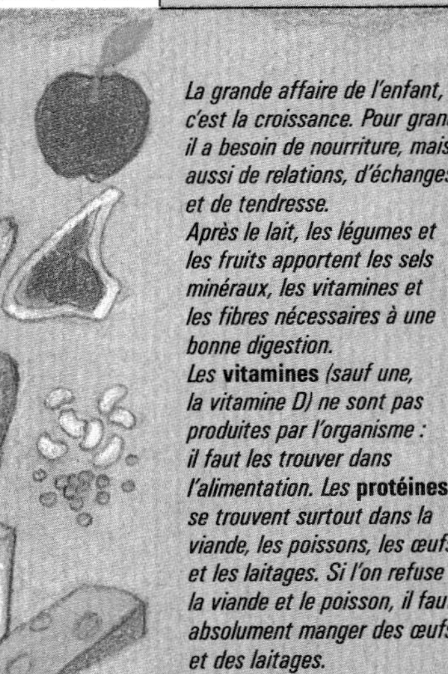

La grande affaire de l'enfant, c'est la croissance. Pour grandir, il a besoin de nourriture, mais aussi de relations, d'échanges et de tendresse.
Après le lait, les légumes et les fruits apportent les sels minéraux, les vitamines et les fibres nécessaires à une bonne digestion.
Les **vitamines** *(sauf une, la vitamine D) ne sont pas produites par l'organisme : il faut les trouver dans l'alimentation. Les* **protéines** *se trouvent surtout dans la viande, les poissons, les œufs et les laitages. Si l'on refuse la viande et le poisson, il faut absolument manger des œufs et des laitages.*

Une alimentation équilibrée doit comporter de tout en quantité raisonnable. Actuellement, dans les pays riches, les gens ont tendance à manger plus qu'ils n'en ont réellement besoin, à consommer trop de graisses et de sucreries, alors que de nombreux humains n'ont pas le nécessaire dès l'enfance.
Lorsque l'enfant grandit, ses proportions changent. Ainsi sa tête, qui était grosse par rapport à son corps quand il était bébé, devient relativement plus petite par rapport à son corps d'adolescent. De la vie fœtale à l'adolescence, le squelette qui était cartilagineux va devenir osseux. Par exemple, en faisant des radiographies de la main et du poignet, on peut surveiller l'apparition de 30 points d'ossification.

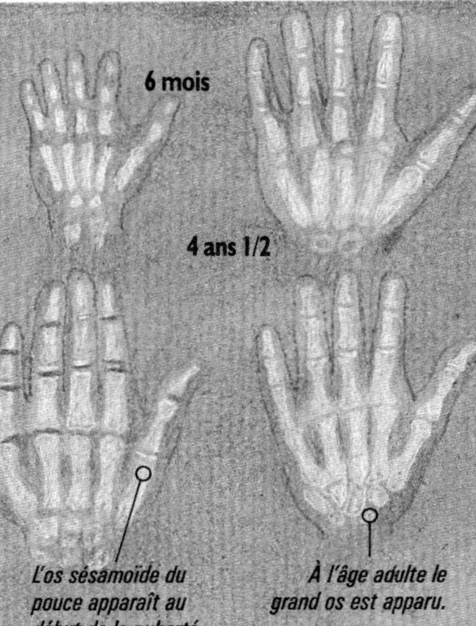

L'os sésamoïde du pouce apparaît au début de la puberté.

À l'âge adulte le grand os est apparu.

…hénomène est continu, on en prend conscience par …tapes. La longueur de la vie est en partie …éterminée par l'héritage génétique, sauf en …as d'accident, de maladie grave, de …ous-alimentation, etc. Les rayons cosmiques …ui nous bombardent en permanence et les phénomènes d'oxydation à l'intérieur de nos cellules sont parmi les causes connues du vieillissement. La longueur moyenne de la vie est variable selon les sociétés et les situations sociales ; elle a augmenté en moyenne. Quand on vieillit, les cellules se renouvellent moins vite ou plus du tout. C'est ce qui provoque les cheveux blancs et les rides. Mais en vieillissant, on acquiert de l'expérience. Même si certaines cellules du cerveau meurent, celles qui restent créent de nouvelles connexions entre elles, et c'est cela le plus important.

LES GRANDES FONCTIONS DE LA VIE

Notre vie est un échange perpétuel avec le monde qui nous entoure : c'est pourquoi l'environnement est si important pour nous.
Soutenus et protégés par le squelette, les organes essentiels de la vie, organisés en grands systèmes, sont entourés par les muscles, eux-mêmes enveloppés par la peau.
Le système cœur/poumons assure *la fonction respiratoire* indispensable à notre vie : privé d'oxygène, notre cerveau se détériore en quelques minut
Les poumons permettent le renouvellement de l'ox gène de notre sang et éliminent les déchets gazeu le cœur propulse le sang dans l'ensemble de no corps.
Nous puisons dans la nourriture et la boisson l matériaux qui servent à la construction perm nente de notre corps. Nous ne cessons de détru et d'éliminer des cellules anciennes et de produ

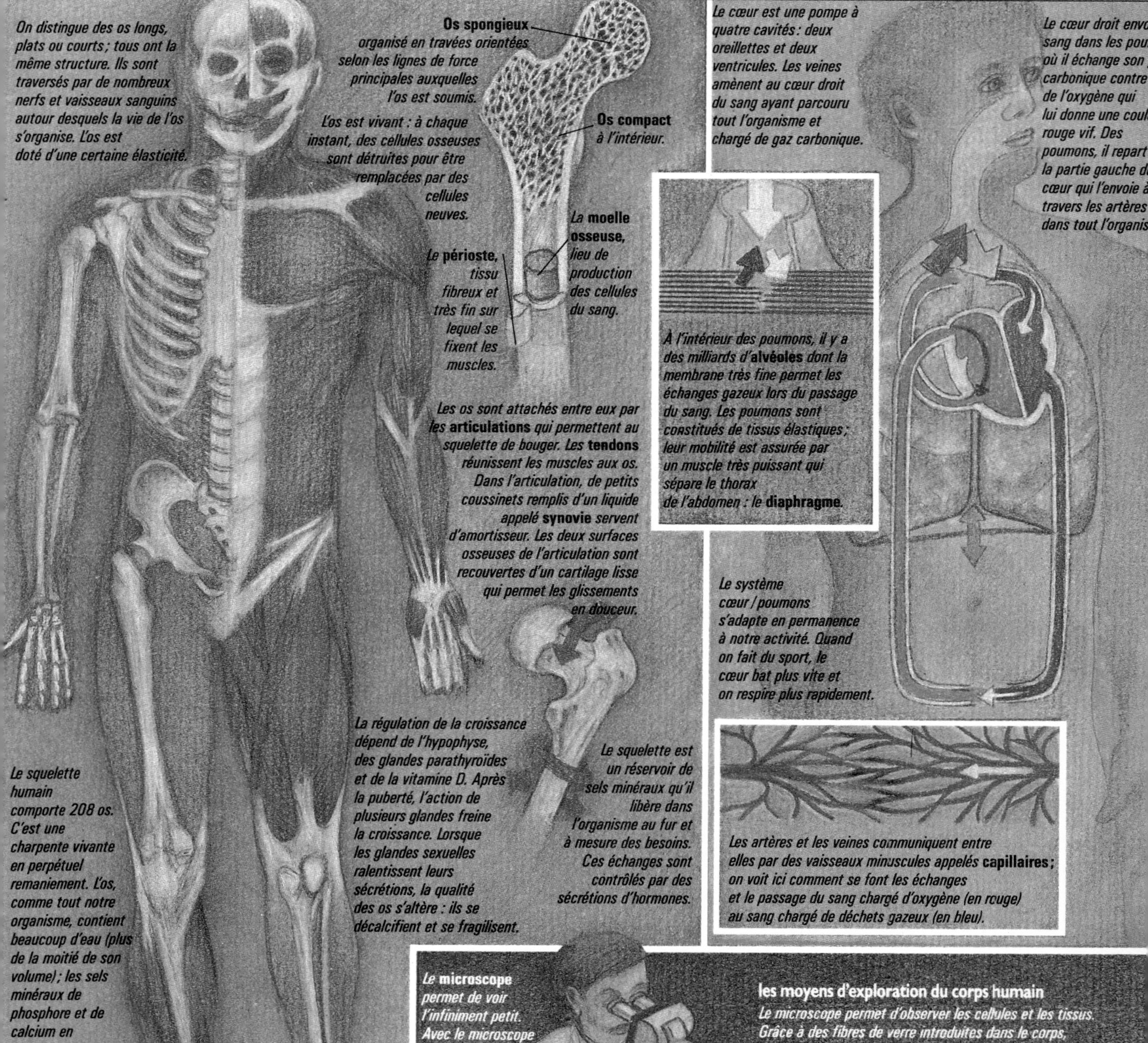

On distingue des os longs, plats ou courts ; tous ont la même structure. Ils sont traversés par de nombreux nerfs et vaisseaux sanguins autour desquels la vie de l'os s'organise. L'os est doté d'une certaine élasticité.
Os spongieux organisé en travées orientées selon les lignes de force principales auxquelles l'os est soumis.
L'os est vivant : à chaque instant, des cellules osseuses sont détruites pour être remplacées par des cellules neuves.
Os compact à l'intérieur.
La **moelle osseuse,** lieu de production des cellules du sang.
Le **périoste,** tissu fibreux et très fin sur lequel se fixent les muscles.
Les os sont attachés entre eux par les **articulations** qui permettent au squelette de bouger. Les **tendons** réunissent les muscles aux os. Dans l'articulation, de petits coussinets remplis d'un liquide appelé **synovie** servent d'amortisseur. Les deux surfaces osseuses de l'articulation sont recouvertes d'un cartilage lisse qui permet les glissements en douceur.
Le cœur est une pompe à quatre cavités : deux oreillettes et deux ventricules. Les veines amènent au cœur droit du sang ayant parcouru tout l'organisme et chargé de gaz carbonique.
Le cœur droit envo sang dans les pou où il échange son carbonique contre de l'oxygène qui lui donne une coul rouge vif. Des poumons, il repart la partie gauche d cœur qui l'envoie à travers les artères dans tout l'organis
À l'intérieur des poumons, il y a des milliards d'**alvéoles** dont la membrane très fine permet les échanges gazeux lors du passage du sang. Les poumons sont constitués de tissus élastiques ; leur mobilité est assurée par un muscle très puissant qui sépare le thorax de l'abdomen : le **diaphragme**.
Le système cœur / poumons s'adapte en permanence à notre activité. Quand on fait du sport, le cœur bat plus vite et on respire plus rapidement.
La régulation de la croissance dépend de l'hypophyse, des glandes parathyroïdes et de la vitamine D. Après la puberté, l'action de plusieurs glandes freine la croissance. Lorsque les glandes sexuelles ralentissent leurs sécrétions, la qualité des os s'altère : ils se décalcifient et se fragilisent.
Le squelette est un réservoir de sels minéraux qu'il libère dans l'organisme au fur et à mesure des besoins. Ces échanges sont contrôlés par des sécrétions d'hormones.
Les artères et les veines communiquent entre elles par des vaisseaux minuscules appelés **capillaires** ; on voit ici comment se font les échanges et le passage du sang chargé d'oxygène (en rouge) au sang chargé de déchets gazeux (en bleu).
Le squelette humain comporte 208 os. C'est une charpente vivante en perpétuel remaniement. L'os, comme tout notre organisme, contient beaucoup d'eau (plus de la moitié de son volume) ; les sels minéraux de phosphore et de calcium en constituent un quart ainsi que les constituants organiques : graisses, protéines, sucres.
Le **microscope** permet de voir l'infiniment petit. Avec le microscope électronique, on peut observer des virus de quelques millionièmes de millimètre.

les moyens d'exploration du corps humain

*Le microscope permet d'observer les cellules et les tissus. Grâce à des fibres de verre introduites dans le corps, on peut voir l'intérieur du corps en fonctionnement. Cette technique s'appelle l'**endoscopie**.*
*La **radiographie** utilise les capacités qu'ont les rayons X de traverser les tissus. L'abus des radiographies peut être dangereux.*
*Les **tomographies** sont des radiographies où l'on choisit, dans l'épaisseur du corps, la profondeur exacte à laquelle on fait le clic*
*L'**échographie** envoie un faisceau d'ondes (ultrasons) qui rebondissent différemment selon les tissus qu'elles rencontrent. On enregistre leur retour, ce*

cellules nouvelles. En sept années, le corps ain renouvelle toutes ses cellules.
gestion est le processus complexe assuré par stème digestif qui nous permet d'assimiler les ents et d'éliminer leurs déchets. La qualité de ue nous mangeons est essentielle, puisque les ents deviennent une partie de nous-mêmes. On it pas quelles conséquences peut avoir l'inges- de particules radioactives contenues dans les aliments contaminés, mais elles sont sûrement graves.

Toutes les fonctions essentielles au maintien de la vie dépendent des hormones sécrétées par des glandes situées à divers endroits de notre corps. L'équilibre entre ces sécrétions hormonales est très subtil. Il est rythmé par de véritables "horloges biologiques" qui fonctionnent en relation les unes avec les autres et sont réglées par une partie du système nerveux, appelé "système neurovégétatif". C'est par l'intermédiaire de ce système que nos émotions agissent sur nos sécrétions hormonales.
Le système rénal assure un équilibre permanent aux liquides de notre corps. Notre organisme est constitué d'eau pour plus de 70 %. Ces liquides permettent l'élimination des déchets solubles, de la même manière que le système digestif assure l'élimination des déchets solides.

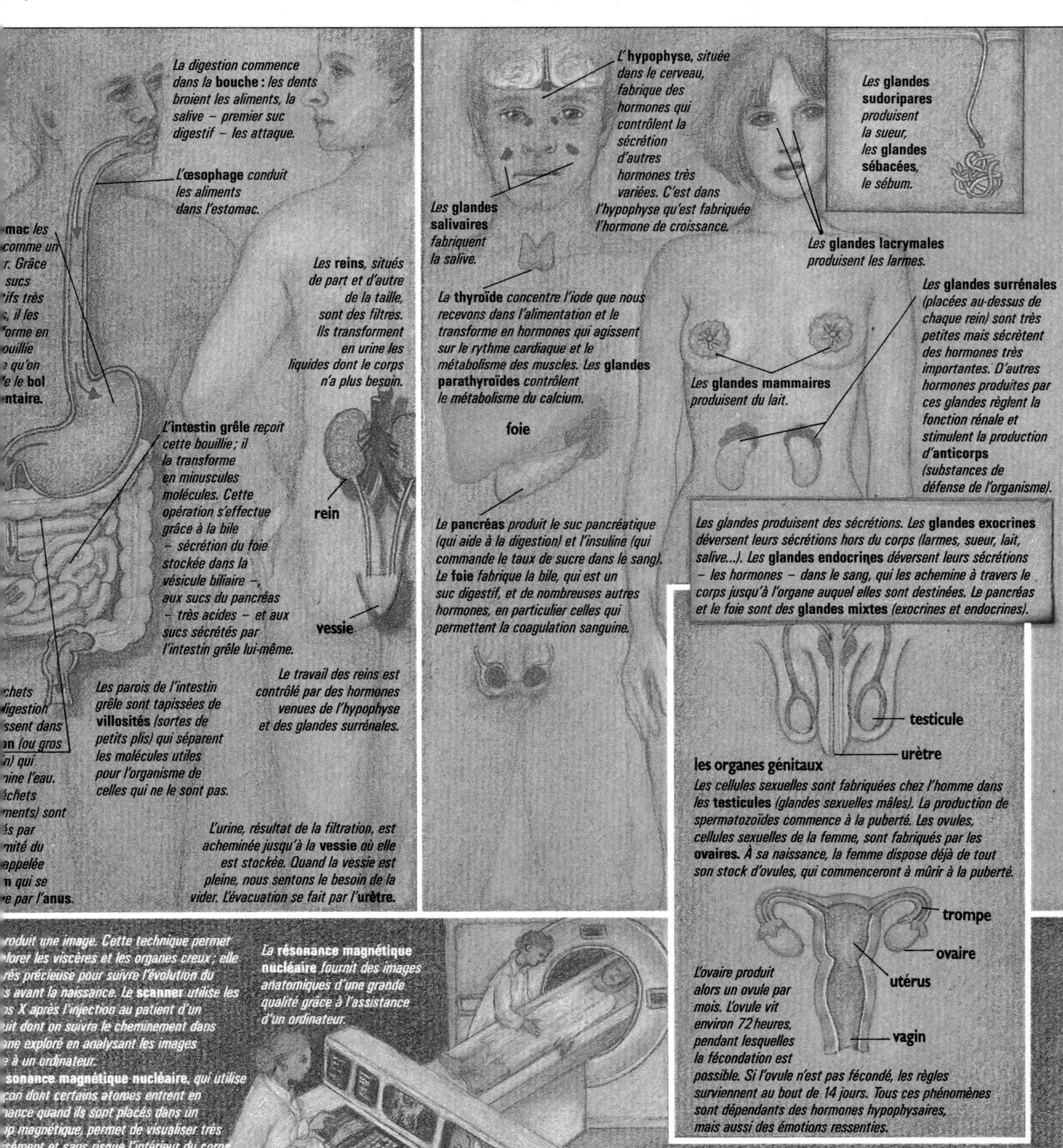

La digestion commence dans la **bouche** *: les dents broient les aliments, la salive – premier suc digestif – les attaque.*
L'œsophage conduit les aliments dans l'estomac.
mac *les comme un r. Grâce sucs ifs très , il les orme en ouillie qu'on le* **bol ntaire.**
Les **reins**, *situés de part et d'autre de la taille, sont des filtres. Ils transforment en urine les liquides dont le corps n'a plus besoin.*
L'intestin grêle *reçoit cette bouillie ; il la transforme en minuscules molécules. Cette opération s'effectue grâce à la bile – sécrétion du foie stockée dans la vésicule biliaire –, aux sucs du pancréas – très acides – et aux sucs sécrétés par l'intestin grêle lui-même.*
rein
vessie
chets digestion ssent dans **n** *(ou gros n) qui ine l'eau. échets ments) sont és par mité du appelée* **n** *qui se e par l'***anus**.
Les parois de l'intestin grêle sont tapissées de **villosités** *(sortes de petits plis) qui séparent les molécules utiles pour l'organisme de celles qui ne le sont pas.*
Le travail des reins est contrôlé par des hormones venues de l'hypophyse et des glandes surrénales.
L'urine, résultat de la filtration, est acheminée jusqu'à la **vessie** *où elle est stockée. Quand la vessie est pleine, nous sentons le besoin de la vider. L'évacuation se fait par l'***urètre**.
L'hypophyse, *située dans le cerveau, fabrique des hormones qui contrôlent la sécrétion d'autres hormones très variées. C'est dans l'hypophyse qu'est fabriquée l'hormone de croissance.*
Les **glandes salivaires** *fabriquent la salive.*
La **thyroïde** *concentre l'iode que nous recevons dans l'alimentation et le transforme en hormones qui agissent sur le rythme cardiaque et le métabolisme des muscles. Les* **glandes parathyroïdes** *contrôlent le métabolisme du calcium.*
foie
Le **pancréas** *produit le suc pancréatique (qui aide à la digestion) et l'insuline (qui commande le taux de sucre dans le sang). Le* **foie** *fabrique la bile, qui est un suc digestif, et de nombreuses autres hormones, en particulier celles qui permettent la coagulation sanguine.*
Les **glandes sudoripares** *produisent la sueur, les* **glandes sébacées**, *le sébum.*
Les **glandes lacrymales** *produisent les larmes.*
Les **glandes surrénales** *(placées au-dessus de chaque rein) sont très petites mais sécrètent des hormones très importantes. D'autres hormones produites par ces glandes règlent la fonction rénale et stimulent la production d'***anticorps** *(substances de défense de l'organisme).*
Les **glandes mammaires** *produisent du lait.*
Les glandes produisent des sécrétions. Les **glandes exocrines** *déversent leurs sécrétions hors du corps (larmes, sueur, lait, salive...). Les* **glandes endocrines** *déversent leurs sécrétions – les hormones – dans le sang, qui les achemine à travers le corps jusqu'à l'organe auquel elles sont destinées. Le pancréas et le foie sont des* **glandes mixtes** *(exocrines et endocrines).*
testicule
urètre
les organes génitaux
Les cellules sexuelles sont fabriquées chez l'homme dans les **testicules** *(glandes sexuelles mâles). La production de spermatozoïdes commence à la puberté. Les ovules, cellules sexuelles de la femme, sont fabriqués par les* **ovaires.** *À sa naissance, la femme dispose déjà de tout son stock d'ovules, qui commenceront à mûrir à la puberté.*
trompe
ovaire
utérus
vagin
L'ovaire produit alors un ovule par mois. L'ovule vit environ 72 heures, pendant lesquelles la fécondation est possible. Si l'ovule n'est pas fécondé, les règles surviennent au bout de 14 jours. Tous ces phénomènes sont dépendants des hormones hypophysaires, mais aussi des émotions ressenties.
roduit une image. Cette technique permet lorer les viscères et les organes creux ; elle rès précieuse pour suivre l'évolution du s avant la naissance. Le **scanner** *utilise les s X après l'injection au patient d'un uit dont on suivra le cheminement dans ne exploré en analysant les images à un ordinateur.*
sonance magnétique nucléaire, *qui utilise on dont certains atomes entrent en nance quand ils sont placés dans un p magnétique, permet de visualiser très sément et sans risque l'intérieur du corps.*
La **résonance magnétique nucléaire** *fournit des images anatomiques d'une grande qualité grâce à l'assistance d'un ordinateur.*

SYSTÈME NERVEUX, SYSTÈME DE RELATIONS

Notre corps accomplit de multiples tâches, très souvent à notre insu. Il s'agit pour lui de s'adapter en permanence aux nécessités de la vie. Pour cela, nous disposons d'un mécanisme étonnant : le système nerveux.

On le divise en deux parties : le système nerveux volontaire (ou cérébro-spinal) est composé du cerveau, de la moelle épinière et des nerfs crâniens et rachidiens ; le système nerveux végétatif (ou autonome) assure la permanence de nos fonctions vitales et leur coordination, comme le rythme cardiaque, les sécrétions de l'estomac, la dilatation ou la constriction des vaisseaux, etc.

Le système nerveux végétatif, ou neurovégétatif, est très sensible aux émotions, à l'angoisse et aux agressions.

Ce système se compose de ganglions disposés tout le long de la colonne vertébrale (qu'il ne faut pas confondre avec les ganglions du système lymphatique, circuit de vaisseaux où circule la lymphe, liquide qui nourrit les cellules et transporte les déchets) et de nerfs spécifiques qui organisent le fonctionnement et la coordination des organes où ils aboutissent.

Le système nerveux reçoit des informations venues de l'intérieur du corps, ou de l'extérieur, grâce à des "récepteurs". Ces informations sont véhiculées par les nerfs, sous forme d'influx nerveux.

L'unité de base du système nerveux est le neurone. Cette cellule particulière a de petites ramifications qui lui permettent de recevoir les informations et d'établir des relations avec d'autres neurones. Le neurone possède aussi un long prolongement, l'axone, qui conduit l'influx nerveux en le faisant cheminer de neurone en neurone, à une vitesse pouvant atteindre 120 kilomètres par seconde.

L'influx nerveux passe d'un nerf à l'autre en utilisant des réactions chimiques. Elles se produisent à la jonction (appelée *synapse*) entre deux neurones ou entre un nerf et un organe. Le système neurovégétatif possède des médiateurs chimiques spécifiques.

Les sens fonctionnent tous sur le même modèle. Un organe récepteur à la périphérie (œil, oreille, nez, langue, peau) capte le message sensoriel. Ce message est transformé en signal électrique et transporté à la moelle épinière, puis au cerveau, où il sera analysé. La moelle peut produire une réponse immédiate ou réflexe ; par exemple, une sensation douloureuse au bout du doigt : on retire la main très vite avant d'avoir compris pourquoi cela faisait mal.

Le gâteau sortant du four dégage une bonne odeur. La cuisinière perçoit la chaleur en approchant ses doigts ; si cette chaleur est trop intense elle les retire vivement, sans réfléchir : l'influx est arrivé à sa moelle épinière et a déclenché ce réflexe de défense.

Dans la pièce d'à côté, ... a senti l'odeur, il l'a perç... comme agréable, son ce... analysée et a reconnu celle d'un gâteau tout c...

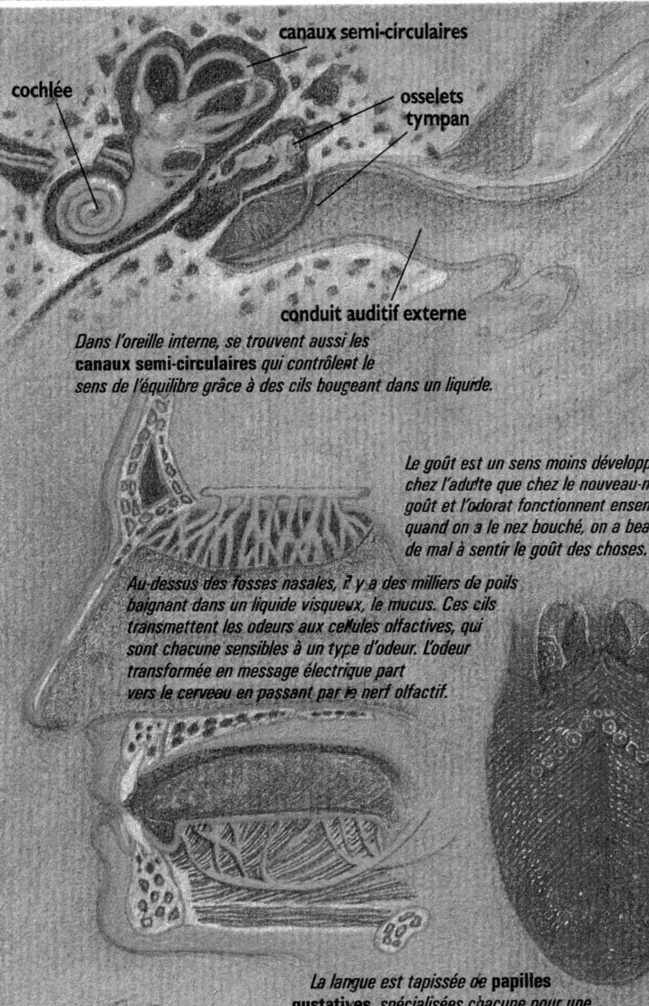

Dans l'oreille interne, se trouvent aussi les **canaux semi-circulaires** *qui contrôlent le sens de l'équilibre grâce à des cils bougeant dans un liquide.*

Le goût est un sens moins développé chez l'adulte que chez le nouveau-né. goût et l'odorat fonctionnent ensem... quand on a le nez bouché, on a beau... de mal à sentir le goût des choses.

Au-dessus des fosses nasales, il y a des milliers de poils baignant dans un liquide visqueux, le mucus. Ces cils transmettent les odeurs aux cellules olfactives, qui sont chacune sensibles à un type d'odeur. L'odeur transformée en message électrique part vers le cerveau en passant par le nerf olfactif.

La langue est tapissée de **papilles gustatives,** *spécialisées chacune pour une des quatre saveurs fondamentales : le sucré, le salé, l'ac... l'amer. Les plus grosses papilles servent au goût amer ; ... sont disposées en V au fond de la langue. Une f... saveur transformée en message électrique, deux ... situés dans la langue la conduisent vers le cer...*

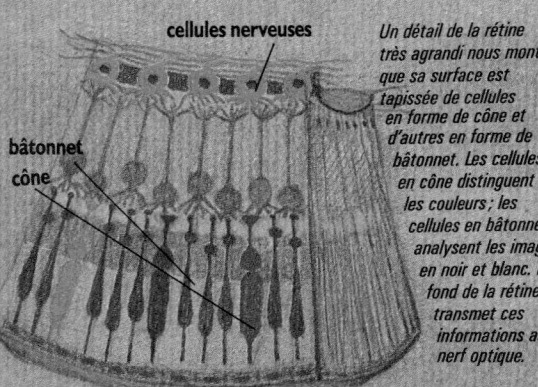

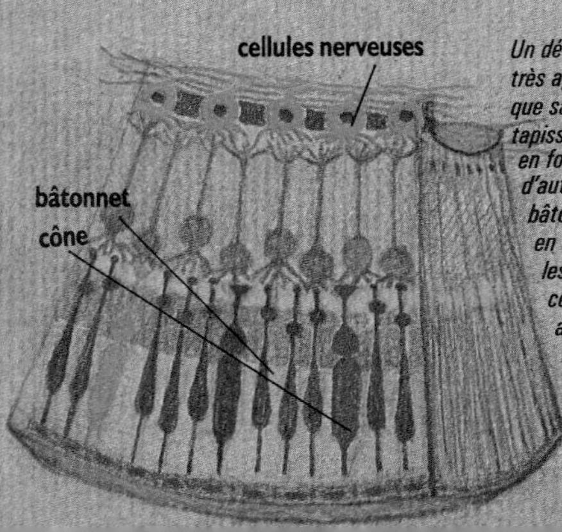

Un détail de la rétine très agrandi nous montre que sa surface est tapissée de cellules en forme de cône et d'autres en forme de bâtonnet. Les cellules en cône distinguent les couleurs ; les cellules en bâtonnet analysent les images en noir et blanc. Le fond de la rétine transmet ces informations au nerf optique.

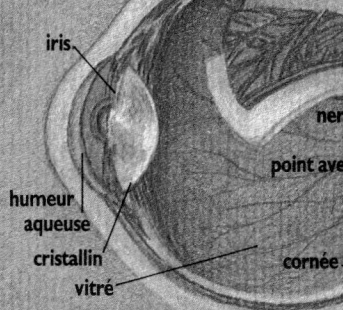

iris
nerf optique
point aveugle
humeur aqueuse
cristallin
vitré
cornée
rétine

L'œil fonctionne comme une caméra. Il co... l'arrivée de la lumière, en ouvrant pl... moins la p... Les images trave... **le cristalli...** *est une lentille optique naturelle ; ... arrivent sur la* **rétine** *où elles sont analy... et transformées en signaux électriques qu... conduits au cerveau par le nerf op...*

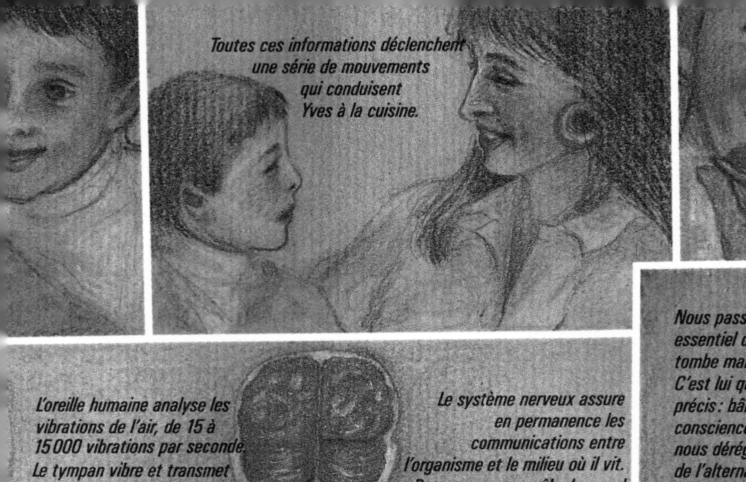

Toutes ces informations déclenchent une série de mouvements qui conduisent Yves à la cuisine.

Son système nerveux intègre rapidement la présence du gâteau, sa bonne odeur et son envie d'en manger (avec l'autorisation de sa mère). Il donne alors à sa main l'ordre d'en prendre un morceau et de le porter à sa bouche... si ce n'est pas trop chaud !

Nous passons environ un tiers de notre vie à dormir. Le sommeil est un temps essentiel de notre activité cérébrale. Un être humain privé de sommeil régulier tombe malade et peut mourir. Notre cerveau est le grand maître du sommeil. C'est lui qui nous demande de nous endormir en envoyant des signaux précis : bâillement, yeux qui piquent, début de suspension de la conscience. Nous pouvons essayer de résister au sommeil, mais nous déréglons ainsi un rythme biologique essentiel, celui de l'alternance de la veille et du sommeil. Le sommeil est organisé en cycles comportant des qualités de sommeil différentes correspondant à des activités électriques précises du cerveau. Le sommeil, c'est aussi le très précieux moment des rêves qui sont indispensables au bon fonctionnement de notre cerveau et à notre équilibre.

L'oreille humaine analyse les vibrations de l'air, de 15 à 15 000 vibrations par seconde. Le tympan vibre et transmet ce mouvement à la chaîne des osselets qui les amplifie
t les envoie à une seconde
mbrane. De là, les vibrations
dans la **cochlée** *(ou*
n) *où des cils très*
s reçoivent,
alysent et
nsmettent
veau,
nerf
f, *sous*
de
x
ques.

Le système nerveux assure en permanence les communications entre l'organisme et le milieu où il vit. Pour assurer son rôle de grand coordinateur, le système nerveux forme un réseau ininterrompu.

Les nerfs convergent vers la moelle qui est un premier relais. Cette substance précieuse est protégée par les vertèbres qui l'entourent. Entre la moelle et le cerveau se trouve le **cervelet,** *qui joue un rôle très important dans le contrôle de l'équilibre, et le* **bulbe rachidien,** *où se trouve le centre qui contrôle le sommeil.*

Les attitudes du corps sont déterminées par la société. En Europe du Nord, pour se saluer, on se touche très peu.

Dans les pays de culture latine, on se salue en étant beaucoup plus proche physiquement. Il existe une distance sociale très variable que chacun connaît grâce à l'éducation.

Les nerfs atteignent chaque millimètre de peau, chaque fibre musculaire, chaque vaisseau sanguin. Du cerveau partent douze paires de nerfs crâniens, qui desservent essentiellement la tête. Aux étages inférieurs, les nerfs se réunissent pour sortir de la moelle, formant ainsi des "troncs" qui vont se répartir dans les étages du corps. Les nerfs **sensitifs** *apportent au cerveau les messages venus de l'extérieur, les nerfs* **moteurs** *véhiculent la réponse du cerveau vers la périphérie. Dans le* **cortex** *(écorce du cerveau), toutes les régions du corps sont représentées par une surface proportionnelle à leur importance. Le cortex est particulièrement important chez l'homme, c'est là que s'élabore la pensée.*

Le toucher intègre les informations venues de récepteurs différents pour la pression, le toucher proprement dit, le froid et le chaud. Les poils constituent, eux aussi, des récepteurs sensoriels. Le toucher est le plus subtil de nos sens, c'est aussi le plus ancien : le fœtus est sensible au toucher dès le deuxième mois de sa vie dans l'utérus. La peau est donc un véritable "organe de relation". Elle nous protège parce qu'elle est imperméable (sans cela, nous gonflerions comme des éponges à chaque bain) ; elle nous informe aussi en permanence de ce qui nous entoure.

poil
épiderme
pore
derme
follicule pileux
glande sébacée
nerf
vaisseau sanguin
glande sudoripare

Pour être danseuse ou gymnaste, il faut un certain type de morphologie. Une jeune fille qui n'est pas bien proportionnée pour cette activité ne pourra pas changer la forme de son bassin ou la largeur de ses épaules, même en faisant un régime. Si ses chevilles sont fragiles elle ne pourra pas leur demander les efforts nécessaires. Il vaut mieux pour elle qu'elle cherche une orientation différente, tenant compte de ses meilleures possibilités dans d'autres domaines.

René Dubos est un grand savant qui a fait toute sa carrière aux États-Unis. Il fut l'un des inventeurs des antibiotiques et le père du mouvement écologique mondial. Il racontait que, dans son enfance, il était resté plusieurs mois au lit à cause d'une grave maladie. Cette maladie, qui lui avait permis de réfléchir profondément, avait constitué une étape très positive dans sa vie.

VIVRE AVEC SON CORPS

L'état qu'on appelle la bonne santé n'existe pas dans l'absolu. La santé, comme la marche, est la résultante d'une suite d'équilibres et de déséquilibres qui ne cessent de se modifier, l'équilibre pouvant toujours être perturbé, le déséquilibre tendant (sauf dans de graves maladies) à se corriger.

La "bonne santé", c'est l'état qui permet de faire ce que l'on a choisi de faire et de communiquer avec les autres êtres vivants de manière satisfaisante. Il ne faut pas la même "santé" pour être footballeur professionnel ou pour faire de la recherche dans un laboratoire. Il y a pour certains métiers des aptitudes physiques et mentales indispensables. Bien se connaître et s'accepter comme on est, c'est-à-dire en reconnaissant ses capacités et en acceptant ses limites, permet de mieux s'orienter dans la vie. C'est parfois difficile et douloureux de reconnaître ses limites mais cela permet de mieux développer ses dons et d'exploiter ce qu'il y a de positif en soi.

Il n'est pas contradictoire d'être en bonne santé et de contracter une ou plusieurs maladies. Quand elles guérissent, ce sont des accidents de parcours qui peuvent être enrichissants.

On entend dire parfois que la santé, c'est le silence des organes. Pourtant, un corps humain qui fonctionne bien, cela se sent si on y est attentif. Être "à l'écoute de son corps", sentir ce qui lui convient plus ou moins bien, c'est s'occuper de sa santé.

Pour ce violoniste, une petite blessure au doigt ou une otite peuvent être une véritable catastrophe.

S'il consultait un médecin sans lui dire qu'il est violoniste, celui-ci s'étonnerait de le voir si inquiet à cause de petits inconvénients sans gravité du point de vue de la médecine.

Certains métiers permettent à ceux qui ont un handicap d'utiliser les capacités qu'ils ont développées en essayant de corriger une difficulté. Ainsi, les aveugles peuvent-ils devenir de bons musiciens et d'excellents accordeurs de pianos, ou des kinésithérapeutes, grâce à la subtilité de leur audition ou de leur toucher.

Pour le footballeur, l'entorse de la cheville ou du genou est très grave, alors que la blessure au petit doigt est sans grande import

Pour être jockey, il faut être petit et léger. Si à l'âge de quatorze ans, on mesure déjà un mètre soixante ou si l'on est corpulent, il vaut mieux songer à orienter différemment sa passion pour les chevaux.

On ne peut jam soigner une mal ou une blessure dans l'absolu, il faut toujours compte de la personne malad blessée car pour chacun le problè est différent.

Prononce [ɑ̃tʀəfɛt].
Famille de **faire**

sur ces **entrefaites** adv.
À ce moment, alors. *Le docteur Séverac était sur le point de partir mais sa femme est arrivée sur ces entrefaites.*

entrefilet n. m.
Article très court, dans un journal. *Julie garde tous les articles parus sur son père, même les entrefilets.*

Son père est un acteur connu.

Conjugaison 3 ▭ Indic. présent : *j'entrelace, nous entrelaçons.*

entrelacer v.
Entrelacer l'un dans l'autre ; vois ***entrecroiser.*** *Mamie Lou entrelace des rubans ;* vois ***tresser.***

Famille de **lacer**

Conjugaison 1

entremêler v.
Mêler avec soin des choses différentes. *Mamie Lou a entremêlé des rubans roses et des rubans bleus.*

Famille de **mêler**

Famille de **mets**

entremets n. m.
Plat sucré qui est servi après le fromage. *M. Bellec servit un soufflé aux framboises comme entremets.*

Famille de **mettre**

entremise n. f.
Alex a fait parvenir un cadeau à Réjean par l'entremise d'un ami qui allait au Québec, par son intermédiaire, grâce à lui.

Réjean habite au Québec.

Famille de ② **pont**

entrepont n. m.
Étage entre deux ponts d'un navire. *Les cargos transportent des marchandises dans l'entrepont.*

Conjugaison 1

entreposer v.
Déposer pour un certain temps. *Les maçons ont entreposé leur matériel dans le garage.*

Famille de **poser**

Attention à l'accent circonflexe du ***ô*** !

▸ **entrepôt** n. m. Bâtiment qui sert d'abri à des marchandises ; vois ***dock, hangar.*** *Les entrepôts du grand magasin sont à l'extérieur de la ville.*

Conjugaison 58 ▭ Indic. présent : *j'entreprends, nous entreprenons.* Imparfait : *j'entreprenais.* Futur : *j'entreprendrai.*

entreprendre v.
Se mettre à faire une chose longue ou difficile. *Alex a entrepris le rangement de sa chambre. Alex a entrepris de ranger sa chambre.*

Le contraire d'*entreprendre,* c'est *achever, terminer.*

▸ **entreprenant** adj. Qui entreprend avec audace. *Mme Hespel est une femme entreprenante.*

Le contraire d'*entreprenant,* c'est *hésitant.*

Famille de **prendre**

▸ **entrepreneur** n. m., **entrepreneuse** n. f. Personne qui fait le métier de réaliser un travail qu'on lui a commandé. *Un entrepreneur en bâtiment accompagnait l'architecte.*

▸ **entreprise** n. f. **1.** Ce que l'on veut entreprendre ou ce que l'on a entrepris ; vois ***projet.*** *Mme Hespel réussit dans toutes ses entreprises.* **2.** Société qui produit des choses à vendre ou qui offre des services. *Le docteur Séverac a fait appel à une entreprise de plomberie pour refaire la salle de bains.*

Un *chef d'entreprise,* c'est un directeur, un patron.

Va voir aussi ***affaire, commerce, établissement, exploitation, industrie.***

Conjugaison 1

entrer v.
1. Passer de l'extérieur à l'intérieur ; vois ***pénétrer.*** *Angèle entre dans sa classe.* **2.** Aller à l'intérieur. *La valise n'entre pas dans le coffre de la voiture.* **3.** Commencer à faire partie d'un groupe, à être quelque part. *Sylvain est entré en cinquième.* **4.** *Entrer dans une chose,* c'est en faire partie. *Le miel entre dans la composition du nougat.* **5.** *L'informaticien entre un programme dans la mémoire de l'ordinateur,* il l'introduit.

Si vous vouliez m'ouvrir la porte, j'entrerais me chauffer à côté du fourneau et on passerait l'après-midi ensemble
(les Contes du Chat perché).

Le contraire d'*entrer,* c'est *sortir.*

Autres membres de la famille : **entrée, rentrer, rentrée.**

Famille de ① **sol**

entresol n. m.
Étage entre le rez-de-chaussée et le premier étage. *Il habite au troisième étage au-dessus de l'entresol.*

On écrit aussi : *entre temps.*

entre-temps adv.
Dans cet intervalle de temps. *Mme Séverac s'est absentée une heure ; entre-temps le facteur a apporté le courrier,* pendant ce temps-là.

Famille de ① **temps**

Conjugaison 22 ▭ Indic. présent : *j'entretiens, nous entretenons.* Imparfait : *j'entretenais.* Futur : *j'entretiendrai.*

① **entretenir** v.
1. Faire durer. *Loïc entretient le feu.* **2.** *Entretenir une chose,* c'est s'en occuper pour qu'elle reste en bon état. *Mme Roussel entretient bien sa maison.* **3.** Donner tout ce qu'il faut pour vivre. *M. Touati a une famille nombreuse à entretenir.*

Famille de **tenir**

▸ ① **entretien** n. m. Soins que l'on donne à une chose pour qu'elle reste en bon état. *Les voitures coûtent cher à l'entretien.*

Les *produits d'entretien* sont des produits de ménage.

Conjugaison 22

② *s'***entretenir** v.
Parler ensemble. *Les conseillers municipaux se sont entretenus de la construction du gymnase.*

Famille de **tenir**

▸ ② **entretien** n. m. Conversation. *Hippolyte a eu un entretien avec son chef de service.*

Conjugaison 1
Famille de **tuer**

*s'***entre-tuer** v.
Se tuer les uns les autres. *Les rats affamés s'entre-tuent.*

Famille de **voir**

entrevoir v.
1. Voir très rapidement ou trop peu ; vois ***apercevoir.*** *Dans la foule, Julie a juste entrevu son chanteur préféré.* **2.** Avoir une première idée, commencer à comprendre. *On commence à entrevoir la solution du problème.*

Conjugaison 30 ▭ Indic. présent : *j'entrevois, nous entrevoyons.* Imparfait : *j'entrevoyais.* Futur : *j'entreverrai.*

Compare : *entrevoir* → *entrevue* et *voir* → *vue.*

▸ **entrevue** n. f. Rencontre ; vois ***entretien.*** *Mme Séverac a eu une entrevue avec le maire avant la réunion du conseil municipal.*

Conjugaison 18

entrouvrir v.
Ouvrir très peu. *Mamie Lou a entrouvert la porte ;* vois ***entrebâiller.***

Famille de **ouvrir**

Conjugaison 6 ▭ Indic. présent : *nous énumérons.*

énumérer v.
Énoncer l'un après l'autre ; vois ***citer.*** *Angèle énumère les départements traversés par la Seine.*

Le paon se mit à énumérer par le détail tout ce qu'il faut faire pour être beau *(les Contes du Chat perché).*

Compare *énumération* et ***numéro*** : il s'agit de **nombres.**

▸ **énumération** n. f. Liste, compte. *Angèle fait l'énumération des départements que traverse la Seine. Julie fait une longue énumération des cadeaux qu'elle a eus pour son anniversaire.*

N'oublie pas le ***h*** entre le ***a*** et le ***i.***

envahir v.
1. *Envahir un pays,* c'est y entrer et l'occuper de force. *Jules César envahit la Gaule ;* vois ***conquérir.*** **2.** Occuper toute la place. *Les manifestants ont envahi la place de la Bastille. Les moustiques envahiraient la chambre si on ne mettait pas d'insecticide. Les ronces envahissent la haie.* **3.** Occuper en entier. *Le sommeil envahit Hippolyte,* il s'empare de lui.

Conjugaison 2

▸ **envahissant** adj. Qui envahit. *Ces ronces sont envahissantes. Angèle a une voisine envahissante,* qui vient trop souvent chez elle, qui la dérange.

▸ **envahisseur** n. m. Ennemi qui envahit. *Les envahisseurs sont aux portes de la ville.*

Conjugaison 1

*s'***envaser** v.
1. Se remplir de vase. *Le port s'est envasé.* **2.** S'enfoncer dans la vase. *La barque s'est envasée dans l'étang.*

Famille de ② **vase**

Compare : *vase* → *s'envaser* et *sable* → *s'ensabler.*

Attention ! un seul ***l*** et deux ***p*** dans *envelo**pp**er* et *envelo**pp**e.*

Conjugaison 1

envelopper v.
Entourer et recouvrir complètement. *Le charcutier a enveloppé le jambon dans du papier d'aluminium. Le papier d'aluminium enveloppe le jambon. Sophie Pelletier a enveloppé son bébé dans un châle. — Sur la plage, Yves s'est enveloppé dans une grande serviette.*

Parfois une rafale l'enveloppe, comme un drap glacé, pour l'emporter *(Poil de Carotte).*

« [...] la violence de la tempête a dû faire une déchirure dans l'enveloppe. Nous sommes perdus... » Le ballon allait tomber dans l'eau quand... *(Babar).*

▸ **enveloppe** n. f. **1.** Chose qui en entoure une autre. *Le sorbet est dans une enveloppe isolante pour le transport.* **2.** Pochette faite d'une feuille de papier pliée et collée, dans laquelle on met une lettre. *Mme Séverac m'a envoyé une carte postale sous enveloppe.*

▸ **enveloppé** adj. Bien en chair, un peu gros. *M. Bellec est bien enveloppé.*

Le contraire, c'est *maigre.*

Conjugaison 1
Famille de **venin**

envenimer v.
1. Infecter davantage ; vois ***irriter.*** *Sylvain a envenimé son écorchure en se grattant. — Son écorchure s'est envenimée.* **2.** Aggraver ; vois ***attiser.*** *Mme Harpie n'a fait qu'envenimer le conflit. — Le conflit s'est envenimé.*

Le contraire d'*envenimer,* c'est *apaiser, calmer.*

envergure n. f.
1. *L'envergure d'un oiseau,* c'est l'étendue de ses ailes déployées. *L'albatros peut atteindre trois mètres cinquante d'envergure.* **2.** *Le docteur Séverac est un homme de grande envergure,* un homme de grande valeur, capable de comprendre beaucoup de choses.

L'envergure d'un oiseau-mouche ne dépasse pas 9 cm.

① ***envers*** préposition
À l'égard de. *Mme Harpie a toujours été mal disposée envers ses voisins. Mamie Lou est trop indulgente envers Claire ;* vois ***avec.***

Réussir envers et contre tout, c'est réussir malgré tous les obstacles.

Famille de ① **en** et de **vers**

② ***envers*** n. m.
1. Côté opposé à celui qui doit être vu ou que l'on voit en premier ; vois ***derrière.*** *Les finitions de ce pull sont si bien faites qu'on ne voit pas la différence entre l'envers et l'endroit.* **2.** *Hippolyte a mis son pull à l'envers,* du mauvais côté, dans le mauvais sens. *Cette méchante Mme Harpie demande à sa sœur d'être plus aimable, c'est le monde à l'envers !,* c'est le contraire de ce que cela devrait être.

Le contraire d'*envers,* c'est *endroit.*

Le bon roi Dagobert
A mis sa culotte à l'envers
(chanson).

envie n. f.
1. Jalousie. *C'est sûrement l'envie qui a rendu Mme Harpie médisante.* **2.** *Avoir envie de quelque chose, de faire ou d'avoir quelque chose,* c'est le désirer. *Angèle a envie d'une nouvelle robe. Angèle a envie d'acheter une robe. La robe qu'Angèle a vue en vitrine lui fait envie ;* vois ***tenter.*** *Hier soir, l'envie m'est venue d'aller au cinéma ;* vois ***désir.*** *Marie-Tévy s'est couchée tard, et ce matin elle a envie de dormir ;* vois ***besoin.*** *Antoine voudrait finir le gâteau au chocolat, il en meurt d'envie,* il le désire très fort.

La belle pomme faisait envie à Blancheneige, et quand elle vit la paysanne en manger, elle ne put résister plus longtemps, tendit la main et prit la moitié empoisonnée *(Blancheneige).*

C'est familier de dire qu'on a *très envie* de quelque chose ; il faut dire qu'on en a *grande envie.*

L'écureuil vit la cage que Paul posait à terre, et jeta un œil d'envie sur les amandes et les noix *(les Malheurs de Sophie).*

Conjugaison 7
▭ Indic. présent : *j'envie, nous envions.*
Imparfait : *j'enviais, nous enviions.*
Futur : *j'envierai, nous envierons.*

▸ ***envier*** v. **1.** *Envier quelqu'un,* c'est souhaiter être à sa place. *Tout le monde envie Denis Prost, parce que c'est un acteur célèbre. Mme Harpie envie Angèle d'être aussi jolie.* **2.** *Envier quelque chose à quelqu'un,* c'est désirer avoir ce que cette personne a. *Mme Harpie envie sa maison à Sophie Pelletier. M. Bellec a envié le courage d'Hippolyte. Alex n'a rien à envier à Réjean, lui aussi a échoué à son examen !*

Les voisines ne cessaient d'exagérer et d'envier le bonheur de leur amie *(la Barbe-bleue).*

▸ ***enviable*** adj. Qui fait envie ; vois ***désirable, souhaitable, tentant.*** *Personne ne voudrait être comme Mme Harpie, son sort n'est pas enviable.*

Compare :
envier → *enviable*
et *désirer* → *désirable.*

▸ ***envieux*** adj. Qui est jaloux des autres. *Mme Harpie observe tout le monde avec des regards envieux.* — n. *Mme Harpie est une envieuse,* une personne envieuse ; vois ***jaloux.*** *Les succès de Denis Prost font des envieux,* provoquent l'envie des autres.

Ce roi avait un grand vizir qui était avare, envieux et naturellement capable de toutes sortes de crimes *(les Mille et Une Nuits).*

Le contraire d'*envieux,* c'est *bienveillant.*

envies n. f. plur.
Petits morceaux de peau autour des ongles. *Mme Séverac repousse ses envies avec un bâtonnet avant de se mettre du vernis à ongles.*

environ adv.
À peu près. *Angèle pèse environ cinquante kilos. Elle pèse cinquante kilos environ ;* vois ***approximativement.***

Le contraire d'*environ,* c'est *exactement.*

Conjugaison 1

environner v.
Être autour. *La campagne qui environne la ville est belle. Angèle est environnée d'amis fidèles,* elle est entourée d'amis fidèles.

Famille de **environs**

▸ ***environnant*** adj. Qui est autour, dans les environs. *Angèle a emmené ses élèves dans la campagne environnante ;* vois ***avoisinant.***

Le contraire d'*environnant,* c'est *éloigné.*

Ne prononce pas le deuxième ***e*** : [ɑ̃virɔnmɑ̃].

▸ ***environnement*** n. m. Milieu naturel, culturel, dans lequel on vit. *De nos jours, on s'efforce de protéger l'environnement de la pollution.*

Va voir aussi ***écologie.***

environs n. m. plur.
Les environs d'un endroit, ce sont ses alentours. *Angèle et ses élèves sont allés faire un pique-nique dans les environs de la ville. Les Bellec sont allés dans les bois situés aux environs de la ville.*

Autres membres de la famille : **environner, environnant, environnement.**

Conjugaison 3
▭ Indic. présent : *j'envisage, nous envisageons.*

envisager v.
1. *Envisager de faire quelque chose,* c'est en avoir l'intention, le projet ; vois ***penser.*** *Angèle envisage d'acheter une nouvelle voiture l'année prochaine.* **2.** *Envisager quelque chose,* c'est imaginer cette chose comme possible. *Avant de se décider, il faut envisager toutes les solutions.*

Ce n'est pas envisageable : on ne peut l'envisager sérieusement.

Famille de **envoyer**

envoi n. m.
1. Action d'envoyer quelque chose. *L'envoi de ce paquet par la poste a coûté cher. Le footballeur a donné le coup d'envoi,* il a ouvert le jeu en envoyant le ballon. **2.** Ce que l'on a envoyé. *Je vous remercie de votre envoi.*

Rufus, qui jouait dans mon équipe, a sifflé le coup d'envoi *(le Petit Nicolas).*

Conjugaison 1

Pigeon s'envola et revint peu après se poser sur la corne d'un bœuf *(les Contes du Chat perché).*

s'envoler v.

1. Partir en volant. *Les oiseaux se sont envolés. L'avion de Denis Prost s'envolera à dix heures ;* vois ***décoller.*** **2.** Être emporté par le vent. *Le chapeau de M. Bonnot s'est envolé.* **3.** Disparaître. *Mamie Lou cherche ses lunettes partout : elles ne se sont pourtant pas envolées, se dit-elle !*

Famille de ① **voler**

Ce sens est familier.

▸ ***envol*** n. m. **1.** Action de s'envoler. *Les oiseaux ont pris leur envol.* **2.** *L'avion est sur la piste d'envol,* d'où décollent les avions ; vois ***décollage.***

N'oublie pas l'accent circonflexe du *û* dans *envoûter* et *envoûtement.*

envoûter v.

1. Faire subir un effet magique. *La méchante fée a envoûté le prince ;* vois ***ensorceler.*** **2.** Séduire irrésistiblement. *Les paysages canadiens ont envoûté Alex ;* vois ***fasciner.***

Conjugaison 1

▸ ***envoûtement*** n. m. Sortilège. *Le sorcier a prononcé des formules d'envoûtement.*

Conjugaison 8

▭ Indic. présent : *j'envoie, nous envoyons.* Imparfait : *j'envoyais, nous envoyions.* Futur : *j'enverrai.*

On a beau faire des passes avec le ballon, si on n'a pas de but où l'envoyer, ce n'est pas drôle *(le Petit Nicolas).*

envoyer v.

1. *Envoyer quelqu'un quelque part,* c'est le faire aller quelque part. *Les Bellec ont envoyé leur fils en Bretagne, chez son oncle. Sophie Pelletier a envoyé sa fille faire les courses.* **2.** *Envoyer quelque chose,* c'est faire parvenir quelque chose. *Hippolyte a gardé la carte postale qu'Angèle lui a envoyée ;* vois ***adresser.*** *Colle et Rat envoient des cailloux dans la vitrine de Mme Harpie ;* vois ***lancer.*** *Le cœur envoie le sang dans les artères.*

Mais enfin, a dit Maman à Papa, qu'est-ce que tu fais là ? Je t'envoie chercher le petit, je ne te vois pas revenir et mon dîner refroidit ! *(le Petit Nicolas).*

▸ ***envoyé*** n. m., ***envoyée*** n. f. Personne qu'on a envoyée quelque part pour une raison précise. *L'envoyé spécial du journal s'est rendu sur les lieux, dès l'annonce du tremblement de terre.*

Le contraire d'*envoyeur,* c'est *destinataire.*

▸ ***envoyeur*** n. m. Personne qui envoie quelque chose ; vois ***expéditeur.*** *La lettre a été retournée à l'envoyeur.*

Autres membres de la famille : **envoi, renvoi, renvoyer.**

épagneul n. m., épagneule n. f.

Les cockers et les setters sont des variétés d'épagneul.

Chien à longs poils et à oreilles pendantes. *Les épagneuls sont des chiens de chasse.*

épais adj.

1. Qui a une grande dimension dans l'épaisseur ; vois ***gros.*** *Une épaisse couche de neige recouvre le sol. Les murs de la ferme des Séverac sont épais de cinquante centimètres.* **2.** Qui a de la consistance ; vois ***consistant, pâteux.*** *Mme Hespel rajoute du lait dans la purée parce qu'elle est trop épaisse.* **3.** Dont les éléments sont nombreux et serrés. *Mme Séverac a une chevelure épaisse,* elle a beaucoup de cheveux. **4.** Dense. *Le brouillard est si épais que M. Bellec renonce à prendre la route. Une épaisse fumée se dégageait de la poste en feu.*

Le contraire d'*épais,* c'est *mince, fin.*

Le contraire d'*épais,* c'est *clair, fluide, liquide.*

[...] la bonne [...] apporta sur la table un pain tout chaud et un grand vase plein d'une crème épaisse excellente *(les Malheurs de Sophie).*

Ils allèrent dans une forêt fort épaisse, où à dix pas de distance on ne se voyait pas l'un l'autre *(le Petit Poucet).*

Compare : *épais → épaisseur, épaissir* et *gros → grosseur, grossir.*

▸ ***épaisseur*** n. f. **1.** Grosseur. *Ce matin il y avait une couche de neige de trente centimètres d'épaisseur. Le mur a une épaisseur de cinquante centimètres.* **2.** Consistance. *M. Bellec vérifie l'épaisseur de la sauce.* **3.** Densité. *L'épaisseur du brouillard lui cachait le paysage.*

Conjugaison 2

Le contraire, c'est *maigrir.*

Le contraire, c'est *se dissiper.*

▸ ***épaissir*** v. **1.** Devenir épais. *La sauce épaissit en chauffant.* **2.** Grossir. *Depuis quelques mois, la taille de Mamie Lou a épaissi.* **3.** Devenir plus épais. *M. Bellec a ajouté de la farine pour épaissir la sauce ;* vois ***lier.*** **4.** *Le brouillard s'est épaissi,* il est devenu plus épais, plus dense.

Elle avait entendu dire aussi que, pour faire épaissir et grandir les cheveux, il fallait les couper souvent *(les Malheurs de Sophie).*

Attention au *a* après le *p* dans *épancher* et dans *épanchement.*

s'épancher v.

Faire ses confidences ; vois *se* ***confier.*** *Marie-Tévy n'a pas l'habitude de s'épancher, elle est trop timide. Julie s'est épanchée auprès de Yasmina.*

Conjugaison 1

Ce mot s'emploie surtout au pluriel.

▸ ***épanchement*** n. m. Confidence. *Julie a dû arrêter ses épanchements quand la maîtresse est entrée dans la classe.*

Compare *épandage* et *répandre* : on **étale** quelque chose.

épandage n. m.

Opération qui consiste à répandre de l'engrais, du fumier dans les champs. *L'épandage rend un sol plus fertile.*

Un *champ d'épandage,* c'est le terrain où l'on jette les ordures.

Conjugaison 2 ▭ Indic. présent : *elle s'épanouit.* Imparfait : *elle s'épanouissait.*

s'épanouir v.

1. *Une fleur qui s'épanouit,* c'est une fleur qui ouvre complètement ses pétales. *Mme Séverac a cueilli des roses encore en boutons pour qu'elles s'épanouissent dans le vase.* **2.** *Un visage qui s'épanouit,* c'est un visage qui manifeste de la joie, du plaisir. *Le visage de Mamie Lou s'est épanoui à* *l'arrivée de son fils.* **3.** Se développer librement et complètement. *Mme Hespel s'épanouit dans son travail.*

▸ ***épanouissement*** n. m. Développement. *Ces roses n'ont pas encore atteint leur plein épanouissement.*

Conjugaison 1

épargner v.

1. *Épargner de l'argent,* c'est ne pas dépenser tout son argent et le mettre de côté ; vois ***économiser.*** *Denis Prost et Sophie Pelletier ont pu faire construire leur maison grâce à l'argent qu'ils épargnaient depuis plusieurs années.* **2.** *Colle et Rat sont très paresseux, dès qu'ils le peuvent ils épargnent leurs forces,* ils les ménagent. **3.** *Épargner quelque chose à quelqu'un,* c'est faire en sorte qu'il ne le subisse pas. *Mme Roussel s'est épargné bien des ennuis en demandant conseil à son chef.* **4.** *Épargner quelqu'un,* c'est le traiter avec ménagement. *Les otages ont été épargnés,* on les a laissés en vie.

« Demande-lui si elle veut que nous lui épargnions la peine d'ouvrir le paquet en l'ouvrant nous-mêmes » *(les Malheurs de Sophie).*

La *Caisse d'épargne* a été créée en 1835.

▸ ***épargne*** n. f. Argent que l'on met de côté, que l'on ne dépense pas tout de suite. *On place son épargne à la banque ou à la Caisse d'épargne et on touche un intérêt ;* vois ***économie.***

On a alors un *livret de caisse d'épargne.*

Cet adjectif s'emploie surtout au pluriel.

épars adj.

Dispersés, éparpillés. *Julie n'a pas rangé sa chambre, elle a laissé toutes ses affaires éparses.*

Conjugaison 1

▸ ***éparpiller*** v. **1.** Disperser. *Le vent a éparpillé la paille dans la cour de la ferme. — En sortant de l'école, tous les enfants s'éparpillent dans la rue.* **2.** *S'éparpiller,* c'est passer d'une idée à l'autre, d'une occupation à l'autre. *Antoine a du mal à se concentrer, il s'éparpille facilement.*

Le contraire d'*éparpiller,* c'est *rassembler.*

Cet adjectif est un peu familier ; il faut plutôt dire *extraordinaire.*

épatant adj.

Très agréable, qui plaît beaucoup. *Alex a passé des vacances épatantes ;* vois ***formidable.*** *Julie est une fille épatante ;* vois ② ***chouette.***

Famille de **épater**

épaté adj.

Un nez épaté, c'est un nez court et large, aplati. *Hippolyte a le nez épaté.*

Conjugaison 1

Ce verbe est familier.

épater v.

Épater quelqu'un, c'est se faire admirer par quelqu'un en l'étonnant. *Hippolyte a épaté tout le monde par son courage.*

Autre membre de la famille : **épatant.**

épaule n. f.

Avoir la tête sur les épaules, c'est savoir ce que l'on fait.

L'épaule est une articulation.

1. Endroit où le bras s'attache au corps. *Yves a de larges épaules. Pierre Séverac porte sa fille sur ses épaules. Mme Harpie a haussé les épaules,* a fait un mouvement pour dire « cela m'est égal, je m'en moque ». **2.** *Une épaule de mouton,* c'est le haut de la patte de devant du mouton que l'on a découpée pour la manger. *Mme Roussel a fait rôtir une épaule de mouton.*

Par-dessus son épaule, Charlie jeta un coup d'œil en arrière *(Charlie et la Chocolaterie).*

Le *gigot,* c'est la cuisse du mouton.

Conjugaison 1

▸ ***épauler*** v. **1.** Mettre l'extrémité de la crosse du fusil contre l'épaule pour tirer. *M. Bellec épaula, visa et tira.* **2.** *Épauler quelqu'un,* c'est l'aider à réussir, le soutenir. *À son arrivée à l'école, Angèle a été épaulée par la directrice.*

Angèle est institutrice.

▸ ***épaulette*** n. f. **1.** Bande de tissu boutonnée sur l'épaule. *Antoine a une chemise avec des épaulettes.* **2.** Rembourrage cousu à l'épaule d'une veste ou d'un manteau. *Les épaulettes font une carrure plus large.*

Les galons des militaires sont cousus sur les épaulettes.

épave n. f.

1. Coque d'un bateau naufragé rejeté par la mer. *L'épave d'une barque s'est échouée sur la plage.* **2.** *Ce drogué est devenu une épave,* un homme qui ne fait plus rien et vit dans un état misérable ; vois ***loque.***

Les épaves appartiennent à qui les trouve.

épée n. f.

Arme formée d'une longue lame droite emmanchée dans une poignée munie d'une garde. *Les mousquetaires se battaient à l'épée.*

Va voir aussi ***fleuret.***

Conjugaisons 4 et 5

▭ Indic. présent : *j'épelle, nous épelons.*

épeler v.

Épeler un mot, c'est nommer successivement chacune des lettres qui le composent. *Yves épelle son nom : B, E, deux L, E, C.*

Conjugaison 1

épépiner v.

Enlever les pépins. *M. Bellec épépine les tomates pour faire une sauce.*

Famille de **pépin**

Famille de **perdre**

éperdu adj.

1. *Yves était éperdu de joie à l'idée de partir en vacances,* il était fou de joie. **2.** *À l'arrivée de la police, les gangsters se lancèrent dans une fuite éperdue,* une fuite très rapide et désordonnée.

Compare : *éperdu → éperdument, absolu → absolument* et *résolu → résolument.*

▸ ***éperdument*** adv. Follement. *Antoine est éperdument amoureux de Marie-Tévy ;* vois ***passionnément.***

éperlan n. m.

Petit poisson de mer. *Loïc mange une friture d'éperlans.*

Prononce [epʀɔ̃].

éperon n. m.

Petite pointe de métal fixée à la botte du cavalier qui sert à piquer les flancs du cheval. *Le cavalier donna un coup d'éperon et le cheval partit au galop.*

Attention ! deux *n.*

▸ ***éperonner*** v. Donner des coups d'éperon. *Le cow-boy éperonne son cheval et se lance à la poursuite des Indiens.*

Conjugaison 1

épervier n. m.

Oiseau rapace de la taille d'un pigeon. *On dresse les éperviers pour la chasse aux oiseaux.*

Attention au ***ph*** !

éphémère adj. et n. m.

1. adj. Qui ne dure pas. *Ce chanteur a eu un succès éphémère : on l'a déjà oublié ;* vois ***passager.*** **2.** n. m. Petit insecte que l'on appelle ainsi parce qu'il ne vit que quelques heures. *L'éphémère ressemble à une libellule.*

Le contraire d'*éphémère,* c'est *durable.*

épi n. m.

1. Groupe de grains serrés qui se trouve au sommet de la tige de certaines céréales. *Les épis de blé sont encore verts.* **2.** Mèche de cheveux qui se dresse quand on essaie de la coiffer. *David a un épi rebelle sur la tête.*

Il y a aussi des épis d'avoine, d'orge, de maïs.

Quand les épis sont mûrs, on fait la moisson.

épice n. f.

1. Plante parfumée ou piquante qui sert à donner du goût aux aliments. *Le thym et le poivre sont des épices ;* vois ***aromate.*** **2.** *Le pain d'épice,* c'est un gâteau fait avec de la farine de seigle, du miel, du sucre et parfumé à l'anis. *Marie-Tévy mange une tranche de pain d'épice.*

Va voir aussi ***condiment.***

▸ ***épicé*** adj. Assaisonné d'épices. *La sauce du couscous est très épicée.*

▸ ***épicerie*** n. f. Magasin où l'on vend des produits alimentaires. *Yasmina est allée à l'épicerie acheter du thé.*

Il y a des fois où Maman me donne beaucoup d'argent pour faire des courses à l'épicerie de M. Compani, au coin de la rue *(le Petit Nicolas).*

▸ ***épicier*** n. m., ***épicière*** n. f. Personne qui tient une épicerie. *Yasmina est allée chez l'épicier acheter du thé.*

Épicéa [episea] rime avec *hévéa.*

épicéa n. m.

Grand arbre qui ressemble au sapin. *Les flancs de la montagne sont couverts d'une forêt d'épicéas.*

Les épicéas ont des aiguilles très fines.

épidémie n. f.

Maladie contagieuse que beaucoup de personnes attrapent en même temps. *Il y a eu une épidémie de grippe à l'école.*

Grâce aux vaccins, les épidémies sont de plus en plus rares.

épiderme n. m.

Couche superficielle de la peau qui est en contact avec l'extérieur ; vois ***peau.*** *Les blonds ont l'épiderme sensible.*

Le *dermatologue* soigne notre *épiderme.*

Conjugaison 7 ▭ Indic. présent : *nous épions.* Imparfait : *nous épiions.*

épier v.

Observer attentivement et secrètement. *Le chat épie les oiseaux ;* vois ***guetter.*** *Arrête de m'épier ;* vois ***espionner, surveiller.***

épieu n. m.

Arme ancienne formée d'un gros bâton à pointe de métal. *Le chasseur acheva le sanglier d'un coup d'épieu.*

épilepsie n. f.

Maladie nerveuse où le malade gesticule et perd parfois connaissance. *Le malade a eu une crise d'épilepsie.*

Au Moyen Âge, l'épilepsie était considérée comme une possession du démon.

▸ ***épileptique*** adj. et n. Qui a des crises d'épilepsie. *Cet enfant est épileptique.* — n. m. et f. *Les épileptiques sont pris de convulsions et de tremblements.*

Compare *épiler* et *pileux* : il s'agit des **poils.**
Conjugaison 1

épiler v.
Arracher les poils d'une partie du corps. *La mère de Julie s'est fait épiler les jambes.*
▸ **épilation** n. f. Action d'épiler. *La mère de Julie s'est fait faire une épilation chez une esthéticienne.*

On peut épiler avec une *pince à épiler.*

Compare *épilogue* et *dialogue* : on **dit** quelque chose.

épilogue n. m.
Conclusion d'une histoire ; vois ***dénouement.*** *Dans l'épilogue de ce roman, on voit les héros dix ans après la fin de l'histoire.*
▸ **épiloguer** v. *Épiloguer sur quelque chose,* c'est en parler longuement ; vois ***discourir.*** *Il est inutile d'épiloguer sur cette regrettable affaire.*

Conjugaison 1

épinard n. m.
La plante s'appelle aussi *épinard.*
Les épinards, ce sont les feuilles vertes d'une plante, que l'on mange cuites ou crues. *M. Bellec sert le rôti de veau avec des épinards.*

Quel effet font les épinards sur Popeye ?

Les épines, ça ne sert à rien, c'est de la pure méchanceté de la part des fleurs *(le Petit Prince).*

épine n. f.
1. Partie piquante d'une plante ; vois ***piquant.*** *La rose a des épines.* **2.** *L'épine dorsale,* c'est la colonne vertébrale. *Le chien a reçu des coups de bâton sur l'épine dorsale.*
▸ **épineux** adj. **1.** *La rose a une tige épineuse,* qui a des épines. **2.** Difficile, délicat. *Colle et Rat ont-ils vraiment vu une soucoupe volante ? La question est épineuse ;* vois **embarrassant.**

Va voir *moelle épinière* à ***moelle.***

Compare : *épine → épineux* et *pierre → pierreux.*

épingle n. f.
1. Petite tige d'acier fine, pointue, munie d'une tête à une extrémité. *Mamie Lou a attaché les deux morceaux de tissu avec des épingles.* **2.** *Une épingle de nourrice,* c'est une épingle recourbée et munie d'une fermeture. *La brassière du bébé est fermée par une épingle de nourrice.* **3.** *Une épingle à cheveux,* c'est une tige très recourbée. *Angèle fait tenir son chignon avec des épingles à cheveux.*
▸ **épingler** v. Attacher avec des épingles. *Mamie Lou a épinglé l'ourlet de sa jupe.*

On dit aussi *épingle double* ou *épingle de sûreté.*

Conjugaison 1

Être tiré à quatre épingles : être habillé avec grand soin.

Un *virage en épingle à cheveux* est un virage très serré, en forme de U.

épique adj.
Qui rappelle une épopée ; vois ***extraordinaire.*** *Il arrive toujours des aventures épiques à Antoine.*

Va voir aussi ***épopée.***

épisode n. m.
1. *Dans ce livre, il y a des épisodes drôles,* des passages drôles. **2.** *Les épisodes d'un feuilleton,* ce sont les différentes parties qui le composent et qui se suivent. *Ce feuilleton sera diffusé en dix épisodes.*
▸ **épisodique** adj. Qui se produit par moments, n'est pas régulier. *L'amabilité d'Angèle pour Hippolyte est épisodique.*

Le contraire d'*épisodique,* c'est *constant.*

Épitaphe [epitaf] rime avec *carafe* et *girafe.*

épitaphe n. f.
Inscription sur une tombe. *Les épitaphes commencent souvent par les mots « ci-gît ».*

Épitaphe est un nom féminin.

épithète adj. et n. f.
1. adj. *Un adjectif épithète,* c'est un adjectif qui n'est pas relié par un verbe au nom qu'il qualifie. *Dans la phrase « Hippolyte a des chaussures neuves », « neuves » est épithète de « chaussures ».* **2.** n. f. Mot qui est un compliment ou une injure. *On l'a traité d'idiot, de crétin et autres épithètes peu flatteuses.*

Va voir aussi ***attribut.***

Épithète est un nom féminin.

C'est un mot que l'on trouve surtout dans les livres.

éploré adj.
Qui est en pleurs, a du chagrin. *Julie est arrivée tout éplorée, son chat avait disparu.*

Conjugaison 1

éplucher v.
Éplucher des légumes et des fruits, c'est enlever la peau et tout ce que l'on ne mange pas. *Odile Séverac épluche la salade.*
▸ **épluchage** n. m. Action d'éplucher. *L'épluchage des oignons fait pleurer.*
▸ **épluchure** n. f. Ce que l'on a enlevé en épluchant ; vois ***pelure.*** *Mamie Lou garde les épluchures de carottes pour les lapins.*

Marie assise sur une pierre
Elle épluche des pommes de terre (chanson).

On dit aussi : une *serviette éponge.*

éponge n. f.
1. Animal marin, fixé au fond de l'eau, dont le squelette fournit une substance souple qui absorbe l'eau. *Les éponges sont très douces.* **2.** Objet fait d'une substance souple qui absorbe l'eau et la rejette et qui sert à laver. *Angèle passe l'éponge sur le tableau pour l'effacer.* **3.** *Du tissu éponge,* c'est du tissu épais avec de petites boucles de fil, qui essuie très bien. *Julie s'essuie avec une serviette en tissu éponge.*
▸ ***éponger*** v. Essuyer avec une éponge, un chiffon qui absorbe le liquide. *Marie-Tévy éponge le lait qu'elle a renversé sur la table.*

Conjugaison 3 ▭ Indic. présent : *j'éponge, nous épongeons.*

épopée n. f.
1. Long poème qui raconte les aventures d'un héros. *La Chanson de Roland est une épopée du Moyen Âge.* **2.** Suite d'aventures. *Le voyage d'Alex au Canada, quelle épopée !*

Va voir aussi ***épique.***

Époque [epɔk] rime avec *phoque, coq, roc* et *stock.*

époque n. f.
Période de l'histoire. *À quelle époque a-t-on inventé l'imprimerie ? Jeanne d'Arc et Napoléon ne vivaient pas à la même époque.*

Un *meuble d'époque,* c'est un meuble ancien authentique.

Conjugaison 1
Famille de **poumon**

*s'**époumoner*** v.
Crier jusqu'à être essoufflé. *Angèle s'époumone à appeler les enfants qui ne veulent pas sortir de la piscine.*

Angèle est l'institutrice.

Conjugaison 1
Famille de **époux**

épouser v.
1. *Épouser une personne,* c'est se marier avec elle. *Antoine espère bien qu'il épousera Marie-Tévy.* **2.** Adopter, partager. *Le docteur Séverac n'a pas épousé les idées politiques de sa femme.* **3.** Suivre exactement. *Angèle a une robe qui épouse les formes de son corps.*

Ce qui les dégoûtait encore c'est qu'il avait déjà épousé plusieurs femmes et qu'on ne savait pas ce que ces femmes étaient devenues *(la Barbe-bleue).*

Conjugaison 4

épousseter v.
Enlever la poussière. *Mamie Lou époussette les meubles avec un plumeau.*

Conjugaison 1

époustoufler v.
Étonner beaucoup ; vois ***épater.*** *La première place de Marie-Tévy en mathématiques a époustouflé tout le monde.*

Ce mot est familier.

épouvante n. f.
Grande peur soudaine ; vois ***terreur.*** *M. Bellec aime les films d'épouvante,* les films qui font peur, où il y a des images effrayantes ; vois ***horreur.***

On entendit un épouvantable coup de tonnerre et tout devint noir comme de l'encre *(Histoires comme ça).*

▸ ***épouvantable*** adj. **1.** Qui cause une grande peur. *On entendit des cris épouvantables ;* vois ***effroyable, horrible, terrible, terrifiant.*** **2.** Très mauvais, très désagréable. *Nous avons eu un temps épouvantable ;* vois ***affreux.***

Oh ! quel froid épouvantable. Tout ce que touchait Charlie était comme de la glace *(Charlie et la Chocolaterie).*

Au pluriel : *des épouvantails.*

▸ ***épouvantail*** n. m. Mannequin habillé de vieux vêtements, que l'on met dans un champ pour faire peur aux oiseaux et les empêcher de manger les fruits ou les graines. *Pierre Séverac a mis un épouvantail dans le champ de maïs.*

Conjugaison 1

▸ ***épouvanter*** v. Causer une grande peur ; vois ***effrayer.*** *Mamie Lou raconte des histoires de fantômes qui épouvantent Claire.*

Le contraire d'*épouvanter,* c'est *rassurer.*

— Babar, voulez-vous prendre Céleste pour épouse ?
— Oui, répond Babar *(Babar).*

époux n. m., ***épouse*** n. f.
Personne mariée ; vois ***conjoint.*** *Mme Bellec est l'épouse de M. Bellec ;* vois ***femme.*** *Mamie Lou a perdu son époux ;* vois ***mari.***

Autre membre de la famille : **épouser.**

Conjugaison 58

*s'**éprendre*** v.
S'éprendre de quelqu'un, c'est devenir amoureux de lui. *Antoine s'est épris de Marie-Tévy dès qu'il l'a connue.*

C'est un mot que l'on trouve surtout dans les livres.

épreuve n. f.
1. Examen, partie d'un examen. *Au baccalauréat, il y a des épreuves écrites et des épreuves orales.* **2.** Compétition sportive. *Les épreuves de natation des Jeux Olympiques commencent demain.* **3.** *Mettre quelqu'un à l'épreuve,* c'est lui faire faire quelque chose pour voir s'il en est capable. *Antoine se vante toujours de savoir faire les crêpes : Julie l'a mis à l'épreuve. Hippolyte a un courage à toute épreuve,* un très grand courage qui résiste à tout. **4.** Souffrance, malheur ; vois ***peine.*** *Dans sa jeunesse, Mamie Lou a subi de rudes épreuves.*

Un tissu *à l'épreuve du feu* est un tissu qui résiste au feu, ne brûle pas.

Va voir aussi ***éprouver.***

Conjugaison 1

éprouver v.

1. Mettre à l'épreuve. *Denis Prost a fait un numéro de trapèze pour éprouver son courage.* **2.** Faire de la peine. *La mort de sa mère a beaucoup éprouvé Sophie Pelletier.* **3.** Ressentir. *Colle et Rat éprouvent une grande joie à l'approche des vacances.*

Va voir aussi **épreuve.**

▸ **éprouvant** adj. Qui est pénible, difficile à supporter. *M. Touati a eu une journée éprouvante,* très fatigante.

éprouvette n. f.

Tube de verre utilisé dans les expériences de chimie. *Le pharmacien mélange des liquides dans une éprouvette.*

Conjugaison 1

épuiser v.

1. Utiliser jusqu'à ce qu'il ne reste plus rien. *Les alpinistes ont épuisé leurs provisions. — Les économies d'Antoine s'épuisent vite, il gaspille son argent.* **2.** Fatiguer, mettre à bout de forces. *Les travaux de la maison épuisent Mme Touati.*

▸ **épuisant** adj. Très fatigant. *M. Touati fait un travail épuisant ;* vois **éreintant, harassant.**

▸ **épuisé** adj. Très fatigué. *Le soir, la maîtresse est épuisée quand les enfants ont été insupportables.*

▸ **épuisement** n. m. **1.** État de ce qui est épuisé. *Les soldats ont tiré jusqu'à épuisement des munitions,* jusqu'à ce qu'il n'y en ait plus. **2.** Grande fatigue. *Angèle est dans un état d'épuisement extrême.*

Autre membre de la famille : **inépuisable.**

épuisette n. f.

Petit filet de pêche fixé au bout d'un long manche. *Yves pêche la crevette à l'épuisette.*

Le filet est attaché à un cercle de métal.

Compare : *pur → épurer* et *court → écourter.*

épurer v.

Conjugaison 1

Rendre pur ; vois **purifier.** *On épure les eaux usées avant de les rejeter dans la rivière.*

▸ **épuration** n. f. Action d'épurer. *L'épuration des eaux se fait avec des filtres et des désinfectants.*

Famille de **pur**

Prononce [ekwatœʀ].

équateur n. m.

Cercle imaginaire qui partage la Terre en deux hémisphères. *L'équateur se trouve à égale distance du pôle Nord et du pôle Sud.*

Toute l'année, il fait très chaud à l'équateur et les jours sont égaux aux nuits.

Au masculin pluriel : *équatoriaux.*

▸ **équatorial** adj. Relatif à l'équateur. *Le climat équatorial est chaud et humide.*

Équerre [ekɛʀ] rime avec *bancaire* et *poker.*

équerre n. f.

Triangle de bois, de métal ou de plastique qui sert à tracer les angles droits. *Sylvain prend une équerre pour dessiner un carré.*

Équestre [ekɛstʀ] rime avec *orchestre.*

équestre adj.

Qui représente une personne à cheval. *Sur la place du Marché, se trouve la statue équestre d'Henri IV.*

Le *sport équestre,* c'est l'équitation.

Prononce [ekɥidistɑ̃].

équidistant adj.

Situé à égale distance. *Le pôle Nord et le pôle Sud sont équidistants de l'équateur.*

Famille de **distant**

Prononce [ekɥilateʀal]. Famille de **latéral**

équilatéral adj.

Dont les côtés sont égaux entre eux. *Un triangle équilatéral a ses trois côtés égaux.*

Au masculin pluriel : *équilatéraux.*

Prononce [ekilibʀ].

équilibre n. m.

1. Position qui permet de ne pas tomber. *Le chat est en équilibre sur la barre d'appui de la fenêtre. Antoine a glissé et perdu l'équilibre,* il est tombé. **2.** *Quand les deux plateaux de la balance portent le même poids, ils sont en équilibre,* à la même hauteur. **3.** État d'une personne raisonnable, sensée et calme. *Marie-Tévy a un bon équilibre.*

Le contraire d'*équilibre,* c'est *déséquilibre.*

Conjugaison 1

▸ **équilibrer** v. *Mme Hespel équilibre son budget,* elle ne dépense pas plus qu'elle ne gagne.

Autres membres de la famille : **déséquilibre, déséquilibrer, déséquilibré.**

Le contraire d'*équilibré*, c'est *déséquilibré, fou.*

▸ ***équilibré*** adj. Calme et sensé. *Marie-Tévy est une petite fille équilibrée.*

▸ ***équilibriste*** n. m. et f. Personne qui fait des exercices d'équilibre. *L'équilibriste dansait sur une corde ;* vois ***acrobate, funambule.***

On voit des équilibristes dans les cirques.

Prononce [ekinɔks].

équinoxe n. m.

Moment de l'année où les jours et les nuits ont la même durée. *Le 21 mars, c'est l'équinoxe de printemps, le 23 septembre l'équinoxe d'automne.*

Il y a de fortes marées aux équinoxes.

équipage n. m.

Les membres de l'équipage vous souhaitent la bienvenue à bord !

Ensemble des personnes qui assurent la manœuvre et le service sur un bateau ou dans un avion. *Les hôtesses de l'air font partie de l'équipage d'un avion.*

Prononce [ekip].

Eh ! les gars ! contre qui on joue ? Il faudrait une équipe adverse *(le Petit Nicolas).*

équipe n. f.

Groupe de personnes réunies pour travailler ou jouer ensemble. *Une équipe de sauveteurs est partie rechercher les alpinistes perdus. Alex fait partie d'une équipe de football.*

Le football et le rugby sont des *sports d'équipe.*

▸ ***équipier*** n. m., ***équipière*** n. f. Personne qui fait partie d'une équipe. *Il fallut remplacer un équipier blessé.*

Autre membre de la famille : **coéquipier.**

Prononce [ekipe].

Conjugaison 1

équiper v.

Munir de ce qui est nécessaire. *La cuisine du restaurant est équipée d'appareils modernes. — M. Bellec s'est équipé pour la chasse,* il a pris le matériel et les habits nécessaires.

▸ ***équipement*** n. m. Matériel nécessaire à une activité, au fonctionnement de quelque chose. *Angèle emporte son équipement de ski en classe de neige.*

Prononce [ekitabl].

Famille de **équité**

équitable adj.

Qui est conforme à la justice, ne favorise ni défavorise personne ; vois ***juste.*** *Le partage entre tous les héritiers a été équitable.*

Le contraire d'*équitable*, c'est *injuste, inégal.*

▸ ***équitablement*** adv. D'une manière juste, sans favoriser ni défavoriser personne. *Mamie Lou a partagé équitablement les chocolats entre ses petits-enfants.*

équitation n. f.

L'équitation, c'est l'ensemble des sports *équestres.*

Sport qui consiste à monter à cheval. *Denis Prost fait de l'équitation,* il fait du cheval.

Prononce [ekitasjɔ̃].

Prononce [ekite].

équité n. f.

Respect de ce qui est juste. *Le magistrat a jugé avec équité ;* vois ***impartialité, justice.***

Autres membres de la famille : **équitable, équitablement.**

Conjugaison 29

équivaloir v.

Être égal, avoir la même valeur. *Une tonne équivaut à mille kilos.*

Famille de **valoir**

Prononce [ekivalɑ̃].

▸ ***équivalent*** adj. Égal, pareil ou presque pareil. *Il faut lui rendre ce livre ou payer la somme équivalente,* le prix qui correspond. — n. m. *Mettez 100 g de sucre et l'équivalent en farine,* la même quantité de farine.

Compare ***équi**valent*, ***équi**distant* et ***équi**latéral* : ce sont des choses **égales.**

Prononce [ekivɔk].

équivoque adj. et n. f.

Attention ! *équivoque* est un nom féminin.

1. adj. Dont le sens n'est pas clair, qui peut s'expliquer de plusieurs façons ; vois ***ambigu.*** *La réponse de Mme Harpie était équivoque.* **2.** n. f. Incertitude. *Pour qu'il n'y ait pas d'équivoque, Angèle a dit à Hippolyte qu'elle voulait rester célibataire ;* vois ***malentendu.***

Le contraire d'*équivoque*, c'est *clair, net.*

Elle pense qu'Hippolyte veut l'épouser.

érable n. m.

La feuille d'érable est l'emblème du Canada.

Grand arbre à feuilles profondément dentées. *Au Canada, on fait du sucre avec la sève des érables.*

Conjugaison 1

érafler v.

1. Faire une longue écorchure. *Claire s'est éraflé les jambes en courant dans les ronces ;* vois ***égratigner.*** **2.** Entamer la surface en rayant. *La voiture d'Angèle est éraflée sur l'aile droite ;* vois ***rayer.***

Compare : *érafler → éraflure* et *griffer → griffure.*

▸ ***éraflure*** n. f. **1.** Écorchure. *Claire s'est fait des éraflures aux jambes.* **2.** Rayure. *Angèle a mis un peu de peinture sur les éraflures de sa voiture.*

éraillé adj.
Une voix éraillée, c'est une voix qui est enrouée, rauque. *Julie a tant crié qu'elle a la voix éraillée ce soir.*

Ne confonds pas *ère, air, aire* et *r.*

ère n. f.
1. Longue période qui commence par un événement à partir duquel on compte les années. *Nous sommes au vingtième siècle de l'ère chrétienne.* **2.** Période de l'histoire marquée par un changement. *L'ère industrielle a commencé au XIXe siècle.*

L'ère chrétienne commence à la naissance de Jésus-Christ.

Conjugaison 1

éreinter v.
1. Causer une grande fatigue physique. *Cette longue marche m'a éreinté ;* vois ***épuiser.*** **2.** Démolir par une violente critique. *Les journalistes ont éreinté ce film.*
▹ ***éreintant*** adj. Très fatigant. *Le travail de M. Touati est éreintant ;* vois ***épuisant, exténuant.***

L'ongle supplémentaire qu'a le chien à l'arrière de la patte s'appelle aussi *ergot.*

ergot n. m.
Pointe recourbée et dure qui se trouve derrière la patte du coq. *Le coq se dresse sur ses ergots.*

Conjugaison 1

ergoter v.
Discuter sur des détails ; vois ***chicaner, chipoter.*** *Tu ne vas pas ergoter pour dix francs !*

Conjugaison 3 ▭ Indic. présent : *nous érigeons.* Imparfait : *il érigeait.*

ériger v.
Construire un monument en l'honneur de quelqu'un. *La commune a érigé une statue à la mémoire de Victor Hugo.*

Autre membre de la famille : **bernard-l'ermite.**

Saint Antoine se retira dans le désert de Haute-Égypte pour y vivre en ermite.

ermite n. m.
Religieux qui vit seul dans un lieu désert. *Le chevalier rencontra un ermite dans la forêt, qui lui donna du pain et lui indiqua la direction du château.*
▹ ***ermitage*** n. m. Lieu écarté, isolé. *Le vieil homme s'est retiré dans un ermitage.*

Vivre comme un ermite, c'est vivre seul, sans voir personne.

Compare *érosion* et *corrosif* : il s'agit de **ronger.**

érosion n. f.
Usure de la surface de la terre provoquée par les eaux qui coulent, le gel, le vent... *Le sable provient de l'érosion des roches. L'érosion est responsable de la transformation du relief.*

Pour lutter contre l'érosion, on fait pousser des plantes dont les racines s'enfoncent dans le sol.

Conjugaison 1

errer v.
Aller çà et là, à l'aventure. *Si Mamie Lou s'écoutait, elle recueillerait tous les chiens qui errent dans la campagne.*
▹ ***errant*** adj. *Mamie Lou recueillerait volontiers tous les chiens errants,* tous les chiens qui errent, vont çà et là. *Les gens du cirque mènent une vie errante,* ils n'habitent jamais au même endroit.

L'aigle, dans l'air, erre loin de son aire.

Les nomades mènent aussi une vie errante.

erreur n. f.
1. Action de se tromper, de ne pas faire ce qu'il aurait fallu faire ; vois ***bévue, faute.*** *Le voleur a commis une erreur : il n'aurait pas dû laisser ses empreintes sur la porte du réfrigérateur. Marie-Tévy a pris par erreur l'écharpe de Julie. « Mme Hespel ? — Non, vous faites erreur, ce n'est pas ici »,* vous vous trompez. **2.** Faute, inexactitude. *Sylvain a fait une erreur de date dans son devoir d'histoire.* **3.** Action regrettable, maladroite. *M. Bellec a commis une erreur en oubliant d'inviter Mme Harpie dimanche dernier ;* vois ***maladresse.***

L'erreur est humaine : tous les hommes peuvent se tromper.

Les juges ont commis une *erreur judiciaire* en condamnant Dreyfus pour espionnage en 1894.

Compare ***erreur*** et ***erroné*** : il s'agit de se **tromper.**

erroné adj.
Faux, inexact. *Les Anciens affirmaient que la Terre était plate ; cette croyance était erronée.*

Le contraire d'*erroné,* c'est *exact, juste.*

érudit n. m., ***érudite*** n. f.
Personne qui connaît parfaitement un sujet parce qu'elle a étudié tous les documents anciens et modernes qui en parlent ; vois ***savant.*** *Cette érudite a écrit un livre sur la vie des paysans à l'époque de Louis XIV.* — adj. *Cette femme est une historienne érudite.*

Les érudits de la Renaissance écrivaient en latin.

▸ ***érudition*** n. f. Très grand savoir. *L'abbé Gauthier est un homme plein d'érudition.*

Il sait le grec, le latin et l'hébreu.

En 79, lors de l'éruption du Vésuve, la ville romaine de Pompéi fut ensevelie sous les laves.

Ne confonds pas *éruption* et *irruption.*

éruption n. f.
1. Jaillissement de lave, de cendres et de gaz hors du cratère d'un volcan. *Le volcan est en éruption depuis trois jours.* **2.** Apparition soudaine d'un grand nombre de boutons sur la peau. *La rougeole est caractérisée par une éruption de petits boutons rouges.*

S'ils sont bien ramonés, les volcans brûlent doucement et régulièrement, sans éruptions *(le Petit Prince).*

Esbroufe est un mot familier.

esbroufe n. f.
Faire de l'esbroufe, c'est faire l'important en prenant de grands airs ; vois ***bluff.*** *Alex fait de l'esbroufe avec sa moto à la sortie du lycée.*

Au pluriel : *des escabeaux.*

escabeau n. m.
Petite échelle pliante, aux marches assez larges, qu'on utilise à l'intérieur des maisons. *Julie est montée sur un escabeau pour planter une étoile au sommet du sapin de Noël.*

Dans l'armée de l'air, une escadre est composée de plusieurs *escadrons.*

escadre n. f.
Groupe de navires ou d'avions de guerre. *L'escadre de la Méditerranée mouille dans la rade de Toulon.*

L'escadre est commandée par le *vice-amiral.*

▸ ***escadrille*** n. f. Ancien nom d'une unité constituée de quelques avions de guerre. *Le capitaine d'escadrille préparait ses pilotes et ses équipages au combat.*

Guynemer commandait la célèbre escadrille des Cigognes quand il fut abattu en 1917.

Le chef d'escadron porte quatre galons au képi.

▸ ***escadron*** n. m. Unité de l'armée de l'air, de l'armée blindée et de la gendarmerie. *Un escadron motocycliste de la Garde républicaine précédait la voiture du Président.*

Dans la gendarmerie, l'escadron est divisé en *pelotons.*

Au cours de l'escalade, le grimpeur peut utiliser des pitons.

escalade n. f.
Action de grimper avec effort en utilisant les pieds et les mains ; vois ***ascension.*** *M. Doucet fait de l'escalade sur les rochers de Fontainebleau.*

Conjugaison 1

▸ ***escalader*** v. **1.** Passer par-dessus un mur, une clôture, un portail. *Les voleurs ont escaladé le mur du jardin.* **2.** Faire l'ascension d'une montagne, d'une pente très raide ; vois ***gravir, monter.*** *Des alpinistes escaladaient la face nord de la montagne.*

[...] un rocher si isolé de tous les côtés et si escarpé qu'on ne pouvait l'escalader par aucun endroit *(les Mille et Une Nuits).*

Compare *escalator* et *escalier* : il s'agit de **marches.**

escalator n. m.
Escalier mécanique. *Les escalators permettent de monter de nombreux étages sans se fatiguer.*

On dit aussi *escalier roulant.*

escale n. f.
Action de s'arrêter quelque part pour prendre du ravitaillement, embarquer ou débarquer des passagers ou des marchandises ; vois ***halte.*** *L'avion pour Tokyo fait escale à Moscou. Le bateau a fait le trajet Marseille–Naples sans escale.*

Compare *escalier* et *escalator* : il s'agit de **marches.**

On dit aussi : un *escalier mécanique.*

escalier n. m.
Suite de marches qui permettent de passer d'un niveau à un autre. *Julie se laisse glisser sur la rampe de l'escalier. Le docteur Séverac monte les escaliers quatre à quatre. Dans ce grand magasin, il y a huit escaliers roulants,* des escaliers mobiles qui permettent de monter et de descendre sans marcher ; vois ***escalator.***

Ketty, qui n'avait point lâché la main de d'Artagnan, l'entraîna par un petit escalier sombre et tournant *(les Trois Mousquetaires).*

escalope n. f.
Mince tranche de viande de veau ou de dinde. *Les Doucet ont mangé des escalopes à la crème.*

Conjugaison 1

escamoter v.
Faire disparaître quelque chose sans être vu. *Le prestidigitateur a escamoté une carte ;* vois ***dissimuler.***

▸ ***escamotable*** adj. Qui se rentre, se replie de telle manière qu'on ne le voit plus. *Sur sa voiture, M. Doucet a une antenne de radio escamotable.*

La plupart des avions ont un train d'atterrissage escamotable.

escampette n. f.
Prendre la poudre d'escampette, c'est s'enfuir ; vois ***décamper, déguerpir.*** *Après avoir assommé le gardien de nuit, les voleurs ont pris la poudre d'escampette.*

escapade n. f.
Petite promenade que l'on fait pour se distraire en se sauvant d'un endroit afin d'échapper à une surveillance. *Pendant la visite du musée, Julie et Yasmina ont fait une escapade pour aller s'acheter des bonbons.*

Les escargots sont à la fois mâle et femelle, ils sont hermaphrodites. Ils pondent des œufs.

escargot n. m.
Petit animal qui porte sur son dos une coquille arrondie enroulée en spirale et se nourrit de végétaux. *Les « cornes » des escargots portent les yeux. Le restaurant Bellec propose des escargots de Bourgogne au menu du jour. Claire avance comme un escargot ; Nathalie et David n'ont pas voulu l'emmener en promenade,* elle avance très lentement.

Les escargots sont des *mollusques.*

L'escargot peut parcourir 112 m en une heure, soit 1,85 m par minute.

escarmouche n. f.
Bref combat de faible importance entre des soldats isolés de deux armées ; vois ***accrochage.*** *Avant l'offensive, il y a eu quelques escarmouches.*

escarpé adj.
En pente raide ; vois ***abrupt,*** *à* ***pic.*** *Un sentier escarpé monte au château fort.*

▸ **escarpement** n. m. Versant en pente raide. *L'escarpement de la falaise est très impressionnant.*

escarpin n. m.
Chaussure très fine qui laisse découvert le dessus du pied. *Mme Séverac a mis sa plus belle robe et ses escarpins vernis pour aller à une soirée de gala.*

Poussez, poussez l'escarpolette (chanson).

escarpolette n. f.
Siège suspendu par des cordes et sur lequel on se balance ; vois ***balançoire.***

Escarpolette est l'ancien nom de la balançoire.

On prononce [abɔ̃nesjɑ̃].

à bon **escient** adv.
Avec raison, comme il faut. *Le maire a dépensé à bon escient l'argent de la commune.*

Deux *f* dans *s'esclaffer.*

*s'***esclaffer** v.
Éclater de rire bruyamment ; vois ***pouffer.*** *Les enfants se sont esclaffés quand Antoine s'est caché sous son bureau.*

Conjugaison 1

Attention ! ce nom est masculin : *un esclandre.*

esclandre n. m.
Incident dans un endroit ou il y a du monde et au cours duquel quelqu'un montre très bruyamment son mécontentement ; vois ***scandale, tapage.*** *Depuis que ce client a fait un esclandre dans son restaurant, M. Bellec ne veut plus le servir.*

À partir du XVIe siècle des millions de Noirs furent emmenés de force d'Afrique par les Portugais, les Espagnols, les Anglais et les Français pour être vendus comme esclaves en Amérique.

esclave n. m. et f.
1. À certaines époques et dans certaines civilisations, personne entièrement privée de liberté qui est achetée par un maître et demeure sous sa domination absolue. *Un esclave devenait un homme libre quand il était affranchi par son maître.* **2.** Personne qui se soumet complètement à l'autorité d'une autre personne. *Mme Hespel ne veut pas devenir l'esclave de ses fils.* **3.** Personne soumise à quelque chose. *L'homme est-il devenu l'esclave de la machine ?* — adj. *M. Doucet est esclave de son métier ;* vois ***dépendant, prisonnier.***

Va voir aussi ***serf.***

Dans l'Antiquité, en Grèce et à Rome, les esclaves étaient nombreux ; ils étaient nés de parents esclaves ou étaient prisonniers de guerre.

Aux États-Unis, l'esclavage fut aboli en 1865.

▸ **esclavage** n. m. **1.** Condition d'esclave. *La France décida d'abolir l'esclavage dans ses colonies, en 1848.* **2.** Contrainte, perte de liberté. *Avoir un chien en appartement, quel esclavage !*

Va voir aussi ***servage.***

escogriffe n. m.
Un grand escogriffe, c'est un homme de grande taille, mal bâti et dont les mouvements ne semblent pas naturels ; vois ***échalas.*** *« Qui est ce grand escogriffe qui discute avec Hippolyte ? »*

escompte n. m.
Diminution du prix que consent le vendeur à l'acheteur lorsque celui-ci paie immédiatement ; vois ***rabais, remise.*** *Mme Hespel a accordé un escompte de 10 % à ce client qui payait comptant.*

Ce mot s'emploie dans le monde des affaires quand les acheteurs et les vendeurs sont des entreprises.

Conjugaison 1

escompter v.
S'attendre à quelque chose ; vois ***attendre, compter** sur, **espérer.*** *Le maire escomptait être réélu.*

Il n'a pas obtenu le résultat escompté.

escorte n. f.
1. Troupe qui accompagne quelqu'un pour le protéger. *Une escorte de gardes du corps entourait le ministre.* **2.** Ensemble de personnes qui accompagnent quelqu'un pour lui faire honneur. *Une brillante escorte accompagnait la reine dans sa promenade.* **3.** *Être sous bonne escorte,* c'est être bien surveillé, être sous bonne garde. *Le prisonnier était placé sous bonne escorte.*

Les nobles *faisaient escorte* au roi.

En temps de guerre, les gros bateaux sont entourés d'*escorteurs,* des petits navires qui les protègent des attaques sous-marines et aériennes.

Conjugaison 1

▸ **escorter** v. **1.** Accompagner quelqu'un pour le protéger. *Des gardes du corps escortaient le ministre.* **2.** Accompagner quelqu'un pour lui faire honneur ou pour l'entourer ; vois ***conduire.*** *Les dames d'honneur escortaient la reine pendant la promenade.*

escouade n. f.
Petite troupe, groupe de quelques hommes. *Une escouade de policiers faisait une ronde à la tombée du jour.*

escrime n. f.
Sport de combat dans lequel deux adversaires s'affrontent au sabre, au fleuret ou à l'épée. *Nathalie fait de l'escrime depuis deux ans.*

Conjugaison 1

*s'***escrimer** *à* v.
Déployer de grands efforts pour faire quelque chose ; vois *s'**acharner,** s'**appliquer,** s'**évertuer.*** *Angèle s'est escrimée à expliquer à ses élèves comment chercher un mot dans le dictionnaire.*

On ne prononce pas le *c* final ; *escroc* [ɛskʀo] rime avec *maquereau.*

escroc n. m.
Personne malhonnête qui trompe les gens pour leur prendre de l'argent. *Cet homme d'affaires est un escroc.*

L'escroc appelle celui qu'il trompe un *pigeon.*

Conjugaison 1

▸ **escroquer** v. Obtenir malhonnêtement de l'argent de quelqu'un en le trompant. *Ce beau jeune homme escroquait les vieilles dames. Il a escroqué une Américaine de plusieurs millions.*

Prononce [ɛskʀɔkʀi].

▸ **escroquerie** n. f. Action d'escroquer ; vois ***vol.*** *Vendre des tomates aussi cher, c'est de l'escroquerie.*

espace n. m.
1. Place. *Cet appartement est grand, il y a de l'espace. Claire a besoin d'espace pour jouer.* **2.** *Un espace vert,* c'est un endroit, dans une ville, où il y a de la verdure, des arbres. *Il y a de nombreux espaces verts dans notre ville.* **3.** *L'espace,* c'est le milieu qui se trouve en dehors de l'atmosphère terrestre, là où sont les planètes, les étoiles, le Soleil ; vois ***cosmos.*** *Les Américains viennent d'envoyer une fusée dans l'espace.* **4.** Distance qui sépare deux objets. *Les espaces entre les arbres de l'allée sont égaux ;* vois ***espacement, intervalle.*** **5.** *En l'espace de quelques secondes le temps est devenu orageux,* en quelques secondes.

Il y a six passagers dans le vaisseau *spatial.*

Et rose elle a vécu ce que vivent les roses,
L'espace d'un matin
(Malherbe).

▸ **espacement** n. m. Distance entre deux choses espacées. *L'espacement des arbres de l'allée est très régulier ;* vois ***espace, intervalle.***

Conjugaison 3
▭ Indic. présent : *j'espace, nous espaçons.*

▸ **espacer** v. **1.** Mettre un certain espace entre deux choses. *Le patron du restaurant espace les tables qui sont trop rapprochées ;* vois ***écarter.*** *Les arbres de l'allée sont espacés entre eux de dix mètres.* **2.** Séparer par un intervalle de temps. *Maintenant que le malade va mieux, le docteur Séverac peut espacer ses visites.*

Le contraire d'*espacer,* c'est *rapprocher, resserrer.*

espadon n. m.
Grand poisson de mer dont la mâchoire supérieure est longue et pointue comme une épée. *Les espadons vivent dans la mer Méditerranée et dans l'Atlantique jusqu'aux côtes de l'Islande.*

Sa mâchoire supérieure peut atteindre 2 mètres de long pour un poisson de 6 mètres.

En Sicile, on mange beaucoup d'espadon grillé.

espadrille n. f.
Chaussure légère de toile à semelle de corde. *Marie-Tévy a une paire d'espadrilles rouges.*

L'espadrille est d'origine basque.

espagnolette n. f.
Poignée qui actionne une tige métallique et qui permet d'ouvrir ou de fermer une fenêtre. *La fenêtre du salon est fermée à l'espagnolette,* elle est maintenue entrebâillée par la poignée de l'espagnolette.

Ne confonds pas *espalier* et *escalier.*

espalier n. m.
Mur contre lequel on fait pousser des arbres fruitiers. *Il y a des poiriers en espalier dans le verger de Mamie Lou.*

Les arbres en espalier sont tout plats.

espèce n. f.

Il y a des espèces animales et des espèces végétales.

1. Catégorie d'êtres vivants qui ont des caractères communs et peuvent se reproduire entre eux. *Les chats et les chiens n'appartiennent pas à la même espèce.* **2.** Sorte. *Sur la table il y a différentes espèces de verres.* **3.** *Mme Harpie porte une espèce de chapeau qui fait rire tout le monde,* un drôle de chapeau. *Espèce d'idiot !* **4.** *Payer en espèces,* c'est payer avec de l'argent liquide, des billets, des pièces. *Préférez-vous payer en espèces ou par chèque ?*

Attention ! *espèce* est un nom féminin.

On peut payer aussi avec une carte de crédit.

Ce nom est toujours au pluriel dans ce sens.

Conjugaison 6
▭ Indic. présent : *j'espère, nous espérons.*

espérer v.
Souhaiter qu'une chose que l'on désire se réalise. *Sylvain espère revoir Nathalie l'été prochain. Réjean espère qu'Alex viendra le voir au Canada.*
▸ **espérance** n. f. Sentiment d'une personne qui espère ; vois **espoir.** *Le résultat dépasse mes espérances, dit Angèle, l'institutrice, les enfants ont fait beaucoup de progrès. Contre toute espérance, Denis Prost est arrivé avant la fin du dîner,* alors qu'il semblait impossible d'espérer cela.

Le contraire d'*espérer,* c'est *craindre, redouter.*

Compare : *espérer → espérance, résister → résistance* et *assurer → assurance.*

Autres membres de la famille : **désespérer, désespérant, désespéré, inespéré.**

espiègle adj.
Vif et malicieux, sans méchanceté. *Claire est espiègle, elle adore faire des farces à Mamie Lou ;* vois **coquin, taquin.**
▸ **espièglerie** n. f. Taquinerie, farce. *Mme Harpie ne comprend pas toujours les espiègleries des enfants.*

espion n. m., **espionne** n. f.

Mata Hari est une espionne célèbre de la Guerre de 1914.

Personne qui cherche à connaître les secrets militaires, industriels ou politiques d'une puissance étrangère. *Les espions ont souvent une fausse identité pour ne pas être reconnus. C'est un espion à la solde des Soviétiques.*
▸ **espionner** v. Surveiller quelqu'un en cachette pour connaître un secret ; vois **épier.** *Mme Harpie espionne ses voisins.*

On dit aussi un *agent secret.*

Conjugaison 1

Ceux qui sont chargés de surveiller les espions font du *contre-espionnage.*

▸ **espionnage** n. m. Activité des espions. *Sylvain lit des romans d'espionnage. Mata Hari a été condamnée à mort pour espionnage au profit de l'Allemagne.*

Babar arrive sur son cheval et monte jusqu'à une petite esplanade aménagée spécialement pour lui *(Babar).*

esplanade n. f.
Grand terrain plat et dégagé aménagé devant un monument. *Lorsqu'il est à Paris, Antoine va faire du patin à roulettes sur l'esplanade du Trocadéro.*

espoir n. m.

Le contraire d'*espoir,* c'est *désespoir.*
Tant qu'il y a de la vie, il y a de l'espoir (proverbe).

1. Sentiment d'une personne qui espère, qui souhaite que la chose qu'elle désire arrive ; vois **espérance.** *Alex a l'espoir d'être reçu au bac. Le malade va mourir, il n'y a plus d'espoir. Hippolyte passe devant l'école dans l'espoir de rencontrer Angèle.* **2.** Personne qui a un brillant avenir devant elle, dans un domaine sportif ou artistique. *C'est un espoir de la chanson française,* un chanteur qui va sûrement devenir célèbre.

Araignée du soir, espoir ! (dicton).

Autre membre de la famille : **désespoir.**

esprit n. m.
1. Pensée. *Sylvain a l'esprit clair. Une idée me vient à l'esprit. En voyant des flammes, Hippolyte a eu la présence d'esprit d'appeler les pompiers,* l'idée de réagir vite en appelant les pompiers. **2.** *Avoir de l'esprit,* c'est savoir dire des choses amusantes et fines ; vois **humour.** *Denis Prost a beaucoup d'esprit.* **3.** Manière d'être et d'agir. *Mme Harpie a mauvais esprit,* elle est malveillante et voit le mal partout. **4.** *Un esprit,* c'est l'âme d'un mort qui revient parmi les vivants ; vois **fantôme, revenant.** *Le vieux colonel fait tourner les tables et évoque les esprits.*

Une fée qui se trouva à sa naissance assura qu'il ne laisserait pas d'être aimable parce qu'il aurait beaucoup d'esprit *(Riquet à la Houppe).*

Esprit, es-tu là ?

esquif n. m.
Petit bateau léger. *Le frêle esquif danse sur les flots.*

On écrit aussi : *un Eskimo, une Eskimo.*

① ***esquimau*** n. m., ***esquimaude*** n. f.
Habitant des régions glacées du nord de l'Amérique et du Groenland. *Les Esquimaux se déplacent sur des traîneaux tirés par des chiens. Réjean et Alex ont vu les Esquimaux du Labrador, au Canada.* — adj. *La population esquimaude est de race jaune.*

On les appelle aussi les *Inuits.*

On dit aussi : *la population eskimo.*

▸ ② ***esquimau*** n. m. Glace enrobée que l'on tient comme une sucette, par un bâton. *Les Doucet ont mangé des esquimaux à l'entracte.*

Conjugaison 1

esquinter v.
Abîmer. *Quelqu'un a encore esquinté le vélo de Sylvain. Le chat Félix a esquinté un fauteuil avec ses griffes.*

Ce mot est familier.

esquisse n. f.
Dessin fait rapidement à grands traits ; vois ***croquis, ébauche.*** *Ce dessin n'est encore qu'une simple esquisse.*

Conjugaison 1

▸ ***esquisser*** v. **1.** Dessiner rapidement à grands traits. *Yves a esquissé un portrait d'Angèle sur son carnet.* **2.** *Esquisser un mouvement,* c'est le commencer sans l'achever. *À travers ses larmes, Yasmina esquissa un sourire ;* vois ***ébaucher.***

Ne confonds pas *esquisser* et *esquiver.*

Esquiver une difficulté, c'est l'écarter sans la résoudre.

esquiver v.
1. *Esquiver un coup,* c'est éviter de le recevoir. *Un boxeur doit esquiver les coups de son adversaire.* **2.** *S'esquiver,* c'est s'en aller sans se faire remarquer. *Sylvain s'ennuie quand sa mère a des invités ; il s'esquive pour aller lire dans sa chambre.*

Conjugaison 1

Famille de **essayer**

essai n. m.
1. *Faire un essai,* c'est expérimenter, tester une chose pour en voir les qualités et les défauts. *Avant d'acheter la voiture de ses rêves, Denis Prost fait un essai.* **2.** Tentative. *Au premier essai, Antoine a envoyé la flèche hors de la cible.* **3.** Livre dans lequel l'auteur dit ce qu'il pense sur un sujet. *Le maire voudrait écrire un essai sur les espaces verts dans les villes moyennes.*

Le Gentilhomme qui faisait l'essai de la pantoufle [...] dit que cela était juste et qu'il avait l'ordre de l'essayer à toutes les filles *(Cendrillon).*

Essaim [ɛsɛ̃] se termine par un ***m.***

essaim n. m.
Groupe d'insectes, spécialement des abeilles ou des guêpes. *Il y a un essaim de guêpes dans le gros noyer.*

Essaimer, c'est se grouper en essaim.

Conjugaison 8
▭ Indic. présent : *j'essaie* ou *j'essaye, nous essayons.*

essayer v.
1. *Denis Prost essaie plusieurs modèles de voitures avant d'en acheter une,* il teste plusieurs voitures pour en voir les qualités et les défauts. **2.** Utiliser pour la première fois. *Alex, essaie donc les crêpes au sirop d'érable !* **3.** Faire des efforts sans être sûr du résultat. *Claire n'a jamais essayé de monter sur un vélo. Allez, vas-y, essaie ! J'ai essayé de lui téléphoner, mais il n'était pas là ;* vois ***tenter.*** *Essaie de dormir, il est tard ;* vois ***tâcher.*** **4.** *Essayer un vêtement,* c'est le mettre sur soi pour voir s'il va bien. *Julie essaie plusieurs jupes, et finalement elle choisit la rouge.*

Il *fait un essai* avec chaque voiture.

Il n'essayait pas souvent d'étonner les gens, et quand cela lui arrivait, il le regrettait ensuite *(les Mille et Une Nuits).*

Bientôt le lapin arriva à la porte et essaya de l'ouvrir *(Alice au Pays des merveilles).*

▸ ***essayage*** n. m. *Dans les boutiques, il y a des cabines d'essayage,* où les clients peuvent essayer les vêtements avant de les acheter.

Autre membre de la famille : **essai.**

Attention ! deux ***s*** et un ***c.***

essence n. f.
1. Carburant tiré du pétrole, qui sert à faire marcher les voitures. *M. Bellec s'est arrêté pour prendre de l'essence. Il a fait le plein d'essence,* il a rempli le réservoir de sa voiture. **2.** Espèce, sorte d'arbre. *Il y a des essences variées dans la forêt.*

Prononce [esɑ̃sjɛl].

Le contraire d'*essentiel,* c'est *inutile, secondaire.*

essentiel adj. et n. m.
1. adj. Très utile, très important ; vois ***indispensable, nécessaire.*** *Il manque une pièce essentielle dans votre dossier.* **2.** n. m. *L'essentiel,* c'est ce qu'il y a de plus important. *Alex ne s'encombre pas de grosses valises, il emporte juste l'essentiel.*

L'essentiel est invisible pour les yeux *(le Petit Prince).*

Au pluriel : *des essieux.*

essieu n. m.
Barre de métal qui relie deux roues. *L'essieu avant de la voiture s'est cassé dans l'accident.*

Essor s'écrit avec deux *s*.

essor n. m.
1. Envol. *L'oiseau prend son essor,* il s'envole. **2.** Développement. *La biscuiterie est en plein essor,* en plein développement.

Conjugaison 1

essorer v.
Essorer du linge, c'est le tordre pour en faire sortir l'eau. *La machine lave, rince, puis essore le linge.*

Essorer et *essorage* s'écrivent avec deux *s*.

▸ **essorage** n. m. *L'essorage automatique du linge dure quelques minutes,* il faut quelques minutes pour essorer le linge automatiquement.

Deux *s* et deux *f* à *essouffler*.
[...] le cheval, essoufflé, allait avec peine et s'arrêtait à chaque instant *(les Contes du Chat perché)*.

essouffler v.
Faire perdre le souffle. *C'est amusant de courir avec le chien, mais cela essouffle ! Claire est tout essoufflée d'avoir couru,* elle est hors d'haleine. — *Mamie Lou s'essouffle facilement.*

Conjugaison 1
Famille de **souffler**

Conjugaison 8
▭ Indic. présent : *j'essuie, nous essuyons.*

① **essuyer** v.
Sécher ou nettoyer en frottant. *Yasmina essuie la vaisselle. Mme Roussel a essuyé les meubles avec un chiffon à poussière* ; vois ***épousseter.*** *Yasmina s'est essuyé les pieds sur le paillasson.* — *Julie s'est essuyée avec une grande serviette.*

Il s'essuie du bout du doigt avec les coins secs de la serviette *(Poil de Carotte)*.

Au pluriel : *des essuie-glaces.*

▸ **essuie-glace** n. m. Petit appareil muni d'une lame de caoutchouc, qui essuie le pare-brise d'une voiture quand il pleut. *La pluie tombait si fort qu'Angèle, malgré les essuie-glaces, ne voyait plus la route.*

Famille de ① **glace**

Au pluriel : *des essuie-mains.*
Famille de **main**

▸ **essuie-main** n. m. Torchon ou serviette servant à s'essuyer les mains. *L'essuie-main est sale, il faut le changer.*

On peut écrire aussi : *un essuie-mains.*

Conjugaison 8
▭ Indic. présent : *j'essuie, nous essuyons.*

② **essuyer** v.
Subir une chose désagréable. *Alex a essuyé un échec au bac,* il a échoué, il n'a pas été reçu. *Hippolyte a essuyé un refus,* on lui a refusé ce qu'il demandait.

Prononce toutes les lettres : [ɛst].
Le soleil se couche à l'ouest.

est n. m. et adj. invariable
▭ **n. m. 1.** *L'est,* c'est l'un des quatre points cardinaux, celui qui est situé du côté où le soleil se lève ; vois ***levant, orient.*** *La chambre de Julie est exposée à l'est. Reims est à l'est de Paris.* **2.** *L'Est,* c'est l'ensemble des provinces situées dans l'est de la France. *Strasbourg est une ville de l'Est.* **3.** *Les pays de l'Est,* ce sont les pays socialistes situés dans la partie est de l'Europe. *La Pologne est un pays de l'Est.*
▭ **adj. invariable** Qui se trouve à l'est. *Bastia est sur la côte est de la Corse.*

nord, sud, est, ouest.

Dans ces deux sens, on met une majuscule à *Est*.

On dit aussi *l'Est* pour dire *les pays de l'Est*.

Autre membre de la famille : **nord-est.**

estafilade n. f.
Longue coupure au visage. *Pierre Séverac s'est fait une estafilade en se rasant.*

Attention au *m* devant le *p*.

estampe n. f.
Image que l'on obtient à partir d'une planche gravée ; vois ***gravure.*** *Certains livres anciens possèdent de magnifiques estampes.*

Prononce [ɛskə].
Famille de ① **être**, de ② **ce** et de **que**

est-ce que ? adv.
Est-ce que sert à poser des questions. *Est-ce que Yasmina travaille bien ? Est-ce qu'elle écoute Angèle ? Qu'est-ce qu'elles font ? Où est-ce que vous irez ? Qui est-ce qui vient avec nous ?*

On peut dire aussi : *Yasmina travaille-t-elle bien ?* ou *Yasmina travaille bien ?*

esthétique adj.
Beau, décoratif. *Ces grands fils électriques sur le tapis, ce n'est pas très esthétique !*

Attention au *h*.

Compare : *esthétique → esthéticien* et *musique → musicien.*

▸ **esthéticien** n. m., **esthéticienne** n. f. Personne qui donne des soins de beauté, fait des maquillages. *L'esthéticienne travaille dans un institut de beauté.*

Conjugaison 1

estimer v.
1. *Estimer un objet,* c'est dire le prix qu'il vaudrait si on le vendait ; vois ***évaluer.*** *Le bijoutier a estimé très cher le collier de perles de Mme Hespel.* **2.** Penser, juger. *Sylvain estime qu'il a assez travaillé pour aujourd'hui.*

— *Marie-Tévy s'estime heureuse d'avoir pu venir en France et d'avoir trouvé une nouvelle famille.* **3.** *Estimer quelqu'un,* c'est penser du bien de lui, trouver qu'il a des qualités ; vois ***admirer, apprécier.*** *La directrice de l'école estime beaucoup Angèle : c'est son institutrice préférée.*

Elle vivait au Cambodge, et ses parents sont morts.

Le contraire d'*estimer,* c'est *mépriser.* Elle *a de l'estime* pour elle.

▸ ***estimable*** adj. *C'est une personne très estimable,* qui mérite d'être estimée, qui a beaucoup de qualités.

Le contraire d'*estimable,* c'est *méprisable.*

▸ ***estimation*** n. f. *M*me *Hespel a fait faire l'estimation de son collier,* a fait évaluer combien il valait ; vois ***évaluation.***

▸ ***estime*** n. f. Bonne opinion que l'on a d'une personne. *La directrice de l'école a de l'estime pour Angèle.*

Le contraire d'*estime,* c'est *mépris.*

Autres membres de la famille : **inestimable, mésestimer, sous-estimer, surestimer.**

estival adj.

Compare *estival* et *estivant* : il est question de l'**été**.

D'été. *Malgré la saison, il faisait une température estivale.*

Le contraire, c'est *hivernal.*

estivant n. m., *estivante* n. f.

Les premiers estivants arrivent en juin, ceux qui viennent passer quelque part leurs vacances d'été ; vois ***vacancier.***

estomac n. m.

Ne prononce pas le ***c*** final : [ɛstɔma].

Partie de l'appareil digestif, située entre l'œsophage et l'intestin, et formée d'une poche destinée à recevoir les aliments. *La nourriture est broyée et commence à être digérée dans l'estomac. M. Bonnot a souvent des crampes d'estomac.*

Avoir l'estomac dans les talons : avoir très faim.

Son estomac d'autruche digérerait des pierres *(Poil de Carotte).*

Le *gésier* est l'estomac des oiseaux.

estomper v.

Conjugaison 1

Rendre moins net, rendre flou ; vois ***voiler.*** *La brume estompe le paysage. Le temps estompe les souvenirs ;* vois ***atténuer.*** — *Les couleurs du tableau se sont estompées,* elles ont pâli.

estrade n. f.

L'estrade sur laquelle se passe un match de boxe s'appelle un *ring.*

Plancher élevé de quelques marches au-dessus du sol. *Les musiciens sont installés sur une estrade pour qu'on les voie mieux.*

On voit [...] une estrade couverte de fleurs préparée pour le mariage *(Babar).*

estragon n. m.

On fait du vinaigre, de la moutarde à l'estragon.

Petite plante dont on utilise la tige et les feuilles pour parfumer les plats. *M. Bellec a fait du poulet à l'estragon.*

L'estragon est un *condiment.*

s'estropier v.

Conjugaison 7 ▭ Indic. imparfait : *nous estropiions.*

1. Se blesser gravement. *Yves aurait pu s'estropier en tombant de l'échelle.* **2.** *Estropier un mot,* c'est le déformer, le modifier ; vois ***écorcher.*** *Antoine lit le texte à haute voix en estropiant la moitié des mots.*

Un *estropié,* c'est un infirme.

estuaire n. m.

Saint-Nazaire est un port sur l'estuaire de la Loire.

Embouchure vaste et profonde d'un fleuve. *La Gironde est l'estuaire de la Garonne.*

Va voir aussi ***embouchure.***

esturgeon n. m.

On mange les œufs de l'esturgeon : c'est le *caviar.*

Grand poisson qui pond ses œufs dans les fleuves mais vit en mer. *Un esturgeon peut mesurer cinq mètres et peser deux cents kilos.*

N'oublie pas le ***e*** entre le ***g*** et le ***o.***

et conjonction

Le Chien était sauvage, et le Cheval était sauvage, et la Vache était sauvage *(Histoires comme ça).*

Et sert à relier des mots ou des groupes de mots. *Colle et Rat sont bêtes et méchants. Il est deux heures et demie. Ferme les yeux et ouvre la bouche. Dix et onze font vingt et un. Et moi, qu'est-ce que je fais ?*

Et est une conjonction de coordination.

étable n. f.

Delphine et Marinette firent sortir les vaches de l'étable *(les Contes du Chat perché).*

Bâtiment où on loge les vaches, les bœufs, les veaux. *Le soir, on rentre les vaches à l'étable pour les traire. Le sol de l'étable est garni de paille.*

Où loge-t-on les chevaux, les cochons ?

établi n. m.

Famille de **établir**

Table épaisse et très solide sur laquelle on travaille le bois, les pièces métalliques. *Le menuisier ponce des planches qu'il a fixées sur son établi.*

L'établi est muni d'un étau ; va voir ***étau.***

établir v.

Conjugaison 2

1. Construire, installer. *La ville de Motbourg est établie au fond d'une vallée.* **2.** Démontrer, prouver. *La police a établi que l'incendie de la poste est dû à un accident.* **3.** Fixer, organiser. *Au début de l'année, l'institutrice a établi l'emploi du temps de la classe.* **4.** *Établir des relations,* c'est les nouer. *Les États-Unis et la Chine ont établi des relations diplomatiques en 1979.*

Établir une liste, c'est la dresser.

5. *S'établir quelque part,* c'est s'y installer. *M. Bellec s'est établi dans la ville où habitait sa femme.* **6.** *Angèle attend que le silence s'établisse dans la classe avant de commencer à parler,* elle attend que le silence se fasse.

▸ ① **établissement** n. m. **1.** *L'établissement des faits a demandé longtemps à la police,* la police a mis longtemps à établir les faits. **2.** *M. Bellec s'est fait restaurateur après son établissement à Motbourg,* après s'être établi à Motbourg ; vois ***installation.***

▸ ② **établissement** n. m. Bâtiment servant à un usage précis. *Un collège et un lycée sont des établissements scolaires. Une usine est un établissement industriel.*

Autres membres de la famille : **établi, rétablir, rétablissement.**

étage n. m.

Chaque étage est compris entre deux planchers, sauf le dernier qui est sous le toit.

1. *Les étages d'une maison,* ce sont ses différents niveaux, placés les uns au-dessus des autres. *Yasmina habite au quatrième étage de son immeuble.* **2.** *Le deuxième étage de la fusée s'est détaché,* le deuxième niveau.

Le premier étage est juste au-dessus du rez-de-chaussée.

Conjugaison 3

▸ *s'***étager** v. *Les maisons s'étagent sur la colline,* elles sont placées les unes au-dessus des autres sur la colline.

Une *étagère,* c'est aussi un meuble formé de planches.

▸ **étagère** n. f. Planche horizontale. *Yasmina pose ses poupées sur une étagère.*

Où suis-je, où cours-je et dans quel état j'erre ?

étain n. m.

Métal blanc grisâtre, assez mou. *Sophie Pelletier sert le thé dans une théière en étain.*

Le bronze est un alliage de cuivre et d'étain.

Conjugaison 1

étaler v.

1. *Étaler des objets,* c'est les mettre les uns à côté des autres, de telle façon qu'ils prennent beaucoup de place. *Yves a étalé tous ses jouets dans sa chambre pour les regarder ;* vois ***éparpiller.*** **2.** *Loïc a étalé ses voiles sur l'herbe pour les faire sécher,* il les a mises à plat, étendues, dépliées. **3.** Étendre en couche fine. *Yves étale bien la peinture sur le bateau. — La peinture s'étale difficilement.* **4.** Faire voir, montrer quelque chose dont on est très fier. *Alex étale ses connaissances en mécanique, mais Sylvain s'en moque.* **5.** *S'étaler,* tomber. *Julie s'est étalée de tout son long en essayant de sauter par-dessus la clôture.* **6.** Répartir dans le temps ; vois ***échelonner.*** *Il vaut mieux étaler les départs en vacances.*

Le contraire d'*étaler,* c'est *ramasser.*

Quand elles seront sèches, il les pliera pour les ranger.

Il en fait *étalage.*

Ce sens est familier.

On peut aussi *étaler des paiements* quand on achète à crédit.

▸ **étal** n. m. Table où l'on expose les marchandises dans un marché. *Colle et Rat ont renversé l'étal du marchand de fruits.*

Au pluriel : *des étals.*

Un étal est composé de planches posées sur des tréteaux.

▸ **étalage** n. m. Endroit où l'on expose des marchandises à vendre ; vois ***devanture, vitrine.*** *Colle et Rat ont volé des bonbons à l'étalage de la confiserie.*

▸ **étalagiste** n. m. et f. Personne dont le métier est de composer les vitrines des magasins. *L'étalagiste refait la vitrine tous les quinze jours.*

L'étalagiste dispose les objets dans la vitrine et la décore.

▸ **étalement** n. m. *L'étalement des vacances est souhaitable,* il est souhaitable que les gens étalent leurs vacances, qu'ils ne les prennent pas tous en même temps.

Sinon, que de circulation sur les routes !

étalon n. m.

1. Cheval mâle. *Dans les haras, on élève des étalons pour la reproduction.* **2.** Modèle de mesure. *On vérifie une balance avec des poids étalons.*

Va voir aussi ***haras.***

On dit alors qu'on l'*étalonne.*

① étamine n. f.

Étoffe mince, légère. *Mme Roussel portait ce jour-là un chemisier en étamine de soie.*

② étamine n. f.

Partie d'une fleur qui produit le pollen. *Les insectes qui butinent les fleurs apportent le pollen des étamines sur le pistil.*

C'est ainsi que les graines peuvent se former.

L'étamine est l'organe mâle de la fleur.

Conjugaison 1

étancher v.

Étancher sa soif, c'est l'apaiser en buvant. *Trois grands verres d'eau n'ont pas suffi à étancher sa soif.*

▸ **étanche** adj. Qui ne laisse pas passer les liquides, ne fuit pas. *Le vieil imperméable de Denis Prost n'est plus très étanche. Yves a une montre étanche : il peut la garder pour aller se baigner, elle ne prend pas l'eau.*

Son *étanchéité* est garantie.

étang n. m.

Derrière chez nous, y'a un étang (chanson).

Petit lac peu profond ; vois **mare.** *M. Bellec va pêcher dans les étangs poissonneux de la forêt.*

Ne prononce pas le **g** : [etɑ̃].

étape n. f.

Brûler les étapes, c'est aller plus vite que prévu.

1. Endroit où l'on s'arrête au cours d'un voyage ; vois **halte.** *Sur le chemin de l'Italie, les Bellec ont fait étape dans le Midi.* **2.** Distance qu'il faut parcourir pour arriver à l'endroit où l'on veut s'arrêter. *Les cyclistes ont parcouru une étape très difficile.* **3.** Moment précis dans une période plus longue. *La découverte de l'Amérique marque une étape importante dans l'histoire.*

Une étape du Tour de France peut faire 180 kilomètres.

① **état** n. m.

Être, paraître, sembler, devenir, rester, demeurer sont appelés *verbes d'état.*

En tout état de cause, dans tous les cas, n'importe comment.

Les *États généraux* étaient une assemblée de députés réunis par le roi pour donner des avis.

1. *L'état de quelqu'un,* c'est sa manière d'être, la situation dans laquelle il se trouve. *Sophie Pelletier était dans un état d'énervement extrême. L'état de santé de M. Bonnot n'est pas très bon.* **2.** *La voiture d'Angèle est en mauvais état,* elle ne marche pas très bien. *Hippolyte a remis son appartement en état,* il l'a rénové, réparé. *Sophie Pelletier va écrire un roman, qui est encore à l'état de projet,* qui est encore en projet, sous forme de projet. **3.** *M. Bellec est restaurateur de son état,* de son métier. **4.** *L'état civil d'une personne,* c'est son nom, sa date et son lieu de naissance, sa situation familiale. *On va à la mairie chercher des fiches d'état civil.*

Lucky Luke a mis les Dalton hors d'état de nuire.

Les voitures neuves sont *en bon état.*

Autre membre de la famille : **état-major.**

Le tiers état était formé de roturiers.

② **État** n. m.

La France est un État. Les États-Unis d'Amérique sont un pays composé de plusieurs États.

1. *Un État,* c'est un ensemble de personnes qui vivent sur un territoire et obéissent au même gouvernement ; vois **empire, nation, pays, royaume.** *Il existe des États démocratiques et des États totalitaires.* **2.** *L'État,* c'est l'ensemble des services qui gouvernent un pays ; vois **administration, gouvernement.** *L'État prélève les impôts. Les fonctionnaires sont au service de l'État. Le chef de l'État est à la tête de l'État. Colbert a été un grand homme d'État,* un grand homme de gouvernement.

Ce mot s'écrit avec une majuscule.

Le chef de l'État, en France, c'est le président de la République.

état-major n. m.

Au pluriel : *des états-majors.*

L'état-major d'un parti politique, c'est l'ensemble des personnes qui le dirigent.

Ensemble des officiers qui commandent une armée ou une partie d'une armée, sous les ordres d'un général. *L'état-major a décidé d'attaquer l'ennemi.*

Famille de ① **état** et de **major**

étau n. m.

Au pluriel : *des étaux.*

Instrument fixé à une table, un établi, qui sert à maintenir un objet qu'on veut travailler. *M. Bellec place dans l'étau la planche qu'il veut scier.*

Un étau se compose de deux mâchoires qui serrent l'objet à travailler.

étayer v.

Conjugaison 8 ▭ Indic. présent : *j'étaye* ou *j'étaie.*

Consolider, renforcer un mur, un plafond avec des poutres. *Les mineurs étayent les galeries au fur et à mesure qu'ils les creusent.*

Les poutres qui servent à étayer sont des *étais.*

etc. adv.

On prononce [etseteʀa].

Et ainsi de suite, et le reste. *Une panoplie de cow-boy contient un chapeau, une ceinture, un pistolet, etc.*

Etc. est l'abréviation de *et cetera.*

été n. m.

Va voir aussi : **estival** et **estivant.**

Saison la plus chaude de l'année. *Tous les étés, Angèle va en Corse. En été, les jours sont plus longs.*

Quand commence et quand finit l'été ?

éteindre v.

Un *extincteur* sert à éteindre le feu.

Le contraire d'*éteindre,* c'est *allumer, rallumer.*

Yves avait une soif *inextinguible.*

1. Faire cesser de brûler. *Les pompiers ont éteint l'incendie. — Le feu s'est éteint,* il a cessé. **2.** Faire cesser d'éclairer. *Tu éteindras la lumière avant de te coucher.* **3.** Calmer, diminuer, apaiser. *Yves avait tellement chaud que rien ne pouvait éteindre sa soif.* **4.** *La mère de Sophie Pelletier s'est éteinte,* elle est morte.

Conjugaison 52 ▭ Indic. présent : *j'éteins, nous éteignons.* Imparfait : *j'éteignais, nous éteignions.* Futur : *j'éteindrai.*

▷ **éteint** adj. **1.** Qui ne brûle plus, n'éclaire plus. *La voiture roulait tous feux éteints,* sans aucune lumière allumée. **2.** Faible et triste. *Mme Roussel avait un regard éteint. Yasmina parlait d'une voix éteinte,* si faible qu'on l'entendait à peine.

Il possédait deux volcans en activité [...] Il possédait aussi un volcan éteint *(le Petit Prince).*

étendard n. m.

L'étendard sanglant est levé *(la Marseillaise).*

Drapeau ; vois **bannière.** *Les cavaliers brandissaient leurs étendards.*

Conjugaison 41
▭ Indic. présent : *j'étends, nous étendons, ils étendent.* Imparfait : *j'étendais.* Futur : *j'étendrai.*

étendre v.
1. Allonger. *On a étendu le blessé sur une civière. Denis Prost a étendu les jambes.* **2.** Mettre à plat, étaler quelque chose qui était plié. *Mamie Lou étend le linge au fond du jardin.* **3.** Passer une couche, faire recouvrir une surface. *Yves étend du beurre sur ses tartines,* il l'étale. **4.** Diluer, délayer. *Ce jus de fruit doit être étendu d'eau avant d'être bu.* **5.** Rendre plus grand ; vois ***accroître, augmenter.*** *Tous les jours, M. Doucet étend ses connaissances en informatique.*

Famille de ① **tendre**
Le contraire d'*étendre*, c'est *plier, replier.*
Le contraire d'*étendre*, c'est *restreindre.*

Céleste va s'étendre à l'ombre d'un grand arbre. Elle s'endort profondément *(Babar).*

▸ *s'***étendre** v. **1.** S'allonger, se coucher. *Sophie Pelletier s'est étendue sur le canapé et s'est endormie.* **2.** Occuper un certain espace. *La forêt s'étend du village jusqu'à la rivière.* **3.** Devenir plus grand. *L'incendie s'est étendu rapidement,* il s'est propagé rapidement.

▸ **étendu** adj. Grand, vaste. *Du haut de la colline, on a une vue étendue sur la campagne environnante. M. Doucet a des connaissances étendues en informatique.*

Le contraire d'*étendu*, c'est *limité.*

▸ **étendue** n. f. **1.** Espace, surface. *Toute l'étendue de la vallée est cultivée.* **2.** Importance. *Le maire est venu constater l'étendue des dégâts.*

Le Sahara est une immense étendue désertique.

éternel adj.
1. Qui a toujours existé et existera toujours. *Yves a appris au catéchisme que Dieu est éternel.* **2.** Qui doit durer toujours, ne pas avoir de fin. *À la montagne, les enfants ont vu les neiges éternelles,* qui ne fondent jamais. **3.** Qui fatigue par la répétition. *M. Bellec a refait ses éternels tours de cartes,* les tours qu'il fait toujours et qui sont ennuyeux.

Le contraire d'*éternel*, c'est *éphémère.*

Compare : *éternel* → *éternellement* et *actuel* → *actuellement.*

▸ **éternellement** adv. Sans cesse, continuellement. *Antoine est éternellement en retard. On ne va pas l'attendre éternellement.*

Conjugaison 1

*s'***éterniser** v.
Se prolonger, durer trop longtemps. *Les enfants voudraient jouer et trouvent que le repas s'éternise.*

éternité n. f.
1. Durée sans commencement ni fin. *Les croyants pensent que Dieu vit dans l'éternité.* **2.** Temps extrêmement long. *Cela fait une éternité qu'Angèle n'a pas vu ses parents.*

Conjugaison 1

éternuer v.
Rejeter brusquement et avec bruit de l'air par le nez et la bouche. *Colle et Rat ont mis dans la classe de la poudre à éternuer. Tout le monde a éternué pendant un quart d'heure.*

C'est l'irritation des muqueuses du nez qui fait éternuer.

Le poivre, le tabac, un parfum peuvent provoquer des éternuements.

▸ **éternuement** n. m. Passage brutal et bruit de l'air que l'on rejette en éternuant. *L'éternuement est un réflexe.*

N'oublie pas le ***h*** de *éther.*

éther n. m.
Liquide incolore qui a une odeur forte, s'évapore très vite et sert à anesthésier et à désinfecter. *Il y avait une odeur d'éther dans le couloir de l'hôpital.*

Éther [etɛʀ] rime avec *terre.*

ethnie n. f.
Groupe de personnes qui parlent la même langue et ont la même culture. *La nation française s'est formée à partir de plusieurs ethnies.*

Attention au ***h*** de *ethnologie* [ɛtnɔlɔʒi] et de *ethnologue* [ɛtnɔlɔg].

ethnologie n. f.
Science qui étudie la vie et les habitudes des différents groupes humains. *Angèle lit un livre d'ethnologie sur les Indiens.*

▸ **ethnologue** n. m. et f. Personne qui étudie la façon de vivre des différents peuples. *Une ethnologue est venue présenter un film sur les Esquimaux au ciné-club.*

Deux ***l*** dans *étincelle.*

étincelle n. f.
1. Minuscule partie brûlante et brillante qui se détache ou jaillit d'un feu. *Une gerbe d'étincelles a jailli de la bûche quand Mamie Lou a remué la*

braise. **2.** Petit éclair. *Il y a eu une étincelle quand les deux fils électriques se sont touchés.*

Conjugaison 4 ▭ Indic. présent : *il étincelle.* Imparfait : *il étincelait.* Futur : *il étincellera.*

▸ **étinceler** v. Briller vivement sous un rayon lumineux. *La mer étincelait au clair de lune ;* vois ***scintiller.***

▸ **étincelant** adj. Qui étincelle. *La princesse portait un diadème étincelant.*

s'étioler v.

Le contraire de *s'étioler,* c'est *s'épanouir.*

Conjugaison 1

La plante s'étiole, elle devient rabougrie et décolorée. *Le géranium s'est étiolé parce qu'il manquait de lumière.*

① étiquette n. f.

Morceau de papier placé sur un objet, qui indique son prix, sa composition, sa destination ou son propriétaire ; vois ***marque.*** *Julie a collé des étiquettes sur ses livres de classe.*

Un candidat aux élections *sans étiquette* n'appartient à aucun parti politique.

Conjugaison 4 ▭ Indic. présent : *j'étiquette.*

▸ **étiqueter** v. Mettre une étiquette. *Antoine a étiqueté ses boîtes de papillons.*

② étiquette n. f.

Règles que l'on doit observer en présence d'un chef d'État, d'un grand personnage ; vois ***protocole.*** *Sous Louis XIV, la cour devait respecter l'étiquette.*

Selon l'étiquette, les dames faisaient la révérence devant le roi.

étirer v.

Conjugaison 1

1. Allonger en tirant. *Yasmina étire l'élastique.* **2.** *S'étirer,* c'est étendre ses muscles. *Sophie Pelletier s'est étirée et s'est levée.*

Famille de **tirer**

étoffe n. f.

Tissu. *Mamie Lou a choisi une étoffe solide pour se faire un manteau.*

Deux *f* dans *étoffe* et *étoffer.*

▸ **étoffer** v. Enrichir. *Marie-Tévy a étoffé sa rédaction en racontant quelques anecdotes.*

Conjugaison 1

étoile n. f.

Un groupe d'étoiles forme une *constellation.*

Une *étoile filante,* c'est une météorite qui traverse l'atmosphère en faisant une trace lumineuse.

1. Astre qui produit et envoie de l'énergie ; vois ***astre, comète, planète.*** *Le soleil est une étoile. Loïc montre à Yves comment reconnaître la Grande Ourse parmi les étoiles. Alex et Réjean ont dormi à la belle étoile,* en plein air. **2.** Ornement à plusieurs branches. *Les officiers ont des étoiles brodées sur la manche de leur veste.* **3.** *Une étoile de mer,* c'est un animal marin en forme d'étoile à cinq branches. *Yves a trouvé une étoile de mer sur la plage.* **4.** Artiste très célèbre et réputé ; vois ***star, vedette.*** *Denis Prost est une étoile du cinéma.*

De temps en temps la chèvre de M. Seguin regardait les étoiles danser dans le ciel clair, et elle se disait : « Oh ! pourvu que je tienne jusqu'à l'aube... » *(les Lettres de mon moulin).*

▸ **étoilé** adj. Rempli d'étoiles. *Ce soir, le ciel est étoilé.*

étonner v.

Deux *n* dans *étonner* [etɔne] et dans tous les mots de la famille.

Conjugaison 1

1. Causer de la surprise ; vois ***ébahir, renverser, surprendre.*** *La question d'Antoine a étonné Angèle. Cela m'étonnerait que Mme Harpie devienne aimable,* c'est peu probable. **2.** *S'étonner,* c'est trouver étrange, être surpris. *Personne ne s'étonne qu'Antoine soit en retard.*

Mais le petit prince s'étonnait. La planète était minuscule. Sur quoi le roi pouvait-il bien régner ? *(le Petit Prince).*

Et les petites se crurent obligées de mentir et de prendre un air étonné, ce qui ne manque jamais d'arriver quand on reçoit le loup en cachette de ses parents *(les Contes du Chat perché).*

▸ **étonnant** adj. Qui surprend, cause une surprise ; vois ***ahurissant, effarant, renversant, surprenant.*** *Une chose étonnante vient de se passer aux grilles du château.*

Compare : *étonnant → étonnamment* et *brillant → brillamment.*

▸ **étonnamment** adv. D'une manière étonnante. *Colle et Rat sont étonnamment sages ce matin.*

Deux *n* et deux *m* dans *étonnamment.*

▸ **étonnement** n. m. Surprise ; vois ***stupéfaction.*** *Colle et Rat n'ont pas fait de bêtises, au grand étonnement d'Angèle.*

étouffer v.

Conjugaison 1

1. *Étouffer quelqu'un,* c'est l'empêcher de respirer. *Colle et Rat ont essayé d'étouffer Cajou, le hamster. — Julie s'est étouffée en avalant de travers,* elle a eu du mal à continuer à respirer. **2.** Empêcher de se produire, de se développer. *Des rideaux épais étouffent les bruits de la rue,* ils les rendent moins forts. *Le président a étouffé l'affaire,* il a empêché qu'elle soit connue. **3.** Avoir de la peine à respirer. *Cette pièce n'est pas aérée, on étouffe,* on manque d'air, on a trop chaud.

En mangeant, le bossu avala par malheur une grosse arête qui l'étouffa et dont il mourut en quelques secondes *(les Mille et Une Nuits).*

Delphine et Marinette faillirent étouffer le mouton dans leurs embrassades et tout le monde versa des larmes d'attendrissement *(les Contes du Chat perché).*

Comment ? vous ne comprenez pas que les oiseaux, n'ayant pas d'air, étouffaient dans les chiffons et le coton ? *(les Petites Filles modèles).*

▸ **étouffant** adj. Qui empêche de respirer normalement. *Il fait une chaleur étouffante aujourd'hui.*

▸ ***étouffement*** n. m. Difficulté à respirer. *L'asthme provoque des crises d'étouffement ;* vois ***asphyxie.***

étourdi adj.

Qui ne fait pas attention, oublie tout ; vois ***distrait.*** *Julie est très étourdie, elle a mis ses chaussettes à l'envers.* — n. *Julie est une étourdie.*

En mangeant les petits poissons, la baleine a oublié ses nouveaux amis : c'est une étourdie *(Babar).*

▸ ***étourderie*** n. f. Manque d'attention. *Julie a fait une faute d'étourderie dans sa dictée.*

étourdir v.

Conjugaison 2

Compare : *étourdir → étourdissant* et *rougir → rougissant.*

1. Faire presque perdre connaissance ; vois ***assommer.*** *Claire est tombée sur la tête, cela l'a étourdie.* **2.** Faire mal à la tête. *Ce bruit nous étourdissait.*

Quand on fait de nombreux tours de manège, on est étourdi.

▸ ***étourdissant*** adj. Qui étourdit par son bruit ; vois ***assourdissant.*** *Colle et Rat font un vacarme étourdissant.*

▸ ***étourdissement*** n. m. Impression que tout tourne autour de soi. *Après être tombée, Claire a eu un étourdissement ;* vois ***vertige.***

étourneau n. m.

Les étourneaux peuvent voler à 2 200 mètres d'altitude à une vitesse de 80 km/h.

Petit oiseau au plumage sombre tacheté de blanc ; vois ***sansonnet.*** *Les étourneaux ont un bec long et pointu, aplati à l'extrémité.*

Les étourneaux se nourrissent de vers et de fruits.

étrange adj.

Les grandes personnes sont bien étranges, se dit le petit prince en lui-même durant son voyage *(le Petit Prince).*

Qui étonne ; vois ***bizarre, curieux.*** *Angèle avait un air étrange à la sortie de l'école,* elle n'était pas comme d'habitude. *Ce qu'il y a d'étrange, c'est que Mme Harpie est très aimable avec Hippolyte.*

Le contraire d'*étrange,* c'est *banal, ordinaire.*

▸ ***étrangement*** adv. D'une manière étonnante. *Mme Harpie était étrangement habillée.*

étranger n. m. et adj., *étrangère* n. f. et adj.

« Mes enfants, a dit la maîtresse, je vous présente un nouveau petit camarade. Il est étranger et ses parents l'ont mis dans cette école pour qu'il apprenne à parler français » *(le Petit Nicolas).*

Le contraire d'*étranger,* c'est *intime.*

▭ **adj. 1.** Qui est d'un autre pays. *Alex a de nombreux amis étrangers. Mme Bonnot ne connaît pas de langue étrangère.* **2.** *Être étranger à quelque chose,* c'est ne pas y prendre part, n'y être pour rien. *Colle et Rat ne sont sûrement pas étrangers aux dégâts subis par la vitrine de Mme Harpie.*

▭ **n. 1.** Personne d'un autre pays. *Pour les Canadiens, Alex est un étranger.* **2.** Personne qui ne fait partie ni de la famille ni du groupe de personnes que l'on a l'habitude de voir. *Julie dit toujours ce qu'elle pense, même devant les étrangers.* **3.** *À l'étranger,* dans un pays étranger. *Le docteur Séverac est en voyage à l'étranger.*

Alex est français.

Le jars n'était guère plus aimable avec les personnes de sa famille qu'avec les étrangers *(les Contes du Chat perché).*

étrangler v.

Conjugaison 1

Au risque de s'étrangler, les vaches se mirent à croquer des pommes *(les Contes du Chat perché).*

Empêcher de respirer en comprimant le cou. *L'assassin a étranglé sa victime avec une ficelle,* il l'a tuée. — *Mme Bellec a failli s'étrangler en avalant une arête. Mme Séverac s'étranglait de colère.*

▸ ***étranglement*** n. m. **1.** Endroit resserré. *Le barrage a été construit dans l'étranglement de la vallée.* **2.** Le fait de tuer en comprimant le cou ; vois ***strangulation.*** *Vercingétorix est mort par étranglement,* il a été étranglé.

Le contraire d'*étranglement,* c'est *élargissement.*

① *être* v.

Conjugaison 61

▭ Indic. présent : *je suis, tu es, il est, nous sommes, vous êtes, ils sont.* Imparfait : *j'étais.* Futur : *je serai.* — Subj. présent : *que je sois, que nous soyons.* — Impératif : *sois, soyons.*

▭ **verbe** être. **1.** *Être* marque l'état, la qualité du sujet. *Sylvain est malade. Angèle est jolie. Hippolyte a été courageux. Mme Roussel est secrétaire. Martin est le frère de Julie. Les écureuils sont des rongeurs. La façade de la maison est en briques. Nathalie est en pantalon.* **2.** Se trouver. *Motbourg n'est pas loin de Paris. Les enfants sont en classe. Je ne suis là pour personne.* **3.** Exister. *Il était une fois une reine... Je pense donc je suis.* **4.** *Être à quelqu'un,* c'est appartenir à quelqu'un. *Cette voiture est à Angèle.* **5.** *Être à faire,* c'est devoir être fait. *Julie, ton travail est à refaire. La maison est à vendre.* **6.** *C'est* présente, annonce ce qui suit, ou souligne ce qui précède. *Ce seront Colle et Rat les plus étonnés. Martin, c'est le frère de Julie. Julie et Yasmina, ce sont les meilleures amies du monde. C'est Angèle qui l'a dit.*

Cela le rendait si laid et si terrible, qu'il n'était ni femme ni fille qui ne s'enfuît de devant lui *(la Barbe-bleue).*

« Il y a un seul grand ici, c'est moi ! » criait Eudes *(le Petit Nicolas).*

Être sert à conjuguer d'autres verbes aux temps composés, de même que le verbe *avoir.*

▭ **auxiliaire** être. **1.** *Être* sert à former la voix passive. *Le cambrioleur a été arrêté.* **2.** *Être* sert à former le passé composé de certains verbes. *Julie est tombée de vélo. Julie s'est blessée. Hippolyte et Angèle se sont souri.*

▸ ② ***être*** n. m. Créature. *Les hommes, les animaux et les plantes sont des êtres vivants.*

Autres membres de la famille : **bien-être, c'est-à-dire, est-ce que, n'est-ce pas, peut-être, soit.**

étreindre v.

Madame Lepic tombe sur ses enfants et les étreint d'une seule brassée *(Poil de Carotte)*.

Compare : *étreindre → étreinte* et *atteindre → atteinte.*

Entourer et serrer très fort. *Le docteur Séverac étreint sa femme avant de partir,* il la serre dans ses bras ; vois ***embrasser.*** *Une main a étreint le bras d'Angèle au moment où elle allait traverser la rue.*

Conjugaison 52 ▭ Indic. présent : *j'étreins, nous étreignons.* Imparfait : *j'étreignais.* Futur : *j'étreindrai.*

▸ **étreinte** n. f. Le fait de serrer très fort. *Le catcheur n'est pas décidé à relâcher son étreinte.*

Conjugaison 1

étrenner v.

Utiliser pour la première fois. *Angèle a étrenné sa jupe en daim le jour de Pâques.*

N'oublie pas les deux ***n*** de *étrennes* !

étrennes n. f. plur.

Cadeau fait à l'occasion du nouvel an. *Angèle a donné des étrennes au gardien de son immeuble.*

étrier n. m.

Anneau triangulaire qui pend de chaque côté de la selle d'un cheval et dans lequel le cavalier passe ses pieds. *Le cavalier se dresse sur ses étriers.*

L'étrier date du IXe siècle.

Le contraire d'*étriqué,* c'est *ample.*

étriqué adj.

Trop étroit. *La veste d'Hippolyte est étriquée ;* vois ***juste.***

étroit adj.

La porte de la roulotte était trop étroite pour qu'une vache y pût passer *(les Contes du Chat perché).*

1. Qui n'est pas large. *Le chemin qui mène à la ferme est très étroit.* **2.** Qui manque de tolérance ; vois ***borné.*** *Mme Harpie a les idées étroites.* **3.** Qui unit de près. *Le maire travaille en étroite collaboration avec Mme Séverac.* **4.** *Les Touati sont logés à l'étroit,* dans un espace trop petit.

Le contraire d'*étroit,* c'est *compréhensif, large.*

Mme Séverac est conseillère municipale.

Compare : *étroit → étroitement, étroitesse* et *délicat → délicatement, délicatesse.*

▸ **étroitement** adv. De très près. *Angèle surveille Colle et Rat étroitement.*

▸ **étroitesse** n. f. Manque de largeur. *L'étroitesse du chemin empêche deux voitures de se croiser. L'étroitesse d'esprit de Mme Harpie est consternante.*

étude n. f.

Le bœuf retomba dans sa funeste passion de l'étude et rien ne put l'en détourner, ni le péril de la boucherie, ni la colère du maître *(les Contes du Chat perché).*

1. Travail que l'on fait pour apprendre. *Marie-Tévy est passionnée par l'étude de l'histoire. Le docteur Séverac a fait ses études à Toulouse,* il a suivi des cours. **2.** Ouvrage sur un sujet précis qui a demandé des recherches. *Antoine a lu une étude sur les papillons.* **3.** Temps que les élèves passent à travailler à l'école en dehors des heures de cours. *Yasmina a appris ses leçons pendant l'étude.* **4.** Local où travaille un notaire, un huissier, un commissaire-priseur. *Le docteur Séverac est passé à l'étude de son notaire.*

Bœuf, je suis sûre que tu feras de très bonnes études, de brillantes études *(les Contes du Chat perché).*

▸ **étudiant** n. m., **étudiante** n. f. Personne qui fait des études supérieures, dans une université ou dans une grande école. *Le docteur Séverac fut un brillant étudiant en médecine.*

Conjugaison 7 ▭ Indic. imparfait : *j'étudiais, nous étudiions.* Futur : *j'étudierai.* — Subj. présent : *que nous étudiions.*

▸ **étudier** v. **1.** Apprendre. *Sylvain étudie le piano,* il apprend à en jouer. **2.** *Étudier quelque chose,* c'est l'examiner avec soin. *Le projet d'un nouveau gymnase a été longuement étudié avant d'être accepté.*

À plat ventre dans le pré, Delphine et Marinette étudiaient leur géographie dans le même livre *(les Contes du Chat perché).*

▸ **étudié** adj. Médité et préparé. *La mise en scène de la pièce est très étudiée,* très recherchée. *Mme Séverac a des gestes étudiés,* pas naturels.

Le contraire, c'est *spontané.*

étui n. m.

Boîte destinée à contenir un objet précis. *Mamie Lou a rangé ses lunettes dans leur étui.*

C'est un *étui à lunettes.*

étuve n. f.

Pièce où il fait très chaud, où l'on transpire. *On prend des bains de vapeur dans une étuve ;* vois ***sauna.***

étymologie n. f.

L'étymologie du mot *école,* c'est le mot latin *schola.*

Origine d'un mot. *De nombreux mots français ont une étymologie grecque ou latine,* ils viennent du grec ou du latin.

Eucalyptus [økaliptys] rime avec *puce.*

eucalyptus n. m.

Grand arbre des pays chauds dont les feuilles, pointues, sentent très bon. *Mme Bellec a pris du sirop à l'eucalyptus quand elle a eu la grippe.*

Les koalas se nourrissent de feuilles d'eucalyptus.

Prononce [økaʀisti].

eucharistie n. f.
Sacrement chrétien qui rappelle le sacrifice du Christ ; vois ***communion.*** *Le prêtre donne l'eucharistie aux personnes qui communient.*

Oui, euh... c'est très bien, mon petit, a dit M. Escarbille... *(le Petit Nicolas).*

euh ! interjection
Euh ! marque l'embarras, la difficulté à trouver ses mots ; vois ***heu !*** *Où est partie Angèle ? — Euh ! je ne sais pas.*

Prononce [ø].

La veille des vacances, c'est l'euphorie générale dans l'école !

euphorie n. f.
Impression de bien-être, de grand contentement. *Sylvain est en pleine euphorie, il vient de recevoir une lettre de Nathalie.*

▷ ***euphorique*** adj. Qui est très content et le manifeste. *Aujourd'hui, Sylvain est euphorique.*

Le contraire d'*euphorie,* c'est *dépression, tristesse.*

Eux est le pluriel de *lui :* c'est la troisième personne du masculin pluriel.

eux pronom personnel
Julie aime bien les Séverac, elle va souvent chez eux. Eux aussi l'aiment bien. Ils me l'ont dit eux-mêmes. À eux deux, Antoine et Yves réussiront à soulever la table.

Si quelqu'un d'entre eux vient à vous parler, passez votre chemin *(les Contes du Chat perché).*

Conjugaison 1

évacuer v.
1. *Évacuer un endroit,* c'est en partir. *Après l'explosion, les clients et les employés ont évacué la poste. Les pompiers ont fait évacuer la poste.* **2.** *Évacuer des personnes,* c'est les faire partir. *Les pompiers ont évacué les clients et les employés.*

▷ ***évacuation*** n. f. Action d'évacuer. *L'évacuation de la poste a été rapide,* tous les gens en sont sortis très vite.

Conjugaison 1

s'évader v.
S'échapper d'un lieu où l'on est prisonnier. *Pendant la guerre, M. Bonnot et des amis résistants se sont évadés d'un camp de prisonniers ;* vois *s'****enfuir,*** *se* ***sauver.***

Va voir aussi ***évasion.***

Conjugaison 1

évaluer v.
1. Fixer un prix plus ou moins approximativement. *Le docteur Séverac a fait évaluer un de ses tableaux par un expert,* il l'a fait examiner pour connaître sa valeur ; vois ***estimer.*** **2.** Calculer, donner le chiffre, le nombre. *On a évalué à plus de deux mille le nombre des manifestants.*

▷ ***évaluation*** n. f. Estimation. *Le conseil municipal veut connaître l'évaluation du coût des travaux avant de prendre une décision.*

Famille de **valoir**

Il voulait savoir à quel prix il pourrait le vendre.

Évangile n. m.
1. Enseignement de Jésus-Christ. *Les missionnaires prêchent l'Évangile pour convertir les païens.* **2.** *Les Évangiles,* ce sont les quatre livres de la Bible qui constituent le Nouveau Testament. *La vie et la doctrine du Christ sont relatées dans les Évangiles.*

Ces livres ont été écrits par saint Matthieu, saint Marc, saint Luc et saint Jean.

Évangile s'écrit toujours avec un ***É*** majuscule.

Conjugaison 2

s'évanouir v.
1. Perdre connaissance. *Mme Bellec s'est évanouie pendant la messe,* elle s'est trouvée mal. **2.** Disparaître. *Tous les espoirs d'Hippolyte se sont évanouis quand Angèle a refusé son invitation.*

▷ ***évanouissement*** n. m. Perte de connaissance ; vois ***syncope.*** *Mme Bellec est sujette aux évanouissements.*

Elle n'eut pas plutôt pris le fuseau qu'elle s'en perça la main et tomba évanouie *(la Belle au bois dormant).*

Conjugaison 1

s'évaporer v.
Se transformer en vapeur. *La brume s'est évaporée sous les rayons du soleil. Le flacon est vide, le parfum s'est évaporé.*

▷ ***évaporation*** n. f. Transformation d'un liquide en vapeur. *Le parfum a disparu par évaporation,* en s'évaporant.

L'eau s'évapore et se condense dans l'atmosphère pour former les nuages.

L'essence et l'éther s'évaporent très facilement.

Famille de ① **vase**

évasé adj.
Qui a une forme qui va en s'élargissant. *Sophie Pelletier avait une jupe évasée,* serrée à la taille et large en bas.

Un entonnoir a une forme évasée.

évasif adj.
Qui ne répond pas clairement, reste dans le vague. *Le maire n'a rien promis, il est resté très évasif. Mme Bellec a donné une réponse évasive,* qui n'est pas claire ; vois ***vague.***

Je ne sais pas, répondit le cheval d'un air évasif qui donnait à penser *(les Contes du Chat perché).*

Elle a répondu *évasivement.*

Latude (1727-1805) est célèbre pour ses tentatives d'évasion, toutes ratées.

évasion n. f.
Le fait de s'échapper d'un lieu où l'on est prisonnier. *Le prisonnier a fait une tentative d'évasion,* il a tenté de s'évader.

Va voir aussi *s'**évader**.*

évêché n. m.
1. Région dont s'occupe un évêque ; vois ***diocèse.*** *L'évêque a visité son évêché.* **2.** Bâtiment où habite un évêque. *L'abbé Gauthier félicite le jardinier de l'évêché.*

Va voir aussi **évêque.**

Conjugaison 1
Famille de ② **veille**

éveiller v.
1. Faire sortir du sommeil. *L'orage a éveillé Mamie Lou ;* vois ***réveiller.*** *— Mamie Lou s'est éveillée.* **2.** Faire naître ; vois ***provoquer.*** *L'attitude de Colle et Rat a éveillé les soupçons d'Angèle, l'institutrice.*

Le contraire d'*éveiller,* c'est *endormir.*

Le contraire d'*éveillé,* c'est *endormi.*

▸ ***éveillé*** adj. **1.** Qui ne dort pas. *Mamie Lou est restée éveillée sans pouvoir se rendormir.* **2.** Plein de vie, de vivacité. *Claire est une enfant éveillée ;* vois ***alerte, dégourdi, vif.***

Le contraire d'*éveillé,* c'est *abruti, mou.*

▸ ***éveil*** n. m. *Donner l'éveil à quelqu'un,* c'est attirer son attention, le mettre sur ses gardes. *L'attitude de Colle et Rat a donné l'éveil à Angèle. L'esprit d'Antoine est toujours en éveil,* Antoine est toujours attentif.

En classe, *les activités d'éveil* sont faites pour faire naître l'intérêt, le raisonnement des enfants.

Ne confonds pas *événement* et *avènement.*

événement n. m.
Ce qui arrive et qui a de l'importance. *Yves a gagné la régate et invite des amis pour célébrer cet événement. Des événements imprévus ont empêché Angèle d'aller en Corse ;* vois ***circonstance.***

Famille de **vent**

Le paon venait de déployer les longues plumes de sa traîne qui s'arrondissait autour de lui comme un large éventail *(les Contes du Chat perché).*

éventail n. m.
1. Objet que l'on porte et que l'on agite pour faire un courant d'air et donner de la fraîcheur. *Les premiers éventails pliants sont apparus en Chine, au Xe siècle.* **2.** *M. Bellec tient ses cartes en éventail,* en forme d'éventail ouvert, en arc de cercle, la pointe en bas.

La vieille dame prend son éventail en plumes d'autruche pour aller au palais des Fêtes *(Babar).*

Conjugaison 1

éventer v.
1. Rafraîchir en agitant l'air. *Les serviteurs éventaient le roi. — Au théâtre, Mme Séverac s'éventait avec son programme.* **2.** *Le café s'est éventé,* il a perdu son parfum et son goût en restant au contact de l'air.

Famille de **vent**

Conjugaison 1

éventrer v.
Déchirer en ouvrant le ventre. *Le poissonnier éventre les truites pour les vider.*

Famille de **ventre**

éventuel adj.
Qui peut arriver ou non ; vois ***possible.*** *Mme Harpie reste chez elle, dans l'attente d'une éventuelle visite d'Hippolyte ;* vois ***hypothétique.***

Le contraire d'*éventuel,* c'est *assuré, certain, sûr.*

▸ ***éventuellement*** adv. Si l'occasion se présente ; vois *le cas* ***échéant.*** *Je vous appellerai éventuellement si j'ai besoin de votre aide.*

Compare : *éventuel* → *éventualité* et *actuel* → *actualité.*

▸ ***éventualité*** n. f. Chose qui peut arriver. *Mme Harpie reste chez elle, dans l'éventualité où Hippolyte passerait la voir.*

évêque n. m.
Prêtre catholique nommé par le pape, qui est à la tête d'un diocèse. *L'évêque réside à l'évêché.*

On s'adresse à un évêque en l'appelant *Monseigneur.*

Autre membre de la famille : **archevêque.**

Conjugaison 1

s'évertuer v.
Faire tous ses efforts, se donner beaucoup de peine ; vois ***s'acharner, s'ingénier.*** *Angèle s'est évertuée à expliquer à ses élèves comment faire une division à deux chiffres.*

évident adj.
Qui ne fait aucun doute, est tout à fait vrai, réel ; vois ***certain, sûr.*** *Deux plus deux font quatre, c'est évident.*

Le contraire d'*évident,* c'est *douteux, incertain.*

Compare : *évident* → *évidemment* et *ardent* → *ardemment.*

▸ ***évidemment*** adv. Bien sûr. *Est-ce qu'Antoine est un nom de garçon ? Évidemment !,* naturellement.

C'est la p'tite Josette
Qui n'en fait qu'à sa tête
Elle joue avec sa maman
Et son papa évidemment
(A. Sylvestre).

Se rendre à l'évidence : finir par admettre ce qui est incontestable.

▸ ***évidence*** n. f. **1.** Réalité qu'on ne peut pas mettre en doute. *Le métier de coureur automobile est dangereux, c'est une évidence.* **2.** *Mamie Lou a mis des photos de ses petits-enfants en évidence sur sa table de nuit,* pour qu'on les voie immédiatement.

Conjugaison 1

évider v.

Creuser sur la surface ou à l'intérieur, en enlevant un morceau. *Le berger évide une branche pour en faire un pipeau.*

Famille de **vider**

évier n. m.

Dans une cuisine, bassin composé d'un ou de plusieurs bacs placé sous un robinet et dans lequel l'eau peut s'écouler. *Mme Roussel met la vaisselle sale dans l'évier.*

Conjugaison 3
▭ Indic. présent : *j'évince, nous évinçons.*

évincer v.

Évincer quelqu'un, c'est l'écarter, le chasser ; vois ***éliminer.*** *Personne n'a réussi à évincer Mme Hespel de sa place.*

Conjugaison 1

éviter v.

1. Réussir à ne pas toucher, à ne pas heurter. *Le cheval a évité l'obstacle. M. Bellec a évité de justesse un cycliste.* **2.** Faire en sorte de ne pas rencontrer, de ne pas voir. *Hippolyte évite Mme Harpie.* **3.** *Éviter de faire quelque chose,* c'est faire en sorte de ne pas le faire ; vois ***s'abstenir.*** *Évite de marcher sur la pelouse.* **4.** *Éviter quelque chose à quelqu'un,* c'est faire en sorte qu'il n'ait pas à faire ou à subir cette chose ; vois ***épargner.*** *J'ai voulu vous éviter cette fatigue.*

Alceste fut dans l'obligation d'effectuer un plongeon désespéré pour éviter le ballon qui arrivait droit sur lui *(le Petit Nicolas).*

Autre membre de la famille : **inévitable.**

évocation n. f.

Rappel d'une chose passée ou oubliée. *L'évocation du passé rend Mamie Lou nostalgique.*

Famille de **évoquer**

Conjugaison 1

évoluer v.

1. Faire des mouvements variés. *L'avion évoluait dans le ciel en faisant des loopings.* **2.** Changer, se transformer ; vois ***progresser.*** *Les idées sur l'éducation des enfants ont évolué depuis cent ans.*

▸ ***évolué*** adj. *La France est un pays évolué,* un pays civilisé.

Le contraire d'*évolué,* c'est *arriéré, rétrograde.*

▸ ***évolution*** n. f. **1.** *David admire les évolutions de l'avion dans le ciel,* les figures que fait l'avion. **2.** Changement, développement lent et continu ; vois ***transformation, progression.*** *L'évolution des techniques a permis de grands progrès.*

Le contraire d'*évolution,* c'est *immobilité, stabilité.*

évoquer v.

Rappeler à la mémoire. *Angèle et ses frères évoquent leurs souvenirs d'enfance.*

Conjugaison 1

Autre membre de la famille : **évocation.**

ex-

Préfixe qui signifie « ancien ». *Mme Roussel n'a pas gardé le nom de son ex-mari,* de celui qui a été son mari.

Ex est toujours suivi d'un trait d'union ; il précède toujours un nom.

Prononce [ɛgza] ou [ɛgzakt].
Le contraire d'*exact,* c'est *approximatif, inexact, faux.*

exact adj.

1. Vrai et précis. *Le témoin fait le récit exact des événements. Avez-vous l'heure exacte ? ;* vois ***juste.*** **2.** Qui arrive à l'heure ; vois ***ponctuel.*** *Denis Prost est toujours exact à ses rendez-vous.*

▸ ***exactement*** adv. D'une manière exacte. *Un kilo de plumes et un kilo de plomb pèsent exactement le même poids ;* vois ***strictement.*** *Il est exactement minuit ;* vois ***précisément.***

Le contraire d'*exactement,* c'est *environ.*

▸ ***exactitude*** n. f. **1.** Caractère d'une chose exacte. *Le commissaire a vérifié l'exactitude du témoignage.* **2.** Qualité d'une personne qui arrive toujours à l'heure. *Le colonel Hespel voudrait apprendre l'exactitude à ses petits-fils.*

L'exactitude est la politesse des rois, a dit le roi Louis XVIII.

Autres membres de la famille : **inexact, inexactitude.**

Ex æquo s'écrit en deux mots.

ex æquo adv.

Sur le même rang, à égalité. *Yves et Antoine ont tous les deux gagné la course, ils sont premiers ex æquo.*

Prononce [ɛgzeko].

Conjugaison 6
▭ Indic. présent : *j'exagère, nous exagérons.*

exagérer v.

1. *Exagérer quelque chose,* c'est lui donner plus d'importance qu'il n'en a en réalité ; vois ***amplifier, enfler, grossir.*** *Ce problème n'est pas si difficile, il ne faut pas exagérer !* **2.** En prendre trop à son aise ; vois ***abuser.*** *Encore en retard ? Antoine exagère !,* il ne se gêne pas.

Le contraire d'*exagérer,* c'est *minimiser.*

▸ ***exagération*** n. f. Chose exagérée. *Il y a beaucoup d'exagérations dans le récit d'Antoine,* il a beaucoup exagéré.

Le contraire d'*exagération,* c'est *mesure, modération.*

Le contraire d'*exagéré,* c'est *insuffisant.*

▸ ***exagéré*** adj. Qui dépasse ce qui est normal. *La directrice de l'école fait souvent preuve d'une sévérité exagérée,* trop grande.

Un prix exagéré, c'est un prix que l'on trouve trop élevé.

▸ ***exagérément*** adv. D'une manière exagérée, avec excès ; vois ***trop.*** *La directrice a été exagérément sévère avec Antoine.*

Conjugaison 1

Le contraire d'*exalter,* c'est *abattre, calmer, déprimer.*

exalter v.

Remplir d'enthousiasme. *Le discours a exalté l'auditoire. — L'orateur s'exaltait en parlant.*

Le contraire d'*exaltation,* c'est *abattement, indifférence.*

▸ ***exaltation*** n. f. Grande excitation de l'esprit ; vois ***fièvre, ivresse.*** *L'orateur parlait avec exaltation ;* vois ***enthousiasme.***

Examen [ɛgzamɛ̃] rime avec *malin* et *refrain.*

examen n. m.

1. Observation que l'on fait avec attention. *Les archéologues font un examen détaillé des trésors qu'ils découvrent. Les enfants ont passé un examen médical avant d'aller en classe de neige.* **2.** Devoirs surveillés que l'on fait pour obtenir un titre ou le droit d'entrer dans une école. *Alex a échoué à son examen.*

Va voir aussi ***examiner.***

Le baccalauréat est un examen que l'on passe à la fin de la terminale.

Va voir aussi ***concours.***

Conjugaison 1

examiner v.

Regarder, observer avec attention, avec réflexion ; vois ***inspecter.*** *Mme Hespel examine un programme d'ordinateur ;* vois ***étudier.*** *Le docteur Séverac a examiné M. Bonnot.*

Va voir aussi ***examen.***

Compare : *examiner → examinateur* et *opérer → opérateur.*

▸ ***examinateur*** n. m., ***examinatrice*** n. f. Personne qui fait passer un examen. *Le jury était formé de plusieurs examinateurs.*

Conjugaison 6 ▭ Indic. présent : *j'exaspère, nous exaspérons.*

exaspérer v.

Agacer énormément, rendre furieux ; vois ***énerver, excéder.*** *Les embouteillages exaspèrent Angèle.*

▸ ***exaspération*** n. f. Très grand agacement. *L'exaspération d'Angèle était à son comble.*

Conjugaison 3 ▭ Indic. présent : *nous exauçons.* Imparfait : *j'exauçais.*

exaucer v.

Exaucer une prière, c'est l'accueillir favorablement et faire en sorte qu'elle se réalise. *Claire voudrait que tous ses désirs soient exaucés,* qu'ils se réalisent.

excavateur n. m.

Machine qui sert à creuser le sol ; vois ***bulldozer.*** *Il y a des excavateurs à air comprimé.*

On dit aussi *une excavatrice.*

excavation n. f.

Les grottes, les cavernes sont des excavations naturelles.

Creux, trou dans un terrain. *Le lièvre s'est réfugié dans une excavation du terrain vague ;* vois ***cavité.***

Conjugaison 6 ▭ Indic. présent : *j'excède, nous excédons.* Imparfait : *j'excédais.* Futur : *j'excéderai.* — Subj. présent : *que j'excède, que nous excédions.*

excéder v.

1. Fatiguer en irritant. *Mme Harpie excède sa sœur avec ses remarques ;* vois ***énerver.*** *Mme Roussel est excédée.* **2.** Dépasser en nombre, en quantité, en durée. *Le séjour de Mme Roussel à Paimpol n'excédera pas deux semaines,* il ne durera pas plus de deux semaines.

Va voir aussi ***exaspérer.***

▸ ***excédent*** n. m. Ce qu'il y a en trop. *Denis Prost a dû payer un supplément pour son excédent de bagages dans l'avion.*

Il y avait dix kilos de bagages en excédent.

N'oublie pas le ***c*** après le ***x***.

exceller v.

Être très fort, très bon. *M. Bellec excelle en bricolage. David excelle au baby-foot.*

Conjugaison 1

▸ ***excellence*** n. f. **1.** *Le prix d'excellence,* c'est le prix décerné à la fin de l'année scolaire au meilleur élève de la classe. *Sylvain a eu le prix d'excellence.* **2.** Titre que l'on donne à un évêque, un ambassadeur, un ministre. *Nous prions son Excellence de bien vouloir nous accorder un entretien. Oui, Excellence.* **3.** *Sylvain est le bon élève par excellence,* d'une façon caractéristique.

Delphine eut le prix d'excellence et Marinette le prix d'honneur *(les Contes du Chat perché).*

Le cerf ne tarda pas à devenir une excellente bête de labour *(les Contes du Chat perché).*

▸ ***excellent*** adj. Très bon. *Denis Prost est un excellent comédien ;* vois ***admirable, merveilleux, remarquable.*** *La cuisine que fait M. Bellec est excellente. M. Bellec sert des vins excellents ;* vois ***parfait.***

Le contraire d'*excellent,* c'est *exécrable, mauvais.*

Famille de **centre**

Le contraire d'*excentrique*, c'est *central*.

N'oublie pas le ***c*** après le ***x*** dans *excentrique* et *excentricité*.

excentrique adj.
1. Éloigné du centre ; vois ***périphérique.*** *Le zoo de Motbourg est dans un quartier excentrique.* **2.** Qui n'est pas comme les autres. *Sophie Pelletier a souvent des robes excentriques ;* vois ***extravagant, original.***

Le contraire d'*excentrique*, c'est *banal*.

▸ ***excentricité*** n. f. Manière de se comporter différente de celle de la majorité des gens. *L'excentricité de Sophie Pelletier étonnera toujours Mme Harpie.*

Le contraire d'*excentricité*, c'est *banalité*.

Attention ! *excepté* est invariable.

excepté préposition
Sauf. *Tous les enfants sont en classe, excepté Marie-Tévy qui est malade. Le restaurant Bellec est ouvert tous les jours, excepté le lundi,* à part le lundi, à l'exception du lundi ; vois ***hormis.***

▸ ***exception*** n. f. **1.** Cas particulier en dehors du commun. *Certaines règles de grammaire admettent des exceptions.* **2.** *Tous les Séverac, sans exception, étaient à l'anniversaire de Mamie Lou,* sans restriction.

L'exception confirme la règle.

▸ ***exceptionnel*** adj. Très rare, hors de l'ordinaire. *Antoine est arrivé en avance, c'est exceptionnel !*

D'habitude, il arrive en retard.

Le contraire d'*exceptionnel*, c'est *banal, courant, normal.*

▸ ***exceptionnellement*** adv. D'une manière exceptionnelle. *La piscine sera fermée exceptionnellement jeudi prochain.*

Attention ! deux ***n*** et deux ***l***.

N'oublie pas le ***c*** après le ***x*** dans *excès* et *excessif*.

excès n. m.
1. Trop grande quantité, dépassement de la mesure. *M. Bellec a eu une contravention pour excès de vitesse.* **2.** *Faire des excès,* c'est boire et manger trop ; vois ***abus.*** *« Ne faites pas d'excès » dit le docteur Séverac à M. Bonnot.*

Ne confonds pas *excès* et *accès*.

Compare : *excès → excessif* et *progrès → progressif*.

▸ ***excessif*** adj. Exagéré. *M. Bellec conduisait à une vitesse excessive. Mme Harpie est d'une sévérité excessive avec son neveu Antoine. Il fait une chaleur excessive dans cette pièce.*

Le chat trouvait excessif de se condamner à ne plus sortir pour éviter à ses amies l'ennui d'une visite à la tante Mélina *(les Contes du Chat perché).*

▸ ***excessivement*** adv. D'une manière excessive. *Mme Harpie est excessivement sévère avec Antoine ;* vois ***trop.***

Prononce [ɛksipjɑ̃].

excipient n. m.
Substance à laquelle on incorpore un médicament. *L'excipient de ce sirop est à la framboise.*

Conjugaison 1

exciter v.
1. Provoquer une réaction, stimuler. *Le bonheur de Sophie Pelletier excite la jalousie de Mme Harpie ;* vois ***susciter.*** **2.** Rendre nerveux. *On excite les taureaux en agitant un chiffon rouge devant leurs yeux.*

Ne confonds pas *exciter* et *inciter*.

▸ ***excitation*** n. f. Énervement, agitation. *À la veille des vacances, les enfants sont dans un état de grande excitation.*

Autre membre de la famille : **surexcité.**

Compare *s'exclamer* et *acclamer* : il s'agit de **cris.**

s'exclamer v.
Dire d'une voix forte exprimant un sentiment de joie, de colère, d'étonnement. *« Quel beau temps aujourd'hui ! » s'est exclamée Angèle ;* vois ***s'écrier.***

Conjugaison 1

▸ ***exclamation*** n. f. Paroles que l'on dit d'une voix forte. *Mme Bellec a poussé des exclamations en apercevant son cadeau d'anniversaire.*

Quand Babar et Céleste arrivent sur le pont du bateau, les passagers poussent des exclamations d'étonnement ou de bienvenue *(Babar).*

Point d'exclamation : vois l'encadré à ***point.***

▸ ***exclamatif*** adj. Qui exprime une exclamation. *Une phrase exclamative finit par un point d'exclamation.*

Conjugaison 35
▭ Indic. présent : *j'exclus.* Futur : *j'exclurai.*

exclure v.
1. Renvoyer. *La directrice a exclu Colle et Rat de l'école pour une semaine.* **2.** Rejeter. *Mme Séverac exclut l'idée de ne pas prendre de vacances.*

Au féminin : *exclue.*

▸ ***exclu*** adj. Non compris. *Les vacances auront lieu du 1er au 6 exclu.*

Le contraire d'*exclu*, c'est *inclus*.

▸ ***exclusion*** n. f. **1.** Renvoi. *Colle et Rat ont bien mérité leur exclusion de l'école.* **2.** *Ce malade a le droit de manger de tout à l'exclusion des laitages,* excepté, sauf.

▸ ***exclusivement*** adv. Uniquement. *Les médicaments sont vendus exclusivement en pharmacie.*

Vente *exclusive* en pharmacie !

▸ ***exclusivité*** n. f. *Les pharmaciens ont l'exclusivité de la vente des médicaments,* seules les pharmacies ont le droit de vendre des médicaments.

Un *film en exclusivité* passe dans quelques cinémas seulement.

On appelle *selles* les excréments humains.

excrément n. m.
Matière solide que les hommes et les animaux évacuent par l'anus après la digestion. *Le crottin de cheval et les crottes de chien sont des excréments.*

On dit familièrement *caca.*

excursion n. f.
Longue promenade que l'on fait pour explorer une région. *Alex et Réjean ont fait des excursions en forêt.*

excuser v.
Conjugaison 1
1. Justifier quelqu'un ou ce qu'a fait quelqu'un ; vois ***défendre, disculper.*** *Mme Roussel a essayé d'excuser son fils,* de prendre sa défense. *Rien n'excuse la méchanceté de Mme Harpie.* 2. Accorder son pardon ; vois ***pardonner.*** *En arrivant, Antoine a dit : « Excusez-moi, je suis en retard parce qu'il y avait le feu à la maison. »* 3. *S'excuser de quelque chose,* c'est présenter ses excuses. *Mme Séverac s'est excusée auprès du maire de son absence à la dernière réunion du conseil municipal.*

Marguerite avait bien envie d'excuser Camille en racontant ce qui s'était passé *(les Petites Filles modèles).*

Quel menteur !

Pour se faire excuser, on dit : *excusez-moi* ou *veuillez m'excuser.*

▸ **excuse** n. f. 1. Regret que l'on témoigne à quelqu'un de l'avoir gêné, contrarié. *Mme Harpie a exigé qu'Antoine lui fasse des excuses,* lui demande pardon. 2. Raison que l'on donne pour se défendre, pour expliquer pourquoi on a commis une faute. *Antoine trouve toujours de nouvelles excuses pour expliquer ses retards.*

Votre camarade a fait des excuses à M. Dubon qui a eu la bonté de les accepter, a dit le directeur *(le Petit Nicolas).*

Comme les pauvres parents baissaient la tête et s'excusaient de leur mieux, le vétérinaire se radoucit *(les Contes du Chat perché).*

Autre membre de la famille : **inexcusable.**

exécrable adj.
Prononce [ɛgzekʀabl] ou [ɛksekʀabl].
Très mauvais ; vois ***abominable, détestable.*** *L'huile de foie de morue a un goût exécrable ;* vois ***infect.*** *Mme Séverac était d'une humeur exécrable ;* vois ***épouvantable.***

Le contraire d'*exécrable,* c'est *agréable, bon, excellent.*

exécuter v.
Conjugaison 1
1. *Exécuter quelqu'un,* c'est le tuer après l'avoir jugé. *Le condamné a été exécuté à l'aube.* 2. Faire, effectuer ; vois ***réaliser.*** *Les Séverac ont fait exécuter des travaux dans la salle de bains ;* vois ***accomplir.*** 3. *Exécuter une œuvre musicale,* c'est la jouer. *Sylvain exécute une ballade de Chopin au piano.*

Le voleur que nous avons exécuté avait le secret de faire ouvrir la porte, mais il n'est pas le seul *(les Mille et Une Nuits).*

Exécuter des ordres, c'est y obéir.

▸ **exécutant** n. m., **exécutante** n. f. 1. Personne qui travaille sous les ordres de quelqu'un. *Mme Hespel se refuse à n'être qu'une exécutante.* 2. Musicien. *L'orchestre comprend vingt exécutants.*

▸ **exécutif** adj. *Le pouvoir exécutif,* c'est le pouvoir qui fait appliquer les lois. *Le président de la République est à la tête du pouvoir exécutif.*

Au féminin : *exécutive.* On dit aussi *l'exécutif.*

Il y a aussi un pouvoir législatif et un pouvoir judiciaire.

▸ **exécution** n. f. 1. Mise à mort. *Autrefois, l'exécution des condamnés se faisait en public.* 2. Réalisation. *Le projet a été mis à exécution,* on a fait ce qui avait été prévu.

① **exemplaire** n. m.
Chacun des objets semblables d'une série. *Le dernier livre de Sophie Pelletier a été tiré à des milliers d'exemplaires.*

Les grands journaux sont tirés à des centaines de milliers d'exemplaires.

Elle est écrivain.

② **exemplaire** adj.
Famille de **exemple**
Qui peut servir d'exemple. *Marie-Tévy est d'une sagesse exemplaire. Les pompiers ont fait preuve d'un courage exemplaire.*

exemple n. m.
1. Modèle que l'on peut imiter. *L'attitude de Colle et Rat est un très mauvais exemple pour la classe. Colle et Rat montrent le mauvais exemple. Claire suit toujours l'exemple de ses cousins.* 2. Ce qui prouve, illustre ce que l'on veut démontrer. *Colle et Rat ont mis du savon sur le tableau noir : voici un exemple de leur malice. Angèle fait chercher à ses élèves des exemples d'animaux carnivores.* 3. *De nombreuses inventions ont facilité la vie de tous les jours, par exemple, le téléphone,* ainsi, notamment.

Le père s'appliqua à démontrer par des exemples bien choisis que le loup resterait toujours le loup *(les Contes du Chat perché).*

Dans un dictionnaire, les exemples montrent comment s'emploie un mot et ce qu'il veut dire.

Autre membre de la famille : ② **exemplaire.**

exempt adj.
Ne prononce pas le ***p*** de *exempt* [ɛgzɑ̃] ni celui de *exempter* [ɛgzɑ̃te].
Qui n'est pas soumis à quelque chose. *Le docteur Séverac cherche à faire un placement qui soit exempt d'impôts.*

Au féminin : *exempte* [ɛgzɑ̃t].

▸ **exempter** v. Autoriser quelqu'un à ne pas faire quelque chose. *Le docteur Séverac a exempté Julie de gymnastique ;* vois ***dispenser.*** *Alex aimerait être exempté de service militaire,* ne pas le faire.
Conjugaison 1

Les personnes qui ont des revenus trop faibles sont exemptées d'impôts.

exercer v.
Conjugaison 3
▭ Indic. présent : *j'exerce, nous exerçons.* Imparfait : *j'exerçais, nous exercions.* Futur : *j'exercerai.* — Subj. présent : *que j'exerce, que nous exercions.*
1. Faire travailler pour développer. *Le calcul mental exerce la mémoire. Angèle exerce ses élèves au calcul mental ;* vois ***entraîner.*** — *Julie et Yasmina s'exercent au calcul mental,* elles apprennent à calculer de tête. 2. Pratiquer. *M. Doucet exerce le métier d'informaticien. Le docteur Séverac exerce à Motbourg.* 3. *Exercer quelque chose sur quelqu'un,* c'est faire agir quelque chose sur quelqu'un. *Colle et Rat exercent une mauvaise influence sur leurs camarades.*

La classe commença par un exercice d'écriture et se poursuivit par une leçon d'histoire (*les Contes du Chat perché*).

▸ **exercice** n. m. **1.** *Faire de l'exercice,* c'est faire travailler son corps. *Hippolyte fait de l'exercice pour rester en forme,* il fait du sport. **2.** Devoir. *Julie a fini son exercice de grammaire, maintenant elle va faire des exercices de mathématiques.* **3.** *L'exercice d'une profession,* c'est le fait de pratiquer cette profession. *Un charlatan a été arrêté pour exercice illégal de la médecine.*

Comme exercice, j'aide mon père à scier du bois (*Poil de Carotte*).

N'oublie pas le ***h*** entre le ***x*** et le ***i***.

exhiber v.
Faire voir. *Les forains exhibaient des chiens savants sur la place du village ;* vois ***montrer.***

Conjugaison 1

N'oublie pas le ***h*** de *exhorter* [ɛgzɔʀte] et de *exhortation* [ɛgzɔʀtasjɔ̃].

exhorter v.
Exhorter quelqu'un à quelque chose, c'est lui parler pour l'encourager vivement à faire une chose ; vois ***inciter, inviter.*** *L'abbé Gauthier exhorte ses fidèles à plus de charité.*

Conjugaison 1

▸ **exhortation** n. f. Paroles dites pour exhorter quelqu'un ; vois ***encouragement, incitation.*** *Les exhortations du proviseur auront peut-être un effet sur le travail d'Alex.*

Alex a déjà été recalé deux fois au baccalauréat.

Pense au ***h*** après le ***x***.

exhumer v.
1. *Exhumer un corps,* c'est le retirer de la terre ou de sa sépulture. *Les archéologues ont exhumé de la pyramide une momie parfaitement conservée.* **2.** *Exhumer une chose,* c'est la retirer du sol où elle était enfouie. *On a exhumé à Pompéi les vestiges d'une ville romaine du Ier siècle.*

Conjugaison 1

Compare *exhumer* et ***humus*** : il est question de **terre.**

En 79, une éruption du Vésuve ensevelit Pompéi sous la cendre.

Conjugaison 3
▭ Indic. présent : *j'exige, nous exigeons.* Imparfait : *j'exigeais.* Futur : *j'exigerai.*

exiger v.
1. Demander avec force, autorité ; vois ***réclamer, requérir.*** *Angèle exige le silence. Pour ce cocktail, la tenue de soirée est exigée,* elle est obligatoire. **2.** Rendre indispensable ou obligatoire ; vois ***imposer, nécessiter.*** *Faire un puzzle exige de la patience.*

Le dimanche, Madame Lepic exigea que ses fils aillent à la messe (*Poil de Carotte*).

Compare : *exiger → exigeant* et *arranger → arrangeant.*

▸ **exigeant** adj. *Quelqu'un d'exigeant,* c'est quelqu'un qui exige beaucoup, est difficile à satisfaire. *Mme Séverac est une cliente exigeante.*

Prononce [ɛgziʒɑ̃] mais n'oublie pas le ***e*** après le ***g***.

▸ **exigence** n. f. **1.** Caractère difficile d'une personne exigeante. *Il est d'une exigence insupportable.* **2.** Chose que l'on exige. *Vos exigences sont vraiment trop grandes.*

Prononce [ɛgzigy].

Le contraire d'*exigu,* c'est *spacieux.*

exigu adj.
Très petit ; vois ***étroit, minuscule.*** *Le blaireau agrandit l'entrée exiguë du terrier abandonné. L'appartement de M. Doucet est un peu exigu.*

Attention au tréma du ***ë***, au féminin : *exiguë.*

exil n. m.
Situation d'une personne contrainte de vivre hors de son pays. *Pour fuir le régime totalitaire de son pays, ce résistant a été contraint à l'exil.*

Conjugaison 1

▸ **exiler** v. **1.** Obliger à vivre hors de son pays ; vois ***bannir, proscrire.*** *Ce régime totalitaire, impitoyable, a exilé tous les opposants.* **2.** *S'exiler,* c'est aller vivre hors de son pays ; vois ***s'expatrier.*** *Beaucoup d'Irlandais, poussés par la faim, se sont exilés aux États-Unis au début du XXe siècle.*

Chopin, né en Pologne, s'est exilé en France en 1830.

Une personne exilée peut demander asile à un autre pays.

▸ **exilé** adj. Qui a été exilé, qui s'est exilé. *Exilé, isolé et démuni, l'écrivain finit par mourir de chagrin.* — n. *Cet exilé politique a demandé asile à la France.*

Conjugaison 1

Sais-tu que Monsieur Poubelle, Lord Sandwich, les demoiselles Tatin ont existé et donné leurs noms à des objets ?

exister v.
1. Avoir une réalité. *La licorne est un animal imaginaire qui n'a jamais existé. Il existe plusieurs écoles à Motbourg,* il y en a plusieurs. *Cette tradition existe dans de nombreux pays.* **2.** Se trouver quelque part. *Cette variété de plante n'existe pas en Europe.* **3.** Avoir de l'importance ; vois ***compter.*** *Quand Angèle danse, plus rien d'autre n'existe pour elle.*

Une fourmi de 18 mètres
Avec un chapeau sur la tête
Ça n'existe pas
Ça n'existe pas
(R. Desnos).

▸ **existence** n. f. **1.** Réalité. *Les Anciens croyaient à l'existence de nombreux dieux.* **2.** Vie. *Loïc Bellec mène une existence paisible, à Paimpol.*

Autre membre de la famille : **inexistant.**

En juin 1940, ce fut l'exode des civils français fuyant l'armée allemande.

exode n. m.
Fuite, départ en masse de personnes. *L'invasion du territoire par les troupes ennemies a provoqué l'exode de toute la population.*

L'*exode rural,* c'est le dépeuplement des campagnes.

exonéré adj.
Être exonéré d'impôts, c'est être dispensé d'en payer. *Les gens les plus défavorisés sont exonérés de l'impôt sur le revenu.*

exorbitant adj.
Exagéré, qui dépasse la juste mesure ; vois ***excessif.*** *M. Bellec a trouvé exorbitant le prix des champignons.*

Famille de **orbite**

exorbité adj.
Des yeux exorbités, ce sont des yeux tout grands ouverts, qui ont l'air de sortir de leurs orbites. *Claire regardait l'araignée noire sur le mur blanc, les yeux exorbités de terreur.*

exotique adj.
Qui vient des pays lointains. *L'ananas et la mangue sont des fruits exotiques. Angèle aime le rythme exotique des musiques africaines.*

Avoir le goût de l'exotisme, c'est aimer les choses exotiques.

▸ ***exotisme*** n. m. Caractère de ce qui appartient aux pays lointains. *L'exotisme du Japon a dépaysé Mme Séverac.*

Le contraire d'*expansif,* c'est *renfermé, réservé.*

expansif adj.
Quelqu'un d'expansif, c'est quelqu'un qui dit facilement et longuement ce qu'il pense ou ce qu'il ressent ; vois ***exubérant.*** *Pierre Séverac est d'un naturel jovial et expansif.*

On dit que les Méridionaux sont plus expansifs que les gens du Nord.

Le contraire d'*expansion,* c'est *régression.*

expansion n. f.
Croissance, développement, essor. *Cette ville est en pleine expansion.*

Conjugaison 7
▭ Indic. imparfait : *nous nous expatriions.*

s'expatrier v.
Quitter sa patrie pour s'installer ailleurs ; vois ***émigrer, s'exiler.*** *Les Touati se sont expatriés pour chercher du travail en France.*

Famille de **patrie**

Ils venaient du Maroc.

Un ***t*** à la fin d'*expédient.*

expédient n. m.
Moyen qui peut tirer d'embarras provisoirement. *Nous trouverons bien un expédient en attendant de résoudre le problème.*

Conjugaison 7
▭ Indic. présent : *j'expédie, nous expédions.* Imparfait : *nous expédiions.*

expédier v.
1. Envoyer une chose à une adresse. *Angèle a expédié par la poste un colis pour ses neveux.* **2.** Faire une chose sans soin et rapidement, pour s'en débarrasser. *Antoine expédie ses devoirs pour aller jouer plus vite ;* vois ***bâcler.***

▸ ***expéditeur*** n. m., ***expéditrice*** n. f. Personne qui expédie quelque chose. *La lettre a été retournée à l'expéditeur.*

Celui à qui on expédie quelque chose est le *destinataire.*

▸ ***expéditif*** adj. **1.** Rapide, vif. *Mme Hespel est très expéditive en affaires.* **2.** *Un moyen expéditif,* c'est un moyen rapide et efficace. *Un moyen expéditif de faire obéir Antoine, c'est de le priver de dessert !*

Il est si gourmand !

▸ ***expédition*** n. f. **1.** Envoi. *Quel est le tarif d'expédition par avion de ce colis ?* **2.** Voyage d'exploration dans un pays lointain et souvent difficile à atteindre. *Les alpinistes ont organisé une expédition dans l'Himalaya. L'expédition scientifique a été financée par le gouvernement.*

Les savants font des expéditions scientifiques pour étudier sur place des régions ou des phénomènes.

Tintin a organisé une expédition pour retrouver son ami Tchang.

expérience n. f.
1. Opération scientifique destinée à observer un phénomène. *Les expériences en laboratoire font progresser les connaissances scientifiques.* **2.** Essai, tentative. *Un jour, Angèle s'est fait couper les cheveux, mais c'est une expérience qu'elle ne renouvellera pas.* **3.** *L'expérience,* c'est la connaissance que l'on a acquise par la pratique. *Angèle a une grande expérience des enfants. Aux échecs, Denis Prost manque encore un peu d'expérience. M. Bonnot est un homme d'expérience,* il connaît la vie.

Puis il avisa le bœuf blanc qui faisait une expérience de physique dans l'auge de pierre où il venait boire
(les Contes du Chat perché).

Va voir aussi ***expérimental, expérimenter.***

Elle se préfère avec les cheveux longs.

Elle est institutrice.

Au masculin pluriel : *expérimentaux.*

expérimental adj.
1. Fondé, basé sur l'expérience. *La physique et la chimie sont des sciences expérimentales.* **2.** *Ce traitement médical en est encore au stade expérimental,* au stade des expériences.

Le contraire d'*expérimental,* c'est *théorique.*

Conjugaison 1

expérimenter v.

Expérimenter une chose, c'est l'utiliser pour l'essayer ou l'étudier. *Le pilote de course expérimente un nouveau modèle de voiture. Ce médicament a été expérimenté sur des cobayes ;* vois ***tester, vérifier.***

Pour expérimenter une chose, on peut fabriquer un *prototype.*

Autre membre de la famille : **inexpérimenté.**

▸ ***expérimenté*** adj. Qui a de l'expérience ; vois ***chevronné.*** *Odile Séverac est une agricultrice expérimentée.*

Le contraire d'*expérimenté,* c'est *inexpérimenté.*

expert adj. et n. m.

1. adj. Qui est devenu très habile par l'expérience. *Angèle est une bricoleuse experte. Le tricot avance vite, sous les doigts experts de Mamie Lou.* **2.** n. m. *Un expert,* c'est un spécialiste d'une question, d'un domaine, que l'on consulte pour avoir un avis sûr. *L'expert de la compagnie d'assurances est venu examiner la voiture accidentée.*

Un *expert-comptable* est responsable des comptabilités qu'il organise ou qu'il vérifie.

Un *expert* fait des *expertises.*

Conjugaison 1

expirer v.

1. Rejeter l'air qui se trouve dans les poumons. *On respire en inspirant et en expirant.* **2.** Rendre le dernier soupir ; vois ***mourir.*** *Le blessé est sur le point d'expirer.* **3.** Finir. *Ce passeport expirera dans deux ans,* il ne sera plus valable.

Dans l'eau, tu expires en soufflant par la bouche régulièrement et doucement.

Compare : *expirer → expiration* et *respirer → respiration.*

▸ ***expiration*** n. f. **1.** Mouvement qui fait sortir l'air des poumons. *L'inspiration et l'expiration sont des mouvements automatiques.* **2.** *L'expiration d'un délai,* c'est le moment où il se termine ; vois ***échéance, terme.*** *Ce passeport arrivera à expiration dans deux ans.*

Famille de **expliquer**

explicatif adj.

Une notice explicative, c'est une notice qui donne des explications, un mode d'emploi. *Sylvain lit attentivement la notice explicative qui doit l'aider à assembler les éléments du cerf-volant.*

explicite adj.

1. Très clair, qui ne laisse place à aucun doute. *La déclaration du chef du gouvernement a été très explicite.* **2.** *Être explicite,* c'est s'exprimer clairement, se faire bien comprendre. *La directrice a été très explicite : si Colle et Rat ne sont pas plus sages, ils seront renvoyés de l'école.*

explication n. f.

[L]es grandes personnes ne com[p]rennent jamais rien toutes seu[l]es, et c'est fatigant, pour les [e]nfants, de toujours et toujours [l]eur donner des explications *(le Petit Prince).*

1. Ce qui sert à faire comprendre quelque chose ; vois ***commentaire, éclaircissement.*** *Les explications du professeur étaient-elles claires ?* **2.** Cause, raison. *Antoine a trouvé une explication extravagante à son retard de ce matin.* **3.** *Avoir une explication avec quelqu'un,* c'est avoir une discussion avec lui pour lui demander de justifier sa conduite. *Mme Hespel a eu une explication avec son fils Alex.*

Famille de **expliquer**

Conjugaison 1

expliquer v.

1. *Expliquer une chose,* c'est la faire comprendre ; vois ***montrer.*** *Angèle a expliqué à ses élèves le mouvement de la Terre autour du Soleil. Un mode d'emploi explique le fonctionnement de l'appareil photo.* **2.** Donner la raison, la cause d'une chose. *Explique-moi pourquoi tu pleures. Antoine a bien du mal à expliquer son retard au cours.* **3.** *S'expliquer avec quelqu'un,* c'est se justifier auprès de lui, lui donner des explications sur sa conduite. *Mme Harpie s'est expliquée avec sa sœur.* **4.** *L'incendie de la poste s'explique mal,* ses causes sont difficiles à établir.

Comme le canard ne savait pas lire, les petites lui expliquaient les images *(les Contes du Chat perché).*

Autres membres de la famille : **explicatif, explication, inexplicable.**

N'oublie pas le ***t*** final.

exploit n. m.

Action remarquable ou très difficile ; vois ***prouesse.*** *L'alpiniste a accompli un exploit ;* vois ***performance, record.***

Conjugaison 1

exploiter v.

1. *Exploiter une ferme,* c'est y travailler pour la mettre en valeur. *Pierre et Odile Séverac exploitent une ferme près de Sarlat.* **2.** *Mme Hespel a su exploiter sa chance,* en profiter, en tirer avantage. **3.** *Exploiter quelqu'un,* c'est se servir de lui, profiter de lui. *Au Moyen Âge, les serfs étaient durement exploités par les seigneurs.*

▸ ***exploitant*** n. m., ***exploitante*** n. f. Personne ou société qui fait fonctionner une exploitation. *Pierre et Odile Séverac sont des exploitants agricoles.*

▸ ***exploitation*** n. f. **1.** Action de mettre en valeur, d'exploiter. *Les agriculteurs travaillent à l'exploitation de la terre. Cette ligne de chemin de fer n'est plus en exploitation,* elle n'est plus exploitée. **2.** Entreprise que l'on met en valeur. *L'exploitation agricole de Pierre et Odile Séverac produit du maïs et du tabac.* **3.** *Les syndicats ont violemment protesté contre l'exploitation des ouvriers,* contre le fait que les ouvriers étaient exploités.

L'exploitation des mines d charbon a été concurrencée pa celle des gisements de pétrole

L'exploitation de l'homme par l'homme, c'est le fait de tirer profit du travail d'autres hommes.

▸ ***exploité*** adj. *Une personne exploitée,* c'est une personne qui travaille beaucoup pour un salaire très bas. *Honteusement exploitées, les ouvrières se sont mises en grève.*

Dans *les Misérables,* Victo Hugo raconte l'histoire de l petite Cosette, exploitée par le Thénardier.

Le féminin *exploiteuse* ne s'emploie pas beaucoup.

▸ ***exploiteur*** n. m., ***exploiteuse*** n. f. Personne qui exploite les autres. *Les ouvriers se sont révoltés contre leurs exploiteurs.*

Conjugaison 1

Amundsen explora le continent antarctique et atteignit le premier le pôle Sud en 1911.

explorer v.

1. Parcourir une région mal connue en l'étudiant avec soin. *Stanley et Livingstone explorèrent l'Afrique au XIXe siècle.* **2.** Parcourir un endroit en cherchant quelque chose. *Julie a exploré la maison, à la recherche de son chat.*

J'explorai l'île en tous sens mais je ne pus y découvrir d trace humaine
(les Mille et Une Nuits)

Compare : *explorer → explorateur* et *réparer → réparateur.*

▸ ***explorateur*** n. m., ***exploratrice*** n. f. Personne qui explore une région mal connue. *L'explorateur français, Cavelier de la Salle, parcourut l'Amérique du Nord au XVIIe siècle.*

Cook, Dumont d'Urville, Bougainville, furent de grand navigateurs et explorateurs.

▸ ***exploration*** n. f. Fait d'explorer un pays. *Yves rêve de partir en exploration.*

Conjugaison 1

exploser v.

1. Se rompre de façon brusque, éclater. *Pendant la guerre, M. Bonnot a fait sauter un pont en faisant exploser de la dynamite.* **2.** *Tout à coup, la colère d'Yves explosa,* elle éclata, elle se manifesta avec violence.

Tintin a mis un bâton de dyna mite dans le dos du rhinocéro et l'a fait exploser.

▸ ***explosif*** adj. et n. m.

▭ **adj. 1.** Qui peut exploser. *La dynamite est une substance explosive.* **2.** *La situation était devenue explosive,* très tendue.

L'air et le méthane forment u mélange explosif.

Il était résistant pendant la Deuxième Guerre mondiale.

▭ **n. m.** Matière qui peut exploser. *M. Bonnot avait posé les charges d'explosif sous le pont.*

La dynamite, le plastic sont de explosifs.

Compare : *exploser → explosion* et *diviser → division.*

▸ ***explosion*** n. f. **1.** Éclatement brusque ; vois ***déflagration.*** *On a entendu une explosion avant le début de l'incendie ;* vois ***détonation.*** **2.** Manifestation soudaine et violente d'un sentiment ; vois ***débordement.*** *Les explosions de colère d'Yves sont fréquentes.*

Dans un *moteur à explosion,* l'énergie est fournie par l'explosion d'un mélange d'air et d'essence.

Conjugaison 1

Famille de **porter**

exporter v.

Exporter un produit, c'est le vendre à l'étranger. *L'Arabie Saoudite exporte du pétrole. Le Japon importe des matières premières et exporte des produits finis.*

Le contraire d'*exporter,* c'est *importer.*

▸ ***exportateur*** n. m., ***exportatrice*** n. f. Personne ou pays qui vend des produits à l'étranger. *Le Japon est un grand exportateur d'automobiles.*

L'O. P. E. P., c'est l'Organisatio des pays exportateurs de pé trole.

Le contraire d'*exportation,* c'est *importation.*

▸ ***exportation*** n. f. Vente de marchandises à l'étranger. *Certaines voitures sont fabriquées spécialement pour l'exportation.*

Conjugaison 1

Le contraire d'*exposer,* c'est *cacher, dissimuler.*

Famille de **poser**

exposer v.

1. Montrer, présenter des choses pour qu'on les voie bien ; vois ***disposer, étaler.*** *Mme Harpie expose tous ses bonbons dans sa vitrine. Les élèves ont exposé leurs dessins dans la salle de classe.* **2.** Expliquer, décrire. *Le maire a brièvement exposé la situation.* **3.** *L'appartement d'Angèle est exposé au sud,* il est placé dans la direction du sud. **4.** *Pour faire une photo, il faut exposer la pellicule à la lumière,* la soumettre à l'action de la lumière. **5.** *Les explorateurs sont exposés à de grands dangers,* ils risquent de rencontrer de grands dangers. — *Ils se sont exposés aux plus grands périls.*

On s'expose au soleil pour s faire bronzer.

▸ ***exposé*** n. m. Petit discours, petite conférence que l'on fait sur un sujet précis. *En classe, Sylvain a fait un exposé sur les oiseaux de proie.*

▸ ***exposition*** n. f. **1.** Présentation, étalage d'objets que l'on veut montrer. *Angèle a organisé une exposition des travaux de ses élèves.* **2.** *Les expositions prolongées au soleil sont à déconseiller,* il est déconseillé de s'exposer longtemps au soleil. **3.** Sens dans lequel un bâtiment, un terrain est orienté. *L'appartement d'Angèle a une bonne exposition.*

Le sous-préfet, venu tout exprès de la ville dans son uniforme brodé, prononça un discours *(les Contes du Chat perché).*

① ***exprès*** adv.
Avec une intention spéciale et non pas par hasard ; vois ***volontairement.*** *C'est exprès que j'ai laissé la fenêtre ouverte. Excuse-moi si j'ai abîmé ton vélo, je ne l'ai pas fait exprès,* je ne voulais pas le faire, je le regrette.

Ne prononce pas le ***s*** : [ɛkspʀɛ].

Prononce le ***s*** : [ɛkspʀɛs].

② ***exprès*** adj. invariable
Hippolyte, le facteur, a remis à Mme Roussel une lettre exprès, il la lui a remise en mains propres avant l'heure de distribution ordinaire du courrier.

Ne confonds pas *exprès* et *express.*

Prononce le *s* de *exprès* : [ɛkspʀɛs].

③ ***exprès*** adj.
Une défense expresse, c'est une défense absolue, formelle. *Interdiction expresse de fumer !*

Attention ! un accent grave dans *exprès,* mais un accent aigu dans *expressément.*

▸ ***expressément*** adv. *Angèle, l'institutrice, a défendu expressément qu'on ouvre les tiroirs de son bureau,* elle l'a clairement, nettement défendu.

Elle l'a défendu *en termes exprès.*

Prononce bien les deux *s* : [ɛkspʀɛs].

express adj. et n. m.
▭ **adj.** Qui va vite. *Un train express est un train qui ne s'arrête qu'à quelques gares.*
▭ **n. m. 1.** *Un express,* c'est un train express. *L'express pour Paris part à 8 h 52.* **2.** Café fait à la vapeur, à l'aide d'un percolateur. *Angèle a bu un express, accompagné d'un croissant.*

L'express va plus vite que l'omnibus, mais moins vite que le rapide !

expressif adj.
1. Qui exprime bien ce que l'on ressent ou ce que l'on pense. *Yasmina, au lieu de répondre, se contenta d'un geste expressif ;* vois ***éloquent, significatif.*** **2.** *Un visage expressif,* c'est un visage vivant, mobile. *Julie n'est pas jolie, mais elle a un visage très expressif.*

C'est un visage qui a beaucoup d'*expression.*

La Directrice écoutait, et son visage prit pendant un instant une expression de stupéfaction intense *(Lullaby).*

expression n. f.
1. *L'expression du visage,* c'est l'apparence, l'air qu'il prend sous l'effet d'un sentiment. *Le visage de Claire avait une expression joyeuse.* **2.** Action d'exprimer ses idées ou ses sentiments. *Le moyen d'expression favori de Marie-Tévy est le dessin.* **3.** Groupe de mots employés ensemble avec un sens particulier ; vois ***locution, tournure.*** *Mme Bellec emploie beaucoup d'expressions imagées.*

Va voir aussi ***exprimer.***

Avoir le cœur sur la main, prendre ses jambes à son cou sont des expressions.

Conjugaison 1

exprimer v.
1. Faire connaître ce qu'on pense. *Le compositeur exprime ses sentiments dans sa musique. Les mots nous permettent d'exprimer nos pensées. Angèle fronça les sourcils, exprimant son mécontentement ;* vois ***montrer.*** **2.** *S'exprimer,* c'est faire connaître ce qu'on pense par le langage ; vois ***parler.*** *Les sourds-muets s'expriment par gestes. Réjean s'exprime aussi bien en anglais qu'en français.*

Autre membre de la famille : **inexprimable.**

« D'ac ! — En voilà une façon de s'exprimer, a crié la maîtresse, veux-tu parler correctement ! » *(le Petit Nicolas).*

Il est canadien.

Conjugaison 7 ▭ Indic. imparfait : *nous expropriions.*

exproprier v.
Exproprier quelqu'un, c'est l'obliger à vendre son terrain à l'État. *On a exproprié des centaines de personnes pour construire des immeubles neufs.*

Famille de ② **propre**

Conjugaison 1

expulser v.
Chasser, mettre dehors. *Les révolutionnaires ont été expulsés de leur pays ;* vois ***bannir, exiler, expatrier.*** *M. Bellec a expulsé un homme ivre de son restaurant.*

Compare *expulser* et *propulser* : il s'agit de **pousser.**

Compare : *expulser → expulsion* et *propulser → propulsion.*

▸ ***expulsion*** n. f. Action d'expulser, de mettre dehors. *S'il ne paye pas son loyer, le locataire risque l'expulsion.*

Le contraire d'*exquis,* c'est *exécrable, infect.*

exquis adj.
Très agréable, délicieux. *M. Bellec fait une cuisine exquise ;* vois ***succulent.***

Prononce bien le ***x*** : [ɛkski].

Prononce [ɛksɑ̃g] ou [ɛgzɑ̃g].

exsangue adj.
Qui a perdu beaucoup de sang. *On a retrouvé un blessé exsangue,* très affaibli.

Famille de **sang**

extase n. f.
Grande admiration. *Mamie Lou est en extase devant Claire.*

Claire est sa petite-fille de 5 ans.

Conjugaison 7 ▭ Indic. présent : *nous nous extasions.* Imparfait : *nous nous extasiions.*

▸ ***s'extasier*** v. Montrer son admiration, son enthousiasme ; vois ***s'émerveiller.*** *Tous les enfants se sont extasiés devant le dessin de Marie-Tévy.*

Famille de ① **tendre**

extensible adj.
Qui peut s'étendre, s'étirer. *Les pantalons de ski sont en tissu extensible ;* vois ***élastique.***

Le caoutchouc est une matière extensible.

extension n. f.

Un, deux, trois, assis sur les talons. Quatre, cinq, six, extension complète *(Babar)*.

1. Mouvement par lequel on étend un membre. *Extension, puis flexion de l'avant-bras.* **2.** Agrandissement, développement, augmentation. *Les pompiers sont arrivés très vite et ont empêché l'extension de l'incendie.*

Famille de ① **tendre**
Ne confonds pas *extension* et *expansion.*

Conjugaison 1

exténuer v.

Rendre très faible, fatiguer énormément ; vois ***épuiser, éreinter.*** *Cette longue journée de travail a exténué M. Touati. — Angèle, l'institutrice, s'est exténuée à expliquer le mécanisme de la division à deux chiffres.*

▷ ***exténuant*** adj. Très fatigant ; vois ***épuisant, éreintant.*** *Le travail de M. Touati est exténuant.*

Une fermière leur dit qu'elle avait vu passer un soldat monté sur un malheureux mouton qui paraissait exténué *(les Contes du Chat perché).*

extérieur adj. et n. m.

▭ **adj. 1.** Qui est dehors. *Chez les Prost, un escalier extérieur permet de monter au premier sans passer par le rez-de-chaussée.* **2.** Externe. *Le revêtement extérieur de la casserole est rouge. Cet autobus emprunte les boulevards extérieurs,* qui entourent la ville ; vois ***périphérique.*** **3.** Qui concerne les pays étrangers. *Le pays a changé sa politique extérieure,* vis-à-vis de l'étranger.

Le contraire d'*extérieur*, c'est *intérieur.*

▭ **n. m. 1.** Ce qui est dehors. *La réserve de bois est à l'extérieur de la maison. Mme Bellec a sorti une table à l'extérieur,* dehors. **2.** Face externe d'un objet. *L'extérieur du coffre est peint à la main.*

Le contraire d'*extérieurement*, c'est *intérieurement.*

▷ ***extérieurement*** adv. À l'extérieur. *Extérieurement, la maison des Prost est très jolie.*

exterminer v.

Tuer, massacrer jusqu'au dernier ; vois ***anéantir, détruire, supprimer.*** *Certaines tribus d'Indiens d'Amérique ont été exterminées.*

Conjugaison 1

L'extermination d'un peuple, c'est un *génocide.*

▷ ***extermination*** n. f. Destruction, massacre systématique. *Mme Bellec a acheté un insecticide pour l'extermination des cafards.*

Il ne faut pas avaler les médicaments *à usage externe.*

① **externe** adj.

Qui est situé à l'extérieur. *La face externe du verre est couverte de dessins.*

Le contraire, c'est *interne.*

L'école dont les élèves sont externes est un *externat.*

② **externe** n. m. et f.

Élève qui va dans une école, sans être en pension. *Sylvain est externe au cours Godefroy de Bouillon.*

Un élève est *externe, interne* ou *demi-pensionnaire.*

Attention, prononce bien toutes les lettres : [ɛkstɛ̃ktœʀ].

extincteur n. m.

Appareil qui sert à éteindre un feu, un incendie. *Angèle, l'institutrice, a montré aux enfants le fonctionnement de l'extincteur.*

Compare ***extinction*** et ***extincteur*** : dans ces mots, il s'agit d'**éteindre.**

extinction n. f.

1. Action d'éteindre. *Les pompiers ne sont partis qu'après la complète extinction de l'incendie.* **2.** *Avoir une extinction de voix,* c'est ne plus pouvoir parler d'une voix claire pendant quelque temps. *Angèle a eu une extinction de voix pendant deux jours.*

Une *espèce en voie d'extinction,* c'est une espèce en voie de disparition.

extorquer v.

On peut aussi extorquer une signature, une promesse.

Prendre par force ou par ruse ; vois ***escroquer, soutirer.*** *Colle et Rat ont extorqué dix billes à Antoine en lui promettant de les lui rendre.*

Conjugaison 1

extra n. m. et adj. invariable

▭ **n. m. invariable 1.** Chose extraordinaire, qu'on ne fait pas d'habitude. *Les Bellec ont fait un extra, ils ont dîné au champagne.* **2.** Serviteur qu'on engage pour une occasion précise. *M. et Mme Bonnot avaient engagé deux extra pour le dîner de fiançailles de leur fille.*

Extra est l'abréviation de *extraordinaire.*

▭ **adj. invariable** Extraordinaire, de très bonne qualité. *Ces bonbons sont extra.*

Cet adjectif est familier.

Extra... peut être suivi ou non d'un trait d'union.

extra...

Préfixe qui signifie « en dehors de », « mieux que », « tout à fait » et qui se place devant certains noms et certains adjectifs. *Une chose extraordinaire sort de l'ordinaire. Un extra-fort est un ruban très fort.*

Va voir aussi ***archi..., hyper..., super..., ultra...***

extraction n. f.

1. Action d'enlever une chose du lieu où elle est enfouie. *Des machines*

Va voir aussi ***extraire.***

perfectionnées sont nécessaires à l'extraction des minerais. **2.** Action d'arracher. *L'extraction des dents de sagesse est souvent douloureuse.*

Au féminin : *extra-fine.*

extra-fin adj.
Très fin. *Le rôti de veau était accompagné de petits pois extra-fins.*

Famille de ② **fin**

extraire v.
1. *Extraire une chose,* c'est la tirer d'un endroit où elle est solidement ou profondément enfoncée. *Le médecin a extrait la balle de l'épaule du shérif.* **2.** Séparer une substance du corps dont elle fait partie. *On extrait de l'huile du tournesol.* **3.** Tirer un passage d'un livre. *Ce passage est extrait de* Blancheneige.

Les sept nains travaillaient dans les montagnes, creusant et piochant pour en extraire le minerai *(Blancheneige).*

Extraire la racine carrée d'un nombre, c'est la calculer.

Conjugaison 50 ▭ Indic. présent : *j'extrais, nous extrayons.* Imparfait : *j'extrayais, nous extrayions.* Futur : *j'extrairai.*

▸ **extrait** n. m. **1.** Parfum concentré. *M. Bellec a mis de l'extrait de café dans la crème.* **2.** Passage tiré d'une œuvre. *La télévision a présenté un extrait du film où joue Denis Prost.* **3.** Copie d'un acte officiel. *Mme Roussel a demandé un extrait d'acte de naissance à la mairie.*

Denis Prost est comédien.

Famille de **lucide**

extra-lucide adj.
Une voyante extra-lucide, c'est une personne qui prédit l'avenir. *Mme Séverac a consulté plusieurs voyantes extra-lucides.*

Famille de **ordinaire**

extraordinaire adj.
1. Qui n'est pas habituel, que l'on voit rarement ; vois ***exceptionnel.*** *Julie a eu la permission extraordinaire de se coucher à minuit.* **2.** Qui étonne, qui provoque de la surprise ou de l'admiration ; vois ***curieux, étonnant.*** *Sylvain adore les aventures extraordinaires de Tarzan ;* vois ***fantastique, merveilleux.*** *Yasmina trouve que Denis Prost est un homme extraordinaire ;* vois ***remarquable.***

Julie a 8 ans.

C'est un jardin extraordinaire Il y a des canards qui parlent anglais (Ch. Trenet).

Le contraire, c'est *ordinaire.*

Quel extraordinaire petit homme que ce Mr. Wonka ! *(Charlie et la Chocolaterie).*

Le contraire d'*extraordinaire,* c'est *banal, commun.*

On écrit aussi *extraterrestre* en un seul mot.

extra-terrestre n. m. et f.
Personne qui habiterait une autre planète que la Terre. *Il n'y a pas de preuve scientifique de l'existence des extra-terrestres.*

Famille de **terre**

Le contraire d'*extravagant,* c'est *raisonnable, sensé.*

extravagant adj.
Bizarre et un peu fou. *Julie a souvent des idées extravagantes ;* vois ***déraisonnable.*** *Sophie Pelletier avait une robe extravagante ;* vois ***excentrique.***

Un prix extravagant, c'est un prix beaucoup trop élevé, excessif.

Compare : *extravagant* → *extravagance* et *élégant* → *élégance.*

▸ **extravagance** n. f. Attitude bizarre. *Julie nous étonnera toujours avec ses extravagances.*

extrême adj. et n. m.
▭ **adj. 1.** Qui est placé tout au bout, le plus loin ; vois ***dernier.*** *Ma patience a atteint l'extrême limite.* **2.** Très grand. *Vous voir me fait une joie extrême.*

L'Extrême-Orient est la partie de l'Asie la plus éloignée de l'Europe.

▭ **n. m.** *Passer d'un extrême à l'autre,* c'est exagérer dans un sens puis dans l'autre sens. *Julie passe d'un extrême à l'autre, un jour elle aime les gâteaux à la folie, le lendemain elle déteste en manger.*

À l'extrême : au plus haut point.

Faire une chose *in extremis,* c'est la faire au tout dernier moment.

▸ **extrêmement** adv. À un très haut degré ; vois ***infiniment, très.*** *Un milliardaire est une personne extrêmement riche.*

▸ **extrême-onction** n. f. Sacrement qu'un prêtre catholique donne à une personne qui va mourir. *L'abbé Gauthier a administré l'extrême-onction au mourant.*

▸ **extrémiste** n. m. et f. Personne qui soutient la doctrine la plus violente, dans un groupe politique ou dans une discussion. *Les extrémistes ont refusé la solution proposée par les modérés.*

Le contraire d'*extrémiste,* c'est *modéré.*

Attention aux accents aigus.

▸ **extrémité** n. f. **1.** Limite, partie qui se trouve au bout. *Yves a couru jusqu'à l'extrémité de la jetée.* **2.** Situation désespérée. *Le malade est à la dernière extrémité,* il est près de mourir.

exubérant adj.
1. Très abondant. *Dans la jungle, la végétation est exubérante ;* vois ***luxuriant.*** **2.** Qui manifeste ses sentiments sans retenue ; vois ***démonstratif.*** *Julie est une petite fille exubérante.*

Le contraire d'*exubérant,* c'est *maigre, sobre.*

Le contraire d'*exubérant,* c'est *discret, réservé.*

Conjugaison 1

Le contraire d'*exulter,* c'est *se désoler.*

exulter v.
Éprouver et montrer une joie immense ; vois ***jubiler.*** *Les footballeurs exultaient et s'embrassaient.*

Ils avaient gagné le match 3 à 0.

f

fa n. m. invariable

Au pluriel : *des fa.*

Do, ré, mi, fa, sol, la, si

Note de musique. *Fa est la quatrième note de la gamme de do majeur. Il n'y a qu'un demi-ton entre le mi et le fa.*

La *clé de fa* note la partie que la main gauche doit jouer au piano.

fable n. f.

La Fontaine (1621-1695) est l'auteur de nombreuses fables.

Poésie ou petit récit qui donne un enseignement, qui veut faire réfléchir. *Julie récite une fable de La Fontaine.*

fabriquer v.

Conjugaison 1

Babar va chercher, sur le champ de bataille, quelques javelots abandonnés, des arcs, des flèches et se met à fabriquer une canne à pêche *(Babar).*

Fabriquer un objet, c'est le faire, le produire. *M. Bellec a fabriqué une niche avec des planches ;* vois ***construire, façonner.*** *Dans cette usine, on fabrique des meubles.*

▷ ***fabricant*** n. m., ***fabricante*** n. f. Personne qui fabrique des produits ou qui dirige l'entreprise qui les fabrique. *Mme Hespel a renvoyé au fabricant son aspirateur qui ne marchait pas.*

Mr. Willy Wonka, le plus grand inventeur et fabricant de tous les temps *(Charlie et la Chocolaterie).*

Compare : *fabriquer → fabrication* et *éduquer → éducation.*

▷ ***fabrication*** n. f. Action de fabriquer. *Cet objet est de fabrication artisanale.*

▷ ***fabrique*** n. f. Établissement où l'on fabrique des objets en série ; vois ***manufacture, usine.*** *Il y a de nombreuses fabriques de meubles en Bretagne.*

Autre membre de la famille : **préfabriqué.**

fabuleux adj.

1. Qui n'existe que dans les histoires, dans l'imagination. *La licorne est un animal fabuleux ;* vois ***imaginaire.*** **2.** Incroyable mais vrai. *Crésus avait une fortune fabuleuse ;* vois ***extraordinaire, fantastique.***

fac va voir ***faculté.***

face n. f.

1. Visage. *Pendant la guerre, M. Bonnot a été blessé à la face ;* vois ***figure.*** *Angèle n'a pas perdu la face devant Colle et Rat,* elle n'a pas perdu son prestige. **2.** Côté d'une pièce de monnaie, d'une médaille, qui porte une figure. *Sur la face de nombreuses pièces françaises est représentée la Semeuse.* **3.** Chacun des côtés d'un objet. *Un cube a six faces égales. Julie veut écouter les deux faces du disque.* **4.** *Les Bellec ont installé leur caravane face à la montagne,* vis-à-vis de la montagne. *La boutique de Mme Harpie fait face à l'école,* l'avant de la boutique est tourné vers l'école. **5.** *La boutique de Mme Harpie est en face de l'école,* vis-à-vis de l'école. **6.** *Alors qu'il faisait*

Va voir *jouer à pile ou face* à ③ ***pile.***

Maman a dit : Nous avons la chambre 29, face à la mer, avec salle de bains *(le Petit Nicolas).*

On dit *la face d'une pièce* ou *le côté face.*

Les faces d'un dé à jouer sont numérotées de 1 à 6.

Faire face à une difficulté, c'est l'affronter et agir d'une manière efficace.

On appelle *un face à face* un débat public entre deux personnalités.

tout pour l'éviter, Antoine s'est trouvé face à face avec Mme Harpie, Antoine et Mme Harpie se sont trouvés l'un en face de l'autre. **7.** *Je ne l'ai vu que de dos, je ne l'ai pas vu de face,* du côté où l'on voit le visage.

▹ ***façade*** n. f. **1.** Côté d'un bâtiment où se trouve l'entrée principale. *La façade de l'immeuble d'Hippolyte a été ravalée.* **2.** Apparence. *Angèle a l'air sévère, mais c'est une façade.*

Autres membres de la famille : **facette, facial, surface, volte-face.**

Facétie [fasesi] rime avec *voici.*

facétie n. f.

Plaisanterie. *Antoine aime bien faire des facéties ;* vois ***blague, farce.***

Facétieux [fasesjø] rime avec *audacieux.*

▹ ***facétieux*** adj. Qui fait des farces. *Julie est une petite fille facétieuse ;* vois ***farceur.***

Compare : *face → facette* et *cloche → clochette.*

facette n. f.

Chacune des petites faces d'un objet qui en a beaucoup. *Un diamant a de nombreuses facettes.*

Famille de **face**

Conjugaison 1

fâcher v.

Tant qu'ils ne te feront pas de mal, mon garçon, laisse-les faire. Il ne faut pas risquer de les fâcher *(les Vacances).*

1. Mettre en colère ; vois ***irriter, mécontenter.*** *L'attitude d'Yves a fâché Angèle, la maîtresse. — Angèle s'est fâchée contre Yves.* **2.** *Se fâcher avec quelqu'un,* c'est se brouiller avec lui. *Mme Roussel s'est fâchée avec sa sœur. Les deux sœurs se sont fâchées.*

Attention à l'accent circonflexe du ***â.***

Le contraire de *se fâcher,* c'est *se réconcilier.*

Il était une fois un roi et une reine qui étaient si fâchés de n'avoir point d'enfants, si fâchés qu'on ne saurait le dire *(la Belle au bois dormant).*

▹ ***fâché*** adj. **1.** Désolé. *Mme Séverac était bien fâchée d'être en retard ;* vois ***contrarié, navré.*** **2.** *Être fâché contre quelqu'un,* c'est être en colère contre lui. *Angèle est fâchée contre Yves.* **3.** *Être fâché avec quelqu'un,* c'est être brouillé avec lui, en mauvais termes. *Mme Roussel est fâchée avec sa sœur. Mme Roussel et sa sœur sont fâchées.*

Fâchés de ne pouvoir mettre le nez dehors, les parents étaient de mauvaise humeur *(les Contes du Chat perché).*

▹ ***fâcheux*** adj. Ennuyeux, regrettable. *Nous venons d'apprendre une fâcheuse nouvelle.*

Au masculin pluriel : *faciaux* ou *facials.*

facial adj.

Qui concerne la face. *Mme Séverac a parfois des douleurs faciales.*

Famille de **face**

facile adj.

Bien, a dit Papa, nous allons prouver à ta mère que c'est facile comme tout de faire le marché, et nous allons lui apprendre à faire des économies *(le Petit Nicolas).*

1. Qui se fait sans effort ; vois ***aisé.*** *La maîtresse a donné un problème facile.* **2.** Agréable, accommodant. *Yves n'a pas un caractère facile. M. Bonnot est facile à vivre,* il est d'humeur égale.

Le contraire de *facile,* c'est *difficile, dur.*

▹ ***facilement*** adv. Sans effort. *Antoine a beaucoup de mémoire, il apprend ses leçons facilement ;* vois ***aisément.*** *Yves se met en colère facilement,* pour peu de chose.

Le contraire de *facilement,* c'est *difficilement.*

▹ ***facilité*** n. f. **1.** Qualité de ce qui se fait sans peine, sans effort. *Le problème était d'une grande facilité.* **2.** Moyen qui permet de faire quelque chose facilement. *Angèle aimerait obtenir des facilités de paiement,* des conditions qui rendent le paiement plus facile. **3.** Don, disposition. *Antoine écrit ses rédactions avec facilité,* sans effort.

Le contraire de *facilité,* c'est *difficulté.*

Le contraire de *faciliter,* c'est *gêner.*

▹ ***faciliter*** v. Rendre plus facile. *Le témoignage d'Hippolyte a facilité l'enquête des policiers.*

Conjugaison 1

façon n. f.

1. Manière. *Hippolyte ne sait de quelle façon attirer l'attention d'Angèle ;* vois ***moyen.*** *Il y a plusieurs façons de procéder. De toute façon, Antoine est toujours en retard,* en tout cas, quoi qu'il en soit. *Hippolyte était devant l'école de façon à ce qu'Angèle l'aperçoive,* de sorte qu'elle l'aperçoive. *D'une façon générale, Hippolyte n'a pas de chance. Angèle veut vivre à sa façon,* comme elle l'entend. **2.** *Des façons,* ce sont des manières propres à une personne. *Mme Roussel a dit à sa sœur qu'elle n'aimait pas ses façons,* sa manière d'agir. **3.** *Faire des façons,* c'est avoir des manières pas naturelles. *Mme Roussel a fait des façons avant d'accepter l'invitation de Mme Bellec. J'accepte sans façon,* simplement. **4.** *La façon d'un vêtement,* c'est la manière dont il a été coupé, cousu ; sa forme. *La dernière robe de Mme Séverac est d'une jolie façon.*

Hippolyte est amoureux d'Angèle.

De toute façon, pour qu'on n'ait pas d'histoires, nous allons nous cacher quelque part où nous pourrons fumer tranquillement *(le Petit Nicolas).*

Qu'est-ce que vous faites ici ? En voilà des façons de venir renifler à la porte des gens ! *(les Contes du Chat perché).*

Conjugaison 1

▹ ***façonner*** v. *Façonner un objet,* c'est lui donner une forme ; vois ***fabriquer.*** *Le potier façonne de l'argile pour en faire un plat,* il travaille l'argile.

Autre membre de la famille : **contrefaçon.**

① ***facteur*** n. m.

1. Élément qui contribue à un résultat. *L'énergie et le dynamisme sont des facteurs de réussite.* **2.** Chacun des termes d'une multiplication. *Le produit est le résultat de la multiplication de deux facteurs.*

② ***facteur*** n. m.

Hier soir, [...] un facteur est venu et il a apporté un paquet pour moi *(le Petit Nicolas).*

Personne dont le métier est de distribuer le courrier. *Hippolyte est facteur. Le facteur fait sa tournée. Sylvain guette le facteur : il attend une lettre de Nathalie !*

Officiellement, on dit un *préposé.*

factice adj.

Le contraire de *factice,* c'est *vrai.*

Qui est faux, imité. *Mme Harpie a mis des gâteaux factices dans sa vitrine.*

faction n. f.

Il est *en faction.*

Le soldat est de faction, il monte la garde.

facture n. f.

« Regarde-moi ces factures ! Cette facture du boucher ! Celle de l'épicier ! » *(le Petit Nicolas).*

Note à payer sur laquelle sont indiqués la quantité, la nature et le prix des marchandises vendues, des services exécutés. *Les Séverac ont reçu la facture du peintre.*

faculté n. f.

1. Partie d'une université où l'on enseigne une discipline déterminée. *Le docteur Séverac a fait ses études à la faculté de médecine de Toulouse.* **2.** Possibilité. *Denis Prost a toujours la faculté de refuser de jouer dans un film.*

On dit familièrement *la fac.*

C'est un acteur très demandé.

▸ ***facultatif*** adj. Qui n'est pas obligatoire. *Alex a choisi l'épreuve facultative de dessin au baccalauréat.*

fade adj.

1. Qui n'a pas beaucoup de goût. *Cette purée est fade, elle n'est pas assez salée ;* vois ***insipide.*** **2.** Sans éclat. *La robe de Mme Bellec est d'une couleur fade ;* vois ***terne.***

Le contraire de *fade,* c'est *épicé, relevé.*

Le contraire de *fade,* c'est *vif.*

fagot n. m.

N'oublie pas le ***t*** qui ne se prononce pas : [fago].

Ensemble de petites branches attachées ensemble. *Mamie Lou a mis un fagot dans la cheminée pour allumer le feu.*

faible adj. et n. m.

▭ **adj. 1.** Qui manque de force physique ; vois ***délicat, fragile.*** *Après ses crises d'asthme, Sylvain se sent faible.* **2.** Qui manque de capacités intellectuelles. *Marie-Tévy est faible en français ;* vois ***médiocre.*** **3.** Qui manque de volonté, qui cède. *Mamie Lou est trop faible avec Claire.* **4.** Peu important. *Aujourd'hui le vent est faible ;* vois ***léger.***

Le contraire de *faible,* c'est *fort, robuste, vigoureux.*

Le contraire de *faible,* c'est *ferme, sévère.*

Le contraire de *faible,* c'est *bon, doué, fort.*

Sophie était cachée et Paul la cherchait, lorsqu'elle entendit un tout petit miaou bien faible, bien plaintif *(les Malheurs de Sophie).*

▭ **n. m. 1.** Personne sans volonté. *M. Bellec n'est pas un faible.* **2.** Goût ; vois ***penchant.*** *Mamie Lou a toujours eu un faible pour son fils Louis,* une préférence.

▸ ***faiblement*** adv. D'une manière faible. *L'arrière-boutique est faiblement éclairée.*

Le contraire de *faiblement,* c'est *fortement.*

▸ ***faiblesse*** n. f. **1.** Manque de force physique. *Mme Hespel s'inquiète de la faiblesse de son fils Sylvain.* **2.** Manque d'énergie, d'autorité, de fermeté. *Mamie Lou excuse toujours Claire par faiblesse.*

Le contraire de *faiblesse,* c'est *force.*

Conjugaison 2

▸ ***faiblir*** v. Perdre de sa force, devenir faible. *Le courage des pompiers n'a pas faibli. Le vent a faibli en fin de journée.*

Autres membres de la famille : **affaiblir, affaiblissement.**

faïence n. f.

Faïence [fajɑ̃s] rime avec *vaillance.*

Terre cuite recouverte d'émail ou de vernis. *Les Séverac ont fait changer les carreaux de faïence de la salle de bains.*

On fabrique des objets en faïence depuis l'Antiquité.

faille n. f.

1. Cassure dans l'écorce terrestre. *Les tremblements de terre provoquent des failles.* **2.** Défaut. *Il y a une faille dans ce raisonnement,* ce n'est pas cohérent.

faillir v.

Je suis trempée, dit la souris. Ce retour sous la pluie n'en finissait plus. Et figurez-vous que j'ai failli être noyée *(les Contes du Chat perché).*

1. Ne pas faire ce qu'on devrait faire. *Mme Harpie a failli à ses engagements,* elle n'a pas tenu ses engagements. **2.** *J'ai failli tomber,* j'étais sur le point de tomber mais ce n'est pas arrivé ; vois ***manquer.*** *Claire a failli se perdre dans la forêt.*

Le verbe *faillir* ne s'emploie qu'à l'infinitif et aux temps composés.

▸ ***faillite*** n. f. Situation d'un commerçant qui ne peut payer ses dettes et tenir ses engagements. *Le restaurateur a fait faillite et a dû fermer son restaurant.*

Autres membres de la famille : **défaillir, défaillance.**

faim n. f.

Le loup ne voulut rien dire de la grande faim qu'il avait au ventre *(les Contes du Chat perché).*

Besoin, envie de manger. *Antoine a toujours faim. L'air de la montagne donne faim. Dans de nombreux pays, on souffre de la faim,* du manque de nourriture ; vois ***famine.***

Ne confonds pas *faim* et *fin.* Va voir aussi ***affamé.***

faîne n. f.

On écrit aussi *faine.*

Fruit du hêtre, récolté en octobre, dont on extrait de l'huile. *Les sangliers mangent des faînes.*

La faîne ressemble à une très petite châtaigne.

fainéant n. m., fainéante n. f.

Famille de **faire** et de **néant**

Personne qui ne veut rien faire ; vois ***paresseux.*** *Hippolyte n'est pas un fainéant.* — adj. *Julie est un peu fainéante.*

faire v.

Conjugaison 60
▭ Indic. présent : *je fais, nous faisons, vous faites, ils font.* Imparfait : *je faisais.* Futur : *je ferai.* — Subj. présent : *que je fasse.*

1. Fabriquer. *L'oiseau fait son nid ;* vois ***construire.*** *Mme Hespel s'est fait du café. Mme Harpie fait toujours des histoires.* **2.** Effectuer, exécuter. *Julie fait ses devoirs. Les compliments que l'on a faits à Hippolyte étaient mérités. Mme Séverac a beaucoup à faire dans la maison.* **3.** Pratiquer, exercer. *Alex fait beaucoup de sport. Sylvain fait du piano.* **4.** Arranger, disposer. *Angèle n'a pas fait son lit ce matin. Denis Prost fait ses valises.* **5.** Causer, provoquer. *Julie s'est fait mal en tombant. L'explosion a fait du bruit. Colle et Rat ont fait tomber Julie. Cela ne fait rien,* ce n'est pas grave. *Qu'est-ce que cela peut te faire ?,* en quoi cela te concerne-t-il ? **6.** Agir. *Hippolyte a fait vite pour avertir les pompiers. Faites comme chez vous,* comportez-vous comme chez vous. *Comment faut-il faire ?,* comment faut-il s'y prendre ? *Ce matin, Julie ne fait que parler,* elle n'arrête pas de parler. **7.** Constituer. *Deux et deux font quatre ;* vois ***égaler.*** *Hippolyte ferait un bon mari,* il serait un bon mari. *Ces couleurs font joli ensemble.* **8.** Paraître, imiter. *L'abbé Gauthier fait jeune,* il a l'air jeune. *Antoine, arrête de faire l'idiot !,* de te comporter comme un idiot. — *Mamie Lou se fait vieille,* elle commence à être vieille ; vois ***devenir.*** *Sophie Pelletier s'est faite belle.* **9.** Parcourir. *Mme Séverac a fait dix kilomètres à pied.* **10.** Donner un titre. *M. Bonnot a été fait chevalier de la Légion d'honneur. Colle et Rat sont insupportables, je vous en fais juge, a dit Angèle à la directrice.* **11.** Présenter un certain aspect, une certaine mesure. *Le salon fait trente mètres carrés. Quelle taille faites-vous ? Cela fait longtemps que Mme Bellec et Mme Roussel se connaissent. Aujourd'hui il fait beau.* — *Il se fait tard,* il commence à être tard.

La mère fait du tricot
Le fils fait la guerre
Elle trouve ça tout naturel
la mère
Et le père qu'est-ce qu'il fait
le père ?
Il fait des affaires (Prévert).

Le fils du Roi, qui revenait de la chasse, la rencontra et la voyant si belle, lui demanda ce qu'elle faisait là toute seule et ce qu'elle avait à pleurer *(les Fées).*

« Mais vous êtes tout noirs » a dit la maîtresse. C'était vrai, en faisant les guignols dans la cave, on s'était un peu salis *(le Petit Nicolas).*

Je me suis réveillé à 5 h 7 ; il commençait à faire jour *(le Petit Nicolas).*

▸ *se* ***faire*** v. **1.** *Se faire à quelque chose,* c'est s'y habituer. *Marie-Tévy s'est faite à sa nouvelle vie,* elle s'est adaptée. *Mme Hespel ne peut se faire à l'idée que son fils Alex a échoué à son bac.* **2.** *Mme Hespel s'était fait des illusions en pensant qu'Alex serait reçu,* elle avait des illusions. *Je me fais du souci,* je m'inquiète. **3.** Exister. *Cette robe se fait aussi en bleu. Cela s'est fait très vite,* cela s'est passé très vite. **4.** *Il ne faut pas montrer quelqu'un du doigt, cela ne se fait pas,* il ne faut pas faire cela. **5.** *Il pourrait bien se faire qu'il pleuve ce soir,* cela pourrait arriver. *Comment se fait-il que la piscine soit déjà fermée ?*

Comment se fait-il que l'âne n'ait plus que deux pattes ? *(les Contes du Chat perché).*

▸ ***faire-part*** n. m. invariable Lettre annonçant une naissance, un mariage, un décès. *À la mort de sa mère, Sophie Pelletier a envoyé des faire-part à ses amis.*

Famille de **part**

▸ ***faisable*** adj. Qui peut être fait ; vois ***possible.*** *Ce travail n'est pas faisable en cinq minutes ;* vois ***réalisable.***

Autres membres de la famille : **affaire, s'affairer, affaires, bienfaisant, bienfaisance, bienfait, bienfaiteur, contrefaire, contrefait, défaire, défait, défaite, défaitiste,** sur ces **entrefaites, fainéant,** ① et ② **fait, fait-tout, malfaisant, malfaiteur, méfait, refaire, satisfaire, satisfaisant, satisfait, savoir-faire, stupéfait, surfait.**

faisan n. m., faisane n. f.

Prononce [fəzɑ̃].

Oiseau au plumage coloré et à longue queue. *M. Bellec a rapporté un faisan de la chasse.*

Le faisan appartient à la famille de la poule.

N'oublie pas le *s* avant le *c* !

faisceau n. m.
1. Ensemble de choses allongées attachées ensemble. *Mamie Lou a mis un faisceau de brindilles dans le feu.* **2.** *Le phare balaie la mer de son faisceau lumineux,* de rayons lumineux.

Au pluriel : *des faisceaux.*

Famille de **faire**

① **fait** adj.
1. Exécuté, fabriqué. *Angèle aime le travail bien fait.* **2.** *Un fromage fait,* c'est un fromage à point pour être mangé. *Je vous recommande ce camembert, il est fait à cœur.* **3.** Maquillé. *Angèle a les yeux faits.* **4.** *C'est bien fait,* vous n'avez que ce que vous méritez. *Colle et Rat ont été punis, c'est bien fait pour eux.*

Et j'ai mangé pour tout dessert
du camembert
Le camembert c'est bon
quand c'est bien fait
(B. Lapointe).

Le lézard de l'amour
S'est enfui encore une fois
Et m'a laissé sa queue
entre les doigts
C'est bien fait
J'avais voulu le garder
pour moi (Prévert).

▸ ② **fait** n. m. **1.** Action. *Mme Harpie surveille les faits et gestes de sa sœur,* tout ce qu'elle fait. *Il arrive à Yasmina de bavarder, mais elle n'a jamais été prise sur le fait,* en train de le faire. **2.** Événement. *Yasmina n'a jamais de punition, c'est un fait,* c'est sûr. *En fait, Yasmina bavarde souvent avec Julie,* en réalité. *Dans le journal, Mme Bellec lit la rubrique des faits divers,* des événements peu importants.

Va voir *le fait accompli* à ***accompli.***

Au fait : à propos.
De ce fait : en conséquence.

Ne confonds pas *faîte, fait, faite* et *fête.*

faîte n. m.
1. Sommet. *La chouette s'est posée sur le faîte de l'arbre ;* vois ***cime.*** **2.** Le plus haut point. *Denis Prost n'est pas encore au faîte de la gloire ;* vois ***comble.***

Attention à l'accent circonflexe du *î*.

On écrit aussi : *un faitout, des faitouts.*

fait-tout n. m. invariable
Grand récipient qui a deux poignées et un couvercle et qui va sur le feu ; vois ***cocotte, marmite.*** *Mme Hespel fait la soupe dans un fait-tout. Mme Roussel a des fait-tout en aluminium.*

Famille de **faire** et de ① **tout**

fakir n. m.
Personne qui fait des tours de magie et semble être insensible à la douleur. *Les spectateurs ont applaudi quand le fakir s'est étendu sur une planche à clous après avoir marché sur des braises.*

Les fakirs portent un turban sur la tête.

falaise n. f.
Côte élevée qui tombe à pic dans la mer. *Les mouettes font leur nid dans la falaise.*

Attention ! deux *l* dans *fallacieux.*

fallacieux adj.
Trompeur. *Colle et Rat avaient promis d'être sages pendant la visite de l'inspecteur, mais c'étaient là des promesses fallacieuses.*

Le contraire de *fallacieux,* c'est *sincère.*

Conjugaison 29
▭ *Falloir* ne s'emploie qu'à l'infinitif et à la troisième personne du singulier.

Rien ne sert de courir, il faut partir à point (La Fontaine).

① **falloir** v.
1. Être nécessaire. *Il faut un visa pour aller aux États-Unis,* un visa est nécessaire. *Il faut quelqu'un pour aider Angèle,* Angèle a besoin de quelqu'un pour l'aider. *Il faut travailler davantage, Alex !,* il est nécessaire de travailler davantage. *Il faudra que tu viennes nous voir.* **2.** *Claire se tient à table comme il faut,* convenablement.

Elle acheta trois fois plus de viande qu'il n'en fallait pour le souper de deux personnes
(le Petit Poucet).

Mais il s'en fallait de beaucoup que Vendredi eût fini avec l'ours *(Robinson Crusoé).*

② *s'en* **falloir** v.
Manquer. *Le gâteau va être cuit, il s'en faut de cinq minutes,* il manque cinq minutes. *Il s'en est fallu de peu que M. Bellec se mette en colère,* M. Bellec a failli se mettre en colère.

Conjugaison 29

Compare : *falsifier* → *falsification* et *modifier* → *modification.*

falsifier v.
Changer pour tromper ; vois ***trafiquer.*** *Le comptable a falsifié les comptes.*
▸ **falsification** n. f. *L'inspecteur s'est aperçu de la falsification des comptes,* il a vu que les comptes avaient été falsifiés.

Conjugaison 7

Famille de **mal**

mal **famé** adj.
Un endroit mal famé, c'est un endroit qui a mauvaise réputation à cause des gens qui le fréquentent. *Les marins se hasardaient dans les ruelles mal famées du port.*

Compare *mal famé* et *fameux* : il est question de **réputation.**

Compare *famélique* et *affamé* : il est question de **faim.**

famélique adj.
Qui est très maigre parce qu'il ne mange pas à sa faim. *Les enfants ont recueilli une petite chatte famélique.*

Sais-tu que la fameuse barbe fleurie de Charlemagne est une légende ?

Le contraire de *fameux,* c'est *mauvais.*

fameux adj.
1. Qui a une grande réputation, bonne ou mauvaise ; vois ***célèbre, connu.*** *La région est fameuse pour ses vins. Tout le monde connaît la fameuse chanson sur le roi Dagobert.* **2.** Remarquable parce que très bon ; vois ***excellent.*** *Le dîner qu'avait préparé Mamie Lou était fameux. La rédaction de Julie n'était pas fameuse.*

C'est ici la demeure du seigneur Sindbad le marin, ce fameux voyageur qui a parcouru toutes les mers que le soleil éclaire.
(les Mille et Une Nuits).

Au masculin pluriel : *familiaux.*

familial adj.
De la famille. *Angèle a quitté la maison familiale pour faire ses études.*

Conjugaison 1

Claire a 5 ans.

familiariser v.
Habituer, accoutumer. *Mamie Lou essaie de familiariser Claire avec les lettres de l'alphabet. — Claire se familiarise peu à peu avec les lettres de l'alphabet.*

familiarité n. f.
Manière familière de se comporter avec quelqu'un. *La directrice de l'école n'aime pas que les élèves lui parlent avec familiarité.*

Au féminin : *familière.*

Il connaissait ses habitudes.

Si tu cherches *mot familier,* va voir l'encadré sous ***niveau.***

familier adj.
1. Qui vit habituellement avec quelqu'un. *Julie aime bien s'entourer d'animaux familiers.* **2.** Qui est bien connu. *Sylvain a reconnu au téléphone une voix familière.* — n. m. *Un familier,* c'est une personne qui est considérée comme un membre de la famille, un intime. *L'assassin était certainement un familier de la victime.* **3.** Qui ne témoigne pas assez de respect à un supérieur. *La directrice n'aime pas que les élèves se montrent trop familiers avec elle.*

Le contraire de *familier,* c'est *étranger, inconnu.*

Le contraire de *familier,* c'est *respectueux.*

▹ **familièrement** adv. **1.** Avec simplicité. *Ils se tenaient familièrement par le bras.* **2.** Avec désinvolture. *La directrice n'aime pas que les élèves lui parlent trop familièrement.*

Comme c'est bon d'être assis au coin du feu. Il n'y a vraiment rien de meilleur que la vie en famille
(les Contes du Chat perché).

famille n. f.
1. Parents et enfants qui vivent ensemble. *La famille Prost habite une maison très moderne.* **2.** Les enfants issus du mariage. *M. Bellec est père de famille.* **3.** Personnes liées par le mariage, la naissance ou l'adoption. *Une partie de la famille de Yasmina vit au Maroc. Les Bellec passeront Noël en famille,* parmi les gens de leur famille. **4.** Classement qui rassemble des groupes d'animaux ou de plantes. *Le mouton et l'antilope sont de la famille des bovidés.* **5.** *Famille de mots,* vois l'encadré ci-dessous.

En 1632, je naquis à York, d'une bonne famille, mais qui n'était point de ce pays
(Robinson Crusoé).

les familles de mots

- Une **famille de mots** est l'ensemble des mots qui contiennent un même mot. ***Rouge**, **rouge**âtre, **rouge**aud, **rouge**-gorge, **rouge**ole, **rouge**oyer, **roug**et, **roug**eur, **roug**ir et peau-**rouge*** sont les mots qui constituent la famille de **rouge.**
- On parle aussi de famille pour des mots qui contiennent un même élément. Par exemple les mots ***somn**oler, **somn**olent, **somn**olence, **somn**ambule, in**somn**ie* contiennent ***somn**-*.
***Somn**-* n'est pas un mot qu'on trouve seul comme *sommeil.* C'est un élément qui fait toujours partie d'un mot. Dans tous les mots il a le même sens, celui de « sommeil ». Tous les mots qui contiennent l'élément ***somn**-* sont de la même famille.

Compare *famine* et *affamé* : il est question de **faim.**

famine n. f.
Manque d'aliments par lequel toute une population souffre et meurt de faim. *La sécheresse a détruit les récoltes et provoqué la famine dans la région.*

Le comportement des personnes fanatiques s'appelle le *fanatisme.*

fanatique adj.
1. Qui croit aveuglément dans une religion, une doctrine ou une personne et qui est capable de faire n'importe quoi pour cela. *C'est un partisan fanatique de la religion islamique.* — n. m. et f. *Les fanatiques se sont livrés à des actes de terrorisme.* **2.** Qui a une admiration ou un goût exagéré pour une personne ou une chose. *M. Bellec est fanatique de football ;*

vois **fou.** — n. m. et f. *Angèle est une fanatique de la lecture. Alex est un fanatique d'Elvis Presley.*

On dit aussi un *fan* [fan].

Conjugaison 1

faner v.

1. *Faner de la luzerne,* c'est la retourner après l'avoir fauchée pour la faire sécher. *Les paysans sont en train de faner,* de faire les foins. 2. *Une fleur qui se fane,* c'est une fleur qui se dessèche et meurt en perdant sa couleur et sa consistance. *Les roses se sont fanées en quelques jours,* elles se sont flétries.

Va voir aussi ***fenaison.***

▹ ***fané*** adj. Desséché. *Mme Séverac a jeté les roses fanées.*

fanfare n. f.

Orchestre composé de musiciens qui jouent du cor, du trombone ou de la trompette, ainsi que du tambour ou de la grosse caisse. *La fanfare a joué pour la fête de l'école.*

Un réveil en fanfare, c'est un réveil brutal.

fanfaron n. m., **fanfaronne** n. f.

Personne qui se vante pour faire croire qu'elle est très courageuse. *Antoine fait le fanfaron devant les lions, mais c'est parce qu'ils sont en cage.*

Matamore était un personnage de comédie, fanfaron et poltron.

Attention aux deux *n* dans *fanfaronnade.*

▹ ***fanfaronnade*** n. f. Ce que fait ou dit un fanfaron ; vois ***vantardise.*** *Antoine a continué ses fanfaronnades jusqu'au moment où l'un des lions a rugi.*

fanion n. m.

Petit drapeau. *Les capitaines des équipes de football ont échangé leurs fanions en souvenir du match.*

Les voitures officielles ont un fanion.

fanon n. m.

1. Repli de la peau qui pend sous le cou des bœufs et de certains animaux. *Les taureaux et les dindons ont un fanon.* 2. Chacune des nombreuses lames en corne fixées dans la bouche de certains cétacés. *Seuls le plancton et les très petits poissons passent entre les fanons de la baleine.*

Autrefois, les fanons servaient à fabriquer les baleines de corset et de parapluie.

Les fanons de la baleine peuvent mesurer 2 à 3 mètres.

fantaisie n. f.

1. Originalité amusante. *Julie est une petite fille pleine de fantaisie. La vie de Mme Roussel manque de fantaisie,* elle est ennuyeuse et triste. 2. Envie soudaine ; vois ***caprice, désir.*** *Tout à coup, il lui a pris la fantaisie de traverser la rivière à la nage.*

J'ai fantaisie de mett' dans notre vie
Un p'tit grain de fantaisie !
Youpi ! Youpi !
(B. Lapointe).

▹ ***fantaisiste*** adj. et n. m. et f. 1. adj. Peu sérieux. *Alex est un élève fantaisiste, il ne travaille pas très régulièrement ;* vois ***dilettante, fumiste.*** *Antoine fait des raisonnements fantaisistes,* qui ne sont pas justes. 2. n. m. et f. Artiste de music-hall ou de cabaret qui chante, imite, raconte des histoires. *Deux célèbres fantaisistes se sont produits au théâtre de Motbourg.*

fantasque adj.

Bizarre, capricieux, changeant. *Julie a un esprit fantasque.*

fantassin n. m.

Soldat d'infanterie. *Il y avait mille fantassins sur le champ de bataille.*

Va voir aussi ***infanterie.***

fantastique adj.

1. Qui est créé par l'imagination, qui n'existe pas ; vois ***fabuleux, imaginaire.*** *La licorne est un animal fantastique.* 2. Qui étonne ou plaît beaucoup ; vois ***étonnant, formidable, sensationnel.*** *Yasmina a eu une chance fantastique, elle a gagné le gros lot à la loterie. Le ski, c'est fantastique !*

Dans les films fantastiques, il y a parfois des extra-terrestres.

Le dragon, le loup garou, le phénix sont des animaux fantastiques.

Attention à l'accent circonflexe du *ô* de *fantôme* : [fɑ̃tom].

fantôme n. m.

Être imaginaire qui est l'apparition d'une personne morte, souvent enveloppée d'un linceul ; vois ***revenant.*** *On dit que le château est hanté par des fantômes.*

Faon [fɑ̃] rime avec *enfant.*

faon n. m.

Petit du cerf, du daim ou du chevreuil. *M. Bellec a vu une biche et son faon à l'orée du bois. La robe des faons est tachetée de blanc.*

farandole n. f.
Danse exécutée par une file de danseurs qui se tiennent par la main. *Les enfants faisaient la farandole en passant entre les tables. Entrez dans la farandole !,* dans la file des danseurs.

On danse la farandole sur un air assez rapide et rythmé.

① **farce** n. f.
1. Pièce de théâtre comique dont le texte est court et très simple. *Au siècle de Molière, on jouait des farces en plein air.* **2.** Tour que l'on joue à quelqu'un. *Colle et Rat font souvent des farces à Mme Harpie.*

Le 1er avril, on se fait des farces.

Le magasin de *farces et attrapes* vend des objets qui servent à faire des farces.

▸ **farceur** n. m., **farceuse** n. f. Personne qui ne parle pas sérieusement, plaisante ou fait une farce ; vois ***blagueur, plaisantin.*** *Le facteur, ce farceur, fait croire à Nathalie qu'il n'a pas de lettre pour elle.* — adj. *Des enfants farceurs ont fait les lits en portefeuille !*

② **farce** n. f.
Mélange d'aliments hachés menu que l'on met dans une viande, un poisson, des légumes. *M. Bellec sert la dinde avec une farce aux marrons. Mme Roussel prépare la farce pour les tomates.*

Conjugaison 2

▸ **farcir** v. Remplir, garnir de farce. *M. Bellec recoud la volaille qu'il a farcie.*
▸ **farci** adj. Rempli de farce. *Antoine mange des tomates farcies.*

N'oublie pas le *d* final.

fard n. m.
Produit coloré que l'on emploie pour se maquiller. *Mme Séverac met un peu de fard à joues pour se donner bonne mine.*
▸ *se* **farder** v. Mettre du fard. *Au XVIIIe siècle, les marquis se poudraient et se fardaient les joues avec du rouge ;* vois *se* ***maquiller.***

Conjugaison 1

Au pluriel : *des fardeaux.*

fardeau n. m.
Chose lourde qu'il faut soulever ou transporter. *Yves a fait un gros fagot et porte son fardeau sur ses épaules ;* vois ***chargement.***

Un roitelet pour vous est un pesant fardeau (La Fontaine).

farfadet n. m.
Lutin agile et malicieux. *Les fées et les farfadets habitent dans des forêts mystérieuses.*

farfelu adj.
Un peu fou, amusant et bizarre. *Angèle a dansé avec un garçon farfelu qui gigotait et faisait le clown. Antoine a raconté des histoires farfelues ;* vois ***saugrenu.*** — n. m. et f. *Ce farfelu lui a-t-il plu ?*

farine n. f.
Poudre obtenue en écrasant les graines de certaines céréales. *On fait des crêpes avec de la farine de blé ou de sarrasin. Sophie Pelletier a acheté un kilo de farine.*

Autrefois, on portait les grains au moulin, où le meunier les réduisait en farine.

▸ **farineux** n. m. et adj. **1.** n. m. Légume qui peut fournir de la farine ou qui contient de la fécule. *Les lentilles et les haricots sont des farineux ;* vois ***féculent.*** **2.** adj. Qui a un goût désagréable, fade et pâteux. *Ces pommes sont farineuses.*

farouche adj.
1. Qui s'enfuit quand on l'approche ; vois ***craintif, peureux, sauvage.*** *Des moineaux peu farouches viennent picorer aux pieds des enfants.* **2.** *Une personne farouche,* c'est une personne qui n'aime pas rencontrer des personnes qu'elle ne connaît pas. *Marie-Tévy est une enfant farouche ;* vois ***timide.*** **3.** Qui refuse de se soumettre, violent. *Ces farouches guerriers ont préféré mourir plutôt que de se rendre.*

Le contraire de *farouche,* c'est *familier.*

Certains animaux *farouches* peuvent s'apprivoiser.

▸ **farouchement** adv. Avec violence. *Le maire s'est farouchement opposé à la construction d'un nouveau parking ;* vois ***violemment.***

Autre membre de la famille : **effaroucher.**

Far-West n. m.
Ensemble des territoires de l'ouest des États-Unis, au moment de leur conquête. *Les cow-boys chevauchent à travers les plaines du Far-West.*

Deux majuscules et un trait d'union. Prononce [farwɛst].

Va voir aussi ***western.***

fascicule n. m.
Petit livre très plat, comprenant peu de pages, qui représente une partie d'un gros livre. *Cette encyclopédie est vendue chaque semaine par fascicules.*

Prononce [fasikyl].

Conjugaison 1

Attention au **s** devant le **c** !

fasciner v.
Fasciner une personne, c'est l'éblouir et l'attirer ; vois ***captiver.*** *La pluie d'étoiles filantes fascinait les enfants. Claire est fascinée par les clowns.*
▸ ***fascinant*** adj. Qui fascine, qui charme et retient. *Quelle actrice fascinante ! Sylvain admire les couleurs fascinantes des poissons exotiques.*

[Babar] raconte sa vie dans la grande forêt. Les invités sont fascinés, ils en oublient de manger leur tarte aux cerises *(Babar).*

Prononce [faʃism]. Attention au **s** devant le **c** de *fascisme* et *fasciste.*

Mussolini établit le fascisme en Italie de 1922 à 1943.

Prononce [faʃist].

fascisme n. m.
Doctrine politique fondée sur un parti unique et un chef tout-puissant qui contrôle toutes les activités, n'admet aucune opposition et élimine par la violence ses adversaires. *La Deuxième Guerre mondiale a mis fin au fascisme en Italie.*
▸ ***fasciste*** n. m. et f. Partisan du fascisme. *Pendant la guerre, les résistants menaient la lutte contre les fascistes.* — adj. *Cet homme a des idées fascistes,* il est partisan d'un régime autoritaire.

Va voir aussi : ***nazisme*** et ***dictature.***

Les *antifascistes* luttent contre le fascisme.

Le contraire de *faste,* c'est *simplicité.*

① ***faste*** n. m.
Grand luxe ; vois ***apparat, éclat, pompe.*** *Le faste qui entourait Louis XIV éblouissait les courtisans.*

Autre membre de la famille : **fastueux.**

② ***faste*** adj.
Un jour faste, c'est un jour heureux, favorable. *Aujourd'hui, c'est un jour faste pour Angèle, tout lui réussit.*

Autre membre de la famille : **néfaste.**

fastidieux adj.
Qui cause de l'ennui ; vois ***assommant, ennuyeux.*** *Cette leçon de géographie est fastidieuse. M. Bellec est fastidieux avec ses tours de cartes !*

Le contraire de *fastidieux,* c'est *amusant, intéressant.*

Famille de ① **faste**

Le contraire de *fastueux,* c'est *modeste, simple.*

fastueux adj.
Plein de luxe et d'éclat. *Le roi menait une vie fastueuse. Le gala a eu lieu dans un décor fastueux.*

Compare : *faste* → *fastueux* et *luxe* → *luxueux.*

On peut prononcer ou non le **t** final : [fat] ou [fa].

fat adj.
Qui est très prétentieux et qui le montre. *Denis Prost est un peu fat ;* vois ***poseur, vaniteux.***

Au féminin : *fate.*

Compare ***fatal, fatalité*** et ***fatidique*** : il est question du **destin.**

Compare : *fatal* → *fatalement, fataliste, fatalité* et *spécial* → *spécialement, spécialiste, spécialité.*

fatal adj.
1. Qui arrive forcément ; vois ***inévitable.*** *Les parents d'Antoine se disputaient sans cesse, leur séparation était fatale.* **2.** Qui a des effets catastrophiques. *Cet effort brutal a été fatal pour sa santé.* **3.** Qui provoque la mort ; vois ***mortel.*** *Le conducteur a commis une imprudence qui lui a été fatale.*
▸ ***fatalement*** adv. Forcément. *Cela devait fatalement arriver ;* vois ***obligatoirement.***
▸ ***fataliste*** adj. Qui accepte les événements en pensant qu'ils sont fixés par le destin, qu'ils sont inévitables. *Le docteur Séverac n'est pas fataliste, il pense que l'on peut lutter contre la faim dans le monde,* il n'est pas résigné.
▸ ***fatalité*** n. f. Coup du destin. *Si Alex a échoué à son bac, ce n'est pas la fatalité, c'est parce qu'il n'a pas assez travaillé !*

Au masculin pluriel : *fatals.*

Le *fatalisme* est l'attitude du fataliste.

Compare ***fatidique*** et ***fatal*** : il est question du **destin.**

fatidique adj.
Qui doit fatalement arriver ; vois ***inéluctable.*** *Et voici le moment fatidique où sont proclamés les résultats !*

Conjugaison 1

N'oublie pas le **u** après le **g** ! Attention ! Le participe présent *fatiguant* s'écrit avec un **u** contrairement à l'adjectif *fatigant.*

C'était un vagabond au visage maigre et aux vêtements déchirés qui se traînait avec fatigue *(les Contes du Chat perché).*

fatiguer v.
1. Causer de la fatigue ; vois ***épuiser.*** *Mamie Lou ne peut pas lire trop longtemps car cela la fatigue. Elle se fatigue les yeux rapidement. — Hier, Marie-Tévy s'est fatiguée en courant trop longtemps.* **2.** Ennuyer. *Mme Harpie fatigue M. Bellec avec ses réflexions.* **3.** *Se fatiguer de quelque chose,* c'est s'en lasser, en avoir assez. *Alex se fatiguera peut-être des voyages.*
▸ ***fatigue*** n. f. Grande lassitude. *Mamie Lou, gagnée par la fatigue, s'est endormie ;* vois ***épuisement.*** *Claire tombe de fatigue. Denis Prost se remet des fatigues du voyage.*
▸ ***fatigant*** adj. **1.** Qui cause de la fatigue. *M. Touati a un travail fatigant ;* vois ***épuisant, éreintant, exténuant.*** *Angèle a eu une journée fatigante.* **2.** Qui ennuie ; vois ***lassant.*** *Antoine, tu es fatigant avec tes histoires !*

Le contraire de *fatiguer,* c'est *reposer.*

Le mur se fatiguait
Du soleil et du lierre
(E. Guillevic).

Le contraire de *fatigant,* c'est *reposant.*

On a marché très, très longtemps dans les bois, on commençait à être fatigués *(le Petit Nicolas).*

▸ ***fatigué*** adj. **1.** Qui marque la fatigue. *Mamie Lou est très fatiguée. Denis Prost a l'air fatigué ;* vois ***épuisé, éreinté, harassé, las.*** **2.** *Être fatigué de quelque chose,* c'est en avoir assez. *Mme Roussel est fatiguée des remarques de sa sœur.*

Autre membre de la famille : **infatigable.**

N'oublie pas le ***s*** final qui ne se prononce pas : [fatʀa].

fatras n. m.
Tas de choses sans valeur en désordre. *Dans le grenier de la ferme, il y a un fatras de vieux vêtements.*

Famille de **bourg**

faubourg n. m.
Partie d'une ville qui se trouve loin du centre, à la périphérie. *Angèle a habité les faubourgs de Marseille ;* vois ***banlieue.***

Ce mot est familier.

fauché adj.
Qui n'a pas d'argent, qui est pauvre ; vois ***pauvre.*** *Alex est fauché, il a dépensé tout son argent de poche.*

Conjugaison 1
Famille de ② **faux**

faucher v.
1. Couper avec une faux ou une faucheuse. *Pierre Séverac fauchera la prairie demain. Les paysans fauchent les blés au mois d'août ;* vois ***moissonner.*** **2.** Faire tomber. *La voiture folle a fauché plusieurs piétons ;* vois ***renverser.***
▸ ***faucheur*** n. m., ***faucheuse*** n. f. Personne qui fauche. *En été, on engage des faucheurs à la journée.*
▸ ***faucheuse*** n. f. Machine agricole qui sert à faucher. *Pierre Séverac conduit la faucheuse.*

« Bonnes gens qui fauchez, si vous ne dites au Roi que le pré que vous fauchez appartient à Monsieur le Marquis de Carabas, vous serez tous hachés comme chair à pâté *(le Chat botté).*

Famille de ② **faux**

faucille n. f.
Petit instrument fait d'une lame d'acier en demi-cercle qui sert à couper l'herbe. *Odile Séverac coupe de l'herbe pour les lapins avec sa faucille.*

La faucille et le marteau symbolisent le communisme.

Autrefois, on dressait les faucons pour la chasse.

faucon n. m.
Oiseau rapace au bec court et crochu, qui vit le jour. *Les faucons se nourrissent de proies vivantes.*

Conjugaison 1
Famille de **fil**

Mowgli marche dans la jungle et se faufile dans les grandes fougères *(le Livre de la jungle).*

faufiler v.
1. Coudre à grands points pour faire tenir provisoirement. *Mme Séverac a faufilé la manche de la robe ;* vois ***bâtir.*** **2.** *Se faufiler,* c'est se glisser sans se faire remarquer. *Colle et Rat se sont faufilés dans la file d'attente.*

Le serpent [...] sans trop se presser, se faufila entre les pierres *(le Petit Prince).*

① ***faune*** n. f.
La faune d'une région, c'est l'ensemble des animaux qui vivent dans cette région. *Dans les parcs nationaux, la faune est protégée.*

Va voir aussi ***flore.***

② ***faune*** n. m.
Divinité des bois et des champs, dans la mythologie romaine. *Les faunes sont représentés avec un corps velu, des cornes et des pieds de chèvre.*

Famille de ① **faux**

faussaire n. m. et f.
Personne qui fait des faux. *Un habile faussaire a imité la signature du peintre.*

Le contraire de *faussement,* c'est *réellement, vraiment.*

faussement adv.
D'une manière fausse, simulée. *Mme Harpie avait un air faussement aimable.*

Famille de ① **faux**

Conjugaison 1
Famille de ① **faux**

fausser v.
1. Rendre faux. *Une erreur de calcul a faussé le résultat du problème.* **2.** Déformer. *En essayant d'ouvrir une porte avec une mauvaise clé, on risque de fausser la serrure.*

Va voir *fausser compagnie* à ***compagnie.***

La dictée était terrible avec des tas de mots comme « chrysanthème » où on a tous fait des fautes *(le Petit Nicolas).*

Pensez que tout arrive par votre faute, parce que vous avez fait vos mauvaises têtes *(les Contes du Chat perché).*

faute n. f.
1. Erreur. *Julie fait des fautes d'orthographe. Mme Hespel a fait une faute de goût dans son salon : les rideaux ne vont pas avec la moquette.* **2.** Mauvaise action. *Colle et Rat n'ont pas reconnu leur faute. Angèle a pris Colle et Rat en faute.* **3.** *Si Antoine est arrivé en retard, c'est de sa faute,* il est responsable. *Ce n'est pas la faute de sa mère si Julie ne sait pas ses leçons.* **4.** *Faute de preuves, le suspect a été relâché,* par manque de preuves. **5.** *Mme Séverac doit rencontrer le maire demain sans faute,* à coup sûr.

Autre membre de la famille : **fautif.**

Ne pleure pas, Sophie, et n'oublie pas qu'avouer tes fautes, c'est te les faire pardonner *(les Malheurs de Sophie).*

fauteuil n. m.
Siège qui a des bras et un dossier. *Mme Séverac s'est assise dans un fauteuil.*

Famille de **faute**

fautif adj.
1. Qui est en faute. *Colle et Rat sont mal élevés, leurs parents sont fautifs ;* vois ***coupable, responsable.*** — n. *Ce sont eux les fautifs.* **2.** Qui contient des fautes, des erreurs ; vois ***erroné.*** *Cette citation de La Fontaine est fautive ;* vois ***incorrect.***

Le contraire de *fautif,* c'est *innocent.*

Le contraire de *fautif,* c'est *exact.*

fauve adj.
1. *Les bêtes fauves,* ce sont les grands mammifères féroces ; vois ***sauvage.*** *Les lions et les tigres sont des bêtes fauves.* — n. m. *Les tigres sont des fauves.* **2.** D'une couleur jaune tirant sur le roux. *Mme Séverac a une veste fauve.*

Lorsque j'avais six ans j'ai vu, une fois, une magnifique image [...]. Ça représentait un serpent boa qui avalait un fauve *(le Petit Prince).*

▸ **fauvette** n. f. Petit oiseau à plumage parfois fauve. *La fauvette se nourrit d'insectes et de petits fruits. Les fauvettes aiment aller dans les buissons.*

① **faux** adj., adv. et n. m.
▭ **adj. 1.** Qui est contraire à la vérité. *La réponse de Julie est fausse ;* vois ***inexact.*** *Ce qu'a dit Mme Harpie est faux. C'est faux !,* c'est un mensonge. **2.** Qui semble vrai mais ne l'est pas. *Sophie Pelletier a un collier de fausses perles.* **3.** Hypocrite. *Mme Harpie a l'air faux.* **4.** Qui n'est pas justifié. *Antoine nous a fait une fausse joie en annonçant que Mme Harpie allait partir.* **5.** Qui n'est pas comme il devrait être. *Ce piano est faux,* il ne joue pas juste. *Julie a fait un faux pas et elle est tombée.*
▭ **adv.** *Alex chante faux,* il ne chante pas juste.
▬ **n. m. 1.** Ce qui n'est pas vrai. *Avec Antoine, c'est toujours difficile de distinguer le vrai du faux.* **2.** Copie que l'on fait passer pour vraie. *Le docteur Séverac espère que ses tableaux ne sont pas des faux.*

Je n'ai pas été très honnête en vous parlant des allumeurs de réverbères. Je risque de donner une fausse idée de notre planète à ceux qui ne la connaissent pas *(le Petit Prince).*

Le contraire de *faux,* c'est *exact, juste, vrai.*

Le contraire de *faux,* c'est *authentique.*

Il faut l'accorder.

Autres membres de la famille : **faussaire, faussement, fausser, faux-monnayeur,** en **porte-à-faux.**

② **faux** n. f.
Instrument formé d'un long manche et d'une grande lame qui sert à couper l'herbe. *Pierre Séverac aiguise sa faux.*

Autres membres de la famille : **faucher, faucheuse, faucille.**

Famille de **fuir**

faux-fuyant n. m.
Moyen que l'on trouve pour éviter de faire quelque chose que l'on devrait faire ; vois ***excuse, prétexte.*** *Antoine cherche des faux-fuyants pour ne pas faire la vaisselle.*

faux-monnayeur n. m.
Personne qui fabrique de la fausse monnaie. *Les faux-monnayeurs fabriquent de faux billets de banque ou de fausses pièces de monnaie.*

L'article 139 du Code pénal punit les faux-monnayeurs.

Famille de ① **faux** et de **monnaie**

faveur n. f.
1. Avantage, bienfait que l'on accorde à quelqu'un parce qu'on le préfère ou qu'on veut lui faire plaisir. *La directrice a fait une faveur à Angèle en surveillant la récréation à sa place.* **2.** Considération. *Denis Prost a la faveur du public.* **3.** *Mme Séverac est intervenue en faveur d'Hippolyte,* dans l'intérêt d'Hippolyte. *La caissière a fait une erreur en votre faveur,* à votre profit. **4.** *Les prisonniers se sont évadés à la faveur de la nuit,* en profitant de la nuit.

Pour rendre grâce à Dieu des faveurs qu'il m'avait faites, je fis de grandes aumônes *(les Mille et Une Nuits).*

Compare *faveur, favorable* et *favori* : il est question d'**avantager.**

La Fée vous a fait le don de pouvoir rendre beau celui que vous aimerez, et à qui vous voudrez bien faire cette faveur *(Riquet à la Houppe).*

favorable adj.
1. Qui est rempli de bienveillance. *Le conseil municipal n'est pas favorable à la construction d'un parking.* **2.** Qui aide à l'accomplissement de quelque chose ; vois ***propice.*** *Loïc ira en mer si le temps est favorable.*

Le contraire de *favorable,* c'est *défavorable, hostile.*

Autre membre de la famille : **défavorable.**

Conjugaison 1

Compare *favoriser, faveur* et *favoritisme* : il est question d'**avantager.**

favoriser v.
Donner un avantage ; vois ***aider, avantager.*** *Angèle essaie de ne favoriser aucun de ses élèves.*
▸ **favori** adj. **1.** Que l'on préfère. *L'occupation favorite de Mme Harpie, c'est de dire du mal de tout le monde.* — n. *De tous ses petits-enfants, Claire est la favorite de Mamie Lou ;* vois ***chouchou.*** **2.** Qui a les meilleures chances de gagner. *M. Bellec a parié sur le cheval favori.* — n. *Le favori a pris un mauvais départ et il est arrivé quatrième.*

Malgré tout son pouvoir et toute sa richesse
Quoique le Ciel en tout favorise ses vœux
Il ne pourra jamais accomplir sa promesse
(Peau d'Âne).

Autre membre de la famille : **défavorisé.**

Compare *favoritisme* et *faveur* : il est question d'**avantager.**

favoritisme n. m.

Injustice qui avantage ceux que l'on préfère et non ceux qui le méritent. *Angèle ne fait pas de favoritisme,* elle agit de la même façon avec tous ses élèves, elle est juste.

fébrile adj.

1. Qui a de la fièvre ; vois ***fiévreux.*** *Aujourd'hui, Julie ne va pas à l'école car elle est fébrile.* **2.** Qui manifeste une excitation très vive. *Julie attend son père avec une impatience fébrile.*

Elle l'attend avec *fébrilité.*

fécond adj.

1. Qui fait beaucoup de petits. *Les lapines sont très fécondes.* **2.** Qui produit beaucoup. *Ce sol est très fécond ;* vois **fertile.** *La journée a été féconde en événements,* il s'est passé beaucoup de choses.

Le contraire de *fécond,* c'est *stérile.*

▷ ***féconder*** v. *Le taureau a fécondé la vache,* il lui a fait un petit.

Conjugaison 1

▷ ***fécondation*** n. f. Union d'une cellule mâle et d'une cellule femelle aboutissant à la formation d'un œuf. *Chez certains animaux, la fécondation se fait dans le corps de la femelle ; chez d'autres, elle se fait à l'extérieur du corps.*

La fécondation des fleurs se produit grâce aux insectes qui butinent le pollen des étamines et le déposent sur le pistil.

La femelle produit un ovule que féconde le spermatozoïde du mâle.

▷ ***fécondité*** n. f. **1.** Possibilité de se reproduire. *Les lapins sont des animaux d'une grande fécondité.* **2.** Richesse. *L'institutrice s'étonne de la fécondité de l'imagination d'Antoine ;* vois ***fertilité.***

Le contraire de *fécondité,* c'est *stérilité.*

féculent n. m.

Aliment dont on extrait une substance blanche et farineuse ; vois ***farineux.*** *Les haricots et les pommes de terre sont des féculents.*

Cette substance s'appelle la *fécule.*

Les féculents sont riches en amidon.

fédéral adj.

Un État fédéral, c'est un État dirigé à la fois par un gouvernement central et des assemblées locales. *Les États-Unis, le Canada et la Suisse sont des États fédéraux.*

Le nom officiel de l'Allemagne de l'Ouest est : République fédérale d'Allemagne (R. F. A.).

fédération n. f.

1. État formé de la réunion de plusieurs États. *Le Canada est une fédération.* **2.** Association de plusieurs sociétés. *Mme Séverac fait partie d'une fédération de parents d'élèves.*

Une *fédération* est dirigée par un gouvernement *fédéral.*

Autre membre de la famille : **confédération.**

fée n. f.

Femme imaginaire douée de pouvoirs magiques. *Les fées ont une baguette magique. Les « Contes » de Perrault sont des contes de fées,* des contes où apparaissent des fées.

Cependant les Fées commencèrent à faire leurs dons à la Princesse *(la Belle au bois dormant).*

La marraine de Cendrillon était une fée.

▷ ***féerique*** adj. D'une beauté irréelle qui semble sortir d'un conte de fées. *Alex a trouvé les lacs canadiens féeriques.*

Attention à l'accent aigu du ***é*** de *féerique.*

feindre v.

Feindre un sentiment, c'est faire semblant d'éprouver un sentiment ; vois ***simuler.*** *Mamie Lou feignait d'avoir peur chaque fois que Claire imitait le loup,* elle faisait semblant d'avoir peur.

Conjugaison 52
▭ Indic. présent : *je feins, nous feignons.*

▷ ***feinte*** n. f. Coup ou mouvement qui trompe l'adversaire. *Le mousquetaire a fait une feinte et a réussi à dégager son épée.*

fêler v.

Donner un choc qui provoque une fente mais ne casse pas en morceaux. *M. Bellec a fêlé une assiette. — L'assiette s'est fêlée.*

N'oublie pas l'accent circonflexe du ***ê***.
Une assiette fêlée a *une fêlure.*

Conjugaison 1

féliciter v.

1. *Féliciter quelqu'un,* c'est lui faire des compliments ou lui dire que l'on est heureux de ce qui lui arrive. *Angèle a félicité Marie-Tévy pour son application ;* vois ***complimenter.*** *Le maire a félicité les jeunes mariés.* **2.** *Se féliciter de quelque chose,* c'est s'estimer content, heureux de cette chose. *Angèle s'est félicitée d'avoir pris son parapluie.*

Conjugaison 1

Le contraire de *féliciter,* c'est *blâmer.*

Tous les habitants de la forêt viennent voir Babar et féliciter sa maman *(Babar).*

Les petites étaient rouges de plaisir, et chacun se félicitait de la décision du père *(les Contes du Chat perché).*

▷ ***félicitations*** n. f. plur. Compliments, paroles que l'on adresse à quelqu'un pour lui dire qu'on est content et fier de lui. *Permettez-moi de vous adresser mes félicitations pour votre travail en classe, mes chers enfants !*

félin n. m.
Les félins, ce sont les animaux carnassiers de la même famille que le chat. *Le tigre et la panthère sont des félins.*

femelle n. f.
Le lion est le *mâle.*

Animal de sexe féminin qui peut former les œufs ou les petits dans son corps. *La lionne est la femelle du lion.* — adj. *Alex a disséqué une souris femelle.*

féminin adj.
Compare ***féminin, efféminé*** et ***féminité*** : il est question de **femme.**

1. Qui est propre à la femme. *Claire est du sexe féminin,* c'est une fille. *C'est une voix féminine qui a répondu au téléphone,* une voix de femme. **2.** *Angèle lit des journaux féminins,* qui s'adressent aux femmes. **3.** *Les noms féminins,* ce sont les noms qui peuvent être précédés au singulier des articles *la* ou *une.* *« Cigale », « aventure », « fourmi », « hirondelle » sont des noms féminins.* — n. m. *Le féminin de l'adjectif « clair », c'est « claire ».*

L'abréviation *n. f.* signifie *nom féminin. Féminin* et *masculin* sont les deux *genres* du français.

Les noms et les adjectifs sont soit *féminins,* soit *masculins.*

Médecin n'a pas de féminin.

féminité n. f.
Compare ***féminité*** et ***féminin*** : il est question de **femme.**

Ensemble des caractères qui correspondent à l'image traditionnelle de la femme. *Nathalie est un vrai garçon manqué, elle manque de féminité.*

femme n. f.
Les féministes veulent l'égalité des droits entre les hommes et les femmes.

1. Personne adulte, du sexe féminin. *Angèle est une jeune femme charmante. Le pilote était une femme. J'ai rencontré une femme que tu connais ;* vois ***dame.*** **2.** Femme mariée ; vois ***épouse.*** *Odile Séverac est la femme de Pierre Séverac,* elle est mariée avec lui. **3.** *M*[me] *Hespel emploie une femme de ménage,* une femme qui vient faire le ménage chez elle. *À l'hôtel, les lits sont faits par la femme de chambre,* une employée qui s'occupe du ménage dans les chambres d'hôtel.

Autres membres de la famille : **bonne femme, sage-femme.**

Femme [fam] rime avec *flamme.*

Roudoudou n'a pas de femme
Il en fait une avec sa canne
Il l'habille en feuilles de chou
Voilà la femme à Roudoudou
(comptine).

fémur n. m.
Os long à l'intérieur de la cuisse. *Le fémur est l'os le plus long du corps humain.*

Va voir *col du fémur* à ***col.***

fenaison n. f.
Coupe et récolte des foins. *Réjean est venu aider les fermiers pour la fenaison.*

Va voir aussi ***faner.***

se fendiller v.
Conjugaison 1

Famille de **fendre**

Se couvrir de petites fentes. *La peinture se fendille.*

fendre v.
Conjugaison 41

▭ Indic. présent : *je fends, nous fendons.* Imparfait : *je fendais.* Futur : *je fendrai.*

1. Couper dans le sens de la longueur. *Pierre Séverac fend du bois avec une hache.* — *Le vieux mur s'est fendu,* une fente s'y est formée. **2.** *Fendre le cœur,* c'est faire un grand chagrin, inspirer une grande pitié. *Les pleurs de Claire fendent le cœur de Mamie Lou.* **3.** Avancer en écartant. *Le voilier fend les flots,* il s'ouvre un chemin à travers les flots.

Fendre la foule, s'avancer au milieu de la foule.

Autres membres de la famille : **fendiller, fente.**

fenêtre n. f.
C'est la Mère Michel qui a perdu son chat,
Qui crie par la fenêtre à qui le lui rendra
(chanson).

Ouverture dans un mur ou une paroi destinée à laisser entrer l'air et la lumière. *Angèle ouvre les fenêtres pendant la récréation. Nathalie regarde par la fenêtre pour voir si le facteur arrive.*

La fille du roi était à sa fenêtre
(chanson).

fennec n. m.
Fennec [fenɛk] s'écrit avec deux *n.*

On l'appelle aussi : *renard des sables.*

Animal carnivore de la taille d'un chat, qui ressemble à un renard, a de très grandes oreilles pointues et habite les oasis d'Afrique du Nord. *Les fennecs se nourrissent de petits animaux qu'ils chassent pendant la nuit.*

Le fennec est un mammifère à fourrure beige clair, blanche sur le ventre.

fenouil n. m.
Fenouil [fənuj] rime avec *nouille* et *grenouille.*

Plante dont les feuilles sont blanches et vertes, serrées comme un poing fermé à leur base et découpées à leur sommet. *M*[me] *Roussel a fait du saumon au fenouil.*

Le fenouil a un goût d'anis.

fente n. f.
Famille de **fendre**

Ouverture étroite et longue. *Denis Prost remet une pièce dans la fente du téléphone public.*

Le système féodal, caractérisé par l'existence de fiefs et de seigneurs, s'appelle la *féodalité.*

féodal adj.
Qui appartient à l'organisation politique et sociale du Moyen Âge. *Les seigneurs féodaux vivaient dans des châteaux forts. La taille et les corvées étaient des droits féodaux.*

Va voir aussi ***fief.***
Les droits féodaux ont été abolis en 1789.

Va voir aussi ***acier*** et ***fonte.***

Un fer rouge est une tige de fer que l'on a chauffée et portée au rouge.

Autres membres de la famille : **chemin de fer, ferraille, ferré, ferrer, maréchal-ferrant.**

fer n. m.
1. Métal gris qui se déforme facilement quand on le chauffe et conduit bien la chaleur. *L'humidité fait rouiller le fer. La clôture du jardin est en fil de fer. La grille est en fer forgé. Claire croit dur comme fer au Père Noël,* elle est persuadée qu'il existe. *Mme Hespel a une santé de fer,* une très bonne santé. **2.** Instrument en fer ou en acier. *Mamie Lou branche le fer à repasser. M. Bellec s'est servi de son fer à souder pour arrêter la fuite d'eau.* **3.** *Un fer à cheval,* c'est une pièce de fer en forme de *U* que l'on fixe sous le sabot d'un cheval. *Les fers à cheval sont des porte-bonheur. Mme Harpie est tombée les quatre fers en l'air,* à la renverse, les pieds et les mains en l'air.

L'âge du fer est la période où les hommes ont commencé à travailler le fer.

L'âne riait si fort qu'il se roulait dans l'herbe, les quatre fers en l'air
(les Contes du Chat perché).

Le contraire de *férié,* c'est *ouvrable.*

férié adj.
Un jour férié, c'est un jour de fête, où l'on ne travaille pas. *Noël et le Premier Mai sont des jours fériés.*

Le dimanche est un jour férié.

La *terre ferme,* c'est le continent par rapport à l'eau.

① ferme adj.
1. Qui a de la consistance, mais n'est pas très dur. *Ces pêches ne sont pas encore mûres, elles sont trop fermes.* **2.** *Après son opération, Julie n'était pas ferme sur ses jambes,* elle ne tenait pas solidement sur ses jambes. *M. Bellec marche d'un pas ferme ;* vois ***assuré, décidé.*** *J'attends de pied ferme vos critiques,* sans crainte, avec l'intention d'y répondre. **3.** Qui ne change pas d'avis, ne se laisse pas influencer et agit avec autorité ; vois ***déterminé.*** *Angèle, l'institutrice, est ferme avec les enfants. Antoine a la ferme intention d'épouser Marie-Tévy,* il y est décidé et il est sûr de lui.

Le contraire de *ferme,* c'est *flasque, mou.*

Le contraire de *ferme,* c'est *faible, hésitant.*

Autres membres de la famille : **affermir, raffermir, fermement, fermeté.**

En moins d'un quart d'heure, toutes les bêtes de la ferme furent représentées dans la cuisine
(les Contes du Chat perché).

② ferme n. f.
Ensemble formé par les bâtiments, les terres et la maison d'habitation des agriculteurs. *Les chiens jouent dans la cour de la ferme. La ferme des Séverac produit du maïs et du tabac,* l'exploitation agricole des Séverac. *Pierre Séverac a repris la ferme de ses parents tandis que son frère Louis est installé en ville.*

Une *fermette,* c'est une ancienne petite ferme transformée en maison de campagne.

Famille de **fermer**

fermé adj.
1. Qui n'est pas ouvert. *Angèle était en retard à son rendez-vous et elle a trouvé la porte fermée.* **2.** *Être fermé à quelque chose,* c'est y être insensible, incapable de comprendre. *Le docteur Séverac est fermé à l'art moderne.*

Le contraire de *fermé,* c'est *ouvert.*

Famille de ① **ferme**

fermement adv.
1. Solidement, avec force. *Loïc tient fermement la barre du bateau.* **2.** Avec fermeté. *Antoine croit fermement qu'il épousera Marie-Tévy,* il en est sûr.

Tintin retient fermement Milou pour qu'il ne se batte pas avec le chat.

Conjugaison 1

fermenter v.
Se transformer sous l'action d'organismes microscopiques. *Le vin fermente dans les cuves. Le camembert est un fromage fermenté.*
▸ ***fermentation*** n. f. Transformation d'un produit sous l'action d'organismes microscopiques. *Le vin provient de la fermentation du jus de raisin.*

Ces organismes microscopiques sont des *ferments.*

Conjugaison 1
La porte est fermée à clef. La fenêtre a des barreaux. Impossible de sortir *(Poil de Carotte).*

Autres membres de la famille : **enfermer, fermé, fermeture, fermoir, refermer, renfermer, ① et ② renfermé.**

fermer v.
1. Boucher un passage, une ouverture. *Ferme la fenêtre de la chambre, j'ai froid. — La porte s'est fermée toute seule.* **2.** Rapprocher pour qu'il n'y ait plus d'ouverture, d'écart. *Le soleil brillait si fort que Marie-Tévy ferma les yeux. Fermez votre livre. — Cette robe se ferme dans le dos par de gros boutons.* **3.** Empêcher l'entrée, le passage. *Dès que la neige tombe, le col est fermé,* on interdit d'y passer. **4.** Arrêter le passage par un mécanisme. *N'oublie pas de fermer le gaz avant de partir ;* vois ***couper, éteindre.*** **5.** Être fermé. *Le restaurant Bellec ferme le lundi,* il ne reçoit pas de clients. **6.** Être la limite finale, la borne. *Alex fermait la marche,* il était le dernier du groupe, de la file qui marchait.

Le contraire de *fermer,* c'est *ouvrir.*

Ensuite le Loup ferma la porte, et s'alla coucher dans le lit de la mère-grand, en attendant le Petit chaperon rouge
(le Petit Chaperon rouge).

Famille de ① ferme

fermeté n. f.
1. Qualité de quelqu'un qui est résolu, tient bon quand il a pris une décision ; vois ***détermination, résolution.*** *Le maire a refusé ce projet avec une extrême fermeté.* 2. Qualité de quelqu'un qui est autoritaire sans être brutal ; vois ***autorité.*** *La maîtresse fait preuve de fermeté avec Colle et Rat.*

Le contraire de *fermeté,* c'est *mollesse.*

Le contraire de *fermeté,* c'est *faiblesse.*

fermeture n. f.
1. Dispositif qui sert à fermer. *La fermeture du coffre-fort de la banque est très perfectionnée. Le blouson d'Antoine a une fermeture à glissière,* composée par deux bandes de tissu portant chacune des dents qui s'emboîtent les unes dans les autres. 2. État de ce qui ferme, de ce qui est fermé. *Attention à la fermeture automatique des portes ! C'est bientôt l'heure de la fermeture, dépêchons-nous de faire nos achats ;* vois ***clôture.***

Fermeture-éclair, c'est le nom d'une marque de fermeture à glissière. L'invention date de 1893.

Le contraire de *fermeture,* c'est *ouverture.*

Famille de **fermer**

Fermeture annuelle du 6 août au 3 septembre.

fermier n. m., **fermière** n. f.
Personne qui s'occupe d'une ferme ; vois ***agriculteur, cultivateur, paysan.*** *Pierre Séverac est fermier. La fermière est en train de ramasser les œufs dans le poulailler.*

La fermière qui n'avait qu'une dent était dans la cour de sa ferme *(les Contes du Chat perché).*

Famille de ② **ferme**

fermoir n. m.
Attache qui sert à fermer, à tenir fermé. *Mme Séverac a fait réparer le fermoir de son collier de perles.*

Compare : *fermer → fermoir* et *raser → rasoir.*

Famille de **fermer**

féroce adj.
1. *Une bête féroce,* c'est une bête sauvage ; vois ***sauvage.*** *Le dompteur dresse des bêtes féroces,* des fauves. 2. Cruel et impitoyable. *De féroces gardiens surveillaient les prisonniers.*
▸ **férocement** adv. D'une manière féroce. *Le lion s'est attaqué férocement à la gazelle.*
▸ **férocité** n. f. Grande cruauté. *Le tigre est connu pour sa férocité.*

Rastapopoulos, vous êtes plus féroce qu'un requin ! Vous aviez promis de libérer ces enfants ! dit Tintin.

Beauty-Smith s'élança férocement sur Croc-Blanc pour le frapper *(Croc-Blanc).*

Deux ***r*** dans *ferraille.*

ferraille n. f.
Ensemble de vieux morceaux de fer ou d'instruments en fer qui ne peuvent plus servir. *On récupère la ferraille pour la vendre au poids et la transformer à nouveau en fer.*

Famille de **fer**

C'est le travail du *ferrailleur.*

Famille de **fer**

ferré adj.
1. Garni de fer. *Antoine a trouvé une malle ferrée dans le grenier,* une malle munie de garnitures en fer. 2. Du rail, des chemins de fer. *Le train passe sur la voie ferrée.*

Va voir aussi ***ferroviaire.***

Conjugaison 1
Famille de **fer**

ferrer v.
Garnir d'un fer le sabot d'un cheval, d'un mulet. *Le maréchal-ferrant ferre les chevaux pour protéger leurs sabots.*

Va voir aussi ***ferré.***

Deux ***r*** dans *ferroviaire.*

ferroviaire adj.
Relatif aux chemins de fer. *Yasmina a une carte de réduction valable sur tout le réseau ferroviaire français,* sur toutes les lignes de train françaises.

La S. N. C. F. s'occupe des transports ferroviaires, en France.

fertile adj.
1. Où les cultures poussent très bien. *Dans la région, les terres sont fertiles.* 2. *Antoine a aimé ce roman fertile en aventures,* plein d'aventures ; vois ***fécond, riche.***
▸ **fertilité** n. f. 1. *Les engrais améliorent la fertilité du sol,* ils le rendent plus fertile. 2. *Antoine a une grande fertilité d'imagination,* il a beaucoup d'imagination.

Le Nil rend fertile toutes les terres qu'il traverse.

Compare : *fertile → fertilité* et *agile → agilité.*

Le contraire, c'est *stérile.*

Le contraire, c'est *pauvre.*

Le contraire, c'est *stérilité.*

Le contraire, c'est *pauvreté.*

féru adj.
Nathalie est férue d'escrime, elle est passionnée d'escrime.

fervent adj.
Plein d'ardeur, d'enthousiasme. *L'abbé Gauthier a remercié Dieu par une prière fervente. Denis Prost a de fervents admirateurs ;* vois ***enthousiaste.***
▸ **ferveur** n. f. Très grande ardeur. *L'abbé Gauthier prie avec ferveur ;* vois ***dévotion.***

Madame Lepic lui entre deux ongles, jusqu'au sang, dans le plus gras d'une fesse (Poil de Carotte).

fesse n. f.
Chacune des deux parties charnues qui forment le derrière. *Julie s'est fait mal à une fesse en tombant.*
▷ ***fessée*** n. f. Coups donnés sur les fesses. *Claire a reçu une bonne fessée.*

festin n. m.
Repas de fête copieux et excellent. *Du caviar, du canard, du champagne : quel festin !*

Compare *festival, festivités* et *festin* : il est question de **fête.**

C'est un festival de cinéma.

festival n. m.
Ensemble de représentations musicales, théâtrales ou cinématographiques qui ont lieu dans un endroit déterminé pendant une période assez courte. *Denis Prost est allé au festival de Cannes.*

L'été, il y a des festivals dans toute la France.

Festivités s'emploie toujours au pluriel.

festivités n. f. plur.
Fêtes, réjouissances. *Le syndicat d'initiative organise des festivités pour la fête du village.*

N'oublie pas l'accent circonflexe du ***ê*** de *fête.*

Dimanche prochain, grande fête pour le couronnement du roi des éléphants ! (Babar).

Va voir *fête foraine* à ***forain.***

fête n. f.
1. Jour destiné à rappeler par des cérémonies le souvenir agréable d'un événement historique ou religieux ; vois ***anniversaire.*** *Le 14 Juillet est la fête nationale française. Pâques est une grande fête religieuse.* **2.** Ensemble des réjouissances organisées pour célébrer un événement. *Les enfants attendent avec impatience la fête de Noël.* **3.** Jour du calendrier où l'on fête un saint et les personnes qui portent son nom. *Le 19 mai, c'est la Saint-Yves, le 11 août la Sainte-Claire.* **4.** Le fait de recevoir joyeusement des amis, de la famille. *Alex a dit qu'il fera une fête quand il aura son baccalauréat.* **5.** *Faire fête à quelqu'un,* c'est l'accueillir joyeusement. *La chienne Diane fait fête à Sylvain.* **6.** *Se faire une fête de quelque chose,* c'est s'en réjouir. *Les enfants se font une fête de partir à la mer.*

Ne confonds pas *fête* et *faite.* Va voir aussi ***férié.***

Il pleut, il mouille
C'est la fête à la grenouille
(comptine).

Conjugaison 1

Autre membre de la famille : **trouble-fête.**

▷ ***fêter*** v. **1.** Célébrer, commémorer. *Le Jour de l'An, on fête la nouvelle année.* **2.** *Quand les Touati sont arrivés à Marrakech, ils ont été fêtés par leur famille,* on leur a fait fête.

Les Touati sont originaires de Marrakech.

fétiche n. m.
Objet qui est supposé porter bonheur ; vois ***mascotte, porte-bonheur.*** *L'équipe de football a choisi cet ours en peluche comme fétiche.*

Est-ce que tu as un objet fétiche ?

fétide adj.
Qui a une odeur très désagréable ; vois ***nauséabond.*** *Une odeur fétide se dégageait du cadavre en décomposition.*

fétu n. m.
Un fétu de paille, c'est un brin de paille. *Le petit bateau était emporté dans la tempête comme un fétu de paille.*

Au pluriel : *des feux.*

Les hommes ont été capables de faire du feu il y a environ 80 000 ans.

Babar sort désespéré de l'hôpital. Juste à ce moment, il entend crier : « Au feu ! Au feu ! » (Babar).

Être pris entre deux feux, être pris entre deux dangers.

Ne pas faire long feu, ne pas durer longtemps.

feu n. m.
1. Dégagement de lumière et de chaleur qui se produit quand on brûle quelque chose. *Odile Séverac a allumé un grand feu dans la cheminée. Mamie Lou s'est installée dans un fauteuil, au coin du feu,* près de la cheminée. **2.** Incendie. *Il y a eu le feu à la poste de Motbourg. Hippolyte criait « Au feu ! Au feu ! »* **3.** Source de chaleur utilisée pour cuire les aliments. *La soupe mijotait sur le feu. Il faut faire fondre le chocolat à feu doux.* **4.** Ce qui sert à allumer le tabac. *Denis Prost demande du feu à un passant.* **5.** *Une arme à feu,* c'est une arme qui lance un projectile quand la poudre contenue dans la cartouche s'enflamme. *Le canon, le pistolet et le fusil sont des armes à feu.* **6.** *Un coup de feu,* c'est un coup tiré avec une arme à feu. *On entendait dans la campagne les coups de feu des chasseurs.* **7.** Tir d'arme à feu. *Les bandits ont ouvert le feu,* ils ont tiré les premiers. *Les policiers n'ont pas fait feu,* ils n'ont pas tiré. **8.** Lumière, signal lumineux. *La voiture roulait tous feux éteints. Les piétons doivent traverser au feu rouge.*

En mettre sa main au feu : en être sûr, convaincu.

La poste *a pris feu.*

Nous résolûmes donc de faire feu tous ensemble sur l'ours, afin de délivrer mon serviteur (Robinson Crusoé).

Autres membres de la famille : **cessez-le-feu, couvre-feu, pot-au-feu.**

▷ ***feu d'artifice*** n. m. Ensemble de fusées lumineuses et colorées que l'on fait exploser en l'air les nuits de fête. *Le 14 Juillet, on tire des feux d'artifice partout en France.*

feuille n. f.

1. Partie des plantes qui part de la branche, de la tige et qui ressemble à une fine lame verte. *Le chêne, comme beaucoup d'autres arbres, perd ses feuilles en automne. Les feuilles tombées sont des feuilles mortes. Yasmina a trouvé un trèfle à quatre feuilles.* **2.** Morceau de papier rectangulaire. *Réjean a écrit son nom et son adresse sur une feuille blanche.* **3.** Papier contenant des renseignements pour l'administration. *M. Bonnot remplit sa feuille de soins et l'envoie à la Sécurité sociale.* **4.** Mince plaque de bois, de carton ou de métal. *Cette jolie boîte est recouverte d'une mince feuille d'or.*

Une feuille a deux côtés, donc deux pages. Va voir ***feuillet.***

Et je m'en vais
Au vent mauvais
Qui m'emporte
De çà, de là
Pareil à la
Feuille morte (Verlaine).

Compare : *feuille → feuill**age*** et *plume → plum**age.***

▸ ***feuillage*** n. m. Ensemble des feuilles d'un arbre. *Les enfants s'étaient assis à l'ombre du feuillage. En automne, le feuillage jaunit.*

▸ ***feuillet*** n. m. Ensemble des deux pages d'un livre, d'un cahier, qui se trouvent sur la même feuille de papier. *On a arraché un feuillet à ce livre.*

L'endroit du feuillet est le *recto,* l'envers le *verso.*

▸ ***feuilleté*** adj. *Pâte feuilletée,* pâte légère formée de fines feuilles superposées. *La pâte feuilletée de cette tarte est très légère.*

Un *feuilleté* est fait avec de la pâte feuilletée.

Conjugaison 4 ▭ Indic. présent : *je feuillette, nous feuilletons.*

▸ ***feuilleter*** v. Tourner les pages d'un livre en les regardant rapidement. *Denis Prost feuilletait distraitement une revue de cinéma.*

▸ ***feuilleton*** n. m. Histoire racontée en plusieurs épisodes à la radio, à la télévision ou dans un journal. *Marie-Tévy s'est dépêchée de terminer ses devoirs pour regarder à la télévision son feuilleton favori.*

▸ ***feuillu*** n. m. Arbre qui porte des feuilles. *Dans la région, il y a de belles forêts de feuillus.*

Autres membres de la famille : **chèvrefeuille, effeuiller, millefeuille, portefeuille.**

feutre n. m.

1. Étoffe épaisse faite de laine ou de poils écrasés. *La semelle des pantoufles de Marie-Tévy est en feutre.* **2.** Chapeau fait dans cette étoffe. *Le détective privé cachait son visage sous un feutre gris.* **3.** Stylo dont la pointe imbibée d'encre est en feutre ou en nylon. *Julie possède des feutres de toutes les couleurs.*

Sous la selle, on met un *feutre* pour protéger le cheval.

On dit aussi un *crayon feutre.*

▸ ***feutré*** adj. **1.** *Ce pull est tout feutré,* il a pris l'aspect du feutre après lavage. **2.** *Yasmina marchait à pas feutrés pour ne pas réveiller son petit frère,* sans bruit.

▸ ***feutrine*** n. f. Tissu de laine feutré. *Les enfants fabriquaient des marionnettes en feutrine.*

fève n. f.

N'oublie pas l'accent grave du ***è*** de *fève.*

1. Graine assez plate, ressemblant à un gros haricot et qui se mange fraîche ou séchée. *Mme Touati prépare des fèves pour le dîner.* **2.** Petit objet de porcelaine ou de plastique caché dans la galette des Rois. *Antoine a trouvé la fève ; il va choisir sa reine.*

On mange des fèves surtout dans les pays méditerranéens.

Autrefois, on mettait une vraie fève.

février n. m.

Deuxième mois de l'année qui compte vingt-huit jours dans les années ordinaires et vingt-neuf dans les années bissextiles. *Les Séverac iront faire du ski pendant les vacances de février.*

Février et mars trop chauds
Mettent le printemps au
tombeau (dicton).

Va voir aussi ***bissextile.***

se fiancer v.

Conjugaison 3 ▭ Indic. présent : *je me fiance, nous nous fiançons.*

Se promettre solennellement de s'épouser. *Marie-Tévy voudrait se fiancer à Antoine. Ces amoureux se sont fiancés hier.*

Pendant notre voyage en auto, Céleste et moi nous nous sommes fiancés *(Babar).*

N'oublie pas la cédille du ***ç***. *Fiançailles* ne s'emploie qu'au pluriel.

▸ ***fiançailles*** n. f. plur. Promesse solennelle de mariage. *M. Bellec a offert une bague à sa future femme le jour de leurs fiançailles.*

C'est une *bague de fiançailles.*

▸ ***fiancé*** n. m., ***fiancée*** n. f. Personne fiancée. *Les fiancés ont annoncé qu'ils se mariaient le mois prochain.*

fiasco n. m.

Échec. *Les essais de réconciliation entre Mme Roussel et Mme Harpie ont fait fiasco. Cette pièce de théâtre a été un vrai fiasco.*

Le contraire de *fiasco,* c'est *réussite, succès.*

Au pluriel : *des fiascos.*

fibre n. f.

Chacun des filaments souples et allongés qui forment une matière ou un matériel. *On coupe les planches dans le sens des fibres du bois. On utilise les fibres du coton, de la laine pour faire des tissus.*

On utilise la fibre de verre pour isoler un objet, une construction de la chaleur ou du froid.

Le nylon est formé de fibres synthétiques.

Ficelle s'écrit avec deux *l.*

ficelle n. f.
1. Lien mince formé de fibres tordues ensemble. *Julie défait la ficelle du colis. Mme Harpie ramasse tous les bouts de ficelle.* **2.** Petite baguette de pain, très mince. *Mme Bonnot a acheté chez le boulanger une ficelle bien cuite.*

Conjugaison 4
▭ Indic. présent : *je ficelle, nous ficelons.*

▸ **ficeler** v. Attacher, lier avec une ficelle. *Hippolyte a ficelé le paquet en faisant des doubles nœuds. Le prisonnier était ficelé au poteau,* ligoté.

Tintin était ficelé comme un saucisson, mais Milou l'a délivré.

Fiche est un mot très familier, qui ne s'emploie qu'en parlant.

① **fiche** v.
1. *Ne rien fiche,* c'est ne rien faire. *Mme Harpie dit qu'Antoine ne fiche rien en classe.* **2.** *Fiche-moi la paix,* laisse-moi tranquille. **3.** Mettre. *« Je vais vous fiche à la porte », crie Mme Harpie.* **4.** *Colle et Rat se fichent d'être punis,* ils s'en moquent.

Fichez le camp, partez !

Autre membre de la famille : ① **fichu.**

② **fiche** n. f.
1. Prise de courant au bout du fil électrique, que l'on branche dans une prise murale. *Pour brancher une lampe, il faut enfoncer la fiche dans la prise murale.* **2.** Petite feuille ou carton sur lequel on note un renseignement et que l'on classe. *Les fiches de la bibliothèque sont classées par ordre alphabétique des auteurs.*

Compare : *fiche → fichier* et *herbe → herbier.*

▸ **fichier** n. m. Ensemble de fiches. *Nathalie consulte les fichiers de la bibliothèque.*

C'est aussi le meuble qui contient les fiches.

Fichu est un mot très familier, qui ne s'emploie qu'en parlant.

① **fichu** adj.
1. Qui ne peut plus servir, que l'on peut jeter. *La nappe est fichue, elle est pleine de trous.* **2.** *Mme Hespel est un peu mal fichue aujourd'hui,* un peu souffrante.

Famille de ① **fiche**

② **fichu** n. m.
Morceau de tissu coupé ou plié en triangle que l'on met sur la tête ou les épaules ; vois ***châle, foulard.*** *Odile Séverac avait sur la tête un fichu de laine vert vif.*

Regarde les fichus brodés des costumes traditionnels de Bretagne ou de Provence.

Son p'tit fichu sur les épaules,
Elle remontait la rue des Saules... (A. Bruant).

fictif adj.
Créé par l'imagination, inventé. *Les personnages des contes de fées sont des personnages fictifs.*

▸ **fiction** n. f. **1.** Ce qu'on imagine ; vois ***invention.*** *La réalité dépasse souvent la fiction.* **2.** *Une œuvre de fiction,* c'est une œuvre d'imagination. *Les romans et les contes sont des œuvres de fiction.*

Tarzan, Charlot, Milou sont des personnages de fiction.

Autre membre de la famille : **science-fiction.**

fidèle adj. et n.
▭ **adj. 1.** Qui ne trahit pas ses engagements, est loyal, dévoué à quelqu'un. *Les vassaux devaient être fidèles à leur suzerain.* **2.** *Le chevalier doit être fidèle à sa promesse envers son seigneur,* il doit tenir, respecter sa promesse. **3.** Dont les sentiments ne changent pas, sont toujours les mêmes. *Mme Roussel et Mme Bellec sont des amies fidèles.* **4.** *Un récit fidèle,* c'est un récit qui dit l'exacte vérité. *Le témoin a fait un récit fidèle des événements.*

Le contraire de *fidèle,* c'est *traître.*

Le Petit Prince le regarda et il aima cet allumeur qui était tellement fidèle à la consigne *(le Petit Prince).*

Robin des Bois était fidèle au roi Richard Cœur de Lion.

Le contraire de *fidèle,* c'est *infidèle.*

Une mémoire fidèle retient les choses avec exactitude.

▭ **n. m. et f.** *Les fidèles,* ce sont les gens qui appartiennent à une religion ; vois ***croyant.*** *L'assemblée des fidèles était particulièrement recueillie.*

▸ **fidèlement** adv. Exactement, scrupuleusement. *Les mousquetaires ont fidèlement exécuté les ordres du capitaine,* sans les trahir. *Ce roman a été fidèlement traduit de l'anglais.*

Compare : *fidèle → fidélité* et *sincère → sincérité.*

▸ **fidélité** n. f. **1.** Qualité d'une personne fidèle à quelqu'un. *Un vassal devait jurer fidélité à son suzerain. À la mort de sa mère, Sophie Pelletier a trouvé un grand réconfort dans la fidélité de ses amis.* **2.** Qualité d'une chose fidèle à une autre chose. *Cette reproduction est remarquable par sa fidélité aux couleurs du tableau original.*

Une chaîne *haute fidélité* reproduit très exactement les sons enregistrés.

Autres membres de la famille : **infidèle, infidélité.**

fief n. m.
Au Moyen Âge, domaine confié par le suzerain à un vassal, en échange de sa fidélité et de certaines obligations. *En échange du fief, le vassal devait assistance à son suzerain chaque fois que celui-ci le demandait.*

Le grenier est devenu le fief des araignées et des souris.

La féodalité était basée sur l'existence des fiefs.

fiel n. m.
1. Liquide noir, visqueux et amer, produit par le foie de certains animaux. *Le marchand a enlevé la poche de fiel du foie des volailles.* **2.** *Personne n'a relevé la remarque pleine de fiel de Mme Harpie,* sa remarque pleine de haine, de méchanceté.

Ce liquide, dans le corps humain, s'appelle *la bile.*

fiente n. f.
Excrément d'oiseau. *Les statues étaient recouvertes de fientes de pigeons.*

Conjugaison 7
Le Loup a l'air doux comme ça, [...] mais je ne m'y fie pas *(les Contes du Chat perché).*

se fier v.
Avoir confiance. *Angèle est une très bonne conductrice, vous pouvez vous fier à elle. Denis Prost se fie toujours à son intuition. Le chat a l'air endormi, mais ne vous y fiez pas trop,* ne le croyez pas tout à fait.

Autres membres de la famille : **confiance, confiant, confier,** se **défier, défiance,** se **méfier, méfiance, méfiant.**

Au féminin : *fière.*
Compare : *fier → fierté* et *beau → beauté.*
Le contraire de *fier,* c'est *honteux.*
C'est un comédien célèbre.

fier adj.
1. Qui se croit supérieur aux autres, est distant, hautain ; vois ***méprisant, prétentieux.*** *Il est fier avec nous, il ne nous dit même pas bonjour.* **2.** Qui a beaucoup d'amour-propre. *Il est fier et ne veut pas qu'on lui fasse la charité.* **3.** Très satisfait. *Aujourd'hui, Angèle est fière de ses élèves.*
▸ ***fierté*** n. f. **1.** Amour-propre. *Il a refusé de l'aide, par fierté.* **2.** Grande satisfaction. *Denis Prost tire de son succès une juste fierté. Ses rosiers sont la fierté de Mme Bellec,* la raison de sa fierté.

Le contraire de *fier,* c'est *simple.*

Le roi et la reine des éléphants ne peuvent se défendre d'un sentiment de fierté *(Babar).*

Pense à l'accent grave du ***è*** de *fièvre* et à l'accent aigu sur celui de *fiévreux.*

fièvre n. f.
1. Température trop élevée du corps. *Julie n'est pas guérie, elle a encore de la fièvre.* **2.** Très grande agitation ; vois ***excitation.*** *Dans la fièvre de la discussion, M. Bellec s'est montré un peu violent.*
▸ ***fiévreux*** adj. Qui a de la fièvre. *Julie est encore un peu fiévreuse, ce matin.*

Une fièvre de cheval, c'est une très forte fièvre.

Va voir aussi ***fébrile.***

fifre n. m.
1. Petite flûte en bois, qui a un son aigu. *Les musiciens jouaient du fifre.* **2.** Musicien qui joue du fifre. *Les fifres marchaient devant les tambours.*

Conjugaison 3 ▭ Indic. imparfait : *il figeait.* Futur : *il figera.*

figer v.
1. Devenir épais, coaguler. *La sauce a figé dans l'assiette. — L'huile s'est figée dans la bouteille.* **2.** *Se figer,* c'est s'immobiliser. *Claire se figea de peur.*

Elle *était figée* de peur.

Les figues poussent sur les *figuiers.*

figue n. f.
Fruit arrondi, à peau verte ou violette, à pulpe rouge. *Les figues se mangent fraîches ou séchées.*

Aux cartes *les figures* sont le roi, la dame et le valet.

figure n. f.
1. Visage. *Antoine a la figure barbouillée de chocolat. Julie faisait bonne figure au milieu de ses camarades du cours de danse,* elle faisait bonne impression. *Elle faisait figure de bonne élève,* elle apparaissait comme bonne élève. **2.** *Une figure géométrique,* c'est la représentation d'une forme par un dessin. *Le carré, le triangle et le cercle sont des figures géométriques.* **3.** Suite de mouvements précis, de pas qu'un danseur ou un patineur exécute. *Le couple de patineurs exécutait sur la glace d'impressionnantes figures.*

Sur les anciens navires à voile, il y avait des *figures de proue,* représentant un animal ou le buste d'un personnage.

Conjugaison 1
Figurez-vous, dit le cheval, que la maîtresse d'école a donné aux petites un problème très difficile *(les Contes du Chat perché).*

▸ ***figurer*** v. **1.** Apparaître. *Le nom de Denis Prost figurait en gros sur l'affiche.* **2.** *Se figurer,* c'est imaginer. *Antoine se figure qu'il va épouser Marie-Tévy. Figure-toi que Yasmina a gagné à la loterie !*
▸ ***figuré*** adj. *Le sens figuré d'un mot,* c'est un sens obtenu par une image. *Au sens propre, une tortue est un animal ; au sens figuré, c'est une personne très lente.*
▸ ***figurant*** n. m., ***figurante*** n. f. Au théâtre ou au cinéma, personne qui joue un petit rôle, souvent muet. *À ses débuts, Denis Prost a eu des rôles de figurant à la télévision. Les figurants étaient les habitants du village.*
▸ ***figuration*** n. f. *Faire de la figuration,* c'est avoir un rôle de figurant. *À ses débuts, Denis Prost a fait de la figuration.*
▸ ***figurine*** n. f. Très petite statue. *Julie dispose les figurines de la crèche.*

Le contraire du *sens figuré,* c'est le *sens propre.*

Maintenant, on lui donne les premiers rôles.

Autres membres de la famille : **défigurer, transfigurer.**

Ne confonds pas *fil* et *file.*

fil n. m.
1. Brin fait d'une matière textile qui sert à coudre. *Mamie Lou prend du fil et une aiguille pour recoudre un bouton. Mme Hespel a acheté une bobine de fil noir. De fil en aiguille, le commissaire a réussi à trouver le meurtrier,* petit à petit. **2.** *Mamie Lou enlève les fils des haricots verts,* la fibre dure de la gousse. **3.** Brin qui sert à tenir ou à attacher. *Le fil de la canne à pêche s'est cassé.* **4.** Matière métallique étirée en long brin mince. *La clôture est en fil de fer.* **5.** Brin de métal entouré d'une gaine isolante qui conduit l'électricité. *Les cambrioleurs avaient coupé les fils téléphoniques.* **6.** Enchaînement ; vois ***cours, suite.*** *Je n'ai pas suivi le fil de la conversation.* **7.** Partie coupante d'une lame. *Attention au fil du rasoir !*

Il y avait une boîte à aiguilles, une boîte à épingles dorées, une provision de soies de toutes les couleurs, de fils de différentes grosseurs, de cordons, de rubans *(les Malheurs de Sophie).*

Un *fil à plomb,* c'est un fil au bout duquel pend un plomb, qui sert à donner la verticale.

Au fil de l'eau, dans le sens où coule la rivière.

Un coup de fil, c'est un coup de téléphone.

▸ ***filament*** n. m. Fil très fin. *C'est le filament qui est à l'intérieur d'une ampoule électrique qui produit de la lumière.*

Va voir aussi ***filer.***

▸ ***filature*** n. f. **1.** Usine où l'on fabrique le fil. *Il y a de nombreuses filatures à Roubaix et dans sa région.* **2.** Action de suivre quelqu'un pour le surveiller. *Le policier a pris le suspect en filature,* il a marché derrière sans être vu.

Autres membres de la famille : **effilé, s'effilocher, enfiler, faufiler, filer, ① filet, ② filet, ③ filet, filière, filon.**

Ne confonds pas *file* et *fil.*

file n. f.
Suite de personnes ou de choses placées une par une et l'une derrière l'autre. *Il y a une file de gens devant le cinéma. Les enfants marchaient à la file,* les uns derrière les autres. *Angèle a garé sa voiture en double file,* à côté d'une première file de voitures. *Antoine a mangé trois babas à la file,* l'un après l'autre, sans s'arrêter, d'affilée.

En file indienne : immédiatement l'un derrière l'autre.

Autres membres de la famille : d'**affilée, défiler, ① défilé, ② défilé, enfilade.**

Conjugaison 1

Une bonne vieille était seule à filer sa quenouille *(la Belle au bois dormant).*

filer v.
1. Transformer en fil. *On file la laine dans une filature.* **2.** *Filer doux,* c'est être soumis. *Quand la maîtresse se met en colère, les enfants filent doux.* **3.** *Filer une personne,* c'est marcher derrière elle pour la surveiller. *Le détective a filé le suspect toute une journée.* **4.** Aller vite. *Le train filait dans la nuit.*

Napoléon à Sainte-Hélène
Filait doux filait la laine
À Sainte-Hélène, Napoléon
Filait doux comme un mouton
(Obaldia).

Va voir aussi ***filature.***
Famille de **fil**

Un *filet de voix,* c'est une voix très faible.

① ***filet*** n. m.
Écoulement fin et continu. *Le robinet laisse échapper un filet d'eau.*

Famille de **fil**

Famille de **fil**

② ***filet*** n. m.
1. Morceau de viande découpé le long de la colonne vertébrale d'un animal. *Au menu, il y avait du filet de bœuf grillé.* **2.** Chaque morceau de chair qu'on peut détacher de part et d'autre de l'arête centrale d'un poisson. *Mme Roussel aime beaucoup les filets de hareng.*

Le filet est un morceau très tendre.

Famille de **fil**

Connais-tu le conte du pêcheur qui avait trouvé un poisson d'or dans ses filets ?

③ ***filet*** n. m.
1. Ensemble de fils entrelacés formant un réseau à larges mailles, servant à capturer des animaux. *Loïc répare ses filets de pêche. Antoine attrape des papillons avec son filet à papillons.* **2.** *Un filet à provisions,* c'est un sac fait de fils entrelacés dans lequel on met les achats. *Mme Roussel prend son filet à provisions pour faire les courses.* **3.** Rectangle de fils entrelacés tendu au milieu d'une table de ping-pong ou sur un terrain de sport. *La balle a touché le filet.*

Il y a un filet sur un terrain de volley-ball et sur un court de tennis.

Quand j'ai ramassé le filet à provisions, ce qu'il y avait dedans, ça ne donnait pas faim *(le Petit Nicolas).*

Au masculin pluriel : *filiaux.*

filial adj.
Qui unit les enfants à leurs parents. *Le colonel Hespel trouve que le respect filial se perd.*

filiale n. f.
Société qui dépend d'une maison mère. *Le docteur Séverac s'est adressé à une filiale de sa banque.*

filière n. f.
1. *Suivre la filière,* c'est franchir des étapes pour arriver à un résultat. *Angèle a suivi la filière classique pour devenir institutrice.* **2.** *Remonter la filière,* c'est retrouver les unes après les autres les personnes qui ont organisé un mauvais coup. *L'inspecteur veut remonter la filière pour démasquer le chef de gang.*

Elle est entrée à l'École normale et elle a passé des examens.

Famille de **fil**

Famille de **forme**

filiforme adj.
Très mince, fin comme un fil. *Le moustique a des pattes filiformes.*

filigrane n. m.
Dessin imprimé dans la pâte du papier, que l'on voit par transparence. *Les billets de banque ont un filigrane. On voit le dessin en filigrane.*

fille n. f.
1. *La fille de quelqu'un,* c'est son enfant de sexe féminin. *Mme Hespel est la fille du colonel Hespel. Le docteur et Mme Séverac ont deux filles et un fils. Claire est fille unique,* elle n'a ni frère ni sœur. *Marie-Tévy est la fille adoptive des Séverac.* **2.** Personne du sexe féminin, en bas âge ou très jeune.

Fille du roi, donnez-moi
votre cœur !
Joli tambour, demande-le
à mon père !
(chanson).

Va voir aussi ***fils.***
Autres membres de la famille : **arrière-petite-fille, belle-fille, petite-fille.**

Une jeune fille de 90 ans
En mangeant de la crème
S'est cassé une dent
(comptine).

Le bébé de Mme Bellec sera-t-il une fille ou un garçon ? Julie a rencontré en vacances d'autres filles de son âge. Claire est une petite fille, une enfant très jeune. **3.** Jeune femme, mariée ou non. *Angèle, l'institutrice, est une fille charmante.*

Va voir aussi **garçon.**
Une *petite fille* devient une *jeune fille* quand elle grandit.

Va voir aussi ***garçonnet.***

▸ ***fillette*** n. f. Très jeune fille. *Nathalie est une fillette de douze ans.*

Filleul [fijœl] rime avec *aïeul* et *tilleul.*

filleul n. m., ***filleule*** n. f.
Personne baptisée, par rapport à son parrain et à sa marraine. *Yves est le filleul de Mme Roussel,* Mme Roussel est la marraine d'Yves.

Cendrillon était la filleule d'une fée.

Le premier film parlant a été réalisé en 1926 aux États-Unis.

film n. m.
1. Bande sur laquelle sont enregistrées des images ; vois ***pellicule.*** *Angèle a mis un film dans sa caméra.* **2.** Œuvre cinématographique. *Denis Prost a joué dans plusieurs films. Mme Séverac aime bien les films policiers.*

Un mètre de film comporte 52 images.

Conjugaison 1

▸ ***filmer*** v. Enregistrer des vues. *Angèle a filmé Marie-Tévy sur le téléski.*

Autres membres de la famille : **microfilm, téléfilm.**

Famille de **fil**

filon n. m.
Couche de minerai dans le sol. *Les chercheurs d'or ont découvert un filon.*

Au pluriel : *des filous.*

filou n. m.
Homme malhonnête. *Ce commerçant est un filou ;* vois ***escroc, voleur.***

Ce mot est un peu vieux.

Fils [fis] rime avec *bénéfice.*

fils n. m.
Le fils de quelqu'un, c'est son enfant de sexe masculin ; vois ***garçon.*** *Yves est le fils de M. et Mme Bellec. Denis Prost et Sophie Pelletier ont une fille et un fils. Mamie Lou a deux fils.*

Autres membres de la famille : **arrière-petit-fils, beau-fils, petit-fils.**

Ne confonds pas *filtre* et *philtre.*

filtre n. m.
1. Appareil qui laisse passer un liquide et retient les morceaux, les déchets. *Il faut nettoyer régulièrement le filtre de la machine à laver.* **2.** *Un bout filtre,* c'est le bout d'une cigarette qui sert à retenir la nicotine. *Muriel Doucet fume des cigarettes à bout filtre.* **3.** Verre teinté que l'on met sur l'objectif d'un appareil photographique. *M. Bellec a pris une photo de sa femme avec un filtre bleu.*

Pour faire du café, on met du café moulu dans un filtre et on verse de l'eau bouillante dessus.

Conjugaison 1

▸ ***filtrer*** v. **1.** Faire passer dans un filtre. *On filtre l'eau pour qu'elle soit potable.* **2.** Passer à travers un filtre ou à travers quelque chose qui tient lieu de filtre. *L'eau filtre à travers le sable.*

Autre membre de la famille : **s'infiltrer.**

Ne confonds pas *fin, faim* et *feint.*

Le contraire de *fin,* c'est *commencement, début.*

① ***fin*** n. f.
1. Moment où quelque chose se termine ou cesse d'exister, derniers moments d'une action, d'une période, d'une histoire. *Il y a eu une réunion du conseil municipal à la fin du mois dernier. Mme Séverac a dû partir avant la fin de la réunion. Le maire a eu le mot de la fin,* il a parlé le dernier. *La réunion a pris fin à 23 heures,* elle s'est terminée à 23 heures. **2.** Chose que l'on veut réaliser ; vois ***but.*** *En se faisant élire, le candidat est arrivé à ses fins.*

Autres membres de la famille : **afin de, afin que, confins, enfin, final, finale, finalement, finaliste, fini, finir, finition, indéfiniment, infini, infiniment, infinité.**

Le contraire de *fin,* c'est *épais.*
Le contraire de *fin,* c'est *gros.*
Poucette était fine et délicate comme un pétale de rose
(Poucette).

② ***fin*** adj.
1. Mince. *M. Bellec recouvre le gâteau d'une fine couche de caramel. Angèle a la taille fine. Les cheveux d'Yves sont très fins.* **2.** Constitué d'éléments très petits. *Le crachin est une pluie très fine,* dont les gouttes sont petites. **3.** Élégant, délicat. *Marie-Tévy a les traits fins.* **4.** De qualité supérieure. *Des vins fins accompagnaient le dîner d'anniversaire. Le cadre du tableau est doré à l'or fin,* avec de l'or d'une grande pureté. **5.** Très sensible. *Angèle a l'oreille fine,* elle entend le moindre bruit. **6.** Malin, rusé. *Antoine se croit toujours plus fin que les autres ;* vois ***astucieux.***

C'est une plage de sable ! De sable très fin ! On ne trouve pas un seul galet sur cette plage !
(le Petit Nicolas).

Autres membres de la famille : **extra-fin, finement, finesse, raffinage, raffiné, raffiner, raffinerie.**

Famille de ① **fin**

Le contraire de *final,* c'est *initial, premier.*

final adj.
Qui est à la fin ; vois ***dernier.*** *Les résultats finals des élections ne sont pas encore affichés, on ne connaît que les résultats provisoires.*

Au masculin pluriel : *finals* ou *finaux.*

▸ ***finale*** n. f. Dernière épreuve d'un championnat. *L'équipe de football s'est qualifiée pour la finale.*

Finalement, Alceste est monté dans le car et nous avons pu partir pour de bon
(le Petit Nicolas).

▸ ***finalement*** adv. Pour finir, en définitive. *Finalement, Colle et Rat ont été exclus de l'école pendant une semaine,* en fin de compte.

▸ ***finaliste*** n. m. et f. Concurrent qui participe à une finale. *Denis Prost a été finaliste au tournoi d'échecs.*

finance n. f.
1. *Les finances d'une entreprise,* l'argent dont dispose une entreprise et qu'elle doit gérer. *Le ministre des Finances s'occupe du budget de l'État.* 2. *Les banquiers font partie du monde de la finance,* ils s'occupent de grandes affaires d'argent.

Conjugaison 3 ▭ Indic. présent : *nous finançons.* Imparfait : *je finançais.*

▸ **financer** v. Fournir l'argent nécessaire. *La commune a financé les travaux du nouveau gymnase.*

▸ **financier** adj. et n. m. 1. adj. Qui concerne l'argent. *L'entreprise a eu des difficultés financières,* des difficultés d'argent. 2. n. m. Personne dont le métier est de s'occuper de grandes affaires d'argent. *Les banquiers sont des financiers.*

Necker était un financier.

finement adv.
D'une manière fine, délicate ; vois **délicatement.** *Cette coupe est finement ciselée.*

Le contraire de *finement,* c'est *grossièrement.*

Famille de ② **fin**

finesse n. f.
1. Qualité de ce qui est délicat, raffiné. *Cette broderie est d'une grande finesse ;* vois **délicatesse.** 2. Qualité de ce qui n'est pas épais. *Les cheveux d'Yves sont d'une grande finesse.* 3. Subtilité qui permet de comprendre des choses délicates. *L'abbé Gauthier est un homme d'une grande finesse.*

Compare : *fin → finesse* et *délicat → délicatesse.*

Famille de ② **fin**
Le contraire de *finesse,* c'est *épaisseur.*

finir v.
1. Faire tout ce qui est à faire ; vois **achever, terminer.** *Julie a fini ses devoirs. Yves n'a pas fini de ranger ses affaires.* 2. Ne rien laisser. *Antoine finira sûrement les chocolats,* il mangera tous ceux qui restent. 3. Mettre fin. *Demain, c'est la rentrée : les vacances sont finies. Finies les vacances ! Yves et Antoine, vous n'avez pas fini de vous disputer ! ;* vois **cesser.** 4. Arriver à sa fin. *Le film finit à minuit. Le chemin finissait en cul-de-sac,* il s'arrêtait. 5. *Finir par faire quelque chose,* c'est arriver finalement à faire quelque chose. *Colle et Rat finiront par se faire renvoyer de l'école.* 6. *En finir avec quelque chose,* c'est y mettre fin. *Il faut en finir avec ce chahut.* 7. *Cela n'en finit plus,* c'est trop long. *Le discours du maire n'en finissait plus.*

Conjugaison 2
Le contraire de *finir,* c'est *commencer.*
Le contraire de *finir,* c'est *débuter.*
Tu finiras par me crever les yeux avec ton porte-plume sur ton oreille. Ne pourrais-tu le mettre ailleurs quand tu m'embrasses ? *(Poil de Carotte).*

Famille de ① **fin**
Le contraire de *finir,* c'est *entamer.*
Non, non, Milou !... Fini de jouer... dit Tintin.
Vos parents pourront être fiers de vous, bientôt, car on se conduit comme des sauvages et on finit au bagne, c'est bien connu ! *(le Petit Nicolas).*
La fleur n'en finissait pas de se préparer à être belle, à l'abri de sa chambre verte *(le Petit Prince).*

▸ **fini** adj. 1. Qui est fabriqué avec soin. *Voici une robe bien finie,* dont les finitions sont bien faites. 2. *Un produit fini,* c'est un produit obtenu grâce aux transformations subies par une matière première. *Le bois est une matière première ; les meubles sont des produits finis.*

▸ **finition** n. f. *Les finitions,* ce sont les derniers travaux faits sur un objet. *Cette robe est jolie, mais il ne faut pas regarder les finitions,* les ourlets, les boutonnières, etc.

Compare : *finir → finition* et *punir → punition.*

Finition [finisjɔ̃] rime avec *mission* et *pension.*

fiole n. f.
Petit flacon de verre utilisé surtout pour les médicaments. *Mamie Lou a mis une fiole de sirop sur sa table de nuit.*

fioritures n. f. plur.
Petits ornements compliqués. *Claire a ajouté de nombreuses fioritures à son dessin.*

fioul va voir **fuel.**

firmament n. m.
Le firmament, c'est le ciel. *Les étoiles brillent au firmament.*

Ce mot est utilisé surtout par les poètes.

firme n. f.
Entreprise commerciale ou industrielle ; vois **maison.** *M. Doucet travaille pour une grande firme.*

fisc n. m.
Administration qui s'occupe des impôts. *On doit déclarer ses revenus au fisc.*

Fisc [fisk] rime avec *disque.*

▸ **fiscal** adj. Qui concerne les revenus et les impôts. *Le docteur Séverac a eu un contrôle fiscal.*

Au masculin pluriel : *fiscaux.*

fissure n. f.
Petite fente ; vois **lézarde.** *Il y a une fissure dans le plafond.*

Conjugaison 1

▸ ***fissurer*** v. Provoquer une fissure ; vois ***fendre.*** *L'explosion a fissuré un mur de la poste. — Le mur s'est fissuré.*

Famille de **fixe**

fixation n. f.

Dispositif qui sert à faire tenir solidement. *Les skis tiennent aux pieds grâce aux fixations de sécurité.*

Va voir aussi ***fixer.***

Prononce [fiks].

Le contraire de *fixe,* c'est *mobile.*

Noël est une fête fixe qui a lieu à date fixe : le 25 décembre.

fixe adj.

1. Qu'on ne peut changer de place. *Dans les jardins publics, les bancs sont fixes,* ils sont fixés dans le sol. **2.** Qui ne change pas ; vois ***régulier.*** *Mamie Lou se couche à heure fixe,* elle se couche toujours à la même heure. *Au restaurant Bellec, il y a un menu à prix fixe,* un menu qui est toujours au même prix. *Hippolyte a une idée fixe : séduire Angèle,* une idée qui ne peut sortir de sa tête. **3.** Qui est durable. *Le temps est au beau fixe,* il va faire beau longtemps. **4.** *Mme Bonnot avait le regard fixe,* elle regardait le même point, sans bouger les yeux.

Les clochards n'ont pas de domicile fixe.

Le chien d'Obélix s'appelle Idéfix.

Prononce [fiksəmɑ̃].

▸ ***fixement*** adv. Avec un regard fixe. *Angèle regarde fixement Colle et Rat.*

Conjugaison 1

▸ ***fixer*** v. **1.** Attacher solidement. *Le maire a fait fixer en terre les bancs du square. La bibliothèque est fixée au mur.* **2.** Regarder fixement. *Angèle fixait Colle et Rat.* **3.** Déterminer précisément. *M. Bellec a fixé le prix de son menu gastronomique. La prochaine réunion du conseil municipal est fixée au 22 novembre,* elle aura lieu à cette date. **4.** *Se fixer,* c'est s'installer durablement. *M. et Mme Doucet se sont fixés à Paris ;* vois ***s'établir.***

Assis bien tranquille sur le bord du lit, le petit Charlie avait les yeux fixés sur son grand-père *(Charlie et la Chocolaterie).*

M. Bellec est le patron du restaurant.

Autre membre de la famille : **fixation.**

Fjord [fjɔrd] peut aussi s'écrire *fiord.*

fjord n. m.

Golfe étroit qui s'enfonce profondément à l'intérieur des terres, dans les pays nordiques. *Il y a de nombreux fjords en Norvège.*

Oslo, la capitale de la Norvège, est située au fond d'un fjord.

flacon n. m.

Petite bouteille. *Julie et Yasmina ont offert un flacon de parfum à la maîtresse.*

Attention au ***e*** après le ***g***.

flageoler v.

Trembler de peur, de fatigue ou de faiblesse. *Julie avait les jambes qui flageolaient. Julie flageolait sur ses jambes.*

Conjugaison 1

① flageolet n. m.

Les flageolets sont généralement en buis.

Flûte à bec, le plus souvent à six trous ; vois ***pipeau.*** *Angèle sait jouer du flageolet.*

② flageolet n. m.

Les flageolets sont vert clair.

Petit haricot qui se mange en grains. *Mme Hespel a fait un gigot aux flageolets.*

flagrant adj.

Évident, que l'on ne peut pas nier. *La ressemblance entre les deux frères est flagrante.*

Va voir *flagrant délit* à ***délit.***

Conjugaison 1

flairer v.

1. Trouver, reconnaître grâce à l'odeur. *Le chien flaire sa pâtée ;* vois ***renifler.*** *Hugo, le braque de M. Bellec, a flairé un lapin,* il a senti qu'il y avait un lapin. **2.** Deviner par intuition. *M. Bellec a flairé qu'il avait intérêt à installer son restaurant sur la place du marché,* il a eu l'intuition qu'il devait le faire.

L'Ogre flairait à droite et à gauche, disant qu'il sentait la chair fraîche *(le Petit Poucet).*

Les parents s'adressèrent ensuite au chien qui flairait avec amitié le panier du déjeuner *(les Contes du Chat perché).*

▸ ***flair*** n. m. **1.** Faculté de reconnaître, de trouver par l'odeur ; vois ***odorat.*** *On a retrouvé Claire dans la forêt grâce au flair du chien Rex.* **2.** Intuition ; vois ***clairvoyance.*** *M. Bellec a eu du flair en installant son restaurant sur la place du marché.*

Mon flair ne me trompe jamais. Quand je disais que le cerf se trouvait dans la maison, c'était pour moi comme si je voyais *(les Contes du Chat perché).*

Milou, le chien de Tintin, a un très bon flair.

flamant n. m.

Grand oiseau au plumage blanc ou rose, qui a de longues pattes et un cou long et sinueux. *Les flamants se tiennent souvent sur une seule patte.*

Le flamant fait partie de la famille des échassiers.

Les flamants ont un gros bec recourbé.

Famille de **flamber**

flambeau n. m.

Bâton enduit de cire ou de résine que l'on enflamme pour éclairer ; vois ***torche.*** *La cour du château était éclairée avec des flambeaux. La fête se déroulait à la lueur des flambeaux.*

Va voir *retraite aux flambeaux* à ***retraite.***

Un *flambeau,* c'est aussi un chandelier.

Conjugaison 1

flamber v.
1. Brûler vivement, en faisant des flammes. *La poste aurait entièrement flambé si les pompiers n'étaient pas arrivés rapidement.* **2.** Passer à la flamme. *Sophie Pelletier flambe une aiguille pour percer une ampoule qu'elle a au talon.* **3.** *Faire flamber un mets,* c'est l'arroser d'alcool et l'enflammer. *M. Bellec a fait flamber des bananes.*

On flambe l'aiguille pour la désinfecter, la stériliser.

Il a fait des *bananes flambées.*

Le panier à papiers a flambé d'un seul coup... C'est une allumette que j'avais cru jeter dans le cendrier, dit Cornélius *(Babar).*

▷ ***flambée*** n. f. **1.** Grand feu qui ne dure pas longtemps. *Odile Séverac a fait une flambée dans la cheminée pour se réchauffer.* **2.** Augmentation brusque et élevée. *Que faire contre la flambée des prix ?*

Autre membre de la famille : **flambeau.**

Compare : *flamber → flamboyer* et *tourner → tournoyer.*

▷ ***flamboyer*** v. **1.** *L'incendie flamboie,* il jette des flammes éclatantes qui donnent beaucoup de lumière. **2.** *Les yeux d'Yves flamboyaient de colère,* ils brillaient de colère.

Conjugaison 8 ▭ Indic. présent : *il flamboie.*

flamme n. f.
1. Lumière que produit un feu et qui bouge. *Marie-Tévy contemple les flammes qui dansent dans la cheminée. La poste a été dévorée par les flammes,* par le feu, par l'incendie. *Hippolyte est entré dans la poste en flammes.* **2.** Animation, enthousiasme ; vois ***fougue.*** *Alex raconte son voyage au Québec avec flamme.*

Le papier qui flambe produit des flammes.

Autres membres de la famille : **enflammer, enflammé, inflammable, inflammation, lance-flammes.**

Être tout feu tout flamme : être très enthousiaste.

Ne confonds pas *flan* et *flanc.*

flan n. m.
Crème épaisse faite avec du lait, des œufs et de la farine. *M. Bellec fait du flan au caramel.*

flanc n. m.
1. Côté du corps de l'homme et de certains animaux. *Le chien halète ; ses flancs se soulèvent et s'abaissent rapidement. La vache s'est couchée sur le flanc.* **2.** Côté de certaines choses. *Le chalet est construit sur le flanc de la colline. Le chalet est à flanc de colline.*

La course du cygne devint plus lente, il sentit ses pattes se raidir et, en arrivant dans un pré, il tomba sur le flanc *(les Contes du Chat perché).*

Ne confonds pas *flanc* et *flan.*

Autres membres de la famille : **flanqué, efflanqué.**

Conjugaison 1

flancher v.
Faiblir, céder, lâcher. *Le coureur a flanché avant la fin de l'épreuve.*

Ce mot est familier.

flanelle n. f.
Tissu de laine léger et doux. *Le docteur Séverac porte un pantalon de flanelle grise.*

N'oublie pas l'accent circonflexe du *â.*

flâner v.
Se promener tranquillement, en regardant ce qui se passe ; vois ***déambuler, musarder.*** *Mme Roussel aime bien flâner dans les rues de Paris.*

Conjugaison 1

Elle regarde les vitrines, observe les passants, admire les monuments.

▷ ***flâneur*** n. m., ***flâneuse*** n. f. Personne qui flâne, qui aime flâner ; vois ***badaud, promeneur.*** *Le soir en été, les flâneurs envahissent les jardins du château.*

▷ ***flânerie*** n. f. *Le temps ensoleillé invite à la flânerie,* il invite à flâner.

Famille de **flanc**

flanqué adj.
Le château est flanqué de tourelles, il a des tourelles sur les côtés. *Le général était flanqué de ses gardes du corps,* il avait ses gardes du corps à ses côtés.

flaque n. f.
Petite couche d'eau sur le sol ; vois ***mare.*** *Yves s'amuse à sauter dans les flaques d'eau.*

« Et c'est quoi, un flash ? » j'ai demandé. « Ben, c'est une lampe qui fait pif ! comme un feu d'artifice, et on peut photographier la nuit » *(le Petit Nicolas).*

flash n. m.
1. Lampe qui produit une lumière brève et forte, et que l'on utilise pour faire des photos. *La photo a été prise au flash.* **2.** *Un flash d'information,* c'est une courte nouvelle transmise à la radio ou à la télévision. *L'émission a été interrompue par un flash d'information.*

Attention à l'orthographe. Ce mot est d'origine anglaise. Au pluriel : *des flashes* [flaʃ].

Le contraire de *flasque,* c'est *ferme.*

flasque adj.
Mou. *Les gens obèses ont la chair flasque.*

Conjugaison 1

N'oublie pas les deux *t.*

flatter v.
1. *Flatter quelqu'un,* c'est lui faire des compliments qu'il ne mérite pas, pour lui plaire ; vois ***encenser.*** *Mme Hespel flatte son patron.* **2.** Faire plaisir, être agréable ; vois ***toucher.*** *M. Bonnot a été flatté de recevoir la Légion d'honneur,* il en a été content, il en a tiré de la fierté. **3.** *Flatter un animal,*

Le coq dit à Marinette : « Ce n'est pas que je veuille me flatter, mais mes plumes ont vraiment des couleurs adorables » *(les Contes du Chat perché).*

c'est le caresser avec la main. *Sylvain flatte Diane, sa chienne.* **4.** Faire paraître plus beau qu'en réalité. *Alex a fait de Sylvain des photos qui le flattent.* **5.** *Se flatter de faire quelque chose,* c'est être persuadé qu'on peut le faire et s'en vanter. *Colle et Rat se flattent de ne pas apprendre leurs leçons.*

▸ ***flatterie*** n. f. Parole qui flatte une personne. *Julie est très sensible aux flatteries.*

Apprenez que tout flatteur
Vit aux dépens
de celui qui l'écoute
(La Fontaine).

▸ ***flatteur*** n. m. et adj., ***flatteuse*** n. f. et adj. **1.** n. Personne qui flatte. *N'écoutez pas les flatteurs !* **2.** adj. Qui flatte ; vois ***élogieux.*** *Mamie Lou fait à Nathalie des remarques flatteuses.*

① ***fléau*** n. m.

De nos jours, on bat le blé avec des machines : les batteuses.

Instrument composé de deux bâtons liés bout à bout par des courroies, qui servait à battre le blé. *Autrefois, on étalait les céréales sur le sol et on les frappait au fléau pour faire sortir les grains.*

Au pluriel : *des fléaux.*

② ***fléau*** n. m.

Catastrophe qui s'abat sur un peuple ; vois ***calamité, désastre.*** *Les cyclones sont un fléau.*

La guerre, la faim, les épidémies sont des fléaux.

Attention à l'accent grave dans *flèche.*

flèche n. f.

1. Arme faite d'une tige mince munie d'une pointe à une extrémité. *L'Indien portait son arc et un carquois rempli de flèches. Antoine est parti comme une flèche pour aider Marie-Tévy à se relever,* très vite. **2.** Dessin de flèche qui sert à indiquer un sens. *Suivez les flèches.* **3.** Clocher pointu, très haut. *La flèche de Notre-Dame-de-Paris fait quatre-vingt-un mètres de haut.* **4.** *L'avion décolle et monte en flèche,* en ligne droite et très rapidement.

Marguerite partit comme une flèche et revint deux minutes après
(les Petites Filles modèles).

Les prix aussi peuvent monter en flèche !

On lance les flèches avec un arc ou une arbalète.

Les panneaux de signalisation indiquant la direction des villes sont en forme de flèche.

▸ ***fléché*** adj. Qui porte une flèche. *Le parcours est fléché,* indiqué par des flèches.

Attention aux accents aigus dans *fléché.*

Attention à l'accent aigu dans *fléchette.*

▸ ***fléchette*** n. f. Petite flèche qui se lance à la main contre la cible. *Antoine a reçu un jeu de fléchettes à Noël.*

Conjugaison 2

fléchir v.

Le contraire de *fléchir,* c'est *redresser, tendre.*

Va voir aussi ***flexible.***

1. Faire plier sous un effort ; vois ***courber, ployer.*** *Mains au sol, jambes raides, sans fléchir les genoux !* **2.** Plier, se courber sous une pression, un poids. *La branche fléchit sous le poids d'Yves ;* vois ***ployer.*** **3.** Céder. *Angèle a pris sa décision, jamais elle ne fléchira.* **4.** Baisser. *Les prix fléchissent.*

Il se retire jusqu'au bout de la branche, et la faisant fléchir sous son poids, il s'y suspend
(Robinson Crusoé).

Compare :
fléchir → *fléchissement*
et *ralentir* → *ralentissement.*

▸ ***fléchissement*** n. m. **1.** État d'une chose qui fléchit ; vois ***flexion.*** *Regarde le fléchissement de la poutre,* regarde la façon dont elle est fléchie. **2.** Diminution ; vois ***baisse.*** *La surproduction a entraîné un fléchissement des prix.*

flegme n. m.

Le contraire de *flegme,* c'est *agitation, émotion.*

Caractère d'une personne calme, impassible. *Hippolyte a reçu les éloges du maire avec un grand flegme.*

Les Britanniques sont réputés pour leur flegme.

flétan n. m.

Le flétan peut mesurer 4 mètres et peser 300 kilos.

Grand poisson plat des mers froides, à chair blanche et délicate. *En vieillissant, les flétans recherchent des eaux plus froides et plus profondes.*

Le flétan a les deux yeux du même côté.

Conjugaison 2

flétrir v.

1. *La chaleur flétrit les plantes,* elle leur fait perdre leur forme naturelle, leurs couleurs. — *Les fleurs se flétrissent quand elles sont privées d'eau,* elles se fanent. **2.** *L'âge a flétri le visage de Mamie Lou,* il l'a ridé, il lui a fait perdre sa fraîcheur. **3.** *Mme Harpie a tout fait pour flétrir la réputation de M. Doucet,* pour faire une mauvaise réputation à M. Doucet.

La chaleur sèche et décolore les plantes.

Ce sens de *flétrir* se trouve surtout dans les livres.

① ***à fleur de*** préposition

Les écueils sont des rochers, des obstacles à fleur d'eau.

Presque au niveau de quelque chose. *Les rochers à fleur d'eau sont dangereux pour les navires. Sylvain a une sensibilité à fleur de peau,* il est très sensible.

Autres membres de la famille : **affleurer, effleurer.**

② ***fleur*** n. f.

Je vais prendre toutes les fleurs, j'en ferai un magnifique bouquet
(les Petites Filles modèles).

Autres membres de la famille : **chou-fleur, fleurir, fleuri, fleuriste.**

1. Partie colorée d'une plante, souvent odorante, qui contient les organes de reproduction. *Julie arrose les fleurs dans le jardin. Quand la fleur se fane, les pétales tombent. Les arbres fruitiers en fleurs sont magnifiques. Le maire a couvert Hippolyte de fleurs,* il lui a fait beaucoup de compliments. **2.** Dessin, objet qui représente une fleur. *Mme Bellec n'aime pas les fleurs artificielles. Mamie Lou a des assiettes à fleurs.*

La fleur porte les étamines et le pistil.

Faire une fleur à quelqu'un, c'est lui faire une faveur.

fleuret n. m.
Épée à lame fine, avec laquelle on fait de l'escrime. *Hippolyte a assisté au championnat de France de fleuret.*

La pointe du fleuret est garnie d'un bout de cuir.

Conjugaison 2
fleurir v.
1. Produire des fleurs, être en fleurs. *Les arbres fruitiers fleurissent au printemps.* **2.** Décorer avec des fleurs. *Mme Bellec fleurit toutes les pièces de la maison.*
▸ ***fleuri*** adj. **1.** Couvert de fleurs. *Les pruniers sont fleuris,* ils sont en fleurs. **2.** Garni de fleurs. *Les tables du restaurant Bellec sont fleuries.*
▸ ***fleuriste*** n. m. et f. Personne dont le métier est de vendre des fleurs. *Sophie Pelletier a acheté une azalée chez le fleuriste.*

Certaines plantes ne fleurissent qu'une fois, et meurent après avoir donné un fruit.

Alceste m'a accompagné chez le fleuriste *(le Petit Nicolas).*

Quand une plante fleurit pour la deuxième fois, on dit qu'elle *refleurit.*

Famille de ② **fleur**

fleuve n. m.
Cours d'eau qui se jette dans la mer. *La Loire, la Seine, le Rhône, la Garonne et le Rhin sont les plus grands fleuves français.*

La navigation sur les fleuves est la navigation *fluviale.*

Va voir aussi ***rivière.***

flexible adj.
Qui peut être plié, courbé sans casser ; vois ***élastique, souple.*** *Les roseaux ont des tiges flexibles.*

Le contraire de *flexible,* c'est *raide, rigide.*
Va voir aussi ***fléchir*** et ***flexion.***

Autre membre de la famille : **inflexible.**

flexion n. f.
Mouvement qui consiste à plier une chose ; vois ***fléchissement.*** *Extension puis flexion de l'avant-bras.*

flibustier n. m.
Pirate qui pillait les navires illégalement. *Les flibustiers écumaient la mer des Antilles aux XVIIe et XVIIIe siècles.*

Les corsaires, eux, avaient l'autorisation de leur gouvernement.

Les flibustiers étaient aussi appelés *les frères de la côte.*

flocon n. m.
1. *Un flocon de neige,* c'est une petite masse de neige qui tombe du ciel. *La neige tombait à gros flocons.* **2.** Lamelle séchée de céréales, de légumes. *Sophie Pelletier fait de la purée avec des flocons de pomme de terre.*

On fait de la bouillie avec des flocons d'avoine.

flonflons n. m. plur.
Musique populaire bruyante. *On entend les flonflons du bal du 14 Juillet.*

floraison n. f.
Moment où les fleurs sont épanouies. *La floraison des arbres fruitiers a lieu au printemps.*

Compare ***floraison*** et ***floral*** : il s'agit de **fleur.**

floral adj.
Mme Roussel a visité une exposition florale, une exposition de fleurs.
▸ ***floralies*** n. f. plur. Exposition de fleurs. *Mme Roussel est allée aux floralies de Vincennes.*

Compare ***floral, flore*** et ***floraison*** : il est question de **fleur.**

Au masculin pluriel : *floraux.*

flore n. f.
Ensemble des plantes d'un pays ou d'une région. *L'herbier d'Antoine contient des éléments de la flore d'Île-de-France.*

L'ensemble des animaux d'une région, c'est la *faune.*

Va voir aussi ***végétation.***

florissant adj.
Qui marche bien. *Mme Harpie a un commerce florissant ;* vois ***prospère, riche.*** *Mamie Lou a une santé florissante,* très bonne ; vois ***excellent.***

flot n. m.
1. *Les flots,* ce sont les eaux de la mer, d'un lac ou d'une rivière. *Le bateau navigue sur les flots.* **2.** Grande quantité d'une chose qui coule ; vois ***torrent.*** *Sophie Pelletier a versé des flots de larmes,* elle a beaucoup pleuré. **3.** Grande quantité. *Un flot de voyageurs se précipitait dans la gare ;* vois ***foule.*** *Des flots de lumière entrent dans la chambre.* **4.** *Le bateau est à flot,* il flotte.

On appelle *flot* la marée montante.

Le soleil entre à flots, abondamment.

Ohé, ohé matelot
Matelot navigue sur les flots
(chanson).

Véritable marée humaine !

flotte n. f.
Ensemble des bateaux d'un pays. *La flotte de commerce française comprend tous les bateaux de commerce français.*
▸ ***flottille*** n. f. Ensemble de petits bateaux. *La flottille de pêche fait route vers l'Irlande.*

On dit aussi : *la flotte marchande.*
Compare : *flotte → flottille* et *escadre → escadrille.*

La *flotte aérienne,* c'est l'ensemble des avions d'un pays.

Conjugaison 1

flotter v.

1. Être porté sur un liquide ; vois ***surnager.*** *Un bouchon flotte à la dérive.* **2.** Être suspendu dans les airs ; vois ***voler.*** *De la brume flotte au-dessus des prés.* **3.** *Flotter dans un vêtement,* c'est avoir un vêtement trop grand, pas assez serré ; vois ***nager.*** *Claire flotte dans la robe de Nathalie.*

Le contraire de *flotter,* c'est *couler, s'enfoncer.*

▹ **flottant** adj. **1.** Qui flotte sur un liquide. *Les icebergs sont de gros blocs de glace flottante.* **2.** Très large ; vois ***ample.*** *Mme Bellec porte des vêtements flottants.*

Le contraire de *flottant,* c'est *ajusté, collant, moulant.*

▹ **flottement** n. m. **1.** Mouvement d'un objet qui ondule dans l'air. *Antoine suit des yeux le flottement du drapeau.* **2.** Hésitation, incertitude. *Il y a eu un moment de flottement à la proclamation des résultats.*

▹ **flotteur** n. m. Objet qui flotte et sert à faire flotter autre chose ; vois ***bouée.*** *Des flotteurs maintiennent les filets de pêche et les empêchent de couler.*

Les flotteurs sont en liège, en plastique, en métal creux ou en verre creux.

Le bouchon des lignes de pêche est un flotteur.

flou adj.

1. Qui n'a pas de contours nets. *Alex a dû bouger quand il a pris cette photo, car elle est floue ;* vois **trouble.** — adv. *Mamie Lou voit flou quand elle n'a pas ses lunettes.* **2.** Vague, imprécis. *Julie ne se souvient plus bien de New York, ses souvenirs sont trop flous.*

Le contraire de *flou,* c'est *net.*

Julie est allée à New York quand elle était toute petite.

Le contraire de *flou,* c'est *clair, précis.*

fluctuation n. f.

Changement. *Mme Hespel surveille les fluctuations de la Bourse.*

C'est parce qu'elle a des actions.

fluet adj.

Très mince et délicat. *Marie-Tévy est une petite fille fluette ;* vois ***grêle.***

fluide n. m. et adj.

1. adj. Qui coule facilement, n'est ni solide ni épais. *La pâte à crêpes est fluide. La circulation est fluide,* elle se fait bien, il n'y a pas de bouchon sur les routes, dans les rues. **2.** n. m. *Un fluide,* c'est un liquide ou un gaz. *L'huile et l'oxygène sont des fluides.*

Compare ***fluide*** et ***confluent*** : il s'agit de **couler.**

Le contraire de *fluide,* c'est *solide.*

fluor n. m.

Gaz jaune verdâtre. *Le fluor protège les dents contre les caries. Le docteur Séverac utilise du dentifrice au fluor.*

fluorescent adj.

Qui semble émettre une lumière. *Julie a des chaussettes d'un beau rose fluorescent.*

Attention au ***s*** devant le ***c.***

Va voir aussi ***phosphorescent.***

flûte n. f.

1. Instrument de musique fait d'un tuyau percé de trous, dans lequel on souffle. *Nathalie apprend à jouer de la flûte.* **2.** Verre très haut et très étroit. *On sert le champagne dans des flûtes ou dans des coupes.*

Attention à l'accent circonflexe du ***û.***

La flûte, comme la clarinette, le cor, le saxophone et la trompette, est un instrument à vent.

▹ **flûtiste** n. m. et f. Personne qui joue de la flûte. *Le flûtiste range sa flûte dans son étui.*

Compare : *flûte* → *flûtiste* et *trompette* → *trompettiste.*

fluvial adj.

Relatif aux fleuves et aux rivières. *Paris est un port fluvial,* un port sur un fleuve.

Le contraire de *fluvial,* c'est *maritime.*

Au masculin pluriel : *fluviaux.*

flux n. m.

1. Marée montante. *Avec le flux, on ne voit plus les rochers.* **2.** Écoulement. *Un flux de sang s'échappe de la blessure.*

Prononce [fly].

Autre membre de la famille : **reflux.**

Le contraire de *flux,* c'est *reflux.*

foc n. m.

Voile triangulaire à l'avant d'un voilier. *Loïc hisse le foc.*

Ne confonds pas *foc* et *phoque.*

fœtus n. m.

Enfant ou animal qui est encore dans le ventre de sa mère. *Avant d'être un fœtus, le futur bébé est d'abord un embryon.*

Fœtus [fetys] rime avec *bus* et *puce.*

Va voir aussi ***embryon.***

foi n. f.

1. *Avoir la foi,* c'est croire en Dieu. *Les Bellec ont la foi, ils sont chrétiens et vont à la messe tous les dimanches.* **2.** *Hippolyte est un témoin digne de foi,* que l'on peut croire sur parole. **3.** *Envoyez vos réponses au concours avant lundi minuit, le cachet de la poste faisant foi,* prouvant la date de l'envoi. **4.** *Être de mauvaise foi,* c'est être malhonnête, chercher à tromper autrui. *On ne peut pas discuter avec Mme Harpie, elle est toujours de*

Ne confonds pas *foi, foie* et *fois.*

« Je vous paierai, lui dit-elle, avant l'Août, foi d'animal, intérêt et principal » (La Fontaine).

Les gens qui ont la foi sont appelés des *croyants,* des *fidèles.*

Être de bonne foi : être sincère.

[...] mais puisqu'il est mort, ma foi, il est mort
(les Contes du Chat perché).

mauvaise foi. **5.** *Ma foi !,* en effet, certes. *« Ma foi, il n'est pas si mauvais, ce devoir », dit l'institutrice à l'un des élèves.*

Ma foi s'emploie pour insister sur ce que l'on dit.

Ne confonds pas *foie, foi* et *fois.*

foie n. m.

Organe situé dans le haut de l'abdomen, à droite, qui a un rôle très important dans la formation du sang et dans la digestion. *Sylvain a le foie fragile. Antoine a mangé du foie de veau.*

La jaunisse et l'hépatite sont des maladies du foie.

foin n. m.

Bête à manger du foin : très bête.

Va voir aussi ***fenaison.***

Herbe séchée qui sert de nourriture au bétail ; vois ***fourrage.*** *Le fermier fait les foins chaque été,* il coupe l'herbe et la ramasse une fois séchée. *On a rentré les foins. Claire aime se rouler dans le foin.*

L'herbe coupée est rassemblée en tas appelés *bottes*. Plusieurs bottes forment une *meule.*

foire n. f.

S'entendre comme larrons en foire, c'est s'entendre très bien.

Dans les foires, il y a des stands de tir et des autos tamponneuses.

1. Grand marché qui a lieu à date fixe, au même endroit, et où les paysans vendent les produits de la ferme. *Quand Pierre Séverac veut vendre un de ses cochons, il se rend au village le plus proche, à la foire aux bestiaux.* **2.** Grande exposition qui a lieu dans une ville et où l'on peut voir et acheter toutes sortes d'objets. *La foire de Paris a lieu chaque année.* **3.** Fête foraine. *Tous les enfants du village sont allés à la foire qui s'est installée sur la place du Marché.*

Va voir aussi ***marché.***

Les fermiers peuvent aussi y acheter des machines agricoles.

Au Moyen Âge, il y avait de très grandes foires comme celle du Lendit, près de Paris. Il y en avait aussi en Champagne.

fois n. f.

Ne confonds pas *fois, foi et foie.*

Un jour, j'ai vu le Soleil se coucher quarante-trois fois
(le Petit Prince).

Il était une fois un Bûcheron et une Bûcheronne, qui avaient sept enfants, tous garçons
(le Petit Poucet).

1. *Claire a repris trois fois du dessert,* à trois reprises. *Sophie Pelletier va chez le coiffeur une fois par mois. Chaque fois qu'il pleut, Julie prend son parapluie. Pour une fois, Antoine est à l'heure.* **2.** *« Ne parlez pas tous à la fois », dit l'institutrice aux enfants,* ne parlez pas tous en même temps. **3.** *Il était une fois un roi et une reine qui étaient très aimés de leurs sujets,* il y avait un jour, à une époque passée. **4.** *Trois fois trois égale neuf,* trois multiplié par trois.

On dit aussi *toutes les fois.*

Autres membres de la famille : **autrefois, parfois, quelquefois, toutefois.**

à foison adv.

Le contraire d'*à foison,* c'est *peu.*

Beaucoup, en grande quantité. *L'automne, dans la région, il y a des cèpes à foison.*

Conjugaison 1

▸ **foisonner** v. *Les champignons foisonnent dans la région,* il y a beaucoup de champignons dans la région ; vois ***pulluler.***

folâtrer v.

Conjugaison 1
Pense à l'accent circonflexe du *â*.

Famille de **fou**

Sauter, s'agiter dans tous les sens pour s'amuser ; vois ***batifoler.*** *Au printemps, les jeunes agneaux folâtrent dans les prés. Les enfants folâtrent sur le chemin de l'école.*

C'est ainsi que l'Enfant d'Éléphant retourna chez lui en [...] folâtrant
(le Livre de la jungle).

folie n. f.

Famille de **fou**

Allons au cinéma du quartier
Ça s'rait folie d'faire les frais
d'une entrée
Mais nous verrons la sortie
(B. Lapointe).

1. Maladie dans laquelle les gens ont l'esprit dérangé, disent ou font des choses extravagantes ; vois ***démence.*** *Le roi Charles VI sombra dans la folie en l'an 1392.* **2.** *C'est de la folie de sortir pieds nus dans la neige,* ce n'est pas raisonnable. **3.** *Une folie,* c'est une dépense excessive, déraisonnable. *Hippolyte a fait une folie en offrant ce bracelet à Angèle.* **4.** *Antoine aime les gâteaux à la folie,* beaucoup, énormément ; vois ***follement.***

Je t'aime un peu, beaucoup, passionnément, à la folie, pas du tout.

folklore n. m.

Attention au ***k*** !

Ensemble des traditions anciennes d'un pays. *La famille Bellec connaît très bien le folklore breton.*

Les chants, les danses, les légendes d'un pays sont le folklore de ce pays.

▸ **folklorique** adj. Du folklore. *Les Bellec aiment beaucoup les danses et les chansons folkloriques de Bretagne.*

follement adv.

Attention au deux ***l.***

D'une manière folle, exagérée ; vois ***passionnément.*** *Hippolyte est follement amoureux d'Angèle. Parfois Antoine est follement amusant ;* vois ***très.***

Famille de **fou**

fomenter v.

Ce mot ne s'emploie pas très souvent.

Fomenter une révolte, c'est la préparer. *Mécontents de leur sort, les prisonniers fomentaient une révolte.*

Conjugaison 1

① foncer v.

Conjugaison 3
▭ Indic. présent : *je fonce, nous fonçons.*
Imparfait : *je fonçais.*

Devenir plus sombre. *Quand Nathalie était petite, ses cheveux étaient blonds, mais depuis, ils ont foncé.*

Le contraire de *foncer,* c'est *blondir, éclaircir.*

Le contraire de *foncé,* c'est *clair.*

▸ ***foncé*** adj. De couleur sombre. *Hippolyte a la peau foncée. Le docteur Séverac a une voiture de couleur foncée. Julie porte une jupe bleu foncé.*

Hippolyte est martiniquais. *Bleu foncé* est invariable.

Conjugaison 3 ; attention à la cédille devant les formes en ***a*** et ***o***.

② ***foncer*** v.

1. *Quand Rex, le chien, vit le vagabond s'approcher de la ferme, il grogna et fonça sur lui,* il se précipita sur lui, se jeta sur lui. 2. Aller très vite. *M. Bellec est imprudent, au lieu de ralentir au feu orange, il a foncé.*

Ce mot est familier.

Il peut provoquer un accident.

foncier adj.

Il possède *une propriété foncière.*

Un propriétaire foncier, c'est quelqu'un qui possède des terres. *Pierre Séverac est un propriétaire foncier.*

L'impôt foncier est payé par les propriétaires fonciers.

foncièrement adv.

Mme *Harpie est foncièrement méchante,* c'est dans son caractère d'être méchante ; vois ***naturellement, profondément.***

fonction n. f.

Le grand maréchal de la cour était, d'ailleurs, bien secondé dans ses délicates fonctions *(Michel Strogoff).*

On dit aussi le *secteur public.*

1. Travail, métier. *Louis Séverac exerce la fonction de médecin, l'abbé Gauthier celle de curé de la paroisse Sainte-Marie. Les fonctions de M*[me] *Hespel sont importantes,* elle a beaucoup de responsabilités. *Angèle et Hippolyte travaillent dans la fonction publique,* ils travaillent pour l'État. *M. Bonnot n'est plus en fonction,* il ne travaille plus, il est à la retraite. 2. Rôle d'un organe dans le corps. *La fonction du cœur est d'assurer la circulation du sang.* 3. Rôle que joue un mot dans la phrase par rapport aux autres mots. *Dans la phrase : « l'enfant lance la balle », quelle est la fonction du groupe « l'enfant » et celle du groupe « la balle » ?*

Angèle est institutrice et Hippolyte est facteur.

La fonction des poumons, c'est la respiration ; celle du rein, l'élimination de l'urée.

La fonction du groupe *l'enfant* est sujet ; celle du groupe *la balle* est complément d'objet de *lance.*

▸ ***fonctionnaire*** n. m. et f. Personne employée par l'État. *Hippolyte et Angèle sont des fonctionnaires.*

Le percepteur, le policier et l'employé du gaz sont aussi des fonctionnaires.

Deux ***n*** dans *fonctionnaire, fonctionnel, fonctionnement* et *fonctionner.*

▸ ***fonctionnel*** adj. Pratique, commode. *Les Prost habitent une maison fonctionnelle.*

▸ ***fonctionnement*** n. m. Manière dont un appareil ou une machine marche. *Le fonctionnement de cette machine est compliqué, il faut lire attentivement le mode d'emploi.*

Compare : *fonction → fonctionner* et *action → actionner.*

▸ ***fonctionner*** v. *Un appareil qui fonctionne,* c'est un appareil qui marche. *L'aspirateur ne fonctionne plus. Cette cuisinière fonctionne au gaz. Angèle fait fonctionner les essuie-glaces de sa voiture,* elle les met en marche ; vois ***actionner.***

Conjugaison 1

fond n. m.

Ne confonds pas *fond, fonds et fonts.*

1. Partie la plus basse, la plus profonde d'un objet. *Hippolyte cherche ses clefs au fond de sa poche. Le fond de ce verre est sale, il reste du vin. Angèle a fait tomber son bracelet au fond de la piscine.* 2. Partie d'un lieu la plus éloignée de l'entrée. *Les toilettes sont au fond du couloir. Julie s'est cachée au fond du jardin.* 3. Surface colorée sur laquelle se détache un dessin, un motif. *Julie a une robe à pois rouges sur fond blanc.* 4. *Je vais vous dire le fond de ma pensée,* ce que je pense vraiment. *Je vous remercie du fond du cœur,* sincèrement. 5. *Au fond, M*[me] *Harpie n'est pas si méchante !,* après tout. 6. *« Respire à fond », dit le docteur à Sylvain,* complètement, profondément. 7. *Une course de fond,* c'est une course qui se court sur une très longue distance, pendant longtemps. *Le marathon est une course de fond de quarante deux kilomètres.*

Va voir *de fond en comble* à ① ***comble.***

« J'aime le son du cor, le soir, au fond des bois » (Vigny).

Un hurlement partit du fond des bois de la commune et l'on entendit la voix du cochon qui appelait : — Au secours ! *(les Contes du Chat perché).*

On peut dire aussi : *dans le fond.*

Autres membres de la famille : **bas-fond, haut-fond.**

Le *ski de fond* se pratique sur un sol presque plat.

fondamental adj.

Au masculin pluriel : *fondamentaux.*

Essentiel ; vois ***capital, primordial.*** *Il est fondamental de savoir lire et écrire. La lutte contre la famine est une question fondamentale.*

fondant adj.

Famille de ***fondre***

Qui fond. *En ville, la neige fondante se transforme en boue. Marie-Tévy mange des bonbons fondants,* qui fondent dans la bouche.

fondateur n. m., ***fondatrice*** n. f.

Famille de **fonder**

Personne qui fonde quelque chose ; vois ***créateur.*** *M*[me] *Séverac est la fondatrice du club de bridge de la ville.*

Romulus et Rémus sont les fondateurs de Rome.

Famille de **fonder**

fondation n. f.

1. *La fondation d'une ville,* c'est sa création. *La fondation de cette ville date du Moyen Âge.* **2.** *Les fondations d'une maison,* ce sont les parties qui la soutiennent et qui sont construites directement dans le sol. *Les maçons ont déjà construit les fondations de la maison.*

Dans ce sens, ce mot s'emploie au pluriel.

La fondation de Marseille remonte à l'an 600 avant Jésus Christ environ.

Famille de **fonder**

fondement n. m.

Fait sur lequel on peut se fonder, s'appuyer ; vois ***motif, raison.*** *La rumeur s'est finalement révélée sans aucun fondement.*

Conjugaison 1

Fonder un foyer, c'est se marier.

fonder v.

1. Créer. *La ville a été fondée au Moyen Âge.* **2.** *Mme Hespel avait fondé de grands espoirs sur son fils Alex,* elle avait de grands espoirs concernant son avenir. **3.** *Sur quoi vous fondez-vous pour affirmer cela ?,* sur quels arguments vous appuyez-vous ?

Ne confonds pas *fonder* et *fondre.*

▹ ***fondé*** adj. Juste, légitime. *Les soupçons du commissaire n'étaient pas fondés.*

Autres membres de la famille : **fondateur, fondation, fondement.**

Famille de **fondre**

fonderie n. f.

Usine où l'on fond le métal. *On fabrique de la fonte dans les fonderies.*

Conjugaison 41
▭ Indic. présent : *je fonds, nous fondons.*
Futur : *je fondrai.*
Passé simple : *je fondis.*

fondre v.

1. Devenir liquide. *La neige a fondu au soleil.* **2.** Se dissoudre. *Julie fait fondre du chocolat dans du lait chaud.* **3.** *Fondre en larmes,* c'est se mettre à pleurer. *Brusquement, Marie-Tévy fondit en larmes.* **4.** *Fondre un métal,* c'est le faire passer à l'état liquide en le portant à très haute température. *Pour fabriquer une cloche, il faut faire fondre du bronze.* **5.** *La mouette qui avait repéré un poisson dans la mer, s'élança et fondit sur lui,* elle se jeta, s'abattit sur lui.

Camille fondit en larmes et se disposa à obéir à sa maman *(les Petites Filles modèles).*

Tous les animaux prédateurs fondent sur leur proie.

Autres membres de la famille : **fondant, fonderie, fonte.**

Ne confonds pas *fonds, fond* et *fonts.*

On dit aussi *un fonds.*

fonds n. m.

1. *Un fonds de commerce,* c'est un magasin. *Mme Harpie est propriétaire de son fonds de commerce.* **2.** *Les fonds,* ce sont les capitaux nécessaires à quelque chose. *Les Prost ont dû trouver des fonds pour faire construire leur maison.* **3.** *Angèle n'est pas très en fonds en ce moment,* elle n'a pas beaucoup d'argent pour l'instant.

Fonds s'emploie au pluriel dans ce sens.

Elle vient de payer ses impôts

Il ne faut pas dire « Fontaine, je ne boirai pas de ton eau » (proverbe).

fontaine n. f.

Petite construction munie d'un bassin où coule de l'eau. *Il y a une très jolie fontaine sur la place du Marché.*

Famille de **fondre**

fonte n. f.

1. *La fonte des neiges a lieu au printemps,* le moment où la neige fond. **2.** Métal très dur obtenu en fondant le fer avec du charbon dans un haut fourneau. *Les radiateurs sont en fonte. Mamie Lou a une grosse cocotte en fonte.*

La fonte est très dure, très lourde, mais cassante.

Ne confonds pas *fonts, fond,* et *fonds.*

fonts n. m. plur.

Les fonts baptismaux : bassin sur un socle contenant l'eau qui sert à baptiser, dans une église. *Pendant la cérémonie du baptême, les enfants sont tenus sur les fonts baptismaux.*

Attention à l'orthographe de *fonts.*

Deux ***o*** et deux ***l*** dans *football* qui se prononce [futbol]. C'est un mot anglais.

football n. m.

Sport pratiqué par deux équipes de onze joueurs qui doivent faire pénétrer un ballon rond dans les buts de l'autre équipe, sans utiliser les mains. *L'équipe de football de Motbourg a remporté le match.*

C'est familier de dire *foot* pour *football.*

▹ ***footballeur*** n. m., ***footballeuse*** n. f. Personne qui joue au football. *Le public a applaudi les footballeurs à leur entrée sur le stade.*

Il y a les avants, les demis, les arrières, le gardien de but.

Compare : *forer → forage* et *repasser → repassage.*

forage n. m.

Action de creuser un trou profond dans le sol avec une machine. *Les derricks servent au forage des puits de pétrole.*

Famille de **forer**

forain adj.

1. *Un marchand forain,* c'est un marchand ambulant, qui s'installe sur les marchés et les foires. *Les marchands forains ont installé leurs stands sur la place du Marché.* — n. m. *Les forains ont installé leurs baraques.* **2.** *Une fête foraine,* c'est un regroupement de baraques, de petits commerces et d'attractions, installés en plein air, pendant une période assez courte. *Angèle a gagné un lot au stand de tir de la fête foraine.*

N'oublie pas la cédille du *ç* et le *t* final.

Va voir aussi ***galérien.***

forçat n. m.
Criminel condamné aux travaux forcés ; vois ***bagnard.*** *Les forçats étaient envoyés au bagne.*

Dans *les Misérables,* de Victor Hugo, Jean Valjean est un ancien forçat.

La potion magique donne des forces fantastiques aux Gaulois du village d'Astérix.

force n. f.
1. Capacité à faire de grands efforts physiques ; vois ***puissance, vigueur.*** *Le danseur qui soulève la danseuse a beaucoup de force. Yves grimpe à la corde à la force des bras. Sylvain est si fatigué qu'il n'a plus la force de marcher.* **2.** *La force de caractère,* c'est la volonté, le courage. *Mme Hespel a une grande force de caractère.* **3.** *Ces deux joueurs ont la même force au tennis,* ils jouent aussi bien, ils sont au même niveau. **4.** *Les forces de l'ordre ont dispersé les manifestants,* la police. **5.** Contrainte, violence. *Contre l'insolence de Colle et Rat, il faudrait employer la force. Les vassaux devaient obéir à leur suzerain, de gré ou de force,* qu'ils le veuillent ou non. **6.** *C'est la force du vent qui pousse le voilier,* la puissance, l'intensité du vent. **7.** *L'institutrice était absente, il n'y a pas eu de classe, par la force des choses,* parce qu'on ne pouvait pas faire autrement. **8.** *À force de chercher vous finirez bien par trouver,* en cherchant longtemps.

Popeye a une force herculéenne quand il a mangé des épinards.

Repose-toi et reprends des forces, Sylvain !

On dit aussi : les *forces de police.*

Les forces militaires d'un pays : son armée.

On peut transformer la force des chutes d'eau en électricité.

▷ **forcé** adj. **1.** Imposé par une autorité ou par la force des choses. *Les bagnards étaient condamnés aux travaux forcés. L'avion a fait un atterrissage forcé,* il a été obligé d'atterrir. **2.** Qui n'est pas naturel. *Mme Harpie adressa aux enfants un sourire forcé.*

▷ **forcément** adv. Nécessairement. *Angèle n'a pas forcément raison.*

Autres membres de la famille : **s'efforcer, effort, forçat, forcément, forcer, renforcer, renforcement, renfort.**

forcené n. m., **forcenée** n. f.
Personne qui a une crise de folie furieuse. *M. Bellec criait comme un forcené.*

Famille de **force**

forcer v.
1. *Forcer quelqu'un à faire une chose,* c'est l'y obliger. *Mme Roussel a forcé son fils à sortir de son lit. — Yasmina se força à sourire à travers ses larmes.* **2.** *Le voleur a forcé le coffre-fort,* il l'a ouvert de force.

Conjugaison 3 ; attention à la cédille devant le ***a*** ou le ***o*** !

Conjugaison 1

forer v.
Faire un trou profond avec une machine. *On fore les puits de pétrole avec des derricks. Le dentiste a foré la dent de Marie-Tévy pour enlever la carie.*

Autres membres de la famille : **forage, perforer, perforation.**

forestier adj.
1. *Une région forestière,* c'est une région où il y a des forêts. *Les Vosges et le Jura sont des régions forestières.* **2.** *Un garde forestier,* c'est quelqu'un qui est chargé de protéger et d'entretenir une forêt. *Le garde forestier vit dans une maison forestière.*

N'oublie pas l'accent circonflexe du ***ê*** de *forêt.*

forêt n. f.
Grand terrain couvert d'arbres ; vois ***bois.*** *Mamie Lou et Claire cherchent des champignons dans la forêt. Angèle aime beaucoup se promener en forêt. Les hommes ont défriché la forêt pour cultiver le sol. La Gaule était couverte de forêts de chênes.*

Ils allèrent dans une forêt fort épaisse, où à dix pas de distance, on ne se voyait pas l'un l'autre *(le Petit Poucet).*

① **forfait** n. m.
Prix global fixé à l'avance. *Mme Roussel a payé un forfait pour ses leçons de conduite.*

On dit aussi : un *prix forfaitaire.*

② **forfait** n. m.
Déclarer forfait, c'est abandonner, ne pas participer à une compétition. *Deux cyclistes blessés ont déclaré forfait avant l'étape.*

Conjugaison 3
▭ Indic. présent : *je forge, nous forgeons.* Imparfait : *je forgeais.*

forger v.
Forger un métal, c'est lui donner une forme en le chauffant à très haute température. *On forge les métaux avec un marteau, sur une enclume.*

▷ **forge** n. f. Atelier où l'on travaille les métaux. *Le maréchal-ferrant surveille le feu de la forge.*

Il fait très chaud dans une forge !

▷ **forgeron** n. m. Personne qui travaille le fer au marteau après l'avoir fait chauffer à la forge. *Le forgeron martelle la barre de fer sur l'enclume.*

Le fer chauffé au rouge devient malléable sous le marteau du forgeron.

for intérieur n. m. invariable
Dans son for intérieur, Antoine reconnaît qu'il a eu tort, dans le fond de lui-même, dans sa conscience.

Mais en paroles, il prétend qu'il a raison !

Conjugaison 1

se formaliser v.
Être choqué par une impolitesse, un manque de savoir-vivre. *Antoine n'a pas reconnu Angèle dans la rue, mais celle-ci ne s'est pas formalisée de son attitude ;* vois ***s'offusquer.***

Elle a bien compris qu'Antoine ne voit rien sans ses lunettes.

formalité n. f.
Une formalité, c'est une démarche administrative obligatoire. *Denis Prost accomplit toutes les formalités de douane avant de prendre l'avion.*

Les papiers à remplir, les démarches à faire sont des formalités.

Un *t* à la fin de *format.*

format n. m.
Dimension, taille. *Le dessin de Yasmina a le format d'une carte postale.*

forme n. f.
1. Apparence visible, ensemble des contours. *Yasmina a fait un gâteau en forme de cœur,* qui ressemble à un cœur. *La date est choisie, l'endroit aussi, le projet de pique-nique prend forme !,* le projet commence à se préciser, à sembler possible ; vois ***tournure.*** **2.** Aspect. *L'énergie nucléaire et l'énergie solaire sont différentes formes d'énergie ;* vois ***variété.*** **3.** Façon dont se présente un mot ou une phrase. *Le verbe « s'ébattre » n'existe qu'à la forme pronominale.* **4.** *Denis Prost demande pour la forme à ses amis s'il peut fumer,* par simple respect des usages. **5.** Condition physique. *Marie-Tévy n'est pas en forme ce matin, elle a peut-être la grippe.*

On m'a assuré encore, dit le Chat, mais je ne saurais le croire, que vous aviez aussi le pouvoir de prendre la forme des plus petits Animaux *(le Chat botté).*

Autres membres de la famille : **déformer, déformation, difforme, filiforme, haut-de-forme, informe, malformation, plate-forme, réforme, ① réformer, transformer, transformation, transformateur, ① uniforme, ② uniforme, uniformément, uniformiser, uniformité.**

▹ ***formation*** n. f. **1.** Éducation. *Angèle, l'institutrice, a suivi un stage de formation pédagogique.* **2.** Action de former, de se former ; vois ***création.*** *Des nuages sont en formation à l'horizon.* **3.** Groupement de personnes. *Mme Séverac appartient à une formation politique ;* vois ***parti.***

▹ ***formel*** adj. **1.** Qu'on ne peut discuter ; vois ***catégorique, clair, précis.*** *Ceci est une preuve formelle ;* vois ***irréfutable.*** **2.** Fait uniquement pour l'apparence. *L'amabilité de Mme Harpie était toute formelle.*

Conjugaison 1

Les voyages forment la jeunesse (proverbe).

▹ ***former*** v. **1.** Produire une forme. *Yasmina forme avec soin des caractères arabes,* elle les écrit. **2.** Instruire, enseigner un métier. *M. Bellec a formé ses apprentis.* **3.** Prendre la forme, l'apparence d'une chose. *La haie forme un écran contre le vent. — Le poussin se forme dans l'œuf de la poule,* il prend sa forme, il se développe. *Un halo s'est formé autour de la lune,* il est apparu. **4.** Créer, faire ; vois ***constituer.*** *Les enfants ont formé un orchestre. Les nuages sont formés de vapeur d'eau.*

Le vol des canards sauvages forme un V dans le ciel.

Les chercheurs ne savent pas encore comment la Terre s'est formée.

Un papillon se forme dans une chrysalide.

formidable adj.
1. Qui a une taille ou une force très grande. *Le tonnerre faisait un bruit formidable qui résonnait dans la montagne.* **2.** Extraordinaire, admirable ; vois ***sensationnel, terrible.*** *Antoine a des idées formidables ! Angèle, l'institutrice, est formidable avec les enfants.*

En ce sens, *formidable* est familier.

formule n. f.
1. Paroles prononcées toujours de la même façon. *La sorcière a dit la formule magique et le chat s'est transformé en souris.* **2.** *H_2O est la formule chimique de l'eau,* la combinaison des lettres et des chiffres qui représente les éléments chimiques qui composent l'eau. **3.** Manière de faire ; vois ***méthode.*** *Sophie Pelletier pense que le travail à mi-temps est une bonne formule ;* vois ***solution.***

« S'il vous plaît » et « je vous en prie » sont des *formules de politesse.*

Une voiture de formule 1 est classée dans la catégorie 1 des voitures de course.

Le sang contient des corps
nombreux
Dont quelques personnes
savent la formule
(E. Guillevic).

Conjugaison 1

▹ ***formuler*** v. Exprimer avec précision. *Angèle a formulé une réclamation auprès du propriétaire de son appartement.*

▹ ***formulaire*** n. m. Feuille imprimée qui contient des questions auxquelles on doit répondre. *L'hôtesse de l'air distribue des formulaires à remplir pour la douane.*

① **fort** adj., adv. et n. m.
▭ **adj. 1.** Qui a beaucoup de force physique ; vois ***robuste, vigoureux.*** *Il faut être fort pour être bûcheron.* **2.** Gros. *Mme Séverac se trouvait trop forte.* **3.** Bon ; vois ***doué.*** *Yasmina est forte en orthographe,* elle connaît bien les règles de l'orthographe. *Yves est très fort au tir à l'arc ;* vois ***habile.***

Dans le village, les gens disaient que Mowgli était fort comme un taureau *(le Livre de la jungle).*

Le contraire de *fort,* c'est *faible, fragile.*

Le contraire de *fort,* c'est *faible, nul.*

De fortes chutes de neige : de grandes quantités de neige.

Ne fixe pas le soleil, sa lumière est trop forte et t'éblouirait.

4. Qui résiste ; vois ***solide.*** *Mamie Lou choisit un fil fort pour coudre un bouton.* **5.** Intense ; vois ***puissant.*** *Un vent très fort soufflait sur la plage ;* vois ***violent.*** *Sylvain avait une forte fièvre,* qui dépassait la normale. *Le docteur Séverac a une voix forte,* qu'on entend de loin. *M. Touati boit un café fort,* concentré. **6.** Difficile à croire ou à supporter ; vois ***exagéré.*** *Colle et Rat félicités par l'inspecteur, c'est trop fort !,* c'est un comble ! **7.** *Mme Séverac se fait fort de suivre son régime pendant trois mois,* elle dit qu'elle réussira à le faire.

Va voir *château fort* à **château.**

Le contraire de *fort,* c'est *doux, léger.*

Le coq plus gros que moi, voilà qui est fort, dit le cheval *(les Contes du Chat perché).*

▭ **adv. 1.** Avec de la force physique. *Frappez plus fort.* **2.** Avec intensité. *Le vent souffle fort,* avec violence. **3.** Très. *Julie, tu sais fort bien que c'est l'heure d'aller te coucher. Angèle était fort triste ;* vois ***bien.***

Taffy s'assit aussi, les doigts de pied dans l'eau et le menton dans la main, et se mit à réfléchir très fort *(Histoires comme ça).*

▭ **n. m.** Ce en quoi quelqu'un est fort. *Antoine est toujours en retard, l'exactitude n'est pas son fort,* ce n'est pas par l'exactitude qu'il est remarquable.

Autres membres de la famille : **coffre-fort, fortement, ① fortifier, fortifiant, main-forte, réconforter, réconfort, réconfortant.**

② *fort* n. m.

Construction qui protège un lieu ou une ville contre les attaques ; vois ***citadelle, forteresse.*** *La garnison est rentrée au fort.*

Autres membres de la famille : **forteresse, ② fortifier, fortification.**

Famille de **① fort**

fortement adv.

1. Avec force. *Claire serrait fortement la main de Mamie Lou ;* vois ***fort.*** **2.** Beaucoup, très. *Il est fortement recommandé de ne pas fumer ici.*

Prononce [fɔʀtəʀɛs].

Le Kremlin, à Moscou, la Bastille à Paris étaient des forteresses.

forteresse n. f.

Lieu fortifié qui protège une région ou une ville contre les attaques. *Des forteresses protégeaient les frontières.*

Famille de **② fort**

Conjugaison 7 ▭ Indic. présent : *nous fortifions.* Imparfait : *nous fortifiions.*

① *fortifier* v.

Rendre fort, vigoureux. *L'air de la mer a fortifié Sylvain.*

▸ ***fortifiant*** n. m. Médicament qui donne des forces. *Sylvain doit prendre des fortifiants matin et soir.*

Famille de **① fort**

Compare : *fort → fortifier* et *pur → purifier.*

Conjugaison 7

② *fortifier* v.

Fortifier un lieu, c'est faire des constructions pour le protéger contre des attaques. *Saint-Martin-de-Ré fut fortifié par Vauban.*

▸ ***fortification*** n. f. *Les fortifications,* ce sont les constructions qui défendent un lieu contre des attaques. *Vauban a construit de nombreuses fortifications.*

Famille de **② fort**

Ce sont des murs épais et hauts, des tours, des fossés.

fortuit adj.

Qui arrive par hasard ; vois ***accidentel.*** *Il a fallu une circonstance tout à fait fortuite pour que M. Bellec fasse la connaissance de sa future femme ;* vois ***imprévu.***

Va voir *revers de fortune* à **revers.**

Le contraire, c'est *infortune.*

Autre membre de la famille : **infortune.**

fortune n. f.

1. Grande richesse. *Un milliardaire possède une grosse fortune. Les chercheurs d'or voulaient faire fortune,* s'enrichir. **2.** Hasard. *M. Bellec a eu l'heureuse fortune de rencontrer sa femme ;* vois ***chance.*** **3.** *Des moyens de fortune,* ce sont des moyens que l'on a improvisés très vite parce que c'était nécessaire. *Les réfugiés ont dormi sur des installations de fortune.*

▸ ***fortuné*** adj. Qui est riche. *Il appartenait à une famille fortunée.*

Faire contre mauvaise fortune bon cœur : se résigner.

Le contraire, c'est *pauvre.*

La *fosse d'orchestre,* c'est l'endroit où sont les musiciens dans un théâtre.

fosse n. f.

1. Grand trou creusé dans le sol. *Les croque-morts ont descendu le cercueil dans la fosse ;* vois ***tombe.*** *Les excréments sont éliminés dans une fosse septique,* un réservoir dans lequel ils sont décomposés par des bactéries. **2.** *Une fosse sous-marine,* c'est un endroit où la mer est plus profonde. *Les plus grandes fosses sous-marines dépassent dix mille mètres de profondeur.*

Les fosses nasales : l'intérieur des narines.

▸ ***fossé*** n. m. Trou creusé en long dans le sol. *La voiture a basculé dans le fossé. Le château était entouré d'un profond fossé.*

Compare : *fosse → fossette* et *fourche → fourchette.*

▸ ***fossette*** n. f. Petit creux. *Quand Julie sourit, de petites fossettes se forment sur ses joues.*

Autre membre de la famille : **fossoyeur.**

fossile n. m.

Débris ou empreintes d'animaux et de plantes conservés depuis très longtemps dans les pierres. *Les élèves d'Angèle ont trouvé des fossiles dans la carrière de Motbourg.*

Certains fossiles ont plusieurs millions d'années.

Prononce [foswajœʀ]. Famille de **fosse**

fossoyeur n. m.

Personne qui creuse les tombes dans un cimetière. *Les fossoyeurs ont jeté des pelletées de terre sur le cercueil.*

Va voir aussi ***croque-mort.***

fou n. m. et adj., **folle** n. f. et adj.

Autrefois, les fous étaient enfermés dans des *asiles.*

▭ **n. 1.** Personne qui n'a pas toute sa raison, qui a l'esprit dérangé. *Les fous sont soignés dans des hôpitaux psychiatriques ;* vois ***aliéné.*** *C'est une véritable histoire de fous que tu me racontes là !,* une histoire difficile à croire. **2.** Personne qui ne se comporte pas d'une manière raisonnable. *Mme Harpie est une vieille folle. Antoine roule comme un fou sur son vélo,* il roule très vite. *Arrêtez de faire les fous, les enfants !,* arrêtez de vous agiter. **3.** Personnage qui était chargé de distraire un roi ou un seigneur ; vois ***bouffon.*** *Les fous pouvaient critiquer le roi en ayant l'air de plaisanter.* **4.** Pièce du jeu d'échecs. *Denis Prost s'est fait prendre son fou.*

Va voir aussi ***folie.***
Maintenant, on dit plutôt les *malades mentaux.*

Plus on est de fous, plus on rit (proverbe).

Le fou avance en diagonale.

Do ré mi fa sol
Toutes les femmes sont folles
Excepté ma bonne
Qui fait cuire des pommes
Dans une vieille casserole
Pleine de pétrole (comptine).

▭ **adj. 1.** Qui n'a pas toute sa raison ; vois ***dément.*** *La vieille femme est devenue folle, il a fallu l'enfermer.* **2.** Qui agit d'une manière déraisonnable. *Antoine est complètement fou d'aller si vite à vélo. Il faut être fou pour sortir par ce temps. M. Bellec était fou furieux,* il était hors de lui. *Julie a souvent des idées un peu folles ;* vois ***absurde.*** **3.** Fanatique. *David est fou de maquettes d'avion,* il les aime beaucoup ; vois ***passionné.*** **4.** Énorme, immense. *Mme Hespel a un travail fou en ce moment.*

Au masculin, devant une voyelle, on écrit *fol : un fol amour.*

Autres membres de la famille : **affoler, affolant, affolement, folâtrer, folie, follement, garde-fou, raffoler.**

foudre n. f.

On installe des paratonnerres sur les bâtiments pour les préserver de la foudre.

Pendant un orage, décharge électrique très forte accompagnée d'un éclair, puis de tonnerre. *La foudre est tombée sur un arbre, dans la cour de la ferme. Hippolyte a eu un coup de foudre pour Angèle,* il est tombé amoureux d'elle dès qu'il l'a vue.

La foudre est très dangereuse et tombe surtout sur les endroits élevés.

▸ **foudroyant** adj. Rapide et brutal comme la foudre. *Le père de M. Doucet est mort d'une maladie foudroyante.*

Conjugaison 8 ▭ Indic. présent : *je foudroie, nous foudroyons.* Imparfait : *je foudroyais.* Futur : *je foudroierai.*

▸ **foudroyer** v. **1.** Tuer ou détruire par la foudre. *Le mouton, qui s'était réfugié sous un arbre pendant l'orage, a été foudroyé.* **2.** Tuer brusquement. *Le père de M. Doucet a été foudroyé par une crise cardiaque ;* vois ***terrasser.*** **3.** *Antoine a foudroyé Colle et Rat du regard,* il les a regardés méchamment.

fouet n. m.

Croyez, chère dame, répondit Mme Fichini, que c'est le seul moyen d'élever des enfants ; le fouet est le meilleur des maîtres *(les Petites Filles modèles).*

1. Instrument fait d'une lanière de cuir ou d'une corde attachée à un manche et qui sert à frapper, à battre. *Le dompteur fit claquer son fouet. Heureusement, on ne donne plus le fouet aux enfants,* on ne les bat plus avec le fouet. *La voiture heurta le camion de plein fouet,* de face. **2.** Appareil qui sert à battre les sauces, les blancs d'œufs ; vois ***batteur.*** *Pour faire une mayonnaise, on se sert d'un fouet.*

Comment veux-tu fouetter une crème sans fouet ? Une crème fouettée n'est pas une crème fouettée tant qu'elle n'est pas fouettée avec un fouet *(Charlie et la Chocolaterie).*

Conjugaison 1
Attention ! deux *t.*

La crème fouettée, c'est de la crème battue.

▸ **fouetter** v. **1.** Frapper avec un fouet. *Le dompteur fouette le lion pour le faire obéir.* **2.** Frapper comme avec un fouet. *Le vent et la pluie fouettaient le visage de Loïc ;* vois ***cingler.*** **3.** Battre rapidement. *On fouette les blancs d'œufs pour obtenir des œufs en neige,* on les bat avec un fouet.

fougère n. f.

Comme les lichens, les algues et les mousses, les fougères n'ont pas de fleurs.

Plante verte, à tige souterraine et à longues feuilles très découpées. *Il y a souvent des fougères dans les sous-bois. Les fougères servent de litière aux animaux des bois.*

Il y a plus de 3 000 espèces de fougères.

fougue n. f.

Le contraire de *fougue,* c'est *calme.*

Élan ; vois ***enthousiasme.*** *Dans son dernier sermon, l'abbé Gauthier s'est adressé avec fougue à ses paroissiens.*

Ce mot n'est pas très courant.

▸ **fougueux** adj. Très vif. *Denis Prost a monté une jument fougueuse.*

Conjugaison 1 ▭ Indic. imparfait : *nous fouillions.*

fouiller v.

1. Chercher soigneusement. *Mamie Lou a fouillé la maison de fond en comble pour retrouver ses lunettes ;* vois ***examiner, inspecter.*** *Sylvain déteste qu'on fouille dans ses affaires.* **2.** Creuser pour chercher ce qui est enfoui dans le sol. *Les archéologues fouillent le terrain pour trouver des objets anciens.*

Ils font *des fouilles.*

▸ ***fouille*** n. f. Action de fouiller soigneusement. *La fouille des bagages par les douaniers a été très minutieuse ;* vois ***examen, inspection.***

Attention ! un *s* final.

▸ ***fouillis*** n. m. Grand désordre ; vois ***bazar.*** *Quel fouillis dans la chambre d'Antoine ! On ne retrouve rien dans ce fouillis.*

fouine n. f.

La fouine tue pour se nourrir mais aussi par jeu.

Petit animal carnivore au museau allongé. *Une fouine a égorgé trois poulets dans le poulailler.*

La fouine est de la taille d'un petit chat.

Attention ! un *d* final.

foulard n. m.

Morceau de tissu carré que l'on porte autour du cou ou sur la tête. *Sophie Pelletier porte souvent un foulard de soie autour du cou.*

Va voir aussi ***châle, fichu.***

foule n. f.

Les curieux sont venus *en foule.*

1. Grand rassemblement de gens. *La foule applaudit l'arrivée des coureurs. La foule des curieux se pressait sur les lieux de l'accident.* **2.** *Une foule de choses,* c'est beaucoup de choses. *Denis Prost a une foule de projets pour l'année prochaine,* de nombreux projets ; vois ***quantité.***

foulée n. f.

Grand pas que l'on fait en courant ; vois ***enjambée.*** *Alex court à grandes foulées,* en faisant de grandes enjambées.

Conjugaison 1

fouler v.

Compare : *fouler → foulure* et *couper → coupure.*

Se fouler la cheville, c'est se tordre la cheville. *Nathalie s'est foulé la cheville en tombant.*

▸ ***foulure*** n. f. Petite entorse. *Nathalie s'est fait une foulure à la cheville.*

L'articulation est très enflée.

four n. m.

1. Appareil ménager dans lequel on fait cuire les aliments. *Le boulanger a mis le pain dans le four. Le rôti a été cuit au four.* **2.** Appareil qui sert à cuire des choses à très forte chaleur. *Les briques, les poteries sont cuites dans des fours.*

Il y a des fours qui marchent à l'électricité et d'autres qui marchent au gaz.

Ce mot n'est pas très courant.

fourbe adj.

Qui trompe en faisant semblant d'être honnête ; vois ***hypocrite, sournois.*** *L'homme avait un air fourbe qui n'inspirait pas confiance.*

Le contraire de *fourbe,* c'est *franc, loyal.*

fourbu adj.

Très fatigué, harassé ; vois ***éreinté.*** *Les enfants sont rentrés fourbus de leur longue promenade.*

fourche n. f.

Il existe des fourches à deux dents et des fourches à trois dents.

1. Instrument formé d'un manche et de plusieurs dents. *Pierre Séverac pique le foin avec une fourche.* **2.** Endroit où une chose se divise en deux. *La fourche de la bicyclette est cassée,* la partie formée de deux tubes entre lesquels passe la roue. **3.** Endroit où un chemin se divise en deux ; vois ***bifurcation, embranchement.*** *À la fourche, prenez à droite.*

La fourche d'un arbre, c'est l'endroit où les grosses branches se séparent du tronc.

Compare : *fourche → fourchette* et *langue → languette.*

▸ ***fourchette*** n. f. **1.** Objet formé d'un manche et de plusieurs dents, qui sert à piquer certains aliments. *On pique la viande avec la fourchette. La fourchette se met à gauche de l'assiette.* **2.** Écart. *Le soir des élections, les journalistes ont donné la première fourchette des résultats,* le plus grand et le plus petit nombre de voix que pourraient obtenir les candidats.

La fourchette a été inventée vers 1300.

Il y a des *fourchettes à gâteaux,* des *fourchettes à huîtres,* des *fourchettes à escargots.*

Autres membres de la famille : à **califourchon, enfourcher.**

fourgon n. m.

On transporte les bestiaux dans un *fourgon à bestiaux.*

1. Dans un train, wagon qui sert au transport des bagages. *Yves a fait mettre son vélo dans le fourgon.* **2.** *Un fourgon mortuaire,* c'est une camionnette qui conduit un mort au cimetière ; vois ***corbillard.*** *Le fourgon mortuaire était couvert de fleurs.*

On transporte le courrier dans un *fourgon postal.*

Compare : *fourgon → fourgonnette* et *camion → camionnette.*

▸ ***fourgonnette*** n. f. Camionnette ; vois ***break.*** *M. Bellec, le patron du restaurant, a une fourgonnette pour faire ses courses à Rungis.*

Attention ! deux *n* et deux *t.*

Il y a environ 6 000 espèces de fourmis dans le monde dont une centaine en France.

fourmi n. f.
Petit insecte noir ou rouge, très actif, qui vit en société dans des fourmilières. *Les fourmis rouges piquent. Il existe des fourmis volantes. Julie avait des fourmis dans les jambes,* des picotements désagréables dans les jambes ; vois ***fourmillement.***

Une fourmi de dix-huit mètres
Avec un chapeau sur la tête
Ça n'existe pas
Ça n'existe pas (R. Desnos).

On l'appelle aussi *tamanoir.*

▷ ***fourmilier*** n. m. Animal à museau très long et à langue visqueuse avec laquelle il attrape les fourmis. *Les fourmiliers vivent surtout en Amérique du Sud.*

Le fourmilier n'a pas de dents.

À l'intérieur de la fourmilière, dans les galeries, se trouvent les œufs et les larves des fourmis.

▷ ***fourmilière*** n. f. Endroit où vit une colonie de fourmis, formé d'un monticule de terre et de nombreuses galeries creusées dans le sol. *Julie aime bien détruire les fourmilières.*

Il y a plusieurs milliers de fourmis dans une fourmilière.

▷ ***fourmillement*** n. m. Picotement désagréable. *Julie avait des fourmillements dans les jambes ;* vois ***fourmi.***

Attention ! deux *l.*
Ne confonds pas *fourmiller* et *fourmilier.*

▷ ***fourmiller*** v. Être en très grand nombre quelque part. *Les vers fourmillent dans ce fromage ;* vois ***foisonner, pulluler.*** *La dictée d'Antoine fourmille de fautes,* elle est pleine de fautes.

Conjugaison 1

fournaise n. f.
Feu très violent. *Hippolyte s'est élancé dans la fournaise.*

Compare *fourneau, fournée* et *enfourner* : il est question de **four.**

fourneau n. m.
Appareil qui sert à cuire les aliments ; vois ***cuisinière, réchaud.*** *Autrefois, Mamie Lou avait un fourneau en fonte qui marchait au bois. M. Bellec est aux fourneaux,* il fait la cuisine.

Des hauts fourneaux sont de grands fours dans lesquels on fond le fer.

fournée n. f.
Quantité de pain que l'on peut faire cuire dans le four. *Le boulanger fait trois fournées par jour.*

Conjugaison 2

fournir v.
1. Donner ce qui est nécessaire. *L'école fournit les livres de classe aux élèves. M. Bellec, le restaurateur, a écrit au viticulteur qui le fournit en vin. — Les restaurateurs se fournissent à Rungis,* ils y font leurs achats ; vois *s'****approvisionner,*** *se* ***ravitailler.*** **2.** Produire. *Les vaches des Séverac fournissent un très bon lait ;* vois ***donner.*** **3.** *Fournir un effort,* c'est faire un effort. *Marie-Tévy doit fournir de gros efforts au cours de français.*

▷ ***fourni*** adj. *Un magasin bien fourni,* c'est un magasin où l'on trouve beaucoup de choses à acheter ; vois ***achalandé, approvisionné.*** *La nouvelle librairie de la ville est très bien fournie.*

Aladdin entra dans la boutique la plus grande et la mieux fournie, et demanda au marchand s'il avait une certaine poudre *(les Mille et Une Nuits).*

▷ ***fournisseur*** n. m. Personne qui vend des marchandises à un client ; vois ***commerçant, marchand.*** *Mme Séverac a les mêmes fournisseurs depuis dix ans.*

Compare : *fournir → fourniture* et *garnir → garniture.*

▷ ***fourniture*** n. f. *Des fournitures,* ce sont des objets dont on a besoin pour travailler. *Les livres et les cahiers, les crayons et les gommes sont des fournitures scolaires.*

Ce mot s'emploie surtout au pluriel.

Attention ! deux *r.*
Ce mot est toujours au singulier, même s'il désigne plusieurs plantes.

fourrage n. m.
Le fourrage, c'est l'ensemble des plantes qui servent de nourriture au bétail. *Le fermier fait sécher du fourrage en prévision de l'hiver.*

▷ ***fourragère*** adj. f. *Les plantes fourragères,* ce sont les plantes qui fournissent le fourrage. *La luzerne, le foin, le trèfle sont des plantes fourragères.*

Attention ! deux *r.*

① **fourré** n. m.
Endroit où les arbustes et les broussailles sont très touffus. *Les animaux des bois se cachent dans les fourrés par peur des chasseurs.*

Va voir aussi ***buisson, taillis.***

Au pluriel : *des fourreaux.*
Famille de **fourrer**

fourreau n. m.
1. Étui allongé dans lequel on glisse un objet de même forme pour le préserver quand on ne s'en sert pas. *Le chevalier tira l'épée de son fourreau.* **2.** Robe très moulante. *Mme Séverac portait ce soir-là un élégant fourreau de soie.*

On dit aussi : une *robe fourreau.*

Attention ! deux *r*. Conjugaison 1

fourrer v.

1. Faire entrer dans quelque chose ; vois **mettre.** *Hippolyte fourra ses mains dans ses poches. Julie, qui était en retard ce matin-là, fourra vite ses affaires dans son cartable,* elle les mit n'importe comment. **2.** Mettre quelque chose quelque part. *Où ai-je bien pu fourrer mes lunettes ? — Quand il a fait une bêtise, le chat de Julie se fourre sous un meuble,* il se met dessous pour se cacher. *Colle et Rat sont toujours fourrés ensemble,* ils sont toujours ensemble.

Fourrer son nez partout, c'est s'occuper de ce qui ne vous regarde pas.

Ce sens de *fourrer* est familier.

À deux, ils ont plus d'idées pour faire des bêtises !

Autre membre de la famille : **fourreau.**

▷ ② **fourré** adj. **1.** Doublé de fourrure ou de lainage chaud. *L'hiver, Julie porte des bottes fourrées.* **2.** Dont l'intérieur contient de la crème, de la liqueur ou de la confiture. *Antoine aime les chocolats fourrés à la vanille.* **3.** *Un coup fourré,* c'est une attaque malhonnête, faite par en-dessous. *Colle et Rat font souvent des coups fourrés.*

Attention ! deux *r*.

▷ **fourreur** n. m. Personne qui fabrique et qui vend des vêtements de fourrure. *Mme Séverac a un manteau de vison qui vient de chez un grand fourreur.*

Au pluriel : *des fourre-tout.*

▷ **fourre-tout** n. m. invariable Endroit ou objet où l'on entasse des choses sans aucun ordre. *Cette pièce est une sorte de fourre-tout ;* vois **débarras.** *Le sac d'Angèle est un vrai fourre-tout.*

Famille de ① **tout**

Le loup avait passé toute la matinée à laver son museau, à lustrer son poil et à faire bouffer la fourrure de son cou *(les Contes du Chat perché).*

▷ **fourrure** n. f. **1.** Poil particulièrement beau et épais de certains animaux. *Les chats angoras ont une fourrure très épaisse et très douce.* **2.** Peau d'animal garnie de ses poils dont on fait des vêtements. *Les fourrures et les bijoux sont des objets de luxe. Mme Séverac possède une veste et deux manteaux de fourrure.*

Les chasseurs de fourrures sont des *trappeurs.*

fourrière n. f.

1. Lieu où l'on transporte les animaux perdus ou abandonnés. *Ce chien sans collier risque d'être emmené à la fourrière.* **2.** Lieu où l'on met des voitures mal garées ou abandonnées. *La police a emmené la voiture de M. Bellec à la fourrière.*

Le propriétaire de la voiture doit payer une amende pour la récupérer.

Conjugaison 8 ▭ Indic. présent : *il se fourvoie, nous nous fourvoyons.*

se fourvoyer v.

Se perdre. *Les promeneurs qui s'étaient fourvoyés dans la montagne ont été secourus par hélicoptère.*

Famille de **voie**

Prononce [fwaje].

foyer n. m.

1. Partie de la cheminée où brûle le feu ; vois **âtre.** *Mamie Lou a remis une bûche dans le foyer.* **2.** Maison où vivent les membres de la famille. *Mme Séverac est une femme au foyer,* une femme qui s'occupe de sa maison et de sa famille et n'a pas un travail rétribué. **3.** Établissement qui accueille et loge certaines personnes. *Hippolyte a habité dans un foyer de jeunes travailleurs.*

Un foyer d'incendie, c'est un endroit en feu d'où se propage un incendie.

Va voir *fonder un foyer* à **fonder.**

Conjugaison 1

fracasser v.

Briser avec violence. *Le coup lui a fracassé la mâchoire. — Le bateau risque de se fracasser contre les rochers.*

Prononce [fʀaka].

▷ **fracas** n. m. Bruit violent. *On a entendu un fracas de verre brisé.*

Un *s* à la fin de *fracas.*

Prononce [fʀaksjɔ̃].

fraction n. f.

1. Quantité qu'on calcule en divisant une unité en parts égales. *Dans la fraction 2/5, 2 est le numérateur et 5 le dénominateur.* **2.** Partie. *Les enfants représentent une fraction importante de la population.*

Deux cinquièmes.

Attention ! deux *n*. Prononce [fʀaksjɔne].

▷ **fractionner** v. *Fractionner une chose,* c'est la diviser. *L'héritage a été fractionné en trois parts. Mme Hespel a fractionné ses vacances,* elle les a prises en plusieurs fois.

Conjugaison 1

fracture n. f.

Se faire une fracture, c'est se blesser en se cassant un os ; vois **fêlure.** *Le blessé souffre d'une fracture du crâne.*

Conjugaison 1

▷ **fracturer** v. **1.** *M. Bonnot s'est fracturé une côte,* il s'est blessé en se cassant une côte. **2.** Briser avec effort. *Les cambrioleurs ont fracturé la serrure.*

fragile adj.

1. Qui se casse facilement. *Un verre de cristal est fragile. Attention, c'est fragile !* **2.** Qui tombe souvent malade. *Marie-Tévy et Sylvain sont des enfants fragiles ;* vois **délicat.** *Mme Séverac a l'estomac fragile.* **3.** Qui n'est pas sûr. *L'équilibre de ce château de cartes est fragile.*

Comme toutes les personnes extrêmement âgées il était fragile et de santé délicate *(Charlie et la Chocolaterie).*

Le contraire de *fragile,* c'est *solide.*

Le contraire de *fragile,* c'est *résistant, robuste.*

▸ ***fragilité*** n. f. **1.** *Ce verre de cristal est d'une grande fragilité,* il se casse facilement. **2.** *La fragilité de Marie-Tévy inquiétait ses parents,* sa santé fragile.

Le contraire de *fragilité,* c'est *endurance, résistance.*

Le contraire de *fragilité,* c'est *solidité.*

fragment n. m.

Prononce [fʀagmɑ̃].

1. Morceau d'une chose qui a été cassée. *On a trouvé des fragments de vases romains en creusant le chantier du nouveau gymnase.* **2.** *Sylvain a joué au piano un fragment d'une sonate,* une partie ; vois ***extrait.***

▸ ***fragmentaire*** adj. Incomplet, partiel. *Hippolyte a des connaissances fragmentaires en anglais,* il y a des choses qu'il connaît et d'autres qu'il ignore.

Compare : *fragment → fragmentaire* et *supplément → supplémentaire.*

Le contraire de *fragmentaire,* c'est *complet.*

fraîchement, fraîcheur, fraîchir va voir *frais.*

① frais adj., n. m. et adv.

Au féminin : *fraîche.*

▭ **adj. 1.** Légèrement froid. *En montagne, les nuits sont toujours fraîches. Denis Prost a commandé des boissons fraîches.* **2.** Qui a été fabriqué, fait, pêché, cueilli, il y a peu de temps. *Odile Séverac est allée chercher des œufs frais dans le poulailler,* des œufs qui viennent d'être pondus. *Julie mange une tranche de pain frais avec du chocolat,* du pain qui vient d'être cuit, qui n'est pas rassis. **3.** Qui n'est ni séché, ni en conserve. *Les légumes frais sont pleins de vitamines.* **4.** Récent, nouveau. *Le moniteur de ski a découvert des traces toutes fraîches dans la neige.* **5.** Sans chaleur, sans bienveillance. *Mme Harpie a réservé un accueil plutôt frais à son neveu.* **6.** *Hippolyte se sent frais et dispos ce matin,* reposé et en bonne santé.

Papa, il s'est approché du marchand, et il a demandé si les langoustes étaient fraîches. Le marchand lui a expliqué qu'elles étaient spéciales. Quant à être fraîches, il pensait que oui, puisqu'elles étaient vivantes, et il a rigolé *(le Petit Nicolas).*

Le contraire de *frais,* c'est *chaud.*

Je sens la chair fraîche, te dis-je encore une fois, reprit l'Ogre, en regardant sa femme de travers *(le Petit Poucet).*

▭ **n. m.** *Angèle est sortie prendre le frais dans la cour,* respirer l'air frais.

▭ **adv.** *Il fait plus frais quand le soleil s'est couché,* il fait plus froid.

▸ ***fraîchement*** adv. **1.** Depuis très peu de temps ; vois ***récemment.*** *Angèle, fraîchement arrivée à Motbourg, y a encore peu d'amis.* **2.** Avec froideur, sans bienveillance ; vois ***froidement.*** *Mme Harpie a accueilli fraîchement son neveu.*

Le contraire de *fraîchement,* c'est *chaleureusement.*

▸ ***fraîcheur*** n. f. **1.** Température fraîche. *Après une journée brûlante, on attend la fraîcheur de la nuit.* **2.** Froideur, manque d'enthousiasme ; vois ***réserve.*** *Mme Harpie a accueilli son neveu avec fraîcheur.* **3.** *Ce poisson est d'une fraîcheur parfaite,* parfaitement frais.

Le contraire de *fraîcheur,* c'est *chaleur.*

▸ ***fraîchir*** v. Devenir plus frais ; vois *se* ***rafraîchir.*** *Le temps a fraîchi, n'est-ce pas ?*

Conjugaison 2

Autres membres de la famille : **défraîchi, rafraîchir, rafraîchissant, rafraîchissement.**

② frais n. m. plur.

On n'emploie jamais ce mot au singulier.

Argent que l'on dépense pour quelque chose ; vois ***coût, dépense.*** *Pierre et Odile Séverac ont engagé de grands frais pour aménager leur ferme.*

Aux frais de la princesse : sans rien payer soi-même.

fraise n. f.

Petit fruit rouge qui pousse sur le fraisier. *Nathalie mange de la tarte aux fraises.*

Les fraises des bois sont plus petites que les fraises cultivées.

▸ ***fraisier*** n. m. Plante qui produit les fraises. *Au printemps, Mamie Lou plante des fraisiers.*

framboise n. f.

Petit fruit rouge foncé qui pousse sur le framboisier. *Marie-Tévy mange un sorbet à la framboise.*

Il existe aussi des framboises blanches.

▸ ***framboisier*** n. m. Arbrisseau sur lequel poussent les framboises. *Mamie Lou taille les framboisiers.*

Compare : *framboise → framboisier* et *fraise → fraisier.*

Les framboisiers ressemblent aux ronces.

① franc n. m.

Attention ! un ***c*** final.

Monnaie de la France. *Yves voudrait échanger une pièce de dix francs contre deux pièces de cinq francs. Cent centimes valent un franc.*

Le franc est aussi la monnaie de la Suisse, de la Belgique et du Luxembourg.

Le *c* final ne se prononce pas : [fʀɑ̃].

Le contraire de *franc*, c'est *fourbe, menteur.*

On dit aussi : *franc de port et d'emballage.*

② **franc** adj.
1. *Une personne franche,* c'est une personne qui dit ce qu'elle pense, sans mentir et sans rien cacher ; vois ***honnête, loyal, sincère.*** *Nathalie a toujours été une fille très franche.* **2.** *Une couleur franche,* c'est une couleur pure, bien nette. *Marie-Tévy porte une robe d'un beau bleu franc.* **3.** Au football, *un coup franc,* c'est un coup tiré par un joueur sans que l'adversaire ait le droit de le gêner. *L'arbitre a sifflé un coup franc.* **4.** *M. Doucet a expédié un colis franc de port,* il l'a envoyé de manière que celui qui le reçoive n'ait pas à payer les frais d'envoi ; vois ***franco.***
▸ ***franchement*** adv. **1.** Sans rien cacher, sans mentir. *Dis-moi franchement ce que tu penses ;* vois ***sincèrement.*** **2.** Nettement, tout à fait. *Ce film est franchement mauvais ;* vois ***très.***

Jouer franc jeu, loyalement, cartes sur tables.

Avoir son franc-parler, c'est parler très librement.

Autres membres de la famille : ① et ② **affranchir, affranchi,** ① et ② **affranchissement, franchise, franco, franc-tireur.**

Conjugaison 2

Franchir le pas, se décider.

franchir v.
1. Passer par-dessus un obstacle, en sautant, en grimpant. *Le cheval a franchi tous les obstacles du parcours.* **2.** Aller au-delà d'une limite. *Le coureur vient de franchir la ligne d'arrivée ;* vois ***passer.***

Autre membre de la famille : **infranchissable.**

Famille de ② **franc**

franchise n. f.
1. Honnêteté, sincérité. *Julie a avoué avec franchise la bêtise qu'elle avait faite.* **2.** *La franchise postale,* c'est la possibilité de ne pas mettre de timbre sur une lettre. *Cette lettre bénéficie de la franchise postale.*

En toute franchise, très franchement.

Famille de ② **franc**

franco adv.
Sans avoir à payer le transport. *Ce colis a été envoyé franco de port et d'emballage ;* vois ② ***franc.***

Au pluriel : *des francs-tireurs.*

franc-tireur n. m.
Personne qui combat un ennemi sans appartenir à une armée régulière. *Un groupe de francs-tireurs a fait sauter le pont.*

Famille de ② **franc** et de **tirer**

frange n. f.
1. Ensemble de fils à la bordure d'un tapis ou d'un vêtement. *Le chat joue avec les franges du tapis.* **2.** Cheveux coupés droit qui recouvrent le front sur toute sa largeur. *Marie-Tévy a une grande frange brune.*

à la bonne **franquette** adv.
Très simplement. *Les Prost reçoivent leurs amis à la bonne franquette.*

Attention ! deux *p.*

— Agathe, dit madame Lepic, frappez avant d'entrer *(Poil de Carotte).*

Le premier objet qui nous frappa ce fut un cheval mort, c'est-à-dire, un pauvre cheval que les loups avaient tué *(Robinson Crusoé).*

frapper v.
1. Porter un coup à quelqu'un ; vois ***battre.*** *Le boxeur a frappé son adversaire au menton.* **2.** Donner un coup contre quelque chose ; vois ***heurter.*** *La pluie frappe les carreaux. On a frappé à la porte. Va voir !* **3.** *On a frappé une nouvelle pièce de monnaie,* on l'a fabriquée en imprimant dessus un dessin en relief. **4.** Atteindre ; vois ***toucher.*** *La balle l'a frappé en plein cœur.* **5.** Impressionner. *Ce qui frappe, c'est la ressemblance de Julie avec son père.*
▸ ***frappant*** adj. Qui frappe, impressionne. *La ressemblance de Julie avec son père est frappante ;* vois ***saisissant.***
▸ ***frappe*** n. f. Action ou manière de taper à la machine. *Quand elle tape à la machine, Mme Roussel ne fait presque jamais de faute de frappe.*

Conjugaison 1

On frappe les pièces de monnaie avec un poinçon.

La force de frappe d'un pays, c'est l'ensemble de ses armes atomiques.

Compare ***fraternel, fraterniser*** et ***fraternité*** : il est question de **frère.**

fraternel adj.
Qui existe entre les frères, entre les sœurs ou entre les frères et sœurs. *Nathalie défend son frère par affection fraternelle.*

Conjugaison 1

fraterniser v.
S'entendre comme des frères. *Les deux ennemis ont fini par fraterniser ;* vois ***sympathiser.***

fraternité n. f.
Entente profonde qui existe entre plusieurs personnes ou à l'intérieur d'un groupe de gens ; vois ***solidarité.*** *Il existait une grande fraternité entre tous les membres du groupe.*

« Liberté, Égalité, Fraternité », c'est la devise de la République française.

fraude n. f.
Acte de celui qui essaie de ne pas se soumettre à la loi. *Les contrebandiers passent des marchandises en fraude.*

Conjugaison 1

▸ ***frauder*** v. Commettre une fraude ; vois ***voler.*** *Denis Prost a essayé de frauder le fisc,* de ne pas déclarer tout ce qu'il a gagné pour payer moins d'impôts.

▸ ***fraudeur*** n. m., ***fraudeuse*** n. f. Personne qui fraude. *Les fraudeurs ont eu une grosse amende.*

Au féminin : *frauduleuse.*

▸ ***frauduleux*** adj. Contraire à la loi. *Le directeur du magasin se livrait à un trafic frauduleux.*

Conjugaison 8
Indic. présent : *je fraie* ou *je fraye, nous frayons.* Futur : *je fraierai* ou *je frayerai.*

frayer v.
1. *Se frayer un chemin,* c'est se faire un chemin, en écartant tout ce qui peut gêner. *Les chasseurs se sont frayé un chemin à travers les fourrés.* **2.** *Frayer avec quelqu'un,* c'est le fréquenter. *Mme Hespel ne fraie pas beaucoup avec ses collègues.*

frayeur n. f.
Très grande peur. *À la vue de l'énorme araignée sur le mur, Claire poussa un cri de frayeur ;* vois ***effroi.***

Conjugaison 1

fredonner v.
Chanter à mi-voix, sans ouvrir la bouche ; vois ***chantonner.*** *M. Doucet fredonne toujours le même air en se rasant.*

Une chanson qu'on fredonne C'est fleur bleue (Ch. Trenet).

Prononce [fʀizœʀ].

freezer n. m.
Endroit le plus froid d'un réfrigérateur, où se forme la glace. *On peut conserver des aliments surgelés trois jours dans un freezer.*

Freezer est un mot anglais.

frégate n. f.
Un *capitaine de frégate* est un officier de marine.

1. Bateau de guerre spécialisé dans la chasse aux sous-marins. *Le navire était escorté de deux frégates.* **2.** Oiseau de mer à grandes ailes fines et à long bec crochu. *Les frégates ont parfois deux mètres trente d'envergure.*

Autrefois, les frégates étaien des bateaux de guerre à trois mâts.

frein n. m.
Paradoxalement, sur une auto, vous avez des freins à tambour, alors que sur un tambour, vous n'avez pas d'auto-frein (R. Devos).

Système qui sert à ralentir, à arrêter une voiture, une bicyclette. *Le camion avait de mauvais freins. Les freins du camion ont lâché. Angèle a donné un coup de frein,* elle a freiné. *Mme Roussel a mis un frein à ses dépenses,* elle les a ralenties. *Antoine a une imagination sans frein,* débordante.

On entendit craquer les freins e l'ascenseur ralentit *(Charlie et la Chocolaterie).*

Conjugaison 1

▸ ***freiner*** v. Ralentir en utilisant les freins. *Angèle freina brusquement.*

Le contraire de *freiner,* c'est *accélérer.*

▸ ***freinage*** n. m. Action de freiner. *On doit toujours s'assurer que sa voiture a un bon freinage.*

frelaté adj.
Des produits frelatés, ce sont des produits qui ne sont pas purs. *Ce vin est frelaté ; on a ajouté de l'alcool dedans.*

Attention à l'accent circonflexe du *ê.*

frêle adj.
Qui a l'air fragile, délicat. *Marie-Tévy est une petite fille un peu frêle.*

Le contraire, c'est *robuste.*

frelon n. m.
Les frelons sont les ennemis des abeilles. Ils les tuent et prennent leur miel.

Grosse guêpe rousse et jaune, au thorax noir. *Odile Séverac a découvert un nid de frelons dans un trou du vieux mur. Claire s'est fait piquer par un frelon.*

La piqûre des frelons est très douloureuse.

Conjugaison 2

frémir v.
Trembler très légèrement. *La brise faisait frémir les feuilles des arbres. L'eau frémit,* elle est sur le point de bouillir. *Cette histoire fait frémir,* elle fait trembler de peur ; vois ***frissonner.***

Compare : *frémir → frémissement* et *raidir → raidissement.*

▸ ***frémissement*** n. m. Léger tremblement. *Un très léger frémissement agitait le feuillage.*

Attention aux deux *s.*

Attention à l'accent circonflexe du *ê.*

frêne n. m.
Arbre à bois clair, très dur et élastique. *On fait des manches d'outils et des tonneaux avec le bois du frêne.*

Certains frênes peuvent atteindre 35 mètres de haut et vivre deux cents ans.

frénésie n. f.
Grande excitation. *Parfois, Mme Séverac est prise d'une frénésie de rangement ;* vois ***fièvre, folie.***

▸ ***frénétique*** adj. Très fort, qui va jusqu'à la frénésie. *Le chanteur termina son spectacle sous des applaudissements frénétiques ;* vois ***délirant.***

fréquent adj.
Qui se produit souvent. *Le docteur Séverac fait de fréquents séjours en Afrique ;* vois ***nombreux.***

Le contraire de *fréquent,* c'est *rare.*

Attention aux deux *m* !

▸ ***fréquemment*** adv. Souvent. *Le docteur Séverac va fréquemment en Afrique.*

Le contraire de *fréquemment,* c'est *rarement.*

▸ ***fréquence*** n. f. Caractère de ce qui arrive plusieurs fois. *Antoine risque d'être puni pour la fréquence de ses retards ;* vois ***répétition.***

Conjugaison 1

fréquenter v.
1. Aller souvent dans un endroit. *Hippolyte fréquente la piscine de Motbourg.* **2.** Voir souvent quelqu'un. *Mme Hespel ne fréquente pas ses voisins de palier ;* vois ***frayer.***

Et je n'avais pas le droit de fréquenter les poulets ni les autres espèces du château, dit le paon *(les Contes du Chat perché).*

Un endroit mal fréquenté, c'est un endroit où l'on fait de mauvaises rencontres.

▸ ***fréquentable*** adj. Que l'on peut fréquenter. *Colle et Rat ne sont vraiment pas fréquentables.*

▸ ***fréquentation*** n. f. **1.** Fait de fréquenter. *La fréquentation des salles de cinéma a augmenté.* **2.** Personne que l'on fréquente. *Colle et Rat ont de mauvaises fréquentations.*

frère n. m.
1. Garçon qui a les mêmes parents que la personne qui parle ou dont on parle. *Alex est le grand frère de Sylvain. David et Nathalie sont frère et sœur.* **2.** Fidèle d'une religion. *L'abbé Gauthier commença son sermon par ces mots : « mes bien chers frères ». M. Doucet a fait ses études chez les frères,* chez les religieux ; vois ***moine.***

C'est son *frère aîné.*

Frère Jacques, frère Jacques Dormez-vous ? (chanson).

Va voir aussi ***sœur.***

Autres membres de la famille : **beau-frère, confrère, demi-frère.**

fresque n. f.
Peinture faite directement sur un mur. *Les fresques qui ornent les murs du château sont très belles.*

Les Égyptiens, les Crétois et les Romains faisaient déjà des fresques.

On utilise des peintures délayées à l'eau.

Conjugaison 1

frétiller v.
Remuer avec de petits mouvements rapides. *Quand il est content, le chien a la queue qui frétille. Le chien frétille de la queue quand on lui apporte sa pâtée.*

C'est si bon de sentir un poisson qui vous frétille dans le gosier *(les Contes du Chat perché).*

fretin n. m.
Petits poissons. *Loïc rejette le fretin à l'eau. Denis Prost considère les journalistes des Nouvelles de Motbourg comme du menu fretin,* comme des gens sans importance.

N'oublie pas le *d* à la fin.

friand adj.
Être friand d'une chose, c'est l'aimer particulièrement. *Les chats sont friands de poisson et de lait ;* vois ***gourmand.***

▸ ***friandise*** n. f. Bonbon, sucrerie. *Mme Harpie vend des friandises.*

friche n. f.
Une terre en friche, c'est une terre qui n'est pas cultivée. *Le champ était resté en friche.*

Autre membre de la famille : **défricher.**

friction n. f.
1. Massage. *Après son bain, Mme Séverac se fait une friction au gant de crin,* elle se frotte le corps. **2.** Désaccord, dispute. *Il y a parfois des frictions entre Angèle, l'institutrice, et la directrice de l'école.*

Compare : *friction → frictionner* et *action → actionner.*

N'oublie pas les deux *n*.

▸ ***frictionner*** v. Frotter une partie du corps. *M. Doucet se frictionne le cuir chevelu.*

Conjugaison 1

Conjugaison 7
▭ Indic. imparfait : *nous frigorifiions, vous frigorifiiez.*

frigorifier v.
Frigorifier de la viande, c'est la mettre au froid pour la conserver ; vois ***congeler.*** *Le boucher frigorifie la viande dans une armoire spéciale.*

▸ ***frigorifié*** adj. *Être frigorifié,* c'est avoir très froid, être gelé. *Avec ce vent glacé, on est frigorifié !*

Ce mot est un peu familier.

▸ ***frigorifique*** adj. *Le boucher conserve la viande dans une armoire frigorifique,* une armoire qui produit du froid.

On transporte la viande dans des *wagons frigorifiques.*

frileux adj.
Qui craint le froid, est très sensible au froid. *Mamie Lou est très frileuse.*

Attention aux deux *s* !

frimousse n. f.
Visage d'enfant. *Martin a une gentille frimousse éveillée.*

Ce mot est familier.

fringant adj.
1. *Un cheval fringant,* c'est un cheval très vif, nerveux. *Cette jument est très fringante.* **2.** Pimpant, élégant. *Hippolyte était tout fringant dans son nouveau blouson.*

Conjugaison 1

friper v.
Chiffonner, froisser. *Julie a fripé sa jupe. — Ce tissu est de mauvaise qualité, il se fripe facilement.*

Chacun avait plus de quatre-vingt-dix ans. Ils étaient fripés comme des pruneaux secs *(Charlie et la Chocolaterie).*

▸ ***fripé*** adj. Froissé. *La jupe de Julie est toute fripée,* pleine de faux plis ; vois **chiffonné.** *Les nouveau-nés sont souvent fripés à la naissance,* tout ridés.

[La fleur] ne voulait pas sortir toute fripée comme les coquelicots *(le Petit Prince).*

fripon n. m., **friponne** n. f.
Enfant malicieux ; vois **coquin, polisson.** *Cette petite friponne de Claire a encore caché les lunettes de Mamie Lou.* — adj. *Sur cette photo, Antoine a l'air fripon.*

Il aime faire des farces.

Ce mot est familier et injurieux.

fripouille n. f.
Personne malhonnête ; vois **canaille, crapule.** *Ce commerçant vole tout le monde, c'est une vraie fripouille.*

Le verbe *frire* ne s'emploie qu'à l'infinitif et au participe passé : *frit.*

frire v.
Cuire dans de la matière grasse bouillante. *Mme Roussel fait frire des sardines dans du beurre. M. Bellec fait revenir des oignons dans une poêle à frire. Les oignons ont frit pendant cinq minutes.*

Autres membres de la famille : **frit, frite, friteuse, friture.**

frise n. f.
Bande décorative. *Les temples grecs étaient souvent ornés de frises,* de bandes sculptées au sommet des rangées de colonnes.

L'une des plus célèbres est celle du Parthénon.

Conjugaison 1

friser v.
1. Boucler. *Les cheveux de Julie frisent naturellement.* **2.** Approcher. *Mme Roussel frise la quarantaine,* elle a presque quarante ans.
▸ ***frisé*** adj. Qui frise. *Julie a les cheveux frisés. Julie est frisée,* elle a les cheveux qui frisent.

Le contraire de *frisé,* c'est *plat, raide.*

Attention ! deux *s.*

frisson n. m.
Tremblement passager accompagné d'une sensation de froid. *Sylvain commence à avoir des frissons, ce doit être la grippe. C'est une histoire à donner le frisson,* à faire trembler de peur.

Attention ! deux *s* et deux *n.*

▸ ***frissonnant*** adj. Qui a des frissons. *Marie-Tévy est toute frissonnante de fièvre, il faut la coucher ;* vois **tremblant.**

Conjugaison 1

On dit aussi que cela *donne froid dans le dos.*

▸ ***frissonner*** v. Être secoué de frissons. *Sylvain frissonne de froid et de fièvre ;* vois **grelotter, trembler.** *Ce que vous racontez fait vraiment frissonner,* fait trembler de peur ; vois **frémir.**

Suleiman-bin-Daoud comprenait ce que disent les arbres, quand ils frissonnent au milieu du matin *(Histoires comme ça).*

Famille de **frire**

frit adj.
Cuit dans de la matière grasse bouillante. *Je voudrais un steak avec des pommes de terre frites.*
▸ ***frite*** n. f. Morceau allongé de pomme de terre que l'on mange frit et chaud. *Mme Hespel a fait des frites.*
▸ ***friteuse*** n. f. Grande bassine dans laquelle on fait frire les aliments. *Mme Hespel a une friteuse électrique.*
▸ ***friture*** n. f. **1.** Matière grasse bouillante. *Mme Roussel plonge les beignets dans la friture.* **2.** Petits poissons frits. *M. Bellec aime beaucoup la petite friture.*

frivole adj.
Qui n'est pas sérieux. *Alex est un jeune homme frivole ;* vois **futile, superficiel.**

Le contraire de *frivole,* c'est *sérieux.*

Le contraire de *frivolité,* c'est *sérieux.*

▸ ***frivolité*** n. f. Insouciance. *Mme Hespel reproche à Alex sa frivolité. Alex perd son temps en frivolités,* en occupations peu sérieuses ; vois **futilité.**

froc n. m.
Robe de moine. *Les capucins portent un froc de bure.*

Le contraire de *froid,* c'est *chaud, tiède.*

Le contraire de *froid,* c'est *chaleureux.*

C'est un comédien célèbre.

Ce n'est pas parce qu'en hiver on dit : « Fermez la porte, il fait froid dehors », qu'il fait moins froid dehors quand la porte est fermée (P. Dac).

froid adj. et n. m.

▭ **adj. 1.** Qui est à une température peu élevée. *Le vent est très froid aujourd'hui ;* vois ***glacé.*** *C'est désagréable de se laver à l'eau froide.* **2.** Que l'on a laissé refroidir. *« À table, la soupe va être froide ! »* **3.** Réservé, distant. *À première vue, le docteur Séverac peut paraître un peu froid.* **4.** *Garder la tête froide,* c'est ne pas se laisser impressionner. *Malgré le succès, Denis Prost a gardé la tête froide. Cela me laisse froid,* cela m'est indifférent.

▭ **n. m.** Température peu élevée. *L'hiver est la saison des grands froids. Il fait très froid dehors. Si tu as froid, viens près du feu. Julie n'a pas froid aux yeux,* elle n'est pas timide. *Sylvain a pris froid,* il a attrapé un rhume. *Le beurre se conserve au froid,* dans un endroit froid ; vois ① ***frais.*** *La voiture d'Angèle démarre mal à froid,* quand le moteur est froid. *Julie et Yasmina sont en froid en ce moment,* elles sont fâchées.

L'hiver est rude dans les pays froids.

Jeter un froid, c'est provoquer une impression de gêne.

Une histoire qui donne froid dans le dos, c'est une histoire qui fait très peur.

▸ ***froidement*** adv. **1.** D'une manière froide, peu aimable. *La directrice de l'école reçut très froidement les parents de Colle et Rat.* **2.** Sans pitié. *L'assassin étrangla froidement sa victime.*

Le contraire de *froidement,* c'est *chaleureusement, cordialement.*

Autres membres de la famille : **refroidir, refroidissement, sang-froid.**

▸ ***froideur*** n. f. Manque de sensibilité. *La froideur du docteur Séverac cache une grande bonté.*

Le contraire de *froideur,* c'est *chaleur.*

Conjugaison 1

froisser v.

1. Chiffonner. *Nathalie a froissé sa jupe en s'asseyant ;* vois ***friper.*** **2.** Vexer. *La remarque d'Angèle a froissé Marie-Tévy. — Marie-Tévy s'est froissée.*

▸ ***froissé*** adj. Chiffonné ; vois ***fripé.*** *La jupe de Nathalie est toute froissée.*

▸ ***froissement*** n. m. Action de froisser, de chiffonner. *J'entends des froissements de papiers.*

L'âne ne protesta plus. Il était froissé *(les Contes du Chat perché).*

Conjugaison 1

Le ballon descend. Enfin la mer apparaît, mais si proche ! La nacelle frôle les vagues ! *(Babar).*

frôler v.

Toucher à peine ou passer tout près, en touchant presque ; vois ***effleurer.*** *La flèche de l'Indien frôla l'épaule du cow-boy. Alex a déjà frôlé la mort en tombant dans un lac glacé,* il a failli mourir.

Attention à l'accent circonflexe du ***ô*** !

Maître corbeau, sur un arbre perché
Tenait en son bec un fromage
(La Fontaine).

fromage n. m.

Aliment fabriqué avec du lait caillé. *Le fromage se mange avant le dessert. Le plateau de fromages comprenait du camembert, du roquefort et du gruyère.*

Il y a du fromage de vache, de chèvre, de brebis.

froment n. m.

Blé. *La farine de froment sert à faire le pain.*

fronce n. f.

Petit pli rond. *Sophie Pelletier a une jupe à fronces.*

Conjugaison 3

La maman des poissons elle a
l'œil tout rond
On ne la voit jamais froncer
les sourcils
(B. Lapointe).

▸ ***froncer*** v. **1.** Faire des fronces dans un tissu. *La jupe de Claire est froncée à la taille.* **2.** *Froncer les sourcils,* c'est les plisser en les rapprochant. *Yves fronce les sourcils quand il n'est pas content.*

▸ ***froncement*** n. m. *Un froncement de sourcils,* c'est l'action de froncer les sourcils. *Julie vit tout de suite que son père était de mauvaise humeur à son froncement de sourcils.*

Mowgli rejeta en arrière ses longs cheveux et fronça le sourcil en regardant la foule *(le Livre de la jungle).*

fronde n. f.

Lance-pierres. *La directrice interdit qu'on joue avec des frondes dans la cour de l'école.*

N'oublie pas le ***t*** à la fin.

Faire front, c'est résister à quelque chose.

C'est une femme très organisée !

front n. m.

1. Partie du visage située entre les sourcils et la racine des cheveux. *Mamie Lou a le front tout ridé.* **2.** *Le front,* c'est l'endroit où l'on se bat pendant une guerre. *Beaucoup de soldats sont morts au front.* **3.** *C'est dangereux de rouler à bicyclette à deux de front,* côte à côte. *Mme Hespel mène de front son travail et sa vie de famille,* elle s'occupe des deux en même temps.

Autres membres de la famille : **affronter, affrontement, confronter, confrontation, fronton.**

Les *frontaliers* habitent près de la frontière.

frontalier adj.

Situé près d'une frontière. *Les Pyrénées sont une région frontalière.*

Elles forment la frontière entre la France et l'Espagne.

frontière n. f.

Ligne séparant deux pays voisins. *À la frontière, les douaniers demandent les passeports ou les cartes d'identité.*

Le Rhin forme une frontière naturelle entre la France et l'Allemagne.

Famille de **front**

L'un des plus beaux frontons est celui du Parthénon.

fronton n. m.
Triangle sculpté situé au-dessus de l'entrée d'un monument. *Les temples grecs avaient souvent de très beaux frontons.*

On appelle aussi *fronton* le mur contre lequel on joue à la pelote basque.

N'oublie pas les deux *t*.

frotter v.
1. Appuyer une chose contre une autre avec un mouvement. *Les hommes préhistoriques faisaient du feu en frottant deux silex l'un contre l'autre. Claire se frotte les yeux, elle commence à avoir sommeil. — Le chat se frotte contre Julie. Yves se frotte énergiquement dans son bain ;* vois ***frictionner.*** **2.** Rendre propre en astiquant. *Mme Roussel frotte son parquet à la paille de fer.* **3.** *Se frotter à quelqu'un,* c'est l'approcher pour le provoquer. *Il vaut mieux ne pas se frotter à Denis Prost, il a fait du judo !*
▸ **frottement** n. m. Action de frotter. *Le frottement de la porte a usé la moquette.*

Conjugaison 1

Alors, le rhinocéros courut au palmier et se frotta, se frotta et se refrotta contre *(Histoires comme ça).*

Je n'ai pas l'habitude de me frotter à n'importe qui, dit le paon *(les Contes du Chat perché).*

Qui s'y frotte, s'y pique (proverbe).

Conjugaison 7

fructifier v.
Produire des bénéfices. *Mme Hespel a placé son argent pour le faire fructifier,* pour qu'il rapporte des intérêts.

Elle a acheté des actions.

fructueux adj.
Qui donne de bons résultats ; vois ***avantageux.*** *Les placements de Mme Hespel sont fructueux ;* vois ***rentable.*** *L'aide apportée par le docteur Séverac en Afrique est très fructueuse ;* vois ***utile.***

Autre membre de la famille : **infructueux.**

Le contraire de *fructueux,* c'est *infructueux.*

frugal adj.
Qui consiste en aliments simples et peu abondants. *Angèle s'est contentée d'un frugal repas ;* vois ***léger.***

Le contraire de *frugal,* c'est *copieux, plantureux.*

Au masculin pluriel : *frugaux.*

fruit n. m.
1. Ce que produit une plante après la fleur. *Le gland est le fruit du chêne. La banane, la fraise et l'orange sont des fruits. Julie boit un jus de fruit.* **2.** *Les fruits de mer,* ce sont les crustacés et les coquillages que l'on peut manger. *Mme Roussel et Loïc ont commandé un plateau de fruits de mer.* **3.** Résultat. *Cette découverte est le fruit de nombreuses années de recherches.*
▸ **fruitier** adj. Qui donne des fruits comestibles. *Le pommier, le prunier et l'oranger sont des arbres fruitiers.*

Sophie pensait aux fruits confits, à l'angélique, aux prunes ; elle regrettait de ne pas pouvoir en manger encore, de n'avoir pas goûté à tout *(les Malheurs de Sophie).*

Les fruits contiennent les graines.

Les huîtres, les crabes, les palourdes, les bigorneaux, les oursins, sont des fruits de mer.

fruste adj.
Qui n'est pas très raffiné ni très cultivé. *Cet homme est un peu fruste ;* vois ***grossier.***

Le contraire de *fruste,* c'est *raffiné, délicat.*

Il a des *manières frustes.*

Conjugaison 1

frustrer v.
Priver de ce que l'on attendait. *Au goûter d'anniversaire de Julie, Antoine a été frustré : quelqu'un a mangé le gâteau qu'il voulait.*

C'est Yasmina qui lui a joué ce mauvais tour.

Prononce [fyʃja]. Attention à l'orthographe !

fuchsia n. m.
Petit arbre à fleurs rose vif, en forme de clochettes. *Le jardin des Séverac a une allée bordée de très beaux fuchsias.*

Prononce [fjul]. On écrit aussi *fioul.*

fuel n. m.
Mazout. *L'immeuble où habite Angèle est chauffé au fuel.*

fugace adj.
Qui ne dure pas, disparaît très vite. *Mme Bellec éprouva une sensation fugace de malaise ;* vois ***fugitif, passager.***

Le contraire de *fugace,* c'est *durable, tenace.*

fugitif adj.
1. Qui s'enfuit. *Les prisonniers fugitifs ont été retrouvés à moitié morts de faim et de froid ;* vois ***fuyard.*** — n. *La police a retrouvé les fugitifs.* **2.** *Une impression fugitive,* c'est une impression qui passe très vite ; vois ***fugace, passager.*** *Angèle eut l'impression fugitive d'être suivie.*

Le contraire de *fugitif,* c'est *durable.*

Compare *fugue* et *fugitif* : il est question de **fuir.**

fugue n. f.
Faire une fugue, c'est s'enfuir de l'endroit où l'on habite. *Colle et Rat ont déjà fait des fugues.*

▸ ***fugueur*** adj. Qui fait des fugues. *Colle et Rat sont des enfants fugueurs.*

Au féminin : *fugueuse.*

Conjugaison 17
▭ Indic. présent : *je fuis, nous fuyons.* Futur : *je fuirai.* — Subj. présent : *que je fuie, que nous fuyions.*

fuir v.
1. Se sauver, s'enfuir. *Le chat a fui à la vue du chien.* **2.** *Fuir quelqu'un,* c'est chercher à l'éviter. *Marie-Tévy fuit Colle et Rat comme la peste.* **3.** Laisser échapper le liquide contenu. *Le robinet fuit, il faut changer le joint.*

Le contraire de *fuir,* c'est *rester.*

Qu'est-ce qu'un voleur prend toujours en dernier ? — La fuite.

▸ ***fuite*** n. f. **1.** Mouvement d'une personne qui fuit. *Rex, le chien, met en fuite tous les maraudeurs qui s'approchent de la ferme,* il les fait se sauver. **2.** Écoulement. *Le plombier répare la fuite d'eau de la salle de bain.*

Autres membres de la famille : **s'enfuir, faux-fuyant, fuyant, fuyard.**

fulgurant adj.
Vif et rapide comme l'éclair. *Les fusées vont à une vitesse fulgurante.*

Conjugaison 1

Marinette, qui était le pilote, tournait la clé de la cuisinière à droite, ce qui faisait fumer un peu
(les Contes du Chat perché).

fumer v.
1. Dégager de la fumée. *Quand les bûches sont humides, elles fument au lieu de brûler.* **2.** Aspirer par la bouche la fumée du tabac et la rejeter. *Sophie Pelletier fume des cigarettes blondes. Denis Prost fume beaucoup.* **3.** Exposer à la fumée pour faire sécher et conserver. *Pierre Séverac fume les jambons. On fume le saumon.*

C'est du *saumon fumé.*

Compare : *fumer → fumée* et *mêler → mêlée.*

▸ ***fumée*** n. f. Sorte de nuage produit par quelque chose qui brûle. *Un panache de fumée sortait de la cheminée du paquebot. Quelle tabagie, ici ! On ne voit plus rien tellement il y a de la fumée !*

Il n'y a pas de fumée sans feu (proverbe).

▸ ***fumet*** n. m. Odeur agréable d'une viande en train de cuire. *Un fumet appétissant se dégageait de la daube en train de mijoter ;* vois ***arôme, parfum.***

Autres membres de la famille : **enfumer, enfumé,** ① **fumiste.**

▸ ***fumeur*** n. m., ***fumeuse*** n. f. Personne qui a l'habitude de fumer. *Angèle n'est pas une grande fumeuse,* elle ne fume pas beaucoup.

Dans les trains, il y a des compartiments « fumeurs » et « non fumeurs ».

fumier n. m.
Mélange de paille et d'excréments de bestiaux, qui sert d'engrais. *Il y a un gros tas de fumier dans la cour de la ferme.*

On répand du fumier sur une terre pour aider les cultures à pousser.

Famille de **fumer**

① ***fumiste*** n. m.
Personne dont le métier est d'entretenir les cheminées et les appareils de chauffage. *Le fumiste est venu réparer le chauffe-eau.*

Va voir aussi ***ramoneur.***

② ***fumiste*** n. m. et f.
Personne qui n'est pas sérieuse, sur qui on ne peut pas compter. *Alex est un fumiste, il ne travaille pas sérieusement ;* vois ***fantaisiste.***

funambule n. m. et f.
Acrobate qui marche et danse sur une corde tendue ; vois ***équilibriste.*** *Au cirque, les enfants ont applaudi les funambules.*

Le cortège funèbre, c'est l'ensemble des gens qui suivent l'enterrement.

funèbre adj.
1. Qui concerne un enterrement. *L'abbé Gauthier a prononcé l'éloge funèbre du défunt.* **2.** Très triste ; vois ***sinistre.*** *Il régnait dans la pièce un silence funèbre ;* vois ***lugubre.***

Va voir *pompes funèbres* à ① ***pompe.***

funérailles n. f. plur.
Enterrement ; vois ***obsèques.*** *Angèle a assisté aux funérailles de la mère de Sophie Pelletier.*

Compare *funeste* et *funèbre* : il est question de **mort.**

funeste adj.
Qui peut causer la mort ou le malheur ; vois ***fatal.*** *Cette décision a eu des conséquences funestes,* catastrophiques ; vois ***tragique.***

funiculaire n. m.
Sorte de train tiré par câble, installé sur une pente abrupte. *À Paris, un funiculaire monte au sommet de la Butte-Montmartre.*

au ***fur et à mesure*** adv.
En même temps. *Marie-Tévy regarde les photos et les passe à Julie au fur et à mesure.*

Il court, il court le furet
Le furet du bois, Mesdames
(chanson).

furet n. m.
Petit animal carnivore, voisin du putois, au pelage roux et blanc, aux yeux rouges, qu'on utilise parfois pour chasser le lapin. *Le furet mesure environ 65 centimètres.*

Le furet est un mammifère qui peut entrer dans le terrier des lapins.

Conjugaison 5

fureter v.
S'introduire partout en espérant trouver quelque chose ; vois ***fouiller.*** *Julie furète dans les affaires de sa mère.*

Compare ***fureur,*** ***furibond*** et ***furieux*** : on **est hors de soi.**

fureur n. f.
1. Grande colère. *M. Bellec s'est mis en fureur.* **2.** Grande violence. *Dans ce western, les deux clans ennemis se battaient avec fureur.* **3.** *Faire fureur,* c'est avoir un grand succès. *Le blanc fait fureur cet été,* il est très à la mode.

N'oublie pas le ***d*** à la fin.

furibond adj.
Furieux. *Je ne sais pas ce qu'a Julie aujourd'hui, elle a l'air furibond.*

Au féminin : *furibonde.*

Compare ***fureur,*** ***furibond,*** ***furie*** et ***furieux*** : on **est hors de soi.**

furie n. f.
Fureur. *Le mensonge met Angèle en furie. Quand Julie est en colère, c'est une vraie furie,* elle est comme une folle furieuse.

Furieux, Arthur casse sa trompette sur le dos du serpent et le tue *(Babar).*

furieux adj.
1. Très en colère. *Yves a l'air furieux. Julie est furieuse contre sa mère qui a refusé de la laisser aller au cinéma avec Yasmina.* **2.** *Angèle a parfois une furieuse envie de gifler Colle et Rat,* elle en a une grande envie.

Va voir *fou furieux* à ***fou.***

furoncle n. m.
Gros bouton douloureux qui contient du pus. *Sylvain a un furoncle à la cuisse.*

Il faut quelquefois ouvrir les furoncles.

Au féminin : *furtive.*

furtif adj.
Un regard furtif, c'est un regard à la dérobée, très discret et très rapide. *Mme Séverac jeta un coup d'œil furtif à sa montre : elle n'avait plus de temps à perdre.*

fusain n. m.
1. Petit arbre à feuilles brillantes et à fruits rouges. *Au fond du jardin des Séverac, il y a une haie de fusains.* **2.** Morceau de charbon de bois de fusain qu'on utilise pour dessiner. *Sophie Pelletier sait dessiner au fusain.*

Un fusain, c'est aussi un dessin fait au fusain.

Au pluriel : *des fuseaux.*

[...] elle dit en branlant la tête, encore plus de dépit que de vieillesse, que la Princesse se percerait la main d'un fuseau, et qu'elle en mourrait
(la Belle au bois dormant).

fuseau n. m.
1. Instrument aux extrémités pointues qui servait à enrouler le fil lorsque l'on filait à la quenouille. *Autrefois, on se servait d'un fuseau pour filer la laine.* **2.** *Un fuseau horaire,* c'est une zone imaginaire, le long d'un méridien, à l'intérieur de laquelle l'heure est partout la même. *Les fuseaux horaires sont au nombre de vingt-quatre.* **3.** *Un pantalon fuseau,* c'est un pantalon resserré aux chevilles et muni de sous-pieds. *Pour faire du ski, les petits Séverac portent des pantalons fuseaux.*

On dit aussi *un fuseau.*

N'oublie pas le ***e*** à la fin.

Partir comme une fusée, rapidement, en trombe.

La fusée dans laquelle Tintin s'embarque pour aller dans la Lune s'appelle le XFLR 6.

fusée n. f.
1. Tube rempli de poudre et qui explose en l'air en faisant des étincelles de couleur. *La nuit du 14 Juillet à Motbourg, il y a eu un feu d'artifice avec des fusées de toutes les couleurs.* **2.** Engin qui permet d'envoyer dans l'espace un satellite ou un véhicule spatial. *Le décollage de la fusée est prévu à 14 h 13, heure locale.*

Oh ! la belle rouge ! Oh, la belle bleue !

fuselage n. m.
Corps d'un avion, où sont fixées les ailes. *Le fuselage est la partie habitable de l'avion.*

Il contient le poste de pilotage et la cabine.

Conjugaison 1

fuser v.
Partir comme une fusée. *Des quatre coins de la classe, les rires fusèrent ;* vois ***jaillir.***

Compare ***fusible*** et ***fusion*** : il s'agit de **fondre.**

fusible n. m.
Petit fil de plomb placé dans un circuit électrique, qui fond en cas de court-circuit ; vois ***plomb.*** *Les fusibles évitent les courts-circuits et les incendies.*

Les fusibles fondent si trop d'appareils ménagers fonctionnent en même temps.

Ne prononce pas le *l* final : [fyzi].

fusil n. m.
Arme à feu à long canon. *En automne, M. Bellec va chasser le lapin avec son chien, son fusil en bandoulière. On entendit au loin un coup de fusil.*

Changer son fusil d'épaule, c'est changer de tactique.

▷ ***fusillade*** n. f. Combat à coups de fusil. *Plusieurs bandits ont été blessés pendant la fusillade.*

Conjugaison 1

▷ ***fusiller*** v. Tuer à coups de fusil. *Pendant la guerre, on fusillait les traîtres.*

Compare *fusible* et *fusion* : il s'agit de **fondre.**

fusion n. f.
1. Passage d'un corps solide à l'état liquide sous l'action de la chaleur. *La fusion du fer se fait à 1 535 degrés.* **2.** Réunion de plusieurs choses en une seule. *La fusion entre les deux sociétés concurrentes est prévue pour l'année prochaine.*

C'est de la lave en fusion qui sort des volcans en éruption.

N'oublie pas les deux *n*.

▷ ***fusionner*** v. Se réunir. *Les deux entreprises ont fusionné.*

Conjugaison 1

Ne prononce pas le *t* : [fy].

fût n. m.
1. Tronc d'un arbre. *Dans la forêt, près de Motbourg, il y a des arbres qui ont un fût très haut.* **2.** *Le fût d'une colonne,* c'est la partie allongée, entre la base et le chapiteau. *Le fût d'une colonne n'a pas la même largeur partout.* **3.** Tonneau. *Le vin vieillit dans des fûts ;* vois ***barrique.***

Ils doivent être très vieux.

Attention à l'accent circonflexe du ***û***.

Il est souvent plus épais au milieu.

▷ ***futaie*** n. f. Forêt de grands arbres. *Dans la forêt voisine de Motbourg, il y a une futaie de hêtres.*

Les bois de haute futaie sont très hauts.

C'est un peu familier de dire *futé.*

futé adj.
Malin, rusé. *Julie est une petite fille plutôt futée.*

futile adj.
Qui n'est pas très sérieux, qui n'est pas important. *Quand elle était jeune, Mme Séverac était un peu futile ;* vois ***frivole.***

Le contraire de *futile,* c'est *grave, important.*

Compare : *futile* → *futilité* et *utile* → *utilité.*

▷ ***futilité*** n. f. **1.** *Cette conversation est d'une grande futilité,* elle est très futile ; vois ***frivolité.*** **2.** Chose futile, peu importante. *À trop s'attacher à des futilités, on perd de vue l'essentiel.*

futur adj. et n. m.
▭ **adj.** Qui doit exister, avoir lieu dans l'avenir. *C'est difficile d'imaginer les siècles futurs,* qui viendront. *Le frère d'Angèle est venu avec sa future épouse,* celle qui sera sa femme.

« *Je dirai* » est un futur simple, « *j'aurai dit* » est un futur antérieur.

▭ **n. m. 1.** *Le futur,* c'est l'avenir, ce qui va arriver. *Le futur est différent du passé.* **2.** Temps de l'indicatif qui indique qu'une action se fera plus tard. *Dans « je lui dirai », « dirai » est au futur.*

fuyant adj.
Un regard fuyant, c'est un regard qui évite celui des autres. *Un regard fuyant n'inspire pas confiance.*

Un menton fuyant : qui part vers l'arrière.

Famille de **fuir**

Famille de **fuir**

fuyard n. m., **fuyarde** n. f.
Personne qui fuit ou qui s'est enfuie ; vois ***fugitif.*** *Les fuyards n'ont pas tous été rattrapés.*

g

gabardine n. f.
1. Tissu de laine ou de coton à très fines côtes. *Le docteur Séverac porte souvent, l'été, des pantalons en gabardine beige.* **2.** Imperméable. *Quand il pleut, M. Doucet met sa gabardine et son chapeau.*

Gabarit [gabaʀi] rime avec *souris.*

gabarit n. m.
1. Dimensions d'un objet imposées par un règlement. *Les camions hors gabarit ne peuvent pas passer sous le tunnel,* ils n'ont pas la hauteur, la largeur et la longueur réglementaires. **2.** Dimensions du corps d'une personne. *Le catcheur était d'un gabarit impressionnant ;* vois **corpulence.**

À cette époque, on consommait beaucoup de sel pour conserver les aliments.

gabelle n. f.
Impôt que l'on payait sur le sel, avant la Révolution française. *Ceux qui essayaient d'échapper à la gabelle en faisant la contrebande du sel étaient envoyés aux galères.*

Cet impôt fut supprimé en 1790 par l'Assemblée constituante.

Attention à l'accent circonflexe du *â* !

gâcher v.
1. *Gâcher du plâtre,* c'est mélanger le plâtre en poudre avec de l'eau. *Les maçons gâchent du plâtre pour pouvoir réparer le mur.* **2.** Abîmer, gaspiller. *Avant de commencer à écrire sa lettre, Antoine avait déjà gâché trois feuilles de papier. Mme Harpie nous a gâché la soirée avec son bavardage incessant,* elle l'a rendue désagréable.

Conjugaison 1

Compare : *gâcher → gâchis, gribouiller → gribouillis* et *hacher → hachis.*

▸ ***gâchis*** n. m. **1.** Amas de choses abîmées, brisées, renversées. *Les enfants ont cassé tous les jouets, déchiré les rideaux, taché la moquette, quel gâchis !* **2.** Gaspillage. *Ne jette pas les restes du poulet, c'est du gâchis !*

Attention à l'accent circonflexe du *â* !

gâchette n. f.
Pièce d'un fusil ou d'un pistolet sur laquelle on appuie pour faire partir le coup de feu. *Le doigt sur la gâchette, le cow-boy visait son adversaire entre les deux yeux.*

On dit la *gâchette* alors qu'il faudrait dire la *détente.*

Prononce le *d* et le *t* ; *gadget* [gadʒɛt] rime avec *sucette.*

gadget n. m.
Objet amusant et nouveau qui quelquefois ne sert à rien. *Alex aime bien s'acheter des gadgets.*

Est-ce que tu peux donner des exemples de gadgets ?

Un *e* à la fin, comme dans *moue, roue, proue.*

gadoue n. f.
Terre mouillée. *Après la pluie, on patauge dans la gadoue ;* vois ***boue.***

Attention aux deux *f* !

① gaffe n. f.
Long bâton muni d'une pointe et d'un crochet. *Le marin a repoussé la barque avec sa gaffe.*

Attention aux deux *f* !
Connais-tu les histoires de Gaston La Gaffe ?

② gaffe n. f.
Parole ou action maladroite. *« J'ai fait une gaffe ! », dit Hippolyte en mettant sa main sur sa bouche. Quelle énorme gaffe !*

Ce mot est familier.

▸ ***gaffeur*** adj. Qui fait tout le temps des gaffes. *Julie est très gaffeuse.* — n. *C'est une gaffeuse finie.*

Gag [gag] rime avec *blague.*

gag n. m.
Dans un film, événement qui surprend et qui fait rire. *Les enfants n'ont pas arrêté de rire, le film était plein de gags irrésistibles.*

gage n. m.

Autres membres de la famille : **dégager, dégagé, dégagement, engager, s'engager, engageant, engagement.**

1. Chose que l'on laisse à quelqu'un en attendant de pouvoir le payer. *Comme il n'avait pas d'argent pour payer son dîner, il a laissé sa montre en gage.* **2.** Pénitence qu'un joueur doit exécuter quand il perd. *Le premier qui perd aura un gage.* **3.** *Un gage d'amour,* c'est quelque chose qui prouve que cet amour est vrai ; vois ***preuve.*** *Sylvain a donné à Nathalie son livre préféré en gage d'amour.*

Bisque, bisque, rage, tu auras un gage !

Maintenant, on dit plutôt *salaire* ou *appointements.*

▸ ***gages*** n. m. plur. Argent que l'on reçoit pour son travail. *La femme de ménage a reçu ses gages.*

Un tueur à gages est payé pour tuer.

Conjugaison 1

gagner v.
1. *Gagner de l'argent,* c'est recevoir de l'argent en échange de son travail. *Denis Prost gagne sa vie en faisant du cinéma.* **2.** Obtenir de l'argent ou un objet, grâce au hasard. *Mme Touati aimerait bien gagner à la loterie. Yasmina aimerait gagner le gros lot.* **3.** Être vainqueur dans une compétition. *Les Français ont gagné le match ;* vois ***remporter.*** **4.** *Gagner du temps,* c'est faire une économie de temps. *En prenant ce raccourci, vous gagnerez un bon quart d'heure.* **5.** *L'incendie gagne du terrain,* il s'étend. **6.** Atteindre un endroit en se déplaçant. *Le navire a gagné le large. Les passagers ont gagné la sortie.* **7.** Arriver à un endroit. *L'inondation a gagné le premier étage,* l'a envahi. *Le sommeil commençait à nous gagner,* à s'emparer de nous.

Va voir aussi ***gain.***
Le contraire de *gagner,* c'est *perdre.*

Et quand l'heure du départ fut proche :
— Ah ! dit le renard... je pleurerai.
— C'est ta faute, dit le petit prince [...] tu as voulu que je t'apprivoise [...] alors tu n'y gagnes rien !
— J'y gagne, dit le renard, à cause de la couleur du blé
(le Petit Prince).

▸ ***gagnant*** adj. Qui gagne. *M. Bellec n'avait pas les numéros gagnants du tiercé.* — n. *Marie-Tévy est une des gagnantes,* une des personnes qui ont gagné.

Le contraire de *gagnant,* c'est *perdant.*

Au pluriel : *des gagne-pain.*
Famille de **pain**

▸ ***gagne-pain*** n. m. invariable Ce qui permet de gagner sa vie. *Le cinéma est le gagne-pain de Denis Prost.*

Autre membre de la famille : **regagner.**

Ne confonds pas *gai, gué* et *guet.*
Si tu es gai, ris donc (guéridon) !

gai adj.
1. Qui est toujours de bonne humeur et qui rit souvent. *Julie est toujours très gaie ;* vois ***content, guilleret, joyeux.*** **2.** Qui rend gai. *Sophie Pelletier porte souvent des vêtements de couleurs gaies,* vives, lumineuses.

Le contraire de *gai,* c'est *morose, triste.*

On écrit aussi *gaîment.*

▸ ***gaiement*** adv. Avec gaieté, joyeusement. *Dans l'autocar, tous les enfants chantaient gaiement.*

Le contraire de *gaiement,* c'est *tristement.*

Attention ! un *e* après le *i* dans *gaiement* et *gaieté.*

▸ ***gaieté*** n. f. Bonne humeur, caractère gai. *Après son opération, Julie a tout de suite retrouvé sa gaieté. Ce n'est pas de gaieté de cœur que Julie est partie pour l'hôpital,* elle n'avait pas envie d'y aller.

On écrit aussi *gaîté.*
Autre membre de la famille : **égayer.**

gaillard adj.

« À nous deux, mon gaillard », dit le chef des bandits en s'apprêtant à assommer Tintin.

Plein de vie, en bonne santé. *Mamie Lou est encore très gaillarde malgré son âge,* alerte et vive. — n. *Réjean est un grand et solide gaillard,* un homme vigoureux et plein d'entrain.

Autre membre de la famille : **ragaillardir.**

gain n. m.

Avoir gain de cause, c'est obtenir ce que l'on voulait.

1. Argent que l'on gagne. *Denis Prost dépense une partie de ses gains à s'acheter des voitures de sport ;* vois ***revenu, salaire.*** **2.** Économie. *Si l'on pouvait replier cette table, ce serait un gain de place,* on aurait plus de place.

Le contraire de *gain,* c'est *dépense, perte.*
Prendre l'avion, c'est un gain de temps !

La gaine d'une épée s'appelle le *fourreau*.

Va voir aussi ***corset.***

Elle espère paraître mince !

gaine n. f.

1. Enveloppe ayant la forme de l'objet qu'elle protège. *Le bandit remet son revolver dans sa gaine ;* vois ***étui.*** *Les fils électriques sont dans des gaines pour que l'on ne s'électrocute pas en les touchant.* **2.** Sous-vêtement de femme en tissu élastique qui serre les hanches et la taille. *Mme Harpie porte une gaine.*

Autre membre de la famille : **dégainer.**

gala n. m.

Grande fête où se rendent des personnalités, organisée pour défendre une cause ou pour célébrer un événement. *Le docteur Séverac et sa femme sont allés à une soirée de gala en faveur des handicapés.*

Il était de tous les galas
Et les autres jours ce gars-là
Cherchait au bout d'ses lèvres
Des petits bouts de
chansonnettes (B. Lapointe).

C'est toujours un homme qui est galant.

Il agit d'une manière galante.

galant adj.

Poli et plein d'attentions délicates à l'égard des femmes. *Un homme galant ouvre la porte et laisse passer les dames devant lui.*

▸ ***galanterie*** n. f. Politesse et bonnes manières à l'égard des femmes. *Le docteur Séverac est d'une grande galanterie.*

Le contraire de *galant,* c'est *grossier.*

Vue de la Terre, une galaxie forme un trait brillant et blanc comme du lait.

galaxie n. f.

Immense ensemble d'étoiles qui a la forme d'une spirale. *Chaque galaxie compte des milliards d'étoiles.*

La Voie lactée est une galaxie.

« Mon nez est vilainement déformé, dit l'Enfant d'Éléphant, j'attends qu'il reprenne son galbe » *(Histoires comme ça).*

galbe n. m.

Contour harmonieux, de forme arrondie, d'un objet, d'un corps ou d'un visage ; vois ***courbe.*** *Angèle a un visage d'un beau galbe.*

▸ ***galbé*** adj. Qui a une forme courbe. *Sophie Pelletier a les jambes bien galbées.*

gale n. f.

Maladie de peau contagieuse provoquée par un parasite. *Il ne faut pas caresser ce chien, il a la gale.*

Autre membre de la famille : **galeux.**

Au XVIIe siècle, en France, les criminels étaient condamnés à ramer pendant de très nombreuses années sur les galères du roi.

galère n. f.

Grand bateau à rames et à voiles. *Les galères ont été utilisées depuis l'Antiquité jusqu'au XVIIIe siècle pour faire la guerre ou du commerce.*

▸ ***galérien*** n. m. Homme condamné à ramer sur une galère. *Souvent les galériens mouraient d'épuisement.*

Mais que diable allait-il faire dans cette galère ? (Molière).

Va voir aussi ***bagnard, forçat.***

galerie n. f.

1. Chemin, passage souterrain. *Les mineurs transportent le charbon sur des chariots dans les galeries des mines ;* vois ***boyau, tunnel.*** **2.** Magasin où l'on expose et où l'on vend des objets d'art, des tableaux. *À Paris, M. Doucet a emmené son fils dans une galerie de tableaux voir des aquarelles.* **3.** Porte-bagages métallique fixé sur le toit d'une voiture. *Pierre Séverac a attaché les skis sur la galerie de sa voiture.*

La taupe creuse des galeries avec ses pattes de devant qui forment des pelles.

Faire quelque chose pour amuser la galerie, c'est le faire pour épater et faire rire ceux qui sont là, qui regardent et qui écoutent.

galet n. m.

Caillou arrondi, usé et poli par la mer ou l'eau des torrents. *En Bretagne, il y a des plages de galets.*

Un joli galet verni peut servir de presse-papier !

Je vais voir ma Mère-grand, et lui porter une galette avec un petit pot de beurre que ma Mère lui envoie *(le Petit Chaperon rouge).*

galette n. f.

1. Gâteau plat et rond fait d'un mélange très simple. *Pour le goûter, les enfants ont eu une galette à la confiture.* **2.** Crêpe faite avec de la farine de sarrasin ou de maïs. *À la crêperie, Angèle a demandé une galette aux champignons.*

La *galette des Rois,* c'est la galette qui contient une fève et que l'on mange en janvier, le jour de la fête des Rois.

Famille de **gale**

galeux adj.

Qui a la gale. *Les chiens galeux perdent leurs poils.*

Compare ***galion*** et ***galère*** : dans ces mots, il s'agit de **bateaux.**

galion n. m.

Grand bateau à voiles qu'utilisaient les Espagnols au XVIIe siècle pour faire du commerce avec l'Amérique. *Les galions espagnols étaient souvent attaqués par les pirates.*

Les galions servaient surtout à rapporter en Espagne l'or du Mexique et de l'Amérique du Sud.

Ce mot est familier ; il vaut mieux dire *culbute* ou *roulade.*

galipette n. f.

Tour que l'on fait en mettant sa tête au sol et ses jambes au-dessus, de façon à retomber de l'autre côté en roulant ; vois ***culbute.*** *Marie-Tévy sait très bien faire les galipettes.*

Celui qui est terrible pour les galipettes, c'est Nicolas, a dit Marie-Edwige *(le Petit Nicolas).*

Dans les bandes dessinées, les brutes ont souvent un menton en galoche.

galoche n. f.
Chaussure de cuir à semelle de bois. *Pour aller au potager, Odile Séverac met des galoches. Loïc a un menton en galoche,* long et relevé vers l'avant.

Va voir aussi ***sabot.***

Prendre du galon, c'est monter en grade.

galon n. m.
1. Ruban épais qui sert à orner. *M. Bonnot a un galon autour de son chapeau.* **2.** Très fin ruban cousu sur l'épaule ou la manche de l'uniforme d'un militaire ou sur son képi. *On reconnaît le grade d'un militaire à ses galons.*

Les galons des militaires peuvent être en laine de couleur, en or ou en argent.

Attention ! un ***p*** à la fin ; pense à *galoper.*

galop n. m.
Allure la plus rapide du cheval. *Le cheval est parti au galop. Un cheval au galop est passé dans l'allée,* un cheval en train de galoper.

Au pas, au trop, au galop !

Conjugaison 1

Moi je galopais dans le jardin en me donnant des tapes dans la culotte pour avancer plus vite *(le Petit Nicolas).*

▸ ***galoper*** v. **1.** Aller au galop. *Les zèbres galopaient dans la savane.* **2.** Courir très vite. *Les enfants galopaient devant lui.*

L'ours est un gros pesant animal ; il ne galope point comme le loup alerte et léger *(Robinson Crusoé).*

▸ ***galopade*** n. f. Course très rapide. *Le docteur Séverac entendit des galopades dans l'escalier, c'étaient ses enfants.*

▸ ***galopant*** adj. Qui augmente très vite. *Ce pays a une démographie galopante,* le nombre de naissances augmente très vite.

galopin n. m.
Enfant insupportable et farceur ; vois ***chenapan, garnement.*** *« Petits galopins » a crié Mme Harpie à Antoine et Yves qui avaient tiré sa sonnette.*

Ce mot vient du nom d'un physicien italien du XVIIIe siècle, Galvani, qui est à l'origine de l'invention de la pile électrique.

galvaniser v.
1. *Galvaniser quelqu'un,* c'est l'enthousiasmer et l'entraîner. *Cet orateur galvanise les foules ;* vois ***électriser, exalter, exciter.*** **2.** *Galvaniser un fil électrique,* c'est le recouvrir d'une couche de zinc pour qu'il ne rouille pas. *Le fil de fer de la clôture est galvanisé.*

Conjugaison 1

Conjugaison 1

galvauder v.
Gâcher quelque chose parce qu'on en fait un mauvais usage. *En jouant dans de mauvais films, Denis Prost galvauderait son talent ;* vois ***gaspiller.***

Conjugaison 1

Rex est le chien des Séverac.

gambader v.
Sauter dans tous les sens en faisant des petits bonds de joie. *Rex gambade autour de son maître ;* vois ***bondir, sautiller.***

Compare ***gambader*** et ***ingambe*** : dans ces mots, il s'agit de **jambe.**

Les scouts, lorsqu'ils font des camps, mangent dans des gamelles.

gamelle n. f.
Récipient en métal, muni d'un couvercle, dans lequel on met sa nourriture. *À midi, les ouvriers font réchauffer leur gamelle.*

Attention aux deux *l.*

C'est un mot familier comme le mot *gosse* ; dans un devoir, il faut écrire *enfant.*

gamin n. m., **gamine** n. f.
Enfant ou adolescent. *Une gamine de onze ans jouait à la marelle dans le square ;* vois ***gosse.*** — adj. *Alex est resté très gamin pour son âge,* il a un caractère jeune et espiègle.

Alex a 18 ans.

Attention ! deux ***m.***

gamme n. f.
1. Suite de notes de musique dans un ordre précis. *Quand il a commencé à jouer du piano, Sylvain a d'abord fait des gammes.* **2.** Série. *Nous vous proposons toute une gamme de prix.*

Do, ré, mi, fa, sol, la, si, do.

Gang [gɑ̃g] rime avec *langue.*

gang n. m.
Bande organisée de malfaiteurs. *La police a arrêté le chef du gang.*

Les malfaiteurs d'un gang, ce sont les *gangsters.*

Ganglion [gɑ̃glijɔ̃] rime avec *papillon.*

ganglion n. m.
Organe, en forme de petite boule, situé sous la peau. *Les ganglions servent à fabriquer des globules blancs et à défendre le corps contre les infections. Quand on a une angine, les ganglions du cou sont enflés.*

Les ganglions, qui ont la taille d'un petit pois à l'état normal, grossissent lorsqu'il y a une infection dans l'organisme.

gangrène n. f.
Maladie très grave qui fait pourrir la chair. *Si une blessure n'est pas bien soignée, on peut avoir la gangrène.*

La blessure peut *se gangrener.*

Il faut couper la partie malade pour arrêter la gangrène.

Gangster [gɑ̃gstɛʀ] rime avec *mystère.*

gangster n. m.
Bandit qui fait partie d'un gang. *Des gangsters masqués ont attaqué la banque ;* vois ***malfaiteur.*** *David aime bien regarder les films de gangsters à la télévision.*

Al Capone était le chef des gangsters de Chicago, entre 1930 et 1940.

La gangue est souvent faite de terre et d'autres pierres qui ne sont pas précieuses.

gangue n. f.
Matière qui enveloppe un minerai ou une pierre précieuse quand on les trouve dans les gisements. *Il faut débarrasser un diamant de sa gangue pour le voir briller.*

Ne confonds pas *gangue* et *gang.*

Une paire de gants : les deux gants, de la main gauche et de la main droite.

Si la robe ne lui allait pas du tout, on pourrait dire qu'elle lui va *comme des guêtres à un lapin* ou *comme un tablier à une vache.*

gant n. m.
1. Vêtement pour la main qui s'adapte exactement à sa forme et enveloppe chaque doigt séparément. *Julie a des gants de laine rouge. Mme Roussel met des gants de caoutchouc pour faire la vaisselle. Cette robe lui va comme un gant,* elle lui va très bien. *On a pris des gants pour lui annoncer la mauvaise nouvelle,* on l'a fait avec précaution, en faisant attention. **2.** *Un gant de toilette,* c'est une poche en tissu éponge dans laquelle on passe la main, et qui sert à se laver. *M. Bellec s'est passé un gant de toilette humide sur le visage.*

Va voir aussi ***moufle.***

La *boîte à gants,* c'est le compartiment de rangement placé à l'avant, à droite du conducteur, dans une voiture.

Des *gants de boxe* sont des gants rembourrés dont les doigts ne sont pas séparés.

Famille de **garer**

garage n. m.
1. Endroit couvert et généralement fermé où l'on range les voitures. *Le soir, M. Doucet rentre sa voiture au garage ;* vois ***parking.*** *La maison des Séverac n'a pas de garage.* **2.** Entreprise où l'on entretient et où l'on répare les voitures. *La voiture d'Angèle fait un drôle de bruit ; elle devrait l'emmener au garage. Ce garage a une pompe à essence.*
▸ ***garagiste*** n. m. et f. Personne qui tient un garage. *Le garagiste a fait la vidange de la voiture et a réglé l'allumage.*

Va voir aussi ***station-service.***

Je t'attendrai à la porte
du garage
Tu paraîtras dans ta
superbe auto
Il fera nuit mais avec l'éclairage
On pourra voir jusqu'au flanc
du coteau
(Ch. Trenet).

Conjugaison 2 ▭ Indic. présent : *nous garantissons.* Futur : *nous garantirons.*

« Mes gâteaux sont garantis pur beurre », dit la pâtissière.

garantir v.
1. *Garantir une chose,* c'est dire qu'elle marchera bien pendant un certain temps et que si elle ne fonctionne plus on la réparera gratuitement. *L'usine garantit cette voiture pendant un an. Cette voiture est garantie un an.* **2.** Affirmer, assurer. *Angèle, l'institutrice, garantit aux parents que tout se passera bien,* elle le leur certifie. **3.** Protéger. *Mon anorak me garantit du froid.*
▸ ***garantie*** n. f. **1.** *La garantie d'une chose,* c'est le fait qu'elle est garantie. *Ma montre est encore sous garantie,* elle serait réparée gratuitement si elle ne marchait plus. **2.** *Le lancement de cette fusée présente toutes les garanties de réussite,* on est sûr qu'il sera réussi.

Il faudrait alors présenter le *bon de garantie.*

Dans ce sens, on emploie le mot surtout au pluriel.

Attention à la cédille du **ç** ! *Garçon* [garsɔ̃] rime avec *chanson.*

garçon n. m.
1. Enfant du sexe masculin. *Sophie Pelletier a une fille et un garçon. Nathalie est un garçon manqué,* elle s'habille et joue comme un garçon. **2.** Jeune homme. *Alex est un garçon très intelligent. Une bande de mauvais garçons a attaqué Mme Harpie,* une bande de voyous. **3.** Homme employé dans un magasin. *Le garçon boucher a livré la viande ce matin. Le garçon de café n'a pas encore pris notre commande ;* vois ***serveur.***
▸ ***garçonnet*** n. m. Petit garçon. *Yves est un garçonnet de huit ans.*

Famille de **gars**

Compare : *garçon → garçonnet* et *bâton → bâtonnet.*

Garçon ! l'addition s'il vous plaît !

Va voir aussi ***fillette.***

Famille de **garder**

① garde n. f.
1. Action de veiller sur quelqu'un ou sur un animal, soit pour le protéger, soit pour le surveiller. *Pendant les vacances, Cajou est confié à la garde d'un des enfants.* **2.** *Monter la garde,* c'est garder, surveiller. *Les sentinelles montent la garde sur les remparts.* **3.** Groupe de personnes qui gardent. *La garde d'honneur escortait le président.* **4.** *En garde !, crie le mousquetaire avant de commencer le duel,* mettez-vous en position pour parer les coups. **5.** *Mettre quelqu'un en garde,* c'est le prévenir d'un danger. *Il l'avait pourtant mis en garde contre les voleurs.* **6.** *Être sur ses gardes,* c'est se méfier, être prêt à réagir à un danger. **7.** *Prendre garde,* c'est faire attention. *Prends garde ! le lion est juste derrière toi. Prends garde de ne pas faire de bruit.* **8.** *La garde d'une épée,* c'est le rebord placé entre la lame et la poignée, qui sert à protéger la main. *Il lui enfonça son épée dans le ventre, jusqu'à la garde.*

Faites bonne garde ! l'ennemi n'est pas loin.

La Garde meurt mais ne se rend pas.

Les nains dirent à Blancheneige : « Sois sur tes gardes, et ne laisse entrer personne quand nous ne sommes pas près de toi » (*Blancheneige*).

Cajou est le hamster de la classe.

Les bergers allemands sont de bons *chiens de garde.*

La *Garde républicaine* est une troupe de gendarmes à cheval chargés de surveiller les bâtiments publics à Paris.

« Si tu ne m'aimes pas, je t'aime et si je t'aime, prends garde à toi », chante Carmen.

Famille de **garder**

② garde n. m. et f.
1. n. m. Personne qui surveille un lieu. *Le garde a sifflé pour faire descendre les enfants qui étaient montés sur la statue, dans le square.* **2.** n. m. et f. Personne qui garde un malade, un enfant. *La garde a veillé toute la nuit.*

Les *gardes champêtres* surveillent les forêts et les champs ; les braconniers n'aiment pas les rencontrer.

Les *gardes forestiers* surveillent les forêts et les *gardes-pêche* surveillent la pêche.

Au pluriel : *des garde-à-vous.* Famille de **garder** et de **vous**

garde-à-vous n. m. invariable

Se mettre au garde-à-vous, c'est se tenir immobile, très droit, les talons serrés, prêt à exécuter un ordre. *Les soldats se mettent au garde-à-vous devant le général.*

Garde-à-vous !... Repos !

Au pluriel : *des gardes-barrière* ou *des gardes-barrières.*

garde-barrière n. m. et f.

Personne qui surveille un passage à niveau. *La maison du garde-barrière est à côté de la voie ferrée.*

Famille de **garder** et même famille que **barrière**

Au pluriel : *des garde-boue.*

garde-boue n. m. invariable

Bande de métal qui recouvre une partie de la roue d'une bicyclette ou d'une moto et qui protège de la boue. *Les vélos de course n'ont pas de garde-boue.*

Famille de **garder** et de **boue**

garde-chasse n. m.

Famille de **garder** et de **chasser**

Homme qui protège et soigne le gibier d'une forêt qui appartient à un propriétaire. *Le garde-chasse n'aime pas les braconniers.*

Au pluriel : *des gardes-chasse* ou *des gardes-chasses.*

Au pluriel : *des garde-fous.*

garde-fou n. m.

Barrière qui empêche de tomber ; vois ***balustrade, rambarde.*** *Réjean regardait l'eau, appuyé au garde-fou du pont ;* vois ***parapet.***

Famille de **garder** et de **fou**

garde-manger n. m. invariable

Les garde-manger étaient très utiles lorsque les réfrigérateurs n'existaient pas.

Petite armoire dont le fond est en grillage et donne sur l'extérieur, dans laquelle on conserve les aliments au frais. *En hiver, on peut mettre le fromage dans le garde-manger.*

Famille de **garder** et de **manger**

Conjugaison 1

garder v.

Jeanne d'Arc, quand elle était petite, gardait les moutons.

1. Prendre soin d'une personne ou d'un animal. *Le week-end dernier, c'est Marie-Tévy qui a gardé Cajou, le hamster de la classe. Mamie Lou garde Claire quand ses parents sortent,* reste avec elle et la surveille. **2.** Empêcher une personne de sortir, de s'en aller. *Le geôlier garde les prisonniers.* **3.** Rester dans un endroit pour le surveiller et le défendre. *Rex, le chien, garde la ferme des Séverac.* **4.** *Se garder de faire quelque chose,* c'est s'abstenir, éviter de le faire. *Julie s'est bien gardée d'aller raconter à sa mère la bêtise qu'elle a faite.* **5.** Conserver en bon état. *On ne peut pas garder longtemps la salade une fois qu'elle est assaisonnée. — Ce fromage ne se garde pas plus de deux jours.* **6.** Conserver pour soi. *Tu peux garder le pull que je t'ai prêté, je te le donne.* **7.** Conserver sur soi. *Gardez votre manteau, nous repartons tout de suite.* **8.** Ne pas quitter un lieu. *Le malade doit garder la chambre trois jours.* **9.** Ne pas dire quelque chose. *Je te demande de garder le secret.* **10.** Continuer à avoir. *Les enfants gardent un bon souvenir du pique-nique avec Angèle. Quoi qu'il arrive, Pierre Séverac garde toujours son calme.* **11.** Mettre de côté, réserver. *Si tu arrives le premier, garde-moi une place.* **12.** *Quand la directrice parle, tout le monde garde le silence,* se tait. **13.** *Bien qu'amoureux, Hippolyte sait garder ses distances avec Angèle,* il sait ne pas être trop familier.

Vous pourriez me parler plus poliment, nous n'avons pas gardé les vaches ensemble !

Dans *l'Île noire,* un énorme gorille garde le château où sont installés les faux-monnayeurs.

Dans *le Temple du Soleil,* le capitaine Haddock avait gardé un vieux morceau de journal pour allumer du feu, c'est ce journal qui les sauvera, Tintin et lui, du bûcher des Incas.

Autres membres de la famille : **avant-garde, arrière-garde, ① garde, ② garde, garde-à-vous, garde-barrière, garde-boue, garde-chasse, garde-fou, garde-manger, garde-robe, garderie, gardien,** par **mégarde, sauvegarde, sauvegarder.**

Tintin ne se laisse jamais troubler par les événements, il garde toujours son sang-froid.

Compare : *garder → garderie, parfumer → parfumerie* et *brasser → brasserie.*

garderie n. f.

Endroit où l'on garde les petits enfants ou les jeunes élèves pendant les heures où il n'y a pas de cours. *Le matin, les mamans déposent leurs enfants à la garderie ;* vois ***crèche.***

Famille de **garder**

Au pluriel : *des garde-robes.*

garde-robe n. f.

Ensemble des vêtements d'une personne. *Quand elle part en vacances, Julie veut toujours emporter toute sa garde-robe.*

Famille de **garder** et de **robe**

Famille de **garder**

gardien n. m., gardienne n. f.

1. Personne qui garde une autre personne, un animal ou un endroit. *Le gardien de prison a un gros trousseau de clés pendu à sa ceinture. Le gardien de l'immeuble fait sa ronde tous les soirs dans le parking avec son chien ;* vois ***concierge.*** **2.** *Le gardien de but,* c'est le joueur qui défend le but au football ou au hockey ; vois ***goal.*** *Quand il joue au foot, Antoine n'aime pas être gardien de but, il préfère être ailier.*

Les *gardiens de la paix,* ce sont les agents de police.

C'est un poisson très vif et très méfiant ; il a le dos vert avec des reflets roses et le ventre argenté.

gardon n. m.
Poisson qui vit dans les rivières et dans les étangs. *On peut appâter le gardon avec des asticots, de la mie de pain ou de la pomme de terre. Après une bonne nuit de repos, Hippolyte était frais comme un gardon,* en pleine forme.

Le gardon est un poisson très courant ; on peut le manger mais il a beaucoup d'arêtes.

Famille de **garer**

① **gare** n. f.
1. Ensemble des maisons et des installations où s'arrêtent et d'où partent les trains. *M. Doucet va chercher Antoine à la gare. Le train entre en gare à 11 h 45. M. Doucet attend son fils sur le quai de la gare.* **2.** *Odile Séverac a pris le car à la gare routière de Sarlat,* à l'endroit où arrivent et d'où partent les cars.

Une *gare de triage,* c'est l'endroit où l'on trie les wagons de marchandises.

Il y a des *gares de voyageurs* et des *gares de marchandises.*

Famille de **garer**

② **gare !** interjection
Attention ! *Gare à toi, si tu désobéis !,* fais attention à toi, il pourrait t'arriver des choses désagréables. *La directrice est entrée dans la classe sans crier gare,* sans prévenir, à l'improviste.

Attention aux deux ***n*** !

garenne n. f.
Bois où des lapins vivent en liberté. *M. Bellec a tué un lapin de garenne et deux perdrix.*

Conjugaison 1

garer v.
1. Ranger sa voiture dans un endroit spécialement aménagé pour cela. *M. Doucet n'a pas trouvé de place pour garer sa voiture. — Il s'est garé en double file.* **2.** *Se garer,* c'est se ranger de côté pour laisser passer un véhicule. *Attention ! gare-toi, il y a un gros camion qui arrive.*

Ce sens est familier.

Autres membres de la famille : **garage, garagiste, ① gare, aérogare, ② gare.**

Compare *se **garg**ariser,* ***garg**ouille* et ***garg**ouiller* : il s'agit de la **gorge.**

se gargariser v.
Se rincer le fond de la bouche et la gorge avec un médicament spécial. *Sylvain s'est gargarisé parce qu'il avait mal à la gorge.*

Conjugaison 1

Les gargouilles sont presque toujours sculptées ; elles ont des têtes d'animaux, de dragons ou de démons, et l'eau sort par leur bouche.

gargouille n. f.
Gouttière en pierre qui est en avant du mur comme une sorte de gorge. *Dans les vieilles maisons du Moyen Âge, les eaux de pluie s'écoulent par des gargouilles.*

Regarde sur une photo comment sont les gargouilles de la cathédrale Notre-Dame de Paris.

Conjugaison 1

Compare *gargouiller, chatouiller* et *gazouiller.*

▸ **gargouiller** v. **1.** Faire un bruit d'eau qui coule. *L'eau gargouille en sortant de la fontaine.* **2.** *Mon ventre gargouille quand j'ai faim,* il fait des bruits de bulles d'air qui passent à travers un liquide.

Compare ***garg**ouiller* et *se **garg**ariser* : il s'agit de la **gorge.**

▸ **gargouillement** n. m. **1.** Bruit d'eau qui coule. *On entend le gargouillement de la fontaine.* **2.** *Mon ventre fait des gargouillements,* des bruits produits par le passage de bulles à travers le liquide qui est dans l'intestin.

garnement n. m.
Enfant insupportable qui fait des sottises ; vois ***chenapan, galopin, polisson.*** *Par moments, Julie est un vrai garnement.*

Conjugaison 2

garnir v.
1. Munir de quelque chose qui protège ou qui renforce. *Les murs de la salle de bains sont garnis de carreaux de faïence.* **2.** Remplir. *Les rayonnages de la bibliothèque sont garnis de livres.* **3.** Munir de quelque chose qui s'ajoute. *La robe de Marie-Tévy est garnie de broderies,* décorée de broderies. *Aujourd'hui, le poulet est garni de haricots verts,* est accompagné de ces légumes.

Compare : *garnir → garniture, écrire → écriture* et *ouvrir → ouverture.*

▸ **garniture** n. f. **1.** Chose qui renforce ou qui orne. *Marie-Tévy a une garniture de broderie sur sa robe.* **2.** Légumes qui accompagnent un plat. *Pour tout changement de garniture, il faut payer un supplément.*

Autre membre de la famille : **dégarnir.**

garnison n. f.
Groupe de soldats qui est installé dans une caserne, dans une ville. *Le général a passé en revue toute la garnison. Ce militaire est en garnison à Metz,* il est installé dans une caserne à Metz.

Va voir aussi ***cantonnement, régiment.***

Metz, Nancy et Tours sont des villes de garnison.

garrigue n. f.
Terrain aride et sec du sud de la France où poussent des broussailles, du thym, de la lavande et des chênes verts. *Quand elle va dans le Midi, Julie aime bien se promener dans la garrigue.*

En Corse, on l'appelle le *maquis.*

On élève des moutons dans la garrigue.

Attention ! *garrot* s'écrit avec deux **r**, et un **t** à la fin.

① **garrot** n. m.
Partie du corps qui est juste au-dessus de l'épaule, chez le cheval et les autres grands animaux à quatre pattes. *Pour savoir la taille d'un cheval ou d'un chien, on le mesure du sol jusqu'au garrot.*

Au-dessus du garrot, il y a l'*encolure.*

Attention ! deux **r** et deux **t**.
On met toujours le garrot plus haut que l'endroit qui saigne.

② **garrot** n. m.
Lien servant à serrer très fort une veine ou une artère pour empêcher qu'elle saigne. *Quand elle fait une prise de sang, l'infirmière met un garrot sur le bras, au-dessus de l'endroit où elle va piquer.*

Le garrot était aussi un instrument de supplice pour étrangler ; c'était une sorte de collier de fer que l'on mettait autour du cou et que l'on serrait avec une vis.

Conjugaison 1

▸ ***garrotter*** v. Attacher, ficeler très solidement ; vois ***ligoter.*** *Les bandits ont garrotté et bâillonné le veilleur de nuit.*

Gars [gɑ] rime avec *mât.*
Ce mot est familier.

gars n. m.
Garçon, homme. *Alex est un drôle de gars ;* vois ***type.*** *— Salut, les gars !*

Autres membres de la famille : **garçon, garçonnet.**

Prononce [gɑzɔjl] ou [gɑzwal].

gas-oil n. m.
Carburant spécial utilisé dans les moteurs Diesel. *Les camions fonctionnent toujours au gas-oil. Le gas-oil est moins cher que l'essence.*

On écrit aussi *gazole* [gɑzɔl].

Va voir aussi ***mazout.***

Conjugaison 1

gaspiller v.
Dépenser n'importe comment, sans faire attention. *Antoine gaspille son argent de poche en s'achetant des bonbons.*

Il ne faut pas gaspiller l'électricité, il faut économiser l'énergie.

Compare :
gaspiller → gaspillage,
maquiller → maquillage
et *quadriller → quadrillage.*

▸ ***gaspillage*** n. m. Action de dépenser sans faire attention. *Laisser la lumière allumée la nuit, c'est du gaspillage !*

gastrique adj.
De l'estomac. *Mme Séverac a des douleurs gastriques,* elle a mal à l'estomac. *Le suc gastrique est un liquide qui permet la digestion.*

La *gastronomie,* c'est l'art de la bonne cuisine.

gastronome n. m. et f.
Personne qui aime manger de bonnes choses et qui sait reconnaître ce qui est bon. *Mme Hespel aime la bonne cuisine, c'est une fine gastronome ;* vois ***gourmet.***

Un *repas gastronomique,* c'est un très bon repas.

Attention à l'accent circonflexe du **â** !

gâteau n. m.
Pâtisserie faite avec de la farine, du beurre, des œufs et du sucre. *Yasmina aime beaucoup les gâteaux à la crème. Mme Harpie vend des gâteaux, elle est pâtissière. Julie a mangé tout un paquet de gâteaux secs,* des petits gâteaux qui se conservent ; vois ***biscuit.***

[...] on a apporté un gâteau avec des bougies et Marie-Edwige a soufflé dessus et elles ont toutes applaudi *(le Petit Nicolas).*

Attention à l'accent circonflexe du **â** !
C'est une enfant gâtée !

① **gâter** v.
Gâter un enfant, c'est lui donner tout ce qu'il désire et le laisser faire tout ce qu'il veut. *Julie est insupportable, ses parents l'ont trop gâtée. Quel beau cadeau ! vous me gâtez,* vous me donnez trop, vous me comblez.

Conjugaison 1
La nature n'avait pas gâté la fée Carabosse, elle était très laide ; c'est sûrement pour cela qu'elle était si méchante.

On emploie ce mot surtout au pluriel.

▸ ***gâterie*** n. f. Petit cadeau, friandise. *Quand Mamie Lou vient voir ses petits-enfants, elle apporte toujours des gâteries.*

Attention à l'accent circonflexe du **â** !

② **gâter** v.
1. Abîmer, pourrir. *Le sucre gâte les dents. — Ces fruits se sont gâtés à la chaleur.* **2.** Gâcher. *Le mauvais temps nous a gâté nos vacances. — De gros nuages s'amoncellent à l'horizon, le temps se gâte,* il devient mauvais. *J'entends des cris, cela a l'air de se gâter,* cela va aller mal.

Conjugaison 1

Compare :
gâter → gâteux,
boiter → boiteux
et *coûter → coûteux.*

▸ ***gâteux*** adj. *Quelqu'un de gâteux,* c'est quelqu'un dont la mémoire et l'intelligence sont diminuées par l'âge. *Mme Harpie est déjà un peu gâteuse et pourtant elle n'est pas très vieille !*

Au féminin : *gâteuse.*
Autre membre de la famille : **dégât.**

Chez les Grecs et les Romains, le côté gauche était défavorable. Les signes qui apparaissaient de ce côté étaient de mauvais présages.

① **gauche** adj.
1. Pour une personne, du côté du cœur. *Nathalie écrit de la main gauche.* **2.** *Le côté gauche d'un bateau s'appelle bâbord,* le côté de la main gauche lorsque l'on regarde vers l'avant du bateau. **3.** Maladroit et embarrassé. *Quand elle est arrivée en classe, le premier jour, Marie-Tévy était timide et gauche.*

Le contraire, c'est *droit.*

Le contraire de *gauche,* c'est *adroit, habile.*

Le contraire de *gaucher,* c'est *droitier.*

▸ ***gaucher*** adj. Qui se sert de la main gauche pour écrire, manger, etc. *Nathalie est gauchère.*

▸ ***gaucherie*** n. f. Maladresse, embarras. *Sa gaucherie était touchante.*

Le contraire de *gaucherie,* c'est *adresse, habileté.*

Camille et Madeleine, qui n'étaient pas fatiguées, couraient à droite, à gauche, cueillant des fleurs et des fraises *(les Petites Filles modèles).*

② **gauche** n. f.
1. Le côté gauche. *Mme Séverac confond la gauche et la droite. Marie-Tévy s'est assise à la gauche d'Antoine. — Le camion a tourné à gauche,* sur le côté gauche. **2.** Ensemble des personnes qui ont des idées avancées et qui veulent le progrès en politique et dans la société. *Le nouveau député est un homme de gauche. Il est à gauche,* il a des idées de progrès.

À l'origine, les représentants de la gauche étaient assis à gauche du président dans les assemblées.

gaufre n. f.

Moule à gaufres !... Sapajou !... Bachibouzouk !... Ce sont les injures préférées du capitaine Haddock.

Pâtisserie faite avec une pâte légère, cuite dans un moule formé de deux plaques métalliques qui dessinent de petits carrés en relief sur la pâte. *Il y a un marchand de gaufres à côté du zoo.*

Sur les gaufres, on met du sucre glace qui est comme une poudre blanche très légère.

Compare : *gaufre* → *gaufrette*, *fille* → *fillette* et *statue* → *statuette*.

▸ **gaufrette** n. f. Petit gâteau sec rectangulaire, quadrillé sur le dessus comme une gaufre et formé de très fines feuilles de pâte superposées. *Marie-Tévy mange des gaufrettes fourrées à la confiture.*

▸ **gaufrier** n. m. Moule à gaufres. *Le marchand verse la pâte avec une louche dans le gaufrier.*

Gaule [gol] rime avec *épaule*.

gaule n. f.

1. Bâton long et mince qui sert à faire tomber les fruits d'un arbre ou à diriger les animaux. *En automne, Odile Séverac frappe les branches des noyers avec une gaule pour faire tomber les noix.* **2.** Canne à pêche. *Pierre Séverac a pris sa gaule pour pêcher dans la Dordogne.*

Va voir aussi ***gaffe*** et ***perche.***

Conjugaison 1

▸ **gauler** v. Frapper les branches des arbres pour en faire tomber les fruits. *En automne, Odile Séverac gaule les noix.*

gave n. m.

Cours d'eau, torrent dans les Pyrénées. *À Pau, coule le gave de Pau.*

Conjugaison 1

gaver v.

1. *Gaver un animal,* c'est le faire manger de force et beaucoup, pour l'engraisser. *On gave les oies et les canards pour faire du foie gras.* **2.** *Se gaver de quelque chose,* c'est en manger trop. *Mme Bellec s'est gavée de chocolats et maintenant elle est malade.*

On gave les oies et les canards, deux ou trois fois par jour, avec un entonnoir qui va jusqu'au fond du gosier et que l'on remplit de maïs.

gavial n. m.

Les gavials ne sont pas dangereux pour l'homme car ils ont peu de force dans les mâchoires.

Grand crocodile, pouvant mesurer sept mètres, au museau étroit et très allongé, qui vit dans les fleuves de l'Inde. *Les gavials se nourrissent de poissons, d'oiseaux et surtout d'animaux morts en train de pourrir.*

Les gavials sont des animaux sacrés en Inde.

Au pluriel : *des gaz.*
Gaz [gɑz] rime avec *vase.*

gaz n. m.

1. Substance que l'on ne peut pas toucher, qui n'est ni liquide ni solide. *L'air que nous respirons est un mélange de plusieurs gaz, surtout d'oxygène et d'azote.* **2.** *Le gaz,* c'est un gaz particulier qui peut brûler et que l'on utilise pour le chauffage et la cuisson des aliments. *Mme Hespel a une chaudière à gaz. L'employé du gaz est venu relever le compteur.* **3.** *Le pilote a mis les gaz,* il a appuyé sur la manette qui fait accélérer l'avion.

Un gaz est un *fluide.*

Ce gaz se trouve dans les profondeurs de la terre, ou bien on l'obtient à partir du charbon.

On appelle encore les *réverbères* des *becs de gaz* parce qu'avant c'était du gaz qui produisait la lumière.

▸ **gazeux** adj. **1.** *La vapeur d'eau, c'est de l'eau à l'état gazeux,* de l'eau transformée en gaz. **2.** Qui contient du gaz. *L'eau gazeuse est pétillante.*

Gaze [gɑz] rime avec *vase.*

gaze n. f.

Tissu très léger que l'on utilise pour faire des pansements. *Le médecin a mis une compresse de gaze sur la blessure que M. Bellec s'est faite à la main.*

Attention ! ne confonds pas *gaze* et *gaz.*

gazelle n. f.

Les gazelles vivent en troupeaux dans les terrains désertiques d'Afrique et d'Asie. Elles peuvent courir à 100 km/h.

Animal de la famille de l'antilope, aux cornes arquées et aux longues pattes très fines. *Les gazelles ont un pelage jaune et de grands yeux doux ;* vois ***antilope.***

En Afrique du Nord, on mange des pâtisseries qui s'appellent des *cornes de gazelle* parce qu'elles en ont la forme.

Au pluriel : *des gazoducs.*

gazoduc n. m.

À l'intérieur du tuyau, le gaz circule sous pression.

Très gros tuyau qui transporte le gaz d'un endroit à un autre sur une longue distance. *Il y a un gazoduc qui amène le gaz d'U. R. S. S. en France.*

Compare *gazo**duc*** et *aque**duc*** : cela **mène** d'un endroit à un autre.

gazon n. m.

On tond la pelouse avec une *tondeuse à gazon.*

Herbe courte et fine que l'on a semée et qui forme les pelouses. *En Angleterre, le gazon est toujours très vert.*

On peut jouer au tennis sur du gazon.

Attention ! *ga**z**ouiller* s'écrit avec un ***z.***

gazouiller v.

1. *Un oiseau gazouille,* il fait un bruit léger et doux. *C'est le printemps, les oiseaux gazouillent ;* vois ***chanter, pépier.*** **2.** Faire entendre de petits bruits qui ne sont pas encore des mots. *Le bébé gazouille dans son berceau.*

Conjugaison 1

Les petits enfants qui ne savent pas encore parler gazouillent.

Compare : *gazouiller* → *gazouillis* et *gribouiller* → *gribouillis.*

▸ **gazouillis** n. m. Bruit léger que fait un oiseau ou un bébé qui gazouille. *On entend le gazouillis des oiseaux dans les arbres.*

On peut dire aussi : *gazouillement.*

Le geai des chênes a le ventre fauve, les ailes noires avec du bleu et du blanc, et le croupion blanc.

geai n. m.
Oiseau de la taille d'un pigeon au plumage de toutes les couleurs. *Les geais se nourrissent de fruits, d'insectes, de reptiles, de petits oiseaux et de petits mammifères.*

Ne confonds pas *geai, jais* et *jet.*

Marcher à pas de géant, c'est marcher en faisant de très grands pas.

géant n. m. et adj., **géante** n. f. et adj.
1. n. Personne de très grande taille qui mesure au moins deux mètres. *Le géant enjambait les montagnes comme si c'étaient des châteaux de sable.* **2.** adj. Très grand. *Sophie Pelletier a acheté un gâteau géant ;* vois ***énorme, gigantesque, immense.***

Le contraire de *géant,* c'est *nain.*

Le contraire de *géant,* c'est *minuscule, petit.*

Conjugaison 52 ▭ Indic. présent : *je geins, nous geignons.* Futur : *je geindrai.*

geindre v.
1. Faire entendre des cris faibles et longs. *Le malade geint en dormant ;* vois ***gémir, se plaindre.*** **2.** Se lamenter tout le temps sans raison. *Les jours où Marie-Tévy s'est levée du pied gauche, elle ne cesse de geindre ;* vois ***pleurnicher.***

Geindre [ʒɛ̃dʀ] rime avec *cylindre.*

Attention à l'orthographe ! Prononce [ʒɛɲaʀ].

▹ ***geignard*** adj. Qui gémit, se plaint tout le temps ; vois ***gnangnan, pleurnichard.*** *Marie-Tévy, ne parle pas sur ce ton geignard, tu n'es pas très malade !*

Au féminin : *geignarde.*

Gel [ʒɛl] rime avec *belle.*

Le contraire de *gel,* c'est *dégel.*

gel n. m.
1. Temps où il gèle. *Les premiers gels peuvent arriver en automne.* **2.** Passage de l'eau à l'état solide. *Le gel abîme les routes ;* vois ***givre, glace.*** *Ce matin, le gel avait dessiné de petits rameaux sur les vitres de la voiture.*

Autres membres de la famille : **geler, gelé, ① gelée ; antigel, congeler, congélateur, dégel, dégeler, engelure, surgeler.**

En cuisine, on l'utilise pour faire de la gelée.

gélatine n. f.
Matière molle et transparente, un peu élastique. *La gélatine sert à fabriquer la colle, les tissus imperméables et bien d'autres choses.*

Compare : *gélatine → gélatineux* et *pierre → pierreux.*

▹ ***gélatineux*** adj. Qui ressemble à de la gélatine. *Les enfants ont trouvé sur la plage une méduse toute gélatineuse.*

On obtient la gélatine en faisant bouillir des os d'animaux ou des algues.

Famille de **gel**

① gelée n. f.
Très grand froid qui provoque le passage de l'eau à l'état solide. *Le sol est durci par la gelée. La météo prévoit des gelées matinales,* un très grand froid le matin.

② gelée n. f.
1. Sauce de viande qui est devenue solide en refroidissant et ressemble à de la gélatine. *Mme Roussel mange du bœuf en gelée,* entouré de gelée. **2.** Confiture faite avec du jus de fruit cuit au sucre et devenu solide en refroidissant. *Mamie Lou a fait de la gelée de mûre.*

On fait de la gelée de framboise, de coing, de fraise, de groseille, de myrtille...

Conjugaison 5 ▭ Indic. présent : *je gèle, nous gelons.* Futur : *nous gèlerons.*

Famille de **gel**

Le jars n'avait jamais vu de glace et n'en avait même pas entendu parler, car l'hiver précédent avait été si tiède qu'il n'avait gelé nulle part *(les Contes du Chat perché).*

geler v.
1. Se transformer en glace. *Si le lac gèle cette nuit, les enfants pourront aller faire du patin à glace dessus. Les abricotiers ont gelé,* ont été abîmés par le froid. **2.** *Il a gelé cette nuit, la voiture est couverte de givre,* la température est descendue en dessous de zéro degré. **3.** Avoir très froid. *Augmente un peu le chauffage, on gèle ici ! ;* vois ***grelotter.***
▹ ***gelé*** adj. **1.** Transformé en glace. *Le lac est gelé.* **2.** Très abîmé par le froid. *L'explorateur a eu une oreille gelée.* **3.** Qui a très froid. *La maison n'est pas assez chauffée, je suis gelé,* frigorifié, transi. *J'ai les pieds gelés ;* vois ***glacé.***

Le contraire de *geler,* c'est *dégeler.*

Ce sens est familier.

Dans le nord de l'U. R. S. S., l'hiver, les fleuves sont gelés et servent de routes pour les camions.

On l'appelle aussi *coq des marais.*

Les gélinottes nichent à terre mais vivent dans les arbres.

gélinotte n. f.
Oiseau de la famille de la poule, au dos roussâtre et au ventre blanc taché de brun. *Les gélinottes mangent des végétaux et des insectes, et résistent très bien au froid.*

Les gélinottes habitent surtout dans les forêts de montagne, mais elles sont de moins en moins nombreuses.

Prononce [ʒelul].

gélule n. f.
Petite capsule qui contient un médicament en poudre. *Mamie Lou avale deux gélules avant le déjeuner.*

Va voir aussi ***cachet.***

Cette capsule est en gélatine.

Attention à l'accent aigu du *é.*

gémir v.
1. Pousser de petits cris pour se plaindre, parce que l'on a mal ; vois

Conjugaison 2

geindre. Le cerf blessé gémissait dans les taillis. **2.** Faire un bruit qui ressemble à des gémissements. *Le vent gémit dans les branches.*

Compare : *gémir → gémissement* et *hennir → hennissement.*

▸ ***gémissement*** n. m. Cri faible et plaintif ; vois ***plainte. On entendait les gémissements du cerf blessé.***

gemme n. f.

Le *sel gemme,* c'est le sel extrait des mines.

Pierre précieuse. *On taille et on polit les gemmes pour en faire des bijoux.*

Attention ! deux ***m***.

gênant adj.

Attention à l'accent circonflexe du ***ê*** !

Famille de **gêne**

1. Qui empêche que quelque chose se fasse normalement, qui dérange. *Enlevez ce paquet qui est dans le couloir, on ne peut pas passer, il est gênant ;* vois ***encombrant. Cette musique est gênante, je ne peux pas travailler.*** **2.** Qui met mal à l'aise ; vois ***embarrassant. Demander son âge à Mme Harpie est une question gênante.***

Le contraire de *gênant,* c'est *commode, pratique.*

gencive n. f.

Gencive [ʒɑ̃siv] rime avec *offensive.*

Chair qui recouvre la base des dents. *J'ai fait saigner mes gencives en me brossant les dents.*

gendarme n. m.

Famille de **gens** et de **arme**

Militaire chargé de faire respecter la loi et de protéger les gens dans tout le pays. *Les gendarmes se sont postés sur la route nationale pour surveiller les automobilistes.*

Il voulut protester, mais les gendarmes, qui n'avaient pas de temps à perdre, lui fermèrent la bouche et le conduisirent en prison *(Pinocchio).*

Conjugaison 1

▸ *se* ***gendarmer*** v. Parler fort et d'un ton menaçant. *La directrice a dû se gendarmer pour faire taire Colle et Rat.*

▸ ***gendarmerie*** n. f. Bâtiment dans lequel sont les bureaux et les logements des gendarmes. *Quand il y a un accident de la route, il faut téléphoner à la gendarmerie.*

La gendarmerie nationale, c'est l'ensemble des gendarmes.

gendre n. m.

La femme du fils, c'est la *bru* ou la *belle-fille.*

Mari de la fille ; vois ***beau-fils. M. Bellec est le gendre de M. et Mme Bonnot.***

Solange Bellec est la fille de M. et Mme Bonnot.

gêne n. f.

Attention à l'accent circonflexe du ***ê*** !

1. Difficulté que l'on ressent pour faire quelque chose. *En haute montagne, on peut ressentir une gêne quand on respire,* on peut avoir du mal à respirer. **2.** Situation désagréable ; vois ***ennui. Je veux bien dormir chez vous, mais je voudrais être sûr de ne vous causer aucune gêne ;*** vois ***dérangement.*** **3.** Impression désagréable que l'on a devant quelqu'un, quand on se sent mal à l'aise ; vois ***embarras, trouble. Il y a eu un moment de gêne quand Hippolyte a demandé à Mme Harpie quel âge elle avait.***

C'est à cause du manque d'oxygène.

Après tout, si l'instruction n'est pas utile à un bœuf, elle n'est pas une gêne non plus *(les Contes du Chat perché).*

Où il y a de la gêne, il n'y a pas de plaisir (proverbe).

Autres membres de la famille : **gêner, gênant, gêneur, sans-gêne.**

généalogique adj.

Un arbre généalogique, c'est un tableau en forme d'arbre qui représente les ancêtres d'une famille et leurs descendants. *Pierre Séverac a consulté les archives de la mairie pour faire l'arbre généalogique de la famille.*

Un arbre généalogique donne le nom des ancêtres qui sont morts il y a plusieurs siècles.

gêner v.

Attention à l'accent circonflexe du ***ê*** de *gêner.*

Compare : *gêne → gêner, peine → peiner* et *envie → envier.*

1. Empêcher que quelque chose se fasse normalement. *Ces travaux gênent la circulation.* **2.** Être désagréable ; vois ***déranger. La fumée ne vous gêne pas ? J'ai peur de vous gêner en restant dormir chez vous,*** de vous importuner. — *Ne vous gênez pas pour moi, faites comme chez vous !* **3.** Mettre mal à l'aise ; vois ***embarrasser. La question d'Hippolyte a gêné Mme Harpie.***

Conjugaison 1
Famille de **gêne**

Il lui avait demandé son âge !

① général n. m.

Au pluriel : *des généraux.*

Pamir et Rataxès sont faits prisonniers. Babar est un grand général *(Babar).*

Officier du plus haut grade qui dirige les soldats, dans l'armée de terre ou dans l'armée de l'air. *Les généraux de l'armée de terre portent un képi kaki et les généraux de l'armée de l'air une casquette bleu marine.*

La femme du général s'appelle *la générale.*

Tintin était l'ancien aide de camp du général Alcazar.

② général adj.

En règle générale : dans la majorité des cas.

1. Qui s'applique à toutes les personnes et à toutes les choses. *La directrice a fait des observations générales sur le manque de discipline des élèves de l'école.* **2.** De tout le monde, d'une chose tout entière. *Quand Angèle, l'institutrice, a proposé à toute la classe d'aller faire un pique-nique, ce fut l'enthousiasme général. Du haut des remparts, on a une vue générale de la région,* une vue qui montre l'ensemble de la région. **3.** *En général,* le

Le contraire de *général,* c'est *particulier, individuel.*

Le contraire de *général,* c'est *partiel.*

plus souvent, dans la plupart des cas ; vois ***généralement, habituellement.*** *En général, quand David est de mauvaise humeur, il se bat avec sa sœur.*

Le contraire de *généralement*, c'est *exceptionnellement, rarement.*

▸ ***généralement*** adv. Dans la plupart des cas, en général. *Généralement, les enfants se couchent plus tôt que leurs parents ;* vois ***habituellement.***

Conjugaison 1

Compare : *général → généraliser, central → centraliser* et *égal → égaliser.*

▸ ***généraliser*** v. **1.** Appliquer quelque chose à tout le monde. *Depuis quelque temps, on a généralisé en France le courant de 220 volts,* on en a mis dans toutes les maisons. — *L'infection s'est généralisée très rapidement,* elle s'est répandue dans tout le corps. **2.** Dire qu'une chose s'applique à tout le monde alors qu'elle ne s'applique qu'à un certain nombre. *Si tu dis qu'en France tout le monde a la télévision, tu généralises.*

Avant, il y avait du courant électrique de 110 volts.

Certaines familles n'ont pas la télévision.

Le contraire de *généraliste*, c'est *spécialiste.*

▸ ***généraliste*** n. m. et f. Médecin qui s'occupe de soigner l'ensemble du corps humain, qui n'est pas spécialisé. *Le docteur Séverac est un généraliste.*

▸ ***généralités*** n. f. plur. Choses que l'on dit ou que l'on écrit, qui ne sont pas précises et qui n'expliquent pas en détail. *Le professeur était ennuyeux, il ne disait que des généralités sur les hommes préhistoriques.*

Va voir aussi ***banalité.***

générateur n. m., *génératrice* n. f.

Machine qui produit de l'électricité. *La dynamo qui produit la lumière sur ton vélo est une génératrice.* — adj. *La pile est génératrice d'électricité,* elle produit de l'électricité.

génération n. f.

Les enfants, les parents et les grands-parents appartiennent à trois générations différentes.

Groupe de personnes qui ont à peu près le même âge. *Les parents d'Yves et les parents de Julie sont de la même génération.*

L'intervalle entre deux générations est d'environ trente ans.

généreux adj.

Le contraire de *généreux*, c'est *avare, mesquin.*

Qui donne plus que ce que l'on donne d'habitude. *Mamie Lou est très généreuse, elle fait toujours de beaux cadeaux.*

La vieille dame, dans *Babar*, est généreuse ; elle achète à Babar et à Céleste beaucoup de vêtements puis les emmène aux sports d'hiver.

Compare : *généreux → généreusement, générosité* et *nerveux → nerveusement, nervosité.*

▸ ***généreusement*** adv. En donnant beaucoup. *Mamie Lou a récompensé généreusement Marie-Tévy pour sa bonne note en mathématiques.*

▸ ***générosité*** n. f. **1.** Qualité de celui qui donne plus que ce que l'on donne d'habitude. *Marie-Tévy a remercié Mamie Lou de sa générosité.* **2.** Qualité de celui qui épargne son adversaire, qui lui pardonne. *Le mousquetaire a montré sa générosité en ne tuant pas son ennemi alors qu'il le tenait au bout de son épée.*

Le contraire de *générosité*, c'est *avarice, mesquinerie.*

Le contraire de *générosité*, c'est *cruauté.*

générique n. m.

Le générique peut être au début ou à la fin du film ; quelquefois il apparaît sur l'écran un peu après le début de l'histoire.

Liste des noms des acteurs, du metteur en scène, du producteur, des techniciens qui ont collaboré à un film ou à une émission de télévision. *Le nom de Denis Prost était au générique en lettres plus grosses que celui des autres.*

Denis Prost est un comédien célèbre.

genèse n. f.

Attention à l'accent grave du ***è*** de *genèse.*

Manière dont une chose s'est formée, s'est mise à exister. *Sophie Pelletier nous a raconté la genèse du dictionnaire qu'elle est en train d'écrire,* elle nous a raconté les étapes de son élaboration.

Dans la Bible, la Genèse est l'histoire de la création du monde.

genêt n. m.

Attention à l'accent circonflexe du ***ê*** de *genêt.*

Va voir aussi ***ajonc.***

Petit arbuste sauvage dont les fleurs jaunes sentent très bon et qui pousse dans les climats doux. *On fait des balais avec les genêts.*

Les Romains utilisaient les genêts pour faire du fil.

gêneur n. m., *gêneuse* n. f.

Attention à l'accent circonflexe du ***ê*** de *gêneur.*

Personne qui empêche de faire ce que l'on veut faire, qui gêne ; vois ***importun.*** *« Débarrassez-moi de cette gêneuse, elle m'empêche de travailler. »*

Famille de **gêne**

① *génie* n. m.

Attention ! *génie* s'écrit avec un ***e*** à la fin.

1. Être imaginaire qui a des pouvoirs magiques. *Il y a de bons et de mauvais génies ;* vois ***démon, esprit.*** **2.** Ensemble de dons exceptionnels de l'esprit qui permettent de créer et d'inventer des choses que les autres n'auraient pas pu trouver. *Ce mathématicien a du génie. C'est un musicien de génie,* génial. *Antoine a eu une idée de génie,* une idée géniale. **3.** *Ce mathématicien est un génie,* un homme qui a du génie.

Quand Aladdin frottait l'anneau qu'il avait au doigt, un génie apparaissait pour lui servir d'esclave.

Monsieur Willy Wonka, le confiseur de génie que personne n'a vu pendant les dix dernières années *(Charlie et la Chocolaterie).*

Au masculin pluriel : *géniaux.*

▸ ***génial*** adj. Qui a du génie, qui est inspiré par le génie. *Ce mathématicien est génial. Le téléphone est une invention géniale.*

Autres membres de la famille : **s'ingénier, ingénieux, ingéniosité.**

② ***génie*** n. m.
Ensemble des services chargés de construire les routes, les ponts, les barrages, etc. *Les soldats du génie militaire s'occupent de la construction et de l'entretien des casernes.*

Les ingénieurs du *génie maritime* sont chargés des constructions navales.

Autre membre de la famille : **ingénieur.**

genièvre n. m.
Petite baie violette ou noire très parfumée. *On met du genièvre dans la cuisine pour accompagner le gibier ou pour donner du goût à la choucroute.*

Le genièvre pousse sur le *genévrier.*

Avec les baies de genièvre, on fait de l'alcool qui s'appelle du *gin* [dʒin].

génisse n. f.
Jeune vache qui n'a pas encore eu de veau. *Quelquefois, M. Bellec fait du foie de génisse pour le déjeuner.*

Attention ! deux *s.*

génital adj.
Qui concerne la reproduction, chez les animaux et chez l'homme. *Les organes génitaux du mâle sont différents de ceux de la femelle ;* vois ***sexuel.***

Compare ***génital*** et ***progéniture*** : il s'agit de **faire naître.**

Au masculin pluriel : *génitaux.*

génocide n. m.
Action de tuer systématiquement tous les hommes d'une même race, d'une même religion ou d'un même pays. *L'extermination des Juifs par les nazis fut un génocide.*

Compare *génocide* et *homicide* : dans ces deux mots, il s'agit de **tuer.**

genou n. m.
Endroit où s'articule la cuisse sur la jambe, chez l'homme. *Sylvain s'est écorché le genou en tombant de vélo. Le pantalon d'Antoine est usé aux genoux. Mamie Lou a pris Claire sur ses genoux. Mme Harpie se met à genoux dès qu'elle entre dans une église,* elle s'agenouille.

Au pluriel : *des genoux.*

Autre membre de la famille : s'**agenouiller.**

Marinette l'embrassait à travers la toile du sac et Delphine suppliait à genoux qu'on laissât la vie à leur chat
(les Contes du Chat perché).

genre n. m.
1. Groupe de personnes ou d'objets ayant des caractères communs ; vois ***espèce.*** *Je n'aime pas ce genre de chaussures ;* vois ***sorte, type.*** **2.** Façon de s'habiller, de se comporter. *Cette fille a un drôle de genre. Ce n'est pas du tout son genre de mettre des jupes plissées,* ce n'est pas dans ses goûts, dans ses habitudes. **3.** *En français, il y a deux genres, le masculin et le féminin,* deux catégories grammaticales dans lesquelles on range les mots. *L'adjectif s'accorde en genre et en nombre avec le nom auquel il se rapporte,* il en prend la marque du masculin ou du féminin, et du singulier ou du pluriel.

Le *genre humain,* c'est l'ensemble des êtres humains, l'humanité.

On reconnaît le genre d'un nom à l'article qui peut le précéder.

Chat est un mot du genre masculin, *prune* un mot du genre féminin.

gens n. m. plur.
1. Personnes, hommes, femmes ou enfants, dont on ne dit pas le nombre. *Il y avait beaucoup de gens à la piscine. Peu de gens savent conduire un avion.* **2.** *Les jeunes gens,* ce sont les filles et les garçons jeunes et célibataires. *Un groupe de jeunes gens attendait devant le cinéma. Les jeunes gens et les jeunes filles discutaient entre eux,* les jeunes garçons et les jeunes filles.

Quand l'adjectif précède *gens,* il se met au féminin : on dit *de vieilles gens* ou *ce sont les meilleures gens du monde.*

Jeunes gens est ici le pluriel de *jeune homme.*

Autres membres de la famille : **gendarme,** se **gendarmer, gendarmerie.**

gentiane n. f.
Plante à fleurs bleues, violettes ou jaunes qui pousse dans la montagne. *La fleur des gentianes a la forme d'un tube, sa tige peut être très courte ou très longue.*

Prononce [ʒɑ̃sjan].

Des racines de gentiane, au goût amer, servent à faire des apéritifs.

gentil adj.
1. Aimable, serviable. *Marie-Tévy est très gentille, elle aide sa mère à la maison et s'occupe souvent de sa cousine Claire. Ce chien est méchant avec les voleurs, mais il est gentil avec les enfants ;* vois ***doux.*** *Mamie Lou a toujours un mot gentil pour chacun,* elle dit toujours à chacun un mot qui fait plaisir ; vois ***agréable.*** **2.** Sage et tranquille. *Les enfants sont restés bien gentils toute la journée.* **3.** Joli, agréable, mignon. *Claire avait une gentille petite robe hier. C'est gentil comme tout chez vous.*

C'est vrai, on n'a pas été très gentils avec Marie-Edwige. On ne lui a presque pas parlé et on a joué entre nous, comme si elle n'avait pas été là
(le Petit Nicolas).

Le contraire de *gentil,* c'est *désagréable, méchant.*

Dans *Tintin,* le petit Abdallah n'est pas très gentil, il fait tout le temps des farces méchantes.

▸ ***gentillesse*** n. f. **1.** Qualité de celui qui est gentil ; vois ***amabilité.*** *Tout le monde aime bien Marie-Tévy à cause de sa gentillesse.* **2.** Parole gentille, action gentille. *Mamie Lou dit toujours des gentillesses.*

Le contraire de *gentillesse,* c'est *dureté, méchanceté.*

▸ ***gentiment*** adv. Avec gentillesse ; vois ***aimablement.*** *Marie-Tévy répond gentiment quand on lui pose une question. Les enfants ont lu gentiment dans leur chambre ;* vois ***sagement.***

Le contraire de *gentiment,* c'est *durement, méchamment.*

Prononce [ʒɑ̃tijɔm].
Au pluriel : *des gentilshommes* [ʒɑ̃tizɔm].

gentilhomme n. m.
Nom que l'on donnait autrefois à un homme noble. *Les gentilshommes étaient présentés au roi.*

Famille de **homme**

Compare *géographie* et *géologie* : dans ces deux mots, il s'agit de la **Terre.**

géographie n. f.
Science qui décrit la surface de la Terre, son relief, son climat, sa végétation, son économie, ses habitants. *Les enfants étudient la géographie de la France. Les livres de géographie ont beaucoup de cartes et de photos.*
▸ **géographe** n. m. et f. Personne qui est spécialiste de géographie. *Un groupe de géographes est parti étudier le relief du Sahara.*
▸ **géographique** adj. De la géographie. *Une grande carte géographique est accrochée sur le mur de la classe.*

Va voir aussi ***atlas.***
— Qu'est-ce qu'un géographe ?
— C'est un savant qui connaît où se trouvent les mers, les fleuves, les villes, les montagnes et les déserts *(le Petit Prince).*

Prononce [ʒol].
Attention au ***e*** après le ***g*** et à l'accent circonflexe du ***ô***.

geôle n. f.
Prison, cachot. *Le prisonnier dormait par terre au fond de sa geôle.*
▸ **geôlier** n. m. Gardien de prison. *Le geôlier avait un gros trousseau de clés à sa ceinture.*

Ces deux mots se trouvent surtout dans les livres.

Compare *géologie* et *géographie* : dans ces deux mots, il s'agit de la **Terre.**

géologie n. f.
Science qui étudie le sol et le sous-sol de la Terre, la manière dont ils se sont formés et dont ils se transforment au cours des temps. *L'étude des roches et l'étude des fossiles font partie de la géologie.*
▸ **géologue** n. m. et f. Personne qui est spécialiste de géologie. *Les géologues étudient le sol de la région pour voir s'il contient de l'or.*

Compare *géomètre* et *géographe* : dans ces deux mots, il est question de la **Terre.**

géomètre n. m. et f.
Personne dont le métier est de mesurer des terrains, de faire des plans ; vois ***arpenteur.*** *Une géomètre a mesuré le terrain des Prost avant la construction de la maison.*

Compare *géomètre* et *chronomètre* : dans ces mots, il est question de **mesure.**

Compare *géométrie* et *baromètre* : il est question de **mesure.**

géométrie n. f.
Partie des mathématiques qui étudie les lignes, les surfaces, les volumes. *Sylvain fait un problème de géométrie.*
▸ **géométrique** adj. *Une figure géométrique,* c'est une figure aux formes simples et régulières. *Le carré est une figure géométrique. Les dessins du tapis ont des formes géométriques,* des formes simples et régulières.

Le rectangle, le cercle, le triangle, le losange, le trapèze, sont des figures géométriques.

Compare : *gérer → gérance* et *surveiller → surveillance.*
Famille de **gérer**

gérance n. f.
Le fait de diriger, d'administrer à la place du propriétaire. *Quand il sera trop vieux pour s'en occuper lui-même, M. Bellec mettra son restaurant en gérance.*

Va voir aussi ***gérant.***
À moins que son fils ne lui succède.

Géranium [ʒeʀanjɔm] rime avec *gentilhomme.*
Au pluriel : *des géraniums.*

géranium n. m.
Plante à fleurs rouges, blanches ou roses que l'on cultive dans les jardins. *Mme Séverac a des pots de géraniums sur son balcon. Julie arrose les massifs de géraniums qui sont au fond du jardin.*

On utilise l'essence de géranium pour faire du parfum.

Compare : *gérer → gérant, surveiller → surveillant* et *habiter → habitant.*

gérant n. m., **gérante** n. f.
Personne qui s'occupe d'un magasin ou d'un immeuble, le dirige, à la place du propriétaire. *Quand il sera trop vieux pour s'occuper de son restaurant, M. Bellec mettra peut-être un gérant à sa place.*

Famille de **gérer**
Va voir aussi ***gérance, gestion.***

On appelle aussi *gerbes* les bottes de céréales coupées et liées ensemble.

gerbe n. f.
1. Botte de longues fleurs coupées. *Une petite fille a apporté une gerbe de roses au pianiste à la fin du concert.* **2.** *Une gerbe d'eau,* c'est de l'eau qui jaillit en forme de gerbe. *La baleine projetait des gerbes d'eau.*

Les fleurs d'une *gerbe* ont toujours de longues tiges ; celles d'un *bouquet* peuvent avoir des tiges plus courtes.

Conjugaison 3

gercer v.
Se fendiller, se couvrir de petites crevasses. *En hiver, quand il fait froid, Marie-Tévy a les lèvres qui gercent.*
▸ **gerçure** n. f. Petite fente dans la peau qui fait mal. *Marie-Tévy met de la crème sur ses gerçures.*

Compare : *gercer → gerçure* et *brûler → brûlure.*

Elle a *les lèvres gercées.*
Attention à la cédille du ***ç*** !

Conjugaison 6
▭ Indic. présent : *je gère, nous gérons.*

gérer v.
S'occuper d'un magasin, d'un immeuble, d'une affaire. *Le père de Mme Hespel possède un immeuble qu'il fait gérer. Le restaurant Bellec est très bien géré.*

Autres membres de la famille : **gérance, gérant, s'ingérer, ingérence.**

germain adj.
Des cousins germains, ce sont des cousins qui ont le même grand-père ou la même grand-mère. *Claire est la cousine germaine de Nathalie, elles ont la même grand-mère, Mamie Lou. Colle et Rat sont cousins germains.*

Les parents des cousins germains sont frères et sœurs.

germe n. m.

Mets des haricots dans du coton humide et quand ils s'ouvriront, tu verras leur germe.

1. Toute petite partie d'un œuf ou d'une graine qui, en se développant, forme le poussin ou la plante. *Dans un œuf, le germe est marron foncé. Le germe du haricot va donner naissance à la tige.* **2.** Première pousse qui sort d'une graine. *Les pommes de terre sont dans le placard depuis trop longtemps, elles ont déjà des germes.* **3.** Microbe qui provoque une maladie. *L'eau sale contient des germes qui peuvent être dangereux.*

On fait de la salade avec les germes de soja.

Les *virus* aussi sont des germes.

Conjugaison 1

▸ ***germer*** v. **1.** Pousser son germe au dehors. *Dans l'obscurité du placard, les pommes de terre ont germé. Julie a fait germer des grains de blé sur le radiateur,* elle les a fait pousser. **2.** *Une idée qui germe dans l'esprit de quelqu'un,* c'est une idée qui s'y forme, s'y développe. *Quelle nouvelle idée a bien pu germer dans l'esprit d'Antoine ?*

Compare : *germer → germination* et *nommer → nomination.*

▸ **germination** n. f. *La germination d'une graine,* c'est le moment où elle fait sortir son germe. *Les haricots ont besoin de chaleur et d'humidité au moment de la germination.*

gésier n. m.

Quelquefois les oiseaux avalent aussi des petits cailloux qui aident à broyer.

Une des poches de l'estomac des oiseaux où sont broyés les aliments. *Julie aime bien manger le gésier du poulet.*

Avant d'aller dans le gésier, les aliments vont dans le jabot.

gésir v.

On emploie seulement : *je gis, tu gis, il gît, nous gisons, vous gisez, ils gisent ; je gisais,* etc. et *gisant.*

1. Être couché, être étendu, sans faire de mouvement. *Le malade gît sur son lit.* **2.** *Des livres gisaient sur le sol,* étaient éparpillés. **3.** *Sur les tombeaux anciens on lit souvent : « ci-gît X »,* ici est enterré X.

Autres membres de la famille : **gisement, ① gîte.**

① **geste** n. f.

Attention ! ce mot est féminin ; ne confonds pas avec *un geste.*

Une chanson de geste, c'est un grand poème du Moyen Âge qui raconte les exploits d'un héros. *La « Chanson de Roland » est une chanson de geste.*

Les faits et gestes de quelqu'un, c'est tout ce qu'il a fait.

② **geste** n. m.

Quel est le geste que fait l'agent de police pour ordonner aux voitures de s'arrêter ?

1. Mouvement des bras, des mains, de la tête. *Antoine fit à son père un geste de la main pour lui dire au revoir. Quand il raconte des histoires, Hippolyte joint le geste à la parole,* parle en faisant des gestes pour expliquer ce qu'il dit. **2.** Action gentille, généreuse. *David a fait un beau geste en aidant la vieille dame à traverser la rue.*

« Pas un geste ou je tire », dit le bandit.

Peux-tu faire un geste d'impatience, de silence, de prière ?

Conjugaison 1

▸ ***gesticuler*** v. Faire beaucoup de gestes, faire trop de gestes. *La marionnette gesticulait au bout de son fil.*

gestion n. f.

Gestion [ʒɛstjɔ̃] rime avec *question.*

Le fait de diriger une affaire, de la gérer. *Mme Harpie s'occupe de la gestion de son magasin. M. Bellec fait une bonne gestion,* il gagne de l'argent, fait des bénéfices.

Va voir aussi ***gérer*** et ***gérant.***
Il a un restaurant.

geyser n. m.

Attention ! *geyser* s'écrit avec un *y.*

Source d'eau chaude d'où jaillit de temps en temps de l'eau ou de la vapeur d'eau. *Il y a des geysers en Islande, en Nouvelle-Zélande et aux États-Unis.*

Geyser [ʒɛzɛʀ] rime avec *désert.*

ghetto n. m.

Les Juifs qui vivaient dans le ghetto de Varsovie se révoltèrent contre les nazis en 1943 et ils furent massacrés.

Quartier, endroit où des gens vivent séparés du reste de la population. *À New York, le quartier de Harlem est un ghetto habité par les Noirs. Les Noirs d'Afrique du Sud vivent dans des ghettos.*

Autrefois, dans certaines villes, les Juifs étaient obligés de vivre dans des ghettos.

gibecière n. f.

Compare ***gibecière*** et ***giboyeux*** : dans ces mots, on parle de **gibier.**

Sac dans lequel le chasseur met le gibier qu'il a tué. *Quand il va à la chasse, M. Bellec porte sa gibecière en bandoulière.*

Prononce [ʒibsjɛʀ].

gibet n. m.
Potence où l'on pendait autrefois les condamnés à mort. *Le voleur a été condamné au gibet,* à être pendu.

Le gibier à poil : les lièvres et les lapins, *le gibier à plume :* les oiseaux.

gibier n. m.
Le gibier, c'est l'ensemble des animaux que l'on chasse pour les manger. *À la chasse, on rabat le gibier avec des chiens. On fait faisander le gibier avant de le manger.*

Le gros gibier, ce sont les cerfs, les chevreuils, les sangliers.

Attention *giboulée* prend un ***e*** à la fin.

giboulée n. f.
Pluie soudaine qui dure très peu de temps et qui est souvent accompagnée de vent et de grêle. *Il y a beaucoup de giboulées au mois de mars.*

Compare ***gib****oyeux* et ***gib****ecière* : dans ces mots, on parle de **gibier.**

giboyeux adj.
Un endroit giboyeux, c'est un endroit où il y a beaucoup de gibier. *La forêt est très giboyeuse en cette saison. M. Bellec connaît les endroits giboyeux de la région.*

Giboyeux [ʒibwajø] rime avec *joyeux.*

C'est un bon chasseur.

Compare : *gicler → giclée, flamber → flambée* et *pousser → poussée.*

gicler v.
Jaillir en éclaboussant. *Julie a appuyé sur la cartouche de son stylo et l'encre a giclé partout.*
▸ ***giclée*** n. f. Jet. *Julie a envoyé une giclée d'encre sur le mur.*

Conjugaison 1

Attention au ***e*** final !

gifle n. f.
Coup donné du plat de la main sur la joue de quelqu'un. *Julie a donné une paire de gifles à Antoine qui l'embêtait ;* vois ***claque.***
▸ ***gifler*** v. Donner une gifle. *Julie a giflé Antoine.*

Conjugaison 1

Charlie Bucket promena ses regards sur la salle gigantesque *(Charlie et la Chocolaterie).*

gigantesque adj.
Beaucoup plus grand que la taille normale, très grand ; vois ***énorme, géant.*** *Il faudrait construire un pont gigantesque si l'on voulait aller en voiture de France en Angleterre. Le mammouth était un animal gigantesque.*

Le contraire de *gigantesque,* c'est *minuscule.*

Les poupées russes en bois, qui s'emboîtent les unes dans les autres, sont des *poupées gigognes.*

gigogne adj.
Une table gigogne, c'est un meuble formé d'une série de tables de plus en plus petites qui s'emboîtent les unes dans les autres. *Dans le salon des Séverac, il y a une table gigogne en verre fumé.*

Il y a aussi des *lits gigognes.*

Attention ! un ***t*** à la fin.

gigot n. m.
Cuisse de mouton ou d'agneau coupée pour être mangée. *Mme Roussel a préparé du gigot d'agneau et des haricots, pour le déjeuner.*

Conjugaison 1

gigoter v.
Agiter ses bras et ses jambes, remuer. *Le bébé gigote dans son berceau.*

Ce mot est familier.

gilet n. m.
1. Vêtement court, à boutons, sans manches, qui se porte sur la chemise et sous la veste. *Un costume trois pièces comprend un pantalon, une veste et un gilet.* **2.** Tricot avec ou sans manches, boutonné sur le devant, qui se porte sur une chemise. *Mets ton gilet de laine, il fait froid ;* vois ***cardigan.*** **3.** *Un gilet de sauvetage,* c'est une petite veste sans manches qui permet de flotter si on tombe à l'eau. *Les gilets de sauvetage sont gonflés avec de l'air comprimé.*

Babar met son costume de soirée et un gilet blanc.

Le bandit avait beau tirer, les balles ricochaient, le commissaire avait mis son gilet pare-balles.

Gingembre [ʒɛ̃ʒɑ̃bʀ] rime avec *novembre.*

gingembre n. m.
Grande herbe originaire d'Asie qui ressemble à un roseau et dont la racine séchée et broyée sert à faire une épice. *Marie-Tévy mange des biscuits au gingembre.*

Est-ce que tu as déjà goûté du gingembre ? C'est un peu piquant.

La girafe est le plus grand des animaux terrestres vivant actuellement ; elle peut mesurer 6 mètres et peser 1 200 kilos.

girafe n. f.
Grand mammifère ruminant d'Afrique au cou très long et dont le pelage roux forme des dessins réguliers. *La girafe a des petites cornes recouvertes de velours et se nourrit des feuilles des arbres qu'elle peut atteindre grâce à sa très haute taille. Deux bébés girafes viennent de naître au zoo de Motbourg.*

Le petit de la girafe s'appelle le *girafeau* ou le *girafon.*

Compare ***gir****atoire* et ***gir****ouette* : il s'agit de **tourner.**

giratoire adj.
Qui tourne en faisant un cercle. *Sur une place, les voitures doivent suivre le sens giratoire,* le sens dans lequel elles doivent tourner obligatoirement.

Sur une place, le sens giratoire, c'est le sens inverse des aiguilles d'une montre.

On peut piquer des clous de girofle sur un oignon que l'on met dans le pot-au-feu.

girofle n. f.
Un clou de girofle, c'est le bouton desséché de la fleur d'un arbre exotique, qui a une forme de clou avec une tête. *On utilise les clous de girofle comme condiment, pour parfumer les plats.*

Cet arbre s'appelle *le giroflier.*

▸ **giroflée** n. f. Plante à fleurs jaunes ou rousses disposées en grappes, que l'on cultive dans les jardins pour décorer. *Hippolyte a offert à Angèle un gros bouquet de giroflées.*

L'odeur des giroflées ressemble à celle des clous de girofle.

Attention ! deux *l.*

Les girolles s'appellent aussi *chanterelles.*

girolle n. f.
Champignon jaune foncé dont le chapeau est en entonnoir et le pied couvert de plis inégaux. *Les girolles sont des champignons délicieux. Mamie Lou a préparé du poulet aux girolles.*

Les girolles poussent dans les bois ; elles peuvent avoir de 3 à 10 cm de diamètre. Elles sont comestibles.

Compare ***gir**ouette* et ***gir**atoire* : il s'agit de **tourner.**

girouette n. f.
Plaque mince de forme variée, en métal le plus souvent, qui tourne sur elle-même et indique, au sommet d'une tour, d'un clocher, la direction du vent. *La girouette avait la forme d'un coq.*

Une personne qui change d'idée ou de sentiment tout le temps est *une vraie girouette.*

Famille de **gésir**

gisement n. m.
Endroit où il y a, très profond sous la terre, une grande quantité de fer, de charbon, d'or ou de pétrole. *On vient de découvrir un nouveau gisement de pétrole dans la mer du Nord.*

Va voir aussi ***filon, mine.***

gît va voir ***gésir.***

Chaque année, les gitans font un pèlerinage aux Saintes-Maries-de-la-Mer.

gitan n. m., **gitane** n. f.
Bohémien, bohémienne qui vient d'Espagne ; vois ***nomade.*** *Des gitans habitent dans des roulottes à l'entrée du village.*

Souvent, les gitanes savent lire dans les lignes de la main.

Attention à l'accent circonflexe du *î* !

① **gîte** n. m.
1. Endroit où l'on peut se loger, où l'on peut se coucher. *Les voyageurs cherchaient un gîte pour la nuit ;* vois ***abri, demeure, maison.*** **2.** Endroit où s'abrite le gibier ; vois ***tanière.*** *Le sanglier a été pris au gîte.*

Ce mot désigne surtout le *terrier* du lièvre.

Attention à l'accent circonflexe du *î* !

② **gîte** n. f.
Un bateau qui donne de la gîte, c'est un bateau qui penche.

givre n. m.
Couche de glace fine et blanche. *Quelquefois le matin, en hiver, les arbres sont couverts de givre.*

Le *brouillard givrant,* c'est du brouillard qui produit du givre ; dans les poèmes, on dit les *frimas.*

Le pare-brise de la voiture est givré, il va falloir le *dégivrer.*

▸ **givré** adj. **1.** Couvert de givre. *Les arbres sont tous givrés ce matin.* **2.** *Une orange givrée* ou *un citron givré,* c'est un sorbet à l'orange ou au citron présenté avec l'écorce du fruit. *Comme dessert, il y avait des oranges givrées.*

Autre membre de la famille : **dégivrer.**

Va voir aussi ***imberbe.***

glabre adj.
Un visage glabre, c'est un visage sans poils, sans barbe ni moustache. *Denis Prost a le visage glabre, mais pas le docteur Séverac qui porte la barbe.*

Le contraire de *glabre,* c'est *barbu, poilu.*

Pour faire une glace, on recouvre un côté d'une vitre d'un mélange d'étain et de mercure que l'on appelle le tain.

① **glace** n. f.
1. Plaque de verre préparée spécialement pour refléter les images. *M. Doucet se rase devant la glace. Julie se regarde souvent dans la glace ;* vois ***miroir.*** **2.** Vitre d'une voiture. *Dans la voiture des Séverac, il suffit d'appuyer sur un bouton pour que les glaces se baissent ou se lèvent automatiquement.*

Autres membres de la famille : **essuie-glace, lave-glace.**

L'eau devient solide et se transforme en glace au-dessous de zéro degré.

② **glace** n. f.
1. Eau congelée. *En hiver, les enfants patinent sur la glace. Mme Hespel met des cubes de glace dans son whisky,* des glaçons. *Malgré les supplications de l'accusé, le juge est resté de glace,* imperturbable, insensible. *Briser, rompre la glace,* c'est faire cesser la gêne qui s'est installée. *Tout le monde se taisait, Antoine a brisé la glace en faisant des plaisanteries.* **2.** Crème glacée. *Antoine aime beaucoup manger des glaces, surtout des glaces à la fraise.*

Les cristaux de glace ont la forme d'une étoile à six branches.

Le *sucre glace,* c'est du sucre en poudre très fin que l'on met sur les gaufres ou les millefeuilles.

Va voir aussi ② ***esquimau.***

Conjugaison 3 ▭ Indic. présent : *je glace, nous glaçons.* Imparfait : *je glaçais, nous glacions.*

▸ **glacer** v. **1.** Donner très froid. *Fermez la fenêtre, ce courant d'air me glace.* **2.** Faire si peur que l'on reste cloué sur place. *Les hurlements du loup nous ont glacés d'horreur.* **3.** Intimider, rendre incapable d'agir ou de parler. *Le sermon de la directrice a glacé les élèves.*

Le contraire de *glacé*, c'est *brûlant, bouillant.*

▸ ***glacé*** adj. **1.** *Une crème glacée,* c'est une glace faite avec de la crème fraîche. *Au cinéma, à l'entracte, l'ouvreuse vend des bonbons et des crèmes glacées.* **2.** Très froid. *Je n'ai pas envie de me baigner, l'eau est glacée. Tu as le bout du nez glacé.* **3.** *Du papier glacé,* c'est du papier lisse et brillant. *Ces photos ont été tirées sur papier glacé.*

Les *marrons glacés* sont des marrons recouverts de sucre.

Le contraire de *glacé*, c'est *mat.*

Est-ce que tu as déjà fait des farces avec du *fluide glacial* ?

▸ ***glacial*** adj. **1.** Très froid. *Il fait un vent glacial.* **2.** Qui intimide beaucoup à cause de son indifférence, de sa froideur. *Son accueil n'a pas été chaleureux, il a été glacial.*

Au pluriel : *glaciaux.*

Va voir aussi ***moraine, névé.***

▸ ***glacier*** n. m. **1.** Grand champ de glace qui se forme, en montagne, à la suite de l'accumulation d'épaisses couches de neige qui se transforment en glace. *Le glacier du Vatna, en Islande, a une surface de 8 500 km^2.* **2.** Marchand ou fabricant de glaces. *Sur la boutique de Mme Harpie est écrit : « pâtissier glacier ».*

Les glaciers ne fondent jamais totalement ; ils avancent très lentement, de quelques dizaines de mètres par an.

Compare : *glace → glacière* et *soupe → soupière.*

▸ ***glacière*** n. f. Boîte tapissée d'une matière isolante qui garde froid ce que l'on met dedans. *Les enfants ont emporté une glacière pleine de bouteilles d'orangeade pour le pique-nique.*

Attention à la cédille du ***ç*** !

▸ ***glaçon*** n. m. Petit morceau de glace. *Mme Hespel met des glaçons dans son whisky. Le fleuve qui dégèle charrie des glaçons.*

Autre membre de la famille : **brise-glace.**

Certains gladiateurs étaient armés d'un petit bouclier et d'un glaive, d'autres avaient un filet.

gladiateur n. m.
Homme qui combattait jadis, chez les Romains, contre une bête féroce ou contre un autre homme pour distraire des spectateurs. *Les gladiateurs luttaient jusqu'à la mort.*

Les combats de gladiateurs se passaient dans l'arène pendant les jeux du cirque.

Attention au tréma du ***ï*** ! *Glaïeul* [glajœl] rime avec *aïeul.*

glaïeul n. m.
Plante à feuilles longues et pointues et à grandes fleurs rouges, roses ou blanches disposées en épi d'un seul côté de la tige. *Un gros bouquet de glaïeuls occupait le centre de la table.*

Les glaïeuls ont un bulbe que l'on déterre en hiver pour le garder à l'abri du froid.

Une fois cuite, la glaise devient très résistante.

glaise n. f.
Terre grasse qui, imbibée d'eau, devient comme une pâte que l'on peut travailler pour faire des briques, des tuiles et des poteries ; vois ***argile.*** *Le potier modèle un vase dans la glaise.*

On dit aussi la *terre glaise.*

glaive n. m.
Grosse épée de combat courte et large à deux tranchants dont on se servait autrefois. *Les légionnaires et les gladiateurs romains se battaient avec un glaive.*

Au Moyen Âge, les chevaliers combattaient avec un glaive.

La base du gland est entourée d'une sorte de petite coupe. Le gland est une graine : si on l'enterre il pousse un chêne.

gland n. m.
1. Fruit du chêne. *Les cochons se nourrissent de glands.* **2.** Sorte de pompon tressé qui a souvent de longues franges. *Pour ouvrir les rideaux, il fallait tirer sur une cordelière au bout de laquelle pendait un gland.*

Attention ! un ***d*** à la fin.

Les glandes qui fabriquent les larmes s'appellent les *glandes lacrymales.*

glande n. f.
Organe de notre corps qui produit un liquide, une sécrétion. *Ce sont des glandes qui produisent la salive, les larmes, la sueur.*

Les glandes qui fabriquent la salive s'appellent les *glandes salivaires.*

Conjugaison 1

Ils étaient trois petits enfants
Qui s'en allaient glaner
aux champs (chanson).

glaner v.
1. Ramasser dans un champ, après la moisson, les épis qui ont échappé aux moissonneurs. *Autrefois, les pauvres avaient le droit d'aller glaner dans les champs moissonnés.* **2.** Recueillir par-ci par-là des détails sur quelqu'un ou sur quelque chose. *Pour avoir des idées, ceux qui font des numéros comiques glanent des anecdotes dans la vie de tous les jours.*

Mais cela était interdit aux étrangers.

Compare : *glapir → glapissement, hennir → hennissement* et *barrir → barrissement.*

glapir v.
Un animal qui glapit pousse un cri bref et aigu. *Le renard, le lapin glapissent. Un petit chien glapit.*

Conjugaison 2

▸ ***glapissement*** n. m. Cri aigu. *Le chacal poussait des glapissements.*

Ne prononce pas le ***s*** : [glɑ] comme dans *verglas, lilas, matelas.*

glas n. m.
Tintement lent et grave d'une cloche d'église pour annoncer la mort de quelqu'un. *Les cloches de l'église sonnent le glas.*

On croit souvent que ce mot veut dire *trouble* ou *terne,* mais c'est faux.

glauque adj.
D'un vert qui rappelle l'eau de mer ; vois ***verdâtre.*** *L'eau de la rivière est glauque quand il pleut.*

Conjugaison 1

Le plat en faïence glissa doucement et tomba sur le carrelage où il fit plusieurs morceaux *(les Contes du Chat perché).*

glisser v.

1. Se déplacer d'un mouvement continu sur une surface lisse en restant en contact avec elle. *Les enfants glissent sur le toboggan. Mme Harpie a glissé sur une peau de banane. La voiture glisse sur le verglas ;* vois ***déraper.*** *Le verre lui a glissé des mains,* lui est tombé des mains ; vois ***échapper.*** **2.** Avancer régulièrement comme en glissant. *La péniche glisse au fil de l'eau.* **3.** Ne pas insister. *C'est un problème sur lequel il vaut mieux glisser,* un problème qu'il ne faut pas approfondir. **4.** Faire passer dans un endroit étroit, introduire adroitement ou furtivement. *Hippolyte glisse le courrier sous la porte. Le voleur a glissé sa main dans le sac de Mme Harpie. La directrice vient de glisser un mot à l'oreille de l'institutrice,* de lui dire quelque chose à l'oreille. — *Marie-Tévy s'est glissée sous les couvertures.*

Ils glissaient à chaque pas et tombaient dans la boue, d'où ils se relevaient tout crottés *(le Petit Poucet).*

Sans bruit le ballon glisse dans le ciel. L'air est doux, le vent léger *(Babar).*

Compare : *glisser → glissade* et *promener → promenade.*

▸ ***glissade*** n. f. Mouvement que l'on fait en glissant. *Julie et Marie-Tévy aiment beaucoup faire des glissades dans les couloirs de l'école quand le sol est bien ciré.*

Mais la directrice n'aime pas du tout cela !

Compare : *glisser → glissant* et *amuser → amusant.*

▸ ***glissant*** adj. Où l'on glisse facilement. *Quand il pleut, la route est glissante, il faut ralentir.*

▸ ***glissement*** n. m. *Un glissement de terrain,* c'est le déplacement du sol qui glisse le long d'une pente et s'effondre. *La pluie a provoqué des glissements de terrain.*

▸ ***glissière*** n. f. Sorte de rail. *Le bureau est séparé du salon par une porte à glissière,* qui s'ouvre et se ferme en coulissant. *Le long des autoroutes, il y a des glissières de sécurité,* des bordures métalliques qui retiennent les voitures en cas d'accident.

Va voir aussi *fermeture à glissière* à ***fermeture.***

Autres membres de la famille : **aéroglisseur, hydroglisseur.**

Compare ***global*** et ***englober*** : dans ces deux mots, il s'agit d'une **masse totale.**

global adj.

Qui recouvre un ensemble ; vois ***total.*** *Pour les classes de neige, l'école demande à chaque élève une somme globale de mille cinq cents francs,* une somme pour l'ensemble des frais.

Au masculin pluriel : *globaux.*

globe n. m.

1. Boule ou demi-boule creuse en verre ou en cristal. *Dans la cuisine, l'éclairage est formé d'une ampoule entourée d'un globe de verre.* **2.** Boule, sphère. *L'œil est un globe qui est logé dans une orbite.* **3.** *Le globe terrestre,* c'est la Terre. *En ce moment, il fait froid sur une partie du globe.*

« Le soir vous me mettrez sous globe, dit la fleur. Il fait très froid chez vous. C'est mal installé » *(le Petit Prince).*

Autres membres de la famille : **globule, globuleux.**

On dit aussi *le globe.*

Globe-trotter [glɔbtʀɔtɛʀ] rime avec *panthère.*

globe-trotter n. m.

Voyageur qui parcourt le monde. *Les reporters sont souvent de vrais globe-trotters.*

Tintin est un jeune globe-trotter.

Famille de **globe**

globule n. m.

Petite cellule de forme arrondie que l'on trouve dans certains liquides du corps. *Notre sang contient des globules rouges et des globules blancs. La lymphe renferme des globules.*

Les globules blancs nous défendent contre les microbes.

Les globules rouges apportent l'oxygène dans tout le corps et remportent le gaz carbonique.

Famille de **globe**

globuleux adj.

Des yeux globuleux, ce sont des yeux qui ressortent. *Les grenouilles ont les yeux globuleux.*

gloire n. f.

Célébrité et admiration de tous. *C'est le film que Denis Prost a tourné à Hollywood qui lui a apporté la gloire,* qui l'a rendu célèbre. *Les soldats qui sont morts pour leur patrie se sont couverts de gloire. À Gênes, on a élevé une statue à la gloire de Christophe Colomb,* en son honneur.

Denis Prost est un comédien célèbre.

On dit d'une personne qu'*elle a eu son heure de gloire* pour dire qu'elle a été célèbre à un certain moment et que c'est fini.

Ils ont eu une mort *glorieuse.*

Compare ***glorieux*** et ***gloriole*** : il s'agit de **gloire.**

▸ ***glorieux*** adj. Qui donne de la gloire. *Les soldats ont eu une mort glorieuse.*

Conjugaison 7
▭ Indic. imparfait : *nous nous glorifiions.*

▸ *se* ***glorifier*** v. *Se glorifier de quelque chose,* c'est en tirer de la gloire ; vois *se* ***vanter.*** *Antoine a eu la plus mauvaise note en français, il n'y a pas de quoi s'en glorifier.*

Tintin peut se glorifier d'avoir débarrassé Chicago d'Al Capone et de sa bande.

▸ ***gloriole*** n. f. Vanité. *Julie raconte ses succès avec les garçons, par gloriole.*

Attention ! deux *s.*

glousser v.

1. *La poule glousse,* elle pousse des cris brefs et répétés. *La poule glousse*

Conjugaison 1

Compare : *glousser → gloussement, miauler → miaulement* et *piailler → piaillement.*

pour appeler ses poussins. **2.** Rire en poussant des petits cris. *Colle et Rat gloussent au fond de la classe.*

▸ ***gloussement*** n. m. **1.** Cri de la poule. *La poule pousse des gloussements.* **2.** Petit cri ou rire étouffé. *Les gloussements de Colle et Rat exaspèrent Angèle, l'institutrice.*

Elle fait : cot cot cot codec !

Compare *glouton* et *engloutir* : il est question du **gosier.**

glouton adj.

Qui mange beaucoup et très vite en engloutissant les morceaux. *Antoine est très glouton, il avale un énorme bifteck en cinq minutes ;* vois ***goinfre, goulu, vorace.*** — n. *Quelle gloutonne, cette Julie ! Elle a mangé son dessert en trente secondes.*

Pour moi, satisfaisant mes appétits gloutons,
J'ai dévoré force moutons
(La Fontaine).

glu n. f.

Sorte de liquide épais qui colle très fort. *La glu sert à prendre les oiseaux.*

La glu est obtenue en faisant bouillir l'écorce du houx épineux.

Au féminin : *gluante.*

▸ ***gluant*** adj. Visqueux et collant ; vois ***poisseux.*** *Le blanc d'œuf est gluant.*

Attention ! un *y* d'abord et un *i* ensuite.

glycine n. f.

Arbre grimpant à fleurs mauves, blanches ou rose pâle, en grappes pendantes qui sentent très bon. *De la glycine grimpe le long du mur du jardin.*

La glycine peut atteindre 20 mètres de long.

Gnangnan ne prend pas de *s* au pluriel.

gnangnan adj. invariable

Quelqu'un de gnangnan, c'est quelqu'un qui est mou et qui se plaint tout le temps. *Julie trouve que Marie-Tévy et Yasmina sont un peu gnangnan ;* vois ***geignard, pleurnichard.***

C'est familier de dire *gnangnan.*

Prononce [gnom] avec le *g* dur, comme dans *gomme.*

gnome n. m.

Petit personnage des contes, souvent laid et difforme ; vois ***lutin, nain.*** *Les gnomes habitent dans la forêt où ils gardent les trésors enfouis dans la terre ; ils portent un bonnet de feutre et vivent jusqu'à quatre cents ans.*

Un gnome mesure 15 centimètres sans son bonnet et pèse 300 grammes ; il est sept fois plus fort que l'homme !

Prononce [gnu].

gnou n. m.

Animal d'Afrique du Sud, de la famille de l'antilope, au corps lourd, à l'arrière-train baissé, à la tête épaisse, aux membres grêles et au pelage généralement gris-brun foncé. *Les gnous forment de grands troupeaux qui se mêlent souvent à ceux des zèbres.*

La chair des gnous est bonne à manger ; on fait du cuir avec leur peau.

Le gnou est un mammifère ; il a une queue de cheval, des cornes recourbées comme le taureau, une barbe, une moustache et des sourcils blancs.

Goal [gol] rime avec *gaule.*

goal n. m.

Gardien de but au football, au hockey ou au handball. *Les goals des deux équipes étaient très grands.*

On dit plutôt, maintenant : *gardien de but.*

Prononce [gɔblɛ]. Compare ***gobelet*** et ***gober*** : il est question de la **bouche.**

gobelet n. m.

Récipient qui sert à boire, plus haut que large et sans pied ; vois ***godet.*** *Angèle avait emporté des gobelets en carton pour le pique-nique.*

C'est aussi avec un gobelet que l'on lance les dés.

Conjugaison 1

gober v.

1. Avaler brusquement en aspirant, sans mâcher. *Les oiseaux gobent les mouches. Quand il va à la ferme, David aime gober les œufs.* **2.** Croire naïvement. *Muriel Doucet est très crédule, elle gobe tout ce que lui raconte Antoine.*

C'est familier de dire *gober* dans ce sens.

Pour gober un œuf cru, il faut faire un petit trou dans la coquille à chaque extrémité de l'œuf.

Godet [gɔdɛ] rime avec *robinet.*

godet n. m.

Petit récipient large et peu profond, sans pied ; vois ***gobelet.*** *Quand on fait de la peinture, on a besoin d'avoir un godet plein d'eau pour rincer ses pinceaux.*

Godille [gɔdij] rime avec *fille.*

godille n. f.

Rame unique placée à l'arrière d'un bateau. *Le pêcheur fait avancer sa barque à la godille,* en faisant une sorte de huit dans l'eau avec la rame.

Manœuvrer une barque à la godille, c'est *godiller.*

Prononce [gɔelɑ̃].

goéland n. m.

Oiseau de mer à tête blanche et à corps gris et blanc, de la taille d'une grosse mouette. *Les goélands vivent en colonies sur les côtes, en été, et rentrent à l'intérieur des terres, en hiver.*

Les goélands habitent les pays de l'hémisphère Nord.

Les goélands mangent des poissons, des vers, des mollusques ainsi que les œufs et les poussins d'autres oiseaux.

Prononce [gɔelɛt].

goélette n. f.

Bateau à voiles léger à deux mâts. *Les goélettes peuvent être utilisées pour la pêche, pour le commerce ou comme bateau de plaisance.*

La goélette va aussi vite qu'un goéland.

Goémon est un mot breton, comme *goéland.*

goémon n. m.
Le *goémon,* c'est l'ensemble des algues rejetées par la mer. *À marée basse, la plage est couverte de goémon ;* vois **varech.**

On ramasse le goémon et on le fait brûler pour en extraire de l'engrais.

Ne prononce pas le ***e*** : [gɔgnaʀ].

goguenard adj.
Qui a l'air de se moquer gentiment. *Antoine regarde Angèle avec un sourire goguenard ;* vois **moqueur, narquois, railleur.**

goinfre n. m.
Personne qui mange trop et salement. *Dès que Julie voit du saucisson, elle se jette dessus comme un goinfre.* — adj. *Julie est presque aussi goinfre qu'Antoine ;* vois **glouton, goulu.**

Le goinfre ne savoure rien, il s'empiffre.

Conjugaison 1

▸ *se* **goinfrer** v. Manger trop et salement. *Julie aime bien se goinfrer de saucisson ;* vois *se* **bourrer,** *se* **gaver.**

On a un goitre quand la glande située dans le cou se met à enfler.

goitre n. m.
Déformation du cou qui devient gros sous le menton. *Il a été opéré d'un goitre.*

Ne confonds pas *golf* et *golfe.*

La canne avec laquelle on joue au golf s'appelle un *club.*

golf n. m.
Sport qui consiste à faire entrer une balle dans une série de trous disposés sur un vaste terrain recouvert d'herbe, en la frappant avec une sorte de canne. *Mme Séverac joue au golf.*

Les joueurs de golf sont des *golfeurs.*

Ne confonds pas *golfe* et *golf.*

Va voir aussi ***anse, baie, crique.***

golfe n. m.
Endroit où la mer avance loin à l'intérieur des terres et forme un bassin ouvert. *Il y a souvent de grands ports au fond des golfes.*

Sais-tu où se trouve le golfe du Lion ?

Attention ! deux ***m.***

gomme n. f.
1. Petit bloc de caoutchouc ou de plastique qui sert à effacer. *Dans sa trousse, Yves a une gomme, un crayon, une règle et un stylo.* **2.** Substance collante et transparente qui coule de certains arbres lorsque l'on incise l'écorce. *Marie-Tévy mange des boules de gomme quand elle a mal à la gorge,* des bonbons faits avec cette substance.

Il y a des gommes à crayon et des gommes à encre.

Conjugaison 1

▸ **gommer** v. Effacer avec une gomme. *Yves a gommé un mot et en a barré un autre.*

▸ **gommé** adj. *Le papier gommé,* c'est un papier qui colle quand on le mouille. *Les timbres-poste sont en papier gommé.*

Des gommettes, ce sont de petits morceaux de papier gommé.

Attention ! un ***d*** à la fin.

gond n. m.
Pièce métallique sur laquelle tourne une porte ou une fenêtre. *La porte s'ouvre et se ferme en pivotant sur ses gonds. Il faudrait huiler les gonds car ils grincent.*

Sortir de ses gonds, c'est se mettre en colère.

Une gondole mesure environ dix mètres de long et un peu plus d'un mètre de large.

gondole n. f.
Barque longue et plate, aux extrémités relevées et recourbées. *À Venise, on se promène en gondole sur les canaux.*

Les gondoles de Venise sont noires.

▸ **gondolier** n. m. Batelier qui conduit une gondole. *Le gondolier est placé à l'arrière de la gondole et la fait avancer au moyen d'un seul aviron.*

Conjugaison 1

gondoler v.
Se déformer en se bombant à certains endroits et en se creusant à d'autres. *La planche de la bibliothèque gondole. Le disque que Julie a laissé au soleil est tout gondolé.*

C'est souvent la chaleur qui fait gondoler le bois ou le plastique.

Conjugaison 1

Le contraire de *gonfler,* c'est *dégonfler.*

gonfler v.
1. Remplir d'air, de gaz. *Sylvain a gonflé les pneus de sa bicyclette. Le vent gonfle les voiles. — Les voiles se gonflent au vent.* **2.** Augmenter de volume, grossir. *Yves est tombé et son genou s'est mis à gonfler ;* vois **enfler.** *Le gâteau va gonfler dans le four ;* vois **lever.**

Et toute la journée il répète comme toi : « Je suis un homme sérieux ! Je suis un homme sérieux ! » et ça le fait gonfler d'orgueil. Mais ce n'est pas un homme, c'est un champignon ! *(le Petit Prince).*

Compare : *gonfler → gonflable, gonflage* et *régler → réglable, réglage.*

▸ **gonflable** adj. Qui se gonfle, qui doit être rempli d'air. *Mme Roussel va sur la plage avec son matelas gonflable ;* vois **pneumatique.**

▸ **gonflage** n. m. Action de gonfler. *Avant de prendre la route, il faut vérifier le gonflage des pneus ;* vois **pression.**

▸ **gonflement** n. m. État de ce qui est gonflé. *Le gonflement du genou d'Yves a diminué.*

Compare : *gonfler → gonfleur* et *démarrer → démarreur.*

▸ **gonfleur** n. m. Appareil qui sert à gonfler. *M. Bellec s'est servi du gonfleur pour gonfler le canot pneumatique.*

Autres membres de la famille : **dégonfler, regonfler.**

Prononce [gɔ̃g].

gong n. m.
Plateau de métal suspendu verticalement sur lequel on frappe avec un maillet pour qu'il résonne. *Le coup de gong annonce la fin d'un round, au cours d'un match de boxe.*

Le gong est un instrument de musique à percussion dont on se sert beaucoup en Asie.

goret n. m.

On dit aussi : *manger comme un cochon.*

Jeune cochon ; vois ***porcelet.*** *Les gorets tètent la truie. Julie mange comme un goret,* salement et en se goinfrant.

On dit aussi *cochons de lait.*

gorge n. f.

Avoir un chat dans la gorge, c'est être enroué.

L'Ogre coupa sans balancer la gorge à ses sept filles *(le Petit Poucet).*

1. Intérieur du cou, à partir du fond de la bouche. *Marie-Tévy a souvent mal à la gorge. Quand on est inquiet, on a la gorge sèche.* **2.** La partie avant du cou. *Le bandit est arrivé sur la pointe des pieds et a serré la gorge du gardien. Le chien lui a sauté à la gorge.* **3.** Vallée étroite et très encaissée au fond de laquelle coule un cours d'eau. *Les Bellec ont passé quelques jours dans les gorges du Tarn.*

Va voir aussi ***gosier*** et ***pharynx.***

Une gorge s'appelle aussi un *cañon* ou un *défilé.*

Compare : *gorge → gorgée,* et *bouche → bouchée.*

▸ **gorgée** n. f. Petite quantité de liquide que l'on avale d'un seul coup. *Je vais goûter ce jus de mangue, je n'en boirai qu'une gorgée.*

Conjugaison 3 ▭ Indic. présent : *nous nous gorgeons.* Imparfait : *je me gorgeais.*

▸ *se* **gorger** v. *Se gorger d'aliments,* c'est en manger beaucoup ; vois *se* ***gaver.*** *Les enfants se sont gorgés de fraises,* ils se sont bourrés de fraises. *Ici, la terre est gorgée d'eau,* elle est remplie d'eau, complètement imprégnée d'eau.

Autres membres de la famille : **égorger, engorger, regorger,** se **rengorger, rouge-gorge.**

gorille n. m.

Le gorille est le plus grand des singes : un mâle mesure 1,80 m et pèse 200 kg.

Grand singe d'Afrique équatoriale qui marche à quatre pattes. *Les gorilles se nourrissent de fruits, de feuilles, de graines et de tiges de bambou.*

Le gorille ne fait pas de mal à l'homme et vit environ 40 ans.

gosier n. m.

Compare ***gosier*** et *s'**égosiller*** : il est question de **gorge.**

Partie de la gorge qui contient certains organes de la voix. *On entend les enfants chanter à plein gosier,* très fort, à tue-tête.

gosse n. m. et f.

Ce mot est familier ; dans un devoir, il faut écrire *enfant.*

Enfant, garçon ou fille. *Les gosses sortent de l'école en hurlant ;* vois ***gamin.*** *Colle et Rat sont de sales gosses,* des enfants insupportables et mal élevés.

Le petit Abdallah, dans *Tintin,* est un gosse insupportable.

gothique adj.

Notre-Dame de Paris, la cathédrale de Reims et la cathédrale de Chartres sont des monuments de style gothique.

Le style gothique, c'est une forme d'architecture qui s'est répandue en Occident du Moyen Âge à la Renaissance. *Les cathédrales gothiques ont des voûtes constituées par le croisement de deux voûtes en forme d'arc brisé, des fenêtres hautes ornées de vitraux et des clochers pointus.*

Les cathédrales sont les plus beaux monuments construits dans ce style.

Va voir aussi ***ogive.***

gouache n. f.
Peinture à l'eau, assez épaisse. *Marie-Tévy a une boîte de peinture avec des tubes de gouache de toutes les couleurs.*

Au féminin : *gouailleuse.*

gouailleur adj.
Moqueur et un peu vulgaire. *Julie a répondu à son père sur un ton gouailleur ;* vois ***goguenard.***

goudron n. m.

Le goudron est tiré du pétrole ou du charbon.

Pâte noire et visqueuse à odeur forte, que l'on utilise pour recouvrir les routes, les trottoirs. *Le goudron fume quand il sort de la machine et se répand sur le sol.*

Va voir aussi ***asphalte*** et ***bitume.***

Conjugaison 1

Attention ! deux *n.*

▸ **goudronner** v. Recouvrir de goudron. *Les ouvriers sont en train de goudronner le chemin qui mène au nouveau gymnase.*

La machine à goudronner s'appelle une *goudronneuse.*

Attention ! deux *f.*

gouffre n. m.

Dans *l'Énigme de l'Atlantide,* Mortimer découvre des ptérodactyles dans les galeries d'un gouffre.

1. Trou effrayant parce qu'il est profond et très large ; vois ***abîme, précipice.*** *Les spéléologues sont descendus avec une corde au fond du gouffre pour l'explorer.* **2.** Ce qui engloutit de l'argent. *La vieille voiture de Réjean est un véritable gouffre,* elle lui fait dépenser trop d'argent.

Le gouffre de la Pierre-Saint-Martin, dans les Pyrénées, est profond de plus de 700 mètres.

Autre membre de la famille : **engouffrer.**

Attention ! un *t* à la fin.

goujat n. m.
Homme grossier, mal élevé dont le manque de délicatesse est blessant ; vois ***malotru, mufle, rustre.*** *Ce goujat m'a bousculée, m'a marché sur les pieds puis m'a claqué la porte au nez.*

Le maharajah n'était pas un goujat ; quand il avait du chocolat, il en donnait à son naja.

goujon n. m.
Petit poisson de rivière très commun. *M. Bellec a pêché une grande quantité de goujons.*

Le goujon se mange en friture.

Le goujon est très vorace.

Ne confonds pas *goulet* et *goulot.*

goulet n. m.
Passage étroit. *Le port communique avec la mer par un goulet. Le torrent a creusé un goulet.*

Un poulet de Bresse essayait de franchir le goulet de Brest !

Attention ! un *t* à la fin, comme dans *ballot, cageot, culot.*

goulot n. m.
Partie la plus étroite d'une bouteille par où l'on verse. *Le goulot de la bouteille est trop étroit pour ce bouchon. Yves aime bien boire au goulot.*

Ne confonds pas *goulot* et *goulet.*

Au féminin : *goulue.*

Compare **goulu**, **goulet** et **goulot** : il s'agit de la **gueule.**

goulu adj.
Qui se précipite sur la nourriture et en mange beaucoup très vite. *Rex est très goulu, il se précipite sur son écuelle dès qu'on lui donne sa pâtée ;* vois ***goinfre, glouton.*** — n. *Rex est un goulu.*

Rex est le chien des Séverac.

Goupillon [gupijɔ̃] rime avec *papillon.*

goupillon n. m.
1. Longue brosse cylindrique et étroite faite d'une grande tige métallique garnie de touffes de poils. *On peut nettoyer l'intérieur des biberons avec un goupillon.* **2.** Boule de métal creuse et percée de trous, montée au bout d'un manche, dont on se sert dans les cérémonies de l'Église pour asperger d'eau bénite. *Le prêtre bénit la foule en faisant un signe de croix avec son goupillon.*

Autrefois, le sabre et le goupillon désignaient symboliquement l'armée et l'Église.

Dans les enterrements, chacun vient bénir le cercueil avec le goupillon.

Attention ! un *d* à la fin ; au féminin : *gourde.*

gourd adj.
Engourdi et rendu comme paralysé par le froid. *Marie-Tévy a les doigts gourds, elle n'arrive pas à ouvrir son anorak.*

Autres membres de la famille : **dégourdir, dégourdi, engourdir, engourdi.**

① **gourde** n. f.
Bidon ou bouteille en métal ou en plastique qui sert à transporter la boisson. *Avant de partir en promenade, Yves a rempli sa gourde d'eau et l'a attachée à sa ceinture.*

Autrefois, c'était une courge vidée et séchée qui servait de récipient pour la boisson.

Les gourdes sont souvent protégées par une enveloppe de cuir ou de toile.

C'est un mot familier ; dans un devoir, il faut écrire *bête* ou *idiot.*

② **gourde** n. f.
Personne un peu bête et maladroite. *« Quelle gourde, ce type, dit Alex, il s'est trompé de chemin, et à cause de lui on est en retard ! » ;* vois ***empoté, idiot.*** — adj. *Il a l'air gourde.*

Il n'est pas très *dégourdi !*

gourdin n. m.
Gros bâton lourd et solide. *L'homme des cavernes assommait ses ennemis à coups de gourdin ;* vois ***matraque, trique.***

gourmand adj.
Qui aime manger les bonnes choses et en mange beaucoup. *Félix, le chat de Julie, est très gourmand, il aime beaucoup le poisson.* — n. *Une grosse gourmande a fini tout le gâteau.*

Alceste, dans *le Petit Nicolas*, est très gourmand, il a toujours des tartines dans ses poches.

Compare : *gourmand* → *gourmandise* et *vantard* → *vantardise.*

▸ **gourmandise** n. f. Défaut de celui qui est gourmand. *Je n'ai plus faim, mais je vais reprendre un peu de viande par gourmandise.*

On dit que la gourmandise est un vilain défaut.

Ne confonds pas *gourmet* et *gourmand.*

gourmet n. m.
Personne qui reconnaît et apprécie la cuisine raffinée et le bon vin. *Denis Prost est un fin gourmet ;* vois ***gastronome.***

gourmette n. f.
Bracelet en forme de chaîne dont les mailles sont aplaties. *M. Bellec a une gourmette en argent avec son prénom gravé, au poignet droit.*

C'est aussi la petite chaîne qui fixe le mors dans la bouche du cheval.

Attention ! deux *s.*

gousse n. f.
1. Enveloppe allongée qui renferme certaines graines. *Quand on épluche les petits pois, on les enlève de leur gousse ;* vois ***cosse.*** **2.** *Une gousse d'ail,* c'est chacune des parties de la tête d'ail recouverte d'une petite peau. *Mamie Lou a mis une gousse d'ail dans le gigot.*

On *écosse* les petits pois.

La gousse de vanille parfume les crèmes et les gâteaux.

Il y a aussi des gousses d'échalote.

Attention à l'accent circonflexe du *û* !

goût n. m.

1. Un des cinq sens, celui grâce auquel l'homme et les animaux peuvent reconnaître la saveur de ce qu'ils mangent. *La langue et le palais sont les organes du goût.* **2.** Saveur. *Ce jus de fruit a bon goût. Cette crème a mauvais goût.* **3.** *Avoir du goût pour quelque chose,* c'est l'aimer. *Sylvain a du goût pour la lecture. Loïc a le goût du risque,* il aime prendre des risques. **4.** *Le goût,* c'est le fait de savoir reconnaître ce qui est beau et ce qui est laid. *Sophie Pelletier a bon goût. M*^{me} *Bellec a souvent des bijoux de mauvais goût.*

Est-ce que tu connais les quatre autres sens ?

Tintin a du goût pour les affaires embrouillées.

Tous les goûts sont dans la nature (proverbe).

Conjugaison 1

▸ ① **goûter** v. **1.** Manger ou boire un petit peu d'une chose pour voir la saveur qu'elle a. *M. Bellec goûte toujours les plats qu'il prépare pour vérifier s'ils sont assez assaisonnés. Ce que tu es en train de boire a l'air bon, je voudrais bien y goûter.* **2.** Éprouver avec plaisir quelque chose. *En vacances, Sophie Pelletier goûte le plaisir de ne rien faire.* **3.** Prendre un repas léger dans l'après-midi. *Les enfants ont goûté à quatre heures.*

Les empereurs romains faisaient goûter leur nourriture par leurs esclaves, avant d'en manger eux-mêmes, parce qu'ils avaient peur qu'on les empoisonne.

Il goûte à la crème à la vanille pour voir si elle est à point : il y met le doigt, puis la main, puis le bras *(Babar).*

▸ ② **goûter** n. m. Nourriture et boisson que l'on prend dans l'après-midi. *Yves a été privé de goûter.*

Autres membres de la famille : **arrière-goût, dégoûter, dégoût, dégoûtant, dégoûté, ragoût, ragoûtant.**

Attention ! deux *t* dans *goutte, gouttelette, goutter* et *gouttière.*

goutte n. f.

1. Très petite quantité de liquide qui prend une forme arrondie. *Il n'est pas tombé une goutte de pluie depuis des semaines. Une goutte de sang a taché la chemise de Sylvain. L'eau coule goutte à goutte,* une goutte après l'autre. **2.** Très petite quantité de boisson. *Julie a bu une goutte de champagne à l'anniversaire de son père,* une larme, un doigt de champagne. **3.** *Quand on est enrhumé on se met des gouttes dans le nez,* un médicament liquide qui se prend sous forme de gouttes.

Les Dupondt se ressemblent comme deux gouttes d'eau.

Suer à grosses gouttes, c'est transpirer beaucoup.

Un *goutte-à-goutte,* c'est un appareil qui permet de faire passer très lentement un liquide dans les veines, quand on est malade.

Compare : *goutte → gouttelette, côte → côtelette* et *tarte → tartelette.*

▸ **gouttelette** n. f. Petite goutte de liquide. *Les roses sont recouvertes de gouttelettes de rosée, ce matin.*

Dans ce sens, le mot est toujours au pluriel.

Conjugaison 1

▸ **goutter** v. Couler goutte à goutte. *Le robinet de la salle de bains est mal fermé, il goutte.*

Un *chat de gouttière,* c'est un chat tigré commun.

▸ **gouttière** n. f. Sorte de canal qui borde les toits des maisons et sert à recueillir les eaux de pluie. *Quand les gouttières débordent, on reçoit de l'eau sur la tête.*

Autres membres de la famille : **égoutter, égout, tout-à-l'égout, égoutier, égouttoir.**

Famille de **gouverner**

gouvernail n. m.

Appareil mobile placé sur un bateau ou un avion servant à régler sa direction. *Dans un bateau, le gouvernail est à l'arrière sous la coque, dans un avion le gouvernail est sur les ailes. Loïc actionne le gouvernail de son bateau en tournant la barre.*

Dans un avion, on bouge le gouvernail en faisant fonctionner des leviers qui s'appellent le *manche à balai* et le *palonnier.*

Au pluriel : *des gouvernails.*

Le gouvernail a été inventé en 1250.

Compare : *gouverner → gouvernant* et *commander → commandant.*

gouvernant n. m.

Personne qui dirige un pays, qui est au pouvoir dans un pays. *Un gouvernant d'un pays étranger est passé dans une grosse voiture noire* ; vois ***dirigeant.***

Famille de **gouverner**

Famille de **gouverner**

gouvernante n. f.

Personne qui est payée pour s'occuper des enfants, les garder et les élever. *Les enfants sont allés se promener avec leur gouvernante. Les gouvernantes étaient souvent très sévères.*

De nos jours, il n'y a presque plus de gouvernantes.

Une gouvernante restait pendant des années dans la même famille et élevait tous les enfants.

gouvernement n. m.

1. Manière de diriger un pays. *Tous les pays n'ont pas la même forme de gouvernement.* **2.** Ensemble des personnes qui dirigent un pays. *En France, le gouvernement est constitué par le Premier ministre et les ministres. Le gouvernement a décidé une augmentation du prix de l'essence.*

Le gouvernement que l'on a en France est une démocratie.

Va voir aussi ***dictature, monarchie.***

Compare : *gouvernement → gouvernemental* et *département → départemental.*

▸ **gouvernemental** adj. Du gouvernement. *M. Bellec critique la politique gouvernementale.*

Au masculin pluriel : *gouvernementaux.*

Conjugaison 1

gouverner v.

1. Diriger un pays. *Le chef du gouvernement et les ministres gouvernent le pays,* ils prennent les décisions importantes et font appliquer les lois. *Les tyrans ne gouvernaient pas avec sagesse.* **2.** Diriger un bateau. *Loïc gouverna droit sur le phare.*

Autres membres de la famille : **gouvernail, gouvernant, gouvernante, gouvernement, gouvernemental.**

Dans l'Antiquité, les Égyptiens étaient gouvernés par un pharaon.

Attention à l'accent circonflexe du *â* !

grâce n. f.
1. Charme, beauté dans les mouvements d'une personne, dans son attitude. *Marie-Tévy marche avec grâce et légèreté.* **2.** Pardon. *Le président de la République a accordé sa grâce au condamné à mort,* il a décidé qu'il ne serait pas exécuté. **3.** *Faire quelque chose de bonne grâce,* c'est le faire gentiment, en y mettant de la bonne volonté. *Marie-Tévy aide toujours sa mère de bonne grâce. — En ce moment, Angèle est dans les bonnes grâces de la directrice,* elle est bien vue par la directrice, elle lui plaît. **4.** *Faire une chose grâce à quelqu'un ou à quelque chose,* c'est la réussir avec leur aide. *C'est grâce au docteur Séverac que beaucoup d'enfants africains ont été guéris.*

« Grâce, pitié ! » criait la femme que l'on était en train de fouetter, dans *les Cigares du Pharaon* ; Tintin courut la délivrer, mais c'était un film !

Cendrillon dansa avec tant de grâce qu'on l'admira encore davantage *(Cendrillon).*

D'autres le font de mauvaise grâce, à contrecœur.

Angèle est institutrice.

Marcelle
Si j'avais des ailes,
Je volerais grâce à elles
(B. Lapointe).

Conjugaison 7

▸ **gracier** v. Accorder son pardon à quelqu'un qui doit être exécuté. *Le président de la République a gracié le condamné,* lui a remis sa peine.

Au féminin : *gracieuse.*

▸ **gracieux** adj. **1.** Charmant, élégant. *Marie-Tévy a des gestes très gracieux.* **2.** Gratuit, bénévole. *On a proposé à Mme Séverac de s'occuper de la bibliothèque de l'école à titre gracieux,* sans être payée.

Le contraire de *gracieux,* c'est *disgracieux, laid.*

▸ **gracieusement** adv. **1.** Avec charme, élégance. *La danseuse s'inclina gracieusement.* **2.** Gratuitement. *Un cadeau sera remis gracieusement à chaque acheteur.*

Autre membre de la famille : **disgracieux.**

Le contraire de *gracile,* c'est *épais, trapu.*

gracile adj.
Mince et délicat. *Marie-Tévy a un corps gracile.*

Ne confonds pas avec ① *grêle.*

grade n. m.
Rang dans le classement militaire ; vois ***échelon.*** *Le grade de colonel est supérieur à celui de capitaine.*

« Mon frère, il a un grade, a dit Eudes, il a un galon sur la manche » *(le Petit Nicolas).*

Monter en grade, c'est avoir de l'avancement.

▸ **gradé** n. m. Militaire qui a un grade inférieur à celui d'officier. *Les caporaux sont de simples gradés.*

gradin n. m.
Les gradins, ce sont les bancs disposés en étages, comme des marches d'escalier, dans un cirque ou un stade. *Les spectateurs sont assis sur les gradins.*

Conjugaison 1

graduer v.
1. Diviser en degrés ou en centimètres par de petits traits. *On a gradué le thermomètre pour pouvoir lire la température,* on l'a divisé en degrés. **2.** Augmenter quelque chose petit à petit. *Dans son numéro, le trapéziste a gradué les difficultés. Les exercices de ce livre sont gradués,* de plus en plus difficiles.

Les règles aussi sont graduées.

En face de chaque petit trait, on a écrit le nombre de degrés ou de centimètres.

N'oublie pas le *u.*

▸ **graduation** n. f. Petit trait qui indique les divisions d'un thermomètre, d'une règle. *Les graduations de cette règle sont presque effacées.*

Compare : *graduer → graduel, continuer → continuel* et *habituer → habituel.*

▸ **graduel** adj. Qui se fait petit à petit, par degrés, d'une manière régulière. *Depuis quelques jours, on observe un réchauffement graduel de la température,* un réchauffement progressif.

Au féminin : *graduelle.*

Attention ! deux *f.*

graffiti n. m. plur.
Inscriptions ou dessins que l'on griffonne sur un mur. *Colle et Rat ont couvert le mur de Mme Harpie de graffiti très méchants ; il va falloir faire repeindre le mur pour les effacer. Il est interdit de faire des graffiti dans le métro sous peine d'amende.*

Au singulier, on écrit : *un graffiti.*

Graillon [gʀajɔ̃] rime avec *bataillon.*

graillon n. m.
Mauvaise odeur de graisse frite. *Colle et Rat disent que dans le restaurant Bellec cela sent le graillon.*

On emploie ce mot toujours au singulier.

grain n. m.
1. Fruit ou graine d'une céréale. *Les grains de blé sont broyés pour faire de la farine. Odile Séverac distribue du grain aux poules,* des grains. **2.** Petit fruit de certaines plantes. *On torréfie les grains de café.* **3.** Toute petite parcelle. *Marie-Tévy a un grain de sable dans l'œil.* **4.** *Un grain de beauté,* c'est une petite tache brune de la peau. *Sophie Pelletier a un grain de beauté sur la joue gauche.* **5.** *Le grain de ce papier est très fin,* l'aspect de ce papier est très lisse. **6.** Très petite quantité. *Il faudrait mettre un grain de fantaisie*

Le grain est séparé des tiges et des enveloppes par le battage.

Il existe du poivre en grains et du poivre moulu.

Les grains de blé forment un *épi* et les grains de raisin une *grappe.*

Va voir *mettre son grain de sel* à **sel.**

Un papier qui n'est pas lisse est un papier *granuleux.*

Veiller au grain, c'est être très prudent, se tenir sur ses gardes.

dans la vie de Mme Harpie. **7.** Coup de vent violent, soudain et bref, accompagné d'une averse. *Loïc a eu peur que la tempête ne se lève mais ce n'était qu'un grain.*

Les lentilles, les haricots, le blé, le riz, sont des graines que l'on peut manger.

▸ ***graine*** n. f. **1.** Semence d'une plante. *Sophie Pelletier sème des graines d'œillets dans son jardin. La graine a germé,* elle va donner une nouvelle plante. **2.** *En prendre de la graine,* c'est suivre l'exemple de quelqu'un, tirer une leçon de quelque chose. *Julie a été très courageuse pendant son opération, Marie-Tévy qui est si douillette devrait en prendre de la graine.* **3.** *Yves nage très bien, c'est de la graine de champion,* ce sera un champion plus tard.

Les graines sont invisibles. Elles dorment dans le secret de la terre jusqu'à ce qu'il prenne fantaisie à l'une d'elles de se réveiller *(le Petit Prince).*

Ne prononce pas le *e* du milieu : [gʀɛntje], [gʀɛntjɛʀ].

▸ ***grainetier*** n. m., ***grainetière*** n. f. Personne qui vend des graines, des oignons de fleurs, des bulbes. *Sophie Pelletier a acheté ses graines d'œillets chez un grainetier.*

graisse n. f.

1. Substance grasse qui se trouve sous la peau. *M. Bellec a des bourrelets de graisse sur le ventre.* **2.** Matière grasse tirée des animaux ou des végétaux. *Le beurre est une graisse animale, l'huile est une graisse végétale. Sylvain a mis de la graisse sur la chaîne de son vélo.*

C'est gras ! attention aux taches de graisse !

L'huile peut être faite avec la graisse qui vient du maïs, de l'arachide, du tournesol, des noix.

Conjugaison 1

▸ ***graisser*** v. Enduire de graisse. *Sylvain graisse la chaîne de son vélo ;* vois ***lubrifier.***

Compare : *graisser → graissage* et *nettoyer → nettoyage.*

▸ ***graissage*** n. m. Action de mettre de la graisse sur les parties qui bougent d'un moteur ou d'un mécanisme. *Mme Séverac est allée faire faire la vidange et le graissage de sa voiture au Grand Garage de Motbourg.*

Autre membre de la famille : **engraisser.**

graminées n. f. plur.

Les graminées, ce sont des plantes à tige cylindrique et creuse, dont les fleurs, toutes petites, sont groupées en épis. *L'herbe, le blé, la canne à sucre, le bambou sont des graminées.*

Il y a 10 000 espèces de plantes dans la famille des graminées.

grammaire n. f.

Une *grammaire,* c'est aussi un livre, un manuel de grammaire.

La grammaire, c'est l'ensemble des règles qu'il faut suivre pour écrire et parler une langue. *Marie-Tévy trouve que les cours de grammaire sont difficiles.*

La grammaire française est différente de la grammaire anglaise.

Attention ! deux ***m.***

Au masculin pluriel : *grammaticaux.*

grammatical adj.

De la grammaire. *Pour parler et écrire une langue, il faut en observer les règles grammaticales.*

Attention ! deux ***m.***

1 000 g = 1 kg.

On écrit g en abrégé.

gramme n. m.

1. Unité de poids valant mille fois moins que le kilogramme. *Yves a acheté cent grammes de guimauve et deux cent cinquante grammes de beurre.* **2.** Très petite quantité. *Il n'a pas un gramme de bon sens.*

Autres membres de la famille : **centigramme, décigramme, kilogramme, milligramme.**

grand n. m., adj. et adv., ***grande*** n. f., adj. et adv.

Le contraire, c'est *petit.*

Les enfants doivent être très indulgents envers les grandes personnes *(le Petit Prince).*

▭ **adj. 1.** De haute taille. *Yasmina est plus grande que Marie-Tévy.* **2.** Adulte. *Julie veut être danseuse quand elle sera grande.* **3.** Plus long que ce que l'on voit d'habitude. *Réjean a de grands pieds. M. Bellec a sorti son grand couteau pour découper le gigot.* **4.** Vaste, étendu. *À la sortie de Motbourg, il y a un grand champ de blé. Mme Hespel a un grand appartement.* **5.** Très intense, très fort. *J'ai entendu un grand bruit. Le chauffeur a donné un grand coup de frein.* **6.** Important. *Sylvain pleurait beaucoup, il avait un grand chagrin ;* vois **gros.** *Aujourd'hui, c'est un grand jour.* **7.** Glorieux, illustre. *Pour Angèle, Napoléon est un grand homme, il a accompli de grandes actions.*

Les géants sont extrêmement grands.

Ma mère-grand, que vous avez de grandes dents ! *(le Petit Chaperon rouge).*

Enfin le grand jour arrive. Le cirque se remplit. On entend les applaudissements, les cris, les rires des enfants *(Babar).*

Moi non plus je n'avais pas compris tout de suite, c'est des grands qui me l'ont expliqué *(le Petit Nicolas).*

▭ **n.** Enfant plus âgé, par rapport à un petit. *C'est un grand qui m'a fait tomber dans la cour.*

▭ **adv. 1.** *Grand ouvert,* ouvert aussi grand que possible. *Laisse les fenêtres grandes ouvertes. Il avait les yeux grands ouverts.* **2.** *Voir grand,* c'est avoir de grands projets. *Mamie Lou a vu trop grand, elle a fait trop de purée.*

Autres membres de la famille : **grand-chose, grand ensemble, grandeur, grandir, agrandir, agrandissement.**

N'oublie pas le trait d'union.

grand-chose pronom indéfini

Pas grand-chose, c'est peu de chose, presque rien. *« Combien cela t'a-t-il coûté ? — Pas grand-chose »,* pas cher du tout. *L'autre jour au cinéma,*

Famille de **grand** et de **chose**

je n'ai pas vu grand-chose à cause de la grosse dame qui était devant moi, je n'ai presque rien vu.

Elle était grande et grosse avec un chignon.

Famille de **grand** et de **ensemble**

grand ensemble n. m.

Groupe de H. L. M. qui ont la même architecture. *Les Touati habitent dans un grand ensemble, boulevard de la Gare, à Motbourg.*

Au pluriel : *des grands ensembles.*

Famille de **grand**

Un *ordre de grandeur,* c'est une dimension, une quantité approximative.

grandeur n. f.

1. Dimension, taille. *Marie-Tévy a deux poupées de grandeur différente. Denis Prost a rapporté des États-Unis un crocodile en faïence grandeur nature,* aux dimensions réelles. **2.** Puissance, gloire. *L'Empire romain connut d'abord la grandeur, puis la décadence.* **3.** *La grandeur d'âme,* c'est la générosité, la noblesse des sentiments. *L'abbé Gauthier a de la grandeur d'âme.*

Avoir la folie des grandeurs, c'est avoir trop d'ambition et se croire plus important que l'on n'est.

Compare *grandi**loquent*** et *éloquent* : dans ces mots, on **parle.**

grandiloquent adj.

Le maire de Motbourg a fait un discours grandiloquent le jour de la fête nationale, un discours avec de grands mots et de grandes phrases pour faire de l'effet.

Compare ***grandi**loquent* et ***grandi**ose* : il s'agit de quelque chose de **grand.**

Prononce [gʀɑ̃djoz].

grandiose adj.

Qui impressionne par sa grandeur et sa beauté ; vois ***majestueux.*** *Arrivés au sommet de la montagne, les enfants ont découvert un paysage grandiose,* magnifique et impressionnant.

Compare ***grandi**ose* et ***grandi**loquent* : il s'agit de quelque chose de **grand.**

Conjugaison 2

Famille de **grand**

Le contraire de *grandir,* c'est *diminuer.*

grandir v.

1. Devenir plus grand. *Nathalie a beaucoup grandi depuis l'année dernière.* **2.** Devenir plus fort, plus intense ; vois ***augmenter.*** *Plus les vacances approchaient, plus la joie des enfants grandissait.* **3.** Faire paraître plus grand. *Le microscope grandit les objets,* les agrandit. — *Angèle met des talons hauts pour se grandir,* avoir l'air plus grande.

Le contraire de *grandir,* c'est *rapetisser.*

Au pluriel : *des grands-mères.*

Famille de **mère**

grand-mère n. f.

Mère du père ou de la mère de quelqu'un. *Mme Bonnot, qui est la mère de Mme Bellec, est la grand-mère d'Yves. Nathalie a deux grands-mères,* la mère de son père et la mère de sa mère.

Sa grand-mère, on l'appelle *bonne-maman, mamie* ou *mémé* ; le Petit Chaperon rouge l'appelle *mère-grand.*

Famille de **père**

Au pluriel : *des grands-pères.*

grand-père n. m.

Père du père ou de la mère de quelqu'un. *M. Bonnot, qui est le père de Mme Bellec, est le grand-père d'Yves.*

Son grand-père, on l'appelle : *bon-papa, pépé* ou *papi.*

Famille de **parent**

grands-parents n. m. plur.

Le grand-père et la grand-mère. *Les grands-parents d'Yves habitent au-dessus du restaurant de son père. Julie n'a plus ses grands-parents maternels.*

On peut avoir quatre grands-parents : les parents de son père et ceux de sa mère.

grange n. f.

Bâtiment où l'on abrite les récoltes. *Les paysans ont emmagasiné le foin dans la grange.*

La grange est près de la ferme.

Prononce le ***t*** : [gʀanit].

On peut écrire aussi *granite.*

granit n. m.

Roche très dure dont la surface forme de petits grains. *Les vieilles maisons en Bretagne sont construites en granit.*

Il y a du granit rose et du granit gris.

Compare ***granul**é* et ***granul**eux* : il y a des **grains.**

granulé n. m.

Médicament qui a la forme d'un petit grain. *Quand il a mal au ventre, Sylvain prend des granulés qui lui font la langue toute noire.*

Ils sont très sucrés et très bons.

Au féminin : *granuleuse.*

granuleux adj.

Qui a comme des petits grains sur sa surface. *Le papier de verre est granuleux.*

Le contraire de *granuleux,* c'est *lisse.*

Attention ! ***ph.***

En regardant le graphique, on voit les variations de température.

graphique n. m.

Sorte de dessin formé d'une ligne qui relie des points qui se suivent à différentes hauteurs. *On peut tracer le graphique de la température qu'il fait à Paris tout au long de l'année.*

On dit aussi *une courbe.*

graphologie n. f.
Étude de l'écriture de quelqu'un. *Grâce à la graphologie, on pense pouvoir déterminer les traits de caractère d'une personne.*

Attention ! deux *p*.

grappe n. f.
Ensemble serré de fleurs ou de grains attachés à des ramifications qui partent d'une tige principale. *Mme Roussel a mis des grappes de raisin dans la corbeille de fruits.*

Les glycines, les cassis, les groseilles sont en grappes.

Attention ! deux *p* et deux *l*.

▸ **grappiller** v. Prendre plusieurs fois une toute petite quantité de quelque chose, à des endroits différents. *Les enfants grappillent des mûres et des framboises le long des haies.*

Conjugaison 1

Attention ! deux p.

grappin n. m.
Crochet à deux ou plusieurs branches fixé au bout d'un cordage. *Les grappins servaient à accrocher un bateau pour le prendre à l'abordage.*

gras adj.
1. Formé de graisse. *Le beurre et l'huile sont des matières grasses.* — n. m. La partie grasse de la viande. *Julie a laissé le gras de la côtelette sur le bord de son assiette.* **2.** Gros. *On engraisse les oies et quand elles sont assez grasses, on les tue pour les manger.* **3.** Enduit, sali de graisse. *N'essuie pas tes mains grasses, pleines de beurre, sur ton pantalon.* **4.** Épais. *Dans le journal, les titres sont imprimés en caractères gras.* **5.** *Faire la grasse matinée,* c'est se lever tard. *Le dimanche, Sophie Pelletier fait la grasse matinée.*

Le contraire de *gras,* c'est *maigre.*

Dans la cour, il y avait un cochon bien gras qui se promenait à petits pas (*les Contes du Chat perché*).

Ne laisse pas traîner les papiers gras par terre dans la forêt.

Une *plante grasse* a des feuilles épaisses et charnues.

Au féminin : *grassouillette.*

▸ **grassouillet** adj. Légèrement gras ; vois **dodu.** *Martin a six mois, il est un peu grassouillet,* tout rond et potelé.

Le contraire de *grassouillet,* c'est *maigrichon.*

Conjugaison 7 ▭ Indic. imparfait : *nous gratifiions.* Futur : *je gratifierai, nous gratifierons.*

gratifier v.
Gratifier quelqu'un de quelque chose, c'est lui donner généreusement quelque chose. *Pour une fois, Mme Harpie nous a gratifiés d'un sourire.*
▸ **gratification** n. f. Somme d'argent que l'on donne à quelqu'un en récompense, en plus de son salaire. *À la fin de l'année, le patron de la biscuiterie a donné une gratification aux ouvriers ;* vois ① ***prime.***

Compare ***grat**ifier* et ***grat**itude* : dans ces mots, il est question d'être **reconnaissant.**

gratin n. m.
Mets recouvert de fromage râpé et de chapelure que l'on met à dorer au four. *Mme Hespel a fait des macaronis au gratin.*

Conjugaison 1

▸ **gratiner** v. Cuire au gratin. *Mamie Lou fait gratiner des courgettes.*

Une *gratinée,* c'est une soupe à l'oignon au gratin.

Gratis [gʀatis] rime avec *justice.*

gratis adv.
Sans payer ; vois ***gratuitement.*** *J'ai eu ce livre gratis.*

Ce mot est familier.

gratitude n. f.
Reconnaissance que l'on éprouve envers quelqu'un. *Alex a de la gratitude pour Réjean qui lui a sauvé la vie.*

Le contraire de *gratitude,* c'est *ingratitude.*

Famille de **gratter** et de **ciel**
Au pluriel : *des gratte-ciel.*

gratte-ciel n. m. invariable
Immeuble à très nombreux étages, atteignant une grande hauteur. *Les premiers gratte-ciel ont été construits à New York ; il y en a maintenant dans le monde entier. À Montréal, Réjean habite au 29e étage d'un gratte-ciel.*

Ils sont si hauts que l'on dirait qu'ils grattent le ciel.

En France, on les appelle des *tours.*

Attention ! deux *t*.

gratter v.
1. Frotter avec quelque chose de dur pour enlever un peu de ce qui est à la surface. *Avant de repeindre l'armoire, Sophie Pelletier l'a grattée pour enlever la vieille peinture.* **2.** Donner des démangeaisons. *Je n'aime pas ce pull-over parce qu'il me gratte terriblement. — Quand le chien se gratte, cela fait du bruit.*

Conjugaison 1

Autres membres de la famille : **égratigner, égratignure, gratte-ciel.**

Dans *Tintin au Pays de l'or noir,* Abdallah a mis du poil à gratter dans le dos du professeur Müller.

▸ **grattement** n. m. Bruit que l'on fait en grattant. *Le chat doit être derrière la porte, j'ai entendu un grattement.*

Compare : *gratter → grattoir* et *arroser → arrosoir.*

▸ **grattoir** n. m. Instrument qui sert à gratter. *On se sert d'un grattoir pour faire disparaître une inscription ou une tache sur un papier.*

Le *grattoir,* c'est aussi l'endroit de la boîte où l'on gratte l'allumette.

gratuit adj.
1. Que l'on a sans payer. *Aujourd'hui, l'entrée du zoo est gratuite. La vendeuse m'a donné des échantillons gratuits.* **2.** Qui est fait sans preuve. *Yves dit que ce sont Colle et Rat qui ont caché le cahier de notes de la classe, mais c'est une accusation gratuite.*

En France, l'enseignement public est gratuit et obligatoire jusqu'à 16 ans.

Le contraire de *gratuit,* c'est *payant.*

Le contraire de *gratuit,* c'est *fondé.*

▸ ***gratuité*** n. f. *Le conseil municipal a demandé la gratuité de la piscine un jour par semaine,* que l'entrée à la piscine soit gratuite.

On dit aussi *gratis*, mais c'est plus familier.

▸ ***gratuitement*** adv. Sans payer. *Aujourd'hui, les enfants sont entrés au zoo gratuitement.*

Ne prononce pas le ***t*** ni le ***s*** : [gʀavɑ].

gravats n. m. plur.
Débris de pierre, de plâtre ou de briques venant d'une construction qui a été démolie. *Il y a des tas de gravats sur le chantier.*

Compare ***gravats*** et ***gravier*** : dans ces deux mots, il s'agit de **cailloux.**

Dans *Tintin au Pays de l'or noir,* Abdallah et Müller ont eu un accident de voiture, mais cela n'a pas été grave.

grave adj.
1. Qui peut avoir des conséquences très ennuyeuses. *Mme Séverac a eu de graves ennuis. Angèle, l'institutrice, est très gentille, même quand on a une mauvaise note, elle nous dit toujours que ce n'est pas grave. La mère de Sophie Pelletier avait une maladie très grave,* très dangereuse. **2.** Sérieux. *Le juge avait un air grave ;* vois ***digne.*** **3.** Qui produit des sons très bas. *Hippolyte a une voix chaude et grave,* basse.

Le contraire de *grave*, c'est *bénin.*

Pour la directrice, tout est toujours très grave !

Va voir *accent grave* à **accent.**

Compare : *grave → gravement, calme → calmement* et *tranquille → tranquillement.*

▸ ***gravement*** adv. **1.** D'une façon importante, dangereuse. *Mme Pelletier était gravement malade. Le cycliste a été gravement blessé ;* vois ***grièvement.*** **2.** D'une façon sérieuse. *Yves et Antoine discutent gravement.*

Autres membres de la famille : **aggraver, aggravation, ① gravité.**

Conjugaison 1

On dit *gravé sur du métal,* mais *gravé dans mon cœur.*

graver v.
1. Tracer quelque chose en creux sur une matière dure avec un instrument pointu. *Sylvain et Nathalie ont gravé leurs noms sur l'écorce d'un arbre.* **2.** Fixer quelque chose pour toujours dans l'esprit ou dans le cœur. *Ce souvenir est gravé dans ma mémoire.*

Graver un disque, c'est enregistrer de la musique ou des paroles sur ce disque.

Va voir aussi ***gravure.***

▸ ***graveur*** n. m. Personne qui grave des dessins. *Les graveurs creusent les métaux, le bois ou la pierre pour faire des œuvres d'art.*

Autre membre de la famille : **gravure.**

Compare ***gravier***, ***gravillon*** et ***gravats*** : dans ces mots, il s'agit de **cailloux.**

gravier n. m.
Le gravier, c'est l'ensemble des petits cailloux qui recouvrent les allées d'un jardin. *Le jardinier ratisse le gravier avec un grand râteau.*

gravillon n. m.
Gravier très fin. *Les cantonniers ont répandu du gravillon sur la route qui vient d'être goudronnée.*

Conjugaison 2

gravir v.
Monter avec effort une pente difficile ; vois ***grimper.*** *Mme Hespel est fatiguée, elle gravit péniblement ses cinq étages.*

L'ascenseur est en panne !

Compare : *grave → gravité* et *absurde → absurdité.*

① ***gravité*** n. f.
1. Danger. *L'opération de Julie était sans gravité.* **2.** Sérieux. *Le juge nous regardait avec gravité.*

Famille de **grave**

Dans l'espace, il n'y a pas de gravité, c'est pour cela que les cosmonautes flottent.

② ***gravité*** n. f.
Attraction qu'exerce la Terre ; vois ***pesanteur.*** *Quand on lâche un crayon, il tombe : il est attiré vers le centre de la Terre par la gravité,* par la force de la pesanteur.

Conjugaison 1

▸ ***graviter*** v. Tourner sur son orbite autour d'un astre qui exerce une attraction. *La Terre gravite autour du Soleil.*

La Lune gravite autour de la Terre.

Famille de **graver**

gravure n. f.
1. Art de graver un dessin. *Les graveurs peuvent faire de la gravure sur bois, sur métal ou sur pierre.* **2.** Reproduction de ce qu'a dessiné le graveur. *Mme Hespel regarde un livre orné de gravures du XIXe siècle.* **3.** Image reproduisant un tableau, une photographie ; vois ***reproduction.*** *Mme Bellec a accroché des gravures dans sa salle à manger.*

Compare : *graver → gravure, coiffer → coiffure* et *relier → reliure.*

Quand on fait de la gravure sur cuivre, on grave un dessin sur une plaque de cuivre, on recouvre le dessin d'encre et on l'imprime sur un papier.

Un gré voulait dire autrefois « une chose agréable » ; quelque chose que l'on trouve *à son gré* c'est donc quelque chose que l'on trouve agréable.

gré n. m.
Quand M. Doucet a visité son nouvel appartement, il l'a tout de suite trouvé à son gré, selon son goût. *Colle et Rat sont venus ici de leur plein gré,* sans y être obligés, volontairement. *Alex fait de la moto contre le gré de sa mère,* contre sa volonté. *Yasmina est allée à la gymnastique contre son gré,* à contrecœur. *Julie me rendra mon vélo de gré ou de force,* qu'elle le veuille ou non. *Claire a obéi de bon gré,* avec plaisir, volontiers. *J'accepte bon gré mal gré de rentrer avec vous,* en me résignant, malgré moi. *Je lui sais gré de ce qu'il a fait pour nous,* je lui en suis reconnaissant.

Au gré du vent : en suivant le vent.

Autres membres de la famille : **agréable, agréablement, agrémenter, désagréable, désagréablement, désagrément, malgré, maugréer.**

gredin n. m., ***gredine*** n. f.
Personne malhonnête ; vois ***canaille, crapule.*** *Mme Harpie donnait des coups de parapluie aux gredins qui voulaient lui arracher son sac. Colle et Rat font toujours des bêtises, ce sont de petits gredins,* de petits fripons ; vois ***garnement.***

C'est familier d'employer *gredin* dans ce sens.

On n'emploie plus beaucoup ce mot, on dit plutôt : un *malfaiteur,* un *bandit.*

gréer v.
Mettre en place sur un navire les voiles, les poulies et les cordages. *Yves et Loïc gréent ensemble le voilier avant de partir en mer.*
▸ ***gréement*** n. m. Ensemble des objets et des appareils nécessaires à un bateau. *Le vent souffle dans le gréement,* les voiles, les poulies et les cordages.

Attention ! d'abord un ***é*** puis un ***e*** dans *gréer* et *gréement.*

Gréement [gʀemɑ̃] rime avec *agrément.*

Conjugaison 1

① ***greffe*** n. m.
Bureau où l'on garde les dossiers des procès, les copies des jugements. *L'avocat est allé consulté un dossier au greffe du tribunal.*
▸ ***greffier*** n. m. Employé qui s'occupe des dossiers du greffe. *Le greffier consulte son registre.*

Attention ! deux *f* dans *greffe* et *greffier.*

Ne confonds pas *un greffe* et *une greffe.*

Compare : *greffe → greffier, banque → banquier* et *cuisine → cuisinier.*

② ***greffe*** n. f.
1. Opération par laquelle on fixe une pousse ou une branche d'une plante sur une autre plante pour qu'elle vive sur elle et la transforme. *Le jardinier a fait une greffe sur un prunier.* **2.** Opération par laquelle on remplace sur un être humain un organe malade par un organe sain. *On lui a fait une greffe du rein.*
▸ ***greffer*** v. **1.** Mettre une greffe à une plante. *Le jardinier a greffé un prunier.* **2.** Insérer une greffe sur une personne. *On lui a greffé un rein.*

Attention ! deux *f.*

On dit aussi *une transplantation.*

Conjugaison 1

La première greffe du rein a été faite en 1954 et la première greffe du cœur en 1967.

On fixe ainsi un *greffon.*

grégaire adj.
L'instinct grégaire, c'est l'instinct qui pousse les animaux ou les hommes à vivre en groupe et à faire comme ceux qui sont à côté d'eux. *Les moutons ont l'instinct grégaire.*

grège adj.
Beige clair un peu gris. *Mme Séverac a un chemisier grège.*

Attention à l'accent grave du ***è*** !

① ***grêle*** adj.
1. Très long et extrêmement mince ; vois ***filiforme, fluet.*** *On voit près des étangs les flamants roses perchés sur leurs pattes grêles.* **2.** Aigu et faible. *La vieille dame avait une voix grêle.*

Malgré mes jambes grêles, je suis fort, dit le cerf *(les Contes du Chat perché).*

L'*intestin grêle,* c'est la partie longue et mince du tube digestif qui précède le gros intestin.

② ***grêle*** n. f.
Pluie gelée qui tombe sous la forme de grains de glace. *Une averse de grêle a arraché toutes les fleurs des abricotiers.*
▸ ***grêler*** v. *Il grêle,* il tombe de la grêle. *Il a beaucoup grêlé ce matin.*
▸ ***grêlon*** n. m. Grain d'eau congelée qui tombe pendant une averse de grêle. *Il tombe d'énormes grêlons qui frappent contre le toit de la voiture.*

Attention à l'accent circonflexe du ***ê*** !

Va voir aussi ***grésil.***

Conjugaison 1 ; *grêler* ne s'emploie qu'à la troisième personne du singulier.

Le capitaine Haddock accable le marchand d'esclaves sous une grêle d'injures : « Pirate, ectoplasme, coloquinte, rapace, trompe-la-mort, ostrogoth, vandale... »

grelot n. m.
Petite clochette en forme de boule. *Le chat de Julie a un grelot attaché à son collier.*
▸ ***grelotter*** v. Trembler de froid ou de peur. *Sylvain a la grippe, il grelotte de fièvre ;* vois ***frissonner.*** *Fermez la fenêtre, on grelotte ici,* on a très froid.

Conjugaison 1

Attention ! deux *t.*

C'est une boule de métal creuse et percée de trous qui contient une petite bille.

① ***grenade*** n. f.
Fruit rond de la taille d'une orange, qui contient de nombreux grains à chair rouge renfermant chacun un pépin. *Julie a mangé une grenade pour son goûter.*
▸ ① ***grenadier*** n. m. Petit arbre épineux à fleurs rouges qui produit les grenades. *Les grenadiers meurent quand il y a de trop fortes gelées.*
▸ ***grenadine*** n. f. Sirop rouge fait avec le jus de la grenade. *Julie boit de la grenadine.*

Les grenades poussent dans les pays méditerranéens et en Amérique du Nord et du Sud.

Le grenadier est un arbre à feuillage persistant.

Les grains sont séparés les uns des autres par de petites cloisons fines.

Un grenadier mesure 3 ou 4 mètres de haut.

② ***grenade*** n. f.
Sorte de petite bombe que l'on lance à la main ou avec un fusil spécial. *Le terroriste a lancé une grenade sur la voiture du président.*
▸ ② ***grenadier*** n. m. Soldat qui lançait les grenades. *Les grenadiers portaient un très haut bonnet à poils et un sabre.*

Les *grenades lacrymogènes* contiennent un gaz qui pique les yeux et la gorge.

Une grenade est une charge d'explosif contenue dans une enveloppe de métal.

Attention ! un *t* à la fin.

grenat n. m.
Pierre précieuse très dure, d'une belle couleur rouge sombre. *La princesse avait un diadème orné de grenats et de saphirs.* — adj. invariable *Mme Séverac a des chaussures grenat,* rouge sombre.

Elle couchait tout au haut de la Maison, dans un grenier, sur une méchante paillasse *(Cendrillon).*

grenier n. m.
1. Partie de la maison qui se trouve juste sous le toit et sert généralement de débarras. *À la ferme, Nathalie va toujours fouiller dans le grenier pour y chercher de vieux vêtements.* **2.** Partie de la ferme où l'on conserve les grains et les fourrages ; vois ***grange.*** *Les paysans ont entreposé la récolte dans le grenier à blé.*

Les petites fenêtres des greniers s'appellent des *lucarnes.*

La grenouille est un batracien. Elle pond des œufs qui deviennent des têtards. La grenouille coasse.

grenouille n. f.
Petit animal à la peau lisse, dont les pattes de derrière sont longues et palmées, qui nage et qui saute. *Il y a des grenouilles vertes et des grenouilles rousses. Les grenouilles vivent à la fois dans l'eau douce des mares et sur la terre.*

Les grenouilles sautent plus haut que les crapauds.

Autre membre de la famille : **homme-grenouille.**

Attention à l'accent grave du *è* et au *s* de la fin.

grès n. m.
1. Roche très dure formée de sable dont les grains sont unis par du ciment. *La cathédrale de Strasbourg est construite en grès rose.* **2.** Terre glaise mêlée de sable fin avec laquelle on fait des poteries. *M. Bellec boit sa bière dans une chope de grès.*

C'est du grès des Vosges.

Grésil [gʀezil] rime avec *asile.*

grésil n. m.
Grêle très fine, blanche et dure qui tombe surtout au printemps. *La pluie était mêlée de grésil.*

Conjugaison 1

grésiller v.
Faire de petits bruits secs et rapides ; vois ***crépiter.*** *Le beurre grésille dans la poêle.*

On entend le *grésillement* du beurre.

Attention à l'accent grave du *è* !

① **grève** n. f.
Rivage plat, formé de sable et de gravier, au bord de la mer ou d'un fleuve ; vois ***plage.*** *La mer rejette des algues et des coquillages sur la grève.*

Attention à l'accent grave du *è* !

② **grève** n. f.
Arrêt du travail pour obtenir certains avantages comme une augmentation de salaire, des jours de congé ou pour protester contre une injustice. *Les ouvriers de la biscuiterie se sont mis en grève. Les ouvriers ont fait grève.*

Faire la grève de la faim, c'est refuser de manger pour protester contre une injustice.

Attention à l'accent aigu du *é* !

▸ ***gréviste*** n. m. et f. Travailleur qui fait la grève. *Les grévistes ont manifesté.*

Conjugaison 1

gribouiller v.
Écrire de façon illisible ou faire des dessins sans forme ; vois ***griffonner.*** *Claire ne sait pas encore dessiner, elle a gribouillé une maison et un soleil.*

Compare : *gribouiller → gribouillis* et *gazouiller → gazouillis.*

▸ ***gribouillis*** n. m. Écriture ou dessin sans forme ; vois ***griffonnage.*** *Pendant que l'institutrice était sortie, Colle et Rat ont couvert le tableau de gribouillis.*

On dit aussi *gribouillage.*

Prononce [gʀijɛf].

grief n. m.
Avoir des griefs contre quelqu'un, c'est avoir quelque chose à lui reprocher. *Nathalie a des griefs contre Sylvain,* des reproches à lui faire.

Il ne lui a pas encore écrit !

On n'emploie ce mot que dans cette expression.

grièvement adv.
Grièvement blessé, gravement blessé. *Le chauffeur de l'autocar a été grièvement blessé.*

Le contraire de *grièvement,* c'est *légèrement.*

Attention ! deux *f* dans *griffe* et *griffer.*

Les mammifères et les reptiles ont des griffes ; les oiseaux ont des serres.

griffe n. f.
1. Ongle pointu et crochu de certains animaux. *Le chat sort ses griffes. Les griffes servent à prendre une proie, à déchirer la viande, à creuser, à grimper ou à se défendre. Julie a reçu un coup de griffes,* elle a été griffée. **2.** Petit crochet qui tient une pierre sur un bijou. *L'émeraude tient à la bague par des griffes.* **3.** Marque cousue sur un vêtement de luxe et portant le nom du fabricant. *Ce costume porte la griffe d'un grand couturier.*

Le chat peut rentrer ses griffes : elles sont *rétractiles.*

Les griffes sont faites de corne.

Conjugaison 1

▸ ***griffer*** v. Égratigner d'un coup de griffe ou d'ongle. *Le chat a griffé Julie. Julie a griffé Antoine.*

Autre membre de la famille : **griffure.**

Conjugaison 1

griffonner v.

Écrire ou dessiner quelque chose vite et sans soin ; vois **gribouiller.** *Marie-Tévy a griffonné un message sur un morceau de papier qu'elle a passé à Antoine. Colle et Rat ont griffonné des dessins sur les murs de la boutique de Mme Harpie.*

Comme j'avais hâte de commencer le démontage de mon moteur, je griffonnai une caisse avec trois trous d'aération et je lançai : — Ça c'est la caisse. Le mouton que tu veux est dedans *(le Petit Prince).*

Attention ! deux *f* et deux *n.*

▸ **griffonnage** n. m. Écriture difficile à lire ou dessin informe ; vois **gribouillis.** *Excuse ces griffonnages, mais je t'écris dans le train.*

Sylvain écrit à Nathalie.

Famille de **griffe**

griffure n. f.

Égratignure ; vois **écorchure, éraflure.** *Julie a les mains couvertes de griffures.*

Conjugaison 1

grignoter v.

1. Manger quelque chose petit à petit, lentement, en rongeant. *Cajou, le hamster, a grignoté l'imperméable d'Angèle.* **2.** Manger très peu, du bout des dents ; vois **chipoter.** *Depuis quelques jours, Mme Séverac n'a pas d'appétit, elle grignote.*

Gril [gʀil] rime avec *pile.*

gril n. m.

Ustensile de cuisine sur lequel on fait griller à feu vif de la viande, du poisson ou des légumes. *Denis Prost a mis les saucisses sur le gril du barbecue.*

Famille de **grille**

Compare : *griller* → *grillade* et *glisser* → *glissade.*

grillade n. f.

Viande grillée. *Mme Séverac fait un régime, elle ne mange que des grillades et de la salade.*

Même famille que **griller**

Compare : *grille* → *grillage, corde* → *cordage* et *laine* → *lainage.*

grillage n. m.

Fils de fer entrecroisés de manière à former une sorte de tissage laissant passer le jour. *Odile Séverac a entouré le poulailler de grillage.*

Famille de **grille**

▸ **grillager** v. Mettre un grillage. *Odile Séverac a grillagé le poulailler.*

Conjugaison 3

grille n. f.

1. Ensemble de barreaux parallèles en métal qui entoure un lieu ou sert de porte. *Le jardin public est entouré de grilles. Avant d'entrer chez les Séverac, il faut sonner à la grille.* **2.** *Une grille de mots croisés,* c'est l'ensemble des cases dans lesquelles on écrit les lettres de chaque mot. *Mme Bellec a du mal à remplir la grille de mots croisés.*

C'est une grille en fer forgé.

Autres membres de la famille : **grillage, grillager, gril, griller, grillade, grille-pain.**

Même famille que **griller** et famille de **pain**

grille-pain n. m. invariable

Appareil qui sert à griller des tranches de pain. *On met une tartine dans le grille-pain électrique et quand elle est grillée, elle sort toute seule.*

Au pluriel : *des grille-pain.*

Famille de **grille**

griller v.

1. Cuire à feu vif sur un gril. *Denis Prost fait griller des saucisses au barbecue.* **2.** Soumettre à une température trop forte ou trop basse qui dessèche et racornit. *Le soleil a grillé la pelouse.* **3.** Rendre inutilisable. *L'ampoule est grillée, il faut la changer,* l'ampoule ne marche plus. **4.** *Griller un feu rouge,* c'est ne pas s'y arrêter. *M. Bellec s'est fait arrêter par les gendarmes parce qu'il avait grillé un feu rouge.*

Le *pain grillé* est souvent grillé dans un grille-pain.

On grille aussi le café pour lui donner de l'arôme ; va voir ***torréfier.***

Une viande grillée a cuit sans beurre.

C'est familier de dire cela et c'est très dangereux de le faire.

grillon n. m.

Petit insecte sauteur, de couleur noire, qui habite dans les champs et dont le mâle fait un bruit strident. *Le soir, quand il fait chaud, on entend les grillons. Les grillons mangent des végétaux et des insectes.*

On l'appelle aussi *cri-cri.*

Les cigales et les criquets font le même bruit : ils stridulent.

Il fait ce bruit de stridulation en frottant ses ailes, pour appeler la femelle.

grimace n. f.

1. *Faire une grimace,* c'est tordre son visage dans tous les sens en le déformant pour faire peur ou parce qu'on a mal. *Colle et Rat s'amusent à faire des grimaces à travers la vitre du magasin de Mme Harpie.* **2.** *Faire la grimace,* c'est montrer que l'on est mécontent ou dégoûté. *Quand Julie a appris qu'on devait l'opérer, elle a fait la grimace.*

Mowgli sauta sur le dos de Bagheera, où il s'assit de côté, pour [...] faire à Baloo les plus affreuses grimaces qu'il pût imaginer *(le Livre de la jungle).*

Dans *Tintin au Congo,* le boa qui a avalé Milou fait une horrible grimace de douleur quand Milou lui fait craquer la peau du ventre pour sortir ses pattes.

▸ **grimacer** v. Faire des grimaces. *Julie a grimacé quand le médecin lui a retiré ses fils après son opération,* elle a fait une grimace parce qu'elle avait mal.

Conjugaison 3 ▭ Indic. présent : *nous grimaçons.*

Conjugaison 1

Pour le vieillir, on lui a dessiné des rides et mis une perruque.

grimer v.
Maquiller pour le théâtre ou le cinéma. *On a grimé Denis Prost pour lui faire jouer le rôle d'un vieil homme. — Le clown se grime dans sa loge avant d'entrer sur la piste.*

Denis Prost est comédien.

N'oublie pas le ***e*** à la fin.

grimoire n. m.
Écrit mystérieux, impossible à lire et à comprendre. *La maison de la sorcière était pleine de vieux grimoires écrits avec de la bave de crapaud.*

Conjugaison 1

Le Petit Poucet grimpa au haut d'un arbre pour voir s'il ne découvrirait rien *(le Petit Poucet).*

grimper v.
1. Monter en s'agrippant. *Yves grimpe aux arbres comme un vrai singe. Colle et Rat ont grimpé à l'échelle pour cueillir des cerises. Le lierre grimpe le long du mur.* **2.** S'élever sur une pente très raide. *La voiture a grimpé la côte ;* vois ***gravir.*** *Les alpinistes grimpent sur le mont Blanc ;* vois ***escalader.*** *Julie grimpe l'escalier quatre à quatre.*

Les singes provoquaient le Peuple de la Jungle à grimper aux arbres pour lutter avec eux *(le Livre de la jungle).*

▸ ***grimpant*** adj. *Une plante grimpante,* c'est une plante dont la tige s'élève en s'agrippant au mur, au balcon, à un autre arbre. *Le lierre est une plante grimpante.*

Est-ce que tu connais d'autres plantes grimpantes ?

▸ ***grimpeur*** adj. Qui a l'habitude de grimper. *Le perroquet est un animal grimpeur.* — n. *Un grimpeur,* c'est un alpiniste ou un cycliste qui monte bien les côtes. *Mme Hespel est une bonne grimpeuse.*

Conjugaison 3 ▭ Indic. présent : *nous grinçons.* Imparfait : *je grinçais.* Futur : *je grincerai.*

grincer v.
1. Faire un bruit aigu et désagréable. *La porte grince, il faudrait mettre de l'huile dans les gonds. Le sommier grince quand on s'assied dessus.* **2.** *Grincer des dents,* c'est faire entendre un bruit en serrant les mâchoires et en frottant les dents du bas contre celles du haut. *Le crissement de la craie sur le tableau fait grincer des dents.*

Compare : *grincer → grincement* et *claquer → claquement.*

▸ ***grincement*** n. m. Bruit fait par quelque chose qui grince. *Le grincement de la porte m'a fait sursauter,* le bruit aigu qu'a fait la porte en bougeant.

grincheux adj.
Mécontent et de mauvaise humeur. *Ce matin, Marie-Tévy est grincheuse ;* vois ***bougon.***

Elle peut être aussi gracieuse et joyeuse.

— Et lequel est Charlie Bucket ?
— Ce doit être ce petit gringalet *(Charlie et la Chocolaterie).*

gringalet n. m.
Homme de petite taille et tout maigre. *« Ce gringalet ne me fait pas peur », dit Yves en montrant les poings.*

Attention ! deux ***t.***

griotte n. f.
Cerise dont la queue est courte et dont la chair est molle et très acidulée. *Mamie Lou a fait de la confiture de griottes.*

C'est avec des griottes que l'on fait les cerises à la liqueur.

Attention ! deux ***p.***

① **grippe** n. f.
Prendre quelqu'un en grippe, c'est se mettre tout à coup à le détester. *La directrice a pris Colle et Rat en grippe.*

Ils sont trop insupportables.

② **grippe** n. f.
Maladie contagieuse, due à un virus. *Sylvain a attrapé une mauvaise grippe l'hiver dernier.*

Quand on a la grippe, on a beaucoup de fièvre et des courbatures.

On peut se faire vacciner contre la grippe.

▸ ***grippé*** adj. Atteint de la grippe. *Marie-Tévy est souvent grippée,* elle a souvent la grippe.

Conjugaison 1

gripper v.
Se coincer par manque d'huile. *La serrure va gripper si on ne la graisse pas.*

On peut dire aussi qu'*elle va se gripper.*

Famille de **sou**

Au pluriel : *des grippe-sous.*

grippe-sou n. m.
Personne avare. *Mme Harpie est un affreux grippe-sou.*

Attention ! un ***s*** à la fin.

① **gris** adj. et n. m.
▭ **adj.** D'une couleur qui est un mélange de blanc et de noir. *Le ciel est gris, il va pleuvoir. Marie-Tévy a mis sa jupe grise. Mme Bonnot a les cheveux gris,* elle a beaucoup de cheveux blancs dans sa chevelure. *Yasmina fait grise mine à Antoine,* elle le regarde avec un air mécontent.

Il fait gris : le temps est couvert.

Autres membres de la famille : **grisonnant, petit-gris, vert-de-gris.**

▭ **n. m.** La couleur grise. *Marie-Tévy est habillée en gris, aujourd'hui. Elle porte une jupe gris perle.*

[...] la souris était aussitôt changée en un beau cheval ; ce qui fit un bel attelage de six chevaux, d'un beau gris de souris pommelé *(Cendrillon).*

▹ ***grisaille*** n. f. Paysage gris et brumeux comme il y en a souvent en hiver. *On apercevait les toits rouges dans la grisaille.*

Compare : *gris → grisâtre* et *noir → noirâtre.*

▹ ***grisâtre*** adj. Un peu gris. *Ce pull-over n'est plus très propre, il est d'un blanc grisâtre.*

② ***gris*** adj.

Presque ivre. *Au milieu du dîner, Mme Harpie était déjà grise.*

Conjugaison 1

▹ ***griser*** v. Exciter, étourdir comme fait le vin. *L'air vif des montagnes nous grise. Denis Prost est grisé par la réussite,* la réussite lui fait tourner la tête.

▹ ***grisant*** adj. Excitant, étourdissant. *Les magnolias ont un parfum grisant.*

▹ ***griserie*** n. f. Excitation. *Les coureurs automobiles aiment la griserie de la vitesse.*

Famille de ① **gris**

grisonnant adj.

Des cheveux grisonnants, ce sont des cheveux qui commencent à devenir gris. *M. Bellec a les tempes grisonnantes.*

On dit aussi : des *cheveux poivre et sel.*

grisou n. m.

Gaz naturel qui se dégage dans les mines de charbon. *Un coup de grisou a tué trois mineurs,* une explosion due au grisou.

Ce gaz est très dangereux parce qu'il peut exploser.

Une grive mesure entre 20 et 30 centimètres.

La grive est un passereau qui a un très joli chant.

grive n. f.

Oiseau dont le plumage est brun plus ou moins clair parsemé de noir. *Les grives mangent des insectes, des vers, des escargots, des graines et elles aiment beaucoup le raisin.*

Faute de grives, on mange des merles (proverbe).

On fait du pâté de grives.

Grivois [gʀivwa] rime avec *loi.*

grivois adj.

Amusant et un peu osé. *À la fin du repas, Hippolyte s'est mis à faire des plaisanteries grivoises.*

Angèle faisait semblant d'être choquée.

Grog [gʀɔg] rime avec *drogue.*

grog n. m.

Boisson chaude faite avec de l'eau, du rhum, du sucre et du citron. *Pour soigner son rhume, Mme Séverac boit un grog bien chaud.*

Les enfants ne boivent pas de grogs, car il y a de l'alcool dedans.

Conjugaison 1

grogner v.

1. *Le cochon, le sanglier et l'ours grognent,* ils poussent leur cri. *Quand le chien des Séverac voit quelqu'un s'approcher de la ferme, il grogne,* il fait un bruit sourd et prolongé avec sa gorge. **2.** Montrer que l'on n'est pas content en murmurant tout bas. *Yves a obéi à son père en grognant ;* vois ***bougonner, grommeler, ronchonner.***

Compare : *grogner → grognement, éternuer → éternuement* et *ronfler → ronflement.*

Attention, il ne faut pas s'approcher, Rex gronde.

▹ ***grognement*** n. m. **1.** Cri du cochon, du sanglier et de l'ours. *L'ours poussait des grognements terribles.* **2.** Bruit qui montre que l'on n'est pas content. *Yves a répondu à son père par des grognements.*

Heureux d'avoir trouvé avec qui jouer, les marcassins poussaient de petits grognements de joie et d'amitié *(les Contes du Chat perché).*

C'est un ronflement bref et sourd.

▹ ***grognon*** adj. De mauvaise humeur et prêt à grogner. *Marie-Tévy est grognon ce matin ;* vois ***bougon.*** — n. *Quel vieux grognon, il rouspète tout le temps !*

On peut dire aussi qu'*elle est grognonne.*

Groin [gʀwɛ̃] rime avec *pingouin.*

groin n. m.

Museau du cochon, du sanglier. *La truie fouille la terre avec son groin.*

Attention ! deux *m.*
Conjugaison 4
▭ Indic. présent : *je grommelle, nous grommelons.*

grommeler v.

Murmurer, se plaindre entre ses dents. *Yves a obéi à son père en grommelant ;* vois ***bougonner, grogner.*** *Le vieux monsieur grommelait des injures contre les automobilistes,* il marmonnait des injures. *Je n'entends pas ce que tu grommelles.*

Les parents rentrèrent chez eux en grommelant contre l'insouciance de leurs filles *(les Contes du Chat perché).*

Conjugaison 1

gronder v.

1. Faire un bruit sourd et menaçant. *On entend le tonnerre qui gronde au loin. Le chien gronde quand un inconnu s'approche de la ferme.* **2.** *Gronder quelqu'un,* c'est lui faire des reproches. *Quand Julie a cassé un vase en jouant à la balle dans le salon, sa mère l'a grondée.*

Le chien se mit à renifler d'un air inquiet, puis il se leva en grondant *(les Contes du Chat perché).*

Si l'on ne voit pas pleurer
les poissons [...]
C'est que jamais quand
ils sont polissons
Leur maman ne les gronde
(B. Lapointe).

▹ ***grondement*** n. m. Bruit sourd qui dure un moment. *On entend au loin le grondement du tonnerre.*

gros n. m., adj. et adv., **grosse** n. f. et adj.

▭ **adj. 1.** Qui tient beaucoup de place. *De gros nuages s'amoncellent dans le ciel. Le docteur Séverac a une grosse voiture. Ta valise est trop grosse, elle ne tient pas dans le coffre ;* vois ***volumineux.*** **2.** Plus large et plus gras que les autres gens en général ; vois ***corpulent, gras, obèse.*** *Une grosse dame s'est assise sur le cartable de David. Mme Séverac veut maigrir, elle se trouve trop grosse. M. Bellec a un gros ventre.* **3.** Abondant, important. *Mme Harpie est toute mouillée, elle a reçu une grosse averse. Yasmina a gagné le gros lot à la loterie. Antoine a un gros appétit.* **4.** Fort, intense. *L'abbé Gauthier a une grosse voix,* forte et grave. *Sylvain a un gros rhume. Réjean a de gros ennuis avec sa voiture,* de graves ennuis ; vois ***grand.*** **5.** *Colle et Rat disent des gros mots,* des mots grossiers. **6.** *Avoir le cœur gros,* c'est avoir du chagrin. *Marie-Tévy a le cœur gros quand elle pense à ses parents et à son pays.*

▭ **adv. 1.** *Julie écrit gros,* en faisant de grandes lettres. *Ce mois-ci, Mme Harpie a gagné gros,* beaucoup d'argent. **2.** *C'est écrit en gros dans le journal,* en grosses lettres. *M. Bellec achète sa viande en gros,* en grande quantité. *Dis-moi en gros ce qui s'est passé,* à peu près, sans donner de détails.

▭ **n. 1.** Personne grosse. *Une petite grosse m'a marché sur le pied.* **2.** La plus grande quantité. *Le gros des troupes est déjà passé. Il nous reste encore du travail, mais le plus gros est fait,* l'essentiel, le principal. **3.** *Le boucher fait un prix de gros à M. Bellec quand il lui achète sa viande,* il lui fait payer moins cher parce qu'il achète la viande en grande quantité.

J'ai vu un gros rat
Qui fendait du bois
Avec son nez carré
(comptine).

Si tu connais des gros mots, il vaut mieux les dire tout bas.

Mme Séverac achète sa viande *au détail.*

Comme on le trouve toujours sale, même quand il a fait sa toilette, il n'ôte que le plus gros *(Poil de Carotte).*

Le contraire de *gros,* c'est *petit.*

Le contraire de *gros,* c'est *maigre.*

Faire les gros yeux à quelqu'un, c'est le regarder d'un air mécontent.

On a encore entendu des cris et puis une grosse voix qui a dit : « Cesse de bouger ! Si tu continues à gigoter, je t'emmène à l'hôpital ! » *(le Petit Nicolas).*

Va voir aussi ***grossiste.***

On dit aussi *grosso modo.*

Autres membres de la famille : **dégrossir, grossesse, grosseur, grossier, grossièreté, grossir, grossissement, grossiste, grosso modo.**

groseille n. f.

Petit fruit rouge ou blanc au goût acide qui pousse en grappes. *Mamie Lou a fait de la gelée de groseille.*

On trouve des groseilles dans les régions tempérées.

Les groseilles poussent sur les *groseilliers.*

grossesse n. f.

Famille de **gros**

État d'une femme qui attend un bébé. *Mme Bellec ne doit pas se fatiguer pendant sa grossesse,* pendant qu'elle est enceinte.

La grossesse dure neuf mois.

Attention ! deux fois deux *s.*

grosseur n. f.

Compare : *gros* → *grosseur* et *épais* → *épaisseur.*

1. Dimension, volume. *Les œufs ne sont pas tous de la même grosseur ;* vois ***taille.*** **2.** Sorte de petite boule sous la peau que l'on voit ou que l'on sent quand on touche. *Sylvain a une grosseur à l'aine, c'est sans doute un ganglion.*

Famille de **gros**

grossier adj.

Famille de **gros**

Le contraire de *grossier,* c'est *raffiné, délicat.*

1. Qui est de mauvaise qualité ou qui n'est pas fait de façon perfectionnée. *Les hommes préhistoriques avaient des outils grossiers ;* vois ***rudimentaire.*** **2.** Énorme, grave. *C'était une grossière erreur d'avoir tout raconté à Mme Harpie.* **3.** Mal élevé, impoli. *Il m'a marché sur les pieds et ne s'est même pas excusé, quel grossier personnage !,* quel mufle, quel goujat ! *M. Bellec a crié des mots grossiers à l'automobiliste qui le doublait ;* vois ***gros.***

Il aurait mieux valu se taire.

Le contraire de *grossier,* c'est *courtois, délicat.*

Compare : *grossier* → *grossièreté* et *léger* → *légèreté.*

▸ ***grossièreté*** n. f. **1.** Impolitesse, mauvaise éducation. *Il m'a répondu avec grossièreté.* **2.** Mot grossier. *M. Bellec dit souvent des grossièretés.*

Il parle *grossièrement.*

grossir v.

Conjugaison 2

L'étoile mystérieuse grossissait à vue d'œil.

Famille de **gros**

1. Devenir gros. *M. Bellec mange trop, il a encore grossi ;* vois ***engraisser.*** **2.** Rendre plus volumineux. *La fonte des neiges a grossi le torrent,* a fait monter le niveau de l'eau. **3.** Faire paraître plus gros. *Cette robe blanche grossit Mme Bellec. Le microscope de Sylvain grossit mille fois les objets.* **4.** Exagérer, amplifier. *Cet événement n'était pas important, mais les journaux l'ont grossi.*

Le contraire, c'est *maigrir.*

Dans *l'Étoile mystérieuse,* la lunette de l'astronome grossissait une toute petite araignée.

Compare : *grossir* → *grossissement* et *épanouir* → *épanouissement.*

▸ ***grossissement*** n. m. *Le microscope de Sylvain a un très fort grossissement,* il fait paraître les objets beaucoup plus gros.

grossiste n. m. et f.

Famille de **gros**

Marchand qui vend ses marchandises seulement à d'autres marchands et en très grande quantité à chaque fois. *Un grossiste en jouets achète des stocks de jouets chez le fabricant et les revend aux personnes qui ont des magasins de jouets.*

Le grossiste est un intermédiaire entre le fabricant et le détaillant.

Le grossiste vend *en gros.*

Famille de **gros**

grosso modo adv.

À peu près, sans entrer dans les détails. *Yves a expliqué grosso modo à Julie ce qu'avait dit Angèle, l'institutrice,* il lui a expliqué en gros.

grotesque adj.

Une personne grotesque, c'est une personne qui fait rire parce qu'elle est bizarre ; vois ***ridicule.*** *Mme Harpie portait un chapeau avec des petits oiseaux ; elle était grotesque.*

grotte n. f.

Les hommes préhistoriques dessinaient des mammouths et des bisons sur les parois des grottes.

Cavité de grande taille, creusée par l'eau, au cours des siècles, dans un rocher ou dans le flanc d'une montagne ; vois ***caverne.*** *Les hommes préhistoriques habitaient dans des grottes.*

Les spéléologues explorent les grottes.

Conjugaison 1

grouiller v.

1. Être en très grand nombre et remuer ; vois ***fourmiller.*** *La foule grouillait sur la place. Les asticots grouillaient sur le camembert pourri.* **2.** *Le camembert grouillait d'asticots,* était plein d'asticots.

▸ ***grouillant*** adj. *La place était grouillante de monde,* pleine de monde.

groupe n. m.

1. Ensemble de personnes réunies dans un même lieu. *Des groupes de gens bavardaient. Un groupe de touristes entra dans le musée. Nous allons travailler en groupe, dit l'institutrice,* faire le même travail à plusieurs, tous ensemble. **2.** Ensemble de choses. *Il faut tourner à gauche après le groupe de maisons.* **3.** Vois les encadrés ci-dessous et page suivante.

Est-ce que tu connais ton groupe sanguin ? Tu peux être du groupe A, B, AB ou 0, selon la composition de ton sang.

▸ ***grouper*** v. Mettre ensemble. *Le guide groupe les touristes avant d'entrer dans le musée. — Les touristes se groupent autour du guide,* ils se rassemblent.

Conjugaison 1

Compare : *grouper → groupement, déménager → déménagement* et *ranger → rangement.*

▸ ***groupement*** n. m. Réunion d'un grand nombre de personnes qui agissent ensemble. *Mme Hespel fait partie d'un groupement syndical.*

Autre membre de la famille : **regrouper.**

les trois groupes de verbes

Il existe **trois groupes** de verbes pour la conjugaison.

- Le **premier groupe** contient les verbes dont l'infinitif se termine par **-er**, sauf *aller* et *envoyer.* Neuf verbes sur dix appartiennent au premier groupe.
  Les verbes du premier groupe prennent tous les mêmes terminaisons. Certains ont un radical qui change selon le temps ou la personne :
  *Je **place**, nous **plaç**ons ; je **plaç**ais, nous **plac**ions* (conjugaison 3).
  *Je **juge**, nous **juge**ons ; je **juge**ais, nous **jug**ions* (conjugaison 3).
  *J'**appelle**, nous **appel**ons ; j'**appel**ais ; j'**appelle**rai* (conjugaison 4).
  *J'**achète**, nous **achet**ons ; j'**achet**ais ; j'**achète**rai* (conjugaison 5).
  Les conjugaisons 1, 3, 4, 5, 6, 7 et 8 sont, dans ce dictionnaire, celles des verbes du premier groupe.
- Le **deuxième groupe** est celui des verbes dont l'infinitif se termine en **-ir** et dont le participe présent se termine en **-issant**, sauf *haïr.* Il y a environ 300 verbes du deuxième groupe. Ils se conjuguent tous de la même façon, suivant le modèle de *finir* ; va voir la conjugaison 2.
- Le **troisième groupe** contient tous les autres verbes. Par exemple *partir,* dont le participe présent est *partant,* et aussi *aller, mettre, perdre, valoir,* etc. Ces verbes ont des conjugaisons différentes. Elles sont numérotées de 9 à 61 dans ce dictionnaire.

gruau n. m.

Farine très fine. *Le docteur Séverac est allé acheter du pain de gruau chez le boulanger.*

Attention ! un *e* à la fin.

La grue est un échassier qui mesure entre 80 centimètres et 2 mètres.

① **grue** n. f.
Grand oiseau migrateur à longues pattes, à long cou et aux ailes très larges qui vole par bandes formant des V dans le ciel. ***Les grues vivent dans les marais, les steppes ou la savane et font leur nid sur le sol. Hippolyte a fait le pied de grue,*** **il a attendu longtemps debout, au même endroit.**

Il y a des grues dans le monde entier, sauf en Amérique du Sud.

Comme une grue qui se tient sur une patte !

② **grue** n. f.
Appareil qui sert à soulever des objets très lourds. ***Sur le chantier, la grue tourne et saisit les blocs de pierre, puis tourne à nouveau pour les poser à un autre endroit.***

Le bras d'une grue s'appelle la *flèche*.

▸ **grutier** n. m. **Ouvrier qui manœuvre une grue.** ***Le grutier est assis dans sa cabine et actionne les commandes de la grue.***

Au pluriel : *des grumeaux.*

grumeau n. m.
Petite boule qui n'arrive pas à se mélanger dans un liquide. ***La farine fait des grumeaux dans le lait.***

les groupes de mots

Une phrase est constituée de **groupes** de mots. On distingue le **groupe du verbe,** le **groupe du nom,** le **groupe prépositionnel,** le **groupe de l'adjectif.**

■ Le **groupe du verbe** est parfois constitué d'un verbe seul :
Le vent ***souffle.***
Le plus souvent, il comprend un verbe et ses compléments :
Le vent ***souffle fort.***
Alex ***aime la musique.***
David ***ressemble à sa sœur.***
Yves ***a enlevé une roue au vélo.***
Tévy ***dit qu'Antoine est son ami.***
Va voir à ***complément*** quels sont les compléments du verbe.

■ Le **groupe du nom** est constitué du déterminant et du nom ou d'un pronom : ***Le vent*** *souffle.* ***Il*** *souffle fort.*
Parfois le nom est complété par
- un groupe adjectif épithète : ***Un vent très violent*** *soufflait.*
- un groupe prépositionnel : ***Le vent de décembre*** *hurlait.*
- une proposition relative : ***Le vent qui vient du Sud*** *est chaud.*

Le groupe du nom peut être
- sujet du verbe : ***Le vent*** *souffle.*
- complément direct du verbe : *Le boa mesure* ***trois mètres.***
- complément d'objet direct du verbe : *Le vent soulève* ***de grosses vagues.***
- attribut du sujet : *Le ruisseau devient* ***une rivière.***
- complément de la phrase : *Le vent a soufflé* ***ce matin.***

■ Le **groupe prépositionnel** est constitué d'une préposition et d'un groupe du nom : *Le vent* ***de décembre*** *hurlait.*
Il peut être
- complément du nom : *Le vent* ***de décembre*** *hurlait.*
- complément indirect du verbe : *David ressemble* ***à sa sœur.***
- attribut du sujet : *La rivière est* ***à sec.***
- complément de la phrase : *Le vent souffla* ***pendant trois jours.***

■ Le **groupe de l'adjectif** est constitué de
- l'adjectif : *Un vent* ***froid*** *soufflait.*
- l'adjectif et d'un adverbe : *Un vent* ***très fort*** *soufflait.*
- l'adjectif et de son complément : *On entendait un bruit* ***semblable à un appel.***

Le groupe de l'adjectif peut être
- épithète du nom : *Un vent* ***très fort*** *soufflait.*
- attribut du sujet : *Le vent paraissait* ***bien plus fort.***

Va voir à ***épithète*** et à ***attribut.***

■ Va voir à ***phrase*** un exemple d'analyse de phrases en groupes.

Gruyère [gʀyjɛʀ] rime avec *bruyère.*
Va voir aussi **emmenthal.**

gruyère n. m.
Fromage de lait de vache, à pâte cuite, percé de trous et fabriqué en grosses meules. *Julie a mis de la sauce tomate et du gruyère râpé dans ses spaghettis.*

Le nom de ce fromage vient d'une région de Suisse, la Gruyère, où on le fabriquait à l'origine.

Ne confonds pas *gué, gai* et *guet.*

gué n. m.
Endroit d'une rivière où le niveau de l'eau est assez bas pour que l'on puisse passer à pied. *David a traversé la rivière à gué, avec de l'eau jusqu'aux genoux,* il l'a traversée à pied.

guenilles n. f. plur.
Vêtements sales, déchirés ; vois **haillons, hardes.** *Un clochard en guenilles dormait sur le banc du square.*

Autre membre de la famille : **déguenillé.**

Attention ! n'oublie pas le ***u*** après le ***g***.

guenon n. f.
1. Femelle du singe. *Un gorille et une guenon mangeaient des bananes.* **2.** Femme très laide. *Colle et Rat disent que la directrice est une vieille guenon.*

La guenon est la femelle du chimpanzé, du gorille, du ouistiti, de l'orang-outang.

Attention ! un ***d*** à la fin.
Le guépard est l'animal le plus rapide : il peut atteindre 110 kilomètres à l'heure.

guépard n. m.
Fauve au pelage roux clair tacheté de noir ressemblant à la panthère mais avec des pattes plus longues et une tête plus petite. *On trouve des guépards en Afrique et en Asie. Les guépards sont utilisés pour chasser à courre les antilopes, les lièvres, les zèbres, les gnous et certains oiseaux.*

Le guépard est un mammifère carnassier. C'est une bête assez douce que l'on peut apprivoiser facilement.

La femelle de la guêpe porte un aiguillon venimeux.

guêpe n. f.
Insecte au corps rayé jaune et noir pourvu de quatre ailes transparentes. *Il y a un essaim de guêpes dans l'arbre. Nathalie a été piquée par une guêpe ; cela lui a fait très mal.*

Une taille de guêpe, c'est une taille très fine.

▸ ***guêpier*** n. m. Nid de guêpes. *Les pompiers sont venus enfumer le guêpier pour le détruire.*

Un *guêpier,* c'est aussi une situation dangereuse.

Attention à l'accent grave du ***è*** !
Autre membre de la famille : **naguère.**

guère adv. de négation
Ne... guère, pas beaucoup, pas très. *Alex ne travaille guère en ce moment. Le chat de Julie n'a guère plus d'un an. Le beau temps ne durera guère,* pas longtemps. *Vous ne venez guère nous voir,* pas souvent. *Il n'y a guère que deux heures qu'Alex est parti,* il y a seulement deux heures.

Dans une réponse à une question, on emploie *guère* sans *ne* : « Aimez-vous le chou ? — Guère. »

Ce mot n'est pas très courant.

guéret n. m.
Terre labourée où l'on n'a pas encore semé. *Le paysan a laissé une partie de ses terres en guérets.*

Va voir aussi ***jachère.***

Si tu es gai, ris donc !

guéridon n. m.
Petite table ronde avec un pied central. *Mme Harpie a posé un vase de roses sur son guéridon.*

Attention ! un seul ***r***. Prononce [geʀija].
Guérilla et *guérillero* sont des mots espagnols utilisés en français depuis les attaques des Espagnols contre Napoléon.

guérilla n. f.
Forme de guerre où les combattants organisent sans cesse des petites attaques contre les soldats ennemis et leur tendent des embuscades sans jamais s'opposer à eux dans une vraie bataille rangée. *Quand les Romains ont envahi la Gaule, Vercingétorix a d'abord mené contre eux une guérilla très dure avant de leur faire vraiment la guerre.*

Pour que les Romains n'aient plus rien à manger, les Gaulois brûlaient les récoltes et les villages et attaquaient les convois qui apportaient des vivres et du fourrage.

Attention ! un seul ***r***. Prononce [geʀijeʀo].

▸ ***guérillero*** n. m. Combattant qui se bat dans une guérilla. *Une troupe de guérilleros était embusquée à la sortie du village.*

Conjugaison 2

guérir v.
1. Aller mieux, être à nouveau en bonne santé. *Si Sylvain se soigne, il guérira vite ;* vois *se* ***rétablir.*** **2.** Délivrer quelqu'un d'une maladie. *Le médecin a guéri Julie. Les antibiotiques l'ont guérie de son angine.* **3.** Débarrasser quelqu'un d'une manie, d'un défaut. *Il faudrait guérir Marie-Tévy de sa timidité. — Marie-Tévy finira bien par se guérir de sa timidité.*

Le docteur est venu mettre sa tête sur ma poitrine, je lui ai tiré la langue, il m'a donné une petite tape sur la joue et il m'a dit que j'étais guéri et que je pouvais me lever *(le Petit Nicolas).*

▸ ***guéri*** adj. Rétabli. *Julie a été malade, mais la voilà guérie.*

Compare : *guérir → guérison* et *trahir → trahison.*

▸ ***guérison*** n. f. Rétablissement. *Sylvain doit rester au lit jusqu'à sa guérison,* jusqu'à ce qu'il soit guéri.

Les guérisseurs prétendent obtenir la guérison des maladies par des moyens secrets.

▸ ***guérisseur*** n. m., ***guérisseuse*** n. f. Personne qui n'est pas médecin et qui affirme qu'elle peut guérir les malades par d'autres moyens que les médicaments. *Mme Séverac a été voir un guérisseur.*

Mais il ne l'a pas guérie !

Attention à l'accent aigu du *é* !

guérite n. f.
Petite baraque en bois qui sert d'abri à une sentinelle. *À l'entrée du palais, les soldats montent la garde devant leurs guérites.*

Attention ! deux *r*.

J'ai commencé à dessiner des trucs formidables : des bateaux de guerre qui se battaient à coups de canon contre des avions qui explosaient dans le ciel, des châteaux forts avec des tas de monde qui leur jetaient des choses sur la tête pour les empêcher d'attaquer *(le Petit Nicolas).*

guerre n. f.
1. Lutte armée entre des États ou entre des groupes d'hommes. *En 1939, la France a déclaré la guerre à l'Allemagne. La guerre a éclaté entre l'Irak et l'Iran. Ces pays sont en guerre depuis plusieurs années,* se battent depuis plusieurs années. *Les soldats partent à la guerre. La France a perdu la guerre,* elle a été battue. *La France a gagné la guerre,* elle a été vainqueur. *Une guerre nucléaire pourrait détruire toute la planète.* **2.** *Faire la guerre à quelqu'un,* c'est le harceler jusqu'à ce qu'il fasse ce qu'on lui a demandé. *Mme Séverac fait la guerre à David pour qu'il range sa chambre.* **3.** *Yves a gagné mais c'était de bonne guerre,* loyalement, sans hypocrisie ni traîtrise.

Le contraire de *guerre*, c'est *paix*.

Malbrouk s'en va-t'en guerre, mironton, mironton, mirontaine (chanson).

La vraie guerre, c'est dangereux. Beaucoup d'éléphants ont été blessés *(Babar).*

Famille de **guetter**

guet n. m.
Faire le guet, c'est surveiller pour voir si quelqu'un approche. *Colle fait le guet pendant que Rat pose un pétard devant le bureau de la directrice.*

Ne confonds pas *guet, gai* et *gué.*

Prononce [gɛtapɑ̃].

guet-apens n. m. invariable
Piège préparé contre quelqu'un pour qu'il y tombe par surprise. *Les bandits ont attiré le shérif dans un guet-apens.*

Au pluriel : *des guet-apens.*

Attention à l'accent circonflexe du *ê* !

guêtre n. f.
Morceau de tissu ou de cuir qui enveloppe le bas de la jambe et le dessus de la chaussure. *Autrefois, les soldats portaient des guêtres.*

Attention ! deux *t*.

Les petites virent sur la route un brigand des environs qui faisait son métier de guetter les enfants en commission pour leur prendre leur panier *(les Contes du Chat perché).*

guetter v.
1. Observer en cachette pour surprendre. *Le chat guette la souris. Le policier guette les allées et venues des habitants de l'immeuble,* il les surveille. **2.** Attendre avec impatience quelqu'un ou quelque chose qui doit arriver en faisant attention de ne pas le laisser échapper. *Nathalie guette le facteur. Denis Prost guette le moment d'entrer en scène.* **3.** Menacer. *Avec ce froid, le rhume nous guette.*

Conjugaison 1

Autres membres de la famille : aux **aguets, guet.**

On parle surtout de *gueule* pour les animaux qui mangent de la viande.

gueule n. f.
Bouche des animaux. *Le boa ouvrait grand la gueule pour avaler l'œuf d'autruche. Le loup tenait le mouton dans sa gueule.*

Autre membre de la famille : **amuse-gueule.**

Les Gaulois pensaient que le gui guérissait tout. Les druides le cueillaient au cours d'une grande cérémonie.

gui n. m.
Plante parasite à boules blanches et à feuilles toujours vertes qui pousse sur les branches de certains arbres. *On décore les maisons avec du gui et du houx pour la nouvelle année. Les grives mangent les boules du gui.*

Le gui pousse surtout sur les pommiers et les peupliers et rarement sur les chênes.

« Pour les lettres recommandées, adressez-vous au guichet suivant », dit la dame de la poste.

guichet n. m.
Petite ouverture par laquelle on peut parler aux employés d'une poste ou d'une gare. *Pour prendre son billet de train, Mme Roussel a fait la queue au guichet n° 2. Ce soir, le théâtre de Motbourg joue à guichets fermés,* après avoir loué toutes les places.

Il y a aussi des guichets dans les théâtres, les banques...

Conjugaison 1

guider v.
1. Accompagner en montrant le chemin. *Une jeune femme guide les touristes à travers le musée.* **2.** Diriger. *Le cavalier guide son cheval. Sylvain a un bateau que l'on peut guider à distance,* un bateau téléguidé. *La fusée est guidée par radio. — Le navigateur se guide sur le soleil,* se dirige d'après le soleil.

Guidées par la voix, les petites se mirent à courir *(les Contes du Chat perché).*

Tu me serviras de guide, dit l'aveugle à la souris. Je te passerai une ficelle au cou et tu me conduiras sur les chemins *(les Contes du Chat perché).*

▶ **guide** n. m. **1.** Personne qui accompagne pour montrer le chemin. *À la sortie du musée, les touristes ont donné un pourboire au guide.* **2.** Personne qui conseille une autre personne. *Le docteur Séverac a pour guide un très vieux médecin.* **3.** Livre qui donne des renseignements sur une région, un pays et que l'on utilise quand on voyage. *Les Bellec ont acheté un guide touristique pour visiter l'Auvergne.*

Suivez le guide !

Autres membres de la famille : **guides, guidon, téléguider.**

On emploie toujours ce mot au pluriel.

guides n. f. plur.
Lanières de cuir attachées au mors d'un cheval et servant à le diriger ; vois ***rêne.*** *Le cocher tirait sur les guides pour faire avancer la voiture à cheval.*

Famille de **guider**

Hue, cocotte !

Famille de **guider**

guidon n. m.
Tube de métal muni de poignées qui sert à diriger la roue avant d'une bicyclette, d'une mobylette ou d'une moto. *Yves sait faire du vélo sans tenir le guidon.*

Est-ce que tu sais comment est le guidon d'un vélo de course ?

Conjugaison 1

guigner v.
Regarder avec envie, du coin de l'œil. *Le chat guigne le morceau de poulet que Julie a dans son assiette ;* vois ***lorgner, convoiter.***

guignol n. m.

Les marionnettes du guignol n'ont pas de fil ; il faut mettre ses doigts dans la tête et dans les bras des personnages pour les faire bouger.

1. Spectacle de marionnettes où l'on joue des pièces dont Guignol est en général le héros. *Hier après-midi, Mme Séverac a emmené sa fille au guignol.* **2.** Personne ridicule ou qui amuse les autres par ses gestes et ses grimaces. *« Les enfants, soyez sérieux, arrêtez de faire les guignols », dit l'institutrice en tapant dans ses mains,* arrêtez de faire les clowns, les idiots.
▸ ***guignolesque*** adj. Ridicule. *Mme Harpie est arrivée dans un accoutrement guignolesque.*

Quand maman veut montrer que je suis bien élevé, elle m'habille avec le costume bleu et la chemise blanche et j'ai l'air d'un guignol *(le Petit Nicolas).*

« »

guillemets n. m. plur.
Signes que l'on emploie pour mettre en valeur un mot ou pour signaler qu'une autre personne que celle qui raconte l'histoire, parle. *Il faut mettre cette citation entre guillemets.*

Ouvrez les guillemets : «
Fermez les guillemets : »

Prononce [gijʀɛ].

guilleret adj.
Vif et gai. *Marie-Tévy chante et rit, elle est toute guillerette aujourd'hui.*

guillotine n. f.

Ce mot vient du nom du docteur Guillotin qui eut l'idée de fabriquer une telle machine en 1789.

Machine servant à couper la tête des condamnés à mort. *Pendant la Révolution de 1789, les nobles étaient condamnés à la guillotine.*

Conjugaison 1

▸ ***guillotiner*** v. Couper la tête à quelqu'un avec une guillotine ; vois ***décapiter.*** *Les condamnés à mort étaient guillotinés.*

En France, la guillotine a été utilisée jusqu'à ce que la peine de mort ait été abolie en 1981.

guimauve n. f.

Les feuilles et les racines de guimauve ont une action adoucissante ; on les utilise pour faire des gargarismes et des tisanes.

1. Plante à très haute tige et à jolies fleurs en grappes d'un blanc rose. *Les guimauves poussent dans les marais et dans les prés humides.* **2.** Pâte molle et sucrée que l'on mange comme bonbon. *Julie mange de la guimauve à l'anis.*

On cultive la guimauve dans le Nord.

Le contraire de *guindé,* c'est *naturel.*

guindé adj.
Raide, digne et sévère. *La directrice a un air guindé.*

On n'a pas envie de plaisanter avec elle !

Le contraire de *de guingois,* c'est *droit.*

de guingois adv.
De travers. *La maison de la sorcière était construite tout de guingois.*

C'est familier de dire cela.

guirlande n. f.
Long cordon de feuillage, de fleurs ou de papier découpé que l'on suspend ou que l'on enroule en couronne. *Yasmina s'est mis une guirlande de fleurs dans les cheveux. L'arbre de Noël est recouvert de guirlandes scintillantes.*

À Noël, les rues sont décorées de guirlandes lumineuses.

guise n. f.
1. *En vacances, les enfants vivent à leur guise,* à leur gré, à leur fantaisie. *Julie n'en fait qu'à sa guise,* elle agit comme il lui plaît, elle n'en fait qu'à sa tête. **2.** *Marie-Tévy s'est déguisée en princesse et elle a mis son dessus-de-lit en guise de traîne,* à la place.

guitare n. f.

Pour jouer de la guitare, on pince les cordes avec ses doigts.

Instrument de musique à cordes. *Réjean joue de la guitare électrique,* une guitare branchée sur des amplificateurs qui augmentent le son.

Compare : *guitare → guitariste* et *flûte → flûtiste.*

▸ ***guitariste*** n. m. et f. Musicien qui joue de la guitare. *Le chanteur était accompagné par deux guitaristes et un batteur.*

Elle a six cordes.
Connais-tu d'autres instruments de musique à cordes ?

Au masculin pluriel : *gutturaux.*

guttural adj.
Qui part du fond de la gorge. *Le vieil homme avait une voix gutturale ;* vois ***rauque.***

Attention ! un *y*.

gymnase n. m.
Grande salle aménagée spécialement pour faire de la gymnastique. *Dans le gymnase du centre sportif, Yves fait des exercices aux agrès. On a construit un nouveau gymnase à Motbourg.*

Il sera plus moderne.

Attention ! un *y*.

gymnaste n. m. et f.
Personne dont le métier est de faire de la gymnastique. *Cette gymnaste a remporté plusieurs médailles aux Jeux olympiques.*

gymnastique n. f.
Ensemble d'exercices qui rendent le corps plus musclé et plus souple. *Le professeur de gymnastique est une femme. Marie-Tévy n'aime pas aller au cours de gymnastique, elle préfère le cours de danse. M. Doucet fait de la gymnastique tous les matins.*

Le professeur de gymnastique a plié ses bras et ça a fait deux gros tas de muscles *(le Petit Nicolas).*

On dit *la gym*, mais c'est familier.

Tintin fait sa gymnastique en musique.

Attention ! un *y*.

gypse n. m.
Roche calcaire tendre. *Le gypse sert à fabriquer le plâtre.*

Attention ! un *y*.

gyrophare n. m.
Lumière qui tourne, et qui est placée sur le toit d'une voiture de police, d'une voiture de pompiers ou d'une ambulance. *Quand une ambulance a son gyrophare bleu allumé, cela veut dire qu'elle transporte un malade.*

Famille de **phare**

Les automobilistes doivent la laisser passer.

L'AGRICULTURE

L'agriculture (production de végétaux et d'animaux) est une activité indispensable à la vie des hommes. On peut même dire que sans l'agriculture, nous ne serions pas aujourd'hui ce que nous sommes. Pour construire des villes, bâtir des usines, faire du commerce, s'instruire et se distraire, il a fallu en effet que l'homme trouve d'abord en quantité suffisante la nourriture nécessaire pour survivre. Et cela n'a pas été facile !
Pendant des milliers d'années, pour s'alimenter, l'homme a dû poursuivre le gibier, pêcher ramasser et cueillir des plantes sauvages. Pendant des milliers d'années, l'homme a dû vaincre sa peur, se déplacer sans cesse pour suivre des animaux, parfois énormes.
Et puis, il y a environ 10 000 ans, l'agriculture est née. L'homme a appris à cultiver les plantes, à domestiquer les animaux, à construire des villages. Cette véritable révolution ne s'est pas faite du jour au lendemain. L'agriculture est en effet une activité où les changements sont très lents. Si nous pouvons voir aujourd'hui dans nos champs des machines perfectionnées, dans d'autres parties du monde, et même dans nos campagnes, on peut toujours observer des paysans qui portent des outils remontant à des temps très anciens.

page 2 – **La révolution néolithique**
page 4 – **La seconde révolution agricole**
page 6 – **L'agriculture aujourd'hui**
page 8 – **Calendrier des fêtes rurales**

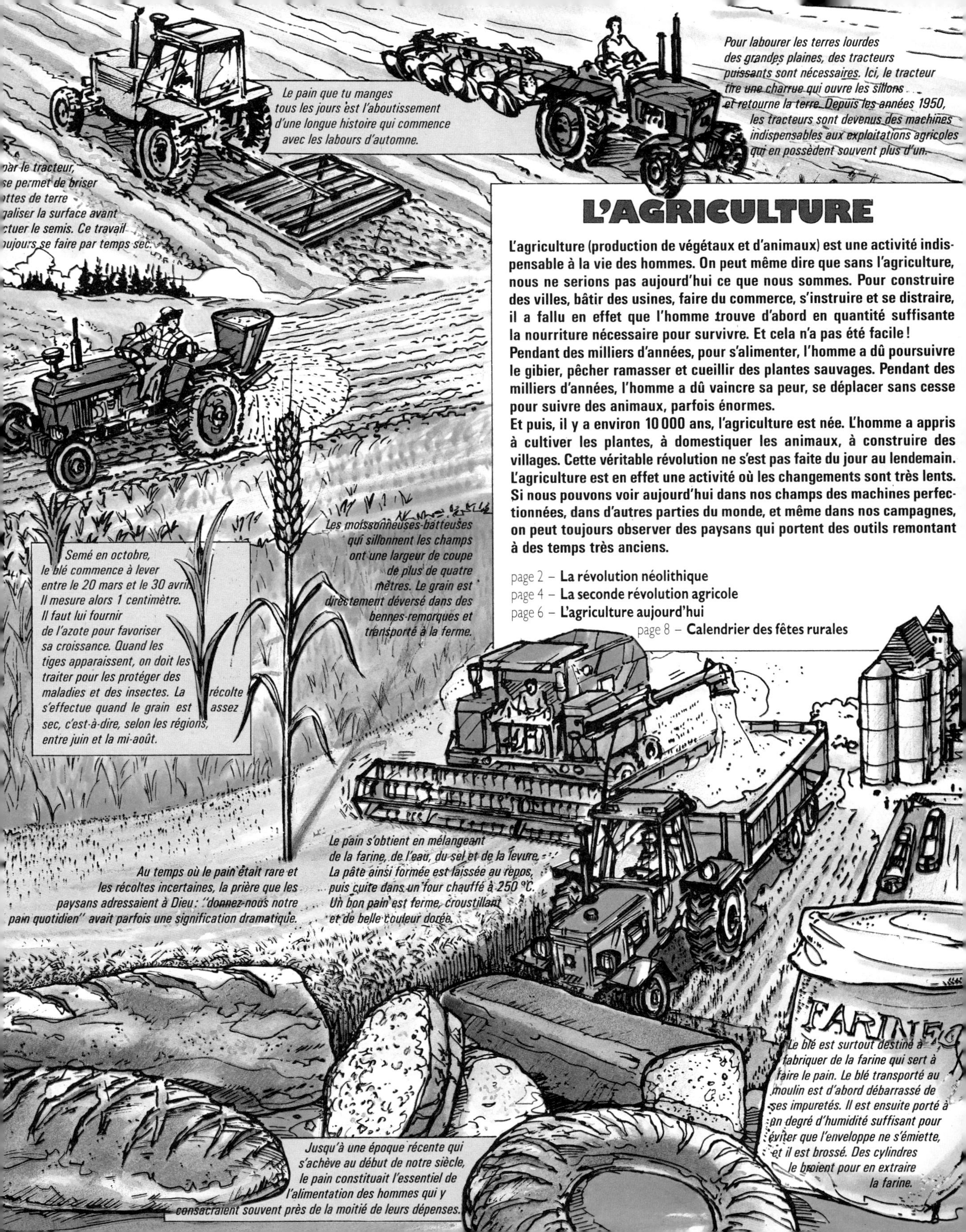

Le pain que tu manges tous les jours est l'aboutissement d'une longue histoire qui commence avec les labours d'automne.

Pour labourer les terres lourdes des grandes plaines, des tracteurs puissants sont nécessaires. Ici, le tracteur tire une charrue qui ouvre les sillons et retourne la terre. Depuis les années 1950, les tracteurs sont devenus des machines indispensables aux exploitations agricoles qui en possèdent souvent plus d'un.

par le tracteur, se permet de briser ottes de terre galiser la surface avant ctuer le semis. Ce travail oujours se faire par temps sec.

Semé en octobre, le blé commence à lever entre le 20 mars et le 30 avril. Il mesure alors 1 centimètre. Il faut lui fournir de l'azote pour favoriser sa croissance. Quand les tiges apparaissent, on doit les traiter pour les protéger des maladies et des insectes. La récolte s'effectue quand le grain est assez sec, c'est-à-dire, selon les régions, entre juin et la mi-août.

Les moissonneuses-batteuses qui sillonnent les champs ont une largeur de coupe de plus de quatre mètres. Le grain est directement déversé dans des bennes-remorques et transporté à la ferme.

Au temps où le pain était rare et les récoltes incertaines, la prière que les paysans adressaient à Dieu : "donnez-nous notre pain quotidien" avait parfois une signification dramatique.

Le pain s'obtient en mélangeant de la farine, de l'eau, du sel et de la levure. La pâte ainsi formée est laissée au repos, puis cuite dans un four chauffé à 250 °C. Un bon pain est ferme, croustillant et de belle couleur dorée.

Le blé est surtout destiné à fabriquer de la farine qui sert à faire le pain. Le blé transporté au moulin est d'abord débarrassé de ses impuretés. Il est ensuite porté à un degré d'humidité suffisant pour éviter que l'enveloppe ne s'émiette, et il est brossé. Des cylindres le broient pour en extraire la farine.

Jusqu'à une époque récente qui s'achève au début de notre siècle, le pain constituait l'essentiel de l'alimentation des hommes qui y consacraient souvent près de la moitié de leurs dépenses.

Avec l'agriculture apparaît le potier qui travaille l'argile avant de la cuire au four.
Animal domestique en Amérique latine, le dindon ne fut connu en Europe qu'au XVIe siècle.
Le bois était utilisé pour faire des récipients, des outils ou des embarcations, comme ici cette pirogue.
Les premiers villages construits en dur apparaissent vers 10 000 ans avant J.-C. Les maisons étaient faites de boue séchée, de pierres ou de planches et de poutres méticuleusement assemblées. Ces maisons abritaient plusieurs familles.
Le travail du bois se faisait avec des haches dont le manche était en bois et la partie tranchante en roche dure.
Le laboureur conduit l'araire qui se compose de trois parties, un manche vertical, un timon relié à l'animal et une pièce de bois ou "sep" qui fend la terre, mais sans la retourner.
Faucille de silex longue de 20 cm et datant de plus de 5 000 ans.
Faucille de silex emmanchée sur une poignée de bois datant de 4 000 ans.
Faucille de bronze d'une largeur de 31 cm datant de 3 000 ans.
Araire manche sep
Le laboureur conduit l'araire qui se compose de trois parties, un manche vertical, un timon relié à l'animal et une pièce de bois ou "sep" qui fend la terre, mais sans la retourner.
Timon
Manche
sep
Araire dental
Araire grec rudimentaire à un mancheron. Même quand le soc était en fer (dental), le labour n'était guère profond.
Dental
Araire chambige
Araire gaulois perfectionné. Le "chambige" qui est la pièce de bois recourbée, permettait une plus grande souplesse dans la traction de l'outil.
Chambige
Les métaux augmentèrent l'efficacité des o
C'est en Asie q
se répandit d'ab
l'usage du cuivre
5 000 ans avant
Le silex permettait de bien sectionner les tiges de blé et d'orge.
La moisson se faisait à l'aide de la faucille. La tige était coupée à mi-hauteur puis le chaume resté en terre était arraché à la main. Il était gardé pour faire de la paille et nourrir les bestiaux.
Cette carte te montre que naissance de l'agriculture s'est faite au même mome dans plusieurs régions. Celles-ci forment une ban parallèle à l'équateur, là o les conditions climatiques et la présence de l'eau faisaient pousser des céréales sauvages.

LA RÉVOLUTIO

Vers 8000 avant J.-C., à l'époque néolithi l'homme a commencé à cultiver des plantes domestiquer des animaux. Il ne se contente plu poursuivre le gibier et de cueillir les plantes sa ges, il travaille la terre pour la faire produire ce il a besoin.

Qui donc a eu le premier l'idée d'enfouir des grai dans le sol et d'attendre plusieurs mois avant récolter ce qui a été semé ? Ce n'est pas le fait inventeur génial, mais de plusieurs groupes sit dans des régions favorables où se rencontraient céréales sauvages et des animaux faciles à dom tiquer, comme le mouton ou la chèvre.

On peut penser en effet que les premiers ess d'agriculture se sont faits là où se rencontraient plantes comestibles qu'on peut considérer com les ancêtres des plantes cultivées. L'homme a observer ces plantes, guetter le meilleur mom pour les cueillir et comprendre comment elles reproduisaient. Dans une région de Turquie pousse un blé sauvage, l'épeautre, un agron américain a fait une expérience intéressante. tenté avec une antique faucille néolithique vie

ÉOLITHIQUE

9 000 ans de faire une moisson. En une heure, ramassé près de trois kilos de grains. on lui, un petit groupe familial pouvait récolter un mois de quoi subsister jusqu'à la prochaine isson. Les chasseurs pouvaient ainsi revenir is les régions au climat favorable pour y faire une ivelle récolte. Progressivement, ils ont pu avoir ée de rester sur place, de domestiquer les aniux, de construire des villages et de cultiver des ntes autrefois sauvages. Cette véritable révoon s'est d'abord faite au Proche-Orient, dans les ndes vallées du Nil, du Tigre et de l'Euphrate connaissent une inondation annuelle, mais aussi Afrique, en Asie et dans les Andes.
partir du moment où l'homme est capable de duire lui-même sa nourriture, de domestiquer les maux dont il consomme la viande ou dont xploite la force pour porter de lourdes charges tirer des outils, il peut construire des villa-, acquérir le sens de l'organisation et de la préance. En ce sens, l'introduction de l'agriculture l'un des plus grands événements de l'histoire de imanité, une véritable révolution.

Dans l'Antiquité, pour transporter les marchandises, on utilisait un chariot à deux roues attelé à un cheval ou un mulet. Placé sur la gorge du cheval, le collier l'étranglait, ce qui ne permettait pas à l'animal de tirer de lourdes charges.

La houe frappe le sol et gratte la terre pour l'ameublir.

Avec le pain le poisson était l nourriture principale Il était pêché ave des filets ou de hameçon surtout en os

Les plantes ont besoin de beaucoup d'eau pour vivre. Les paysans devaient donc irriguer les champs. En Égypte, on utilisait le "shadouf", longue perche de bois munie d'un contrepoids qui permettait de soulever le seau rempli d'eau.

Cette moissonneuse gauloise est très bien conçue. C'était une énorme caisse garnie de dents et conduite sur deux roues à travers le champ par un bœuf qui la poussait devant lui; les épis arrachés par les dents tombaient dans le coffre. Une moissonneuse reconstruite sur ce modèle a été utilisée avec succès en 1960.

Le grain posé sur une meule plate est écrasé à l'aide d'un broyeur, par un simple mouvement de va-et-vient; ce travail était souvent exécuté par les femmes.

L'un des premiers compagnons de l'homme fut le chien, sans doute issu de loups apprivoisés qui auraient pris l'habitude d'accompagner les chasseurs.

– 9000 Début de la domestication du mouton en Iran et en Irak. Disparition des derniers chasseurs de rennes.
– 6000 Domestication du mouton en Provence. Premières poteries destinées à conserver les graines.
– 5000 Premiers villages en Alsace. On dresse des mégalithes en Bretagne.
– 4000 Domestication du lama au Pérou.
– 3500 Invention de la roue. Première métallurgie du cuivre en Méditerranée.
– 3000 Apparition de l'écriture. C'est le début de l'histoire.
– 2000 Apparition de l'araire.
– 1000 Premiers outils de fer. L'écriture alphabétique est inventée par les Phéniciens.

À partir de l'an 1100, les défrichements transforment la physionomie des campagnes. De nouvelles terres sont conquises sur les forêts qui couvraient jusque-là une grande partie du territoire.
À l'ombre des châteaux forts naissent de nouveaux villages gagnés sur la forêt, des "villeneuves" ou des "essarts".
Des haches à long manche permettent aux bûcherons d'abattre des arbres.
Au Moyen Âge, seuls les paysans riches pouvaient se payer une faux. Celle-ci valait en effet fort cher.
La faux remplace progressivement la faucille pour couper le foin.
Pour les labours, on voit le cheval remplacer les bœufs ; beaucoup plus rapide et plus puissant, le cheval permettait de tirer de lourdes charrues.
Les nobles anglais ont joué un grand rôle dans la révolution agricole, n'hésitant pas à manier eux-mêmes la charrue pour instruire leurs paysans et faire des expériences. On se moqua parfois d'eux ; ainsi, lord Townshend fut surnommé "Townshend-Navet" à cause des multiples essais de cultures nouvelles qu'il tentait sur ses terres.
L'âne, compagnon indispensable, assure le transport des marchandises au marché.
La herse en fer permet de mieux briser les mottes de terre durcies par le froid et d'ameublir le sol que la charrue a retourné.
Au XIe siècle, le collier d'épaule remplace les bandes de cuir qui, autrefois, tiraient sur le cou et gênaient la respiration de l'animal ; avec le collier et le joug frontal, il peut désormais tirer des charges plus lourdes.
À la fin du XVIIIe siècle, Parmentier recommande de consommer la pomme de terre, importée d'Amérique. Elle suscite d'abord beaucoup de méfiance, et ne se développe qu'au XIXe siècle ; elle devient alors la nourriture de base des pauvres.
Les fêtes rythment l'année paysanne. Les foires et les marchés rassemblent les paysans. L'argent qui circule multiplie les tentations. C'est l'occasion de briser la monotonie des journées épuisantes.
Élevé par toute les famille paysannes, le por alimente en viand toute la maisonnée

LA SECOND

Pendant près de 9000 ans, le trav de la terre n'a guère évolué. Au co de cette période, la médiocrité d rendements, quatre graines récolté pour une semée, dans les meilleu années, fait constamment peser menace de la famine. D'autant p qu'une bonne partie des récoltes accaparée par les grands propr taires militaires et religieux qui s les maîtres du sol. Il faudra atten l'an 1000 après J.-C. pour qu répandent certaines innovatio connues depuis l'Antiquité mais d

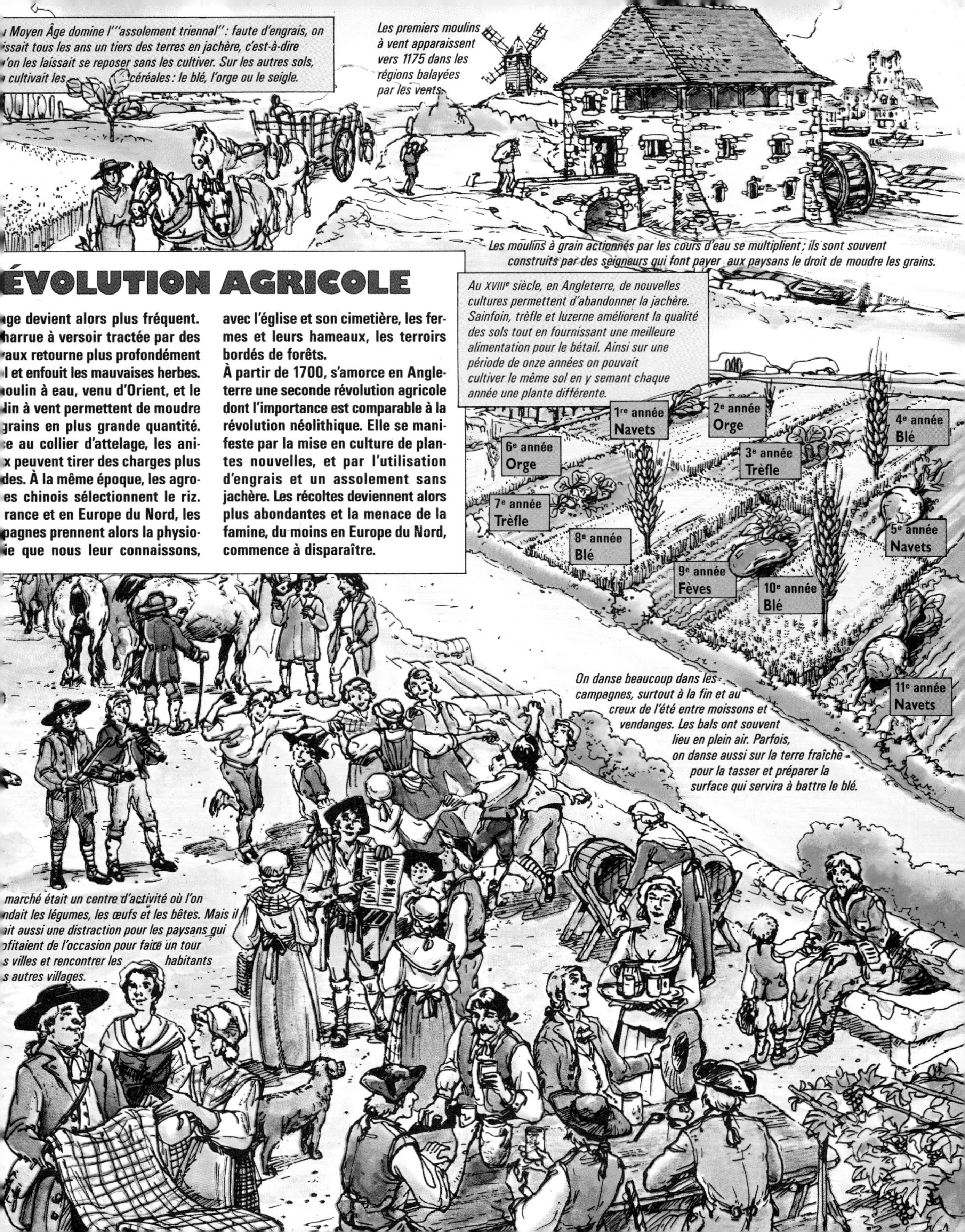

ı Moyen Âge domine l'"assolement triennal" : faute d'engrais, on ıssait tous les ans un tiers des terres en jachère, c'est-à-dire ı'on les laissait se reposer sans les cultiver. Sur les autres sols, ı cultivait les céréales : le blé, l'orge ou le seigle.
Les premiers moulins à vent apparaissent vers 1175 dans les régions balayées par les vents.
Les moulins à grain actionnés par les cours d'eau se multiplient ; ils sont souvent construits par des seigneurs qui font payer aux paysans le droit de moudre les grains.
Au XVIIIe siècle, en Angleterre, de nouvelles cultures permettent d'abandonner la jachère. Sainfoin, trèfle et luzerne améliorent la qualité des sols tout en fournissant une meilleure alimentation pour le bétail. Ainsi sur une période de onze années on pouvait cultiver le même sol en y semant chaque année une plante différente.
1re année Navets
2e année Orge
3e année Trèfle
4e année Blé
5e année Navets
6e année Orge
7e année Trèfle
8e année Blé
9e année Fèves
10e année Blé
11e année Navets
On danse beaucoup dans les campagnes, surtout à la fin et au creux de l'été entre moissons et vendanges. Les bals ont souvent lieu en plein air. Parfois, on danse aussi sur la terre fraîche pour la tasser et préparer la surface qui servira à battre le blé.
marché était un centre d'activité où l'on ndait les légumes, les œufs et les bêtes. Mais il ait aussi une distraction pour les paysans qui ofitaient de l'occasion pour faire un tour s villes et rencontrer les habitants s autres villages.

ÉVOLUTION AGRICOLE

ıge devient alors plus fréquent. harrue à versoir tractée par des aux retourne plus profondément l et enfouit les mauvaises herbes. oulin à eau, venu d'Orient, et le lin à vent permettent de moudre grains en plus grande quantité. e au collier d'attelage, les anix peuvent tirer des charges plus des. À la même époque, les agroes chinois sélectionnent le riz. rance et en Europe du Nord, les pagnes prennent alors la physioie que nous leur connaissons, avec l'église et son cimetière, les fermes et leurs hameaux, les terroirs bordés de forêts.

À partir de 1700, s'amorce en Angleterre une seconde révolution agricole dont l'importance est comparable à la révolution néolithique. Elle se manifeste par la mise en culture de plantes nouvelles, et par l'utilisation d'engrais et un assolement sans jachère. Les récoltes deviennent alors plus abondantes et la menace de la famine, du moins en Europe du Nord, commence à disparaître.

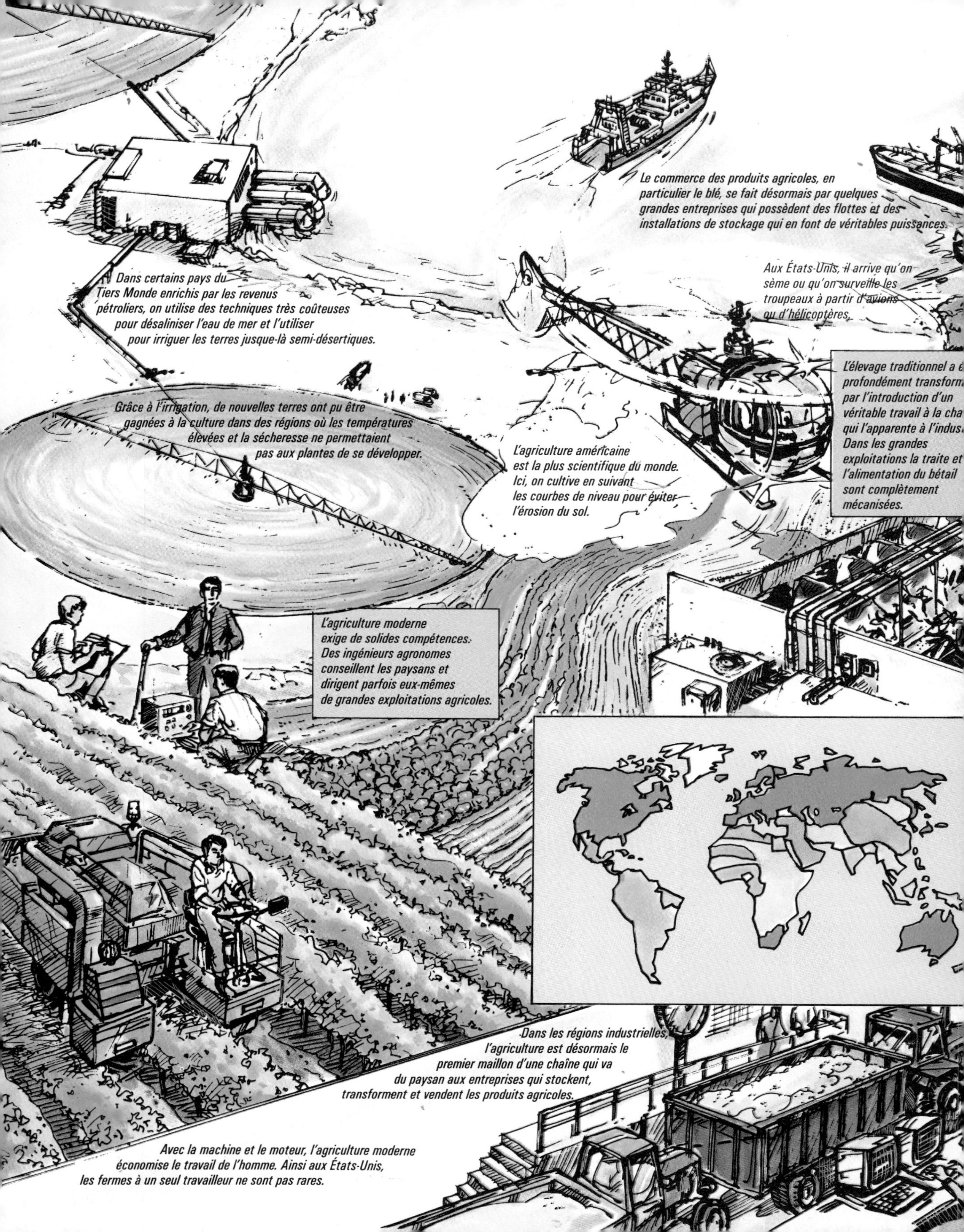

Le commerce des produits agricoles, en particulier le blé, se fait désormais par quelques grandes entreprises qui possèdent des flottes et des installations de stockage qui en font de véritables puissances.
Aux États-Unis, il arrive qu'on sème ou qu'on surveille les troupeaux à partir d'avions ou d'hélicoptères.
Dans certains pays du Tiers Monde enrichis par les revenus pétroliers, on utilise des techniques très coûteuses pour désaliniser l'eau de mer et l'utiliser pour irriguer les terres jusque-là semi-désertiques.
L'élevage traditionnel a é profondément transform par l'introduction d'un véritable travail à la cha qui l'apparente à l'indus Dans les grandes exploitations la traite et l'alimentation du bétail sont complètement mécanisées.
Grâce à l'irrigation, de nouvelles terres ont pu être gagnées à la culture dans des régions où les températures élevées et la sécheresse ne permettaient pas aux plantes de se développer.
L'agriculture américaine est la plus scientifique du monde. Ici, on cultive en suivant les courbes de niveau pour éviter l'érosion du sol.
L'agriculture moderne exige de solides compétences. Des ingénieurs agronomes conseillent les paysans et dirigent parfois eux-mêmes de grandes exploitations agricoles.
Dans les régions industrielles, l'agriculture est désormais le premier maillon d'une chaîne qui va du paysan aux entreprises qui stockent, transforment et vendent les produits agricoles.
Avec la machine et le moteur, l'agriculture moderne économise le travail de l'homme. Ainsi aux États-Unis, les fermes à un seul travailleur ne sont pas rares.

Pour développer la récolte du riz en saison sèche, on irrigue les champs par des puits à moteur ou des grands barrages, ce qui permet d'effectuer deux récoltes par an.

En Asie, le repiquage des plants de riz dans la boue des rizières est un travail très pénible.

L'AGRICULTURE AUJOURD'HUI

Depuis 1950, l'agriculture s'est profondément transformée. Dans les pays industriels, le triomphe des machines a complètement modifié le travail des paysans. Avec le tracteur, ce n'est plus l'homme qui sème ou moissonne, mais la machine, dont le vacarme assourdit les campagnes. Le paysan devient désormais un entrepreneur qui doit avoir fait des études, gérer son exploitation comme un comptable et accroître ses rendements pour faire face à la concurrence. Mais au même moment, dans la plupart des pays du monde, l'agriculture est restée l'activité traditionnelle qu'elle était depuis des milliers d'années. Faite à la main, la culture du riz peut mobiliser 3 000 heures de travail, soit une année entière pour un hectare, alors que dans les plaines à blé des États-Unis, ce même hectare ne réclame que huit heures de travail. Le contraste devient ainsi de plus en plus fort entre des pays où l'agriculture mécanisée produit des excédents qu'elle n'arrive pas à vendre et qu'il faut parfois détruire, et d'autres pays où la faiblesse des récoltes laisse la population en état permanent de sous-alimentation.

ette carte fait pparaître de manière 'ramatique le contraste ntre les régions ıdustrialisées où alimentation est riche t parfois excessive, ■ elle où elle est tout juste uffisante, □ t celles dans lesquelles n ne mange pas à sa aim. □

En Afrique, les paysans défrichent la savane en l'incendiant à la fin de la saison sèche. Ils piochent ensuite pour enfouir les cendres et préparer le sol à la culture. Deux ou trois années plus tard, quand les terres ont perdu leur fertilité, ils se déplacent plus loin pour brûler une autre partie de la savane.

En Afrique, on utilise encore des outils peu efficaces comme ces houes à main pour retourner le sol.

Pour célébrer l'adoration des Rois mages, le jour de l'Épiphanie, le 6 janvier, on partageait la galette dans laquelle on glissait un haricot.

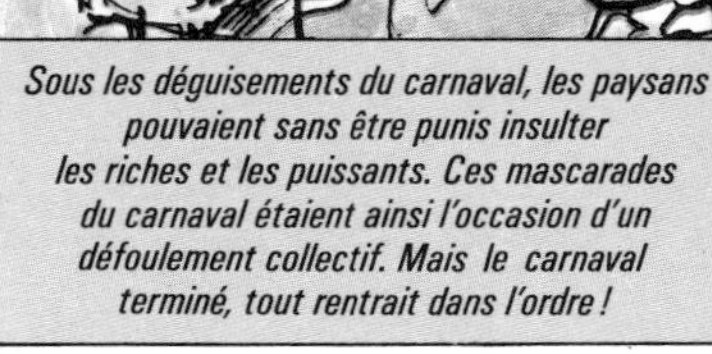

Sous les déguisements du carnaval, les paysans pouvaient sans être punis insulter les riches et les puissants. Ces mascarades du carnaval étaient ainsi l'occasion d'un défoulement collectif. Mais le carnaval terminé, tout rentrait dans l'ordre !

Le jour de Pâques, les jeunes gen faisaient la tournée des maisons annoncer que les cloches s'étaien envolées vers Rome et pour recueillir les œufs qu'on leur offra

La bûche de Noël était un tronc d'arbre fruitier. Après l'avoir décorée de guirlandes et bénie, on la mettait à brûler pendant la veillée précédant la messe de minuit. Elle devait se consumer ainsi jusqu'au jour des Rois.

Au village, les fiançailles étaient souvent le résultat d'un calcul effectué par les parents. Un champ, un pré, une vache aidaient souvent à conclure le contrat de mariage.

CALENDRIER DES FÊTES RURALES

L'agriculture n'est pas seulement un métier exigeant, c'est aussi une activité égayée par des fêtes nombreuses qui nous sont restées même si nous ne connaissons plus leur signification. C'est ainsi qu'il y a 400 ans en France, on comptait au moins cinquante fêtes par an, soit un jour sur sept !

Ces fêtes avaient un caractère magique qui remontait probablement à l'époque où l'agriculture est née et l'Église a eu du mal à les transformer en fêtes religieuses. Les cendres de la bûche de Noël avaient la réputation de tuer les vermines. Le carnaval marquait le retour au travail des champs après le repos forcé de l'hiver. Les œufs de Pâques signifiaient que la végétation était en pleine croissance et les cloches annonçaient partout le renouveau. Notre muguet du Premier Mai était déjà célébré par les Celtes il y a plus de 2 000 ans.

Dans un premier temps, l'Église a condamné ces coutumes païennes qui honoraient les anciens dieux de la nature pour obtenir des récoltes favorables et les protéger de toutes les variations climatiques. Mais, très tôt, devant la résistance des paysans, elle a préféré les convertir en fêtes chrétiennes. Ainsi, les feux que l'on allumait pour fêter le jour le plus long de l'année sont devenus les feux de la Saint-Jean.

Au mois de mai, des garçons habillés de verdure qu'on appelai des "feuillus" annonçaient le renouv de la végétation. Si les habitants du village ne les reconnaissaient pas, c'était signe que l'année serait bonne.

Le jour de la Saint-Jean, au sommet des collines, on allumait de grands feux autour desquels dansaient les jeunes filles et les jeunes gens.

Le Premier Mai, on dressait sur les places du village un arbre qu'on appelait le "mai". On le plantait souvent devant la maison du couple le plus récemment marié.

h n. m. invariable

Ici *H* est l'abréviation de *heure.*
Au jour J et à l'heure H la fusée a quitté la Terre.

1. *L'heure H,* c'est l'heure fixée pour le début d'une opération importante. *À l'heure H, les ingénieurs ont fait décoller la fusée.* **2.** *La bombe H,* c'est la bombe atomique à hydrogène dont la puissance est très grande. *Les premières bombes H ont été essayées vers 1950.*

Ici *H* est l'abréviation de *hydrogène.*

habile adj.

Ma mère est habile
Mais ma bile est amère
(B. Lapointe).

1. *Une personne habile,* c'est une personne qui se sert de ses mains d'une manière efficace, rapide et intelligente ; vois **adroit.** *Le prestidigitateur était très habile. Angèle aime bien bricoler, elle est habile de ses mains.* **2.** Intelligent, rusé, malin. *C'est un vendeur très habile qui fait des compliments au client.*

Le contraire d'*habile,* c'est *malhabile.*

Le contraire d'*habilement,* c'est *maladroitement.*

▸ **habilement** adv. **1.** *Angèle bricole habilement,* adroitement. **2.** *M. Bellec a habilement évité Mme Harpie,* intelligemment.

Tintin s'est habilement servi d'une éclipse pour faire croire qu'il pouvait commander au soleil.

Compare : *habile → habileté,* et *propre → propreté.*

▸ **habileté** n. f. **1.** *Angèle est d'une grande habileté manuelle,* elle est très habile de ses mains, elle a beaucoup d'adresse. **2.** *M. Bellec a fait preuve d'une grande habileté pour éviter Mme Harpie,* d'une grande ingéniosité.

Autre membre de la famille : **malhabile.**

Conjugaison 1

habiliter v.

Être habilité à faire quelque chose, c'est y être autorisé par la loi. *Les contractuelles sont habilitées à mettre des contraventions.*

Autre membre de la famille : **réhabiliter.**

Conjugaison 1

habiller v.

1. *Habiller quelqu'un,* c'est lui mettre des vêtements ; vois **vêtir.** *Odile Séverac habille et chausse Claire avant de l'emmener à l'école. Julie essaie d'habiller son chat. Mme Harpie est toujours mal habillée. Marie-Tévy est habillée en rouge aujourd'hui. — Claire saura bientôt s'habiller toute seule.* **2.** *Pour l'anniversaire d'Antoine, Yasmina était habillée en gitane,* elle était déguisée en gitane. — *Yves s'était habillé en cow-boy.*

Le contraire d'*habiller,* c'est *déshabiller.*

▸ *s'***habiller** v. **1.** *Mme Roussel ne sait pas s'habiller,* elle ne sait pas choisir ses vêtements, elle n'a aucun goût. **2.** Acheter ses vêtements. *Mme Harpie s'habille toujours dans les magasins les moins chers. Denis Prost s'habille sur mesure.* **3.** Mettre une tenue de soirée. *Les Séverac se sont habillés pour aller au théâtre.*

Pour échapper à la police, Tintin et le capitaine Haddock se sont habillés en femme arabe : ils ont mis une grande robe et un voile et ils essaient de porter une cruche sur la tête.

**h : dans certains mots le h aspiré empêche la liaison et l'élision.*

Dans les jardins du palais des fêtes les éléphants se promènent magnifiquement habillés (*Babar*).

▹ ***habillé*** adj. **1.** Couvert de vêtements. *Antoine était si fatigué qu'il s'est couché tout habillé.* **2.** Élégant, chic. *Mme Séverac a mis une robe habillée pour aller au théâtre,* une robe de soirée.

Le contraire d'*habillé,* c'est *nu.*

▹ ***habillement*** n. m. Manière dont une personne est habillée. *Ce matin, Yves est arrivé en classe avec un drôle d'habillement,* une drôle de tenue.

Autres membres de la famille : **déshabiller, rhabiller.**

Attention ! *habit* s'écrit avec un *t* final. Ne le prononce pas : [abi].

habit n. m.

1. *Les habits,* ce sont les vêtements. *On enlève ses habits avant de se coucher. Antoine a mis de beaux habits pour l'anniversaire de Julie. Pour aller en classe de neige, Marie-Tévy a emporté ses habits de sports d'hiver. Sophie Pelletier se sert de la brosse à habits pour enlever les poils de chat qui sont sur sa jupe.* **2.** Costume noir que portent les hommes pour les cérémonies. *À la soirée de gala, les femmes étaient en robe du soir et les hommes en habit.*

La veste a deux longs pans derrière.

— Vos habits, vous devez les perdre ou oublier de les mettre, dirent les lapins aux petites filles. Pourquoi ne pas avoir du poil comme tout le monde ? (*les Contes du Chat perché*).

Conjugaison 1

habiter v.

Avoir sa maison. *Marie-Tévy, Antoine, Yves, Yasmina et Julie habitent à Motbourg ;* vois ***vivre, demeurer, résider.*** *Claire habite à la campagne. Réjean habite dans un gratte-ciel,* il loge dans un gratte-ciel. *Sylvain habite 3, rue Albert-Samain.*

Maintenant Babar habite chez la vieille dame (*Babar*).

Les lapins habitent dans des terriers.

Compare : *habiter → habitable, manger → mangeable* et *supporter → supportable.*

▹ ***habitable*** adj. *Un endroit habitable,* c'est un endroit où l'on peut habiter, vivre. *Les Séverac ont aménagé le grenier pour le rendre habitable.*

Le contraire d'*habitable,* c'est *inhabitable.*

▹ ***habitant*** n. m., ***habitante*** n. f. Personne qui vit habituellement dans un endroit. *Il y a neuf mille cinq cents habitants à Motbourg. Yasmina connaît tous les habitants de son immeuble.*

Sais-tu combien il y a d'habitants en France ?

On interrogea les habitants de la forêt, lapins, écureuils, chevreuils, geais, corbeaux, pies et nul d'entre eux n'avait connaissance qu'une vache se fût égarée dans les bois (*les Contes du Chat perché*).

▹ ***habitat*** n. m. **1.** Manière dont les hommes se logent. *Ce sont les urbanistes qui s'occupent de l'habitat. L'habitat urbain est différent de l'habitat rural,* la manière dont les hommes se logent dans les villes est différente de celle dont ils se logent à la campagne. **2.** Endroit où vit habituellement une espèce d'animaux ou une espèce de plantes. *L'habitat des singes et des mygales, c'est la forêt vierge.*

Par exemple, la taille des maisons, la manière dont elles sont regroupées ou dispersées.

Attention au *t* final qui ne se prononce pas : [abita].

▹ ***habitation*** n. f. Lieu où l'on habite ; vois ***immeuble, logement, maison, résidence.*** *On construit de nouvelles habitations dans la banlieue de Motbourg.*

Autres membres de la famille : **cohabiter, inhabitable, inhabité.**

habitude n. f.

1. Chose que l'on fait souvent et régulièrement. *Julie attend Yasmina devant l'école tous les matins, c'est devenu une habitude. Mme Harpie a des habitudes de célibataire. Sophie Pelletier a l'habitude de se lever très tôt le matin.* **2.** *Angèle a l'habitude des enfants,* elle en a l'expérience, elle les connaît bien. **3.** Coutume, tradition. *En Suisse, on sert le thé dans des verres, c'est l'habitude du pays,* c'est l'usage. **4.** *D'habitude,* ordinairement, généralement. *D'habitude, Mme Roussel achète ses gâteaux chez Mme Harpie, mais aujourd'hui c'est fermé. Pour une fois à la cantine, c'était meilleur que d'habitude. Comme d'habitude, Antoine est en retard,* comme toujours.

Au féminin : *habituelle.*

habituel adj.

Normal. *Aujourd'hui, Julie n'a pas pris son chemin habituel pour rentrer à la maison,* le chemin qu'elle prend d'habitude.

Le contraire d'*habituel,* c'est *inhabituel.*

▹ ***habituellement*** adv. La plupart du temps, généralement. *Habituellement, Antoine raccompagne Yves jusqu'au château.*

Le contraire d'*habituellement,* c'est *exceptionnellement.*

Autre membre de la famille : **inhabituel.**

Conjugaison 1

habituer v.

1. *Habituer quelqu'un à faire quelque chose,* c'est lui donner l'habitude de faire cette chose. *Mme Hespel a habitué Sylvain à mettre le couvert.* **2.** *S'habituer à faire quelque chose,* c'est prendre l'habitude de le faire. *Au bout d'un moment, on s'habitue à l'obscurité,* on s'y accoutume. *Marie-Tévy s'est habituée à parler français. Nathalie ne s'habitue pas à ce que Sylvain ne lui écrive plus.*

Dans les villes, les habitants sont habitués au bruit.

▹ ***habitué*** n. m., ***habituée*** n. f. Personne qui va souvent et régulièrement dans un restaurant, un café. *M. Bellec offre l'apéritif aux habitués du restaurant,* aux bons clients.

Il est patron d'un restaurant.

** h : dans certains mots le h aspiré empêche la liaison et l'élision.*

Attention ! le **h** de *hache* est aspiré.

hache n. f.
Instrument tranchant à grosse lame et à long manche, qui sert à fendre, à couper. *Les bûcherons ont abattu l'arbre à coups de hache. Pierre Séverac a posé une bûche sur le billot et l'a fendue à la hache.*

Les Indiens ont déterré leur hache de guerre, le tomahawk.

Compare : *hache* → *hachette*, *cloche* → *clochette* et *statue* → *statuette*.

▸ ***hachette*** n. f. Petite hache. *David se sert de la hachette pour couper les petites bûches.*

La hachette est plus légère que la hache.

Attention au **h** aspiré !

hacher v.
Couper en très petits morceaux avec un couteau ou un appareil spécial. *Le boucher hache de la viande pour Mme Harpie qui lui a demandé deux cents grammes de bifteck haché. M. Bellec a haché du persil et des échalotes pour les mélanger à la salade.*

Conjugaison 1

Compare : *hacher* → *hachis*, *s'ébouler* → *éboulis* et *gribouiller* → *gribouillis*.

▸ ***hachis*** n. m. Préparation de viande ou de poisson haché très fin. *Sophie Pelletier prépare un hachis de saumon pour faire une terrine de poisson.*

Le *hachis Parmentier,* c'est de la viande hachée, recouverte de purée de pommes de terre.

Compare : *hacher* → *hachoir*, *arroser* → *arrosoir* et *raser* → *rasoir*.

▸ ***hachoir*** n. m. Appareil qui sert à hacher la viande, les légumes. *Le boucher met des morceaux de viande dans son hachoir électrique.*

Attention ! le **h** de *hachure* et de *hachurer* est aspiré.

hachure n. f.
Les hachures, ce sont de petits traits parallèles ou croisés qui servent à indiquer les ombres sur un dessin ou certains endroits particuliers sur une carte de géographie. *Les hachures vertes sur la carte indiquent l'endroit où il y a des forêts.*

On emploie ce mot surtout au pluriel.

Conjugaison 1

▸ ***hachurer*** v. Couvrir de hachures. *Les parties de la carte hachurées en vert représentent les forêts.*

Attention ! deux **d**.

Le capitaine Haddock n'est pas un marin d'eau douce.

haddock n. m.
Nom que l'on donne à l'églefin fumé, poisson de mer de la famille des morues. *M. Bellec aime beaucoup le haddock poché.*

Va voir aussi ***églefin***.

Mais où est donc Ornicar ?
Il est parti par le car
Emmenant un gros lézard
Qui roulait des yeux hagards
(L. Bérimont).

hagard adj.
Un air hagard, c'est un air effrayé et perdu. *Après le tremblement de terre, les survivants s'entassaient dans des camions, le visage hagard. L'air hagard, Antoine cherchait son père dans la foule qui se pressait sur le quai.*

Attention au **d** final qui ne se prononce pas.

Au féminin : *hagarde*.

N'oublie pas le **e** final de *haie*.

haie n. f.
1. *Une haie,* c'est une clôture d'arbres ou d'arbustes alignés qui limite un champ, un jardin, ou les protège contre le vent. *Une haie d'aubépines sépare le jardin des Prost de celui des voisins. Le jardinier taille les haies.* **2.** Rangée de personnes placées de chaque côté d'une rue, d'une voie pour laisser le passage à quelqu'un. *Le chanteur est sorti du music-hall entre deux haies d'admirateurs.*

Une *course de haies,* c'est une course où des chevaux ou des coureurs à pied doivent franchir de fausses haies.

Je hais les haies
Qui sont des murs.
Je hais les haies
Et les mûriers
Qui font la haie
Le long des murs (R. Devos).

Haillons s'emploie surtout au pluriel.

haillons n. m. plur.
Vieux vêtements tout déchirés ; vois ***guenilles, hardes, loque.*** *La mendiante était vêtue de haillons.*

Le contraire de *haine,* c'est *amour.*

Va voir aussi ***aversion, répulsion.***

haine n. f.
Sentiment très fort que l'on éprouve quand on déteste quelqu'un et qu'on lui veut du mal. *Colle et Rat éprouvent de la haine pour la directrice de l'école.*

Elles les a renvoyés pendant une semaine.

▸ ***haineux*** adj. Plein de haine, méchant. *Colle et Rat lancent des regards haineux en direction du bureau de la directrice.*

Le contraire de *haineux,* c'est *amical.*

Attention au tréma du **ï**. Prononce ['aiʀ].

Quand la reine apercevait Blancheneige, son cœur se retournait dans sa poitrine tant elle haïssait l'enfant *(Blancheneige).*

haïr v.
1. *Haïr quelqu'un,* c'est avoir de la haine pour lui, le détester. *Colle et Rat haïssent la directrice. Mme Harpie hait tout le monde.* **2.** *Haïr quelque chose,* c'est être dégoûté par quelque chose, détester cette chose. *Marie-Tévy hait la guerre. Sylvain hait le mensonge.*

Conjugaison 10 ▭ Indic. présent : *je hais, tu hais, il hait.* — Impératif : *hais.*

Le contraire de *haïr,* c'est *aimer.*

▸ ***haïssable*** adj. *Une chose haïssable,* c'est une chose qui mérite d'être haïe ; vois ***détestable.*** *Marie-Tévy trouve que la guerre est haïssable,* odieuse.

Famille de **haler**

halage n. m.
Action de remorquer un bateau à l'aide d'un cordage tiré du rivage. *Le halage au moyen de chevaux était autrefois la seule façon de faire avancer les péniches. Un chemin de halage borde le canal.*

Maintenant, les péniches ont des moteurs.

** h : dans certains mots le h aspiré empêche la liaison et l'élision.*

Attention à l'accent circonflexe du *â*.

hâle n. m.
Couleur brune que prend la peau quand on s'expose au soleil. *En rentrant de vacances, Nathalie avait un joli hâle ;* vois **bronzage.**
▷ ***hâlé*** adj. Bruni par le soleil. *Nathalie a le visage hâlé,* bronzé.

Au siècle dernier, les femmes se protégeaient du soleil avec des ombrelles car la mode était d'avoir le teint très pâle.

Quel bonheur que le loup ne nous ait pas mangées ! J'ai senti son haleine sur ma nuque (*les Petites Filles modèles*).

La baleine nage à perdre haleine pour être en fin de semaine chez sa cousine germaine.

haleine n. f.
1. Air qui sort des poumons quand on expire. *Les bonbons à la menthe donnent une haleine fraîche. Denis Prost a une haleine de fumeur.* **2.** Respiration, souffle. *Après avoir couru cinq cents mètres, Yves était hors d'haleine,* il était à bout de souffle, essoufflé. *Reprendre haleine,* c'est retrouver sa respiration normale après avoir été essoufflé. *Après la course, Yves a mis du temps à reprendre haleine. Les enfants rient à perdre haleine,* au point d'avoir du mal à respirer. **3.** *Tenir quelqu'un en haleine,* c'est l'intéresser jusqu'à la fin d'une histoire en le laissant toujours attendre la suite des événements. *Le feuilleton télévisé tient les enfants en haleine d'une semaine sur l'autre.* **4.** *Un travail de longue haleine,* c'est un travail très long et qui demande beaucoup d'efforts. *Faire un dictionnaire est un travail de longue haleine.*

Avoir mauvaise haleine : sentir mauvais de la bouche.

Après deux heures de course et de jeux, la panthère s'arrêta pour reprendre haleine et se mit à frissonner (*les Contes du Chat perché*).

Conjugaison 1

On les appelait des *chevaux de halage.*

haler v.
Remorquer un bateau avec des cordes tirées du rivage. *Autrefois, c'étaient des chevaux qui halaient les péniches.*

Autre membre de la famille : **halage.**

Conjugaison 5 ▭ Indic. présent : *il halète, nous haletons.* Imparfait : *je haletais, nous haletions.* Futur : *je halèterai.*

haleter v.
Respirer très vite et difficilement, être essoufflé. *La chienne a beaucoup couru dans la campagne et maintenant elle halète aux pieds de son maître.*
▷ ***haletant*** adj. Essoufflé. *La chienne s'est assise toute haletante aux pieds de Sylvain.*

Elle laisse pendre sa langue et elle fait beaucoup de bruit en respirant.

Prononce ['ol]. *Hall* rime avec *drôle.*

Hall est un mot d'origine anglaise.

hall n. m.
Grande salle par laquelle on entre dans les gares, les hôtels, les immeubles. *Dans le hall de l'immeuble, il y a les boîtes aux lettres,* dans l'entrée de l'immeuble. *Les enfants ont rendez-vous avec Angèle dans le hall de la gare, sous la pendule.*

Attention ! deux *l* à la fin. Au pluriel : *des halls.*

halle n. f.
1. *Une halle,* c'est un grand bâtiment où l'on vend des marchandises en gros. *À Milly-la-Forêt, dans l'Essonne, il y a une très belle halle du XVe siècle.* **2.** *Les halles,* ce sont les bâtiments qui forment un énorme marché où tous les commerçants d'une ville vont s'approvisionner. *Très tôt chaque matin, M. Bellec va aux halles de Rungis faire les courses pour son restaurant.*

Avant d'être à Rungis, les Halles de Paris étaient dans la capitale, dans le quartier des Halles.

C'est à la halle
Que je m'installe ;
C'est à Paris
Que je vends mes fruits
(comptine).

Le fer de la hallebarde a un bout pointu, un côté en forme de hache et l'autre en forme de crochet.

hallebarde n. f.
Arme ancienne qui ressemble à une lance. *Les soldats qui combattaient à pied portaient une hallebarde. Il pleut des hallebardes,* il pleut à verse, il pleut des cordes.

On a utilisé les hallebardes entre le XIVe et le XVIIe siècle.

Attention aux deux *l* !

hallucination n. f.
Impression de voir ou d'entendre quelque chose qui n'existe pas ; vois ***illusion.*** *Hippolyte a cru voir Mme Harpie au bal des pompiers, mais c'était une hallucination.*

Heureusement pour lui !

Au pluriel : *des halos.*

halo n. m.
Cercle de lumière, dont les contours ne sont pas précis, qui entoure un point lumineux. *Dans cette nuit de brouillard, la lumière des réverbères formait un halo argenté.*

Allo, halo, à l'eau !

halte n. f. et interjection
▭ **n. f.** Moment d'arrêt pendant une marche ou un voyage. *Sortons de l'autoroute et faisons une halte pour le déjeuner. Après une courte halte, les alpinistes reprirent leur ascension.*
▭ **interjection** *Halte !,* arrêtez-vous, stop ! *« Halte ! », dirent les policiers en stoppant la voiture.*

Il y a un geste qui signifie « halte ! », est-ce que tu le connais ?

Attention à l'accent grave du *è* !

haltère n. m.
1. Instrument de gymnastique fait de deux boules ou de deux disques de

On dit *un haltère.*

**h : dans certains mots le h aspiré empêche la liaison et l'élision.*

Les bandits de Chicago ont voulu noyer Tintin en lui attachant un haltère aux pieds mais c'était un haltère en bois !

métal réunis par une barre. *L'athlète soulève à bout de bras un haltère très lourd. M. Doucet fait des haltères tous les matins,* il fait des mouvements de gymnastique en tenant des haltères. **2.** *Les poids et haltères,* c'est un sport qui consiste à soulever des haltères très lourds en faisant certains mouvements. *Les athlètes qui font des poids et haltères sont très musclés.*

Un athlète qui pèse 75 kg soulève des haltères de 200 kg.

Ce sont des *haltérophiles.*

Hamac ['amak] rime avec *flaque.*

Au pluriel : *des hamacs.*

***hamac** n. m.
Rectangle de toile ou de filet suspendu par ses deux extrémités, dans lequel on s'allonge pour dormir ou pour se reposer. *Sophie Pelletier a accroché un hamac entre deux arbres dans le jardin. Les enfants se balancent dans le hamac.*

Le lendemain, après une bonne nuit dans le hamac, qui me parut un lit délicieux, on nous apporta des vêtements *(les Vacances).*

Au pluriel : *des hameaux.*

***hameau** n. m.
Petit groupe de maisons situé à l'écart d'un village. *La commune comprend plusieurs hameaux dispersés dans la campagne.*

Dans un hameau, il n'y a généralement pas de magasins.

Ne prononce pas le ***e*** : [amsɔ̃]. Attention à la cédille du ***ç*** !

hameçon n. m.
Petit crochet de métal placé au bout d'une ligne et sur lequel on fixe un appât pour prendre le poisson. *Le pêcheur a accroché un ver à son hameçon. Le poisson a mordu à l'hameçon.*

Va voir aussi ***appât.***

Le fer d'une hallebarde est aussi fixé à une hampe.

***hampe** n. f.
Long manche de bois auquel est fixé un drapeau ou le fer d'une lance. *Le drapeau flotte le long de la hampe.*

Hamster ['amstɛʀ] rime avec *panthère.*

Le hamster a un corps trapu, des pattes et une queue courtes.

Ils l'ont apprivoisé.

***hamster** n. m.
Petit mammifère rongeur au pelage roux et blanc. *Dans les champs, les hamsters détruisent les cultures en amassant des provisions de grains dans leurs terriers. L'hiver, les hamsters hibernent. À l'école de Motbourg, les enfants ont un hamster qui s'appelle Cajou.*

Le hamster stocke ses graines de chaque côté de sa mâchoire dans ses *abajoues.*

Alors, l'Enfant d'Éléphant s'assit sur ses petites hanches et tira, tira, tira encore, tant et si bien que son nez commença à s'allonger *(Histoires comme ça).*

***hanche** n. f.
Chacune des deux parties du corps situées sur le côté, juste au-dessous de la taille. *Mme Roussel a les hanches larges, mais Antoine a les hanches étroites. Le tailleur prend le tour de hanches de Denis Prost. La boulangère, les mains sur les hanches, discutait avec le boucher.*

Hand-ball ['ɑ̃dbal] rime avec *balle.*

***hand-ball** n. m.
Sport d'équipe qui ressemble au football mais où l'on joue uniquement avec les mains. *L'équipe de hand-ball de Motbourg va disputer un match contre l'équipe de Roubaix.*

N'oublie pas le trait d'union.

Handicap ['ɑ̃dikap] rime avec *soupape.*

***handicap** n. m.
Chose qui empêche de réussir. *C'est un sérieux handicap de ne savoir ni lire ni écrire,* c'est un désavantage.

Au pluriel : *des handicaps.*

Conjugaison 1

▸ ****handicaper*** v. Empêcher de réussir, désavantager. *Sa mauvaise orthographe l'a handicapé pour son examen.*

Le contraire de *handicaper,* c'est *avantager.*

Un *handicapé mental,* c'est une personne dont l'intelligence ne s'est pas développée normalement.

▸ ****handicapé*** n. m., ****handicapée*** n. f. Personne qui est infirme parce qu'elle a eu un accident ou parce qu'elle est née ainsi. *Le handicapé était dans un fauteuil roulant.*

Au pluriel : *des hangars.*

***hangar** n. m.
1. Grand bâtiment ouvert formé d'un toit supporté par des poteaux et qui sert à abriter des machines ou du matériel. *Le tracteur est sous le hangar.* **2.** Grand garage pour avions. *L'avion de chasse est garé dans son hangar.*

Attention aux deux ***n*** ! Ne prononce pas le ***e*** : ['antɔ̃].

***hanneton** n. m.
Gros insecte roux à antennes qui vole en faisant beaucoup de bruit. *Le hanneton est un insecte très nuisible car il dévore les arbres. On détruit les larves des hannetons en mettant de l'insecticide dans le sol.*

La larve du hanneton, le ver blanc, vit dans la terre et mange toutes les racines.

Conjugaison 1

***hanter** v.
1. Apparaître régulièrement dans un endroit. *On dit qu'un fantôme hante le château de Motbourg.* **2.** Être continuellement présent à l'esprit, tourmenter ; vois ***obséder.*** *La peur du loup hante Claire la nuit et lui fait faire des cauchemars.*

Dans la maison hantée, à minuit, les marches de l'escalier se mettent à craquer.

Compare : *hanter → hantise* et *convoiter → convoitise.*

▸ ***hantise*** n. f. Peur que l'on a tout le temps. *Mme Séverac a la hantise de la maladie,* elle a tout le temps peur d'être malade, c'est pour elle une obsession.

C'est une idée fixe !

** h : dans certains mots le h aspiré empêche la liaison et l'élision.*

Attention ! deux *p*.

Ce sont les animaux qui happent.

***happer** v.
Saisir brusquement dans la bouche, la gueule, le bec. *Le chien a happé le morceau de viande que lui tendait son maître. Les canards ont happé goulûment tout le pain que leur lançaient les enfants.*

Conjugaison 1

Les samouraïs considéraient comme un honneur cette façon de mourir.

***hara-kiri** n. m.
Se faire hara-kiri, au Japon, c'est se suicider en s'ouvrant le ventre avec son sabre. *Les samouraïs condamnés à mort se faisaient hara-kiri.*

Prononce ['arakiri].

***harangue** n. f.
Discours solennel prononcé par une personne devant une foule. *Le général romain adresse une harangue à ses troupes avant la bataille.*

César dit à ses soldats d'être courageux et de remporter la victoire sur les Gaulois.

Conjugaison 1

▷ ***haranguer** v. Prononcer un discours solennel devant une foule. *Le général harangue ses troupes avant la bataille.*

Ne prononce pas le *s* : ['ara].

***haras** n. m.
Endroit où l'on élève des chevaux. *Les palefreniers du haras soignent les chevaux dans les écuries. Des pur-sang galopent dans les prés du haras.*

Il y a beaucoup de haras en Normandie.

Un seul *r* et deux *s* dans *harassé.*

***harassé** adj.
Très fatigué. *Après avoir joué tout l'après-midi, les enfants étaient harassés,* épuisés, exténués, fourbus.

Conjugaison 5 ▭ Indic. présent : *je harcèle, nous harcelons.* Imparfait : *je harcelais.* Futur : *je harcèlerai.*

***harceler** v.
Faire subir à quelqu'un des attaques courtes et sans cesse répétées. *Pendant la guérilla, l'ennemi harcèle les troupes pour les épuiser. À sa descente de l'avion, les journalistes harcèlent la vedette de questions,* lui posent beaucoup de questions tous en même temps en l'obligeant à répondre très vite.

Il fait chaud, les pauvres vaches sont harcelées par les mouches.

Ne confonds pas *harde* et *hardes.*

***harde** n. f.
Troupe de bêtes sauvages vivant ensemble. *Une harde de cerfs a traversé la rivière.*

On emploie ce mot toujours au pluriel.

***hardes** n. f. plur.
Vêtements usés ; vois ***guenilles, haillons.*** *Le clochard ramassait des vieilles hardes dans les poubelles.*

Ne confonds pas *hardes* et *harde.*

***hardi** adj.
Une personne hardie, c'est une personne qui prend des risques, qui n'a pas peur du danger ; vois ***audacieux, aventureux, intrépide.*** *Des alpinistes hardis veulent escalader le glacier. Mme Séverac présente toujours des projets très hardis, au conseil municipal de Motbourg.*

Pour être reporter, il faut être hardi comme Tintin !

Le contraire de *hardi,* c'est *timide, timoré.*

— Il est hardi comme un bouc, dit sa sœur Ernestine.
— Il ne craint rien ni personne, dit Félix, son grand frère *(Poil de Carotte).*

Compare : *hardi → hardiesse* et *délicat → délicatesse.*

▷ ***hardiesse** n. f. Qualité de celui qui est hardi ; vois ***audace, intrépidité.*** *Les alpinistes ont fait preuve d'une grande hardiesse en partant escalader le glacier.*

Le contraire de *hardiment,* c'est *timidement.*

▷ ***hardiment** adv. Courageusement. *Les reporters affrontent hardiment le danger.*

Autre membre de la famille : **s'enhardir.**

Harem ['arɛm] rime avec *carême.*

***harem** n. m.
Endroit de la maison où habitent les femmes, chez les musulmans. *Autrefois, le sultan enfermait ses femmes dans le harem.*

Les musulmans peuvent avoir plusieurs femmes.

Attention au *g* final qui ne se prononce pas !

Les harengs saurs, ce sont des harengs fumés.

Les harengs se déplacent par bancs souvent immenses.

***hareng** n. m.
Poisson au dos bleu vert et au ventre argenté qui vit dans les mers froides. *On pêche le hareng sur des chalutiers. Le hareng se mange frais, salé ou fumé. Le restaurant propose comme hors-d'œuvre des filets de hareng marinés. Dans le métro, à six heures du soir, on est serrés comme des harengs,* on est trop nombreux dans un endroit trop petit, on est très serrés.

On trouve beaucoup de harengs dans la mer du Nord et dans la Manche.

C'est familier de dire cela.

***hargne** n. f.
Mauvaise humeur qui fait que l'on est désagréable avec les autres et que l'on dit des paroles méchantes. *Mme Harpie répond toujours avec hargne quand on lui pose une question.*

Le contraire de *hargne,* c'est *amabilité.*

Compare : *hargne → hargneux,* et *honte → honteux.*

▷ ***hargneux** adj. *Mme Harpie est une femme hargneuse,* toujours de mauvaise humeur, acariâtre. *Mme Harpie répond toujours sur un ton hargneux,* désagréable, revêche.

Le contraire de *hargneux,* c'est *aimable.*

** h : dans certains mots le h aspiré empêche la liaison et l'élision.*

Attention ! un *t* à la fin.
Va voir aussi ***flageolet.***

C'est quand les carottes sont cuites que c'est la fin des haricots (P. Dac).

*haricot n. m.

Plante dont on mange les gousses quand elles sont encore vertes (les *haricots verts*) ou dont on mange les graines contenues dans ces gousses quand elles sont mûres (les *haricots blancs*). *Julie aide sa mère à éplucher les haricots verts,* à enlever les fils. *Dans le cassoulet, il y a des haricots blancs.*

On ne dit pas l'haricot, on dit... *(le Petit Nicolas).*

Au Brésil, on mange des haricots rouges.

Au pluriel : *des harmonicas.*

Famille de **harmonie**

harmonica n. m.

Petit instrument de musique que l'on tient dans une main et que l'on fait glisser entre les lèvres en soufflant et en aspirant. *Le cow-boy solitaire jouait de l'harmonica, assis devant son feu à la tombée du jour.*

L'harmonica est composé de petites lames qui vibrent et produisent le son lorsque l'on souffle et que l'on aspire.

Attention ! un *e* à la fin.

harmonie n. f.

1. Accord qui existe entre plusieurs choses et qui les rend agréables à regarder. *Admirez l'harmonie des couleurs de ce tableau ! Ce grand immeuble, construit juste au bord de la mer, rompt l'harmonie du site.* **2.** Bonne entente qui existe entre plusieurs personnes. *La famille Prost vit en parfaite harmonie.*

Le contraire d'*harmonie,* c'est *désaccord, mésentente.*

Compare : *harmonie → harmonieux* et *mélodie → mélodieux.*

▷ ***harmonieux*** adj. **1.** Agréable à entendre. *Yasmina a une voix très harmonieuse ;* vois ***mélodieux.*** **2.** *Les couleurs de ce tableau sont harmonieuses,* elles vont bien ensemble et rendent le tableau agréable à regarder.

Conjugaison 1

▷ ***harmoniser*** v. Mettre plusieurs choses en accord, les coordonner. *Le peintre a su harmoniser les couleurs de son tableau. — La couleur du pull-over de Julie s'harmonise avec celle de ses yeux,* est assortie à la couleur de ses yeux.

Autres membres de la famille : **harmonica, harmonium.**

Au pluriel : *des harmoniums.*

Famille de **harmonie**

harmonium n. m.

Instrument de musique qui ressemble à un piano droit mais produit le même son qu'un orgue. *À l'église de Motbourg, chaque dimanche, une vieille dame vient jouer de l'harmonium pour la grand-messe.*

L'harmonium est un instrument à air, sans tuyaux, avec un système de soufflerie commandé par un clavier.

Conjugaison 1

*harnacher v.

1. Mettre à un cheval ou à une mule tout l'équipement qu'il lui faut pour porter un cavalier ou pour tirer une voiture. *Le cavalier harnache son cheval avant de le monter.* **2.** *M*^me^ *Harpie est bizarrement harnachée aujourd'hui,* bizarrement habillée, accoutrée.

Cet équipement s'appelle le *harnais.*

Les Dupondt sont arrivés en Syldavie étrangement harnachés.

Compare : *harnacher → harnachement, équiper → équipement* et *habiller → habillement.*

▷ ****harnachement*** n. m. **1.** *La journée est finie, il faut enlever le harnachement du mulet,* son harnais. **2.** *Denis Prost est parti faire de la plongée sous-marine avec tout son harnachement,* tout son équipement : la combinaison, le masque, les palmes, le fusil.

Prononce ['aʀnɛ].

*harnais n. m.

Ensemble de l'équipement que l'on met à un cheval pour le monter ou l'atteler : selle, collier, mors, rênes, etc. *Le cavalier a mis le harnais à son cheval avant de le monter.*

Va voir aussi ***harnacher*** et ***harnachement.***

*harpe n. f.

Grand instrument de musique fait d'un cadre en bois qui a la forme d'un triangle sur lequel sont tendues des cordes que l'on pince des deux mains. *Ce sont souvent des femmes qui jouent de la harpe dans les orchestres.*

La harpe est un instrument de musique très ancien, elle était utilisée déjà dans l'Antiquité.

Compare : *harpe → harpiste* et *guitare → guitariste.*

▷ ****harpiste*** n. m. et f. Personne qui joue de la harpe. *La harpiste jouait, assise derrière sa harpe.*

Harpo Marx est le harpiste des Marx Brothers.

Dans la mythologie grecque les Harpies étaient des monstres à tête de femme et corps d'oiseau.

*harpie n. f.

Femme méchante et hargneuse. *M*^me^ *Harpie est une vieille harpie qui est toujours de mauvaise humeur et qui crie sans cesse,* une vieille mégère, une vieille furie.

Elle porte bien son nom !

Pour la chasse à la baleine, on utilise de très gros harpons que l'on lance avec des fusils ou des canons.

*harpon n. m.

Instrument ressemblant à une très longue flèche munie d'une corde à l'une de ses extrémités, qui sert à accrocher et tirer les gros poissons et les baleines. *On pêche les baleines au harpon.*

On utilise des *fusils à harpon* pour la pêche sous-marine.

Attention ! deux *n.*

▷ ****harponner*** v. Accrocher avec un harpon. *Les pêcheurs harponnèrent la baleine et la hissèrent sur le pont du navire.*

Conjugaison 1

**h : dans certains mots le h aspiré empêche la liaison et l'élision.*

Attention ! *hasard* s'écrit avec un ***d*** à la fin, comme *lézard*.

****hasard*** n. m.
1. *Un hasard,* c'est quelque chose qui arrive et qui n'était pas prévu. *C'est un pur hasard si je me trouve ici aujourd'hui. Vous, ici, quel hasard !,* quelle coïncidence ! *C'est un heureux hasard de nous être rencontrés,* une aubaine, une chance. *Un malheureux hasard nous a séparés,* la malchance. **2.** *Le bandit entra dans le bar et tira quelques coups de pistolet, au hasard,* n'importe où. *Il nous a donné ce conseil un peu au hasard,* sans avoir réfléchi. *Prenez mon numéro de téléphone, à tout hasard,* au cas où cela pourrait vous être utile. *Je l'ai rencontré par hasard,* sans avoir rien fait pour cela. *J'ai retrouvé mon cartable par hasard,* sans l'avoir cherché. *Si par hasard vous voyez Angèle, dites-lui que je l'attends demain pour dîner,* au cas où vous verriez Angèle. **3.** *Un jeu de hasard,* c'est un jeu où l'on n'a pas besoin de réfléchir pour gagner, où il faut seulement avoir de la chance. *La loterie est un jeu de hasard.*

Il est absurde de chercher un puits, au hasard, dans l'immensité du désert *(le Petit Prince).*

Il advint qu'un fils de roi se trouva par hasard dans la forêt et alla à la maison des nains pour y passer la nuit *(Blancheneige).*

J'ai pleuré, à tout hasard, parce que maman avait l'air fâchée comme tout *(le Petit Nicolas).*

La roulette et les dés sont des jeux de hasard.

Conjugaison 1

▸ ****hasarder*** v. **1.** Faire quelque chose en risquant d'échouer ou de déplaire. *Hippolyte a hasardé une question.* **2.** *Il n'est pas prudent de se hasarder dans les rues à cette heure-là,* d'y aller car il y a du danger ; vois *s'***aventurer.** *Hippolyte s'est hasardé à poser une question,* il s'y est risqué.

Au féminin : *hasardeuse.*

▸ ****hasardeux*** adj. Qui comporte des risques. *Cela me semble bien hasardeux de sortir seul à cette heure-là,* cela me semble bien risqué, bien dangereux, bien imprudent.

Le contraire de *hasardeux,* c'est *sûr.*

Prononce ['aʃiʃ].

****haschisch*** n. m.
Plante dont on fume les feuilles séchées pour se droguer. *La police a arrêté un trafiquant de haschisch.*

On peut écrire aussi *hachisch.*

****hase*** n. f.
Femelle du lièvre ou du lapin de garenne. *Le lièvre, la hase et ses levrauts sortent de leur terrier.*

Attention à l'accent circonflexe du ***â***.

****hâte*** n. f.
Grande rapidité pour faire quelque chose. *Yasmina met peu de hâte à s'habiller, ce matin,* elle ne se dépêche pas. *C'est l'heure de la récréation, Marie-Tévy a hâte d'être dehors,* elle est très pressée, elle est impatiente d'être dehors. *Nathalie range ses affaires sans hâte,* calmement, en prenant son temps. *Le docteur Séverac part en hâte au chevet d'un malade,* rapidement, sans tarder. *Alex finit à la hâte sa dissertation pour aller faire de la moto,* de façon précipitée, sans s'appliquer.

Le contraire de *hâte,* c'est *lenteur.*

Alors, faute de patience, comme j'avais hâte de commencer le démontage de mon moteur, je griffonnai une caisse avec trois trous d'aération *(le Petit Prince).*

Conjugaison 1

▸ ****hâter*** v. **1.** Faire arriver quelque chose plus vite que prévu. *Les Bellec ont dû hâter leur retour de vacances,* ils ont dû l'avancer. **2.** Rendre quelque chose plus rapide. *Il faut hâter le pas si vous voulez arriver à l'heure,* il faut marcher plus vite, vous presser. **3.** *Se hâter,* se dépêcher. *Hâtez-vous, le film va commencer. Sylvain se hâte de finir son travail pour aller jouer.*

Le contraire de *hâter,* c'est *retarder.*

Je vois, répondit la sœur Anne, deux cavaliers qui viennent de ce côté-ci, mais ils sont bien loin encore... Dieu soit loué ! ce sont mes frères ; je leur fais signe tant que je puis de se hâter *(la Barbe-bleue).*

Compare : *hâte* → *hâtif, faute* → *fautif* et *plainte* → *plaintif.*

▸ ****hâtif*** adj. **1.** Qui a été fait trop vite. *L'institutrice a donné une réponse hâtive à la question de la directrice. Ce travail ne vaut rien, c'est un travail trop hâtif,* bâclé. **2.** *Les fruits ou les légumes hâtifs,* ce sont ceux qui ont mûri plus vite que les autres légumes ou les autres fruits de la même espèce. *Les fraises d'avril sont des fraises hâtives,* précoces.

****hauban*** n. m.
1. *Les haubans,* ce sont les câbles d'acier qui servent à maintenir le mât d'un bateau à voile. *Les haubans font partie du gréement.* **2.** Câble de métal qui soutient certains ponts. *Le hauban est attaché, à l'une de ses extrémités, à un pylône et, à l'autre extrémité, au tablier du pont.*

Va voir aussi ***gréement.***

Sur les anciens navires en bois, les haubans étaient des gros cordages de chanvre.

Les haubans sont de chaque côté du mât.

Conjugaison 1
Famille de **haut**

****hausser*** v.
1. *Hausser les épaules,* c'est les soulever pour montrer son mépris ou son indifférence. *Colle et Rat attendirent que la directrice ait fini de les gronder puis ils partirent en haussant les épaules.* **2.** *Se hausser,* c'est s'élever, se dresser. *Claire se hausse sur la pointe des pieds pour atteindre l'étagère où se trouve le chocolat.* **3.** *Hausser la voix,* c'est parler plus fort. *Quand la maîtresse veut se faire obéir, elle hausse la voix.* **4.** Augmenter. *Les commerçants ont haussé leurs prix.*

Ils firent un *haussement* d'épaule.

On dit aussi : *elle hausse le ton.*

Mme Lepic haussa les épaules, Félix sourit avec mépris *(Poil de Carotte).*

Le contraire de *se hausser,* c'est *se baisser.*

Le contraire de *hausser,* c'est *baisser.*

Le contraire de *hausse,* c'est *baisse.*

▸ ****hausse*** n. f. Augmentation. *Il y a eu une légère hausse de la température aujourd'hui,* la température a monté un peu. *Le baromètre*

**h : dans certains mots le h aspiré empêche la liaison et l'élision.*

est en hausse, il monte. *Depuis la dernière hausse des prix, les livres sont devenus très chers,* depuis que les prix ont augmenté.

*haut adj., n. m. et adv.

Au féminin : *haute.*

Le contraire de *haut,* c'est *bas.*

▭ **adj. 1.** Grand, dans le sens vertical. *Les gratte-ciel sont des immeubles très hauts. Julie court dans les hautes herbes. Angèle porte des talons hauts. Le mur du jardin est haut de deux mètres.* **2.** Dans une position élevée. *Il est midi, le soleil est haut dans le ciel. La mer est haute,* son niveau est élevé. *C'est la marée haute.* **3.** Situé au-dessus. *La confiture est dans le placard, sur l'étagère la plus haute.* **4.** Fort, grand. *Marie-Tévy parle à voix haute pendant son sommeil.* **5.** Supérieur. *Denis Prost a une montre de haute précision.*

Le contraire de *haut,* c'est *petit.*

Julie parle *à voix basse* à sa voisine.

Ma sœur Anne, monte, je te prie, sur le haut de la Tour, pour voir si mes frères ne viennent pas *(la Barbe-bleue).*

▭ **n. m. 1.** Hauteur. *La tour Eiffel a trois cent vingt mètres de haut.* **2.** La partie haute d'une chose. *Yves est assis sur le haut du mur. Marie-Tévy commence à fermer son manteau par le haut. Le cycliste s'arrêta en haut de la côte. Nathalie était au balcon et regardait son frère d'en haut.*

Le contraire de *haut,* c'est *bas.*

Haut les mains ! dit le bandit.

▭ **adv. 1.** En un point très élevé sur la verticale. *L'avion vole très haut dans le ciel. Le bandit a visé trop haut.* **2.** À voix haute. *Marie-Tévy parle tout haut pendant son sommeil. Yasmina peut monter très haut quand elle chante,* atteindre des notes très aiguës.

La bûcheronne était tout en pleurs : « Hélas ! où sont mes enfants, mes pauvres enfants ? » Elle le dit une fois si haut que les enfants qui étaient à la porte, l'ayant entendu, se mirent à crier tous ensemble : « Nous voilà, nous voilà » *(le Petit Poucet).*

Compare : *haut → hautement* et *normal → normalement.*

▸ ***hautement** adv. **1.** Tout haut et sans avoir peur de se faire entendre. *Angèle a dit hautement ce qu'elle pensait de la directrice,* elle l'a dit franchement. **2.** Très. *M. Doucet est entouré de collaborateurs hautement qualifiés.*

▸ ***hauteur** n. f. **1.** Dimension dans le sens vertical. *Quelle est la hauteur de ce mur ? Ce mur a deux mètres de hauteur.* **2.** Niveau. *Le lit et la table de nuit sont à la même hauteur.* **3.** Lieu élevé. *Le château de Motbourg a été construit sur une hauteur,* une colline. **4.** Dédain, mépris. *Mme Harpie parle à sa sœur avec hauteur,* en la regardant de haut.

Babar cherche une hauteur pour observer le pays autour de lui.

Autres membres de la famille : **hausser, hausse, hautain, hautbois, haut-de-forme, haut-fond, haut-le-cœur, haut-parleur, rehausser.**

*hautain adj.

Famille de **haut**

Qui a des manières dédaigneuses, qui est arrogant. *Mme Harpie est hautaine et distante avec sa sœur,* elle est méprisante. *La directrice prend parfois un air hautain quand elle s'adresse à ses inférieurs,* un air condescendant.

[La belle-mère de Blancheneige] était une belle femme, mais fière et hautaine *(Blancheneige).*

*hautbois n. m.

Famille de **haut** et de **bois**

Instrument de musique en bois et en métal, formé d'un long tuyau droit percé de trous et s'élargissant légèrement à son extrémité, dans lequel on souffle. *Le hautbois est un instrument très ancien qui existe dans le monde entier. Le hautbois ressemble à la clarinette.*

Va voir aussi ***clarinette.***

*haut-de-forme n. m.

Au pluriel : *des hauts-de-forme.*

Famille de **haut** et de **forme**

Chapeau dur, haut et cylindrique, à petits bords, que les hommes portent quelquefois pour les cérémonies. *Des lapins sortent du haut-de-forme du prestidigitateur.*

Au XIXe siècle, les hommes chics portaient tous les jours un haut-de-forme et une redingote.

*haut-fond n. m.

Au pluriel : *des hauts-fonds.*

Famille de **haut** et de **fond**

Sommet sous-marin recouvert de très peu d'eau. *Les bateaux doivent faire attention de ne pas s'échouer sur les hauts-fonds.*

Va voir aussi ***bas-fond.***

*haut-le-cœur n. m. invariable

Prononce [olkœʀ].

Famille de **haut** et de **cœur**

Envie soudaine de vomir provoquée par quelque chose de dégoûtant ; vois ***nausée.*** *Marie-Tévy a eu un haut-le-cœur en voyant un hérisson écrasé et couvert de mouches.*

Au pluriel : *des haut-le-cœur.*

*haut-parleur n. m.

Au pluriel : *des haut-parleurs.*

Appareil qui transforme les courants électriques en sons. *Des haut-parleurs, accrochés aux murs des maisons, diffusaient de la musique dans les rues. Une chaîne stéréo a deux haut-parleurs ;* vois ***baffle,*** ① ***enceinte.***

Famille de **haut** et de **parler**

*hé ! interjection

« Hé ! ma valise ! »... dit Tintin à un homme qui s'en était saisi.

Mot qui sert à appeler quelqu'un ou à attirer l'attention. *Hé ! vous, là-bas ;* vois ***hep !*** *Hé là ! pas si vite,* doucement ! attention !

***heaume** n. m.

Certains heaumes étaient complètement fermés avec juste des fentes pour les yeux.

Grand casque en métal, enveloppant toute la tête et le visage, que portaient les combattants au Moyen Âge. *Le chevalier porte un heaume pour ne pas être blessé au cours du tournoi.*

D'autres heaumes avaient une visière que l'on pouvait relever.

hebdomadaire adj.

Est-ce que tu sais comment s'appelle un journal qui paraît tous les jours ?, tous les mois ?

Qui a lieu chaque semaine. *Le lundi est le jour de fermeture hebdomadaire du restaurant Bellec.* — n. m. *Un hebdomadaire,* c'est un journal qui paraît chaque semaine. *Mme Bellec est abonnée à un hebdomadaire.*

héberger v.

Conjugaison 3 ▭ Indic. présent : *nous hébergeons.*

Faire habiter quelqu'un chez soi pendant quelque temps. *Les Bellec ont hébergé un campeur pendant une nuit dans leur caravane.*

Sa tente s'était envolée !

hébété adj.

Attention aux trois accents aigus sur les *é.*

Avoir l'air hébété, c'est avoir l'air de quelqu'un qui est devenu tout à coup stupide. *M. Doucet regardait son pare-brise cassé d'un air hébété ;* vois ***abasourdi, ahuri, abruti.***

Mr. Wonka se retourna et regarda Charlie d'un air hébété *(Charlie et la Chocolaterie).*

hécatombe n. f.

Attention à l'accent aigu du *é.*

Massacre d'un très grand nombre de personnes. *Les guerres provoquent d'affreuses hécatombes,* elles font beaucoup de morts ; vois ***carnage, tuerie.***

hectare n. m.

Famille de **are**
On écrit **ha** en abrégé.

Unité que l'on utilise pour mesurer la surface d'une forêt, d'un domaine. *Les Séverac ont une ferme de cinquante hectares.*

Un hectare vaut 100 ares ou 10 000 mètres carrés.

hecto...

Préfixe qui signifie « cent » et qui se place devant un nom de mesure. *Un hectogramme de sucre,* c'est cent grammes de sucre. *Un hectolitre de vin,* c'est cent litres de vin. *Un hectomètre de fils barbelés,* c'est cent mètres de fils barbelés.

***hein !** interjection

C'est familier de dire *hein ?*; il est préférable de dire *comment ?, pardon ?* ou *quoi ?*

1. Mot qui signifie que l'on n'a pas compris ce que l'autre vient de dire et que l'on voudrait qu'il répète. *Hein ? qu'est-ce que tu dis ?* **2.** Mot qui sert à demander à l'autre d'approuver ce que l'on vient de dire, ou qui sert à marquer l'étonnement, la surprise. *Tu n'es pas fâché, hein ?,* n'est-ce pas ? *Hein ! Marie-Tévy a une bonne note en français !,* pas possible !

Il vaut mieux dire *comment !*

« Un peu coriace, hein ? » dit Milou à Tintin en parlant du poulet qu'ils sont en train de manger.

***hélas !** interjection

On prononce le *s* : ['elɑs].

Mot qui sert à montrer que l'on regrette quelque chose et que l'on est triste. *Hélas ! les vacances sont finies,* malheureusement. *Alex a-t-il encore raté son bac ? Hélas ! oui. « Hélas je n'ai plus vingt ans », dit souvent Mamie Lou quand elle est fatiguée.*

Sont-ce mes frères ? Hélas, non, ma sœur, c'est un Troupeau de Moutons *(la Barbe-bleue).*

***héler** v.

Conjugaison 6 ▭ Indic. présent : *je hèle, nous hélons.*

Appeler de loin, pour faire venir. *M. Doucet hèle un taxi.*

hélice n. f.

L'hélice a remplacé la roue, sur les bateaux, en 1838.

Appareil formé de deux ou trois ailes fixées sur un axe, qui tourne et sert à faire avancer un bateau, un avion. *Quand l'avion démarre, les hélices des réacteurs se mettent à tourner.*

Les ailes d'une hélice s'appellent des *pales.*

hélicoptère n. m.

Les hélicoptères décollent et atterrissent à la verticale, ils peuvent donc se poser n'importe où.

Appareil d'aviation qui se déplace grâce à une grande hélice horizontale qui se trouve au-dessus de son toit. *L'hélicoptère s'est posé sur le pont du bateau.*

Attention aux accents !

héliport n. m.

Famille de ① **port**

Aéroport pour hélicoptères. *L'hélicoptère qui transporte le président de la République vient d'atterrir à l'héliport de Paris.*

hématome n. m.

Attention à l'accent aigu du *é.*

Marque bleue ou noire sur le corps, due à un coup qui a fait couler du sang sous la peau ; vois ***bleu, ecchymose.*** *Julie s'est cognée à un meuble en courant, elle a maintenant une bosse et un hématome sur la jambe.*

Au bout de quelques jours un hématome devient jaune, puis disparaît.

**h : dans certains mots le h aspiré empêche la liaison et l'élision.*

Attention ! on dit *un hémisphère.*

Famille de **sphère**

hémisphère n. m.
Moitié du globe terrestre limitée par l'équateur. *La France et le Canada sont situés dans l'hémisphère Nord ou boréal ; l'Australie et le Chili sont dans l'hémisphère Sud ou austral.*

La Terre est divisée en deux par l'équateur : au nord l'hémisphère Nord, au sud l'hémisphère Sud.

Quand quelqu'un a perdu trop de sang, on lui fait une *transfusion.*

hémorragie n. f.
Écoulement du sang hors des vaisseaux ; vois ***saignement.*** *Le médecin a arrêté l'hémorragie du blessé en lui mettant un garrot.*

Attention aux deux ***r*** !

Attention ! *hennir* et *hennissement* s'écrivent avec deux ***n.***

***hennir** v.
Le cheval hennit, il pousse son cri. *La jument redresse la tête en hennissant.*
▷ ***hennissement** n. m. Cri du cheval. *La jument pousse des hennissements.*

Conjugaison 2

***hep !** interjection
Mot qui sert à appeler. *Hep ! garçon, l'addition s'il vous plaît.*

On peut dire aussi *hé !*

hépatique adj.
Du foie. *M. Bonnot a une insuffisance hépatique,* son foie ne marche pas bien.

Compare ***hépatite*** et ***hépatique*** : il s'agit du **foie.**

hépatite n. f.
Maladie du foie. *Mme Séverac a eu une hépatite virale,* une inflammation du foie due à un virus. *La jaunisse est une hépatite.*

Va voir aussi ***cirrhose.***

Compare : *herbe → herbage* et *feuille → feuillage.*

herbage n. m.
Prairie dont l'herbe pousse naturellement. *Les vaches paissent dans les herbages.*

Famille de **herbe**

herbe n. f.
1. *L'herbe,* c'est un ensemble de plantes à tige molle et verte qui forment une végétation pas très haute. *Les vaches broutent l'herbe du pré. Les enfants ont pique-niqué sur l'herbe. Denis Prost tond l'herbe devant la maison,* le gazon, la pelouse. **2.** *Les fines herbes,* ce sont des plantes aromatiques dont on se sert, en cuisine, pour assaisonner certains plats. *Le persil, le cerfeuil, la ciboulette et l'estragon sont des fines herbes.* **3.** *La mauvaise herbe,* c'est une plante qui pousse toute seule et qui empêche les autres de pousser. *Sophie Pelletier arrache les mauvaises herbes qui poussent entre les rosiers,* elle désherbe les plates-bandes. **4.** *Le blé est encore en herbe,* court et mou parce qu'il n'a pas encore poussé complètement. *Marie-Tévy est une danseuse étoile en herbe,* une future danseuse étoile.

Vous, les vaches, pensez qu'on vous emmène brouter une herbe qui ne coûte rien. N'en perdez pas une bouchée *(les Contes du Chat perché).*

Sur la planète du petit prince, il y avait, comme sur toutes les planètes, de bonnes herbes et de mauvaises herbes *(le Petit Prince).*

Et sa sœur Anne lui répondait : « Je ne vois rien que le Soleil qui poudroie, et l'herbe qui verdoie » *(la Barbe-bleue).*

Va voir aussi ***chiendent.***

Autres membres de la famille : **herbage, herbier, désherber.**

Compare ***herbicide*** et ***herbivore*** : dans ces mots, il est question d'**herbe.**

herbicide adj.
Qui détruit les mauvaises herbes. *Sophie Pelletier a acheté un produit herbicide pour le jardin.* — n. m. *Julie met de l'herbicide dans l'allée,* un produit qui détruit les mauvaises herbes.

Compare ***herbicide*** et ***insecticide*** : dans ces mots, on **tue.**

Famille de **herbe**

herbier n. m.
Collection de plantes que l'on a fait sécher et que l'on garde aplaties entre des feuilles de papier. *Sylvain est en train de se constituer un herbier.*

Pour cela, il *herborise* dans la campagne.

Compare *herbivore, carnivore, insectivore, dévorer* et *vorace* : on **mange.**

herbivore adj.
Qui se nourrit uniquement d'herbe, de feuilles. *Les vaches et les moutons sont herbivores.* — n. m. *Le rhinocéros est un herbivore,* un animal qui ne mange que des matières végétales.

Les herbivores ont un intestin très long, un très grand estomac et ils n'ont pas de canines.

Conjugaison 1

herboriser v.
Cueillir des plantes là où elles poussent pour les étudier, pour confectionner un herbier ou pour faire des remèdes. *Sylvain herborise dans la campagne.*

hercule n. m.
Homme extrêmement fort. *Réjean est bâti en hercule,* il est très grand et très musclé. *À la foire, les enfants ont vu un hercule qui faisait des tours de force.*
▷ **herculéen** adj. Très grand. *Réjean a une force herculéenne ;* vois ***colossal.***

Avance hercule (et recule) !

Il enroulait de grosses chaînes autour de lui puis il les faisait craquer.

**h : dans certains mots le h aspiré empêche la liaison et l'élision.*

Attention ! trois accents aigus dans *hérédité.*

Yves a hérité des yeux bleus de sa mère qui elle-même avait hérité des yeux de son père, M. Bonnot.

hérédité n. f.
L'hérédité, c'est l'ensemble des caractères que les parents transmettent à leurs enfants. *Si Yves a les yeux bleus, cela est dû à l'hérédité.*
▹ **héréditaire** adj. Qui se transmet des parents aux enfants. *Dans la famille Bonnot, les yeux bleus sont héréditaires. Les hyènes sont les ennemies héréditaires des zèbres,* ce sont leurs ennemies depuis toujours.

Sa mère a les yeux bleus, il lui ressemble.

Attention ! deux accents aigus dans *hérésie.*

Va voir aussi ***hérétique.***

hérésie n. f.
Croyance différente des croyances établies comme étant les seules vraies, dans une religion. *L'Église catholique a condamné l'hérésie janséniste au XVIIe siècle.*

On peut dire aussi en riant : « C'est une hérésie de boire de la bière en mangeant du foie gras ! »

hérétique n. m. et f.
Personne qui défend une opinion qui s'écarte de la doctrine établie, dans une religion. *Autrefois, pendant les guerres de Religion, on brûlait les hérétiques sur des bûchers.*

Va voir aussi ***hérésie.***

Conjugaison 1

Un hérisson, cela se roule en boule et ses piquants se hérissent de tous côtés à la fois. C'est à cela qu'on reconnaît le Hérisson *(Histoires comme ça).*

***hérisser** v.
Dresser ses poils, ses plumes. *Quand un chat a peur, il hérisse ses poils et fait le gros dos. — À la vue du chien, les poils du chat se sont hérissés.*
▹ ***hérissé** adj. **1.** Dressé. *Antoine est sorti de son lit, les cheveux hérissés sur la tête.* **2.** Garni de choses dressées. *Les cactus sont hérissés de piquants. Le parcours des chevaux est hérissé d'obstacles,* est plein d'obstacles.

Le chien montrait des dents et son poil se hérissait sur son dos *(les Contes du Chat perché).*

Autre membre de la famille : **hérisson.**

Famille de **hérisser**

Le hérisson est un mammifère.

Le hérisson hiberne dès qu'il fait moins de 14 °C.

***hérisson** n. m.
Petit animal au corps couvert de piquants. *Le hérisson dresse ses piquants et se roule en boule en cas de danger. Les hérissons mangent surtout des insectes mais aussi des vers de terre et des œufs d'oiseaux.*

Le hérisson vit la nuit ; le jour il se cache dans un terrier ou sous des feuilles.

Conjugaison 1

On peut dire : *hériter d'une maison* ou *hériter une maison.*

hériter v.
1. Recevoir une maison, un meuble, de l'argent, d'une personne qui vient de mourir. *Sophie Pelletier a hérité d'un peu d'argent, à la mort de sa mère.* **2.** Recevoir quelque chose que l'on vous donne. *Réjean a hérité de la vieille voiture que son père voulait mettre à la casse.* **3.** Avoir par hérédité. *Yves a hérité des yeux bleus de sa mère.*
▹ **héritage** n. m. Bien qui est transmis par une personne qui vient de mourir. *Sophie Pelletier a fait un héritage,* elle a hérité.
▹ **héritier** n. m., **héritière** n. f. Personne qui doit recevoir ou qui reçoit des biens en héritage. *Mme Harpie a fait d'Antoine son héritier,* elle a fait un testament disant que c'est lui qui hériterait de ses biens quand elle mourrait. *Sophie Pelletier n'est pas l'héritière d'une grande fortune.*

Elle a hérité de sa mère.

Va voir aussi ***hérédité.***

Il se trouva que la Barbe-bleue n'avait point d'héritiers, et qu'ainsi sa femme demeura maîtresse de tous ses biens *(la Barbe-bleue).*

Autre membre de la famille : **déshérité.**

Attention à l'accent aigu du deuxième ***é*** !

Le contraire d'*hermétique,* c'est *clair.*

hermétique adj.
1. Qui ferme complètement en ne laissant passer ni air ni liquide. *La fermeture du bocal de confiture est hermétique,* elle est étanche. **2.** Difficile à comprendre. *Denis Prost aime la poésie hermétique. L'espion garda, pendant tout l'interrogatoire, un visage hermétique,* fermé, impénétrable.

Le contraire d'*hermétique,* c'est *ouvert.*

L'hermine est un animal carnivore féroce et très audacieux.

La fourrure de l'hermine est très recherchée.

hermine n. f.
Petit animal qui ressemble à une belette. *Le pelage de l'hermine, brun rouge en été, devient blanc en hiver, sauf le bout de la queue qui reste noir. L'hermine se nourrit de lapins, de taupes, de mulots et aussi d'oiseaux, d'écrevisses et de poissons. Le soir, pour sortir, Mme Séverac met une veste d'hermine,* en fourrure blanche d'hermine.

L'hermine est un mammifère.

Il ne faut pas tuer les hermines car elles mangent les rats !

Attention ! un ***e*** à la fin.

***hernie** n. f.
Grosseur formée par un organe qui est sorti de la cavité où il se trouve à l'état normal. *Quand on porte quelque chose de trop lourd, on peut se faire une hernie,* la paroi du ventre s'étire trop et une partie de l'intestin se loge dedans en formant une petite boule.

Ce n'est pas très grave d'avoir une hernie.

Le héron est un échassier.

L'hiver, les hérons accomplissent de grandes migrations vers les pays chauds.

***héron** n. m.
Grand oiseau à long cou grêle, à très long bec et à longues pattes. *Les hérons habitent au bord des marécages, dans les plaines, et se nourrissent de poissons et de grenouilles. Les hérons vivent en colonies très denses.*

Le héron au long bec
emmanché d'un long cou
(La Fontaine).

****h : dans certains mots le h aspiré empêche la liaison et l'élision.***

Attention au *s* final que l'on ne prononce pas.

Dans ce sens, on emploie *héros* aussi au féminin.

***héros** n. m., **héroïne** n. f.
1. Personne très courageuse qui a accompli des exploits pendant une guerre. *Il a enlevé tout seul la bombe qui devait faire sauter le train, c'est un héros. Cette femme est morte en héros.* **2.** Personnage principal d'une histoire. *L'héroïne du film était une petite fille. Les héros sont toujours vainqueurs et ils ne meurent jamais.*

Attention au tréma du *ï* dans *héroïne.*

Tintin est un héros de bande dessinée.

Attention au tréma du *ï* !

▸ **héroïque** adj. Très courageux. *M. Bonnot a été décoré pour sa conduite héroïque pendant la guerre,* parce qu'il s'est conduit comme un héros.

Le contraire d'*héroïsme,* c'est *lâcheté.*

▸ **héroïsme** n. m. Très grand courage. *M. Bonnot a fait preuve d'héroïsme pendant la guerre.*

Il a fait sauter un pont.

***herse** n. f.
1. Instrument agricole muni de dents ou de disques de métal que l'on accroche derrière un tracteur. *On passe la herse pour égaliser le sol en brisant les mottes de terre ou pour enfouir les semences.* **2.** Lourde grille, munie de grosses pointes orientées vers le bas, suspendue à l'entrée d'un château fort. *Quand les ennemis approchaient, les habitants du château fort relevaient le pont-levis et abaissaient la herse.*

La herse est traînée sur le sol dans lequel elle n'entre pas très profondément.

La herse descend en coulissant dans des glissières et coupe le passage à l'ennemi.

Conjugaison 1

Le cochon s'avança sans hésiter et dit d'une voix joviale :
— Bonjour la compagnie !
(les Contes du Chat perché).

hésiter v.
1. Ne pas arriver à se décider. *Mme Séverac prit sa décision après avoir longtemps hésité. J'hésite entre deux solutions. Hippolyte a hésité à déranger les voisins en pleine nuit,* il n'a pas osé les déranger, il a eu scrupule à les déranger. **2.** S'arrêter parce que l'on n'est pas décidé ou parce que l'on ne sait pas. *Marie-Tévy hésite en récitant sa leçon,* elle cherche ses mots. *Le cheval hésite devant l'obstacle.*

Le contraire d'*hésiter,* c'est *choisir, se décider.*

Le contraire d'*hésitant,* c'est *décidé.*

▸ **hésitant** adj. **1.** Qui a du mal à se décider. *Mme Séverac est très hésitante,* indécise. **2.** Qui manque d'assurance, de fermeté. *Marie-Tévy récite sa leçon d'une voix hésitante.*

Le contraire d'*hésitant,* c'est *assuré, ferme.*

Compare :
hésiter → hésitation,
agiter → agitation
et *réclamer → réclamation.*

▸ **hésitation** n. f. Le fait d'hésiter. *Mme Séverac s'est décidée, après bien des hésitations,* après avoir beaucoup hésité. *Hippolyte eut une minute d'hésitation avant de téléphoner à Angèle. Yves a obéi à son père sans hésitation.*

Compare
***hétéro**clite* et ***hétéro**gène* :
il s'agit de choses **différentes.**

hétéroclite adj.
Fait d'un mélange de choses qui ne vont pas ensemble. *L'ameublement du salon de Mme Harpie est très hétéroclite.*

Un assemblage hétéroclite, c'est souvent insolite !

Attention aux accents !

hétérogène adj.
Qui est composé de choses ou de personnes très différentes les unes des autres. *La population de ce quartier est très hétérogène,* elle est composée de gens venant de pays très différents.

Le contraire d'*hétérogène,* c'est *homogène.*

Attention à l'accent circonflexe du *ê* !

***hêtre** n. m.
Très grand arbre, à petites feuilles ovales et à écorce lisse, fine et grisâtre. *Il y a des forêts de hêtres dans presque toute la France sauf en haute montagne. Hippolyte a une table en hêtre,* en bois de hêtre.

En France, il y a presque autant de hêtres que de chênes.

Le bois de hêtre est très clair.

On peut écrire aussi : *euh !*

***heu !** interjection
Mot qui indique que l'on hésite. *Je ne me rappelle plus son nom, heu !... heu !... attendez...*

Les *heu* vont souvent par deux.

Il y avait quatre heures qu'ils se parlaient, et ils ne s'étaient pas encore dit la moitié des choses qu'ils avaient à se dire
(la Belle au bois dormant).

Quelle heure est-il ?
Il est midi.
Qui est-ce qui l'a dit ?
La petite souris.
Où est-elle ?
Dans la chapelle.
Que fait-elle ?
De la dentelle (comptine).

heure n. f.
1. Espace de temps égal à la vingt-quatrième partie de la journée. *Un jour est divisé en vingt-quatre heures et une heure en soixante minutes. Antoine est arrivé en retard, nous l'avons attendu deux heures. M. Bellec roule à cent à l'heure dans les rues de Motbourg.* **2.** Chiffre indiquant sur une horloge une des vingt-quatre divisions de la journée. *Quelle heure est-il ? Il est quatre heures. Le train est à sept heures et demie. Ta montre n'est pas à l'heure,* elle n'indique pas l'heure juste. *Antoine n'est jamais à l'heure,* il n'est jamais ponctuel. **3.** Moment de la journée. *C'est l'heure de se coucher. Mme Harpie a eu très peur, elle a cru sa dernière heure arrivée,* elle a cru qu'elle allait mourir. *À la bonne heure, Marie-Tévy, tu fais des progrès,* c'est très bien, c'est parfait. **4.** *À l'heure qu'il est, Angèle doit être loin de Motbourg,* actuellement, en ce moment. *La brasserie est ouverte*

Il regrettait cette planète bénie à cause, surtout, des mille quatre cent quarante couchers de soleil par vingt-quatre heures !
(le Petit Prince).

On écrit **h** en abrégé : il est 4 h.

Va voir aussi ***horaire.***

Et quand l'heure du départ fut proche : — Ah ! dit le renard... Je pleurerai *(le Petit Prince).*

** h : dans certains mots le h aspiré empêche la liaison et l'élision.*

Tous les jours, de bonne heure, Hatchibombotar arrose les rues avec son auto-arroseuse *(Babar).*

à toute heure, continuellement, à tout moment de la journée. *Je le verrai tout à l'heure,* dans un moment proche. *Je l'ai vu tout à l'heure,* il y a très peu de temps. *Sophie Pelletier se lève toujours de bonne heure,* tôt le matin. *La situation s'aggrave d'heure en heure,* à mesure que le temps passe.

Autres membres de la famille : **demi-heure, quart d'heure.**

heureux adj.

On dit : *être heureux comme un roi,* ou *heureux comme un poisson dans l'eau.*

1. Content, satisfait. *Antoine est heureux quand Marie-Tévy lui dit qu'il est le plus grand et le plus fort de tous. M. Doucet est heureux de retrouver son fils tous les week-ends.* — n. *Voilà un gâteau qui va faire des heureux,* qui va faire le bonheur de quelques personnes. **2.** Qui a de la chance. *Hippolyte est heureux au jeu. M. Bellec peut s'estimer heureux de ne pas avoir eu d'accident grave.* **3.** Rempli de bonheur. *Julie mène une vie heureuse.*

Va voir aussi ***bonheur.***
Le contraire d'*heureux,* c'est *malheureux, triste.*

Heureux au jeu, malheureux en amour (proverbe).

Il conduit trop vite !
Bonne et heureuse année !

▹ ***heureusement*** adv. Par une chance extraordinaire, par bonheur. *Colle et Rat ont fait exploser un pétard dans le couloir de l'école ; heureusement la directrice n'était pas là !*

Le contraire d'*heureusement,* c'est *malheureusement.*

Autre membre de la famille : **bienheureux.**

***heurter** v.

Conjugaison 1

Tintin a marché sur le râteau ; le manche lui a heurté le visage et l'a assommé, mais pas pour longtemps...

1. Toucher brutalement. *Odile Séverac a heurté son panier contre la porte et tous les œufs se sont cassés ;* vois ***cogner.*** *La moto a heurté le trottoir ;* vois ***percuter.*** *Claire s'est heurté la tête contre le mur,* elle s'est cogné la tête. — *Les deux voitures se sont heurtées de plein fouet.* **2.** *Heurter à quelque chose,* c'est frapper parce que l'on veut entrer ou attirer l'attention. *En passant devant chez Julie, Marie-Tévy heurta à la vitre pour lui dire de venir jouer.* **3.** Choquer. *Sa grossièreté me heurte,* elle me déplaît. **4.** *Se heurter à une difficulté,* c'est se trouver devant une difficulté que l'on n'attendait pas. *Le docteur Séverac s'est heurté à de grosses difficultés pendant son dernier voyage en Afrique.*

Dans ce moment on heurta si fort à la porte, que la Barbe-bleue s'arrêta tout court *(la Barbe-bleue).*

Le Petit Chaperon rouge vint heurter à la porte. Toc, toc. « Qui est là ? » *(le Petit Chaperon rouge).*

▹ ***heurt** n. m. **1.** Choc. *Attention aux heurts, ces verres sont fragiles.* **2.** Dispute. *La rencontre s'est passée sans heurt.*

Attention ! *heurt* s'écrit avec un ***t*** à la fin et se prononce ['œR].

Ne confonds pas *heurt* et *heure.*

hévéa n. m.

Attention aux accents aigus des ***é*** !
Au pluriel : *des hévéas.*

Grand arbre des pays chauds qui renferme un liquide avec lequel on fabrique le caoutchouc. *Lorsque l'hévéa a environ six ans, on fait sur son tronc des fentes par lesquelles coule le latex.*

Le liquide que contient l'hévéa s'appelle le *latex.*

hexagone n. m.

Compare *hexagone* et *polygone* : il est question d'**angles.**

Figure géométrique à six côtés. *On appelle parfois la France l'« Hexagone » à cause de sa forme.*

hiberner v.

Conjugaison 1

Les marmottes, les écureuils, les chauves-souris, les serpents, les hamsters, les ours hibernent.

Passer l'hiver dans un état d'engourdissement. *Les animaux s'enfouissent dans leur terrier pour hiberner. Le hérisson commence à hiberner quand la température descend au-dessous de quatorze degrés.*

Les animaux hibernent pour échapper au froid. Certains, comme la marmotte, engraissent avant d'hiberner puis dorment profondément ; d'autres, comme l'écureuil, font des provisions et se réveillent de temps en temps pour manger.

▹ ***hibernation*** n. f. État d'engourdissement ou de sommeil dans lequel sont certains animaux pendant l'hiver. *Pendant l'hibernation, la température du corps des animaux baisse énormément et le rythme de leur cœur et de leur respiration se ralentit. L'hibernation de certaines bêtes peut durer six mois.*

Quand elle sort d'hibernation, la marmotte a perdu un tiers de son poids.

***hibou** n. m.

Au pluriel : *des hiboux.*

Oiseau rapace, vivant la nuit, qui a une face ronde et aplatie et porte des aigrettes sur la tête. *Les hiboux ont de grands yeux ronds et le regard fixe. Les hiboux hululent. Les hiboux mangent des rongeurs qu'ils avalent sans les dépecer.*

Les aigrettes du hibou le différencient de la chouette qui n'en a pas.

Dans ma marmite
Bout bout bout
Un vieux hibou
Couvert de mites
Zé de poux (P. Vincensini).

***hic** n. m.

Ce mot est familier.

Difficulté, problème. *J'aimerais bien aller jouer mais je n'ai pas fini mes devoirs pour demain ; voilà le hic.*

***hideux** adj.

Très laid, horrible à voir. *Colle et Rat disent qu'ils ont vu un monstre hideux dans la rivière ;* vois ***affreux, horrible, répugnant.*** *Mme Harpie est hideuse.*

▹ ****hideusement*** adv. D'une manière horrible à voir. *La méchante sorcière grimaçait hideusement.*

Nous vîmes paraître bientôt une multitude de sauvages hideux, couverts de poils roux, et hauts seulement de deux pieds *(les Mille et Une Nuits).*

**h : dans certains mots le h aspiré empêche la liaison et l'élision.*

Hier [jɛʀ] rime avec *cuillère.*

Hier c'était dimanche, aujourd'hui c'est lundi, demain ce sera mardi.

hier adv.

Le jour qui est juste avant celui où l'on est. *Hier, il a plu toute la journée. Le docteur Séverac est parti hier soir pour l'Afrique. La voiture d'Angèle ne date pas d'hier,* elle est vieille.

Va voir aussi **veille.**
Autre membre de la famille : **avant-hier.**

Le général a le rang le plus élevé dans la hiérarchie militaire.

*hiérarchie n. f.

Classement de personnes selon la qualification, l'importance et les responsabilités qu'elles ont dans leur métier. *À l'école, la directrice est au sommet de la hiérarchie,* c'est elle qui a le plus de pouvoir.

▸ ***hiérarchique** adj. Relatif à la hiérarchie. *Les soldats doivent obéir aux ordres de leur supérieur hiérarchique,* aux ordres de leur chef.

Angèle, l'institutrice, est moins haut placée dans la hiérarchie que la directrice.

C'est un savant français, Champollion, qui a réussi à déchiffrer les hiéroglyphes en 1822.

hiéroglyphe n. m.

Petit dessin qui servait d'écriture aux anciens Égyptiens. *Les Égyptiens ont écrit avec des hiéroglyphes pendant trois mille ans. L'hiéroglyphe qui veut dire « lion » est un dessin de lion.*

À Paris, on peut voir des hiéroglyphes sur l'obélisque de la place de la Concorde.

hilare adj.

Qui a l'air très content et rit tout le temps. *Les spectateurs, hilares, regardaient le clown faire des pitreries.*

▸ **hilarité** n. f. Gaîté soudaine qui fait que l'on éclate de rire. *Les pitreries du clown déclenchaient l'hilarité générale.*

Compare : *hilare → hilarité* et *absurde → absurdité.*

Séraphin Lampion a le visage hilare, mais les dégâts qu'il a faits à Moulinsart ne font pas rire le capitaine Haddock.

hindou n. m., hindoue n. f.

Les habitants de l'Inde s'appellent les *Indiens.*

Personne qui pratique une religion particulière à l'Inde. *Les hindous pensent que les vaches sont des animaux sacrés.* — adj. *Un des dieux principaux de la religion hindoue s'appelle Sivah.*

Cette religion s'appelle l'*hindouisme.*

hippique adj.

Qui a rapport au cheval et au sport qui consiste à monter à cheval. *Les Séverac ont assisté à un concours hippique en Normandie,* un concours entre des personnes qui montent à cheval.

Va voir aussi ***équestre*** et ***équitation.***

La femelle pond dans une poche qui est sous le ventre du mâle et les petits sortent de cette poche quelque temps après.

hippocampe n. m.

Petit poisson de mer à la queue courbe, dont la tête, rabattue contre la gorge, ressemble à celle d'un cheval. *Les hippocampes nagent verticalement dans l'eau. L'hippocampe se nourrit de toutes petites proies vivantes.*

L'hippocampe mesure 20 centimètres au maximum.

Compare *hippo**drome*** et *vélo**drome*** : on **court.**

hippodrome n. m.

Terrain réservé aux courses de chevaux. *Le tiercé a eu lieu cet après-midi à l'hippodrome de Longchamp.*

L'hippopotame peut mesurer plus de 4 mètres et peser 4 tonnes.

hippopotame n. m.

Gros animal d'Afrique qui peut vivre à la fois à l'air et dans l'eau et dont le corps massif est recouvert d'une peau très épaisse. *Les hippopotames passent la plus grande partie de leur temps dans l'eau des fleuves.*

L'hippopotame est un mammifère herbivore.

Les hirondelles arrivent en France en mars ou en avril et repartent, au début de l'automne, vers l'Afrique.

hirondelle n. f.

Petit oiseau migrateur noir et blanc, aux ailes fines et longues et à la queue fourchue. *Les hirondelles mangent des insectes qu'elles capturent en plein vol. Les hirondelles construisent des nids en boue séchée.*

Les Chinois mangent du potage aux nids d'hirondelles.

Le capitaine Haddock s'est réveillé la barbe hirsute et les cheveux en bataille.

hirsute adj.

Très mal coiffé ; vois ***ébouriffé.*** *Antoine est arrivé hirsute ce matin à l'école, il n'avait pas eu le temps de se coiffer avant de partir.*

Conjugaison 1

Le Pachacamac a hissé le pavillon jaune : maladie contagieuse à bord.

*hisser v.

1. Faire monter avec des cordes. *Les matelots ont hissé les voiles.* **2.** Élever quelque chose de lourd en faisant des efforts. *David a hissé Claire sur ses épaules. — Julie s'est hissée sur le mur du potager ;* vois ***grimper, monter.*** *Marie-Tévy se hisse sur la pointe des pieds pour atteindre le pot de confiture.*

« Ho... hisse ! » crie le cow-boy en tirant sur la corde au bout de laquelle sont pendus Tintin et Milou.

J'ai lu une histoire dans une revue, a dit Rufus, et le héros, qui est un bandit et qui porte un masque, vole l'argent des riches pour le donner aux pauvres *(le Petit Nicolas).*

① histoire n. f.

1. Récit d'événements vrais ou imaginaires. *Claire aime bien qu'on lui raconte une histoire avant de s'endormir.* **2.** Histoire inventée pour tromper. *Il n'y a pas de monstre dans la rivière qui passe à Motbourg, ce sont des histoires,* c'est faux. **3.** Suite d'événements compliqués. *Le voyage des Bellec en Italie s'est passé sans histoires,* sans complications, sans ennuis. *C'est toujours la même histoire,* les mêmes ennuis qui se répètent. *La chienne de Sylvain s'est perdue, cela a été toute une histoire pour la retrouver,* cela a été très long et très compliqué. **4.** *Julie est allée faire un tour à bicyclette, histoire de prendre un peu l'air,* afin de prendre un peu l'air.

Mamie Lou lui lit les *Contes de Perrault.*

Même que ça fait des histoires chez moi, parce que j'ai découpé le journal de mon père, et que mon père n'avait pas fini de le lire et il m'a donné une baffe *(le Petit Nicolas).*

C'est familier de dire cela, et très courant.

**h : dans certains mots le h aspiré empêche la liaison et l'élision.*

Qu'est-ce que tu préfères : l'histoire ou la géographie ?

② histoire n. f.
Récit des événements passés importants d'un pays ou d'un peuple. *Antoine apprend sa leçon d'histoire.*

Autre membre de la famille : **préhistoire.**

Compare *historien* et *historique* : il s'agit de l'**histoire.**

historien n. m., **historienne** n. f.
Personne spécialisée dans l'étude de l'histoire. *Les historiens écrivent souvent des livres sur les périodes de l'histoire qu'ils étudient.*

Tacite est un grand historien latin qui a écrit l'histoire des empereurs romains.

historique adj. et n. m.
▭ **adj. 1.** Qui a existé réellement. *D'Artagnan est un personnage historique.* **2.** *Le château de Motbourg est un monument historique,* c'est un monument important, témoin de l'histoire du pays.
▭ **n. m.** *Le commissaire a fait l'historique du crime,* a raconté tous les faits qui s'étaient déroulés depuis l'origine jusqu'à ce jour et pouvaient aider à expliquer ce crime ; vois ***chronologie.***

Les monuments historiques sont protégés par l'État.

La fée Carabosse est un personnage *légendaire.*

Autre membre de la famille : **préhistorique.**

Hiver [ivɛʀ] rime avec *verre.*

hiver n. m.
La plus froide des quatre saisons de l'année, qui suit l'automne et précède le printemps. *En hiver, les nuits sont beaucoup plus longues qu'en été. Nathalie et David sont allés aux sports d'hiver,* à la montagne pour faire du ski, de la luge, du patin à glace.

Dans l'hémisphère Nord, l'hiver commence le 22 décembre et finit le 21 mars.

Quand c'est l'hiver en France, c'est l'été en Argentine.

Au masculin pluriel : *hivernaux.*

hivernal adj.
D'hiver. *Il fait une température hivernale.*

Le contraire d'*hivernal,* c'est *estival.*

Conjugaison 1

Compare *hiverner* et *hivernal* : il s'agit de l'**hiver.**

hiverner v.
Passer l'hiver à l'abri. *Les vaches hivernent à l'étable. Les bateaux hivernent dans des hangars.*
▹ **hivernage** n. m. Séjour des bestiaux à l'étable pendant l'hiver. *Pendant l'hivernage, les vaches mangent le foin que l'on a conservé dans la grange.*

Ne confonds pas *hiverner* et *hiberner.*

On parle aussi de l'*hivernage* pour les bateaux.

Prononce ['aʃɛlɛm].

Ce sont les premières lettres de *Habitation à Loyer Modéré.*

***H. L. M.** n. m. ou f. invariable
Grand immeuble dont les appartements ne coûtent pas très cher à louer. *Les Touati habitent un H. L. M., boulevard de la Gare.*

Au pluriel : *des H. L. M.*

Conjugaison 1

***hocher** v.
Hocher la tête, c'est la secouer de haut en bas pour signifier « oui » ou de droite à gauche pour signifier « non ». *Mme Harpie hocha la tête en signe de désapprobation.*
▹ ***hochement** n. m. *Un hochement de tête,* c'est l'action de secouer la tête. *Mme Harpie marqua sa désapprobation par un hochement de tête.*

Compare : *hocher → hochement, claquer → claquement* et *éternuer → éternuement.*

Le canard hocha la tête avec sympathie, mais n'eut pas l'air convaincu *(les Contes du Chat perché).*

Autre membre de la famille : **hochet.**

***hochet** n. m.
Jouet de bébé formé d'un manche et d'une partie qui fait du bruit quand on la secoue. *Julie agite un hochet devant son petit frère pour l'amuser.*

Bien sage, Flore joue avec le hochet que Cornélius a donné *(Babar).*

Famille de **hocher**

***hockey** n. m.
Sport d'équipe qui consiste à envoyer une balle dans le but adverse avec une crosse au bout aplati. *Alex joue au hockey sur gazon. Réjean fait partie d'une équipe de hockey sur glace.*

Au hockey sur glace, les joueurs ont des patins à glace et la balle est remplacée par un palet.

Les joueurs ont des casques et des équipements rembourrés pour se protéger des chocs.

Famille de **là**

***holà !** interjection
Mot qui sert à dire d'aller moins vite ou d'arrêter ; vois ***doucement.*** *Holà ! courez moins vite !* — n. m. *Les excursions qu'organisait l'institutrice coûtaient trop cher à l'école, la directrice a mis le holà à ces dépenses,* elle y a mis fin.

Holà ! dites donc, moussaillon, pas si vite !... crie le capitaine Haddock au marin qui s'en va en l'enfermant dans sa cabine.

Prononce ['ɔldœp].

Hold-up est un mot américain.

***hold-up** n. m. invariable
Attaque, avec des armes, d'une banque, d'un magasin, pour y prendre l'argent ou les marchandises. *Des bandits masqués sont entrés dans la banque pour faire un hold-up.*

Au pluriel : *des hold-up.*

Attention ! un ***d*** à la fin.

***homard** n. m.
Grand crustacé marin dont les pattes avant sont armées de grosses pinces. *Le vivier était rempli de langoustes et de homards. Le homard est bleu foncé, il devient rouge quand on le fait cuire. Nathalie est devenue rouge comme un homard quand Sylvain l'a embrassée pour lui dire au revoir,* très rouge.

C'est familier de dire cela.

La dame en noir avec le tablier blanc a sorti de la glacière un homard terrible avec de la mayonnaise partout *(le Petit Nicolas).*

*** h : dans certains mots le h aspiré empêche la liaison et l'élision.***

homéopathie n. f.
Manière de soigner les malades qui consiste à leur donner une très petite quantité des remèdes qui pourraient provoquer, s'ils étaient donnés à des doses plus fortes, la même maladie que celle dont on essaie de les guérir. *Mme Séverac se soigne souvent par homéopathie.*

C'est un peu la même chose lorsque l'on fait un vaccin.

Compare *homicide* et *insecticide* : il s'agit de **tuer.**

homicide n. m.
Acte de celui qui tue un être humain. *Celui qui a assassiné le président Kennedy a commis un homicide volontaire,* un assassinat, un crime, un meurtre.

Si l'on tue quelqu'un par accident, c'est un *homicide involontaire.*

Attention ! deux *m.*

hommage n. m.
1. *Rendre hommage à quelqu'un,* c'est montrer son admiration pour cette personne. *Le chef de l'État a rendu hommage au courage de l'équipage pendant le détournement de l'avion.* **2.** *L'auteur a fait hommage de son livre au président de la République,* le lui a offert pour lui manifester son admiration. **3.** *« Je vous présente mes hommages, Madame »* est une formule de politesse que dit un homme à une femme pour la saluer.

homme n. m.
1. L'être humain, qu'il soit du sexe masculin ou du sexe féminin, enfant ou adulte. *Contrairement à l'animal, l'homme se tient debout, il parle et il a une intelligence développée. Il y a diverses races d'hommes.* **2.** Personne adulte de sexe masculin. *Il y a plus de femmes que d'hommes en France. Alex avait beaucoup grandi, il était devenu un homme,* il était devenu un adulte. *M. Bellec n'est pas homme à se laisser faire,* ce n'est pas dans son caractère de se laisser faire. *Nous devons parler d'homme à homme,* en toute franchise. *Ne pleure pas, sois un homme !,* sois courageux comme si tu étais grand. *Tout à coup les invités se levèrent comme un seul homme et s'en allèrent,* tous ensemble. **3.** *Un homme d'affaires,* c'est un banquier, un industriel, une personne qui fait du commerce. *Les hommes d'affaires sont toujours pressés. Les députés et les ministres sont des hommes politiques. Les avocats et les magistrats sont des hommes de loi. Un savant est un homme de science. Un écrivain est un homme de lettres. L'abbé Gauthier est un homme d'église,* un ecclésiastique.

Les hommes n'ont plus le temps de rien connaître. Ils achètent des choses toutes faites chez les marchands. Mais comme il n'existe point de marchands d'amis, les hommes n'ont plus d'amis *(le Petit Prince).*

Un petit garçon devient un *jeune homme* quand il grandit.

On reconnaît les hommes d'affaires à leur costume sombre et à leur petite mallette plate et rectangulaire.

Va voir aussi ***humain.***

— Mon Nicolas est un grand garçon raisonnable, n'est-ce pas ? a demandé Papa.
— Oh ! oui, a répondu Maman, c'est un homme maintenant
(le Petit Nicolas).

Viens un peu ici si t'es un homme ! a crié Rufus
(le Petit Nicolas).

Autres membres de la famille : **bonhomme, bonhomie, gentilhomme, homme-grenouille.**

Famille de **homme** et de **grenouille**

homme-grenouille n. m.
Plongeur équipé d'un appareil pour la respiration qui lui permet de travailler sous l'eau. *Des hommes-grenouilles examinent la coque du bateau.*

Va voir aussi ***scaphandrier.***

homogène adj.
Qui est composé de choses ou de personnes semblables, formant un tout cohérent. *Les élèves de la classe forment un groupe homogène,* ils s'entendent bien et sont du même niveau.

Le contraire d'*homogène,* c'est *hétérogène.*

Conjugaison 1

homologuer v.
Approuver quelque chose et l'enregistrer d'une manière officielle. *Le record mondial de saut en hauteur a été homologué par la fédération internationale.*

Compare *homonyme* et *synonyme* : il s'agit de **nom.**

homonyme n. m.
1. *Les mots « pain » et « pin » sont des homonymes,* ce sont des mots qui se prononcent de la même façon et qui ont des sens différents. **2.** Personne, ville qui porte le même nom qu'une autre. *Mme Hespel a de nombreux homonymes à Roubaix,* de nombreuses personnes s'appellent comme elle.

Il y a aussi des homonymes qui s'écrivent de la même façon comme *avocat* « l'homme » et *avocat* « le fruit ».

Attention à l'accent circonflexe du ***ê*** !

Tous mes domestiques sont honnêtes et incapables de me voler *(les Malheurs de Sophie).*

honnête adj.
1. *Une personne honnête,* c'est une personne qui ne vole pas, ne cherche pas à obtenir des choses en trompant les autres. *David a donné aux gendarmes le portefeuille qu'il avait trouvé par terre, il est très honnête.* **2.** *Quelque chose d'honnête,* c'est quelque chose d'un niveau moyen. *La dernière rédaction de Marie-Tévy était honnête ;* vois **honorable, passable.**
▸ **honnêtement** adv. Selon le devoir. *David a agi honnêtement en donnant aux gendarmes le portefeuille qu'il avait trouvé,* il a bien agi.
▸ **honnêteté** n. f. Qualité d'une personne honnête. *David a été d'une grande honnêteté en donnant aux gendarmes le portefeuille qu'il avait trouvé.*

Le contraire d'*honnête,* c'est *malhonnête.*

Il n'a pas gardé l'argent pour lui.

Compare : *honnête → honnêteté* et *propre → propreté.*

Autres membres de la famille : **malhonnête, malhonnêteté.**

**h : dans certains mots le h aspiré empêche la liaison et l'élision.*

Attention ! deux *n*.

honneur n. m.
1. Sentiment d'être digne d'estime ; vois ***fierté.*** *Autrefois, les hommes se battaient en duel pour défendre leur honneur. Denis Prost met son point d'honneur à aider les comédiens qui débutent,* il considère que, s'il ne les aidait pas, ce ne serait pas digne de lui. **2.** Traitement particulier que l'on fait à quelqu'un pour lui montrer qu'on l'estime. *Le maire a fait un grand honneur à Mme Séverac en la plaçant à sa droite au banquet. Les élèves ont organisé une fête en l'honneur d'Angèle dont c'était l'anniversaire.* **3.** *Les invités ont fait honneur au repas,* ils ont beaucoup mangé. **4.** *Les honneurs,* ce sont les marques de respect que l'on donne à quelqu'un d'important. *Le président de la République a été reçu avec tous les honneurs dus à son rang.*

Je te donne ma parole d'honneur : je te le jure.

La *cour d'honneur* d'un château, c'est la cour principale.

Il lui a donné la *place d'honneur.*

Angèle est leur institutrice.

Dans ce sens, on emploie toujours ce mot au pluriel.

honorable va voir **honorer.**

honoraires n. m. plur.
Somme d'argent que l'on donne à un avocat, à un notaire, à un médecin pour le payer. *Le docteur Séverac reçoit des honoraires, et sa secrétaire touche un salaire.*

Conjugaison 1

honorer v.
Honorer une personne, c'est lui montrer qu'on l'estime, lui rendre hommage. *Le gouvernement a honoré ce savant en lui remettant la Légion d'honneur.*
▸ ***honorable*** adj. **1.** Digne d'estime, de respect ; vois ***respectable.*** *La directrice de l'école est une femme honorable.* **2.** Pas très bon mais suffisant. *Douze sur vingt est une note honorable ;* vois ***convenable, honnête.***

On rend honneur à ses découvertes.

Autres membres de la famille : **déshonorer, déshonorant.**

Compare ***honorifique*** et ***honorer*** : il s'agit d'**honneur.**

honorifique adj.
Qui procure de la considération et n'apporte pas d'avantages matériels. *Une décoration est une distinction honorifique.*

C'est *un honneur.*

***honte** n. f.
1. Chose odieuse, scandaleuse. *C'est une honte de laisser des enfants mourir de faim.* **2.** Sentiment très désagréable d'être humilié ou ridiculisé devant les autres. *Marie-Tévy était rouge de honte. Colle et Rat se cachent, ils ont honte d'avoir abîmé la voiture de M. Bellec,* ils n'en sont pas fiers. **3.** *Je ne veux pas sortir avec toi, tes vêtements sont pleins de taches, tu me fais honte,* je suis très gêné à cause de toi.
▸ ****honteux*** adj. **1.** *Colle et Rat sont tout honteux d'avoir abîmé la voiture de M. Bellec,* ils sentent qu'ils ont mal fait, ils ont honte. **2.** Odieux, scandaleux, méprisable. *Il s'est conduit de façon honteuse ;* vois ***déshonorant.*** *Il est honteux de torturer les animaux.*

Tuer un petit nu est une honte, dit Bagheera *(le Livre de la jungle).*

Quelle honte de voir ça !

Le chat était bien ennuyé et maintenant, c'était lui qui avait honte *(les Contes du Chat perché).*

Je te remercie de m'avoir remonté dans ma propre estime ; j'étais honteux de moi-même *(les Vacances).*

Le chien était honteux et les écoutait en baissant l'oreille *(les Contes du Chat perché).*

***hop !** interjection
Mot qui accompagne un geste ou une action brusque et rapide. *Allez, hop ! saute par-dessus la barrière !*

« Hop ! », dit Tintin en lançant Milou sur le wagon de whisky.

Attention à l'accent circonflexe du ***ô*** ! Prononce [ɔpital].

hôpital n. m.
Établissement dans lequel on soigne les malades et les blessés et où les femmes peuvent accoucher. *On a emmené Julie à l'hôpital pour l'opérer de l'appendicite.*

Au pluriel : *des hôpitaux.*
Va voir aussi ***clinique.***

Ne confonds pas *hoquet* et *hockey.*

***hoquet** n. m.
Avoir le hoquet, c'est être agité de petites secousses et faire avec sa gorge, de façon involontaire, un bruit rauque et répété dû à des contractions du diaphragme. *Sylvain boit de l'eau pour essayer de faire passer son hoquet.*

Compare ***horaire*** et ***horloge*** : dans ces deux mots, il s'agit d'**heure.**

horaire adj. et n. m.
▭ **adj.** Correspondant à une durée d'une heure. *Quelle est la vitesse horaire de cet avion ?,* combien de kilomètres parcourt-il en une heure ?
▭ **n. m. 1.** Tableau des heures de départ et d'arrivée des trains, des bateaux, des avions. *L'horaire des cars est affiché à la mairie.* **2.** Emploi du temps heure par heure. *Au début du trimestre, la directrice a donné son horaire à chacun des professeurs.*

Entre New York et Paris, il y a cinq heures de *décalage horaire :* quand il est midi à New York, il est cinq heures de l'après-midi à Paris.

** h : dans certains mots le h aspiré empêche la liaison et l'élision.*

***horde** n. f.

Autrefois, des hordes de brigands attaquaient les diligences.

Troupe de gens ou d'animaux peu rassurants. *Une horde de loups s'est abattue sur le cadavre du cerf.*

horizon n. m.

1. Ligne que l'on voit au loin où le ciel et la terre semblent se toucher. *Le soleil se couche à l'horizon. Le champ de blé s'étend jusqu'à l'horizon.* **2.** *Ce livre m'a ouvert des horizons,* m'a fait découvrir des choses que je ne connaissais pas.

Un bison chasse un vison à l'horizon.

Au masculin pluriel : *horizontaux.*

▹ ***horizontal*** adj. Dans le même sens que la ligne d'horizon. *Le sol est horizontal. — Dans la cave, les bouteilles de vin sont rangées à l'horizontale,* elles sont couchées.

Le mur est *vertical.*
Le contraire de *à l'horizontale,* c'est *debout.*

horloge n. f.

Compare ***horloge*** et ***horaire*** : dans ces mots, il s'agit d'**heure.**
Va voir aussi ***pendule*** et ***carillon.***

Grand appareil qui indique l'heure, le plus souvent par des aiguilles. *Il est deux heures à l'horloge de la gare. M. Bellec remonte l'horloge du salon. L'horloge sonne minuit.*

Compare ***horloge*** et ***nécrologie*** : dans ces mots, on **dit** quelque chose.

▹ ***horloger*** n. m., ***horlogère*** n. f. Personne dont le métier est de fabriquer, de réparer ou de vendre des montres, des horloges, des pendules. *Mme Roussel a acheté son réveil chez un horloger-bijoutier.*

La fabrication des parcmètres, c'est aussi de l'horlogerie.

▹ ***horlogerie*** n. f. **1.** Fabrication des montres, des horloges, des pendules. *Dans le Jura et en Haute-Savoie, beaucoup de personnes travaillent dans l'horlogerie.* **2.** Magasin de l'horloger. *Mme Roussel est entrée dans une horlogerie pour s'acheter un réveil.*

Cette industrie est très importante en Suisse, au Japon et aux États-Unis.

***hormis** préposition

C'est un mot que l'on n'emploie pas souvent.

Excepté, sauf. *Tous les instituteurs étaient présents, hormis Angèle,* Angèle n'était pas là.

Le contraire de *hormis,* c'est *y compris.*

hormone n. f.

Substance qui est produite par certaines glandes et qui, transportée par le sang, agit sur des parties du corps situées loin d'elles. *L'hormone produite par une glande qui est en avant du larynx permet de grandir.*

Chaque hormone joue son rôle dans le corps.

C'est la glande thyroïde.

horoscope n. m.

Pour consulter son horoscope, il faut connaître son signe du zodiaque.

Ensemble des prévisions que font les astrologues sur l'avenir des gens en étudiant l'influence que les astres exercent sur eux depuis le jour de leur naissance. *Mme Séverac lit son horoscope chaque semaine dans un magazine.*

Elle croit à l'astrologie.

horreur n. f.

Compare ***horreur***, ***horrible*** et ***horrifier*** : dans ces mots, il est question de **frissonner.**
Prendre en horreur, c'est se mettre à détester.

1. Impression violente de répulsion et de peur. *Pendant le film, Julie poussa un cri d'horreur en voyant le lion sauter sur le dompteur.* **2.** *Avoir horreur de quelque chose,* c'est ne pas l'aimer du tout. *Les chats ont horreur de l'eau,* ils détestent l'eau. *Sylvain a horreur de se lever tôt.* **3.** Ce qui dégoûte ou qui fait peur. *Quelle horreur d'avoir fait cela ! Cette robe est une véritable horreur,* elle est très laide. **4.** *M. Bonnot a connu les horreurs de la guerre,* les choses horribles qui se passent pendant la guerre. *Colle et Rat disent des horreurs sur la directrice,* ils disent du mal d'elle.

Attention ! deux ***r.***
Les *films d'horreur* font très peur.

Dans ce sens, on emploie toujours ce mot au pluriel.

horrible adj.

Poucette ne voulait pas aller chez la vilaine mère crapaud, ni devenir la femme de son horrible fils *(Poucette).*
Le contraire d'*horrible,* c'est *merveilleux.*

1. Qui provoque le dégoût ou la peur ; vois ***abominable, effrayant, terrifiant.*** *La chienne de Sylvain poussait des cris horribles. Colle et Rat ont vu un monstre horrible dans la rivière de Motbourg.* **2.** Très laid, très mauvais ; vois ***épouvantable, monstrueux.*** *Mme Harpie a un horrible chapeau. Il fait un temps horrible.*

Compare ***horrible*** et ***horreur*** : il est question de **frissonner.**
Les chenilles ont un goût horrible *(Charlie et la Chocolaterie).*

▹ ***horriblement*** adv. Très. *Cela sent horriblement mauvais.*

horrifier v.

Compare ***horrifier*** et ***horreur*** : il est question de **frissonner.**

Remplir d'épouvante. *Angèle est horrifiée par le prix que coûte une voiture neuve.*

Conjugaison 7

horripiler v.

Attention ! deux ***r.***
Conjugaison 1

Exaspérer, agacer. *Ce bruit m'horripile ;* vois ***énerver.***

▹ ***horripilant*** adj. Exaspérant, agaçant ; vois ***énervant.*** *Le bruit de ce robinet qui goutte est horripilant.*

** h : dans certains mots le h aspiré empêche la liaison et l'élision.*

*hors préposition

« Le voilà hors d'état de nuire », dit Tintin en assommant le bandit.

À l'extérieur. *Le poisson sauta hors de l'eau. Nous sommes maintenant hors de danger,* à l'abri du danger. *Cette voiture est hors d'usage,* elle ne peut plus servir. *Les fraises sont hors de prix,* très chères. *Cette discussion m'a mis hors de moi,* très en colère. *Il est hors de doute qu'il va venir,* il viendra certainement.

Le contraire de *hors de,* c'est *dans.*

Autres membres de la famille : **hors-bord, hors-jeu, hors-la-loi, dehors.**

*hors-bord n. m. invariable

Au pluriel : *des hors-bord.*

Petit bateau très léger et très mobile dont le moteur est placé en dehors de la coque. *Un hors-bord passa à grande vitesse tirant derrière lui un skieur sur des skis nautiques.*

Famille de **hors** et de ② **bord**

*hors-d'œuvre n. m. invariable

Au pluriel : *des hors-d'œuvre.*

Petit plat froid que l'on sert au début du repas avant les entrées ou le plat principal. *Comme hors-d'œuvre, Mme Séverac avait fait des radis.*

Au menu :
Hors-d'œuvre variés
Poulet, frites
Glace à la fraise.

*hors-jeu n. m. invariable

Au pluriel : *des hors-jeu.*

Faute d'un joueur de football ou de rugby qui se trouve à un endroit du terrain où il n'a pas le droit d'être. *L'arbitre siffle le hors-jeu et accorde un coup franc.*

Famille de **hors** et de **jeu**

*hors-la-loi n. m. invariable

Famille de **hors** et de **loi**

Bandit qui vit sans respecter les lois. *Les hors-la-loi sont recherchés par la police.*

Zorro est un hors-la-loi.

hortensia n. m.

Au pluriel : *des hortensias.*

Petit arbuste dont les fleurs roses, blanches ou bleues sont groupées en grosses boules. *Loïc a planté des hortensias bleus le long du mur du jardin.*

Il y a beaucoup d'hortensias en Bretagne et en Anjou.

horticulteur n. m., horticultrice n. f.

Personne qui cultive les plantes qui poussent dans les jardins. *Les jardiniers et les maraîchers sont des horticulteurs.*

horticulture n. f.

Compare ***horti**culture* et ***horti**culteur* : dans ces mots, il s'agit de **jardin.**

Culture des plantes qui poussent dans les jardins : les légumes, les fruits, les fleurs et les arbres. *Si l'on veut devenir jardinier, il faut faire une école d'horticulture.*

Famille de ① **culture**

hospice n. m.

Maison où l'on accueille des personnes âgées qui n'ont pas d'argent. *Mme Harpie dit toujours qu'elle sera très pauvre quand elle sera vieille et qu'elle finira à l'hospice.*

① hospitalier adj.

Compare ***hospital**ier* et ***hospital**ité* : on **accueille l'étranger.**

Accueillant. *Les parents de Réjean sont très hospitaliers,* leur maison est ouverte à tous.

Au féminin : *hospitalière.*

② hospitalier adj.

Relatif aux hôpitaux. *Julie a été opérée dans un établissement hospitalier.*

hospitaliser v.

Compare ② ***hospital**ier* et ***hospital**iser* : il est question d'**hôpital.**

Hospitaliser quelqu'un, c'est le faire entrer dans un hôpital pour qu'il y soit soigné. *Julie a été hospitalisée parce qu'elle avait très mal au ventre.*

Conjugaison 1

hospitalité n. f.

Le maharadjah a offert l'hospitalité à Tintin.

Les parents de Réjean ont offert l'hospitalité à Alex, ils l'ont reçu chez eux et l'ont logé.

Va voir aussi *hôte.*

hostie n. f.

Pour les catholiques, l'hostie représente le corps du Christ.

Petite rondelle de pain spécial que les catholiques mangent à la messe. *L'abbé Gauthier dépose l'hostie dans la main d'Yves au moment de la communion.*

Recevoir l'hostie, c'est *communier.*

hostile adj.

Compare :
hostile → hostilité,
facile → facilité
et *fragile → fragilité.*

1. Méchant, haineux. *Mme Harpie déteste Colle et Rat, elle les regarde avec un air hostile.* **2.** Opposé. *Tous les habitants sont hostiles à la construction d'un parking à Motbourg,* ils sont contre la construction d'un parking.

Le contraire d'*hostile,* c'est *ami, amical, bienveillant.*

▸ ***hostilité*** n. f. **1.** Méchanceté, haine. *Mme Harpie a beaucoup d'hostilité envers Colle et Rat.* **2.** *Les hostilités,* ce sont les actions de guerre. *Après*

Le contraire d'*hostilité,* c'est *amitié, bienveillance.*

*h : dans certains mots le h aspiré empêche la liaison et l'élision.

Dans ce sens, on emploie toujours ce mot au pluriel.

quelques jours de trêve, les hostilités ont repris dans le nord du pays, les combats.

Attention à l'accent circonflexe du *ô* !

hôte n. m.

1. Personne qui reçoit quelqu'un chez elle, qui lui donne l'hospitalité. *En quittant Montréal, Alex a remercié ses hôtes. Mme Cloutier, la mère de Réjean, est une hôtesse très accueillante.* **2.** Personne qui est reçue chez quelqu'un d'autre, qui reçoit l'hospitalité. *Cet été, Nathalie était l'hôte d'une famille anglaise,* elle a été reçue et logée par une famille anglaise ; vois ***invité.***

Au féminin : *hôte.*

Au féminin : *hôtesse.*

Tintin et Milou sont les hôtes du Maharadjah de Rawhajpoutalah.

Attention à l'accent circonflexe du *ô* !

hôtel n. m.

1. Maison ayant de nombreuses chambres où l'on peut dormir en payant. *Les Séverac ont passé leurs vacances à l'hôtel au bord de la mer. Angèle a loué une chambre d'hôtel pour deux nuits.* **2.** *Un hôtel particulier,* c'est, dans une ville, une maison ancienne à plusieurs étages habitée par une même famille. **3.** *Le maître d'hôtel,* c'est celui qui dirige le service de la table dans un restaurant. *Le maître d'hôtel prend la commande de la table n° 8.*

Les auberges, les palaces et les pensions de famille sont des sortes d'hôtel.

Un *hôtel de ville,* c'est une mairie.

Prononce [otəlje, otəljɛʀ].

▸ ***hôtelier*** n. m., ***hôtelière*** n. f. Patron, patronne d'un hôtel. *M. Séverac a appelé l'hôtelier pour lui faire une réclamation.* — adj. *M. Bellec a fait l'école hôtelière,* où l'on apprend à s'occuper d'un hôtel ou d'un restaurant.

Attention ! deux *l* dans *hôtellerie.* Prononce [otɛlʀi].

▸ ***hôtellerie*** n. f. Métier que font les personnes qui travaillent dans un hôtel ou dans un restaurant. *M. Bellec est dans l'hôtellerie.*

Une *hostellerie,* c'est un hôtel ou un restaurant luxueux, à la campagne.

Attention à l'accent circonflexe du *ô* !

hôtesse n. f.

1. Jeune femme chargée d'accueillir et de renseigner les visiteurs dans un magasin ou une exposition. *L'hôtesse a indiqué aux enfants l'emplacement du rayon des bandes dessinées.* **2.** *Une hôtesse de l'air,* c'est une jeune femme qui s'occupe du confort et de la sécurité des voyageurs dans un avion. *Après le décollage, les hôtesses et les stewards ont distribué des rafraîchissements.*

Les hôtesses sont en uniforme.

Attention ! deux *t.*

*hotte n. f.

1. Grand panier que l'on porte sur le dos à l'aide de bretelles. *Le vendangeur met les grappes de raisin dans sa hotte.* **2.** *La hotte d'une cheminée,* c'est la partie par laquelle s'évacue la fumée. *L'intérieur de la hotte est noir de suie. Il y a une hotte électrique dans la cuisine,* un système qui aspire la fumée et les odeurs.

La hotte du Père Noël est pleine de jouets.

*hou ! interjection

Mot que l'on utilise pour faire peur à quelqu'un ou pour se moquer de lui. *Hou ! la vilaine ! Hou ! qu'il est laid !*

Hou ! hou ! faisait le fantôme en secouant ses chaînes.

*houblon n. m.

Plante grimpante dont les fleurs servent à la fabrication de la bière. *Il y a de grands champs de houblon en Alsace.*

Le houblon pousse en s'accrochant sur de très hautes perches.

Ces fleurs donnent à la bière son goût amer et son odeur.

Ne confonds pas *houe* et *houx.*

*houe n. f.

Pioche à lame assez large qui sert à retourner la terre. *Avant de planter les fleurs, le jardinier bine la terre avec sa houe.*

La houe est apparue vers 8 000 avant Jésus-Christ.

Houille ['uj] rime avec *nouille.*

*houille n. f.

1. Charbon. *La houille est utilisée pour produire de la chaleur. On traite la houille pour faire du gaz de ville, du goudron ou des matières plastiques.* **2.** *La houille blanche,* c'est l'électricité produite par les barrages. *Les centrales hydro-électriques produisent de la houille blanche.*

Va voir aussi : ***hydro-électricité.***

La houille provient de la décomposition de végétaux qui sont restés enfouis dans le sol pendant plusieurs centaines de millions d'années.

▸ ****houillère*** n. f. Mine de houille. *Il y a de nombreuses houillères dans le nord de la France.*

*houle n. f.

Mouvement qui agite la mer sans faire déferler les vagues. *La barque de Loïc est balancée par la houle ;* vois ***roulis.***

Compare : *houle → houleux* et *orage → orageux.*

▸ ****houleux*** adj. **1.** Agité par la houle. *La barque tangue, la mer est houleuse.* **2.** *La réunion de parents d'élèves a été houleuse,* agitée, mouvementée.

Le contraire de *houleux,* c'est *calme, paisible.*

**h : dans certains mots le h aspiré empêche la liaison et l'élision.*

***houppe** n. f.

Touffe de cheveux qui se dresse sur la tête. *Quand il se réveille, Martin a souvent une houppe qui se dresse sur sa tête.*

Tintin aussi a une houppe.

Il vint au monde avec une petite houppe de cheveux sur la tête, ce qui fit qu'on le nomma Riquet à la Houppe *(Riquet à la Houppe).*

▸ ***houpette** n. f. Assemblage de brins de fil ou de duvet formant une touffe. *Mme Bellec se poudre le visage avec une houpette en cygne.*

hourra ! interjection

Mot que l'on crie pour acclamer, pour montrer sa joie. *Hourra ! on a gagné !* — n. m. Cri d'acclamation, de joie. *Les gagnants poussaient des hourras en sautant de joie.*

« Ils arrivent ! hourra ! Vive Tintin ! » crie la foule en voyant le héros revenir de l'Île Noire.

Hip, hip, hip, hourra !

***houspiller** v.

Houspiller quelqu'un, c'est lui faire sans arrêt des reproches et des critiques ; vois ***réprimander, tarabuster.*** *Mme Harpie ne cesse de houspiller Antoine.*

Houspiller rime avec *maquiller, éparpiller, scaphandrier.*

Conjugaison 1

***housse** n. f.

Enveloppe souple, en tissu ou en plastique, dont on recouvre les objets pour les protéger. *M. Bellec a mis des housses à ses sièges de voiture. Mme Harpie a mis ses vêtements d'hiver dans des housses avec de l'antimite.*

Les *draps-housses,* ce sont des draps de dessous entourés d'un élastique qui forment comme une housse autour du matelas.

***houx** n. m.

Arbuste à feuilles vertes munies de piquants, dont les fruits forment de petites boules rouges. *À Noël, le restaurant Bellec était décoré avec du gui et du houx.*

Attention ! un ***x*** à la fin.

Ne confonds pas *houx* et *houe.*

***hublot** n. m.

Petite fenêtre étanche, généralement ronde, dans les bateaux et les avions. *Julie s'est assise près du hublot pour voir le paysage au moment où l'avion décolle.*

Par un hublot, Babar et Céleste aperçoivent les bateaux amarrés les uns aux autres *(Babar).*

Le hublot est une rondelle de soleil (B. Cendrars).

***hue !** interjection

Mot dont on se sert pour faire avancer un cheval. *Hue cocotte !*

***huées** n. f. plur.

Cris poussés par des personnes réunies qui ne sont pas d'accord ou qui se moquent. *Le chanteur a quitté la scène sous les huées et les quolibets.*

▸ ***huer** v. *Huer quelqu'un,* c'est pousser des cris contre quelqu'un pour montrer que l'on se moque de lui ou que l'on n'est pas d'accord avec lui. *Le chanteur s'est fait huer par les spectateurs.*

Le coq, la crête très rouge, traversa la cuisine sous les huées et sortit en jurant qu'il se vengerait *(les Contes du Chat perché).*

Conjugaison 1

Autre membre de la famille : **chat-huant.**

huile n. f.

1. Liquide gras, tiré de certains végétaux, dont on se sert pour la cuisine. *On assaisonne la salade avec de l'huile et du vinaigre. Quand deux personnes se disputent, Mme Harpie aime bien jeter de l'huile sur le feu,* envenimer la dispute. **2.** Liquide gras utilisé pour graisser les moteurs. *M. Bellec a fait vidanger l'huile de sa voiture.* **3.** *L'huile solaire,* c'est un liquide gras qui protège la peau du soleil et fait bronzer. *Mme Séverac s'est enduit le corps d'huile solaire.* **4.** *Le bateau voguait sur une mer d'huile,* très calme, sans vagues.

La peinture à l'huile,
C'est plus difficile,
Mais c'est bien plus beau
Que la peinture à l'eau !

Il y a de l'huile d'olive, d'arachide, de noix, de tournesol, de maïs.

▸ **huiler** v. *Huiler quelque chose,* c'est mettre de l'huile dessus, le graisser. *Il faudrait huiler la serrure car elle grince.*

Conjugaison 1

▸ **huileux** adj. Imbibé d'huile ; vois ***gras.*** *Claire avait les mains tout huileuses à force de toucher le beurre de sa tartine.*

Compare : *huile* → *huileux* et *poudre* → *poudreux.*

huis n. m.

L'assassin a été jugé à huis clos, toutes les portes étant fermées, sans que le public soit admis.

Huis [ɥi] rime avec *lui* et *puits.*

Huis est un vieux mot qui veut dire « porte ».

huissier n. m.

1. Personne qui accueille les visiteurs qui viennent voir un maire, un ministre. *L'huissier a demandé son nom à Mme Hespel.* **2.** Personne qui fait exécuter les décisions de justice. *Si vous refusez de payer vos contraventions, l'huissier viendra saisir vos meubles.*

Attention ! deux ***s.***

Les huissiers sont nommés par le ministre de la Justice.

**h : dans certains mots le h aspiré empêche la liaison et l'élision.*

Prononce toujours le *t* ['ɥit], sauf quand huit est devant un mot commençant par une consonne, comme dans *huit jours* ['ɥiʒuʀ].

***huit** adj. et n. m. invariable
1. adj. Sept plus un. *J'ai acheté huit sucettes. Je reviendrai dans huit jours,* dans une semaine. *Il a travaillé pendant huit ans. Nous nous reverrons mardi en huit,* le mardi de la semaine prochaine. **2.** n. m. invariable Le nombre huit. *Quatre et quatre, huit.*

Et pourtant, il n'y a que sept jours dans une semaine.

8 en chiffre arabe
VIII en chiffres romains

▸ ****huitaine*** n. f. Ensemble d'environ huit personnes ou huit choses de même sorte. *La vieille dame avait une huitaine de chats. Vos chaussures seront prêtes dans une huitaine de jours,* dans une semaine environ.

Deuxième, troisième, quatrième, cinquième, sixième, septième...

▸ ****huitième*** adj. et n. m. et f.
▭ **adj.** Qui succède au septième. *Aujourd'hui, c'est le huitième jour de pluie.*
▭ **n. 1.** n. m. et f. *Marie-Tévy est arrivée la huitième à l'épreuve de crawl.* **2.** n. m. Partie d'un tout qui est divisé en huit parties égales. *Antoine a mangé les sept huitièmes de la tarte.*

$\frac{7}{8}$ ou 7/8

Attention à l'accent circonflexe du *î*.

L'élevage des huîtres s'appelle l'*ostréiculture*.

huître n. f.
Mollusque à grande coquille qui vit dans la mer. *Loïc montre à Yves les parcs à huîtres,* où l'on élève les huîtres. *Denis Prost a mangé une douzaine d'huîtres.*

Certaines huîtres produisent des perles.

On peut aussi écrire *ululer.*
Conjugaison 1

***hululer** v.
Le hibou et la chouette hululent, ils poussent leur cri.
▸ ****hululement*** n. m. Cri des oiseaux de nuit. *On entend le hululement du hibou, la nuit, dans la forêt.*

On peut aussi écrire *ululement.*

« Hum ! toujours aussi fou », pense Tintin du professeur Siclone.

***hum !** interjection
Mot qui sert à exprimer le doute, la méfiance. *Hum ! Colle et Rat sont bien sages, cela cache quelque chose !*

Il était une fois une Reine qui accoucha d'un fils, si laid et si mal fait, qu'on douta longtemps s'il avait forme humaine
(Riquet à la Houppe).

humain adj. et n. m.
▭ **adj. 1.** De l'homme. *On n'a trouvé aucune trace de vie humaine sur la Lune. Les êtres humains ne savent pas voler,* les hommes. *L'espèce humaine est apparue sur la Terre il y a des millions d'années,* l'espèce composée d'hommes ; vois **humanité. 2.** Compréhensif, compatissant ; vois **bon.** *Le docteur Séverac est un médecin très humain.*
▭ **n. m.** *Un humain,* un homme. *Mme Harpie ne supporte plus la compagnie des humains, elle préfère celle des animaux.*

Le contraire d'*humain*, c'est *inhumain.*

Autres membres de la famille : **inhumain, surhumain.**

Compare ***hum**anitaire* et ***hum**ain* : il est question d'**homme.**

humanitaire adj.
Le docteur Séverac a participé à la campagne humanitaire pour lutter contre la faim dans le monde, à la campagne en faveur des hommes qui souffrent de la faim.

Il a tourné, sans être payé, un film pour la Croix-Rouge.

Compare ***hum**anité* et ***hum**ain* : il est question d'**homme.**

humanité n. f.
1. L'ensemble des êtres humains, les hommes. *On s'interroge encore sur les origines de l'humanité.* **2.** Bienveillance, bonté. *Le docteur Séverac a toujours fait preuve d'une grande humanité envers ses malades.*

humble adj.
Modeste, timide. *La directrice voudrait que tout le monde se fasse humble devant elle,* ait l'air soumis.

Compare : *humble* → *humblement* et *modeste* → *modestement.*

▸ ***humblement*** adv. D'une manière humble, timidement. *Je te demande humblement pardon.*

Conjugaison 1

humecter v.
Mouiller légèrement. *Mme Harpie humecte le linge avant de le repasser. — Le maire s'humecte les lèvres avant de parler.*

Conjugaison 1

Milou hume la bonne odeur des spaghettis.

***humer** v.
1. Aspirer par le nez en respirant. *Sophie Pelletier ouvre la fenêtre pour humer l'air frais du matin.* **2.** Aspirer par le nez pour sentir. *En arrivant, Julie hume l'odeur du chocolat chaud.*

Le cochon eut un accès de mélancolie, mais on lui fit tant de compliments qu'il retrouva bientôt sa belle humeur
(les Contes du Chat perché).

humeur n. f.
1. Disposition momentanée de l'esprit d'une personne. *Marie-Tévy pourra aussi bien rire que bouder, selon son humeur. Angèle était de bonne humeur, aujourd'hui,* elle était gaie, optimiste. *On entend Mme Hespel crier, elle est de très mauvaise humeur,* irritée, en colère. *Denis Prost n'est pas d'humeur*

Il y eut, à cause du cochon, plusieurs disputes très vives qui mirent la panthère de mauvaise humeur
(les Contes du Chat perché).

**h : dans certains mots le h aspiré empêche la liaison et l'élision.*

à supporter les caprices de sa fille, il n'a pas envie de le faire en ce moment. **2.** *L'humeur vitrée,* c'est le liquide qui remplit le globe de l'œil. *L'humeur vitrée a un aspect gélatineux.*

Elle est située entre le cristallin et la rétine.

humide adj.

Légèrement mouillé. *Après la douche, ne laisse pas ta serviette humide sur le fauteuil du salon. Le temps est humide en ce moment,* il pleut beaucoup.

▷ **humidifier** v. *Humidifier quelque chose,* c'est le rendre humide. *Denis Prost a un appareil qui humidifie l'air quand il est trop sec.*

▷ **humidité** n. f. Vapeur d'eau que contient l'air. *Les murs de la cave sont moisis à cause de l'humidité.*

Compare ***hum**ide* et ***hum**ecter* : il s'agit d'être **mouillé.** Le contraire d'*humide,* c'est *sec.* Conjugaison 7 ▭ Indic. imparfait : *nous humidifiions.* Futur : *j'humidifierai.*

Compare : *humide → humidifier* et *solide → solidifier.* Le contraire d'*humidifier,* c'est *dessécher.*

humilier v.

Humilier quelqu'un, c'est lui montrer son infériorité d'une manière très désagréable ; vois ***rabaisser, vexer.*** *Autrefois, pour humilier les élèves qui ne savaient pas leurs leçons, on leur mettait un bonnet d'âne.*

▷ **humiliant** adj. Vexant. *Alex estime qu'il a subi un échec humiliant au baccalauréat.*

▷ **humiliation** n. f. **1.** Abaissement, honte. *Yves a reçu une gifle devant tout le monde et il a rougi d'humiliation,* de confusion. **2.** Affront, blessure d'amour-propre. *Le cruel gardien faisait subir des humiliations aux prisonniers.*

Conjugaison 7 ▭ Indic. imparfait : *nous humiliions.* Futur : *j'humilierai.*

Au féminin : *humiliante.*

Quelle humiliation pour le roi et la reine des éléphants ! Obéir à ce Fernando ! *(Babar).*

humilité n. f.

Modestie, soumission. *Les pèlerins s'agenouillent devant le pape en signe d'humilité. L'humilité n'est pas la qualité principale de Denis Prost.*

Compare *humilité* et ***hum**ilier* : il s'agit d'être **humble.**

Le contraire d'*humilité,* c'est *fierté.*

humoriste adj.

Un dessinateur humoriste, c'est un dessinateur qui sait montrer le côté amusant des choses. *Daumier était un grand dessinateur humoriste.* — n. m. et f. Personne qui dessine, écrit ou raconte des choses drôles. *Cette caricature a été dessinée par un humoriste.*

▷ **humoristique** adj. *Un dessin humoristique,* c'est un dessin qui fait rire. *Dans les journaux, il y a parfois des dessins humoristiques.*

C'est un dessinateur qui a de l'*humour.*

Alphonse Allais, Pierre Dac étaient des humoristes.

C'est un dessin plein d'*humour.*

humour n. m.

Façon de faire rire en se moquant des choses désagréables qui vous sont arrivées, sans avoir l'air de s'amuser. *Denis Prost a raconté avec beaucoup d'humour comment il a raté son avion pour New York. Mme Hespel n'a pas le sens de l'humour,* elle ne sait pas se moquer d'elle-même.

On dit que les Anglais ont beaucoup d'humour.

L'*humour noir,* c'est l'humour que l'on fait sur des sujets graves ou tristes.

humus n. m.

Terre noire très fertile formée par des végétaux décomposés ; vois ***terreau.*** *Yasmina est allée chercher de l'humus dans la forêt pour planter des fleurs.*

Compare ***hum**us* et *ex**hum**er* : il est question de **terre.** Prononce [ymys].

On trouve de l'humus sous les arbres.

***huppe** n. f.

Touffe de plumes que certains oiseaux ont sur la tête ; vois ***aigrette.*** *La grue couronnée porte une huppe.*

Attention ! deux ***p.***

***hurler** v.

1. Pousser des cris prolongés et violents. *Claire s'est mise à hurler quand elle a touché la casserole brûlante. Les enfants hurlaient de peur en regardant un film de vampires.* **2.** Parler, crier, chanter de toutes ses forces. *Il y avait tant de bruit dehors qu'Angèle était obligée de hurler pour se faire entendre.*

▷ ***hurlement** n. m. Cri aigu et prolongé. *Claire poussait des hurlements, et on a vite soigné sa brûlure. On entendait des hurlements de peur qui venaient du salon.*

Conjugaison 1

Les loups hurlaient dans la forêt et le vent hurlait dans la cheminée.

Cognant alors de leurs quatre poings sur la table, les parents hurlèrent : — Répondez-vous, à la fin, petites malheureuses ? *(les Contes du Chat perché).*

Le capitaine Haddock hurle des injures au marchand d'esclaves.

Les hurlements des loups retentissaient toujours dans ma tête *(Robinson Crusoé).*

hurluberlu n. m.

Personne extravagante qui agit sans réfléchir ; vois ***écervelé, farfelu.*** *Antoine a encore mis ses chaussures de ski pour faire de la gymnastique, quel hurluberlu !*

C'est un drôle de mot !

J'ai vu un hurluberlu goulu manger des tortues ; j'ai dû avoir la berlue !

***hutte** n. f.

Sorte de maison faite avec des branches, de la terre séchée et de la paille. *En Afrique, les Pygmées habitent dans des huttes.*

Attention ! deux ***t.***

**h : dans certains mots le h aspiré empêche la liaison et l'élision.*

Attention au *y* !

hybride adj.

Une espèce hybride, c'est une espèce qui provient du croisement de deux espèces différentes. *Le tigron est un félin hybride provenant du croisement d'une lionne et d'un tigre.* — n. m. *Le mulet est un hybride de la jument et de l'âne.*

On peut obtenir une plante hybride en faisant une greffe.

Compare ***hydr**ater* et ***hydr**avion* : dans ces mots, il est question d'**eau.**

hydrater v.

S'hydrater la peau, c'est y introduire de l'eau ou y fixer l'eau qu'elle contient. *Après avoir été au soleil, il faut s'hydrater la peau avec une crème traitante.*

Conjugaison 1

Autre membre de la famille : **déshydraté.**

Compare ***hydr**aulique* et ***hydr**avion* : dans ces mots, il est question d'**eau.**

hydraulique adj.

1. Qui fonctionne en utilisant la force de l'eau. *Ce moteur est actionné par une turbine hydraulique.* **2.** *L'énergie hydraulique,* c'est l'énergie fournie par les chutes d'eau, les courants, les marées. *L'énergie hydraulique sert à produire de l'électricité.*

Va voir aussi : ***hydro-électricité.***

Compare ***hydr**avion* et ***hydr**ater* : dans ces mots, il est question d'**eau.**

hydravion n. m.

Avion spécialement construit pour décoller et se poser sur l'eau. *L'hydravion a du mal à amerrir car la mer est démontée.*

Famille de **avion**

Compare ***hydro**-électrique* et ***hydro**glisseur* : dans ces mots, il est question d'**eau.**

hydro-électrique adj.

Une centrale hydro-électrique, c'est une usine qui transforme l'énergie produite par les chutes d'eau en électricité. *Les centrales hydro-électriques sont souvent situées dans les régions montagneuses, où il y a des torrents.*

▷ ***hydro-électricité*** n. f. Électricité qui vient de la transformation de l'énergie hydraulique. *Plus de la moitié de la production française d'hydro-électricité vient des Alpes.*

Famille de **électrique**

Compare ***hydro**gène* et ***hydro**phile* : dans ces mots, il est question d'**eau.**

hydrogène n. m.

Gaz incolore et inodore, le plus léger que l'on connaisse. *Il y a de l'hydrogène dans l'eau.*

La *bombe à hydrogène* est appelée la bombe H.

Compare ***hydro**glisseur* et ***hydro**phile* : dans ces mots, il est question d'**eau.**

hydroglisseur n. m.

Bateau à fond plat propulsé par une hélice d'avion. *Nathalie a fait la traversée de la Manche en hydroglisseur, quand elle est allée en Angleterre.*

Famille de **glisser**

Compare ***hydro**graphie* et ***hydro**glisseur* : dans ces mots, il est question d'**eau.**

hydrographie n. f.

1. Science qui étudie les mers, les lacs et les cours d'eau. *L'hydrographie est une des branches de la géographie.* **2.** Ensemble des cours d'eau et des lacs d'une région. *Le désert du Sahara a une hydrographie pauvre.*

Compare *hydro**graphie*** et *géo**graphie*** : dans ces mots, il s'agit d'étude, de **science.**

Compare ***hydro**phile* et ***hydro**graphie* : dans ces mots, il est question d'**eau.**

hydrophile adj.

Qui absorbe l'eau, les liquides. *Julie a pris un morceau de coton hydrophile dans l'armoire à pharmacie pour se mettre du mercurochrome sur le genou.*

Attention à l'accent grave du *è*.

Les hyènes dégagent une odeur pestilentielle parce qu'elles mangent de la viande pourrie.

hyène n. f.

Animal des plaines sèches d'Afrique et d'Asie, à pelage gris ou fauve, qui se nourrit surtout de charognes. *Les hyènes se contentent souvent des restes du repas du lion mais la nuit elles peuvent capturer des gnous ou des zèbres vivants car elles ont un très bon odorat et une excellente vue.*

On dit *l'hyène* ou *la hyène.*

La hyène pousse une sorte de ricanement quand elle a trouvé de la nourriture.

Attention au *y* et à l'accent grave du *è*.

hygiène n. f.

Ensemble des actes quotidiens qui permettent à l'homme de rester en bonne santé. *Se laver tous les jours et avoir une alimentation saine sont des principes d'hygiène élémentaires.*

Attention au *y* et à l'accent aigu du *é*.

▷ ***hygiénique*** adj. Favorable à la santé. *Denis Prost fait tous les matins une promenade hygiénique.*

Attention au *y* !

hymne n. m.

1. Chant pour louer Dieu. *La chorale de l'église de Motbourg a chanté un hymne en latin.* **2.** *Chaque pays a un hymne national,* un chant solennel qui est chanté en l'honneur de la patrie et de ses défenseurs.

L'hymne national français, c'est *la Marseillaise.*

hyper...

Préfixe qui signifie « excessivement », « au plus haut point », « au-dessus de la normale » et qui se place devant certains noms et certains adjectifs pour en renforcer le sens. *Une petite fille hypersensible est beaucoup plus sensible que les autres. Un hypermarché est plus grand qu'un supermarché.*

Attention ! *hyper...* est toujours collé au mot qu'il renforce ; il n'y a pas de trait d'union entre les deux.

Va voir aussi ***archi..., extra..., super..., ultra...***

** h : dans certains mots le h aspiré empêche la liaison et l'élision.*

hypermétrope adj.
Qui ne voit pas bien ce qui est près. *Mamie Lou porte des lunettes pour coudre car elle est hypermétrope ;* vois ***presbyte.***

Le contraire d'*hypermétrope,* c'est *myope.*

Conjugaison 1

Dans *les Sept Boules de cristal,* on voit le fakir Ragdalam hypnotiser Mme Yamilah.

hypnotiser v.
Hypnotiser quelqu'un, c'est l'endormir en faisant des mouvements de main devant son visage tout en le regardant fixement. *Au cirque, le magicien a hypnotisé un spectateur.*

Certains serpents hypnotisent leur proie.

Attention au *y* !

hypocrisie n. f.
Fait de cacher ce que l'on pense ou ce que l'on ressent et de montrer des sentiments que l'on n'a pas. *Faire de grands sourires à quelqu'un que l'on déteste, c'est de l'hypocrisie ;* vois ***duplicité.***

On est quelquefois obligé d'être hypocrite !

Dans une pièce de théâtre écrite par Molière, il y a un personnage qui s'appelle Tartuffe et qui est très hypocrite.

hypocrite adj.
Une personne hypocrite, c'est une personne qui dissimule ce qu'elle pense ou ce qu'elle ressent et montre des sentiments qu'elle n'a pas ; vois ***fourbe, sournois.*** *Colle et Rat ont fait un sourire hypocrite à la directrice.* — n. m. et f. *Colle et Rat sont deux hypocrites.*

Le contraire d'*hypocrite,* c'est *franc, loyal, sincère.*

Ils lui ont tiré la langue dès qu'elle a eu le dos tourné !

Attention au *y* et au *th* !

hypothèse n. f.
Chose que l'on suppose, pour pouvoir expliquer un événement. *La directrice pense que Colle et Rat ont scié un pied au fauteuil de son bureau, mais ce n'est qu'une hypothèse ;* vois ***supposition.***

Famille de **thèse**

Il faudrait le prouver.

Attention au *y* et au *th* !

C'est une *hypothèse.*

hypothétique adj.
Incertain ; vois ***douteux.*** *Certains disent qu'ils ont vu des soucoupes volantes, mais leur existence reste tout de même hypothétique.*

Le contraire d'*hypothétique,* c'est *certain, sûr.*

Attention au *y* !

Compare : *hystérie → hystérique, anémie → anémique* et *énergie → énergique.*

hystérie n. f.
Comportement d'une personne très excitée qui n'arrive plus à se contrôler. *Les spectateurs furent pris d'une hystérie collective quand le chanteur leur lança sa chemise et son peigne.*

▷ ***hystérique*** adj. Très excité. *La foule devint hystérique à l'arrivée du chanteur. Julie éclata d'un rire hystérique.*

Violette Beauregard [...] poussa un long cri hystérique *(Charlie et la Chocolaterie).*

h : dans certains mots le h aspiré empêche la liaison et l'élision.

Prononce le *s* de la fin : [ibis].

Les ibis sont des échassiers.

ibis n. m.
Oiseau à longues pattes et à grand bec mince, que l'on trouve en Afrique et en Amérique. *L'ibis blanc et noir était un animal sacré chez les anciens Égyptiens.*

Les ibis se nourrissent de petits animaux ; ils détruisent les sauterelles.

Prononce [isbɛʀg] ou [ajsbɛʀg].

On ne voit qu'une toute petite partie de l'iceberg.

iceberg n. m.
Énorme bloc de glace qui flotte sur les mers polaires après s'être détaché de la banquise. *Dans son bateau, Loïc a souvent croisé des icebergs au large de l'Islande. Les icebergs sont très dangereux pour la navigation.*

Les icebergs ne contiennent pas de sel.

Le contraire d'*ici*, c'est *là, là-bas.*

« Sors d'ici Blédurt, on ne t'a pas sonné ! » *(le Petit Nicolas).*

ici adv.
1. Dans le lieu où l'on se trouve. *Il fait plus frais ici qu'à Paris. Julie ! viens ici tout de suite. Par ici la sortie,* la sortie est dans cette direction. *« Je ne suis pas d'ici », dit M. Bellec,* je ne suis pas de ce pays, je ne suis pas né ici. **2.** *Le docteur Séverac doit revenir d'ici peu,* dans peu de temps, sous peu.

Ici Rome. À vous, Paris !

Autres membres de la famille : **ceci, ① ci, voici.**

N'oublie pas l'accent circonflexe du *ô*.

icône n. f.
Peinture religieuse faite sur des panneaux de bois. *Dans les églises russes ou grecques, on brûle des cierges devant les icônes.*

Les icônes représentent le Christ, la Vierge ou les saints.

Idéal a deux pluriels au masculin : *idéals* et *idéaux.*

idéal adj. et n. m.
▭ **adj.** Aussi parfait que l'on puisse imaginer. *Yves a trouvé le chapeau idéal pour se déguiser en clown.*
▭ **n. m. 1.** *L'idéal ce serait d'être tout le temps en vacances,* ce qu'il y aurait de mieux. **2.** *M*[me] *Hespel cherche à réaliser son idéal,* les idées, les projets auxquels elle tient le plus. *L'idéal d'Yves, ce serait de devenir marin comme son oncle.*

Conjugaison 1

▸ ***idéaliser*** v. Embellir. *Dans ses souvenirs, le docteur Séverac idéalise son enfance à la campagne.*

Le contraire d'*idéaliste*, c'est *réaliste.*

▸ ***idéaliste*** adj. *Une personne idéaliste,* c'est une personne qui pense ou qui agit en fonction de son idéal, sans tenir compte de la réalité. *Angèle est parfois un peu trop idéaliste.* — n. m. et f. *C'est une idéaliste.*

Trop souvent, les idéalistes passent pour des rêveurs.

idée n. f.

Avoir des idées noires, c'est être soucieux, se tracasser.

Céleste conseille à Babar de faire une promenade à bicyclette pour se changer les idées *(Babar).*

Je ne sais pas si c'est une idée, mais il me semble avoir aperçu Alphonse dans la cour *(les Contes du Chat perché).*

1. Chose que l'on pense, et qui correspond à un mot ou à une phrase. *Mme Séverac n'avait pas les idées très claires ; elle a perdu le fil de ses idées au milieu de son discours. L'idée d'aller en classe de neige réjouit Marie-Tévy ;* vois ***pensée, perspective.*** **2.** *Au cours de la leçon de géographie, l'institutrice a essayé de donner aux enfants une idée du désert,* elle a essayé de leur faire imaginer ce qu'est le désert ; vois ***aperçu.*** **3.** Vision, rêve créé par l'imagination ; vois ***illusion.*** *Mme Harpie se fait des idées, elle ne sera jamais milliardaire,* elle s'imagine des choses qui sont fausses. **4.** Projet. *Quelle bonne idée ! Antoine a toujours des tas d'idées.* **5.** Opinion, façon de juger les choses. *Mme Séverac a les mêmes idées politiques que le maire.* **6.** *Antoine a dans l'idée qu'il épousera Marie-Tévy plus tard,* il a dans l'esprit, il imagine qu'il épousera Marie-Tévy.

Va voir *idée fixe* à ***fixe.***

Clotaire s'est levé et il a dit qu'il allait faire manger son livre d'arithmétique à Agnan, ce qui était vraiment une drôle d'idée *(le Petit Nicolas).*

Autres membres de la famille : **idéal, idéaliser, idéaliste.**

identifier v.

Conjugaison 7

On ne connaît pas son identité.

1. *Identifier une personne, une chose,* c'est trouver de qui, de quoi il s'agit. *Le cadavre n'a pu être identifié. Antoine a ramassé une fleur qu'il n'arrive pas à identifier,* il n'arrive pas à savoir à quelle espèce elle appartient. **2.** *S'identifier à quelqu'un,* c'est se mettre à sa place. *Denis Prost s'est identifié au personnage qu'il joue.*

Les ovnis sont des objets volants non identifiés.

identique adj.

Deux objets identiques, ce sont deux objets tout à fait semblables, qui ont exactement les mêmes caractéristiques ; vois ***pareil.*** *Mon vélo est identique au tien,* c'est le même que le tien.

Le contraire d'*identique,* c'est *différent.*

identité n. f.

Quand on paie par chèque, on doit présenter sa *carte d'identité.*

L'identité d'une personne, c'est ce qui permet de la reconnaître parmi toutes les autres, c'est-à-dire son nom, son âge, son aspect physique. *La police est chargée de déterminer l'identité des malfaiteurs.*

idiot n. m. et adj., idiote n. f. et adj.

1. adj. Qui manque d'intelligence, de bon sens. *Ta cousine est complètement idiote ;* vois ***abruti, bête, stupide.*** *David a fait à Nathalie une réflexion idiote ;* vois ***inepte.*** **2.** n. m. et f. Personne sans intelligence, qui ne comprend rien. *David a traité Nathalie d'idiote ;* vois ***imbécile.***

Idiotie [idjɔsi] rime avec *aussi.*

▷ ***idiotie*** n. f. **1.** Manque d'intelligence, stupidité. *La réflexion de David est d'une rare idiotie.* **2.** *Une idiotie,* c'est une action, une parole idiote ; vois ***bêtise, imbécillité.*** *Réfléchissez, ne dites pas d'idioties ;* vois ***sottise.***

idole n. f.

1. Statue, image qui représente un dieu, et que l'on adore. *Les archéologues ont découvert des idoles de pierre.* **2.** Chanteur que les jeunes aiment et admirent, et auquel ils vouent un culte. *Johnny Halliday fut l'idole des jeunes dans les années 1960.*

idylle n. f.

N'oublie pas le ***y*** et les deux ***l.***

Petite histoire d'amour. *Un magazine a divulgué l'idylle de la princesse et du champion de tennis.*

if n. m.

Arbre décoratif à feuillage toujours vert et à baies rouges. *Des ifs bien taillés forment une haie au fond du jardin des Séverac.*

L'if appartient à la famille des conifères.

igloo n. m.

Igloo [iglu] rime avec *clou* et *loup.*

Maison de forme arrondie, construite avec des blocs de glace ou de neige. *Les Esquimaux habitent dans des igloos.*

On construit les igloos en s'enfermant à l'intérieur.

ignare adj.

Une personne ignare, c'est une personne qui ne sait rien, qui est ignorante. *Il est complètement ignare, il ne sait pas dans quel pays se trouve Dakar.* — n. m. et f. *C'est un ignare.*

Le contraire d'*ignare,* c'est *instruit, savant.*

ignifugé adj.

Un objet ignifugé est *ininflammable.*

Une matière ignifugée, c'est une matière qui est traitée pour ne pas pouvoir brûler. *Les décors du théâtre sont ignifugés.*

ignoble adj.
1. Très laid, très sale ou très mauvais ; vois ***infect, répugnant.*** *La nourriture de ce restaurant est ignoble.* **2.** *C'est ignoble de dénoncer un camarade,* c'est une très mauvaise action ; vois ***infâme, odieux.***

ignominie n. f.
Une ignominie, c'est une action très honteuse ; vois ***infamie, turpitude.*** *Mme Harpie s'abaisse aux pires ignominies.*

Conjugaison 1

ignorer v.
Nul n'est censé ignorer la loi.
1. Ne pas connaître, ne pas savoir. *Elle ignorait tout de lui, même son nom. Le docteur Séverac ignore quand il pourra partir en vacances.* **2.** *Ignorer une personne,* c'est faire comme si elle n'existait pas, la traiter avec indifférence. *Angèle a dit bonjour à Mme Harpie qui l'a ignorée et est passée sans répondre.*
Le contraire d'*ignorer,* c'est *connaître, savoir.*

Compare : *ignorer → ignorance* et *persévérer → persévérance.*
▸ ***ignorance*** n. f. **1.** Manque de connaissances. *Angèle reconnaît son ignorance en matière de mécanique ;* vois ***incompétence.*** **2.** Manque d'instruction, de savoir, de culture. *Ma cousine est d'une ignorance crasse.*

Au féminin : *ignorante.*
▸ ***ignorant*** adj. *Une personne ignorante,* c'est une personne qui ne sait rien, qui manque d'instruction. *Ma cousine est ignorante en géographie.* — n. *Ma cousine est une ignorante.*

Prononce [igwan].

iguane n. m.
Animal d'Amérique tropicale qui ressemble à un grand lézard. *Les iguanes ont une crête d'écailles pointues sur le dos.*
Les iguanes peuvent mesurer 1,80 m et peser 15 kg.

Au pluriel : *ils.*

il pronom personnel m.
1. Pronom personnel masculin de la troisième personne, sujet. *Le docteur Séverac est absent, il est en Afrique. David et Nathalie ont-ils déjà dîné ?* **2.** *Il* sert à introduire les verbes impersonnels. *Il a beaucoup neigé cet hiver. Il pleut depuis trois jours.*
Va voir aussi **elle.**
Va voir aussi **lui, eux.**
Il ne représente aucun nom dans ce cas.
Il pleut, il pleut, bergère (chanson).

Autres membres de la famille : **îlot, presqu'île.**

île n. f.
Terre entourée d'eau. *Angèle et Hippolyte sont nés dans des îles. L'Angleterre se trouve dans les îles Britanniques.*
Angèle est née en Corse et Hippolyte à la Martinique.

Famille de **légal**

illégal adj.
Contraire à la loi ; vois ***illicite.*** *Faire du trafic de drogue est un acte illégal.*
Le contraire d'*illégal,* c'est *légal.*

Le contraire d'*illégalité,* c'est *légalité.*
▸ ***illégalité*** n. f. *Les trafiquants de drogue vivent dans l'illégalité,* ils commettent des actes illégaux.

Famille de **légitime**

illégitime adj.
1. *Une décision illégitime* n'est pas légitime. **2.** Qui n'a pas de raison d'être, injustifié. *Elle avait peur de ne pas réussir, mais ses craintes étaient illégitimes.*
Le contraire d'*illégitime,* c'est *légitime.*

Attention ! deux *l* et deux *t.*

illettré adj.
Une personne illettrée, c'est une personne adulte qui ne sait ni lire ni écrire ; vois ***analphabète.*** *Il y a encore beaucoup de gens illettrés dans ce village.* — n. *Elle apprend à lire aux illettrés.*
Famille de **lettre**

illicite adj.
Interdit par la loi. *Faire de la contrebande est un acte illicite ;* vois ***interdit, illégal.***
Le contraire d'*illicite,* c'est *autorisé.*

Famille de **limite**

illimité adj.
1. Sans limites, sans bornes ; vois ***immense, infini.*** *Les tyrans imaginent que leur pouvoir est illimité.* **2.** Dont la grandeur n'est pas fixée d'avance. *Mme Hespel a loué un piano pour une durée illimitée ;* vois ***indéterminé.***

Famille de ① **lire**

illisible adj.
1. Très difficile à lire parce que les lettres sont mal écrites ou mal imprimées. *La signature du docteur Séverac est illisible ;* vois ***indéchiffrable.*** **2.** *Ce livre est illisible,* très difficile à lire parce qu'il est trop compliqué ou ennuyeux.
Le contraire d'*illisible,* c'est *lisible.*

Conjugaison 1

Compare *illuminer, luminaire, lumineux* : dans ces mots, il s'agit de **clarté.**

illuminer v.

1. Éclairer d'une lumière très forte. *Les éclairs illuminent le ciel.* **2.** *La joie illumine le visage d'Antoine,* elle l'éclaire, elle lui donne un reflet lumineux.

Le contraire d'*illuminer,* c'est *obscurcir.*

▸ ***illumination*** n. f. Éclairage. *M. Doucet admire l'illumination de la place.*

illusion n. f.

Ne confonds pas *illusion* et *allusion.*

1. Impression fausse. *Yves allait tellement vite qu'il avait l'illusion de voler. Un mirage est une illusion d'optique,* une chose que l'on croit voir et qui n'existe pas. **2.** Idée fausse que l'on veut croire vraie parce qu'elle fait plaisir. *Hippolyte se fait encore des illusions sur les sentiments d'Angèle à son égard,* il se trompe.

▸ ***illusionniste*** n. m. et f. Prestidigitateur. *L'illusionniste exécute un tour de magie.*

Autre membre de la famille : **désillusion.**

illustration va voir ② *illustrer.*

illustre adj.

Célèbre, très connu ; vois ***fameux.*** *Molière est l'illustre auteur du « Malade imaginaire ».*

Le contraire d'*illustre,* c'est *inconnu.*

Conjugaison 1

C'est un comédien en renom.

▸ ① ***s'illustrer*** v. Devenir célèbre, se faire remarquer, se distinguer. *Denis Prost s'est illustré dans de nombreux films policiers.*

② illustrer v.

N'oublie pas les deux *l.*

Ce dictionnaire est illustré de planches en couleurs.

Conjugaison 1

1. *Illustrer un livre,* c'est l'orner d'images, de photos. *Marie-Tévy découpe des images pour illustrer son cahier de français.* **2.** Expliquer clairement en donnant des exemples. *Mme Harpie a accusé Antoine de lui voler des bonbons ; cela illustre bien sa méchanceté.*

Mme Harpie, tante d'Antoine, vend des bonbons.

Les journaux de bandes dessinées sont des illustrés.

▸ ***illustré*** n. m. Revue qui contient surtout des images, des dessins, des photos. *Sylvain aime bien lire des illustrés.*

▸ ***illustration*** n. f. Image, dessin, photo qui illustre un livre. *Ce livre contient de belles illustrations.*

îlot n. m.

N'oublie pas l'accent circonflexe du *î.*

1. Très petite île. *Loïc a jeté l'ancre devant un îlot proche de la côte.* **2.** Petit groupe d'arbres, de maisons au milieu d'un espace vide. *L'oasis était un îlot de verdure.*

Famille de **île**

image n. f.

1. Dessin, photographie ; vois ***illustration.*** *Claire aime beaucoup les livres d'images.* **2.** Ce qui apparaît dans un miroir ou sur un écran de cinéma ou de télévision. *Il faudrait régler la télévision, l'image est floue.* **3.** *Julie est l'image de son père,* elle lui ressemble beaucoup ; vois ***portrait.*** **4.** Idée. *Ce documentaire donne une image très juste de ce pays ;* vois ***description.*** **5.** Comparaison expressive. *« Foudroyer quelqu'un du regard » est une image.*

Être sage comme une image, c'est être très sage.

▸ ***imagé*** adj. *Un langage imagé,* c'est un langage où il y a beaucoup de comparaisons, d'images. *Mamie Lou a un langage très imagé.*

imaginer v.

Conjugaison 1

1. Se faire une idée de quelque chose. *Julie a du mal à imaginer qu'elle a eu l'âge de son petit frère Martin.* **2.** Inventer. *Colle et Rat ne savent plus quoi imaginer pour se faire remarquer.* **3.** *Antoine s'imagine qu'il peut réussir sans travailler,* il le croit, mais il a tort.

Ce sont de sales garnements !

Les méridiens et les parallèles sont des lignes imaginaires.

▸ ***imaginaire*** adj. Qui n'est pas réel. *Les personnages des romans sont imaginaires. La licorne et le dragon sont des animaux imaginaires ;* vois ***fabuleux, fantastique.***

Le contraire d'*imaginaire,* c'est *réel.*

Au féminin : *imaginative.*

▸ ***imaginatif*** adj. Qui a beaucoup d'imagination. *Yasmina est très imaginative.*

▸ ***imagination*** n. f. *Avoir de l'imagination,* c'est avoir beaucoup d'idées, pouvoir inventer toutes sortes de choses. *Yasmina a une imagination débordante.*

Autre membre de la famille : **inimaginable.**

Pense au **m** devant le **b** et aux deux **t**.

imbattable adj.
Très fort, que l'on ne peut pas battre. *Denis Prost est imbattable aux échecs ;* vois ***invincible.***

Famille de **battre**

Un seul **l** dans *imbécile.*

imbécile n. m. et f.
Personne qui n'est pas intelligente ; vois ***crétin, idiot.*** *David a traité sa sœur d'imbécile.*

Tu ne pouvais pas faire attention, petit imbécile ! *(Poil de Carotte).*

Un **m** devant le **b** et deux **l** dans *imbécillité.*

▸ ***imbécillité*** n. f. **1.** Manque d'intelligence. *Ne jamais vouloir changer d'avis est une preuve d'imbécillité.* **2.** Chose ou parole sotte. *Antoine ne cesse de dire des imbécillités ;* vois ***bêtise, idiotie, sottise.***

Le contraire d'*imberbe,* c'est *barbu.*

imberbe adj.
Qui n'a pas de barbe. *Tous les petits garçons de la classe d'Angèle sont encore imberbes.*

Attention au **m** devant le **b** !

Attention au **m** devant le **b** !

imbiber v.
Après l'averse, la terre est imbibée d'eau, elle est remplie d'eau, imprégnée d'eau.

Conjugaison 1

Il y a un **m** devant le **b**.

s'imbriquer v.
1. S'ajuster en se recouvrant en partie. *Les pièces du jeu de construction s'imbriquent les unes dans les autres.* **2.** Être lié de façon étroite. *Ces deux affaires s'imbriquent étroitement, pense le commissaire.*

Conjugaison 1

On ne doit pas prononcer le **g** : [ɛ̃bʀɔljo]. Pense au **m** devant le **b**.

imbroglio n. m.
Situation très compliquée. *Personne n'a rien compris à cette histoire, c'est un véritable imbroglio.*

Imbroglio est un mot italien.

Attention au **m** devant le **b** !

imbu adj.
Quelqu'un qui est imbu de lui-même, c'est quelqu'un qui se croit supérieur aux autres. *Depuis qu'il est un comédien connu, Denis Prost est un peu imbu de lui-même.*

Au féminin : *imbue.*

Le contraire d'*imbuvable,* c'est *buvable.*

imbuvable adj.
Très mauvais à boire. *Ce café est imbuvable, il est trop amer.*

Famille de **boire**

Conjugaison 1

imiter v.
1. Reproduire, copier. *Antoine sait très bien imiter les cris d'animaux.* **2.** Suivre l'exemple de quelqu'un. *Julie est toujours habillée à la dernière mode ; ses amies essaient de l'imiter.* **3.** *Cette matière plastique imite bien le cuir,* elle ressemble beaucoup au cuir, elle produit le même effet que le cuir.

Le loriot n'était pas toujours prêt à chanter et le chien, pour instruire les petites, essayait d'imiter sa chanson, mais il ne faisait rien qu'aboyer *(les Contes du Chat perché).*

Compare : *imiter* → *imitateur* et *animer* → *animateur.*

▸ ***imitateur*** n. m., ***imitatrice*** n. f. Personne qui sait très bien imiter les autres. *Julie n'est pas une bonne imitatrice. Au music-hall ou à la télévision, les imitateurs imitent les gens célèbres, pour faire rire.*

Ce sont souvent les hommes politiques qu'ils imitent.

Compare : *imiter* → *imitation* et *animer* → *animation.*

▸ ***imitation*** n. f. **1.** *Antoine fait des imitations très drôles,* il reproduit très bien les gestes, la voix d'autrui. **2.** Objet imité d'un autre ; vois ***copie.*** *Ce fauteuil n'est pas un vrai fauteuil Louis XVI, c'est une imitation.*

Autre membre de la famille : **inimitable.**

Famille de **manger**

immangeable adj.
Très mauvais à manger. *Cette viande est trop dure, elle est immangeable.*

Le contraire, c'est *mangeable.*

N'oublie pas les deux **m**.

immatriculer v.
Immatriculer une voiture, c'est l'inscrire sous un certain numéro, sur un registre public. *La voiture de Mme Hespel est immatriculée dans le département du Nord.*

Conjugaison 1

▸ ***immatriculation*** n. f. *Les plaques d'immatriculation d'une voiture,* ce sont les plaques sur lesquelles est inscrit le numéro de la voiture. *Une voiture a deux plaques d'immatriculation : une à l'avant, l'autre à l'arrière.*

Dans l'immédiat : pour le moment.

immédiat adj.
1. Qui a lieu tout de suite. *La riposte des ennemis a été immédiate.* **2.** Qui est tout proche. *Les voisins immédiats des Touati sont bruyants.*

Attention aux deux **m** et au **t** final !

Deux **m** dans *immédiatement.*

▸ ***immédiatement*** adv. Tout de suite. *« Yves », crie* Mme *Bellec, « rentre immédiatement, tu vas attraper froid ! »*

Attention aux deux ***m*** !

immense adj.

Très grand. *L'Australie est un pays immense. Mamie Lou a toujours un immense plaisir à voir tous ses petits-enfants.*

Le contraire d'*immense*, c'est *minuscule*.

Compare : *immense* → *immensément* et *commode* → *commodément.*

▸ ***immensément*** adv. Extrêmement. *Les milliardaires sont immensément riches ;* vois ***colossalement.***

▸ ***immensité*** n. f. Étendue immense. *L'immensité de l'espace fait parfois peur.*

Compare : *immense* → *immensité* et *dense* → *densité.*

Conjugaison 3

immerger v.

Mettre sous l'eau. *On a immergé des câbles dans la mer. — Le sous-marin commence à s'immerger,* à plonger.

Le contraire d'*immerger*, c'est *émerger.*

Immersion [imɛʀsjɔ̃] rime avec *passion.*

immersion n. f.

Action de mettre sous l'eau, de plonger. *Yves a déjà vu l'immersion d'un sous-marin,* un sous-marin en train de plonger.

Deux ***m*** mais un seul ***s*** dans ***immersion.***

Deux ***m*** et deux ***t***. Prononce [ɛ̃mɛtabl]. Famille de **mettre**

immettable adj.

Un vêtement immettable, c'est un vêtement que l'on ne peut pas ou que l'on n'ose pas mettre. *Cette robe est démodée, elle est devenue immettable.*

Le contraire d'*immettable,* c'est *mettable.*

N'oublie pas les deux ***m***.

immeuble n. m.

Grand bâtiment à plusieurs étages. *Antoine habite avec sa mère un appartement dans un immeuble neuf.*

Les tours et les gratte-ciel sont des immeubles très hauts.

Conjugaison 1

Ne confonds pas *immigrer* et *émigrer.*

immigrer v.

Arriver dans un pays étranger pour y vivre. *Les Touati ont immigré en France avant la naissance de Yasmina.*

Compare ***immigrer, émigrant*** et ***migration*** : dans ces mots, il s'agit de **se déplacer.**

N'oublie pas les deux ***m***.

▸ ***immigré*** adj. Qui est venu de l'étranger pour s'installer dans un autre pays. *Le père de Yasmina est un travailleur immigré.* — n. *Les Touati sont des immigrés.*

Ils viennent du Maroc.

▸ ***immigration*** n. f. Installation d'étrangers dans un pays pour y vivre et y travailler. *L'immigration est contrôlée par l'État.*

Ne confonds pas *immigration* et *émigration.*

N'oublie pas les deux ***m***.

imminent adj.

Qui doit arriver dans très peu de temps ; vois ***proche.*** *On vient d'annoncer l'arrivée imminente de l'avion de Londres ;* vois ***immédiat.***

Le contraire d'*imminent,* c'est *lointain.*

Conjugaison 3

▭ Indic. présent : *nous nous immisçons.*

***s'*immiscer** v.

Se mêler de quelque chose d'une manière indiscrète. *Mme Harpie s'immisce toujours dans les affaires de sa sœur.*

Attention au ***s*** devant le ***c*** !

Deux ***m*** dans *immobile.* Famille de **mobile**

immobile adj.

Qui ne bouge pas. *C'est difficile de rester immobile très longtemps,* sans bouger ; vois ***tranquille.***

Le contraire d'*immobile,* c'est *mobile.*

Deux ***m*** dans *immobilier.*

immobilier adj. et n.

1. adj. Qui s'occupe de la construction et de la vente d'immeubles et de maisons. *Les Séverac se sont adressés à une agence immobilière pour acheter leur maison.* **2.** n. m. *L'immobilier,* c'est la construction, la vente et la location de logements. *Un frère d'Angèle travaille dans l'immobilier.*

Un *agent immobilier* vend des appartements et des maisons.

Conjugaison 1

immobiliser v.

Rendre immobile. *Nathalie a été immobilisée plusieurs jours à la suite de sa chute.*

Famille de **mobile**

Famille de **mobile**

immobilité n. f.

État de ce qui reste sans bouger. *Nathalie a été condamnée à l'immobilité après s'être foulé la cheville,* elle a dû rester sans bouger.

Deux ***m*** dans *immoler.*

immoler v.

Tuer une victime pour l'offrir en sacrifice à un dieu. *Les Romains immolaient des moutons à leurs dieux et lisaient l'avenir dans leurs entrailles ;* vois ***sacrifier.***

Dans les religions primitives, on immolait aussi des humains.

Conjugaison 1

Pense aux deux ***m***.

immonde adj.

1. Très sale ; vois ***dégoûtant, répugnant.*** *Il y a de pauvres gens qui vivent dans d'immondes taudis.* **2.** Révoltant ; vois ***ignoble.*** *C'est immonde de dénoncer ses amis.*

Attention ! c'est un nom féminin pluriel.

▹ ***immondices*** n. f. plur. Déchets, ordures ; vois ***détritus.*** *Les immondices sont enlevées chaque matin par les éboueurs.*

Deux *m* dans *immoral.* Au masculin pluriel : *immoraux.* Famille de **moral**

immoral adj.
Contraire à ce que l'on doit faire, à la morale. *Le vol et le crime sont immoraux et punis par la loi.*

Le contraire d'*immoral,* c'est *moral.*

Pense aux deux *m.* Famille de **mourir**

immortalité n. f.
État de ce qui ne meurt pas. *Les gens qui ont la foi croient à l'immortalité de l'âme,* ils croient qu'il y a une autre vie après la mort.

Va voir aussi **immortel.**

Famille de **mourir** Le contraire, c'est *mortel.* On appelle les académiciens les *immortels.*

immortel adj.
1. Qui ne meurt pas. *Les dieux des anciens Grecs et des Romains étaient immortels.* **2.** Qui doit rester toujours dans la mémoire des hommes. *Victor Hugo a écrit des œuvres immortelles.*

Une *immortelle* est une fleur qui ne se fane pas.

Pense bien aux deux *m.*

immuable adj.
Qui ne change pas. *Les mois de l'année se déroulent dans un ordre immuable,* toujours le même ; vois ***constant, invariable.***

Le contraire d'*immuable,* c'est *changeant, variable.*

Attention aux deux *m* ! Conjugaison 1

immuniser v.
Préserver d'une maladie. *On peut immuniser contre certaines maladies grâce aux vaccins. Yves a déjà eu la rubéole, il est immunisé contre elle.*

Les rappels permettent d'immuniser plus longtemps.

Compare *immunité* et *immuniser* : dans ces deux mots, il s'agit d'être **à l'abri.**

immunité n. f.
Capacité de résister à une cause de maladie. *L'immunité contre le virus de la grippe s'obtient maintenant par un vaccin,* la résistance au virus de la grippe.

Impact [ɛ̃pakt] rime avec *pacte.*

impact n. m.
1. *Le point d'impact d'une balle,* c'est l'endroit où elle est venue frapper. *La fusillade a dû être violente : les policiers ont trouvé plusieurs points d'impact sur le mur.* **2.** Effet, influence. *Cette campagne publicitaire a eu un grand impact sur le public ;* vois ***répercussion, retentissement.***

① ***impair*** n. m.
Maladresse ; vois ***gaffe.*** *Hippolyte a commis un impair en demandant à Mme Harpie quel âge elle avait.*

Pense au *m* devant le *p.* Famille de ② **pair**

② ***impair*** adj.
Un nombre impair, c'est un nombre qui, quand on le divise par deux, ne donne pas un nombre entier. *3, 7, 9 et 11 sont des nombres impairs.*

Le contraire d'*impair,* c'est ② *pair.*

Famille de **parer**

imparable adj.
Impossible à parer, à éviter. *David a marqué un but pour son équipe de football, en faisant un tir imparable.*

Le gardien de but n'a pas pu bloquer le ballon.

impardonnable adj.
Qui ne mérite pas d'être pardonné. *Julie a fait une bêtise impardonnable. Julie est impardonnable ;* vois ***inexcusable.***

Le contraire d'*impardonnable,* c'est *excusable, pardonnable.*

Famille de **pardonner**

Famille de **parfait** Le contraire d'*imparfait,* c'est *parfait.*

① ***imparfait*** adj.
Une chose imparfaite, c'est une chose qui présente des défauts. *Antoine essaie de parler comme Hippolyte, mais son imitation est imparfaite.*

Va voir aussi **imperfection.**

② ***imparfait*** n. m. Vois l'encadré ci-dessous.

l'imparfait

- L'**imparfait** est un temps de l'indicatif que l'on emploie pour parler de ce qui est arrivé dans le passé et qui a duré un certain temps ou s'est répété : *Quand Nathalie Séverac **était** à la ferme, tous les jours elle **nourrissait** les animaux.*
  Les verbes *était* et *nourrissait* sont des imparfaits des verbes *être* et *nourrir.*
- Il existe aussi un imparfait du subjonctif, que l'on trouve dans les livres.
  *Le Roi ordonna qu'on la **laissât** dormir en repos.*

Impartial [ɛ̃paʀsjal] rime avec *spécial.*

impartial adj.
Une personne impartiale, c'est une personne juste, qui n'a pas de parti pris

Famille de **part**

Le contraire d'*impartial,* c'est *partial.*

et ne montre pas ses préférences. *Les professeurs doivent être impartiaux, mais c'est souvent difficile ;* vois ***objectif.***

▸ ***impartialité*** n. f. Qualité d'une personne qui juge sans parti pris. *Les élèves ont confiance dans l'impartialité de leur institutrice ;* vois ***objectivité.***

Attention ! *impasse* est un nom féminin.

impasse n. f.
Petite rue sans issue, fermée à un bout. *Le docteur Séverac s'est engagé dans une impasse, il a dû faire marche arrière ;* vois ***cul-de-sac.***

Famille de **passer**

impassible adj.
Une personne impassible, c'est une personne qui ne montre aucune émotion, aucun trouble. *Nathalie reste impassible quand son frère la taquine ;* vois ***calme, imperturbable.***

Le contraire d'*impassible,* c'est *ému.*

Famille de ① **patient**

Je n'ose pas ; ma tante n'aime pas qu'on soit impatient et curieux *(les Malheurs de Sophie).*

impatient adj.
Qui n'aime pas attendre, est incapable d'attendre. *À Noël, les enfants sont impatients de déballer leurs cadeaux.*

Le contraire d'*impatient,* c'est *patient.*

▸ ***impatience*** n. f. État d'une personne qui n'aime pas attendre. *Mme Séverac manifeste de l'impatience dans la salle d'attente du dentiste ;* vois ***énervement.***

Le contraire d'*impatience,* c'est *patience.*

Impatiemment [ɛ̃pasjamɑ̃] rime avec *méchamment.*

▸ ***impatiemment*** adv. Avec impatience. *Antoine attend impatiemment son anniversaire.*

Conjugaison 1

▸ ***impatienter*** v. **1.** Faire perdre patience. *Ce matin, les élèves ont impatienté Angèle, l'institutrice ;* vois ***énerver.*** **2.** *S'impatienter,* c'est perdre patience. *Chez le dentiste, Mme Séverac s'est impatientée en attendant son tour.*

Le contraire de *s'impatienter,* c'est *patienter.*

On rencontre ce mot surtout dans les livres.

impavide adj.
Qui ne montre aucune peur. *Hippolyte est resté impavide devant le danger.*

Compare *impeccable* et ***peccadille*** : dans ces deux mots, il est question de **faute.**

impeccable adj.
1. Sans défaut. *Sylvain a rendu un devoir impeccable,* sans fautes ; vois ***irréprochable.*** **2.** D'une propreté parfaite. *Le docteur Séverac porte toujours des chemises impeccables.*

Famille de **pénétrer**

impénétrable adj.
1. Où l'on ne peut pénétrer, entrer. *En Amazonie, il y a des forêts impénétrables.* **2.** Mystérieux. *« J'ai une surprise pour toi », dit Mamie Lou à Nathalie, d'un air impénétrable,* qui ne permet pas de deviner ses pensées.

Entre les arbres, il y a des lianes, des plantes, qui empêchent d'entrer dans la forêt.

Famille de **penser**

Le contraire d'*impensable,* c'est *possible.*

impensable adj.
Inimaginable, incroyable. *Il est impensable qu'Angèle change de métier ;* vois ***inconcevable.***

Compare : *penser → impensable* et *pénétrer → impénétrable.*

Compare ***impératif*** et ***impérieux*** : dans ces deux mots, il s'agit de **commander.**

impératif adj. et n. m.
1. adj. À quoi l'on est obligé de se soumettre. *« Je veux que tu sortes de ma chambre », dit-il d'une voix impérative. « Restez au lit, c'est impératif », a dit le docteur Séverac au malade ;* vois ***indispensable.***
2. n. m. Va voir l'encadré ci-dessous.

l'impératif

- L'**impératif** est le mode du verbe employé quand on veut donner un ordre, donner des conseils, ou interdire quelque chose à quelqu'un.
- L'impératif ne s'emploie qu'à la deuxième personne du singulier, à la première personne du pluriel et à la deuxième personne du pluriel : *parle, parlons, parlez.*

Il existe un impératif présent : ***finis*** *ton travail*
et un impératif passé : ***aie fini*** *avant mon retour.*
Certains verbes n'ont pas d'impératif : *pouvoir, devoir* sont dans ce cas.

Compare ***impératrice*** et ***impérial*** : il est question d'**empereur.**

impératrice n. f.
1. Épouse d'un empereur. *Joséphine de Beauharnais fut couronnée impératrice en 1804.* **2.** Femme qui dirige un empire. *Catherine II, impératrice de Russie, était une femme très énergique.*

L'impératrice Marie-Louise fut la deuxième épouse de Napoléon Ier.

Compare *imperceptible* et ② *perception* : il s'agit de **percevoir** avec les sens.

imperceptible adj.
Très difficile à percevoir par l'un des cinq sens. *Loïc montre à Yves les étoiles dans le ciel, mais certaines sont imperceptibles à l'œil nu.*

Le contraire d'*imperceptible*, c'est *perceptible.*

Famille de **perfection**
Va voir aussi ① *imparfait.*

imperfection n. f.
Défaut. *La robe que Mme Séverac a fait faire présente quelques imperfections.*

Le contraire, c'est *perfection.*

Compare *impérial* et *impératrice* : dans ces mots, il est question d'**empereur.**

impérial adj.
Qui appartient à un empereur ou dépend de son autorité. *Angèle, l'institutrice, montre souvent à ses élèves des portraits de Napoléon Ier et de la famille impériale.*

Au masculin pluriel : *impériaux.*

Compare *impérialiste* et *impératif* : il est question de **commander.**

impérialiste adj.
Un pays impérialiste, c'est un pays qui cherche à conquérir ou à dominer d'autres pays. *Au XIXe siècle, l'Angleterre était un pays impérialiste.*

Ce pays mène une *politique impérialiste.*

Compare *impérieux* et *impératif* : il est question de **commander.**

impérieux adj.
1. Autoritaire, qui n'admet pas de réplique. *La directrice de l'école parle souvent d'une voix impérieuse.* **2.** *Un besoin impérieux,* c'est un besoin auquel on ne peut pas résister. *Mme Séverac est très fatiguée, elle a un besoin impérieux de dormir ;* vois ***irrésistible, pressant, urgent.***

Famille de **périr**

impérissable adj.
Qui ne peut périr, disparaître. *Angèle a gardé de ses vacances un souvenir impérissable ;* vois ***immortel, inoubliable.***

Famille de **perméable**

L'argile est imperméable.

imperméable adj. et n. m.
1. adj. Qui ne laisse pas passer l'eau, ni aucun autre liquide. *Il y a beaucoup de lacs au Canada, à cause des terrains imperméables qui retiennent les eaux.* **2.** n. m. *Un imperméable,* c'est un vêtement qui protège de la pluie. *Yves emporte toujours son imperméable quand il va en Bretagne.*

Le contraire d'*imperméable*, c'est *perméable, poreux.*

Famille de ② **personne**

impersonnel adj.
1. Neutre, sans caractère personnel. *Dans l'aéroport, une voix impersonnelle annonce l'arrivée des avions.* **2.** *Un verbe impersonnel,* c'est un verbe qui ne s'emploie qu'à la troisième personne du singulier et à l'infinitif. *Falloir et pleuvoir sont des verbes impersonnels.*

Le contraire d'*impersonnel*, c'est *personnel.*

Famille de **pertinent**

impertinent adj.
Impoli, trop familier. *Julie répond à sa mère sur un ton impertinent ;* vois ***incorrect, insolent.*** *Julie est souvent impertinente.*

Le contraire d'*impertinent*, c'est *respectueux.*

Compare : *impertinent → impertinence* et *prudent → prudence.*

▸ ***impertinence*** n. f. Attitude d'une personne qui manque de politesse, de respect. *Julie a répondu avec impertinence ;* vois ***impolitesse, insolence.***

Famille de **perturber**

imperturbable adj.
Qui ne se laisse pas troubler, émouvoir ; vois ***indifférent.*** *Nathalie est restée imperturbable ;* vois ***impassible, inébranlable, placide, serein.***

Le contraire d'*imperturbable*, c'est *ému, énervé.*

impétueux adj.
1. Violent et rapide. *Un vent impétueux soulevait les vagues.* **2.** *Une personne impétueuse,* c'est une personne qui se laisse entraîner par son énergie. *Angèle aime bien Hippolyte, mais elle le trouve un peu trop impétueux ;* vois ***ardent, fougueux, vif.***

Le contraire d'*impétueux*, c'est *calme, tranquille.*

Compare : *impétueux → impétuosité* et *curieux → curiosité.*

▸ ***impétuosité*** n. f. Vivacité ; vois ***ardeur, fougue, véhémence.*** *Le loup s'élança sur sa proie avec impétuosité.*

impie n. m. et f.
Personne qui manque de respect pour la religion. *L'abbé Gauthier a effacé les mots, écrits par un impie, sur les murs de l'église.* — adj. *Une personne impie avait écrit des horreurs sur le mur de l'église.*

Le contraire d'*impie*, c'est *pieux.*

Famille de **pitoyable**

Mais, impitoyable, il ajouta : Tu confonds tout... tu mélanges tout ! *(le Petit Prince).*

impitoyable adj.
Sans pitié. *Le juge a été impitoyable pour l'accusé. Angèle, l'institutrice, est impitoyable pour les fautes d'orthographe,* très sévère ; vois ***implacable, inflexible.***

Le contraire d'*impitoyable*, c'est *charitable, indulgent.*

implacable adj.
Qu'on ne peut faire céder ; vois ***inflexible.*** *Les chats et les chiens sont des*

ennemis implacables ; vois ***impitoyable.*** *Ma vengeance sera implacable,* très dure.

Conjugaison 1
Famille de **planter**

implanter v.

Installer d'une façon durable. *Le maire de Motbourg veut implanter de nouvelles industries dans la région ;* vois ***créer.*** — *Une entreprise de chauffage s'est implantée dans les faubourgs,* elle s'y est établie.

Son *implantation* a créé de nouveaux emplois.

implicite adj.

Ce qui est implicite n'est pas clairement exprimé, mais peut se deviner à partir de ce qui a été dit ou de la situation. *Son silence est le signe implicite de son approbation.*

Le contraire d'*implicite,* c'est *explicite.*

Conjugaison 1

impliquer v.

1. *Impliquer une personne dans une affaire,* c'est l'accuser d'avoir joué un rôle dans cette affaire. *On a voulu impliquer le maire dans un scandale,* le mettre en cause ; vois ***mêler.*** **2.** Entraîner comme conséquence. *Antoine doit être à cinq heures à Paris, cela implique qu'il prenne le train de quatre heures à Motbourg.*

Pense au ***m*** devant le ***p***.
Un *air implorant,* c'est un air suppliant.

implorer v.

Demander en suppliant. *Les parents de Colle et Rat ont imploré l'indulgence de la directrice.*

Conjugaison 1

Famille de ① **poli**

Quand Jacques avait été impoli avec un domestique ou maussade avec un camarade, son papa l'obligeait à demander pardon *(les Vacances).*

impoli adj.

Qui ne se conduit pas avec politesse ; vois ***incorrect.*** *Colle et Rat sont des enfants très impolis,* très mal élevés. *C'est impoli de couper la parole à quelqu'un,* cela ne se fait pas ; vois ***grossier.***

Le contraire d'*impoli,* c'est *poli.*

▸ ***impolitesse*** n. f. Manque de politesse ; vois ***grossièreté.*** *L'impolitesse de Colle et Rat est vraiment incroyable. Quelle impolitesse !*

Le contraire d'*impolitesse,* c'est *politesse.*

N'oublie pas le ***m*** devant le ***p***.

impondérable adj.

Que l'on ne peut prévoir, calculer exactement. *Il y a toujours des éléments impondérables qui risquent de faire échouer un plan.* — n. m. *Il faut toujours compter avec les impondérables.*

Famille de **populaire**
Le contraire d'*impopulaire,* c'est *populaire.*

impopulaire adj.

Qui déplaît à la plupart des gens. *Louis XI était un roi impopulaire. L'augmentation des impôts est toujours une mesure impopulaire.*

Malgré son impopularité, il fut un grand roi.

Famille de ① **importer**

Après quoi, il se mit à répéter à voix basse pour lui tout seul : « d'importance, sans importance, sans importance, d'importance », comme s'il essayait de trouver ce qui sonnait le mieux *(Alice au Pays des merveilles).*

importance n. f.

Ce qui fait qu'une chose compte beaucoup. *Le sommeil a une grande importance dans la vie d'un bébé. Cela n'a pas d'importance si tu n'as pas fini ce soir,* cela ne fait rien. *Odile Séverac n'attache pas beaucoup d'importance à l'élégance,* l'élégance ne compte pas du tout pour elle ; vois ***intérêt.*** *C'est un problème d'importance,* de taille.

C'est sans aucune importance : cela ne fait rien du tout.

▸ ***important*** adj. **1.** Qui compte beaucoup, qui a beaucoup d'importance. *M. Bonnot a joué un rôle important dans la Résistance, pendant la guerre. Avant de partir, Angèle vérifie qu'elle n'oublie rien d'important.* **2.** Gros ; vois ***considérable.*** *Denis Prost commence à gagner d'importantes sommes d'argent.* **3.** *Une personne importante,* c'est une personne qui joue un grand rôle dans la société, qui exerce de l'influence ; vois ***influent.*** *Le docteur Séverac et sa femme sont des personnages importants à Motbourg.*

Le contraire d'*important,* c'est *insignifiant, secondaire.*

Le contraire d'*important,* c'est *nul, petit.*

Ce n'est pas important la guerre des moutons et des fleurs ? Ce n'est pas plus sérieux et plus important que les additions d'un gros Monsieur rouge ? *(le Petit Prince).*

Conjugaison 1 ; *importer* ne s'emploie qu'à l'infinitif et à la troisième personne.

① *importer* v.

1. Compter beaucoup, avoir de l'importance ; vois ***intéresser.*** *La seule chose qui importe à Félix, le chat de Julie, c'est d'avoir sa pâtée tous les jours. Peu m'importe que tu viennes ou non,* cela m'est indifférent. *Viens si tu veux, peu importe !,* cela n'a pas d'importance. *Peu importe vos raisons.* **2.** *N'importe qui peut en faire autant,* une personne quelconque. *Colle et Rat racontent n'importe quoi,* des choses sans valeur. *Ce serait bien de pouvoir partir n'importe où, n'importe quand,* dans un endroit quelconque, à un moment quelconque. *Ce travail a été fait n'importe comment,* sans soin.

Autres membres de la famille : **importance, important.**

On peut écrire aussi : *peu importent vos raisons.*

Je ne veux pas mourir de faim, moi. Je veux manger tout de suite, n'importe quoi, de l'herbe *(Poil de Carotte).*

Ne poussez pas ! criait le veau ou l'âne ou le mouton ou n'importe qui *(les Contes du Chat perché).*

Conjugaison 1
Famille de **porter**
Le contraire, c'est *exporter*.

② **importer** v.
Faire venir une marchandise d'un pays étranger. *La France importe du pétrole, du coton, du café.*

Un pays importe ce qui lui manque.

Le contraire, c'est *exportation*.

▸ **importation** n. f. Achat de marchandises à un pays étranger. *L'importation permet à un pays d'acheter aux autres pays ce qu'il n'a pas chez lui.*

Un *produit d'importation*, c'est un produit importé.

importun adj.
Une personne importune, c'est une personne qui gêne, qui dérange. *On se sent quelquefois importun quand on n'est pas attendu.* — n. m. *C'est parfois difficile de se débarrasser d'un importun,* d'une personne qui vous dérange ; vois ***gêneur.***

Conjugaison 1

▸ **importuner** v. Déranger. *Je m'en vais, je ne vous importunerai pas plus longtemps ;* vois **ennuyer.** *Vous m'importunez avec vos questions ! ;* vois **agacer.**

Conjugaison 1

① **imposer** v.
1. Faire subir, faire accepter par force, par autorité ; vois ***infliger.*** *Je ne vous imposerai pas ma présence plus longtemps.* **2.** *En imposer,* c'est commander le respect ; vois ***impressionner.*** *Le courage de Mme Pelletier durant sa maladie en imposait à tous.*

En admettant que ces deux petites rentrent en possession de leur mouton, réussiront-elles à l'imposer ici ?
(les Contes du Chat perché).

▸ **s'imposer** v. **1.** Se faire reconnaître par sa valeur. *Mme Hespel s'est imposée dans son travail par son sérieux.* **2.** Être nécessaire. *Après un gros effort, un peu de repos s'impose.*

▸ **imposant** adj. Qui impressionne par l'importance, la quantité ; vois ***considérable.*** *Denis Prost a une imposante collection de disques ;* vois ***impressionnant.***

Conjugaison 1

② **imposer** v.
Faire payer un impôt ; vois ***taxer.*** *Les contribuables sont imposés sur leurs revenus,* ils doivent payer des impôts à l'État sur ce qu'ils ont gagné.

Autre membre de la famille : **impôt.**

Famille de **possible**
« Impossible n'est pas français », disait Napoléon.

impossible adj.
1. *Une chose impossible,* c'est une chose qui ne peut pas arriver ou que personne ne peut faire. *La réparation de ce vieux vélo est impossible. C'est impossible qu'il fasse beau demain, avec tous ces nuages.* — n. m. *Julie demande toujours l'impossible,* des choses impossibles. **2.** Qu'on ne peut supporter ; vois ***insupportable.*** *Colle et Rat sont impossibles certains jours. Mme Harpie a un caractère impossible,* très difficile.

Faire l'impossible, c'est faire tout ce qui est possible.

Le contraire d'*impossible*, c'est *possible*.

Compare :
impossible → impossibilité,
possible → possibilité
et *sensible → sensibilité.*

▸ **impossibilité** n. f. *Être dans l'impossibilité de faire quelque chose,* c'est ne pas pouvoir le faire. *Après s'être foulé la cheville, Nathalie était dans l'impossibilité de marcher.*

Le contraire d'*impossibilité*, c'est *possibilité*.

imposteur n. m.
Personne qui se fait passer pour quelqu'un d'autre ou pour ce qu'elle n'est pas. *Tartuffe, dans la pièce de Molière, est un imposteur.*

Tartuffe se fait passer pour quelqu'un de très pieux.

Ce mot n'est pas très courant.

imposture n. f.
Tromperie d'un imposteur. *L'imposture a été découverte.*

Famille de ② **imposer**
Va voir aussi ***fisc.***

impôt n. m.
Argent que l'on verse à l'État. *Les contribuables payent des impôts directs,* une somme d'argent calculée d'après les revenus.

Les *impôts indirects* sont des taxes comprises dans le prix des marchandises.

Impotent [ɛ̃pɔtɑ̃] rime avec *charlatan.*

impotent adj.
Qui ne peut pas marcher ou marche avec difficulté ; vois ***infirme, invalide.*** *La grand-mère de Denis Prost était impotente à la fin de sa vie.* — n. *Le docteur Séverac a rendu visite à une impotente ;* vois ***handicapé.***

Le contraire d'*impotent*, c'est *valide*.

Pense au ***m*** devant le ***p***, et attention au ***c*** !
Famille de ① **pratique**

impraticable adj.
Une route impraticable, c'est une route où l'on ne peut pas circuler. *Le chemin qui mène à la ferme est presque impraticable pour les voitures quand il a beaucoup plu.*

Le contraire d'*impraticable*, c'est *praticable*.

Famille de **précis**

imprécis adj.

Vague, incertain. *Je n'ai que des souvenirs imprécis de ce voyage ;* vois **flou.**

Le contraire, c'est *clair, précis.*

Compare : *imprécis → imprécision* et *indécis → indécision.*

▸ **imprécision** n. f. Manque de précision. *Mes souvenirs sont d'une grande imprécision.*

Le contraire, c'est *précision.*

Conjugaison 6
▭ Indic. présent : *j'imprègne, nous imprégnons.*

imprégner v.

Mouiller complètement ; vois **imbiber, tremper.** *Julie a renversé une bouteille d'huile, le sol de la cuisine en est tout imprégné ;* vois **pénétrer.** — *L'éponge s'imprègne facilement d'eau.*

Prononce [ɛ̃pʀeɲe].

On peut écrire aussi : *impresario.* Prononce [ɛ̃pʀesaʀjo].

imprésario n. m.

Personne qui s'occupe de l'organisation de spectacles et des engagements d'un artiste. *Demandez à mon imprésario.*

Au pluriel : *des imprésarios. Imprésario* est un mot d'origine italienne.

Pense au ***m*** devant le ***p*** et aux deux ***s***.

impression n. f.

1. Effet produit sur quelqu'un. *Angèle a produit une très forte impression sur Hippolyte la première fois qu'il l'a vue.* **2.** Sensation, sentiment. *On éprouve une impression d'étouffement dans cette grotte. J'ai l'impression que Julie est de mauvaise humeur, ce matin,* je crois, il me semble. **3.** Reproduction d'un texte par l'imprimerie. *Le roman de Sophie Pelletier est à l'impression,* en train d'être imprimé.

Il y avait le silence, surtout, un silence si grand et si fort que Lullaby avait l'impression qu'elle allait mourir *(Lullaby).*

On peut faire *bonne* ou *mauvaise impression.*

Va voir aussi ***imprimer, imprimerie.***

Conjugaison 1

▸ **impressionner** v. Faire une forte impression ; vois **frapper.** *Marie-Tévy a été très impressionnée par ce film de guerre à la télévision.*

L'auto rouge de Babar impressionne beaucoup les éléphants *(Babar).*

Les cygnes montaient si haut, si haut, que le vilain petit canard en était impressionné *(le Vilain Petit Canard).*

▸ **impressionnable** adj. Qui se laisse facilement impressionner ; vois **sensible.** *Marie-Tévy et Claire sont des petites filles très impressionnables.*

▸ **impressionnant** adj. Étonnant, frappant. *Il y avait dans ce film des séquences impressionnantes. La collection de disques de Denis Prost est impressionnante,* très grande ; vois **imposant.**

Ils étaient vraiment impressionnants, ces tuyaux *(Charlie et la Chocolaterie).*

▸ **impressionniste** n. m. et f. *Les impressionnistes,* ce sont les peintres qui, à la fin du XIXe siècle, ont cherché à exprimer les impressions données par la lumière et les objets. — adj. *Angèle a emmené sa classe voir une exposition de peintres impressionnistes.*

L'*impressionnisme* est un style de peinture qui essaie de rendre des impressions fugitives.

Manet, Renoir et Monet sont de très grands impressionnistes.

Même famille que **prévoir**

imprévisible adj.

Qui ne peut être prévu, connu à l'avance. *Julie a parfois des réactions imprévisibles,* que l'on n'attend pas ; vois **imprévu.**

Le contraire d'*imprévisible,* c'est *prévisible.*

Pense au ***m*** devant le ***p***.
Même famille que **prévoir**

imprévoyant adj.

Une personne imprévoyante, c'est une personne qui ne réfléchit pas à ce qui pourrait arriver et ne prend pas de précautions. *Angèle a été bien imprévoyante en ne prenant pas son parapluie.*

Le contraire d'*imprévoyant,* c'est *prévoyant.*

▸ **imprévoyance** n. f. Caractère d'une personne qui ne prévoit pas ce qui risque d'arriver. *C'est de l'imprévoyance de ne pas s'assurer contre le vol.*

Le contraire d'*imprévoyance,* c'est *prévoyance.*

Attention au ***m*** devant le ***p*** !
Même famille que **prévoir**

imprévu adj.

Inattendu. *M. Bonnot a reçu la visite imprévue d'un vieil ami.* — n. m. *Mme Séverac n'aime pas beaucoup l'imprévu,* ce qui arrive et qu'on n'attendait pas.

Le contraire d'*imprévu,* c'est *prévu.*

Conjugaison 1

imprimer v.

Reproduire un texte, un livre au moyen de l'imprimerie. *Les journaux du matin sont imprimés pendant la nuit. Cette brochure est très mal imprimée, on arrive à peine à la lire.*

Une *robe imprimée,* c'est une robe ornée de dessins.

Autrefois, les livres n'étaient pas imprimés, mais écrits à la main.

▸ **imprimé** n. m. Feuille, formule imprimée ; vois **formulaire.** *Inscrivez très lisiblement votre nom et votre adresse sur cet imprimé.*

Le contraire d'*imprimé,* c'est *manuscrit.*

Les imprimés, ce sont les journaux, les revues, les brochures.

▸ **imprimerie** n. f. **1.** Technique qui permet d'imprimer des livres et des journaux en très grand nombre. *Gutenberg perfectionna l'imprimerie en fabriquant des caractères en plomb.* **2.** Atelier, usine où l'on imprime des livres et des journaux. *Le livre n'est pas encore sorti en librairie, il est encore à l'imprimerie.*

Les Chinois auraient inventé l'imprimerie vers l'an 800. En Europe, c'est un Hollandais, Laurent Coster, qui imagina de sculpter des lettres dans du bois au début du XVe siècle.

▸ **imprimeur** n. m. Personne qui travaille dans une imprimerie. *Les livres sont imprimés par les imprimeurs.*

Le contraire d'*improbable,* c'est *certain, probable, sûr.*

improbable adj.

Qui a peu de chances de se produire ; vois **douteux.** *La victoire de notre équipe de football paraît bien improbable.*

Famille de **probable**

Prononce [ɛ̃pʀɔ̃pty].

impromptu adj.

Sans préparation ; vois **improvisé.** *Angèle a gardé ses amis à dîner et a organisé un repas impromptu.*

Famille de ② **propre**

impropre adj.

1. *Un mot impropre,* c'est un mot qui ne convient pas pour ce qu'on veut dire. *Les gens qui ne savent pas bien s'exprimer emploient souvent des mots impropres.* **2.** *Cette eau est impropre à la boisson,* elle n'est pas faite pour être bue.

Le contraire d'*impropre,* c'est *juste, exact, propre.*

Ne confonds pas *impropre* et *malpropre.*

Conjugaison 1

Attention au ***m*** devant le ***p.***

improviser v.

Faire quelque chose sans l'avoir préparé. *Le maire a improvisé son discours. Angèle a improvisé chez elle un dîner pour quelques amis.*

Improviser, c'est jouer une musique que l'on invente au fur et à mesure.

Compare : *improviser → improvisation* et *organiser → organisation.*

▸ ***improvisation*** n. f. Air improvisé. *Les musiciens de jazz ont joué une improvisation sur un thème très connu,* ils ont improvisé sur ce thème.

Attention ! un ***m*** devant le ***p.***

à l'improviste adv.

D'une manière imprévue, au moment où l'on ne s'y attend pas. *Les Prost ont souvent des amis qui viennent dîner à l'improviste.*

Toujours un ***m*** devant le ***p.***

Famille de **prudent**

imprudent adj.

Qui ne fait pas assez attention à ce qui peut être dangereux. *M. Bellec est quelquefois imprudent au volant. Yves, c'est imprudent d'escalader cette falaise, tu pourrais glisser.*

Le contraire d'*imprudent,* c'est *prudent.*

▸ ***imprudemment*** adv. D'une manière imprudente, sans faire attention au danger. *M. Bellec conduit parfois très imprudemment.*

Le contraire d'*imprudemment,* c'est *prudemment.*

Compare : *imprudent → imprudence* et *violent → violence.*

▸ ***imprudence*** n. f. **1.** Manque de prudence, d'attention. *Angèle a oublié de débrancher son fer à repasser, quelle imprudence !* **2.** Action imprudente. *L'incendie de la poste est peut-être dû à une imprudence.*

Un ***m*** devant le ***p*** et deux ***s*** dans *impuissant.*

Famille de ① **pouvoir**

impuissant adj.

Être impuissant, c'est ne pouvoir rien faire, être désarmé. *Loïc, seul sur son bateau, se sentait impuissant au milieu de la tempête.*

Le contraire d'*impuissant,* c'est *puissant.*

▸ ***impuissance*** n. f. Impossibilité de faire quelque chose. *Loïc était réduit à l'impuissance, seul sur son bateau, au milieu de la tempête.*

Le contraire d'*impuissance,* c'est *puissance.*

Le contraire d'*impulsif,* c'est *réfléchi.*

impulsif adj.

Qui agit sans réfléchir, très vite. *Julie est une petite fille très impulsive.*

Va voir aussi ***impulsion.***

Pense au ***m*** devant le ***p.***

impulsion n. f.

1. *Donner une impulsion à un objet,* c'est le pousser légèrement pour qu'il bouge. *Yves donna une impulsion au voilier miniature qui fit voile jusqu'au milieu du bassin.* **2.** Influence qui pousse à agir. *M. Bellec a frappé son fils sous l'impulsion de la colère. On ne peut pas obéir à toutes ses impulsions,* aux brusques envies que l'on a de faire quelque chose.

Compare ***impulsion*** et ***expulser*** : il est question de **pousser.**

Va voir aussi ***impulsif.***

On ne se moque pas impunément de la bande des vengeurs *(le Petit Nicolas).*

impunément adv.

Sans être puni. *Colle et Rat ne vont pas continuer très longtemps à perturber la classe impunément. On ne boit pas impunément une bouteille de whisky par jour,* sans dommage.

Attention ! un ***m*** devant le ***p.***

Famille de **punir**

impuni adj.

Qui ne reçoit pas de punition. *Colle et Rat ne resteront pas longtemps impunis.*

Famille de **pur**

impur adj.

Une chose impure, c'est une chose qui contient des éléments qui la rendent mauvaise. *Cette eau saumâtre est impure, on ne peut pas la boire ;* vois ***pollué.***

Le contraire d'*impur,* c'est *pur.*

Compare : *pur → pureté, impur → impureté* et *dur → dureté.*

▸ ***impureté*** n. f. Ce qui rend impur. *On élimine les impuretés de l'eau en la filtrant,* on élimine les choses qui la rendent mauvaise à boire.

Le contraire d'*impureté,* c'est *pureté.*

N'oublie pas le ***m*** devant le ***p***.

imputer v.

Imputer quelque chose à quelqu'un, c'est l'en rendre responsable. *On ne sait pas à qui imputer l'incendie de la poste ;* vois ***attribuer.***

Conjugaison 1

Compare *imputrescible* et *putride* : on parle de **pourrir.**

imputrescible adj.

Une matière imputrescible, c'est une matière qui ne pourrit pas. *L'or est imputrescible.*

Attention ! un ***s*** devant le ***c***.

inabordable adj.

Le contraire d'*inabordable,* c'est *abordable.*

D'un prix trop élevé. *Mme Séverac n'achète pas de fraises en hiver, elles sont inabordables.*

Famille de ① **bord**

Attention ! deux ***c***. Famille de **accepter**

inacceptable adj.

Une chose inacceptable, c'est une chose que l'on ne peut pas accepter. *La conduite de Colle et Rat en classe est inacceptable ;* vois ***inadmissible.***

Le contraire d'*inacceptable,* c'est *acceptable.*

Deux ***c*** et deux ***s***. Famille de ② **accès**

inaccessible adj.

1. Impossible à atteindre. *Claire n'arrive pas à atteindre le pot de confiture qui est sur l'étagère, il est inaccessible.* **2.** *Une personne inaccessible,* c'est une personne que l'on n'arrive pas à voir, à rencontrer. *Mme Hespel est inaccessible, il faut prendre rendez-vous avec sa secrétaire pour la voir.*

Le contraire d'*inaccessible,* c'est *accessible.*

Elle est très prise.

Attention ! deux ***c***. Famille de **coutume**

inaccoutumé adj.

Une chose inaccoutumée, c'est une chose qui n'arrive pas souvent ; vois ***inhabituel.*** *Il y avait ce jour-là une agitation inaccoutumée sur la place du Marché.*

Le contraire d'*inaccoutumé,* c'est *habituel.*

inachevé adj.

Le contraire d'*inachevé,* c'est *achevé, fini, terminé.*

Une chose inachevée, c'est une chose qui n'est pas achevée, terminée. *Marie-Tévy a laissé son devoir inachevé.*

Famille de **achever**

Famille de **actif**

inactif adj.

Sans activité ; vois ***désœuvré, oisif.*** *Angèle n'aime pas rester inactive. Bien qu'il soit en retraite, M. Bonnot ne mène pas une existence inactive.*

Le contraire d'*inactif,* c'est *actif.*

inaction n. f.

Le contraire d'*inaction,* c'est *action.*

Angèle ne peut pas supporter l'inaction, de ne rien faire ; vois ***désœuvrement, oisiveté.***

Famille de **action**

Famille de **apte**

inadapté adj.

Un enfant inadapté, c'est un enfant qui a des difficultés à s'adapter à la vie scolaire, qui a des problèmes avec les autres. *Les enfants inadaptés vont dans des écoles spéciales.*

Attention ! deux ***s***. Famille de **admettre**

inadmissible adj.

Une chose inadmissible, c'est une chose que l'on ne peut pas admettre, accepter ; vois ***inacceptable, intolérable.*** *L'attitude de Colle et Rat en classe est inadmissible.*

Le contraire d'*inadmissible,* c'est *admissible.*

Il est inadmissible qu'ils dérangent sans arrêt la classe !

Le contraire de *par inadvertance,* c'est *exprès, volontairement.*

par inadvertance adv.

Par manque d'attention, par mégarde. *Yasmina a pris le bonnet de Julie par inadvertance.*

Ils sont, tous les deux, de la même couleur !

Famille de **animer**

inanimé adj.

1. *Une chose inanimée,* c'est une chose qui n'est pas vivante. *Tous les objets sont inanimés.* **2.** *Quelqu'un d'inanimé,* c'est quelqu'un qui est mort ou évanoui ; vois ***inerte.*** *Après être tombé dans le lac gelé, Alex est resté inanimé quelques minutes.*

Le contraire d'*inanimé,* c'est *animé.*

Objets inanimés avez-vous donc une âme (Lamartine).

Son ami Réjean l'a ranimé !

inanition n. f.

Mourir d'inanition, c'est mourir de faim. *Cajou, le hamster de la classe, ne risque pas de mourir d'inanition avec tout ce qu'Antoine lui donne à manger.*

On dit plus souvent *mourir de faim* que *mourir d'inanition.*

Un seul ***p***, comme dans *apercevoir.* Attention à la cédille du ***ç*** !

inaperçu adj.

Passer inaperçu, c'est ne pas être remarqué. *Quand il est en retard à l'école, Antoine se donne du mal pour passer inaperçu. Les retards fréquents d'Antoine à l'école ne passent pas inaperçus.*

Au féminin : *inaperçue.* Famille de ② **percevoir**

Deux *p*, comme dans *apprécier*.

inappréciable adj.
Très précieux ; vois ***inestimable.*** *Mamie Lou rend à ses enfants des services inappréciables. C'est inappréciable de travailler près de chez soi.*

Famille de **apprécier**

inapte adj.
Incapable de quelque chose. *Un des frères d'Angèle a été déclaré inapte au service militaire.*

Le contraire d'*inapte,* c'est *apte.* — Famille de **apte**

Attention ! deux *t*.

inattaquable adj.
Quelque chose d'inattaquable, c'est quelque chose qu'on ne peut pas attaquer ou critiquer. *L'honnêteté du docteur Séverac est inattaquable ;* vois ***irréprochable.***

Famille de **attaquer**

inattendu adj.
Un événement inattendu, c'est un événement auquel on ne s'attendait pas ; vois ***imprévu, surprenant.*** *Mme Séverac a reçu ce matin une visite inattendue.*

L'apparition furieuse et inattendue de Mme Fichini avait stupéfié tout le monde *(les Petites Filles modèles).*

Attention ! deux *t*. Famille de **attendre**

Attention ! deux *t*. Famille de **attentif**

inattentif adj.
Quelqu'un d'inattentif, c'est quelqu'un qui ne fait pas attention ; vois ***distrait.*** *Julie était inattentive et n'a pas entendu la question de la maîtresse.*

Le contraire d'*inattentif,* c'est *attentif.*

Inattention prend deux *t*, comme *attention* ! Famille de **attention**

inattention n. f.
Manque d'attention ; vois ***distraction.*** *Au volant, un moment d'inattention peut provoquer un accident ! Yves n'a pas eu le temps de relire son devoir, il a fait quelques fautes d'inattention ;* vois ***étourderie.***

Le contraire d'*inattention,* c'est *attention.*

inaudible adj.
Un son inaudible, c'est un son qu'on entend très mal ou pas du tout. *Il y a des sons qui sont inaudibles pour l'oreille humaine. Marie-Tévy récite sa leçon d'une voix presque inaudible.*

Les ultra-sons par exemple.

Compare *inaudible, **audi**teur, **audi**ence* et ***audi**ovisuel* : on **écoute** quelque chose.

Conjugaison 1

Les députés et les ministres sont souvent chargés d'inaugurer les nouveaux bâtiments publics.

inaugurer v.
Ouvrir officiellement au public un nouveau monument, un édifice. *Le maire inaugurera bientôt le nouveau gymnase de Motbourg.*
▸ **inauguration** n. f. *L'inauguration du nouveau gymnase est pour bientôt,* son ouverture au public.

Le maire fera un beau discours d'inauguration.

Famille de **avouer**

inavouable adj.
Une chose inavouable, c'est une chose que l'on n'ose pas avouer tellement on en a honte. *Il s'est rendu coupable d'une faute inavouable.*

Compare : *calculer → incalculable* et *comparer → incomparable.*

incalculable adj.
Impossible ou difficile à apprécier, à évaluer. *Vous risquez de vous heurter à des difficultés incalculables ;* vois ***considérable.***

Famille de ② **calcul**

Attention ! un *s* devant le *c*.

incandescent adj.
Rendu rouge par une très forte chaleur. *Les braises sont incandescentes. Le métal chauffé à très haute température devient incandescent.*

Une plaque électrique chauffée très fort devient incandescente.

Famille de **capable**

Le contraire d'*incapable,* c'est *capable.*

incapable adj. et n. m. et f.
1. adj. *Une personne qui est incapable de faire quelque chose,* c'est une personne qui ne peut pas le faire. *Martin est encore incapable de se tenir debout. Ce n'est pas Marie-Tévy qui a dénoncé Antoine, elle est incapable d'une telle méchanceté.* **2.** n. m. et f. *Un incapable,* c'est un bon à rien. *Mme Hespel trouve que sa nouvelle secrétaire est une incapable.*

Il n'a que six mois.

Famille de **capacité**

incapacité n. f.
1. Impossibilité. *Sylvain a tellement mal à la gorge qu'il est dans l'incapacité de parler.* **2.** Incompétence. *L'un des patrons de Mme Roussel a été renvoyé pour incapacité.*

Le contraire d'*incapacité,* c'est *capacité.*

Conjugaison 6 ▭ Indic. présent : *j'incarcère, nous incarcérons.* Imparfait : *j'incarcérais.*

incarcérer v.
Mettre en prison ; vois ***emprisonner.*** *Les malfaiteurs ont été incarcérés à la prison de la ville.*

Le contraire d'*incarcérer,* c'est *libérer, relâcher.*

incarnat adj.
D'un rouge clair et vif. *Dans les contes de fées, les princesses ont souvent des lèvres incarnates.*

On trouve ce mot surtout dans les livres.

Attention ! un *t* à la fin.

Conjugaison 1

incarner v.
Représenter un personnage, dans un spectacle. *Dans l'un de ses films, Denis Prost incarne un inspecteur de police ;* vois **jouer.**

C'est un comédien célèbre.

Incartade est un mot qui ne s'emploie pas très souvent.

incartade n. f.
Bêtise pas très grave. *« À la prochaine incartade », dit Angèle, l'institutrice à Antoine, « je serai obligée de sévir ».*

Va voir aussi **frasque.**

Incassable prend deux ***s***, comme *casser.*

incassable adj.
Un objet incassable, c'est un objet que l'on ne peut pas casser. *Les verres des lunettes de Mamie Lou sont incassables.*

Famille de **casser**

incendie n. m.
Grand feu qui s'étend en détruisant ce qu'il brûle. *Un incendie a failli ravager complètement la poste de Motbourg. Les pompiers ont réussi à maîtriser l'incendie.*

Ce terrible incendie, une allumette a suffi à le faire prendre *(Babar).*

▸ **incendiaire** n. m. et f. Personne qui allume volontairement un incendie ; vois **pyromane.** *La police vient d'arrêter un incendiaire.*

Conjugaison 7 ▭ Indic. imparfait : *nous incendiions.* Futur : *j'incendierai.*

▸ **incendier** v. Mettre le feu, faire brûler. *Chaque été, des forêts sont incendiées par des gens négligents et des pyromanes. Au Moyen Âge, des bandes de pillards incendiaient tout sur leur passage.*

Famille de **certain**

incertain adj.
1. *Une chose incertaine,* c'est une chose qui n'est pas sûre. *L'heure de son retour reste incertaine.* **2.** *Le temps est incertain,* on ne sait pas très bien quel temps il va faire. *Comme le temps était incertain, Mme Roussel prit son parapluie par précaution.*

Le contraire d'*incertain,* c'est *certain, sûr.*

Famille de **certitude**

Le contraire d'*incertitude,* c'est *certitude.*

incertitude n. f.
Alex est dans l'incertitude sur ce qu'il fera l'an prochain, il ne sait pas ce qu'il fera.

Mais Vendredi nous tira bientôt d'incertitude *(Robinson Crusoé).*

Il y a deux ***s*** dans *incessant.*

incessant adj.
Qui ne cesse pas, ne s'arrête pas ; vois **continuel, perpétuel.** *Mme Roussel en a assez des critiques incessantes de sa sœur.*

Famille de **cesser**

Deux ***s*** et deux ***m*** dans *incessamment.*

▸ **incessamment** adv. Dans très peu de temps, tout de suite. *Il est 8 h 30 ; la classe va commencer incessamment.*

Ne confonds pas *incident* et *accident.*

incident n. m.
Petite difficulté imprévue qui survient. *Un incident technique a interrompu le programme de télévision.*

Aucun incident ne vient contrarier l'évasion [de Babar et de Céleste] *(Babar).*

Conjugaison 6 ▭ Indic. présent : *j'incinère, nous incinérons.*

incinérer v.
Brûler pour faire disparaître, réduire en cendres. *M. Bonnot veut être incinéré après sa mort.*

Conjugaison 1

inciser v.
Couper, fendre. *Pour opérer Julie de l'appendicite, le chirurgien lui a incisé la peau,* il l'a fendue.

On incise l'écorce des pins pour recueillir la résine.

Pour faire des incisions, on utilise un bistouri ou un scalpel.

▸ **incision** n. f. Fente, entaille. *Le chirurgien a fait une incision dans la peau pour atteindre l'appendice de Julie.*

Compare : *inciser → incision* et *préciser → précision.*

▸ **incisive** n. f. Dent plate et coupante sur le devant de la mâchoire. *David a les incisives mal alignées.*

Les êtres humains ont huit incisives, quatre en haut et quatre en bas.

Le mot « yokohama » m'incite à croire que l'auteur de ce message est un Japonais *(le Lotus bleu).*

inciter v.
Inciter quelqu'un à faire quelque chose, c'est l'entraîner, le pousser à faire cette chose ; vois **encourager.** *Colle et Rat incitent les autres enfants à faire des bêtises.*

Conjugaison 1

Conjugaison 1

incliner v.
1. Pencher. *Mme Séverac incline la théière vers la tasse pour servir le thé. On incline la tête en avant pour saluer. — Autrefois, les hommes s'inclinaient devant le roi en signe de respect,* ils penchaient légèrement le buste. **2.** *Les jurés inclinaient à l'indulgence,* ils étaient enclins à être indulgents. **3.** *Angèle s'est inclinée devant la décision de la directrice,* elle s'est résignée, elle a obéi.

Le contraire d'*incliner,* c'est *redresser.*

C'était un air un peu languissant qui semblait devoir incliner à la mélancolie *(les Contes du Chat perché).*

▸ ***inclinaison*** n. f. Position inclinée, penchée, d'un objet. *À cet endroit, l'inclinaison du sol était très forte,* le sol était très en pente.

Conjugaison 35
▭ Indic. présent : *j'inclus, nous incluons.*
Imparfait : *j'incluais.*
Futur : *j'inclurai.*

inclure v.
Mettre dans un ensemble ; vois ***comprendre.*** *Angèle, l'institutrice, veut inclure la note du dernier devoir dans les notes de contrôle.*

Le contraire d'*inclure,* c'est *exclure.*

▸ ***inclus*** adj. Compris dans un ensemble. *La piscine est ouverte au public tous les jours, dimanche inclus,* y compris le dimanche. *La note de conduite est incluse dans la moyenne de chaque élève.*

Incognito est un mot qui vient de l'italien.

incognito adv. et n. m.
1. adv. En cherchant à ne pas être reconnu. *La célèbre vedette voyageait incognito.* **2.** n. m. *Il s'est inscrit à l'hôtel sous un nom d'emprunt pour garder l'incognito,* pour ne pas être reconnu.

Va voir aussi ***anonymat.***

Famille de **cohérent**

incohérent adj.
Des paroles incohérentes, ce sont des paroles qui manquent de logique, qui sont sans lien entre elles. *Quand Julie avait de la fièvre, elle prononçait des paroles incohérentes ;* vois ***décousu.***

Le contraire d'*incohérent,* c'est *cohérent.*

Compare *incolore* et *colorier* : il s'agit de **couleur.**

incolore adj.
Sans couleur, non coloré. *L'eau est incolore, inodore et sans saveur.*

Conjugaison 1

incomber v.
La gestion de l'école incombe à la directrice, c'est la directrice qui doit s'en occuper.

Attention ! deux *m.*
Famille de ② **commode**

incommode adj.
Peu pratique à utiliser. *Cet appareil est d'une manipulation incommode.*

On dit aussi *malcommode.*

Attention ! deux *m.*
Famille de ② **commode**

incommoder v.
Gêner, mettre mal à l'aise. *La chaleur incommodait Mme Bellec. Pendant les travaux devant l'école, les élèves étaient incommodés par le bruit.*

Conjugaison 1

Le contraire d'*incomparable,* c'est *banal.*

incomparable adj.
Très remarquable, exceptionnel. *La princesse était d'une beauté incomparable ;* vois ***inégalable, unique.***

Famille de **comparer**

Attention ! un *m* devant le *p.*

incompatible adj.
Ces deux souhaits sont incompatibles, ils ne peuvent pas s'accorder ; vois ***contradictoire.***

Le contraire d'*incompatible,* c'est *compatible.*

Le contraire d'*incompétent,* c'est *compétent.*

incompétent adj.
Ignorant, incapable. *Cet architecte est tout à fait incompétent,* il connaît mal son métier.

Famille de **compétent**

▸ ***incompétence*** n. f. Manque de compétence, ignorance. *Le docteur Séverac reconnaît volontiers son incompétence en musique.*

Le contraire d'*incompétence,* c'est *compétence.*

Attention ! un *m* devant le *p.*

incomplet adj.
Une chose incomplète, c'est une chose dont il manque une partie, qui n'est pas complète. *Ce devoir est incomplet, l'élève n'a pas répondu à toutes les questions. Aujourd'hui, l'équipe de football est incomplète, l'un des joueurs est malade.*

Famille de ① **complet**

Il faudra un remplaçant.

La princesse se mit à prononcer des adjurations dans une langue incompréhensible *(les Mille et Une Nuits).*

incompréhensible adj.
Difficile à comprendre ou à expliquer. *Elle marmonnait des mots incompréhensibles. Ce message secret est incompréhensible pour celui qui ne connaît pas le code.*

Famille de **compréhensible**
Va voir aussi ***compréhension.***

inconcevable adj.
Impossible à comprendre ou à imaginer ; vois ***inimaginable.*** *L'idée de l'infini est inconcevable. Colle et Rat sont d'une insolence inconcevable ;* vois ***incroyable.***

Famille de **concevoir**

Famille de **confort**

inconfortable adj.
Peu confortable, sans confort. *Ce fauteuil est inconfortable.*

Le contraire, c'est *confortable.*

incongru adj.

Compare : *incongru → incongruité, continu → continuité* et *assidu → assiduité.*

Déplacé, incorrect, malséant. *Sa visite était tout à fait incongrue.*

Le contraire d'*incongru*, c'est *bienséant, correct.*

▸ ***incongruité*** n. f. *Des incongruités,* ce sont des actes ou des paroles grossières, incorrectes. *L'un des invités s'est permis de dire des incongruités.*

Attention ! deux *n.*

Famille de **connaître**

inconnu adj. et n.

1. adj. Que l'on ne connaît pas. *Nathalie n'aime pas les livres qui contiennent trop de mots inconnus. Les hommes découvriront peut-être un jour une planète inconnue.* — n. *Denis Prost sourit à la belle inconnue.* **2.** n. m. *L'inconnu,* c'est ce qu'on ne connaît pas. *La peur de l'inconnu l'angoissait.*

Chaque année, on fleurit la tombe du soldat inconnu en souvenir de la guerre de 1914.

Au XVIe siècle, les explorateurs ont traversé les océans à la recherche de mondes inconnus.

Attention ! un ***s*** devant le ***c*** dans *inconscient, inconscience* et *inconsciemment.*

inconscient adj.

Famille de **conscient**

1. Qui n'a plus sa conscience, sa connaissance. *Le blessé est resté inconscient pendant plusieurs heures,* dans le coma ; vois ***évanoui, inanimé.*** **2.** Qui ne pense pas aux conséquences de ses actes. *Ce chauffard est complètement inconscient, il traverse le village à 100 à l'heure.*

▸ ***inconscience*** n. f. Manque de réflexion. *Conduire à toute allure dans un village, c'est de l'inconscience !,* c'est de la folie.

Attention ! deux *m.*

▸ ***inconsciemment*** adv. Sans se rendre compte, sans avoir conscience de ce que l'on fait. *Mamie Lou s'est passé la main dans les cheveux inconsciemment ;* vois ***machinalement.***

Famille de **conséquent**

inconséquent adj.

Une personne inconséquente, c'est une personne qui agit sans réfléchir aux conséquences de ses actes ; vois ***léger.*** *Cet homme s'est montré inconséquent,* il ne s'est pas préoccupé des effets de sa conduite.

inconsidéré adj.

Famille de **considérer**

Qui montre que l'on n'a pas réfléchi aux conséquences ; vois ***imprudent.*** *Mme Harpie a tenu des propos inconsidérés.*

Famille de **consoler**

inconsolable adj.

Une personne inconsolable, c'est une personne que l'on ne peut consoler. *Sophie Pelletier est inconsolable depuis la mort de sa mère.*

Famille de **constant**

inconstant adj.

Qui change souvent d'opinion, de sentiment ou de conduite. *Julie est inconstante dans ses amitiés, parfois elle préfère Yasmina, d'autres fois elle préfère Marie-Tévy ;* vois ***changeant, instable.***

Le contraire d'*inconstant,* c'est *constant.*

Famille de **contester**

incontestable adj.

Qui est vrai, ne peut être mis en doute ; vois ***certain.*** *La directrice se fâche souvent, c'est incontestable ;* vois ***indéniable, indiscutable.***

Famille de **convenir**

inconvenant adj.

Contraire aux usages, aux convenances ; vois ***déplacé, grossier, incorrect.*** *Il est inconvenant de montrer quelqu'un du doigt,* cela ne se fait pas.

Le contraire d'*inconvenant,* c'est *convenable, correct.*

Famille de **convenir**

inconvénient n. m.

Défaut, désavantage. *Dans chaque situation, il faut voir les avantages et les inconvénients,* les bons et les mauvais côtés.

Compare *incorporer* et *corporation* : dans ces mots, il s'agit de **corps.**

incorporer v.

1. Faire entrer dans un ensemble. *Le cuisinier incorpore le jaune d'œuf à la crème.* **2.** Faire entrer dans un groupe, un corps d'armée. *Hippolyte a rencontré un ami qui avait été incorporé dans le même régiment que lui.*

Conjugaison 1

Famille de **correct**

incorrect adj.

1. Mal formé. *Marie-Tévy fait encore parfois des phrases incorrectes,* des phrases contenant des fautes. **2.** Grossier, en désaccord avec les bonnes manières ; vois ***inconvenant.*** *Colle et Rat se sont montrés incorrects avec la directrice.*

▸ ***incorrection*** n. f. **1.** Défaut. *Les phrases de Marie-Tévy présentent encore des incorrections.* **2.** Grossièreté, impolitesse. *L'incorrection de Colle et Rat a été punie.*

Famille de **corriger**

Malgré les châtiments, Aladdin demeurait incorrigible *(les Mille et Une Nuits).*

incorrigible adj.

Qui ne peut pas être corrigé. *Julie est d'une curiosité incorrigible,* elle n'arrive pas à corriger son défaut. *« Julie, tu es incorrigible ! » lui dit sa mère en la surprenant qui écoutait encore aux portes.*

C'est pas croyable ! Voilà que vous recommencez ! C'est vrai, quoi, sans blague, vous êtes incorrigible *(le Petit Nicolas).*

Compare *incorruptible* et *corruption* : dans ces mots, il est question de **corrompre.**

incorruptible adj.

Une personne incorruptible, c'est une personne qu'on ne peut corrompre, qui agit selon son devoir ; vois ***intègre.*** *Le juge était incorruptible.*

Attention aux deux ***r*** !

Famille de **crédule**

incrédule adj.

Une personne incrédule, c'est une personne qui ne croit pas facilement ce qu'on lui dit ou ce qu'elle voit ; vois ***méfiant, sceptique.*** *Ce que vous me dites me laisse incrédule,* je n'y crois pas. *Yves a écouté d'un air incrédule,* avec l'air de ne pas croire ce qu'on lui disait.

Ne confonds pas *incrédule* et *incroyable.*

Compare : *incrédule* → *incrédulité* et *facile* → *facilité.*

▸ ***incrédulité*** n. f. Doute, manque de crédulité. *Yves a accueilli la nouvelle avec incrédulité,* sans y croire.

Compare *incriminer* et *criminel* : il est question de **crime.**

incriminer v.

Accuser, mettre en cause. *On a incriminé à tort un innocent dans l'affaire du vol de la bijouterie,* on l'en a rendu responsable.

Conjugaison 1

L'enquête l'a innocenté.

Famille de **croire**

Ne confonds pas *incroyable* et *incrédule.*

incroyable adj.

1. Difficile ou impossible à croire. *Ce que tu me racontes est incroyable !* **2.** Extraordinaire, peu habituel. *L'équipe de Motbourg a atteint un score incroyable ;* vois ***étonnant.***

Le contraire d'*incroyable,* c'est *croyable.*

On disait autrefois : un *mécréant.*

incroyant n. m., *incroyante* n. f.

Personne qui ne croit pas en Dieu ; vois ***athée.*** *Denis Prost est un incroyant.*

Famille de **croire**

Conjugaison 1

incruster v.

Orner un objet avec des morceaux d'une autre matière que l'on enfonce dedans. *Le manche du poignard était incrusté d'or.*

▸ *s'****incruster*** v. **1.** S'accrocher. *Les moules s'incrustent dans les rochers grâce au calcaire qu'elles fabriquent.* **2.** *S'incruster chez quelqu'un,* c'est s'y installer et ne plus en partir. *Mme Harpie s'est incrustée chez sa sœur toute la soirée.*

incubation n. f.

1. Période pendant laquelle les œufs sont couvés. *Au bout de vingt et un jours d'incubation, les œufs de poule sont prêts à éclore.* **2.** Période d'une maladie située entre l'arrivée des microbes dans le corps et l'apparition extérieure de la maladie. *La durée d'incubation de la varicelle est de quinze jours.*

Va voir aussi ***couver.***

Les microbes se multiplient pendant l'incubation.

L'éclosion des œufs de l'albatros se fait après quatre-vingts jours d'incubation.

Conjugaison 1

inculper v.

Accuser officiellement. *À la fin de l'enquête, le commissaire a inculpé le meurtrier,* il l'a déclaré coupable.

Compare *inculper, disculper* et ***culpabilité*** : dans ces mots, il est question de **faute.**

▸ ***inculpé*** n. m., ***inculpée*** n. f. Personne qui a été déclarée coupable. *L'inculpé sera jugé au cours du procès.* — adj. *Le meurtrier inculpé s'est fait assister par un avocat.*

Un inculpé est en état d'*inculpation.*

Va voir aussi ***accusé, prévenu.***

Le capitaine Haddock voudrait qu'on inculque à Abdullah le respect que l'on doit aux adultes !

inculquer v.

Inculquer une chose à quelqu'un, c'est lui enseigner cette chose pour qu'il ne l'oublie jamais. *À force de répéter la règle de grammaire, l'institutrice l'a inculquée aux enfants.*

Conjugaison 1

① *inculte* adj.

Une terre inculte, c'est une terre qui n'est pas cultivée. *L'herbe envahit les jardins incultes.*

Ils sont *en friche.*

② *inculte* adj.

Une personne inculte, c'est une personne qui n'a pas d'instruction, qui n'a aucune connaissance intellectuelle ; vois ***ignare, ignorant.*** *Si Colle et Rat n'apprennent rien à l'école, ils resteront incultes.*

Le contraire d'*inculte,* c'est *cultivé, érudit, instruit.*

incurable adj.

Qui ne peut être guéri. *La mère de Sophie Pelletier était atteinte d'un mal incurable.*

Une *paresse incurable* est une paresse incorrigible.

C'était une *malade incurable.*

Attention ! un *s* dans *incursion.*

incursion n. f.
Entrée brutale, séjour rapide obtenu par la force ; vois ***attaque.*** *Le chef indien accuse les soldats de faire des incursions sur ses terres.*

Quel est l'état du camp romain après l'incursion d'Astérix et d'Obélix ?

incurvé adj.
Qui a une forme courbe. *Un boomerang est incurvé.*

indécent adj.

Le contraire d'*indécent,* c'est *convenable, décent.*

Choquant à cause de son mauvais goût ou de son manque de pudeur. *Mme Harpie trouve la robe décolletée d'Angèle indécente.*

Famille de **décent**

Si l'adresse est indéchiffrable, la lettre n'arrive pas à son destinataire.

indéchiffrable adj.
Impossible à déchiffrer, à lire ; vois ***illisible.*** *L'adresse, sur cette enveloppe, est indéchiffrable.*

Famille de ② **chiffre**

Compare *indécis, décisif* et ***décision*** : dans ces mots, il est question de **décider.**

indécis adj.
1. Qui n'est pas certain ; vois ***douteux.*** *La victoire est restée indécise jusqu'à la dernière minute.* **2.** Qui n'a pas encore pris de décision ; vois ***hésitant.*** *M. et Mme Bellec sont indécis sur le choix d'un prénom pour leur futur bébé.*

Le contraire d'*indécis,* c'est *décisif.*

Le contraire d'*indécis,* c'est *décidé.*

▸ ***indécision*** n. f. Caractère d'une personne qui n'arrive pas à prendre de décision. *Mme Harpie reproche à sa sœur son indécision ;* vois ***hésitation.***

Famille de ① **défendre**

indéfendable adj.
Trop mauvais pour être défendu. *Colle et Rat font trop de bêtises, ils sont indéfendables ;* vois ***inexcusable.***

Famille de **définir**

indéfini adj.
1. Qui n'est pas précis, ne peut pas être expliqué clairement ; vois ***vague.*** *Le tablier usé de Mme Harpie a pris une couleur indéfinie, ni verte ni bleue ni grise.* **2.** *Les pronoms indéfinis* sont les pronoms suivants : *aucun, certains, nul, plusieurs, tel, tout, chacun, quelqu'un, autre, même, autrui, on, personne, rien.*

Va voir *article indéfini* à ***article.***

Va voir la liste des *adjectifs indéfinis* à ***déterminant.***

Famille de ① **fin**

indéfiniment adv.
Sans limite, sans fin. *Tant pis, on part ! On ne va pas attendre indéfiniment Antoine !*

indélébile adj.
Que l'on ne peut pas effacer. *Le jus de cerise a fait des taches indélébiles sur la nappe.*

Prononce [ɛ̃dɛmn].

indemne adj.
Qui n'a pas été blessé alors qu'il aurait pu l'être. *Alex est sorti indemne d'un accident de moto,* sain et sauf.

Tintin et Milou sont sortis indemnes de mille dangers.

Prononce [ɛ̃dɛmnize].

indemniser v.
Indemniser une personne, c'est lui donner une somme d'argent pour réparer un dommage qu'elle a subi ; vois ***dédommager.*** *La compagnie d'assurances a indemnisé Mme Harpie pour sa vitrine brisée.*

Conjugaison 1
Va voir aussi ***indemnité.***

indemnité n. f.
1. Somme que l'on verse à quelqu'un pour l'indemniser. *Les ouvriers licenciés ont reçu une indemnité.* **2.** Somme que l'État verse à quelqu'un ; vois ***allocation, prime.*** *Les instituteurs reçoivent une indemnité de logement.*

Va voir aussi ***indemniser.***

Famille de **nier**

Le contraire d'*indéniable,* c'est *contestable, discutable.*

indéniable adj.
Qui ne peut pas être nié ; vois ***certain, incontestable, indiscutable.*** *Le culot de Julie est indéniable. Julie a du culot, c'est indéniable.*

Sherlock Holmes a réuni des preuves indéniables.

Famille de ① **dépendre**

Le contraire d'*indépendant,* c'est *dépendant, soumis.*

indépendant adj.
1. Qui ne dépend de personne, n'est soumis à personne. *Angèle, qui est très indépendante, déteste les voyages organisés ;* vois ***libre.*** *L'émission n'aura pas lieu pour des raisons indépendantes de notre volonté,* pour des raisons qui ne sont pas voulues par nous, qui existent malgré notre volonté. **2.** Qui n'est pas rattaché, qui ne dépend de rien. *Alex aimerait avoir une chambre indépendante,* une chambre avec une entrée particulière.

Un pays indépendant n'est pas soumis à l'autorité d'un autre pays.

Va voir *proposition indépendante* à ***proposition.***

Un homme ne peut être heureux [...] s'il n'est pas assez riche pour vivre dans l'indépendance *(les Mille et Une Nuits).*

▸ ***indépendance*** n. f. *Les pays colonisés ont acquis leur indépendance,* ils ne dépendent plus d'un autre pays ; vois ***autonomie.*** *Angèle tient à son indépendance ;* vois ***liberté.***

Le contraire d'*indépendance,* c'est *dépendance.*

indescriptible adj.

On ne peut pas en faire la *description.*

Si grand, si fort qu'on ne peut le décrire. *La chambre de Julie était dans un désordre indescriptible.*

indésirable adj.

Compare : *désirer → indésirable* et *estimer → inestimable.*

Une personne indésirable, c'est une personne qu'un groupe ne veut pas accueillir. *Antoine, Yves, Julie, Marie-Tévy et Yasmina ont fait sentir à Colle et Rat qu'ils étaient indésirables.*

Famille de **désirer**

indestructible adj.

Une chose indestructible, c'est une chose qui ne peut pas être détruite. *Il faudrait fabriquer des jouets indestructibles pour les brise-fer !*

Le contraire d'*indestructible,* c'est *fragile.*

indéterminé adj.

Le contraire d'*indéterminé,* c'est *défini, déterminé.*

Qui n'est pas fixé. *Le dîner a été remis à une date indéterminée.*

Famille de **déterminer**

① *index* n. m.

Prononce [ɛ̃dɛks].

Doigt de la main le plus proche du pouce. *Le docteur Séverac tenait la feuille entre le pouce et l'index.*

Au pluriel : *des index.*

② *index* n. m.

Liste alphabétique des noms ou des mots contenus dans un livre. *Antoine consulte l'index de son atlas.*

indicateur n. m., *indicatrice* n. f.

Famille de **indiquer**

1. Personne qui donne des renseignements aux policiers. *Le contrebandier a été arrêté grâce aux révélations d'un indicateur.* **2.** Objet qui donne des indications. *M. Doucet consulte l'indicateur des chemins de fer,* le livre donnant les horaires des trains. — adj. *Nous verrons des poteaux indicateurs au prochain croisement,* des poteaux portant des indications.

Sur une voiture, les clignotants sont des indicateurs de changement de direction.

indicatif n. m. et adj.

Famille de **indiquer**

▭ **n. m. 1.** Morceau de musique très court qui annonce le début ou la fin d'une émission régulière de radio ou de télévision. *Il doit être vingt heures, j'entends l'indicatif du journal télévisé.* **2.** Vois l'encadré ci-dessous.

Au féminin : *indicative.*

▭ **adj.** Qui donne une indication. *Angèle a demandé le prix de la voiture à titre indicatif,* pour le savoir.

l'indicatif

■ L'**indicatif** est un mode du verbe qui indique que la réalisation d'une action ou d'un état est sûre. Il existe dix temps de l'indicatif

- le présent : *je parle.*
- l'imparfait : *je parlais.*
- le passé simple : *je parlai.*
- le futur simple : *je parlerai.*
- le conditionnel présent : *je parlerais.*
- le passé composé : *j'ai parlé.*
- le plus-que-parfait : *j'avais parlé.*
- le passé antérieur : *j'eus parlé.*
- le futur antérieur : *j'aurai parlé.*
- le conditionnel passé : *j'aurais parlé.*

indication n. f.

Famille de **indiquer**
Compare : *indiquer → indication* et *fabriquer → fabrication.*

Ce qui est indiqué ou recommandé. *David a suivi les indications que donnait le mode d'emploi pour construire sa maquette.*

Tintin, déguisé, a donné une fausse indication à ses poursuivants.

indice n. m.

Signe qui indique quelque chose. *L'enquête n'avance pas, la police n'a pas beaucoup d'indices.*

indicible adj.

Indicible est un mot que l'on trouve surtout dans les livres.

Qu'on ne peut dire, exprimer ; vois ***inexprimable.*** *La peine d'Antoine, quand il quitte son père, est indicible.*

Famille de **différer**

indifférent adj.

1. Sans importance. *Pour apprendre à nager, l'âge est indifférent,* on peut apprendre à n'importe quel âge. *Il m'est indifférent que tu partes ou que tu restes,* cela m'est égal. **2.** Qui n'est ému par rien ni personne. *Nathalie voulait paraître indifférente, mais son cœur battait très fort.*

Les remarques que l'on fait sur son poids ne laissent pas Obélix indifférent !

▷ ***indifféremment*** adv. Sans faire de différence, sans préférence. *Denis Prost lit indifféremment en anglais et en français,* aussi bien en anglais qu'en français.

▷ ***indifférence*** n. f. Manque d'intérêt. *Mme Roussel regardait la scène avec indifférence. Alex manifeste une grande indifférence pour la politique.*

indigène n. m. et f.

Dans *le Temple du Soleil,* Tintin devient ami avec un petit vendeur d'oranges indigène, Zorino.

Personne qui est née dans le pays dont on parle ; vois ***autochtone.*** *Dans un pays qui a été colonisé, les indigènes sont les personnes dont la famille habitait déjà ce pays avant la colonisation.* — adj. *La population indigène est très accueillante.*

Aux États-Unis, les Indiens sont des indigènes.

indigent n. m., indigente n. f.

Indigent est un mot que l'on trouve surtout dans les livres.

Personne très pauvre. *L'abbé Gauthier fait une quête pour les indigents de Motbourg.* — adj. *L'abbé Gauthier a secouru une femme indigente.*

Le contraire d'*indigent,* c'est *riche.*

Famille de **digeste**

indigeste adj.

Difficile à digérer ; vois ***lourd.*** *La cuisine faite avec beaucoup de matière grasse est indigeste.*

Le contraire d'*indigeste,* c'est *digeste, léger.*

▷ ***indigestion*** n. f. Malaise dû à une mauvaise digestion. *Antoine a mangé tellement de gâteaux qu'il a eu une indigestion.*

Le médecin l'a mis à la diète.

Famille de **digne**

indigne adj.

Cela est indigne de toi : tu vaux mieux que cela.

Le contraire d'*indigne,* c'est *honorable, noble.*

1. Qui ne mérite pas. *Cet homme est indigne de notre confiance.* **2.** Très mauvais ; vois ***condamnable, méprisable.*** *Les mauvais garçons qui ont dévalisé la boutique de Mme Harpie ont commis un acte indigne ;* vois ***odieux, révoltant.***

Le contraire d'*indigne,* c'est *digne.*

Conjugaison 1

indigner v.

Révolter ; vois ***scandaliser.*** *Toute la classe est indignée par la conduite de Colle et Rat. — Julie s'est indignée de voir le boucher abandonner son chat au moment des vacances.*

Colle et Rat sont vraiment insupportables.

Compare : *indigner → indignation* et *désigner → désignation.*

▷ ***indignation*** n. f. Colère contre une chose révoltante. *Julie est remplie d'indignation devant les personnes qui abandonnent leurs animaux.*

indigo adj. invariable

Après de nombreux lavages, les jeans éclaircissent.

Bleu foncé. *Les jeans encore neufs sont indigo.* — n. m. *Yasmina portait une robe d'un bel indigo,* d'un beau bleu foncé.

Dans l'arc-en-ciel, l'indigo se trouve entre le violet et le bleu.

Conjugaison 1

indiquer v.

1. Montrer par un geste, un signal ; vois ***désigner.*** *L'horloge de l'église indiquait deux heures passées ;* vois ***marquer.*** *Sur les routes, les panneaux indiquent les directions à prendre ;* vois ***signaler.*** **2.** Faire connaître quelque chose, donner un renseignement. *« Pouvez-vous m'indiquer l'heure, s'il vous plaît » demande Yves à un passant ;* vois ***donner.*** *La secrétaire a indiqué à Mme Hespel le lieu et l'heure de son rendez-vous.*

Mowgli ouvrit la bouche et en désigna du doigt le fond pour indiquer qu'il avait besoin de nourriture
(le Livre de la jungle).

Autres membres de la famille : **indicateur, indicatif, indication.**

Famille de **direct**

indirect adj.

1. Qui ne va pas en ligne droite. *Les Bellec ont pris un itinéraire indirect pour aller en Bretagne,* ils ont fait des détours. **2.** *Mme Harpie a accusé Antoine, d'une façon indirecte, de lui avoir volé des bonbons,* d'une manière détournée, qui n'est pas franche. **3.** *Une phrase au style indirect,* c'est une phrase dans laquelle on rapporte des paroles en les modifiant pour les mettre dans une proposition subordonnée. *Dans la phrase « Angèle dit aux enfants de se taire », on utilise le style indirect.*

Le contraire d'*indirect,* c'est *direct.*

Va voir *complément d'objet indirect* à **complément.**

▷ ***indirectement*** adv. D'une manière indirecte. *Mme Harpie a indirectement accusé Antoine d'un vol de bonbons.*

Le contraire d'*indirectement,* c'est *directement.*

indiscipliné adj.

Le contraire d'*indiscipliné,* c'est *discipliné.*

Désobéissant. *Colle et Rat sont des élèves très indisciplinés.*

Même famille que **discipline**

Famille de **discret**

indiscret adj.

1. Qui s'occupe de ce qui ne le regarde pas ; vois ***curieux.*** *Julie, tu es indiscrète en fouillant dans le sac de ta mère. C'est très indiscret d'écouter aux portes,* cela ne se fait pas. **2.** Qui ne sait pas garder un secret. *Il vaut mieux ne rien confier à Julie, elle est très indiscrète ;* vois ***bavard.***

Le contraire d'*indiscret,* c'est *discret.*

Elle répète tout ce qu'elle sait !

▸ ***indiscrétion*** n. f. **1.** Manque de discrétion, de réserve ; vois ***curiosité.*** *Sans indiscrétion, Hippolyte, où vas-tu, ce soir, si bien habillé ?* **2.** Le fait de révéler un secret. *Julie commet souvent des indiscrétions.*

Le contraire d'*indiscrétion,* c'est *discrétion.*

Famille de **discuter**

indiscutable adj.

Qui ne se discute pas ; vois ***évident, incontestable, indéniable.*** *Le talent de Denis Prost est indiscutable.*

C'est un comédien célèbre.

Le contraire d'*indiscutable,* c'est *discutable.*

Famille de **dispenser**

indispensable adj.

Dont on ne peut se dispenser, se passer ; vois ***nécessaire.*** *Il est indispensable de composter son billet avant de prendre le train.* — n. m. *Pour ce très court voyage, Denis Prost n'emporte que l'indispensable,* que le nécessaire.

Le contraire d'*indispensable,* c'est *inutile, superflu.*

Conjugaison 1

indisposer v.

1. Rendre un peu malade. *L'odeur du tabac refroidi indispose Mme Séverac ;* vois ***incommoder.*** **2.** Agacer ; vois ***importuner.*** *Tout le monde est indisposé par les jérémiades de Mme Harpie.*

Famille de **disposer**

Le cochon s'était montré si insupportable qu'il avait indisposé tout le monde *(les Contes du Chat perché).*

Compare : *indisposer → indisposition* et *opposer → opposition.*

▸ ***indisposition*** n. f. Petit ennui de santé. *Antoine souffrait hier d'une indisposition qui lui a fait manquer l'école,* il était légèrement malade.

Famille de **distinct**

indistinct adj.

Que l'on distingue mal. *Sans ses lunettes, le docteur Séverac ne voit que des objets indistincts ;* vois ***confus, imprécis, vague.***

Le contraire d'*indistinct,* c'est *distinct, net.*

Indistinct se prononce [ɛ̃distɛ̃], *indistincte* [ɛ̃distɛ̃kt].

individu n. m.

1. Personne. *Il y a quatre milliards d'individus sur la Terre.* **2.** Personne d'allure bizarre, louche. *Il y a, la nuit tombée, de drôles d'individus qui rôdent dans Motbourg.*

▸ ***individuel*** adj. Personnel, à soi. *Les Prost ont une maison individuelle ;* vois ***particulier.***

Le contraire d'*individuel,* c'est *collectif, commun.*

Attention ! deux *l.*

▸ ***individuellement*** adv. Chacun en particulier, à part. *Angèle, l'institutrice, s'occupe de chaque enfant individuellement,* séparément.

Le contraire d'*individuellement,* c'est *collectivement.*

indolent adj.

Nonchalant, mou. *Angèle, l'institutrice, n'aime pas les élèves indolents.*

Le contraire d'*indolent,* c'est *actif.*

Compare : *indolent → indolence* et *violent → violence.*

▸ ***indolence*** n. f. Nonchalance, mollesse. *L'indolence est l'un des défauts qu'Angèle déteste le plus.*

Le contraire d'*indolence,* c'est *énergie.*

Compare *indolore* et *endolori* : il est question de **douleur.**

indolore adj.

Qui ne fait pas mal. *Si tu ne bouges pas, la piqûre sera presque indolore.*

Le contraire, c'est *douloureux.*

Attention ! le ***p*** ne se prononce pas : [ɛ̃dɔ̃tabl].

indomptable adj.

Dont rien ne peut venir à bout ; vois ***inflexible.*** *Il a fallu au champion un courage et une volonté indomptables pour réussir.*

Famille de **dompter**

Famille de ① **devoir**

indu adj.

Une heure indue, c'est une heure très tardive. *Hippolyte est encore rentré à une heure indue cette nuit.*

Compare ***indubitable*** et ***dubitatif*** : dans ces deux mots, il s'agit de **douter.**

indubitable adj.

Que l'on ne peut mettre en doute ; vois ***certain, incontestable, indéniable, indiscutable.*** *On n'a pas de preuve indubitable de son innocence.*

Le contraire d'*indubitable,* c'est *douteux.*

indulgent adj.

Qui pardonne facilement aux autres ; vois ***bienveillant, compréhensif.*** *Mamie Lou est indulgente avec ses petits-enfants. Angèle, l'institutrice, est assez indulgente pour les fautes d'étourderie.*

Le contraire d'*indulgent,* c'est *dur, sévère.*

Les enfants doivent être indulgents envers les grandes personnes *(le Petit Prince).*

Compare : *indulgent → indulgence* et *intelligent → intelligence.*

▸ ***indulgence*** n. f. Facilité à pardonner ; vois ***bienveillance.*** *Mamie Lou a beaucoup d'indulgence pour les bêtises de Claire. Sans l'indulgence d'Angèle, Colle et Rat auraient été renvoyés définitivement de l'école.*

Le contraire d'*indulgence,* c'est *sévérité.*

industrie n. f.

Ce sont les ouvriers, les techniciens et les ingénieurs qui travaillent dans l'industrie.

1. *L'industrie,* c'est tout ce qui contribue à l'exploitation des sources d'énergie et des richesses du sous-sol et à la transformation des matières premières en produits fabriqués. *La métallurgie est l'industrie qui transforme les métaux.* **2.** *Une industrie,* c'est une usine qui fabrique des produits. *À Motbourg, il y a très peu d'industries.*

La métallurgie et la sidérurgie appartiennent à l'*industrie lourde.* L'*industrie textile* et l'*industrie alimentaire* font partie de l'*industrie légère.*

Une *entreprise industrielle,* c'est une usine.

▸ **industriel** n. m. et adj., **industrielle** n. f. et adj. **1.** adj. Qui concerne l'industrie. *Motbourg n'a pas une grande activité industrielle.* **2.** n. Personne qui possède ou dirige une usine. *Le patron de Mme Hespel est un gros industriel du textile.*

Le Nord de la France est une grande région industrielle.

Conjugaison 1

▸ **industrialiser** v. Équiper en industries, en usines. *Le maire de Motbourg voudrait industrialiser la région. — Les pays d'Europe se sont industrialisés au* XIX*e siècle.*

inébranlable adj.

Le contraire d'*inébranlable,* c'est *fragile.*

Que l'on ne peut faire changer. *L'abbé Gauthier a une foi inébranlable ;* vois ***ferme, solide.***

Famille de **branler**

inédit adj.

Attention ! un *t* à la fin.
Famille de **éditer**

Qui n'a pas encore été édité, publié. *Le second livre de Sophie Pelletier est encore inédit. Ce film est encore inédit à la télévision,* il n'a pas été diffusé.

Un moyen inédit, c'est un moyen nouveau, original, que personne ne connaît.

ineffable adj.

Il y a deux *f* dans *ineffable.*

Une joie ineffable, c'est une joie que l'on ne peut pas exprimer tellement elle est grande ; vois ***indicible, inexprimable.*** *Mamie Lou éprouve une joie ineffable quand elle retrouve tous ses petits-enfants.*

Ineffable n'est pas un mot très courant.

inefficace adj.

Le contraire d'*inefficace,* c'est *efficace.*

Qui ne produit pas l'effet souhaité. *Ce médicament est totalement inefficace.*

Famille de **efficace**

Attention ! deux *f* dans *inefficace* et *inefficacité.*

▸ **inefficacité** n. f. Caractère de ce qui est inefficace. *L'inefficacité de ce médicament est totale.*

Le contraire d'*inefficacité,* c'est *efficacité.*

inégal adj.

Famille de **égal**

1. *Des choses inégales,* ce sont des choses qui n'ont pas les mêmes dimensions. *Mamie Lou a coupé la tarte en parts inégales.* **2.** *Un combat est inégal* quand les adversaires ne sont pas de la même force. *Le match était inégal entre notre équipe et nos adversaires.* **3.** *Un sol est inégal* quand il a des creux et des bosses. *Le petit chemin qui mène à la ferme est très inégal ;* vois ***accidenté.*** **4.** Qui n'est pas toujours bon. *Denis Prost a joué dans des films très inégaux,* dans de bons et de mauvais films. *Les gens d'humeur inégale sont pénibles à supporter,* les gens qui changent souvent d'humeur.

Les parts étaient *de taille inégale.*

Notre équipe était plus forte !

Ces films sont *de qualité inégale.*

Le contraire d'*inégal,* c'est *égal.*

Le contraire d'*inégal,* c'est *plat, uni.*

Denis Prost est un comédien célèbre.

inégalable adj.

Famille de **égal**

Qui ne peut être égalé, est sans égal ; vois ***incomparable.*** *Le prestidigitateur est d'une adresse inégalable.*

inégalement adv.

Famille de **égal**

D'une manière inégale. *Mamie Lou a partagé inégalement la tarte. Les films de Denis Prost sont inégalement bons.*

C'est un comédien célèbre.

Le contraire d'*inégalement,* c'est *également.*

inégalité n. f.

Famille de **égal**
Le contraire, c'est *égalité.*

1. Absence d'égalité. *L'inégalité est grande entre les Séverac et les Touati.* **2.** *Les inégalités d'un terrain,* ce sont les creux et les bosses qui déforment la surface du sol ; vois ***accident.*** *La voiture roulait lentement à cause des inégalités du terrain.*

Les Séverac sont riches, les Touati sont pauvres.

C'est pour mes pieds que je crains les inégalités du terrain *(les Vacances).*

inéluctable adj.

Que l'on ne peut pas empêcher ; vois ***fatal, inévitable.*** *Martin deviendra un petit garçon, puis un adulte, c'est inéluctable.*

Martin est un bébé de six mois.

La mort est inéluctable pour tous les êtres vivants.

inepte adj.

Stupide, absurde. *Marie-Tévy, arrête de lire ce magazine inepte, va plutôt faire tes devoirs.*

Ineptie [inɛpsi] rime avec *châssis* et *pharmacie.*

▸ **ineptie** n. f. Parole inepte. *Antoine raconte des inepties pour amuser ses amis ;* vois ***bêtise, idiotie.***

Famille de **épuiser**

inépuisable adj.

1. *Quelque chose d'inépuisable,* c'est quelque chose que l'on ne peut pas épuiser. *Angèle, l'institutrice, est d'une patience inépuisable avec les enfants.* **2.** *Antoine est inépuisable sur le chapitre des animaux,* il peut en parler très longtemps ; vois ***infatigable, intarissable.***

Les réserves de pétrole ne sont pas inépuisables.

Il connaît les mœurs de nombreuses espèces.

inerte adj.

Qui ne donne aucun signe de vie, ne réagit pas ; vois ***inanimé.*** *Mme Bellec, évanouie, restait inerte.*

Quand on est mort, on est inerte.

Inertie [inɛʀsi] rime avec *merci.*

▸ ***inertie*** n. f. Manque d'énergie, d'activité ; vois ***indolence.*** *Rien ne pouvait la faire sortir de son inertie ;* vois ***passivité.***

Famille de **espérer**

inespéré adj.

Un événement inespéré, c'est un événement que l'on n'espérait pas ; vois ***inattendu.*** *La réussite d'Alex à son bac aurait été inespérée.*

Il n'avait pas assez travaillé.

Famille de **estimer**

inestimable adj.

Une chose inestimable, c'est une chose de grande valeur, que l'on ne peut pas estimer tant elle est précieuse ; vois ***inappréciable.*** *Il y a des œuvres d'art inestimables dans ce musée.*

inévitable adj.

Qui ne peut être évité ; vois ***certain.*** *Les freins de la voiture ont lâché dans la descente : l'accident était inévitable ;* vois ***inéluctable.*** *La défaite de l'équipe de football était inévitable.*

Famille de **éviter**

[...] moi, qui suis obligé d'aller à tous ces banquets, avec l'inévitable homard mayonnaise ! *(le Petit Nicolas).*

Prononce ou non le ***c*** et le ***t*** de *inexact* : [inɛgza] ou [inɛgzakt].

inexact adj.

Qui n'est pas exact ; vois ***faux.*** *La division qu'a faite Yves est inexacte ;* vois ***erroné.***

Famille de **exact**

▸ ***inexactitude*** n. f. **1.** Erreur. *Il y a toujours des inexactitudes dans les histoires que raconte Antoine.* **2.** *Angèle, l'institutrice, a grondé Antoine pour son inexactitude,* parce qu'il arrive toujours en retard.

Le contraire d'*inexactitude,* c'est *exactitude.*

Famille de **excuser**

inexcusable adj.

Impardonnable. *L'insolence de Colle et Rat est inexcusable. Colle et Rat sont inexcusables,* on ne peut pas les excuser ; vois ***indéfendable.***

Famille de **exister**

inexistant adj.

Qui n'existe pas, ne sert à rien. *Les preuves de sa culpabilité sont inexistantes ;* vois ***nul.***

inexorable adj.

Une personne inexorable, c'est une personne sans pitié ; vois ***impitoyable, inflexible.*** *Mme Séverac est restée inexorable, elle n'a pas levé la punition de sa fille.*

Famille de **expérimenter**

inexpérimenté adj.

Une personne inexpérimentée, c'est une personne qui n'a pas d'expérience, de pratique. *Alex est un conducteur inexpérimenté.*

Le contraire d'*inexpérimenté,* c'est *expérimenté.*

Attention ! *inexplicable* s'écrit avec un ***c.***

inexplicable adj.

Impossible à expliquer. *Les raisons pour lesquelles la poste a pris feu sont inexplicables ;* vois ***incompréhensible.***

Famille de **expliquer**

Famille de **exprimer**

inexprimable adj.

Impossible ou difficile à exprimer ; vois ***indescriptible, indicible.*** *Sylvain a éprouvé une joie inexprimable en lisant la lettre de Nathalie ;* vois ***ineffable.***

On prononce : [inɛkstɛ̃gibl] ou [inɛkstɛ̃gɥibl].

inextinguible adj.

Impossible à faire cesser. *Angèle a eu un fou rire inextinguible,* elle ne pouvait plus s'arrêter de rire.

in extremis va voir ***extrême.***

inextricable adj.

Très embrouillé. *Avec toutes les histoires qu'il invente, Antoine se trouve souvent dans des situations inextricables,* dont il ne peut plus se tirer.

Il ne se rappelle plus ce qu'il a dit, et il se contredit !

infâme adj.

1. Horrible. *Les rapts d'enfants sont des actes infâmes ;* vois ***ignoble.*** **2.** Très mauvais. *Julie n'aime pas manger à la cantine, elle trouve que la nourriture y est infâme ;* vois ***infect.***

Peter Pan oblige le Capitaine Crochet à dire qu'il est une méduse infâme.

Attention au ***â*** de *infâme* et au ***a*** de *infamie* !

▸ ***infamie*** n. f. Action honteuse. *Les rapts d'enfants sont des infamies.*

infanterie n. f.

Autrefois, l'infanterie était l'ensemble des troupes qui combattaient à pied.

Partie d'une armée qui est chargée de conquérir et d'occuper le terrain. *M. Bellec a fait son service militaire dans l'infanterie.*

Les soldats d'infanterie sont les *fantassins.*

N'oublie pas le ***e*** à la fin de *infantile,* même au masculin.

infantile adj.

1. *Les maladies infantiles,* ce sont les maladies qui atteignent les enfants. *La varicelle est une maladie infantile.* **2.** *Une personne infantile,* c'est une personne qui réagit comme un enfant. *Mme Roussel a souvent des réactions infantiles ;* vois ***enfantin, puéril.***

C'est de l'*infantilisme.*

Attention à la place du ***r*** dans *infarctus* !

infarctus n. m.

Maladie du cœur qui se produit quand une artère se bouche. *Le maire de Motbourg a eu un infarctus il y a quelques années.*

Infarctus [ɛ̃faʀktys] rime avec *astuce.*

Famille de **fatiguer**

infatigable adj.

Qui ne se fatigue pas facilement. *Réjean est un skieur infatigable.*

Il skie pendant des heures.

infect adj.

Le contraire d'*infect,* c'est *délicieux.*

1. Très mauvais ; vois ***répugnant.*** *Cette nourriture est infecte.* **2.** Ignoble. *Sa conduite a été infecte.*

Conjugaison 1

▸ ***infecter*** v. **1.** Remplir d'une odeur désagréable. *Les habitants de Motbourg ne veulent pas d'une usine de produits chimiques qui infecterait le voisinage ;* vois ***empester.*** **2.** *Une blessure qui s'infecte,* c'est une blessure qui se remplit de pus, s'envenime. *La plaie s'était déjà un peu infectée.*

Ne confonds pas *infecter* et *infester.*

▸ ***infection*** n. f. **1.** Mauvaise odeur. *Colle et Rat ont jeté des œufs pourris dans la classe ; quelle infection !* **2.** Pénétration et développement de microbes dans le corps. *Si l'on ne désinfecte pas la plaie, il y a risque d'infection.*

Autres membres de la famille : **désinfecter, désinfectant, désinfection.**

▸ ***infectieux*** adj. *Une maladie infectieuse,* c'est une maladie provoquée par des microbes. *La rougeole est une maladie infectieuse.*

inférieur adj. et n. m., **inférieure** adj. et n. f.

Le contraire, c'est *supérieur.*

▭ **adj. 1.** Situé plus bas. *Le bruit vient de l'étage inférieur,* de l'étage au-dessous. **2.** Plus petit. *7 est inférieur à 9.* *Julie a eu une note inférieure à la moyenne à sa dictée.* **3.** *Au ping-pong, Antoine est inférieur à Yves,* moins fort qu'Yves.

Cela s'écrit aussi 7 < 9.

Julie a eu 4 sur 10.

Les jambes sont les membres inférieurs.

▭ **n.** *Un inférieur,* c'est une personne qui travaille sous les ordres d'une autre ; vois ***subordonné.*** *Ce chef de service est odieux avec ses inférieurs.*

Va voir *comparatif d'infériorité* à ***comparatif.***

▸ ***infériorité*** n. f. *Après ses deux échecs au bac, Alex éprouve un sentiment d'infériorité,* il a l'impression d'être moins fort que les autres.

Le contraire d'*infériorité,* c'est *supériorité.*

Au masculin pluriel : *infernaux.*

infernal adj.

Insupportable. *Dans les fonderies, il fait une chaleur infernale.*

Une machine infernale, c'est une bombe.

Conjugaison 1

Ne confonds pas *infester* et *infecter.*

infester v.

Envahir. *Les mauvaises herbes infestaient le jardin. Les régions marécageuses sont souvent infestées de moustiques.*

[...] c'étaient les graines de baobabs. Le sol de la planète en était infesté *(le Petit Prince).*

Famille de **fidèle**

infidèle adj. et n. m. et f.

1. adj. *Une personne infidèle,* c'est une personne dont les sentiments changent, qui ne respecte pas ses engagements. *Mme Roussel a demandé le divorce parce que son mari lui était infidèle.* **2.** n. m. et f. Personne qui n'a pas la religion considérée comme vraie ; vois ***païen.*** *Au Moyen Âge, les chrétiens partirent en croisade contre les infidèles.*

Va voir aussi ***adultère.***

Le contraire d'*infidèle,* c'est *fidèle.*

Conjugaison 1

s'infiltrer v.

Pénétrer. *L'eau s'est infiltrée dans le mur,* elle est passée lentement à travers le mur.

Famille de **filtre**

Ne confonds pas *infime* et *infirme.*

infime adj.
Tout petit ; vois ***minime.*** *La différence de taille entre Nathalie et David est infime,* elle est si petite qu'elle ne compte pas.

Famille de ① **fin**

infini adj. et n. m.
1. adj. Sans fin. *On voit dans le ciel un nombre infini d'étoiles ;* vois ***considérable, incalculable.*** *Angèle, l'institutrice, a une patience infinie ;* vois ***illimité.*** **2.** n. m. *On peut compter à l'infini,* sans jamais s'arrêter, sans fin. *On pourrait discuter de cela à l'infini,* indéfiniment.

On ne pourrait pas compter les grains de sable sur une plage : leur nombre est infini !

Compare : *infini → infiniment* et *joli → joliment.*

▷ ***infiniment*** adv. **1.** *L'espace est infiniment grand,* il n'a pas de limites. **2.** Beaucoup. *Je vous remercie infiniment ;* vois ***extrêmement.***
▷ ***infinité*** n. f. Très grande quantité. *Il y a dans le ciel une infinité d'étoiles,* un nombre incalculable.

infinitif n. m. Vois l'encadré ci-dessous.

l'infinitif

■ L'infinitif est un mode qui ne varie pas selon la personne. Il existe deux temps de l'infinitif
- le présent : *jouer, finir, voir, partir.*
- le passé : *avoir joué, avoir fini, avoir vu, être parti.*

■ Dans le dictionnaire, les verbes sont donnés à l'infinitif présent.

infirme adj.
Une personne infirme, c'est une personne qui ne peut se servir d'une partie de son corps ; vois ***handicapé.*** *On peut rester infirme à la suite d'un accident de voiture.* — n. m. et f. *Une infirme faisait la quête à la sortie de la messe.*

Le peintre Toulouse-Lautrec était infirme.

Les paralysés, les sourds, les aveugles, les culs-de-jatte sont des infirmes.

▷ ***infirmerie*** n. f. Endroit où l'on reçoit et soigne les malades, les blessés dans une école, une entreprise, une prison. *Marie-Tévy avait si mal à la tête que l'institutrice l'a emmenée à l'infirmerie.*

Si on a une maladie ou une blessure grave, on est envoyé à l'hôpital.

Certaines infirmières vont faire des piqûres à domicile.

▷ ***infirmier*** n. m., ***infirmière*** n. f. Personne dont le métier est de prendre soin des malades. *Une infirmière changeait le pansement du blessé plusieurs fois par jour.*

Compare : *infirme → infirmité* et *énorme → énormité.*

▷ ***infirmité*** n. f. État d'une personne infirme. *Malgré son infirmité, Beethoven continua à composer des chefs-d'œuvre.*

Le musicien allemand était devenu sourd.

Attention ! deux *m.* Famille de **flamme**

inflammable adj.
Qui prend feu facilement. *L'essence est un produit inflammable.*

Attention ! deux *m.* Famille de **flamme**

inflammation n. f.
Gonflement douloureux, accompagné de rougeur ; vois ***irritation.*** *L'angine est une inflammation de la gorge, l'otite une inflammation de l'oreille.*

La gorge ou l'oreille est *enflammée.*

inflation n. f.
Hausse des prix accompagnée d'une baisse de la valeur de l'argent. *L'inflation fait baisser le pouvoir d'achat.*

Famille de **fléchir**

inflexible adj.
Quelqu'un d'inflexible, c'est quelqu'un que l'on ne peut faire revenir sur sa décision ; vois ***inexorable.*** *Mme Séverac est restée inflexible et n'a pas levé la punition de sa fille.*

Le contraire d'*inflexible,* c'est *influençable, souple.*

Conjugaison 3

Alors elle avait forcé sa toux pour lui infliger quand même des remords *(le Petit Prince).*

infliger v.
1. Donner, appliquer. *Le gendarme a infligé une amende à M. Bellec.* **2.** Faire subir, imposer. *Mme Harpie nous a infligé sa présence toute la soirée.*

Ne confonds pas *infliger* et *affliger.*

Conjugaison 1 ▭ Indic. futur : *il influera.*

influer v.
Influer sur une chose, c'est avoir une influence sur elle, agir sur elle de façon à la modifier. *Mamie Lou explique à Nathalie que les pluies influent sur les récoltes.*
▷ ***influence*** n. f. **1.** Action qui a un résultat ; vois ***effet.*** *Le climat a une influence sur la végétation.* **2.** Action qu'une personne exerce sur quelqu'un.

Marie-Tévy a une bonne influence sur Julie. Sous l'influence de Marie-Tévy, Julie est devenue plus sage ; vois ***autorité, pouvoir.***

Conjugaison 3

▸ ***influencer*** v. *Influencer quelqu'un,* c'est l'amener à faire ou à penser ce que l'on veut, le soumettre à son influence. *Angèle, l'institutrice, dit aux enfants : « Ne vous laissez pas influencer par Colle et Rat. » ;* vois ***entraîner.***

Colle et Rat sont de mauvais exemples !

N'oublie pas la cédille du *ç*.

▸ ***influençable*** adj. *Une personne influençable,* c'est une personne qui se laisse facilement influencer. *Antoine est un garçon très influençable.*

Le contraire d'*influençable,* c'est *têtu, inflexible.*

▸ ***influent*** adj. *Une personne influente,* c'est une personne qui a beaucoup de pouvoir, d'influence. *Le maire de Motbourg est un personnage influent ;* vois ***important, puissant.***

Il a eu l'accord du ministre pour installer une nouvelle usine.

Famille de **informer**

information n. f.

1. Renseignement sur quelqu'un ou sur quelque chose. *À la gare, il y a un bureau d'informations pour les voyageurs ;* vois ***renseignement.*** **2.** *Les informations,* ce sont les nouvelles communiquées au public, par la presse, la radio ou la télévision. *Le docteur Séverac regarde chaque soir les informations télévisées. Alex lit les informations sportives dans le journal ;* vois ***nouvelle.*** **3.** Action d'informer le public. *Le docteur Séverac pense que l'information sur les progrès de la médecine n'est pas toujours bien faite.*

Famille de **informer**

informatique n. f.

Science et technique qui s'occupe de rassembler des renseignements dans des mémoires d'ordinateurs et de les organiser grâce à des moyens automatiques. *La société commerciale où travaille M. Doucet a recours à l'informatique pour traiter des problèmes de gestion. Angèle, l'institutrice, va suivre un stage d'informatique pour apprendre à utiliser l'ordinateur installé à l'école.*

On se sert de l'informatique dans beaucoup de domaines.

Va voir aussi ***mémoire, ordinateur, programme.***

▸ ***informaticien*** n. m., ***informaticienne*** n. f. Personne spécialisée en informatique. *M. Doucet est informaticien.*

Compare : *informatique → informaticien* et *physique → physicien.*

Famille de **forme**

informe adj.

Une chose informe, c'est une chose qui n'a pas de forme bien définie. *En modelant une masse informe d'argile, le potier fabrique de jolis plats. Julie a une écriture informe,* on ne reconnaît pas la forme des lettres.

Conjugaison 1

informer v.

1. *Informer quelqu'un,* c'est le mettre au courant, l'avertir ; vois ***aviser, prévenir.*** *Angèle a informé ses élèves de la date des vacances. Alex a informé sa mère qu'il ne rentrerait pas dîner.* **2.** *S'informer,* c'est se mettre au courant, demander des renseignements. *Les enfants se sont informés de la date des vacances. Avant de partir, informez-vous sur les horaires des trains ;* vois *se* ***renseigner.***

Après avoir pris place au premier rang, parmi les autres poules, elle s'informa du motif de la réunion *(les Contes du Chat perché).*

Autres membres de la famille : **information, informatique, informaticien.**

Ce mot se rencontre surtout dans les livres.

Famille de **fortune**

infortune n. f.

Malheur. *L'un des naufragés essaya de réconforter ses compagnons d'infortune,* ceux qui partagent son malheureux sort.

Ne confonds pas *infraction* et *effraction.*

infraction n. f.

Faute commise contre les règlements, punie par la loi. *Angèle gare sa voiture devant l'arrêt d'autobus : c'est une infraction au code de la route ;* vois ***délit.***

Elle est *en infraction.*

Commettre une infraction, c'est enfreindre la loi.

Attention ! deux *s.*
Famille de **franchir**

infranchissable adj.

Impossible à franchir. *Ce sommet est infranchissable.*

Famille de **fructueux**

infructueux adj.

Sans résultat, inutile ; vois ***inefficace, vain.*** *Pour le moment, toutes les recherches sont restées infructueuses.*

Le contraire d'*infructueux,* c'est *fructueux, fécond, efficace.*

Conjugaison 1

infuser v.

Mamie Lou laisse infuser le tilleul quelques minutes, puis verse la tisane dans les tasses, elle laisse tremper les feuilles de tilleul dans l'eau bouillante ; vois ***macérer.***

Quand on fait du thé, il faut aussi le laisser infuser.

▸ ***infusion*** n. f. Boisson chaude faite avec des plantes que l'on a laissées infuser. *Le soir, Mamie Lou prend toujours une infusion avant d'aller se coucher ;* vois ***tisane.***

Il existe des infusions de tilleul, de verveine, de menthe, de camomille ou d'autres plantes.

Compare *ingambe* et ***gamb**ader* : dans ces deux mots, il s'agit des **jambes.**

ingambe adj.
Une personne ingambe, c'est une personne agile, qui se sert bien de ses jambes. *Malgré son âge avancé, le vieux monsieur était encore ingambe ;* vois ***alerte.***

Ingambe est un vieux mot que l'on trouve surtout dans les livres.

Conjugaison 7 ▭ Indic. imparfait : *nous nous ingéniions.*

s'ingénier v.
Faire tout ce que l'on peut ; vois ***s'efforcer, s'évertuer.*** *Colle et Rat s'ingénient à inventer de nouvelles bêtises à faire.*

Famille de ① **génie**

Famille de ② **génie**

ingénieur n. m.
Personne capable, grâce à une formation scientifique et technique, de diriger certains travaux, de participer à la création de nouveaux produits. *David devra passer un bac scientifique et faire des études supérieures s'il veut devenir ingénieur dans l'aviation. Mme Hespel est ingénieur dans le textile.*

ingénieux adj.
1. *Une personne ingénieuse,* c'est une personne capable d'inventer des solutions aux problèmes pratiques. *Alex est un bricoleur ingénieux ;* vois ***habile, inventif.*** **2.** *Un système ingénieux,* c'est un système inventé avec intelligence. *Alex a trouvé un système ingénieux pour s'éclairer sous sa tente ;* vois ***astucieux.***

Famille de ① **génie**

Compare : *ingénieux → ingéniosité* et *curieux → curiosité.*

▸ ***ingéniosité*** n. f. Adresse d'une personne ingénieuse. *Alex a fait preuve d'ingéniosité pour s'éclairer sous sa tente ;* vois ***habileté.***

Le contraire d'*ingénu,* c'est *malicieux, rusé.*

ingénu adj.
Naïf et sans malice. *Julie prit l'air ingénu ;* vois ***candide, innocent.***

Au féminin : *ingénue.*

Conjugaison 6 ▭ Indic. présent : *je m'ingère, nous nous ingérons.*

s'ingérer v.
Intervenir sans en avoir le droit. *Mme Harpie s'ingère dans la vie privée de sa sœur en lui donnant sans cesse des conseils ;* vois ***s'immiscer, intervenir,*** *se* ***mêler.***

Famille de **gérer**

▸ ***ingérence*** n. f. Fait de s'ingérer. *Le président critique toute ingérence étrangère dans les affaires de son pays ;* vois ***intervention.***

« Non, mon père, je raconte bien, car c'est mon cœur qui parle, et je serais un ingrat si je taisais vos bontés pour moi » dit Paul à Monsieur de Rosbourg *(les Vacances).*

ingrat adj.
1. *Quelqu'un d'ingrat,* c'est quelqu'un qui n'a pas de reconnaissance, de gratitude pour ce que l'on a fait pour lui. *Elle s'est toujours montrée ingrate envers ceux qui l'ont aidée.* — n. *C'est vraiment un ingrat !* **2.** *Une chose ingrate,* c'est une chose qui ne donne pas satisfaction. *Faire la vaisselle est un travail ingrat ;* vois ***déplaisant.*** **3.** *Un visage ingrat,* c'est un visage laid, disgracieux. *Mme Séverac a un visage un peu ingrat.*

Le contraire d'*ingrat,* c'est *reconnaissant.*

Le contraire d'*ingrat,* c'est *fécond.*

Le contraire d'*ingrat,* c'est *agréable.*

Le contraire d'*ingratitude,* c'est *gratitude, reconnaissance.*

▸ ***ingratitude*** n. f. Caractère d'une personne ingrate. *Elle a fait preuve d'ingratitude envers tous ceux qui l'ont aidée.*

ingrédient n. m.
Élément qui entre dans la composition d'une préparation. *Pour faire son gâteau, Yasmina mélange tous les ingrédients dans le saladier.*

Conjugaison 1

ingurgiter v.
Avaler rapidement et en grande quantité ; vois ***engloutir.*** *En quelques minutes, le chien avait ingurgité toute sa pâtée.*

Le contraire d'*inhabitable,* c'est *habitable.*

inhabitable adj.
Une maison inhabitable, c'est une maison sans aucun confort, où l'on ne peut habiter. *Cette ruine est inhabitable.*

Famille de **habiter**

Le contraire d'*inhabité,* c'est *habité.*

inhabité adj.
Sans habitant, désert. *Les régions des pôles Nord et Sud sont inhabitées. La maison paraissait inhabitée ;* vois ***inoccupé.***

Famille de **habiter**

Famille de **habituel**

inhabituel adj.
Qui n'est pas habituel ; vois ***inaccoutumé.*** *Lors de l'incendie de la poste de Motbourg, il y avait dans la rue une agitation inhabituelle.*

Le contraire d'*inhabituel,* c'est *habituel.*

Attention au ***h*** !

inhalation n. f.
Aspiration de vapeurs par le nez. *Pour soigner les rhumes, le docteur Séverac conseille de faire des inhalations d'eucalyptus.*

Attention ! un *h* après le *n*.

inhérent adj.
Ce sont des avantages inhérents à la profession, ils font partie de la profession, ils y sont liés.

Ce mot n'est pas très courant.

Attention au *h* !

inhospitalier adj.
Une région inhospitalière, c'est une région peu accueillante, hostile. *Le continent antarctique est inhospitalier. La côte paraissait inhospitalière,* d'un abord difficile.

Il y fait très froid.

Le contraire d'*inhumain,* c'est *humain.*

inhumain adj.
Cruel, barbare. *La torture est un traitement inhumain.*

Famille de **humain**

Compare *inhumer* et *exhumer* : dans ces deux mots, il s'agit de la **terre.**

inhumer v.
Mettre en terre, enterrer. *C'est un médecin qui délivre le permis d'inhumer.*
▸ **inhumation** n. f. Enterrement. *L'inhumation a eu lieu samedi matin.*

Conjugaison 1
Attention au *h* !

inimaginable adj.
Difficile ou impossible à imaginer ; vois **incroyable.** *Il y avait un désordre inimaginable dans la chambre de Julie.*

Famille de **imaginer**

On pouvait à peine entrer.

inimitable adj.
Difficile ou impossible à imiter. *Antoine est inimitable dans sa façon de raconter des histoires.*

Famille de **imiter**

Le contraire d'*inimitié,* c'est *amitié.*

inimitié n. f.
Hostilité. *Mme Harpie voue à son beau-frère une véritable inimitié.*

Attention ! deux *l.*
Famille de **intelligible**

inintelligible adj.
Difficile ou impossible à comprendre. *Dans son sommeil, David bredouillait des mots inintelligibles. Cette phrase est inintelligible.*

Le contraire d'*inintelligible,* c'est *intelligible.*

Famille de **intérêt**
Le contraire, c'est *intéressant.*

inintéressant adj.
Sans intérêt. *Nathalie trouve son livre inintéressant.*

Même famille que **interrompre**

ininterrompu adj.
Continu, sans interruption. *Une file ininterrompue de voitures attendait au péage de l'autoroute.*

Au masculin pluriel : *initiaux.*

initial adj.
Qui est au commencement ; vois **originel, premier.** *Le projet initial était très différent.*
▸ **initiale** n. f. Première lettre d'un nom. *Sur le drap de Mamie Lou sont brodés un L et un S entrelacés, ce sont ses initiales,* ce sont les premières lettres de son prénom et de son nom.
▸ **initialement** adv. Au début, au commencement. *Initialement, le projet était tout à fait différent.*

Quelles sont tes initiales ?

Elle s'appelle Louise Séverac.

initiation va voir **initier.**

initiative n. f.
1. Action de celui qui est le premier à proposer ou à faire quelque chose. *C'est sur l'initiative d'Antoine que les enfants se sont cotisés pour faire un cadeau à leur maîtresse,* sur sa proposition, parce qu'il en a eu l'idée.
2. Qualité d'une personne qui sait prendre des décisions. *Julie a l'esprit d'initiative.*

Il a eu une *bonne initiative.*

Conjugaison 7
▭ Indic. présent : *j'initie, nous initions.* Imparfait : *j'initiais, nous initiions.* Futur : *j'initierai.* — Subj. présent : *que j'initie.*

initier v.
Initier quelqu'un à quelque chose, c'est être le premier à lui enseigner quelque chose. *Loïc a initié son neveu Yves à la voile.*
▸ **initié** n. m., **initiée** n. f. Personne qui est dans le secret. *Ce livre est réservé aux initiés,* il faut déjà avoir des connaissances sur le sujet dont il parle pour être capable de le lire.
▸ **initiation** n. f. Action d'enseigner ou d'apprendre les premiers éléments d'une science. *Angèle a suivi des cours d'initiation à l'informatique.*

Le contraire d'*initié,* c'est *profane.*

Conjugaison 1

injecter v.
Faire entrer un liquide dans le corps avec une seringue. *Pour endormir quelqu'un que l'on doit opérer, on lui injecte un produit anesthésiant.*

▸ ***injection*** n. f. Introduction d'un liquide dans le corps avec une seringue. *Le médecin a endormi le blessé en lui faisant une injection ;* vois ***piqûre.***

injonction n. f.

Ordre. *L'automobiliste doit obéir aux injonctions de l'agent de police.*

injure n. f.

Le contraire d'*injure,* c'est *compliment, flatterie.*

Parole blessante ; vois ***insulte.*** *M. Bellec criait des injures aux automobilistes.*

Le capitaine Haddock profère des injures : « cloportes, ectoplasmes, bachi-bouzouks, moules à gaufres. »

Conjugaison 7 ▭ Indic. présent : *j'injurie, nous injurions.* Futur : *j'injurierai.*

▸ ***injurier*** v. Prononcer des paroles blessantes ou vexantes ; vois ***insulter.*** *M. Bellec injuriait les automobilistes.*

Famille de ② **jurer**

▸ ***injurieux*** adj. Blessant, méchant ; vois ***insultant, offensant.*** *M. Bellec tient des propos injurieux envers les automobilistes.*

Le contraire d'*injurieux,* c'est *flatteur.*

injuste adj.

Le contraire d'*injuste,* c'est *juste, équitable.*

Contraire à la justice. *« C'est injuste ! Yasmina a été récompensée, et moi, je n'ai rien eu ! » dit Julie.*

Famille de ② **juste**

▸ ***injustement*** adv. D'une manière injuste. *Un innocent a été injustement accusé,* on l'a accusé à tort.

▸ ***injustice*** n. f. Acte ou décision contraire à la justice. *L'innocent accusé à tort est victime d'une injustice. Angèle cherche le moyen de réparer l'injustice qu'elle a commise.*

Le contraire d'*injustice,* c'est *justice, équité.*

injustifié adj.

Le contraire d'*injustifié,* c'est *justifié, motivé.*

Sans raison. *Sa peur est injustifiée, il n'y a aucun danger.*

Famille de **justifier**

inlassable adj.

Attention ! deux *s.*

Infatigable. *Avec une patience inlassable, Mamie Lou raconte l'histoire que Claire lui réclame pour la dixième fois.*

Famille de **las**

▸ ***inlassablement*** adv. Sans cesse, sans se fatiguer. *Claire redemande inlassablement les mêmes histoires à Mamie Lou.*

inné adj.

Attention ! deux *n.* Famille de **naître**

Naturel, possédé dès la naissance. *Marie-Tévy a un don inné pour le dessin.*

Le contraire d'*inné,* c'est *acquis.*

innocent adj.

Attention ! deux *n.*

1. Qui n'a rien fait de mal. *L'enquête a montré que l'accusée était innocente.* — n. *On avait accusé une innocente.* **2.** Pur. *Claire est innocente comme l'enfant qui vient de naître.* **3.** Naïf, crédule. *Il faut être bien innocent pour croire un mensonge pareil.*

Le contraire d'*innocent,* c'est *coupable.*

Compare : *innocent* → *innocence* et *violent* → *violence.*

▸ ***innocence*** n. f. État d'une personne qui n'est pas coupable. *L'accusée clame son innocence.*

Le contraire d'*innocence,* c'est *culpabilité.*

Conjugaison 1

▸ ***innocenter*** v. Faire reconnaître l'innocence de quelqu'un. *L'enquête a innocenté l'accusé ;* vois ***disculper.***

innombrable adj.

Attention ! deux *n.*

Très nombreux. *Au printemps, les oiseaux sont innombrables dans la forêt.*

Famille de **nombre**

innover v.

Compare *innover, rénover* et *novateur* : il s'agit de quelque chose de **nouveau.**

Faire une chose qui n'a jamais été faite. *L'architecte a innové en utilisant le caoutchouc dans ses constructions.*

Conjugaison 1

▸ ***innovation*** n. f. Nouveauté, changement. *Cet architecte a introduit des innovations dans sa façon de construire les immeubles.*

Attention ! deux *n.*

inoccupé adj.

Famille de **occuper**

1. Vide, inhabité. *Cet appartement est inoccupé depuis plusieurs mois.* **2.** Qui n'a pas d'occupation. *Yasmina ne reste pas souvent inoccupée ;* vois ***désœuvré.***

Le contraire d'*inoccupé,* c'est *occupé.*

inodore adj.

Le contraire d'*inodore,* c'est *odorant.*

Sans odeur. *L'eau est incolore, inodore et sans saveur.*

inoffensif adj.

Le contraire d'*inoffensif,* c'est *dangereux, nuisible.*

Qui n'est pas dangereux, qui ne fait pas de mal. *En Europe, les araignées sont presque toujours inoffensives.*

Famille de **offense**

Conjugaison 1

inonder v.
Recouvrir d'eau. *Régulièrement, les eaux du Nil débordent et inondent les champs, les rendant fertiles. En jouant dans son bain, le petit frère de Yasmina a inondé la salle de bains.*
▸ ***inondation*** n. f. Débordement d'eaux qui recouvrent le pays environnant. *Lors des orages, les dégâts dus aux inondations sont parfois importants.*

Mon premier est la neuvième lettre de l'alphabet ; mon second est le contraire de oui ; mon troisième sert à coudre. Mon tout, c'est recouvrir d'eau.

Ce n'est pas un mot courant.

inopiné adj.
Imprévu, inattendu. *L'inspecteur est venu dans la classe de façon inopinée,* sans avoir prévenu.

Il est venu *inopinément.*

Famille de **opportun**

inopportun adj.
Mal choisi, déplacé. *Mme Séverac a la migraine, le moment est inopportun pour lui demander quelque chose.*

Famille de **oublier**

inoubliable adj.
Tellement remarquable qu'on ne pourra l'oublier ; vois ***mémorable.*** *Ce voyage nous a laissé des souvenirs inoubliables.*

Attention au **ï** de *inouï.*

inouï adj.
Extraordinaire, incroyable. *Le cyclone, qui a détruit le village, était accompagné de vents d'une violence inouïe.*

Famille de **ouïr**

inoxydable adj.
Un métal inoxydable, c'est un métal qui ne peut pas s'oxyder, rouiller. *Mme Séverac a acheté des couverts en acier inoxydable.* — n. m. *On fait des éviers en inoxydable et en émail.*

Famille de **oxyde**

On dit aussi *en inox.*

Famille de **qualifier**

inqualifiable adj.
Une conduite inqualifiable, c'est une conduite tellement blâmable qu'il n'y a pas de mot pour la qualifier. *Colle et Rat sont d'une insolence inqualifiable.*

Le contraire d'*inquiet,* c'est *tranquille.*

Alex Hespel a déjà été recalé deux fois au baccalauréat.

inquiet adj.
Quelqu'un d'inquiet, c'est quelqu'un qui se fait du souci ; vois ***anxieux, soucieux.*** *Claire n'est pas encore rentrée de la promenade, Mamie Lou est inquiète. Mme Hespel est inquiète pour l'avenir de son fils Alex. Sylvain était inquiet de ne pas avoir de nouvelles de Nathalie.*

Ce que j'en dis est pour tranquilliser Marinette. Surtout qu'elle est un peu inquiète de la santé de l'oncle Alfred
(les Contes du Chat perché).

Conjugaison 6

▸ ***inquiéter*** v. **1.** Rendre inquiet. *L'état du malade inquiétait le docteur Séverac ;* vois ***préoccuper, tourmenter.*** **2.** *S'inquiéter,* c'est se faire du souci. *Mme Hespel s'inquiète pour son fils Alex.*
▸ ***inquiétant*** adj. Qui inquiète, préoccupe ; vois ***alarmant, préoccupant.*** *L'état du malade évoluait d'une manière inquiétante.*

Le contraire d'*inquiétant,* c'est *rassurant.*

Astérix et Obélix sont sans inquiétude face aux Romains : ils gagnent toujours.

▸ ***inquiétude*** n. f. État dans lequel est celui qui attend quelque chose avec crainte et appréhension. *L'avenir de son fils Alex est un sujet d'inquiétude pour Mme Hespel.*

Famille de **saisir**

insaisissable adj.
1. Impossible à attraper. *L'ennemi paraissait insaisissable ; on ne savait jamais où il était.* **2.** *Elle avait une personnalité insaisissable,* difficile à définir, à cerner.

Famille de **salubre**

Le contraire d'*insalubre,* c'est *salubre.*

insalubre adj.
Malsain, mauvais pour la santé. *Cette région marécageuse était connue pour son climat insalubre. Ces immeubles insalubres ont été rasés.*

Le climat de la Guyane est insalubre.

insanité n. f.
Chose ou parole absurde, contraire au bon sens ; vois ***absurdité, bêtise, ineptie.*** *Il ne débitait que des insanités.*

Ce mot n'est pas très courant.

Or, il y avait un Éléphant — un Enfant d'Éléphant — plein d'une insatiable curiosité
(Histoires comme ça).

insatiable adj.
Jamais rassasié, jamais satisfait. *Antoine a un appétit insatiable,* il a toujours faim. *Julie est d'une curiosité insatiable,* une curiosité jamais satisfaite.

inscription n. f.
1. Ensemble de mots écrits ou gravés sur un mur, un monument, un tombeau, un panneau ou un écriteau. *Colle et Rat ont recouvert d'inscriptions le mur de la boutique de Mme Harpie ;* vois ***graffiti.*** **2.** *La*

Ils ont inscrit des tas de choses sur ce mur.

L'inscription sur les listes électorales est obligatoire.

directrice de l'école a accepté l'inscription d'un élève en cours d'année, qu'un élève s'inscrive en cours d'année.

inscrire v.

Conjugaison 39

[Les petites] recueillaient les chiffres qu'elles inscrivaient sur leurs cahiers de brouillons *(les Contes du Chat perché).*

1. Écrire, noter. *Les heures de consultation du docteur Séverac sont inscrites sur une plaque de cuivre, à l'entrée du cabinet.* **2.** *Alex s'est fait inscrire sur les listes électorales,* il y a fait mettre son nom. — *Yves s'est inscrit au club de football,* il en fait partie.

insecte n. m.

Les personnes dont le métier est d'étudier les insectes sont des *entomologistes.*

Petit animal au corps articulé, sans squelette, qui a trois paires de pattes et souvent des ailes. *Les fourmis, les puces, les moustiques sont des insectes. Les insectes pondent des œufs d'où sortent des larves.*

Il y a plus d'un million d'espèces d'insectes.

Les larves se métamorphosent.

insecticide n. m.

Compare *insecticide* et *insectivore* : dans ces mots, il s'agit d'**insectes.**

Produit qui tue les insectes. *Mamie Lou a vaporisé de l'insecticide dans sa chambre.* — adj. *Pierre Séverac a répandu de la poudre insecticide sur le champ de pommes de terre.*

Compare *insecticide, homicide* et *suicide* : dans ces mots, il s'agit de **tuer.**

insectivore adj.

Compare *insectivore* et *carnivore* : dans ces mots, il s'agit de **manger.**

Un animal insectivore, c'est un animal qui se nourrit d'insectes. *L'hirondelle est un oiseau insectivore.* — n. m. *Les taupes, les lézards, les grenouilles sont des insectivores.*

Les insectivores détruisent les insectes nuisibles.

insécurité n. f.

Le contraire d'*insécurité,* c'est *sécurité.*

Manque de sécurité. *Quand Angèle rentre tard le soir, elle ressent parfois une impression d'insécurité.*

Famille de **sécurité**

insensé adj.

Le contraire d'*insensé,* c'est *raisonnable, sensé.*

Contraire au bon sens ; vois ***absurde.*** *Antoine a souvent des idées insensées ;* vois ***extravagant.***

Famille de ② **sens**

insensible adj.

Famille de ② **sens**

1. *Quelqu'un d'insensible,* c'est quelqu'un que rien n'émeut, ne touche. *Mme Séverac est restée insensible aux prières de sa fille,* elle n'a pas cédé. **2.** Qui ne ressent pas de sensation physique, de douleur. *Avant d'arracher une dent, le dentiste fait une piqûre pour rendre la gencive insensible.* **3.** *Une différence insensible,* c'est une différence que l'on ne sent pas ; vois ***imperceptible.*** *La différence de taille entre David et Nathalie est insensible ;* vois ***infime.***

Le contraire d'*insensible,* c'est *sensible.*

Le contraire d'*insensible,* c'est *notable, sensible.*

David et Nathalie sont jumeaux.

Conjugaison 1

▹ **insensibiliser** v. Rendre insensible à la douleur. *Le dentiste insensibilise la gencive avant d'arracher une dent ;* vois ***anesthésier.***

Compare : *insensible* → *insensibilité* et *possible* → *possibilité.*

▹ **insensibilité** n. f. **1.** Absence de sentiment, manque de sensibilité. *Beaucoup reprochent à Mme Harpie son insensibilité.* **2.** Absence de sensibilité physique. *L'anesthésie provoque l'insensibilité du corps ou d'une partie du corps.*

Le contraire d'*insensibilité,* c'est *sensibilité.*

▹ **insensiblement** adv. De manière insensible, imperceptible. *À partir du 22 décembre, les jours rallongent insensiblement,* peu à peu.

inséparable adj.

Même famille que **séparer**

1. *L'apprentissage de la lecture et celui de l'écriture sont inséparables,* on ne peut pas les séparer, les isoler l'un de l'autre. **2.** *Julie et Yasmina sont inséparables,* elles sont toujours ensemble.

Tintin et Milou sont inséparables.

insérer v.

Conjugaison 6
▭ Indic. présent : *j'insère, nous insérons.*

Un communiqué a été inséré dans la dernière édition du journal, il y a été ajouté, introduit.

insidieux adj.

Trompeur. *Mme Harpie pose des questions insidieuses ;* vois ***sournois.***

insigne n. m.

— Vous savez, les gars [...] on devrait avoir une insigne.
— « Un » insigne, a dit Agnan *(le Petit Nicolas).*

Signe qui permet de distinguer les membres d'un groupe ; vois ***badge.*** *Yves arbore sur son blouson l'insigne de son club de football.*

Famille de **signe**

insignifiant adj.

Sans importance, très petit. *Mme Harpie et sa sœur se disputent pour des détails insignifiants ;* vois ***minime.***

Même famille que **signifier**

Conjugaison 1

insinuer v.
Insinuer une chose, c'est la laisser entendre, la suggérer sans la dire franchement. *Mme Harpie a insinué qu'Antoine avait fait l'école buissonnière.*
▸ **insinuation** n. f. Parole qui laisse entendre quelque chose de façon détournée, sournoise ; vois ***allusion, sous-entendu.*** *J'en ai assez de vos insinuations.*

Ce mot s'emploie surtout au pluriel.

Conjugaison 1

s'insinuer v.
S'introduire habilement. *Colle et Rat essaient de s'insinuer dans la bande d'Antoine.*

Mais Antoine et ses amis ne veulent pas d'eux !

Le contraire d'*insipide,* c'est *relevé.*

insipide adj.
Sans goût ; vois ***fade.*** *M. Bellec a oublié de saler la sauce, elle est insipide.*

Conjugaison 1

insister v.
1. *Insister sur quelque chose,* c'est mettre l'accent sur quelque chose. *Angèle, l'institutrice, a insisté sur la conjugaison du verbe aller.* **2.** Réclamer avec obstination. *Mme Harpie a insisté pour que Mme Séverac la reçoive. « Ma femme n'est pas là, n'insistez pas », a dit le docteur Séverac.*

Compare : *insister → insistance* et *persister → persistance.*

▸ **insistance** n. f. Obstination. *Julie réclame avec insistance d'aller au cinéma avec ses amies Yasmina et Marie-Tévy.*

Compare *insolation, solaire* et *parasol* : dans ces mots, il s'agit du **soleil.**

insolation n. f.
Malaise assez grave provoqué par une trop longue exposition au soleil. *En été, Mamie Lou met toujours un chapeau de paille pour ne pas attraper une insolation.*

C'est plus grave qu'un coup de soleil : on a des maux de tête et des vertiges.

insolent adj.
Un enfant insolent, c'est un enfant qui manque de respect envers quelqu'un. *Julie est insolente, elle répond souvent à la maîtresse sur un ton désagréable ;* vois ***effronté, impertinent, impoli.*** — n. *Julie est une insolente.*

Le contraire d'*insolent,* c'est *poli, respectueux.*

Compare : *insolent → insolence* et *impertinent → impertinence.*

▸ **insolence** n. f. Manque de respect. *La maîtresse a donné une punition à Julie pour son insolence ;* vois ***effronterie, impertinence.***

Le contraire d'*insolence,* c'est *politesse.*

Le contraire d'*insolite,* c'est *familier, habituel, normal.*

insolite adj.
Qui étonne, surprend ; vois ***bizarre, étrange, inhabituel.*** *Hier soir, le maire avait un air insolite,* il n'était pas comme d'habitude.

insoluble adj.
Sans solution, que l'on ne peut résoudre. *En voulant mettre d'accord tous les conseillers municipaux, le maire s'est attaqué à un problème insoluble.*

Toi tu dors la nuit
Moi j'ai de l'insomnie
Je te vois dormir
Ça me fait souffrir (Prévert).

insomnie n. f.
Impossibilité de dormir la nuit pendant de longs moments. *Mme Hespel se fait tellement de souci pour son fils Alex qu'elle a souvent des insomnies.*

Compare *insomnie* et *somnifère* : il est question de **sommeil.**

Conjugaison 1

insonoriser v.
Équiper de manière à ce que les bruits ne passent pas. *Le maire a fait insonoriser la salle de réunion de la mairie.*

Même famille que **sonore**

Famille de ① **souci**

insouciant adj.
Qui vit sans se faire de soucis, sans s'inquiéter. *Quand Alex fait de la moto, il est insouciant du danger,* il n'y pense pas. *Julie est insouciante,* elle ne se préoccupe de rien.

Le contraire d'*insouciant,* c'est *soucieux.*

Compare : *insouciant → insouciance* et *bienveillant → bienveillance.*

▸ **insouciance** n. f. Caractère d'une personne qui vit sans se préoccuper de rien. *Alex vit dans l'insouciance.*

Même famille que **soutenir**

insoutenable adj.
1. Que l'on ne peut soutenir, défendre. *Antoine a donné des raisons insoutenables pour expliquer son retard.* **2.** Qui n'est pas supportable ; vois ***insupportable.*** *Le film de Denis Prost a été censuré en raison de scènes d'une violence insoutenable.*

Denis Prost est comédien.

Compare *inspecter* et *prospecter* : dans ces mots, il s'agit de **regarder.**

inspecter v.
1. Contrôler ce que l'on a à surveiller ; vois ***examiner.*** *Le maire inspecte les travaux du gymnase.* **2.** Examiner avec attention. *Les douaniers ont inspecté les bagages.*

Conjugaison 1

« M. l'Inspecteur est dans l'école, nous a dit la maîtresse, je compte sur vous pour être sages et faire une bonne impression » *(le Petit Nicolas).*

▸ ***inspecteur*** n. m., ***inspectrice*** n. f. Personne dont le métier est de contrôler, surveiller. *Un inspecteur doit venir assister au cours d'Angèle.*

Un *inspecteur de police* est un policier en civil attaché à un commissariat ou à une préfecture de police.

▸ ***inspection*** n. f. Examen que l'on fait pour contrôler, surveiller, vérifier. *Angèle a prévenu ses élèves qu'elle ferait l'inspection des cahiers.*

Conjugaison 1

inspirer v.

1. Faire naître ; vois ***suggérer.*** *Le clair de lune a inspiré un poème à Hippolyte.* **2.** *S'inspirer de quelque chose,* c'est y trouver des idées. *Sophie Pelletier s'est inspirée de sa fille pour un des personnages de son livre.* **3.** Faire entrer l'air dans ses poumons ; vois ***aspirer.*** *« Inspirez profondément et cessez de respirer », dit le docteur Séverac au malade qu'il ausculte.*

Compare *inspirer, aspirer* et *respirer* : dans ces mots, il est question de **souffle.**

Compare : *inspirer → inspiration, expirer → expiration* et *respirer → respiration.*

▸ ***inspiration*** n. f. **1.** Ensemble d'idées qui viennent à l'esprit. *Hippolyte cherchait l'inspiration.* **2.** Mouvement qui fait entrer l'air dans les poumons. *L'inspiration précède l'expiration.*

Famille de **stable**

instable adj.

Le contraire d'*instable,* c'est *stable.*

Le contraire d'*instable,* c'est *équilibré.*

1. Qui ne tient pas bien en équilibre. *Ne t'assieds pas sur cette chaise, elle est instable !* ; vois ***branlant.*** **2.** Variable, changeant. *Les Bellec ne savent pas s'ils pourront pique-niquer car le temps est instable.* **3.** Qui change souvent d'idée, d'humeur. *Julie est une enfant instable.*

Quand on pose des objets en équilibre instable, ils risquent de tomber !

Attention ! deux *l* dans *installer* et dans *installation.*

installer v.

Conjugaison 1

1. Mettre en place dans une maison. *Les Prost ont installé un chauffage solaire dans leur maison.* **2.** Mettre, placer quelqu'un quelque part, d'une certaine façon. *Sophie Pelletier a installé Martin, son bébé, dans son petit siège à l'arrière de la voiture. — Mme Séverac s'est installée dans une chaise longue, au fond du jardin.* **3.** *S'installer quelque part,* c'est se mettre à y habiter ; vois ***s'établir.*** *Les Touati, venant du Maroc, se sont installés en France.*

Martin a 6 mois.

Depuis que la panthère s'était installée au foyer, la vie avait changé et personne ne s'en plaignait *(les Contes du Chat perché).*

Compare : *installer → installation* et *animer → animation.*

▸ ***installation*** n. f. **1.** Mise en place. *L'installation du chauffage solaire des Prost a posé quelques problèmes.* **2.** Établissement. *L'installation des Touati en France date d'une dizaine d'années.*

instances n. f. plur.

Mme Séverac s'est présentée aux élections sur les instances du maire, à sa demande.

Maintenant, elle est conseillère municipale.

Attention ! deux *m.*

▸ ***instamment*** adv. Avec force. *Sophie Pelletier demande instamment à sa fille de faire moins de bruit.*

instant n. m.

Un instant d'inattention au volant, et c'est l'accident !

Par instants : par moments.

Le jeune Alphonse à chaque instant courait, se levait, s'asseyait, ouvrait, fermait les portes. Alphonse allait (Alphonse Allais).

Court moment. *Veuillez patienter un instant. Félix, le chat, attendit l'instant propice pour voler le rôti. La pièce va commencer dans un instant,* bientôt. *Julie est sortie à l'instant,* elle vient de sortir. *À l'instant où Angèle sortait, le téléphone s'est mis à sonner,* juste au moment où elle sortait. *Colle et Rat troublent la classe à chaque instant,* sans arrêt, continuellement. *Pour l'instant, Martin dort,* pour le moment.

Tout le monde attendait l'instant où Charlie se mettrait à déballer son cadeau *(Charlie et la Chocolaterie).*

On peut dire aussi : *à tout instant.*

▸ ***instantané*** adj. Qui se produit très vite, en un instant ; vois ***immédiat.*** *Certains poisons ont pour effet la mort instantanée ;* vois ***subit.***

Le contraire d'*instantané,* c'est *lent, long.*

▸ ***instantanément*** adv. Tout de suite ; vois ***immédiatement.*** *Le feu a pris instantanément.*

à l'instar de préposition

Comme, à la manière de. *Yasmina s'est fait couper les cheveux, à l'instar de Julie.*

instaurer v.

Le contraire d'*instaurer,* c'est *abolir, renverser.*

Établir pour la première fois ; vois ***instituer, fonder.*** *La République française fut instaurée en 1792.*

Conjugaison 1

instigateur n. m., instigatrice n. f.

Personne qui pousse, incite à faire quelque chose. *Colle et Rat sont les principaux instigateurs du chahut ;* vois ***meneur.***

Instinct [ɛ̃stɛ̃] rime avec *patin* et *lointain.*

instinct n. m.

1. Force qui pousse les êtres vivants d'une espèce à accomplir certains actes,

C'est un comédien célèbre.

naturellement, sans les avoir appris. *C'est l'instinct qui pousse l'araignée à tisser sa toile.* **2.** Intuition. *Denis Prost a eu raison de se fier à son instinct en acceptant ce rôle. D'instinct, Denis Prost a su que le film serait un succès,* d'une manière naturelle et spontanée.

La chatte a un instinct maternel très développé.

Au féminin : *instinctive.*

▸ ***instinctif*** adj. Qui n'est pas réfléchi ; vois ***spontané.*** *Angèle a débranché le fer à repasser d'un geste instinctif.*

Conjugaison 1

instituer v.

Établir, mettre en place. *La cinquième République a été instituée en 1958 par le général de Gaulle ;* vois ***instaurer.***

Autre membre de la famille : ② **institution.**

Institut [ɛ̃stity] rime avec *menu.*

institut n. m.

1. Établissement destiné à la recherche scientifique. *L'institut Pasteur fabrique de nombreux vaccins.* **2.** *Un institut de beauté,* c'est un endroit où l'on pratique des soins de beauté. *Mme Séverac et Sophie Pelletier vont régulièrement dans un institut de beauté.*

L'Institut de France comprend cinq académies dont l'Académie française.

On les appelle aussi : *maître* et *maîtresse d'école.*

▸ ***instituteur*** n. m., ***institutrice*** n. f. Personne qui enseigne dans une école maternelle ou primaire. *Angèle est institutrice à l'école Jules-Ferry.*

Elle a une classe de CE2.

▸ ① ***institution*** n. f. École privée. *Mme Séverac a fait ses études dans une institution religieuse.*

Famille de **instituer**

② ***institution*** n. f.

Chose instituée, établie comme règle. *Le droit de vote à 18 ans et l'enseignement obligatoire jusqu'à 16 ans sont des institutions françaises,* des lois et des principes qui règlent la vie du pays.

Les institutions de la Ve République ont été établies par la Constitution de 1958.

Conjugaison 38

▭ Indic. présent : *j'instruis, nous instruisons.* Futur : *j'instruirai.* Passé simple : *j'instruisis.*

L'affaire est instruite par le *juge d'instruction.*

instruire v.

1. Enseigner, apprendre ; vois ***éduquer.*** *Angèle est chargée d'instruire les enfants de sa classe. La lecture instruit beaucoup,* elle apprend beaucoup. **2.** *S'instruire,* c'est apprendre quelque chose. *Les enfants vont à l'école pour s'instruire.* **3.** *Instruire une affaire,* c'est la mettre en état d'être jugée. *Cela fait maintenant trois mois que le juge instruit l'affaire.*

Instruire quelqu'un de quelque chose, c'est l'en informer.

Comme vous avez beaucoup voyagé, vous nous parlerez des pays que vous avez traversés et ce sera pour nous l'occasion de nous instruire un peu *(les Contes du Chat perché).*

Compare : *instruire → instructif, instruction* et *construire → constructif, construction.*

▸ ***instructif*** adj. Qui instruit, apprend des choses. *C'est toujours très instructif pour Yves de bavarder avec son grand-père.*

▸ ***instruction*** n. f. **1.** Enseignement. *En France, l'instruction est gratuite et obligatoire.* **2.** Ensemble des connaissances que l'on a. *Les parents de Yasmina n'ont pas beaucoup d'instruction,* ils n'ont pas une culture très étendue. **3.** *Des instructions,* ce sont des explications, des ordres que l'on donne à une personne chargée de faire quelque chose. *Sophie Pelletier donne ses instructions à la baby-sitter,* elle lui explique ce qu'elle doit faire. *Odile Séverac lit attentivement les instructions avant de mettre en marche son nouveau four,* elle étudie le mode d'emploi.

L'instruction est une bonne chose et ceux qui n'en ont pas sont bien à plaindre *(les Contes du Chat perché).*

instrument n. m.

Une balance est un *instrument de mesure.*

On dit aussi *un instrument.*

Il y a des instruments à cordes, à vent et à percussion.

1. Objet servant à faire quelque chose, à exécuter un travail ; vois ***outil.*** *Le couteau, la hache et la scie sont des instruments tranchants.* **2.** *Un instrument de musique,* c'est un objet servant à jouer de la musique. *Le piano, la guitare et la flûte sont des instruments de musique. De quel instrument joue Sylvain ? — Du piano.*

Les *instrumentistes* sont des musiciens qui jouent d'un instrument.

*à l'**insu** de* préposition

Le contraire d'*à l'insu de,* c'est *au vu et au su de.*

Sans que la chose soit sue. *Mme Bellec prend des leçons de conduite à l'insu de son mari,* sans qu'il le sache.

Famille de ① **savoir**

Famille de **submersible**

insubmersible adj.

Un bateau insubmersible, c'est un bateau qui ne peut pas être submergé, qui ne peut pas couler. *Les canots de sauvetage sont insubmersibles.*

Le contraire d'*insubmersible,* c'est *submersible.*

insubordination n. f.

Refus d'obéir ; vois ***désobéissance, indiscipline.*** *Les soldats ont été condamnés pour insubordination.*

insuccès n. m.

Le contraire d'*insuccès,* c'est *succès.*

Manque de succès ; vois ***échec.*** *L'entreprise était dès le départ vouée à l'insuccès.*

Famille de **succès**

Famille de **suffire**

insuffisant adj.

Qui ne suffit pas. *Les Touati ont des revenus insuffisants,* ils n'ont pas assez d'argent. *Les notes de Marie-Tévy en français sont insuffisantes ;* vois ***médiocre.***

Le contraire d'*insuffisant,* c'est *abondant, suffisant.*

Attention ! deux *m.*

Compare : *insuffisant → insuffisamment, insuffisance* et *constant → constamment, constance.*

▸ ***insuffisamment*** adv. Pas assez. *Alex a insuffisamment travaillé l'année dernière.*

Le contraire d'*insuffisamment,* c'est *suffisamment.*

▸ ***insuffisance*** n. f. **1.** Caractère de ce qui n'est pas suffisant. *Mamie Lou porte des lunettes car elle souffre d'une insuffisance visuelle.* **2.** *Des insuffisances,* ce sont des lacunes ; vois ***manque.*** *Le travail d'Alex a révélé de graves insuffisances.*

Compare ***insulaire*** et *péninsule* : dans ces mots, il est question d'**île.**

insulaire adj.

Qui est dans une île. *Le peuple britannique est un peuple insulaire.* — n. m. et f. *Les Corses sont des insulaires.*

Le contraire d'*insulaire,* c'est *continental.*

Conjugaison 1

insulter v.

Prononcer des paroles blessantes, vexantes, désagréables ; vois ***injurier.*** *M. Bellec a insulté le chauffard qui lui a fait une queue de poisson.*

Ah ! la sale bête de chat ! s'écrièrent les parents. Le voilà qui nous insulte *(les Contes du Chat perché).*

« Moule à gaufres » et « ectoplasme » sont les insultes favorites du capitaine Haddock.

▸ ***insulte*** n. f. Parole blessante, vexante, désagréable ; vois ***injure.*** *« Imbécile », « idiot », « abruti » sont des insultes. Quand il est en colère, M. Bellec peut adresser les pires insultes aux autres.*

▸ ***insultant*** adj. Qui blesse, vexe, insulte ; vois ***injurieux.*** *Les propos de Mme Harpie étaient vraiment insultants.*

insupportable adj.

La façon dont toutes ces créatures discutent est vraiment insupportable, murmura-t-elle. Il y a de quoi vous rendre folle *(Alice au Pays des merveilles).*

1. *Une chose insupportable,* c'est une chose très difficile à supporter. *Ce vacarme est insupportable, ferme la fenêtre, Julie ! ;* vois ***insoutenable, intolérable.*** **2.** *Quelqu'un d'insupportable,* c'est quelqu'un de très agaçant, d'odieux. *Colle et Rat sont des enfants insupportables ;* vois ***infernal.***

Famille de **porter**

Le contraire d'*insupportable,* c'est *supportable.*

Conjugaison 3 ▭ Indic. présent : *je m'insurge, nous nous insurgeons.* Imparfait : *je m'insurgeais.*

s'insurger v.

1. Se révolter, se soulever contre une autorité. *Le 14 juillet 1789, le peuple s'est insurgé contre le roi en prenant la Bastille.* **2.** Protester violemment. *Les habitants de Motbourg s'insurgent contre la construction d'une usine chimique.*

Va voir aussi ***insurrection.***

Même famille que **surmonter**

insurmontable adj.

Quelque chose d'insurmontable, c'est quelque chose que l'on ne peut pas surmonter. *Claire éprouve une peur insurmontable des araignées,* qu'elle ne peut réprimer.

Attention ! deux *r.*

insurrection n. f.

Soulèvement, révolte. *L'insurrection de la Commune, en 1871, a été durement réprimée.*

Va voir aussi *s'****insurger.***

intact adj.

Qui n'a pas été endommagé, est resté en bon état. *Après sa chute de vélo, Antoine a retrouvé ses lunettes intactes.*

Le contraire d'*intact,* c'est *abîmé.*

Un seul ***r*** et deux ***s.***

intarissable adj.

Quelqu'un d'intarissable, c'est quelqu'un qui ne peut pas s'arrêter de parler ; vois ***inépuisable. M. Bellec est intarissable sur le football.***

Famille de **tarir**

Au masculin pluriel : *intégraux.*

intégral adj.

Entier, complet. *Les Prost n'ont pas encore acquitté le remboursement intégral de leur maison ;* vois ***total.***

Le contraire d'*intégral,* c'est *partiel.*

Compare : *intégral → intégralement, intégralité* et *légal → légalement, légalité.*

▸ ***intégralement*** adv. D'une manière intégrale, complète ; vois ***complètement, totalement.*** *Les Prost n'ont pas encore remboursé intégralement leur maison.*

▸ ***intégralité*** n. f. Totalité. *Les Prost n'ont pas remboursé leur prêt dans son intégralité.*

Ne confonds pas *intégralité* et *intégrité.*

Attention à l'accent grave du ***è*** !

intègre adj.

Une personne intègre, c'est une personne parfaitement honnête. *Le maire de Motbourg est un homme intègre ;* vois ***incorruptible.***

Le contraire d'*intègre,* c'est *corrompu, malhonnête.*

Ne confonds pas *intégrité* et *intégralité.*

▸ ① ***intégrité*** n. f. Honnêteté parfaite. *Tout le monde est d'accord sur l'intégrité du maire de Motbourg ;* vois ***probité.***

Conjugaison 6
▭ Indic. présent : *j'intègre, nous intégrons.* Imparfait : *j'intégrais.* Futur : *j'intégrerai.* — Subj. présent : *que j'intègre, que nous intégrions.*

intégrer v.
1. Faire entrer dans un ensemble ; vois ***inclure, incorporer.*** *Ce chapitre a été intégré au livre à la seconde édition.* **2.** *S'intégrer,* c'est s'assimiler à un groupe, en faire vraiment partie. *Au début, Marie-Tévy a eu du mal à s'intégrer à la classe.*
▹ ② ***intégrité*** n. f. État d'une chose qui reste entière, complète. *En 1940, la France n'a pas pu maintenir l'intégrité de son territoire.*

Autres membres de la famille : **désintégrer, réintégrer.**

Elle venait du Cambodge.

La France a été envahie par l'Allemagne.

intellectuel n. m. et adj., **intellectuelle** n. f. et adj.
1. n. Personne qui utilise son intelligence plus que sa force physique, s'intéresse surtout aux choses de l'esprit. *M*[me] *Harpie n'est pas une intellectuelle.* **2.** adj. Qui fait appel à l'intelligence. *Sophie Pelletier fait un travail intellectuel.*

Elle écrit des livres pour enfants.

Attention ! deux *l.*

intelligent adj.
Qui comprend facilement les choses et s'adapte bien à toutes les situations. *Julie et Yasmina sont très intelligentes.*
▹ ***intelligence*** n. f. **1.** Ce qui permet aux gens d'apprendre, de comprendre et de s'adapter. *L'intelligence de Julie est très vive. M*[me] *Harpie ne fait pas toujours preuve d'intelligence dans ses réactions.* **2.** *Vivre en bonne intelligence avec quelqu'un,* c'est bien s'entendre avec lui. *M*[me] *Roussel vit en bonne intelligence avec ses voisins.* **3.** Complicité. *Le traître a été accusé d'intelligence avec l'ennemi.*

Le contraire d'*intelligent,* c'est *bête, stupide.*

Aussi n'est-il plus question, depuis ce jour-là, de la bêtise de l'âne ; et l'on dit, au contraire, d'un homme à qui l'on veut faire compliment de son intelligence qu'il est fin comme un âne *(les Contes du Chat perché).*

Le contraire d'*intelligence,* c'est *bêtise.*

Compare **intelligence** et ***intelligible*** : il est question de **comprendre.**

intelligible adj.
Qui peut être facilement compris ; vois ***clair, compréhensible.*** *Les explications de l'institutrice sont intelligibles à tous les élèves. Parlez à haute et intelligible voix !*

Le contraire d'*intelligible,* c'est *incompréhensible, inintelligible.*

Autre membre de la famille : **inintelligible.**

intempéries n. f. plur.
Manifestations du mauvais temps. *L'avion n'a pas pu décoller à cause des intempéries.*

Ce mot ne s'emploie qu'au pluriel.

intempestif adj.
Une action intempestive, c'est une action qui déplaît parce qu'elle est faite à un mauvais moment. *Pas de zèle intempestif !* ; vois ***déplacé, inopportun.***

Le contraire d'*intempestif,* c'est *opportun.*

Famille de **tenir**

intenable adj.
Difficile à supporter ; vois ***insupportable.*** *Il faisait une chaleur intenable,* très pénible.

intendance n. f.
Service chargé d'acheter la nourriture et d'entretenir le matériel d'une armée ou d'une collectivité. *L'institutrice a fait une commande de fournitures à l'intendance.*
▹ ***intendant*** n. m., ***intendante*** n. f. Personne chargée de l'intendance ; vois ***économe.*** *L'intendante choisit les menus de la cantine.*

intense adj.
Très fort, très puissant. *Quand le soleil brille sur la neige, la lumière est intense ;* vois ***vif.*** *J'ai vu ce film avec un plaisir intense ;* vois ***extrême.***
▹ ***intensif*** adj. Qui demande des efforts importants et soutenus. *Marie-Tévy a rattrapé ses camarades de classe grâce à un travail intensif.*
▹ ***intensité*** n. f. Grandeur ; vois ***force.*** *Cette pile électrique donne un courant de faible intensité.*

Une impression de bonheur intense l'envahit tout entier *(Charlie et la Chocolaterie).*

Le contraire d'*intense,* c'est *faible.*

Au féminin : *intensive.*

Conjugaison 1

intenter v.
Intenter un procès à quelqu'un, c'est commencer un procès contre cette personne. *M*[me] *Harpie a intenté un procès à son voisin.*

intention n. f.
Idée de ce que l'on va faire ; vois ***dessein, projet.*** *Angèle a l'intention de passer ses vacances en Grèce,* elle se propose de passer ses vacances en Grèce. *La comtesse de Ségur écrivait à l'intention de ses petits-enfants,* pour eux.
▹ ***intentionné*** adj. *Une personne bien intentionnée,* c'est une personne qui a de bonnes intentions. *M*[me] *Harpie est bien intentionnée à l'égard d'Hippolyte ;* vois ***bienveillant.***

L'enfer est pavé de bonnes intentions (proverbe).

Ne confonds pas *intention* et *attention.*

Attention ! *intentionné* et *intentionnel* s'écrivent avec deux *n.*

Il lui est plus que sympathique !

Autre membre de la famille : **malintentionné.**

▸ ***intentionnel*** adj. Qui est voulu, est fait exprès. *Dans les poésies, la répétition de certains sons est intentionnelle.*

Le contraire d'*intentionnel,* c'est *involontaire.*

Conjugaison 1

intercaler v.

Intercaler une chose, c'est la mettre entre deux autres. *Dans son jardin, Mamie Lou a intercalé une rangée de fleurs entre deux plants de salades.*

▸ ***intercalaire*** n. m. Feuille de papier ou de carton que l'on intercale dans un classeur pour séparer les documents. *Julie a mis des intercalaires de toutes les couleurs dans son classeur.*

Attention ! *intercalaire* est un nom masculin.

Conjugaison 6 ▭ Indic. présent : *j'intercède, nous intercédons.*

intercéder v.

Intervenir en faveur de quelqu'un. *Mme Bellec a intercédé auprès de son mari pour qu'il lève la punition de leur fils.*

Conjugaison 1

intercepter v.

Intercepter un objet, c'est le prendre au passage et par surprise, en l'empêchant d'atteindre son but. *David a intercepté le ballon au moment où son adversaire allait tirer au but.*

▸ ***interception*** n. f. Le fait de s'emparer de quelque chose qui est destiné à quelqu'un. *L'espion a été démasqué grâce à l'interception d'un message qui lui avait été envoyé par l'ennemi.*

interchangeable adj.

Des choses interchangeables, ce sont des choses que l'on peut mettre les unes à la place des autres. *Dans une voiture, les quatre roues sont interchangeables.*

Famille de **changer**

interdiction n. f.

Le contraire d'*interdiction,* c'est *permission.*

Action d'interdire, d'empêcher de faire. *Il y a un panneau d'interdiction de stationner au début de la rue.*

Les panneaux d'interdiction sont cerclés de rouge.

Conjugaison 37 ▭ Indic. présent : *vous interdisez.*

interdire v.

Faire savoir à une personne qu'elle n'a pas le droit de faire quelque chose ; vois ***défendre.*** *Le docteur Séverac interdit à sa fille de sortir à cause de son rhume. Il est interdit de marcher sur les pelouses.*

Le contraire d'*interdire,* c'est *autoriser, permettre.*

Le contraire d'*interdit,* c'est *autorisé, permis.*

▸ ***interdit*** adj. **1.** Que l'on n'a pas le droit de faire. *Le stationnement est interdit dans cette petite rue. « Pelouse interdite »,* sur laquelle on n'a pas le droit de marcher. **2.** Très étonné. *Cette réponse la laissa interdite ;* vois ***ébahi, stupéfait.***

Attention de ne pas prendre le sens interdit dans une rue à sens unique !

Conjugaison 1

Le contraire d'*intéresser,* c'est *ennuyer.*

intéresser v.

1. Éveiller l'intérêt, retenir l'attention. *Cette histoire a beaucoup intéressé les enfants. La maîtresse sait intéresser ses élèves ;* vois ***captiver.*** **2.** Avoir de l'importance. *Le changement du programme de français intéresse les élèves du cours moyen ;* vois ***concerner.*** **3.** *S'intéresser à quelque chose,* c'est avoir de l'intérêt pour cette chose. *Alex s'intéresse à la mécanique.* **4.** *Intéresser quelqu'un à une affaire,* c'est lui donner une partie de l'argent qu'elle rapporte. *Un chef d'entreprise est intéressé aux bénéfices de son entreprise.*

Famille de *intérêt*

Le contraire de *s'intéresser,* c'est *se désintéresser.*

Les grandes personnes m'ont conseillé [...] de m'intéresser plutôt à la géographie, à l'histoire, au calcul et à la grammaire *(le Petit Prince).*

Le contraire d'*intéressant,* c'est *ennuyeux, inintéressant.*

▸ ***intéressant*** adj. **1.** Qui présente de l'intérêt, retient l'attention. *Angèle raconte des histoires intéressantes ;* vois ***captivant, passionnant.*** *Mme Séverac invite toujours des personnes intéressantes à ses réceptions. Julie cherche à se rendre intéressante,* elle cherche à se faire remarquer. — n. *Julie fait souvent l'intéressante.* **2.** Avantageux. *Alex a acheté sa moto à un prix intéressant.*

La philatélie est une occupation très intéressante ! En faisant collection de timbres, on apprend des tas de choses, surtout l'histoire et la géographie *(le Petit Nicolas).*

Elle n'a rien trouvé. Elle veut se rendre intéressante. Elle n'en sait pas plus que vous. Vous pensez, une petite poule de rien du tout *(les Contes du Chat perché).*

▸ ***intéressé*** adj. *Une personne intéressée,* c'est une personne qui recherche avant tout des avantages matériels, de l'argent. *Colle et Rat sont intéressés ; ils vont voir leur grand-mère parce qu'elle leur donne de l'argent.*

Le contraire d'*intéressé,* c'est *désintéressé, généreux.*

▸ ***intéressement*** n. m. Participation du personnel aux bénéfices de l'entreprise. *Le syndicat a demandé l'intéressement des employés aux bénéfices.*

intérêt n. m.

Le contraire d'*intérêt,* c'est *ennui, indifférence.*

1. Attention que l'on porte à quelqu'un ou à quelque chose. *Les enfants écoutent avec intérêt l'histoire que leur raconte l'institutrice. Angèle sait*

Les hommes, dit le renard, [...] ils élèvent aussi des poules. C'est leur seul intérêt *(le Petit Prince)*.

Le contraire d'*intérêt*, c'est *désintéressement*.

éveiller l'intérêt des enfants ; vois ***curiosité.*** **2.** Qualité de ce qui est intéressant, retient l'attention. *Le film qui est passé hier soir à la télévision ne présentait aucun intérêt.* **3.** *L'intérêt de quelqu'un,* c'est ce qui lui est profitable. *Ne vous couchez pas trop tard, je dis cela dans votre intérêt. Vous n'avez pas intérêt à vous coucher tard.* **4.** Recherche de son avantage personnel. *Quand Mme Harpie fait des cadeaux aux enfants, elle le fait par intérêt.* **5.** Somme que l'on donne à une personne qui prête de l'argent ou qui le dépose sur un livret. *Les livrets de caisse d'épargne rapportent des intérêts.*

Autres membres de la famille : **intéresser, intéressant, inintéressant, intéressé, intéressement, désintéressé, désintéressement,** se **désintéresser.**

intérieur adj. et n. m.

Le contraire d'*intérieur*, c'est *extérieur*.

▭ **adj. 1.** Qui est dedans et non dehors. *Alex met ses papiers importants dans la poche intérieure de sa veste ;* vois ***interne.*** **2.** *La politique intérieure d'un pays,* c'est ce qui concerne le pays lui-même et ses habitants. *Mme Séverac s'intéresse à la politique intérieure.*

Le contraire d'*intérieur*, c'est *étranger, extérieur, international.*

▭ **n. m. 1.** Espace qui est dans une chose ; vois ***dedans.*** *L'intérieur de la voiture est rouge. Alex met ses papiers à l'intérieur de sa veste.* **2.** Lieu où l'on habite. *Les Séverac ont un intérieur confortable.* **3.** Espace compris entre les frontières d'un pays. *Le ministre de l'Intérieur s'occupe de l'administration et de la police.*

Une *femme d'intérieur* prend soin de sa maison.

Qu'y a-t-il à l'intérieur d'une noix ? Qu'est-ce qu'on y voit ? (Ch. Trenet).

▹ ***intérieurement*** adv. Au-dedans. *Intérieurement, la maison était en bon état. Angèle pesta intérieurement.*

intérim n. m.

Remplacement provisoire ; vois ***remplacement.*** *Une secrétaire a assuré l'intérim pendant le congé de maladie de Mme Roussel.*

▹ ***intérimaire*** adj. *Un employé intérimaire,* c'est un employé qui remplace le titulaire provisoirement. *Une secrétaire intérimaire remplace Mme Roussel quand elle est en vacances.* — n. m. et f. *Quand elle est absente, Mme Roussel est remplacée par une intérimaire.*

interjection n. f.

Mot invariable qui exprime un sentiment ou une attitude. *L'interjection que l'on utilise pour faire avancer un cheval, c'est « Hue ! »*

les interjections

■ Quand on appelle quelqu'un, on dit : *hého ! hohé ! hep ! coucou ! allô !...*
Quand on est écœuré : *berk ! bah ! bof !*
Quand on hésite : *euh !*
Quand on est content : *chouette ! hurrah ! bravo !*
Quand on a mal : *aïe ! ouille !...*

■ Certaines interjections expriment des bruits ; vois ***onomatopée.*** *Vlan ! crac ! splash ! tut tut ! badaboum ! plic ploc ! flic flac !*

■ Les interjections sont toujours suivies d'un point d'exclamation.

interligne n. m.

Attention ! *interligne* est un nom masculin.

Espace entre deux lignes. *Un texte qui a de larges interlignes est aéré.*

Famille de **ligne**

interlocuteur n. m., ***interlocutrice*** n. f.

Compare *interlo**cu**teur* et *élo**cu**tion* : dans ces mots, il est question de **parler.**

Personne qui parle avec une autre. *Au téléphone, on ne voit pas son interlocuteur.*

interloqué adj.

Tellement surpris qu'on ne sait plus quoi dire. *Colle et Rat ont pris des bonbons sans payer dans la boutique de Mme Harpie qui en est restée tout interloquée.*

Le maître demeura interloqué à se demander si son bœuf avait bien toute sa raison *(les Contes du Chat perché)*.

intermède n. m.

Ce qui interrompt une activité ; vois ***interruption.*** *Pendant le cours de français, un ballon a cassé une vitre de la classe ; après cet intermède, le cours a repris.*

N'oublie pas l'accent grave du ***è*** de *intermède.*

intermédiaire adj. et n. m. et f.
▭ **adj.** Situé entre deux choses. *La période intermédiaire entre la nuit et le jour, c'est l'aube.* — Et entre le jour et la nuit, c'est le crépuscule.
▭ **n. 1.** n. m. Moyen ; vois ***entremise.*** *Denis Prost a pris son billet d'avion par l'intermédiaire d'une agence de voyages.* **2.** n. m. et f. Personne qui met en relation d'autres personnes. *M. Bellec n'a pas besoin d'intermédiaire pour vous dire ce qu'il pense de vous.*

Famille de **terminer**
interminable adj.
Qui semble ne jamais devoir finir. *Ce discours est interminable,* il est trop long. — Le contraire d'*interminable,* c'est *court, bref.*

intermittent adj.
Le contraire d'*intermittent,* c'est *continu.*
Qui s'arrête et reprend par intervalle ; vois ***irrégulier.*** *La sirène des pompiers retentit de façon intermittente.*
▸ ***intermittence*** n. f. *Les nuages cachent le soleil par intermittence,* par moments.

internat n. m.
1. Établissement où vivent les élèves internes. *Dans certains internats, les élèves dorment en dortoir.* **2.** Concours pour devenir interne d'un hôpital. *Le docteur Séverac a passé l'internat des hôpitaux de Toulouse.* — Famille de **interne**

Famille de **nation**
international adj.
Qui concerne plusieurs pays. *Les champions de gymnastique ont participé à une rencontre internationale,* opposant plusieurs nations. *La politique internationale d'un pays définit ses rapports avec les autres pays ;* vois ***étranger, extérieur.*** — Au masculin pluriel : *internationaux.*
Le contraire, c'est *national.*
Le contraire, c'est *intérieur.*

interne adj. et n. m. et f.
▭ **adj.** Situé à l'intérieur, au-dedans ; vois ***intérieur.*** *L'estomac est un organe interne.*
▭ **n. m. et f. 1.** Élève qui mange et dort dans son école. *Les frères Séverac étaient internes dans un lycée.* **2.** Médecin qui a réussi le concours de l'internat et peut donc travailler en hôpital. *Le docteur Séverac est ancien interne des hôpitaux de Toulouse.* — Le contraire d'*interne,* c'est *externe.*
Conjugaison 1
▸ ***interner*** v. Enfermer dans un établissement. *Les réfugiés ont été internés dans un camp. Les malades mentaux sont parfois internés dans un hôpital psychiatrique.* — Autre membre de la famille : **internat.**

Conjugaison 1 ; on laisse les deux *l* à toutes les formes.
interpeller v.
Adresser la parole brusquement. *L'agent interpella l'automobiliste qui passait au feu rouge ;* vois ***apostropher.***

Compare *interphone, téléphone, magnétophone* et *symphonie* : dans ces mots, il est question de **son.**
interphone n. m.
Sorte de téléphone intérieur. *Pour entrer dans l'immeuble d'Angèle, il faut s'annoncer par l'interphone,* un appareil qui permet de parler depuis l'entrée de l'immeuble avec les personnes qui habitent dans l'immeuble.

interplanétaire adj.
Qui a lieu dans l'espace, entre des planètes. *Les cosmonautes sont partis pour un voyage interplanétaire ;* vois ***intersidéral.*** — Famille de **planète**

Conjugaison 1
*s'**interposer*** v.
Se mettre au milieu ; vois ***intervenir.*** *Yves et Antoine commençaient à se disputer mais la maîtresse s'est interposée,* elle s'est mise entre eux pour que la dispute cesse. — Famille de **poser**

interpréter v.
1. Expliquer, comprendre. *Savez-vous interpréter les rêves ?,* leur donner une signification. 2. Jouer un rôle ou un morceau de musique. *Denis Prost interprète avec talent des personnages différents ;* vois ***incarner.*** — Conjugaison 6 ▭ Indic. présent : *j'interprète, nous interprétons.*
C'est un comédien talentueux.
▸ ***interprète*** n. m. et f. **1.** Personne qui joue un rôle ou un morceau de musique. *Ce pianiste est un excellent interprète de Bach.* **2.** Personne qui traduit oralement ce que se disent deux personnes qui ne parlent pas la même langue. *Un interprète accompagne le Président quand il va dans un autre pays, pour lui traduire ce qu'on lui dit.*
Va voir aussi ***traducteur.***

▷ ***interprétation*** n. f. **1.** Explication. *On peut donner plusieurs interprétations à ce texte,* il y a plusieurs façons de le comprendre. **2.** Façon de jouer un rôle ou un morceau de musique. *Denis Prost a eu le prix de la meilleure interprétation masculine cette année.*

Conjugaison 3

interroger v.

Poser des questions ; vois ***questionner.*** *La police a interrogé les témoins. L'institutrice interroge Julie sur Charlemagne. — Après son échec au bac, Alex s'interroge sur son avenir,* il se demande ce qu'il va faire maintenant.

La maîtresse nous a fait des tas de recommandations, elle nous a défendu de parler sans être interrogés, de rire sans sa permission *(le Petit Nicolas).*

Compare : *interroger → interrogation* et *obliger → obligation.*

▷ ***interrogation*** n. f. **1.** Question ou ensemble de questions que l'on pose à un élève. *L'institutrice a fait faire une interrogation écrite.* **2.** Action d'interroger. *L'interrogation des témoins a duré une journée entière.*

▷ ***interrogatif*** adj. Vois les encadrés ci-dessous.

▷ ***interrogatoire*** n. m. Ensemble de questions posées pour connaître la vérité dans une affaire policière ou juridique. *La police a fait subir un interrogatoire aux accusés.*

les phrases interrogatives

- Une phrase à la forme **interrogative** sert à poser une question.
  Pour poser une question, on peut mettre le sujet après le verbe :
  Veux-tu *jouer au tennis ?*
  Ton frère ***veut-il*** *jouer ?*
  On peut commencer la phrase par *est-ce que :*
  Est-ce que *tu veux jouer ?*
  On peut aussi commencer la phrase par un mot interrogatif :
  Qui *veut jouer ?*
  Où *vas-tu ?*
  Quand *veux-tu jouer ?*
- Parfois, le point d'interrogation seul indique que la phrase est interrogative :
  Tu veux jouer **?**
- Quand on parle, il n'y a pas de point d'interrogation et c'est parfois l'intonation seule, c'est-à-dire la musique de la phrase, qui permet de savoir qu'il s'agit d'une question.

les mots interrogatifs

- Les **mots interrogatifs** sont les mots qui servent à poser une question, à marquer l'interrogation.
- Il existe
  - des pronoms interrogatifs : *lequel, lesquels, laquelle, lesquelles, qui, que, quoi*
  - un adjectif interrogatif : *quel*
  - des adverbes interrogatifs : *où, quand, comment, pourquoi...*

Famille de **rompre**

Fâché d'interrompre son expérience, et plus encore humilié qu'on lui parlât sur ce ton, le bœuf blanc riposta : « [...] Mais ce n'est pas ainsi que l'on traite un bœuf tel que moi » *(les Contes du Chat perché).*

interrompre v.

1. *Interrompre quelque chose,* c'est l'arrêter un moment ou définitivement. *Alex va peut-être interrompre ses études ;* vois ***cesser.*** **2.** *Interrompre quelqu'un,* c'est l'empêcher de continuer ce qu'il est en train de faire. *Claire a interrompu Mamie Lou dans son travail. Julie a interrompu Angèle,* elle lui a coupé la parole. — *L'institutrice s'est interrompue lorsque la directrice est entrée,* elle s'est arrêtée de parler.

Conjugaison 41 ▭ Indic. présent : *j'interromps, il interrompt.* Futur : *j'interromprai.*

Va voir aussi ***interruption.***

interrupteur n. m.

Petit appareil qui permet d'arrêter ou de rétablir le courant électrique. *Claire place l'interrupteur de sa lampe près de son oreiller pour pouvoir allumer si elle se réveille la nuit.*

Va voir aussi ***interrompre.***

Compare *interruption, rupture* et *interrupteur* : dans ces mots, il s'agit de **rompre.**

interruption n. f.

Arrêt momentané. *Il y a eu une interruption de courant pendant l'orage ;* vois ***coupure.*** *Sophie Pelletier a travaillé toute la soirée sans interruption,* sans s'arrêter.

intersection n. f.

Endroit où plusieurs rues se coupent ; vois ***croisement.*** *L'école est à l'intersection de l'avenue du Général-de-Gaulle et de la rue Jules-Ferry.*

intersidéral adj.

Situé entre les astres ; vois ***interstellaire.*** *Une sonde a été envoyée dans l'espace pour un long voyage intersidéral ;* vois ***interplanétaire.***

Au masculin pluriel : *intersidéraux.*

Compare *constellation* et *interstellaire* : dans ces mots, il s'agit d'**étoile.**

interstellaire adj.

Situé entre les étoiles ; vois ***intersidéral.*** *La fusée effectue un voyage interstellaire.*

interstice n. m.

Petit espace vide ; vois ***fente.*** *Le jour passe à travers les interstices des volets.*

Ce mot est masculin.

Deux *l* à *intervalle.*

intervalle n. m.

1. Distance entre deux choses ; vois ***espacement.*** *Les arbres sont plantés à un intervalle d'un mètre,* tous les mètres. *Les bandes blanches des passages pour piétons sont disposées à intervalles réguliers.* **2.** Espace de temps. *Les trains se suivent à dix minutes d'intervalle. On entendait un bruit à intervalles réguliers.*

Attention ! ce mot est masculin.

Par intervalles : par moments, de temps à autre.

Conjugaison 22
▭ Indic. présent : *j'interviens, nous intervenons, ils interviennent.*
Futur : *j'interviendrai.*

intervenir v.

1. Prendre part à ce qui se passe ; vois ***s'interposer.*** *Julie est intervenue dans la discussion entre ses parents,* elle a donné son avis. *Un médecin a pu intervenir rapidement pour soigner les blessés.* **2.** Se passer, se produire. *Un accord est intervenu entre les armées pour cesser les hostilités.*

Famille de **venir**

Va voir aussi ***intervention.***

intervention n. f.

1. Action d'intervenir. *Après l'intervention de la maîtresse, les enfants ont cessé leur dispute.* **2.** *Une intervention chirurgicale,* c'est une opération ; vois ***opération.*** *Julie a subi une intervention chirurgicale.*

On l'a opérée de l'appendicite.

Conjugaison 2

Elle a fait une *interversion* entre les deux noms.

intervertir v.

Changer l'ordre en mettant une chose à la place d'une autre ; vois ***inverser.*** *L'institutrice a interverti les noms de Julie et de Yasmina sur sa liste.*

Compare *intervertir* et *convertir* : dans ces mots, il est question de **changer.**

Prononce [ɛ̃tɛʀvju].
Attention à l'orthographe : ce mot est d'origine anglaise.

interview n. f.

Conversation entre un journaliste et une personnalité ; vois ***entrevue, entretien.*** *Denis Prost a accordé une interview à un journaliste des « Nouvelles de Motbourg ».*

Ce mot est féminin.

Au pluriel : *des interviews.*

Prononce [ɛ̃tɛʀvjuve].

▸ ***interviewer*** v. Poser des questions à une personnalité. *Un journaliste a interviewé Denis Prost, le comédien.*

Conjugaison 1

intestin n. m.

Il y a d'abord l'*intestin grêle,* puis le *gros intestin,* dont fait partie le *côlon.*

Organe de l'appareil digestif, constitué d'une sorte de long tuyau enroulé dans le ventre et qui va de l'estomac jusqu'à l'anus. *Ce qui reste des aliments après leur passage dans les intestins est rejeté sous forme d'excréments.*

Chez l'adulte, l'intestin grêle mesure environ 7 mètres de long.

Les *boyaux* sont les intestins des animaux.

Au masculin pluriel : *intestinaux.*

▸ ***intestinal*** adj. De l'intestin. *La paroi intestinale est constituée de très nombreux plis.*

intime adj.

1. Intérieur, privé, caché. *Des amis se racontent leurs pensées intimes,* les pensées qu'ils ont au plus profond d'eux-mêmes ; vois ***profond.*** **2.** Très proche, lié. *Yasmina, Marie-Tévy et Julie sont des amies intimes.* **3.** Qui réunit uniquement des gens très proches. *Mme Séverac a organisé un dîner intime,* avec sa famille et ses meilleurs amis.

Un journal intime, c'est un journal dans lequel on écrit tous ses secrets et tout ce que l'on pense.

Autre membre de la famille : **intimité.**

Conjugaison 1

intimer v.

Intimer un ordre, c'est donner un ordre avec beaucoup d'autorité. *L'agent de police intime à l'automobiliste l'ordre de s'arrêter.*

Conjugaison 1
Famille de **timide**

intimider v.
Faire peur ou rendre timide par sa force, son autorité ; vois ***effaroucher, effrayer, troubler.*** *Le docteur Séverac est la seule personne qui intimide Julie ;* vois ***impressionner.***

Le contraire d'*intimider*, c'est *enhardir, rassurer.*

Famille de **intime**

intimité n. f.
1. La vie privée. *Denis Prost ne veut pas que les journalistes parlent de son intimité. M. Doucet s'est remarié dans l'intimité,* seuls les amis proches et la famille y assistaient. **2.** Relation étroite. *Il y a entre Julie et Yasmina une grande intimité ;* vois ***familiarité.***

C'est un comédien célèbre.

Conjugaison 1

intituler v.
Donner un titre. *Sophie Pelletier a intitulé son livre : « Histoire d'une mangouste »,* elle a donné pour titre à son livre : « Histoire d'une mangouste ». — *Le livre s'intitule « Histoire d'une mangouste ».*

Famille de **tolérer**
Le contraire d'*intolérable*, c'est *supportable, tolérable.*
Leur insolence est intolérable.

intolérable adj.
1. Que l'on ne peut supporter ; vois ***insupportable.*** *Dans le désert, en été, la chaleur est intolérable.* **2.** Que l'on ne peut admettre. *En classe, la conduite de Colle et Rat est intolérable ;* vois ***inacceptable, inadmissible.***

Le contraire d'*intolérable*, c'est *acceptable, tolérable.*

Famille de **tolérer**

intolérant adj.
Une personne intolérante, c'est une personne qui ne supporte pas et condamne ce qui lui déplaît chez les autres. *Mme Harpie s'est montrée intolérante envers sa sœur.*

Le contraire d'*intolérant*, c'est *tolérant.*

Famille de ② **ton**

intonation n. f.
Ton que l'on prend en parlant, en lisant ; vois ***accent.*** *Yves a compris à l'intonation de sa voix que son père était en colère.*

Une intonation peut être douce, tendre, amusée, moqueuse, dure, sévère.

Conjugaison 1

intoxiquer v.
Empoisonner. *Les produits chimiques utilisés dans les usines peuvent intoxiquer les ouvriers qui y travaillent.*

Famille de **toxique**

Les champignons vénéneux provoquent des intoxications.

▷ ***intoxication*** n. f. Empoisonnement. *Si on mange de la viande avariée, on risque une intoxication alimentaire.*

Famille de **traiter**

intraitable adj.
Que l'on ne peut faire changer d'avis, qui refuse de céder ; vois ***intransigeant.*** *Denis Prost a envoyé sa fille Julie se coucher ; elle a eu beau le supplier, il est resté intraitable ;* vois ***inébranlable, inflexible.***

Le contraire d'*intraitable*, c'est *conciliant.*

intramusculaire adj.
Qui se fait dans l'épaisseur d'un muscle. *Le docteur Séverac a fait une piqûre intramusculaire à M. Bonnot.*

Compare *intra**musculaire*** et ***muscula**ture* : il s'agit de **muscle.**

Attention ! le *g* est suivi d'un *e.*
Famille de **transiger**

intransigeant adj.
Une personne intransigeante, c'est une personne qui ne se laisse pas influencer, qui ne cède pas, qui n'accepte pas les arrangements. *Mme Hespel est intransigeante.*
▷ ***intransigeance*** n. f. Caractère, attitude d'une personne intransigeante. *Mme Hespel fait souvent preuve d'intransigeance.*

Le contraire d'*intransigeant*, c'est *accommodant, souple.*

Famille de **transitif**

intransitif adj.
Un verbe intransitif, c'est un verbe qui ne peut pas avoir de complément d'objet direct. *« Marcher » est un verbe intransitif.*

Le contraire d'*intransitif*, c'est *transitif.*

Famille de ② **veine**

intraveineux adj.
Une piqûre intraveineuse, c'est une piqûre que l'on fait à l'intérieur d'une veine. *Le docteur Séverac a fait une piqûre intraveineuse à M. Bonnot.*

On dit aussi une *intraveineuse.*

intrépide adj.
Une personne intrépide, c'est une personne qui n'a peur de rien, qui ne tremble pas devant le danger ; vois ***courageux, hardi.*** *Les explorateurs intrépides ont remonté l'Amazone en pirogue.*

Le contraire d'*intrépide*, c'est *craintif, lâche.*

Compare : *intrépide → intrépidité, lucide → lucidité* et *stupide → stupidité.*

▷ ***intrépidité*** n. f. Qualité d'une personne intrépide ; vois ***courage, hardiesse.*** *Les explorateurs ont fait preuve d'intrépidité.*

intrigue n. f.
1. Histoire racontée dans un roman, une pièce de théâtre ou un film ; vois

action. *Yasmina suit avec passion les rebondissements de l'intrigue.* **2.** Manœuvre secrète et compliquée ; vois ***machination.*** *Nous avons déjoué l'intrigue de nos adversaires.*

Conjugaison 1

▸ ***intriguer*** v. **1.** Éveiller la curiosité ; vois ***étonner, surprendre.*** *L'attitude bizarre de l'homme commençait à l'intriguer.* **2.** Mener des manœuvres secrètes contre quelqu'un. *Il a intrigué pour obtenir son poste.*

▸ ***intrigant*** n. m., ***intrigante*** n. f. Personne qui mène une intrigue. *Ce n'est qu'une vulgaire intrigante.*

Conjugaison 38
▭ Indic. présent : *j'introduis, nous introduisons, ils introduisent.* Imparfait : *j'introduisais.* Futur : *j'introduirai.* — Subj. présent : *que j'introduise.*

introduire v.
1. Faire entrer, conduire. *L'huissier introduisit le visiteur dans la salle d'attente. — Les voleurs se sont introduits dans la bijouterie dans la nuit,* ils y sont entrés. **2.** Faire adopter. *Le gouvernement a introduit une réforme.* **3.** *Introduire une chose dans une autre,* c'est l'y faire entrer. *Marie-Tévy introduisit la clé dans la serrure et ouvrit la porte.*

Vous savez que les hommes n'entrent pas dans les appartements des dames du palais et qu'on ne peut vous y introduire qu'en fraude *(les Mille et Une Nuits).*

▸ ***introduction*** n. f. **1.** Début d'un texte, qui le présente et l'explique. *Une rédaction commence par une introduction et se termine par une conclusion.* **2.** *Le secrétaire est chargé de l'introduction des visiteurs,* de les faire entrer, de les introduire.

L'introduction d'un livre s'appelle un *avant-propos,* une *préface.*

Une *lettre d'introduction* est une lettre de recommandation.

Intrus [ɛ̃tʀy] rime avec *malotru.*

Dans la jungle, personne n'aime à être dérangé, et on y est toujours prêt à se jeter sur l'intrus *(le Livre de la jungle).*

intrus n. m., ***intruse*** n. f.
Personne qui est entrée dans un endroit sans y être invitée ni désirée. *Colle et Rat sont venus à l'anniversaire de Julie sans être invités ; Yves s'est chargé de mettre les intrus dehors.*

Colle et Rat se sont vite sentis indésirables !

▸ ***intrusion*** n. f. Arrivée soudaine. *L'intrusion de Colle et Rat surprit désagréablement Julie et ses invités.*

intuition n. f.
Sentiment, impression de comprendre les choses, de les connaître, sans réfléchir ; vois ***pressentiment.*** *Il ne faut pas toujours se fier à son intuition. J'ai l'intuition qu'il ne viendra pas,* j'en ai le sentiment, l'impression, sans pouvoir vraiment dire pourquoi.

Famille de ② **user**

inusable adj.
Très solide, qui ne s'use pas. *Mme Harpie a le même manteau depuis quinze ans, il est vraiment inusable.*

Famille de ① **user**

inusité adj.
Un mot inusité est un mot qui ne s'emploie pas. *Certaines formes de l'imparfait du subjonctif sont inusitées.*

Le contraire d'*inusité,* c'est *courant, usuel.*

Famille de **utile**

inutile adj.
Qui ne sert à rien, n'est pas utile ; vois ***superflu.*** *Mme Séverac s'encombre toujours de bagages inutiles. Tous ses efforts sont restés inutiles ;* vois ***infructueux, vain.***

Le contraire d'*inutile,* c'est *utile.*

▸ ***inutilement*** adv. Pour rien, sans résultat. *Hippolyte s'entête inutilement à essayer de réparer son poste de radio.*

Compare : *inutile → inutilité, facile → facilité* et *docile → docilité.*

▸ ***inutilité*** n. f. *Angèle est maintenant convaincue de l'inutilité de ses efforts pour amadouer ces garnements de Colle et Rat,* elle est convaincue que ses efforts sont inutiles.

Famille de **utile**

inutilisable adj.
Une chose inutilisable, c'est une chose que l'on ne peut pas utiliser, dont on ne peut rien faire. *Mme Harpie récupère dans les poubelles des tas de vieux objets inutilisables.*

Famille de **utile**

inutilisé adj.
Une chose inutilisée, c'est une chose dont on ne se sert pas. *Ces outils sont inutilisés et presque à l'état neuf.*

Famille de ① **valide**

invalide adj.
Personne infirme ou malade, qui ne peut pas travailler. *Il est resté invalide à la suite d'un accident.* — n. *Dans les autobus, il y a des places réservées aux invalides.*

Le contraire d'*invalide,* c'est *valide.*

L'Hôtel des Invalides, à Paris, est un bâtiment fondé par Louis XIV pour abriter les invalides de guerre.

▸ ***invalidité*** n. f. État d'une personne invalide. *Les invalides ont une carte d'invalidité.*

Famille de **varier**

invariable adj.

Quelque chose d'invariable, c'est quelque chose qui ne change pas, qui ne varie pas ; vois ***constant, immuable.*** *Les mots invariables s'écrivent toujours de la même façon.*

Les adverbes et les prépositions sont invariables.

invasion n. f.

Va voir aussi ***envahir.***

1. Entrée massive d'une armée dans un pays. *L'invasion des Huns fut arrêtée aux champs Catalauniques en 451.* **2.** Arrivée brusque et massive. *Mamie Lou redoute l'invasion des guêpes, en été.*

Les invasions de sauterelles détruisent les cultures.

invective n. f.

Ce mot s'emploie surtout au pluriel. Ce n'est pas un mot très courant.

Des invectives, ce sont des paroles violentes contre quelqu'un ou quelque chose. *Furieux, M. Bellec lançait des invectives à Mme Harpie.*

Invectiver une personne, c'est lui lancer des invectives, l'injurier.

inventaire n. m.

Une fois par an, le libraire fait l'inventaire, il établit la liste détaillée des marchandises qu'il a en stock dans son magasin.

Magasin fermé pour cause d'inventaire.

inventer v.

Conjugaison 1

Christophe Colomb *a découvert* l'Amérique. Il ne l'a pas inventée, elle était déjà là.

1. Créer quelque chose de nouveau, le fabriquer pour la première fois. *Les Chinois ont inventé l'imprimerie.* **2.** Imaginer. *Antoine a inventé une histoire invraisemblable pour expliquer son retard à l'école.*

Il n'a pas inventé la poudre : il n'est pas très malin. On dit aussi : *il n'a pas inventé le fil à couper le beurre, il n'a pas inventé l'eau tiède.*

▸ ***inventeur*** n. m., ***inventrice*** n. f. Personne qui invente, qui a inventé quelque chose. *Les Chinois sont les inventeurs de l'imprimerie.*

▸ ***inventif*** adj. Qui a beaucoup d'idées, est capable d'inventer. *Sophie Pelletier est inventive.*

Elle a l'esprit *inventif.*

▸ ***invention*** n. f. **1.** *L'invention du téléphone date de 1876,* on a inventé le téléphone en 1876. **2.** Chose que l'on a inventée. *Le téléphone et la télévision sont de belles inventions ;* vois ***découverte.*** **3.** Chose imaginée. *Cette histoire est une pure invention ;* vois ***fiction, mensonge.***

inverse adj. et n. m.

1. adj. *Le sens inverse,* c'est le sens contraire, le sens opposé. *La voiture a percuté le camion qui venait en sens inverse.* **2.** n. m. *L'inverse,* c'est le contraire. *Hippolyte est amoureux d'Angèle, l'inverse n'est pas vrai ;* vois ***réciproque.***

À l'inverse : au contraire.

Tournez le robinet dans le sens inverse des aiguilles d'une montre.

Conjugaison 1

▸ ***inverser*** v. Mettre en sens inverse ; vois ***intervertir.*** *Si l'on inverse l'ordre de l'alphabet, la première lettre est Z.*

▸ ***inversion*** n. f. Déplacement d'un groupe de mots dans la phrase par rapport à sa place habituelle. *Quand on pose une question, on peut faire l'inversion du sujet.*

Il y a inversion du sujet dans la phrase : « Où est Luc ? »

invertébré n. m.

Animal qui n'a pas de colonne vertébrale. *Les mollusques, les vers et les insectes sont des invertébrés.*

Le contraire d'*invertébré,* c'est *vertébré.*

Famille de **vertèbre**

investigation n. f.

Recherche minutieuse, approfondie. *Les investigations de la police n'ont pas donné de résultat.*

investir v.

Conjugaison 2

1. *Investir son argent,* c'est le placer, l'utiliser pour qu'il rapporte. *Mme Hespel investit son argent dans des appartements.* **2.** Assiéger, encercler. *L'ennemi a investi la ville.* **3.** Confier une charge, une responsabilité. *Cet homme politique a été investi par le gouvernement d'une mission spéciale,* il en a été chargé.

L'argent que l'on investit est un *capital.*

Compare : *investir → investissement* et *amortir → amortissement.*

▸ ***investissement*** n. m. *Faire un investissement,* c'est investir son argent. *L'achat d'un appartement est un bon investissement, pense Mme Hespel ;* vois ***placement.***

invétéré adj.

Denis Prost est un fumeur invétéré, il fume beaucoup depuis longtemps ; vois ***incorrigible.***

invincible adj.

1. Impossible à battre, à vaincre ; vois ***imbattable.*** *Zorro est invincible.*

2. Très fort, à quoi on ne peut résister, qu'on ne peut surmonter ; vois ***insurmontable.*** *Mme Roussel est d'une timidité invincible.*

Famille de **voir**

invisible adj.
Quelque chose d'invisible, c'est quelque chose que l'on ne peut pas voir. *On entend l'avion, mais il reste invisible derrière les nuages.*

Le contraire d'*invisible,* c'est *visible.*

Conjugaison 1

inviter v.
Inviter quelqu'un, c'est lui proposer d'aller quelque part, ou de faire quelque chose. *Hippolyte a invité Angèle à dîner.*
▸ ***invité*** n. m., ***invitée*** n. f. *Mme Séverac place ses invités autour de la table,* les gens qu'elle a invités.
▸ ***invitation*** n. f. Proposition d'aller quelque part ou de faire quelque chose. *Angèle a refusé l'invitation d'Hippolyte.*

Babar demande aux oiseaux d'aller inviter tous les animaux et charge le dromadaire de lui acheter [...] de beaux habits de noce *(Babar).*

Oh ! Babar, votre invitation me touche beaucoup, répond la vieille dame *(Babar).*

Famille de ① **vivre**

invivable adj.
Impossible ou difficile à vivre. *Mme Harpie est quelqu'un d'invivable,* on ne peut pas vivre avec elle. *La situation était devenue invivable.*

involontaire adj.
Un geste involontaire, c'est un geste que l'on fait sans le vouloir. *Yasmina a fait une grimace involontaire.*

Le contraire d'*involontaire,* c'est *volontaire, intentionnel.*

Famille de **volontaire**

Compare ***invoquer*** et ***évoquer*** : dans ces mots, il s'agit de **parler.**

invoquer v.
1. *Invoquer une divinité,* c'est l'appeler à son aide par des prières. *Les Grecs invoquaient leurs dieux avant de partir à la guerre.* 2. *Antoine a invoqué une fatigue passagère pour expliquer son retard à l'école,* il a utilisé cela comme prétexte.

Conjugaison 1

Famille de **vrai** et de **sembler**

invraisemblable adj.
Impossible à croire ; vois ***incroyable.*** *Antoine raconte toujours des histoires invraisemblables. C'est invraisemblable ce que tu me dis là !*

Le contraire d'*invraisemblable,* c'est *vraisemblable.*

Famille de **vrai** et de **sembler**

invraisemblance n. f.
Une invraisemblance, c'est une chose qu'on ne peut pas croire. *Pour une fois, l'histoire qu'a racontée Antoine est vraie malgré ses invraisemblances.*

Le contraire d'*invraisemblance,* c'est *vraisemblance.*

Le contraire d'*invulnérable,* c'est *vulnérable.*

invulnérable adj.
Qui ne peut être blessé ni tué. *Achille était invulnérable, sauf au talon.*

Famille de **vulnérable**

À l'infirmerie [...] ils m'ont mis de l'iode sur le genou et ça m'a drôlement piqué *(le Petit Nicolas).*

iode n. m.
Substance présente dans l'eau de mer et dans les algues. *Quand on fait chauffer de l'iode, des vapeurs violettes se dégagent. Le médecin a nettoyé la plaie avec de la teinture d'iode,* un désinfectant contenant de l'alcool et de l'iode.

C'est un antiseptique.

Irascible [irasibl] rime avec *cible* et *sensible.*

irascible adj.
Qui se met facilement en colère ; vois ***coléreux, irritable.*** *M. Bellec est très irascible.*

Attention ! un ***s*** suivi d'un ***c.***

Iris [iris] rime avec *police* et *cuisse.*

iris n. m.
1. Grande fleur bleue, violette, blanche, jaune ou brune, à feuilles pointues. *Yves a donné un bouquet d'iris à Angèle.* 2. Partie arrondie et colorée, au milieu de l'œil, et présentant un orifice au centre. *L'iris peut être brun, bleu, gris, ou vert.*

Les iris poussent dans les endroits humides.

L'iris est une membrane située derrière la cornée.

Cet orifice s'appelle la *pupille.*

irisé adj.
Qui possède toutes les couleurs de l'arc-en-ciel. *Le lac avait des reflets irisés.*

ironie n. f.
Manière de se moquer en disant le contraire de ce qu'on devrait dire. *« Alex est un brillant élève », dit Mme Hespel avec ironie.*
▸ ***ironique*** adj. Moqueur. *Mme Hespel esquissa un sourire ironique.*

Conjugaison 7
▭ Indic. imparfait : *nous irradiions, vous irradiiez.*

irradier v.
Soumettre, exposer à l'action de certains rayons, de rayons radioactifs. *On irradie les tumeurs cancéreuses pour détruire les tissus malades.*

Compare ***irradier*** et ***radiation*** : il est question de **rayons.**

Attention ! deux *r*.
Le contraire d'*irréalisable*, c'est *réalisable*.

irréalisable adj.
Quelque chose d'irréalisable, c'est quelque chose qui ne peut pas être réalisé. *C'est un projet tentant mais irréalisable.*

Famille de **réaliser**

Attention ! deux *r*.

irrécusable adj.
Qui ne peut être mis en doute ; vois ***incontestable, irréfutable.*** *Le témoignage de la gardienne est irrécusable.*

irréductible adj.
Que l'on ne peut pas réduire, dont on ne peut venir à bout. *Les Anglais ont longtemps été les ennemis irréductibles des Français.*

Attention ! deux *r*.

Attention ! deux *r*.
Famille de **réel**

irréel adj.
Quelque chose d'irréel, c'est quelque chose qui n'existe pas, n'appartient pas à la réalité. *Sous la neige, le paysage avait un aspect irréel ;* vois ***fantastique.***

Le contraire d'*irréel*, c'est *réel*.

Attention ! deux *r*.

irréfutable adj.
Qui ne peut être mis en doute ; vois ***irrécusable.*** *Le voleur a été pris sur le fait, les preuves contre lui sont irréfutables.*

Famille de **réfuter**

Attention ! deux *r*.

irrégularité n. f.
Action ou chose qui n'est pas conforme à la règle, à la loi. *Mme Harpie se plaît à dire que des irrégularités ont été commises au cours des élections municipales.*

Famille de **régularité**

Attention ! deux *r*.
Famille de **régulier**
Un *verbe irrégulier* est un verbe qui ne suit pas les règles habituelles de conjugaison.

irrégulier adj.
1. Qui n'a pas constamment le même aspect, la même disposition, le même rythme. *Antoine a une écriture irrégulière. Mme Harpie a un visage aux traits irréguliers.* **2.** *Les passagers clandestins sont en situation irrégulière,* dans une situation qui n'est pas conforme à la règle, au règlement.

Le contraire d'*irrégulier*, c'est *régulier*.
Il y a une *irrégularité* dans leur situation.

Attention aux deux *r* et aux accents aigus des deux *é* de *irrémédiable*.

irrémédiable adj.
À quoi on ne peut pas remédier ; vois ***irréparable.*** *Mme Harpie est d'une laideur irrémédiable.*

Famille de **remède**

N'oublie pas les deux *r* et la cédille du *ç*.

irremplaçable adj.
Qu'on ne peut remplacer. *Le maire pense que Mme Séverac est irremplaçable comme conseillère municipale.*

Même famille que **remplacer**

Attention ! deux *r*.
Famille de **réparer**

irréparable adj.
Qui ne peut pas être réparé. *Antoine a cassé sa montre, elle est irréparable.*

Le contraire, c'est *réparable*.

Attention ! deux *r*.
Famille de **reprocher**

irréprochable adj.
Sans reproche ; vois ***parfait.*** *Pendant la guerre, ce soldat a eu une conduite irréprochable.*

Le contraire d'*irréprochable*, c'est *condamnable*.

Attention ! deux *r*.

irrésistible adj.
À quoi on ne peut résister. *Angèle éprouva soudain une irrésistible envie de dormir. Antoine a raconté une histoire irrésistible,* on ne pouvait s'empêcher de rire en l'écoutant.

Famille de **résister**

Attention ! deux *r*.

irrespirable adj.
Désagréable ou dangereux à respirer. *L'atmosphère de la pièce enfumée était irrespirable.*

Famille de **respirer**

Attention ! deux *r*.
Famille de **responsable**

irresponsable adj.
Quelqu'un d'irresponsable, c'est quelqu'un qui agit à la légère, sans penser aux conséquences de ce qu'il fait. *Les fous sont considérés comme irresponsables.*

Attention ! deux *r*.
Famille de **réversible**

irréversible adj.
Quelque chose d'irréversible, c'est quelque chose qui ne peut se produire que dans un seul sens, sans retour en arrière. *La marche du temps est irréversible.*

Le contraire d'*irréversible*, c'est *réversible*.

Attention ! deux *r*.
Famille de **révoquer**

irrévocable adj.
Définitif. *Ma décision est irrévocable,* rien ne la fera changer.

Conjugaison 1

irriguer v.
Arroser au moyen de canaux, de tuyaux. *Le fermier a dû irriguer la prairie en raison de la sécheresse.*

Le contraire d'*irriguer*, c'est *drainer*.

Attention ! deux *r* dans *irriguer* et *irrigation*.

▸ **irrigation** n. f. Action d'irriguer, d'arroser. *L'irrigation permet de fertiliser des régions désertiques. Des canaux d'irrigation arrosent toute la région.*

Conjugaison 1

irriter v.
1. Mettre en colère. *Son indécision irritait tout le monde* ; vois ***agacer, énerver.*** *L'institutrice s'est irritée contre Antoine,* elle s'est fâchée contre lui. **2.** Faire mal en picotant. *Une toux prolongée irrite la gorge.*

Attention ! deux *r* dans *irriter, irritable, irritant* et *irritation.*

▸ **irritable** adj. *M. Bellec est irritable,* il se met facilement en colère ; vois ***irascible.***
▸ **irritant** adj. Agaçant. *Antoine est irritant avec ses mensonges perpétuels ;* vois ***énervant.***
▸ **irritation** n. f. **1.** Colère. *Son irritation est bien compréhensible ;* vois ***agacement.*** **2.** Légère inflammation. *La toux provoque une irritation de la gorge.*

Ne confonds pas *irruption* et *éruption.*

irruption n. f.
Faire irruption quelque part, c'est entrer d'une façon brusque et inattendue. *La directrice a fait irruption dans la classe.*

Attention ! deux *r.*

Avec un *I* majuscule, *l'Islam* est l'ensemble des peuples musulmans.

islam n. m.
Religion des musulmans. *Mahomet a fondé l'islam au* VII*e siècle.*
▸ **islamique** adj. Musulman. *Les Touati sont de religion islamique.*

Le Coran est le livre saint de l'islam. *Islam* veut dire en arabe « soumission à Dieu ».

isocèle adj.
Qui a deux côtés égaux. *Ce triangle est isocèle.*

Conjugaison 1

Quand on protège une maison contre le froid, la chaleur ou le bruit, on dit qu'on l'*isole.*

isoler v.
1. Empêcher d'être en contact ; vois ***séparer.*** *La tempête de neige a isolé le village. On isole les fils électriques en les recouvrant d'une matière qui ne conduit pas l'électricité.* **2.** *Isoler quelqu'un,* c'est l'éloigner d'autres personnes. *Quand son fils Sylvain a eu la rougeole, Mme Hespel l'a isolé pour qu'il ne passe pas sa maladie à son frère. — Julie s'est isolée dans sa chambre.*

Cette matière s'appelle un *isolant.*

Elle n'a envie de voir personne.

« Je vis dans un grand isolement depuis la mort de mon mari » *(les Petites Filles modèles).*

▸ **isolement** n. m. *Vivre dans l'isolement,* c'est vivre tout seul. *Loïc vit dans un grand isolement.*
▸ **isolément** adv. Séparément. *Pris isolément, ces deux enfants sont beaucoup moins désagréables.*

Le contraire d'*isolément,* c'est *ensemble.*

Compare : *isoler → isoloir* et *parler → parloir.*

▸ **isoloir** n. m. Cabine où l'on est seul et où l'on met son bulletin de vote dans une enveloppe. *Pour voter, on est obligé de passer dans l'isoloir.*

Ne confonds pas *israélite* et *israélien* : les Israéliens sont les habitants de l'État d'Israël.

israélite n. m. et f.
Personne de religion juive. *Le lieu de culte des israélites est la synagogue.* — adj. *Mme Séverac est issue d'une famille israélite ;* vois ***juif.***

C'est le rabbin qui préside au culte israélite.

Attention ! deux *s.* Au féminin : *issue.*

issu adj.
Né. *Cet alpiniste est issu d'une famille de montagnards.*

Attention ! deux *s* et un *e* à la fin.

issue n. f.
1. Passage qui permet de sortir. *Quand la poste a pris feu, tous les gens sont sortis par les issues de secours.* **2.** Possibilité de se sortir d'une situation difficile. *La situation est sans issue ;* vois ***solution.***

Une rue *sans issue* est une impasse.

Attention au *th* qui ne se prononce pas : [ism]. Compare *isthme* et *asthme.*

isthme n. m.
Étroite bande de terre qui sépare deux mers et unit deux terres. *L'isthme de Suez, d'une longueur de 160 km, sépare la Méditerranée de la mer Rouge et relie l'Afrique à l'Asie.*

En 1860, le canal de Suez a été percé pour relier les deux mers.

Attention ! *italique* est un nom masculin.

italique n. m.
Écrire en italique, c'est écrire avec des lettres d'imprimerie penchées. *Dans un dictionnaire, les exemples sont toujours en italique.*

Ces caractères ont été inventés vers 1500 par un imprimeur italien : Aldo Manuce.

itinéraire n. m.
Chemin que l'on suit pour aller d'un endroit à un autre. *Les Séverac vont suivre un nouvel itinéraire pour aller de Motbourg à Sarlat.*

ivoire n. m.
Matière dont sont faites les défenses d'éléphant. *Le docteur Séverac a des statuettes en ivoire dans son cabinet.*

On appelle *ivoire* la partie dure des dents.

L'ivoire est d'une couleur blanc laiteux.

ivre adj.
1. Qui a l'esprit troublé par l'alcool ; vois ***soûl.*** *À la fin du dîner d'anniversaire, Mme Hespel était légèrement ivre.* **2.** *M. Bellec était ivre de rage,* fou de rage.

Je pris du vin, que je trouvais excellent ; mais je n'en bus que très peu, parce que mon père me dit que je serais ivre si j'en avalais beaucoup *(les Vacances).*

▹ ***ivresse*** n. f. État dans lequel est une personne qui a bu trop d'alcool ; vois ***ébriété.*** *Il ne faut pas conduire en état d'ivresse.*

▹ ***ivrogne*** n. m. Personne qui a l'habitude de boire de l'alcool et d'être ivre. *J'ai rencontré un ivrogne qui parlait tout seul dans la rue.*

▹ ***ivrognerie*** n. f. Habitude de celui qui est un ivrogne ; vois ***alcoolisme.*** *L'ivrognerie est nuisible à la santé.*

Autre membre de la famille : **enivrer.**

Le contraire d'*ivrognerie,* c'est *sobriété.*

J n. m. invariable

La rentrée des classes est un jour J pour tous les enfants.

Le jour J, c'est le jour fixé pour le début d'une opération importante ou un grand événement. *Le jour J, à l'heure H, la fusée a décollé de la Terre en direction de la Lune.*

j' va voir **je.**

jabot n. m.

La tête levée haut et la crête en arrière, le coq renflait son jabot et faisait bouffer ses plus belles plumes *(les Contes du Chat perché).*

1. Poche, située dans le cou des oiseaux, où la nourriture est gardée avant son passage dans l'estomac. *Les poules ont un jabot très développé.* **2.** Sorte de cravate de dentelle ou de mousseline que portaient les hommes autrefois. *Les courtisans de Louis XIV portaient un pourpoint et une chemise à jabot.*

Le jabot correspond à l'œsophage.

Les jabots ont été remplacés par les cravates.

jacasser v.

Attention ! deux *s.*

Conjugaison 1

1. *La pie jacasse,* elle pousse son cri. *La pie jacassait dans le vieux poirier.* **2.** Bavarder sans arrêt. *Julie et Yasmina jacassent au lieu d'écouter l'institutrice.*

Le geai aussi jacasse.

jachère n. f.

Une terre en jachère, c'est une terre que l'on ne cultive pas pendant un certain temps pour la laisser reposer. *Pierre Séverac a laissé le grand champ en jachère ;* vois ***guéret.***

Le plus souvent, un sol est laissé en jachère une année sur trois.

jacinthe n. f.

Attention ! un *h* entre le *t* et le *e.*

Plante à fleurs en grappes de couleur bleu mauve ou rose vif, très odorante. *Hippolyte a offert à Angèle des jacinthes en pot pour son anniversaire.*

Les jacinthes sont des plantes à bulbe originaires d'Orient et de la Méditerranée.

jade n. m.

Le jade vient d'Inde et de Chine.

Pierre très dure de couleur verdâtre. *Le docteur Séverac a offert à sa femme un très joli bracelet de jade.*

Le jade est une pierre fine.

jadis adv.

Jadis [ʒadis] rime avec *dix* et *lisse.*

Autrefois, il y a longtemps. *Jadis, les hommes portaient des perruques.*

Jaguar [ʒagwaʀ] rime avec *square* et *foire*.

jaguar n. m.
Grand fauve d'Amérique du Sud, au pelage beige tacheté de noir, voisin de la panthère. *Les jaguars sont des animaux carnassiers qui attaquent le bétail surtout la nuit, par surprise.*

Le jaguar est un félin qui grimpe aux arbres et peut nager. Il mesure environ 2 m.

Conjugaison 2

jaillir v.
1. *Le liquide jaillit,* il sort brusquement en faisant un grand jet ; vois ***gicler.*** *L'eau jaillissait avec force du tuyau crevé.* **2.** Apparaître brusquement. *Les phares d'une auto jaillissent au tournant du chemin.*

Autre membre de la famille : **rejaillir.**

Ne confonds pas *jais, geai, jet* et *j'ai.* On dit aussi : *des cheveux de jais.*

jais n. m.
Matière très dure, d'un noir brillant, dont on fait des bijoux. *Mamie Lou a un collier de jais. Marie-Tévy a les cheveux noirs comme du jais,* très noirs.

Le jais est une variété de charbon.

jalon n. m.
Piquet de bois ou de métal que l'on plante en terre pour servir de repère. *On plante des jalons pour marquer les limites d'un terrain.*

Poser des jalons, c'est préparer le terrain en s'assurant des appuis pour obtenir ce que l'on désire.

Conjugaison 1

Compare : *jalon → jalonner* et *échelon → échelonner.*

▸ ***jalonner*** v. **1.** Planter des jalons. *Chaque terrain du lotissement a été jalonné.* **2.** Marquer, délimiter. *Des bottes de paille jalonnent le circuit de la course,* elles servent de jalons. *Chacun sait que la carrière d'acteur est jalonnée de difficultés,* semée de difficultés.

jaloux adj.
1. Qui éprouve de la jalousie, envie ce que les autres ont ; vois ***envieux.*** *Mme Harpie est jalouse de tout le monde.* — n. *Mme Harpie est une affreuse jalouse.* **2.** *Quelqu'un de jaloux,* c'est quelqu'un qui craint que la personne qu'il aime ne lui soit pas fidèle. *M. Bellec est un mari très jaloux.*

Il n'est plus d'Époux
si terrible,
Ni qui demande l'impossible,
Fût-il malcontent et jaloux.
Près de sa femme
on le voit filer doux
(la Barbe-bleue).

Conjugaison 1

▸ ***jalouser*** v. Être jaloux, envieux ; vois ***envier.*** *Mme Harpie jalouse tout le monde.*

Alors, la reine prit peur et devint jaune et verte de jalousie. Dès lors, quand elle apercevait Blancheneige, son cœur se retournait dans sa poitrine *(Blancheneige).*

▸ ***jalousie*** n. f. **1.** Envie de ce que les autres ont et que l'on voudrait pour soi. *Le succès des uns, le bonheur des autres, tout excite la jalousie de Mme Harpie.* **2.** Désir d'avoir la personne que l'on aime tout à soi. *Dès que Marie-Tévy parle longtemps avec Yves, Antoine lui fait une crise de jalousie.*

jamais adv.

Mieux vaut tard que jamais (proverbe).

Jamais de la vie : certainement pas.

On dit aussi *à tout jamais.*

1. À aucun moment, en aucun cas. *Je ne suis jamais allé au Cambodge. Je n'irai plus jamais chez Mme Harpie. Mme Harpie est-elle aimable ? — Non, jamais ! Angèle boit quelquefois du thé, jamais de café ;* vois ***pas.*** **2.** *« Si jamais je t'attrape, gare à toi »,* si par hasard. **3.** *Marie-Tévy a quitté le Cambodge à jamais,* pour toujours.

Jamais on n'a vu, vu, vu
Jamais on n'verra, ra, ra
La queue d'une souris, ri, ri
Dans l'oreille
d'un chat, chat, chat
(comptine).

jambe n. f.

Maman, les p'tits bateaux
Qui vont sur l'eau
Ont-ils des jambes ?
(chanson).

Une *jambe de bois,* c'est un appareil de prothèse.

1. Membre inférieur de l'homme, y compris la cuisse. *Angèle a de jolies jambes. À six mois, un bébé ne tient pas encore sur ses jambes. M. Bonnot traîne la jambe,* il a du mal à marcher. *Devant l'air menaçant du chien, le voleur s'est enfui à toutes jambes,* il s'est enfui en courant très vite. *Le chat Félix est toujours dans les jambes de Julie,* il l'encombre, la gêne en restant trop près d'elle. **2.** *Les jambes d'un pantalon,* ce sont les parties d'un pantalon qui recouvrent les jambes. *Yves a un accroc à la jambe droite de son pantalon.*

Les animaux ont des *pattes.*

Il a pris ses jambes à son cou !

▸ ***jambon*** n. m. Cuisse ou épaule de porc préparée pour être conservée. *Antoine a mangé une tranche de jambon avec de la purée pour son dîner.*

Il y a du jambon blanc, du jambon cru, du jambon fumé.

Attention ! deux *n.* Au pluriel : *des jambonneaux.*

▸ ***jambonneau*** n. m. Petit jambon fait avec la partie de la patte du porc située sous le genou. *Un jambonneau et une salade, c'est le dîner des Prost, ce soir.*

Autres membres de la famille : **croc-en-jambe, enjambée, enjamber, unijambiste.**

jante n. f.
Cercle de métal autour d'une roue et sur lequel est monté le pneu. *Il ne faut pas rouler longtemps avec un pneu crevé, cela abîme la jante.*

janvier n. m.

S'il tonne en janvier
Prépare ton grenier (dicton).

Premier mois de l'année. *L'année commence le premier janvier. Le mois de janvier a trente et un jours.*

Conjugaison 1

Attention aux deux *p* dans *japper* et *jappement.*

japper v.
Pousser de petits aboiements aigus. *Quand Diane et Rex étaient de jeunes chiens, ils jappaient lorsqu'ils étaient contents.*
▹ **jappement** n. m. Cri d'un jeune chien qui jappe. *Le petit chien fit entendre quelques jappements.*

Alors le petit chien fit un grand saut en l'air en jappant de plaisir *(Alice au Pays des merveilles).*

jaquette n. f.
1. Veste d'homme descendant derrière jusqu'aux genoux et que l'on porte pour les cérémonies. *Le docteur Séverac s'est marié en jaquette.* **2.** Couverture publicitaire recouvrant un livre. *Ce livre est recouvert d'une jolie jaquette colorée.*

Elle se trouva enfin dans le beau jardin, au milieu des parterres de fleurs aux couleurs vives et des fraîches fontaines *(Alice au Pays des merveilles).*

jardin n. m.
1. Terrain où l'on fait pousser des légumes, des arbres et des fleurs. *Mamie Lou et Odile Séverac font pousser des salades et des tomates dans le jardin ;* vois **potager.** *Mme Séverac est très fière des fleurs de son jardin.* **2.** *Le jardin d'enfants,* c'était un endroit où étaient gardés les enfants à partir de deux ans. *Les jardins d'enfants sont devenus les classes de maternelle des tout-petits.*

Un *jardin public,* c'est un espace vert dans une ville.

Conjugaison 1

▹ **jardiner** v. Cultiver, entretenir un jardin. *Mme Séverac aime beaucoup jardiner.*
▹ **jardinage** n. m. Culture des jardins. *Quand elle a du temps, Mme Séverac fait volontiers du jardinage.*

Les *outils de jardinage* servent à jardiner.

Le jardinier vint chercher Mme de Réan pour choisir des géraniums qu'on apportait à vendre *(les Malheurs de Sophie).*

▹ **jardinier** n. m., **jardinière** n. f. Personne dont le métier est d'entretenir un jardin ; vois **horticulteur.** *Les jardiniers ratissent les feuilles mortes tombées sur les allées du parc.*

Va voir aussi ***pépiniériste.***

▹ **jardinière** n. f. **1.** Bac où l'on cultive des fleurs. *Angèle a orné son balcon de jardinières de géraniums.* **2.** *Une jardinière de légumes,* c'est un plat composé de légumes du jardin coupés en petits morceaux et cuits ensemble. *Mamie Lou fait souvent des jardinières de légumes.*

Va voir aussi ***macédoine.***

Il peut y avoir des petits pois, des pommes de terre, des carottes, des haricots verts et parfois de la salade.

jargon n. m.
1. Langage incorrect ou difficile à comprendre ; vois **charabia.** *Qu'est-ce que c'est que ce jargon ?* **2.** Langage particulier d'un métier, d'une activité. *Les scientifiques ont leur jargon, les sportifs ont aussi le leur.*

Attention ! deux ***r*** à *jarre.*

jarre n. f.
Grand récipient de terre cuite ou de grès. *Autrefois, on conservait l'eau et l'huile dans des jarres.*

Ne confonds pas *jarre* et *jars.*

Attention ! deux ***r.***

jarret n. m.
1. Creux situé derrière le genou. *Antoine a des jarrets d'acier,* il est infatigable. **2.** *Le jarret de veau,* c'est la partie inférieure de la jambe et de l'épaule du veau. *Mamie Lou a fait du jarret de veau au citron.*

Jars [ʒaʀ] rime avec *bar.*

jars n. m.
Mâle de l'oie. *Dans la basse-cour de la ferme, il y a un jars très agressif.*

Ne confonds pas *jars* et *jarre.*

Conjugaison 1

jaser v.
1. Faire de petits gazouillis ; vois **gazouiller.** *C'est le printemps, les oiseaux jasent dans les branches. Le bébé jase dans son petit lit.* **2.** Faire des commentaires malveillants, des critiques sur quelqu'un. *Les rendez-vous secrets d'Angèle font jaser.*

On cultive le jasmin dans le Midi.

jasmin n. m.
Arbuste à fleurs jaunes ou blanches, très parfumées. *L'essence de jasmin sert à fabriquer des parfums.*

On fait aussi du thé parfumé au jasmin.

Attention ! deux ***t.***

Autre membre de la famille : **cul-de-jatte.**

jatte n. f.
Récipient creux et arrondi sans rebords. *M. Bellec mélange les œufs, le lait et le sucre dans une jatte.*

jauge n. f.
1. Baguette graduée servant à mesurer le niveau d'huile ou d'essence d'une voiture. *Avant de prendre la route, M. Bellec vérifie le niveau d'huile avec la jauge.* **2.** Volume de marchandises que peut contenir un bateau. *La jauge d'un bateau s'exprime en tonneaux ;* vois **tonnage.**

Conjugaison 3

▸ ***jauger*** v. **1.** Mesurer, contrôler avec une jauge. *M. Bellec jauge le niveau d'huile avant de partir.* **2.** Juger ; vois ***estimer.*** *M. Doucet a tout de suite jaugé Mme Harpie,* il a tout de suite compris qui elle était, jugé ce qu'elle valait. **3.** *Ce navire jauge mille deux cents tonneaux,* il a cette capacité, il peut les contenir.

jaune adj., n. m. et f. et adv.

Une belle panthère à la robe jaune tachetée de noir et aux yeux dorés accompagnait le canard *(les Contes du Chat perché).*

▭ **adj. 1.** De la couleur du citron ou de l'or. *Le mimosa a des fleurs jaunes. Les feuilles deviennent jaunes en automne. Julie a des chaussettes jaune pâle.* **2.** Qui est devenu jaune, mais dont la couleur normale est le blanc. *Mme Harpie a les dents toutes jaunes. Quand on a mal au foie, on a le teint jaune.* **3.** *La race jaune,* c'est la race de ceux qui ont le teint brun clair, les yeux bridés et les cheveux noirs et lisses. *Marie-Tévy est de race jaune.*

Marie-Tévy est d'origine cambodgienne.

▭ **n. 1.** n. m. Couleur jaune. *Yasmina a une robe d'un beau jaune paille.* **2.** n. m. et f. *Les Jaunes,* ce sont les gens de race jaune. *L'Asie est peuplée surtout de Jaunes. Marie-Tévy est une Jaune.* **3.** n. m. *Le jaune d'œuf,* c'est la partie jaune située à l'intérieur de l'œuf. *On fait de la mayonnaise avec des jaunes d'œuf.*

Les Cambodgiens, les Chinois, les Mongols sont des Jaunes.

Dans l'arc-en-ciel, le jaune se trouve entre le vert et l'orangé.

▭ **adv.** *Rire jaune,* c'est rire d'une façon forcée, sans en avoir envie. *Colle et Rat ont ri jaune quand ils ont été privés de récréation.*

▸ ***jaunâtre*** adj. D'un vilain jaune terne. *Les rideaux ont besoin d'être lavés, ils ne sont plus blancs, ils sont jaunâtres.*

Compare : *jaunâtre, blanchâtre* et *verdâtre.*

Conjugaison 2

▸ ***jaunir*** v. **1.** Rendre jaune. *La nicotine jaunit les doigts des fumeurs.* **2.** Devenir jaune. *Les feuilles jaunissent en automne.*

▸ ***jaunisse*** n. f. Maladie du foie qui donne le teint jaune ; vois ***hépatite.*** *Claire a eu la jaunisse l'année dernière.*

eau de ***Javel*** n. f.

Liquide jaunâtre à odeur forte servant à désinfecter et à décolorer. *Mamie Lou fait tremper des torchons sales dans de l'eau de Javel.*

L'eau de Javel est à base de chlore.

Conjugaison 1

▸ ***javelliser*** v. Traiter avec de l'eau de Javel. *On javellise l'eau des piscines pour la désinfecter.*

javelot n. m.

Les javelots étaient autrefois en bois ; ils sont aujourd'hui en métal ou en fibre de verre.

Instrument en forme de lance que l'on lance le plus loin possible. *Le javelot doit toucher le sol par sa pointe métallique. Voici maintenant l'épreuve du javelot,* l'épreuve d'athlétisme où l'on lance le javelot.

Babar et Céleste sont criblés de flèches, les javelots pleuvent de tous côtés *(Babar).*

Pronone [dʒɑz]. C'est un mot américain.

jazz n. m.

Musique créée par les musiciens et les chanteurs noirs des États-Unis, vers 1900. *Les premiers orchestres de jazz se sont formés à la Nouvelle-Orléans, à Chicago et à New York. Alex est allé écouter du jazz dans une discothèque.*

Louis Armstrong fut un grand trompettiste de jazz.

je pronom personnel m. et f.

Je suis comme je suis
Je suis faite comme ça
Quand j'ai envie de rire
Oui je ris aux éclats (Prévert).

Pronom personnel sujet représentant la première personne du singulier. *Je viens. J'arrive. J'en veux. Moi, j'y vais. Je ne sais pas. Est-ce que je peux te voir ? Qu'est-ce que j'ai dit ? Que dis-je ? Ai-je le temps ? Partirai-je ?*

Devant une voyelle, *je* devient *j'.*

Va voir aussi ***moi.***

Ce mot est américain. Prononce [dʒin].

On peut dire : *un jean* ou *des jeans.*

jean n. m.

1. Tissu en coton et fibre synthétique mélangés, très solide. *Julie a une jupe en jean blanc.* **2.** Pantalon en jean. *Sophie Pelletier aime beaucoup être en jean.*

Va voir aussi ***blue-jean.***

Prononce [dʒip] ou [ʒip].

La jeep devint voiture de l'armée américaine en 1942.

jeep n. f.

Automobile qui roule sur n'importe quel terrain. *Les jeeps sont des voitures solides. Le docteur Séverac a traversé le désert en jeep.*

C'est une *voiture tout terrain.*

Jeep est un nom déposé.

Ce mot est familier.

jérémiades n. f. plur.

Plainte sans fin et ennuyeuse ; vois ***lamentation.*** *Arrête tes jérémiades !*

Ce mot ne s'emploie qu'au pluriel.

Ce mot est anglais. Prononce [ʒeʀikan] ou [dʒeʀikan].

jerrican n. m.

Bidon carré ou rectangulaire qui a une poignée et contient environ vingt litres. *Le docteur Séverac charge des jerricans d'essence dans sa jeep.*

On peut écrire aussi : *jerricane* ou *jerrycan.*

Le *point de jersey* est un point de tricot.

jersey n. m.
Tissu en tricot très souple. *Sophie Pelletier portait un fourreau noir en jersey de soie.*

Jersey est une île de la Manche célèbre pour ses tricots.

Famille de **jeter**

jet n. m.
1. Distance parcourue par une chose jetée. *Le champion a réussi un jet de soixante-dix mètres au javelot,* il a jeté le javelot à cette distance. **2.** Mouvement d'un liquide ou d'un gaz qui jaillit. *Un jet de vapeur s'échappait de la bouilloire,* de la vapeur jaillissait de la bouilloire. *Les jets d'eau des fontaines faisaient un clapotis,* l'eau qui jaillissait en l'air puis retombait dans le bassin. **3.** *Hippolyte a écrit un poème d'un seul jet,* d'un coup, en une seule fois, sans revenir dessus.

Le serpent se laissa doucement couler dans le sable, comme un jet d'eau qui meurt
(le Petit Prince).

Conjugaison 4
▭ Indic. présent : *je jette, nous jetons.*
Imparfait : *je jetais.*
Futur : *je jetterai.*

jeter v.
1. Lancer. *Claire jette la balle et le chien la lui rapporte. Les enfants applaudissaient et jetaient leurs bonnets en l'air.* **2.** *Jeter quelque chose,* c'est s'en débarrasser, s'en défaire. *Denis Prost a jeté de vieux papiers,* il les a mis à la poubelle. *Tes jeans sont bons à jeter.* **3.** *Jeter un coup d'œil,* c'est regarder très vite. *La directrice a jeté un coup d'œil dans la classe d'Angèle pour voir si Colle et Rat étaient là.* **4.** Pousser avec force. *Mme Harpie a jeté M. Doucet dehors,* elle l'a mis à la porte. *On a jeté le criminel en prison,* on l'a mis en prison.

Jeter l'argent par les fenêtres, c'est le gaspiller.

Il faut jeter cette tortue, ajouta Mme de Réan. Lambert, venez prendre cette bête qui est morte, et jetez-la dans un trou quelconque
(les Malheurs de Sophie).

▸ *se* ***jeter*** v. **1.** Sauter, se laisser tomber. *Le désespéré s'est jeté par la fenêtre. Le nageur se jette à l'eau.* **2.** S'élancer. *Julie s'est jetée dans les bras de sa mère,* elle s'y est précipitée. **3.** *Le fleuve se jette dans la mer,* il déverse ses eaux dans la mer.

Elles se jetèrent à ses pieds pour lui demander pardon de tous les mauvais traitements qu'elles lui avaient fait subir *(Cendrillon).*

Les briquets jetables sont moins chers que les briquets rechargeables.

▸ ***jetable*** adj. Que l'on jette après usage. *Denis Prost achète des briquets jetables.*

Attention ! un seul *t.*

▸ ***jetée*** n. f. Construction qui s'avance dans l'eau et qui forme un chemin, une plate-forme depuis la rive. *L'embarcadère est au bout de la jetée.*

Autres membres de la famille : **jet, ② projeter, rejeter, rejet, rejeton.**

Prononce [ʒətɔ̃] ou [ʒtɔ̃].

jeton n. m.
Pièce plate en métal ou en plastique qui représente une certaine valeur ou qui sert à faire fonctionner certains appareils. *Dans cette cabine, il faut des jetons pour téléphoner.*

Pour jouer au casino, on change de l'argent contre des plaques et des jetons.

Le cheval, trop vieux pour prendre part au jeu, se contentait d'y assister
(les Contes du Chat perché).

Va voir *meneur de jeu* à **meneur.**

jeu n. m.
1. Activité que l'on fait pour s'amuser. *Colle et Rat ne pensent qu'au jeu ;* vois ***amusement, distraction.*** *Le dernier jour d'école, l'institutrice organise des jeux avec les élèves. Marie-Tévy aime les jeux calmes. Antoine et Yves préfèrent les jeux de plein air. Angèle explique le jeu,* comment on joue, comment on gagne à ce jeu. **2.** *Un jeu de mots,* c'est une plaisanterie fondée sur la ressemblance de mots avec d'autres mots ; vois ***calembour.*** *Les jeux de mots d'Antoine font rire la classe.* **3.** *Les Jeux olympiques,* ce sont des concours sportifs entre les athlètes de nombreux pays qui ont lieu tous les quatre ans dans des villes différentes. *Il y a les Jeux olympiques d'hiver et les Jeux olympiques d'été.* **4.** Ce qui sert à jouer. *Un jeu de cartes comprend trente-deux ou cinquante-deux cartes à jouer. Mme Séverac a offert un jeu éducatif à Claire.* **5.** *Le jeu,* c'est l'ensemble des jeux où l'on risque de l'argent. *Il n'y a pas de maison de jeu à Motbourg. Le joueur a joué gros jeu,* il a misé beaucoup d'argent. *Antoine veut gagner, sa réputation est en jeu !,* sa réputation en dépend. **6.** Série complète d'objets de même nature. *Le propriétaire a donné à Angèle deux jeux de clés de l'appartement,* deux séries de toutes les clés. **7.** Manière de jouer un rôle. *Denis Prost a été félicité pour son jeu.* **8.** *Colle et Rat font un grand sourire à Marie-Tévy, ils cachent bien leur jeu,* ils cachent bien leurs intentions. *Antoine a soufflé la réponse à Julie, ce n'est pas de jeu !,* ce n'est pas juste, il a triché. **9.** Défaut dans le serrage des pièces d'un mécanisme. *Il y a du jeu dans l'embrayage.*

Va voir aussi ***jouer.***

C'est un jeu d'enfants, c'est très facile.

Va voir *règle du jeu* à ***règle.***

Les petits pois sont verts mais les petits poissons rouges.

Il peut même y avoir cinquante-quatre cartes avec les jokers.

Ce sont des *jeux de hasard.*

Heureux au jeu, malheureux en amour (proverbe).

Va voir aussi ***casino.***

C'est un comédien célèbre.

D'entrée de jeu, dès le début.

Avoir beau jeu de faire quelque chose, c'est être en situation de réussir facilement.

Autres membres de la famille : **enjeu, hors-jeu.**

C'est demain jeudi
La fête à mon mari
Qui balaie son écurie
Avec une botte de radis
(comptine).

jeudi n. m.
Jour de la semaine, entre le mercredi et le vendredi. *Le jeudi, il y a de la saucisse au menu de la cantine. Le docteur Séverac reçoit les jeudis après-midi.* — adv. *Antoine partira jeudi et reviendra dimanche.*

Je dis
Ce que mon ventre dit.
Ça me dit :
« Mange ! »

Il n'y a rien sur le ***u***. On prononce [aʒœ̃].

à **jeun** adv.

Sans avoir mangé. *Cette prise de sang doit être faite à jeun,* avant d'avoir mangé.

Famille de **jeûner**

Les plus vieux des éléphants se sont réunis pour choisir un nouveau roi. C'est difficile : il ne faut pas qu'il soit trop vieux, ni trop jeune, il faut qu'il soit sage et courageux *(Babar).*

jeune adj. et n. m. et f.

▭ **adj. 1.** Dont l'âge n'est pas avancé. *Denis Prost est un homme jeune. Un chaton est un jeune chat. Ces pommiers sont encore jeunes.* **2.** *Odile Séverac est plus jeune que son mari,* elle est moins âgée que lui. **3.** *Mamie Lou est jeune de caractère,* elle a un caractère gai, ouvert, qui a les qualités de la jeunesse. **4.** Qui donne l'impression de la jeunesse. *Hippolyte aime les coiffures jeunes,* les coiffures qui rajeunissent.

▭ **n. m. et f.** Personne jeune. *Dans la rue, des jeunes riaient aux éclats.*

Le contraire de *jeune,* c'est *âgé, mûr, vieux.*

Va voir *jeune femme* à ***femme,*** *jeune fille* à ***fille,*** *jeune homme* à ***homme,*** *jeunes gens* à ***gens.***

Autres membres de la famille : **jeunesse, rajeunir, rajeunissement.**

Famille de **jeûner**

jeûne n. m.

Privation de toute nourriture. *Dans quelques religions, on doit observer le jeûne certains jours.*

Va voir aussi ***diète.***

Conjugaison 1

jeûner v.

Se priver ou être privé de nourriture. *Le docteur Séverac a dit à M. Bonnot de jeûner pendant une journée,* de ne pas manger.

Autres membres de la famille : ① **déjeuner,** ② **déjeuner, à jeun, jeûne.**

Compare : *jeune → jeunesse* et *sage → sagesse.*

jeunesse n. f.

1. Temps de la vie, entre l'enfance et la maturité. *M. Bellec a passé sa jeunesse en Bretagne. Mamie Lou aime raconter ses souvenirs de jeunesse.* **2.** Les personnes jeunes. *Il y a un rayon de livres pour la jeunesse à la bibliothèque municipale.*

Famille de **jeune**

Les voyages forment la jeunesse (proverbe).

Attention ! un ***i*** avant et un ***i*** après les deux ***l.*** Prononce [ʒɔaje] et, au féminin, [ʒɔajɛʀ].

joaillier n. m., **joaillière** n. f.

Personne qui fabrique et vend des bijoux précieux ; vois ***bijoutier.*** *Mme Séverac a choisi une bague chez un joaillier de la place Vendôme, à Paris.*

Va voir aussi ***joyau.***

Prononce [ʒɔajʀi].

▸ ***joaillerie*** n. f. **1.** Art de monter les pierres précieuses pour en faire des joyaux. *Tailler les diamants est une opération de joaillerie.* **2.** Magasin du joaillier ; vois ***bijouterie.*** *Un système de surveillance limite les vols dans les joailleries.*

Compare : *joaillier → joaillerie, bijoutier → bijouterie* et *quincaillier → quincaillerie.*

Ce mot est anglais. Prononce [ʒɔkɛ].

jockey n. m.

Personne dont le métier est de monter les chevaux dans les courses. *Les jockeys sont pesés avant le départ de la course.*

Attention ! un ***c*** avant le ***k.***

Ce mot est anglais. Prononce [dʒɔgiŋ].

jogging n. m.

Course que l'on fait sans esprit de compétition, pour faire de l'exercice. *Le dimanche matin, M. Doucet fait du jogging dans le bois de Vincennes.*

On appelle aussi *jogging* le survêtement que l'on met pour courir.

Le contraire de *joie,* c'est *chagrin, peine, tristesse.*

joie n. f.

Sentiment agréable que l'on ressent lorsque l'on est très content et heureux. *Le docteur Séverac retrouve toujours sa mère avec joie. Claire pousse des cris de joie quand elle voit son oncle. C'est une joie de se retrouver tous. Claire fait la joie de ses parents ;* vois ***bonheur.*** *J'accepte avec joie,* avec plaisir.

Autres membres de la famille : **joyeux, joyeusement, rabat-joie.**

Dansons la capucine
Y a de la joie chez nous
On pleure chez la voisine
On rit toujours chez nous
(comptine).

Conjugaison 49
▭ Indic. présent : *je joins, il joint, nous joignons.* Imparfait : *je joignais.* Futur : *je joindrai.* — Subj. présent : *que je joigne.*

Va voir *joindre le geste à la parole* à ***geste.***

joindre v.

1. *Joindre des choses,* c'est les mettre ensemble, de sorte qu'elles se touchent ou tiennent ensemble ; vois ***assembler, attacher.*** *Le plombier a joint les deux tuyaux bout à bout. Yves joint les mains pour faire sa prière,* il les met paume contre paume. *Joignons nos efforts,* mettons-les ensemble ; vois ***unir.*** **2.** *Joindre une chose à une autre,* c'est la mettre avec une autre. *Joignez un chèque à votre lettre.* **3.** *Joindre quelqu'un,* c'est prendre contact avec lui. *Je n'ai pas réussi à joindre Denis Prost ;* vois ***toucher.*** **4.** *Se joindre à quelqu'un,* c'est se mettre avec lui ; vois ***s'associer.*** *Yasmina et Julie se sont jointes aux autres pour empêcher Colle et Rat de passer.*

Delphine et Marinette étaient devenues très pâles et joignaient les mains avec des yeux suppliants. — Pas de prière qui tienne ! *(les Contes du Chat perché).*

Se joindre à la conversation, c'est y prendre part.

▸ ① ***joint*** adj. **1.** Mis l'un contre l'autre. *Yasmina saute à pieds joints,* les deux pieds serrés. **2.** Mis avec. *Vous trouverez un chèque joint à ma lettre.*

Va voir *ci-joint* à ① ***ci.***

Les joints d'un robinet sont des rondelles de caoutchouc.

▸ ② ***joint*** n. m. Pièce faite d'une matière souple, que l'on met entre deux autres pièces pour que l'ensemble soit étanche. *M. Bellec a changé le joint du robinet qui fuyait.*

Autres membres de la famille : **adjoint, conjoint, disjoindre, disjoint, rejoindre.**

C'est l'endroit où les os se joignent.

▸ ***jointure*** n. f. Articulation. *Mme Roussel fait craquer les jointures de ses doigts.*

Joker [ʒɔkɛʀ] rime avec *mer* et *terre.*

joker n. m.
Carte à jouer qui, dans certains jeux, peut remplacer n'importe quelle autre. *M. Bellec a gagné la partie de cartes, il a eu de la chance d'avoir deux jokers.*

joli adj.
1. Très agréable à voir ; vois ***beau, mignon.*** *Angèle est très jolie. Sylvain a offert à Nathalie un joli bracelet. Yasmina a une jolie voix,* agréable à entendre. **2.** Intéressant. *Mme Harpie a gagné une jolie somme d'argent à la loterie,* une somme assez importante ; vois ***coquet.***

Le contraire de *joli,* c'est *laid.*

Ah ! dis-je au petit prince, ils sont bien jolis, tes souvenirs, mais je n'ai pas encore réparé mon avion *(le Petit Prince).*

Devant la Grotte, c'est ma M'man. Elle est jolie. La plus jolie de toutes les M'mans qu'il y a jamais eu *(Histoires comme ça).*

▸ ***joliment*** adv. D'une manière jolie, agréable ; vois ***bien.*** *La chambre de Julie est joliment décorée.*

Autres membres de la famille : **enjoliver, enjoliveur.**

Jonc [ʒɔ̃] rime avec *pont* et *rond.*

jonc n. m.
Plante à hautes tiges droites et flexibles, qui pousse dans l'eau, dans les marécages. *On emploie la tige des joncs pour faire de la vannerie.*

On fait des corbeilles et des paniers en jonc.

Conjugaison 1

joncher v.
Les feuilles mortes jonchent le sol, elles le recouvrent.

jonction n. f.
Endroit où se rejoignent deux choses, où elles sont mises en contact. *La gare est à la jonction de deux voies ferrées ;* vois ***rencontre.*** *Le canal fait la jonction de deux rivières,* il les réunit.

Conjugaison 1

jongler v.
Lancer des objets en l'air l'un après l'autre et les rattraper dans l'ordre puis recommencer. *Antoine sait jongler avec trois balles.*

Jongler avec les chiffres, c'est compter très vite et facilement.

Les jongleurs sont des artistes de cirque ou de music-hall.

▸ ***jongleur*** n. m., ***jongleuse*** n. f. Artiste qui jongle. *Les jongleurs jonglaient avec des torches enflammées.*

En Asie du Sud-Est, elle sert au transport des marchandises et à la pêche.

jonque n. f.
Bateau à voile d'Extrême-Orient, dont les voiles sont cousues sur des lattes en bambou. *Les jonques ont un fond plat.*

jonquille n. f.
Fleur jaune à longue tige, à la collerette plus foncée au milieu, qui pousse au printemps. *Marie-Tévy est allée dans les bois cueillir des jonquilles.*

La jonquille est de la même famille que le narcisse.

Autre membre de la famille : **bajoue.**

joue n. f.
Partie du visage située entre le nez et l'oreille. *Mamie Lou embrasse David sur les deux joues.*

Ne confonds pas *joue* et *joug.*

Conjugaison 1

J'étais à la maison, en train de jouer à la balle, quand, bing, j'ai cassé le vase rose du salon *(le Petit Nicolas).*

Jouer les victimes, c'est faire semblant d'être une victime.

Va voir aussi *jeu.*

jouer v.
1. S'amuser, faire quelque chose uniquement pour le plaisir. *Les enfants jouent dans le jardin. Julie joue avec le chien. Yves et Antoine jouent à cache-cache.* **2.** *Jouer d'un instrument de musique,* c'est s'en servir. *Sylvain joue du piano.* **3.** *Jouer un air,* c'est se servir d'un instrument de musique pour que l'on entende un air. *Sylvain joue une sonate de Mozart au piano.* **4.** Représenter en public, sur une scène. *On joue le Cid de Corneille au théâtre de Motbourg. Denis Prost joue le rôle d'un vieil homme dans ce film ;* vois ***interpréter.*** **5.** *Jouer de l'argent,* c'est risquer de l'argent à un jeu. *Au casino, on joue de l'argent.* **6.** *Jouer quelqu'un,* c'est le tromper en le ridiculisant ; vois ***berner, duper, rouler.*** *Mme Séverac estime qu'elle a été jouée par le commerçant qui lui a vendu sa machine à coudre.* **7.** *La porte joue,* elle a du jeu, elle ne ferme pas bien. **8.** *La clé joue dans la serrure,* elle fonctionne bien, sans frotter.

Delphine, l'aînée, et Marinette, la plus blonde, jouaient dans la cuisine à pigeon-vole, aux osselets, au pendu, à la poupée et à loup-y-es-tu *(les Contes du Chat perché).*

Jouer un tour à quelqu'un, c'est le tromper, le décevoir ou lui faire une farce.

Nous sommes passés devant le magasin de jouets et, dans la vitrine, j'ai vu des nez en carton *(le Petit Nicolas).*

▸ ***jouet*** n. m. **1.** Objet dont les enfants se servent pour jouer ; vois ***jeu, joujou.*** *Julie est très gâtée, elle a beaucoup de jouets.* **2.** *Être le jouet de quelque chose,* c'est en dépendre complètement. *Dans la tempête, le bateau était le jouet de la mer et du vent.*

▸ ***joueur*** n. m., ***joueuse*** n. f. Personne qui joue à un sport, à un jeu. *Denis Prost est un grand joueur de billard.* — adj. *Claire est une enfant joueuse,* elle aime s'amuser.

Un *beau joueur* accepte de perdre sans protester. Un *mauvais joueur* proteste quand il perd.

Attention ! deux *f.*

joufflu adj.

Un personne joufflue, c'est une personne qui a de grosses joues. *Martin est un bébé joufflu.*

Le bœuf blanc dit : « J'en ai par-dessus la tête de leur joug » *(les Contes du Chat perché).*

joug n. m.

Pièce de bois que l'on met sur la tête des bœufs pour les attacher quand ils tirent une charrette ou une charrue. *Le joug se met derrière les cornes.*

Ne confonds pas *joue* et *joug.*

Compare : *jouir → jouissance* et *obéir → obéissance.*

Vous vous imaginez sans doute que j'ai acquis sans peine et sans travail toutes les commodités et le repos dont vous voyez que je jouis *(les Mille et Une Nuits).*

jouir v.

1. *Jouir de la vie,* c'est l'apprécier, l'aimer, en tirer plaisir ; vois ***profiter.*** *Hippolyte jouit de la vie, il ne manque pas une occasion de s'amuser.* **2.** *Jouir d'une chose,* c'est avoir cette chose. *Angèle jouit d'une bonne santé. Cette maison jouit d'une belle vue.*

Conjugaison 2

On jouit de choses agréables.

▸ ***jouissance*** n. f. *Avoir la jouissance d'une chose,* c'est avoir le droit de l'utiliser. *La directrice de l'école a la jouissance d'un appartement de fonction.*

Autres membres de la famille : **réjouir, réjouissance, réjouissant.**

Attention au pluriel ! un ***x*** à la fin : *des joujoux.*

joujou n. m.

1. Jouet. *« Rends-moi mon joujou », dit Claire à David.* **2.** *Faire joujou,* c'est jouer. *« Va faire joujou dehors », dit Mamie Lou à Claire.*

Joujou appartient au langage des très jeunes enfants.

Le début du jour, c'est le matin ; le milieu du jour, c'est midi ; la fin du jour, c'est le soir.

Delphine et Marinette ôtèrent leurs belles robes pour mettre leurs tabliers de tous les jours *(les Contes du Chat perché).*

Sa mère lui *a donné le jour.*

Autres membres de la famille : **abat-jour, bonjour, à contre-jour, toujours.**

jour n. m.

1. Temps qui se passe entre le lever et le coucher du soleil ; vois ***journée.*** *Les jours sont plus longs en été qu'en hiver.* **2.** Durée de vingt-quatre heures qui s'écoule de minuit à minuit. *Connais-tu les sept jours de la semaine ? Quel jour sommes-nous ? Denis Prost est allé à Cannes quelques jours. Antoine doit arriver dans trois jours.* **3.** *Hippolyte vit au jour le jour,* sans projets, sans s'en faire pour l'avenir. *De nos jours, on ne s'éclaire plus à la bougie,* à notre époque, aujourd'hui. **4.** Lumière que le Soleil donne à la Terre. *Le jour se lève. Il fait grand jour. Martin a vu le jour il y a six mois,* il est né. *La méchanceté de Mme Harpie est apparue au grand jour,* de façon très visible, évidente. **5.** *Sous un certain jour,* sous un certain aspect, d'une certaine façon. *Mme Harpie se montre à Hippolyte sous un jour flatteur.* **6.** Petit espace qui laisse passer la lumière. *On voit le soleil par le jour sous la porte. Mamie Lou a mis des draps à jours,* des draps percés de petits trous décoratifs.

Le contraire de *jour,* c'est *nuit.* C'est le temps que la Terre met à tourner sur elle-même.

Au jour le jour, à la nuit la nuit
À la belle étoile
C'est comme ça que je vis
(Prévert).

Percer une chose à jour, c'est arriver à la connaître alors qu'elle était cachée jusque-là.

On dit aussi des draps *ajourés.*

Au pluriel : *des journaux.*

Va voir aussi ***revue.***

journal n. m.

1. Cahier où l'on écrit chaque jour ce que l'on a fait et ce que l'on pense. *Julie a un journal intime.* **2.** Publication qui paraît chaque jour, où sont imprimées les informations ; vois ***quotidien.*** *Mme Séverac lit le journal en prenant son petit déjeuner.* **3.** Magazine qui ne paraît pas tous les jours. *Sophie Pelletier a collaboré à un journal pour enfants.* **4.** *Le journal télévisé,* c'est le bulletin d'informations de la télévision. *Il ne faut pas déranger Mme Hespel quand elle regarde le journal télévisé.*

Après, Mémé a demandé à Papa de lui prêter le journal, parce qu'elle n'avait pas eu le temps de l'acheter avant le départ du train *(le Petit Nicolas).*

Elle rédigeait des articles dans des journaux pour enfants.

▸ ***journalisme*** n. m. Métier de journaliste. *Sophie Pelletier a fait du journalisme,* elle a été journaliste.

Les *reporters* sont des journalistes.

▸ ***journaliste*** n. m. et f. Personne dont le métier est d'écrire dans les journaux, les revues, ou qui s'occupe des informations à la radio, à la télévision. *Des journalistes sont venus interviewer Denis Prost.*

Il est comédien.

Compare ***journalier, journal*** et ***journée*** : dans ces trois mots, il s'agit de **jour.**

journalier adj.

Qui se fait chaque jour ; vois ***quotidien.*** *Traire les vaches est une des occupations journalières de Pierre Séverac.*

Le cerf quittait l'écurie dès le matin et s'en allait passer la journée en forêt *(les Contes du Chat perché).*

journée n. f.

Temps qui s'écoule entre le lever et le coucher du soleil ; vois ***jour.*** *Quand elle est en vacances, Mme Bellec passe ses journées à tricoter au soleil. Mme Harpie se plaint toute la journée,* sans arrêt.

— Bonsoir les vaches, dirent les parents. La journée a été belle ? *(les Contes du Chat perché).*

Henri II se battait contre le comte de Montgomery.

joute n. f.

Combat de deux chevaliers armés de lances, au Moyen Âge ; vois ***tournoi.*** *Le roi de France Henri II fut tué au cours d'une joute.*

C'était en 1559.

Au masculin pluriel : *joviaux* ou *jovials.*

jovial adj.

Gai, joyeux et sympathique ; vois ***enjoué.*** *M. Bellec est un homme jovial.*

Le contraire de *jovial,* c'est *maussade, triste.*

Prononce [ʒwajo]. Au pluriel : *des joyaux.*

joyau n. m.

Bijou très précieux. *Ce diamant est un joyau inestimable.*

Va voir aussi ***joaillier.***

Famille de **joie**

joyeux adj.

Qui éprouve de la joie, manifeste sa joie ; vois ***gai, heureux.*** *Claire est une enfant très joyeuse. Des cris joyeux accueillirent Mamie Lou.*

Le contraire de *joyeux,* c'est *sombre, triste.*

La promenade s'acheva joyeusement, au milieu des rires *(les Vacances).*

▸ ***joyeusement*** adv. Avec joie ; vois ***gaiement.*** *Marie-Tévy embrasse joyeusement Mamie Lou. Tous les enfants montèrent joyeusement dans le train.*

Le contraire de *joyeusement,* c'est *tristement.*

Conjugaison 1

jubiler v.

Être très content, se réjouir ; vois ***exulter.*** *Les enfants jubilent à l'idée d'une promenade en mer.*

Le contraire de *jubiler,* c'est *s'affliger.*

Conjugaison 1

jucher v.

Mettre très haut. *Denis Prost a juché sa fille sur ses épaules. — Julie s'est juchée sur la plus haute branche de l'arbre.*

N'oublie pas le tréma du *ï.*

judaïsme n. m.

Religion des juifs. *Le judaïsme se fonde sur l'Ancien Testament de la Bible.*

Va voir aussi ***israélite, juif.***

Judas [ʒyda] rime avec *mandat* et *véranda.*

judas n. m.

Petit trou, dans une porte, qui permet de regarder dehors sans être vu. *Mme Hespel a regardé par le judas avant d'ouvrir la porte.*

L'affaire Calas, au XVIIIe siècle, est un exemple célèbre d'erreur judiciaire, dénoncée par Voltaire.

judiciaire adj.

Une erreur judiciaire, c'est une erreur faite par la justice. *Un innocent a été condamné à tort, c'est une erreur judiciaire.*

Le *pouvoir judiciaire,* c'est le pouvoir de la justice.

Le contraire de *judicieux,* c'est *absurde, stupide.*

judicieux adj.

Intelligent, malin. *Marie-Tévy a fait une remarque judicieuse.*

judo n. m.

Sport de combat japonais. *Les prises de judo ont pour but de projeter l'adversaire à terre. Colle et Rat font du judo.*

▸ ***judoka*** n. m. et f. Personne qui fait du judo. *Les judokas s'entraînent sur un tapis.*

Conjugaison 3

Il est bien plus difficile de se juger soi-même que de juger autrui. Si tu réussis à bien te juger, c'est que tu es un véritable sage *(le Petit Prince).*

juger v.

1. Soumettre à la décision d'un juge qui estime si un accusé est coupable ou non et à quelle peine on doit le condamner. *L'auteur du cambriolage de la bijouterie n'a pas encore été jugé. Le tribunal jugera le crime.* **2.** Donner son opinion ; vois ***évaluer.*** *Angèle attend de bien connaître ses élèves pour les juger.* **3.** Décider. *C'est à toi de juger ce qu'il faut faire.*

Le juge et les jurés jugent les accusés.

Garde-toi, tant que tu vivras
De juger les gens sur la mine
(La Fontaine).

Quand c'est une femme, on dit aussi *un juge.*

▸ ***juge*** n. m. **1.** Personne dont le métier est de juger les accusés au tribunal. *Le juge a infligé une grosse amende au chauffard.* **2.** Personne chargée de donner son avis. *Colle et Rat sont vraiment insupportables, je vous en fais juge.*

Le juge est le magistrat qui rend la justice.

Le Jugement dernier est, pour les chrétiens, celui que Dieu fera à la fin du monde.

▸ ***jugement*** n. m. **1.** Décision de justice. *Le jugement sera prononcé demain.* **2.** Opinion que l'on donne. *Mme Harpie porte des jugements défavorables sur tout ce que fait sa sœur.*

Autres membres de la famille : **adjuger, préjugé.**

juif n. m., *juive* n. f.

Le Dieu des juifs est le même que celui des chrétiens. Mais pour les juifs Jésus-Christ est un prophète.

Personne d'une religion qui reconnaît un seul dieu et attend la venue du Messie ; vois ***israélite.*** *Les juifs sont les descendants d'un peuple qui vivait en Palestine.* — adj. *La communauté juive est dispersée dans le monde entier.*

Va voir ***judaïsme.***

Va voir aussi ***antisémitisme.***

C'était le 19 juillet, jour de la naissance de Sophie ; elle avait quatre ans *(les Malheurs de Sophie).*

juillet n. m.

Septième mois de l'année, entre juin et août. *Angèle partira en vacances au début de juillet. Le mois de juillet a trente et un jours. Le 14 Juillet est la fête nationale française.*

On commémore la prise de la Bastille qui eut lieu le 14 juillet 1789.

L'été commence le 21 ou le 22 juin.

juin n. m.

Sixième mois de l'année, entre mai et juillet. *Alex passe son bac au mois de juin.*

Le mois de juin a trente jours.

Prononce [ʒykbɔks] ou [dʒykbɔks]. Ce mot est anglais.

Au pluriel : *des juke-boxes.*

juke-box n. m.
Machine qui fait passer automatiquement le disque que l'on a demandé après y avoir introduit des pièces de monnaie. *Hippolyte glissa une pièce dans le juke-box du café pour écouter son air préféré.*

Il y a souvent des juke-boxes dans les cafés.

Des *lits jumeaux,* ce sont deux lits semblables placés l'un à côté de l'autre.

jumeau n. m., **jumelle** n. f.
Des jumeaux, ce sont deux enfants nés en même temps de la même mère. *David et Nathalie sont des jumeaux. Nathalie est la jumelle de David.* — adj. *David est le frère jumeau de Nathalie. Nathalie est la sœur jumelle de David.*

Les vrais jumeaux viennent du même œuf. Ils se ressemblent beaucoup et sont du même sexe. Les faux jumeaux viennent de deux œufs différents, ne se ressemblent pas forcément et peuvent être de sexe différent.

Conjugaison 4 ▭ Indic. présent : *je jumelle, nous jumelons.* Imparfait : *je jumelais.* Futur : *je jumellerai, nous jumellerons.*

▸ **jumeler** v. *Jumeler des villes,* c'est établir des contacts fréquents entre elles, des rencontres entre leurs habitants. *La ville de Motbourg a été jumelée avec une ville suisse.*

▸ **jumelage** n. m. Association. *Le jumelage de Motbourg avec une ville suisse date de plusieurs années.*

▸ **jumelles** n. f. plur. Appareil formé de deux lunettes et qui permet de voir très loin. *Loïc observait aux jumelles le bateau qui venait vers lui.*

On peut se servir de jumelles au théâtre ou à l'opéra.

Une jument très jeune est une *pouliche.*

jument n. f.
Femelle du cheval. *La jument vient d'avoir un poulain.*

Prononce [ʒœ̃gl] qui rime avec *tringle* ou [ʒɔ̃gl] qui rime avec *ongle.*

jungle n. f.
En Asie, étendue à la végétation très épaisse formée de hautes herbes, de broussailles et d'arbres et où vivent les grands fauves. *La jungle est le domaine des bêtes féroces.*

Je t'ai appris toute la Loi de la Jungle pour tous les Peuples de la Jungle... sauf le Peuple Singe *(le Livre de la jungle).*

junior n. m. et f.
Les juniors, ce sont les jeunes sportifs qui ont entre dix-sept et vingt et un ans. *Alex joue au rugby dans une équipe de juniors.* — adj. *Alex joue dans l'équipe junior.*

Il a 18 ans.

Les juniors sont entre les cadets et les seniors.

Une *jupe culotte* est une jupe séparée en deux jambes, comme un pantalon.

jupe n. f.
Vêtement de femme qui part de la taille et couvre une partie des jambes. *Aujourd'hui, Sophie Pelletier porte une jupe blanche très ample.*

▸ **jupon** n. m. Sous-vêtement de tissu léger qui se porte sous une jupe ou sous une robe. *Certains jupons sont en dentelle.*

La longueur des jupes varie selon la mode, du milieu de la cuisse à la cheville.

Conjugaison 1

Si Alphonse n'était pas au fond de la rivière, je jurerais bien l'avoir vu cet après-midi jouer avec les petites *(les Contes du Chat perché).*

① **jurer** v.
1. Promettre par un serment. *Au Moyen Âge, les vassaux juraient fidélité à leur suzerain. Dans un procès, les témoins doivent jurer de dire la vérité.* **2.** Affirmer solennellement, avec force. *Je vous jure que Mme Harpie espionne tout le monde. Mme Roussel s'est juré de ne plus jamais prêter d'argent à sa sœur.*

Ils lèvent la main droite en disant « je le jure ».

Les jurés sont obligés de prêter serment.

▸ **juré** n. m. Membre d'un jury. *Dans un procès en cour d'assises, ce sont les jurés et les juges qui doivent décider si l'accusé est coupable ou non.*

Autres membres de la famille : **conjuré, conjuration, jury, parjure.**

Conjugaison 1

② **jurer** v.
Dire des injures, des jurons. *Quand il est en colère, M. Bellec jure comme un charretier. Ne jure pas comme cela, Antoine, c'est très grossier !*

Autres membres de la famille : **injure, injurier, injurieux, juron.**

Conjugaison 1

③ **jurer** v.
Des couleurs qui jurent, ce sont des couleurs qui vont mal ensemble. *Ces deux nuances de rouge jurent affreusement ;* vois ***détonner.***

juridique adj.
Qui se rapporte au droit, aux lois. *Pour être avocat, avoué ou notaire, il faut faire des études juridiques.*

Famille de ② **jurer**

juron n. m.
Mot grossier qui sert à injurier, à manifester sa colère, sa contrariété. *Yves répète les jurons qu'emploie son père.*

Connais-tu tous les jurons du Capitaine Haddock ?

Au pluriel : *des jurys.*

Le jury est composé de l'ensemble des *jurés.*

jury n. m.
1. Dans un procès, ensemble de personnes chargées de décider si un accusé est coupable ou non. *Le jury a conclu à l'innocence de l'accusé.* **2.** Groupe de personnes chargées de juger des candidats à un examen ou un concours. *Le jury a accordé la mention très bien au candidat.*

Les membres du jury sont tirés au sort.

Famille de ① **jurer**

Jus [ʒy] rime avec *rue.*

Les jus de fruits et de légumes sont pleins de vitamines.

jus n. m.
1. Liquide contenu dans les fruits et les légumes. *Denis Prost boit un jus d'orange chaque matin.* **2.** Liquide rendu par une viande qui cuit. *Laissez cuire le rôti dans son jus ;* vois ***sauce.***

Autre membre de la famille : **juteux.**

Devant une voyelle, *jusque* devient *jusqu'.*

jusque préposition et conjonction
▭ **préposition 1.** *Jusque* marque la limite d'un endroit que l'on ne dépasse pas. *Julie a raccompagné Yasmina jusqu'à sa porte. Jusqu'où allez-vous ? Je vais jusque chez vous.* **2.** *Jusque* indique le moment que l'on ne dépasse pas. *Les Bellec resteront à Paimpol jusqu'à la fin du mois d'août. Hippolyte a attendu jusque vers huit heures. Je ne l'avais jamais vu jusqu'à présent.*

Vers la fin de l'après-midi, les petites allèrent jusqu'à la rivière pour causer avec les poissons *(les Contes du Chat perché).*

Alors il lui fallut mettre ces souliers chauffés à blanc et danser jusqu'à ce que mort s'ensuive *(Blancheneige).*

▭ **conjonction** *Jusqu'à ce que,* jusqu'au moment où. *Il l'attendra jusqu'à ce qu'elle vienne. Hippolyte invitera Angèle à dîner jusqu'à tant qu'elle accepte,* jusqu'au moment où elle acceptera.

Jusqu'à ce que et *jusqu'à tant que* sont suivis du subjonctif.

Ce n'est pas tout d'avoir fait le problème. Il faut aussi qu'il soit juste *(les Contes du Chat perché).*

① **juste** adj. et adv.
▭ **adj. 1.** Exact, correct. *C'est bien, Marie-Tévy, ton addition est juste.* **2.** Qui est comme il doit être. *Sylvain a la voix juste.* **3.** Trop petit ; vois ***étriqué.*** *Ces chaussures sont trop justes, prends-donc la taille au-dessus.* **4.** À peine suffisant. *La tarte risque d'être un peu juste pour dix personnes.*

Le contraire de *juste,* c'est *faux.*

Le contraire de *juste,* c'est *large.*

Comme de juste : comme c'est normal, habituel, comme de bien entendu.

▭ **adv. 1.** D'une manière correcte, exacte, comme il faut. *Mme Harpie avait deviné juste,* elle avait raison. *Yves ne chante pas très juste,* il chante un peu faux. **2.** Exactement. *Il est midi juste. Angèle vient juste de partir,* elle est partie à l'instant. **3.** En quantité insuffisante. *Mme Harpie a prévu un peu trop juste les portions de dessert. Claire sait juste écrire son nom,* seulement.

Au juste : exactement.

Mon étoile se trouvera juste au-dessus de l'endroit où je suis tombé l'année dernière *(le Petit Prince).*

Céleste ne voit pas encore Babar qui arrive juste à temps pour la sauver *(Babar).*

Elle n'a que 5 ans.

▸ ***justement*** adv. Précisément, exactement. *C'est justement ce qu'il ne fallait pas faire. Ah ! tu tombes mal ! Je devais justement sortir,* à l'instant même.

Compare : *juste* → *justement, justesse* et *triste* → *tristement, tristesse.*

▸ ***justesse*** n. f. **1.** Exactitude. *Cette remarque manque de justesse ;* vois ***vérité.*** *La voix de Marie-Tévy est d'une grande justesse quand elle chante.* **2.** *Denis Prost a eu son train de justesse,* il a bien failli le manquer.

Autres membres de la famille : **ajuster, ajusté, ajusteur, rajuster, rajustement.**

② **juste** adj.
Qui ne favorise ni ne défavorise personne ; vois ***équitable.*** *Angèle s'efforce d'être juste envers tous les élèves de sa classe.*

Il n'y a pas de justice : ce n'est pas juste.

Passer en justice, c'est être jugé.

▸ ***justice*** n. f. **1.** Qualité de quelqu'un qui ne favorise personne. *Angèle note les devoirs avec justice ;* vois ***équité.*** **2.** *La justice,* c'est l'ensemble des juges d'un tribunal. *L'accusé a été remis entre les mains de la justice.* **3.** *Rendre la justice,* c'est juger. *Saint Louis rendait la justice sous un chêne.*

Autres membres de la famille : **injuste, injustement, injustice, repris de justice.**

Conjugaison 7
▭ Indic. présent : *je justifie, nous justifions.* Imparfait : *nous justifiions.* Futur : *je justifierai, nous justifierons.*

justifier v.
1. *Justifier quelqu'un,* c'est démontrer que l'on a tort de l'accuser ; vois ***innocenter.*** *L'avocat justifie son client. — « Qu'as-tu à dire pour te justifier ? »,* qu'as-tu à dire pour t'excuser ? **2.** Faire reconnaître comme vrai. *Mes craintes étaient justifiées,* elles étaient fondées. *Antoine n'a trouvé aucune excuse pour justifier son retard ;* vois ***expliquer.***

Compare : *justifier* → *justificatif, justification* et *qualifier* → *qualificatif, qualification.*

▸ ***justificatif*** n. m. Document, papier qui sert à prouver quelque chose. *Angèle garde toutes ses factures de garage comme justificatifs,* pour montrer qu'elle a bien fait faire les réparations.

Les quittances de loyer ou de gaz servent de justificatifs de domicile.

▸ ***justification*** n. f. Raison, preuve. *Antoine n'a pas donné de justification à son retard de ce matin.*

Autre membre de la famille : **injustifié.**

Jute est un nom masculin.

jute n. m.
Plante cultivée en Inde et dont on tire une fibre qui sert à fabriquer du tissu. *Hippolyte a posé de la toile de jute sur les murs de sa chambre.*

Les sacs à pommes de terre sont en jute.

Famille de **jus**

juteux adj.
Un fruit juteux, c'est un fruit qui contient beaucoup de jus. *Ces pêches sont vraiment juteuses.*

Le contraire de *juvénile,* c'est *sénile.*

juvénile adj.
Jeune. *Sophie Pelletier a une silhouette juvénile,* qui paraît très jeune.

Conjugaison 1

juxtaposer v.
Mettre des choses côte à côte sans les relier. *Mamie Lou a juxtaposé des photos de tous ses petits-enfants sur le mur de sa chambre.*

Famille de **poser**

① ***kaki*** n. m.
Fruit exotique originaire du Japon, de couleur orange, ressemblant à une tomate. *Le kaki se mange frais ou cuit.*

② ***kaki*** adj. invariable
Brun jaunâtre. *Les militaires portent des uniformes kaki.* — n. m. *Les soldats sont habillés en kaki.*

Compare *kaléidoscope* et *magnétoscope* : dans ces deux mots, il s'agit de **regarder.**

kaléidoscope n. m.
Tube fermé d'un côté par une plaque de verre et de l'autre par une lentille, dans lequel sont placés trois miroirs et de petits morceaux de verre coloré qui font des dessins en se réfléchissant sur les miroirs. *Julie a eu un kaléidoscope pour Noël.*

Pour bien voir les jolis dessins dans le kaléidoscope, il faut le faire tourner dans la lumière.

Mon premier est une question de temps.
Mon second permet d'apprécier ce qu'on mange.
Mon troisième est une couleur.
Mon tout avance par bonds.

kangourou n. m.
Animal australien de la famille des marsupiaux, herbivore, et qui se déplace en faisant de grands bonds grâce à ses fortes pattes de derrière, sa queue servant de balancier. *La femelle du kangourou porte son petit dans la poche qu'elle a sur le ventre. Vers l'âge de huit mois, le petit kangourou est assez grand pour sortir de la poche de sa mère.*

Le karaté est un sport plus violent que le judo.

karaté n. m.
Sport de combat d'origine japonaise. *Alex fait du karaté.*

Celui qui fait du karaté est un *karatéka.*

Kart [kaʀt] se prononce comme *carte.*
Kart et *karting* sont des mots anglais.
Karting [kaʀtiŋ] rime avec *parking.*

kart n. m.
Petite voiture à une place, très basse et sans carrosserie, que l'on utilise pour faire des compétitions. *David sait très bien prendre les virages avec son kart.*
▹ ***karting*** n. m. Sport qui consiste à faire des courses de kart. *La piste de karting est protégée par des bottes de foin.*

Les karts peuvent atteindre 70 km à l'heure.

On écrit aussi *kayac.*
Quand on fait du kayak, il faut faire attention aux remous !

kayak n. m.
Petite embarcation légère en toile imperméable, à une ou deux places, que l'on fait avancer avec une pagaie. *En Dordogne, on peut descendre certaines rivières en kayak ;* vois **canoë.**

Les Esquimaux utilisent des kayaks en peau de phoque pour pêcher.

képi n. m.
Coiffure militaire ronde et rigide, à visière. *Les officiers saluent en portant la main à leur képi.*

kermesse n. f.
Fête de bienfaisance en plein air avec des jeux, des buvettes, des stands, une loterie. *Chaque année, l'abbé Gauthier organise une kermesse dans la salle paroissiale.*

Attention ! deux *p*.
Un *kidnapping*, c'est un enlèvement, un rapt.

kidnapper v.
Kidnapper une personne, c'est l'enlever dans l'intention de ne la rendre que si la famille donne une somme d'argent très importante. *Un enfant a été kidnappé à la sortie de l'école ;* vois **enlever.**

Conjugaison 1

Famille de **gramme**
On écrit **kg** en abrégé.

kilogramme n. m.
Unité de poids valant mille grammes. *Mme Touati a demandé à Yasmina d'aller acheter deux kilos de bananes. M. Bellec pèse quatre-vingt-dix kilos.*

Un litre d'eau pèse un kilogramme.

Famille de **mètre**
On écrit **km** en abrégé.
Attention à l'accent grave du *è* dans *kilomètre* et à l'accent aigu du *é* dans *kilométrage* et dans *kilométrique.*

kilomètre n. m.
Unité servant à mesurer la distance, valant mille mètres. *Pour aller à Sarlat, le docteur Séverac a parcouru cinq cents kilomètres en cinq heures. Motbourg est à soixante kilomètres de Paris.*
▸ **kilométrage** n. m. Nombre de kilomètres parcourus. *Avant d'acheter sa voiture d'occasion, Angèle avait regardé le kilométrage indiqué au compteur.*
▸ **kilométrique** adj. *Une borne kilométrique*, c'est une borne qui marque les kilomètres. *Les enfants comptent les bornes kilométriques qui bordent la route.*

Un kilomètre à pied
Ça use, ça use,
Un kilomètre à pied
Ça use les souliers !
(chanson).

Prononce toutes les lettres de *kilt* : [kilt].

kilt n. m.
Jupe en tissu écossais, courte et plissée, fermée sur le côté. *Le kilt fait partie du costume national des Écossais. Julie a un kilt écossais rouge et vert.*

En Écosse, les couleurs du kilt sont celles du clan.

Au pluriel : *des kimonos.*

kimono n. m.
Tunique japonaise à larges manches, croisée devant, fermée par une ceinture. *Les judokas portent des kimonos. Mme Séverac enfila un kimono de soie rose.*

Kinésithérapeute [kineziteʀapøt] rime avec *émeute.*

kinésithérapeute n. m. et f.
Personne qui soigne les gens qui ont des douleurs, par la gymnastique ou par des massages. *Marie-Tévy fait de la gymnastique chez une kinésithérapeute pour redresser son dos.*

Compare *kinési**thérap**eute* et ***thérap**eutique* : il s'agit de **soigner.**

kiosque n. m.
1. Pavillon ouvert servant d'abri dans un jardin. *Quand l'orage a éclaté dans le parc, Julie et Yasmina se sont abritées dans le kiosque à musique.* **2.** *Un kiosque à journaux*, c'est une petite boutique, installée sur le trottoir où l'on vend des journaux. *Tous les jours M. Doucet achète son journal au kiosque avant de rentrer chez lui.*

C'est au XVIIIe siècle que l'on vit se multiplier les kiosques dans les jardins.

Attention à l'orthographe !

kirsch n. m. invariable
Eau-de-vie de cerises. *Mamie Lou met toujours une goutte de kirsch dans la salade de fruits.*

Kiwi [kiwi] rime avec *oui.*

kiwi n. m.
1. Oiseau coureur de Nouvelle-Zélande, dont les ailes sont très réduites. *Le kiwi, qui est de la grosseur d'une poule, a un bec très long.* **2.** Fruit exotique, à la chair verte et acidulée, originaire de Chine. *Mme Bellec a acheté des kiwis au marché.*

Le kiwi voit mal, mais il a l'ouïe fine et l'odorat très développé.

Klaxon [klaksɔn] rime avec *téléphone.*
Au pluriel : *des klaxons.*
Attention ! deux *n.*

klaxon n. m.
Avertisseur sonore. *Pierre Séverac donne toujours un coup de klaxon dans les virages, quand il roule sur les petites routes en Dordogne.*
▸ **klaxonner** v. Faire fonctionner un avertisseur sonore. *Il est interdit de klaxonner dans les villes.*

Klaxon est le nom d'une marque américaine.
Conjugaison 1

K.-O. [kao] est l'abréviation de *knock-out.*

K.-O. adj. invariable
Hors de combat. *Le boxeur a été mis K.-O. à la troisième reprise.*

Les petits koalas grandissent dans la poche de leur mère, comme les kangourous.

koala n. m.
Animal australien de la famille des marsupiaux, qui grimpe aux arbres et mange des feuilles d'eucalyptus. *Les koalas ont un pelage gris très fourni.*

Les koalas sont des mammifères.

Attention ! un *y* et deux *l.*

kyrielle n. f.
Très grand nombre. *Elle est arrivée avec une kyrielle d'enfants.*

Ce mot est un peu familier.

kyste n. m.
Petite tumeur qui se forme sous la peau ou à l'intérieur du corps. *Mamie Lou s'est fait enlever un kyste à la joue.*

l

l' va voir *le.*

① *la* va voir *le.*

Au pluriel : *des la.*

② *la* n. m. invariable
Note de musique. *Sylvain a joué un la sur son piano. Le professeur de musique donne le la avec son diapason.*

Do, ré, mi, fa, sol, la, si, do.

Attention à l'accent grave du *à* !

là adv. et interjection
▭ **adv. 1.** Dans un lieu qui n'est pas celui où l'on est. *Ne reste pas là, dans ton coin, viens plutôt ici.* **2.** À l'endroit où nous sommes. *Arrêtons-nous là pour déjeuner. Antoine n'est pas encore là, il est en retard comme d'habitude.* **3.** *En ce temps-là les hommes vivaient dans des grottes,* à cette époque éloignée qui n'est pas celle où nous vivons maintenant. **4.** *De là, on aperçoit l'école,* en se plaçant à cet endroit. *Passez par là, c'est plus court,* par cet endroit. **5.** *La confiture est là-haut sur l'étagère,* dans ce lieu au-dessus. *Je vais là-bas voir si on s'y amuse mieux qu'ici,* à une distance assez grande.
▭ **interjection** *Là* s'emploie pour apaiser, rassurer. *Là, là, calme-toi, arrête de pleurer.*

On n'est jamais content là où l'on est, dit l'aiguilleur *(le Petit Prince).*

L'Ogre s'étant réveillé dit à sa femme : « Va-t'en là-haut habiller ces petits drôles d'hier soir » *(le Petit Poucet).*

Autres membres de la famille : **au-delà, cela, holà, par-delà, voilà.**

laboratoire n. m.
Endroit aménagé pour faire des expériences scientifiques. *Le chimiste travaille dans son laboratoire. Mme Séverac est allée se faire faire une prise de sang dans un laboratoire d'analyses médicales.*

Il fait des recherches.

On peut dire un *labo,* mais c'est familier.

Compare ***laborieux*** et ***laboratoire*** : il s'agit de **travailler.**

laborieux adj.
Long et difficile. *La découverte des antibiotiques a demandé de laborieuses recherches. Pierre Séverac mène une vie laborieuse,* consacrée au travail.

Conjugaison 1

labourer v.
Creuser et retourner la terre avec une bêche, une houe, une charrue. *Les agriculteurs labourent le champ avant de semer.*

Compare : *labourer → labourage* et *jardiner → jardinage.*

C'est un vieux mot : on dit plutôt *agriculteur* ou *cultivateur.*

▸ ***labour*** n. m. Travail qui consiste à retourner la terre ; vois ***labourage.*** *Le paysan a acheté un cheval de labour,* qui sert au labourage.

▸ ***labourage*** n. m. Action de retourner la terre ; vois ***labour.*** *L'agriculteur a terminé le labourage de ses champs.*

▸ ***laboureur*** n. m. Homme qui laboure la terre. *Le laboureur dirige sa charrue pour creuser des sillons.*

Un matin de labour le bœuf blanc s'arrêta brusquement au milieu d'un sillon [...] et se mit à rêver tout haut *(les Contes du Chat perché).*

Le Labyrinthe était un palais où était enfermé le Minotaure, un monstre à corps d'homme et à tête de taureau.

labyrinthe n. m.
Ensemble compliqué de chemins, de galeries ou de couloirs dont on a du mal à sortir ; vois ***dédale.*** *En se promenant dans un vieux village, les Bellec se sont perdus dans un labyrinthe de ruelles.*

Attention ! un ***y*** et ***th.***

Le plus grand lac du monde est le lac Supérieur, en Amérique du Nord ; il mesure 82 380 km².

lac n. m.
Grande étendue d'eau à l'intérieur des terres. *Les lacs sont alimentés par des cours d'eau ou des sources. Antoine est allé faire une promenade en barque sur le lac du bois de Boulogne.*

Va voir aussi ***étang, mare.***
Autre membre de la famille : **lacustre.**

Conjugaison 3 ▭ Indic. présent : *nous laçons.*

lacer v.
Attacher avec un lacet. *Yves a lacé ses baskets avant d'aller à l'école.*

Autres membres de la famille : **lacet, délacer, entrelacer.**

Conjugaison 6 ▭ Indic. présent : *je lacère, nous lacérons.*

lacérer v.
Mettre en lambeaux, en pièces ; vois ***déchirer.*** *Félix, le chat de Julie, a lacéré un fauteuil avec ses griffes.*

Famille de **lacer**

lacet n. m.
1. Cordon étroit que l'on passe dans de petits trous pour attacher une chaussure. *Julie, attention ! Un de tes lacets est défait !* **2.** Suite de tournants sur une route. *À la sortie du village, la route monte en lacet jusqu'au col.*

Les chaussures à lacets, c'est plus long à mettre que les ballerines ou les mocassins !

Attention à l'accent circonflexe du ***â*** dans *lâche, lâchement* et *lâcheté.*

① ***lâche*** adj.
Une personne lâche, c'est une personne qui manque de courage, qui recule devant le danger ; vois ***peureux, poltron.*** *Il est trop lâche pour dire la vérité.* — n. m. et f. *Sylvain accuse souvent son frère d'être un lâche.*

Le contraire de *lâche,* c'est *courageux, vaillant.*

Quand ils voient arriver Obélix, les Romains s'enfuient lâchement de peur d'être massacrés.

▸ ***lâchement*** adv. D'une manière lâche. *Les soldats ont fui lâchement devant l'ennemi.*

Le contraire de *lâchement,* c'est *courageusement.*

▸ ***lâcheté*** n. f. Manque de courage devant le danger. *Par lâcheté, Alex n'a pas osé dire à sa mère qu'il était recalé au baccalauréat. Il ne faut pas dénoncer les autres, c'est une lâcheté,* un acte lâche.

Le contraire de *lâcheté,* c'est *courage, audace.*

Le contraire de *lâche,* c'est *serré.*

② ***lâche*** adj.
Pas assez serré. *Ton nœud de chaussure est trop lâche, il va se défaire.*

Famille de **lâcher**

Attention à l'accent circonflexe du ***â*** dans *lâcher* et *lâcheur.*

Conjugaison 1

Compare : *lâcher → lâcheur, râler → râleur* et *voler → voleur.*

lâcher v.
1. Cesser de tenir. *Claire a lâché son ballon et le ballon s'est envolé,* elle a laissé échapper le ballon. *L'avion a lâché des bombes sur la ville,* il les a laissées tomber. *Ne me lâche pas la main en traversant la rue.* **2.** *M. Bellec a lâché les chiens contre le lièvre,* il a lancé les chiens à sa poursuite. **3.** Se casser brusquement. *Attention ! la corde va lâcher !*

Nestor avait réussi à ne pas lâcher le plateau qu'il tenait en équilibre, quand Milou...

▸ ***lâcheur*** n. m., ***lâcheuse*** n. f. Personne qui abandonne ceux envers qui elle s'était engagée. *Alex avait promis de nous aider à déménager et il n'est pas venu, c'est un lâcheur.*

Autres membres de la famille : **② lâche, relâcher, relâche, relâchement.**

laconique adj.
Qui est exprimé en peu de mots ; vois ***bref.*** *Il nous a adressé une réponse laconique.*

Les *grenades lacrymogènes* contiennent du gaz lacrymogène.

lacrymogène adj.
Un gaz lacrymogène, c'est un gaz qui fait pleurer. *La police a envoyé du gaz lacrymogène sur les manifestants.*

Ce gaz pique très fort les yeux et la gorge.

lacté adj.
1. *Un produit lacté,* c'est un produit qui contient du lait. *Sophie Pelletier fait la bouillie de Martin avec de la farine lactée.* **2.** *La Voie lactée,* c'est la grande traînée blanche et floue, formée de milliers d'étoiles et de corps célestes que l'on aperçoit dans le ciel quand la nuit est claire. *La Voie lactée est parfois séparée en deux branches.*

Martin est son bébé de 6 mois.

Va voir aussi ***galaxie.***
On l'appelle *Voie lactée* parce qu'elle est blanche comme du lait.

Ne confonds pas *lacune* et *lagune.*

lacune n. f.
Morceau qui manque, dans un texte écrit, dans une histoire que l'on raconte ou dans un raisonnement. *Alex a de graves lacunes dans ses connaissances,* des insuffisances.

Famille de **lac**
Certains hommes préhistoriques habitaient des cités lacustres.

lacustre adj.
Situé dans un lac ou au bord d'un lac. *Les cités lacustres étaient des villages dont les maisons étaient construites au-dessus de l'eau sur des pilotis.*

Les animaux qui vivent dans les lacs sont des *animaux lacustres.*

Ne confonds pas *lagune* et *lacune.*

lagune n. f.
Étendue d'eau salée séparée de la mer par une étroite bande de sable. *Les lagunes communiquent avec la mer par un étroit canal.*

La ville de Venise, en Italie, est construite sur une lagune.

On écrit *un laïc, une laïque,* mais l'adjectif s'écrit *laïque,* même au masculin. Prononce [laik].

laïc n. m., **laïque** n. f. et adj.
1. n. Chrétien qui n'appartient pas au clergé. *L'entretien de l'église est assuré par des laïcs.* **2.** adj. Indépendant de toute religion. *Nathalie va dans une école laïque,* où l'on n'enseigne aucune religion.

Le contraire de *laïque,* c'est *religieux.*

Le contraire, c'est *beau, joli.*
Elle est *laide comme un pou.*

laid adj.
Désagréable à regarder ; vois ***affreux, hideux, horrible, vilain.*** *Mme Harpie est très laide avec son gros ventre et sa verrue sur le nez. Cette ville est laide et triste, je veux m'en aller !*
▸ ***laideur*** n. f. Caractère de ce qui est laid. *Mme Harpie est d'une laideur repoussante. Ce monument rose est d'une grande laideur.*

Que cet animal est donc laid [...] Cette peau rose est d'un effet vraiment écœurant *(les Contes du Chat perché).*

Autre membre de la famille : **enlaidir.**

Le contraire, c'est *beauté.*

Ne confonds pas *laie, laid* et *lait.*

laie n. f.
Femelle du sanglier. *La laie était entourée de ses marcassins.*

laine n. f.
Matière souple fabriquée avec le poil des moutons. *Mme Bellec tricote un pull-over en laine bleue pour son fils. Loïc a mis ses chaussettes de laine.*
▸ ***lainage*** n. m. **1.** Tissu de laine. *Alex a un manteau en lainage vert foncé.* **2.** Vêtement de laine tricotée. *Mets un lainage pour sortir car il fait froid,* un tricot, un pull.
▸ ***laineux*** adj. Qui contient beaucoup de laine. *Cette étoffe est très laineuse.*
▸ ***lainier*** adj. Relatif à la laine. *Il y a de l'industrie lainière dans cette région.*

Compare : *laine → lainage* et *corde → cordage.*

Compare : *laine → laineux* et *roche → rocheux.*

Cette année la laine est chère,
dit Mère-Mouton en bêlant,
six cache-nez, six pull-overs,
ça coûte beaucoup d'argent
et s'il fait froid cet hiver
je tricoterai, mes enfants,
la laine de votre père
et celle de l'oncle Fernand
(comptine).

laïque va voir *laïc.*

laisse n. f.
Lanière que l'on attache au collier d'un chien pour le mener. *En ville, M. Bellec tient son chien en laisse. Le chien tire sur sa laisse.*

Les chats n'aiment pas être tenus en laisse.

Conjugaison 1

*Elle **les** a laissés dessiner ce qu'ils voulaient* ou *elle **leur** a laissé dessiner ce qu'ils voulaient.*

laisser v.
1. *Laisser quelqu'un faire quelque chose,* c'est ne pas l'empêcher de faire cette chose. *Laisse-moi passer. Angèle, l'institutrice, a laissé les enfants dessiner ce qu'ils voulaient.* **2.** *Nathalie s'est laissé guider par son amie anglaise,* elle n'a rien fait pour s'y opposer. *Laissez-vous aller,* détendez-vous. *Angèle s'est encore laissé faire par ses élèves,* elle leur a cédé. **3.** *Laisser quelque chose,* c'est ne pas le prendre. *Claire a mangé toute la purée et a laissé la viande. Laisses-en un peu à ton frère.* **4.** *Laisser une chose ou une personne quelque part,* c'est ne pas l'emporter, ne pas l'emmener avec soi. *Mme Hespel a laissé sa voiture à la gare et elle a pris le train. Yves a laissé son blouson à l'école,* il l'a oublié. **5.** *Laisser quelque chose à quelqu'un,* c'est le lui confier en partant. *Pendant les vacances, les Bellec ont laissé leur chien à des amis.* **6.** Vendre à un prix avantageux. *Le marchand nous a laissé deux barquettes de fraises pour le prix d'une seule.*

Laissez les oiseaux à leur mère
laissez les ruisseaux dans leur lit
laissez les étoiles de mer sortir si ça leur plaît la nuit
laissez les éléphants ne pas apprendre à lire
laissez les hirondelles aller et revenir
(Prévert).

« Ne craignez point, mes frères, mon Père et ma Mère nous ont laissés ici, mais je vous ramènerai bien au logis : suivez-moi seulement *(le Petit Poucet).*

Autres membres de la famille : **laisser-aller, laissez-passer, délaisser.**

Famille de **laisser** et de ① **aller**

laisser-aller n. m. invariable
Manque d'effort, manque de soin. *Angèle, l'institutrice, a constaté un certain laisser-aller dans le travail de Julie depuis quelques semaines ;* vois ***relâchement.***

Famille de **laisser** et de **passer**

Au pluriel : *des laissez-passer.*

laissez-passer n. m. invariable
Papier officiel autorisant une personne à circuler librement dans un endroit gardé. *Le journaliste montre au policier son laissez-passer.*

Il faut un laissez-passer pour avoir accès à la salle du Trésor où se trouve le sceptre d'Ottokar.

Ce sont les femelles des mammifères qui produisent du lait.

On peut aussi acheter du lait en poudre ou du lait concentré.

lait n. m.
Liquide blanc, très nourrissant, produit par les mamelles de certains animaux et par les seins des femmes qui viennent d'avoir un bébé. *Le camembert est fait avec du lait de vache. Mme Harpie a acheté un litre de lait pasteurisé. Hippolyte a bu du café au lait.*
▸ ***laitage*** n. m. Aliment fabriqué avec du lait. *Le yaourt et le fromage blanc sont des laitages.*

Le *petit-lait,* c'est ce qui reste du lait quand on a fait le fromage.

Autres membres de la famille : **allaiter, allaitement, laiteux, laitier, laiterie.**

La laitance sert à la reproduction.

laitance n. f.
Liquide blanc produit par les poissons mâles qui contient des milliers de spermatozoïdes. *Pour que les œufs du poisson femelle puissent donner des petits, le mâle les couvre de sa laitance.*

La laitance est le sperme des poissons.

Famille de **lait**

laiterie n. f.
Usine dans laquelle on traite le lait pour le conserver ou le transformer en beurre. *Le lait est mis en bouteille dans une laiterie.*

Le magasin où l'on vend le lait s'appelle une *crémerie.*

Famille de **lait**

laiteux adj.
Blanc comme du lait. *Julie a une peau laiteuse.*

Famille de **lait**

Le marchand qui vend du lait s'appelle le *crémier.*

laitier n. m. et adj., **laitière** n. f. et adj.
▭ **n.** Personne qui ramasse le lait dans les fermes ou qui le livre chez les commerçants. *Le camion du laitier passe très tôt le matin.*
▭ **adj. 1.** *Une vache laitière,* c'est une vache que l'on élève pour le lait qu'elle produit. *Odile Séverac est allée traire les vaches laitières.* **2.** *Les produits laitiers,* ce sont les produits faits avec du lait. *Le beurre, le fromage, la crème sont des produits laitiers.*

On peut aussi élever des vaches pour les manger.

Les douilles des ampoules électriques sont en laiton.

laiton n. m.
Alliage de cuivre et de zinc, de couleur jaune. *On fabrique des bijoux et de petits objets décoratifs en laiton.*

La *batavia* et la *romaine* sont aussi des laitues.

laitue n. f.
Salade à feuilles tendres. *Sophie Pelletier a fait une vinaigrette pour assaisonner la laitue.*

« Bougres de jets d'eau ambulants » ou « espèces d'imitations de chameaux », les appelle le capitaine Haddock !

lama n. m.
Animal à pelage roux et blanc, à grandes oreilles, qui ressemble à un petit chameau sans bosse et vit dans les montagnes d'Amérique du Sud. *On fait de la laine avec le poil du lama.*

Le lama, furieux, a brouté la barbe du capitaine Haddock puis lui a craché à la figure.

lambeau n. m.
Morceau d'un tissu déchiré. *Antoine est rentré chez lui tout griffé par les ronces et la chemise en lambeaux.*

Au pluriel : *des lambeaux.*

Lambin et *lambiner* sont des mots familiers.

lambin adj.
Lent. *Angèle, l'institutrice, n'aime pas les élèves lambins.* — n. *Marie-Tévy n'a pas encore fini sa dictée, quelle lambine !*

Le contraire de *lambin,* c'est *rapide, vif.*

Conjugaison 1

▸ ***lambiner*** v. Agir avec lenteur et mollesse. *Dépêchez-vous de finir votre viande au lieu de lambiner ;* vois ***traîner.***

Attention ! un *s* à la fin.

lambris n. m.
Panneau en bois ou en marbre qui recouvre les murs ou le plafond d'une pièce et sert de décoration. *Les murs de la salle du trône étaient recouverts de lambris dorés.*

Lambris [lɑ̃bʀi] rime avec *mari* et *riz.*

Une *lame de rasoir,* c'est un petit rectangle d'acier très coupant que l'on met sur un rasoir.

lame n. f.
1. Partie tranchante d'un couteau, d'un outil servant à couper ou à tailler. *M. Bellec aiguise la lame de son couteau à découper. La lame des ciseaux est émoussée.* **2.** Bande plate et mince d'une matière dure. *Les lames du parquet grinçaient à chaque pas ;* vois ***latte.*** **3.** Vague. *Le navire était au creux d'une lame.*

Une *lame de fond,* c'est une vague très forte qui vient du fond de l'eau.

Compare : *lame → lamelle* et *rue → ruelle.*

▸ ***lamelle*** n. f. **1.** Petite bande plate et très mince d'une matière dure. *Sylvain a placé une fourmi sur une lamelle de verre pour l'examiner au*

DE LA MAISON À L'HABITAT

La famille vit dans la maison. Les parents l'ont aménagée et décorée. On y est protégé des intempéries et c'est là que l'on retrouve ceux qu'on aime : les grands-parents, les oncles et tantes, les cousins ou les amis que l'on invite. Dans la maison, on peut se détendre et se reposer, on est isolé des voisins. L'habitation est un espace privé. On appelle habitat l'organisation des maisons entre elles. L'habitat dépend de la vie quotidienne et des activités d'un peuple.

Ainsi, une société d'agriculteurs vit à proximité des champs, créant un espace d'habitat rural. Au contraire, une société dominée par le regroupement des industries a besoin de rassembler les habitations à proximité des emplois. Ainsi naît l'habitat urbain.

Dans ce dossier, tu trouveras quatre planches qui t'expliqueront :

Page 2 - **l'habitat rural, hérité du passé.**
Page 4 - **comment se développe la ville.**
Page 6 - **l'habitat que l'on construit aujourd'hui.**
Page 8 - **les transports.**

Le studio. Le frère de maman habite un studio dans une résidence voisine. Sa maison n'a qu'une grande pièce qui sert à la fois de chambre et de salon. Dans un coin, il y a une petite cuisine ; seule la salle de bains est séparée du reste de l'appartement.
Le grenier aménagé. La sœur de papa est étudiante dans une grande ville, elle habite sous les combles. Dans la pièce, on voit les poutres de la charpente et les murs suivent la pente du toit.
Dimanche soir. Même pour les parents, il est l'heure de rejoindre la chambre à coucher pour dormir.
8 h. Toilette dans la salle de bains.
On s'y lave, on s'y coiffe, on se farde, on s'habille, on s'y bouscule le matin car on ne veut pas être en retard à l'école ou au travail.
anche après-midi. Il pleut, tous enfants sont chez dans leur mbre. Certains leurs devoirs, tres jouent.
8 h 30. On prend son petit-déjeuner dans la cuisine. Si l'on n'est pas en retard, on parle de ses rêves et on évoque ce qu'on va faire dans la journée.
anche midi. Les grands-parents sont venus déjeuner. Le vert est mis dans la salle de séjour ; les conversations t bon train. On échange des nouvelles.
16 h 45. L'école est finie. Encore quatre étages avant d'arriver à la maison. La concierge dit qu'il ne faut pas traîner dans l'escalier.
EN PANNE
Mercredi. Un copain est venu passer l'après-midi à la maison. C'est le moment de profiter du jardin avant le goûter.
Dimanche matin. Papa est descendu à la cave. On range les élos, les ieilles affaires t le vin. y a des araignées, nais ce n'est pas nportant car on 'y va pas souvent.
12 h. Le vieux voisin rentre de faire ses courses. Il habite seul ; parfois, les enfants lui rapportent son pain.
9 h. Le facteur apporte des lettres. Elles peuvent venir du monde entier.

Les Pygmées, nomades des forêts africaines, habitent des huttes de branchages recouvertes de feuilles qui sont construites par les femmes pour quelques semaines. Chaque hutte est la maison d'un couple. La hutte des enfants, au centre du campement, est protégée par les huttes des adultes.
Au Proche-Orient, les Bédouins nomades habitent des tentes noires en poil de chèvre et de chameau.
Chaque tente est divisée en deux. La cuisine et l'espace familial sont occupés par les femmes ; ils sont séparés de l'espace où le mari reçoit ses invités et leur offre le café. Un campement groupe cinq ou six tentes autour de celle du patriarche : celle de son frère, celles de ses fils.
Les fermes ou les maisons de maître restaurées servent de maisons de vacances ou de week-end. On en trouve beaucoup en Normandie, par exemple.
Dans les régions de champs ouverts, aux bosquets isolés, les fermes sont groupées en hameaux ou en bourgs. La Beauce et la Brie sont des zones d'exploitations agricoles de plusieurs centaines d'hectares exigeant l'emploi de puissantes machine
Une ferme n'est pas seulement une maison d'habitation, c'est aussi le centre d'une exploitation agricole : les fermiers logent sur le lieu de leur travail. Autrefois, ils vivaient en autarcie, c'est-à-dire en consommant uniquement ce qu'ils produisaient. Aujourd'hui, ils se rendent en ville pour faire leurs achats.
Les fermes des régions d'élevage sont isolées derrière des haies, au milieu des prés ou des vergers. C'est ce qu'on appelle l'habitat dispersé. Les exploitations agricoles comptent quelques dizaines d'hectares.
L'entretien des bâtiments fait partie des tâches du fermier, notamment dans les petites exploitations où le recours à un artisan coûterait trop cher.
Pour faciliter l'écoulement des eaux de pluie et éviter l'inondation des terres agricoles dans les bocages, les chemins creux sont en contrebas des champs. La circulation est difficile et le paysage semble fermé.

L'HABITAT HÉRITÉ DU

Construites lorsque la majorité de la population vivait de l'agriculture, les maisons traditionnelles se trouvent à la campagne ou dans les villages. Les habitants construisaient eux-mêmes leurs maisons avec les éléments trouvés sur place.
En Bretagne, les bâtiments sont en granit, alors que les fermes du bocage normand sont faites d'un assemblage de terre et de bois (maisons à colombages). Dans le centre, où la pierre est friable, les murs sont recouverts d'un enduit. En Ardèche ou dans les Alpes, les murs sont montés par assemblage de pierres sèches, sans liant. Les toitures aussi sont différentes : en tuiles rondes dans le

L'habitat des troglodytes est une forme très ancienne de l'habitat sédentaire. En Chine, au nord-ouest du Shanxi, on creuse une fosse rectangulaire de 10 mètres sur 24, profonde de 10 mètres. Un chemin incliné permet d'accéder à l'intérieur. Les pièces sont creusées autour de la cour, dans les parois verticales de la fosse.
La rigueur morale et religieuse du peuple Ibadite (Algérie) explique l'architecture dénuée de tout ornement de leurs habitations.
es mas isolés de la vallée du Rhône s'abritent du vent (mistral) derrière de grands murs,
es cultures fragiles sont protégées par
es rangées de cyprès.
Les villages de montagne sont groupés dans les vallées. Les bergers conduisaient les troupeaux en altitude dans les alpages pendant la belle saison et vivaient dans les bergeries isolées.
GARAGE
Le village est un mode d'habitat rural traditionnel. C'est le plus petit centre de commerce et de services. On y trouve l'école, la poste, la mairie, l'église, mais aussi un garage, un café, une boulangerie et un marché hebdomadaire. Certains habitants sont agriculteurs, d'autres artisans ou commerçants. Un village ou une commune rurale compte moins de 2 000 habitants. Au-dessus, s'agit d'une commune urbaine.
La superficie d'une commune rurale englobe le bourg et ses maisons, les hameaux et fermes isolées ainsi que les bois et les terres agricoles : une commune rurale n'est pas entièrement construite.

RURAL PASSÉ

sud de la France, en tuiles plates ou en ardoises dans les régions comme le Centre, où cette roche existe.

La vie quotidienne et les climats locaux expliquent aussi les différences régionales.

Aujourd'hui, certaines fermes sont encore habitées par des agriculteurs, d'autres ont été abandonnées, d'autres encore restaurées et transformées en résidences secondaires. Les habitants des villages possèdent un commerce ou un atelier, ou bien encore travaillent dans la ville proche.

De nouvelles maisons très différentes des habitations héritées du passé sont apparues.

COMMENT SE DÉVELOPPE LA VILLE

L'industrie de ces villes et l'accroissement de la population ont transformé certains bourgs en grandes villes. Au centre, les rues étroites et les maisons basses rappellent le village initial.
L'organisation et l'architecture des autres quartiers témoignent des diverses époques du développement urbain. La ville se transforme par la modification de quartiers entiers ou d'immeubles isolés.

Les immeubles en pierre, en béton ou en verre dominent la ville. Ils sont construits avec des moyens mécaniques tels que les grues, et industriels (fabrication en usine des portes, fenêtres, charpentes...) qui permettent de réaliser des bâtiments de sept à huit étages et jusqu'à trente dans les tours de banlieue.
Un immeuble regroupe plusieurs appartements : il s'agit d'un habitat collectif. Les habitants partagent l'escalier et l'entrée. Les appartements sont les seul habitations à n'avoir ni cour ni jardin privés qui l séparent de la rue et des voisins. C'est à la deman d'un propriétaire qui louera ou vendra les appart ments, qu'un architecte conçoit et dessine un imme ble. Il sera réalisé par un entrepreneur selon des nc mes de confort et de construction très précises. L habitants pourront seulement en décorer l'intérieur.

La grande ville est d'abord un centre d'affaires. Les bureaux, les sièges sociaux des entreprises y créent de nombreux emplois administratifs.
Au centre de la ville se trouvent des commerces que l'on n'utilise pas tous les jours : librairies, bijouteries, boutiques de vêtements ou grands magasins.
MEUBLES DE JARDIN
Trop étroites pour la circulation automobile, les rues du centre historique sont réservées aux piétons et aux transports collectifs.
METRO
Les théâtres, cinémas et grands cafés sont aussi au centre de la ville.
LE CID
ÉATRE
CAFE
En France, plus une ville est importante plus la densité de population est élevée — la densité mesure le nombre d'habitants sur un carré d'un kilomètre de côté (km²) — Une petite ville (10 000 habitants) compte 1 500 habitants au km², une métropole régionale comme Lille (168 000 habitants) a une densité de 6 000. Les communes de la banlieue parisienne groupent parfois plus de 10 000 habitants au km².

ans la ville, les habitations voisinent
rec les bureaux, les entre-
ises industrielles ou arti-
nales, les banques, les magasins et
s cinémas. La grande ville attire
aque jour de nombreux travailleurs.
eux qui ne peuvent s'y loger habi-
nt souvent en banlieue, dans des
villons individuels ou dans des
és d'habitat collectif que l'on
pelle cités-dortoirs.
Les grandes cités d'habitat collectif (ZUP) ont été construites entre 1950 et 1970. La densité y est très élevée, les matériaux de mauvaise qualité. Il existe peu de commerces, d'équipements et de transports à proximité, si bien que le bruit, la promiscuité et l'ennui rendent la vie difficile aux habitants de ces cités. Certaines tours sont aujourd'hui détruites, les appartements réhabilités, c'est-à-dire transformés pour être plus agréables.
Les grandes industries sont regroupées sur des zones industrielles plus éloignées. Seuls les sièges sociaux, les emplois administratifs restent en ville.
Les appartements bourgeois, très vastes à l'origine, ont été divisés pour répondre à la demande de logement.
Les pavillons de banlieue forment une couronne plus ou moins continue autour des villes. Leur développement a été encouragé au début du siècle, par les lois favorisant la construction individuelle.
L'habitat du centre-ville est très recherché. Certains préfèrent aménager un ancien grenier plutôt que d'acheter un pavillon de banlieue.
D'anciens appartements sont transformés en locaux d'activités.
L'architecte doit tenir compte des lois, des sols, de l'environnement, des matériaux et de leur résistance, pour créer des bâtiments faciles à utiliser, qui ne risquent pas de s'écrouler.
PUR FRU
BOULANGERIE PATISSERIE
CONFECTION HOMME FEMME
FRUITS ET LEGUMES
FRUITS ET LEGUMES
Banque
Les rues et les avenues de la périphérie sont irrégulières. Les immeubles ont été construits rapidement pour les ouvriers des usines. Aujourd'hui, ils sont remplacés par des bâtiments de meilleure qualité. Mais les loyers étant plus élevés, les anciens habitants sont obligés de partir vers la banlieue.
Les banques, liées aux échanges d'affaires, font partie du paysage urbain.
Les immeubles périphériques abritent les ateliers qui exigent peu de place et de main-d'œuvre comme la confection, la maroquinerie, etc.

Le pavillon de banlieue

Conçus au temps des arrière-grands-parents qui voulaient quitter les quartiers périphériques des grandes villes, les pavillons de banlieue étaient construits comme les habitants le souhaitaient et dans le style qu'ils préféraient. Chaque maison évoluait avec la famille.

Les pavillons de banlieue forment une ceinture aux rues rectilignes, sans magasins ni équipements, dans la banlieue des villes. Une seule famille par maison, cela représentait de très grands espaces de constructions basses. L'habitat actuel garde de ces pavillons le goût et le désir de disposer d'un espace (jardin, garage) qui prolonge l'habitation proprement dite.

La zone d'activités concentre les emplois locau Elle est vendue ou louée par parcelles au industriels q créent un entrepris

Le maire et le conseil municipal décident du Plan d'occupation des sols (POS) de la commune. Cette réglementation leur permet de répartir les différentes zones d'activités, logements, cultures ou commerces. La commune peut ainsi contrôler et organiser son développement.

Une maison de construction traditionnelle peut avoir des plans nouveaux ou imiter ceux des maisons régionales anciennes.

Le lotissement est greffé sur un village préexistant : il profite de ses équipements, comme l'école, la gare, la poste, la mairie et les magasins.

La conception des plans et l'étude des matériaux, qui sont faites par des professionnels, sont des opérations coûteuses. En multipliant le nombre de maisons réalisées à partir d'une même étude, les entreprises de bâtiments proposent des habitations sans grande originalité mais peu coûteuses. Certaines sont préfabriquées, d'autres réalisées dans des matériaux traditionnels.

Les lotissements peuvent être vendus sous forme de terrains viabilisés, c'est-à-dire des terrains où toutes les canalisations et liaisons ont été prévues (eau, électricité, tout-à-l'égout, téléphone, etc.). Seuls les branchements restent à faire. Chaque habitant pourra faire construire ou bâtir lui-même la maison dont il rêve.

L'énergie du soleil accumulée assure toute l'année le chauffage et l'eau chaude d'une maison solaire.

L'HABITAT QUE L'ON CONSTRUIT AUJOURD'HUI

Pour limiter le développement des grandes villes au détriment des campagnes, l'État a fait une série de lois d'urbanisme regroupées sous le nom de « politique d'aménagement du territoire ».

Leur objectif est d'harmoniser la répartition des emplois, logements et équipements. Elles favorisent aujourd'hui le développement des villes moyennes et des villages, limitent celui des grandes métropoles.

De plus en plus, on cherche à créer des zones d'activité à proximité de lotissements dotés d'équipements sportifs et culturels.

Cette organisation permet de réduire les temps de transport. Elle évite que des cités entières se vident toute la journée de leurs travailleurs, comme cela se produit en banlieue.

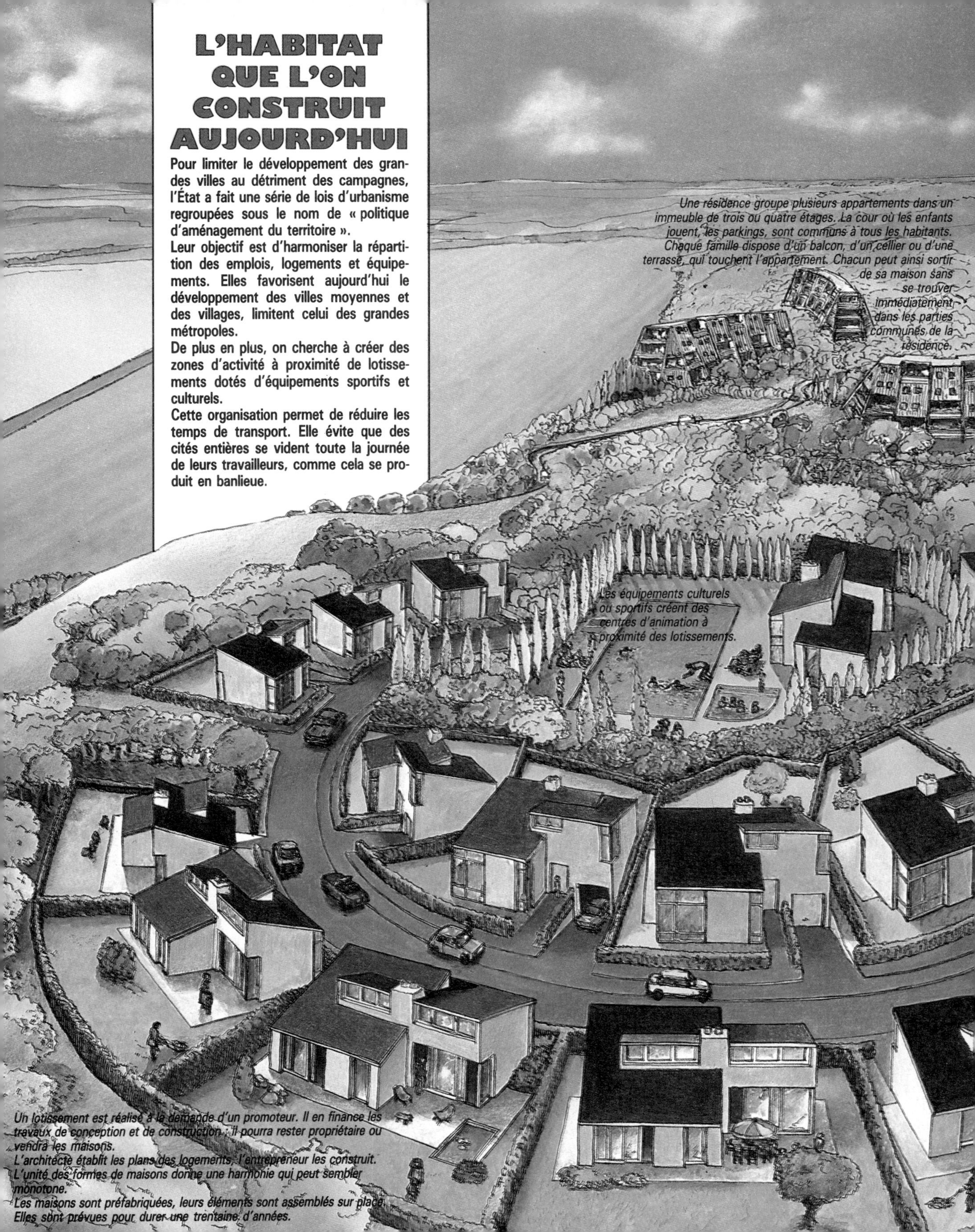

Une résidence groupe plusieurs appartements dans un immeuble de trois ou quatre étages. La cour où les enfants jouent, les parkings, sont communs à tous les habitants. Chaque famille dispose d'un balcon, d'un cellier ou d'une terrasse, qui touchent l'appartement. Chacun peut ainsi sortir de sa maison sans se trouver immédiatement dans les parties communes de la résidence.
Les équipements culturels ou sportifs créent des centres d'animation à proximité des lotissements.
Un lotissement est réalisé à la demande d'un promoteur. Il en finance les travaux de conception et de construction : il pourra rester propriétaire ou vendra les maisons.
L'architecte établit les plans des logements, l'entrepreneur les construit.
L'unité des formes de maisons donne une harmonie qui peut sembler monotone.
Les maisons sont préfabriquées, leurs éléments sont assemblés sur place. Elles sont prévues pour durer une trentaine d'années.

LES TRANSPORTS

Les communes sont classées selon leur nombre d'habitants, d'emplois et les catégories de services que l'on y trouve. Parmi les gens qui habitent un village, un grand nombre vont travailler chaque jour dans une petite ville. Pour aller au cinéma, il faudra se rendre dans la ville moyenne la plus proche. C'est exceptionnellement que l'on ira faire des achats dans la métropole régionale ou la capitale. Les réseaux de transport qui relient les communes entre elles tiennent compte de ces différences de fréquentation. Par ailleurs, plus les distances sont grandes, les villes importantes, plus les liaisons sont rapides (TGV, autoroutes, par exemple). Si les distances sont courtes, les équipements permettent de les parcourir à pied : les trottoirs au bord des rues, les passages protégés pour les piétons.

Pour se déplacer, il existe des équipements de transport collectif comme les voies ferrées, les gares ferroviaires et routières, les ports et les aéroports. Les trains, les cars, les bateaux et les avions sont aussi des équipements de transport collectif. L'usage des moyens de transport individuels comme la voiture ou les deux-roues nécessite d'autres types d'équipement : les autoroutes, routes et parkings, par exemple.

Les canaux fluviaux sont des équipements réservés le plus souvent au transport de matériaux lourds (sable, charbon, par exemple).

Les réseaux de téléphone et les télécommunications assurent les échanges de conversations et d'informations entre les gens.

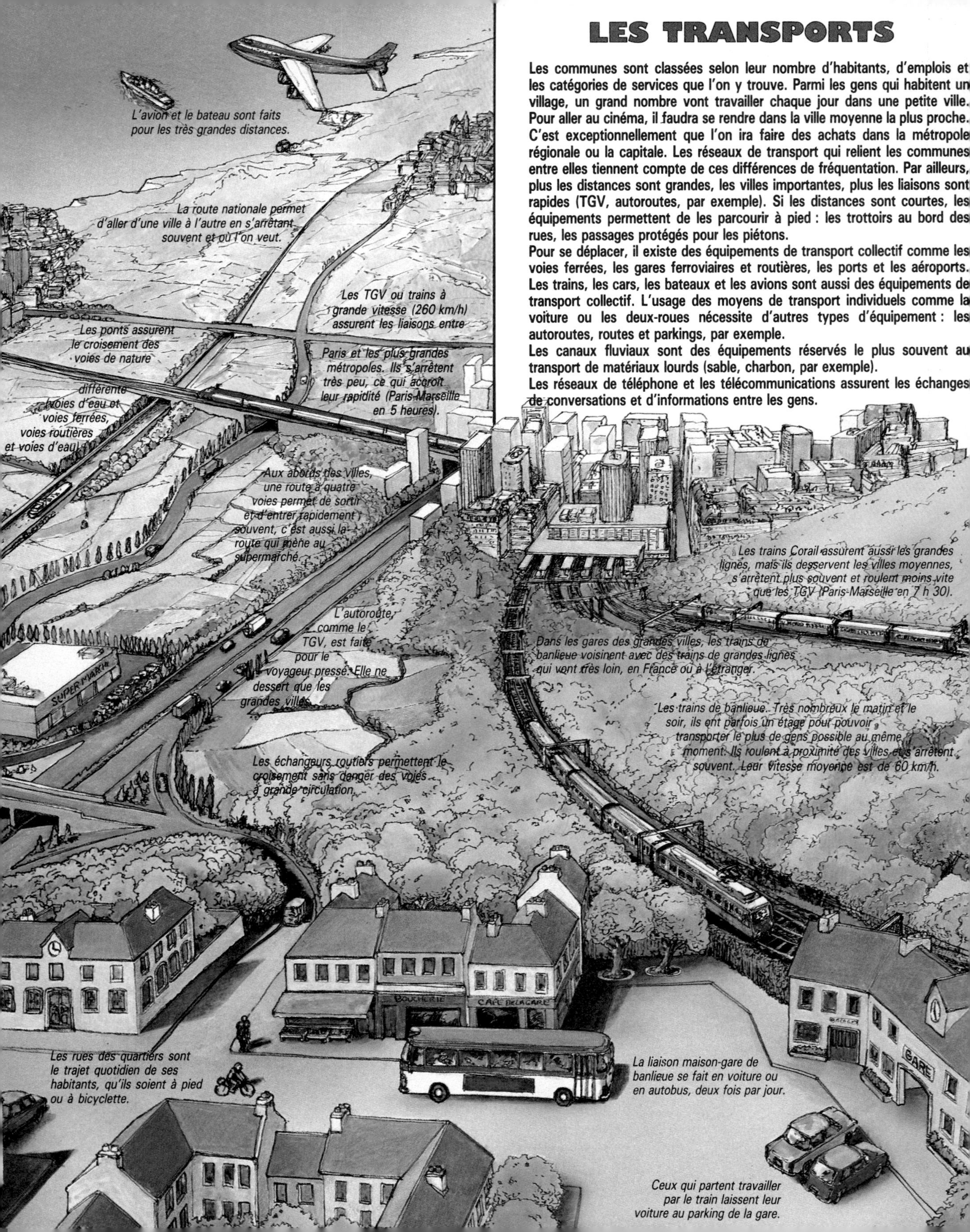
L'avion et le bateau sont faits pour les très grandes distances.
La route nationale permet d'aller d'une ville à l'autre en s'arrêtant souvent et où l'on veut.
Les TGV ou trains à grande vitesse (260 km/h) assurent les liaisons entre Paris et les plus grandes métropoles. Ils s'arrêtent très peu, ce qui accroît leur rapidité (Paris-Marseille en 5 heures).
Les ponts assurent le croisement des voies de nature différente (voies d'eau et voies ferrées, voies routières et voies d'eau).
Aux abords des villes, une route à quatre voies permet de sortir et d'entrer rapidement ; souvent, c'est aussi la route qui mène au supermarché.
SUPERMARCHÉ
L'autoroute, comme le TGV, est faite pour le voyageur pressé. Elle ne dessert que les grandes villes.
Les échangeurs routiers permettent le croisement sans danger des voies à grande circulation.
Les trains Corail assurent aussi les grandes lignes, mais ils desservent les villes moyennes, s'arrêtent plus souvent et roulent moins vite que les TGV (Paris-Marseille en 7 h 30).
Dans les gares des grandes villes, les trains de banlieue voisinent avec des trains de grandes lignes qui vont très loin, en France ou à l'étranger.
Les trains de banlieue. Très nombreux le matin et le soir, ils ont parfois un étage pour pouvoir transporter le plus de gens possible au même moment. Ils roulent à proximité des villes et s'arrêtent souvent. Leur vitesse moyenne est de 60 km/h.
BOUCHERIE
CAFÉ DE LA GARE
GARE
Les rues des quartiers sont le trajet quotidien de ses habitants, qu'ils soient à pied ou à bicyclette.
La liaison maison-gare de banlieue se fait en voiture ou en autobus, deux fois par jour.
Ceux qui partent travailler par le train laissent leur voiture au parking de la gare.

microscope. **2.** Petit morceau. *Antoine s'est coupé une lamelle de gruyère,* une fine tranche de gruyère.

Famille de se **lamenter**

lamentable adj.

Quel mauvais élève !

Très mauvais ; vois ***déplorable, pitoyable.*** *Alex a encore eu une note lamentable en français.*

Le contraire de *lamentable,* c'est *excellent.*

Conjugaison 1

se lamenter v.

Se plaindre pendant longtemps ; vois ***geindre, gémir.*** *Mme Harpie n'arrête pas de se lamenter sur son sort.*

Le contraire de *se lamenter,* c'est *se réjouir.*

On emploie ce mot souvent au pluriel.

▸ ***lamentation*** n. f. Suite de paroles dites pour se plaindre ; vois ***plainte.*** *Les lamentations de Mme Harpie exaspèrent sa sœur.*

Autre membre de la famille : **lamentable.**

Conjugaison 1

laminer v.

Laminer du métal, c'est le comprimer fortement. *On lamine le métal pour le transformer en plaques, en tôles, en barres ou en tubes.*

Avant d'être laminé, le bloc de métal est chauffé au rouge ; puis les tôles et les barres sont refroidies dans l'eau.

▸ ***laminoir*** n. m. Machine composée de deux gros rouleaux d'acier tournant en sens inverse entre lesquels on fait passer le métal à laminer. *L'ouvrier métallurgiste a mis un bloc d'acier dans le laminoir.*

Famille de **lampe**

lampadaire n. m.

Lampe montée sur un très haut pied et qui sert à éclairer une pièce ou une rue. *Yves a éteint le lampadaire du salon. Rendez-vous place du Marché, sous le lampadaire ;* vois ***réverbère.***

Autrefois, les rues étaient éclairées par des becs de gaz.

lampe n. f.

Les détectives ont toujours une lampe de poche pour chercher les traces des bandits *(le Petit Nicolas).*

1. Appareil d'éclairage qui fonctionne à l'électricité. *La lampe ne marche plus, il faut changer l'ampoule. La lampe de chevet de Marie-Tévy a un abat-jour blanc. On allume et on éteint une lampe en appuyant sur son interrupteur.* **2.** Tube électronique qui ne sert pas à l'éclairage. *La télévision est en panne, une lampe a dû sauter.*

Va voir aussi ***spot.***

Autrefois on s'éclairait avec des lampes à pétrole ou à gaz.

Autres membres de la famille : **lampadaire, lampion.**

Famille de **lampe**

lampion n. m.

Lanterne en papier coloré. *C'est le 14 Juillet, on a suspendu des lampions dans les rues.*

lamproie n. f.

On pêche les lamproies à la nasse ou au filet pour les manger.

Poisson au corps très allongé, sans écailles, qui ressemble à une anguille. *Certaines lamproies vivent dans la mer, d'autres vivent dans les rivières.*

Autres membres de la famille : **s'élancer, ② élan, élancé, élancer, ① lancer, lance-flammes, lance-pierres, ② lancer, lancée, lancement, relancer.**

lance n. f.

1. Arme formée d'un très long manche terminé par un fer pointu. *Le chevalier transperça son ennemi d'un coup de lance.* **2.** *Une lance à eau,* c'est un tube métallique placé au bout d'un tuyau d'arrosage pour aider à diriger le jet. *Les pompiers éteignent l'incendie avec leur lance.*

Les Romains se battaient avec des lances et se protégeaient avec des boucliers.

Même famille que ① **lancer**

lancée n. f.

Élan, vitesse acquise. *Au lieu de s'arrêter au bout de la piste, le cycliste a continué sur sa lancée et s'est retrouvé dans un champ,* il a continué à rouler, entraîné par l'élan qu'il avait pris.

Même famille que ① **lancer** et famille de **flamme**

lance-flammes n. m. invariable

Engin de combat servant à projeter des liquides enflammés. *Les soldats ont mis le feu aux maisons du village avec un lance-flammes.*

Au pluriel : *des lance-flammes.*

Compare : *lancer → lancement* et *craquer → craquement.*

lancement n. m.

1. *Les enfants ont assisté au lancement de la fusée, à la télévision,* à sa projection dans l'espace. **2.** *Il y a eu beaucoup de publicité pour le lancement de cette nouvelle voiture,* pour la faire connaître.

Même famille que ① **lancer**

De la station de contrôle, Baxter surveille le lancement de la fusée où se trouvent Tintin et Milou.

Même famille que ① **lancer** et famille de **pierre**

Au pluriel : *des lance-pierres.*

lance-pierres n. m. invariable

Instrument à deux branches muni d'un gros élastique dont les enfants se servent pour lancer des pierres ; vois ***fronde.*** *Colle et Rat ont envoyé des cailloux dans la vitrine de Mme Harpie avec un lance-pierres.*

Conjugaison 3 ▭ Indic. présent : *nous lançons.* Imparfait : *je lançais.* Futur : *je lancerai.*

① *lancer* v.

1. *Lancer quelque chose,* c'est l'envoyer loin de soi avec force. *Colle et Rat lancent des pierres dans la vitrine de la pâtisserie. David a lancé le ballon à sa sœur. Les Américains ont lancé une fusée dans l'espace.* **2.** *Le navire en détresse a lancé un appel,* il l'a émis. *M. Doucet avait envie de lancer*

Famille de **lance**

Quand il a faim, Babar demande aux singes de lui lancer des bananes et des noix de coco *(Babar).*

des injures à Mme Harpie, de les lui dire avec violence. **3.** Mettre en mouvement. *Le train était lancé à toute vitesse,* il roulait à toute vitesse. **4.** Faire connaître en mettant en valeur. *Tout jeune, Denis Prost est allé tourner un film aux États-Unis et c'est ce film qui l'a lancé. On lance une nouvelle marque de yaourts,* on fait de la publicité pour la faire connaître. **5.** *Se lancer,* c'est se précipiter. *Mme Harpie s'est lancée à la poursuite des voleurs en brandissant son parapluie.*

Il est maintenant un comédien célèbre.

Même famille que ① **lancer**

Il y a aussi les *lancers du javelot, du disque, du marteau.*

② lancer n. m.
Le lancer du poids, c'est une épreuve sportive qui consiste à lancer un poids le plus loin possible. *M. Bellec a regardé le lancer du poids à la télévision.*

Quand on fait de la *pêche au lancer,* on lance au loin l'hameçon et on le ramène avec un moulinet.

lancinant adj.
Une douleur lancinante, c'est une douleur vive qui fait souffrir, disparaît puis revient sans cesse. *Mme Hespel a des douleurs lancinantes dans le genou.*

Au pluriel : *des landaus.*

landau n. m.
Voiture d'enfant à grandes roues et à capote. *Sophie Pelletier promène Martin dans son landau.*

Martin a 6 mois.

Il ira bientôt dans une *poussette.*

lande n. f.
Grande étendue de terre où ne poussent que certaines plantes sauvages comme les ajoncs, la bruyère et les genêts. *Au printemps, la lande bretonne est couverte d'ajoncs.*

Va voir aussi ***garrigue, maquis.***

Famille de **langue**

langage n. m.
1. Emploi d'un ensemble de mots pour communiquer avec d'autres hommes. *Les humains peuvent se comprendre entre eux grâce au langage.* **2.** Façon de parler particulière à une personne ou à un groupe de personnes. *Dans le langage des enfants, le mot « nounours » désigne un ours.*

Le langage, c'est la parole et l'écriture.

Tintin utilise un drôle de langage pour parler aux Africains dans *Tintin au Congo.*

lange n. m.
Carré de laine ou de coton dont on enveloppait autrefois les bébés. *Une vieille photo montrait un bébé tout emmailloté de langes.*

Comme une petite momie !

Maintenant, on ne met plus de langes aux bébés, on leur met seulement des couches.

Conjugaison 3 ▭ Indic. présent : *nous langeons.*

▸ **langer** v. Envelopper dans un lange ; vois ***emmailloter.*** *Autrefois on langeait les bébés.*

Au féminin : *langoureuse.*

Famille de **languir**

langoureux adj.
Tendre et rêveur. *Hippolyte jette à Angèle des regards langoureux.*

Il est amoureux d'elle.

langouste n. f.
Grand animal marin, de couleur rosée ou grise, avec de longues antennes et sans pinces. *Yves et Loïc mangent une excellente langouste grillée.*

Les langoustes ressemblent un peu aux homards, mais ceux-ci ont les pattes antérieures armées de grosses pinces.

La langouste et la langoustine sont des *crustacés.*

▸ **langoustine** n. f. Petit animal marin de couleur rosée, à pinces longues et étroites. *M. Bellec a préparé des langoustines à la mayonnaise.*

La langoustine est un peu plus grosse que l'écrevisse.

langue n. f.
1. Organe charnu, placé dans la bouche, qui sert à goûter les aliments et à parler. *Julie s'est brûlé la langue en mangeant sa soupe. Colle et Rat ont tiré la langue à la directrice de l'école.* **2.** *Antoine a la langue bien pendue,* il est très bavard. *Julie ne sait pas tenir sa langue,* se taire, garder un secret. *Mme Harpie est une mauvaise langue,* une personne qui dit du mal des autres. **3.** *Une langue-de-chat,* c'est un petit gâteau sec. *Sylvain mange des langues-de-chat.* **4.** Ensemble des mots et des règles qu'on utilise pour parler, comprendre ce qui est dit, écrire et lire. *Les Français et les Anglais ne parlent pas la même langue. La langue maternelle de Marie-Tévy est le cambodgien,* la langue qu'elle a apprise quand elle a commencé à parler. **5.** Ensemble de mots particuliers ; vois ***langage.*** *La langue des avocats et des notaires est quelquefois difficile à comprendre.*

Appliquées, les petites travaillaient en silence, tirant la langue du côté où penchaient leurs têtes *(les Contes du Chat perché).*

Va voir *donner sa langue au chat* à ***chat.***

Il faut tourner sept fois sa langue dans sa bouche avant de parler : il faut réfléchir avant de dire quelque chose.

Le latin et le grec ancien sont des *langues mortes,* des langues que l'on ne parle plus.

L'anglais, l'allemand, l'italien sont des *langues vivantes,* des langues que l'on parle actuellement.

Compare : *langue → languette* et *cloche → clochette.*

▸ **languette** n. f. Objet plat, souple et allongé qui ressemble à une petite langue. *Il y a une languette de cuir ou de toile sous les lacets des chaussures à lacets.*

Autre membre de la famille : **langage.**

Conjugaison 2

languir v.
1. *La conversation languit,* elle traîne, elle manque d'entrain. *La*

conversation languit, on commence à s'ennuyer. **2.** *Se languir,* c'est s'ennuyer. *M. Doucet se languissait quand il dînait chez Mme Harpie.* **3.** *Ne me fais pas languir, raconte-moi toute l'histoire,* ne me fais pas attendre.

« Écoutez, monsieur Seguin, je me languis chez vous, laissez-moi aller dans la montagne » *(les Lettres de mon moulin).*

▷ ***langueur*** n. f. Manque d'activité ou d'énergie. *Julie est allongée sur le divan dans une pose pleine de langueur.*

La Chenille [...] demanda d'une voix languissante et endormie : — Qui es-tu ? *(Alice au Pays des merveilles).*

▷ ***languissant*** adj. Qui manque d'énergie, d'entrain ; vois ***morne.*** *Tous les invités commençaient à s'endormir, la conversation devenait ennuyeuse et languissante.*

Autre membre de la famille : **langoureux.**

lanière n. f.

Longue et étroite bande de cuir ou d'une autre matière souple ; vois ***courroie.*** *Claire ne sait pas attacher les lanières de ses sandales.*

Elle n'a que 5 ans.

lanterne n. f.

Prendre des vessies pour des lanternes, c'est se tromper bêtement.

1. Boîte à parois transparentes dans laquelle on place une lumière. *Le seuil de la maison était éclairé par une lanterne en fer forgé.* **2.** *Les lanternes,* ce sont les lampes de phare d'une voiture qui donnent le plus faible éclairage. *Quand le soir tombe, l'automobiliste allume ses lanternes ;* vois ***veilleuse.***

Va voir aussi ***lampion.***

Éclairer la lanterne de quelqu'un, c'est le renseigner, l'informer.

Conjugaison 1

laper v.

Boire à coups de langue. *Le chat lape le lait dans son écuelle.*

Prononce [lapʀo]. Au pluriel : *des lapereaux.*

lapereau n. m.

Jeune lapin. *La lapine sort du terrier suivie de ses lapereaux.*

Conjugaison 1

lapider v.

Lapider quelqu'un, c'est l'attaquer ou le tuer en lui lançant des pierres. *La foule commençait à lapider l'assassin.*

Saint Étienne a été lapidé.

lapin n. m., lapine n. f.

C'était le Lapin Blanc qui revenait en trottant avec lenteur et en jetant autour de lui des regards inquiets comme s'il avait perdu quelque chose *(Alice au Pays des merveilles).*

Petit animal rongeur, herbivore, à pelage beige, fauve ou blanc et à grandes oreilles. *Le lapin, la lapine et leurs lapereaux vivent dans un terrier. Les oreilles des lapins sont plus courtes que celles des lièvres. Les Séverac mangent souvent du civet de lapin. Mme Roussel s'est acheté une veste et un bonnet en lapin pour l'hiver.*

Le lapin est un mammifère.

Va voir aussi ***clapier.***

Poser un lapin à quelqu'un : ne pas venir au rendez-vous.

Prononce le ***s*** final : [laps].

laps n. m.

Un laps de temps, c'est un espace de temps, une durée. *Il s'est écoulé un certain laps de temps depuis notre rencontre.*

Lapsus [lapsys] rime avec *astuce.*

lapsus n. m.

Faire un lapsus, c'est dire ou écrire un mot à la place d'un autre, sans le faire exprès. *Antoine a fait un lapsus l'autre jour : en arrivant chez sa tante il lui a dit « au revoir ».*

Les lapsus révèlent souvent ce que l'on pense vraiment.

laquais n. m.

La fée changea les lézards en six laquais qui montèrent aussitôt derrière le carrosse avec leurs habits chamarrés *(Cendrillon).*

Autrefois, serviteur qui portait l'uniforme de la maison de son maître ; vois ***valet.*** *Des laquais en livrée conduisirent les invités, à la lumière des chandeliers, jusqu'à la grande salle du château.*

laque n. f.

1. Peinture brillante qui a l'aspect d'un vernis. *Les Prost ont peint leur salle de bains avec de la laque blanche.* **2.** Produit que l'on vaporise sur les cheveux pour les fixer. *Mme Harpie vaporise de la laque sur son chignon.*

À l'origine, la laque est une sorte de résine que l'on extrait de certains arbres en Extrême-Orient. C'est de cette matière que sont recouverts les meubles anciens en laque de Chine.

Conjugaison 1

▷ ***laquer*** v. **1.** Recouvrir de laque. *M. Bellec a laqué une vieille étagère. Les murs de la salle de bains sont laqués blanc.* **2.** Vaporiser de la laque. *Mme Harpie se laque les cheveux.*

larcin n. m.

Petit vol sans importance. *Colle et Rat ont commis un larcin : ils ont volé un sac de bonbons dans le magasin de Mme Harpie.*

On trouve ce mot surtout dans les livres.

Attention ! un ***d*** à la fin : pense à *lardon.*

lard n. m.

Épaisse couche de graisse que le porc a sous la peau. *Le charcutier découpe des tranches de lard fumé. Mamie Lou a fait une omelette au lard.*

Conjugaison 1

▸ **larder** v. **1.** *Larder un morceau de viande,* c'est mettre des lardons à l'intérieur. *Le boucher larde un rôti de veau.* **2.** *Larder une personne de coups de couteau,* c'est la percer de coups de couteau à plusieurs reprises. *On a retrouvé le corps de la victime lardé de coups de poignard.*

On introduit les lardons dans la viande en faisant de petits trous avec la pointe d'un couteau.

▸ **lardon** n. m. Petit morceau de lard dont on se sert pour la cuisine. *Le docteur Séverac prépare une salade aux lardons.*

large adj., n. m. et adv.

Ce corridor était assez large pour laisser passer une voiture *(Charlie et la Chocolaterie).*

▭ **adj. 1.** Grand, dans le sens de la largeur. *Le Mississipi est plus large que la Seine.* **2.** *Un vêtement large,* c'est un vêtement qui n'est pas serré. *Julie aime les pantalons larges ;* vois ***ample.*** **3.** Important. *M. Bellec a une large responsabilité dans l'accident de voiture qu'il a eu.* **4.** *Avoir les idées larges,* c'est admettre que les autres puissent penser ou agir autrement que soi. *Mamie Lou a les idées larges.* **5.** Généreux. *Denis Prost a été très large avec le serveur,* il lui a donné un gros pourboire.

Le contraire, c'est *étroit.*

Les bottes [de l'Ogre] étaient fort grandes et fort larges ; mais comme elles étaient Fées, elles avaient le don de s'agrandir et de s'apetisser selon la jambe de celui qui les chaussait *(le Petit Poucet).*

▭ **n. m. 1.** Largeur. *La table a trois mètres de long et deux mètres de large.* **2.** *M. Doucet marche de long en large sur le quai de la gare,* il va et vient en faisant sans cesse le même trajet. **3.** *Mme Harpie aime être au large dans une voiture,* elle aime avoir beaucoup de place. **4.** La haute mer. *Le bateau gagne le large. Un cargo a coulé au large de Brest,* en mer, à une certaine distance de Brest.

— Mais certainement, a répondu papa, l'air du large ça creuse ! *(le Petit Nicolas).*

▭ **adv. 1.** D'une manière ample. *Mme Bellec s'habille large.* **2.** *Ce voyage nous reviendra à trois mille francs, en comptant large,* sans compter précisément et en comptant un peu plus.

Compare : *large → largement, ample → amplement* et *pauvre → pauvrement.*

▸ **largement** adv. **1.** Sur une grande largeur. *Mme Séverac portait une robe largement décolletée.* **2.** *Alex avait largement de quoi payer la réparation de sa moto,* il avait assez d'argent et même plus ; vois ***amplement.*** *Il y a largement une heure qu'il est parti,* il y a plus d'une heure.

▸ **largesse** n. f. Don généreux. *Mme Harpie ne fait jamais de largesses.*

Et 75 centimètres de *hauteur.*

▸ **largeur** n. f. **1.** *La table a trois mètres de longueur et deux mètres de largeur,* de large. **2.** *La largeur d'esprit,* c'est la tolérance, la compréhension. *Mamie Lou a une grande largeur d'esprit.*

Autres membres de la famille : **élargir, élargissement.**

Attention ! un ***u*** après le ***g***.

Conjugaison 1

larguer v.

1. *Larguer les amarres,* c'est les détacher. *Le paquebot va partir, la sirène retentit, les matelots larguent les amarres.* **2.** Laisser tomber. *L'avion a largué des bombes sur la ville ;* vois ***lâcher.***

M. Lanterneau est resté debout et il a crié : — Larguez les amarres ! Hissez les voiles ! En avant, toute ! *(le Petit Nicolas).*

larme n. f.

C'est tellement mystérieux le pays des larmes *(le Petit Prince).*

Goutte d'eau salée qui coule des yeux ; vois ***pleur.*** *Claire a du chagrin, elle pleure à chaudes larmes,* abondamment. *Les larmes me montent aux yeux. Marie-Tévy a du mal à retenir ses larmes. Tout à coup, Sylvain a fondu en larmes.*

[...] elle ne tarda pas à comprendre qu'elle était dans la mare des larmes qu'elle avait versées au moment où elle avait deux mètres soixante et quinze de haut *(Alice au Pays des merveilles).*

Conjugaison 8
▭ Indic. présent : *je larmoie, nous larmoyons.*

▸ **larmoyer** v. *Julie a les yeux qui larmoient à cause du vent,* elle a sans cesse des larmes dans les yeux.

larve n. f.

La larve n'a pas le même aspect que l'animal adulte et ne vit pas de la même façon que lui.

Forme que prennent certains animaux avant d'atteindre l'état adulte. *Le têtard est la larve de la grenouille. La larve du hanneton s'appelle le ver blanc. La chenille est la larve du papillon.*

Les larves subissent des métamorphoses ; va voir ***chrysalide*** et ***cocon.***

Attention ! un ***y*** et un ***x***.

larynx n. m.

Organe situé à l'intérieur du cou et qui contient les cordes vocales. *Le larynx bouge quand on parle ou quand on tousse.*

Ne confonds pas *larynx* et *pharynx.*

Ne prononce pas le ***s*** final au masculin : [la].

las adj.

1. Très fatigué, incapable de faire un effort. *Sophie Pelletier se sentit soudain très lasse et se laissa tomber dans un fauteuil.* **2.** *Les Bellec sont las d'écouter les plaintes de Mme Harpie,* ils en ont assez, ils ne peuvent plus le supporter. *Hippolyte se sent las de tout parce qu'Angèle ne l'aime pas.*

[Blancheneige] était tellement lasse qu'elle se coucha dans un petit lit *(Blancheneige).*

Au féminin : *lasse.*

Autres membres de la famille : **délasser, délassement, inlassable, inlassablement, lasser, lassant, lassitude.**

Laser [lazɛʀ] rime avec *désert.*

laser n. m.

Appareil qui produit un rayon de lumière extrêmement concentré. *On*

Au pluriel : *des lasers.*

utilise le laser, en médecine, quand on a besoin d'agir sur une toute petite surface.

Conjugaison 1

Famille de **las**

lasser v.

Lasser quelqu'un, c'est le fatiguer en l'ennuyant. *Mme Harpie finira par lasser son entourage avec ses plaintes perpétuelles. — Les enfants ne se lassent jamais de jouer,* ils n'en ont jamais assez.

▹ ***lassant*** adj. Fatigant. *Les plaintes de Mme Harpie sont lassantes à la longue.*

▹ ***lassitude*** n. f. **1.** Grande fatigue. *Malgré sa lassitude, Sophie Pelletier se remit à travailler.* **2.** Ennui et découragement. *Angèle céda à ses élèves par lassitude.*

lasso n. m.

On lance le lasso en le faisant tournoyer au-dessus de sa tête.

Longue corde terminée par un nœud coulant. *Les cow-boys attrapent les chevaux sauvages au lasso.*

Tintin lance son lasso... et ligote son propre cheval !

latent adj.

Quelque chose de latent, c'est quelque chose qui ne se manifeste pas, qui reste caché. *La révolte était latente et soudain elle éclata.*

Compare *latéral* et *quadrilatère* : dans ces mots, il s'agit de **côté.**

latéral adj.

Situé sur le côté. *Le fantôme habite dans une partie latérale du château. Julie se regarde dans les panneaux latéraux de la glace à trois faces. Le caméléon a une vision latérale,* il voit sur les côtés.

Autres membres de la famille : **bilatéral, équilatéral, unilatéral.**

Attention ! un ***x*** à la fin.

Avec deux coulées de latex, Tintin a fait une catapulte.

latex n. m.

Liquide visqueux, parfois un peu blanc, qui forme la sève de certains arbres. *On saigne les hévéas pour en recueillir le latex.*

C'est à partir du latex que l'on fabrique le caoutchouc.

latin n. m.

Langue que parlaient autrefois les Romains. *Nathalie a commencé à apprendre le latin, cette année.* — adj. *L'Amérique du Sud s'appelle aussi l'Amérique latine.*

On y parle des langues qui viennent du latin.

« Ave » veut dire « bonjour » en latin.

latitude n. f.

La latitude se mesure en degrés, en partant de l'équateur et en allant vers le pôle Nord ou le pôle Sud.

1. Distance qui sépare un point du globe terrestre de l'équateur. *Paris est à 48° de latitude nord. New York est à peu près à la même latitude que Naples.* **2.** Possibilité de faire comme l'on veut ; vois ***liberté.*** *Angèle, l'institutrice, a laissé toute latitude aux enfants pour la préparation de la fête de l'école.*

Va voir aussi ***longitude*** et ***parallèle.***

On peut dire aussi : *elle leur a laissé carte blanche.*

Attention ! deux *t*.

latte n. f.

Long morceau de bois mince et étroit ; vois ***lame.*** *Claire a laissé tomber une épingle entre les lattes du parquet.*

lauréat n. m., lauréate n. f.

Personne qui a remporté un prix dans un concours ; vois ***gagnant, vainqueur.*** *Les lauréats du concours ont gagné un voyage autour du monde.*

laurier n. m.

Tout le monde regardait Agnan qui portait des tas de livres de prix dans ses bras et une couronne de laurier autour de la tête *(le Petit Nicolas).*

Arbuste dont les feuilles allongées et luisantes ne tombent pas en hiver. *M. Bellec ajoute du thym et du laurier dans l'eau du court-bouillon. Chez les Romains, on tressait des couronnes de laurier aux généraux vainqueurs ou aux poètes.*

Le laurier-rose est un petit arbre à fleurs roses ou blanches qui pousse sur les bords de la Méditerranée.

Compare : *laver → lavable* et *payer → payable.*

lavable adj.

Ce pantalon est lavable en machine, il peut être lavé dans une machine. *La peinture de la cuisine est lavable.*

Famille de **laver**

Au pluriel : *des lavabos.*

lavabo n. m.

Dispositif servant à faire sa toilette, formé d'une cuvette à hauteur de table, de robinets, d'eau courante et d'un système de vidange. *Le lavabo est dans la salle de bains. Sylvain va se laver les mains dans le lavabo.*

On dit quelquefois *les lavabos* pour dire « les toilettes ».

Compare : *laver → lavage* et *repasser → repassage.*

lavage n. m.

Action de laver. *Chez les Prost, une femme de ménage s'occupe du lavage et du repassage.*

Famille de **laver**

lavande n. f.

Il y a de grands champs de lavande dans le midi de la France.

Plante à fleurs bleues qui sentent très bon. *Mme Bellec met de petits sachets de lavande entre les piles de linge. Mme Harpie se parfume à l'eau de lavande.*

Le bleu lavande est un bleu assez clair tirant sur le mauve.

lave n. f.

La lave refroidie fait le sol tout noir sur les pentes du volcan.

Matière pâteuse, noirâtre et brûlante qui sort d'un volcan. *Une coulée de lave descend lentement vers le village.*

Famille de **laver** et de ① **glace**

lave-glace n. m.

Appareil qui envoie un jet d'eau sur le pare-brise d'une voiture. *Le conducteur appuie sur le bouton du lave-glace puis actionne les essuie-glaces.*

Au pluriel : *des lave-glaces.*

Conjugaison 1

laver v.

Marie-Madeleine
Va à la fontaine,
Se lave les mains,
Les essuie bien (comptine).

Attention ! on écrit *elle s'est lavée,* mais *elle s'est lavé les dents.*

1. Nettoyer avec de l'eau. *Le dimanche, M. Bellec lave sa voiture. Nathalie a mis son tee-shirt sale dans la machine à laver,* dans la machine qui lave le linge. — *Julie est sortie de son bain sans s'être lavée.* **2.** *Yasmina s'est lavé les dents,* elle a lavé ses dents. *Lave-toi les mains, elles sont toutes noires,* lave tes mains.

Le contraire, c'est *salir.*

La première machine à laver, à tambour, a été construite en 1851 par un Américain.

▸ ***laverie*** n. f. Local équipé de machines à laver où l'on peut faire sa lessive en payant ; vois ***blanchisserie.*** *Hippolyte porte son linge à la laverie.*

On dit aussi une *laverie automatique.*

▸ ***laveur*** n. m., ***laveuse*** n. f. Personne dont le métier est de laver quelque chose. *Le laveur de carreaux a oublié son échelle.*

Au pluriel : *des lave-vaisselle* ou *des lave-vaisselles.*

▸ ***lave-vaisselle*** n. m. Machine à laver la vaisselle. *Denis Prost met les assiettes sales dans le lave-vaisselle.*

Famille de **vaisselle**

Les lavoirs étaient quelquefois installés au bord d'une rivière.

▸ ***lavoir*** n. m. Bassin aménagé pour laver le linge dans les villages et les quartiers. *Autrefois, les femmes allaient laver le linge au lavoir.*

Autres membres de la famille : **délavé, lavable, lavage, lave-glace.**

laxatif adj.

Un produit laxatif, c'est un produit qui relâche l'intestin et purge légèrement. *Les pruneaux sont laxatifs.* — n. m. *Quand on est constipé, on prend un laxatif.*

L'huile de paraffine est laxative.

Prononce [lɛjɛt].

layette n. f.

La layette, c'est l'ensemble des vêtements d'un bébé. *Mme Bellec tricote de la layette pour son futur bébé.*

Le et *la* deviennent *l'* devant une voyelle ou un *h* muet.

① **le** article défini m., **la** article défini f., **les** article défini plur.

Le singe et la guenon ont mangé toutes les bananes. Julie a perdu l'appétit. Les enfants se sont lavé les mains. Le docteur Séverac reçoit le mardi et le vendredi.

Va voir aussi ***au*** et ***du.***

Autres membres de la famille : **lendemain, surlendemain ; lequel, sur-le-champ.**

Le et *la* deviennent *l'* devant une voyelle ou un *h* muet : *je **l'**entends, il **l'**habille ;* sauf après un impératif : *faites-**le** entrer.*

② **le** pronom m., **la** pronom f., **les** pronom plur.

Pronoms personnels de la 3e personne. **1.** *Le, la, les* compléments d'objet direct, représentent un nom, un pronom qui vient d'être exprimé ou qui va être exprimé. *C'est Marie-Tévy, nous la connaissons bien. Loïc pêche et Yves le regarde pêcher. Mamie Lou avait perdu ses lunettes mais Claire les a retrouvées.* **2.** *Le* de valeur neutre ; vois ***cela.*** *Angèle le fera puisqu'elle l'a promis.*

Leader [lidœʀ] rime avec *vigueur. Leader* est un mot d'origine anglaise.

leader n. m.

1. Chef d'un parti politique. *Le leader de l'opposition a prononcé un discours devant ses partisans.* **2.** Concurrent qui est en tête dans une compétition sportive. *C'est le leader du championnat du monde d'échecs.*

Au pluriel : *des leaders.*

Conjugaison 6

lécher v.

Lécher quelque chose, c'est passer sa langue dessus. *Antoine lèche sa glace à la fraise.* — *Les chats se lèchent pour faire leur toilette.* — *Mme Harpie dit que M. Bellec est un ours mal léché,* une personne aux manières grossières.

Autre membre de la famille : se **pourlécher.**

Lécher les vitrines, ou *faire du lèche-vitrines,* c'est les regarder de très près avec grand plaisir.

Attention à la cédille du ***ç*** !

leçon n. f.

1. Ce qu'un écolier doit apprendre. *Sylvain apprend sa leçon de géographie. Fais tes devoirs et récite-moi tes leçons avant d'aller jouer.* **2.** Cours donné par un professeur. *Marie-Tévy prend des leçons de danse.* **3.** *Faire la leçon à quelqu'un,* c'est lui expliquer comment il faut se conduire ou lui reprocher de s'être mal conduit. *Mme Harpie fait sans cesse la leçon à son neveu. Mme Hespel aimerait bien que son fils ait tiré une leçon de son échec au bac,* que son échec lui ait fait comprendre quelque chose ; vois ***enseignement.***

Tous les jours, un savant professeur donne des leçons à Babar *(Babar).*

Le capitaine Haddock a voulu donner une leçon au lama en lui crachant, à son tour, de l'eau à la figure.

Qu'il ne travaillait pas assez, par exemple !

Compare *lecteur* et *lecture* : dans ces mots, il s'agit de **lire.**

lecteur n. m., *lectrice* n. f.

Personne qui lit. *Ce journal a de nombreux lecteurs. Nathalie est une grande lectrice de romans d'espionnage. Dans le journal, il y a une rubrique « courrier des lecteurs »,* des personnes qui lisent ce journal.

Un *lecteur de cassettes,* c'est un appareil qui reproduit les sons enregistrés sur une cassette.

Compare *lecture* et *lecteur* : dans ces mots, il s'agit de **lire.**

lecture n. f.

Action de lire. *Sylvain aime la lecture. Quand Julie était à l'hôpital, Yasmina lui a apporté de la lecture,* des livres et des journaux. *Ce livre est trop difficile, ce n'est pas une lecture pour toi,* ce n'est pas un texte pour toi. *Mamie Lou fait la lecture à Claire,* elle lui lit des histoires à haute voix.

Claire ne sait pas encore lire, elle n'a que 5 ans.

Pendant une semaine, le bœuf s'abstint de toute espèce de lectures mais il fut si malheureux qu'il maigrit *(les Contes du Chat perché).*

légal adj.

Conforme à la loi, fixé par la loi. *Denis Prost n'a pas payé ses impôts dans les délais légaux.*

Le contraire de *légal,* c'est *illégal.*

En France, l'âge légal pour voter est de 18 ans.

▸ ***légalement*** adv. Suivant la loi. *Légalement, une personne est majeure à 18 ans.*

▸ ***légaliser*** v. *Légaliser quelque chose,* c'est faire une loi qui l'autorise. *Le gouvernement a légalisé les radios libres.*

Compare : *légal → légaliser, central → centraliser* et *général → généraliser.*

Conjugaison 1

▸ ***légalité*** n. f. Ce qui est conforme à la loi. *Les gangsters ne respectent pas la légalité.*

Autres membres de la famille : **illégal, illégalité.**

légataire n. m. et f.

Personne à qui l'on lègue sa fortune ; vois ***héritier.*** *Mme Pelletier avait fait de sa fille sa légataire.*

Elle lui avait fait un *legs.*

légende n. f.

1. Récit merveilleux que se transmettent les gens de génération en génération. *La légende raconte que le château est hanté.* **2.** Petit texte qui explique l'image, sous une photo ou un dessin. *La légende indique qu'il s'agit d'un dinosaure en train de brouter.*

Lorsque j'étais petit garçon, j'habitais une maison ancienne, et la légende racontait qu'un trésor y était enfoui *(le Petit Prince).*

▸ ***légendaire*** adj. **1.** *Un personnage légendaire,* c'est un personnage qui n'existe que dans les légendes. *L'ogre est un personnage légendaire ;* vois ***fabuleux, imaginaire.*** **2.** Bien connu. *Les colères de M. Bellec sont légendaires ;* vois ***célèbre.***

Compare : *légende → légendaire* et *exemple → exemplaire.*

Attention à l'accent aigu du *é.*

léger adj.

1. Qui a peu de poids, se soulève facilement. *Cette valise est légère comme une plume.* **2.** Peu abondant. *Sylvain est malade, il a mangé un repas léger,* qui ne pèse pas sur l'estomac ; vois ***frugal.*** **3.** Vif et gracieux. *Marie-Tévy a une démarche souple et légère.* **4.** Mince, fin. *Une légère couche de neige recouvrait le sol. Julie porte une robe légère.* **5.** Peu important, faible. *Le gâteau a un léger goût de brûlé. Le chat a entendu un bruit léger dans les fourrés.* **6.** Irresponsable ; vois ***inconséquent.*** *Denis Prost s'est montré léger en laissant Martin tout seul.* **7.** *Faire quelque chose à la légère,* c'est le faire sans réfléchir. *Angèle n'aime pas prendre ses décisions à la légère. Hippolyte prend les choses à la légère,* avec insouciance.

Le contraire de *léger,* c'est *lourd, pesant.*

Sur ces mots, le cheval gagna la route et partit d'un trot léger que les parents ne regardèrent pas sans mélancolie *(les Contes du Chat perché).*

Le contraire de *léger,* c'est *épais.*

Le contraire de *léger,* c'est *fort.*

Martin n'a que 6 mois.

Réfléchis bien, petite souris, et ne te décide pas à la légère *(les Contes du Chat perché).*

▸ ***légèrement*** adv. **1.** Sans excès. *Sylvain a dîné légèrement.* **2.** Avec agilité. *Marie-Tévy marche légèrement.* **3.** *Julie est habillée légèrement,* avec des vêtements légers. **4.** À peine. *Le cheval était légèrement blessé. M. Bonnot est légèrement plus âgé que sa femme.* **5.** À la légère. *Denis Prost a agi légèrement,* sans réfléchir.

Compare : *léger → légèrement, légèreté* et *grossier → grossièrement, grossièreté.*

▸ ***légèreté*** n. f. **1.** Caractère de ce qui ne pèse pas lourd. *Cette valise est d'une grande légèreté.* **2.** Aisance dans les mouvements. *Marie-Tévy marche avec légèreté.* **3.** Finesse. *Mme Roussel admire la légèreté de ce tissu.* **4.** Manque de sérieux. *Denis Prost a agi avec légèreté ;* vois ***insouciance.***

Prononce [leʒɛʀte].

Le contraire de *légèreté,* c'est *lourdeur.*

Autre membre de la famille : **alléger.**

légion n. f.

1. Chez les Romains, armée composée de soldats à pied et à cheval. *La Gaule a été conquise par les légions de Jules César.* **2.** *La Légion étrangère,* c'est une troupe d'élite française composée de volontaires de tous les pays soumis à une discipline très stricte et envoyés dans les combats les plus durs. *Quand il était plus jeune, Hippolyte voulait s'engager dans la Légion étrangère.*

Au Ier siècle avant J.-C., la légion romaine comprenait environ 6 000 hommes.

On dit aussi *la Légion.*

Le drapeau de la Légion porte la devise « Honneur et Fidélité ».

▸ ***légionnaire*** n. m. **1.** Soldat d'une légion romaine. *Le légionnaire a perdu sa lance.* **2.** Soldat qui sert dans la Légion étrangère. *Les légionnaires ont un képi blanc et une ceinture bleue.*

Légion d'honneur n. f.

La Légion d'honneur a été créée en 1802 par Bonaparte.

Il était dans la Résistance.

La Légion d'honneur, c'est une décoration que l'on reçoit, en France, en récompense des services que l'on a rendus à son pays. *Après la guerre, M. Bonnot a été décoré de la Légion d'honneur.*

On peut être chevalier, officier, commandeur, grand officier ou grand-croix de la Légion d'honneur.

législatif adj.

Les *élections législatives,* ce sont les élections des députés.

Qui a le pouvoir de faire les lois. *L'Assemblée nationale et le Sénat sont des chambres législatives,* qui votent les lois.

Va voir aussi ***exécutif.***

législation n. f.

Compare ***législation*** et ***législatif*** : dans ces mots, il s'agit de ***loi.***

Ensemble des textes de lois qui s'appliquent dans un pays. *La législation française et la législation anglaise sont différentes. Le trafic aérien est régi par la législation aérienne.*

Chaque aspect de la vie en société est soumis à une législation particulière.

légitime adj.

1. Reconnu par la loi, conforme au droit. *Sophie Pelletier n'est pas la femme légitime de Denis Prost,* ils ne sont pas mariés. **2.** Juste, compréhensible. *Pour une fois, les plaintes de Mme Harpie sont légitimes. Quand il a tiré sur le voleur qui le menaçait, M. Bellec était en état de légitime défense,* son acte était interdit par la loi mais compréhensible dans ce cas-là.

Colle et Rat ont cassé la vitrine de son magasin.

Le contraire de *légitime,* c'est *illégitime.*

Autre membre de la famille : **illégitime.**

legs n. m.

Legs [lɛg] rime avec *collègue.*

Va voir aussi ***légataire.***

Don que l'on fait par testament. *Mme Pelletier a fait un legs à sa fille avant de mourir,* elle lui a légué ses biens.

Attention ! un ***s*** à la fin.

léguer v.

Conjugaison 6 ▭ Indic. présent : *je lègue, nous léguons.*

Léguer quelque chose à quelqu'un, c'est le lui donner en faisant un testament. *Mme Pelletier a légué tous ses biens à sa fille avant de mourir.*

Elle lui a fait un *legs.*

légume n. m.

Les légumes poussent dans le jardin potager.

Les légumes secs sont des graines séchées.

Plante dont on mange certaines parties. *La salade, les épinards et les carottes sont des légumes verts. Les lentilles sont des légumes secs. Claire mange une soupe de légumes.*

Les légumes verts se mangent frais, sauf si on en fait des conserves ou si on les congèle.

lémurien n. m.

À Madagascar, il y a beaucoup d'espèces de lémuriens.

Singe à museau de renard qui habite les régions tropicales. *Les lémuriens vivent surtout la nuit.*

lendemain n. m.

Famille de ① **le,** de ① **en** et de **demain**

Le lendemain, les deux sœurs furent au Bal et Cendrillon aussi *(Cendrillon).*

Jour qui suit celui dont il est question. *Le lendemain de son arrivée en Afrique, le docteur Séverac est tombé malade. Julie se couche tôt le dimanche soir, car le lendemain matin elle va à l'école. Réjean a trouvé du travail du jour au lendemain,* en très peu de temps.

La femme de l'Ogre, qui crut qu'elle pourrait les cacher à son mari jusqu'au lendemain matin, les laissa entrer *(le Petit Poucet).*

lent adj.

Il a le cerveau lent ! *(le cerf-volant).*

Qui met beaucoup de temps à faire quelque chose, qui n'est pas rapide. *Alex est lent à comprendre ce qu'on lui dit. Marie-Tévy est lente comme un escargot. Ce train s'arrête à chaque gare, il est bien lent.*

Le contraire de *lent,* c'est *prompt, rapide.*

▸ ***lentement*** adv. Avec lenteur. *La lave descendait lentement sur la pente du volcan.*

Le contraire de *lentement,* c'est *rapidement, vite.*

▸ ***lenteur*** n. f. Manque de rapidité, de vivacité. *Le cortège avançait avec lenteur sur le boulevard. La lenteur des travaux s'est accentuée ces derniers temps.*

Elle [la tortue] part, elle s'évertue ;
Elle se hâte avec lenteur
(La Fontaine).

Autres membres de la famille : **ralentir, ralenti, ralentissement.**

lente n. f.

Œuf de pou. *Yves a des lentes dans les cheveux.*

lentille n. f.

1. *Les lentilles,* ce sont des légumes secs qui se présentent sous la forme de petites graines rondes et plates, brunes ou vertes. *Mme Bellec mange de la palette aux lentilles.* **2.** Petit disque de verre qui sert à voir plus gros. *Dans les loupes, les microscopes, les appareils photo, il y a des lentilles. Mme Hespel porte des lentilles de contact,* des verres qui corrigent la vue et qui s'appliquent sur l'œil.

Les lentilles sont dans des gousses larges et courtes. Chaque gousse renferme deux graines.

Les lentilles de contact peuvent aussi être en plastique.

Avant, elle portait des lunettes.

Attention ! un *d* à la fin.

Un léopard est entré dans la case où Tintin donnait une leçon de calcul !

léopard n. m.
Panthère d'Afrique au pelage tacheté de jaune et de noir. *Les léopards sont des fauves solitaires qui sortent surtout la nuit. Sophie Pelletier a un manteau de léopard.*

Si tu vas dans les bois,
Prends garde au léopard.
Il miaule à mi-voix
Et vient de nulle part
(R. Desnos).

Attention à l'accent grave du *è* !

lèpre n. f.
Maladie grave et très contagieuse qui se caractérise par des boursouflures rouges et des plaies sur la peau. *Beaucoup de personnes sont encore atteintes de la lèpre en Afrique noire et en Asie.*

Au Moyen Âge, ceux qui avaient la lèpre portaient une crécelle pour annoncer leur présence.

Attention à l'accent aigu du *é* !

▷ **lépreux** n. m., **lépreuse** n. f. Personne qui a la lèpre. *Le docteur Albert Schweitzer soignait les lépreux.*

Il créa un hôpital à Lambaréné, au Gabon.

Famille de ① **le** et de **quel**.

lequel pronom m. singulier, **laquelle** pronom f. singulier, **lesquels** pronom m. plur, **lesquelles** pronom f. plur.
Pronoms relatifs et interrogatifs. *Le lit sur lequel est étendue Julie est le sien. La personne à laquelle vous venez de parler est la directrice,* à qui vous venez de parler. *Les enfants avec lesquels joue Claire sont ceux du voisin. Parmi toutes ces chaussures, lesquelles sont à toi ?*

Va voir aussi ***auquel*** et ***duquel.***

Conjugaison 6
▭ Indic. présent : *je lèse, nous lésons.*

léser v.
Être lésé, c'est ne pas recevoir ce à quoi l'on a droit. *Quand les enfants ont partagé les bonbons, Marie-Tévy a été lésée ;* vois ***défavoriser, désavantager.***

Un *crime de lèse-majesté,* c'est une atteinte à la majesté du souverain.

Conjugaison 1

lésiner v.
Lésiner sur quelque chose, c'est dépenser le moins d'argent possible pour cette chose. *Mme Harpie lésine sur la nourriture.*

Elle est si avare !

lésion n. f.
Blessure, due à une maladie ou à un accident, qui abîme une partie du corps. *Il a eu une lésion au cerveau à la suite d'un accident de voiture.*

Attention ! deux *s* dans *lessive, lessiver* et *lessiveuse.*

lessive n. f.
1. Produit, le plus souvent en poudre, que l'on dissout dans l'eau pour laver le linge. *Mme Roussel a acheté un baril de lessive.* **2.** *Faire la lessive,* c'est laver le linge. *Odile Séverac fait plusieurs lessives par semaine.* **3.** Le linge qui va être lavé ou qui vient d'être lavé. *Mamie Lou étend la lessive sur une corde à linge.*

Les nains lui dirent : « Si tu veux t'occuper de notre ménage, faire la cuisine, les lits, la lessive, coudre et tricoter, tu peux rester chez nous, tu ne manqueras de rien. — Oui, répondit Blancheneige, j'accepte de tout mon cœur », et elle resta chez eux *(Blancheneige).*

Conjugaison 1

▷ **lessiver** v. *Lessiver un mur,* c'est le nettoyer avec de la lessive. *On a lessivé la cuisine avant de la repeindre.*

Maintenant, il y a des machines à laver.

▷ **lessiveuse** n. f. Grande bassine dans laquelle on lave le linge en le faisant bouillir. *Autrefois, on lavait le linge dans des lessiveuses.*

Lest [lɛst] rime avec *veste.*

lest n. m.
Poids dont on charge un navire, un véhicule, pour le rendre plus stable. *Dans un ballon, on lâche du lest pour monter plus haut.*

Le lest d'un ballon dirigeable est constitué par des sacs de sable.

Conjugaison 1

▷ **lester** v. Charger de lest. *Les marchandises qui lestent le cargo sont au fond de la cale.*

Le contraire de *lester,* c'est *délester.*

leste adj.
Souple et vif dans ses mouvements. *Mamie Lou se dirige d'un pas leste vers le potager ;* vois ***agile, alerte.***

Avoir la main leste, c'est donner facilement des gifles.

Le contraire de *leste,* c'est *lourd, maladroit.*

lettre n. f.
1. Chacun des signes de l'alphabet qui note les sons du langage parlé. *Claire ne sait pas encore lire mais elle sait écrire quelques lettres. Alex a écrit son nom en toutes lettres,* sans abréviation. *M. Bonnot a suivi mon conseil à la lettre,* il l'a suivi exactement, dans tous ses détails. **2.** Texte écrit que l'on adresse à quelqu'un pour lui faire part de quelque chose. *Sylvain a écrit une lettre à Nathalie. Yasmina répond toujours aux lettres qu'elle reçoit.* **3.** *Alex veut faire des études de lettres après son bac,* de la littérature, de la philosophie, de l'histoire ou des langues.

Sur le cercueil, les nains écrivirent le nom de Blancheneige en lettres d'or.

Il y a 26 lettres dans l'alphabet français.

Maman a dit que le papier à lettres était dans le tiroir de la petite table du salon *(le Petit Nicolas).*

Autre membre de la famille : **illettré.**

Compare *leucémie* et *anémie* : dans ces mots, il s'agit de **sang.**

leucémie n. f.
Très grave maladie du sang. *Lorsqu'on a une leucémie, on a un trop grand nombre de globules blancs dans le sang.*

La leucémie est un cancer du sang.

① ***leur*** pronom personnel invariable

Pronom personnel de la troisième personne du pluriel employé comme complément d'objet indirect. *Angèle leur a donné un devoir de calcul,* à elles, à eux.

Les parents ne répondirent pas, mais les dernières paroles du chat leur donnèrent à réfléchir *(les Contes du Chat perché).*

Va voir aussi ***lui.***

② ***leur*** adj. possessif singulier, ***leurs*** adj. possessif pluriel

Qui est à eux, à elles ; qui sont à eux, à elles. *Les Bellec et leur fils partent en voyage. Les enfants ont remis leurs gants.*

Delphine et Marinette ôtèrent leurs belles robes pour mettre leurs tabliers de tous les jours *(les Contes du Chat perché).*

Va voir aussi ***son.***

③ ***leur*** pronom possessif et n.

▭ **pronom possessif** *Le leur, la leur,* la personne ou la chose qui est à eux, à elles. *Notre maison est voisine de la leur. Mes enfants sont plus grands que les leurs.*

▭ **n. 1.** n. m. *Ils y ont mis du leur,* ils ont fait un effort. **2.** n. m. plur. *Les leurs,* leurs parents, leurs amis. *Ils veulent habiter près des leurs.* **3.** n. f. plur. *Des leurs,* des folies, des bêtises. *Colle et Rat ont encore fait des leurs.*

On dit surtout *faire des siennes.*

Attention ! deux ***r*** dans *leurre* et *leurrer.*

leurre n. m.

Tromperie, illusion. *Cette promesse qu'avait faite Angèle à Hippolyte n'était qu'un leurre.*

Conjugaison 1

▷ ***leurrer*** v. Tromper, berner. *Angèle a leurré Hippolyte par de belles promesses. — Hippolyte s'est longtemps leurré sur les sentiments d'Angèle,* il s'est fait longtemps des illusions.

Famille de ① **lever**

levain n. m.

Pâte dans laquelle on a mis de la levure. *Le boulanger mélange le levain à la pâte qui lui est nécessaire pour une fournée afin que le pain gonfle.*

Le levain fait lever la pâte.

Son levain était moisi
Et son pain tout aplati
(comptine).

Attention ! un ***t*** à la fin.
Famille de ① **lever**

levant adj. et n. m.

1. adj. *Le soleil levant,* c'est le soleil qui se lève. *Loïc contemple la mer au soleil levant.* **2.** n. m. *Le levant,* c'est le côté de l'horizon où le soleil se lève. *Le ciel était rose au levant ;* vois ***est.***

Les pays du Levant, ce sont ceux du Proche-Orient.

Le contraire, c'est *couchant.*

Le contraire du *Levant,* c'est l'*Occident.*

Famille de ① **lever**

levée n. f.

1. Moment où le facteur retire les lettres de la boîte aux lettres pour les acheminer vers leur destination. *Sylvain court poster sa lettre avant la prochaine levée.* **2.** Action de ramasser les cartes lorsqu'on gagne un coup. *C'est M. Bellec qui a fait la levée.* **3.** Digue de terre ou de pierres. *La route est protégée des crues du fleuve par une levée de terre.*

La dernière levée est à 19 h.

Il avait un atout !

Conjugaison 5
▭ Indic. présent : *je lève, nous levons.*
Imparfait : *je levais, nous levions.*
Futur : *je lèverai.*

① ***lever*** v.

1. *Lever quelque chose,* c'est le faire monter. *Denis Prost lève les vitres de sa voiture ;* vois ***remonter.*** *Je lève mon verre à la santé de nos invités.* **2.** Mettre une partie du corps plus haut qu'elle n'est d'habitude. *Julie lève le doigt, elle connaît la réponse. Le chien a levé la patte contre un arbre,* il a uriné. **3.** *La chienne de Sylvain a levé un lièvre,* elle l'a fait sortir de son gîte, à la chasse. **4.** Faire cesser. *Les Romains ont levé le siège. Angèle a levé la punition.* **5.** *Le roi a levé une armée,* il a recruté des soldats pour partir en guerre. **6.** Commencer à sortir de terre. *Le blé lève ;* vois ***pousser.*** **7.** *La pâte lève,* elle se gonfle sous l'effet de la fermentation.

Le contraire de *lever,* c'est *baisser.*

Le contraire de *lever,* c'est *laisser, maintenir.*

▷ *se* ***lever*** v. **1.** Se mettre debout. *David s'est levé de son fauteuil.* **2.** Sortir de son lit. *Sophie Pelletier s'est levée tôt ce matin.* **3.** *Le soleil se lève à six heures,* il apparaît à l'horizon. **4.** *Le vent s'est levé tout d'un coup,* il s'est mis à souffler. **5.** Devenir plus clair. *La brume s'est levée,* elle est devenue moins épaisse.

Le Prince aida la Princesse à se lever ; elle était tout habillée et fort magnifiquement *(la Belle au bois dormant).*

Autres membres de la famille : **élever, élevage, élévateur, élévation, élevé, éleveur, s'élever ; enlever, enlèvement ; levain, levant, levée, ② lever, levier, levure ; pont-levis, prélever, prélèvement ; relever, relevé, relève ; soulever, soulèvement ; surélever.**

Famille de ① **lever**

② ***lever*** n. m.

1. Moment où un astre se lève. *Loïc regarde le lever du soleil.* **2.** Action de sortir du lit. *Prendre un comprimé au lever et un au coucher.* **3.** *Les Séverac sont arrivés au théâtre juste avant le lever du rideau,* juste avant le début du spectacle.

Le contraire de *lever,* c'est *coucher.*

Famille de ① **lever**

levier n. m.

1. Barre très rigide que l'on met sous un objet lourd pour le faire basculer. *Antoine s'est servi d'un bâton pour faire levier.* **2.** Manette de commande d'une machine. *Denis Prost actionne le levier de changement de vitesse de sa voiture.*

Attention ! un *t* à la fin.

levraut n. m.
Petit du lièvre. *La hase et ses levrauts sortent de leur terrier.*

Attention à l'accent grave du *è* !

lèvre n. f.
Chacune des deux parties charnues, roses, qui entourent la bouche. *Marie-Tévy a le sourire aux lèvres. Angèle s'est mis du rouge à lèvres. Claire mange du bout des lèvres,* sans appétit. *Les enfants sont suspendus aux lèvres de Mamie Lou,* ils l'écoutent avec une grande attention.

Elle leur raconte une histoire de fantôme.

La lèvre supérieure et la lèvre inférieure se joignent aux *commissures.*

lévrier n. m.
Chien à longues pattes, au corps très fin, agile et rapide, que l'on emploie pour chasser le lièvre. *Mme Bellec a assisté, en Suisse, à une course de lévriers.*

Le lévrier russe et le lévrier afghan ont de très longs poils.

La femelle du lévrier est la *levrette.*

Famille de ① **lever**

levure n. f.
Produit que l'on met dans la pâte pour la faire lever. *Nathalie a mis une cuillerée de levure dans la pâte du gâteau.*

C'est la levure qui produit les trous dans la mie du pain.

lexique n. m.
1. Petit dictionnaire. *Sylvain cherche un mot dans son lexique français-anglais.* **2.** Ensemble des mots d'une langue. *Le mot « yes » ne fait pas partie du lexique français ;* vois **vocabulaire.**

lézard n. m.
Petit reptile à quatre pattes, à longue queue effilée, au corps allongé et recouvert d'écailles. *Les lézards mangent des insectes et se chauffent au soleil pour régler leur température interne. La queue des lézards se détache et repousse. Sophie Pelletier a une ceinture en lézard,* en peau de lézard.
▸ **lézarder** v. Se chauffer au soleil en restant sans rien faire. *Denis Prost a lézardé sur la plage, toute la journée.*

« Eh bien, quoi ? C'est un lézard démontable ? » s'écrie le capitaine Haddock lorsqu'il voit l'animal qu'il tenait s'échapper en lui laissant le bout de sa queue entre les doigts.

C'est familier de dire cela.

Il y a des lézards gris et des lézards verts.

Conjugaison 1

lézarde n. f.
Fente profonde, étroite et irrégulière dans un mur, un plafond. *Il y a des lézardes dans la façade de notre immeuble ;* vois **fissure.**
▸ **lézardé** adj. Fendu par une ou plusieurs lézardes. *Le mur de notre immeuble est tout lézardé.*

Kaa [...] découvrit dans le réseau du marbre, une lézarde plus pâle dénotant un point faible *(le Livre de la jungle).*

Une lézarde rappelle la forme d'un lézard.

Famille de **lier**

liaison n. f.
1. Rapport entre deux choses. *Le commissaire a établi la liaison entre les deux événements ;* vois **lien. 2.** Action de prononcer deux mots qui se suivent en unissant la dernière consonne du premier mot à la première voyelle du mot suivant. *Yves lit un texte à haute voix en faisant les liaisons.* **3.** Communication établie entre plusieurs personnes ou plusieurs groupes de personnes. *Le pilote de l'avion reste en liaison avec la tour de contrôle.* **4.** Communication régulière entre deux pays, deux villes. *Un vol quotidien assure la liaison entre Paris et Dakar.*

Quand tu lis *« les grands arbres »,* prononce [legʀɑ̃zaʀbʀ].

Tintin et les autres passagers de la fusée sont évanouis ; la liaison radio avec la Terre est interrompue.

Famille de **lier**

liane n. f.
Plante possédant de longues tiges souples qui grimpent et s'accrochent aux arbres, dans les forêts tropicales. *L'homme se frayait un chemin en coupant les lianes avec sa machette.*

Tarzan saute de liane en liane.

Certaines lianes peuvent mesurer 100 mètres de longueur.

Attention ! deux *s.*
Famille de **lier**

liasse n. f.
Paquet de papiers ou de billets de banque attachés ensemble. *Denis Prost a sorti une liasse de billets de sa poche.*

Conjugaison 1

libeller v.
Libeller quelque chose, c'est le rédiger selon les règles établies. *Le client a libellé son chèque à l'ordre du restaurant Bellec.*

On libelle une facture, un contrat, un acte officiel.

libellule n. f.
Insecte à tête ronde, à corps allongé et aux quatre ailes transparentes. *Les larves des libellules vivent dans l'eau et sont très voraces.*

Les libellules volent le plus souvent au-dessus de l'eau.

La libellule peut voler à 80 km/heure.

Compare *libéral* et *liberté* : dans ces deux mots, il est question d'être **libre.**

Au masculin pluriel : *libéraux.*

libéral adj.

1. *Une profession libérale,* c'est une profession que l'on exerce librement sans avoir de patron. *Les professions de médecin, avocat ou architecte sont des professions libérales.* **2.** *Une personne libérale,* c'est une personne qui respecte les idées des autres. *Julie a des parents très libéraux ;* vois ***tolérant.*** **3.** *Ce pays a un gouvernement libéral,* un gouvernement qui respecte la liberté de chacun.

Les personnes qui exercent une profession libérale touchent des *honoraires.*

Le contraire de *libéral,* c'est *totalitaire, tyrannique.*

Conjugaison 6
▭ Indic. présent : *je libère, nous libérons.* Futur : *je libérerai, nous libérerons.* — Subj. présent : *que je libère que nous libérions.* — Impératif présent : *libère, libérons.*

Compare : *libérer → libération,* et *agiter → agitation.*

libérer v.

1. Mettre en liberté. *Le prisonnier a été libéré ;* vois ***relâcher.*** **2.** Dégager de ce qui gêne. *Il faudrait pousser ces chaises pour libérer le passage.* **3.** *Libérer un pays,* c'est le délivrer de l'occupation d'un peuple étranger. *Les Américains ont libéré la France en 1944.* **4.** *Se libérer,* c'est se dégager de ses occupations. *Excusez mon retard, je n'ai pas pu me libérer plus tôt.*

▸ ***libérateur*** n. m., ***libératrice*** n. f. Personne qui libère. *Les Américains ont été les libérateurs du pays.*

▸ ***libération*** n. f. **1.** Mise en liberté. *Le gouvernement a exigé la libération des otages,* il a exigé qu'on les relâche. **2.** *La Libération,* c'est, en France, la période où les territoires qui étaient occupés par les troupes allemandes pendant la Seconde Guerre mondiale ont été libérés. *M. et Mme Bonnot se souviennent avec émotion de la Libération.*

Le contraire de *libérer,* c'est *arrêter, emprisonner.*

Compare ***libérer*** et ***liberté*** : il est question d'être **libre.**

Le M. L. F., c'est le Mouvement de libération de la femme.

La Libération a mis fin à l'Occupation.

Et par le pouvoir d'un mot
Je recommence ma vie
Je suis né pour te connaître
Pour te nommer Liberté
(P. Éluard).

Vive la liberté !

liberté n. f.

1. Droit de faire, de penser et de dire ce que l'on veut. *Si tu ne veux pas venir avec nous, tu as la liberté de refuser,* tu es libre de refuser. *Les peuples luttent pour la liberté, contre la tyrannie.* **2.** Situation d'un être qui n'est pas enfermé. *On a accordé la liberté provisoire au prisonnier. Julie élève des oiseaux, en liberté, dans le jardin.*

Compare ***liberté*** et ***libérer*** : il s'agit d'être **libre.**

Le contraire de *liberté,* c'est *captivité.*

Elle ne les a pas mis en cage.

Compare : *libraire → librairie* et *maire → mairie.*

libraire n. m. et f.

Personne dont la profession est de vendre des livres. *Nathalie est allée chez la libraire acheter un roman.*

▸ ***librairie*** n. f. Magasin où l'on vend des livres. *Nathalie a acheté un roman dans une librairie. Angèle regarde les cahiers dans la vitrine de la librairie-papeterie.*

Le monsieur de la librairie [...] il a fait un gros sourire et il a dit [...]
« Moi, je m'appelle M. Escarbille »
(le Petit Nicolas).

On peut très bien vivre sans maîtres, et le mieux du monde, je t'assure [dit le renard]. Moi qui vis depuis bientôt trois siècles..., je n'ai jamais regretté une seule fois d'être libre *(les Contes du Chat perché).*

Le contraire, c'est *public.*

Compare : *libre → librement* et *rapide → rapidement.*

libre adj.

1. *Une personne libre,* c'est une personne qui fait, pense et dit ce qu'elle veut. *Je me sens libre comme l'air,* tout à fait libre. *Si tu ne veux pas venir, tu es libre de refuser,* tu as le droit de refuser. **2.** *Le prisonnier est sorti de prison, il est libre,* il n'est plus emprisonné. **3.** *Êtes-vous libre ce soir ?,* êtes-vous sans occupations ? *J'ai du temps libre,* que je peux employer comme je veux. **4.** *Un pays libre,* c'est un pays qui n'est pas dirigé par un tyran ou par un autre pays ; vois ***indépendant.*** *La France est un pays libre.* **5.** *Sylvain va dans une école libre,* qui ne dépend pas entièrement de l'État ; vois ***privé.*** **6.** *Ce taxi est libre, nous pouvons le prendre,* il n'est pas occupé. *Allons-y, la voie est libre !*

▸ ***librement*** adv. **1.** Sans que ce soit interdit par la loi. *Vous pouvez circuler librement dans le parc.* **2.** Avec franchise. *Je vous ai parlé très librement.*

Va voir aussi ***liberté.***

Le contraire, c'est *captif, prisonnier.*

Le contraire, c'est *pris.*

Le contraire, c'est *occupé.*

Autre membre de la famille : **libre-service.**

Famille de **libre** et de **servir**
Au pluriel : *des libres-services.*

libre-service n. m.

Magasin où l'on se sert soi-même. *Mme Harpie est allée acheter de la moutarde dans un libre-service.*

Une licence d'exportation.

licence n. f.

1. Diplôme d'études supérieures. *Après son bac, Alex voudrait préparer une licence d'anglais.* **2.** Autorisation que donne l'Administration, permettant d'exercer un commerce ou un sport. *Pour pouvoir exporter du foie gras à l'étranger, il faut une licence ;* vois ***permis.***

▸ ***licencié*** n. m., ***licenciée*** n. f. **1.** Personne qui a obtenu une licence. *Alex sera peut-être un jour licencié d'anglais.* **2.** Personne appartenant à une fédération sportive. *La Fédération française de judo compte de nombreux licenciés.*

Conjugaison 7 ▭ Indic. présent : *je licencie, nous licencions.* Futur : *je licencierai, nous licencierons.*

licencier v.

Licencier quelqu'un, c'est le renvoyer de son travail ; vois ***congédier.*** *Vingt employés de la biscuiterie ont été licenciés pour motif économique.*

▸ ***licenciement*** n. m. Renvoi. *Les ouvriers ont reçu leur lettre de licenciement.*

Le contraire de *licencier,* c'est *embaucher.*

Lichen [likɛn] rime avec *républicaine.*

lichen n. m.

Végétal formé de l'association d'un champignon et d'une algue, qui ressemble à la mousse. *Les lichens poussent sur les pierres, sur les toits, sur les troncs d'arbres.*

Famille de **corne**

Tu peux voir les tapisseries de *la Dame à la licorne,* au musée de Cluny, à Paris.

licorne n. f.

Animal imaginaire qui a le corps d'un cheval, la tête d'un cheval ou d'un cerf, une barbiche et une corne unique au milieu du front. *Au Moyen Âge, on disait que les cornes de licorne neutralisaient le poison.*

La Licorne, c'est le nom du vaisseau de l'ancêtre du capitaine Haddock qui a coulé avec un trésor.

Ne confonds pas *lie* et *lit.*

lie n. f.

La lie du vin, c'est l'ensemble des petites particules qui se déposent au fond d'une bouteille de vin ou d'un tonneau. *La lie est d'une couleur rouge violacé.*

Boire le calice jusqu'à la lie : subir une épreuve pénible jusqu'au bout.

liège n. m.

Le chêne-liège fournit du liège.

Matière légère, imperméable et élastique qui vient de l'écorce de certains arbres. *Le bouchon de la bouteille de champagne est en liège.*

Autre membre de la famille : **chêne-liège.**

Conjugaison 7 ▭ Indic. présent : *je lie, nous lions.* Imparfait : *je liais, nous liions.* Futur : *je lierai, nous lierons.*

lier v.

1. Attacher. *Les policiers ont lié les mains du prisonnier.* **2.** *« Ces deux crimes sont liés », dit le commissaire,* il y a un rapport entre eux. *Pour le docteur Séverac, l'odeur de la lavande est liée à son enfance.* **3.** *Être lié par quelque chose,* c'est être engagé à cause de quelque chose. *Angèle est liée par sa promesse,* elle est obligée de la tenir. **4.** *Leur goût commun pour la musique a lié Marie-Tévy et Yasmina,* les a unies, rapprochées. — *Marie-Tévy et Yasmina se sont liées d'amitié,* elles sont devenues amies.

▸ ***lien*** n. m. **1.** Chose longue et flexible qui sert à attacher. *Le bandit défit ses liens et s'enfuit.* **2.** Rapport entre deux choses. *Ces deux crimes ont un lien.* **3.** Relation entre deux personnes. *Il y a un lien de parenté entre Antoine et Mme Harpie.*

Un lien, cela peut être une corde, une courroie, une ficelle, un fil, un ruban, une sangle.

Le contraire de *lier,* c'est *délier, détacher.*

Autres membres de la famille : **alliage, s'allier, alliance, allié ; délier ; liaison ; liane ; liasse ; rallier, ralliement ; relier, relieur, reliure.**

Mme Harpie est la tante d'Antoine.

Attention ! deux *r.*

lierre n. m.

Plante rampante et grimpante, à feuilles luisantes toujours vertes. *Le mur du jardin est couvert de lierre.*

Le lierre grimpe aussi autour du tronc des arbres.

Au pluriel : *des lieux.*

Je suis le Chat qui s'en va tout seul et tous lieux se valent pour moi *(Histoires comme ça).*

① *lieu* n. m.

1. Endroit, place. *Angèle a demandé à Marie-Tévy quel était son lieu de naissance.* **2.** Endroit précis où se passe quelque chose. *Un crime vient d'être commis ; l'inspecteur se rend immédiatement sur les lieux,* à l'endroit précis où le crime a été commis. **3.** *La fête aura lieu sur la place du marché,* la fête se passera sur la place du marché. *Le cours de dessin n'a pas eu lieu,* il n'y a pas eu de cours de dessin. **4.** *L'opération de Julie s'est bien passée, il n'y a pas lieu de s'inquiéter,* il n'y a pas de raison de s'inquiéter. **5.** *L'incendie de la poste a donné lieu à de nombreuses discussions,* a été l'occasion de nombreuses discussions. **6.** *Ce sac lui tient lieu de cartable,* lui sert de cartable. **7.** *Vous feriez mieux de travailler au lieu de jouer,* plutôt que de jouer. *Antoine a pris un fruit au lieu d'un yaourt,* à la place d'un yaourt.

Un *lieu public* est un endroit dans lequel tout le monde peut aller.

Des *lieux communs,* ce sont des choses banales que tout le monde dit.

Autres membres de la famille : **chef-lieu, lieu-dit, milieu, non-lieu.**

Au pluriel : *des lieus.*

Un lieu mesure environ 1,30 m et pèse 10 kg.

② *lieu* n. m.

Poisson qui vit sur les côtes de l'océan Atlantique. *Il y a deux espèces de lieus : le lieu noir et le lieu jaune. Loïc a fait griller un lieu au barbecue.*

Lieu noir est le nom que l'on donne au colin dans certaines régions.

Famille de ① **lieu** et de **dire**

Au pluriel : *des lieux-dits.*

lieu-dit n. m.

Lieu qui, à la campagne, porte un nom qui rappelle une particularité du paysage ou un événement qui s'y est passé. *Le car s'arrête au lieu-dit « les Trois-Fontaines ».*

Il peut y avoir ou non des maisons dans un lieu-dit.

Attention ! un *e* à la fin.

lieue n. f.

Ancienne mesure de distance qui valait environ quatre kilomètres. *J'étais à cent lieues d'imaginer cela,* j'étais très loin de l'imaginer.

Le Petit Poucet a chaussé les bottes de sept lieues qui appartenaient à l'Ogre.

Prononce [ljøtnɑ̃].

lieutenant n. m.

Officier dont le grade est juste au-dessous de celui de capitaine. *Le lieutenant commande aux soldats et obéit au capitaine.*

Au pluriel : *des lieutenants.*

Famille de **colonel**

▸ ***lieutenant-colonel*** n. m. Officier dont le grade est juste au-dessous de celui de colonel. *Les lieutenants-colonels portent cinq galons.*

Au pluriel : *des lieutenants-colonels.*

lièvre n. m.

Lièvres
je vous en prie
souvenez-vous du jour
du fameux jour
où la tortue est arrivée
avant vous (Prévert).

Petit animal rongeur mammifère qui ressemble au lapin et qui vit en liberté. *Le lièvre a des oreilles plus longues et des pattes postérieures plus fortes que celles du lapin. Il ne faut pas courir deux lièvres à la fois,* essayer d'atteindre deux buts en même temps et risquer de les manquer tous les deux. *Mme Harpie aime beaucoup le civet de lièvre.*

La femelle du lièvre s'appelle la *hase,* et ses petits, des *levrauts.*

Autre membre de la famille : **bec-de-lièvre.**

Compare *ligament* et *ligoter* : dans ces mots, il s'agit de **lier.**

ligament n. m.

Ensemble de fibres qui relient les os d'une articulation. *Antoine s'est distendu un ligament du genou en sautant.*

ligne n. f.

La voyante lit l'avenir dans les *lignes de la main.*

1. Trait continu, allongé et fin. *Marie-Tévy trace des lignes sur le sol pour jouer à la marelle.* **2.** Trait qui sépare. *Le coureur a franchi la ligne d'arrivée.* **3.** Forme d'un objet ou du corps d'une personne. *Cette nouvelle voiture a une belle ligne. Mme Séverac mange très peu, elle veut garder la ligne,* rester mince. **4.** Trajet emprunté par un autobus, un métro, un train, un avion. *Le matin, M. Doucet et sa femme prennent la même ligne de métro. Denis Prost aurait aimé être pilote de ligne.* **5.** Fil de nylon muni d'un hameçon. *M. Bellec aime beaucoup la pêche à la ligne.* **6.** Fils ou câbles conduisant l'électricité. *Pierre Séverac installe une nouvelle ligne électrique à la ferme.* **7.** *Il s'est trompé sur toute la ligne,* il s'est complètement trompé. **8.** Suite de mots disposés, dans une page, sur une ligne horizontale. *Marie-Tévy a lu le texte de la première à la dernière ligne,* entièrement.

La ligne droite est le plus court chemin pour aller d'un point à un autre.

Être en ligne, c'est être en train de téléphoner.

Entrer en ligne de compte : compter, avoir de l'importance.

Autres membres de la famille : **aligner, alignement, interligne, lignée, rectiligne, souligner.**

Famille de **ligne**

lignée n. f.

Ensemble des descendants d'une personne. *Loïc est le dernier d'une lignée de marins.*

ligneux adj.

De la nature du bois. *Un arbrisseau pousse, sa tige devient ligneuse,* elle devient du bois.

Conjugaison 1

ligoter v.

Ligoter quelqu'un, c'est l'attacher solidement de manière à ce qu'il ne puisse plus se servir de ses bras ni de ses jambes. *Les voleurs ont ligoté et bâillonné le gardien.*

Compare *ligoter* et *ligament* : dans ces mots, il s'agit de **lier.**

Attention ! un *u* après le *g.*

ligue n. f.

Association pour améliorer la condition physique ou morale de l'homme. *La Ligue des droits de l'homme se bat contre la torture.*

Conjugaison 1

▸ *se* ***liguer*** v. S'unir contre quelqu'un ou contre quelque chose ; vois *s'**allier**. Tous les enfants se sont ligués contre Mme Harpie.*

Attention ! un *s* à la fin.

lilas n. m.

Arbuste aux fleurs en grappes très parfumées, violettes ou blanches. *Julie et Yasmina ont cueilli des branches de lilas.*

Dans le jardin de mon père, les lilas sont fleuris (chanson).

limace n. f.

« Quelle limace ! » dit-on d'une personne lente et molle.

Petit animal au corps mou, sans coquille, qui avance en rampant. *Les limaces ont dévoré les salades dans le potager.*

La limace est un mollusque gastéropode.

limande n. f.

Les limandes vivent dans la Manche et dans l'Atlantique.

Poisson de mer ovale et plat, plus large que la sole. *Sophie Pelletier fait cuire des limandes pour le déjeuner.*

lime n. f.
Outil de métal qui sert à user en frottant. *Le prisonnier scie les barreaux de sa cellule avec une lime. Mme Harpie se lime les ongles avec une lime à ongles.*

La surface d'une lime est recouverte de petites entailles.

Conjugaison 1

▹ **limer** v. User, polir avec une lime. *Antoine grince des dents quand Mme Harpie se lime les ongles.*

Autre membre de la famille : **élimé.**

limier n. m.
1. Grand chien que l'on utilise pour la chasse à courre. *Le limier recherche le gibier avant la chasse.* **2.** Personne qui suit une piste. *Sherlock Holmes est un fin limier ;* vois **détective.**

limite n. f.
1. Endroit où une étendue se termine. *La rivière marque la limite de la propriété.* **2.** Début ou fin d'une période. *Antoine est arrivé à la gare à la dernière limite. Sylvain pourrait s'inscrire au Conservatoire, il n'a pas encore atteint la limite d'âge,* l'âge au-delà duquel on ne peut plus s'inscrire. **3.** Point au-delà duquel on ne peut pas aller, dans son action ou dans son influence. *Yves a nagé jusqu'à la limite de ses forces. La patience a des limites ! ;* vois **borne.** **4.** *À la limite,* à la rigueur, au pire. *On peut, à la limite, se passer de voiture.*

Au-delà de cette limite votre ticket n'est plus valable.

Compare : *limiter → limitation* et *observer → observation.*

▹ **limiter** v. Enfermer dans des limites. *En France, on a limité la vitesse sur les autoroutes à 130 km/h. — Quand Antoine commence à manger des chocolats il mange toute la boîte, il ne sait pas se limiter,* s'imposer des limites. *Nathalie n'a pas rangé sa chambre, elle s'est limitée à faire son lit,* elle a seulement fait son lit.

Conjugaison 1

C'est pour cela qu'il a des ennuis avec les gendarmes.

▹ **limitation** n. f. État de ce qui est limité. *M. Bellec ne respecte jamais la limitation de vitesse,* la vitesse que l'on n'a pas le droit de dépasser sur la route.

Autres membres de la famille : **délimiter, illimité.**

limitrophe adj.
Des pays limitrophes, ce sont des pays qui ont une frontière commune, qui se touchent. *La Suisse est limitrophe de l'Italie.*

Le Finistère et le Morbihan sont des départements limitrophes.

limon n. m.
Mélange de sable, de fines particules calcaires et de débris végétaux et animaux qu'un cours d'eau dépose sur ses rives au moment des crues ; vois **alluvions.** *Le limon est très fertile, on l'utilise comme engrais pour les cultures.*

Les limons qui se déposaient sur les rives du Nil, avant la construction du barrage d'Assouan, ont fait la richesse de cette vallée.

limonade n. f.
Boisson gazeuse faite d'eau légèrement sucrée et acidulée. *Claire boit un verre de limonade.*

La limonade est incolore.

limpide adj.
1. Clair, transparent. *L'eau qui jaillit de la source est limpide.* **2.** Facile à comprendre. *L'explication qu'a donnée l'institutrice était limpide,* parfaitement claire.

Le contraire de *limpide,* c'est *trouble.*

Le contraire de *limpide,* c'est *obscur.*

▹ **limpidité** n. f. **1.** Clarté, transparence. *L'eau de la source est d'une grande limpidité.* **2.** *Les enfants ont admiré la limpidité de l'explication donnée par l'institutrice,* sa clarté.

Le contraire de *limpidité,* c'est *opacité.*

Le contraire de *limpidité,* c'est *obscurité.*

lin n. m.
Plante à fleurs bleues dont la graine est utilisée pour faire de l'huile et dont la tige sert à faire du fil. *Denis Prost a mis son costume en lin blanc,* en fil de lin.

Avec l'huile de lin, on fait de la pâte à modeler.

Autres membres de la famille : **linceul, linoléum.**

Famille de **lin**

linceul n. m.
Grand morceau de tissu dans lequel on enveloppe les morts, pour les mettre en terre. *Après sa mort, le Christ a été mis dans un linceul.*

linge n. m.
1. *Le linge,* c'est l'ensemble des pièces de tissu qui servent dans une maison : les draps, les nappes, les serviettes. *Mme Séverac range le linge dans une*

Sur la corde à linge, on attache le linge avec des pinces à linge.

grande armoire. **2.** Le linge de corps, c'est l'ensemble des sous-vêtements. *Yves change de linge de corps tous les jours.*

Compare : *linge → lingerie* et *sucre → sucrerie.*

▸ ***lingerie*** n. f. *La lingerie,* c'est l'ensemble des sous-vêtements et des vêtements de nuit des femmes. *Mme Harpie s'est acheté un soutien-gorge au rayon lingerie d'un grand magasin.*

Attention ! un ***t*** à la fin.

lingot n. m.

Masse de métal qui a la forme du moule dans lequel on l'a coulé. *Les Bellec ont des lingots d'or dans leur cave.*

Famille de **lin**

On dit du *lino,* mais c'est familier.

linoléum n. m.

Revêtement de sol imperméable. *Le sol de la cuisine est recouvert d'un linoléum jaune vif.*

C'est de la toile recouverte d'huile de lin et de liège en poudre.

Attention ! deux ***t***.

linotte n. f.

Petit oiseau au plumage brun et rouge. *Les linottes ont un chant très pur. Marie-Tévy est une tête de linotte, elle a encore oublié son cartable,* elle est très étourdie.

Elle n'a pas de tête ! Quelle écervelée !

lion n. m., *lionne* n. f.

Les lions sont des mammifères.

La part du lion, c'est la plus grosse part, celle que prend le plus fort.

Grand animal à pelage fauve qui vit en Afrique et en Asie. *Les lions ont une grande crinière et une queue terminée par une grosse touffe de poils. Les lionnes n'ont pas de crinière.*

Les lions sont carnivores.

Le lion *rugit.*

▸ ***lionceau*** n. m. Petit du lion et de la lionne. *La lionne nourrit ses lionceaux.*

Conjugaison 7 ▭ Indic. imparfait : *nous liquéfiions.* Futur : *nous liquéfierons.*

liquéfier v.

Liquéfier quelque chose, c'est le rendre liquide. *La chaleur du soleil a liquéfié le goudron. — Le goudron s'est liquéfié au soleil,* il est devenu liquide ; vois ***fondre.***

Compare ***liquéfier*** et ***liqueur*** : dans ces mots, il s'agit de **couler.**

Compare ***liqueur*** et ***liquéfier*** : dans ces mots, il s'agit de **couler.**

liqueur n. f.

Boisson sucrée et aromatisée, à base d'alcool. *Après le café, on sert des liqueurs.*

liquide adj. et n. m.

▭ **adj. 1.** *Une chose liquide,* c'est une chose qui coule. *Le beurre devient liquide quand on le chauffe.* **2.** *De l'argent liquide,* c'est de l'argent sous forme de pièces et de billets. *Muriel Doucet paie par chèque car elle n'a plus d'argent liquide.*

La chaleur *liquéfie* le beurre.

▭ **n. m. 1.** *Un liquide,* c'est un corps qui s'écoule. *L'eau et le lait sont des liquides.* **2.** *Du liquide,* c'est de l'argent liquide. *Muriel Doucet paie par chèque car elle n'a plus de liquide.*

Va voir aussi ***fluide, gaz, solide.***

Conjugaison 1

liquider v.

1. *Liquider des marchandises,* c'est les vendre à bas prix. *Le marchand de vêtements liquide ses stocks.* **2.** *Liquider quelqu'un,* c'est le tuer pour s'en débarrasser. *Les bandits ont liquidé le chauffeur car il en savait trop ;* vois ***éliminer.***

C'est familier de dire cela.

Les gangsters de Chicago cherchent à liquider Tintin par tous les moyens.

▸ ***liquidation*** n. f. **1.** Vente au rabais. *Sur la vitrine, il y a écrit : « liquidation avant travaux ».* **2.** *Les bandits ont procédé à la liquidation d'un témoin gênant,* ils l'ont tué pour s'en débarrasser.

C'est familier de dire cela.

① *lire* v.

Va voir aussi ***lecture.***

Conjugaison 43 ▭ Indic. présent : *je lis, nous lisons.* Imparfait : *nous lisions.* Futur : *je lirai.*

1. Suivre des yeux ce qui est écrit en le comprenant. *Claire va apprendre à lire l'année prochaine.* **2.** Déchiffrer. *Mme Bellec lit la carte routière pendant que son mari conduit.* **3.** *Sylvain a lu un roman d'espionnage,* il a pris connaissance de ce qu'il y avait dedans. **4.** Dire à haute voix. *Le maire lira son discours devant les conseillers municipaux ;* vois ***prononcer.*** *Mamie Lou lit une histoire aux enfants.* **5.** *La peur se lisait dans ses yeux,* on voyait dans ses yeux des signes indiquant qu'il avait peur.

[Le bœuf] commençait à savoir compter, il lisait presque couramment, et il avait même appris une petite poésie *(les Contes du Chat perché).*

Autres membres de la famille : **lisible, lisiblement, illisible, relire.**

② *lire* n. f.

Monnaie italienne. *À la frontière italienne, M. Bellec a changé des francs contre des lires.*

On écrit aussi : *lys.*

Des lys son teint a la blancheur *(Griselidis).*

lis n. m.
Grande fleur blanche très parfumée, à tige très droite. *Sophie Pelletier a cueilli des lis au fond du jardin pour en faire un bouquet.*

La fleur de lys était l'emblème des rois de France.

liseron n. m.
Plante grimpante à fleurs blanches en forme d'entonnoir. *Les liserons grimpent le long des haies.*

On l'appelle aussi *belle-de-jour.*

Famille de ① **lire**

lisible adj.
Une écriture lisible, c'est une écriture qui est facile à lire. *Marie-Tévy a une écriture très lisible.*

Le contraire de *lisible,* c'est *illisible.*

▸ **lisiblement** adv. D'une manière lisible. *Marie-Tévy écrit très lisiblement.*

lisière n. f.

[...] les sangliers n'ont pas l'habitude de rôder à la lisière des bois quand il fait jour *(les Contes du Chat perché).*

1. Bord, limite d'un terrain. *Julie et Yasmina se sont arrêtées à la lisière de la forêt car la nuit commençait à tomber.* **2.** Bordure limitant un tissu, de chaque côté, dans le sens de la longueur. *Le tissu ne s'effiloche pas du côté de la lisière.*

Attention ! deux *s* dans *lisse* et *lisser.*

lisse adj.
Une surface lisse, c'est une surface unie, sans rien qui dépasse quand on la touche. *M. Doucet a la peau du visage toute lisse quand il vient de se raser.*

Le contraire de *lisse,* c'est *inégal, rugueux.*

Conjugaison 1

▸ **lisser** v. Rendre lisse. *L'oiseau lisse ses plumes avec son bec. M. Bonnot lisse sa moustache quand il réfléchit.*

liste n. f.
Suite de mots écrits les uns au-dessous des autres. *Angèle, l'institutrice, a fait la liste des absents,* elle a écrit leurs noms les uns au-dessous des autres.

lit n. m.

[L'Ogre] monta à tâtons à la Chambre de ses filles et s'approcha du lit où étaient les petits garçons qui dormaient tous excepté le Petit Poucet *(le Petit Poucet).*

1. Meuble sur lequel on se couche pour dormir. *M. et Mme Bellec dorment dans un grand lit. Yasmina fait son lit avant de partir pour l'école. Claire va au lit à huit heures,* elle se couche. *Au saut du lit, Marie-Tévy est toujours de mauvaise humeur,* au réveil. *Sylvain doit garder le lit une semaine,* rester au lit car il est malade. **2.** Creux du sol dans lequel coule un cours d'eau. *À la fonte des neiges, le torrent est sorti de son lit.*

Autres membres de la famille : s'**aliter, dessus-de-lit, litière, wagon-lit.**

La rivière est dans son lit
Et la plaine est belle belle
(A. Sylvestre).

Compare : *lit → literie* et *argent → argenterie.*

▸ **literie** n. f. Ensemble des objets qui garnissent un lit : matelas, traversin, oreiller, draps, couverture, édredon, dessus-de-lit. *Mme Séverac aère la literie.*

lithographie n. f.
1. Reproduction par l'impression des dessins tracés avec une encre spéciale sur une pierre calcaire. *Les enfants regardaient l'artiste faire de la lithographie.* **2.** *Une lithographie,* c'est une image reproduite à partir d'une pierre calcaire sur laquelle on a dessiné. *Il y a deux lithographies accrochées au mur du salon.*

Va voir aussi ***gravure.***

C'est plus courant et plus familier de dire une *litho.*

Famille de **lit**

litière n. f.
1. Paille que l'on répand sur le sol d'une écurie ou d'une étable pour que les animaux puissent s'y coucher. *Le garçon de ferme change la litière des vaches.* **2.** Sorte de sable dans lequel les chats ou les cochons d'Inde font leurs besoins. *Julie a acheté de la litière pour son chat.*

Autrefois, la *litière* était un lit couvert, à brancards, transporté par des hommes.

litige n. m.
Désaccord entre deux personnes qui veulent conclure une affaire. *Le tribunal a arbitré le litige.*

Compare : *litige → litigieux* et *mystère → mystérieux.*

▸ **litigieux** adj. *Le tribunal a arbitré une affaire litigieuse,* une affaire qui provoquait un désaccord.

Litre s'écrit l en abrégé.

litre n. m.
1. Unité de mesure de capacité pour les liquides. *Odile Séverac est allée à l'étable chercher deux litres de lait.* **2.** Contenu d'une bouteille d'un litre. *Antoine a bu à lui tout seul un litre de limonade.*

Autres membres de la famille : **centilitre, décalitre, décilitre.**

Attention ! deux *t*.

littéraire adj.

Sophie Pelletier regarde une émission littéraire à la télévision, une émission qui parle de littérature, des écrivains et de leurs œuvres. *Nathalie voudrait faire plus tard des études littéraires,* elle voudrait étudier la littérature, faire des études de lettres.

Si tu cherches *mot littéraire,* va voir l'encadré à ***niveau.***

Compare ***littéraire*** et ***littérature*** : dans ces mots, il s'agit de **lettre.**

Compare ***littérature*** et ***littéraire*** : il s'agit de **lettre.**

littérature n. f.

La littérature, c'est l'ensemble des œuvres des écrivains. *Les pièces de Molière comptent parmi les grandes œuvres de la littérature française.*

Attention ! deux ***t*** dans *littérature.*

Attention ! deux *t*.

littoral n. m.

Bord de mer, côte. *Les orangers poussent sur le littoral méditerranéen.*

Au pluriel : *des littoraux.*

livide adj.

Autrefois, *livide* voulait dire *bleuâtre, verdâtre.*

Extrêmement pâle. *Antoine a eu si peur qu'il est devenu livide ;* vois ***blafard, blême.***

Living [liviŋ] rime avec *camping.*

living n. m.

Pièce de séjour qui sert à la fois de salle à manger, de salon et parfois de chambre. *Nos amis ont dormi dans le living.*

Au pluriel : *des livings.*

Famille de **livrer**

livraison n. f.

Remise d'un objet qui a été acheté par quelqu'un, chez lui. *M. Bellec attend la livraison de son nouveau congélateur.*

Livraison à domicile.

① livre n. m.

Le bœuf devint si studieux qu'à l'étable, il avait toujours dans son râtelier un livre ouvert dont il tournait les pages avec sa langue *(les Contes du Chat perché).*

1. Ensemble de feuilles imprimées attachées ensemble. *Un livre peut être broché ou relié. Le docteur Séverac achète des livres anciens. David lit un livre passionnant. Sophie Pelletier écrit des livres pour les enfants. « Prenez vos livres de grammaire », a dit l'institutrice.* **2.** *Mme Bellec inscrit les dépenses dans son livre de comptes,* dans un gros cahier ; vois ***registre.***

C'est familier de dire *bouquin* pour *livre.*

Autre membre de la famille : **livret.**

② livre n. f.

Un demi-kilogramme ou cinq cents grammes. *Mme Harpie a acheté une livre d'abricots.*

Une *demi-livre,* c'est deux cent cinquante grammes.

C'est aussi la monnaie de l'Égypte, du Liban, de Chypre, de la Turquie, etc.

③ livre n. f.

Monnaie de la Grande-Bretagne. *En Angleterre, Nathalie a payé en livres le cadeau qu'elle a acheté pour Sylvain.*

La livre de Grande-Bretagne s'appelle aussi *livre sterling.*

Attention ! un ***e*** après le *é*.

livrée n. f.

Uniforme spécial que portent certains serviteurs d'une même maison. *Les laquais du roi avaient une livrée bleue.*

Nestor, en livrée, apporte son whisky au capitaine Haddock.

Conjugaison 1

livrer v.

1. *Demain, on doit livrer un nouveau congélateur à M. Bellec,* on doit lui apporter chez lui le nouveau congélateur qu'il a acheté. **2.** Remettre entre les mains de quelqu'un. *Les policiers ont livré le voleur à la justice. — Le meurtrier s'est livré à la police,* il s'est rendu. **3.** Dénoncer. *Le bandit n'a pas voulu livrer ses complices ;* vois ***donner.*** **4.** *Nathalie a livré son secret à Sylvain,* elle le lui a confié ; vois ***dévoiler.*** *— Marie-Tévy ne se livre pas facilement,* elle ne se confie pas facilement. **5.** *Antoine se livre à des pitreries continuelles,* il fait continuellement des pitreries.

Va voir aussi ***livraison, livreur.***

Tintin a livré les trafiquants d'opium à la police.

Autres membres de la famille : **délivrer, délivrance, livraison, livreur.**

livret n. m.

Sur le livret de famille sont inscrites les dates de naissance, de mariage et de mort de chaque époux, la date de naissance des enfants, etc.

Petit livre mince ; vois ***carnet.*** *Mme Hespel a signé le livret scolaire de son fils,* le carnet où les professeurs ont inscrit les notes et les appréciations. *Alex a ouvert un livret à la Caisse d'épargne.*

Famille de ① **livre**

Famille de **livrer**

livreur n. m., livreuse n. f.

Personne qui apporte à domicile une marchandise que l'on a achetée. *Les livreurs ont descendu le congélateur de leur camion.*

lobe n. m.

Le lobe de l'oreille, c'est le petit bout arrondi et charnu, au bas de l'oreille. *Julie s'est fait percer le lobe des oreilles.*

C'est là que l'on accroche les boucles d'oreilles.

local adj. et n. m.

Au masculin pluriel : *locaux.*

▭ **adj. 1.** *M. Bellec lit le journal local,* le journal de la région. **2.** *On a* *fait une anesthésie locale à David, pour lui enlever une verrue,* une anesthésie à l'endroit où était la verrue.

▭ **n. m.** Pièce où l'on peut s'installer pour habiter, travailler. *Alex cherche un local pour développer ses photos.*

Compare : *local → localement* et *normal → normalement.*

▸ ***localement*** adv. *Demain le temps sera localement brumeux,* il sera brumeux dans certains endroits.

Conjugaison 1

Le contraire de *se localiser,* c'est *s'étendre, se généraliser.*

▸ ***localiser*** v. **1.** Déterminer l'endroit précis où se trouve quelque chose. *La tour de contrôle a localisé l'avion ennemi.* **2.** *La guerre s'est localisée à la frontière du pays,* elle a lieu uniquement à la frontière.

Tintin a réussi à localiser l'épave de « la Licorne ».

▸ ***localité*** n. f. Petite ville, village. *M. Doucet est né dans une localité du Poitou.*

locataire n. m. et f.

Elle n'en est pas propriétaire.

Personne qui paie un loyer pour habiter dans un logement. *Mme Roussel est locataire de son appartement,* elle le loue.

location n. f.

Compare *location* et *locataire* : dans ces deux mots, il s'agit de **louer.**

1. *Les Prost ont trouvé une maison en location, pour les vacances,* une maison dans laquelle ils vont habiter en payant un loyer. *Quand il est à l'étranger, le docteur Séverac roule dans une voiture de location,* une voiture qu'il a louée. **2.** *Le bureau de location du théâtre ouvre à 11 heures,* le bureau où l'on peut réserver des places à l'avance.

Va voir aussi ***louer.***

locomotion n. f.

Compare *locomotion* et *locomotive* : dans ces mots, il s'agit de **se déplacer.**

L'avion, le train, la voiture et la bicyclette sont des moyens de locomotion, des moyens qui servent à se déplacer ; vois ***transport.***

Peux-tu en citer d'autres ?

locomotive n. f.

On dit aussi une *motrice.* Aujourd'hui, les locomotives sont électriques.

Machine qui tire les trains. *La locomotive ralentit avant d'entrer en gare. Le conducteur de la locomotive est debout dans sa cabine.*

Autrefois, les locomotives étaient à vapeur.

locution n. f.

« Quand on n'a pas ce que l'on aime, il faut aimer ce que l'on a » est une *locution proverbiale.*

Une locution, c'est un groupe de mots toujours employés ensemble. *« Avoir peur » est une locution verbale, « tout de suite » est une locution adverbiale.*

loden n. m.

Loden [lɔdɛn] rime avec *bedaine.*

Manteau en tissu de laine épais et imperméable. *Le docteur Séverac a mis son loden vert pour aller faire ses visites.*

Au pluriel : *des lodens.*

loge n. f.

1. Petit appartement au rez-de-chaussée d'un immeuble où vit le gardien. *La concierge n'est pas dans sa loge.* **2.** Petite pièce où les comédiens changent de costume, se maquillent et se reposent, dans les coulisses d'une salle de spectacle. *Des admirateurs sont venus féliciter Denis Prost, dans sa loge, après le spectacle.* **3.** Compartiment contenant plusieurs sièges, dans une salle de spectacle. *Les Doucet ont loué une loge de balcon à l'Opéra. Quand l'incendie de la poste a éclaté, Hippolyte était aux premières loges,* bien placé pour le voir.

Tintin et le capitaine Haddock sont allés saluer dans sa loge Ramon Zarate, le célèbre lanceur de poignards, qui n'était autre que le général Alcazar.

Denis Prost est un comédien célèbre.

Autres membres de la famille : **loger, logement, logeur, logis, loggia ; déloger.**

logement n. m.

Famille de **loge**

Endroit où l'on habite. *Les Touati ont un logement de quatre pièces ;* vois ***appartement.***

loger v.

Conjugaison 3 ▭ Indic. présent : *nous logeons.* Imparfait : *je logeais, nous logions.* Futur : *je logerai, nous logerons.*

1. Habiter. *Des étudiants logent à plusieurs dans cet appartement ;* vois ***vivre.*** **2.** *Hippolyte a eu du mal à se loger,* à trouver un logement. **3.** Abriter, héberger. *Les Bellec ont logé leurs amis pour la nuit. Le collège de Motbourg peut loger trois cents élèves,* il peut les recevoir. **4.** Faire entrer, faire pénétrer. *Alex a logé trois balles dans la cible. — La flèche est venue se loger dans le tronc d'arbre.*

Famille de **loge**

Ali Baba qui avait épousé une femme aussi pauvre que lui était logé fort misérablement *(les Mille et Une Nuits).*

logeur n. m., *logeuse* n. f.

Famille de **loge**

Personne qui loue des chambres meublées. *L'étudiant a payé son loyer à sa logeuse.*

loggia n. f.

Prononce [lɔdʒja]. Famille de **loge**

Balcon couvert. *C'est agréable de déjeuner dans la loggia.*

Au pluriel : *des loggias.*

Famille de **logique**

logiciel n. m.

Programme d'ordinateur. *Mme Hespel utilise un logiciel pour calculer son budget.*

logique adj. et n. f.

▭ **adj. 1.** Conforme au bon sens, à la raison ; vois ***raisonnable.*** *Le raisonnement d'Yves est logique.* **2.** Qui raisonne avec justesse. *Angèle est logique : si Colle et Rat font du chahut, il faut les renvoyer.*

Angèle est institutrice.

▭ **n. f.** Manière de raisonner juste, bon sens. *La logique veut que l'ambiance dans la classe soit meilleure quand Colle et Rat ne sont pas là. C'est dans la logique des choses.*

Colle et Rat sont vraiment trop insupportables.

Autre membre de la famille : **logiciel.**

Attention ! un ***s*** à la fin.
Famille de **loge**

logis n. m.

Endroit où l'on habite ; vois ***demeure, maison.*** *Le Petit Poucet, chargé des richesses de l'Ogre, revint au logis de son père.*

C'est un mot que l'on trouve surtout dans les livres.

loi n. f.

1. *La loi,* c'est l'ensemble des règles établies par la société, qui indiquent ce qui est autorisé et ce qui est interdit. *Porter une arme sur soi, sans autorisation, est interdit par la loi.* **2.** Règle établie par le Parlement que tout le monde doit respecter. *Ce sont les députés et les sénateurs qui votent les lois.* **3.** *Yves veut toujours faire la loi à l'école,* commander. **4.** Règle qui permet d'expliquer des phénomènes naturels. *Newton a découvert la loi de la pesanteur.*

Au nom de la loi, je vous arrête !

Va voir aussi ***légal.***

Autres membres de la famille : **hors-la-loi, loyal, déloyal, loyalement, loyauté.**

loin adv.

1. À une grande distance de l'endroit où l'on est. *L'autocar s'arrête un peu plus loin. Réjean travaille loin de chez lui. On aperçoit au loin des sommets couverts de neige,* dans le lointain. *Marie-Tévy regardait les garçons se battre, de loin.* **2.** À une grande distance, dans le temps. *L'été est encore loin,* dans longtemps. *Il n'est pas loin de minuit,* il est presque minuit. **3.** *Loin de là,* au contraire. *Le docteur Séverac n'est pas antipathique, loin de là !* **4.** *Denis Prost ira loin, je vous le dis !,* il réussira. **5.** *Cessez de le critiquer, vous allez trop loin,* vous exagérez. **6.** *Cette affaire peut vous mener loin,* avoir de graves conséquences. **7.** *Mme Bellec a échappé à un grave accident, elle revient de loin,* elle a couru un grand danger.

Loup, disait Marinette, quand viendra le printemps tu nous emmèneras dans les bois, loin, là où il y a toutes sortes de bêtes *(les Contes du Chat perché).*

Le contraire de *loin,* c'est *près.*

Loin des yeux, loin du cœur (proverbe).

Je vois que tu as le cou beaucoup trop court [dit l'oie au coq]. Je dirais même que c'est loin d'être joli *(les Contes du Chat perché).*

lointain adj. et n. m.

▭ **adj. 1.** À une grande distance. *Le docteur Séverac part souvent en voyage dans des pays lointains ;* vois ***éloigné.*** **2.** Vague. *Il n'y a qu'une ressemblance lointaine entre les deux frères.*

▭ **n. m.** *Dans le lointain,* au loin. *On distingue la ferme là-bas dans le lointain,* à l'horizon.

Deux pigeons s'aimaient
d'amour tendre.
L'un deux, s'ennuyant au logis,
Fut assez fou pour entreprendre
Un voyage en lointain pays
(La Fontaine).

Le contraire de *lointain,* c'est *proche, voisin.*

loir n. m.

Petit animal rongeur, à poil gris et à queue touffue. *Les loirs habitent dans les arbres et se nourrissent de fruits et de graines. Les loirs dorment tout l'hiver. Martin dort comme un loir,* il dort profondément. *Alex est paresseux comme un loir,* est très paresseux.

Prenez ce Loir au collet ! hurla la Reine. Coupez la tête à ce Loir ! Étouffez-le ! Pincez-le ! Coupez-lui les moustaches ! *(Alice au Pays des merveilles).*

Le loir est un mammifère.

Les loirs hibernent dans un terrier ou dans un grenier.

loisir n. m.

1. Temps libre qui permet de faire facilement quelque chose. *Le docteur Séverac n'a pas le loisir de lire, il a trop de travail.* **2.** *Les loisirs,* ce sont les moments libres pendant lesquels on peut se distraire. *Mme Bellec a beaucoup de loisirs.* **3.** *Les loisirs,* ce sont les occupations, les distractions, pendant le temps de liberté. *Le football et la natation sont les loisirs préférés d'Yves.*

Dès qu'ils avaient un moment de loisir, ils criaient dans la cour : « Qui est-ce qui veut jouer à la courotte malade ? » *(les Contes du Chat perché).*

Tout à loisir : en prenant son temps, autant qu'on veut.

lombaire adj.

Situé dans le bas du dos. *Mme Bellec a des douleurs lombaires. Nous avons cinq vertèbres lombaires au bas du dos.*

Les régions situées à droite et à gauche du bas de la colonne vertébrale sont les *lombes.*

Va voir aussi ***lumbago.***

long adj., n. m. et adv.

▭ **adj. 1.** Grand dans la longueur. *Pierre Séverac a un long nez.* **2.** Dont la grande dimension est importante par rapport aux autres dimensions. *Julie met un pull-over à manches longues. La mariée était en robe longue.* **3.** *Cette voiture est longue de trois mètres,* elle a trois mètres de longueur.

Un jour, sur ses longs pieds,
allait, je ne sais où,
Le héron au long bec emmanché
d'un long cou
(La Fontaine).

Le contraire de *long,* c'est *court.*

Le contraire, c'est *bref.*

4. Qui dure longtemps. *Mme Harpie resta un long moment sans rien dire.* **5.** *Le feu est long à s'éteindre,* lent à s'éteindre.

En marchant il avait laissé tomber le long du chemin les petits cailloux blancs qu'il avait dans ses poches *(le Petit Poucet).*

▭ **n. m.** Longueur. *La table a deux mètres de long. Sylvain court le long de la rivière. M. Bellec est tombé de tout son long dans la salle de restaurant,* allongé par terre.

▭ **adv. 1.** Beaucoup. *Il en sait long sur cette affaire.* **2.** *À la longue,* avec le temps, petit à petit. *À la longue, Mme Roussel s'est habituée à vivre seule.*

Autres membres de la famille : **longer, longeron, longévité, longitude, longtemps, longuement, longueur, longue-vue ; allonger, prolonger, prolongation, prolongement, rallonger, rallonge.**

Conjugaison 3 ▭ Indic. présent : *nous longeons.*

longer v.

1. Aller le long de quelque chose en en suivant le bord. *Sylvain longe la rivière.* **2.** Être le long de quelque chose. *La route longe la mer.*

Famille de **long**

longeron n. m.

Famille de **long**

Longue poutre. *Le pont métallique repose sur des longerons.*

longévité n. f.

Famille de **long**

Longue durée de la vie. *Les carpes ont une très grande longévité.*

longitude n. f.

Famille de **long**

La longitude se mesure en degrés en direction de l'ouest ou de l'est.

Distance qui sépare un point du globe terrestre d'une ligne imaginaire qui va du pôle Nord au pôle Sud en passant par la ville anglaise de Greenwich. *Paris est à 48° 52' de latitude nord et 2° 20' de longitude est.*

Va voir aussi ***latitude*** et ***méridien.***

longtemps adv. et n. m.

Famille de **long** et de ① **temps**

▭ **adv.** Pendant un long moment. *Ce matin, Yves a attendu longtemps Antoine, devant l'école ;* vois ***longuement.***

Antoine était en retard !

Attention ! un ***s*** à la fin.

▭ **n. m. 1.** *Le docteur Séverac est parti depuis longtemps,* depuis un long moment. *Attendez-moi, je n'en ai pas pour longtemps.* **2.** *Loïc est déjà venu à Paris, il y a longtemps. Voilà bien longtemps que je n'ai pas vu Mme Harpie.*

Longtemps est complément des prépositions *depuis, pendant, pour.*

Longtemps est complément de *il y a, voici, voilà.*

longuement adv.

Famille de **long**

Pendant un long moment ; vois ***longtemps.*** *Loïc et Mme Roussel ont longuement parlé de la Bretagne.*

Le contraire de *longuement,* c'est *brièvement.*

longueur n. f.

Famille de **long**

1. Dimension la plus longue. *Mme Bellec mesure la longueur et la largeur de la table. Le tuyau d'arrosage a vingt mètres de longueur,* de long. **2.** *M. Bellec travaille à longueur de journée,* toute la journée sans s'arrêter. **3.** Durée trop longue. *La longueur de l'attente a fatigué Julie.* **4.** *Des longueurs,* ce sont des passages trop longs. *Le film était intéressant, mais il y avait des longueurs.*

Le mètre est une *unité de longueur.*

longue-vue n. f.

Au pluriel : *des longues-vues.* Famille de **long** et de **voir**

Instrument en forme de tube qui grossit les objets et permet de voir très loin. *Yves regarde les bateaux à l'horizon avec la longue-vue de Loïc.*

Va voir aussi ***jumelles.***

looping n. m.

Prononce [lupiŋ].

Boucle faite dans le ciel par un avion. *L'as de la voltige faisait des loopings au-dessus de la foule ébahie.*

Le looping est une acrobatie aérienne.

lopin n. m.

Petit morceau de terrain, petit champ. *Le garde-barrière cultive un lopin de terre derrière sa maison.*

loque n. f.

Vêtement usé et déchiré. *Ce pull-over n'est plus qu'une loque, il faut le jeter. Mes chaussures tombent en loques,* en morceaux.

loquet n. m.

Petite tige de métal mobile qui sert à fermer une porte. *Mme Harpie a abaissé le loquet de la porte.*

Le loquet bascule et son extrémité se bloque.

Va voir aussi ***verrou, targette.***

lorgner v.

Conjugaison 1

Regarder avec envie quelque chose que l'on désire. *Antoine lorgne le morceau de gâteau qui reste ;* vois ***guigner.***

▸ ***lorgnon*** n. m. Paire de lunettes sans branches qui tient sur le nez grâce à un ressort. *Le père de M. Bonnot portait un lorgnon.*

On pouvait tenir certains lorgnons à la main grâce à une sorte de manche.

loriot n. m.

Le loriot est un passereau.

Petit oiseau au plumage jaune et noir qui vit dans les régions tempérées et tropicales. *Les loriots construisent leurs nids à la fourche d'une branche.*

Le plumage de la femelle est verdâtre.

lors adv.

Lors de, au moment de, à l'époque de. *Denis Prost et Sophie Pelletier se sont connus lors d'un voyage en Italie.*

Va voir aussi *depuis lors* à ***depuis.***

Lorsque ces enfants se virent seuls, ils se mirent à crier et à pleurer de toutes leurs forces *(le Petit Poucet).*

▸ **lorsque** conjonction Quand. *Lorsque tu auras fini ce livre, tu me le prêteras. Lorsqu'il pleut, Julie met ses bottes en caoutchouc et son imperméable. J'allais sortir lorsqu'elle a téléphoné,* au moment où elle a téléphoné.

Famille de **que**

Autres membres de la famille : **alors, alors que.**

losange n. m.

Figure géométrique à quatre côtés égaux dont les angles ne sont pas forcément droits. *Le costume d'Arlequin a des dessins en forme de losanges.*

Le carré est un losange à angles droits.

① **lot** n. m.

Argent ou objet que l'on gagne dans une loterie. *Yasmina a gagné le gros lot à la loterie de l'école,* le lot le plus important.

C'était une bicyclette.

▸ **loterie** n. f. Jeu de hasard où l'on distribue des billets numérotés et où des lots sont donnés à ceux qui sont désignés par le sort ; vois ***tombola.*** *Yasmina a acheté un billet de loterie.*

À la loterie, les numéros gagnants sont *tirés au sort.*

② **lot** n. m.

1. Partie d'une chose que l'on a partagée ; vois ***part, portion.*** *Pour vendre son terrain, le propriétaire l'a partagé en lots ;* vois ***parcelle.*** **2.** Paquet de marchandises de la même sorte. *Mme Séverac a donné tout un lot de vêtements à la Croix-Rouge.*

▸ **lotir** v. Partager en lots. *Le propriétaire a loti son terrain pour le vendre.*

Conjugaison 2

Compare : *lotir → lotissement* et *agrandir → agrandissement.*

▸ **lotissement** n. m. Grand terrain divisé en parcelles que l'on vend pour y construire des maisons. *M. Bellec et Mme Harpie ont acheté des terrains dans le même lotissement au bord de la mer.*

Ils veulent se faire construire chacun une maison.

lotion n. f.

Liquide utilisé pour rafraîchir ou soigner le visage, le corps, les cheveux. *Quand il a fini de se raser, Alex se met une lotion sur les joues.*

C'est une lotion après-rasage.

loto n. m.

Le loto c'est aussi, en France, une sorte de loterie, organisée par l'État.

Jeu de société où l'on tire des numéros au hasard avec lesquels il faut remplir le plus vite possible une carte portant les numéros correspondants. *Yves et Antoine font une partie de loto.*

Les numéros sont inscrits sur de petits cylindres de bois, les *boules de loto,* ou sur des cartons.

Attention ! deux *t.*

lotte n. f.

Poisson dont le corps est presque cylindrique et la peau épaisse, gluante et couverte d'écailles. *Les lottes vivent dans l'eau douce ou dans l'eau de mer. Denis Prost mange de la lotte à l'américaine.*

La lotte de mer s'appelle la *baudroie.*

Lotus [lɔtys] rime avec *astuce.*

lotus n. m.

Plante à fleurs blanches ou bleues qui ressemble au nénuphar. *Les lotus poussent dans les eaux stagnantes des fleuves, des lacs et des marais.*

Le lotus bleu était sacré en Égypte : on pensait que le soleil était né de cette fleur.

Famille de ① **louer**

louable adj.

Qui mérite d'être loué. *L'honnêteté de Sylvain est tout à fait louable,* elle mérite des compliments.

Le contraire de *louable,* c'est *blâmable, répréhensible.*

Famille de ① **louer**

Le contraire de *louange,* c'est *critique.*

louange n. f.

Compliments, félicitations. *Après son succès au concours de natation, Yves a été couvert de louanges.*

Va voir aussi ***éloge.***

① **louche** adj.

Pas clair et malhonnête. *Cette affaire est louche ;* vois ***suspect, trouble.*** *Cet individu a l'air louche,* bizarre et inquiétant.

Le contraire de *louche,* c'est *clair, net.*

② **louche** n. f.

Grande cuiller à long manche destinée à servir la soupe. *Mme Harpie apporte la soupière et la louche. Voulez-vous encore une louche de soupe ?,* le contenu d'une louche de soupe.

Conjugaison 1

loucher v.

1. Avoir les deux yeux qui ne regardent pas dans la même direction. *Mme Harpie louche légèrement.* **2.** *Loucher sur quelque chose,* c'est le regarder avec insistance parce qu'on en a envie ; vois ***guigner, lorgner.*** *Antoine louchait sur la part de gâteau qui restait.*

C'est familier de dire cela.

Conjugaison 1

Le contraire de *se louer,* c'est *se repentir.*

① ***louer*** v.

1. Déclarer digne d'admiration, de grande estime. *Tous les journaux louaient le talent du chanteur. On loue les pompiers pour leur courage ;* vois ***féliciter.*** **2.** *M. Bellec se loue d'avoir acheté cette nouvelle voiture,* il est très content, il s'en félicite.

Le contraire de *louer,* c'est *blâmer, critiquer.*

Autres membres de la famille : **louable, louanger.**

Conjugaison 1

Ils sont *locataires.*

② ***louer*** v.

1. Donner en location. *Mme Harpie loue une des pièces de son appartement à un étudiant,* elle lui permet d'y habiter et en échange, il lui verse une somme d'argent. **2.** Prendre en location. *Les Doucet ont loué un appartement à Paris,* ils y habitent en payant un loyer au propriétaire. *Denis Prost loue une voiture quand il est à l'étranger.* **3.** Réserver en payant. *Sophie Pelletier a loué deux places de concert ;* vois ***retenir.***

Elle est *propriétaire.*

Va voir aussi ***location*** et ***loyer.***

Un louis d'or valait vingt francs.

louis n. m.

Un louis d'or, c'est une ancienne pièce d'or française. *Les premiers louis d'or furent frappés en 1640 à l'effigie de Louis XIII.*

Le loup *hurle.*

Là-dessus, les parents entreprirent tout un long discours où il était surtout question de la voracité du loup
(les Contes du Chat perché).

Autres membres de la famille : **chien-loup, loup-garou, louve, louveteau, vesse-de-loup.**

loup n. m.

1. Animal sauvage à museau pointu qui ressemble à un gros chien et se nourrit de viande. *Les loups ont un pelage roux, gris ou blanchâtre. Les loups vivent en bande. Antoine a une faim de loup,* il a très faim. *Il fait un froid de loup,* il fait très froid. **2.** *Loïc est un vieux loup de mer,* un marin qui a beaucoup d'expérience. **3.** Poisson argenté qui vit dans la Méditerranée. *Nous avons mangé du loup au fenouil.* **4.** Petit masque de satin ou de velours noir que l'on porte sur les yeux. *Au bal masqué, certains hommes portaient un loup pour ne pas être reconnus.*

La femelle du loup s'appelle la *louve.*

Le loup est un mammifère.

On appelle aussi ce poisson : un *bar.*

loupe n. f.

Instrument formé d'un verre bombé à travers lequel on voit les objets agrandis. *L'horloger examine le mécanisme de la montre avec une loupe.*

Va voir aussi ***microscope.***

Famille de **loup**

loup-garou n. m.

Homme qui, selon la légende, se transforme en loup la nuit et erre dans les campagnes. *On dit que la nuit, les loups-garous dévorent les moutons.*

Les loups-garous n'existent pas en réalité.

Attention ! un ***d*** à la fin.

Le contraire de *lourd,* c'est *léger.*

lourd adj. et adv.

▭ **adj. 1.** Difficile à porter à cause de son poids ; vois ***pesant.*** *Marie-Tévy trouve que son cartable est trop lourd.* **2.** Difficile à supporter. *Le docteur Séverac a de lourdes responsabilités ;* vois ***écrasant.*** **3.** Qui accable. *Le temps est lourd aujourd'hui,* chaud, orageux et oppressant. **4.** *J'ai mal dormi, ce dîner était trop lourd,* difficile à digérer ; vois ***indigeste.*** **5.** *Le bruit ne réveille pas Hippolyte car il a le sommeil lourd,* il dort profondément ; vois ***profond.*** **6.** Chargé. *Cette phrase est lourde de sous-entendus ;* vois ***plein, rempli.*** **7.** Massif. *La directrice a une silhouette lourde ;* vois ***trapu.*** *Ce monument est trop lourd, il écrase le paysage.* **8.** Maladroit. *M. Bellec fait des plaisanteries un peu lourdes ;* vois ***gros.***

Seulement, comme personne ne m'attendait à la gare, j'ai préféré laisser ma valise à la consigne ; elle est très lourde
(le Petit Nicolas).

Il a un sommeil *de plomb.*

Qu'est-ce qui pèse le plus lourd ? un kilo de plumes ou un kilo de plomb ?

▭ **adv.** Beaucoup. *Cette valise pèse lourd.*

▸ ***lourdaud*** n. m., ***lourdaude*** n. f. Personne maladroite et lourde dans ses mouvements et dans sa conduite. *Nathalie est une lourdaude.* — adj. *Elle est un peu lourdaude ;* vois ***balourd.***

Compare :
lourd → lourdaud,
noir → noiraud
et *rouge → rougeaud.*

Compare :
lourd → lourdement,
dur → durement
et *normal → normalement.*

▸ ***lourdement*** adv. **1.** Avec un matériel pesant. *Le camion est lourdement chargé ;* vois ***pesamment.*** **2.** D'une manière maladroite, lourde. *La directrice marche lourdement. Mme Harpie a insisté lourdement pour rester dîner.*

Le contraire de *lourdeur,* c'est *légèreté.*

▸ ***lourdeur*** n. f. Caractère de ce qui est difficile à supporter. *Après le repas, Mme Bellec avait des lourdeurs d'estomac,* elle avait du mal à digérer.

Autres membres de la famille : **aloudir, poids lourd.**

Les loutres sont très voraces, elles se nourrissent de poissons mais aussi de rongeurs, de grenouilles et d'oiseaux aquatiques ; elles peuvent manger jusqu'à un kilo de nourriture par jour.

loutre n. f.
Petit animal au pelage brun épais et court et aux pattes palmées, qui vit dans l'eau et sur la terre. *La loutre construit son terrier au bord de la rivière. Les loutres nagent très bien et très vite ; elles communiquent entre elles en émettant un sifflement caractéristique. Les jeunes loutres se laissent facilement apprivoiser. Angèle porte, en hiver, une veste de loutre,* faite avec de la fourrure de loutre.

La loutre est un mammifère carnivore.

Il existe des *loutres de mer.*

Les loutres ont une queue allongée en forme de grosse spatule qui leur sert de gouvernail.

Famille de **loup**

Reviens bientôt ! dit Mère Louve, mon petit tout nu ; car écoute, enfant de l'homme, je t'aimais plus que je n'ai jamais aimé les miens *(le Livre de la jungle).*

louve n. f.
Femelle du loup. *La louve allaite ses louveteaux puis leur apprend à chasser.*
▸ ***louveteau*** n. m. **1.** Petit du loup et de la louve jusqu'à l'âge d'un an. *La louve vient de mettre bas six louveteaux.* **2.** Jeune scout de moins de douze ans. *Yves est parti camper avec les louveteaux.*

La louve est un peu plus petite que le loup.

Conjugaison 8 ▭ Indic. présent : *je louvoie.* Imparfait : *nous louvoyions.*

louvoyer v.
Naviguer en zigzag pour utiliser un vent qui vient de face. *Le voilier louvoyait au plus près,* il remontait le vent.

Conjugaison 1

se ***lover*** v.
S'enrouler sur soi-même. *Le serpent se love pour dormir. Le chat de Julie s'est lové dans un fauteuil,* il s'y est pelotonné.

Famille de **loi**

Un ennemi loyal ne tue pas son ennemi quand il est à terre.

loyal adj.
Une personne loyale, c'est une personne honnête et sincère qui n'essaie pas de tricher. *Yasmina est une amie loyale. Colle et Rat ne sont pas loyaux.*
▸ ***loyalement*** adv. Honnêtement, sans tricher. *Les deux ennemis ont combattu loyalement.*
▸ ***loyauté*** n. f. Honnêteté, droiture. *Le chevalier a reconnu avec loyauté les mérites de son adversaire.*

Le contraire de *loyal,* c'est *déloyal, hypocrite.*

Le contraire de *loyalement,* c'est *traîtreusement.*

loyer n. m.
Somme d'argent que le locataire verse au propriétaire pour lui louer un appartement. *Les Doucet payent leur loyer au début de chaque mois.*

Va voir aussi ***locataire*** et ② ***louer.***

Au pluriel : *des lubies.*

lubie n. f.
Idée, envie capricieuse, parfois un peu folle. *Alex veut passer son brevet de pilote, c'est sa dernière lubie.*

Conjugaison 7 ▭ Indic. présent : *je lubrifie.* Futur : *je lubrifierai, nous lubrifierons.* — Subj. présent : *que nous lubrifiions.*

lubrifier v.
Lubrifier une pièce de machine, c'est mettre de l'huile ou de la graisse dessus pour qu'elle fonctionne mieux. *Le garagiste a lubrifié le moteur ;* vois ***graisser.***
▸ ***lubrifiant*** n. m. Produit qui sert à graisser, à huiler. *L'huile et la graisse sont des lubrifiants.*

Compare : *lubrifier → lubrifiant* et *fortifier → fortifiant.*

Compare ***lucarne*** et *trans**lucide*** : quelque chose **luit.**

lucarne n. f.
Petite fenêtre percée dans le toit d'une maison. *Nathalie regarde par la lucarne du grenier.*

lucide adj.
1. *Une personne lucide,* c'est une personne capable de voir clairement les choses qui se passent et de les comprendre. *Sylvain est très intelligent, il a un esprit lucide ;* vois ***clairvoyant, perspicace.*** **2.** Conscient. *Mme Séverac s'est remise de son évanouissement, mais elle n'est pas encore entièrement lucide,* elle n'a pas encore l'esprit clair.

Compare : *lucide → lucidité, absurde → absurdité* et *rigide → rigidité.*

▸ ***lucidité*** n. f. **1.** Qualité d'une personne qui voit clairement les choses et les comprend bien. *Sylvain a analysé la situation avec une grande lucidité.* **2.** Fonctionnement normal de l'esprit. *Le malade n'avait plus toute sa lucidité ;* vois ***raison.***

Autre membre de la famille : **extra-lucide.**

Compare ***luciole*** et ***lucarne*** : il s'agit de **luire.**

luciole n. f.
Insecte ailé et lumineux qui ressemble au ver luisant. *Les lucioles vivent surtout la nuit. Les larves des lucioles sont carnassières.*

Le mâle et la femelle adultes sont ailés et lumineux.

Famille de **luire**

lueur n. f.
1. Lumière faible. *Julie essaie de lire à la lueur d'une bougie.* **2.** Éclat vif, dans le regard. *Yves eut une lueur de colère dans les yeux ;* vois ***éclair.*** **3.** Légère trace. *Tout n'est pas perdu, il reste une lueur d'espoir.*

Il [le Petit Poucet] vit une petite lueur comme d'une chandelle, mais qui était bien loin par-delà la Forêt *(le Petit Poucet).*

luge n. f.
Petit traîneau utilisé pour glisser sur la neige. *Aux sports d'hiver, Claire fait de la luge pendant que ses cousins font du ski.*

lugubre adj.
Très triste. *L'appartement de Mme Harpie est lugubre. M. Bellec a l'air lugubre aujourd'hui ;* vois ***sinistre.***

Le contraire de *lugubre,* c'est *gai.*

Au pluriel : *leur.*
Au féminin : *elle.*
Au pluriel : *eux.*

lui pronom personnel
1. Pronom personnel de la troisième personne du singulier masculin et féminin, complément. *J'ai rencontré Marie-Tévy et je lui ai parlé,* à elle. *Le chat avait faim, Julie lui a donné à manger,* à lui. *Faites-lui recommencer cet exercice.* **2.** Pronom personnel de la troisième personne du singulier masculin, sujet. *Yves, lui aussi, aime beaucoup la Bretagne. Pendant ce temps, lui regarde la télévision.* **3.** *Il a pris lui-même la décision de partir,* personnellement.

Ce cochon n'était pas une mauvaise bête, au contraire, mais susceptible et, quand il avait perdu, facilement rageur. Il y eut à cause de lui plusieurs disputes très vives *(les Contes du Chat perché).*

Conjugaison 38 ; *luire* se conjugue comme *cuire.*
Au féminin : *luisante.*

luire v.
Briller. *Le soleil luit. Le front d'Hippolyte luisait de sueur. Le regard d'Antoine luisait d'envie devant le gâteau au chocolat.*

▸ ***luisant*** adj. **1.** Brillant. *Rex le chien a le poil luisant.* **2.** *Un ver luisant,* c'est un insecte qui brille la nuit en émettant une lumière jaune-vert. *Les vers luisants vivent surtout la nuit.*

Voici venir l'orage, voilà l'éclair qui luit (chanson).

Le contraire, c'est *terne.*

Autres membres de la famille : **lueur, reluire.**

Prononce [lɛ̃bago] ou [lɔ̃bago].

lumbago n. m.
Douleur située dans le bas du dos. *M. Bonnot a souvent des lumbagos.*

Va voir aussi ***lombaire.***

Compare *lumière* et *allumer* : dans ces mots, il s'agit de **clarté.**

lumière n. f.
1. Ce qui éclaire naturellement les objets. *Il n'entre pas beaucoup de lumière dans cette chambre ;* vois ***clarté.*** **2.** Ce qui éclaire artificiellement les objets. *Allume la lumière, il fait sombre ;* vois ***électricité.*** *À la lumière des phares, M. Bellec vit passer un lapin.* **3.** *Le commissaire cherche à faire toute la lumière sur le crime,* il cherche toutes les explications nécessaires pour le comprendre.

Le contraire de *lumière,* c'est *obscurité.*

On dit d'une personne pas très intelligente : « Ce n'est pas une lumière ».

Compare *luminaire* et *illuminer* : il s'agit de **clarté.**

luminaire n. m.
Appareil d'éclairage. *Les lampes, les lampadaires, les lustres et les spots sont des luminaires.*

Compare *lumineux* et *luminaire* : il s'agit de **clarté.**

lumineux adj.
1. Qui brille dans l'obscurité. *Ce réveil a des chiffres lumineux. La nuit, on voit de loin l'enseigne lumineuse du cinéma de Motbourg.* **2.** Clair. *L'appartement des Doucet est très lumineux.*

C'est une idée lumineuse, une idée de génie.

Compare *luminosité, luminaire* et *illuminer* : il s'agit de **clarté.**

luminosité n. f.
Clarté brillante. *Sophie aime la luminosité du ciel méditerranéen ;* vois ***éclat.*** *Cette photographie manque de luminosité,* elle est trop sombre.

Famille de **lune**

lunatique adj.
Une personne lunatique, c'est une personne dont l'humeur change souvent sans que l'on comprenne pourquoi ; vois ***capricieux, fantasque.*** *Denis Prost est un peu lunatique.*

Prononce [lœntʃ] ou [lœʃ].

lunch n. m.
Repas léger ; vois ***buffet, cocktail.*** *Les Prost sont invités à un lunch de mariage.*

Au pluriel : *des lunchs* ou *des lunches.*

Lundi matin, l'Empereur,
sa femme et le petit Prince,
Sont venus chez moi,
pour me serrer la pince
(chanson).

lundi n. m.
Jour de la semaine entre le dimanche et le mardi. *Le restaurant Bellec est fermé le lundi. Tous les lundis matin, les enfants ont cours de gymnastique.* — adv. *Le docteur Séverac doit partir lundi pour l'Afrique,* le lundi qui vient.

Le lundi de Pâques est un jour férié.

lune n. f.

La Lune est à environ 380 400 km de la Terre.

C'était dans la nuit brune
Sur le clocher jauni,
La lune
Comme un point sur un i
(Alfred de Musset).

Planète qui tourne autour de la Terre et reçoit sa lumière du Soleil. *Un croissant de lune brille dans le ciel. Mme Séverac se sent toujours nerveuse au moment de la pleine lune. La fusée a atterri sur la Lune,* a aluni. *Marie-Tévy est souvent dans la lune,* elle est très distraite, rêveuse. *Angèle est tombée de la lune quand Hippolyte l'a demandée en mariage,* elle a été très surprise, elle est tombée des nues. *Il ne faut pas demander la lune,* des choses impossibles.

La pesanteur, sur la Lune, est égale à 1/6 de celle de la Terre.

Ce sont des cosmonautes américains qui, les premiers, ont posé le pied sur la Lune en juillet 1969.

▸ **lunaire** adj. De la Lune. *Les cosmonautes ont prélevé des échantillons de sol lunaire.*

C'est familier de dire cela.

▸ **luné** adj. *Une personne bien lunée,* c'est une personne de bonne humeur. *Marie-Tévy est encore mal lunée, aujourd'hui,* elle est encore de mauvaise humeur.

Autres membres de la famille : **alunir, alunissage, lunatique.**

lunette n. f.

Les premières lunettes ont été fabriquées au XIVe siècle.

« Jetez donc un coup d'œil à la lunette, le spectacle en vaut la peine », dit l'astronome à Tintin.

1. *Les lunettes,* ce sont deux verres mis sur une monture munie de branches que l'on place devant les yeux pour corriger ou protéger sa vue. *Antoine porte des lunettes. Denis Prost a plusieurs paires de lunettes de soleil.* **2.** *Une lunette,* c'est un instrument d'optique qui permet de voir des objets très éloignés. *L'astronome observe les étoiles avec une lunette astronomique ;* vois ***télescope.***

Le *serpent à lunettes,* c'est le cobra.

Va voir aussi : ***jumelles, longue-vue.***

il y a belle **lurette** adv.

Il y a très longtemps. *Il y a belle lurette que les voitures à chevaux ont été remplacées par les automobiles.*

C'est familier de dire cela.

luron n. m., **luronne** n. f.

M. Bellec est un joyeux luron, une personne gaie qui aime bien vivre.

lustre n. m.

Appareil d'éclairage à plusieurs lampes, que l'on suspend au plafond. *Les domestiques allument les lustres de cristal de la salle à manger du palais.*

Conjugaison 1

lustrer v.

1. Rendre brillant, luisant. *Le chat lustre son poil en le léchant.* **2.** Rendre brillant par le frottement, par l'usure. *Le toboggan a lustré le pantalon de Claire. Yves a un pull-over tout lustré aux coudes.*

Le loup avait passé toute la journée [...] à lustrer son poil et à faire bouffer la fourrure de son cou *(les Contes du Chat perché).*

Attention ! un ***h*** à la fin.

La belle Persane [...] accompagna sa voix, qui était admirable, avec le luth qui résonnait avec [...] art
(les Mille et Une Nuits).

luth n. m.

Ancien instrument de musique à cordes. *Au XVIe siècle, les poètes récitaient leurs poèmes en s'accompagnant au luth.*

Le luth est l'ancêtre de la guitare.

▸ **luthier** n. m. Artisan qui fabrique des instruments de musique à cordes. *Le luthier répare les violons, les guitares et les contrebasses.*

lutin n. m.

Petit personnage imaginaire espiègle et malicieux ; vois ***farfadet, gnome.*** *Les lutins de la forêt venaient la nuit taquiner le bûcheron.*

Les lutins portent un bonnet pointu.

Attention ! deux ***t.***

La lutte était un sport qu'aimaient beaucoup les Grecs de l'Antiquité.

lutte n. f.

1. Sport consistant à renverser l'adversaire et à le maintenir à terre. *M. Bellec pratiquait la lutte quand il était jeune.* **2.** Combat entre deux adversaires. *Les rebelles ont abandonné la lutte ;* vois ***bataille, guerre.*** **3.** Action, effort énergique. *Les chercheurs poursuivent leur lutte contre le cancer.*

Les Romains ont engagé la lutte contre les irréductibles Gaulois.

▸ **lutter** v. **1.** Combattre à la lutte. *Les deux athlètes luttent corps à corps.* **2.** *Les chercheurs luttent contre le cancer,* ils s'efforcent de le vaincre.

Conjugaison 1

Compare :
lutter → lutteur,
nager → nageur
et *voyager → voyageur.*

▸ **lutteur** n. m., **lutteuse** n. f. **1.** Athlète qui pratique la lutte. *Réjean a des épaules de lutteur.* **2.** Personne énergique qui aime se battre contre les choses. *M. Doucet a un tempérament de lutteur.*

Famille de **luxer**

luxation n. f.

Déplacement d'un os hors de son articulation. *En tombant à skis, Denis Prost s'est fait une luxation du genou,* il s'est déboîté le genou.

Va voir aussi ***entorse, foulure.***

luxe n. m.

1. Manière de vivre en s'entourant de choses très chères qui ne sont pas nécessaires. *Denis Prost aime le luxe. Il est descendu dans un hôtel de grand luxe,* un très bel hôtel où l'on est très bien servi et qui coûte très cher. **2.** *Se payer le luxe de faire quelque chose,* c'est se permettre de faire quelque chose dont on n'a pas l'habitude et qui procure beaucoup de plaisir. *Il s'est payé le luxe de lui dire ses quatre vérités.*

Il aime les belles maisons, les belles voitures, les beaux vêtements.

Compare : *luxe → luxueux* et *faste → fastueux.* Au féminin : *luxueuse.*

▷ ***luxueux*** adj. *Un endroit luxueux,* c'est un endroit où il y a du luxe. *Les Prost aiment les hôtels très luxueux;* vois ***fastueux, magnifique, somptueux.***

Le contraire de *luxueux,* c'est *modeste, simple.*

Conjugaison 1

luxer v.

Se luxer l'épaule, c'est faire sortir l'os de l'épaule de sa place normale ; vois ② ***déboîter,*** *se* ***démettre.*** *Denis Prost s'est luxé le genou en tombant à skis.*

Autre membre de la famille : **luxation.**

luxuriant adj.

Tintin et le capitaine Haddock traversent la végétation luxuriante de la forêt vierge.

Une végétation luxuriante, c'est une végétation composée de plantes et d'arbres très nombreux et qui poussent très serrés et très hauts ; vois ***exubérant, touffu.*** *La végétation de la forêt vierge est luxuriante.*

Dans les pays tropicaux, la végétation est luxuriante.

luzerne n. f.

Plante à petites fleurs violettes qui sert de nourriture à certains animaux. *En hiver, les vaches mangent de la luzerne séchée.*

La luzerne sert de *fourrage.*

Attention au ***y*** et au ***e*** final de *lycée.*

lycée n. m.

Établissement scolaire où les élèves font leurs études de la seconde à la terminale. *Alex est en terminale au lycée Faidherbe.*

▷ ***lycéen*** n. m., ***lycéenne*** n. f. Élève d'un lycée. *Nathalie voudrait déjà être lycéenne.*

Conjugaison 1
Attention ! un *y.*

lyncher v.

Lyncher quelqu'un, c'est le tuer sans qu'il ait été jugé. *La foule en colère voulait lyncher l'assassin.*

Tintin a failli être lynché.

Attention au ***y*** !

lynx n. m.

Les lynx sont carnivores, ils se nourrissent de cerfs et aussi de plus petites bêtes.

Animal sauvage à oreilles pointues garnies d'un pinceau de poils et qui ressemble à un gros chat. *Les lynx sont des animaux forts et agiles qui courent et grimpent avec facilité. — Avoir des yeux de lynx,* c'est avoir une très bonne vue, une vue perçante. *Loïc a des yeux de lynx, il peut voir très loin.*

Le lynx est un félin.

On fait de très beaux manteaux avec la fourrure du lynx.

Attention ! un ***y*** dans *lyre* et *lyrique.*

lyre n. f.

Ancien instrument de musique à cordes. *Les poètes grecs de l'Antiquité récitaient leurs poèmes en s'accompagnant à la lyre.*

▷ ***lyrique*** adj. **1.** Plein d'enthousiasme et d'émotion. *Hippolyte est lyrique quand il parle de son pays.* **2.** *Un artiste lyrique,* c'est un chanteur ou une chanteuse d'opéra ou d'opérette. *Maria Callas était une grande artiste lyrique.*

La lyre est le symbole de la poésie : autrefois, on récitait de la poésie en s'accompagnant de cet instrument.

L'*art lyrique,* c'est l'opéra.

lys va voir *lis.*

m' va voir ***me, moi.***

ma va voir ***mon.***

macabre adj.
Une histoire macabre, c'est une histoire qui a pour sujet la mort. *Hippolyte aime raconter des histoires macabres ;* vois ***lugubre.***

Où il est question de squelettes, de cadavres.

Prononce [makadam].

Le macadam a été inventé par John McAdam vers 1830.

macadam n. m.
Revêtement de routes, fait de pierres concassées et de sable tassé au rouleau compresseur. *Le talus est trop humide, Claire préfère marcher sur le macadam.*

Généralement, on revêt le macadam de goudron.

macaque n. m.
Singe d'Asie au corps trapu et au museau proéminent. *Un macaque femelle grimpe à un arbre avec son petit sur son dos.*

Les macaques aiment beaucoup les fruits.

macaron n. m.
1. Gâteau sec, rond, fait avec de la poudre d'amandes et du blanc d'œuf. *Julie a mangé des macarons au chocolat.* **2.** Natte de cheveux roulée sur l'oreille. *Angèle s'est fait des macarons.* **3.** Insigne rond. *Les organisateurs de la course portent un macaron.*

Va voir aussi : ***nouilles, spaghettis.***

macaronis n. m. plur.
Pâtes en forme de tube. *Claire aime beaucoup les macaronis au gratin.*

Macaronis est un mot d'origine italienne.

macédoine n. f.
1. Plat composé d'un mélange de légumes cuits coupés en morceaux. *Le rôti est accompagné d'une macédoine de légumes ;* vois ***jardinière.*** **2.** Dessert composé de fruits divers coupés en petits morceaux et servis dans un sirop. *Mme Roussel a ouvert une boîte de macédoine de fruits pour le dessert ;* vois ***salade.***

Dans la macédoine de légumes, il y a des petits pois, des haricots verts, des carottes et des navets.

macérer v.
Tremper longtemps dans un liquide pour s'en imprégner. *M. Bellec a fait macérer un lièvre dans la marinade, pendant deux jours ;* vois ***mariner.*** *Mamie Lou laisse macérer les cerises dans l'eau-de-vie pendant plusieurs mois.*

Conjugaison 6 ▭ Indic. présent : *je macère, nous macérons.*

La *macération* des fruits dans l'alcool aide à leur conservation.

Mach est le nom d'un physicien autrichien.
C'est un avion supersonique.

Mach n. m.
Le nombre de Mach, c'est le rapport de la vitesse d'un objet se déplaçant dans l'air ou dans un liquide, à la vitesse du son. *L'avion Concorde se déplace à Mach 2,* à deux fois la vitesse du son.

Attention ! *Mach* [mak] rime avec *sac* et s'écrit toujours avec un ***M*** majuscule.

Attention à l'accent circonflexe du ***â*** !

mâche n. f.
Plante à petites feuilles allongées qui se mangent en salade. *M. Bellec a fait une salade de mâche et de betteraves.*

Dans certaines régions, on dit la *doucette.*

Attention à l'accent circonflexe du ***â*** !

Enlève bien la peau de ton saucisson, mon gros lapin et mâche bien ! a crié la maman de Crépin à Crépin
(le Petit Nicolas).

mâcher v.
1. Écraser avec ses dents avant d'avaler. *Si tu ne mâches pas bien ta viande, tu risques d'avoir mal à l'estomac.* **2.** Triturer longuement dans sa bouche, sans avaler. *Antoine mâche du chewing-gum depuis une demi-heure.* **3.** *Ne pas mâcher ses mots,* c'est dire franchement ce que l'on pense. *M. Bellec a dit à Mme Harpie ce qu'il pensait d'elle, il n'a pas mâché ses mots.*

Conjugaison 1

Autres membres de la famille : **mâchoire, mâchonner, remâcher.**

machette n. f.
Grand couteau à lame épaisse, servant à couper les branches. *L'explorateur se fraie un chemin à travers la forêt vierge avec sa machette.*

Attention à l'accent circonflexe du ***â*** !

mâchicoulis n. m.
Balcon percé d'ouvertures au sommet des murailles ou des tours des châteaux forts. *Au Moyen Âge, on lançait de l'huile bouillante sur les assaillants par les mâchicoulis.*

Ce mot est familier.

machin n. m.
Objet dont on ignore le nom ; vois ***chose, truc.*** *Qu'est-ce que c'est que ce machin ?*

Famille de **machine**

Au masculin pluriel : *machinaux.* Au féminin : *machinale.*

machinal adj.
Un geste machinal, c'est un geste que l'on fait sans y penser, sans réfléchir, comme si on était une machine. *Mme Roussel repasse le linge d'un geste machinal. Quand je sors, j'éteins la lampe, c'est machinal ;* vois ***automatique, involontaire.***

▷ ***machinalement*** adv. D'une façon machinale. *J'ai éteint la lampe machinalement ;* vois ***automatiquement, mécaniquement.***

Famille de **machine**
Le contraire de *machinal,* c'est *réfléchi, volontaire.*

Famille de **machine**

machination n. f.
Ensemble d'actions secrètes, destinées à nuire à quelqu'un. *Cet homme politique a été victime d'une machination ;* vois ***complot, intrigue, manœuvre.***

machine n. f.
1. Appareil qui utilise une énergie ou la transforme pour rendre un travail plus facile. *Autrefois, les trains étaient tirés par des machines à vapeur. Sur le navire, le mécanicien travaille dans la salle des machines,* la salle où se trouvent les moteurs qui font avancer le navire. *Le père de Yasmina a travaillé sur de nombreuses machines-outils,* des appareils, généralement à moteur, qui façonnent les pièces ; vois ***tour, perceuse.*** *À la ferme, il y a beaucoup de machines agricoles. Mme Hespel fait ses comptes sur sa machine à calculer. Mme Séverac a une machine à coudre, une machine à laver et une machine à laver la vaisselle.* **2.** *La secrétaire tape une lettre à la machine,* à la machine à écrire.

Le nombre et la complexité des machines ne cessent d'augmenter depuis le XIXe siècle.

C'est Pascal qui a inventé la première machine à calculer au XVIIe siècle.

La machine à écrire s'est répandue au début du XXe siècle.

▷ ***machinerie*** n. f. **1.** Mécanisme très complexe. *Pour déplacer ces décors, il faut une machinerie très compliquée.* **2.** Salle des machines d'un navire. *Le capitaine est descendu dans la machinerie.*

▷ ***machinisme*** n. m. Emploi généralisé de machines dans les usines. *Au XXe siècle, le machinisme a transformé l'industrie ;* vois ***mécanisation.***

▷ ***machiniste*** n. m. et f. **1.** Conducteur d'une machine, d'un véhicule à moteur. *Dans l'autobus, il est défendu de parler au machiniste ;* vois ***conducteur.*** **2.** Personne chargée de s'occuper des décors au théâtre ou dans les studios de cinéma et de télévision. *Le machiniste manœuvre le rideau du théâtre.*

Autres membres de la famille : **machin, machinal, machinalement, machination.**

Prononce [matʃo].
Au pluriel : *des machos.*

macho n. m.
Homme qui croit que les hommes sont supérieurs aux femmes. *Mme Bellec estime que son mari est un vrai macho.*

C'est un mot familier.

Famille de **mâcher**

Le loup n'avait jamais tant ri de sa vie, il riait à s'en décrocher la mâchoire *(les Contes du Chat perché).*

mâchoire n. f.

1. Chacun des deux os arrondis de la bouche dans lesquels sont implantées les dents. *La mâchoire inférieure est mobile, mais la mâchoire supérieure est fixe ;* vois ***maxillaire.*** **2.** Chacune des pièces d'un outil qui, en se rapprochant, peuvent serrer un objet. *Alex a placé la roue de son vélo dans les mâchoires de l'étau.*

N'oublie pas l'accent circonflexe du ***â*** de *mâchoire.*

N'oublie pas l'accent circonflexe du ***â*** et les deux ***n*** dans *mâchonner.*

mâchonner v.

Mâcher longuement ou mordre à petits coups, machinalement. *Julie mâchonnait son crayon en cherchant la solution du problème ;* vois ***mordiller.***

Conjugaison 1
Famille de **mâcher**

Attention à la cédille du ***ç*** ! *Maçon* rime avec *poisson.*

Les outils du maçon sont la pelle, la pioche, la truelle, le niveau, le fil à plomb.

maçon n. m.

Ouvrier qui construit des maisons. *Le maçon a réparé le mur de la grange, puis il l'a recouvert de crépi avec sa truelle.*

▸ ***maçonnerie*** n. f. **1.** Travaux de construction d'un édifice, comprenant le creusement des fondations, l'élévation des murs et leur revêtement. *Mamie Lou a fait appel à un entrepreneur de maçonnerie pour réparer le mur.* **2.** Partie de la construction faite par le maçon, avec des pierres ou des briques assemblées par du ciment ou du béton. *La maçonnerie de la grange est solide.*

Ce serait si drôle
D'apprendre à l'école
À construire des maisons,
Comme un vrai maçon
(A. Sylvestre).

maculé adj.

Couvert de taches, sali. *Claire est tombée dans la cour de la ferme ; sa robe est maculée de boue.*

Famille de **dame**

L'abréviation de *Madame* s'écrit Mme ; celle de *Mesdames* s'écrit Mmes.

madame n. f. singulier, **mesdames** n. f. plur.

1. Nom donné à une femme qui est mariée ou qui a été mariée. *« Au revoir, madame », disent Mme Séverac et Mme Bellec à la vendeuse, en sortant du magasin. « Au revoir, mesdames », répond la vendeuse. « Chère madame, je passe de bonnes vacances », écrit Sylvain à son professeur de piano.* **2.** Titre donné par respect à certaines femmes, mariées ou non. *« Madame la directrice va venir dans la classe », annonce Angèle à ses élèves.*

— Bonjour madame
Comment ça va ?
— Ça va pas mal,
Et votre mari ?
— Il est malade
À la salade
Il est guéri
Au céleri (comptine).

madeleine n. f.

Les madeleines de Commercy, dans la Meuse, sont célèbres.

Petit gâteau bombé à pâte moelleuse, cuit dans un moule en forme de coquille. *Antoine a dévoré tout un paquet de madeleines.*

Mon premier est à moi
Mon second est un chiffre
Mon troisième tient chaud.

mademoiselle n. f. singulier, **mesdemoiselles** n. f. plur.

L'abréviation de *Mademoiselle* s'écrit Mlle ; celle de *Mesdemoiselles* s'écrit Mlles.

Nom donné aux jeunes filles et aux femmes non mariées. *La directrice appelle Angèle « Mademoiselle Bastiani ». « Bonjour, Mesdemoiselles », dit le boulanger à Julie et à Yasmina.*

Famille de **ma** et de **demoiselle**

madrier n. m.

Poutre très épaisse. *Des madriers de chêne soutiennent le toit de la grange.*

On prononce [maɛstʀo]. Au pluriel : *des maestros.*

maestro n. m.

Compositeur de musique ou chef d'orchestre très connu. *Toscanini était un maestro italien célèbre dans le monde entier.*

Maestro est un mot italien.

On écrit aussi *mafia.*

maffia n. f.

1. Groupe secret qui s'occupe d'affaires malhonnêtes ou un peu louches ; vois ***bande.*** *La police a retrouvé le chef de la maffia des voleurs de voitures.* **2.** Groupe très fermé. *Ce club est une vraie maffia, n'y entre pas qui veut !*

La Maffia est une association de bandits, très puissante en Sicile et aux États-Unis.

magasin n. m.

Les supermarchés et les hypermarchés sont des *magasins à grande surface.*

Les différentes marchandises sont disposées dans des *rayons.*

1. Endroit où l'on vend des marchandises ; vois ***boutique, commerce.*** *Dans son magasin, Mme Harpie vend des bonbons, des glaces et des gâteaux. Claire a vu dans la vitrine du magasin de jouets la poupée de ses rêves.* **2.** *Un grand magasin,* c'est un magasin sur plusieurs étages où l'on peut acheter toutes sortes de choses. *Angèle achète presque tous ses vêtements dans les grands magasins.* **3.** Endroit où sont stockées des marchandises ; vois ***entrepôt, réserve.*** *Nous n'avons plus cet article en magasin.*

Autre membre de la famille : **emmagasiner.**

Attention au ***z*** !

magazine n. m.

1. Revue généralement illustrée. *Dans le salon d'attente du docteur Séverac, il y a de nombreux magazines disposés sur une table basse.* **2.** Émission régulière de radio ou de télévision sur un sujet particulier. *Angèle regarde chaque semaine un magazine télévisé sur le théâtre.*

Certains magazines sont hebdomadaires, d'autres sont mensuels.

mage n. m. et adj.
1. n. m. Dans l'Antiquité, prêtre qui pratiquait la magie et l'astrologie, à Babylone et dans l'Empire perse. *Chez les Perses, les mages étaient considérés comme de véritables savants.* **2.** adj. *Les Rois mages,* ce sont les hauts personnages qui vinrent visiter l'enfant Jésus dans sa crèche. *Les Rois mages, guidés par une étoile, apportèrent à Jésus des cadeaux précieux.*

Ils s'appelaient Gaspard, Melchior et Balthazar.

▸ **magie** n. f. Art de faire des choses qui paraissent extraordinaires avec des paroles et des gestes mystérieux. *Les alchimistes du Moyen Âge utilisaient la magie pour essayer de fabriquer de l'or. Le prestidigitateur fait des tours de magie.*

Comme par magie : mystérieusement, comme par enchantement.

Faire de la magie ce n'est pas drôle s'il n'y a personne pour regarder, et c'est pour ça que la maman de Maixent lui a permis de nous inviter *(le Petit Nicolas).*

▸ **magique** adj. **1.** *Un pouvoir magique,* c'est un pouvoir extraordinaire produit par la magie. *Les fées et les sorcières ont des pouvoirs magiques.* **2.** *Une baguette magique,* c'est une baguette qui a des pouvoirs magiques. *La fée transforma le crapaud en beau prince d'un coup de sa baguette magique.*

« Sésame, ouvre-toi » sont les mots magiques qui font ouvrir la caverne d'Ali-Baba.

Astérix tire sa force de la potion magique faite par le druide Panoramix.

▸ **magicien** n. m., **magicienne** n. f. Personne qui fait de la magie. *Les sorciers, les mages, les alchimistes, les devins, les fées et les enchanteurs sont des magiciens.*

J'ai vu à la télé un magicien, et il sortait des tas de pigeons de partout *(le Petit Nicolas).*

magistral adj.
Un coup magistral, c'est un coup de maître, très réussi. *L'un des joueurs de l'équipe de football a marqué un but magistral.*

Au masculin pluriel : *magistraux.*

Une *gifle magistrale,* c'est une gifle donnée avec force.

magistrat n. m.
1. Personne qui a une autorité officielle. *Le maire d'une commune, le sous-préfet et le préfet d'un département sont des magistrats.* **2.** Fonctionnaire chargé de rendre la justice. *Les juges sont des magistrats.*

Attention au ***t*** final !

Le premier magistrat de France est le président de la République.

▸ **magistrature** n. f. Fonction de magistrat. *Le père de Denis Prost est dans la magistrature,* il est magistrat.

Compare : *magistrat → magistrature* et *candidat → candidature.*

magma n. m.
Matière visqueuse que l'on trouve au centre de la Terre et qui est formée de roches en fusion. *La lave qui sort des volcans provient du magma.*

La température du magma peut atteindre 4 500 degrés.

magnanime adj.
Quelqu'un de magnanime, c'est quelqu'un qui pardonne facilement et qui est généreux avec les faibles, les vaincus ; vois ***généreux, noble.*** *Les vainqueurs se sont montrés magnanimes et ont épargné les vaincus.*

Prononce [maɲanim].

Magnanime n'est pas un mot très courant.

magnésium n. m.
Métal blanc argenté, très léger, qui brûle à l'air avec une flamme éblouissante. *La lumière d'un flash est un éclair de magnésium.*

Magnésium [maɲezjɔm] rime avec *géranium* et *gentilhomme.*

Le magnésium est indispensable à la vie.

magnétique adj.
1. Qui a les propriétés de l'aimant, qui attire le fer. *Les cartes de crédit ont une piste magnétique.* **2.** *Une bande magnétique,* c'est une bande enduite d'une matière spéciale et qui permet d'enregistrer les sons avec un magnétophone. *On enregistre de la musique sur bande magnétique.* **3.** *Un pouvoir magnétique,* c'est un pouvoir qui rend quelqu'un attirant, fascinant. *Quand il faisait des discours, Hitler avait un pouvoir magnétique sur la foule.*

Va voir aussi ***aimant.***

Avec un magnétoscope, on enregistre des sons et également des images sur bande magnétique.

Un *champ magnétique* entoure l'aimant.

Souvent, les bandes magnétiques sont dans des cassettes.

▸ **magnétiser** v. **1.** Rendre magnétique. *L'aimant magnétise le fer,* il l'attire à lui ; vois ***aimanter.*** **2.** Exercer une très forte influence sur quelqu'un ; vois ***fasciner, hypnotiser.*** *Ce brillant avocat a magnétisé la salle d'audience.*

Conjugaison 1

▸ **magnétisme** n. m. **1.** Propriété des corps qui donnent lieu à des phénomènes semblables à l'attraction du fer par l'aimant. *L'aiguille de la boussole est soumise au magnétisme terrestre.* **2.** Charme, fascination. *Denis Prost exerce généralement sur les femmes un véritable magnétisme.*

Le magnétisme de la Terre est très puissant.

magnétophone n. m.
Appareil qui permet d'enregistrer des sons à l'aide d'une bande magnétique. *Hippolyte enregistre ses chansons préférées sur son magnétophone à cassettes.*

Compare *magnéto**phone**, télé**phone*** et ***symphonie*** : dans ces trois mots, il est question de **son.**

Compare *magnétoscope, microscope* et *kaléidoscope* : dans ces mots, il s'agit de **regarder.**

magnétoscope n. m.

Appareil qui permet d'enregistrer et de reproduire des images et des sons. *Julie enregistre les dessins animés qui passent à la télévision, avec le magnétoscope de son père.*

Comme cela, elle peut les revoir quand elle veut.

Magnificence [maɲifisɑ̃s] rime avec *absence* et *chance.*

magnificence n. f.

Aspect magnifique, splendeur. *Angèle a fait admirer à ses élèves la magnificence du château de Versailles.*

Magnificence n'est pas un mot très courant.

magnifique adj.

Splendide, superbe, somptueux. *Mme Séverac a un magnifique collier de perles. Ce jour-là, le temps était magnifique. Quel magnifique coucher de soleil !*

Le contraire de *magnifique,* c'est *affreux, épouvantable.*

Éva a des magnolias, des camélias, des dahlias et des bégonias dans sa véranda.

magnolia n. m.

Arbre à feuilles luisantes et à grosses fleurs blanches très parfumées. *Il y a de vieux magnolias dans le jardin des Séverac.*

On prononce [maɲɔlja] ou [magnɔlja].

Attention au ***t*** final !

magot n. m.

Somme d'argent que l'on a accumulée, économies. *Mme Harpie s'est fait voler le magot qu'elle cachait dans sa cave.*

Cela faisait des années qu'elle l'amassait.

Au pluriel : *des maharajahs* ou *des maharajah.*

maharajah n. m.

Prince hindou. *Le maharajah habitait un superbe palais.*

Les mahométans pratiquent la religion de Mahomet.

mahométan n. m., *mahométane* n. f.

Musulman. *Les mahométans se tournent vers La Mecque pour prier.*

Va voir aussi ***islam.***

Ne confonds pas *mai, mais, mets* et *il met,* du verbe *mettre.*

mai n. m.

Cinquième mois de l'année. *Julie est née en mai. Le Premier Mai est la fête du Travail. Le mois de mai a trente et un jours.*

En avril, n'ôte pas un fil ;
En mai, fais ce qu'il te plaît
(proverbe).

maigre adj.

Après m'avoir bien regardé, voyant que j'étais si maigre, que je n'avais que la peau sur les os, il me lâcha
(les Mille et Une Nuits).

1. *Quelqu'un de maigre,* c'est quelqu'un qui n'a pas beaucoup de graisse. *Malade, la mère de Sophie Pelletier était très maigre.* **2.** Peu abondant. *Après un maigre repas, Mme Harpie est allée se coucher ;* vois ***frugal.*** **3.** Qui ne contient pas de matières grasses. *Angèle mange des yaourts maigres car elle ne veut pas grossir.* **4.** Peu important, médiocre. *Avec son maigre salaire, Mme Roussel a bien du mal à faire des économies.*

Le contraire de *maigre,* c'est *gras, gros.*

Autres membres de la famille : **amaigri, amaigrissant, amaigrissement.**

Compare : *maigre → maigreur* et *pâle → pâleur.*

▸ ***maigreur*** n. f. État d'une personne maigre. *La mère de Sophie Pelletier était d'une maigreur effrayante.*

Conjugaison 2

▸ ***maigrir*** v. Devenir maigre, perdre du poids. *Mme Séverac fait un régime pour maigrir. Hippolyte a maigri de plusieurs kilos.*

Le contraire de *maigrir,* c'est *grossir.*

maille n. f.

1. *Les mailles,* ce sont les petites boucles de laine ou de fil qui forment un tissu plus ou moins serré. *Avant de commencer à tricoter, Mme Bellec monte ses mailles.* **2.** *Les mailles d'un filet,* ce sont les trous formés par chaque maille. *Le poisson s'est faufilé à travers les mailles du filet.*

Autre membre de la famille : **maillon.**

Une *cotte de mailles,* c'est un vêtement fait de mailles de métal que portaient les chevaliers, au Moyen Âge, pour faire la guerre.

maillet n. m.

Marteau en bois. *Alex enfonce les piquets de sa tente avec un maillet.*

Compare : *maille → maillon* et *chaîne → chaînon.*

maillon n. m.

Anneau d'une chaîne ; vois ***chaînon.*** *Au fond de son cachot, le prisonnier essayait de limer les maillons de sa chaîne.*

Famille de **maille**

N'oublie pas le ***t*** final.

maillot n. m.

1. Vêtement collant, fait d'une seule pièce, que l'on porte pour faire de la danse ou de la gymnastique. *Pour faire de la danse, Julie porte un maillot de danseuse rose et un collant blanc.* **2.** Vêtement couvrant le buste, que portent les sportifs. *Les footballeurs et les coureurs cyclistes portent un maillot sur lequel est inscrit un numéro.* **3.** *Un maillot de bain,* c'est un costume de bain. *Pour nager, Angèle met un maillot de bain une pièce.* **4.** *Autrefois, les bébés étaient enveloppés dans des maillots,* des langes qui leur entouraient le bas du corps jusqu'aux aisselles.

Un *maillot de corps,* c'est un sous-vêtement d'homme qui couvre le torse.

Au pluriel : *des maillots de bain.*

Le premier au classement général du Tour de France cycliste porte un maillot jaune.

Autre membre de la famille : **emmailloter.**

main n. f.

Ses petites mains étaient presque mortes de froid *(la Petite Fille aux allumettes).*

Prendre quelque chose en main, c'est s'en charger.

J'en mettrais ma main au feu : j'en suis sûr.

Va voir *faire des pieds et des mains* à **pied.**

Partie du corps située au bout du bras, qui sert à toucher et à saisir les objets. *Chacune des deux mains possède cinq doigts. Marie-Tévy donne la main à Nathalie pour traverser la rue. Mme Séverac tend la main à ses invités. Je vais te donner un coup de main,* je vais t'aider. *Si tout le monde met la main à la pâte, cela ira plus vite,* si tout le monde apporte son aide. *J'ai pris ce que j'avais sous la main,* ce que j'avais à ma portée, à ma disposition. *Je n'arrive pas à remettre la main sur ce livre,* je ne le trouve plus. *Les voleurs ont fait main basse sur le magot de Mme Harpie,* ils lui ont volé son magot. *Les ouvriers et les artisans travaillent de leurs mains,* manuellement. *Hippolyte, le facteur, a remis le colis à son destinataire, en mains propres,* au destinataire en personne. *Les deux adversaires en sont venus aux mains,* ils en sont venus à se battre. *Avec Angèle comme institutrice, les enfants sont en de bonnes mains,* ils sont confiés à quelqu'un de sûr.

Ne confonds pas *main* et *maint.*

On serre la main à quelqu'un pour le saluer.

Forcer la main à quelqu'un, c'est l'obliger à faire quelque chose.

Autres membres de la famille : **baisemain, essuie-mains, main-d'œuvre, main-forte, maintenir, maintien,** en un **tournemain.**

mainate n. m.

Le mainate vient de Malaisie.

Oiseau noir à bec orange capable d'imiter la voix humaine. *Les mainates, comme les perroquets, s'apprivoisent très bien.*

Le mainate est un passereau.

main-d'œuvre n. f.

Attention au trait d'union.

Au pluriel : *des mains-d'œuvre.*

1. Coût du travail d'un ou de plusieurs ouvriers. *Dans le prix de la réparation, il faut ajouter les heures de main-d'œuvre au prix des pièces.* **2.** Ensemble des ouvriers. *L'industrie automobile emploie beaucoup de main-d'œuvre étrangère.*

Famille de **main** et de **œuvre**

main-forte n. f.

N'oublie pas le trait d'union.

Prêter main-forte à quelqu'un, c'est l'aider. *Antoine a fait croire à Muriel Doucet qu'il avait prêté main-forte à la police pour arrêter de dangereux bandits.*

Famille de **main** et de ① **fort**

maint adj.

Maint n'est pas un mot très courant.

Au féminin : *mainte.*

Maintes fois, de nombreuses fois. *Julie avait parcouru ce chemin maintes fois, et en connaissait chaque tournant. Ils s'étaient rencontrés à maintes reprises,* souvent, plusieurs fois.

Ne confonds pas *maint* et *main.*

maintenant adv.

Tout de suite, à présent. *Il faudrait partir maintenant, si l'on veut être de retour avant la nuit. Il y a quelque temps, Angèle habitait Marseille, mais maintenant elle vit à Motbourg,* aujourd'hui, actuellement. *Maintenant que tout le monde est là, dit le maire, la réunion peut commencer.*

On dit aussi : *à partir de maintenant, dès maintenant, jusqu'à maintenant, pas maintenant, plus maintenant.*

maintenir v.

Conjugaison 22

▭ Indic. présent : *je maintiens, nous maintenons.* Imparfait : *je maintenais.* Passé simple : *je maintins, nous maintînmes.* Futur : *je maintiendrai.* —Subj. présent : *que je maintienne.*

1. Tenir quelque chose un certain temps dans une position. *Pour planter une tente, il faut maintenir les piquets bien droits et les enfoncer dans le sol avec un maillet.* **2.** Faire durer un état. *Avec Colle et Rat, Angèle a bien du mal à maintenir le calme dans sa classe. — Le beau temps ne s'est pas maintenu très longtemps,* n'a pas duré très longtemps. **3.** Affirmer avec force. *Antoine maintient qu'il a dit la vérité ;* vois ***soutenir.***

Famille de **main** et de **tenir**

La police est chargée de maintenir l'ordre.

Elle était mannequin.

Le contraire de *maintien,* c'est *abandon.*

▸ ***maintien*** n. m. **1.** Façon de se tenir ; vois ***attitude, posture, tenue.*** *Muriel Doucet a pris autrefois des leçons de maintien.* **2.** *La directrice a décidé le maintien de la punition générale,* elle a décidé qu'elle serait maintenue.

Compare : *maintenir → maintien* et *soutenir → soutien.*

maire n. m.

Ne confonds pas *maire, mer* et *mère.*

Quand le maire d'une ville est une femme, on dit *Madame le maire.*

Personne élue par le conseil municipal pour diriger les affaires d'une commune. *Le maire de Motbourg est très populaire auprès des habitants.*

▸ ***mairie*** n. f. Bâtiment où se trouvent les bureaux du maire et de l'administration de la commune. *La mairie de Motbourg est en face du marché.*

Le maire est aidé dans son travail par des adjoints.

Dans les grandes villes, on dit aussi l'*hôtel de ville.*

mais conjonction et adv.

Ne confonds pas *mais, mai, mets* et *je mets, il met,* du verbe *mettre.*

1. conjonction *Mais* s'emploie pour annoncer une idée contraire à celle qui a été exprimée. *David aimerait bien avoir un chien, mais sa mère a horreur des animaux. La fête de Nathalie n'est pas demain mais*

Mais sert aussi à exprimer une restriction : *elle est belle mais très bête.*

Mais où est donc Ornicar ?

après-demain. **2.** adv. *Mais* s'emploie pour renforcer ce qu'on dit. *Mais où est donc passée Julie ? Tu viens avec moi ? Mais bien sûr !*

N'oublie pas le tréma du ***ï***. Prononce [mais].

Le maïs était déjà cultivé 4 000 ans avant Jésus-Christ en Amérique du Sud.

maïs n. m.
Plante qui a une longue tige, de larges feuilles pointues et des grains serrés sur un gros épi cylindrique. *La ferme est entourée de champs de maïs. Mamie Lou donne du maïs aux poules,* des grains de maïs. *Mme Roussel a préparé une salade composée de maïs, de tomates et d'avocats.*

Le maïs est une céréale.

Avec le maïs, on nourrit les animaux, on fait de la farine et de l'huile.

Cadet Rousselle a trois maisons
Qui n'ont ni poutres ni chevrons.
C'est pour loger les hirondelles !
(chanson).

maison n. f.
1. Bâtiment qui sert d'habitation ; vois ***immeuble, logement, pavillon, résidence, villa.*** *La maison des Séverac a deux étages.* **2.** L'endroit où l'on habite ; vois ***domicile.*** *Ce matin, Antoine n'est pas allé à l'école, il est resté à la maison.* **3.** *M. Bellec est fier de ses tartes maison,* des tartes qu'il fait lui-même. **4.** Bâtiment qui sert à un usage particulier. *Hippolyte s'occupe du ciné-club de la maison des jeunes et de la culture. Il y a deux maisons de retraite à Motbourg,* deux établissements où vivent des personnes âgées. *Mme Roussel est restée un mois dans une maison de repos,* dans un établissement où elle était soignée et pouvait se reposer. **5.** Entreprise commerciale ; vois ***firme, société.*** *Notre maison est fermée au mois d'août.*

Une *maisonnette,* c'est une petite maison.

Une *maison d'arrêt,* c'est une prison.

Un livre est publié dans une *maison d'édition.*

Attention aux deux ***n*** et au ***e*** final de *maisonn**ée*** !

▸ ***maisonnée*** n. f. Toutes les personnes qui habitent la même maison, toute la famille. *Yasmina a récité un poème devant la maisonnée au complet.*

N'oublie pas l'accent circonflexe du ***î***.

maître n. m. et adj., **maîtresse** n. f. et adj.
▭ **n. 1.** Personne qui exerce une autorité sur quelqu'un. *Le pharaon était le maître absolu de milliers d'esclaves.* **2.** *Le maître et la maîtresse de maison,* ce sont les personnes qui habitent cette maison et décident de ce qu'on y fait. *La maîtresse de maison reçoit ses invités.* **3.** Personne qui possède un animal domestique. *Le chien Rex fête ses maîtres quand ils reviennent à la ferme.* **4.** *Être maître de soi,* c'est avoir le contrôle de soi-même, se dominer. *Muriel Doucet est restée maîtresse d'elle-même pendant que le chauffard l'insultait.* **5.** Personne qui enseigne aux enfants ; vois ***instituteur.*** *Angèle est une maîtresse d'école très aimée de ses élèves. Le maître nageur a appris à plonger à Marie-Tévy,* la personne qui enseigne la natation. **6.** Grand artiste, grand écrivain ou grand savant. *La Joconde est un tableau de maître.* **7.** Titre que l'on donne à un avocat, à un notaire. *« Je demanderai conseil à mon avocate, maître Badin », dit le docteur Séverac.*
▭ **adj.** *Un hibou était perché sur la maîtresse branche d'un chêne,* sur la plus grosse branche. *Un timbre rare du Brésil est la pièce maîtresse de la collection d'Hippolyte,* la plus belle pièce.

Le maître Chat arriva enfin dans un beau Château dont le maître était un Ogre *(le Chat botté).*

Le capitaine d'un bateau est le seul maître à bord.

Va voir *maître d'hôtel* à **hôtel.**

Qui sont les maîtres de Milou et d'Idéfix ?

Un *coup de maître,* c'est une action brillante.

Maître Corbeau, sur un arbre perché... (La Fontaine).

Famille de **chanter**

▸ ***maître chanteur*** n. m. Personne qui exerce un chantage sur quelqu'un. *Ne cédez pas aux maîtres chanteurs.*

▸ ***maîtresse*** n. f. *Avant de devenir sa femme, Muriel Doucet a été la maîtresse de M. Doucet,* elle a eu des relations amoureuses avec lui.

Va voir aussi **amant.**

▸ ***maîtrise*** n. f. **1.** *La maîtrise de soi,* c'est le calme, la patience. *En ne répondant pas au chauffard, Muriel Doucet a montré une parfaite maîtrise d'elle-même ;* vois ***sang-froid.*** **2.** Contrôle militaire d'un lieu. *Le vainqueur de la guerre aérienne aurait la maîtrise du ciel.* **3.** Groupe de chanteurs, chorale. *L'abbé Gauthier dirige la maîtrise de l'église Sainte-Marie.* **4.** Habileté, perfection. *Ce concerto a été exécuté avec une très grande maîtrise ;* vois ***virtuosité.***

Muriel Doucet est restée parfaitement *maîtresse d'elle-même.*

Conjugaison 1

▸ ***maîtriser*** v. **1.** Se rendre maître de quelqu'un ou de quelque chose par la force. *Le cow-boy a maîtrisé le cheval sauvage. Les pompiers ont maîtrisé l'incendie en cinq minutes.* **2.** Contenir, dominer. *Marie-Tévy voudrait maîtriser son émotion et ne pas pleurer. — Ne tremblez pas comme cela, maîtrisez-vous !,* dominez-vous !

Maîtriser un fou rire, c'est difficile !

Autre membre de la famille : **contremaître.**

majesté n. f.
1. Titre que l'on donne aux souverains. *Sa Majesté la Reine d'Angleterre vient de faire son entrée.* **2.** Grandeur, noblesse dans l'attitude, l'allure. *La reine a un air de majesté quand elle salue la foule,* un air majestueux.

Compare *majesté, majorité* et *majuscule* : c'est **grand.**

Le bon saint Éloi
lui dit ô mon roi,
votre Majesté
est mal culottée (chanson).

Compare : *majesté → majestueux* et *volupté → voluptueux.*

▸ ***majestueux*** adj. **1.** *Une démarche majestueuse,* c'est une démarche lente et solennelle, comme celle d'un roi. *La princesse avait une démarche* *majestueuse.* **2.** D'une beauté pleine de grandeur et de noblesse. *L'Amazone est un fleuve majestueux ;* vois ***imposant.***

majeur adj. et n. m.

Compare *majeur* et *majuscule* : c'est **grand.**

Son frère Sylvain, qui a 12 ans, est encore *mineur.*

▭ **adj. 1.** *La majeure partie,* c'est la plus grande partie. *En vacances, les enfants ont fait du ski la majeure partie de la journée.* **2.** *La santé de ses enfants est le souci majeur de Mme Hespel,* son principal souci. **3.** *À dix-huit ans, Alex est devenu majeur,* il a atteint l'âge de la majorité.

▭ **n. m.** Le plus grand doigt de la main ; vois ***médius.*** *Le majeur est le doigt du milieu.*

Autre membre de la famille : **majorité.**

major n. m.

1. Dans l'armée, officier supérieur. *Le major est chargé de l'administration.* **2.** Candidat reçu premier au concours d'une grande École. *Cette année, le major de l'École polytechnique est une fille.*

▸ ***majorette*** n. f. Fillette ou jeune fille en uniforme militaire de fantaisie. *Les majorettes défilaient au son de la fanfare.*

Autre membre de la famille : **état-major.**

majorer v.

Conjugaison 1

Augmenter. *Le salaire de Mme Roussel a été majoré de dix pour cent ;* vois ***hausser, relever.***

▸ ***majoration*** n. f. Augmentation ; vois ***hausse.*** *M. Bellec se plaint de la majoration du prix de l'essence.*

Compare : *majorer → majoration* et *augmenter → augmentation.*

Le contraire de *majorer,* c'est *baisser, diminuer.*

Le contraire de *majoration,* c'est *baisse, diminution.*

majorité n. f.

Famille de **majeur**

Le contraire de *majorité,* c'est *minorité.*

1. Le plus grand nombre de voix à une élection. *Au conseil municipal, la proposition du maire a obtenu la majorité,* le plus grand nombre des suffrages. **2.** Dans un pays démocratique, ensemble des partis politiques qui ont obtenu la majorité des voix aux élections législatives et qui sont au pouvoir. *Les députés de la majorité ont approuvé la proposition du Premier ministre.* **3.** Le plus grand nombre ; vois ***plupart.*** *La majorité des Français prennent leurs vacances au mois d'août.* **4.** Âge à partir duquel une personne a le droit de voter et devient responsable de ses actes devant la loi. *En France, la majorité est fixée à dix-huit ans.*

Les groupes qui s'opposent à la majorité forment l'*opposition.*

Celui qui atteint sa majorité devient *majeur.*

Obtenir la *majorité absolue,* c'est obtenir au moins la moitié des suffrages, plus une voix.

Compare ***majorité, majeur*** et ***majuscule*** : il s'agit de quelque chose de **grand.**

majuscule adj.

Une lettre majuscule, c'est une grande lettre d'une forme particulière. *Julie a écrit son nom en lettres majuscules sur son cahier.* — n. f. *Les prénoms commencent par une majuscule,* par une lettre majuscule ; vois ***capitale.***

Les majuscules se mettent au commencement des phrases, des vers, des noms propres.

Le contraire de *majuscule,* c'est *minuscule.*

mal adv., adj. invariable et n. m.

Le contraire de *mal,* c'est *bien.*

▭ **adv. 1.** D'une manière qui n'est pas satisfaisante. *Cela commence mal ! Mme Harpie ne gagne pas d'argent, les affaires vont mal ! Mme Séverac est toute pâle, elle va se trouver mal,* avoir un malaise. **2.** Avec malveillance. *Mme Harpie parle mal de M. Doucet,* elle dit des choses désagréables à son sujet. **3.** Autrement qu'il ne convient. *Colle et Rat sont des enfants mal élevés,* impolis, insolents, désagréables envers tout le monde. **4.** Insuffisamment. *Mme Roussel était mal payée.* **5.** Contrairement à la morale. *Colle et Rat ont volé des bonbons, ils ont mal agi,* d'une manière qui n'est pas honnête. **6.** *Pas mal,* assez bien, bien. *Tu ne ferais pas mal de te presser,* tu ferais bien de te presser, tu devrais te presser. **7.** *Pas mal,* assez, beaucoup. *Alex a pas mal travaillé pour rattraper son retard,* il a beaucoup travaillé.

Va voir *prendre mal quelque chose* à ***prendre.***

Va voir *aller de mal en pis* à ***pis.***

Bien mal acquis ne profite jamais (proverbe).

▭ **adj. invariable 1.** *« Tu racontes mes secrets, c'est mal », reproche Yasmina à Julie,* tu agis mal. **2.** *Pas mal,* plutôt bien. *Ces photos ne sont pas mal du tout,* elles sont plutôt réussies.

▭ **n. m. 1.** Ce qui cause de la peine. *M. Doucet a fait du mal à sa femme en la quittant,* il l'a fait souffrir. *Antoine ne ferait pas de mal à une mouche,* il est incapable d'être méchant. **2.** Souffrance, douleur. *Mme Séverac a des maux de tête,* elle a mal à la tête. *Sophie Pelletier a mal aux dents. Ne tire pas la queue du chat, tu lui fais mal,* tu le fais souffrir. *Yves n'a pas le mal de mer,* le malaise que peut donner le mouvement du bateau. **3.** Maladie. *La mère de Sophie Pelletier souffrait d'un mal incurable.* **4.** Difficulté, peine. *Claire a du mal à ouvrir la porte. Angèle, l'institutrice, s'est donné du mal pour que Marie-Tévy fasse des progrès,* elle a fait beaucoup d'efforts. **5.** *Mme Harpie dit du mal de tout le monde,* elle dit des choses méchantes sur tout le monde. **6.** *Le mal,* c'est ce qu'on ne doit pas faire, ce qui est contraire à la morale. *À huit ans, on sait distinguer le bien du mal.*

J'aurai l'air d'avoir mal... j'aurai un peu l'air de mourir. C'est comme ça. *(le Petit Prince).*

Au pluriel : *des maux.*

Autres membres de la famille : **demi-mal, maladresse, maladroit, malaise, malaisé, malchance, malchanceux, malencontreux, malentendu, malfaisant, malfaiteur, mal famé, malformation, malgré, malhabile, malhonnête, malhonnêteté, malice, malicieux, ② malin, malintentionné, malmener, malnutrition, malodorant, malpropre, malsain, maltraiter, malveillant, malveillance.**

Empoisonné, le roi des éléphants a été très malade, si malade qu'il en est mort *(Babar).*

malade adj.
Qui souffre d'une maladie. *Yves a attrapé froid et il est tombé malade. Sylvain a été gravement malade mais aujourd'hui il est guéri. Les arbres qui bordent la rivière sont malades.* — n. m. et f. *Le malade doit garder la chambre,* la personne malade.

Le contraire de *malade,* c'est *bien portant, valide.*

L'eczéma est une *maladie de peau.*

▸ ***maladie*** n. f. **1.** Trouble de l'organisme vivant. *La varicelle est une maladie contagieuse. Sylvain a attrapé une grave maladie.* **2.** Manie. *Mme Séverac a la maladie du rangement.*

Les vaccins nous protègent de certaines maladies.

Au féminin : *maladive.*

Autre membre de la famille : **garde-malade.**

▸ ***maladif*** adj. **1.** Qui a une santé fragile, tombe souvent malade ; vois ***souffreteux.*** *Félix était un chaton maladif ; Julie l'a très bien soigné. Sylvain est d'une pâleur maladive,* qui indique qu'il est malade. **2.** Anormal et impossible à contrôler. *Mme Harpie a une peur maladive des araignées.*

Le contraire de *maladif,* c'est *robuste, sain.*

Famille de **mal** et de ① **adresse**

maladresse n. f.
1. Manque d'adresse. *Les cygnes nagent avec élégance mais marchent avec maladresse.* **2.** Manque de délicatesse, de tact. *Mme Harpie a peiné Marie-Tévy par maladresse.*

Le contraire de *maladresse,* c'est *adresse, habileté.*

Famille de **mal** et de **adroit**

Le contraire de *maladroit,* c'est *adroit, habile.*

maladroit adj.
1. Qui manque d'adresse ; vois ***malhabile.*** *Une serveuse maladroite a renversé de la sauce sur la veste du docteur Séverac.* — n. *Cette maladroite a cassé tous les verres.* **2.** Qui manque de délicatesse, de tact. *Mme Harpie a été très maladroite avec Marie-Tévy,* elle lui a dit ce qu'il ne fallait pas dire.

Elle était avec cela si maladroite qu'elle n'eût pu ranger quatre Porcelaines sur le bord d'une cheminée sans en casser une *(Riquet à la Houppe).*

Le contraire de *maladroitement,* c'est *adroitement.*

▸ ***maladroitement*** adv. Avec maladresse. *Cette lettre est très maladroitement rédigée.*

Famille de **mal** et de **aise**

Elle ne se sentait pas bien.

Mowgli éprouvait un malaise, parce qu'il n'avait jamais dormi sous un toit *(le Livre de la jungle).*

malaise n. m.
1. Sensation pénible et vague provoquée par un trouble du fonctionnement du corps. *Il faisait si chaud que Mme Séverac a eu un malaise ;* vois ***dérangement, indisposition.*** **2.** Sentiment de gêne incontrôlable provoqué par une situation. *Marie-Tévy éprouve souvent un malaise inexplicable quand elle doit parler devant les autres élèves de la classe ;* vois ***angoisse, gêne, inquiétude.***

Elle s'est évanouie.

Le contraire de *malaisé,* c'est *aisé, facile.*

malaisé adj.
Difficile ; vois ***ardu.*** *Il est malaisé de démêler le vrai du faux dans les histoires que racontent Colle et Rat.*

Famille de **mal** et de **aise**

malaria n. f.
Maladie grave transmise par certains moustiques des pays tropicaux ; vois ***paludisme.*** *Le docteur Séverac prend de la quinine pour se protéger de la malaria lorsqu'il va en Afrique.*

La malaria donne beaucoup de fièvre.

Conjugaison 1

malaxer v.
Pétrir une matière pour qu'elle devienne plus molle et pour qu'elle soit bien mélangée. *Mamie Lou malaxe longtemps la pâte à tarte avant de l'étaler.*

Famille de **mal** et de **chance**

malchance n. f.
Manque de chance. *Julie a eu la malchance de tomber malade le jour de la fête de l'école ;* vois ***déveine, guigne.***

Le contraire de *malchance,* c'est *aubaine, chance.*

▸ ***malchanceux*** adj. Qui n'a pas de chance. *Mme Bellec est une joueuse malchanceuse.* — n. *On a donné un lot de consolation aux malchanceux.*

Attention à l'accent circonflexe du ***â*** !

Le jars est le mâle de l'oie.

Le mâle de la truite, c'est la *truite mâle.*

Le contraire de *mâle,* c'est *efféminé, féminin.*

mâle n. m. et adj.
□ **n. m.** Animal de sexe masculin. *Diane, la chienne de Sylvain, vient d'avoir trois petits : deux mâles et une femelle. Le coq est le mâle de la poule.*
□ **adj. 1.** Qui est du sexe masculin. *Diane a eu deux chiots mâles et un chiot femelle. Une fleur mâle a des étamines et du pollen.* **2.** Caractéristique de l'homme ; vois ***viril.*** *Hippolyte a une voix mâle ;* vois ***masculin.***

Le mâle féconde l'ovule produit par la femelle et ne porte pas de petits dans son corps.

La *prise mâle* d'une lampe pénètre dans la prise femelle qui est dans le mur.

Va voir aussi ***maudire.***

malédiction n. f.
1. Ensemble des paroles par lesquelles on souhaite du mal à quelqu'un, en appelant sur lui la colère d'une puissance supérieure. *La méchante*

Le contraire de *malédiction,* c'est *bénédiction.*

sorcière avait donné sa malédiction à la princesse. **2.** Malheur qui semble provoqué par le sort. *La sécheresse est une malédiction qui s'acharne sur certains pays d'Afrique ;* vois ***calamité, fatalité, malchance, malheur.***

Le contraire de *malédiction*, c'est *bonheur, chance.*

maléfique adj.

Les bonnes fées ont un pouvoir *bénéfique.*

Les méchantes sorcières ont un pouvoir maléfique, le pouvoir de faire du mal ; vois ***malfaisant.***

malencontreux adj.

Qui se produit mal à propos ; vois ***ennuyeux, fâcheux, inopportun.*** *Une panne malencontreuse a obligé les Bellec à faire une étape supplémentaire sur la route de leurs vacances.*

Famille de **mal**, de ① **en** et de **contre**

Famille de **mal** et de **entendre**

malentendu n. m.

Il y a un malentendu entre ces deux personnes, ces deux personnes croient s'être comprises, mais elles n'ont pas compris la même chose. *Leur dispute était due à un malentendu ;* vois ***méprise, quiproquo.***

Famille de **mal** et de **faire**

Le contraire de *malfaisant*, c'est *bienfaisant.*

malfaisant adj.

1. *Une personne malfaisante,* c'est une personne qui cherche à faire du mal aux autres. *Mme Harpie est une femme malfaisante ;* vois ***mauvais, méchant.*** **2.** Dont les effets sont néfastes ; vois ***nocif, nuisible.*** *L'abus du tabac est malfaisant pour la santé.*

Mme Harpie dit toujours du mal de tout le monde !

Famille de **mal** et de **faire**

malfaiteur n. m.

Personne qui commet des actes criminels. *La police vient d'arrêter une bande de dangereux malfaiteurs ;* vois ***bandit, brigand, criminel, gangster.***

mal famé va voir ***famé.***

malformation n. f.

Défaut que présente une partie du corps humain à la naissance. *Le bec-de-lièvre est une malformation que l'on peut opérer ;* vois ***infirmité.***

Famille de **mal** et de **forme**

Famille de **mal** et de **gré**

malgré préposition

1. *Malgré soi,* sans le vouloir. *J'ai surpris leur conversation malgré moi ;* vois ***involontairement.*** *Nathalie s'est mise à pleurer malgré elle.* **2.** En dépit de quelque chose. *Yves va à la pêche malgré la pluie. Vous réussirez malgré tout,* quoi qu'il arrive.

Famille de **mal** et de **habile**

Le contraire de *malhabile*, c'est *habile.*

malhabile adj.

Maladroit. *Martin essaie d'attraper son jouet, mais ses gestes sont encore malhabiles ;* vois ***gauche.***

Martin n'a que 6 mois.

malheur n. m.

Sur le tableau noir du malheur il dessine le visage du bonheur (Prévert).

1. Situation pénible, triste. *Cet homme brutal et alcoolique fait le malheur de toute sa famille,* la rend malheureuse. **2.** Malchance. *« Si tu as le malheur de casser ce vase, gare à toi », dit Mme Bellec à son fils. Par malheur, Yves a cassé le vase en jouant ! Les personnes superstitieuses pensent que cela porte malheur de passer sous une échelle.* **3.** Événement pénible ; vois ***catastrophe, désastre, épreuve, malchance.*** *Ce tremblement de terre est un affreux malheur pour le pays. Marie-Tévy a eu bien des malheurs. Angèle n'aime pas raconter ses malheurs.* **4.** Ennui. *Julie a eu un petit malheur ;* vois ***désagrément, inconvénient.***

Le contraire de *malheur*, c'est *bonheur.*

Le malheur des uns fait le bonheur des autres (proverbe).

C'est un pauvre chien aveugle, dirent les petites. Il butait de la tête contre tous les arbres du chemin, et il paraissait malheureux *(les Contes du Chat perché).*

▸ **malheureux** adj. **1.** *Une personne malheureuse,* c'est une personne qui a ou qui a eu des malheurs, qui est dans le malheur. *Marie-Tévy pense aux malheureux enfants qui n'ont plus de famille. Mme Roussel a l'air malheureux ;* vois ***triste.*** — n. *Mme Séverac donne ses vieux vêtements aux malheureux.* **2.** Malchanceux. *Les candidats malheureux ont eu un lot de consolation.* **3.** Désastreux. *L'incendie de la poste n'a pas eu de suites malheureuses.* **4.** Sans importance ; vois ***insignifiant, misérable.*** *En voilà des histoires pour un malheureux vase !*

Le contraire de *malheureux*, c'est *heureux.*

La malheureuse, après avoir bien couru sans trouver personne qui voulût la recevoir, alla mourir au coin d'un bois *(les Fées).*

Le contraire de *malheureusement*, c'est *heureusement.*

▸ **malheureusement** adv. Par malheur. *Sylvain irait bien chasser les papillons mais malheureusement il n'a pas fini ses devoirs.*

Famille de **mal** et de **honnête**

malhonnête adj.

Une personne malhonnête, c'est une personne qui vole ou qui trompe les gens. *Mme Harpie est une commerçante malhonnête ;* vois ***déloyal, voleur.***

Le contraire de *malhonnête*, c'est *honnête, intègre.*

▸ ***malhonnêteté*** n. f. **1.** Caractère d'une personne malhonnête. *La malhonnêteté de Mme Harpie lui vaut des ennemis.* **2.** Acte malhonnête. *Mme Harpie a eu une lourde amende parce qu'elle avait commis des malhonnêtetés ;* vois ***escroquerie.***

Le contraire de *malhonnêteté,* c'est *honnêteté.*

malice n. f.

Tournure d'esprit d'une personne qui aime se moquer des autres sans être méchante. *Julie regarde avec malice sa mère qui essaie de faire fondre un sucre qui ne fond pas.*

Elle a acheté ce sucre dans un magasin de farces et attrapes.

Famille de **mal**

▸ ***malicieux*** adj. *Une personne malicieuse,* c'est une personne qui aime faire des farces, se moquer. *Julie est très malicieuse ;* vois ***espiègle, ironique, spirituel.***

Au féminin : *maligne.*

① ***malin*** adj.

Rusé, capable de se tirer d'embarras ; vois ***astucieux, débrouillard, futé, intelligent.*** *Julie est maligne comme un singe. Hippolyte attend Angèle depuis une heure sous la pluie, il a l'air malin !,* il a l'air fin !

Le contraire de *malin,* c'est *naïf, nigaud.*

② ***malin*** adj.

Une tumeur maligne, c'est une tumeur très dangereuse, qui peut entraîner la mort. *Le cancer est une tumeur maligne.*

Le contraire de *malin,* c'est *bénin.*

Famille de **mal**

malingre adj.

Faible et fragile ; vois ***chétif.*** *Sylvain est un enfant malingre.*

Le contraire de *malingre,* c'est *fort, robuste.*

malintentionné adj.

Une personne malintentionnée, c'est une personne qui a l'intention de nuire ; vois ***malveillant, méchant.*** *Mme Harpie déteste Colle et Rat, elle est malintentionnée à leur égard.*

Le contraire de *malintentionné,* c'est *bienveillant.*

Famille de **mal** et de **intention**

malle n. f.

Ne confonds pas *malle* et *mal.*

1. Grand bagage rigide, en bois ou en métal. *David et Nathalie ont trouvé dans le grenier une grande malle remplie de vieux vêtements.* **2.** Coffre d'une voiture. *M. Bellec met les valises dans la malle arrière.*

[...] leurs cabines [...] étaient de petites chambres contenant chacune deux lits, leurs malles et les choses nécessaires pour la toilette *(les Malheurs de Sophie).*

▸ ***mallette*** n. f. Petit bagage. *Le docteur Séverac transporte ses instruments dans sa mallette.*

Attention ! deux *l,* deux *t.*

malléable adj.

Attention ! deux *l.*

1. Facile à modeler sans se casser. *L'or est le plus malléable des métaux.* **2.** *Une personne malléable,* c'est une personne qui se laisse diriger, influencer ; vois ***docile.*** *Marie-Tévy est une enfant malléable.*

Le contraire de *malléable,* c'est *cassant, dur.*

malmener v.

Conjugaison 5
▭ Indic. présent : *je malmène, nous malmenons.*

Traiter durement. *Les voleurs ont malmené la caissière pour l'obliger à leur donner l'argent de la caisse ;* vois ***brutaliser, maltraiter.***

Famille de **mal** et de **mener**

malnutrition n. f.

Famille de **mal** et de **nutrition**

Nourriture insuffisante ou mal équilibrée. *Les enfants des pays pauvres souffrent souvent de malnutrition.*

malodorant adj.

Compare *mal**odor**ant* et ***odor**at* : il s'agit d'**odeur.**

Qui sent mauvais. *Les poubelles sont souvent malodorantes ;* vois ***nauséabond.***

Famille de **mal** et de **odorant**

malotru n. m., ***malotrue*** n. f.

Personne grossière, mal élevée ; vois ***goujat, mufle.*** *Un malotru a bousculé Mme Bellec et ne s'est pas excusé.*

malpropre adj.

Famille de **mal** et de ① **propre**

Sale. *Claire est tombée par terre, ses vêtements sont malpropres.*

Le contraire, c'est *propre.*

malsain adj.

Au féminin : *malsaine.*
Le contraire de *malsain,* c'est *sain.*

1. Mauvais pour la santé. *Ce climat humide et chaud est malsain.* **2.** Anormal, pervers. *Colle et Rat manifestent une curiosité malsaine pour la vie privée d'Angèle, leur institutrice.*

Famille de **mal** et de **sain**

malt n. m.

Prononce [malt].

Le malt, c'est un ensemble de céréales que l'on fait germer artificiellement puis sécher. *Le malt est utilisé dans la fabrication de la bière.*

Le malt est composé en majeure partie d'orge.

Conjugaison 1

maltraiter v.
Traiter avec brutalité, faire du mal. *Cette vieille dame maltraite son chien ;* vois ***brutaliser.***

Famille de **mal** et de **traiter**

Le contraire de *malveillant,* c'est *bienveillant, amical.*

malveillant adj.
Hostile, méchant ; vois ***malintentionné.*** *Des gens malveillants ont crevé les pneus du vélo d'Antoine,* des gens qui lui voulaient du mal.

Famille de **mal**

▹ ***malveillance*** n. f. Intention de faire du mal ; vois ***hostilité.*** *On a crevé les pneus du vélo d'Antoine par pure malveillance. On sait que l'incendie de la poste de Motbourg n'est pas dû à de la malveillance.*

Le contraire de *malveillance,* c'est *bienveillance.*

maman n. f.
Nom affectueux que les enfants, même devenus adultes, donnent à leur mère. *Martin dort dans les bras de sa maman. Claire joue au papa et à la maman. « Bonjour maman », dit le docteur Séverac en embrassant Mamie Lou.*

Attention ! un seul *m* et deux *l.*

mamelle n. f.
Organe des animaux mammifères qui sécrète le lait. *Les chatons sont accrochés aux mamelles de leur mère et tètent son lait.*

Les mamelles d'une vache s'appellent des *pis.*

▹ ***mamelon*** n. m. **1.** Bout du sein d'une femme. *Les mamelons sont brun rosé.* **2.** Sommet arrondi d'une colline. *Le village est construit sur un mamelon.*

Certains enfants disent *mémé, grand-mère* ou *bonne-maman.*

mamie n. f.
Nom affectueux que les enfants donnent à leur grand-mère. *Les petits Séverac appellent leur grand-mère Mamie Lou.*

Attention ! deux *m.*

mammifère n. m.
Animal qui a un squelette et un cerveau développés, qui respire par des poumons et dont la femelle a des mamelles. *L'homme est un mammifère. Le chat, le cheval, le kangourou sont des mammifères.*

La baleine est un mammifère aquatique.

Les mammouths mesuraient plus de 3 m de haut et avaient d'énormes défenses recourbées.

mammouth n. m.
Gigantesque éléphant poilu qui vivait à l'ère quaternaire. *On a découvert de nombreux squelettes de mammouths dans les glaces de Sibérie. Les mammouths vivaient en troupeaux.*

Attention ! deux *m* et *th* à la fin.

Ce mot vient de l'anglais et se prononce [manadʒœʀ].

manager n. m.
Personne qui dirige une entreprise ou qui organise le travail d'un sportif ou d'un artiste. *L'équipe de football de Motbourg a un bon manager.*

Va voir aussi ***set.***

La *manche à air,* c'est aussi un large tube métallique qui sert à aérer l'intérieur d'un bateau.

① ***manche*** n. f.
1. Partie d'un vêtement qui entoure le bras. *M*me *Bellec tricote un pull à manches longues.* **2.** Chacune des deux parties liées d'un jeu. *Après la première manche, on joue la seconde manche, puis la belle.* **3.** *Une manche à air,* c'est un grand tuyau de tissu qui indique dans quelle direction souffle le vent, sur un aéroport. *La manche à air indiquait que le vent venait du sud.*

La Manche, c'est le bras de mer qui sépare la France de l'Angleterre.

Autres membres de la famille : **emmanchure, ① manchette, manchon.**

② ***manche*** n. m.
1. Partie allongée d'un outil par laquelle on le tient. *Un balai a deux parties : le manche et la brosse. Le manche de ce couteau est en corne.* **2.** Partie allongée d'un violon, d'une guitare. *Le musicien tenait son violon par le manche.*

Autre membre de la famille : **emmancher.**

Famille de ① **manche**

① ***manchette*** n. f.
Extrémité de la manche d'une chemise garnie d'un revers. *Le docteur Séverac met des boutons de manchette.*

② ***manchette*** n. f.
Gros titre en première page d'un journal. *Toutes les manchettes des journaux annonçaient l'événement.*

manchon n. m.
Étui de fourrure dans lequel on glisse ses mains pour les protéger du froid. *Autrefois les dames portaient des manchons.*

Famille de ① **manche**

manchot adj. et n. m.

N'oublie pas le *t* final.

1. adj. À qui il manque une main ou les deux, un bras ou les deux. *Elle est devenue manchote à la suite d'un accident.* **2.** n. m. Oiseau du pôle Sud, aux pattes palmées, au plumage noir et blanc, vivant en colonie sur la banquise ou les rochers près des mers froides. *Ses ailes, trop courtes, ne permettent pas au manchot de voler mais elles lui servent de rames pour nager.*

Les pingouins, eux, vivent au pôle Nord et peuvent voler.

mandarine n. f.

La mandarine est le fruit du *mandarinier.*

Fruit qui ressemble à une petite orange, doux et parfumé et dont la peau se détache facilement. *En hiver, Julie emporte des mandarines pour son goûter.*

La peau de la clémentine se détache moins facilement.

mandat n. m.

Attention ! un *t* à la fin.

1. Document qui permet d'envoyer de l'argent à quelqu'un par la poste. *La mère d'Alex a envoyé un mandat à son fils pour qu'il puisse continuer son voyage.* **2.** Fonction, charge confiée à une personne élue. *Un député exerce son mandat pendant cinq ans.*

mandibule n. f.

Chacune des parties du bec des oiseaux ou de la bouche des insectes qui sert à attraper et à couper les aliments. *Certains insectes ont des mandibules coupantes qui fonctionnent comme des pinces.*

mandoline n. f.

La mandoline est apparue au XVIIe siècle en Italie.

Instrument de musique qui ressemble à une petite guitare. *On gratte les cordes de la mandoline avec un petit morceau de corne.*

La caisse de résonance de la mandoline est bombée.

mandragore n. f.

La forme de cette plante a inspiré de nombreuses légendes.

Plante dont la racine fourchue présente une forme humaine. *La mandragore entre dans la préparation de certains médicaments.*

manège n. m.

1. Dans une fête foraine, attraction constituée de chevaux de bois, de petites voitures qui tournent autour d'un axe et sur lesquels on monte. *Claire adore faire des tours de manège.* **2.** Lieu où l'on dresse et où l'on monte les chevaux. *M. Bonnot a appris à monter à cheval dans un manège.* **3.** Façon habile d'agir pour obtenir ce que l'on veut ; vois ***manœuvre.*** *J'ai vite compris son petit manège ;* vois ***jeu.***

Attention à l'accent grave du ***è*** !

manette n. f.

Compare ***manette*** et ***manivelle*** : dans ces mots, il s'agit de **main.**

Poignée ou levier que l'on manœuvre à la main et qui commande un mécanisme. *Le pilote abaisse la manette qui commande l'ouverture des portes.*

Attention ! un seul ***n*** et deux ***t.***

manger v.

Conjugaison 3 ▭ Indic. présent : *nous mangeons.* Imparfait : *je mangeais.*

Va voir aussi ***déjeuner, dîner.***

1. Avaler, pour se nourrir, un aliment solide après l'avoir mâché. *Yves mange un bifteck et des pommes de terre. Marie-Tévy ne mange pas beaucoup. On prend ses repas dans la salle à manger. Le chat a mangé la souris.* **2.** Dépenser. *Alex a mangé toutes ses économies.*

Céleste soupire tristement, elle voit qu'elle va être mangée par les cannibales *(Babar).*

▸ **mangeable** adj. **1.** Qui peut se manger ; vois ***comestible.*** *Cette viande est encore mangeable.* **2.** Tout juste bon à manger mais peu appétissant. *Les repas de la cantine sont tout juste mangeables.*

Attention ! un ***e*** après le ***g*** dans *mangeable* et *mangeoire.*

▸ **mangeoire** n. f. Récipient qui contient la nourriture pour les animaux domestiques. *Mamie Lou jette les épluchures dans la mangeoire des cochons.*

Autres membres de la famille : **garde-manger, immangeable.**

mangouste n. f.

La mangouste ne craint pas la morsure des serpents venimeux.

Petit mammifère carnivore d'Afrique et d'Asie qui ressemble à une belette. *Les mangoustes mangent des œufs, des grenouilles et des serpents.*

C'est la chose la plus difficile du monde que d'effrayer une mangouste *(le Livre de la jungle).*

mangue n. f.

La mangue est un fruit des régions tropicales.

Gros fruit ovale, à peau lisse de couleur jaune orangé ou jaune-vert, à chair jaune et parfumée et à très grand noyau. *Julie aime les salades de fruits exotiques avec des mangues et des kiwis.*

Les mangues poussent sur des *manguiers.*

maniable adj.

Famille de **manier**

Facile à manier, à utiliser ; vois ***pratique.*** *Ce petit tournevis est très maniable.*

manie n. f.

Habitude bizarre, souvent agaçante. *Mme Harpie a la fâcheuse manie de téléphoner à sa sœur le dimanche matin à sept heures. Mme Séverac a la manie du rangement,* elle est toujours en train de ranger.

▸ ***maniaque*** adj. et n. m. et f. **1.** adj. *Une personne maniaque,* c'est une personne qui est attachée à ses habitudes. *Mme Séverac est maniaque : elle remet toujours les objets à la même place.* **2.** n. m. et f. Personne atteinte d'une maladie mentale ; vois ***fou.*** *La police a arrêté un maniaque qui attaquait les vieilles dames.*

Prononce [manje].

Compare ***manier***, ***manette*** et ***manipuler*** : on se sert de ses **mains.**

manier v.

1. Remuer, déplacer. *Ces gros sacs sont difficiles à manier. Le caissier manie de grosses sommes d'argent,* de grosses sommes d'argent lui passent entre les mains. **2.** Se servir de quelque chose. *Denis Prost a dû apprendre à manier l'épée pour jouer le rôle d'un mousquetaire.*

Savoir manier l'ironie, c'est savoir l'utiliser habilement.

Conjugaison 7 ▭ Indic. présent : *je manie, nous manions.* Imparfait : *nous maniions.* Futur : *il maniera.*

▸ ***maniement*** n. m. Action de manier, façon de manier ; vois ***manipulation.*** *Pendant le service militaire, les soldats apprennent le maniement des armes.*

Autre membre de la famille : **maniable.**

manière n. f.

1. Façon. *Il y a de nombreuses manières d'accommoder les restes. Mme Roussel n'apprécie pas la manière dont lui parle sa sœur. Antoine s'est levé plus tôt de manière à ne pas arriver en retard,* pour ne pas arriver en retard. *M. Bonnot écrit des vers à la manière de Victor Hugo,* en imitant Victor Hugo. **2.** *Les manières d'une personne,* c'est la façon dont elle se comporte. *Colle et Rat ont de mauvaises manières. Faire des manières,* c'est manquer de simplicité, être trop poli, se faire prier. *Mme Bellec fait des manières avant d'accepter l'invitation de Mme Roussel.*

Tout de même, le rhinocéros n'avait déjà pas de manières, pas plus qu'il n'a de manières aujourd'hui, ni qu'il en aura jamais *(Histoires comme ça).*

Allons ! ouste ! rentre dans ton étable ! je n'aime pas les bœufs qui font des manières, moi ! *(les Contes du Chat perché).*

▸ ***maniéré*** adj. *Une personne maniérée,* c'est une personne qui manque de simplicité, de naturel. *Mme Séverac est un peu maniérée.*

Le contraire de *maniéré,* c'est *naturel, simple.*

manifeste adj.

Évident ; vois ***certain.*** *La mauvaise foi de Mme Harpie est manifeste,* elle ne fait aucun doute.

Un *manifeste,* c'est une déclaration écrite par laquelle on exprime son opinion.

Le contraire de *manifeste,* c'est *douteux.*

▸ ***manifestement*** adv. Sans aucun doute ; vois ***visiblement.*** *Mme Harpie prend manifestement plaisir à faire de la peine à sa sœur.*

Conjugaison 1

▸ ***manifester*** v. **1.** Faire connaître d'une manière évidente ; vois ***exprimer.*** *Mme Séverac a manifesté son intention de démissionner du conseil municipal. — La varicelle se manifeste par des boutons ;* vois *se* ***révéler.*** **2.** Se rassembler et défiler pour exprimer son opinion. *Les grévistes ont manifesté à Paris, de la Bastille à la République.*

Poil de Carotte est tellement content de se voir en vacances qu'il en pleure. Et c'est souvent ainsi ; souvent il manifeste de travers *(Poil de Carotte).*

▸ ***manifestant*** n. m., ***manifestante*** n. f. Personne qui participe à une manifestation. *Les manifestants portaient des banderoles et criaient des slogans.*

▸ ***manifestation*** n. f. **1.** Manière de montrer ce que l'on ressent ; vois ***démonstration.*** *Denis Prost a été accueilli chez lui par des manifestations de joie.* **2.** Rassemblement et défilé organisé pour exprimer son opinion. *Mme Séverac a participé à une manifestation contre le racisme.*

On dit familièrement : une *manif.*

manigance n. f.

Manœuvre secrète, sans grande importance. *Je n'aime pas beaucoup toutes ces manigances.*

On emploie ce mot surtout au pluriel.

Conjugaison 3 ▭ Indic. présent : *nous manigançons.*

▸ ***manigancer*** v. Comploter, préparer en secret. *Que peut bien encore manigancer Mme Harpie ?*

manille n. f.

Jeu de cartes où les cartes les plus fortes sont le dix puis l'as. *M. et Mme Bellec jouent à la manille avec les Bonnot.*

On joue à la manille avec un jeu de trente-deux cartes.

À la manille, le dix s'appelle *manille* et l'as *manillon.*

manioc n. m.

Plante des régions tropicales dont la racine fournit le tapioca. *La racine du manioc est riche en amidon.*

Il y a plus de cent cinquante espèces de manioc.

La tige du manioc a une hauteur de 2 à 3 mètres.

Compare *manipuler* et *manivelle* : dans ces mots, il s'agit de **main.**

manipuler v.

Conjugaison 1

1. Prendre dans ses mains avec soin ; vois ***manier.*** *Pendant le cours de chimie, Alex manipule des éprouvettes pour faire des expériences.* **2.** Prendre et transporter. *Hippolyte manipule des centaines de lettres par jour.*

Il est postier à Motbourg.

▸ ***manipulation*** n. f. *Alex fait des manipulations chimiques,* il manie des instruments et des produits chimiques pour faire des expériences.

manivelle n. f.

Levier que l'on actionne avec la main et qui sert à faire tourner un mécanisme. *Autrefois, on faisait démarrer les autos à la manivelle.*

mannequin n. m.

Pronónce [mankɛ̃].

Mannequin est toujours un nom masculin même quand il désigne une femme !

1. Sorte de statue représentant une personne grandeur nature. *Dans les vitrines, les mannequins sont habillés et portent des perruques.* **2.** Personne dont le métier est de porter sur elle des vêtements pour les présenter aux clients. *Mme Doucet a été mannequin dans une maison de couture.*

Conjugaison 1

manœuvrer v.

Famille de **œuvre**

1. Effectuer une manœuvre sur un bateau, ou avec une voiture. *M. Doucet a dû manœuvrer longtemps pour réussir à garer sa voiture.* **2.** Manier pour faire fonctionner. **3.** Employer des moyens adroits pour obtenir ce que l'on désire. *Julie a bien manœuvré ; son père a fini par lui acheter la poupée qu'elle voulait tant avoir.*

Attention au *œ* dans *manœuvrer* et *manœuvre.*

▸ ① ***manœuvre*** n. f. **1.** Mouvement d'un véhicule qui se gare. *M. Doucet a dû faire plusieurs manœuvres pour se garer.* **2.** Mouvement à effectuer pour faire fonctionner quelque chose. *Le pilote a commencé la manœuvre d'ouverture de la porte.* **3.** Exercice militaire. *Les soldats font des manœuvres dans la forêt.* **4.** Moyen employé pour atteindre un but. *Mme Séverac se refuse à toute manœuvre électorale pour être élue ;* vois ***intrigue, machination.***

Eudes nous a raconté que Jonas était parti en manœuvres avec son régiment et qu'il avait fait des choses terribles, qu'il avait tué des tas d'ennemis et que le général l'avait félicité *(le Petit Nicolas).*

▸ ② ***manœuvre*** n. m. Ouvrier qui n'a pas de qualification professionnelle particulière. *Les ouvriers du chantier sont aidés par des manœuvres qui transportent les sacs de ciment.*

manoir n. m.

Petit château, à la campagne. *Il y a de nombreux manoirs en Normandie.*

Compare *manomètre, chronomètre* et *thermomètre* : il s'agit de **mesure.**

manomètre n. m.

Appareil qui sert à mesurer la pression d'un gaz ou d'un liquide. *Dans les machines à vapeur, on contrôlait la pression de la vapeur avec un manomètre.*

Conjugaison 1

manquer v.

1. Ne pas être, lorsqu'il le faudrait. *Il manque une fourchette sur la table.* **2.** *Manquer à quelqu'un,* c'est être regretté de lui. *Antoine pense souvent à son père, il lui manque.* **3.** *Sylvain a beaucoup manqué l'école cet hiver,* il n'y est pas allé souvent. **4.** *Manquer de quelque chose,* c'est ne pas en avoir en quantité suffisante. *Ce plat manque de sel. M. Bellec manque de patience dans les encombrements.* **5.** *Ne pas manquer de faire quelque chose,* c'est le faire sûrement. *Sophie Pelletier ne manquera pas d'offrir son nouveau livre à Angèle.* **6.** Ne pas réussir. *Les voleurs ont manqué leur coup ;* vois ***rater.*** *Cette photo est manquée. Nathalie est un garçon manqué,* une fille qui a des manières de garçon. **7.** Ne pas atteindre, ne pas toucher. *Le tireur a manqué la cible.* **8.** Ne pas arriver à temps pour prendre un véhicule ou pour assister à quelque chose. *M. Doucet a manqué le train. Les Séverac ont manqué le début du concert.*

Quand les parents trouveraient un éléphant dans leur chambre, ils n'allaient pas manquer de poser des questions *(les Contes du Chat perché).*

Il est bien sûr que les loups de la Forêt ne manqueront pas de nous manger cette nuit *(le Petit Poucet).*

▸ ***manquant*** adj. Qui manque. *Il faudra racheter les livres manquants.*

▸ ***manque*** n. m. Insuffisance. *Marie-Tévy souffre d'un manque de vitamines ;* vois ***absence, carence.***

mansarde n. f.

Pièce située juste sous le toit et dont un mur est en pente. *Dans la maison des Séverac, à Motbourg, la mansarde sert de débarras.*

mante religieuse n. f.
Insecte vert ou roux, à tête triangulaire qui a les pattes de devant repliées l'une contre l'autre. *La mante religieuse se nourrit d'insectes.*

La femelle dévore le mâle après l'accouplement.

Au pluriel : *des manteaux.*

manteau n. m.
1. Vêtement chaud, à manches, que l'on met pour sortir, par-dessus les autres vêtements. *Mme Séverac a mis son manteau de fourrure.* **2.** *Le manteau d'une cheminée,* c'est le rebord de la cheminée au-dessus du foyer. *Mme Harpie a disposé des bibelots sur le manteau de la cheminée.*

Autre membre de la famille : **portemanteau.**

Compare *manucure* et *pédicure* : il s'agit de **prendre soin.**

manucure n. m. et f.
Personne dont le métier est de soigner les mains, les ongles. *Mme Séverac s'est fait faire les ongles par la manucure.*

Compare *manuel* et *manucure* : dans ces deux mots, il est question de **main.**

① ***manuel*** adj. et n. m., ***manuelle*** adj. et n. f.
1. adj. Qui se fait à la main, qui exige le travail des mains. *M. Touati exerce un métier manuel.* **2.** n. *M. Bellec est un manuel,* il est habile de ses mains.

Le contraire de *manuel,* c'est *intellectuel.*

② ***manuel*** n. m.
Livre de classe. *Alex vient d'ouvrir son manuel de physique.*

manufacture n. f.

Va voir aussi ***fabrique, usine.***

Établissement où l'on fabrique des objets qui nécessitent une main-d'œuvre très qualifiée. *La manufacture de porcelaine de Sèvres est renommée.*

Autrefois, dans les manufactures, le travail était fait à la main.

Compare *manuscrit* et *manipuler* : la **main** intervient.

manuscrit adj. et n. m.
▭ **adj.** Écrit à la main. *Je lui ai envoyé une lettre manuscrite,* non tapée à la machine.

Même après l'invention de l'imprimerie, certains ouvrages étaient encore écrits à la main.

▭ **n. m. 1.** Livre écrit à la main. *Avant l'invention de l'imprimerie, les moines copiaient des manuscrits sur du parchemin.* **2.** Texte qui n'est pas encore imprimé. *L'écrivain a envoyé le manuscrit de son roman à son éditeur.*

On écrivait parfois avec des encres d'or ou d'argent.

Attention ! deux *n* entre le *o* et le *a.*

manutentionnaire n. m. et f.
Personne qui range, charge, expédie les marchandises. *Les manutentionnaires ont chargé le camion de livraison.*

Compare *manutentionnaire* et *manuel* : il s'agit de **main.**

Attention ! deux *p.*

mappemonde n. f.
Carte représentant la Terre entière, sous forme de deux cercles côte à côte ; vois ***planisphère.*** *L'institutrice a accroché une mappemonde au tableau.*

On figure sur une surface plane la surface terrestre qui est sphérique.

Prononce [makʀo].

maquereau n. m.
Poisson de mer au dos vert et bleu. *Mme Hespel a préparé des filets de maquereau au vin blanc.*

Les maquereaux vivent en bancs nombreux.

N'oublie pas les deux *t* de *maquette.*

maquette n. f.
Modèle réduit. *La maquette du nouveau gymnase de Motbourg est exposée dans le hall de la mairie. David fait des maquettes d'avion.*

Une personne qui fait des maquettes est un *maquettiste.*

maquignon n. m.
Marchand de chevaux. *Les maquignons se retrouvent à la foire aux bestiaux.*

Conjugaison 1

maquiller v.
1. Mettre des produits de beauté, des fards sur le visage pour l'embellir ou en modifier les traits. *Angèle s'est maquillé les yeux. — Mme Séverac se maquille peu ;* vois *se* ***farder.*** **2.** Modifier l'apparence d'une chose pour qu'on ne la reconnaisse pas. *Les bandits ont maquillé la voiture qu'ils ont volée.*

Les comédiens se maquillent avant d'entrer en scène.

Autre membre de la famille : **démaquiller.**

▸ ***maquillage*** n. m. Action de se maquiller. *Mme Séverac s'est fait un maquillage léger. Muriel Doucet a de nombreux produits de maquillage.*

Du rouge à lèvres, des fards à yeux...

Le *s* final ne se prononce pas : [maki].

maquis n. m.
1. Terrain couvert d'arbustes et de buissons touffus, dans les régions méditerranéennes. *Angèle est allée dans le maquis corse cueillir de la lavande.* **2.** Endroit difficile d'accès où les résistants se regroupaient pendant la Seconde Guerre mondiale. *M. Bonnot a pris le maquis en 1943.*

Dans le maquis, il y a du romarin, de la lavande, des grandes bruyères.

▸ ***maquisard*** n. m. Résistant qui a pris le maquis. *Les maquisards ont fait sauter un pont.*

Les marabouts sont des échassiers, comme les cigognes.

marabout n. m.
Grand oiseau au plumage gris et blanc, qui a un gros jabot. *Il y a des marabouts en Afrique.*

J'en ai marre
Marabout
Bout de ficelle

Attention à l'accent circonflexe du *î* !

maraîcher n. m. et adj., **maraîchère** n. f. et adj.
1. n. m. Personne qui cultive des légumes pour les vendre. *Dans la région nantaise, il y a beaucoup de maraîchers.* **2.** adj. *On fait beaucoup de cultures maraîchères dans les environs de Motbourg,* on cultive beaucoup de légumes.

Des haricots verts, des petits pois, des carottes, des navets.

marais n. m.
Va voir aussi : ***étang, marécage.***

Terrain couvert d'eau stagnante où poussent des roseaux. *M. Bellec va chasser le canard dans les marais.*

Va voir *marais salant* à ***salant.***

Attention au ***h*** après le ***t*** !
À Marathon, près d'Athènes, les Grecs remportèrent une victoire. Le soldat qui courut annoncer la nouvelle à Athènes mourut d'épuisement à l'arrivée.

marathon n. m.
1. Course à pied de 42,195 km. *Le vainqueur du marathon aux jeux Olympiques a couvert plus de quarante kilomètres en moins de deux heures dix.* **2.** Épreuve qui demande une grande endurance. *Hippolyte a gagné un marathon de danse.*

Les marathons se disputent aussi dans les villes : à New York ou à Paris, par exemple.

Attention à l'accent circonflexe du *â* !

marâtre n. f.
Mauvaise mère, méchante avec ses enfants. *Si Mme Harpie avait eu des enfants, elle aurait sûrement été une marâtre.*

maraudeur n. m., **maraudeuse** n. f.
Personne qui vole les fruits et les légumes dans les champs ou les jardins. *Une bande de maraudeurs a cueilli les cerises du jardin ;* vois ***pillard, voleur.***

Les marbres de Carrare, en Italie, et de Paros, en Grèce, sont de beaux marbres blancs très réputés.

marbre n. m.
1. Belle pierre très dure souvent veinée de couleurs variées. *Mme Séverac a posé un vase sur la cheminée en marbre du salon.* **2.** *Un marbre,* c'est une statue de marbre. *Ce musée possède une très belle collection de marbres antiques.*

On polit le marbre pour le rendre brillant.

▸ ***marbré*** adj. Qui présente des veines, des taches semblables à celles du marbre. *Alex avait le visage marbré par le froid.*

▸ ***marbrure*** n. f. Marque sur la peau, semblable aux taches et aux veines du marbre. *Alex a des marbrures aux pommettes.*

Marc [maʀ] rime avec *mare.*
Le marc est formé par les peaux et les pépins des fruits.

marc n. m.
1. Ce qui reste des fruits quand on les a pressés. *On fait du vin avec le jus du raisin et de l'alcool avec le marc.* **2.** Eau-de-vie obtenue à partir du marc de raisin. *Le docteur Séverac boit du marc de Champagne à la fin du dîner.* **3.** *Le marc de café,* c'est la substance noirâtre qui reste quand on a fait passer l'eau chaude sur le café moulu. *M. Doucet a jeté le marc de café.*

Les voyantes lisent l'avenir dans le marc de café.

[...] les marcassins étaient gros comme des chats et avaient de petits yeux rieurs
(les Contes du Chat perché).

marcassin n. m.
Petit sanglier qui n'a pas encore deux ans. *La laie met bas trois à huit marcassins par portée. À six mois, les marcassins perdent leur pelage rayé qui est remplacé par une fourrure rousse. M. Bellec a préparé du civet de marcassin.*

Va voir aussi ***laie.***

M. Bellec est restaurateur.

C'était un marchand de pilules perfectionnées qui apaisent la soif. On en avale une par semaine et l'on n'éprouve plus le besoin de boire
(le Petit Prince).

marchand n. m. et adj., **marchande** n. f. et adj.
▭ **n.** Personne dont le métier est de vendre des marchandises ; vois ***commerçant, vendeur.*** *Marie-Tévy est allée acheter des caramels chez la marchande de bonbons.*

▭ **adj. 1.** *Une rue marchande,* c'est une rue où il y a de nombreux commerçants. *À Motbourg, la plus grande rue marchande se trouve près de la place du marché.* **2.** *La marine marchande,* c'est la marine de commerce. *Loïc aurait bien voulu être officier dans la marine marchande.*

Conjugaison 1

▸ ***marchander*** v. Essayer d'acheter une chose moins cher que le prix indiqué en discutant avec le vendeur. *M. Bellec a eu douze kilos de tomates pour le prix de dix, en marchandant.*

▸ ***marchandage*** n. m. Discussion pour acheter ou vendre au meilleur prix. *M. Bellec a réussi à faire baisser le prix des tomates après un long marchandage.*

Un *train de marchandises* transporte des marchandises.

▹ ***marchandise*** n. f. Produit que l'on peut acheter ou vendre. *Sophie Pelletier achète toujours des marchandises de bonne qualité.*

Famille de **marcher**

marche n. f.

En avant, marche !

La marche est aussi un sport. Strasbourg-Paris est une épreuve de marche.

1. Action de marcher, d'avancer en faisant des pas. *Angèle aime beaucoup la marche à pied. Alex fait de longues marches en montagne. M. Bellec ralentit sa marche quand il entend un animal.* **2.** Air de musique, dont le rythme peut accompagner la marche. *M. Bonnot aime les marches militaires.* **3.** Déplacement dans une direction déterminée. *Mme Séverac s'est assise dans le sens de la marche du train. La voiture a fait marche arrière.* **4.** Fonctionnement. *Le directeur de la biscuiterie assure la bonne marche de son usine. Alex a remis le moteur de sa moto en marche ;* vois en ***route.*** **5.** *La directrice indique aux parents la marche à suivre pour inscrire un enfant à l'école,* la suite des choses à faire. **6.** Chacune des surfaces planes où l'on pose le pied dans un escalier. *Antoine monte les marches quatre à quatre.*

marché n. m.

Au marché aux Puces, on peut acheter des objets d'occasion ou des antiquités.

1. Endroit où les marchands installent leur étalage, certains jours fixes, pour vendre leurs marchandises. *Il y a un marché en plein air et un marché couvert, à Motbourg. Pierre Séverac a acheté deux moutons au marché aux bestiaux. Mme Séverac fait son marché deux fois par semaine,* elle achète les produits alimentaires nécessaires à la vie quotidienne. **2.** Ensemble des achats et des ventes, concernant un produit, dans une région déterminée. *Mme Hespel a proposé à son entreprise de lancer un nouveau produit sur le marché,* dans le commerce. *Le marché de l'automobile se développe.* **3.** Accord, affaire. *Yves a fait un marché avec Antoine : il l'aide à faire son devoir de géographie et en échange Antoine lui prête son vélo tout l'après-midi.* **4.** *Colle et Rat sont insolents et par-dessus le marché ils sont méchants,* et en plus ils sont méchants.

Elle *fait les courses.*

Va voir *marché noir* à ***noir.***

Autres membres de la famille : **bon marché, supermarché.**

marchepied n. m.

Marche ou série de marches fixée à l'extérieur d'une voiture ou d'un train, qui sert à y monter facilement. *Odile Séverac aide Claire à monter sur le marchepied du wagon.*

Famille de **marcher** et de ① **pied**

Conjugaison 1

marcher v.

Quand nous eûmes marché, des heures, en silence, la nuit tomba et les étoiles commencèrent de s'éclairer *(le Petit Prince).*

La vieille dame fait marcher le phonographe *(Babar).*

1. Se déplacer en bougeant les jambes et les pieds, tout en restant en contact avec le sol. *Le docteur Séverac marche à grands pas. M. Bellec aime marcher dans les bois,* se promener. **2.** Mettre le pied sur quelque chose. *Il est interdit de marcher sur les pelouses. En dansant, Hippolyte a marché sur les pieds d'Angèle.* **3.** Avancer. *La voiture de Denis Prost marche à deux cents kilomètres à l'heure ;* vois ***rouler.*** **4.** Fonctionner. *La télévision ne marche plus.* **5.** Avoir de bons résultats. *Le restaurant Bellec marche bien.*

La meilleure façon de marcher
C'est encore la nôtre
C'est de mettre un pied
devant l'autre
Et de recommencer (chanson).

Autres membres de la famille : **marche, marchepied, marcheur, démarche.**

Famille de **marcher**

marcheur n. m., ***marcheuse*** n. f.

Personne qui peut marcher longtemps, sans se fatiguer. *Angèle est bonne marcheuse.*

mardi n. m.

1. Jour de la semaine qui succède au lundi et vient avant le mercredi. *Julie va à la piscine tous les mardis matin.* **2.** *Le Mardi gras,* c'est le jour qui précède le début du carême et où l'on fête d'habitude le carnaval. *Les enfants se sont déguisés pour le Mardi gras.*

Mardi gras s'écrit avec un ***M*** majuscule.

Mardi gras,
Ne t'en va pas
On fera des crêpes
(chanson).

Ne confonds pas *mare* et *marc.*

mare n. f.

1. Petite étendue d'eau immobile ; vois ***flaque.*** *Nathalie attrape des grenouilles dans la mare aux canards.* **2.** Grande quantité de liquide répandu. *Le blessé baignait dans une mare de sang.*

marécage n. m.

Terrain gorgé d'eau où ne poussent que des plantes adaptées à l'humidité ; vois ***marais.*** *Malgré ses bottes, Yves s'enfonce dans les marécages.*

Les marécages sont couverts de roseaux.

▹ ***marécageux*** adj. *Un terrain marécageux,* c'est un terrain gorgé d'eau dans lequel on s'enfonce. *La Camargue est une région marécageuse ;* vois ***bourbeux.***

Au pluriel : *des maréchaux.*

maréchal n. m.
Titre donné à certains généraux qui ont ainsi la plus haute dignité de l'armée. *Le maréchal Pétain devint chef de l'État français sous l'occupation allemande.*

La femme du maréchal s'appelle *la maréchale.*

Au pluriel : *des maréchaux-ferrants.*

▸ ***maréchal-ferrant*** n. m. Artisan qui forge les fers et les pose sous les sabots des chevaux, des ânes, des mulets et des bœufs. *Le maréchal-ferrant chauffe les fers au feu de sa forge avant de ferrer les animaux.*

Compare ***marée*** et ***marin*** : il s'agit de la **mer.**

Les marées sont provoquées par l'attraction de la Lune et du Soleil. En Méditerranée, les marées sont imperceptibles ; en revanche, elles sont très fortes dans l'océan Atlantique.

marée n. f.
1. Mouvement de la mer dont le niveau monte et descend deux fois par jour. *Yves aime ramasser des coquillages à marée basse. À marée haute, la plage est entièrement recouverte par la mer.* **2.** *Les goélands ont été décimés par la marée noire,* par la nappe de mazout échappée des soutes d'un pétrolier et qui vient polluer la côte. **3.** *Une marée humaine accueillit le pape à sa descente d'hélicoptère,* une grande quantité de personnes. **4.** Poissons, crustacés, fruits de mer frais. *La marée vient d'arriver à Paimpol.*

Va voir aussi ***flux*** et ***reflux.***

Depuis ce jour, la Lune a toujours tiré la Mer en haut et en bas et fait ce que nous nommons les marées
(Histoires comme ça).

Prononce [maʀɛjœʀ, øz].

▸ ***mareyeur*** n. m., ***mareyeuse*** n. f. Personne qui achète le poisson aux pêcheurs pour l'expédier aux marchands de poisson. *Le poisson est frais, le mareyeur vient de l'expédier.*

Autre membre de la famille : **raz-de-marée.**

Attention ! deux *l.*

marelle n. f.
Jeu d'enfants où l'on pousse un objet dans des cases tracées sur le sol, en sautant à cloche-pied. *Julie et Marie-Tévy jouent à la marelle.*

La marelle est un jeu très ancien.

margarine n. f.
Matière grasse faite avec des plantes, qui ressemble au beurre. *Mme Roussel fait sa cuisine à la margarine.*

Pour faire de la margarine, on utilise de l'arachide, du colza...

La margarine a été inventée en 1869, à l'occasion d'un concours.

marge n. f.
1. Espace blanc autour d'un texte écrit ou imprimé. *Angèle corrige les cahiers en mettant des remarques dans la marge.* **2.** *Les clochards vivent en marge de la société,* à l'écart, sans se mêler à la société. **3.** *Si la commune de Motbourg était plus riche, le maire aurait une plus grande marge de manœuvre pour choisir l'architecte du nouveau gymnase,* il aurait plus de liberté pour le choisir.

▸ ***margelle*** n. f. *La margelle d'un puits,* c'est le rebord de pierre qui entoure le puits. *Mamie Lou se penche sur la margelle du puits, quand elle tire de l'eau.*

marginal n. m., **marginale** n. f.
Personne qui vit en marge de la société, ne suit pas les règles de vie de la majorité. *Certains marginaux se sont retirés à la campagne où ils vivent de l'élevage des chèvres et des moutons.*

marguerite n. f.
Fleur des champs à cœur jaune et à pétales blancs. *Nathalie a cueilli un bouquet de marguerites. Sylvain effeuille une marguerite en disant : « Je t'aime, un peu, beaucoup, passionnément, à la folie, pas du tout ».*

Autre membre de la famille : **reine-marguerite.**

mari n. m.
Le mari d'une femme, c'est l'homme avec lequel elle est mariée ; vois ***époux.*** *« Mon mari est absent », dit Mme Doucet au téléphone. L'ex-mari de Mme Roussel s'est remarié. Louis et Sarah Séverac sont mari et femme.*

Elle se jeta aux pieds de son Mari en pleurant et en lui demandant pardon *(la Barbe-bleue).*

▸ ***mariage*** n. m. **1.** Union légitime d'un homme et d'une femme. *Nathalie voudrait faire un mariage d'amour. Hippolyte a demandé Angèle en mariage.* **2.** La cérémonie du mariage ; vois ***noce.*** *De nombreux amis ont assisté au mariage de Louis et Sarah Séverac.* **3.** Union de plusieurs choses. *Dans son appartement, Sophie Pelletier a réussi un joli mariage de couleurs.*

Le *mariage civil* a lieu à la mairie ; le *mariage religieux* est célébré suivant les rites d'une religion.

Conjugaison 7

▸ ***marier*** v. Unir un homme et une femme en célébrant le mariage. *Le maire de Sarlat a marié Louis et Sarah Séverac.*

▸ *se* ***marier*** v. **1.** S'unir par le mariage. *Louis et Sarah Séverac se sont mariés jeunes.* **2.** Aller bien ensemble. *Le bleu et le vert se marient bien.*

Le Palais Royal est un beau quartier
Toutes les jeunes filles sont à marier
(comptine).

▸ ***marié*** adj. et n. **1.** Uni à un conjoint par le mariage. *Êtes-vous marié, célibataire, veuf ou divorcé ?* **2.** n. Personne dont on célèbre le mariage. *Muriel Doucet avait une jolie robe de mariée. Les mariés sortent de la mairie. Les jeunes mariés sont partis en voyage de noces,* ceux qui se sont mariés depuis peu.

Autre membre de la famille : se **remarier.**

Compare ***marin, marée*** et ***maritime*** : dans ces mots, il s'agit de la **mer.**

① ***marin*** adj.
1. De la mer. *Yves respire l'air marin. Les algues sont des plantes marines.* **2.** De la navigation sur la mer. *Loïc consulte une carte marine. Cette île est à deux milles marins du rivage. Yves a le pied marin,* il supporte les mouvements du bateau sans avoir mal au cœur.

Le *mille marin* mesure 1 852 mètres.

Au féminin : *marine.*

Je suis un homme, un marin ; je sais supporter la faim, la soif, le chaud, le froid *(les Vacances).*

▸ ② ***marin*** n. m. Homme dont le métier est de naviguer sur la mer ; vois ***loup de mer, matelot, mousse.*** *Yves voudrait devenir marin pêcheur comme son oncle Loïc.* — adj. invariable *Autrefois, les petits garçons portaient des costumes marin,* des costumes blancs ou bleus avec un grand col comme les costumes des marins.

« Marin d'eau douce, bachibouzouk, ectoplasme », crie le capitaine Haddock.

▸ ***marine*** n. f. et adj. invariable

▭ **n. f. 1.** Tout ce qui concerne la navigation sur mer. *Antoine a visité le musée de la marine.* **2.** Ensemble des navires de commerce ou de guerre d'un pays ; vois ***flotte.*** *La marine marchande compte un grand nombre de pétroliers. Les navires de la marine de guerre française stationnent dans les ports de Cherbourg, de Brest, de Lorient et de Toulon.*

C'est nous, les gars de la marine,
Quand on est dans les cols bleus
On n'a jamais froid aux yeux
(chanson).

▭ **adj. invariable** *Bleu marine,* bleu foncé de la couleur des uniformes de la marine. *Mme Séverac porte une jolie robe bleu marine.*

Autres membres de la famille : **marinier, sous-marin.**

Conjugaison 1

mariner v.
Mettre dans un liquide épicé, souvent à base de vin, pendant plusieurs heures. *M. Bellec a fait mariner le lièvre toute la nuit ;* vois ***macérer.***

C'est surtout le gibier que l'on fait mariner.

Ce liquide s'appelle une *marinade.*

Famille de **marin**

marinier n. m., ***marinière*** n. f.
Personne dont le métier est de conduire les péniches, les bateaux, sur les fleuves et les canaux pour transporter des marchandises. *Les enfants sont allés voir passer les mariniers sur la rivière. Mme Bellec mange des moules marinière,* des moules cuites avec du vin blanc et des oignons.

Mon père est marinier
Dans cette péniche
Ma mère dit que la paix niche
Dans ce mari niais
(B. Lapointe).

marionnette n. f.
Poupée représentant un animal ou un personnage, que l'on fait bouger ; vois ***guignol.*** *Mme Séverac a emmené Marie-Tévy et Yasmina voir un spectacle de marionnettes.*

Les marionnettes sont animées par les mains d'une personne qui est cachée ou par des fils.

Attention ! deux ***n*** et deux ***t.***

Compare ***maritime, marée*** et ***marin*** : dans ces mots, il s'agit de la **mer.**

maritime adj.
Qui est au bord de la mer, subit l'influence de la mer. *La Bretagne a un climat maritime et l'Alsace un climat continental.*

Attention au ***j*** !

marjolaine n. f.
Plante sauvage utilisée dans la cuisine comme aromate. *Mamie Lou parfume une pizza avec de la marjolaine.*

La marjolaine s'appelle aussi l'*origan.*

mark n. m.
Monnaie allemande. *En arrivant en Allemagne, Denis Prost a changé ses francs contre des marks.*

Ce mot est péjoratif.

marmaille n. f.
Groupe de jeunes enfants bruyants. *Toute la marmaille du village dévale la grand-rue en riant.*

Va voir aussi ***marmot.***

marmelade n. f.
Sorte de confiture dans laquelle les fruits sont écrasés et cuits avec du sucre. *Mme Séverac mange des toasts avec de la marmelade d'oranges.*

Va voir aussi ***compote, gelée.***

marmite n. f.
Grand récipient muni d'un couvercle et de deux anses dans lequel on fait bouillir de l'eau, cuire des aliments ; vois ***cocotte, fait-tout.*** *Mamie Lou fait cuire des épinards dans une grande marmite.*

▸ ***marmiton*** n. m. Jeune aide-cuisinier. *M. Bellec vient d'engager deux marmitons.*

M. Bellec est restaurateur.

Attention ! deux *n*.
On dit aussi *marmotter.*

marmonner v.
Murmurer entre ses dents d'une façon confuse ; vois **bredouiller.** *Il marmonna quelques excuses.*

Conjugaison 1

Attention ! un *t*.
Ce mot est familier.

marmot n. m.
Jeune enfant. *Une dizaine de marmots s'amusent au pied de l'escalier.*

Va voir aussi **marmaille.**

Attention ! deux *t*.
Dormir comme une marmotte, c'est dormir profondément.

marmotte n. f.
Petit mammifère rongeur d'Europe et d'Asie, ressemblant à un écureuil à la fourrure épaisse. *La marmotte hiberne, elle dort jusqu'à huit mois par an.*

Les marmottes se nourrissent de végétaux.

maroquinerie n. f.
Fabrication d'objets en cuir, et magasin où l'on vend ces objets. *Dans une maroquinerie, on peut acheter des portefeuilles, des porte-monnaie, des sacs à main ou des ceintures.*

Un *maroquinier* fabrique ou vend de la maroquinerie.

Attention ! un seul *r* et deux *t*.
C'est son dada !

marotte n. f.
Idée fixe, manie. *Mme Hespel a la marotte des mots croisés.*

Conjugaison 1

marquer v.
1. Signaler par une marque. *Le berger a marqué ses moutons au fer rouge.* **2.** Laisser des marques, des empreintes. *Tes doigts marquent sur la vitre. Le général de Gaulle a marqué ses contemporains,* il leur a laissé un souvenir durable. **3.** Exprimer un sentiment. *Mamie Lou marque une légère préférence pour son fils Louis ;* vois **manifester, montrer. 4.** Indiquer. *L'horloge marque cinq heures.* **5.** *L'équipe adverse a marqué un point,* a obtenu un point. *Le footballeur vient de marquer un but,* de réussir à mettre le ballon dans les buts. **6.** Accentuer, souligner quelque chose. *Pour apprendre le piano, on utilise un métronome qui marque la mesure,* un instrument qui souligne le rythme que l'on doit suivre pour jouer.

Avant le défilé, les militaires *marquent le pas :* ils font les mouvements de la marche en cadence sans avancer.

▸ **marque** n. f. **1.** Signe que l'on fait sur une chose pour la distinguer ou servir de repère. *Avant de planter le clou, M. Doucet a fait une marque sur le mur.* **2.** Signe, preuve ; vois **témoignage.** *Denis Prost a prêté sa voiture au docteur Séverac, c'est une marque de confiance.* **3.** Nom qui est propre à un fabricant. *Quelle marque de voiture préfères-tu ?*

Un *invité de marque,* c'est un invité important.

Autres membres de la famille : **démarquer, démarcation.**

Prononce [maʀkətʀi].

marqueterie n. f.
Assemblage de morceaux de bois en feuilles minces, de couleurs et formes diverses, appliqués sur un meuble. *Le dessus de la table de chevet de Mamie Lou est une marqueterie représentant un paysage.*

marquis n. m., **marquise** n. f.
Personne qui a un titre de noblesse inférieur à celui de duc et supérieur à celui de comte. *La marquise sortit à cinq heures.*

Tout va très bien
Madame la Marquise
(chanson).

Attention ! deux *r*.

marraine n. f.
Personne qui s'engage, le jour du baptême d'un enfant, à l'aider et le protéger. *Yves a reçu un cadeau de sa marraine pour son anniversaire.*

On est *le filleul* ou *la filleule* de sa marraine ou de son parrain.

Attention ! deux *r*.

marron n. m. et adj. invariable
1. n. m. Fruit comestible du châtaignier. *En hiver, des marchands ambulants vendent des marrons grillés.* **2.** adj. invariable D'une couleur brune. *Julie a des sandales marron.*

Ce sont en fait des châtaignes que l'on mange.

Le fruit du marronnier s'appelle le *marron d'Inde.*

▸ **marronnier** n. m. Nom d'une variété de châtaignier. *Au printemps, les marronniers sont en fleur.*

Attention ! deux *r* et deux *n*.

Mars est aussi le nom du dieu de la guerre chez les Romains et le nom d'une planète.

mars n. m.
Troisième mois de l'année. *Le printemps commence le 21 mars. Le mois de mars compte trente et un jours. En mars, attention aux giboulées !*

Marsouin [maʀswɛ̃] rime avec *soin.*

marsouin n. m.
Animal marin qui vit dans les mers froides et tempérées. *Le marsouin ressemble à un petit dauphin.*

Le marsouin est un mammifère.

Au pluriel : *des marsupiaux.*

marsupial n. m.
Animal dont le fœtus finit de se développer dans une poche extérieure sur le ventre de la mère. *Le kangourou et le koala sont des marsupiaux.*

Les marsupiaux sont des mammifères.

marteau n. m.

Un *marteau piqueur* est une machine-outil qui fonctionne grâce à un moteur et sert à frapper le sol avec force pour le défoncer.

1. Outil qui sert à frapper, constitué d'un manche en bois auquel est fixée une masse en métal. *M. Doucet enfonce les clous avec un marteau.* **2.** Disque lourd en métal tenu par un fil d'acier, que l'on lance après avoir tourné sur soi-même. *Le lancement du marteau est un sport.* **3.** Dans les pianos, petit morceau de bois recouvert de feutre qui frappe une corde chaque fois que l'on joue une note. *Il faut changer un des marteaux.*

marteler v.

Conjugaison 5 ▭ Indic. présent : *je martèle, nous martelons.*

1. Frapper à coups de marteau. *Le forgeron martèle le fer sur l'enclume.* **2.** Frapper fort et à coups répétés sur quelque chose. *Les bottes des soldats martelaient le trottoir.*

martèlement n. m.

Succession de bruits qui fait penser aux chocs répétés du marteau. *On entendait le martèlement des bottes des soldats sur le trottoir.*

On écrit aussi *martellement.*

martial adj.

Au masculin pluriel : *martiaux.*

1. *Colle et Rat traversent la cour d'un air martial,* conquérant et un peu prétentieux. **2.** *Les arts martiaux,* ce sont des sports de combat d'origine japonaise. *Alex pratique un art martial.*

Au féminin : *martiale.*

Alex fait du karaté.

Le judo, l'aïkido, le karaté, le jiu-jitsu sont des arts martiaux.

martien n. m., **martienne** n. f.

Habitant supposé de la planète Mars. *Le film représentait les martiens comme des petits hommes verts avec des antennes sur la tête.*

Mais on sait qu'il n'y a pas de vie sur Mars !

① **martinet** n. m.

Les martinets dorment la nuit en planant dans l'espace : ils ne peuvent pas se percher.

Oiseau très petit, ressemblant à une hirondelle et volant très vite. *Les martinets ont un plumage brun et de longues ailes étroites.*

C'est un des oiseaux les plus rapides du monde : il peut voler à 200 km/heure.

② **martinet** n. m.

Petit fouet constitué d'un manche et de plusieurs fines lanières de cuir. *Autrefois, on donnait des coups de martinet aux enfants désobéissants.*

En Angleterre, le martinet s'appelait le chat aux neuf queues.

martingale n. f.

Bande de tissu placée horizontalement dans le dos d'un vêtement. *Marie-Tévy a un manteau gris à martingale.*

martin-pêcheur n. m.

Famille de ② **pêcher**

Son nid est une longue galerie étroite qu'il creuse lui-même dans la rive avec son long bec.

Petit oiseau de couleur vive, roux et bleu, qui vit au bord des mers et se nourrit de poissons, têtards et larves d'insectes. *On trouve des martins-pêcheurs en France.*

Au pluriel : *des martins-pêcheurs.*

martre n. f.

La martre est un mammifère.

Les martres vivent en Amérique du Nord et en Asie.

Petit animal agile, au corps allongé, au museau pointu, au pelage brun. *Les martres se nourrissent de lapins, d'écureuils, d'oiseaux et d'insectes. On recherche les martres pour leur fourrure.*

La fouine et la zibeline sont de la même famille que les martres.

martyr n. m., **martyre** n. f.

Attention ! un *y* dans *martyr, martyre* et *martyriser.*

1. Personne qui souffre ou meurt pour sa religion ou pour un idéal. *Dans l'Antiquité, les martyrs chrétiens mouraient dévorés par les lions.* **2.** Personne que l'on maltraite. *Les enfants martyrs sont parfois battus à mort,* les enfants qui sont cruellement maltraités par leurs parents.

Jouer les martyrs, c'est faire semblant de souffrir beaucoup.

▸ ***martyre*** n. m. Très grande souffrance ; vois ***calvaire.*** *La mère de Sophie Pelletier a souffert le martyre pendant sa maladie.*

Conjugaison 1

▸ ***martyriser*** v. Maltraiter, torturer. *Ce chien a été martyrisé, il est malheureux et craintif.*

mas n. m.

On peut prononcer ou non le *s* : [mas] ou [ma].

Ferme ou maison de campagne traditionnelle dans le sud de la France. *Les Prost ont loué un mas en Provence pour les vacances.*

mascotte n. f.

Animal, personne ou objet porte-bonheur ; vois ***fétiche.*** *Le hamster Cajou est la mascotte de la classe.*

masculin adj.

Le contraire de *masculin*, c'est *féminin*.

Les noms désignant des hommes, des garçons ou des animaux mâles sont souvent masculins.

1. Propre à l'homme, au mâle. *Être pompier est un métier masculin. Nathalie porte des vêtements masculins.* **2.** *Les noms masculins,* comme *chêne, roseau, voyage,* peuvent être précédés au singulier des articles *le* ou *un.* *« Garçon » est un nom masculin.* — n. m. *Le masculin et le féminin de l'adjectif « propre » sont identiques.*

Les noms et les adjectifs sont soit féminins, soit masculins.

Le féminin et le masculin sont les deux *genres* du français.

masochiste adj.

Qui trouve du plaisir à souffrir. *Il faut être masochiste pour aimer se faire fouetter.*

On dit familièrement *maso.*

masque n. m.

1. Objet que l'on se met sur le visage pour se déguiser. *Julie a mis un masque de sorcière pour le Mardi gras.* **2.** Objet qui sert à protéger les yeux, le visage. *Pour faire de la plongée sous-marine, Denis Prost a mis un masque et des palmes.*

Va voir aussi **loup.**

Les apiculteurs mettent un masque pour se protéger des abeilles.

On eût dit des croque-morts masqués [...] conduisant les funérailles de quelque fantôme *(Croc-Blanc).*

▸ ***masqué*** adj. **1.** Couvert d'un masque. *La banque a été attaquée par des bandits masqués.* **2.** *Les Séverac sont invités à un bal masqué,* où l'on porte des masques.

Autre membre de la famille : **démasquer.**

▸ ***masquer*** v. **1.** Cacher à la vue. *L'entrée du souterrain était masquée par des branches.* **2.** Dissimuler sous une fausse apparence. *Il ne faut pas masquer la vérité.*

Conjugaison 1

massacrer v.

Conjugaison 1

1. Tuer avec sauvagerie un grand nombre de gens ou de bêtes qui ne peuvent se défendre. *L'ennemi a massacré tous les habitants du village.* **2.** Abîmer, saccager. *Les chiens ont massacré les plates-bandes.*

On a mis fin au massacre des bébés phoques que les chasseurs tuaient sans discernement.

▸ ***massacre*** n. m. **1.** Tuerie d'un grand nombre de gens ou d'animaux ; vois ***carnage.*** *L'ennemi s'est livré à un véritable massacre dans le village.* **2.** Fait d'abîmer quelque chose par maladresse. *Le découpage de ce gâteau est un massacre.*

Au *jeu de massacre,* on fait tomber des pantins ou des boîtes en lançant des balles dessus.

On dit aussi : *être d'une humeur de chien !*

▸ ***massacrant*** adj. *Être d'une humeur massacrante,* c'est être de très mauvaise humeur. *Julie est d'une humeur massacrante, ce matin.*

massage n. m.

Attention ! deux *s.*

Famille de ② **masser**

Action de frotter, presser, pétrir une partie du corps pour la soigner. *Le kinésithérapeute fait des massages aux malades qui souffrent du dos.*

Un *massage cardiaque,* c'est un massage de la région du cœur.

① **masse** n. f.

1. Grande quantité. *La masse d'eau que retient le barrage est considérable ;* vois ***volume.*** **2.** Réunion de nombreuses personnes, de nombreuses choses. *Une masse de touristes envahit le musée ;* vois ***foule.*** **3.** *Les enfants ont accouru en masse pour dire bonjour à Angèle, leur institutrice,* tous ensemble, en un groupe très nombreux. **4.** *La masse,* c'est la majorité des gens. *Ce spectacle plaît à la masse,* au grand public.

Autres membres de la famille : **amasser, amas, ramasser, ramassage, ramassis, massivement, massif.**

Conjugaison 1

Le contraire de *se masser,* c'est *se disperser.*

▸ ① ***masser*** v. Rassembler en une masse. *Le berger a massé les moutons dans l'enclos. — La foule se masse sur les trottoirs pour voir passer le président ;* vois *se* ***presser.***

② **masse** n. f.

Autre membre de la famille : **massue.**

Gros maillet. *Le sculpteur tape avec sa masse sur une pointe pour attaquer la pierre.*

② **masser** v.

Conjugaison 1

Frotter, presser, pétrir une partie du corps, pour la soigner. *Mme Séverac a mal au dos ; elle se fait masser une fois par semaine par un kinésithérapeute.*

Les sportifs se font masser avant et après les compétitions.

▸ ***masseur*** n. m., ***masseuse*** n. f. Personne dont le métier est de faire des massages ; vois ***kinésithérapeute.*** *Mme Séverac va chez le masseur toutes les semaines.*

Autre membre de la famille : **massage.**

① **massif** adj.

Au féminin : *massive.*

Famille de ① **masse**

1. *De l'or massif,* c'est de l'or qui occupe tout le volume d'un objet, qui n'est pas un revêtement. *Julie a une chaîne en or massif.* **2.** Gros, épais, lourd. *Le donjon du château est massif. M. Bellec est un homme massif ;*

vois ***corpulent, trapu.*** **3.** Qui se fait en grand nombre, qui est donné en grande quantité. *Mme Séverac a pris une dose massive de somnifères.*

Compare : *massif → massivement* et *exclusif → exclusivement.*

▸ **massivement** adv. En masse, en grand nombre. *Les gens se sont massivement déplacés pour voir l'exposition.*

▸ ② **massif** n. m. **1.** Groupe compact de fleurs ou d'arbres. *Yves est tombé dans le massif de roses.* **2.** Groupe de montagnes qui forment un gros bloc. *Les Alpes représentent le plus grand massif montagneux d'Europe.*

Les Pyrénées forment une *chaîne* de montagnes.

Où se trouvent le Massif central, le Massif armoricain ?

Famille de ② **masse**

massue n. f.
Gros bâton court à tête très épaisse et arrondie, servant d'arme ; vois ***gourdin.*** *Les hommes préhistoriques assommaient les bisons à coups de massue.*

mastic n. m.
Pâte qui colle et durcit en séchant. *On fixe les vitres aux fenêtres avec du mastic.*

mastiquer v.
Broyer longuement avec les dents ; vois ***mâcher.*** *Marie-Tévy mastique un chewing-gum.*

Il faut mastiquer les aliments avant de les avaler.

Conjugaison 1

mastodonte n. m.
1. Énorme animal fossile qui ressemble à un éléphant. *Le mastodonte avait quatre défenses.* **2.** Personne ou objet énorme. *Ce bulldozer est un vrai mastodonte.*

Les mastodontes ont disparu au début du quaternaire, il y a quelque 100 millions d'années.

Les défenses inférieures des mastodontes étaient souvent larges et aplaties.

masure n. f.
Vieille maison en très mauvais état. *Le pauvre homme habitait une masure aux murs sales et aux vitres cassées.*

mat adj.
1. Qui n'est pas brillant ou poli. *M. Bellec repeint le mur en blanc mat.* **2.** *Angèle a la peau mate,* assez foncée et peu colorée. **3.** Qui ne résonne pas ; vois ***sourd.*** *Le marteau est tombé sur la moquette avec un bruit mat.*

Mat [mat] rime avec *tomate.*

Le contraire de *mat,* c'est *brillant.*

mât n. m.
1. Longue pièce de métal ou de bois dressée sur un bateau, qui porte les voiles ou divers appareils. *Loïc grimpe au mât pour réparer les feux de son bateau.* **2.** Long poteau. *Alex installe le mât de la tente.*

Attention à l'accent circonflexe du ***â*** !

Un bateau à voile à trois mâts s'appelle un *trois-mâts.*

matador n. m.
Homme chargé de tuer le taureau dans une corrida. *Le matador entre dans l'arène.*

C'est un mot d'origine espagnole.

Le matador est un *torero.*

match n. m.
Compétition sportive. *L'équipe de Motbourg a gagné tous les matchs qu'elle a disputés cette année.*

Au pluriel : *des matchs* ou *des matches.*

matelas n. m.
Grand coussin long et large, généralement posé sur un sommier, sur lequel on s'allonge pour dormir. *Mme Bellec retourne le matelas pour l'aérer. Mme Roussel a apporté un matelas pneumatique sur la plage,* un long coussin en toile caoutchoutée, rempli d'air, sur lequel on peut s'allonger et aller dans l'eau.

Le ***s*** final ne se prononce pas : [matla].

Le matelas est une pièce de *literie.*

▸ **matelassé** adj. Rembourré. *Les portes du cabinet du docteur Séverac sont matelassées.*

On fait des manteaux très chauds en tissu matelassé.

matelot n. m.
Homme qui travaille sur un bateau pour faire les manœuvres ; vois ***marin.*** *Loïc a fait son service militaire comme matelot sur la Jeanne-d'Arc.*

Ne prononce pas le ***t*** final : [matlo].

Va voir aussi ***mousse.***

mater v.
Rendre docile, obéissant ; vois ***dompter, dresser.*** *L'institutrice n'arrive pas à mater Colle et Rat.*

Ils sont insupportables !

Conjugaison 1

se **matérialiser** v.
Devenir réel. *Chaque été, Angèle a vingt projets de vacances, dont parfois aucun ne se matérialise,* ne se réalise.

Conjugaison 1

Au pluriel : *matériaux.*

matériau n. m.
Toute matière qui sert à construire, à fabriquer un objet. *Les maisons traditionnelles sont construites avec des matériaux particuliers à chaque région.*

En Bretagne, c'est de la pierre, dans le Nord de la brique, en montagne du bois.

① **matériel** adj.

Les *dégâts matériels,* ce sont les dégâts causés aux objets, pas aux personnes.

1. *Ce qui est matériel,* c'est ce que l'on peut voir, entendre, toucher, ce qui est concret, réel. *On a la preuve matérielle que l'incendie est dû à un accident ;* vois ***tangible.*** **2.** *Le confort matériel,* c'est le confort obtenu grâce aux choses que l'on possède, à l'argent. *Les Séverac ont le confort matériel.*

Compare : *matériel* → *matériellement* et *officiel* → *officiellement.*

▸ **matériellement** adv. **1.** *Les Séverac sont matériellement favorisés,* ils sont favorisés pour les choses matérielles, l'argent. **2.** En fait, pratiquement. *Il m'est matériellement impossible d'être arrivé là-bas dans une heure,* c'est impossible à réaliser.

Attention ! deux *l.*

▸ ② **matériel** n. m. Ensemble des objets qui servent à quelque chose. *Alex a acheté du matériel de photo. M. Bellec prépare son matériel de pêche pour les vacances.*

maternel adj.

La *langue maternelle,* c'est la première langue que l'on apprend quand on est enfant.

1. Propre à une mère. *La petite chatte a déjà l'instinct maternel.* **2.** Semblable à ce qui vient d'une mère. *Julie a des gestes maternels envers son petit frère.* **3.** *Martin n'a pas encore l'âge d'aller à l'école maternelle,* l'école pour les petits enfants de deux à six ans. — n. f. *Quand il aura deux ans, Martin ira à la maternelle,* à l'école maternelle.

Va voir aussi ***paternel.***
Le *grand-père maternel,* c'est le père de sa mère.

Compare ***maternel*** et ***maternité*** : dans ces mots, il est question de **mère.**

maternité n. f.
1. Hôpital ou clinique où les femmes vont accoucher. *Martin est né à la maternité de Motbourg.* **2.** *Le congé de maternité,* c'est le congé qu'a une femme lorsqu'elle attend un enfant et après son accouchement. *Sophie Pelletier a eu quatre mois de congé de maternité.*

Attention ! un ***h.***

mathématique n. f.
Les mathématiques, c'est le calcul, l'algèbre, l'arithmétique, la géométrie. *Marie-Tévy est très bonne en mathématiques.*

On dit familièrement les *maths.*

Compare : *mathématique* → *mathématicien* et *informatique* → *informaticien.*

▸ **mathématicien** n. m., **mathématicienne** n. f. Personne dont le métier est de faire des mathématiques. *Évariste Galois était un mathématicien célèbre.*

matière n. f.

On trouve la matière à l'état solide, liquide ou gazeux.

La *matière grise,* c'est le cerveau, l'intelligence.

1. *La matière,* c'est ce dont sont faits les objets, les corps. *Le centre de la Terre est constitué de matière en fusion.* **2.** *Une matière,* c'est ce dont sont faites certaines choses, une substance que l'on peut distinguer des autres. *L'acier est une matière plus solide que le papier. Le beurre, l'huile, la margarine sont des matières grasses.* **3.** *Une matière première,* c'est quelque chose que l'on trouve dans la nature, et que l'homme peut transformer pour faire des objets. *Le bois est une matière première avec laquelle on peut faire des meubles.* **4.** Partie de ce que l'on apprend à l'école ; vois ***discipline.*** *Le français est la matière préférée de Sylvain.* **5.** *L'entrée en matière d'un discours,* c'est son commencement. *Comme entrée en matière, l'orateur raconta une anecdote.*

Va voir *matière plastique* à ***plastique.***

Le bois, le fer, le pétrole sont des matières premières.

Va voir *table des matières* à ***table.***

matin n. m.

Le contraire du *matin,* c'est le *soir.*

Une heure du matin, c'est une heure après minuit.

1. Début du jour ; vois ***aube, aurore.*** *Loïc est parti en mer ce matin de bonne heure.* **2.** Première partie de la journée qui se termine à midi ; vois ***matinée.*** *Le docteur Séverac va à l'hôpital le matin et consulte chez lui l'après-midi.*

Le matin on se lève à 8 heures. Vite, vite, il faut s'habiller, et puis on va au rassemblement *(le Petit Nicolas).*

Au féminin : *matinale.*

▸ **matinal** adj. **1.** Du matin. *Le soleil matinal filtre à travers les volets.* **2.** *M. Doucet est matinal,* il se lève tôt.

Au masculin pluriel : *matinaux.*

Il plut toute la matinée et l'après-midi jusqu'à la tombée du soir *(les Contes du Chat perché).*

▸ **matinée** n. f. **1.** Première partie de la journée qui va du lever du soleil à midi ; vois ***matin.*** *Yves a passé sa matinée à écrire un poème pour la fête des mères.* **2.** Spectacle qui a lieu l'après-midi. *Angèle a emmené ses élèves à une matinée.*

Faire la grasse matinée, c'est se lever tard.

On jouait *l'Avare,* de Molière.

matou n. m.
Gros chat mâle. *Deux matous se battent dans la cour.*

matraque n. f.
Bâton qui sert à frapper ; vois ***gourdin.*** *Le cambrioleur a assommé le bijoutier d'un coup de matraque.*

Conjugaison 1

▹ ***matraquer*** v. Frapper avec une matraque. *La police a matraqué des manifestants.*

▹ ***matraquage*** n. m. **1.** Action de frapper avec une matraque. *Le matraquage est un des moyens utilisés par la police pour disperser les manifestants.* **2.** Répétition continuelle d'une information. *On voit cette affiche sur tous les murs : c'est du matraquage !*

matrimonial adj.
Du mariage ; vois ***conjugal.*** *Certains célibataires s'adressent à une agence matrimoniale pour se marier.*

Compare **maturité** et *prématuré* : il s'agit d'être **mûr.**

maturité n. f.
1. État de ce qui est mûr. *Les tomates arrivent à maturité, on peut les cueillir.* **2.** Période de la vie entre la jeunesse et la vieillesse. *Denis Prost est en pleine maturité.* **3.** Sérieux que l'on doit avoir quand on est adulte. *Alex manque de maturité, il est parfois irresponsable.*

Denis Prost a 35 ans.

On dit aussi *dans la force de l'âge.*

Conjugaison 2
Famille de **dire**

maudire v.
Souhaiter du mal. *Mme Harpie maudit celui qui a cassé sa vitrine.*

Le contraire de *maudire,* c'est *bénir.*

Au féminin : *maudite.*

▹ ***maudit*** adj. Détestable, exaspérant. *Avec ce maudit échec au bac, Alex va devoir redoubler.*

Conjugaison 1
Famille de **gré**

maugréer v.
Grogner, ronchonner. *Depuis ce matin, M. Bellec n'arrête pas de maugréer.*

Il est de mauvaise humeur.

Attention ! *mausolée* est un nom masculin.

mausolée n. m.
Somptueux tombeau de très grandes dimensions. *Denis Prost a visité le mausolée de Lénine à Moscou.*

maussade adj.
Triste et de mauvaise humeur. *Julie est maussade aujourd'hui. Elle est d'humeur maussade, elle n'a pas envie de jouer.*

Quand il ne fait pas beau, on dit que *le temps est maussade.*

mauvais adj. et adv.
▭ **adj. 1.** Ayant un défaut ou peu de valeur. *Ce vin est mauvais,* il n'est pas bon. *Ce tissu est de mauvaise qualité. La récolte est mauvaise,* faible. *C'est un mauvais film,* il est mal fait, peu intéressant. *Colle et Rat sont d'assez mauvais élèves,* médiocres. **2.** Mal choisi. *Vous avez pris le mauvais chemin, vous allez vous perdre !* **3.** Pénible, déplaisant. *Quelqu'un a téléphoné sans raison à 2 heures du matin, c'est une mauvaise plaisanterie. S'il avait été là, il aurait passé un mauvais quart d'heure,* un moment désagréable. **4.** Méchant, désagréable. *Il s'est levé de mauvaise humeur. Mme Harpie est une mauvaise langue,* elle dit beaucoup de méchancetés. *Au fond, M. Bellec n'est pas un mauvais bougre,* il n'est pas vraiment méchant.
▭ **adv.** *Les poubelles sentent mauvais,* pas bon. *Il fait mauvais,* il ne fait pas beau temps.

Plus mauvais, c'est *pire* ; *moins mauvais,* c'est *mieux* ou *meilleur.*

Je me suis souvent demandé, et me le demande encore, ce qui peut bien différencier une mauvaise bronchite d'une bonne (P. Dac).

C'est une langue de vipère !

Il existe aussi une fleur qui s'appelle la *mauve.*

mauve adj.
D'une couleur violet pâle. *Yasmina a une robe mauve.*

mauviette n. f.
Personne délicate, sans force. *Hippolyte n'est pas une mauviette, il n'a pas craint d'aider les pompiers à éteindre l'incendie de la poste.*

Attention ! deux *l.* Prononce [maksilɛʀ].

maxillaire n. m.
Os des mâchoires. *Lorsque l'on ouvre la bouche, le maxillaire inférieur s'abaisse,* l'os de la mâchoire inférieure ; vois ***mandibule.***

Au masculin pluriel : *maximaux.*

maximal adj.
Le plus grand. *La vitesse maximale autorisée sur les autoroutes est de 130 km à l'heure ;* vois ***maximum.***

maxime n. f.
Phrase qui donne une règle de conduite. *« Il faut prendre la vie comme elle vient » est une maxime. Les « Maximes » de La Rochefoucauld sont célèbres.*

Va voir aussi ***dicton*** et ***proverbe.***

maximum n. m. et adj.
1. n. m. La plus grande quantité. *Arrivé au maximum de sa vitesse, le train s'est subitement mis à freiner. Hippolyte fait le maximum pour se faire aimer d'Angèle,* tout ce qu'il peut. *Il est 5 heures au maximum,* au plus. **2.** adj. Maximal. *La vitesse maximum autorisée sur les autoroutes est de 130 km à l'heure.*

Au pluriel : *maximums* ou *maxima.*

Le féminin de l'adjectif est aussi *maxima.*

mayonnaise n. f.
Sauce froide, composée d'un jaune d'œuf, de moutarde et d'huile battus jusqu'à prendre de la consistance. *Julie met de la mayonnaise sur son poulet froid.*

Attention ! deux ***n***.

Prononce le ***t*** : [mazut]. *Mazout* rime avec *route.*

mazout n. m.
Liquide tiré du pétrole ; vois ***fuel.*** *Le chauffage au mazout coûte moins cher que le chauffage à l'électricité.*

mazurka n. f.
Danse populaire polonaise et air sur lequel on la danse. *Mamie Lou aime beaucoup les mazurkas de Chopin.*

Prononce [mazyʀka].

Va voir aussi ***moi.*** Un *m'as-tu-vu,* c'est une personne vaniteuse qui aime bien qu'on la regarde.

me pronom
Pronom personnel de la première personne du singulier qui remplace *je* lorsqu'il est complément. *On m'a vu entrer. Tu me le diras demain. Je me lave les mains,* je lave mes mains. *Cela m'est désagréable,* c'est désagréable pour moi. *Me voici de retour,* je suis de retour.

Devant un mot qui commence par une voyelle ou un ***h*** muet, *me* devient *m'.*

Prononce [meɑ̃dʀ].

méandre n. m.
Courbe du trajet d'une rivière ou d'un fleuve. *La Seine fait de nombreux méandres entre Paris et Le Havre.*

mécanique n. f. et adj.
▭ **n. f.** Construction et fonctionnement des machines. *Pour devenir mécanicien, il faut apprendre la mécanique.*

Un *escalier mécanique* est un escalier roulant.

▭ **adj. 1.** Fonctionnant grâce à un mécanisme. *Claire a une poupée mécanique.* **2.** *La voiture d'Angèle a des ennuis mécaniques,* de moteur. **3.** Machinal, automatique. *Le soldat a salué d'un geste mécanique,* sans réfléchir.

On remonte le ressort et la poupée avance toute seule.

▸ ***mécaniquement*** adv. Machinalement. *Le soldat a salué mécaniquement,* sans réfléchir.

▸ ***mécanicien*** n. m., ***mécanicienne*** n. f. **1.** Personne qui entretient les machines et les moteurs. *Au garage de Motbourg, on cherche un mécanicien.* **2.** Conducteur de locomotive d'un train. *Yves rêve parfois d'être mécanicien sur un train Corail.*

On dit familièrement un *mécano.*

Compare ***mécanisme*** et ***mécanique*** : il s'agit de **machine.**

mécanisme n. m.
Ensemble de pièces qui permettent à un appareil, une machine, un moteur, de fonctionner. *David a démonté son réveil pour en voir le mécanisme.*

Mécène [mesɛn] rime avec *saine.*

mécène n. m.
Personne riche qui aide les écrivains et les artistes. *Un mécène fait exposer les tableaux des jeunes artistes de Motbourg.*

méchant adj.
1. *Une personne méchante,* c'est une personne qui cherche à faire du mal ; vois ***mauvais.*** *À la récréation, Colle et Rat sont méchants avec les petits.* — n. *Ce sont des méchants.* **2.** *Un animal méchant,* c'est un animal qui cherche à mordre, à griffer. *Attention ! Chien méchant !* **3.** Haineux, mauvais. *Mme Harpie a regardé son neveu avec un sourire méchant.*

Le contraire de *méchant,* c'est *gentil, bon.*

La tante Mélina était une très vieille et très méchante femme qui avait une bouche sans dents et un menton plein de barbe *(les Contes du Chat perché).*

Compare : *méchant → méchamment* et *abondant → abondamment.*

▸ ***méchamment*** adv. Avec méchanceté, pour faire du mal. *David a répondu méchamment à sa sœur.*

▸ ***méchanceté*** n. f. **1.** Intention de faire du mal ; vois ***cruauté, malveillance.*** *Colle et Rat ont mis une punaise sur la chaise de l'institutrice*

Le contraire de *méchanceté,* c'est *bonté, gentillesse.*

par méchanceté. **2.** Parole ou action méchante. *Julie n'arrête pas de dire des méchancetés aujourd'hui.*

mèche n. f.

Vendre la mèche, c'est dévoiler un secret.

1. Cordon ou tresse de fils que l'on peut faire brûler. *Mme Séverac a allumé la mèche de la bougie.* **2.** Tige de métal que l'on enfile au bout d'une perceuse pour faire des trous ; vois ***vrille.*** *M. Doucet met une grosse mèche à sa perceuse pour installer sa nouvelle bibliothèque.* **3.** Petit paquet de cheveux. *Antoine a des mèches qui lui tombent sur les yeux. Mme Harpie a des mèches blanches.*

Il y a une mèche dans les lampes à pétrole, les lampes à huile, les briquets à essence.

Une mèche rebelle qui se coiffe difficilement s'appelle un *épi.*

méchoui n. m.

Prononce [meʃwi].

Repas au cours duquel on mange un mouton rôti entier à la broche. *Les Touati ont été invités à un méchoui.*

On appelle aussi *méchoui* le mouton que l'on mange pendant ce repas.

méconnaître v.

Conjugaison 57
▭ Indic. présent : *je méconnais, il méconnaît.*

Ne pas reconnaître la valeur de quelqu'un ou de quelque chose ; vois ***ignorer, mésestimer.*** *Les critiques méconnaissent le talent de ce jeune peintre.*

Famille de **connaître**
Le contraire de *méconnaître,* c'est *apprécier.*

▸ ***méconnaissable*** adj. Qui est si changé qu'on ne peut le reconnaître. *Après sa blessure au visage, M. Bonnot était méconnaissable.*

[La reine] se farda le visage, s'habilla en vieille mercière et fut tout à fait méconnaissable *(Blancheneige).*

▸ ***méconnu*** adj. Mal connu, pas apprécié à sa juste valeur. *Ce peintre est un génie méconnu.*

mécontent adj.

Famille de **content**
Le contraire de *mécontent,* c'est *content.*

Pas content, fâché, contrarié. *L'institutrice est mécontente, les élèves ne l'écoutent pas aujourd'hui.* — n. *Le mauvais temps fait des mécontents.*

▸ ***mécontentement*** n. m. Déplaisir, insatisfaction. *Le mauvais temps est un sujet de mécontentement pour les vacanciers.*

Le contraire de *mécontentement,* c'est *satisfaction.*

Conjugaison 1

▸ ***mécontenter*** v. Rendre mécontent. *Le mauvais temps mécontente les vacanciers.*

médaille n. f.

1. Petit bijou rond et plat. *Angèle a une médaille et une petite croix suspendues à sa chaîne.* **2.** Objet décoratif en métal donné en récompense à un sportif ou à une personne méritante. *Aux jeux Olympiques, on peut gagner la médaille d'or, d'argent ou de bronze.*

Le revers de la médaille, c'est le côté déplaisant d'une chose qui semblait agréable.

Compare : *médaille → médaillon* et *maille → maillon.*

▸ ***médaillon*** n. m. **1.** Bijou en forme de petite boîte plate qui s'ouvre et se ferme et peut contenir une photo. *Mamie Lou porte un médaillon contenant la photo de son mari.* **2.** Tranche mince et ronde. *Muriel Doucet a acheté des médaillons de foie gras.*

médecin n. m.

Pour une femme, on dit *un médecin* ou *une femme médecin.*

Personne qui soigne les malades ; vois ***docteur.*** *Le docteur Séverac est le médecin de famille des Bellec,* le médecin qui soigne régulièrement la famille Bellec.

▸ ***médecine*** n. f. Art de prévenir et de soigner les maladies de l'homme. *Le docteur Séverac exerce la médecine depuis quinze ans. Nathalie voudrait faire sa médecine,* des études pour devenir médecin.

média n. m.

Moyen de communication par lequel les informations sont données au public. *Les journaux, la télévision, la radio sont les principaux médias.*

médiation n. f.

Intervention destinée à mettre d'accord des personnes ou des pays ; vois ***arbitrage.*** *La médiation d'un organisme international a permis de mettre fin à la guerre entre deux pays.*

Cet organisme a servi de *médiateur.*

médical adj.

Au masculin pluriel : *médicaux.*

Concernant la santé. *À l'école, les enfants passent une visite médicale chaque année,* un médecin vérifie l'état de leur santé.

médicament n. m.

Compare **médecin,** *médicament* et *remède* : il s'agit de **soigner.**

Remède, produit préparé pour soigner. *Le docteur Séverac a prescrit à Yves un médicament contre la toux.*

Les médicaments s'achètent dans les pharmacies.

médicinal adj.
Une plante médicinale, c'est une plante qui contient des substances qui servent de médicament. *La menthe est une plante médicinale qui aide à digérer et soulage le mal de tête.*

Au masculin pluriel : *médiévaux.*

médiéval adj.
Du Moyen Âge. *Motbourg possède un château médiéval,* construit au Moyen Âge. *Dans le donjon, on peut visiter une exposition d'œuvres médiévales,* tableaux et objets créés au Moyen Âge.

Il a été construit au XIIIe siècle.

médiocre adj.
Assez mauvais. *Colle et Rat font des devoirs médiocres ;* vois **faible.** *M. Touati reçoit un salaire médiocre,* un petit salaire ; vois ***modeste, modique.***

Le contraire de *médiocre,* c'est *excellent.*

▸ **médiocrement** adv. Assez peu, assez mal. *Colle et Rat travaillent médiocrement.*

Attention ! *é* accent aigu à la fin, comme dans *bonté, santé.*

▸ **médiocrité** n. f. Insuffisance, faiblesse. *Les résultats d'Alex ont été d'une telle médiocrité qu'il a échoué au bac.*

Conjugaison 37
▭ Indic. présent : *je médis, il médit, vous médisez.*

médire v.
Dire du mal de quelqu'un. *Mme Harpie médit à longueur de journée,* tient des propos désagréables sur les uns et les autres.

Famille de **dire**

▸ **médisance** n. f. Parole malveillante. *Personne n'est à l'abri des médisances de Mme Harpie.*

Va voir aussi ***calomnie.***

méditer v.
1. Réfléchir longuement et profondément. *Les philosophes méditent sur la vie et la mort.* **2.** Calculer, combiner. *Les malfaiteurs avaient bien médité leur coup.*

Conjugaison 1

Autre membre de la famille : **prémédité.**

▸ **méditation** n. f. Réflexion. *Hippolyte semblait plongé dans une profonde méditation.*

Médium [medjɔm] rime avec *homme.*

médium n. m.
Personne qui peut communiquer avec les esprits des morts. *Les médiums sont doués de télépathie.*

Au pluriel : *des médiums.*

Au pluriel : *des médius.*

médius n. m.
Doigt du milieu de la main. *Le médius est le plus grand doigt de la main.*

On dit aussi le *majeur.*

Les méduses sont des invertébrés. Elles se nourrissent de plancton et de poissons.

méduse n. f.
Animal marin formé d'une masse transparente et gélatineuse en forme de cloche sous laquelle se trouvent la bouche et les tentacules. *Les piqûres de méduses provoquent des boutons et des démangeaisons. Les méduses flottent sur l'eau.*

C'est le contact des tentacules qui provoque les piqûres.

médusé adj.
Très étonné, stupéfait. *Cette nouvelle nous a médusés.*

Meeting [mitiŋ] est un mot anglais.

meeting n. m.
Réunion publique, généralement politique ; vois ***manifestation, rassemblement.*** *Les ouvriers ont organisé un meeting devant l'usine.*

Famille de **faire**
Méfait s'emploie surtout au pluriel.

méfait n. m.
1. Mauvaise action, faute. *On ne compte plus les méfaits de ces garnements.* **2.** Effet dangereux. *Les méfaits de l'alcool et du tabac sont bien connus.*

Le contraire de *méfait,* c'est *bienfait.*

Conjugaison 7
▭ Indic. imparfait : *nous nous méfiions, vous vous méfiiez.*

se **méfier** v.
1. *Se méfier d'une personne,* c'est ne pas lui faire confiance, se tenir en garde contre elle parce qu'elle peut être dangereuse ; vois *se* ***défier.*** *Il faut se méfier des rôdeurs.* **2.** Faire attention à quelque chose. *Méfie-toi de l'escalier, il est très raide.*

Famille de se **fier**
La pauvre Blancheneige qui ne se méfiait de rien laissa faire la vieille, mais à peine celle-ci lui eut-elle mis le peigne dans les cheveux que le poison fit son effet *(Blancheneige).*

Le contraire de *méfiance,* c'est *confiance.*

▸ **méfiance** n. f. Sentiment de celui qui se méfie. *Mme Séverac éprouve toujours une certaine méfiance envers les gens qu'elle ne connaît pas.*

Le contraire de *méfiant,* c'est *confiant.*

▸ **méfiant** adj. *Quelqu'un de méfiant,* c'est quelqu'un qui a tendance à se méfier de tout, qui est soupçonneux. *Mme Séverac est méfiante de nature.*

Famille de **garder**

Tintin avait par mégarde enfermé Milou dans sa malle.

par **mégarde** adv.
Sans le vouloir, sans le faire exprès. *Yasmina avait par mégarde pris le bonnet de Julie ;* vois par ***inadvertance.***

Le contraire de *par mégarde,* c'est *exprès.*

Attention aux accents !

mégère n. f.
Femme méchante et hargneuse. *Mme Harpie se comporte comme une vraie mégère.*

mégot n. m.
Reste d'une cigarette ou d'un cigare qui ont été fumés. *Le cendrier est rempli de vieux mégots.*

Le contraire de *meilleur,* c'est *pire.*

meilleur adj.
1. Comparatif de supériorité de *bon. La tarte aux pommes de Mamie Lou est meilleure que celle du pâtissier. Antoine est meilleur en gymnastique qu'en français,* il est plus fort en gymnastique qu'en français. **2.** *Le meilleur :* superlatif de supériorité de *bon. Réjean est le meilleur ami d'Alex. Julie serait la meilleure de la classe si elle travaillait davantage.*

Va voir aussi **bon.**

Meilleurs vœux !

Le petit prince arracha aussi, avec un peu de mélancolie, les dernières pousses de baobabs. Il croyait ne jamais devoir revenir *(le Petit Prince).*

mélancolie n. f.
Tristesse un peu vague accompagnée de rêverie. *Parfois, Mamie Lou pense avec un peu de mélancolie au temps où elle était plus jeune.*
▸ **mélancolique** adj. Un peu triste. *Le souvenir de sa jeunesse rend Mamie Lou d'humeur mélancolique ;* vois ***sombre, triste.***

Le contraire de *mélancolique,* c'est *gai.*

Famille de **mêler**

mélange n. m.
Ensemble de choses différentes mêlées ensemble. *La pâte à crêpes est un mélange d'œufs, de lait, de farine et de sucre.*
▸ **mélanger** v. Mêler, mettre ensemble des choses différentes de manière à former un tout. *En mélangeant du bleu et du rouge, on obtient du violet. — L'huile et l'eau se mélangent mal.*

Conjugaison 3 ▭ Indic. présent : *nous mélangeons.* Imparfait : *je mélangeais.*

Le contraire de *mélanger,* c'est *séparer.*

Attention ! deux ***s*** dans *mélasse.*

mélasse n. f.
Sirop qui provient de la fabrication du sucre. *La mélasse est une matière très visqueuse extraite de la betterave ou de la canne à sucre.*

Attention à l'accent circonflexe du ***ê*** !

mêler v.
1. Mettre en désordre ; vois ***embrouiller, mélanger.*** *En cherchant des ciseaux dans la boîte à ouvrage de sa mère, Yves a mêlé tous les fils ;* vois ***emmêler.*** **2.** *Se mêler à un groupe,* c'est s'y joindre. *Julie s'est mêlée au petit groupe de filles qui bavardaient dans un coin de la cour.* **3.** *Se mêler de quelque chose,* c'est s'en occuper. *Mme Harpie se mêle toujours de ce qui ne la regarde pas.*
▸ **mêlé** adj. *Les yeux de Loïc sont verts mêlés de brun,* ils sont vert et brun mélangés. *C'est avec un plaisir mêlé de peur que Claire a fait un tour sur la grande roue.*
▸ **mêlée** n. f. **1.** Combat où les adversaires sont mêlés dans un corps à corps. *La discussion avec les voyous s'est transformée en mêlée générale.* **2.** Au rugby, moment où huit joueurs de chaque équipe se groupent autour du ballon. *Pendant la mêlée, l'un des joueurs a réussi à pousser du pied le ballon dans son camp.*

Conjugaison 1

Un *méli-mélo* est un mélange confus, un fouillis de choses.

Dites donc, vous, répliqua le coq, mêlez-vous de vos affaires ! *(les Contes du Chat perché).*

Autres membres de la famille : **démêler, démêlé, emmêler, entremêler, mélange, mélanger, pêle-mêle.**

Pense à l'accent aigu, puis à l'accent grave et au ***z*** dans *mélèze.*

mélèze n. m.
Arbre de la famille des conifères, qui ressemble au sapin mais qui perd ses aiguilles en hiver. *Les mélèzes poussent dans les régions montagneuses.*

Le mélèze peut atteindre 30 à 40 mètres de haut et vivre 500 ans.

Compare ***mélo**die* et ***mélo**mane* : il s'agit de **musique.**

mélodie n. f.
Suite de notes qui forment un air musical. *Sylvain improvise des mélodies au piano.*
▸ **mélodieux** adj. *Un son mélodieux,* c'est un son qui est agréable à l'oreille ; vois ***harmonieux.*** *Angèle a une voix très mélodieuse.*

Les paroles d'une chanson sont écrites sur une mélodie.

Compare : *mélodie → mélodieux* et *harmonie → harmonieux.*

Le mélodrame est apparu en France au XVIIe siècle. Il était très à la mode au XIXe siècle.

mélodrame n. m.
Pièce de théâtre dans laquelle l'histoire est invraisemblable et les caractères des personnages très exagérés. *Le jeune premier amoureux, l'héroïne persécutée et le traître sont les héros habituels des mélodrames.*

Famille de **drame**

On dit familièrement un *mélo.*

mélomane n. m. et f.
Amateur de musique. *Mme Séverac, qui est une grande mélomane, va souvent au concert.*

melon n. m.
Le *melon d'eau* s'appelle aussi *pastèque.*
1. Gros fruit rond, à écorce vert clair et à chair orangée juteuse et sucrée. *Antoine a fini de manger sa tranche de melon avant tout le monde.* **2.** *Un chapeau melon,* c'est un chapeau d'homme en feutre rigide, rond et bombé. *Les Anglais portent des chapeaux melon.*
On dit aussi un *melon.*

Attention ! un ***m*** devant le ***b***.
membrane n. f.
Peau très mince et très souple qui enveloppe un organe, recouvre une cavité du corps. *Les méninges sont des membranes qui entourent et protègent le cerveau.*

Attention ! un ***m*** devant le ***b***.
membre n. m.
1. Chacune des quatre parties du corps humain qui s'attachent au tronc. *Les bras sont les membres supérieurs et les jambes les membres inférieurs.* **2.** Chacune des quatre parties qui s'attachent au corps de certains animaux. *Les ailes et les pattes des animaux sont des membres.* **3.** Personne qui fait partie d'un groupe, d'un club, d'une association. *Tous les membres de la famille Séverac se sont réunis pour Noël. David est membre du club de football de Motbourg ;* vois ***adhérent.***
Un *membre de phrase,* c'est un groupe de mots unis par le sens et la syntaxe, qui font partie d'une phrase.
Les serpents n'ont pas de membres.
Autre membre de la famille : **remembrement.**

Attention à l'accent circonflexe du ***ê*** !
même adj., pronom et adv.
▭ **adj. 1.** Identique, semblable. *Yasmina et Julie ont le même bonnet rouge. Colle et Rat habitent le même immeuble. Nathalie n'est pas dans la même classe que David. Mamie Lou est la bonté même,* elle est très bonne. **2.** *Je le ferai moi-même,* seul. *Mme Hespel a réussi par elle-même,* par ses propres moyens.
▭ **pronom** *Yasmina admire la robe de Julie ; elle aimerait bien avoir la même. Cela revient au même,* c'est pareil.
▭ **adv. 1.** *Tout le monde dansait à la fête du village, même Mamie Lou,* Mamie Lou aussi. **2.** *L'accident s'est produit ici même,* exactement ici. *Cette lettre doit partir aujourd'hui même,* aujourd'hui sans faute. **3.** *Angèle est malade mais travaille quand même ;* vois ***néanmoins, pourtant.*** **4.** *Alex couche à même le sol quand il fait des randonnées,* directement sur le sol. **5.** *Être à même de faire quelque chose,* c'est être capable, être en mesure de le faire. *Je ne suis pas à même de juger sans connaître cette affaire.*
Dans l'étable de leurs parents, il y avait deux bœufs de la même taille et du même âge, l'un tacheté de roux, l'autre blanc et sans tache
(les Contes du Chat perché).
Le contraire de *même,* c'est *autre, différent.*
En même temps : à la fois, ensemble.
On peut dire aussi : *tout de même.*

Prononce [memɛ̃to].
Au pluriel : *des mémentos.*
mémento n. m.
Agenda. *M. Doucet note ses rendez-vous sur un mémento.*

① **mémoire** n. f.
1. *La mémoire,* c'est la faculté qui permet de se rappeler, de se souvenir. *Mamie Lou a une excellente mémoire. En récitant sa poésie, Marie-Tévy a eu un trou de mémoire,* elle a oublié un passage. *Sylvain joue de mémoire une sonate de Chopin,* il la joue sans avoir la partition sous les yeux. **2.** *Sophie Pelletier fait dire des messes à la mémoire de sa mère,* en souvenir de sa mère qui est morte.
En faisant visiter la fusée, Tournesol est tombé et a perdu la mémoire.
Ayant perdu toute mémoire
Un myosotis s'ennuyait.
Voulait-il conter une histoire ?
Dès le début, il l'oubliait.
Pas de passé, pas d'avenir,
Myosotis sans souvenir
(R. Desnos).

② **mémoire** n. m.
Texte que l'on écrit sur un sujet que l'on a étudié. *Pour obtenir son diplôme d'histoire de l'art, Sophie Pelletier a rédigé un mémoire sur un peintre contemporain.*

Mémoires n. m. plur.
Livre qu'une personne écrit pour raconter sa vie et les événements auxquels elle a participé. *M. Bonnot songe à écrire ses Mémoires,* ses souvenirs.
Mémoires s'emploie au pluriel et s'écrit avec un ***M*** majuscule.

mémorable adj.
Quelque chose de mémorable, c'est quelque chose dont on garde longtemps le souvenir ; vois ***inoubliable.*** *C'était le jour mémorable où Mme Harpie avait offert une glace à Antoine.*
Elle qui ne donne jamais rien !

Conjugaison 3
▭ Indic. présent : *je menace, nous menaçons.* Imparfait : *je menaçais.* Passé simple : *je menaçai.*

menacer v.
1. Chercher à intimider, à faire peur. *Angèle a menacé ses élèves d'une punition générale. Les gangsters ont menacé le bijoutier avec un revolver.* **2.** Être sur le point de se produire, d'éclater. *Le ciel se couvrait de gros nuages sombres, l'orage menaçait.*

Le Bûcheron s'impatienta à la fin [...]. Il la [sa femme] menaça de la battre si elle ne se taisait *(le Petit Poucet).*

Au féminin : *menaçante.*

▹ ***menaçant*** adj. Destiné à intimider, à faire peur. *Les gangsters ont pointé leur revolver sur le bijoutier d'un air menaçant.*

Le contraire de *menaçant,* c'est *rassurant.*

▹ ***menace*** n. f. **1.** Air, parole ou geste destiné à montrer à quelqu'un le mal que l'on veut lui faire. *Vos menaces ne me font pas peur.* **2.** Danger, risque. *Certains pays vivent sous la menace permanente de tremblements de terre.*

ménage n. m.

Les nains dirent à Blancheneige : « Si tu veux t'occuper de notre ménage, faire la cuisine, les lits, la lessive, coudre et tricoter, tu peux rester chez nous, tu ne manqueras de rien » *(Blancheneige).*

1. Ensemble des travaux qu'il faut faire pour tenir propre l'intérieur d'une maison. *Angèle déteste faire le ménage. Les Séverac ont une femme de ménage,* une employée qui fait le ménage chez eux. **2.** Les deux personnes d'un couple qui vivent ensemble dans la même maison. *Pierre et Odile Séverac forment un ménage très sympathique. Les chiens et les chats ne font pas toujours bon ménage,* ne s'entendent pas toujours bien.

Autres membres de la famille : **électroménager, remue-ménage.**

L'aspirateur, le lave-vaisselle et la machine à laver sont des *appareils ménagers.*

▹ ① ***ménager*** adj. *Les travaux ménagers,* ce sont toutes les choses à faire pour s'occuper d'un intérieur. *Angèle n'aime pas beaucoup les travaux ménagers.*

La vaisselle, la cuisine, la lessive, le ménage...

▹ ***ménagère*** n. f. Femme qui s'occupe de sa maison, de son intérieur. *Mme Bellec est une excellente ménagère.*

Conjugaison 3
▭ Indic. présent : *je ménage, nous ménageons.* Imparfait : *je ménageais.* Passé simple : *je ménageai.*

② **ménager** v.
1. *Ménager ses forces,* c'est les économiser en se reposant. *M. Bonnot est très fatigué, il doit ménager ses forces. — M. Bonnot doit se ménager,* ne pas trop se fatiguer. **2.** *Ménager quelqu'un,* c'est le traiter avec douceur, avec égard. *Au karaté, Alex ne ménage pas ses adversaires.* **3.** Installer, aménager. *M. Doucet a ménagé un escalier intérieur entre les deux niveaux de son appartement.* **4.** Arranger, organiser. *La secrétaire du directeur a ménagé un rendez-vous à Mme Hespel.*

Qui veut voyager loin ménage sa monture (proverbe).

▹ ***ménagement*** n. m. Douceur, égards avec lesquels on traite quelqu'un. *C'est avec beaucoup de ménagement que le médecin a annoncé à Sophie Pelletier la mort de sa mère.*

ménagerie n. f.

Fernando [...] conduit Babar et Céleste à la ménagerie.

Endroit où sont rassemblés les animaux d'un cirque. *Une panthère s'est échappée de la ménagerie du cirque.*

Conjugaison 7
▭ Indic. imparfait : *nous mendiions.* Futur : *je mendierai.*

mendier v.
Demander de l'argent en tendant la main. *Un vieil homme mendiait à la sortie du restaurant.*

▹ ***mendiant*** n. m., ***mendiante*** n. f. Personne qui demande la charité, qui mendie. *Mme Bellec a donné dix francs à un mendiant.*

▹ ***mendicité*** n. f. Condition de mendiant. *Le malheureux en était réduit à la mendicité.*

Conjugaison 5
▭ Indic. présent : *je mène, nous menons.* Imparfait : *je menais.* Futur : *je mènerai.* — Subj. présent : *que je mène.*

mener v.
1. Conduire en accompagnant ou en commandant. *Mme Bellec ne mène plus son fils à l'école, il y va tout seul. Sylvain mènera promener sa chienne après le dîner.* **2.** Être en tête. *À la mi-temps, l'équipe de Motbourg menait deux buts à zéro.* **3.** Diriger. *Loïc mène son bateau à vive allure. Angèle mène sa vie comme elle l'entend. Mme Harpie mène la vie dure à sa sœur. Le commissaire mène l'enquête.* **4.** Permettre d'aller quelque part. *La route qui mène à la ferme est étroite. Cela peut vous mener loin,* avoir de graves conséquences pour vous.

Il les mena jusqu'à la maison par le même chemin qu'ils étaient venus dans la forêt *(le Petit Poucet).*

Autres membres de la famille : **amener,** se **démener, emmener, malmener, promener, promenade, promeneur, ramener, surmener, surmenage.**

Un *meneur de jeu* est celui qui organise et anime des jeux.

▹ ***meneur*** n. m., ***meneuse*** n. f. Personne qui dirige, qui entraîne les autres. *Colle et Rat étaient les meneurs du chahut.*

Attention ! un *h.*

menhir n. m.

Obélix est livreur de menhirs.

Grande pierre dressée verticalement. *Les menhirs sont des monuments préhistoriques.*

Va voir aussi ***dolmen.***

Attention ! *méninge* est un nom féminin.

Compare *méningite, bronchite* et *otite* : il s'agit d'**inflammation.**

méninge n. f.
Chacune des membranes qui entourent le cerveau et la moelle épinière. *On a trois méninges.*

▸ ***méningite*** n. f. Grave maladie des méninges. *Autrefois, la méningite était une maladie très grave, mais de nos jours on réussit à en guérir.*

Ce sont la dure-mère, la pie-mère et l'arachnoïde.

Attention ! deux *t*.

Au sens de *main, menotte* appartient au langage des enfants.

menotte n. f.
1. Main. *Claire a des menottes potelées.* **2.** *Les menottes,* ce sont les bracelets en métal réunis par une chaîne que l'on fixe aux poignets des prisonniers. *Le gendarme a mis les menottes au cambrioleur.*

Les Dupondt sont attachés par les menottes que Tintin leur a mises.

mensonge n. m.
Chose fausse dite dans l'intention de tromper. *Antoine a encore inventé un mensonge pour expliquer son retard,* il a menti.

Compare **mensu***alité* et ***mensu****el* : dans ces deux mots, il est question de **mois.**

mensualité n. f.
Somme que l'on paye ou que l'on reçoit chaque mois. *M. et Mme Bellec payent leur maison par mensualités.*

On peut payer ses impôts par mensualités.

Compare **mensu***el* et ***mensu****alité* : dans ces deux mots, il est question de **mois.**

mensuel adj.
Qui se fait, a lieu tous les mois. *Mme Séverac est abonnée à plusieurs magazines mensuels,* qui paraissent une fois par mois.

Autre membre de la famille : **bimensuel.**

Au masculin pluriel : *mentaux.*

mental adj.
1. Qui se fait dans l'esprit, de tête, sans écrire. *Marie-Tévy est très douée en calcul mental.* **2.** Qui atteint l'esprit ; vois ***psychique.*** *Les maladies mentales sont soignées dans des hôpitaux psychiatriques.*

Le contraire de *mental,* c'est *physique.*

Compare : *mental → mentalement, mentalité* et *fatal → fatalement, fatalité.*

▸ ***mentalement*** adv. Intérieurement. *Marie-Tévy se récite sa leçon mentalement,* sans l'écrire et sans la dire à voix haute.

▸ ***mentalité*** n. f. État d'esprit, façon de penser d'un ensemble de personnes. *Au Moyen Âge, la mentalité était différente de la nôtre.*

Non, monsieur, il n'y a pas de truc ! a crié Maixent. Ce qu'il y a, c'est que Geoffroy est un sale menteur ! *(le Petit Nicolas).*

menteur n. m., ***menteuse*** n. f.
Personne qui ment, qui a l'habitude de dire des mensonges. *Il faut se méfier de ce que dit Antoine, c'est un menteur.* — adj. *Antoine est très menteur. Je ne te savais pas si menteuse, Julie !*

Famille de **mentir**

Le contraire de *menteur,* c'est *franc.*

Attention ! *th.*

Les cigarettes *mentholées* contiennent de l'essence de menthe.

menthe n. f.
Plante qui sent très bon, dont on se sert pour parfumer des plats, des bonbons et pour faire des tisanes et des sirops. *Mme Touati boit du thé à la menthe après le dîner.*

Ne confonds pas *menthe* et *mante.*

Mention [mɑ̃sjɔ̃] rime avec *pension.*

mention n. f.
1. *Faire mention d'une chose,* c'est la citer, la signaler. *Pendant son discours, le maire a fait mention du grand courage des pompiers.* **2.** Mot ou phrase qui apporte une précision. *Dans un questionnaire, on doit rayer les mentions inutiles.* **3.** Appréciation favorable. *Un camarade d'Alex a eu son bac avec mention très bien.*

Il a été reçu avec mention.

Compare : *mention → mentionner* et *action → actionner.*

▸ ***mentionner*** v. Indiquer ; vois ***signaler.*** *Antoine a mentionné l'heure d'arrivée de son train pour que l'on aille le chercher à la gare.*

Conjugaison 1

Un explorateur qui mentirait entraînerait des catastrophes dans les livres de géographie *(le Petit Prince).*

mentir v.
Dire un mensonge, affirmer que quelque chose est vrai tout en sachant que c'est faux. *Antoine a dit que sa mère allait se remarier, mais c'est faux, il a encore menti ! Colle et Rat mentent comme ils respirent,* continuellement.

Conjugaison 16

Autres membres de la famille : **menteur, démentir, démenti.**

Pimpanicaille
Le roi des papillons
En se faisant la barbe
Se coupa le menton
(comptine).

menton n. m.
Partie du visage, située au-dessous de la bouche. *Loïc a le menton en galoche,* il a un grand menton relevé vers l'avant. *Mme Harpie a un double menton,* des plis sous le menton.

On rompit plus de douze lacets à force de les serrer pour leur rendre la taille plus menue *(Cendrillon).*

① ***menu*** adj.
1. Petit et mince. *Marie-Tévy est menue,* elle n'est pas grosse ; vois ***fin.*** **2.** *M. Bellec hache des oignons en menus morceaux,* en tout petits morceaux. **3.** *Quand elle raconte une histoire, Mamie Lou donne toujours les menus détails,* les petits détails sans importance, les moindres détails.

Il les hache *menu.*

Autre membre de la famille : s'**amenuiser.**

② menu n. m.
Liste des plats servis au cours d'un repas. *Mme Séverac a préparé son menu pour ce soir : radis, poulet, salade et fraises. Dans son restaurant, M. Bellec propose un menu à cinquante francs.*

Va voir aussi ***carte.***

Afficher le *menu* sur l'écran, la liste de ce que l'on peut demander à l'ordinateur.

menuet n. m.
Danse ancienne des XVIIe et XVIIIe siècles. *On dansait le menuet par couple.*

Le menuet a été mis à la mode par Lully, sous Louis XIV.

menuisier n. m.
Personne dont le métier est de travailler le bois et de fabriquer des meubles. *M. Bellec a fait venir un menuisier pour réparer les fenêtres.*
▸ ***menuiserie*** n. f. Travail du bois pour la fabrication des meubles et la décoration des maisons. *M. Bellec est allé voir différents modèles de fenêtres dans un atelier de menuiserie.*

Va voir aussi ***ébéniste.***

se **méprendre** v.
Se tromper. *Ces frères jumeaux se ressemblent à s'y méprendre,* on peut les confondre. *Elles se sont méprises sur son compte.*
▸ ***méprise*** n. f. Erreur que commet une personne qui se méprend. *Alex est plus âgé que son frère, il n'y a pas de méprise possible.*

Conjugaison 58 ▭ Indic. présent : *je me méprends, nous nous méprenons.* Futur : *je me méprendrai.* — Subj. présent : *que je me méprenne.*

Famille de **prendre**

Compare : se *méprendre → méprise* et *prendre → prise.*

mépriser v.
1. *Mépriser quelqu'un,* c'est le considérer comme inférieur. *Angèle méprise Mme Harpie,* elle ne la trouve pas digne de son estime. **2.** *Mépriser quelque chose,* c'est ne pas y prêter attention. *Le dompteur, méprisant le danger, mit sa tête dans la gueule du lion.*
▸ ***mépris*** n. m. **1.** *Angèle n'a que du mépris pour Mme Harpie,* du dédain. **2.** *Les sauveteurs sont allés sur les lieux de l'accident, au mépris du danger,* sans tenir compte du danger.
▸ ***méprisable*** adj. *Quelqu'un de méprisable,* c'est quelqu'un qui mérite d'être méprisé. *Mme Harpie est vraiment méprisable, elle dit tout le temps du mal de tout le monde.*
▸ ***méprisant*** adj. Qui manifeste, montre du mépris. *Denis Prost a souvent un air méprisant ;* vois ***arrogant, dédaigneux, hautain.***

Conjugaison 1

Famille de **prix**

Le contraire de *mépris,* c'est *admiration, estime, respect.*

Le contraire de *méprisable,* c'est *admirable, respectable.*

Le contraire de *méprisant,* c'est *respectueux.*

mer n. f.
1. Vaste étendue d'eau salée qui couvre une grande partie de la terre. *Loïc habite au bord de la mer. Le bateau est en pleine mer,* loin du rivage. *Yves n'a pas eu le mal de mer,* il n'a pas eu mal au cœur sur le bateau. **2.** Partie d'une étendue d'eau salée, plus petite qu'un océan. *Marseille est un port de la mer Méditerranée, Boulogne un port de la mer du Nord.*

La mer couvre les sept dixièmes de la surface du globe.

Autres membres de la famille : **amerrir, amerrissage, outremer, outre-mer.**

On peut dire aussi : *en haute mer.*

Dieppe est un port de la Manche.

mercenaire n. m.
Soldat qui combat pour une armée étrangère. *Les mercenaires sont souvent des aventuriers.*

mercerie n. f.
Magasin où l'on vend tout ce qui sert à la couture. *Mme Séverac est allée choisir des boutons pour son manteau à la mercerie.*

Compare : *mercier → mercerie* et *menuisier → menuiserie.*

Famille de **mercier**

① merci n. m. et interjection
Terme de politesse que l'on utilise pour remercier. *Réjean a dit un grand merci à Mme Hespel pour son hospitalité. « Merci beaucoup, merci de m'avoir invité. » « Voulez-vous du café ? — Non merci, je n'en prends jamais. »*

Il lui a écrit : « Mille mercis de votre gentillesse. »

Autres membres de la famille : **remercier, remerciement.**

② merci n. f.
1. *On est toujours à la merci d'un accident,* on risque toujours d'avoir un accident. **2.** *Mamie Lou livre un combat sans merci aux souris,* une lutte impitoyable.

mercier n. m., **mercière** n. f.
Personne qui vend des articles qui servent à la couture. *Mme Séverac a acheté des boutons chez la mercière.*

Autre membre de la famille : **mercerie.**

mercredi n. m.
Jour de la semaine, entre le mardi et le jeudi. *Le mercredi, les enfants ne vont pas à l'école. Tous les mercredis matin, Julie fait du patin à roulettes.* — adv. *Denis Prost doit partir mercredi,* le mercredi qui vient.

L'un dit à Mardi : « Qu'est-ce que Mercre dit ? »

La production mondiale de mercure est de plus de six mille tonnes par an.

mercure n. m.
Métal liquide et brillant qui augmente de volume avec la chaleur. *Dans un thermomètre à mercure, le mercure indique la température.*

Le mercure dissout l'or et l'argent.

Va voir aussi ***maternel.***

— Demande à ta mère, m'a répondu Papa... *(le Petit Nicolas).*

mère n. f.
1. Femme qui a un ou plusieurs enfants ; vois ***maman.*** *Mme Hespel est mère de famille. Sophie Pelletier est la mère de Julie et de Martin.* **2.** Femelle qui a des petits. *Un chiot doit téter sa mère pendant au moins deux mois.*

Autres membres de la famille : **arrière-grand-mère, belle-mère, grand-mère.**

Prononce [mɛʀgɛz].

merguez n. f.
Petite saucisse très épicée. *Mme Touati a mis des merguez dans le couscous.*

méridien n. m.
Demi-cercle imaginaire qui va du pôle Nord au pôle Sud. *On calcule les longitudes à partir du méridien qui passe par Greenwich, une ville de Grande-Bretagne.*

L'heure de Greenwich, c'est l'heure G. M. T.

Va voir aussi ***longitude.***
Le méridien de Greenwich a zéro degré de longitude.

Au masculin pluriel : *méridionaux.*

méridional adj.
Situé au sud. *L'Espagne et l'Italie font partie de l'Europe méridionale. Angèle a l'accent méridional,* l'accent du Midi. — n. *Angèle est une méridionale,* elle est originaire du sud de la France.

Angèle est Corse.

Le contraire de *méridional,* c'est *septentrional.*

meringue n. f.
Gâteau très léger fait avec des blancs d'œufs et du sucre. *Il faut battre les blancs en neige pour faire des meringues.*

On fait cuire les meringues à four très doux.

Mérinos [meʀinos] rime avec *sauce* et *tétanos.*

mérinos n. m.
Mouton de race espagnole qui a une laine blanche très abondante et très fine. *Les mérinos ont une grosse tête.*

La laine du mérinos est une laine de qualité.

merise n. f.
Petite cerise sauvage, au goût acide. *Odile Séverac a fait un clafoutis aux merises.*
▷ **merisier** n. m. Cerisier sauvage. *Le bois du merisier est utilisé en ébénisterie.*

Les merises sont noires ou rouges.

mérite n. m.
1. *Avoir du mérite,* c'est être digne d'être récompensé. *Le facteur a bien du mérite de faire sa tournée sous la neige.* **2.** *Le maire a vanté les mérites des pompiers,* leurs qualités.

Conjugaison 1

Tout travail mérite salaire (proverbe).

▷ **mériter** v. **1.** *Julie a bien travaillé, elle mérite des compliments,* elle en est digne, elle y a droit. *Claire a été insupportable, elle mériterait une fessée,* ce serait normal de lui donner une fessée. **2.** *Ce monument mérite un détour,* cela vaut la peine de faire un détour pour le voir.
▷ **méritant** adj. Qui a du mérite. *Les personnes qui se dévouent à l'enfance malheureuse sont méritantes.*
▷ **méritoire** adj. Digne d'éloge ; vois ***louable.*** *Cette semaine, Antoine a fait des efforts méritoires pour arriver à l'heure à l'école.*

Dès que le cadi fut rentré chez lui, il donna lui-même la bastonnade à un esclave qui l'avait méritée pour je ne sais quelle peccadille *(les Mille et Une Nuits).*

Le contraire de *méritoire,* c'est *blâmable.*

merlan n. m.
Poisson de mer vivant en bancs et pêché près des côtes. *Mme Roussel a fait frire des filets de merlan.*

Le merlan ressemble à la morue.

On va pêcher le merlan avec un chalutier.

Mon merle a perdu une plume
Il ne chantera plus mon merle
(chanson).

merle n. m.
Oiseau dont le mâle a un plumage noir et un bec jaune. *M. Bellec a entendu un merle siffler dans les bois. Yves siffle comme un merle,* il siffle bien.

Les merles mangent des insectes et des graines.

mérou n. m.
Gros poisson, qui vit dans la mer Méditerranée ou dans les mers chaudes. *Certains mérous peuvent atteindre un mètre cinquante de long.*

merveille n. f.

Elle resta ainsi, les yeux fermés, croyant presque être au Pays des merveilles, tout en sachant qu'il lui suffirait de les rouvrir pour retrouver la terne réalité *(Alice au Pays des merveilles)*.

1. Chose très belle, admirable. *Le feu d'artifice du 14 Juillet était une merveille. « Quelle merveille ! » dit Yves en regardant le coucher de soleil.* **2.** *La nouvelle machine inventée par Alex fait merveille,* elle donne de très bons résultats. **3.** *Julie et Marie-Tévy s'entendent à merveille,* très bien, à la perfection.

La pyramide de Khéops en Égypte est l'une des sept merveilles du monde.

▷ **merveilleusement** adv. Admirablement, parfaitement. *Julie et Marie-Tévy s'entendent merveilleusement bien.*

Alors ce sera merveilleux quand tu m'auras apprivoisé ! Le blé, qui est doré, me fera souvenir de toi *(le Petit Prince)*.

▷ **merveilleux** adj. **1.** Surnaturel, étonnant. *Angèle raconte souvent aux enfants des contes merveilleux ;* vois ***magique.*** **2.** Beau, extraordinaire, admirable. *Les Bellec ont fait un merveilleux voyage en Italie.*

Autres membres de la famille : **émerveiller, émerveillement.**

mes va voir ***mon.***

mésange n. f.

Les mésanges, de petits oiseaux vifs, au chant très mélodieux, sont des animaux utiles.

Petit oiseau de la famille des passereaux, qui se nourrit d'insectes. *Les mésanges bleues et les mésanges charbonnières sont les plus connues des mésanges. Les mésanges détruisent les insectes, les larves et les chenilles.*

Avec ses plumes en soie
La mésange bleu roi
Fait son nid puis s'envole
(Louis Rocher).

Famille de **aventure**

mésaventure n. f.

Aventure désagréable, fâcheuse. *Nathalie s'est perdue dans la forêt en cherchant des champignons, mais après bien des mésaventures elle a retrouvé son chemin ;* vois ***ennui, accident.*** *Si par mésaventure, je perdais mes lunettes, je serais bien ennuyée ;* vois ***malchance.***

Compare *mésaventure* et *mésentente* : il s'agit de quelque chose de **mal.**

mesdames, mesdemoiselles n. f. plur. va voir ***madame, mademoiselle.***

Compare *mésentente* et *mésaventure* : il s'agit de quelque chose de **mal.**

mésentente n. f.

Mauvaise entente. *Mme Harpie est fâchée avec son voisin, mais tout le monde a oublié la raison de leur mésentente ;* vois ***brouille, désaccord.***

Famille de **entendre**

Conjugaison 1

mésestimer v.

Ne pas apprécier une personne ou une chose à sa juste valeur ; vois ***méconnaître.*** *L'alpiniste avait mésestimé la difficulté ;* vois ***sous-estimer.***

Famille de **estimer**

mesquin adj.

Qui manque de noblesse, peu généreux. *C'est mesquin de laisser un si petit pourboire. Mme Harpie a un esprit mesquin,* étroit.

Le contraire de *mesquin,* c'est *généreux.*

▷ **mesquinerie** n. f. Caractère d'une personne, d'une action mesquine. *La mesquinerie de Mme Harpie est révoltante.*

message n. m.

Tintin a capté un mystérieux message : RRCQ 15-30. Entre voie Yokohama s maison R Charles André dimanche...

Information transmise. *Mme Hespel a trouvé un message de sa secrétaire sur son bureau,* un petit mot contenant des informations. *Il n'y avait pas de message sur le répondeur téléphonique du docteur Séverac.*

▷ **messager** n. m., **messagère** n. f. Personne qui porte un message. *Yves a été le messager d'Antoine, il a porté sa lettre à Marie-Tévy.*

Autrefois, il n'y avait pas de facteurs ; on avait son propre messager.

messe n. f.

Principale cérémonie du culte catholique. *L'abbé Gauthier a célébré la messe de mariage des Bellec. Yves va à la messe tous les dimanches.*

À Noël, les catholiques assistent à la messe de minuit.

Messie n. m.

Envoyé de Dieu. *Jésus-Christ était le Messie.*

messieurs n. m. plur. va voir ***monsieur.***

mesure n. f.

1. Dimension. *Avant d'établir son devis, le peintre a pris les mesures de la pièce,* il l'a mesurée. *Le tailleur a pris les mesures du docteur Séverac. Le docteur Séverac se fait faire un costume sur mesure,* fait spécialement pour lui. **2.** *Les unités de mesure,* ce sont les unités qui servent à calculer les dimensions. *Le gramme est l'unité de mesure du poids.* **3.** *Les mesures d'une partition musicale,* ce sont ses divisions ; vois ***rythme.*** *Sylvain bat la mesure pendant que son professeur joue du piano.* **4.** Quantité normale. *Mme Harpie dépasse la mesure,* elle exagère. *Antoine n'a pas le sens de la*

Il a mesuré la longueur, la largeur et la hauteur de la pièce.

Quand la veste de Podular est usée, Barbacol lui en taille une neuve sur mesure *(Babar)*.

En mesure : en suivant la mesure, en cadence.

À mesure que ces deux Princesses devinrent grandes, leurs perfections crûrent aussi avec elles *(Riquet à la Houppe).*

mesure, il ne sait pas se modérer. **5.** Proportion. *J'arriverai tôt chez vous dans la mesure du possible,* si c'est possible. **6.** Moyen d'agir. *La directrice a pris des mesures pour que Colle et Rat ne perturbent plus la classe.* **7.** *Je ne suis pas en mesure de vous répondre,* je n'en ai pas la possibilité.

Va voir *au fur et à mesure* à ***fur.***

▸ ***mesuré*** adj. *Le docteur Séverac est un homme mesuré,* il agit avec modération.

Conjugaison 1

▸ ***mesurer*** v. **1.** Prendre les mesures. *Le peintre a mesuré la pièce.* **2.** Avoir pour mesure. *Le docteur Séverac mesure un mètre quatre-vingts.* **3.** *Se mesurer à quelqu'un,* c'est se comparer à lui en se battant contre lui. *Antoine s'est mesuré à Yves,* Antoine et Yves se sont battus.

Autres membres de la famille : **démesuré, demi-mesure.**

métairie n. f.

Peau d'Âne arriva dans une Métairie où la Fermière avait besoin d'une souillon *(Peau d'Âne).*

Domaine agricole exploité par un locataire qui partage la récolte avec le propriétaire. *Le propriétaire et le locataire d'une métairie ont passé un contrat.*

Celui qui exploite une métairie est un *métayer.*

métal n. m.

Au pluriel : *des métaux.*

Matière le plus souvent dure et brillante que l'on extrait des minerais. *Le fer et l'aluminium sont des métaux. L'or est un métal précieux.*

Le bronze est l'alliage de deux métaux : l'étain et le cuivre.

Attention ! deux *l* dans *métallique.*

▸ ***métallique*** adj. **1.** En métal. *Mme Hespel a une armoire métallique dans son bureau.* **2.** Brillant comme du métal. *Le détective vit un reflet métallique à travers le buisson.* **3.** *Un son métallique,* c'est un son qui semble venir d'un objet en métal. *Mme Harpie a un rire métallique.*

▸ ***métallurgie*** n. f. Ensemble des industries et des techniques qui permettent de fabriquer des objets en métal. *Les premières techniques de la métallurgie sont apparues au quatrième millénaire avant Jésus-Christ.*

La sidérurgie est la métallurgie du fer.

Ce sont les techniques *métallurgiques.*

On dit familièrement : un *métallo.*

▸ ***métallurgiste*** n. m. Ouvrier qui travaille dans la métallurgie. *Le travail des métallurgistes est très pénible.*

métamorphose n. f.

Le papillon apparaît après la métamorphose de la chenille.

1. Transformation subie par le corps de certains animaux. *La grenouille est le résultat des métamorphoses du têtard.* **2.** Grand changement. *Si Mme Harpie devenait très belle et très gentille, ce serait une métamorphose.*

Quelques-uns assurent que ce ne furent point les charmes de la Fée qui opérèrent, mais que l'amour seul fit cette Métamorphose *(Riquet à la Houppe).*

Conjugaison 1

Le roi, qui était mon père, fut métamorphosé en une pierre noire *(les Mille et Une Nuits).*

▸ ***métamorphoser*** v. **1.** Faire passer de sa forme primitive à une autre forme. *La fée a métamorphosé la citrouille en carrosse ;* vois ***changer, transformer.*** — *Le têtard s'est métamorphosé en grenouille.* **2.** Changer complètement. *Depuis quelque temps il est plus détendu, l'amour l'a métamorphosé.*

météo n. f. et adj.

Ce mot est une abréviation de *météorologie* et de *météorologique.*

1. n. f. Météorologie. *Loïc écoute les prévisions de la météo à la radio.* **2.** adj. invariable Météorologique. *À la radio, il y a plusieurs bulletins météo par jour.*

météore n. m.

Attention ! *météore* est un nom masculin.

Phénomène lumineux qui se produit dans le ciel quand un corps venu de l'espace traverse l'atmosphère. *On peut voir des météores quand on observe le ciel la nuit.*

On appelle souvent les météores des *étoiles filantes.*

On peut dire : *un météorite* ou *une météorite.*

▸ ***météorite*** n. m. ou f. Pierre tombée de l'espace qui traverse l'atmosphère. *Les météorites creusent un cratère en s'enfonçant dans le sol.*

météorologie n. f.

Science qui étudie tous les phénomènes qui se passent dans l'atmosphère. *Grâce à la météorologie, on sait le temps qu'il fera demain ;* vois ***météo.***

La Météorologie nationale est un service qui diffuse les bulletins météorologiques.

▸ ***météorologique*** adj. Qui concerne le temps et tout ce qui se passe dans l'atmosphère ; vois ***météo.*** *De nos jours, les prévisions météorologiques sont plus sûres grâce aux photos prises par satellite.*

méthode n. f.

Attention ! un ***h*** dans *méthode.*

1. Ordre logique que l'on suit pour faire quelque chose. *Le docteur Séverac ausculte le malade avec méthode.* **2.** Livre qui contient les règles à suivre pour apprendre quelque chose. *Mme Bellec a acheté une méthode de guitare*

Compare : *méthode* → *méthodique*, *méthodiquement* et *période* → *périodique*, *périodiquement*.

pour son fils. **3.** Moyen. *On a découvert une nouvelle méthode pour éliminer les mauvaises herbes.*

▸ ***méthodique*** adj. Organisé, ordonné. *Le docteur Séverac est méthodique. Angèle a fait un classement méthodique de ses livres.*

▸ ***méthodiquement*** adv. Avec méthode. *Angèle a rangé ses livres méthodiquement.*

Elle les a classés par ordre alphabétique des noms d'auteurs.

méticuleux adj.

Le contraire de *méticuleux*, c'est *négligent*.

Qui fait attention à tous les détails ; vois ***minutieux.*** *Mme Hespel est très méticuleuse dans son travail.*

métier n. m.

Il n'y a pas de sot métier (proverbe).

1. Travail que l'on fait et pour lequel on gagne de l'argent ; vois ***profession.*** *Julie ne sait pas encore quel métier elle aimerait faire plus tard. Le docteur Séverac exerce son métier à Motbourg. M. Touati a un métier manuel.* **2.** Machine qui sert à fabriquer des tissus. *Sophie Pelletier a un métier à tisser.*

Aladdin est un fainéant ; il n'a d'autre métier que de faire le vagabond *(les Mille et Une Nuits).*

métis n. m., *métisse* n. f.

Métis [metis] rime avec *justice.*

Personne dont le père et la mère ne sont pas de la même race. *L'enfant d'un Chinois et d'une Brésilienne est un métis.* — adj. *C'est un enfant métis.*

Un *mulâtre* est un métis issu d'un Noir et d'une Blanche, ou d'une Noire et d'un Blanc.

mètre n. m.

On écrit **m** en abrégé.

Le mètre est la dix millionième partie du quart du méridien terrestre ; c'est aussi le trajet parcouru par la lumière en 1/299 792 458 de seconde.

Attention à l'accent grave du *è* de *mètre* et à l'accent aigu du *é* de *métrage* et *métrique.*

1. Unité de longueur. *La chambre de Julie mesure trois mètres sur cinq. Le docteur Séverac mesure un mètre quatre-vingts. — Le mètre carré* est une unité de superficie. *La chambre de Julie fait quinze mètres carrés. — Le mètre cube* est une unité de volume. *Le docteur Séverac a commandé trois mètres cubes de bois.* **2.** Règle ou ruban gradué qui mesure un mètre ; vois ***centimètre.*** *Le tailleur a pris les mesures du docteur Séverac avec son mètre.*

Elle fait 3 m sur 5.

Il mesure 1,80 m.

Elle fait 15 m^2.

Il en a commandé 3 m^3.

On dit aussi : un *mètre de couturière.*

Un *long métrage* est un film de plus d'une heure.

▸ ***métrage*** n. m. *Le métrage d'un film,* c'est la longueur de la pellicule. *Denis Prost a commencé sa carrière d'acteur dans un court métrage,* dans un film de moins d'un quart d'heure.

Le système métrique a été institué en France en 1795.

▸ ***métrique*** adj. *Le système métrique,* c'est le système de mesure ayant le mètre pour base. *Le système métrique est un système décimal.*

Autres membres de la famille : **centimètre, décamètre, décimètre, kilomètre, kilométrage, kilométrique, millimètre, millimétré.**

métro n. m.

Métro est l'abréviation de *métropolitain.*

Le premier métro a été construit à Londres en 1863.

Chemin de fer électrique, souvent souterrain, dans les grandes villes. *M. Doucet prend le métro pour se rendre à son bureau. Pour aller à Notre-Dame de Paris, il faut descendre à la station de métro « Cité ».*

Le métro de Paris a été inauguré en 1900.

métronome n. m.

Le métronome peut faire de 40 à 208 battements à la minute.

Instrument qui marque la mesure d'un morceau de musique. *Sylvain suit le rythme du métronome en jouant du piano.*

Le métronome a un balancier.

métropole n. f.

Compare *métro**pole*** et *nécro**pole*** : il s'agit de la **ville.**

1. Grande ville importante qui n'est pas forcément la capitale du pays. *New York est une métropole des États-Unis.* **2.** Partie d'un État où se trouve la capitale. *Hippolyte n'est pas né en métropole, il est né à la Martinique.*

La capitale des États-Unis est Washington.

La Martinique est un département d'outre-mer.

Le *chemin de fer métropolitain,* c'est l'ancien nom du métro.

▸ ***métropolitain*** adj. *Le territoire métropolitain,* c'est la partie d'un État où se trouve la capitale. *Marseille et Lille sont en France métropolitaine, pas Fort-de-France.*

mets n. m.

Autre membre de la famille : **entremets.**

Aliment préparé pour un repas. *Le canard laqué est un mets chinois.*

Un ***s*** final, même au singulier.

mettre v.

Conjugaison 56 ▭ Indic. présent : *je mets, nous mettons.* Futur : *je mettrai.* — Subj. présent : *que je mette.*

Un jour, Delphine et Marinette dirent à leurs parents qu'elles ne voulaient plus mettre des sabots *(les Contes du Chat perché).*

1. Faire passer dans un endroit ; vois ***placer.*** *Mets tes affaires ailleurs. M. Bellec met les poireaux sur la table ;* vois ***poser.*** *Sylvain a mis sa lettre à la poste. M. Doucet a mis Antoine dans le train,* il l'y a conduit. — *Mamie Lou se met au lit de bonne heure,* elle se couche. **2.** *Mettre un vêtement,* c'est le placer sur quelqu'un ou sur soi, comme il doit l'être. *Julie mit son manteau et partit.* **3.** *Mettre le couvert,* c'est disposer la vaisselle et les couverts sur une table pour un repas. *Le soir, Julie met le couvert et débarrasse la table après le repas.* **4.** Faire passer dans une autre position, dans un autre état. *Mettons la planche debout. Mets le verbe à l'imparfait. Les enfants mettent leurs provisions en commun pour pique-niquer. Yasmina*

Y mettre du sien, c'est faire des efforts, donner de sa personne.

Mets ta robe blanche et ta ceinture dorée (chanson).

On dit aussi *mettre la table.*

La vache met bas, elle accouche.

met la radio en marche, elle la fait fonctionner. *Yves a mis son père en colère. — M. Bellec s'est mis en colère. Sophie Pelletier s'est mise d'accord avec Angèle pour aller au cinéma.* **5.** *Se mettre à faire quelque chose,* c'est commencer à le faire. *Yasmina s'est mise à faire ses devoirs en rentrant de l'école.* **6.** *On met une heure pour aller de Motbourg à Paris,* il faut une heure, le voyage dure une heure.

Marinette fit poser l'âne de profil et se mit à peindre *(les Contes du Chat perché).*

Va voir *mettre en scène* à ***scène.***

Autres membres de la famille : **démettre, démission, démissionner, émettre, émetteur, émission, entremise, immettable, mise, miser, remettre, remise, soumettre, soumission, transmettre, transmissible, transmission, retransmettre, retransmission.**

▹ ***mettable*** adj. *Un vêtement mettable,* c'est un vêtement que l'on peut mettre. *Julie a tellement grandi qu'elle n'a plus rien de mettable.*

Le contraire de *mettable,* c'est *immettable.*

▹ ***metteur*** n. m. *Le metteur en scène,* c'est la personne qui dirige la réalisation d'une pièce de théâtre, d'un film. *Denis Prost connaît de nombreux metteurs en scène.*

Un metteur en scène de cinéma s'appelle aussi un *réalisateur.*

① ***meuble*** adj.

Une terre meuble, c'est une terre que l'on peut labourer facilement. *Ce sol n'est pas assez meuble pour être cultivé.*

② ***meuble*** n. m.

Objet qui sert à aménager une maison. *Le plus beau meuble de Sophie Pelletier est une commode qu'elle a héritée de sa mère.*

L'ensemble des meubles, c'est le *mobilier.*

Les tables, les chaises, les lits, les armoires, les fauteuils sont des meubles.

▹ ***meubler*** v. **1.** Garnir de meubles. *Mme Séverac a meublé le salon avec beaucoup de goût.* **2.** Occuper. *Mme Roussel ne sait comment meubler ses loisirs.*

Conjugaison 1

▹ ***meublé*** n. m. Appartement meublé. *Mme Roussel a loué un meublé pour les vacances.*

Autre membre de la famille : **ameublement.**

meugler v.

Les vaches meuglent, elles poussent leur cri ; vois ***beugler, mugir.***

Conjugaison 1

▹ ***meuglement*** n. m. Cri des animaux qui meuglent ; vois ***beuglement, mugissement.*** *Claire écoute le meuglement des vaches dans l'étable.*

Compare : *meugler → meuglement* et *beugler → beuglement.*

① ***meule*** n. f.

Gros tas de foin, de paille. *David et Marie-Tévy sautent sur les meules de foin.*

② ***meule*** n. f.

1. Grosse pierre dure qui sert à moudre. *Dans les moulins, c'est la meule qui moud le grain.* **2.** Roue en pierre dure qui sert à affûter. *Pierre Séverac aiguise ses instruments sur la meule.*

Les ailes viraient toujours, mais la meule tournait à vide *(les Lettres de mon moulin).*

▹ ***meulière*** adj. f. *La pierre meulière,* c'est une pierre rugueuse employée pour la construction. *La maison des Séverac est en pierre meulière.*

On dit aussi *de la meulière.*

meunier n. m., ***meunière*** n. f.

Personne dont le métier est de fabriquer de la farine, dans un moulin. *Les meuniers avaient un âne pour transporter les sacs de farine et un chat pour manger les souris.*

Meunier, tu dors,
Ton moulin, ton moulin
va trop vite
(chanson).

meurtre n. m.

Action de tuer volontairement quelqu'un ; vois ***assassinat, crime, homicide.*** *Il a été condamné pour meurtre et envoyé en prison.*

▹ ***meurtrier*** n. m. et adj., ***meurtrière*** n. f. et adj. **1.** n. Personne qui a commis un meurtre ; vois ***assassin, criminel.*** *La police recherche le meurtrier.* **2.** adj. Qui cause la mort. *L'accident a été meurtrier. Cette route est meurtrière,* de nombreuses personnes y ont trouvé la mort.

▹ ***meurtrière*** n. f. Fente verticale, dans une muraille, qui permet de tirer sur l'ennemi. *Les meurtrières et les mâchicoulis permettaient de défendre les châteaux forts.*

Va voir aussi ***créneau.***

meurtri adj.

Où il y a des traces de coups, de blessures. *Julie est tombée, elle a les genoux tout meurtris.*

▹ ***meurtrissure*** n. f. Trace sur la peau meurtrie ; vois ***blessure, contusion.*** *Après être tombée de vélo, Julie avait les jambes couvertes de meurtrissures.*

Elle vit poindre la meute annoncée par ses aboiements (les Contes du Chat perché).

meute n. f.
Troupe de chiens dressés pour la chasse à courre. *Le cerf a été rattrapé par la meute hurlante.*

Autre membre de la famille : **ameuter.**

Au pluriel : *des mi.*
Ne confonds pas *mi* et *mie.*

mi n. m. invariable
Note de musique. *Mi est la troisième note de la gamme de do. Le docteur Séverac écoute une sonate en mi bémol majeur.*

Do ré mi fa sol la si do.

Attention ! il y a toujours un trait d'union entre *mi* et l'adjectif ou le nom avec lequel il se combine.

mi-
Préfixe qui signifie « moitié de, à moitié » et qui se place devant des adjectifs et des noms. *Le chat a les yeux mi-clos,* à moitié fermés. *Mamie Lou chante à mi-voix,* d'une voix faible. *Cette année, les vacances de Pâques commencent à la mi-avril,* au milieu du mois d'avril.

Conjugaison 1
Compare : *miauler → miaulement* et *meugler → meuglement.*

miauler v.
Le chat miaule, il pousse son cri. *Le chat miaule pour réclamer sa pâtée.*
▸ ***miaulement*** n. m. Cri du chat. *Julie a été réveillée par les miaulements de son chat. Le chat poussa un faible miaulement.*

Il fait *miaou !*
La panthère [...] fit entendre un terrible miaulement (les Contes du Chat perché).

mica n. m.
Roche composée de feuilles brillantes et transparentes. *Le granit contient des parcelles de mica qui le font briller. Les plaques de mica peuvent s'utiliser comme vitres.*

Famille de **carême**
Toujours un ***M*** majuscule et un ***C*** majuscule.

Mi-Carême n. f.
Fête, au milieu du Carême, pour laquelle les enfants se déguisent. *Le jeudi de la Mi-Carême, tous les enfants sont arrivés déguisés à l'école.*

Compare *Mi-Carême* et ***mi**-temps* : il s'agit de la **moitié.**

miche n. f.
Gros pain rond. *Mamie Lou pose la miche sur la table.*

N'oublie pas le trait d'union.

à **mi-chemin** adv.
Au milieu du chemin, du trajet. *À mi-chemin, Claire a demandé à son père de la prendre sur ses épaules.*

Famille de **chemin**

Attention ! *micmac* s'écrit en un seul mot.

micmac n. m.
Suite de manœuvres très compliquées et suspectes ; vois ***manigance.*** *Colle et Rat font de drôles de micmacs dans la cour.*

Ce mot est familier.

Micro est l'abréviation de *microphone.*
Au pluriel : *des micros.*

micro n. m.
Appareil électrique qui permet de transmettre des sons pour les rendre plus forts ou les enregistrer. *Les chanteurs de variétés utilisent un micro pour chanter.*

Le micro est relié à des haut-parleurs ou à un magnétophone.

Un microbe est microscopique : on ne le voit pas à l'œil nu.

microbe n. m.
Être vivant tout petit qui provoque des maladies. *L'existence des microbes a été découverte par Pasteur, à la fin du* XIX*e siècle.*

Les bacilles et les bactéries sont des microbes.

Compare ***micro**film* et ***micro**sillon* : il s'agit de quelque chose de **petit.**

microfilm n. m.
Film qui reproduit un document sur une très petite surface. *Les espions ont fait une copie des plans de la fusée sur microfilm.*

Famille de **film**

Au pluriel : *des micro-ondes.*
Il ne faut que quelques minutes !

micro-onde n. f.
Onde de très petite longueur. *Mme Roussel fait réchauffer le gratin de pommes de terre dans son four à micro-ondes.*

Famille de **onde**

Au pluriel : *des micro-ordinateurs.*

micro-ordinateur n. m.
Petit ordinateur. *À son bureau, Mme Hespel utilise un micro-ordinateur.*

Famille de **ordinateur**
On dit aussi un *micro.*

Compare *micro**scope*** et *magnéto**scope*** : il s'agit de **regarder.**

microscope n. m.
Instrument d'optique qui grossit les objets et permet de voir des détails invisibles à l'œil nu. *Sylvain examine un cheveu au microscope.*

Les microscopes électroniques peuvent grossir 1 000 000 de fois.

Compare ***micro**scopique* et ***micro**film* : il s'agit de choses **petites.**

▸ ***microscopique*** adj. **1.** Visible seulement au microscope. *Les virus sont microscopiques.* **2.** Très petit ; vois ***minuscule.*** *Vues d'avion, les maisons semblaient microscopiques.*

Les microbes sont des organismes microscopiques.

Compare ***micro**scope* et ***micro**sillon* : il s'agit de choses **petites.**

microsillon n. m.
Disque à sillons très petits, qui tourne à 45 ou 33 tours par minute. *Les microsillons ont remplacé les 78 tours.*

Famille de **sillon**

Chercher midi à quatorze heures : compliquer les choses.

midi n. m.

1. Milieu du jour, entre le matin et l'après-midi. *Ces gouttes sont à prendre matin, midi et soir.* **2.** Heure du milieu du jour, douzième heure. *Alex a rendez-vous à midi et demi.* **3.** *Mon oncle est du Midi,* du sud de la France.

Autre membre de la famille : **après-midi.**

C'est un *méridional.*

Ne confonds pas *mie* et *mi.*

mie n. f.

Partie molle à l'intérieur du pain. *Dans le pain, Julie préfère la mie à la croûte. Yves a fabriqué de petits personnages en mie de pain.*

Le *pain de mie* est un pain à mie dense et très abondante et à croûte très peu épaisse.

Être tout sucre tout miel, c'est se faire très doux.

miel n. m.

Produit sucré que fabriquent les abeilles à partir des fleurs. *Mamie Lou sucre son lait chaud avec du miel.*

Avec le miel, on fait du pain d'épices, du nougat, des bonbons.

Attention aux deux *l* !

▸ ***mielleux*** adj. Faussement doux ; vois ***doucereux.*** *Mme Harpie dit bonjour à ses clientes d'une voix mielleuse.*

mien pronom possessif et n. m.

1. Pronom possessif de la première personne du singulier *Le mien, la mienne,* c'est la chose ou la personne qui est à moi. *Voici tes chaussures ; où sont les miennes ? Ton frère est en classe avec le mien.* **2.** n. m. *J'y ai mis du mien,* j'ai fait un effort. **3.** n. m. plur. *Les miens,* ce sont mes parents, mes amis. *Je vais retrouver les miens à Noël.*

Attention ! deux *t.*

miette n. f.

1. Petit morceau de pain, de gâteau. *La nappe est couverte de miettes.* **2.** Petit morceau. *L'assiette s'est cassée, elle est en miettes.*

Autre membre de la famille : **émietter.**

mieux adv., adj. et n. m.

Mieux est le comparatif de supériorité de *bien.*

— [...] pourquoi ne t'es-tu pas habillé en taches aussi ?
— Oh ! tout noir, c'est mieux pour un nègre, dit l'Éthiopien *(Histoires comme ça).*

▭ **adv. 1.** D'une manière meilleure. *Le réveil d'Yves marche mieux depuis qu'il a changé la pile. Sylvain travaille mieux que son frère. Il a été malade mais il va mieux,* il est en meilleure santé. *Tu ferais mieux de te taire,* tu aurais intérêt à te taire. **2.** *Mme Hespel est la mieux payée de son service,* la plus payée. *Au mieux, il arrivera demain,* dans le meilleur des cas. *Je te fais confiance, fais pour le mieux,* de la meilleure façon possible.

Le contraire de *mieux,* c'est *plus mal.*

Le mieux est le superlatif de *bien.*

▭ **adj.** *Le docteur Séverac était mieux sans barbe,* il était plus beau. *Enlève ta veste, tu seras mieux,* plus à l'aise.

▭ **n. m.** *Le mieux,* c'est ce qui est meilleur. *Alex a fait un effort, il y a du mieux dans son travail. Yasmina fait de son mieux pour aider sa mère,* elle fait aussi bien qu'elle peut.

Le mieux est l'ennemi du bien (proverbe).

Le contraire de *mieux,* c'est *pire.*

mièvre adj.

Agréable, mais un peu fade, sans vigueur. *Mme Bellec aime les romans d'amour un peu mièvres.*

mignon adj.

1. Joli, charmant, gracieux. *Tu es mignonne avec cette robe. Ce vase est très mignon.* **2.** Aimable, gentil. *Sois mignonne, Marie-Tévy, va fermer la porte.*

Dans la cabane, tout était petit, mais si mignon et si propre qu'on ne saurait en donner une idée *(Blancheneige).*

Le contraire de *mignon,* c'est *laid.*

migraine n. f.

Mal de tête. *Mme Séverac a souvent des migraines. Ce vacarme m'a donné la migraine.*

Compare *émigrer, migrateur* et *migration* : dans ces trois mots, il s'agit de **se déplacer.**

migrateur adj.

Les animaux migrateurs, ce sont des animaux qui se déplacent suivant les saisons. *Les oiseaux migrateurs peuvent parcourir des milliers de kilomètres.*

Les saumons sont des poissons migrateurs.

migration n. f.

1. Déplacement de personnes qui quittent un pays ou une région pour s'installer ailleurs ; vois ***émigration, immigration.*** *Les famines du Moyen Âge ont provoqué de grandes migrations.* **2.** Déplacement des animaux migrateurs à certaines saisons. *À la fin de l'été, les cigognes commencent leur migration vers l'Afrique du Nord.*

Elles reviendront en Alsace au printemps.

Attention ! un seul *t.*

mijoter v.

1. Cuire tout doucement, à petit feu. *La soupe mijotait sur la cuisinière.* **2.** Préparer avec soin ; vois ***mitonner.*** *Mamie Lou mijote souvent de bons*

Conjugaison 1

petits plats pour ses enfants. **3.** Préparer en secret quelque chose. *Colle et Rat se parlent à l'oreille. Que mijotent-ils encore ?* — Ce sens est familier.

Ne confonds pas *mil* et *mille*.

mil n. m.

Céréale cultivée en Afrique. *Les Africains pilent les grains de mil pour en faire une farine.* — Ils fabriquent aussi de la bière avec les grains.

milan n. m.

Je tenais la viande à la main lorsqu'un milan affamé tenta de me l'arracher *(les Mille et Une Nuits).*

Oiseau rapace au plumage brun foncé, à queue et à ailes très longues. *Le milan se nourrit surtout de charognes. Le milan est un oiseau diurne. Les milans ont un vol très lent et peuvent planer longtemps.* — L'envergure du milan peut atteindre 1,60 m et sa taille 65 cm.

Mile est un mot d'origine anglaise. Prononce [mɑjl].

mile n. m.

Mesure anglaise et américaine de longueur valant 1 609 mètres. *Le record du monde du mile a été battu.*

milice n. f.

Troupe qui remplace ou renforce une armée ou une police régulières. *Les milices privées sont interdites par la loi.*

Au pluriel : *des milieux.*

milieu n. m.

Pierre, le pauvre Lézard, était au milieu du groupe, soutenu par deux cochons d'Inde qui lui versaient à boire *(Alice au Pays des merveilles).*

1. Partie d'une chose située à égale distance de ses bords, de ses extrémités ; vois ***centre.*** *Une table ronde occupe le milieu de la pièce. Claire joue au milieu de la cour. Le doigt du milieu s'appelle le majeur.* **2.** Moment situé entre le début et la fin d'une période. *L'été commence au milieu de l'année.* **3.** Entourage d'une personne. *Les Touati et les Séverac ne sont pas du même milieu,* ils ne vivent pas dans le même cercle de gens, ils n'appartiennent pas au même groupe social. **4.** Environnement naturel d'un être vivant. *Le milieu marin comprend les plantes et les animaux qui vivent dans la mer.*

Famille de ① **lieu**

Midi est au milieu du jour et minuit au milieu de la nuit.

L'écologie étudie le milieu dans lequel évoluent les êtres vivants.

militaire adj. et n. m.

1. adj. Relatif à l'armée. *Le pays a engagé des opérations militaires ;* vois ***guerrier.*** *Hippolyte a fait son service militaire à la Martinique,* il a été soldat pendant un certain temps. **2.** n. m. Personne qui fait partie de l'armée ; vois ***soldat.*** *Le père de Mme Hespel était un militaire de carrière ; il était colonel. Les gendarmes sont des militaires. Les militaires doivent obéir à leurs supérieurs.*

En France, c'est obligatoire de faire son service militaire.

Sans doute le portrait est-il un peu flatté, mais c'est ainsi que les jeunes filles voient les militaires *(les Contes du Chat perché).*

Conjugaison 1

militer v.

1. Être membre actif d'un syndicat, d'un parti politique, d'une organisation. *M. Touati milite dans un syndicat.* **2.** Se battre pour une cause. *Mme Hespel milite pour le droit des femmes.*

Compare ***militer*** et ***militaire*** : il est question de **combat.**

Compare : *militer → militant* et *résister → résistant.*

▸ ***militant*** n. m., ***militante*** n. f. Membre actif d'un syndicat, d'un parti, d'une association. *M. Touati est un militant syndical.* — adj. *M. Touati est un syndicaliste militant,* très actif.

① mille n. m.

[...] je me suis donc endormi sur le sable à mille milles de toute terre habitée *(le Petit Prince).*

Unité de distance utilisée par les marins et valant 1 852 mètres. *La petite île n'était qu'à quelques milles de la côte.* — On dit aussi un *mille marin.*

Attention ! *mille* est invariable.

② mille adj. et n. m. invariables

▭ **adj. invariable** **1.** Dix fois cent. *Un kilomètre fait mille mètres. Motbourg compte neuf mille cinq cents habitants. Julie n'était pas née en mille neuf cent cinquante.* **2.** Une grande quantité, un grand nombre. *Je t'ai déjà dit mille fois de te tenir droit. Mille mercis pour votre gentillesse.* ▭ **n. m. invariable** Le nombre mille. *Deux fois cinq cents font mille.*

1 000 en chiffres arabes
M en chiffre romain

Mille millions de mille milliards de mille sabords de tonnerre de Brest, dit le capitaine Haddock.

Autres membres de la famille : **millefeuille, millénaire, mille-pattes, millésime, milliard, milliardaire, millième, millier, million, millionnaire.**

Famille de ② **mille** et de **feuille**

millefeuille n. m.

Gâteau fait de couches superposées de pâte feuilletée et de crème. *Ce pâtissier vend de délicieux millefeuilles.*

Attention ! deux *l* mais un seul *n* dans *millénaire.*

millénaire n. m. et adj.

1. n. m. Période de mille ans. *En l'an deux mille, nous entrerons dans le troisième millénaire de l'ère chrétienne. On va bientôt fêter le millénaire de Motbourg,* Motbourg aura mille ans. **2.** adj. Qui a mille ans ou plus. *Les pyramides d'Égypte sont plusieurs fois millénaires.*

Famille de ② **mille**

Famille de ② **mille** et de **patte**

Les mille-pattes fuient la lumière et aiment l'humidité.

mille-pattes n. m. invariable
Petit animal formé de vingt et un anneaux et possédant quarante-deux pattes. *Claire a trouvé des mille-pattes sous l'écorce d'un vieil arbre.*

On l'appelle aussi *scolopendre.*

Attention ! deux *l* dans *millésime.*

C'est un grand cru.

millésime n. m.
Date inscrite sur une pièce de monnaie ou une bouteille de vin. *Pour le réveillon, M. Bellec a ouvert une bouteille de bordeaux au millésime de 1976.*

Famille de ② **mille**

Millet [mijɛ] rime avec *billet.*

millet n. m.
Céréale à grains très petits. *Les oiseaux sont très friands de millet.*

Il pousse en région sèche.

Attention ! deux *l* et un *d* à la fin. Prononce [miljaʀ].

milliard n. m.
Mille millions. *Il y a six milliards d'hommes sur la terre. La fabrication et le lancement d'une fusée coûtent des milliards,* des milliards de francs.
▸ ***milliardaire*** n. m. et f. Personne qui possède un milliard ou plus, qui est extrêmement riche. *M. Touati pense que les milliardaires ont des avions particuliers et fument de gros cigares.*

Famille de ② **mille**

En chiffres, un milliard s'écrit 1 000 000 000.

Attention ! deux *l* dans *millième.*

millième adj. et n. m.
1. adj. Qui vient au rang numéro mille. *Le millième spectateur qui entrera dans ce nouveau cinéma aura une place gratuite.* **2.** n. m. Chacune des parties d'un tout qui est divisé en mille parties égales. *Un millimètre, c'est un millième de mètre. En un millième de seconde la soucoupe volante avait disparu,* en très peu de temps.

Famille de ② **mille**

Attention ! deux *l* dans *millier.*

millier n. m.
Environ mille. *Motbourg compte plusieurs milliers d'habitants. Les enfants sont venus par milliers écouter le chanteur,* en très grand nombre.

Famille de ② **mille**

Famille de **gramme**

On écrit **mg** en abrégé.

milligramme n. m.
Millième partie du gramme. *Un cheveu ne pèse que quelques milligrammes. Un comprimé d'aspirine contient cinq cents ou mille milligrammes d'aspirine.*

Compare ***milli**gramme* et ***milli**mètre* : il s'agit de **la millième partie.**

Compare *milli**mètre*** et *milli**gramme*** : il s'agit de **la millième partie.**

millimètre n. m.
Millième partie du mètre. *Dix millimètres valent un centimètre. Sur un mètre de couturière, les millimètres sont toujours indiqués entre les centimètres.*

Famille de **mètre**

Millimètre s'écrit **mm** en abrégé.

On dit aussi : du *papier millimétrique.*

▸ ***millimétré*** adj. *Le papier millimétré,* c'est un papier quadrillé par des lignes espacées les unes des autres d'un millimètre. *Alex trace un graphique sur du papier millimétré.*

Prononce [miljɔ̃].

Famille de ② **mille**

Il y a des millions d'années que les fleurs fabriquent des épines. Il y a des millions d'années que les moutons mangent quand même les fleurs *(le Petit Prince).*

million n. m.
Mille fois mille. *Il a vendu son dernier disque à deux millions d'exemplaires. La construction du gymnase a coûté plus de cent millions,* plus de cent millions de francs.
▸ ***millionnaire*** adj. Qui possède un ou plusieurs millions de francs, de dollars, qui est très riche. *Cette actrice américaine est millionnaire.* — n. m. et f. *Les millionnaires roulent dans de grosses voitures qui vont très vite.*

En chiffres, un million s'écrit 1 000 000.

Quand on possède mille millions ou plus, on est *milliardaire.*

mime n. m. et f.
Acteur qui ne s'exprime que par les gestes et les attitudes, sans parler. *Angèle a emmené sa classe voir le spectacle que donnait un célèbre mime.*

Conjugaison 1

▸ ***mimer*** v. Reproduire par des gestes, sans paroles. *Au jeu des métiers, Yasmina mime l'infirmière. Antoine mime très drôlement les attitudes de Mme Harpie ;* vois ***imiter, singer.***
▸ ***mimétisme*** n. m. **1.** Imitation involontaire et machinale de quelqu'un. *Par mimétisme, Yves emploie les mêmes jurons que son père.* **2.** Possibilité qu'ont certains animaux de se rendre semblables au milieu environnant pour se protéger. *Le changement de couleur du caméléon selon l'endroit où il se trouve est une forme de mimétisme.*

Ces animaux peuvent aussi modifier leur forme ou leur attitude.

▸ ***mimique*** n. f. Geste, expression ou attitude servant à exprimer quelque chose. *À la vue du repas qui l'attendait à la cantine, Julie eut une mimique de dégoût.*

Autre membre de la famille : **pantomime.**

Les *œufs mimosa* sont des œufs durs dont le jaune écrasé est mélangé à de la mayonnaise.

mimosa n. m.
Arbre de la famille de l'acacia, à petites fleurs jaunes très parfumées en forme de boules. *En France, le mimosa pousse surtout dans le Midi.*

Le mimosa fleurit l'hiver.

Ce mot est familier.

minable adj.
Très médiocre, lamentable. *Colle et Rat ont toujours des notes minables.* — n. m. et f. *C'est un minable,* un raté.

Le contraire de *minable,* c'est *excellent.*

minaret n. m.
Tour d'une mosquée. *Les fidèles musulmans sont appelés à la prière du haut du minaret.*

Conjugaison 1

minauder v.
Faire des mines, des manières. *Mme Séverac minaude parfois un peu quand elle veut plaire.*

Famille de ① **mine**

mince adj.
1. Fin, peu épais. *Sophie Pelletier étale une mince couche de vernis sur ses ongles. Dans les H. L. M., les cloisons sont très minces.* **2.** Svelte, élancé. *Mme Séverac aimerait être plus mince. Les jambes de Marie-Tévy sont minces,* elles sont fines. **3.** Insignifiant, peu important. *Elles se sont donné beaucoup de mal pour de minces résultats ;* vois **maigre.**
▸ ***minceur*** n. f. Finesse. *Le papier pelure est d'une extrême minceur. La taille d'Angèle est d'une grande minceur.*

Le contraire de *mince,* c'est *gros, fort.*

Compare : *mince → minceur* et *rouge → rougeur.*

Le contraire de *mince,* c'est *épais.*

Le contraire de *mince,* c'est *important.*

Autres membres de la famille : **amincir, amincissant.**

① **mine** n. f.
1. Apparence, aspect extérieur, air. *Sous sa mine un peu froide, le docteur Séverac cache une grande bonté. Ce petit hôtel ne paie pas de mine, mais il est très confortable,* il n'a pas un aspect engageant. *Julie faisait mine de lire, mais elle écoutait ce que se disaient ses parents,* elle faisait semblant de lire. **2.** Aspect du visage. *Sylvain a été malade, il a très mauvaise mine. À son retour de vacances, Angèle avait une mine superbe.* **3.** *Faire des mines,* c'est faire des manières, être affecté. *Mme Séverac fait parfois des mines quand elle sait qu'on la regarde,* elle minaude.

Des minous menus de Lima
Miaulant dans des dais
de damas
Et dont les mines de lama
Donnaient mille idées à Léda
(B. Lapointe).

Autres membres de la famille : **minauder, minois.**

Il ne faut pas juger les gens sur leur mine.

Faire grise mine, c'est accueillir avec froideur, ne pas être aimable.

② **mine** n. f.
Petit bâton qui laisse une trace sur le papier et qui forme la partie centrale d'un crayon. *Yves a fait tomber son crayon ; la mine est cassée. Yasmina taille la mine de son crayon.*

La mine de plomb laisse une trace noire ; c'est du graphite, une variété de carbone.

③ **mine** n. f.
Endroit du sol, plus ou moins profond, d'où l'on extrait du charbon, des métaux, en grande quantité ; vois ***gisement.*** *Au fond de la mine, dans les galeries, les mineurs entassent le charbon dans des wagonnets.*
▸ ① ***miner*** v. **1.** Creuser, ronger. *La mer mine les falaises.* **2.** Affaiblir. *Le chagrin a miné Mme Roussel. La mère de Sophie Pelletier est morte minée par la maladie.*

Il y a d'importantes mines de diamants en Afrique du Sud.

Conjugaison 1

Il y a des mines souterraines et des mines à ciel ouvert que l'on peut exploiter sans creuser de galeries.

Autres membres de la famille : **minerai, minéral, minéralogie,** ① **mineur, minier.**

④ **mine** n. f.
Engin explosif. *Pendant la guerre, M. Bonnot a posé des mines sous des ponts et des voies de chemin de fer.*
▸ ② ***miner*** v. Poser une mine. *M. Bonnot et ses camarades de maquis avaient miné un pont. Attention, ce terrain est miné !*

Il était dans la Résistance.

Conjugaison 1

Famille de ③ **mine**

minerai n. m.
Roche qui contient des matières que l'on peut extraire. *Le minerai d'aluminium s'appelle la bauxite.*

Le minerai se présente en filon ou en gisement.

Famille de ③ **mine**

minéral n. m. et adj.
▭ **n. m.** Corps formé de matière non vivante qui fait partie de l'écorce terrestre. *Les roches, les métaux, les pierres précieuses sont des minéraux. Le docteur Séverac fait collection de minéraux,* de pierres.
▭ **adj. 1.** Fait de matière inerte, non vivante. *Le pétrole et le charbon, les métaux et les roches sont des matières minérales.* **2.** *De l'eau minérale,* c'est de l'eau qui contient des matières minérales. *Sophie Pelletier met de l'eau minérale et du lait en poudre dans le biberon de Martin.*

Dans la nature, il y a des animaux, des végétaux et des minéraux.

Ils font partie du *règne minéral.*

Par exemple, du calcium, du magnésium, des sels minéraux.

▸ ***minéralogie*** n. f. Science qui étudie les minéraux. *La minéralogie est une partie de la géologie.*

C'est familier de dire *minet* au lieu de *chat.*

minet n. m., ***minette*** n. f.
Chat, chatte. *Le minet effrayé s'était tapi sous l'armoire. « Minet, minet, viens ici, n'aie pas peur », dit Julie.*

Minet est un mot affectueux pour appeler un chat.

Famille de ③ **mine**

① ***mineur*** n. m.
Ouvrier qui travaille dans une mine. *Le métier de mineur est pénible et dangereux.*

② ***mineur*** adj.
1. Qui n'a pas beaucoup d'importance ; vois ***secondaire.*** *Il ne reste à régler que des questions mineures.* **2.** *Une personne mineure,* c'est une personne qui n'a pas encore dix-huit ans. *Julie et Yasmina sont mineures.* — n. *Ce film est interdit aux mineurs,* aux moins de dix-huit ans.

Après dix-huit ans, on est *majeur.*

Le contraire de *mineur,* c'est *capital, important, majeur.*

Autre membre de la famille : **minorité.**

miniature n. f.
1. Peinture de très petites dimensions, très délicatement exécutée. *Les manuscrits du Moyen Âge étaient souvent illustrés de précieuses miniatures.* **2.** *Un objet en miniature,* c'est un objet très petit, en réduction. *Claire joue avec des animaux en miniature.*

Des miniatures ornent parfois les boîtes et les bonbonnières anciennes.

On peut dire aussi : des *animaux miniatures.*

minier adj.
Qui concerne les mines. *On a découvert un nouveau gisement minier,* d'où l'on peut extraire du minerai ou du charbon. *Le nord de la France est une région minière,* une région où il y a des mines.

Le Brésil possède de très importantes ressources minières.

Famille de ③ **mine**

Compare *minime* et *minimum* : il s'agit de quelque chose de **petit.**

minime adj. et n. m. et f.
1. adj. Très petit, peu important ; vois ***faible, infime.*** *Pour une somme minime, on peut visiter la serre du jardin public de Motbourg.* **2.** n. m. et f. Jeune sportif, entre treize et quinze ans. *Les enfants ont applaudi le match des minimes.*

Minimum [minimɔm] rime avec *homme.*

minimum n. m.
Limite inférieure. *Alex fait un minimum d'efforts,* le moins d'efforts possible. *Il faut un minimum de trois minutes pour cuire un œuf à la coque. Les travaux dureront deux mois au minimum,* au moins deux mois. — adj. *Le journal donne les températures minimum et maximum relevées dans la journée,* les plus basses et les plus hautes.

Au pluriel : *des minimums* ou *des minima.*

Le contraire de *minimum,* c'est *maximum.*

ministère n. m.
1. Ensemble des ministres et des secrétaires d'État d'un gouvernement. *Le Premier ministre a formé son ministère.* **2.** Administration qui dépend d'un ministre. *Un frère d'Angèle travaille au ministère de la Justice.* **3.** Fonction d'un ministre ; vois ***portefeuille.*** *Ce ministre a déjà exercé plusieurs ministères.*

Le *ministère* est aussi le bâtiment où sont installés les bureaux du ministre.

Attention à l'accent grave du *è* dans *ministère* et à l'accent aigu du *é* dans *ministériel.*

▸ ***ministériel*** adj. Relatif au ministère, au gouvernement. *La troisième République a connu de nombreuses crises ministérielles,* des crises au sein du gouvernement.

ministre n. m.
Personne nommée par le président de la République à la tête d'une administration de l'État. *Le ministre de l'Éducation nationale a présenté au gouvernement une réforme de l'enseignement. En France, le Premier ministre réside à Paris, à l'Hôtel Matignon,* le chef du gouvernement.

Le président de la République nomme le Premier ministre puis, sur proposition de celui-ci, les autres membres du gouvernement.

Les ministres se réunissent en *Conseil des ministres,* présidé par le président de la République.

minitel n. m.
Terminal d'ordinateur fourni par les P. T. T. *Mme Hespel cherche un numéro de téléphone sur son minitel.*

Minium [minjɔm] rime avec *homme.*

minium n. m.
Peinture rouge qui protège le fer contre la rouille. *Pierre Séverac a passé les volets au minium.*

Le minium contient de l'oxyde de plomb.

Attention ! un *s* à la fin.

minois n. m.
Visage jeune et charmant. *Un sourire éclaire le minois de Claire ;* vois ***frimousse.***

Famille de ① **mine**

Famille de ② **mineur**

minorité n. f.

1. Groupement de voix inférieur en nombre dans un vote, une réunion de votants. *Les adversaires politiques du maire sont en minorité au conseil municipal,* ils sont moins de la moitié. **2.** Très petit nombre. *Les partisans de cette solution sont une minorité.* **3.** Période pendant laquelle une personne est trop jeune pour être légalement responsable de ses actes. *Pendant la minorité d'un roi, c'est un régent qui gouverne.*

Le contraire de *minorité,* c'est *majorité.*

En France, la minorité s'achève à dix-huit ans.

Famille de **nuit**

minuit n. m.

Heure du milieu de la nuit, la douzième après midi. *On entendit sonner les douze coups de minuit. Denis Prost est rentré à minuit dix.*

On peut dire aussi : 24 heures ou 0 heure.

minuscule adj.

1. *Une lettre minuscule,* c'est une petite lettre. *Claire ne sait pas écrire son nom en lettres minuscules.* — n. f. *Écrivez votre nom en minuscules,* en lettres minuscules. **2.** Très petit ; vois ***infime, microscopique.*** *Le colibri est un oiseau minuscule.*

Le contraire de *minuscule,* c'est *capitale, majuscule.*

Le contraire de *minuscule,* c'est *énorme, immense.*

minute n. f.

1. Unité de mesure du temps d'une durée de soixante secondes. *Il y a soixante minutes dans une heure. La récréation dure quinze minutes,* un quart d'heure. **2.** Court moment. *Pour aller de l'école à la boutique de Mme Harpie, il y en a pour une minute,* pour très peu de temps ; vois ***instant.*** *Le docteur Séverac sera là d'une minute à l'autre,* il va arriver.

Moi, se dit le petit prince, si j'avais cinquante-trois minutes à dépenser, je marcherais tout doucement vers une fontaine *(le Petit Prince).*

La classe commence à *8 h 30,* c'est-à-dire à *8 heures 30 minutes.*

Conjugaison 1

▸ ***minuter*** v. Organiser selon un horaire précis. *L'emploi du temps du docteur Séverac est minuté.*

▸ ***minuterie*** n. f. Système électrique qui s'arrête automatiquement après un certain temps. *Antoine cherche à tâtons sur le palier le bouton de la minuterie.*

Minutie [minysi] rime avec *scie* et *merci.*

minutie n. f.

Très grand soin, très grande application apportée aux plus petits détails. *Hippolyte classe ses timbres avec minutie.*

Le contraire de *minutie,* c'est *négligence.*

Compare : *minutie → minutieux* et *cérémonie → cérémonieux.*

▸ ***minutieux*** adj. Qui s'applique, fait attention aux détails ; vois ***méticuleux.*** *Seuls des enfants minutieux peuvent faire ce puzzle, car il est difficile.*

Un travail qui demande de la minutie est *minutieux.*

La mirabelle est le fruit du *mirabellier.*

mirabelle n. f.

Petite prune ronde et jaune. *M. Bellec a fait des tartes aux mirabelles.*

miracle n. m.

1. Événement extraordinaire où l'on croit reconnaître une intervention divine. *La légende raconte que saint Nicolas a fait un miracle.* **2.** Événement exceptionnel et admirable. *Il n'y a pas eu de blessés dans l'accident, c'est un miracle !*

Saint Nicolas aurait ressuscité trois petits enfants.

« Miracle ! criait-on : venez voir dans les nues Passer la reine des tortues » (La Fontaine).

▸ ***miraculeux*** adj. **1.** Obtenu par un miracle, grâce à une intervention divine. *Les pèlerins espéraient une guérison miraculeuse.* **2.** Qui fait un effet inespéré et merveilleux. *On n'a pas encore trouvé de remède miraculeux pour soigner les rhumes.*

Famille de se **mirer**

mirage n. m.

Paysage imaginaire qui apparaît comme un reflet dans l'eau, que l'on croit voir à l'horizon. *Les voyageurs ont vu des mirages dans le désert.*

Ce phénomène optique est causé par l'échauffement de l'air.

mire n. f.

1. *La ligne de mire,* c'est la ligne droite imaginaire que détermine un tireur. *Le faisan était dans la ligne de mire de M. Bellec.* **2.** *Un point de mire,* c'est un centre d'intérêt, d'attention. *Le célèbre comédien était le point de mire de tous dans la salle du restaurant.*

Famille de se **mirer**

L'image fixe qui sert à vérifier le réglage de la télévision ou d'une caméra est une *mire.*

Tous ses admirateurs l'ont reconnu !

Conjugaison 1

se mirer v.

Se regarder, se refléter. *La montagne se mire dans le lac. Sophie Pelletier se mirait dans la glace pour arranger sa coiffure.*

Autres membres de la famille : **mirage, mire, miroir, miroiter.**

Compare *se **mirer*** et *ad**mirer*** : il s'agit de **regarder.**

Mirobolant est un mot familier.

mirobolant adj.

Une chose mirobolante, c'est une chose trop belle pour être vraie. *Cet acteur a touché des sommes mirobolantes pour ce film.*

Famille de se **mirer**

miroir n. m.
Objet qui a une surface polie où la lumière se réfléchit et les images se reflètent ; vois ***glace.*** *Julie se regarde dans le miroir du salon.*

Petit miroir, petit miroir chéri, Quelle est la plus belle du pays ? *(Blancheneige).*

Conjugaison 1

miroiter v.
1. Réfléchir la lumière avec des reflets scintillants ; vois ***étinceler, scintiller.*** *Yves cligne des yeux en regardant la mer qui miroite.* **2.** *Faire miroiter un avantage à quelqu'un,* c'est lui présenter cet avantage comme possible pour l'attirer. *On lui a fait miroiter qu'il serait à la place d'honneur.*

Famille de se **mirer**

Compare *misanthrope* et ***anthropophage*** : il s'agit des **humains.**

C'est un ours !

misanthrope n. m. et f.
Personne qui n'aime pas la compagnie des autres gens. *Mme Harpie est une vieille misanthrope,* elle n'aime personne. — adj. *Mme Harpie est devenue bien misanthrope.*

Attention au ***th.***
Le contraire de *misanthrope,* c'est *philanthrope.*

Famille de **mettre**

mise n. f.
1. Action de mettre. *L'un des grands travaux d'automne dans les régions viticoles, c'est la mise en bouteilles du vin. Muriel Doucet s'est fait faire une mise en plis. Denis Prost participe à la mise en scène de son prochain film,* à la réalisation du film. **2.** Manière d'être habillé. *Pour aller à la fête, Mamie Lou avait soigné sa mise.* **3.** Argent que l'on joue dans un jeu ; vois ***enjeu.*** *Les joueurs ont déposé leur mise sur le tapis.*

Denis Prost est un comédien célèbre.

Conjugaison 1

▷ ***miser*** v. Jouer, parier. *M. Bellec avait misé cinq francs sur le cheval gagnant.*

misère n. f.
1. Grande pauvreté. *Les clochards vivent dans la misère. M. Touati trouve qu'il gagne un salaire de misère,* très insuffisant. **2.** Événement malheureux, douloureux. *Mme Harpie a eu une enfance malheureuse, il ne lui est arrivé que des misères ;* vois ***chagrin, malheur.***

Une *misère noire,* c'est une misère extrême.

Le contraire de *misère,* c'est *bonheur.*

Le contraire de *misère,* c'est *opulence, richesse.*

▷ ***misérable*** adj. **1.** Qui fait pitié ; vois ***malheureux, pitoyable.*** *Elle avait l'air misérable.* **2.** Très pauvre, qui indique la misère. *Beaucoup de populations du tiers monde vivent dans des conditions misérables.* **3.** Insignifiant, sans valeur. *Que d'histoires pour un misérable billet de vingt francs.*

Elles sont *misérables.*

Les Misérables, c'est le titre d'un roman de Victor Hugo.

▷ ***misérablement*** adv. Très pauvrement. *Après avoir connu la gloire, cet écrivain mourut misérablement.*

Au féminin : *miséreuse.*

▷ ***miséreux*** adj. Qui donne une impression de misère. *Il vivait dans un quartier miséreux de la ville.* — n. *Cette religieuse voua son existence aux miséreux.*

miséricorde n. f.
Pardon, pitié ; vois ***indulgence.*** *Dans son sermon, l'abbé Gauthier a rappelé que la miséricorde divine était infinie.*

misogyne adj.
Qui méprise les femmes. *M. Bellec est un peu misogyne.* — n. m. et f. *Quel affreux misogyne !*

Attention aux deux ***s.***

missel n. m.
Livre de messe. *Yves suit la messe dans son missel.*

Attention ! deux ***s*** dans *missile.*

missile n. m.
Fusée portant une bombe. *Les avions ont largué des missiles sur la cible.*

mission n. f.
1. Tâche. *À la chasse, le chien de M. Bellec s'acquitte bien de sa mission.* **2.** Organisation religieuse chargée de propager sa religion dans des pays non chrétiens. *Jusqu'au XIXe siècle, de nombreux religieux fondèrent des missions en Afrique ou en Asie.*

Une *mission scientifique* est un groupe de savants chargés d'une étude, d'une recherche.

Attention ! deux ***s*** et deux ***n*** dans *missionnaire.*

▷ ***missionnaire*** n. m. Religieux qui fait partie d'une mission. *Le père de Foucauld était missionnaire au Sahara.*

Ce mot est assez rare. On dit plutôt *lettre.*

missive n. f.
Lettre. *Le président a reçu une missive le félicitant pour son élection.*

mistral n. m.
Vent froid et violent soufflant dans le sud de la France, du nord vers la mer. *On plante des haies pour protéger les cultures du mistral.*

mite n. f.
Minuscule papillon blanc qui ronge les tissus et les fourrures. *L'été, Muriel Doucet enveloppe les couvertures et les fourrures dans des housses pour les protéger des mites.*
Ne confonds pas *mite* et *mythe.*
▷ **mité** adj. Rongé par les mites. *Malgré l'attention de Muriel Doucet, l'une des couvertures est mitée.*
▷ **miteux** adj. D'aspect misérable. *En vacances, Alex s'est arrêté dans un hôtel un peu miteux ;* vois **minable.**

Famille de ① **temps**
mi-temps n. f.
▭ **n. f. 1.** Pause au milieu d'un match. *À la mi-temps, les équipes étaient à égalité.* **2.** Chacune des parties d'un match. *Dans la première mi-temps, les deux équipes ont marqué trois points.*
▭ **adv.** *À mi-temps,* pendant la moitié de la durée normale. *Mme Roussel aimerait bien travailler à mi-temps.*

Attention ! deux *n* dans *mitonner.*
mitonner v.
1. Cuire longtemps. *Un pot-au-feu mitonne dans la cuisine.* **2.** Préparer longuement un plat. *Mamie Lou mitonne un bon pot-au-feu.*
Conjugaison 1

Au féminin : *mitoyenne.*
mitoyen adj.
Un mur mitoyen, c'est un mur qui sépare deux propriétés. *Un mur mitoyen sépare les deux jardins.*

mitraille n. f.
Décharge de balles ou d'obus. *Les soldats fuient sous la mitraille de l'ennemi.*
Conjugaison 1 ▭ Indic. présent : *nous mitraillons.* Imparfait : *nous mitraillions.*
▷ **mitrailler** v. **1.** Envoyer des balles en grand nombre. *Les soldats mitraillent les ennemis.* **2.** *Le journaliste mitraille la vedette de questions,* lui pose beaucoup de questions. *Le photographe mitraille le président,* le photographie sans arrêt.
On dit aussi : un *pistolet mitrailleur.*
▷ **mitraillette** n. f. Arme automatique portative qui tire rapidement un grand nombre de balles. *On entend des tirs de mitraillettes.*
La mitraillette se porte à la main.
▷ **mitrailleuse** n. f. Arme automatique qui tire rapidement un grand nombre de balles. *Le tir des mitrailleuses retentissait au loin.*
La mitrailleuse reste posée à terre.

mitre n. f.
Haute coiffure triangulaire, à deux pointes, portée par le pape et les évêques dans certaines cérémonies. *L'évêque, coiffé de sa mitre, siégeait au milieu du chœur de la cathédrale.*

mitron n. m.
Apprenti boulanger ou pâtissier. *C'est le mitron qui livre le pain au restaurant Bellec.*

On écrit aussi *mixer.*
mixeur n. m.
Appareil ménager servant à broyer et à mélanger les aliments. *Mme Roussel passe les légumes au mixeur pour faire une soupe.*

mixte adj.
L'école Jules-Ferry est mixte, il y a des filles et des garçons.

mixture n. f.
Mélange peu appétissant. *Julie avait préparé une mixture imbuvable pour le goûter.*

Mlle va voir **mademoiselle.**

MM. va voir **messieurs.**

Mme va voir **madame.**

La *gendarmerie mobile* : les gendarmes motorisés.
mobile adj. et n. m.
▭ **adj. 1.** *Quelque chose de mobile,* c'est quelque chose qui peut bouger, que l'on peut déplacer. *La mâchoire inférieure est mobile.* **2.** *Une fête mobile,* c'est une fête dont la date n'est pas fixe. *Pâques est une fête mobile.*
Le contraire de *mobile,* c'est *immobile, fixe.*

▭ **n. m. 1.** Objet décoratif constitué de plusieurs morceaux suspendus en équilibre. *Sophie Pelletier a accroché un mobile représentant des oiseaux au-dessus du lit de son bébé.* **2.** Ce qui pousse à agir ; vois ***motif, raison.*** *Le commissaire essaie de comprendre le mobile du meurtre.*

Autres membres de la famille : **mobilité, immobile, immobiliser, immobilité.**

mobilier n. m.

Ensemble des meubles d'une habitation ; vois ***ameublement.*** *Mme Bellec aime le mobilier rustique,* les meubles de style rustique.

mobiliser v.

Conjugaison 1

Le contraire de *mobiliser,* c'est *démobiliser.*

Appeler les hommes à l'armée en cas de guerre. *M. Bonnot avait été mobilisé en septembre 1939.*

C'était le début de la Seconde Guerre mondiale.

▸ ***mobilisation*** n. f. Action de mobiliser. *À l'annonce de la guerre, il y eut une mobilisation générale,* tous les hommes valides ont été appelés sous les drapeaux.

Autres membres de la famille : **démobiliser, démobilisation.**

mobilité n. f.

Famille de **mobile**

Caractère de ce qui bouge, se déplace. *Les nomades sont des populations caractérisées par la mobilité. Marie-Tévy a un visage d'une grande mobilité,* qui change facilement d'expression.

Le contraire de *mobilité,* c'est *immobilité.*

moche adj.

Ce mot est familier.

1. Pas agréable à regarder ; vois ***laid, vilain.*** *Antoine trouve que Mme Harpie est moche.* **2.** Pas gentil, pas très correct. *Colle et Rat font punir les plus petits, c'est moche de leur part.*

① *mode* n. f.

1. Manière de s'habiller d'une époque, d'un moment. *Cet été, la mode est aux couleurs vives. Sophie Pelletier et Angèle suivent la mode de très près.* **2.** Façon de vivre, goûts d'une certaine époque, d'un moment donné. *C'est la mode du yo-yo. Hippolyte fredonne la dernière chanson à la mode,* la dernière chanson en vogue, celle que tout le monde chante en ce moment. **3.** *Aujourd'hui, au menu du restaurant Bellec, il y avait des tripes à la mode de Caen,* comme on les fait à Caen.

Les perruques pour les hommes étaient à la mode autrefois.

Elles sont habillées à la dernière mode.

Ce qui n'est plus à la mode est *démodé, passé de mode.*

Autres membres de la famille : **démodé,** se **démoder.**

② *mode* n. m.

1. Façon, manière. *Avant d'utiliser sa perceuse, Angèle lit le mode d'emploi,* la feuille expliquant comment s'en servir ; vois ***notice.*** **2.** Manière dont le verbe exprime une action dans la phrase. *En français, les cinq modes sont l'indicatif, l'impératif, le subjonctif, l'infinitif et le participe.*

Le *mode de vie,* c'est le genre de vie, la façon de vivre.

Les modes comprennent plusieurs temps.

modèle n. m.

1. Objet que l'on doit reproduire par le dessin. *Marie-Tévy a exécuté son dessin d'après un modèle.* **2.** Personne qui pose pour un peintre ou pour un photographe. *Avant son mariage, Muriel Doucet a été modèle.* **3.** Exemple. *Yasmina est un modèle de sagesse. Claire est si sage qu'on peut la prendre pour modèle.* — adj. *Yasmina est une élève modèle.* **4.** Sorte, genre. *De nouveaux modèles de voitures sortent chaque année.* **5.** *Un modèle réduit,* c'est un petit objet que l'on fabrique sur le modèle d'un plus grand. *David construit des modèles réduits d'avions ;* vois ***maquette.***

Voici mes chères amies Camille et Madeleine, si bonnes, si bonnes, qu'on les appelle les petites filles modèles *(les Vacances).*

▸ ***modélisme*** n. m. Construction de modèles réduits, de maquettes. *David est un passionné de modélisme.*

C'est un *modéliste* passionné.

modeler v.

Conjugaison 5
▭ Indic. présent : *je modèle, nous modelons.*

Donner une forme ; vois ***façonner.*** *Le potier modèle l'argile pour fabriquer ses pots. Claire a fait de petits personnages en pâte à modeler.*

▸ ***modelage*** n. m. *À la maternelle, les enfants font du modelage,* ils modèlent des objets en pâte à modeler.

modérer v.

Conjugaison 6
▭ Indic. présent : *je modère, nous modérons.*
Futur : *je modérerai.*

1. Réduire à une juste mesure, rendre moins excessif ; vois ***diminuer.*** *Denis Prost est incapable de modérer ses dépenses,* de les limiter. **2.** *Se modérer,* c'est se calmer, se retenir. *Mme Harpie dit toujours du mal des autres, elle devrait se modérer un peu !*

▸ ***modération*** n. f. Absence d'exagération, d'excès ; vois ***mesure.*** *Le docteur Séverac mange et boit avec modération.*

Le contraire de *modération,* c'est *abus, excès.*

▸ ***modéré*** adj. Éloigné de tout excès ; vois ***moyen, raisonnable.*** *Angèle roulait à une allure modérée. Le restaurant Bellec pratique des prix modérés.*

Un *modéré,* c'est quelqu'un qui n'est pas attiré par les idées extrêmes.

▸ ***modérément*** adv. Avec modération, sans excès. *Il faut manger et boire modérément.*

moderne adj.

Qui correspond à l'époque actuelle, de notre temps. *Les Prost ont une maison très moderne. Mme Hespel aime la musique moderne ;* vois ***contemporain.***

Le contraire de *moderne,* c'est *ancien, archaïque, classique, démodé.*

Compare : *moderne → moderniser* et *stérile → stériliser.*

▸ ***moderniser*** v. Rendre moderne. *Le docteur Séverac a modernisé son installation téléphonique,* il l'a transformée en utilisant des procédés modernes ; vois ***rénover.***

Conjugaison 1

modeste adj.

1. Peu important. *M. Touati a des revenus modestes.* **2.** *Quelqu'un de modeste,* c'est quelqu'un qui ne se vante pas. *Malgré sa réussite, il a su rester modeste et simple.*

Le petit prince devina bien qu'elle [la fleur] n'était pas trop modeste, mais elle était si émouvante *(le Petit Prince).*

Le contraire de *modeste,* c'est *orgueilleux, prétentieux, vaniteux.*

▸ ***modestie*** n. f. Qualité de celui qui reste modéré dans l'appréciation qu'il a de lui-même. *Cet acteur aime parler de son succès, il manque de modestie.*

Le contraire de *modestie,* c'est *orgueil, prétention, vanité.*

modifier v.

Transformer sans changer complètement. *Le docteur Séverac a modifié son installation téléphonique. Sophie Pelletier modifiera le texte de son livre quand elle le relira ;* vois ***retoucher.***

Conjugaison 7 ▭ Indic. imparfait : *nous modifiions.* Futur : *je modifierai.*

Compare : *modifier → modification* et *qualifier → qualification.*

▸ ***modification*** n. f. Changement. *Sophie Pelletier va faire quelques modifications dans le texte de son livre.*

modique adj.

Un prix modique, c'est un prix peu élevé ; vois ***faible.*** *Alex s'est acheté des haut-parleurs d'occasion pour une somme modique.*

modiste n. f.

Jadis, les femmes ne sortaient jamais sans chapeau.

Fabricante et marchande de chapeaux de femmes. *De nos jours, il n'y a plus beaucoup de modistes.*

moduler v.

Conjugaison 1

Chanter en changeant de ton, d'intensité. *Antoine module « Au clair de la lune » en sifflant.*

Compare : *moduler → modulation* et *observer → observation.*

▸ ***modulation*** n. f. Nuance que l'on donne à sa voix en chantant. *Les modulations du chant du rossignol sont très harmonieuses.*

moelle n. f.

Moelle [mwal] rime avec *voile* et *poil.*

1. Matière grasse et molle qui se trouve à l'intérieur des os. *Mme Roussel met des os à moelle dans le pot-au-feu.* **2.** *La moelle épinière,* c'est le cordon nerveux qui part du cerveau et passe à l'intérieur de la colonne vertébrale. *La moelle épinière est formée de la substance grise et de la substance blanche.*

Prononce [mwalø]. Au féminin : *moelleuse.*

▸ ***moelleux*** adj. *Un pull-over en cachemire est moelleux,* doux au toucher. *Mme Roussel a des coussins moelleux sur son divan,* dans lesquels on s'enfonce confortablement.

Un chien galeux
Sur un coussin moelleux,
C'est scandaleux !

moellon n. m.

Prononce [mwalɔ̃].

Pierre de construction. *Le mur du jardin est en moellons.*

mœurs n. f. plur.

Mœurs [mœʀ] rime avec *heure* et *beurre.*

Habitudes de vie, manière de vivre ; vois ***coutume, usage.*** *Cet ethnologue étudie les mœurs des tribus d'Amazonie. Maintenant, les femmes peuvent se mettre en pantalon, c'est entré dans les mœurs.*

On peut étudier aussi les mœurs des animaux.

Autrefois, c'était choquant.

mohair n. m.

Attention au ***h*** !

Poil de la chèvre angora avec lequel on fait de la laine très douce. *Sophie Pelletier a tricoté un pull en mohair pour sa fille.*

La laine mohair a de longs poils soyeux.

moi pronom

Devant *en* ou *y, moi* devient *m'.*

Pronom personnel masculin et féminin de la première personne du singulier. *Moi, je ne suis pas d'accord avec vous. Donne-moi la balle. Rends-la-moi. Donne-m'en. Je rentre chez moi. J'ai rencontré une amie à moi. Tu as eu plus de chance que moi. C'est moi qui te le dis. Si tu ne viens pas avec moi, j'irai seul. J'irai le lui dire moi-même.*

Bien sûr, moi aussi je pleure quelquefois, mais pour des choses graves *(le Petit Nicolas).*

Moi, je suis moi
Et toi, t'es toi !
Moi, je n'aime pas les filles *(le Petit Nicolas).*

moignon n. m.
Ce qu'il reste d'un membre amputé. *On a adapté une jambe artificielle sur son moignon.*

moindre adj.
La Fourmi n'est pas prêteuse C'est là son moindre défaut (La Fontaine).
Plus petit. *M. Bellec a raconté son accident dans les moindres détails,* dans les plus petits détails. *Mme Roussel pleure à la moindre contrariété.*
Autre membre de la famille : **amoindrir.**

moine n. m.
L'habit ne fait pas le moine (proverbe).
Religieux qui vit en communauté et suit les règles de son ordre. *Les moines vivent dans des monastères.*
En entrant dans leur ordre, les moines prononcent des vœux.

moineau n. m.
Au pluriel : *des moineaux.*
Petit oiseau brun. *Le moineau mâle porte une collerette noire. Il y a beaucoup de moineaux dans les villes.*
Les moineaux se nourrissent de graines, d'insectes et de fruits.

moins adv. et préposition
Moins [mwɛ̃] rime avec *point* et *loin.*
Le contraire de *moins,* c'est *plus.*
▭ **adv. 1.** *Julie est peu attentive et Yves l'est encore moins. Le docteur Séverac est moins grand que son frère,* il est plus petit. *Il est aussi un peu moins robuste que lui. Mme Séverac a pris le moins de bagages possible,* aussi peu que possible. *Mme Roussel voit de moins en moins sa sœur.* **2.** *Le gâteau est écœurant, il aurait fallu mettre moins de sucre,* une quantité inférieure de sucre. *Julie a moins de dix ans,* elle n'a pas encore dix ans. *Cette robe coûte moins de cinq cents francs.* **3.** *Le docteur Séverac a quarante-trois ans, son frère a cinq ans de moins. Pierre Séverac a cinq ans de moins que son frère.* **4.** *Nous n'arriverons pas à l'heure, à moins de partir tout de suite,* sauf si nous partons tout de suite. *Mme Roussel ira à Paimpol, à moins que Loïc ne soit parti,* sauf si Loïc est parti. **5.** *Mme Harpie pèse au moins soixante-cinq kilos,* au minimum ; vois ***bien.*** **6.** *Colle et Rat ont vu une soucoupe volante, du moins c'est ce qu'ils disent,* ou plutôt c'est ce qu'ils disent. **7.** *C'est pour le moins surprenant,* c'est extrêmement surprenant.
C'est le moins grand des frères Séverac.
Flora n'avait pas moins de trois robes rien que pour le dimanche *(les Contes du Chat perché).*
Moins elle la voit, mieux elle se porte !
« Vous pourriez avoir ceci pour 5 000 francs, a dit le monsieur. — C'est moins que ce que nous pensions mettre, a dit Agnan » *(le Petit Nicolas).*
Il a trente-huit ans.
Mange au moins une grappe de raisin, dit Mme de Fleurville, il est excellent *(les Petites Filles modèles).*
Vous n'allez pas recommencer à vous disputer, au moins ? *(le Petit Nicolas).*
▭ **préposition 1.** En soustrayant. *Douze moins deux font dix. Il est trois heures moins cinq,* deux heures cinquante-cinq minutes. *Il est moins cinq.* **2.** *Moins* sert à désigner une grandeur au-dessous de zéro. *Le jour de Noël, il faisait moins quinze degrés,* quinze degrés au-dessous de zéro.
Il était moins une : il s'en fallait de peu.
On écrit : $12 - 2 = 10$.
On peut écrire : -15°.

mois n. m.
Les mois ont trente ou trente et un jours sauf le mois de février.
1. Chacune des douze divisions de l'année. *Mme Roussel prend ses vacances au mois d'août. La fête d'Angèle est au mois de janvier.* **2.** Période d'environ trente jours. *Cela fait un mois que Denis Prost est aux États-Unis.* **3.** Salaire correspondant à un mois de travail ou somme à payer chaque mois. *Mme Roussel a touché son mois. Hippolyte doit deux mois de loyer.*
Janvier, février, mars, avril, mai, juin, juillet, août, septembre, octobre, novembre, décembre.
Il fut convenu qu'on prenait le cerf à l'essai pour un mois *(les Contes du Chat perché).*

moisir v.
Conjugaison 2
Se gâter à cause de l'humidité, en se couvrant de petits champignons. *Il faut bien fermer le pot, sinon la confiture va moisir.*
Quand elle moisit, la confiture se recouvre d'une pellicule verdâtre.
▸ ***moisi*** adj. Attaqué par la moisissure. *La confiture est moisie.* — n. m. *La confiture a goût de moisi.*
▸ ***moisissure*** n. f. Couche de petits champignons. *La confiture est couverte de moisissure ;* vois ***moisi.***
Le roquefort contient des moisissures.

moisson n. f.
Compare : *moisson* → *moissonner, moissonneur* et *collection* → *collectionner, collectionneur.*
1. Récolte des céréales, surtout du blé. *Pierre Séverac fait la moisson à partir du mois de juillet.* **2.** Céréales récoltées. *Pierre Séverac est content, la moisson a été bonne.*
Attention ! deux ***s*** et deux ***n.***
▸ ***moissonner*** v. Récolter les céréales. *Pierre Séverac moissonne le champ de blé.*
Conjugaison 1
▸ ***moissonneur*** n. m., ***moissonneuse*** n. f. **1.** Personne qui fait la moisson. *Le fermier a engagé des moissonneurs pour l'été.* **2.** *Une moissonneuse,* c'est une machine agricole que l'on utilise pour moissonner. *La moissonneuse-batteuse coupe les épis, les bat, rejette la paille et entasse le grain.*
Ce sont des ouvriers agricoles.
La première moissonneuse a été construite aux États-Unis en 1834, par McCormick.

moite adj.
Le contraire de *moite,* c'est *sec.*
Légèrement humide. *Mme Harpie a les mains moites,* humides de sueur.

moitié n. f.

[...] ils venaient d'apercevoir un minuscule cheval qui n'était guère plus gros, en tout, que la moitié d'un coq
(les Contes du Chat perché).

1. Chacune des deux parties égales d'un tout ; vois ***demi.*** *Cinq est la moitié de dix. Antoine a donné la moitié de son croissant à Marie-Tévy.* **2.** *Ce soir, le restaurant Bellec est à moitié vide,* il est à demi, en partie vide. *Yves s'est à moitié endormi devant la télévision,* il s'est presque endormi.

Le contraire, c'est *double.*

J'étais à moitié morte de peur. Je croyais qu'on ne me trouverait jamais *(les Vacances).*

moka n. m.

C'est un café très parfumé.

1. Café d'Arabie. *Mme Hespel a bu une tasse de moka.* **2.** Gâteau fourré de crème au beurre parfumée au café. *Mme Roussel a acheté des mokas pour le dessert.*

On fait aussi des mokas parfumés au chocolat.

mol adj. m. va voir ***mou.***

molaire n. f.

Autre membre de la famille : **prémolaire.**

Grosse dent du fond de la bouche, qui sert à broyer les aliments. *L'adulte a douze molaires.*

Les dents de sagesse sont des molaires.

môle n. m.

N'oublie pas l'accent circonflexe du ***ô***. Prononce [mol].

1. Construction en maçonnerie qui protège l'entrée d'un port des grosses vagues ; vois ***digue.*** *Pendant la tempête, les vagues se brisaient sur le môle.* **2.** Quai d'embarquement. *Les marchandises sont entassées sur le môle.*

molécule n. f.

Une molécule d'eau est formée de deux atomes d'hydrogène et d'un atome d'oxygène.

La plus petite partie d'un corps qui peut exister seule. *Une molécule est formée d'atomes.*

molester v.

Conjugaison 1

Maltraiter ; vois ***brutaliser.*** *Des voyous ont molesté Mme Harpie pour lui prendre son sac.*

molette n. f.

Attention ! un seul ***l*** et deux ***t*** dans *molette.*

Roulette dentée. *On allume un briquet en tournant la molette. M. Bellec serre un écrou avec sa clé à molette,* une clé dont on règle l'écartement des mâchoires avec une roulette.

La molette frotte la pierre, ce qui produit une étincelle qui enflamme le gaz.

molle adj. f. va voir ***mou.***

mollement adv.

Compare : *mou → mollement* et *fou → follement.*

1. Sans énergie. *Alex a travaillé trop mollement.* **2.** Avec douceur et lenteur. *Mme Bellec est étendue mollement sur son divan.*

Famille de ① **mou**

mollesse n. f.

Famille de ① **mou**

Le contraire de *mollesse,* c'est *énergie, vivacité.*

1. Caractère de ce qui est mou. *La mollesse du divan invite à faire la sieste.* **2.** Manque d'énergie. *La mollesse d'Alex énerve souvent sa mère.*

Le contraire de *mollesse,* c'est *dureté, fermeté.*

① **mollet** adj.

Au féminin : *mollette.*

Un œuf mollet est plus cuit qu'un œuf à la coque, mais moins cuit qu'un œuf dur.

Un œuf mollet, c'est un œuf cuit dans sa coquille jusqu'à ce que le blanc soit bien pris et le jaune encore liquide. *Mme Roussel a fait des œufs mollets pour le repas du soir.*

Famille de ① **mou**

② **mollet** n. m.

C'est à force de faire du vélo.

Partie charnue arrière de la jambe, entre le genou et la cheville. *M. Bellec a les mollets musclés.*

En chantant sur cet air bête
Avec des jeux de mots laids
(B. Lapointe).

molletonné adj.

Famille de ① **mou**

Doublé, garni d'un tissu moelleux. *Mamie Lou a une robe de chambre molletonnée.*

mollir v.

Attention ! deux ***l.***

Conjugaison 2

1. Devenir mou ; vois ***ramollir.*** *Le beurre mollit quand il n'est pas dans le réfrigérateur.* **2.** Perdre sa force, sa violence. *Le vent commence à mollir, Loïc va pouvoir aller en mer ;* vois ***faiblir.***

Famille de ① **mou**

mollusque n. m.

Famille de ① **mou**

Les mollusques sont des invertébrés.

Animal au corps mou, recouvert le plus souvent d'une coquille calcaire. *Les escargots, les moules, les huîtres sont des mollusques.*

De nombreux mollusques sont bons à manger.

moment n. m.

La maman d'Agnan est entrée. Pendant un tout petit moment, elle n'a rien dit, elle a ouvert les yeux et la bouche et puis elle s'est mise à crier *(le Petit Nicolas)*.

On peut écrire aussi : *à tous moments.*

1. Espace de temps assez court ; vois ***instant.*** *Le docteur vous recevra dans un moment,* dans peu de temps. *Je n'en ai que pour un moment,* je n'en ai pas pour longtemps. *Julie n'a pas peur des piqûres, elle sait que c'est juste un mauvais moment à passer. Angèle n'a pas un moment à elle,* elle a un emploi du temps très chargé. *Antoine a attendu le dernier moment pour faire ses devoirs. Ce n'est pas le moment de déranger la directrice.* **2.** *Mme Harpie téléphone à sa sœur à tout moment,* sans cesse. *Mme Hespel est passée au moment du dîner,* pendant le dîner. *Mme Roussel n'aime pas être dérangée au moment de passer à table. Par moments, Angèle a envie de ne pas répondre au téléphone,* de temps à autre. *L'avion va décoller d'un moment à l'autre,* bientôt. *En ce moment, le docteur Séverac est en Afrique,* actuellement. **3.** *Le téléphone a sonné au moment où Mme Roussel allait sortir,* juste comme elle allait sortir. *Du moment que la directrice est d'accord, l'institutrice n'a plus rien à dire,* si la directrice est d'accord.

En un moment, le loup eut appris à jouer à la main chaude, à la ronde, à la paume placée et à la courotte malade *(les Contes du Chat perché)*.

Alcide Jolivet, depuis le moment où son confrère était tombé près de lui, ne lui avait pas ménagé ses soins *(Michel Strogoff)*.

Compare : *moment → momentané, momentanément* et *instant → instantané, instantanément.*

▸ **momentané** adj. Qui ne dure qu'un moment ; vois ***provisoire, temporaire.*** *« Nous vous prions de nous excuser de cette interruption momentanée de l'image », dit la présentatrice de télévision.*

▸ **momentanément** adv. Pour un court moment ; vois ***provisoirement.*** *La rue est bloquée momentanément par un camion de livraison.*

momie n. f.

Les Égyptiens remplissaient le crâne et le ventre des momies avec des aromates.

Cadavre embaumé. *Les momies des pharaons égyptiens étaient enroulées dans des bandelettes de toile.*

La momie du pharaon était placée dans un sarcophage.

mon adj. possessif m., **ma** adj. possessif f., **mes** adj. possessif plur.

Devant un nom féminin commençant par une voyelle ou un ***h*** muet, on emploie *mon.*

Qui est à moi, m'appartient, me concerne ; vois ***mien.*** *J'ai apporté tous mes instruments : mon tambour, mon harmonica, ma flûte et ma harpe. Je lui ai donné mon orange.*

Autres membres de la famille : **madame, mademoiselle, monsieur.**

monarchie n. f.

Compare *mon**archie*** et *an**archie*** : il est question de **gouverner.**

État dont le chef est un roi ; vois ***royauté.*** *La Belgique et l'Espagne sont des monarchies.*

Les partisans de la monarchie sont des *monarchistes.*

monarque n. m.

Le roi ne tolérait pas la désobéissance. C'était un monarque absolu *(le Petit Prince)*.

Chef de l'État dans une monarchie ; vois ***empereur, roi, souverain.*** *Louis XIV était un monarque absolu. La France n'est plus gouvernée par un monarque.*

Suleiman-bin-Daoud était un réellement vraiment sage monarque *(Histoires comme ça)*.

monastère n. m.

Va voir aussi ***abbaye, couvent.***

Lieu où vivent des moines. *Dans un monastère, les moines suivent les règles de leur ordre.*

Les premiers monastères ont été fondés au IVe siècle.

monceau n. m.

Au pluriel : *des monceaux.*

Gros tas ; vois ***amas, amoncellement.*** *Julie n'a pas rangé sa chambre, il y a un monceau d'habits sur son lit.*

Famille de **mont**

monde n. m.

L'astronome Hippolyte Calys explique à Tintin que si la boule de feu entre en collision avec la Terre, ce sera la fin du monde.

Il y a si longtemps que je sers... Pensez que je vous ai vues venir au monde, vous, les petites, dit le cheval *(les Contes du Chat perché)*.

1. Tout ce qui existe ; vois ***univers.*** *D'après la Bible, c'est Dieu qui a créé le monde.* **2.** La Terre. *Denis Prost a fait le tour du monde. Le docteur Séverac connaît le monde entier. M. Bellec s'intéresse aux championnats du monde d'haltérophilie.* **3.** *Sophie Pelletier a mis au monde deux enfants,* elle leur a donné naissance. **4.** La haute société. *Denis Prost aime aller dans le monde.* **5.** *Il y a du monde,* des gens. *Le maire a invité beaucoup de monde au cocktail,* de nombreuses personnes. *Il y a un monde fou. Tout le monde est venu. Ce soir, Mme Séverac a du monde,* des invités. **6.** Milieu social. *Denis Prost est comédien : il appartient au monde du spectacle.* **7.** *Se faire un monde de quelque chose,* c'est en exagérer l'importance. *Mme Roussel reçoit à dîner M. et Mme Bellec et elle s'en fait tout un monde.*

Phileas Fogg et Passepartout ont fait le tour du monde en quatre-vingts jours.

Les *hommes du monde* et les *femmes du monde* font partie de la haute société.

Voilà la Chine, dit Marinette. C'est un pays où tout le monde a la tête jaune et les yeux bridés *(les Contes du Chat perché)*.

▸ **mondain** adj. Qui concerne la société des gens en vue. *Mme Séverac aimerait mener une vie plus mondaine,* fréquenter des gens de la haute société. *Denis Prost est mondain,* il aime aller dans le monde.

Au masculin pluriel : *mondiaux.*

▸ **mondial** adj. Relatif au monde entier ; vois ***universel.*** *Denis Prost s'intéresse à l'actualité mondiale ;* vois ***international.***

Il y a eu deux guerres mondiales : de 1914 à 1918 et de 1939 à 1945.

monétaire adj.

Le dollar est l'unité monétaire des États-Unis.

Relatif à la monnaie. *Le franc est l'unité monétaire de la France,* la monnaie française.

mongolien adj.

Au féminin : *mongolienne.*

Un enfant mongolien, c'est un enfant qui est atteint d'une très grave malformation qui empêche son développement normal. *Les enfants mongoliens vont dans des écoles spéciales.* — n. *On reconnaît les mongoliens à leur face plate et à leurs yeux bridés.*

moniteur n. m., monitrice n. f.

Je suis moniteur diplômé, a dit mon chef ; vous n'avez rien à craindre *(le Petit Nicolas).*

Personne qui enseigne certaines activités. *Alex apprend à conduire avec une monitrice d'auto-école. Le moniteur de ski a donné un cours aux débutants.*

Il y a aussi des moniteurs de voile, d'aviation, de gymnastique...

monnaie n. f.

Va voir aussi ***monétaire.***

1. Argent d'un pays. *La monnaie française est le franc. Les faux-monnayeurs fabriquent de la fausse monnaie.* **2.** Différence entre la somme d'argent que l'on donne pour acheter un objet et la valeur de cet objet. *Julie a acheté une baguette, elle a donné dix francs et la boulangère lui a rendu la monnaie.* **3.** Ensemble de pièces et de billets de banque de faible valeur. *Denis Prost n'a pas de monnaie pour téléphoner,* de pièces. *Je vais faire de la monnaie,* échanger une pièce ou un billet contre l'équivalent en petites pièces.

Rendre à quelqu'un la monnaie de sa pièce, c'est lui rendre le mal qu'il a fait, se venger en agissant comme il a agi.

Va voir *pièce de monnaie* à ③ ***pièce.***

La boulangère a rendu la monnaie sur dix francs.

Autres membres de la famille : **faux-monnayeur, porte-monnaie.**

Conjugaison 8

▸ ***monnayer*** v. *Monnayer ses services,* c'est essayer d'en tirer de l'argent. *Le maître chanteur a monnayé son silence.*

monocle n. m.

De nos jours, on met plutôt des lunettes ou des verres de contact.

Verre de lunette que l'on coince sous le sourcil. *On ne porte plus guère le monocle de nos jours.*

monogame adj.

Compare *monogame, bigame* et *polygame* : il s'agit de **mariage.**

Qui n'a qu'un seul mari ou une seule femme légitime à la fois. *En France, les gens mariés sont monogames.*

Compare ***mono**game* et ***mono**logue* : il est question d'**un seul.**

monologue n. m.

Compare *mono**logue*** et *dia**logue*** : dans ces mots, il s'agit de **dire.**

Scène d'une pièce de théâtre à un seul personnage qui parle seul. *Dans les pièces de Corneille et de Racine, il y a de nombreux monologues.*

Compare ***mono**logue* et ***mono**pole* : il est question d'**un seul.**

monopole n. m.

Avoir le monopole d'un produit, c'est être seul à pouvoir le fabriquer ou le vendre. *En France, l'État a le monopole de la vente du tabac et des allumettes.*

On dit que c'est un *monopole d'État.*

Compare : *monopole → monopoliser* et *symbole → symboliser.*

▸ ***monopoliser*** v. Accaparer. *Alex a monopolisé l'ordinateur de sa mère,* il s'en sert comme s'il était à lui.

Conjugaison 1

monotone adj.

Famille de ② **ton**

Ma vie est monotone. Je chasse les poules, les hommes me chassent. Toutes les poules se ressemblent, et tous les hommes se ressemblent. Je m'ennuie donc un peu *(le Petit Prince).*

Uniforme. *Jusqu'à ce qu'elle connaisse Loïc, Mme Roussel avait une vie monotone,* elle avait une vie ennuyeuse. *Le paysage que nous traversons est monotone,* on a l'impression que c'est toujours le même.

Le contraire de *monotone,* c'est *varié.*

▸ ***monotonie*** n. f. Caractère d'une chose monotone, qui lasse. *Mme Roussel se plaint de la monotonie de son travail,* de faire toujours les mêmes choses.

Le contraire de *monotonie,* c'est *diversité, variété.*

monsieur n. m.

Prononce [məsjø]. Famille de **mon**

Au pluriel : *messieurs.*

Monsieur s'écrit **M.** en abrégé, et *Messieurs* s'écrit **MM.**

1. Titre que l'on donne aux hommes et qui précède leur nom. *Bonjour, monsieur. Mesdames, mesdemoiselles, messieurs, je passe la parole à monsieur le Maire. Une lettre est arrivée au nom de Monsieur Denis Prost.* **2.** Homme. *Un monsieur a téléphoné. Dis bonjour au monsieur et à la dame. Claire a dessiné un monsieur.*

M. le sous-préfet [...] commence à déclamer de sa voix de cérémonie : « Messieurs et chers administrés » *(les Lettres de mon moulin).*

monstre n. m. et adj.

▭ **n. m. 1.** Être imaginaire terrifiant. *Les centaures étaient des monstres.* **2.** Être vivant anormal. *Un mouton à cinq pattes est un monstre.* **3.** Personne effrayante. *Mme Harpie est un monstre de méchanceté.* **4.** Personne qui fait peur par sa laideur. *Mme Harpie est grosse, elle a un double menton, une verrue sur le nez, c'est vraiment un monstre.*

Le centaure était moitié homme, moitié cheval.

Les rhinocéros croient voir des monstres, ils sont terrifiés et s'enfuient en désordre *(Babar).*

▭ **adj.** Très important. *Mme Hespel a un travail monstre,* elle a beaucoup de travail. *Il y a eu une publicité monstre pour ce film.*

C'est un peu familier de dire cela.

On m'apprend que vous avez privé les deux petites de dessert pour huit jours parce qu'elles ont pris la défense du cheval. Vous êtes donc des monstres ? dit la panthère aux parents *(les Contes du Chat perché).*

Compare : *monstre → monstrueux* et *luxe → luxueux.*

▸ ***monstrueux*** adj. **1.** Qui fait penser à un monstre. *Mme Harpie est d'une laideur monstrueuse. Cette moto fait un bruit monstrueux ;* vois ***énorme.*** **2.** Abominable. *Tuer un enfant est un crime monstrueux ;* vois ***épouvantable, horrible.***

Va voir *par monts et par vaux* à **val.**

mont n. m.

Montagne. *Le mont Blanc est le sommet le plus élevé de France.*

Les Alpes et les Pyrénées sont des *chaînes de montagnes.*

▸ ***montagne*** n. f. Importante élévation de terrain. *Du sommet de la montagne, on a une très belle vue. Mme Hespel aime aller en montagne.*

▸ ***montagnard*** n. m., ***montagnarde*** n. f. Personne qui vit en montagne. *Les habitants de Chamonix sont des montagnards.*

▸ ***montagneux*** adj. Où il y a des montagnes. *La Corse est une île montagneuse.*

Autres membres de la famille : s'**amonceler, amoncellement, amont, monceau, monticule, passe-montagne, promontoire.**

Promettre monts et merveilles, c'est promettre des choses extraordinaires.

Halte là ! Halte là ! Halte là ! Les montagnards sont là ! (chanson).

Famille de **monter**

montage n. m.

Assemblage des parties d'un objet. *Alex a procédé au montage de sa tente.*

Famille de **monter**

montant n. m. et adj.

▭ **n. m. 1.** Total d'un compte ; vois ***somme.*** *Le montant des frais s'élève à deux mille francs.* **2.** Barre verticale dans laquelle s'encastrent des barreaux. *Les montants de l'échelle sont en bois.*

▭ **adj. 1.** Qui va vers le haut. *Un chemin montant mène à la ferme.* **2.** *La plage devient très étroite à marée montante,* quand la mer va vers le rivage.

Le contraire de *montant,* c'est *descendant.*

Au pluriel : *des monte-charge.* Va voir aussi ***ascenseur.***

monte-charge n. m. invariable

Appareil servant à monter des marchandises, des objets lourds. *Les caisses sont transportées du sous-sol au premier étage par le monte-charge.*

Famille de **monter** et de **charger**

Famille de **monter**

Le contraire, c'est *descente.*

montée n. f.

1. Côte. *Yves a mis pied à terre au milieu de la montée.* **2.** Ascension. *L'ascenseur est tombé en panne pendant la montée,* pendant qu'il montait. **3.** Augmentation. *M. Bellec se plaint de la montée des prix ;* vois ***hausse.***

Yves était trop essoufflé pour continuer à pédaler.

Le contraire, c'est *baisse.*

Conjugaison 1

Le contraire de *monter,* c'est *descendre*

Allez, vous cinq, montez ! Et en vitesse ! Alors, nous sommes montés : c'était très chouette dans le camion *(le Petit Nicolas).*

Le ton monte : la discussion tourne à la dispute.

On dit qu'au Mont-Saint-Michel la mer monte à la vitesse du cheval au galop.

C'est un *monteur* ou une *monteuse* qui monte un film.

monter v.

1. Aller du bas vers le haut. *Mme Bellec monte chez ses parents. Mme Bonnot est montée se coucher. Pour aller à la ferme, il faut prendre un chemin qui monte,* qui s'élève en pente. *Yves et Antoine monteront la côte à vélo ;* vois ***gravir.*** *Quand il fait beau, le mercure monte dans le baromètre.* **2.** Porter vers le haut. *Hippolyte, le facteur, a monté un télégramme à Angèle.* **3.** *Il monte à cheval depuis l'âge de douze ans,* il fait du cheval. *Denis Prost monte une jument qui s'appelle Pâquerette.* **4.** Passer du grave à l'aigu. *La voix de la cantatrice monte très haut.* **5.** Augmenter. *Les prix ont monté.* **6.** Progresser. *En changeant d'entreprise, M. Doucet a monté en grade,* il a obtenu une meilleure situation. **7.** *La mer monte,* elle se rapproche du rivage. **8.** *Mme Harpie a toujours essayé de monter sa sœur contre son mari,* de dresser sa sœur contre lui. **9.** *Se monter,* c'est s'élever. *Les frais de peinture se montent à trois mille francs ;* vois ***atteindre.*** **10.** Assembler les différentes parties d'un tout. *Alex a monté un meuble pour installer sa chaîne hi-fi. Le bijoutier monte l'émeraude sur la bague,* il la fixe. *Le film a été monté,* on a assemblé les morceaux de pellicule. **11.** Préparer. *Quand il était étudiant, Denis Prost avait monté une pièce de théâtre,* il l'avait mise en scène. *Hippolyte voudrait monter une société de location de films ;* vois ***organiser.***

La Barbe-bleue [...] criait de toute sa force à sa femme : « Descends vite, ou je monterai là-haut » *(la Barbe-bleue).*

On dit aussi que *le baromètre monte.*

Le contraire de *monter,* c'est *baisser.*

Autres membres de la famille : **démonter, démontable, démontage, montage, montant, montée, monte-charge,** ① et ② **monture, remonter, remontant, remontée, remonte-pente, remontoir, surmonter, insurmontable.**

La montgolfière a été inventée par les frères Joseph et Étienne de Montgolfier.

montgolfière n. f.

Ballon à air chaud auquel était suspendue une nacelle. *Les premiers passagers d'une montgolfière furent un coq, un mouton et un canard.*

C'était en 1783.

Compare *monticule* et *particule* : c'est **petit.**

monticule n. m.

Petite bosse de terrain. *Un calvaire s'élève sur le monticule au bout du chemin.*

Famille de **mont**

montre n. f.

Dans une montre à aiguilles, la petite aiguille indique les heures et la grande aiguille les minutes.

Petite boîte à cadran qui indique l'heure. *Alex a une montre à quartz que l'on n'a pas besoin de remonter. Loïc a une montre de plongée,* que l'on peut mettre dans l'eau.

La première montre a été inventée en 1670.

Conjugaison 1

Le contraire de *montrer,* c'est *cacher.*

montrer v.

1. Faire voir. *Julie a montré sa nouvelle robe à Marie-Tévy. Montre-moi tes mains ! — Julie est très fière de se montrer avec son père.* **2.** Indiquer. *Pouvez-vous me montrer le chemin pour aller à la ferme ?* **3.** Laisser voir, laisser paraître. *Antoine ne montra pas ses larmes. Hippolyte a montré qu'il était courageux ;* vois ***prouver.*** *— Mme Harpie s'est toujours montrée d'une grande méchanceté.* **4.** Faire comprendre. *Mme Hespel montre à son fils comment fonctionne son ordinateur ;* vois ***expliquer.***

Les nains se montrèrent gentils envers Blancheneige et lui demandèrent : « Comment t'appelles-tu ? » *(Blancheneige).*

Un *montreur d'ours* a pour métier de montrer des ours en public.

Autres membres de la famille : **démontrer, remontrer, remontrance.**

Qui veut voyager loin ménage sa monture (proverbe).

① *monture* n. f.
Animal que l'on monte pour se faire transporter. *Le chevalier descendit de sa monture.*

Famille de **monter**

Famille de **monter**

② *monture* n. f.
Une monture de lunettes, c'est la partie qui maintient les verres. *Les lunettes de Mamie Lou ont une monture en écaille.*

monument n. m.
1. Édifice remarquable. *Il y a de nombreux monuments à visiter à Paris.* **2.** *Un monument aux morts,* c'est une construction élevée à la mémoire des morts d'une guerre. *Le 11 Novembre, le maire dépose une gerbe devant le monument aux morts.*

Notre-Dame, la tour Eiffel et l'Arc de Triomphe par exemple.

Compare : *monument → monumental* et *département → départemental.*

▸ ***monumental*** adj. Très grand. *La porte d'entrée du château est monumentale.*

Au masculin pluriel : *monumentaux.*

Conjugaison 1

se ***moquer*** v.
1. *Se moquer de quelqu'un,* c'est rire de lui, le tourner en ridicule. *Colle et Rat se sont moqués de Mme Harpie et de son chapeau.* **2.** Essayer de tromper, ne pas parler sérieusement. *Je ne te crois pas, tu te moques de moi !* **3.** Ne pas se soucier. *Elle se moquait bien de ce qu'on lui disait.*
▸ ***moquerie*** n. f. Plaisanterie par laquelle on se moque. *Mme Harpie n'est pas sensible aux moqueries de Colle et Rat.*

Cendrillon qui les regardait, et qui reconnut sa pantoufle, dit en riant : « Que je voie si elle ne me serait pas bonne ! » Ses sœurs se mirent à rire et à se moquer d'elle *(Cendrillon).*

Au féminin : *moqueuse.*

▸ ***moqueur*** adj. Ironique. *Antoine regarde Hippolyte d'un air moqueur.*

moquette n. f.
Tapis fixé au sol qui couvre toute la surface d'une pièce. *Mme Hespel a fait poser de la moquette bleue dans sa chambre.*

moraine n. f.
Ensemble des débris de roche entraînés par un glacier. *La moraine est composée de limon, de graviers et de blocs de pierre.*

moral adj. et n. m.
□ **adj. 1.** Qui concerne les mœurs, les règles de bonne conduite. *La conscience morale permet de distinguer le bien du mal. Les règles morales permettent de faire ce qui est bien.* **2.** Édifiant, exemplaire. *La fin de cette histoire est très morale : les bandits vont en prison.* **3.** Qui concerne l'esprit, la pensée ; vois ***mental.*** *Le malade a fait preuve de beaucoup de force morale.*

On dit aussi le *sens moral.*

Le contraire de *moral,* c'est *immoral.*

On dit aussi : les *principes moraux.*

Le contraire de *moral,* c'est *physique.*

□ **n. m.** Disposition à supporter plus ou moins bien, à être heureux ou malheureux, optimiste ou pessimiste. *Alex n'avait pas le moral après son échec au baccalauréat,* il était découragé, déprimé.

Ce sens est familier.

Il avait *mauvais moral.*

▸ ***morale*** n. f. **1.** Ce qui permet de distinguer le bien du mal et de faire ce qui est bien. *Les voleurs et les criminels ne respectent pas la morale.* **2.** *Antoine déteste qu'on lui fasse la morale,* qu'on le sermonne. **3.** *La morale d'une histoire,* c'est la leçon qu'on peut en tirer. *À la fin des fables de La Fontaine, il y a toujours une morale ;* vois ***moralité.***

Leurs actes sont *contraires à la morale.*

On peut tirer une morale de tout : il suffit de la trouver *(Alice au Pays des merveilles).*

▸ ***moralisateur*** adj. *Un ton moralisateur,* c'est le ton que l'on prend pour faire la morale à quelqu'un. *Mme Harpie prend souvent un ton moralisateur pour s'adresser à son neveu Antoine.*

Au féminin : *moralisatrice.*

▸ ***moraliste*** n. m. et f. Écrivain qui, dans ce qu'il écrit, réfléchit sur la conduite des hommes et propose une morale. *La Fontaine fut un grand moraliste.*
▸ ***moralité*** n. f. **1.** Conduite morale. *Angèle a une bonne moralité,* elle se conduit bien. **2.** Enseignement que l'on peut tirer d'une histoire. *Il y a toujours une moralité à la fin des fables ;* vois ***morale.***

Autres membres de la famille : **démoraliser, immoral.**

morceau n. m.
1. Bout, partie. *Yves a taillé un bateau dans un morceau de bois. Denis Prost met deux morceaux de sucre dans son café.* **2.** Air de musique, mélodie. *Sylvain déchiffre sur son piano un morceau très difficile.*

Un *recueil de morceaux choisis,* c'est un recueil de passages d'œuvres littéraires.

En mille morceaux : en miettes.

Conjugaison 4
□ Indic. présent : *je morcelle, nous morcelons.* Imparfait : *je morcelais.* Futur : *je morcellerai.*

▸ ***morceler*** v. Partager en plusieurs parties. *Le terrain voisin de la propriété des Séverac a été morcelé en plusieurs lots.*

Compare : *morceau → morceler* et *ciseau → ciseler.*

▸ ***morcellement*** n. m. Partage. *Le morcellement de l'immense propriété a permis de faire une dizaine de lots à bâtir.*

Compare : *morceler → morcellement* et *amonceler → amoncellement.*

Même famille que **doré**

mordoré adj.
Brun avec des reflets dorés. *En automne, les feuilles mordorées jonchent le sol.*

Conjugaison 41

mordre v.

Les serpents, c'est méchant. Ça peut mordre pour le plaisir *(le Petit Prince).*

1. Blesser avec les dents. *Diane, la chienne de Sylvain, est très douce et n'a jamais mordu personne.* **2.** Enfoncer les dents. *Antoine mordit dans son sandwich avec appétit.* **3.** Ronger, entamer. *L'acide mord le métal.* **4.** *Un poisson a mordu à l'hameçon,* il s'est laissé prendre.

On peut dire aussi : *le poisson a mordu.*

Famille de mordre — En jouant avec lui, les petits loups avaient souvent mordu Mowgli plus fort qu'ils ne le voulaient *(le Livre de la jungle).*

▸ **mordant** adj. Blessant. *Mme Roussel répondit à sa sœur avec une ironie mordante.*

Conjugaison 1

▸ **mordiller** v. Mordre légèrement. *Julie mordillait son crayon avec énervement.*

Autres membres de la famille : **démordre, mors, morsure.**

Conjugaison 41

se morfondre v.

S'ennuyer en attendant. *Hippolyte s'est morfondu plus d'une heure au fond du café en attendant Angèle.*

Morgue n'est pas un mot très courant.

① morgue n. f.

Air hautain et méprisant, arrogance. *Son attitude pleine de morgue l'a fait détester de tous.*

② morgue n. f.

Endroit où l'on dépose les corps des gens qui viennent de mourir. *La victime a été transportée à la morgue.*

moribond adj.

En train de mourir ; vois ***mourant.*** *Même moribonde, la malade est restée consciente.* — n. *Le moribond respirait de plus en plus difficilement.*

morille n. f.

Les morilles poussent au printemps, au bord des chemins et sous les arbres.

Champignon au chapeau brun très étroit, ressemblant un peu à une éponge, au goût très parfumé. *Mamie Lou a préparé un délicieux poulet aux morilles.*

Une grosse chenille
Monte sur une brindille
Puis sur une morille.

morne adj.

Le contraire de *morne,* c'est *gai, joyeux.*

Maussade et triste. *Cette morne journée de pluie n'en finit pas. Julie a l'air morne ;* vois ***morose.***

morose adj.

Le contraire de *morose,* c'est *gai, joyeux.*

Triste, sombre ; vois ***morne.*** *Julie est d'humeur morose ce matin.*

morphine n. f.

La morphine est dangereuse si on en abuse. C'est une drogue très puissante.

Produit tiré de l'opium que l'on utilise pour calmer les douleurs très fortes. *Quand la malade souffrait trop, on lui faisait une piqûre de morphine.*

morphologie n. f.

1. Forme, aspect extérieur d'un être vivant. *Alex a une morphologie d'athlète.* **2.** Étude de la forme des mots. *La morphologie permet de rapprocher les mots « froid » et « refroidir ».*

Mors [mɔʀ] rime avec *ténor.*
Famille de **mordre**

mors n. m.

Petite barre de métal que l'on passe dans la bouche d'un cheval et qui sert à le diriger. *Le mors est une partie du harnais. Le cheval a pris le mors aux dents,* il s'est emballé.

Ne confonds pas *mors, mort* et *il mord.*

① morse n. m.

Va voir aussi ***otarie*** et ***phoque.***

Gros animal marin, ressemblant un peu au phoque, dont la gueule est munie de deux grosses défenses. *Le morse vit au bord de l'océan Arctique. On chasse le morse pour l'ivoire de ses défenses, son cuir et sa graisse dont on extrait de l'huile.*

Le morse est un mammifère amphibie.

② morse n. m.

Chaque lettre de l'alphabet est représentée par un certain nombre de points et de traits.

Système de signaux utilisant des points et des traits et servant à envoyer des messages. *Le bateau en détresse a envoyé un message en morse.*

morsure n. f.

L'homme était grièvement blessé : l'animal furieux lui avait fait deux morsures *(Robinson Crusoé).*

Marque, blessure faite en mordant. *La morsure du chien avait laissé une grosse marque bleuâtre sur le mollet de David. La morsure du cobra est très dangereuse.*

Famille de **mordre**

Famille de **mourir**

① ***mort*** n. f.

1. Arrêt de la vie. *Sophie Pelletier a eu beaucoup de peine à la mort de sa mère ;* vois ***décès.*** *Alex a frôlé la mort de près,* il a failli mourir. *La peine de mort a été abolie dans beaucoup de pays. Mme Harpie en veut à mort à ceux qui ont cassé sa vitrine,* elle leur en veut énormément. **2.** Destruction, ruine. *« Les supermarchés, c'est la mort du petit commerce », aime à répéter Mme Harpie.*

Un quart d'heure avant sa mort, il était encore en vie !

Faire quelque chose la mort dans l'âme, c'est le faire à contrecœur.

▸ ② ***mort*** adj. **1.** Qui a cessé de vivre. *Ce rosier ne fleurira plus, il est mort. Si tu t'enfuis, tu es un homme mort !,* je te tue. **2.** *Julie, monte te coucher, tu es morte de fatigue,* tu es très fatiguée, épuisée. **3.** Hors d'usage. *Les piles du réveil sont mortes, il faut les changer.* **4.** *Une langue morte,* c'est une langue que l'on ne parle plus. *Le latin et le grec ancien sont des langues mortes.*

Et ils vivent encore aujourd'hui, à moins qu'ils ne soient déjà morts (H. Hannover).

J'aurai l'air d'être mort et ce ne sera pas vrai *(le Petit Prince).*

Le contraire de *mort,* c'est *vivant.*

▸ ③ ***mort*** n. m., ***morte*** n. f. **1.** Personne qui ne vit plus. *L'accident a fait deux morts et trois blessés. Le jour des Morts est le lendemain de la Toussaint.* **2.** *Faire le mort,* c'est rester sans bouger, ne pas réagir. *Antoine a fait le mort quand sa mère l'a appelé.*

Être pâle comme un mort, c'est être très pâle.

▸ ***mortalité*** n. f. Nombre de personnes qui meurent. *La mortalité infantile a beaucoup diminué dans les pays industriels grâce aux progrès de la médecine.*

Le *taux de mortalité,* c'est le rapport entre le nombre de morts et le nombre d'habitants.

▸ ***mortel*** adj. **1.** Destiné à mourir un jour. *Tous les êtres vivants sont mortels.* **2.** Qui entraîne la mort. *Le soldat a reçu un coup mortel.* **3.** Qui souhaite la mort. *La mangouste est l'ennemie mortelle des serpents,* elle s'acharne à tuer les serpents. **4.** Très ennuyeux ; vois ***sinistre, lugubre.*** *Le film était d'un ennui mortel, Angèle est partie avant la fin.*

Le contraire de *mortel,* c'est *immortel.*

Compare : *mortel → mortellement* et *réel → réellement.*

▸ ***mortellement*** adv. **1.** De manière à causer la mort. *Le soldat s'est écroulé, mortellement blessé,* blessé à mort. **2.** Énormément. *Le docteur Séverac s'ennuie mortellement au bord de la mer,* il s'y ennuie à mourir.

Attention ! deux *l.*

① ***mortier*** n. m.

Sorte de bol servant à broyer certaines matières. *On pile de l'ail dans un mortier à l'aide d'un pilon.*

Le mortier sert aussi au pharmacien pour piler des produits.

② ***mortier*** n. m.

Sorte de canon à angle de tir courbe servant à tirer des obus. *Les artilleurs ont tiré des obus avec des mortiers.*

③ ***mortier*** n. m.

Mélange de ciment et de sable délayé dans de l'eau, utilisé en maçonnerie pour lier les pierres entre elles. *Le maçon recouvre les pierres d'une couche de mortier.*

Conjugaison 7 ▭ Indic. imparfait : *nous mortifiions.*

mortifier v.

Blesser moralement ; vois ***humilier, vexer.*** *Votre remarque l'a mortifié.*

Famille de **mourir** et de **naître**

mort-né adj.

Mort en naissant. *Diane, la chienne de Sylvain, a mis bas deux chiots mort-nés.*

Au féminin pluriel : *mort-nées.*

On transporte les cercueils dans des *fourgons mortuaires.*

mortuaire adj.

Qui concerne les morts. *La cérémonie mortuaire se déroulera dans l'intimité.*

Famille de **mourir**

Va voir aussi ***cabillaud.***

La morue se pêche au large de Terre-Neuve, du Groenland et de l'Islande.

morue n. f.

Gros poisson des mers froides, de la même famille que le colin et le merlan. *La morue peut se manger fraîche, séchée ou salée. Mme Roussel a préparé de la brandade de morue,* de la morue mélangée avec de l'huile, du lait et de l'ail.

Du foie de la morue, on extrait une huile très riche en vitamines.

Être morveux, c'est avoir la morve au nez.

morve n. f.

Liquide visqueux qui sort du nez. *Mouche-toi, Claire, tu as la morve au nez !*

Attention au tréma du *ï* ! Prononce [mɔzaik].

mosaïque n. f.

Assemblage de petits cubes de pierres de différentes couleurs formant un dessin. *Dans les maisons romaines, le sol était en mosaïque.*

mosquée n. f.
Bâtiment où les musulmans vont prier. *Il faut se déchausser pour entrer dans une mosquée.*

Va voir aussi ***minaret.***

Avoir un mot sur le bout de la langue, c'est ne pas le trouver, tout en étant sûr de le connaître.

mot n. m.
1. *Le mot,* c'est la plus petite partie d'une phrase qui a un sens même si on l'emploie seul. *Un dictionnaire donne le sens des mots. Les mots écrits sont séparés par des blancs. Yves dit beaucoup de gros mots,* des mots grossiers. *Yasmina et Julie sont toutes deux habillées en rouge aujourd'hui : on dirait qu'elles se sont donné le mot,* qu'elles se sont mises d'accord. **2.** Parole. *Attends, Julie, j'ai deux mots à te dire,* j'ai à te parler. *Antoine veut toujours avoir le dernier mot,* il veut toujours avoir raison. **3.** Court message. *Mme Roussel a laissé un mot sur la porte disant qu'elle était allée chez l'épicier.* **4.** *M. Bellec a toujours le mot pour rire,* il fait sans cesse des plaisanteries.

Avoir son mot à dire, c'est avoir son avis à donner.

Prête-moi ta plume pour écrire un mot (chanson).

Les *mots croisés* sont des mots dont les lettres se recoupent horizontalement et verticalement sur une grille carrée ou rectangulaire.

Autres membres de la famille : à **demi-mot, motus.**

Attention ! un ***d*** à la fin.

motard n. m.
Motocycliste. *Le port du casque est obligatoire pour les motards. Deux motards ont arrêté M. Bellec pour excès de vitesse,* des gendarmes à moto.

Famille de **moto**

motel n. m.
Hôtel situé au bord d'une route à grande circulation, et destiné aux automobilistes. *Les Séverac ont passé la nuit dans un motel.*

Au féminin : *motrice.*

① **moteur** adj.
Capable de produire un mouvement. *Les nerfs moteurs permettent aux muscles de faire des mouvements. Les bateaux à voiles utilisent la force motrice du vent pour avancer.*

Les jeeps ont quatre roues motrices.

▸ ② **moteur** n. m. **1.** Appareil qui permet à une machine de fonctionner. *Le moteur de la machine à laver des Prost est tombé en panne.* **2.** Mécanisme qui permet de faire avancer un véhicule. *Les voitures et les camions ont un moteur à essence ou un moteur Diesel qui marche au gas-oil. Les avions ont des moteurs à réaction.*

Le bateau avait un moteur qui faisait pot-pot-pot et qui sentait comme l'autobus qui passe devant la maison *(le Petit Nicolas).*

Les appareils électroménagers ont des moteurs électriques.

Autres membres de la famille : **cyclomoteur, quadrimoteur, vélomoteur.**

motif n. m.
1. Raison, cause. *Quand un enfant manque l'école, les parents doivent donner par écrit le motif de son absence.* **2.** Dessin servant à décorer. *Mme Séverac portait ce jour-là une robe à grands motifs géométriques noirs et blancs.*

Autres membres de la famille : **motiver, motivé, motivation.**

Motion [mɔsjɔ̃] rime avec *passion* et *version.*

motion n. f.
Proposition faite par un membre d'une assemblée. *L'Assemblée nationale n'a pas voté la motion proposée par l'un des députés.*

Conjugaison 1

motiver v.
1. Expliquer quelque chose en en donnant la raison, le motif. *« Chaque élève qui manque doit motiver son absence », dit le règlement de l'école.* **2.** Pousser à agir. *Angèle réussit presque toujours à motiver ses élèves,* à les pousser à s'intéresser au cours.

Famille de **motif**

▸ **motivé** adj. **1.** Dont on donne les raisons. *Tout retard non motivé sera puni.* **2.** Qui a des raisons de faire quelque chose. *Mme Séverac n'est pas assez motivée pour faire un régime amaigrissant,* elle ne se sent pas assez concernée pour agir.

C'est pour cela qu'elle n'arrive pas à perdre du poids.

Compare : *motiver → motivation* et *priver → privation.*

▸ **motivation** n. f. Ce qui pousse à agir. *Les motivations des gens ne sont pas toujours très claires.*

Moto est l'abréviation de *motocyclette.*

moto n. f.
Véhicule qui a deux roues et un moteur à essence. *Alex va au lycée à moto. Alex et Réjean aiment les courses de motos.*

Il faut un permis spécial pour conduire une moto.

Autre membre de la famille : **motard.**

▸ **moto-cross** n. m. Course de moto sur un parcours accidenté. *Alex et Réjean ont fait du moto-cross en forêt.*

Famille de **cross**

Compare ***moto**cyclette* et ***moto**culteur* : il est question de **moteur.**

motoculteur n. m.
Petit tracteur qu'on utilise pour le jardinage, l'agriculture. *Denis Prost retourne la terre du jardin avec un motoculteur.*

La puissance d'un motoculteur peut atteindre 12 chevaux.

Famille de ② **cycle**

motocyclette n. f.

Moto ; vois **cyclomoteur.** *Les premières motocyclettes ont été fabriquées en Europe vers 1880.*

Compare *moto*cycliste, *moto*cyclette et *moto*culteur : il est question de **moteur.**

motocycliste n. m. et f.

Personne qui conduit une moto ; vois **motard.** *Les motocyclistes doivent porter un casque.*

Famille de ② **cycle**

motorisé adj.

1. Équipé d'un moteur. *Pierre Séverac a de nombreux engins motorisés.* **2.** Transporté par des véhicules à moteur. *Les troupes motorisées doivent arriver demain pour le défilé militaire.*

Attention ! deux *t* dans *motte.*

Pour couper un morceau d'une motte de beurre, on utilise un fil à couper le beurre.

motte n. f.

1. *Une motte de terre,* c'est un morceau de terre compacte. *Le soc de la charrue retourne des mottes de terre en creusant un sillon.* **2.** *Une motte de beurre,* c'est un gros morceau de beurre que les crémiers détaillent en le vendant au poids. *M. Bellec achète du beurre en motte.*

Autre membre de la famille : **rase-mottes.**

Motus [mɔtys] rime avec *puce.*

motus interjection

Motus s'emploie pour demander à quelqu'un de ne pas répéter une chose, de ne rien dire. *Motus et bouche cousue !,* silence !

Famille de **mot**

Mou devient *mol* au masculin singulier, devant un mot qui commence par une voyelle ou un *h* muet : *un mol oreiller.*

Le contraire de *mou,* c'est *actif, énergique.*

① mou adj.

1. Qui change facilement de forme quand on appuie dessus. *La chaleur rend le beurre mou. Angèle n'aime pas les matelas mous,* dans lesquels on s'enfonce trop. **2.** Qui manque d'énergie, de vitalité. *Mme Bellec se sent un peu molle ce matin.* **3.** Qui manque de caractère ; vois **faible.** *Mamie Lou est souvent trop molle avec ses petits-enfants,* trop indulgente.

Au féminin : *molle.*

Le contraire de *mou,* c'est *dur.*

Autres membres de la famille : **s'amollir, mollement, mollesse, ① mollet, molletonné, mollir, mollusque, ramollir.**

② mou n. m.

Poumon des animaux de boucherie. *Les chats mangent du mou.*

Attention ! un *d* à la fin.

mouchard n. m., moucharde n. f.

Personne qui dénonce quelqu'un ; vois **délateur, indicateur.** *Le terroriste a été dénoncé à la police par un mouchard.*

mouche n. f.

La femelle de la mouche pond deux cents œufs qui deviennent adultes en sept jours, s'il fait une température de 30°, en un mois, s'il fait 16°. La mouche cherche sa nourriture sur le fumier, les ordures et colporte ainsi des bactéries et des virus.

1. Insecte qui a trois paires de pattes, deux ailes et une trompe. *Une mouche s'est posée sur le nez de Mme Harpie. Pendant l'examen, on aurait entendu une mouche voler,* il y avait un silence profond. *Quelle mouche a piqué Mme Hespel ?,* pourquoi s'est-elle mise brusquement en colère ? *Antoine ne ferait pas de mal à une mouche,* il est très gentil, très doux. **2.** *Faire mouche,* c'est toucher le centre d'une cible. *Le tireur a fait mouche : la balle s'est plantée au centre.*

L'*asticot* est la larve de la mouche.

Demain c'est ta fête
Toutes les mouches dansent
Autour du vinaigre
Ou du pot de miel
(A. Sylvestre).

Compare : *mouche → moucheron* et *puce → puceron.*

▸ **moucheron** n. m. Petit insecte volant, petite mouche. *Les hirondelles gobent les moucherons en plein vol.*

▸ **moucheté** adj. Parsemé de petites taches rondes. *Les léopards ont une fourrure fauve mouchetée de noir.*

Autre membre de la famille : **tue-mouche.**

Conjugaison 1

Compare : *moucher → mouchoir* et *laver → lavoir.*

se moucher v.

Souffler avec force par le nez en pressant les narines l'une après l'autre, pour débarrasser le nez des mucosités qui l'encombrent. *« Essuie tes yeux, mouche-toi, et fais-moi un sourire », dit Angèle à Marie-Tévy. Marie-Tévy s'est mouchée.*

À la fin du repas, ils ne purent retenir des larmes et se mirent à sangloter dans leurs mouchoirs
(les Contes du Chat perché).

▸ **mouchoir** n. m. Morceau de tissu ou de papier qui sert à se moucher, à s'essuyer les yeux. *Julie a un mouchoir de coton brodé à ses initiales. La cuisine d'Angèle est grande comme un mouchoir de poche,* elle est très petite.

Les mouchoirs en papier, qui se jettent après usage, ont été inventés en 1924.

Conjugaison 47

moudre v.

Écraser les grains pour en faire de la poudre. *Je mouds le café avec un moulin à café électrique. Antoine a moulu du poivre sur son bifteck.*

Autres membres de la famille : **moulin, moulinet, moulinette, moulu, mouture, rémouleur, vermoulu.**

Attention ! un *e* à la fin de *moue.*

moue n. f.

Grimace que l'on fait en avançant les lèvres. *Claire n'est pas contente et fait la moue.*

Elle boude.

La mouette rieuse, à tête noire, s'appelle ainsi à cause de son cri saccadé.

mouette n. f.
Oiseau de taille moyenne, au plumage gris pâle, aux pattes palmées et aux ailes longues et pointues, qui vit au bord de la mer ou des fleuves. *Les mouettes mangent souvent des détritus.*

Les mouettes se posent sur l'eau, mais nagent peu.

moufle n. f.
Gant dans lequel seul le pouce est séparé des autres doigts. *Marie-Tévy met des moufles fourrées pour skier.*

Le mouflon bleu vit dans les montagnes de l'Himalaya.

mouflon n. m.
Animal ruminant sauvage, proche du mouton. *Les mouflons mâles ont des cornes recourbées vers l'arrière.*

Le mouflon est un mammifère.

Conjugaison 1

Ce qui est embêtant, c'est que pour la récré on ne nous laisse pas descendre dans la cour pour qu'on ne se mouille pas (*le Petit Nicolas*).

mouiller v.
1. Mettre en contact avec de l'eau ; vois ***humecter, tremper.*** *La rosée mouille l'herbe,* elle la rend humide. — *Le linge s'est mouillé sous la pluie. Les enfants se sont mouillés des pieds à la tête en s'aspergeant avec le jet.* **2.** *Loïc a mouillé l'ancre,* il a jeté l'ancre. *Le bateau de Loïc mouille dans la baie,* il y est à l'arrêt.

Que la pluie est humide et que l'eau mouille et mouille ! (R. Queneau).

▸ ***mouillé*** adj. Humide. *La serviette est encore mouillée. Denis Prost frictionne ses cheveux mouillés.*

Le contraire de *mouillé,* c'est *sec.*

Compare : *mouiller → mouillette* et *sucer → sucette.*

▸ ***mouillette*** n. f. Petit morceau de pain long et mince. *Antoine beurre des mouillettes pour manger son œuf à la coque.*

On trempe la mouillette dans le jaune de l'œuf à la coque.

▸ ***mouillage*** n. m. Endroit abrité, parfait pour mouiller un bateau. *Loïc cherche un mouillage près de l'île aux oiseaux.*

À la pêche aux moules, moules, moules, je n'veux plus aller maman ! (chanson).

① ***moule*** n. f.
Petit coquillage à la coquille noire allongée, qui se fixe sur les rochers. *L'été, Yves aime beaucoup aller à la pêche aux moules.*

Va voir *moules marinière* à ***marinier.***

② ***moule*** n. m.
Objet creux dans lequel on verse une pâte pour lui donner une forme. *Julie dépose la pâte dans le moule à tarte pour la faire cuire.*

Compare : *moule → mouler, moulage* et *colle → coller, collage.*

▸ ***moulage*** n. m. Objet fabriqué à partir d'un moule. *Antoine a fait des moulages en plâtre.*

Les baguettes moulées sont plus régulières que les autres.

▸ ***mouler*** v. Fabriquer un objet avec un moule. *Le boulanger moule les baguettes en déposant la pâte à pain dans un demi-rouleau en métal.*

Conjugaison 1

▸ ***moulant*** adj. Collant, ajusté. *Muriel Doucet porte un jean moulant.*

Autres membres de la famille : **démouler, moulure.**

Famille de **moudre**

moulin n. m.
1. Appareil servant à moudre. *On verse les grains de café dans le moulin à café pour les réduire en poudre.* **2.** Bâtiment dans lequel se trouve une meule qui moud le grain pour en faire de la farine, écrase les olives pour en extraire l'huile. *Le vent fait tourner les ailes du moulin à vent.*

L'eau de la rivière fait tourner la roue du *moulin à eau.*

Depuis si longtemps qu'ils voyaient la porte du moulin fermée, les murs et la plateforme envahis par les herbes, ils avaient fini par croire que la race des meuniers était éteinte (*les Lettres de mon moulin*).

▸ ***moulinet*** n. m. **1.** Petit appareil fixé sur une canne à pêche, sur lequel s'enroule le fil. *Le pêcheur remonte sa ligne en faisant tourner la manivelle du moulinet.* **2.** Mouvement rapide en forme de cercle. *Le professeur de gymnastique faisait des moulinets avec les bras.*

▸ ***moulinette*** n. f. Moulin à légumes. *Mamie Lou passe des pommes de terre à la moulinette pour faire de la purée.*

Famille de **moudre**

moulu adj.
Réduit en poudre. *Mme Roussel achète du café moulu.*

Famille de ② **moule**

moulure n. f.
Ornement d'un plafond, d'une porte ou d'un meuble. *Au centre du plafond, il y a une moulure en plâtre représentant des fruits et des anges.*

Les moulures peuvent être en creux ou en relief.

Conjugaison 19
▭ Indic. présent : *je meurs, nous mourons.*
Futur : *je mourrai, nous mourrons.*
Passé simple : *je mourus.*

mourir v.
1. Cesser de vivre. *La mère de Sophie Pelletier est morte des suites d'une longue maladie ;* vois ***décéder, périr.*** **2.** Ressentir une sensation très vivement. *Pendant ce film, on mourait de peur,* on avait très peur. *Yves meurt d'envie d'accompagner son oncle à la pêche,* il le souhaite vivement. *On s'ennuie à mourir ici,* on s'ennuie beaucoup. **3.** Diminuer, s'éteindre doucement. *Le feu meurt dans la cheminée.*

De mourir ça ne me fait rien, mais ça me fait peine de quitter la vie (M. Pagnol).

▸ ***mourant*** adj. En train de mourir ; vois ***moribond.*** *Le vieil homme est mourant.* — n. *Le mourant a dicté ses dernières volontés.*

Autres membres de la famille : ① , ② , ③ **mort, mortel, mortellement, mortalité, immortel, immortalité, mort-né, mortuaire, croque-mort, nature morte.**

Le mouron rouge est toxique pour les oiseaux.

mouron n. m.
Plante à toutes petites fleurs rouges ou blanches. *Les oiseaux se nourrissent des graines du mouron blanc.*

Connais-tu le célèbre roman d'Alexandre Dumas, *les Trois Mousquetaires ?*

mousquetaire n. m.
Soldat noble qui était chargé de protéger le roi. *Les mousquetaires étaient des cavaliers.*

Leur fusil s'appelait un *mousquet.*

mousqueton n. m.
Boucle à ressort se refermant seule. *Nathalie fixe son porte-clés à sa ceinture par le mousqueton.*

Les parachutes sont fixés par des mousquetons.

On peut entrer à l'école des mousses à l'âge de quatorze ans.

① **mousse** n. m.
Jeune garçon qui apprend le métier de marin. *Pendant les vacances, Yves sert de mousse à son oncle.*

Un *moussaillon* est un petit mousse.

Un rocher *moussu* est couvert de mousse.

② **mousse** n. f.
Plante généralement verte, rase et douce, constituée de courtes tiges, qui tapisse la terre ou les pierres. *Le pied du vieil arbre était tapissé de mousse.*

La mousse s'accroche au sol par des poils absorbants.

Les extincteurs utilisés pour éteindre les incendies contiennent de la mousse carbonique.

③ **mousse** n. f.
1. Amas serré de petites bulles à la surface d'un liquide ; vois **écume.** *Ce shampooing fait beaucoup de mousse.* **2.** Dessert à base de blancs d'œufs en neige. *La mousse au chocolat est le dessert préféré de Marie-Tévy.* **3.** Caoutchouc spongieux. *Le matelas d'Antoine est en mousse.*

Il faut verser lentement la bière pour qu'il ne se forme pas de mousse sur le dessus.

Conjugaison 1

▸ **mousser** v. Produire de la mousse. *Ce shampooing mousse beaucoup.*

▸ **mousseux** adj. et n. m. **1.** adj. Qui produit ou a beaucoup de mousse. *M. Bellec n'aime pas les bières mousseuses.* **2.** n. m. Vin fermenté ressemblant au champagne. *Mme Touati a gagné une bouteille de mousseux à la tombola.*

mousseron n. m.
Petit champignon à chapeau et à lamelles, qui pousse en cercle dans les haies et les clairières. *Mamie Lou a fait une omelette aux mousserons.*

Le mousseron a un pied très fin et un chapeau blanchâtre ou brun.

L'époque où ce vent change de sens s'appelle aussi la *mousson.*

mousson n. f.
Vent d'Asie qui souffle en été de la mer vers la terre et en hiver de la terre vers la mer. *La mousson d'été apporte l'eau nécessaire à l'agriculture.*

Les pays touchés par la mousson sont l'Inde et les pays d'Asie du Sud-Est.

Le rat fut changé en un gros cocher, qui avait une des plus belles moustaches qu'on ait jamais vues *(Cendrillon).*

moustache n. f.
1. Poils qui poussent entre le nez et la lèvre supérieure de l'homme. *M. Bonnot a une petite moustache grise.* **2.** Longs poils de la lèvre supérieure de certains animaux. *Les moustaches du chat sont très sensibles.*

▸ **moustachu** adj. Qui porte la moustache. *M. Bonnot est moustachu.* — n. *C'est un moustachu qui a livré les fleurs.*

Il est beau le dompteur, il a une belle moustache *(Babar).*

Certaines maladies, comme le paludisme, sont transmises par les moustiques.

moustique n. m.
Insecte ailé qui vit dans les lieux humides. *Le moustique femelle pique pour sucer le sang.*

▸ **moustiquaire** n. f. Rideau très fin que l'on place autour des lits pour se protéger des moustiques. *Dans certains pays, on ne peut pas dormir sans moustiquaire.*

Les moustiques mâles aspirent la sève des plantes pour se nourrir.

Attention à l'accent circonflexe du ***û*** et au ***t*** final !

moût n. m.
Jus de raisin, de poire ou de pomme qui n'a pas encore fermenté. *À la sortie du pressoir, le moût est transvasé dans les cuves où on le laissera fermenter.*

Ne confonds pas *moût* et *mou* qui se prononcent de la même façon.

La moutarde me monte au nez : je vais me mettre en colère.

moutarde n. f.
1. Produit au goût piquant préparé avec les graines d'une plante. *M. Bellec met de la moutarde dans la vinaigrette de la salade.* **2.** Couleur jaune foncé. *Julie avait des chaussettes moutarde.*

La plante s'appelle aussi *moutarde.*

Il pleut, il pleut, bergère
Rentre tes blancs moutons
(chanson).

Autre membre de la famille : **saute-mouton.**

mouton n. m.
1. Animal à poil très épais et frisé. *Le mouton est élevé pour sa laine, son lait et sa viande. Le berger garde les moutons. Nous avons mangé des côtelettes de mouton grillées. Antoine a un blouson doublé de mouton,* de peau de mouton. **2.** Flocon de poussière. *Quand on ne fait pas le ménage, il y a des moutons sous les meubles.*

Va voir aussi ***agneau, bélier, brebis, ovin.***

Revenons à nos moutons : revenons à ce que nous disions.

Famille de **moudre**

mouture n. f.
Façon dont le café est moulu. *M. Bellec prend du café à mouture fine,* moulu très fin.

mouvant adj.
Des sables mouvants, ce sont des sables gorgés d'eau dans lesquels on s'enfonce. *Les sables mouvants sont dangereux.*

Famille de **mouvoir**

Famille de **mouvoir**

mouvement n. m.
1. Changement de position ; vois ***déplacement.*** *L'astronome observe le mouvement des astres.* **2.** Geste. *Nathalie fait parfois des mouvements maladroits. Marie-Tévy a fait un faux mouvement,* un geste dans une mauvaise position. *M. Doucet fait des mouvements de gymnastique tous les matins.* **3.** Réaction. *Angèle a eu un mouvement d'agacement,* elle a manifesté de l'agacement. **4.** Organisation qui mène une action. *Mme Roussel fait partie d'un mouvement syndical.* **5.** Partie d'un morceau de musique. *La sonate comporte trois mouvements.* **6.** Ce qui donne l'impression de la vie. *Il y avait du mouvement dans ce film,* de l'action.

Le professeur s'est passé une main sur la figure et puis il nous a dit qu'on verrait plus tard pour les mouvements de bras, qu'on allait faire des jeux pour commencer *(le Petit Nicolas).*

En deux temps, trois mouvements : très vite.

Avoir un bon mouvement, c'est se montrer généreux ou amical.

▸ ***mouvementé*** adj. Qui présente des péripéties. *Le voyage a été mouvementé,* il s'est passé beaucoup de choses. *Les romans policiers sont des récits mouvementés ;* vois ***vivant.***

Le contraire de *mouvementé,* c'est *calme, paisible.*

Conjugaison 27
▭ Indic. présent : *je meus, nous mouvons.* — Participe passé : *mû.*

mouvoir v.
Mettre en mouvement. *La roue du moulin est mue par l'eau. — Quand elle a des crises de rhumatismes, Mamie Lou peut à peine se mouvoir,* bouger, se déplacer.

Autres membres de la famille : **mouvant, mouvement, mouvementé.**

Au féminin : *moyenne.*

① ***moyen*** adj.
1. Qui se trouve au milieu, entre deux extrêmes. *Mme Hespel mesure un mètre soixante-cinq ; elle est de taille moyenne. Les classes moyennes sont constituées par l'ensemble des gens qui ne sont ni riches, ni pauvres. Marie-Tévy a peur de ne pas passer au cours moyen,* dans le cours qui est entre le cours élémentaire et la sixième. **2.** Qui n'est ni bon, ni mauvais. *Les résultats scolaires d'Yves sont moyens ;* vois ***passable.*** *Antoine est moyen en français et en calcul.* **3.** *La durée moyenne de la vie des femmes est supérieure à celle des hommes,* la durée que l'on calcule en faisant une moyenne.

On appelle les *petites et moyennes entreprises* les *P. M. E.*

Autres membres de la famille : **Moyen Âge, moyenne, moyennement.**

Va voir aussi ***moyenne.***

La fin justifie les moyens (proverbe).

② ***moyen*** n. m.
1. Procédé qui permet de parvenir à ce qu'on veut. *Colle et Rat ont trouvé un moyen pour avoir de bonnes notes : c'est de copier sur leurs voisins. Il n'y a pas moyen de faire démarrer cette voiture,* c'est impossible. *Ils sont montés sur le mur au moyen d'une échelle,* à l'aide d'une échelle, grâce à une échelle. **2.** *Un moyen de transport,* c'est ce qui permet le transport des gens et des marchandises. *L'avion, le train, le bateau et la voiture sont les principaux moyens de transport.* **3.** *Les moyens,* ce sont les capacités, les qualités de quelqu'un. *Julie a beaucoup de moyens, mais elle est paresseuse.* **4.** *Les moyens,* l'argent dont on dispose. *Angèle n'a pas les moyens de faire le voyage dont elle rêve.*

Le papillon eut terriblement peur, mais il trouva moyen de voleter jusqu'à la main de Suleiman-bin-Daoud et s'y posa *(Histoires comme ça).*

La presse, la radio, la télévision sont des *moyens de communication.*

Autre membre de la famille : **moyennant.**

Moyen Âge n. m.
Période de l'histoire de l'Europe qui va de la chute du dernier empereur de Rome en 476 jusqu'au XVe siècle. *C'est au Moyen Âge qu'ont été construites les églises romanes et les cathédrales gothiques. Les chevaliers de la Table ronde sont les héros de romans du Moyen Âge.*

Le Moyen Âge se termine en 1453, à la prise de Constantinople, ou en 1492, date de la découverte de l'Amérique.

Famille de ① **moyen** et de **âge**

Va voir aussi ***médiéval.***

Attention ! deux *n* dans *moyennant.*

moyennant préposition
Il m'a rendu ce service moyennant une récompense, en échange d'une récompense.

Famille de ② **moyen**

Famille de ① **moyen**

On calcule la moyenne en divisant le nombre de kilomètres par le temps mis à les parcourir.

moyenne n. f.
1. Vitesse moyenne. *M. Doucet a parcouru 160 kilomètres en deux heures ; il a roulé à une moyenne de 80 kilomètres à l'heure.* **2.** La moitié des points que l'on peut obtenir à un devoir, à un examen. *Marie-Tévy a eu la moyenne,* dix points sur vingt. *Julie était au-dessous de la moyenne.*

Elle a eu 8 sur 20.

Attention ! deux *n* dans *moyennement.*

moyennement adv.
D'une manière moyenne, à demi, ni peu ni beaucoup. *Sylvain a trouvé ce livre moyennement intéressant.*

Famille de ① **moyen**

Moyeu [mwajø] rime avec *joyeux.*

moyeu n. m.
Partie centrale d'une roue. *Les rayons du vélo se fixent au moyeu de la roue. La voiture était embourbée jusqu'au moyeu.*

Au pluriel : *des moyeux.*

mucosité n. f.
Liquide épais produit par les muqueuses. *Le nez est encombré de mucosités.*

Va voir aussi ***morve.***

Conjugaison 1

muer v.
1. Changer de peau, de plumage ou de poil. *Les serpents, les crustacés, les araignées muent.* **2.** Changer de voix. *Les adolescents muent,* leur voix d'enfant se transforme en voix d'adulte.

La vieille peau s'appelle une *mue.*

Au féminin : *muette.*

Muet comme une carpe, comme une tombe : complètement silencieux.

Les films sonores apparaissent vers 1927.

Le contraire de *muet,* c'est *aspiré.*

muet adj.
1. Qui n'est pas capable de s'exprimer par des paroles. *Elle était muette de naissance.* — n. *Les muets communiquent par gestes.* **2.** Qui se tait, est silencieux. *Sylvain peut rester muet pendant des heures,* sans parler. *Le sapin de Noël était si bien décoré que les enfants sont restés muets d'admiration. Le règlement de l'école est muet sur ce point,* il ne dit rien. **3.** *Un film muet,* c'est un film sans bande sonore. *Les premiers films étaient muets.* **4.** Qui ne se fait pas entendre dans la prononciation. *Le « e » qui se trouve à la fin de « moyenne » est muet,* on ne le prononce pas. *On fait la liaison devant un h muet.*

Va voir aussi ***mutisme.***

Autre membre de la famille : **sourd-muet.**

Ne confonds pas avec ② *mufle.*

① **mufle** n. m.
Bout du museau de certains animaux. *La peau du mufle du bœuf est humide et sans poils.*

Ne confonds pas avec ① *mufle.*

② **mufle** n. m.
Homme grossier et mal élevé ; vois ***goujat.*** *Ce mufle a marché sur le pied d'Angèle et ne s'est pas excusé.*

Conjugaison 2

Compare : *mugir → mugissement* et *rugir → rugissement.*

mugir v.
1. *La vache mugit,* elle pousse son cri ; vois ***beugler, meugler.*** **2.** Faire entendre un bruit sourd et prolongé. *La sirène, annonçant l'incendie, mugissait.*

▸ ***mugissement*** n. m. **1.** Bruit d'un animal qui mugit. *L'arrivée du troupeau était signalée par les mugissements des vaches ;* vois ***beuglement, meuglement.*** **2.** *Loïc écoutait le mugissement des flots,* leur bruit sourd et prolongé.

Ne confonds pas *mugir* et *rugir.*

Attention ! un ***u*** après le ***g.***

muguet n. m.
Plante dont les petites fleurs blanches en forme de clochettes sont groupées en grappe. *Le muguet sent bon. Marie-Tévy a offert un brin de muguet à sa mère le 1er Mai.*

À la ronde du muguet
Sans rire et sans parler
Le premier qui rira
Ira au piquet ! (comptine).

Attention à l'accent circonflexe du ***â*** de *mulâtre.*

mulâtre n. m., **mulâtresse** n. f.
Personne née de parents qui sont l'un noir et l'autre blanc. *L'héroïne du film est une mulâtresse brésilienne.*

Va voir aussi ***métis.***

① **mule** n. f.
Pantoufle de femme qui a un talon assez haut et n'emboîte que le devant du pied. *Mme Séverac met son peignoir et enfile ses mules.*

C'était une belle mule noire, mouchetée de rouge, le pied sûr, le poil luisant, la croupe large et pleine, portant fièrement sa petite tête sèche toute harnachée de pompons
(les Lettres de mon moulin).

② **mule** n. f.
Animal femelle, né d'une jument et d'un âne ou d'un cheval et d'une ânesse. *Les voyageurs ont traversé la montagne à dos de mule.*

C'est familier de dire *avoir une tête de mule* pour dire *être têtu.*

▸ ① ***mulet*** n. m. Animal mâle, né d'une jument et d'un âne ou d'un cheval et d'une ânesse. *Dans la montagne, des marchandises sont transportées à dos de mulet.*

Les mulets ne peuvent pas se reproduire.

▸ ***muletier*** adj. *Un chemin muletier,* c'est un chemin étroit et escarpé. *Les contrebandiers suivaient des sentiers muletiers.*

Prononce [myltje].

Le mulet mesure de 30 à 60 centimètres. Sa chair blanche est très appréciée.

② **mulet** n. m.
Poisson de mer au corps cylindrique. *Les mulets vivent en bancs le long du littoral. Antoine met de la mayonnaise sur sa tranche de mulet froid.*

On mange les œufs du mulet, fumés ou salés et séchés.

Les mulots ont une queue aussi longue qu'eux, d'une dizaine de centimètres.

mulot n. m.
Petit rongeur qui vit dans les haies et les bois. *Les mulots mangent des graines et des insectes.*

On l'appelle aussi *rat des champs.*

Compare *multicolore* et *colorer* : il s'agit de **couleur.**

multicolore adj.
De toutes les couleurs. *L'habit d'Arlequin est multicolore ;* vois ***bariolé.***

Le contraire de *multiple,* c'est *unique.*

multiple n. m. et adj.
1. n. m. *6, 9 et 27 sont des multiples de 3,* des nombres qu'on obtient en multipliant un autre nombre par 3. **2.** adj. Nombreux. *Mme Hespel a des occupations multiples. Colle et Rat ont été insolents à de multiples reprises,* de nombreuses fois.

▸ ***multiplication*** n. f. Opération qui permet de multiplier deux nombres. *Pour savoir combien coûtent trois sucettes à cinquante centimes, il faut faire une multiplication.*

Le signe de la multiplication est ×. *2 × 2* se dit « deux fois deux » ou « deux multiplié par deux ».

▸ ***multiplicande*** n. m. *Le multiplicande,* c'est le nombre que l'on multiplie, dans une multiplication. *Dans « 4 × 3 », 4 est le multiplicande.*

▸ ***multiplicateur*** n. m. *Le multiplicateur,* c'est le nombre qui multiplie, dans une multiplication. *Dans « 4 × 3 », 3 est le multiplicateur.*

Conjugaison 7 ▭ Indic. imparfait : *nous multipliions.* Futur : *nous multiplierons.*

▸ ***multiplier*** v. **1.** Faire une multiplication. *Quand on multiplie quatre par trois, on additionne trois fois le nombre quatre.* **2.** *Colle et Rat multiplient les bêtises,* ils en font beaucoup. — *Les difficultés se multipliaient,* augmentaient.

Le contraire de *multiplier,* c'est *diviser.*

multitude n. f.
Grand nombre, grande quantité. *Denis Prost connaît une multitude de gens ;* vois ***foule.*** *Angèle connaît une multitude d'histoires.*

On peut dire *une multitude de gens est entrée* ou *une multitude de gens sont entrés.*

Famille de se **munir**

muni adj.
Équipé. *Mme Harpie, munie d'un parapluie, a mis en fuite ses agresseurs.*

Au masculin pluriel : *municipaux.*

municipal adj.
Qui appartient à une commune ; vois ***communal.*** *Les élections municipales auront lieu dimanche prochain. Mme Séverac est conseillère municipale de Motbourg.*

▸ ***municipalité*** n. f. Ensemble des personnes qui administrent, gèrent une commune. *Le maire, ses adjoints et les conseillers municipaux forment la municipalité.*

La municipalité, c'est aussi le territoire d'une commune.

Conjugaison 2

se **munir** v.
Prendre avec soi. *Pour faire du ski, munissez-vous d'une bonne paire de gants.*

Munitions s'emploie toujours au pluriel.

▸ ***munitions*** n. f. plur. Explosifs et projectiles servant au chargement des armes à feu. *Les cartouches, les balles, les obus et les bombes sont des munitions.*

Autres membres de la famille : **muni, démunir,** se **prémunir.**

La surface d'une muqueuse est toujours légèrement humide.

muqueuse n. f.
Membrane qui enveloppe certains organes. *La bouche, le nez et l'intestin sont tapissés d'une muqueuse.*

Va voir aussi ***mucosité.***

Mettre quelqu'un au pied du mur, c'est l'obliger à se décider.

mur n. m.
1. Construction verticale qui s'élève sur une certaine longueur et qui sert à soutenir un bâtiment, à enclore ou à séparer. *Les murs de cet immeuble sont en béton. Un petit mur de pierres entoure le jardin de Loïc ;* vois ***muret.*** **2.** Côté du mur qui se trouve à l'intérieur d'un bâtiment. *Julie a mis des photos de son père aux murs de sa chambre. Alex est resté toute la journée entre quatre murs,* enfermé à l'intérieur de la maison. **3.** *L'avion a franchi le mur du son,* il a dépassé la vitesse du son.

Je hais les murs
Qu'ils soient en dur
Qu'ils soient en mou !
(R. Devos).

Autres membres de la famille : **emmurer, muraille, mural, murer, muret.**

Le mur du son a été franchi en 1947, à 1 078 km/h.

Attention à l'accent circonflexe du *û* de *mûr* !

Un fruit trop mûr est *blet.*

mûr adj.
1. *Un fruit mûr,* c'est un fruit qui a atteint son plein développement. *Cette pêche est bien mûre, il est temps de la manger.* **2.** *Pierre et Louis Séverac*

Le contraire de *mûr,* c'est *vert.*

sont des hommes mûrs, des adultes dans la force de l'âge. **3.** *Sylvain est très mûr pour son âge,* très raisonnable, très réfléchi.

Autre membre de la famille : **mûrir.**

muraille n. f.

La Grande Muraille de Chine s'étend sur plus de 3 000 km.

Étendue de murs épais et élevés ; vois ***rempart.*** *Il ne reste du château fort que des murailles en ruine.*

Famille de **mur**

mural adj.

Famille de **mur**

Dans les maisons de Pompéi, on a retrouvé des peintures murales, des peintures sur les murs.

Au masculin pluriel : *muraux.*

mûre n. f.

Attention à l'accent circonflexe du ***û*** de *mûre.*

1. Fruit du mûrier. *Les mûres servent à faire des boissons rafraîchissantes et des sirops pour la gorge.* **2.** Petit fruit sauvage noir qui pousse sur les ronces. *Mamie Lou et Claire ont cueilli des mûres pour faire de la gelée.*

Autre membre de la famille : **mûrier.**

murer v.

Conjugaison 1

Fermer définitivement par un mur. *On ne peut plus entrer dans les souterrains du château, on a muré les entrées ;* vois ***boucher, condamner.***

Famille de **mur**

muret n. m.

Compare : *mur → muret* et *jardin → jardinet.*

Petit mur. *Un muret de pierres sèches entoure le jardin de Loïc.*

Famille de **mur**

mûrier n. m.

Attention à l'accent circonflexe du ***û*** de *mûrier.*

Arbre des climats chauds dont les feuilles servent à nourrir les vers à soie. *On trouve des mûriers dans le Bassin méditerranéen.*

Famille de **mûre**

mûrir v.

Attention à l'accent circonflexe du ***û*** de *mûrir.*

Famille de **mûr**

1. Devenir mûr. *Les blés mûrissent en été. Le soleil fait mûrir les fruits.* **2.** Devenir plus réfléchi, plus raisonnable. *David a beaucoup mûri depuis un an.*

Conjugaison 2

murmure n. m.

1. Bruit de voix léger, sourd et continu. *On entendait les murmures et les rires étouffés des élèves.* **2.** Commentaire fait à mi-voix par plusieurs personnes. *Un murmure de protestations s'est élevé dans la salle pendant le discours du ministre.*

Conjugaison 1

▸ ***murmurer*** v. **1.** Dire à voix basse ; vois ***chuchoter, susurrer.*** *David murmurait des secrets à l'oreille de Marie-Tévy.* **2.** Protester, grogner. *Pour une fois, Julie a obéi sans murmurer.*

musaraigne n. f.

Les musaraignes sont des animaux utiles.

Petit animal au museau allongé et aux dents pointues qui se nourrit d'insectes, de vers et de petits œufs. *La musaraigne et la souris appartiennent à la même famille.*

Chaque jour, la musaraigne mange son propre poids d'insectes.

musarder v.

Conjugaison 1

Perdre son temps à faire des choses sans importance ; vois ***flâner, traîner.*** *Muriel Doucet aime musarder des journées entières.*

musc n. m.

Un parfum *musqué* contient du musc.

Liquide à l'odeur très forte qui provient des glandes de certains animaux. *On utilise le musc pour faire des parfums.*

muscade n. f.

Graine de la grosseur d'une olive que l'on utilise comme épice pour parfumer les aliments. *M. Bellec râpe une muscade au-dessus du gratin.*

On dit aussi *noix de muscade* ou *noix muscade.*

muscat n. m.

Muscat [myska] rime avec *harmonica* et *avocat.*

1. Raisin très sucré et très parfumé. *Sylvain mange une grappe de muscat.* **2.** Vin très sucré fait avec ce raisin, qui se boit en apéritif. *Mme Hespel a bu un verre de muscat.*

muscle n. m.

Va voir aussi **musculature.** Les muscles forment la chair. L'estomac est aussi un muscle.

Organe, formé de fibres, qui produit des mouvements en se contractant. *C'est grâce à certains muscles que l'on peut ouvrir et fermer sa main. Le cœur est un muscle qui ne cesse de se contracter.*

Le sang apporte aux muscles l'oxygène nécessaire à leur fonctionnement.

▸ ***musclé*** adj. Pourvu de muscles assez gros. *Mme Hespel a des jambes très musclées.*

Pour avoir un corps musclé, il faut faire du sport.

Conjugaison 1

▸ ***muscler*** v. Pourvoir de muscles puissants. *Le tennis muscle les bras et les jambes. — M. Doucet fait de la gymnastique pour se muscler.*

Un *effort musculaire,* c'est un effort accompli par les muscles

musculature n. f.
Ensemble des muscles du corps humain. *Hippolyte est très fier de sa belle musculature.*

Le kinésithérapeute s'occupe de renforcer la musculature du malade.

Les neuf Muses étaient neuf déesses grecques qui protégeaient les artistes.

muse n. f.
Femme qui inspire un artiste, un écrivain, un poète. *George Sand fut la muse du poète Musset et du musicien Chopin.*

Au pluriel : *des museaux.* Va voir aussi ***groin, mufle, truffe.***

museau n. m.
Partie avant, allongée et plus ou moins pointue de la tête de certains animaux. *Le chien avance le museau et renifle sa pâtée.*

Autres membres de la famille : **museler, muselière.**

Musée est un nom masculin qui se termine par un ***e***, comme *lycée.*

Autre membre de la famille : **muséum.**

musée n. m.
Bâtiment où l'on rassemble des collections d'objets qui ont un intérêt historique, scientifique ou artistique afin de les montrer au grand public. *Angèle a emmené ses élèves visiter le musée du Louvre. Le gardien de musée a grondé Julie car elle avait touché à un tableau.*

Dans les musées, on trouve des tableaux, des sculptures, des costumes anciens, des objets qu'utilisaient nos ancêtres.

Prononce [myzle]. Famille de **museau**

museler v.
Empêcher un animal d'ouvrir la gueule, de mordre, en lui emprisonnant le museau. *Rex n'est pas un chien méchant ; on ne le muselle jamais.*
▸ ***muselière*** n. f. Appareil dont on entoure le museau de certains animaux pour les empêcher de mordre. *Quand on emmène un chien-loup en ville, il est prudent de lui mettre une muselière.*

Conjugaison 4 ▭ Indic. présent : *je muselle, nous muselons.* Futur : *je musellerai.*

Je lui dessinerai une muselière à ton mouton. Je te dessinerai une armure pour ta fleur... *(le Petit Prince).*

① ***musette*** n. f.
Un bal musette, c'est un bal où l'on danse au son de l'accordéon. *Le 14 Juillet, il y a des bals musettes dans toute la France.*

On danse surtout la java et la valse dans les bals musettes.

Les bals musettes sont apparus vers 1910.

② ***musette*** n. f.
Sac de toile, qui se porte souvent en bandoulière. *Le vagabond sortit une pomme de sa musette.*

Muséum [myzeɔm] rime avec *homme.* Au pluriel : *des muséums.*

muséum n. m.
Musée consacré aux sciences naturelles. *Antoine a vu des squelettes de dinosaures au muséum.*

Famille de **musée**

Music-hall [mysikol] rime avec *épaule.* Au pluriel : *des music-halls.*

music-hall n. m.
Établissement qui présente un spectacle de variétés avec des chanteurs, des comiques, des jongleurs, des prestidigitateurs, etc. *Les Séverac sont allés au music-hall.*

L'un des plus célèbres music-halls de Paris est l'Olympia.

Le violon, la harpe, la flûte, le piano sont des *instruments de musique.*

musique n. f.
Ensemble de sons combinés de manière harmonieuse. *Sylvain écoute de la musique dans sa chambre. Alex joue de la musique de jazz.*
▸ ***musical*** adj. **1.** *Sylvain aimerait faire des études musicales,* de musique. **2.** *Une comédie musicale,* c'est une pièce de théâtre ou un film dont les paroles sont chantées. *Denis Prost aime les comédies musicales américaines.*
▸ ***musicien*** n. m., ***musicienne*** n. f. **1.** Personne dont la profession est de composer de la musique ; vois ***compositeur.*** *Mozart et Beethoven sont de célèbres musiciens.* **2.** Personne qui joue d'un instrument de musique. *Ce groupe est composé d'un chanteur et de quatre musiciens.*

Va voir aussi ***mélomane.***

L'acteur américain Fred Astaire a joué dans de nombreuses comédies musicales.

Au masculin pluriel : *musicaux.*

Un excellent musicien est un *virtuose.*

Mustang [mystɑ̃g] rime avec *langue.*

mustang n. m.
Cheval sauvage d'Amérique du Nord. *Les cow-boys capturaient des mustangs.*

C'est aussi le nom d'une voiture très rapide.

musulman adj.
La religion musulmane, c'est la religion fondée par Mahomet et dont le dieu est Allah ; vois ***islam.*** *La religion musulmane est l'une des grandes religions du monde.* — n. *Les musulmans vont prier à la mosquée ;* vois ***mahométan.***

La Mecque est une ville sainte musulmane.

mutant n. m.
Dans les romans, les films de science-fiction, être extraordinaire qui est

une continuation de l'homme. *Après la catastrophe atomique, la Terre n'était plus peuplée que de mutants.*

Compare *muter* et *permuter* : dans ces deux mots, il s'agit de **changer.**

muter v.

Conjugaison 1

Nommer à un autre poste dans une autre ville ou dans un autre pays. *M. Doucet a été muté à Paris.*

▷ ***mutation*** n. f. **1.** Changement, évolution. *L'informatique est un secteur de l'industrie en pleine mutation.* **2.** Changement de lieu de travail. *M. Doucet a demandé sa mutation à Paris.*

Conjugaison 1

mutiler v.

Va voir aussi ***amputer.***

Rendre infirme en privant de l'usage d'un membre ou d'un organe. *Colle et Rat ont mutilé une mouche en lui arrachant une aile. Cet ancien combattant a été mutilé à la guerre.*

Dans les transports en commun, certaines places assises sont réservées aux mutilés.

▷ ***mutilé*** n. m., ***mutilée*** n. f. Personne qui a perdu un membre ou l'usage d'une partie de son corps à la guerre ou dans un accident. *Cet ancien combattant est un mutilé de guerre.*

mutin n. m.

Marin, soldat ou prisonnier qui se révolte contre ses supérieurs ou ses gardiens. *Les mutins ont fini par déposer les armes.*

Conjugaison 1

▷ *se* ***mutiner*** v. Se révolter collectivement contre l'autorité. *Les soldats ont refusé de combattre, ils se sont mutinés.*

Les marins du cuirassé russe, le *Potemkine*, se mutinèrent en 1905.

▷ ***mutinerie*** n. f. Révolte. *En 1917, il y eut en France de nombreuses mutineries.*

mutisme n. m.

Va voir aussi ***muet.***

Refus de parler, silence. *Quand Sylvain est malheureux, il s'enferme dans le mutisme le plus complet.*

mutuel adj.

Qui implique un échange, un rapport de réciprocité. *M. Doucet et Mme Harpie se vouent une haine mutuelle ;* vois ***réciproque.***

Il y a des mutuelles pour les agriculteurs, les médecins, les enseignants, les étudiants, etc.

▷ ***mutuelle*** n. f. Société d'assurances privée, qui ne fait pas de bénéfices et qui est gérée par ses adhérents. *M. Doucet est adhérent d'une mutuelle.*

▷ ***mutuellement*** adv. Réciproquement. *Les deux complices s'accusaient mutuellement,* chacun disait que l'autre était coupable.

Attention au *y* dans *myope.* Quelqu'un qui est myope est atteint de *myopie.*

myope adj.

Va voir aussi ***presbyte.***

Qui ne voit pas bien de loin. *Antoine doit porter des lunettes car il est myope.*

myosotis n. m.

On l'appelle aussi *oreille de souris* ou *ne m'oubliez pas.*

Myosotis [mjozɔtis] rime avec *justice.*

Plante à petites fleurs bleues qui pousse dans les lieux humides. *Marie-Tévy a cueilli des myosotis dans le jardin.*

myriade n. f.

Très grand nombre, quantité immense. *Les nuits de pleine lune, on peut voir des myriades d'étoiles dans le ciel.*

myrrhe n. f.

La myrrhe est utilisée pour son parfum, depuis l'Antiquité.

Résine odorante fournie par un arbuste d'Arabie et utilisée en parfumerie et, autrefois, en médecine. *Les Rois mages offrirent de l'or, de l'encens et de la myrrhe à Jésus.*

myrtille n. f.

On cueille les fruits sur l'arbrisseau avec un instrument muni de dents.

Petit fruit rond et noir qui pousse sur des arbrisseaux dans les régions montagneuses. *Les enfants ont mangé une tarte aux myrtilles.*

Attention au *y* de *mystère.*

mystère n. m.

1. Chose incompréhensible. *Comment le prisonnier a-t-il pu s'évader ? C'est encore un mystère pour les policiers ;* vois ***énigme.*** **2.** *Faire des mystères,* c'est faire des cachotteries. *Colle et Rat font des mystères ; quelles nouvelles bêtises préparent-ils ?*

Sherlock Holmes a percé le mystère.

▷ ***mystérieux*** adj. **1.** Difficile à comprendre, à expliquer ; vois ***incompréhensible, inexplicable.*** *Cette histoire est bien mystérieuse.* **2.** Qui cache un secret. *Colle et Rat ont des airs mystérieux. Que complotent-ils ?*

Le contraire de *mystérieux,* c'est *clair, évident.*

▹ ***mystérieusement*** adv. D'une façon incompréhensible. *Le prisonnier a mystérieusement disparu.*

Conjugaison 7 ▭ Indic. imparfait : *nous mystifiions.* Futur : *je mystifierai.*

mystifier v.

Mystifier quelqu'un, c'est le tromper en se servant de sa naïveté, de sa confiance ; vois ***duper.*** *Colle et Rat ont mystifié tout le monde en racontant qu'ils avaient vu une soucoupe volante.*

Dans la fable de La Fontaine, le renard mystifie le corbeau qui lâche son fromage.

▹ ***mystification*** n. f. Tromperie. *Beaucoup de gens ont été victimes des mystifications de Colle et Rat ;* vois ***duperie.***

mythe n. m.

Récit merveilleux qui donne une explication du monde et des phénomènes naturels en mettant en scène des dieux et des personnages imaginaires ; vois ***légende.*** *David et Nathalie ont étudié à l'école les grands mythes grecs et romains.*

Ne confonds pas *mythe* et *mite.*

▹ ***mythologie*** n. f. Ensemble des mythes, des légendes d'un peuple. *Hercule est un héros de la mythologie romaine.*

▹ ***mythologique*** adj. *Hercule est un héros mythologique,* de la mythologie.

n

n' va voir ***ne.***

na ! interjection

Mot que l'on ajoute à la fin d'une phrase pour s'opposer, pour montrer que l'on est le plus fort. *C'est bien fait, na !*

« J'reste ici, na !... Tu es vilain !... dit le petit Abdallah *(Tintin).*

C'est familier de dire cela.

nacelle n. f.

Panier suspendu sous un ballon, dans lequel se tiennent les passagers. *Les voyageurs sont accoudés au parapet de la nacelle.*

Babar et Céleste tremblent et se cramponnent de toutes leurs forces à la nacelle *(Babar).*

Nacelle [nasɛl] rime avec *sel.*

nacre n. f.

Matière brillante, d'un blanc rosé, qui tapisse l'intérieur de la coquille de certains coquillages, et dont on fait des bijoux, des boutons. *Le chemisier de Marie-Tévy a des boutons de nacre.*

▸ ***nacré*** adj. Brillant comme de la nacre. *Angèle a un vernis à ongles nacré.*

On récolte la nacre en Nouvelle-Calédonie, en Australie, à Tahiti, au Mexique et à Madagascar.

Il y a une couche très épaisse de nacre dans la coquille des huîtres perlières.

nager v.

1. Avancer dans l'eau en faisant certains mouvements. *Yves va souvent à la piscine car il aime beaucoup nager,* il aime beaucoup faire de la natation. *Réjean sait nager le crawl.* **2.** *Nager dans un vêtement,* c'est être au large dans ce vêtement parce qu'il est trop grand. *Claire nage dans cette robe ;* vois ***flotter.***

Conjugaison 3 ▭ Indic. présent : *nous nageons.* Imparfait : *je nageais, nous nagions.*

Après avoir nagé sous les eaux, Michel Strogoff était parvenu à prendre pied sur le quai avec Nadia *(Michel Strogoff).*

▸ ***nage*** n. f. **1.** Manière de nager. *Réjean pratique différentes sortes de nage.* **2.** *Être en nage,* c'est être inondé de sueur. *Julie a beaucoup couru, elle est en nage,* elle transpire.

Il sait nager la brasse, le crawl, la nage papillon, le dos crawlé.

▸ ***nageoire*** n. f. Organe court et plat qui permet aux poissons et à certains animaux marins d'avancer et de se diriger dans l'eau. *Les poissons peuvent avoir des nageoires sur le dos, sur le ventre, sur les côtés et à l'extrémité de leur queue.*

N'oublie pas le ***e*** après le ***g*** !

Les baleines et les phoques ont aussi des nageoires.

Les nageoires sont formées d'une membrane tendue sur des os très fins.

▸ ***nageur*** n. m., ***nageuse*** n. f. Personne qui sait nager. *Les nageuses du championnat sont très musclées. Il y a plusieurs maîtres nageurs à la piscine de Motbourg,* des professeurs de natation.

L'ours est un excellent nageur ; l'ours polaire peut évoluer des heures dans l'eau glacée.

Autre membre de la famille : **surnager.**

Famille de **ne**, de **avoir** et de **guère**

Ne confonds pas avec *jadis.*

naguère adv.
Il y a peu de temps. *Naguère, M. Bonnot travaillait encore, maintenant il est à la retraite ;* vois ***récemment.***

C'est un mot qui s'emploie surtout dans les livres.

Attention au tréma du *ï* !

Les fleurs sont faibles. Elles sont naïves. Elles se rassurent comme elles peuvent. Elles se croient terribles avec leurs épines *(le Petit Prince).*

naïf adj.
1. Plein de confiance et de spontanéité, à cause de son jeune âge. *Le bébé sourit à sa mère avec un air naïf ;* vois ***candide, ingénu.*** **2.** D'une crédulité et d'une confiance exagérée et ridicule. *Muriel Doucet est vraiment trop naïve,* elle croit tout ce qu'on lui dit ; vois ***crédule, niais.*** — n. *Ne nous prenez pas pour des naïfs !,* des imbéciles, des niais.

Au féminin : *naïve.*

Le contraire de *naïf,* c'est *malin.*

Autre membre de la famille : **naïveté.**

nain n. m. et adj., **naine** n. f. et adj.
1. n. Personne plus petite que la normale. *Au cirque, les enfants ont vu une naine qui dressait des puces. Blancheneige entra dans la maison des sept nains,* des personnages légendaires de taille minuscule. **2.** adj. *En Chine, on élève des poules naines,* des poules qui restent petites même quand elles ont atteint l'âge adulte.

Le matin, les nains partaient pour les montagnes où ils cherchaient le minerai et l'or *(Blancheneige).*

Le contraire de *nain,* c'est *géant.*

Le *nain jaune,* c'est le nom d'un jeu de cartes.

Conjugaison 59
▭ Indic. présent : *je nais, il naît, nous naissons.* Imparfait : *je naissais.* Passé simple : *je naquis, il naquit, nous naquîmes.* Futur : *je naîtrai.*

naître v.
1. Venir au monde. *Yves est né à Motbourg. Napoléon naquit à Ajaccio le 15 août 1769.* **2.** Commencer à exister. *Une grande amitié est née entre Julie et Yasmina.* **3.** *Ce projet de voyage est né d'une discussion entre les Bellec,* il s'est formé à partir d'une discussion entre les Bellec ; vois ***résulter.***

Le contraire, c'est *mourir.*

Le contraire, c'est *finir.*

▸ **naissance** n. f. **1.** Commencement de la vie. *Mme Roussel a donné naissance à un garçon. Quelle est ta date de naissance ?* **2.** Commencement, apparition. *Leur amitié a pris naissance l'été dernier.* **3.** Endroit où commence quelque chose. *Yves a une petite tache brune à la naissance du cou.*

Le contraire de *naissance,* c'est *mort.*

Le contraire, c'est *fin.*

Autres membres de la famille : **né, mort-né, nouveau-né, inné, renaissance, renaître.**

Attention au tréma du *ï.*

Famille de **naïf**

naïveté n. f.
1. Innocence pleine de confiance. *Mamie Lou est attendrie par la naïveté de Claire ;* vois ***candeur.*** **2.** Trop grande confiance ; vois ***crédulité.*** *Alex a eu la naïveté de croire qu'il pourrait réussir sans travailler.*

Le contraire de *naïveté,* c'est *astuce, finesse.*

Prononce [napalm].

napalm n. m.
Essence solidifiée. *Au Viêt-nam, les Américains jetaient des bombes au napalm sur les rizières.*

Ce sont des bombes qui mettent le feu.

Attention au *ph* de *naphtaline* !

naphtaline n. f.
Produit qui éloigne les mites. *Mme Harpie a mis des boules de naphtaline dans son placard à vêtements.*

Attention aux deux *p.*

① **nappe** n. f.
Vaste étendue de liquide ou de gaz qui forme une couche sur terre ou sous terre. *On a découvert une nappe de pétrole sous la mer du Nord. D'épaisses nappes de brouillard recouvrent la route.*

Conjugaison 1

▸ **napper** v. Recouvrir d'une couche. *Mme Hespel a nappé son gâteau de caramel,* elle l'a recouvert d'une couche de caramel.

② **nappe** n. f.
Linge qui sert à couvrir la table du repas. *Julie pose les assiettes sur la nappe.*

Attention ! deux ***p*** dans *nappe* et *napperon.*

Compare : *nappe → napperon, aile → aileron* et *mouche → moucheron.*

▸ **napperon** n. m. Petit linge que l'on place sous un vase, une assiette, comme décoration ou pour protéger. *Il y a un napperon brodé sous le vase.*

Ne prononce pas le ***e*** de *napperon* : [napʀɔ̃].

narcisse n. m.
Fleur blanche à cœur jaune vif qui sent très bon. *Mme Bellec a acheté un bouquet de narcisses.*

Les jonquilles sont une variété de narcisses.

narcissisme n. m.
Très grande attention que l'on se porte à soi-même. *Mme Harpie se regarde sans cesse dans la glace, c'est du narcissisme.*

Narcisse, s'étant vu dans l'eau d'une fontaine, ne put cesser de se regarder et en mourut.

Narcisse est un personnage de la mythologie grecque.

N'oublie pas le ***u*** après le ***g*** !

narguer v.
Narguer quelqu'un, c'est le provoquer avec un air méprisant et moqueur. *Colle et Rat ne cessent de narguer l'institutrice ;* vois ***braver, défier.***

Conjugaison 1

narine n. f.
Chacune des deux ouvertures du nez. *Marie-Tévy se pince les narines pour ne pas sentir l'odeur des lions.*

Va voir aussi ***naseau.***

Au féminin : *narquoise.*

narquois adj.
Moqueur et malicieux. *Colle et Rat regardent Angèle, leur institutrice, avec un sourire narquois ;* vois ***goguenard, ironique, railleur.***

Conjugaison 1

Narrer est un mot qui s'emploie surtout dans les livres.

narrer v.
Raconter. *Elle nous a narré ses aventures.*

▹ ***narrateur*** n. m., ***narratrice*** n. f. Personne qui raconte. *Les enfants interrompaient sans cesse la narratrice.*

▹ ***narration*** n. f. Exercice qui consiste à raconter par écrit des événements. *Angèle a donné à ses élèves un sujet de narration ;* vois ***rédaction.***

Attention ! *narrer, narrateur* et *narration* s'écrivent avec deux *r.*

Le narval est un cétacé.

Leur défense, qui représente leur canine gauche, peut atteindre 3 mètres de long.

narval n. m.
Grand animal marin de la famille des baleines, muni d'une longue défense horizontale sur le devant de la tête. *Les narvals sont chassés pour leur huile. Les narvals vivent dans les mers froides du Nord.*

Le narval est un mammifère. Un narval adulte mesure 15 mètres de long.

Compare *nasal* et *naseau* : dans ces deux mots, il s'agit de **nez.**

nasal adj.
Du nez. *Sylvain se met des gouttes nasales car il est enrhumé,* des gouttes que l'on met dans le nez.

Au masculin pluriel : *nasaux.*

Compare *naseau* et *nasal* : dans ces deux mots, il s'agit de **nez.**

naseau n. m.
Narine du cheval, du bœuf, du taureau. *Les poneys soufflaient par leurs naseaux.*

Au pluriel : *des naseaux.*

Compare *nasillard* et *naseau* : dans ces deux mots, il s'agit de **nez.**

nasillard adj.
Une voix nasillarde, c'est une voix qui semble venir du nez. *Le vieux phonographe émettait un son nasillard.*

Au masculin pluriel : *natals.*

natal adj.
Où l'on est né. *Angèle passe ses vacances en Corse, dans sa maison natale.*

Va voir aussi ***mortalité.***

▹ ***natalité*** n. f. Nombre des enfants qui naissent dans un pays, par rapport au nombre d'habitants. *L'Inde a une très forte natalité.*

Va voir aussi ***démographie.***

natation n. f.
Sport qui consiste à nager. *Yves fait beaucoup de natation.*

Compare *natif* et *natal* : il s'agit de **naissance.**

natif adj.
Originaire. *Angèle est native d'Ajaccio,* elle est née à Ajaccio.

L'Organisation des Nations unies (O. N. U.) essaie de maintenir la paix entre toutes les nations du monde.

nation n. f.
Ensemble que forment un peuple, le pays où il habite et son gouvernement ; vois ***État, pays.*** *Mme Hespel est fière de travailler pour la nation française.*

Va voir aussi ***patrie, peuple.***

En France, la *fête nationale* est le 14 Juillet et l'*hymne national* est « la Marseillaise ».

▹ ***national*** adj. **1.** Qui appartient à une nation. *La production nationale d'électricité a augmenté,* la quantité d'électricité que produit la nation. *La fanfare de Motbourg joue l'hymne national.* **2.** *Une route nationale,* c'est une route importante qui traverse une grande partie du pays. *Les Bellec ont quitté la route nationale pour prendre une route départementale.* — n. f. *La nationale 7 passe à Aix-en-Provence.*

Le contraire de *national,* c'est *étranger, international.*

Au masculin pluriel : *nationaux.*

On dit aussi la R. N. 7.

Conjugaison 1

▹ ***nationaliser*** v. Transférer à l'État la propriété de biens qui appartenaient à des patrons privés. *L'usine où travaille Mme Hespel vient d'être nationalisée,* elle n'appartient plus à un patron privé mais à l'État.

▹ ***nationaliste*** n. m. et f. Personne qui place son pays au-dessus des autres. *M. Bellec est un nationaliste farouche, il veut que son pays possède les armes les plus puissantes.* — adj. *M. Bellec est très nationaliste.*

▹ ***nationalité*** n. f. Lien qui rattache une personne à la nation à laquelle elle appartient. *Yasmina est de nationalité marocaine,* elle est marocaine. *Julie a la nationalité française,* elle est française.

Autre membre de la famille : **international.**

Natte s'écrit avec deux *t.*

Les Indiennes d'Amérique portent souvent des nattes.

natte n. f.
1. Tapis de paille tressée. *Les Japonais dorment sur des nattes.* **2.** Assemblage de trois longues mèches de cheveux entrecroisées et retenues par une attache ; vois ***tresse.*** *Yasmina s'est fait deux nattes.*

Conjugaison 1

▸ ***natter*** v. Entrelacer, tresser. *Yasmina se natte les cheveux elle-même.*

① ***naturaliser*** v.

Il faudrait pour cela qu'il habite plusieurs années aux États-Unis.

Accorder la nationalité du pays à un étranger. *Alex aimerait se faire naturaliser américain,* devenir citoyen américain.

Conjugaison 1

Conjugaison 1

② ***naturaliser*** v.

Naturaliser un animal, c'est conserver un animal mort en lui donnant l'apparence de la nature vivante ; vois ***empailler.*** *M. Bellec a fait naturaliser la tête d'un sanglier qu'il a tué.*

Famille de **nature**

Famille de **nature**

naturaliste n. m. et f.

Savant qui s'occupe de sciences naturelles. *Les naturalistes vont dans les pays lointains pour étudier sur place les animaux et les plantes.*

Le naturaliste est un spécialiste de botanique et de zoologie.

nature n. f.

1. Tout ce qui existe sur Terre et qui n'est pas fabriqué par l'homme ; vois ***monde, univers.*** *Les écologistes luttent pour la protection de la nature. Les animaux sont plus heureux dans la nature que dans une cage,* dans la campagne, dans la forêt. **2.** Ensemble des caractères qui définissent un être, une chose ou un sentiment. *Hippolyte se demande quelle est la nature des sentiments d'Angèle à son égard. Nathalie est jalouse de nature,* elle a un caractère jaloux ; vois ***tempérament.*** **3.** *Payer en nature,* c'est payer avec des objets au lieu de payer en argent. *Mme Séverac a fait un don en nature à la Croix-Rouge.*

Va voir *grandeur nature* à **grandeur.**

Fourbe par nature, Ivan Ogareff avait volontiers recours aux plus vils déguisements
(*Michel Strogoff*).

Une *force de la nature,* c'est quelqu'un de très grand et de très fort.

La *nature humaine,* c'est ce que l'homme a de particulier, ce qu'il a de plus que les animaux.

▸ ***naturel*** adj. et n. m.

▭ **adj. 1.** *Une chute de neige est un phénomène naturel,* qui fait partie de la nature. **2.** Qui n'a pas été fait par l'homme. *Julie porte un pull-over en laine naturelle,* qui n'a pas été traitée. **3.** Normal. *C'est tout naturel de pleurer quand on est triste ;* vois ***logique.*** **4.** Simple, spontané. *Marie-Tévy a un air naturel sur cette photo.*

Les *sciences naturelles* étudient les choses de la nature : l'homme, les animaux, les plantes, les roches.

Au féminin : *naturelle.*

Le contraire de *naturel,* c'est *artificiel.*

Le contraire de *naturel,* c'est *guindé.*

▭ **n. m. 1.** Caractère, tempérament. *M. Bellec est d'un naturel méfiant,* il est méfiant de nature. **2.** Aisance avec laquelle on se comporte. *Cet acteur joue les rôles de bandits avec naturel,* sans avoir l'air de se forcer.

Ne craignez rien, dit le mouton au soldat, je suis d'un naturel très doux. C'est sans doute que j'ai été élevé par deux petites filles
(*les Contes du Chat perché*).

Chassez le naturel, il revient au galop (proverbe).

▸ ***naturellement*** adv. **1.** *Mme Bellec est naturellement blonde,* elle est née avec des cheveux blonds. **2.** Évidemment, forcément. *Naturellement, Antoine est en retard !*

Autres membres de la famille : **dénaturer, ② naturaliser, naturaliste, nature morte, surnaturel.**

Famille de **nature** et de **mourir**

nature morte n. f.

Peinture qui représente des objets et des animaux sans vie. *Chardin a peint de célèbres natures mortes.*

J.-B. Chardin est un peintre français du XVIIIe siècle.

naufrage n. m.

Le fait de couler, pour un bateau. *La tempête s'est levée et le bateau a fait naufrage,* il a sombré, il s'est échoué.

La petite Sirène sauva le jeune prince du naufrage et le déposa sur la plage.

Oh ! ne fais pas naufrage
Les requins sont méchants
(Obaldia).

▸ ***naufragé*** n. m., ***naufragée*** n. f. Personne se trouvant dans le bateau qui a fait naufrage. *Les naufragés ont été hissés à bord des canots de sauvetage.*

N'oublie pas le ***e*** après le ***é*** de *nausée.*

nausée n. f.

Envie de vomir. *Cette odeur de poubelle me donne la nausée.*

▸ ***nauséabond*** adj. Écœurant. *Les ordures répandent une odeur nauséabonde,* une odeur qui donne envie de vomir ; vois ***fétide.***

nautile n. m.

Mollusque à coquille nacrée, en spirale, qui vit dans l'océan Pacifique. *Les nautiles se déplacent très vite sous l'eau grâce à leur coquille divisée en compartiments et à leurs tentacules.*

Le sous-marin du capitaine Nemo, dans *Vingt Mille Lieues sous les mers,* s'appelle le « Nautilus ».

Les nautiles remplissent les compartiments de leur coquille d'air ou d'eau et s'en servent comme flotteur.

Compare *nautique* et *cosmonaute* : dans ces deux mots, il s'agit de **naviguer.**

nautique adj.

La voile et l'aviron sont des sports nautiques, des sports qui consistent à se déplacer sur l'eau, à naviguer. *L'été, Denis Prost fait du ski nautique,* du ski sur l'eau.

Au féminin singulier : *navale.* Au masculin pluriel : *navals.*

naval adj.
Qui concerne les navires. *L'amiral a été tué au cours d'un combat naval,* un combat de navires de guerre. *À Saint-Nazaire, il y a d'importants chantiers navals,* des chantiers où l'on construit des bateaux.

Compare **naval** et **naviguer** : il s'agit de **bateau.**

On appelle aussi *navet* un mauvais film.

navet n. m.
Légume rond, blanc ou mauve qui se mange cuit. *Marie-Tévy mange du canard aux navets.*

C'est la racine de la plante que l'on mange.

Attention ! *navette* s'écrit avec deux *t.*

navette n. f.
1. *La navette d'un métier à tisser,* c'est la bobine allongée que l'on passe dans un sens puis dans l'autre, entre les fils, pour tisser. *La navette est une pièce de bois, d'os ou de métal. Le docteur Séverac fait la navette tous les jours entre son cabinet et l'hôpital,* il va et vient régulièrement entre ces deux endroits. **2.** Petit car, train ou bateau qui fait régulièrement l'aller et retour, sur une courte distance, entre deux lieux. *Denis Prost a pris la navette entre l'aéroport et l'hôtel.* **3.** *Une navette spatiale,* c'est un engin capable de faire plusieurs allers et retours entre la Terre et l'espace. *La première navette spatiale américaine a été lancée en août 1981.*

Kaa se lova deux ou trois fois en un grand cercle, agitant sa tête de droite et de gauche d'un mouvement de navette *(le Livre de la jungle).*

Une navette spatiale décolle comme une fusée et revient se poser comme un avion.

Conjugaison 1

Il était un petit navire, Qui n'avait jamais navigué Ohé, ohé ! (chanson).

naviguer v.
1. *Le bateau de Loïc naviguait vers l'Irlande,* se déplaçait sur l'eau en direction de l'Irlande ; vois ***cingler.*** **2.** *Loïc a navigué pendant deux jours sur l'Atlantique,* il a voyagé comme marin sur un bateau.

▹ ***navigable*** adj. Où l'on peut naviguer. *Le Rhône est navigable entre Lyon et Marseille.*

▹ ***navigant*** adj. Dont le métier est de travailler à bord d'un avion. *Le pilote, les hôtesses de l'air et les stewards font partie du personnel navigant.*

▹ ***navigateur*** n. m. **1.** Marin qui fait de longs voyages sur la mer. *Christophe Colomb était un grand navigateur.* **2.** Personne qui s'occupe de la direction à suivre, dans un bateau ou un avion. *Le navigateur et le radio sont assis dans la cabine de pilotage de l'avion.*

▹ ***navigation*** n. f. Déplacement en mer à bord d'un bateau. *Un fort vent d'ouest gêne la navigation en mer du Nord.*

Le petit chien blanc était si content de naviguer qu'il faillit plusieurs fois sauter hors des bras de Marinette pour aller jouer avec l'eau *(les Contes du Chat perché).*

Ne confonds pas l'adjectif *navigant* et le participe présent *naviguant.*

Compare ***navigateur, navigation*** et ***naval*** : il s'agit de **bateau.**

La *navigation aérienne,* c'est la circulation des avions.

Compare *navire* et *naviguer* : il s'agit de **bateau.**

navire n. m.
Grand bateau destiné à la navigation en pleine mer. *La sirène du navire retentit dans la brume. Les cargos et les paquebots sont des navires de commerce.*

Les *navires-citernes* transportent du pétrole.

Au féminin : *navrante.*

navrant adj.
Désolant, contrariant. *C'est une histoire navrante.*

Le contraire de *navré,* c'est *heureux.*

navré adj.
Désolé. *Je suis navré de vous avoir dérangé,* je le regrette.

nazi n. m., **nazie** n. f.
Membre du parti du dictateur allemand Hitler. *Les nazis ont commis des crimes atroces pendant la Seconde Guerre mondiale.* — adj. *Sous le régime nazi, six millions de Juifs ont été exterminés.*

▹ ***nazisme*** n. m. Doctrine du dictateur allemand Hitler. *Le nazisme est fondé sur le racisme, dirigé surtout contre les Juifs, et il encourage à la violence et à la guerre.*

Les nazis ont enfermé des millions de personnes dans des camps de concentration et les ont tuées.

Va voir aussi ***fascisme.***

La police nazie s'appelait la Gestapo.

On dit aussi : *national-socialisme.*

Ne devient ***n'*** devant une voyelle ou un ***h*** muet.

ne adv.
Mot qui se place devant un verbe pour indiquer la négation et qui est suivi, le plus souvent, de *jamais, pas, plus* ou *rien. Mme Harpie ne rit jamais. Marie-Tévy n'aime pas les endives. Le chien ne veut plus garder les moutons. La directrice n'a rien compris.*

Le froid impitoyable n'en finissait pas *(Charlie et la Chocolaterie).*

Autres membres de la famille : **naguère, n'est-ce-pas.**

Famille de **naître**

né adj.
1. Venu au monde. *Julie est une Française née à New York.* **2.** *Mme Bellec est née Bonnot,* elle s'appelait Bonnot avant son mariage. **3.** *Sylvain est un musicien-né,* il a un don pour la musique.

Attention ! néan**moins** s'écrit avec un **n** suivi d'un **m**.

néanmoins adv.

Malgré cela. *Mme Harpie est très méchante, néanmoins Antoine l'aime bien ;* vois ***cependant, pourtant.***

néant n. m.

1. *Tous ses espoirs ont été réduits à néant,* à rien. **2.** *Signes particuliers : néant,* rien à signaler.

Autre membre de la famille : **anéantir.**

Au féminin : *nébuleuse.*

nébuleux adj.

1. Couvert de nuages. *Le ciel est nébuleux ;* vois ***brumeux, nuageux.*** **2.** Difficile à comprendre, confus. *Mme Harpie nous a fait un discours nébuleux ;* vois ***obscur.***

▷ ***nébuleuse*** n. f. Nuage de gaz et de poussière, dans l'espace. *Certaines nébuleuses sont lumineuses, d'autres sont opaques et nous cachent les étoiles.*

Le contraire de *nébuleux,* c'est *clair, net, précis.*

Le contraire de *nébuleux,* c'est *clair.*

Attention ! d'abord un **é**, ensuite deux **s**.

nécessaire adj. et n. m.

▭ **adj.** Très utile, essentiel. *Il est nécessaire de partir maintenant si vous voulez être à l'heure au rendez-vous,* il faut partir maintenant. *Angèle a les qualités nécessaires pour être un bon professeur ;* vois ***indispensable.***

▭ **n. m. 1.** Ce qui est indispensable pour vivre. *En Afrique, beaucoup de gens manquent encore du nécessaire.* **2.** Ce qu'il faut faire ou dire, et qui suffit. *Nous ferons le nécessaire pour que tout se passe bien.* **3.** Boîte ou étui renfermant les ustensiles indispensables à la toilette, au voyage... *Mamie Lou a perdu son nécessaire à couture.*

▷ ***nécessairement*** adv. Obligatoirement. *Pour aller de l'école à la mairie, il faut passer nécessairement devant le château ;* vois ***forcément.***

Marinette posait la question autant de fois qu'il était nécessaire au loup pour passer une à une toutes les pièces de son harnachement, depuis les chaussettes jusqu'à son grand sabre *(les Contes du Chat perché).*

Le contraire de *nécessaire,* c'est *inutile, superflu.*

Attention ! un **c**, puis deux **s** dans *nécessité.*

nécessité n. f.

Chose indispensable. *Dormir tous les jours est une nécessité absolue ;* vois ***obligation.***

Conjugaison 1

▷ ***nécessiter*** v. Rendre indispensable. *Ce travail nécessite une grande attention ;* vois ***exiger.***

▷ ***nécessiteux*** adj. *Une personne nécessiteuse,* c'est une personne qui manque du nécessaire. *Mme Séverac aide les familles nécessiteuses de Motbourg.*

Va voir aussi ***nécessaire.***

Compare *nécro**logie*** et *hor**loge*** : dans ces mots, il s'agit de **dire** quelque chose.

nécrologie n. f.

Texte qui raconte la vie d'une personne qui vient de mourir. *Le docteur Séverac lit dans le journal la nécrologie du dernier chef d'État brésilien.*

Compare ***nécro**logie* et ***nécro**pole* : dans ces mots, il s'agit des **morts.**

Compare ***nécro**pole* et ***nécro**logie* : il s'agit des **morts.**

nécropole n. f.

Grand cimetière de l'Antiquité. *Les anciens Égyptiens enterraient les morts dans des nécropoles situées hors de la ville.*

Va voir aussi ***catacombes.***

nectar n. m.

1. Liquide sucré que contiennent les fleurs et les feuilles. *Les abeilles butinent le nectar des fleurs d'oranger.* **2.** Boisson délicieuse. *Goûtez ce vin, c'est un vrai nectar !*

C'est avec le nectar qu'elles font le miel.

nef n. f.

Dans une église, partie située entre le portail et le chœur. *Les fidèles sont assis dans la nef centrale.*

Les grandes cathédrales ont trois nefs parallèles.

Famille de ② **faste**

néfaste adj.

1. *Mme Séverac pense que le vendredi 13 est un jour néfaste,* un jour où il arrive des malheurs. **2.** *Mme Harpie n'aime pas la Bretagne car elle trouve que le climat lui est néfaste,* est mauvais pour elle.

Le contraire de *néfaste,* c'est *faste.*

Au féminin : *négative.*

Ma cuti est négative, elle n'a pas pris.

① *négatif* adj.

1. *La réponse d'Angèle a été négative,* Angèle a répondu non, elle a refusé. — n. f. *La négative,* c'est une réponse négative. *Angèle a répondu par la négative.* **2.** *Quand on a parlé de faire un parking à Motbourg, tout le monde a été négatif,* a fait des critiques négatives, s'y est opposé.

Le contraire de *négatif,* c'est *affirmatif.*

Le contraire de *négatif,* c'est *constructif, positif.*

les phrases négatives

■ Une **phrase négative** est une phrase qui contient un adverbe de négation comme *ne... pas, ne... plus, ne... jamais.*
*Je **ne** viendrai **pas** ce soir.*
*Je **n'**ai **plus** de feu.*

② ***négatif*** n. m.
Un négatif, c'est une pellicule développée sur laquelle on voit en clair ce qui devrait être sombre et en sombre ce qui devrait être clair. *On tire une photo à partir d'un négatif.*

Compare ***négation*** et ***négatif*** : dans ces mots, il s'agit de **nier.**

négation n. f.
« Non » est un adverbe de négation, un adverbe qui sert à nier. *Les phrases négatives permettent d'exprimer des négations.*

Le contraire de *négation,* c'est *affirmation.*

Conjugaison 3 ▭ Indic. présent : *nous négligeons.* Imparfait : *je négligeais, nous négligions.* — Participe présent : *négligeant.*

négliger v.
Négliger quelque chose, c'est ne pas y faire attention, penser que cela n'a pas d'importance ; vois *se* ***désintéresser.*** *Mme Roussel néglige sa santé, elle devrait se soigner. — Mme Harpie se néglige,* elle est mal habillée et peu soignée.

Mme de Fleurville et les enfants rentrèrent au château pour les leçons qui avaient été un peu négligées la veille *(les Petites Filles modèles).*

▸ ***négligé*** n. m. *Le professeur reproche à Alex le négligé de ses vêtements,* le manque de soin qu'il apporte à son habillement ; vois ***laisser-aller.***

Attention au ***e*** avant le ***a*** dans *négligeable* !

▸ ***négligeable*** adj. Sans importance. *La couleur de la voiture est un détail négligeable ;* vois ***insignifiant.***

Le contraire de *négligeable,* c'est *grave, important.*

Prononce [negliʒamɑ̃].

▸ ***négligemment*** adv. Sans mettre du soin à ce que l'on fait. *Yves a négligemment posé son cartable dans un coin.*

Le contraire de *négligemment,* c'est *soigneusement.*

▸ ***négligence*** n. f. Manque de soin, d'attention, de prudence. *M. Doucet oublie souvent ses rendez-vous, par négligence ;* vois ***désinvolture.*** *L'accident est dû à une négligence du mécanicien.*

Le contraire de *négligence,* c'est *attention.*

▸ ***négligent*** adj. *Une personne négligente,* c'est une personne qui ne fait pas attention quand elle fait quelque chose. *L'incendie a été causé par un campeur négligent.*

Le contraire de *négligent,* c'est *attentif.*

Il a jeté sa cigarette allumée dans la forêt.

C'est un vieux mot que l'on n'emploie plus beaucoup.

négoce n. m.
Commerce. *Les banquiers font le négoce de l'argent.*

▸ ***négociant*** n. m., ***négociante*** n. f. Personne qui fait du commerce en gros ; vois ***grossiste.*** *M. Bellec s'approvisionne chez un négociant en vins.*

Conjugaison 7 ▭ Indic. présent : *nous négocions.* Imparfait : *nous négociions.* Futur : *nous négocierons.*

négocier v.
1. Discuter afin d'arriver à se mettre d'accord. *Les deux gouvernements ont négocié un traité de paix.* **2.** *Le coureur automobile a bien négocié son virage,* il a bien manœuvré sa voiture pour prendre son virage à grande vitesse.

Les *négociateurs* se sont rencontrés à Genève.

Ce mot s'emploie surtout au pluriel.

▸ ***négociation*** n. f. Suite de discussions que l'on entreprend pour arriver à un accord. *Les deux pays ont engagé des négociations.*

Attention à l'accent grave du ***è*** de *nègre* et à l'accent aigu du ***é*** de *négresse* !

nègre n. m. et adj., ***négresse*** n. f.
1. n. Homme ou femme de race noire ; vois ***noir.*** *Autrefois, certains pays pratiquaient l'esclavage des nègres.* **2.** adj. m. et f. *Mme Hespel s'intéresse à la sculpture nègre,* faite par les Noirs d'Afrique et d'Amérique.

Ce mot est vieux ou péjoratif : le mot normal est *Noir.*

Le féminin de l'adjectif est *nègre.*

Mille sabords !... Il y a donc encore des négriers !... Et c'est ce métier-là que tu fais, forban ! *(Tintin).*

▸ ***négrier*** n. m. Personne qui achetait et vendait autrefois les esclaves noirs. *Les négriers allaient capturer les Noirs en Afrique pour les vendre dans les colonies d'Amérique. —* adj. *Les Noirs étaient entassés dans les navires négriers.*

Les négriers faisaient la *traite* des Noirs.

neige n. f.
1. Eau gelée qui tombe du ciel en flocons blancs et légers, lorsqu'il fait froid. *Il est tombé de la neige cette nuit. Antoine et Yves ont fait une bataille de boules de neige.* **2.** *Battre des œufs en neige,* c'est battre les blancs pour obtenir une mousse. *Les œufs à la neige,* ce sont ces blancs battus, servis avec une crème sucrée.

La boule de neige
que tu m'avais jetée
à Chamonix
l'hiver dernier
je l'ai gardée (Prévert).

La neige, c'est un duvet blanc, fin comme un duvet de canard et qui recouvre tout *(les Contes du Chat perché).*

Conjugaison 3

▸ ***neiger*** v. *Il a beaucoup neigé cette nuit,* il est tombé beaucoup de neige.

Au féminin : *neigeuse.*

▸ ***neigeux*** adj. Couvert de neige. *Les skieurs dévalent à vive allure les pentes neigeuses.*

Autres membres de la famille : **chasse-neige, déneiger, enneigé, enneigement, perce-neige.**

La mère Crapaud sauta dans l'eau pour choisir une grande feuille de nénuphar *(Poucette)*.

nénuphar n. m.
Plante à grandes feuilles rondes et à fleurs blanches ou jaunes, et qui pousse dans l'eau. *Les grenouilles se cachent sous les nénuphars.*

Attention au ***ph*** !

néologisme n. m.
Mot nouveau. *Le mot « minitel » est un néologisme.*

Le néon a été découvert en 1898.

néon n. m.
Gaz rare de l'air, utilisé pour l'éclairage. *Les cinémas sont signalés par une enseigne lumineuse au néon.*

Attention ! *nerf* s'écrit avec un ***f*** à la fin qui ne se prononce pas.

nerf n. m.
1. *Les nerfs,* ce sont les filaments qui relient chaque partie du corps au cerveau et à la moelle épinière. *Nos nerfs nous servent à sentir, à entendre, à voir, à bouger. Mme Séverac est à bout de nerfs,* très énervée, très excitée. *Marie-Tévy a eu une crise de nerfs,* elle a pleuré et poussé des cris. **2.** Ligament, tendon des muscles. *Cette viande est pleine de nerfs.* **3.** *Réjean a du nerf,* il est énergique et dynamique.

Au féminin : *nerveuse.*

Le contraire de *nerveux,* c'est *calme.*

▸ **nerveux** adj. **1.** *Mme Roussel a eu une dépression nerveuse,* une maladie de nerfs. **2.** *Une personne nerveuse,* c'est une personne agitée, excitée. *Angèle est très nerveuse aujourd'hui ;* vois ***énervé.*** **3.** *Cette viande est nerveuse,* pleine de nerfs, trop dure. **4.** *Une voiture nerveuse,* c'est une voiture qui avance très vite dès qu'on accélère un tout petit peu. *Alex aime les motos nerveuses.*

Le *système nerveux,* c'est l'ensemble que constituent les nerfs, le cerveau et la moelle épinière.

Autres membres de la famille : **énerver, énervant, énervé, énervement ; nervure.**

▸ **nervosité** n. f. Énervement, irritation. *Angèle est d'une grande nervosité aujourd'hui.*

Le contraire de *nervosité,* c'est *calme.*

Famille de **nerf**

nervure n. f.
Les nervures d'une feuille, ce sont les fines lignes en relief sur la surface de cette feuille. *La nervure centrale se ramifie en nervures latérales, plus fines.*

C'est dans les nervures que circule la sève.

N'oublie pas le trait d'union entre ***est*** et ***ce.***

Prononce [nɛspɑ].

n'est-ce pas adv.
Expression qui sert à interroger quelqu'un, à lui demander son avis. *Tu as soif, n'est-ce pas ?*

Famille de **ne**, de ① **être**, de ② **ce** et de ② **pas**

net adj. et adv.

Au féminin : *nette.*

▭ **adj. 1.** Propre. *Va te laver les mains, tes ongles ne sont pas très nets. M. Bellec a fait place nette dans la cave,* il a débarrassé la cave de tout ce qui l'encombrait. *Le commissaire, qui avait de vagues soupçons, a décidé d'en avoir le cœur net,* de ne plus avoir de doute. **2.** *Le poids net,* c'est le poids de la marchandise sans son emballage. *Le poids net de ce colis est de cinq cent dix grammes.* **3.** Clair et précis. *La réponse d'Angèle était très nette. Il y a une nette amélioration du temps depuis hier,* une amélioration évidente. **4.** Dont les contours sont précis. *M. Bellec a réglé la télévision pour que l'image soit plus nette.*

Le contraire de *net,* c'est *sale.*

Le contraire de *net,* c'est *brut.*

Le contraire de *net,* c'est *confus, flou.*

Le contraire de *net,* c'est *flou.*

▭ **adv. 1.** Tout d'un coup. *La voiture s'arrêta net devant la grille.* **2.** D'une manière précise. *Mme Harpie lui a dit tout net ce qu'elle pensait ;* vois ***franchement.***

Lorsque Mr. Fogg demanda à l'Indien s'il voulait lui louer son éléphant, l'Indien refusa net *(le Tour du monde en 80 jours).*

Attention ! deux ***t*** dans *nettement.*

▸ **nettement** adv. **1.** D'une manière claire, très visible. *On voit très nettement le mont Blanc, à l'horizon.* **2.** *La voiture roulait nettement trop vite,* beaucoup trop vite.

Attention ! deux ***t*** dans *netteté.*

Prononce [nɛtte].

▸ **netteté** n. f. **1.** Propreté. *Cette nappe est d'une netteté irréprochable.* **2.** Clarté et précision. *Angèle a répondu à Hippolyte avec netteté.* **3.** *Maintenant que la télévision est réglée, l'image est d'une grande netteté,* les contours en sont très précis.

Autres membres de la famille : **nettoyer, nettoyage.**

Deux ***t*** dans *nettoyer* et dans *nettoyage.*

nettoyer v.
Rendre net, propre. *Sophie Pelletier a donné son manteau à nettoyer. Julie nettoie les allées du jardin.*

Conjugaison 8 ▭ Indic. présent : *nous nettoyons.* Futur : *je nettoierai.*

Compare : *nettoyer → nettoyage* et *jardiner → jardinage.*

▸ **nettoyage** n. m. *Mme Harpie fait un grand nettoyage de printemps,* elle nettoie à fond, elle rend sa maison propre.

Famille de **net**

Prononce [nœf] devant une voyelle : *neuf éléphants* [nœfelefɑ̃], sauf dans *neuf ans* [nœvɑ̃] et *neuf heures* [nœvœʀ].

① ***neuf*** adj. invariable
Huit plus un. *Julie aura neuf ans l'année prochaine. Yves se couche tous les soirs à neuf heures.* — n. m. invariable *Colle et Rat habitent au neuf, rue Diderot,* au numéro neuf.

9 en chiffre arabe
IX en chiffres romains

Un, deux, trois
— nous irons au bois,
Quatre, cinq, six
— cueillir des cerises,
Sept, huit, neuf
— dans mon panier neuf,
Dix, onze, douze
— elles seront toutes rouges
(comptine).

▸ ***neuvième*** adj. et n.

Sixièmement, septièmement, huitièmement, neuvièmement.

▭ **adj.** *Aujourd'hui, c'est le neuvième jour de vacances,* le jour qui succède au huitième jour de vacances.
▭ **n. 1.** n. m. et f. *Marie-Tévy est la neuvième de sa classe.* **2.** n. m. *Yasmina a mangé les deux neuvièmes du gâteau,* deux parts du gâteau qui était divisé en neuf.

On écrit aussi 2/9 ou $\frac{2}{9}$.

Au féminin : *neuve.*

Babar va dîner chez son amie la vieille dame. Elle le trouve très chic dans son costume neuf *(Babar).*

② ***neuf*** adj. et n. m.
▭ **adj. 1.** *Un vêtement neuf,* c'est un vêtement qui vient d'être fait et n'a pas encore servi. *Yasmina a mis sa robe neuve. La nouvelle voiture de Mme Roussel n'est pas neuve, elle est d'occasion. Hippolyte a des souliers flambant neufs,* tout neufs. **2.** *Quoi de neuf dans l'affaire du fantôme de Motbourg ?,* quoi de nouveau.
▭ **n. m. invariable** *Il y a du neuf dans l'affaire du meurtre du quai Trévoux,* il y a du nouveau. *Les Séverac ont remis à neuf leur salle de bains,* ils l'ont refaite pour qu'elle soit comme si elle était neuve ; vois **rénover.**

Le contraire de *neuf,* c'est *vieux, usé.*

Neuf se place toujours après le nom qu'il qualifie.

Attention au ***h*** après le ***t*** dans *neurasthénique.*

neurasthénique adj.
Triste et déprimé, sans qu'il y ait une raison précise. *Depuis son divorce, Mme Roussel est devenue neurasthénique.*

Conjugaison 1

neutraliser v.
Neutraliser quelqu'un, c'est l'empêcher d'agir, le rendre inoffensif. *Le commissaire a neutralisé le malfaiteur.*

Famille de **neutre**

Famille de **neutre**

neutralité n. f.
Situation d'un pays ou d'une personne qui ne prend pas parti. *Pendant la dernière guerre mondiale, la Suisse a observé la plus stricte neutralité. Malgré les huées des spectateurs, l'arbitre a gardé une parfaite neutralité.*

neutre adj.
1. *La Suisse est un pays neutre,* qui ne prend pas parti pendant les guerres. *Un bon arbitre doit rester neutre,* il ne doit pas prendre parti, favoriser une équipe. **2.** Sans passion, indifférent. *Angèle a répondu d'un ton neutre à la directrice.*

Autres membres de la famille : **neutraliser, neutralité.**

neuvième va voir ***neuf.***

En Europe, on trouve des névés à partir de 3 000 mètres d'altitude.

névé n. m.
Masse de neige dure qui est en train de se transformer en glacier. *Les alpinistes ont escaladé un névé.*

Au pluriel : *des névés.*

Au pluriel : *des neveux.*

Va voir aussi ***nièce.***

neveu n. m.
Fils du frère ou de la sœur. *Antoine est le neveu de Mme Harpie. Les oncles et les tantes achètent des cadeaux à leurs neveux et à leurs nièces pour Noël.*

Va voir aussi ***oncle, tante.***

Va voir aussi ***narine.***

Bécassine ne voit pas plus loin que le bout de son nez.

On peut dire aussi : *elle a le nez fin.*

nez n. m.
1. Partie qui dépasse du visage, entre le front et la bouche, et qui sert à sentir et à respirer. *Mme Harpie a un gros nez. Julie a des taches de rousseur sur le bout du nez. Hier, Marie-Tévy a saigné du nez. Yves mène son grand-père par le bout du nez,* il lui fait faire tout ce qu'il veut. *Colle et Rat n'ont pas écouté ce que disait la directrice et lui ont ri au nez,* ils ont ri en se moquant d'elle, sans se cacher. **2.** *Mme Hespel a du nez,* elle comprend vite les choses et sait prévoir ce qui va se passer.

Cyrano de Bergerac avait un très grand nez.

Fourrer son nez partout, c'est être très curieux.

Autres membres de la famille : **cache-nez, pied de nez.**

Ce n'est pas de crier ni de taper du pied qui va nous avancer dans le problème *(les Contes du Chat perché).*

ni conjonction
Ni, accompagné de *ne,* indique qu'on ajoute quelque chose de négatif dans une phrase négative. *Hippolyte n'a pas de voiture ni de mobylette,* il n'a pas de voiture et pas de mobylette non plus. *Hippolyte n'a ni voiture ni mobylette.*

Prononce [njɛ]. Au féminin : *niaise.*

niais adj.
Bête et naïf. *Alex est un peu niais.* — n. *Alex est un niais.*
▹ **niaiserie** n. f. Parole bête. *Alex dit souvent des niaiseries ;* vois **sottise.**

① **niche** n. f.
Farce. *Colle et Rat aiment beaucoup faire des niches à leurs camarades ;* vois **blague.**

Même famille que **nicher**

② **niche** n. f.
1. Abri en forme de petite maison où couche un chien. *L'écuelle de Rex est devant sa niche.* **2.** Enfoncement dans l'épaisseur d'un mur, où l'on met un objet décoratif. *La statuette était placée dans une niche.*

Je vous construirai une belle niche et vous aurez chaque jour votre soupe, sans compter les os *(les Contes du Chat perché).*

Conjugaison 1

nicher v.
1. Faire son nid. *La plupart des oiseaux nichent dans les arbres.* **2.** *Se nicher,* c'est se blottir, se cacher. *Claire a couru se nicher dans les bras de Mamie Lou.*
▹ **nichée** n. f. *Une nichée,* c'est un ensemble d'oiseaux, d'une même couvée, qui sont encore au nid. *Le renard a dévoré toute une nichée de canards sauvages ;* vois **couvée.**

Famille de **nid**

Attention au ***k*** après le ***c*** !

nickel n. m.
Métal d'un blanc argenté, inoxydable. *Cette pièce de monnaie est faite d'un alliage de cuivre et de nickel.*

Nickel [nikɛl] rime avec *laquelle.*

Prononce [nikle].

▹ **nickelé** adj. Couvert d'une mince couche de nickel. *Le guidon de la bicyclette est nickelé.*

La nicotine est dangereuse pour la santé.

nicotine n. f.
Substance qui se trouve dans le tabac. *Denis Prost a les doigts jaunis par la nicotine.*

Il fume beaucoup trop.

Attention au ***d*** final !

nid n. m.
Abri que les oiseaux se construisent pour y pondre, couver leur œufs et élever leurs petits. *Nathalie a découvert un nid d'hirondelle dans le grenier.*

Autres membres de la famille : **② niche, nichée, nicher ; dénicher.**

nièce n. f.
Fille du frère ou de la sœur. *Claire est la nièce du docteur Séverac. Les oncles et les tantes font des cadeaux à leurs nièces et à leurs neveux pour Noël.*

Va voir aussi ***neveu.***

Le docteur Séverac est le frère du père de Claire ; va voir aussi ***oncle*** et ***tante.***

Conjugaison 7 ▭ Indic. Imparfait : *nous niions.* Futur : *je nierai, nous nierons.*

nier v.
Nier quelque chose, c'est dire que cette chose n'est pas vraie. *La directrice accuse Colle et Rat d'avoir fait éclater un pétard à la cantine, mais ils le nient. Colle et Rat nient avoir fait une bêtise.*

Le contraire, c'est *affirmer.*
Autres membres de la famille : **indéniable, renier.**

Va voir *attrape-nigaud* à ***attraper.***

nigaud adj.
Un peu bête et naïf ; vois **niais.** *Elle est un peu nigaude.*

Le contraire, c'est *fin, malin.*

n'importe qui, n'importe quoi va voir ① ***importer.***

Le nitrate est formé par l'acide nitrique réagissant sur du calcaire, de la soude ou de l'ammoniac.

nitrate n. m.
Produit chimique naturel ou de synthèse avec lequel on fait des engrais, des médicaments ou des explosifs. *Le nitrate d'argent est utilisé par les médecins pour cicatriser les plaies.*

nitroglycérine n. f.
Explosif très puissant qui a l'aspect d'un liquide visqueux jaune pâle. *La nitroglycérine sert à fabriquer de la dynamite.*

niveau n. m.
1. Hauteur jusqu'à laquelle s'élève un liquide, par rapport à un plan horizontal. *M. Bellec vérifie le niveau d'huile, dans le moteur de sa voiture. Le château de Motbourg est à deux cents mètres au-dessus du niveau de la mer,* au-dessus de la surface de la mer. *Claire entre dans la piscine ; l'eau lui arrive au niveau de la taille,* l'eau est à la même hauteur que sa taille. **2.** Degré d'intelligence et de connaissances. *Julie et Marie-Tévy ne sont pas au même niveau, en français,* l'une est plus forte que l'autre.

Deux cent trente-septième jour de mer ! Le vent souffle, on dirait que le niveau de l'eau commence à baisser..., il baisse ! *(les Contes du Chat perché).*

L'alimentation, le logement, les transports, la santé et l'éducation font partie du niveau de vie.

3. *Le niveau de vie,* c'est la manière de vivre des habitants d'un pays, déterminée par leurs revenus et le développement économique de ce pays. *Les Américains ont un niveau de vie supérieur à celui des Soviétiques.* **4.** *Niveau de langue ;* vois l'encadré ci-dessous.

les niveaux de langue

- Un mot **familier** est un mot qu'on emploie en parlant à des gens que l'on connaît bien, mais on évite de l'utiliser quand on surveille ce qu'on dit ou ce qu'on écrit. *Gosse* est un mot familier ; *enfant* est le mot courant correspondant. *Moche* est un mot familier correspondant à *laid.*
- Les mots d'**argot** sont des mots familiers utilisés seulement dans un milieu bien particulier. *Pion* désigne un surveillant dans l'argot des lycéens.
- Certains mots, au contraire, ne sont employés que dans les textes écrits. Par exemple *duper* qui a pour équivalent courant *tromper,* ou *soufflet,* qui est synonyme de *gifle,* ne se trouvent que dans les livres. Ce sont des mots **littéraires.**
- Il existe aussi des mots **vieux**, qu'on n'emploie plus, mais qu'on peut lire dans les textes anciens : *larron* désignait un voleur. Les mots courants, les mots familiers et les mots littéraires peuvent être employés par la même personne, selon les circonstances.
- De plus, selon son âge, son métier ou sa région d'origine, une personne n'emploie pas les mêmes mots qu'une autre. Un adulte dit *un chien,* un enfant *un toutou.* Les médecins appellent *coryza* ce qu'on appelle couramment *un rhume.* En France on dit *des myrtilles,* au Québec ce sont *des bleuets.*

Attention ! un *l* dans *niveler* et deux *l* dans *nivellement.*

niveler v.

Conjugaison 4 ▭ Indic. imparfait : *je nivelais.* Futur : *je nivellerai.*

Supprimer les creux et les bosses, égaliser. *L'érosion nivelle les reliefs ;* vois ***aplanir.***

▹ ***nivellement*** n. m. Action d'égaliser. *Les syndicats demandent le nivellement des salaires pour sauver l'entreprise.*

Les salaires les plus hauts seront diminués.

Autre membre de la famille : **dénivellation.**

noble adj. et n.

Le contraire de *noble,* c'est *bas, mesquin.*

Autre membre de la famille : **anoblir.**

1. adj. Beau et généreux. *Antoine a eu un geste noble en se faisant punir à la place de Marie-Tévy.* **2.** n. m. et f. Personne qui appartenait autrefois à la plus haute classe de la société. *Les nobles possédaient des châteaux et des terres.*

Le contraire de *noble,* c'est *roturier.*

▹ ***noblement*** adv. D'une manière grande et généreuse. *Antoine a agi noblement en se faisant punir à la place de Marie-Tévy.*

Compare : *noble* → *noblesse,* *jeune* → *jeunesse* et *tendre* → *tendresse.*

▹ ***noblesse*** n. f. **1.** Grandeur et générosité. *Le geste d'Antoine était plein de noblesse.* **2.** *La noblesse,* c'est la classe sociale composée par les nobles. *Avant la Révolution, la noblesse était une classe privilégiée ;* vois ***aristocratie.***

Le contraire de *noblesse,* c'est *bassesse, mesquinerie.*

Le clergé, la noblesse et le tiers état.

noce n. f.

Il était une fois un gentilhomme qui épousa en secondes noces une femme, la plus hautaine et la plus fière qu'on eût jamais vue *(Cendrillon).*

1. *Les noces,* le mariage. *Les Séverac ont célébré leurs noces à la campagne. M. Doucet a épousé Muriel en secondes noces,* c'était la deuxième fois qu'il se mariait. **2.** *Une noce,* c'est la fête qui suit la cérémonie du mariage. *Mme Harpie est invitée à une noce.* **3.** *Faire la noce,* c'est faire la fête. *Denis Prost aime bien faire la noce.*

Salle pour noces et banquets.

nocif adj.

Au féminin : *nocive.*

Le contraire de *nocif,* c'est *bienfaisant, inoffensif.*

Une chose nocive, c'est une chose qui peut nuire beaucoup ; vois ***dangereux, nuisible.*** *Trop fumer est nocif pour la santé.*

▹ ***nocivité*** n. f. Caractère de ce qui est nuisible. *La nocivité du tabac est bien connue.*

noctambule n. m. et f.

Compare *noctambule* et *nocturne* : il s'agit de la **nuit.**

Personne qui aime se promener, s'amuser ou vivre la nuit. *Denis Prost est un noctambule.*

Compare *noctambule* et *somnambule* : il s'agit d'**aller.**

Compare *nocturne* et *noctambule* : il s'agit de la **nuit**.

nocturne adj. et n. m. ou f.

▭ **adj. 1.** Qui a lieu pendant la nuit. *Mme Bellec aime les promenades nocturnes.* **2.** *La chouette est un animal nocturne,* qui se déplace et chasse pendant la nuit.

Le contraire de *nocturne,* c'est *diurne.*

On dit aussi : un match *en nocturne.*

▭ **n. m. ou f. 1.** n. m. ou f. Course ou match qui se dispute la nuit. *Réjean a assisté à un nocturne de hockey sur glace.* **2.** n. m. ou f. Ouverture le soir d'un magasin ou d'une exposition. *Mme Roussel profite des nocturnes du supermarché pour faire ses courses.* **3.** n. m. Morceau de piano mélancolique. *Sylvain a appris des nocturnes.*

Le pianiste joue un nocturne de Chopin.

N'oublie pas le tréma du *ë*.

noël n. m.

1. *Noël,* c'est la fête que les chrétiens célèbrent le 25 décembre en souvenir de la naissance du Christ. *Claire a eu beaucoup de cadeaux pour Noël.* **2.** *Un noël,* c'est un cantique de Noël. *Yves chante des noëls.*

Avec un ***N*** majuscule quand il s'agit de la fête.

Attention au ***œ*** et au ***d*** final !

nœud n. m.

1. Enlacement d'un fil, d'une corde ou d'un ruban, qui se resserre si on tire sur les extrémités. *Yves n'arrive pas à faire les nœuds de ses chaussures,* à nouer ses lacets. *Hippolyte fait son nœud de cravate devant la glace.* **2.** Point essentiel. *Le commissaire explique à son adjoint le nœud du problème.* **3.** Endroit où se croisent plusieurs grandes lignes. *Villeneuve-Saint-Georges est un important nœud ferroviaire,* un endroit où se croisent de nombreuses lignes de chemin de fer. **4.** Partie très dense et dure à l'intérieur de l'arbre qui forme des cercles dans le bois. *On aperçoit les nœuds du chêne en le sciant.* **5.** Unité de vitesse des bateaux. *Le navire filait vingt nœuds,* vingt milles à l'heure.

Le capitaine Haddock a mis son smoking et son nœud papillon, pour aller au Music-Hall-Palace.

— Je n'étais pas encore au nœud de mon histoire !
— Il y a donc un nœud quelque part ? demande Alice. [...] Oh, je t'en prie, laisse-moi t'aider à le défaire
(Alice au Pays des merveilles).

Un nœud est l'équivalent d'un mille à l'heure ou 1,8 km/h.

noir adj. et n. m., **noire** adj. et n. f.

Le contraire, c'est *blanc.*

▭ **adj. 1.** De la couleur la plus foncée qui existe. *Un chat noir a traversé la rue. Yasmina a les yeux noirs,* brun très foncé. **2.** Sale. *Alex a les ongles noirs. La table est noire de poussière.* **3.** Sombre, sans lumière. *Dans le parc du château, la nuit, il fait noir. Il fait nuit noire,* il n'y a ni lune, ni étoiles. **4.** Triste. *Mme Séverac a des idées noires, aujourd'hui. Marie-Tévy a jeté à Angèle un regard noir,* irrité et menaçant. **5.** *Pendant la guerre, certaines personnes achetaient de la viande au marché noir,* en cachette et à un prix très élevé parce que c'était interdit.

Le contraire, c'est *propre.*

Le contraire, c'est *clair.*

Le contraire, c'est *gai.*

Il fait nuit
Il fait noir
Il fait nuit noire à Paris
(Ph. Soupault).

Travailler au noir, c'est travailler sans être déclaré.

▭ **n. m. 1.** Couleur noire. *Mme Harpie porte souvent du noir. Elle est habillée tout en noir.* **2.** L'obscurité, la nuit. *Claire a peur du noir.* **3.** *Mme Séverac voit tout en noir,* elle est très pessimiste.

Les vieux films sont en noir et blanc.

On dit aussi *nègre,* mais c'est péjoratif.

▭ **adj. et n. 1.** adj. *La race noire,* celle des Africains et des Mélanésiens dont la peau est très foncée. *C'est un écrivain noir qui a eu le prix Nobel de littérature.* **2.** n. Homme ou femme de race noire. *Les Prost sont allés écouter chanter une Noire américaine.*

Il faut mettre une majuscule quand il s'agit du nom.

Attention à l'accent circonflexe du ***â*** !

▸ **noirâtre** adj. D'une couleur foncée, presque noire. *Le fauteuil blanc est devenu noirâtre.*

Compare avec *blanchâtre, jaunâtre.*

Conjugaison 2

▸ **noircir** v. **1.** Rendre noir. *La fumée a noirci les murs ;* vois ***salir.*** **2.** Décrire en exagérant l'aspect négatif. *Mme Harpie a noirci la situation.*

▸ **noire** n. f. Note de musique qui vaut une demi-blanche. *Deux noires valent une blanche.*

Une noire vaut aussi deux croches.

L'arbuste qui produit les noisettes s'appelle le *noisetier* [nwaztje].

noisette n. f.

Petit fruit brun clair constitué par une coque contenant une amande que l'on peut manger. *L'écureuil casse les noisettes avec ses dents.*

Attention au ***x*** final !

Jacquot mange des noix de coco et Kinkajou des noix de cajou.

noix n. f.

Fruit du noyer constitué par une coque ovale contenant une amande que l'on peut manger. *Les noix fraîches sont entourées d'une écorce verte. On gaule les noix au mois d'octobre.*

Autres membres de la famille : ② **noyer, casse-noix.**

Attention au ***m*** final ! pense à *nommer.*

nom n. m.

1. Mot qui sert à désigner une personne. *Mon nom est Julie Prost. Mme Bellec cherche un nom pour son futur enfant,* un prénom. *Quel est le nom de famille de Sylvain ? Pendant la guerre, M. Bonnot se cachait sous un faux nom.* **2.** Mot qui sert à désigner les choses ou les êtres de

Babar et Céleste ont dû trouver trois noms pour leurs bébés : Pom, Flore et Alexandre.

Nom d'un chien, zut ! C'est pas croyable ! *(le Petit Nicolas).*

même espèce ; vois ***appellation.*** *Quel est le nom de cette fleur ? Une bicyclette, comme son nom l'indique, a deux roues. Mme Harpie est une peste, il faut bien appeler les choses par leur nom.* **3.** Mot qui peut être le sujet d'un verbe, qui peut être précédé d'un article et qui peut être accompagné d'un adjectif. *« Chat », « gomme », « pain » sont des noms communs. « Espagne », « Bellec », « Claire » sont des noms propres.*

Autres membres de la famille : **dénommer, dénommé, nommer, nommément ; prénom ; renom, renommé, renommée ; surnom, surnommer.**

nomade n. m. et f.

Les nomades transportent leurs tentes avec eux ; ils vivent de l'élevage des animaux et de la chasse.

Les nomades, ce sont des gens qui n'ont pas d'habitation fixe. *Les nomades du désert se déplacent à dos de chameau.* — adj. *Les forains mènent une vie nomade,* une vie où l'on se déplace sans cesse.

Le contraire de *nomade,* c'est *sédentaire.*

nombre n. m.

Les nombres sont représentés par les *chiffres.*

1. *Un nombre,* c'est ce qui sert à compter. *Julie multiplie le nombre 12 par le nombre 4.* **2.** Collection plus ou moins grande de personnes ou de choses. *Quel est le nombre d'habitants à Motbourg ? Un petit nombre d'élèves sont allés au stade. Denis Prost était au nombre des invités d'honneur,* était parmi les invités d'honneur. **3.** *Le nombre,* c'est le grand nombre, la grande quantité. *La passerelle s'effondra sous le nombre.* **4.** *L'adjectif s'accorde en nombre,* il prend la marque du singulier ou du pluriel.

On peut écrire aussi : *un petit nombre d'élèves est allé au stade.*

▸ ***nombreux*** adj. En grand nombre. *Elle a de nombreux frères et sœurs,* elle a beaucoup de frères et sœurs. *Marie-Tévy a fait de nombreuses fautes dans sa dictée.*

Autres membres de la famille : **dénombrer, innombrable, en surnombre.**

Au féminin : *nombreuse.*

nombril n. m.

C'est là que le cordon qui rattache le bébé à sa mère a été coupé.

Petite cicatrice ronde au milieu du ventre. *Julie a noué son chemisier au-dessus de son nombril.*

Prononce [nɔ̃bʀil] ou [nɔ̃bʀi].

nomination n. f.

Désignation officielle à un emploi, à une fonction ou à une dignité. *Angèle a obtenu très jeune sa nomination au poste d'institutrice.*

Elle a été nommée institutrice à Motbourg.

nommer v.

Nommer s'écrit avec deux *m.* Conjugaison 1

1. Donner un nom. *Ses parents l'ont nommé Martin. — Il se nomme Martin.* **2.** Citer, en disant le nom. *Pouvez-vous me nommer quatre arbres tropicaux ?* ; vois ***désigner, indiquer.*** **3.** Choisir pour remplir une fonction. *Angèle a été nommée institutrice à l'école de Motbourg.*

Famille de **nom**

Elle a obtenu sa *nomination* à Motbourg.

▸ ***nommément*** adv. Par son nom. *Le voleur a été dénoncé nommément par ses complices.*

Attention à l'accent aigu du ***é*** !

non adv. de négation

1. *Non* sert à exprimer une réponse négative, un refus. *Tu restes avec nous ? Non. Mais non ! Non merci. Claire répond toujours non aux questions qu'on lui pose. Antoine a fait signe que non.* **2.** *Ce gâteau est pour moi et non pour toi ;* vois ***pas.*** *J'irai voir les éléphants, que tu le veuilles ou non. Elle ne viendra pas et lui non plus. Sylvain et Nathalie se sont quittés, non sans quelques larmes,* en versant quelques larmes.

Si tes parents disent que ton petit frère couche dans ta chambre, il couchera dans ta chambre, et voilà tout. — Non, monsieur ! a crié Joachim. Ils le coucheront où ils voudront, mais pas chez moi ! *(le Petit Nicolas).*

Le contraire de *non,* c'est *oui.*

Autres membres de la famille : **non-lieu, non-sens, non-violent, non-violence, sinon.**

nonante adj. numéral et n. m. invariable

Ce mot est employé en Belgique et en Suisse.

Quatre-vingt-dix. *Cent moins dix font nonante.*

nonchalant adj.

Compare : *nonchalant → nonchalance* et *élégant → élégance.*

Une personne nonchalante, c'est une personne qui n'a pas beaucoup d'énergie et ne se soucie de rien ; vois ***indolent, mou.*** *Alex traverse la cour d'un pas nonchalant.*

Il avance *nonchalamment.*

Le contraire de *nonchalant,* c'est *vif.*

▸ ***nonchalance*** n. f. Mollesse et insouciance ; vois ***indolent.*** *Alex traverse la cour avec nonchalance.*

Le contraire de *nonchalance,* c'est *entrain, vivacité.*

non-lieu n. m.

N'oublie pas le trait d'union. Famille de **non** et de ① **lieu**

Décision par laquelle le juge d'instruction déclare qu'il n'y a pas lieu de continuer les poursuites contre l'accusé. *Le prévenu a bénéficié d'un non-lieu.*

Au pluriel : *des non-lieux.*

nonne n. f.

C'est un vieux mot ; on dit maintenant *religieuse.*

Religieuse. *Les nonnes, autrefois, portaient un voile et une robe longue.*

Attention ! deux ***n.***

Au pluriel : *des non-sens.*

non-sens n. m. invariable

1. Absurdité. *C'est un non-sens de faire ce voyage en plein hiver.* **2.** Phrase qui ne signifie rien. *Nathalie a fait des non-sens dans son thème latin.*

Famille de **non** et de ② **sens.**

Famille de **non** et de **violence**

non-violent n. m., **non-violente** n. f.

Personne qui refuse d'utiliser la violence pour persuader ses adversaires. *Les non-violents refusent l'affrontement avec les policiers.* — adj. *Une manifestation non-violente,* c'est une manifestation où les participants démontrent ce qu'ils pensent sans avoir recours à la violence. *Les écologistes ont organisé une manifestation non-violente devant le zoo.*

Va voir aussi ***pacifiste.***

▸ ***non-violence*** n. f. Doctrine de ceux qui refusent d'utiliser la violence dans une action politique. *Les Hindous sont des adeptes de la non-violence.*

nord n. m. et adj. invariable

▭ **n. m. 1.** *Le nord,* c'est l'un des quatre points cardinaux, celui qui correspond à la direction du pôle de l'hémisphère où se trouve l'Europe. *La chambre de David est exposée au nord.* **2.** *Le Nord,* c'est la région de France qui est située le plus au nord. *Mme Hespel a l'accent du Nord.* **3.** Partie nord d'un pays. *Yasmina est née en Afrique du Nord. L'explorateur conduit une expédition vers le Grand Nord,* la partie de la terre, très froide, qui est située près du pôle Nord.

Le contraire de *nord,* c'est *sud, midi.*

Les habitants de Marseille ont l'accent du Midi.

Dans ces deux sens, on met une majuscule à *Nord.*

▭ **adj. invariable** Qui se trouve au nord. *La France est dans l'hémisphère Nord.*

▸ ***nordique*** adj. *En été, la nuit est très courte dans les pays nordiques,* dans les pays du nord de l'Europe.

Au Danemark, en Suède, en Finlande et en Norvège.

Autres membres de la famille : **nord-est, nord-ouest.**

Prononce [nɔʀɛst]. N'oublie pas le trait d'union.

nord-est n. m.

Point de l'horizon situé à égale distance entre le nord et l'est. *Un fort vent de nord-est souffle sur la région.*

Famille de **nord** et de **est**

Prononce [nɔʀwɛst]. Pense au trait d'union entre *nord* et *ouest.*

nord-ouest n. m.

Point de l'horizon situé à égale distance entre le nord et l'ouest. *La pluie vient du nord-ouest.*

Famille de **nord** et de **ouest**

Au féminin : *normale.* Au masculin pluriel : *normaux.*

normal adj.

Qui n'a rien de particulier, qui est comme les autres. *Il fait une température normale pour la saison. C'est normal d'être essoufflé après avoir couru,* c'est naturel.

Le contraire de *normal,* c'est *anormal, extraordinaire, spécial.*

Compare : *normal → normalement* et *fort → fortement.*

▸ ***normalement*** adv. D'une manière normale. *Tout va bien, tout se passe normalement,* comme cela doit se passer. *Normalement, le docteur Séverac rentre déjeuner chez lui,* en temps normal ; vois ***habituellement.***

Le mouton à cinq pattes
Accidentellement
S'étant cassé une patte
Put marcher normalement
(R. Devos).

Famille de **norme**

norme n. f.

1. État habituel, conforme à la majorité des cas. *Se mettre à travailler quand on a fini ses études, c'est la norme.* **2.** *Les normes,* ce sont les lois auxquelles on doit se conformer pour la fabrication d'un objet. *Cet ascenseur répond aux normes de sécurité.*

Autres membres de la famille : **normal, normalement, anormal.**

nos va voir ***notre.***

nostalgie n. f.

Tristesse vague causée par le regret de quelque chose qui est fini ou de quelque chose que l'on n'a pas eu ; vois ***mélancolie.*** *Angèle a gardé la nostalgie de son enfance en Corse.*

Alors Patricia me raconta en détail, et avec une nostalgie singulière, comment elle avait soigné, fortifié, sauvé le bébé-lion *(le Lion).*

▸ ***nostalgique*** adj. Triste ; vois ***mélancolique.*** *Angèle aime bien les chansons nostalgiques.*

Compare ***notable*** et ***notoire*** : il s'agit de **remarquer** quelque chose.

notable adj. et n. m.

1. adj. Digne d'être remarqué. *Marie-Tévy a fait des progrès notables en français, cette année ;* vois ***important, sensible.*** **2.** n. m. Personne importante. *Le maire et le médecin font partie des notables ;* vois ***personnalité.***

Famille de ② **note**

notaire n. m.

Un *acte notarié* est un papier officiel rédigé par le notaire.

Personne dont le métier est de garantir devant la loi une vente, un contrat fait entre deux personnes. *Un acte de vente se signe chez le notaire.*

Le notaire travaille dans une *étude* avec des *clercs* qui sont ses employés.

Compare *notamment* et *notable* : il s'agit de **remarquer** quelque chose.

notamment adv.
En particulier. *L'hiver a été très froid cette année, notamment en France ;* vois ***particulièrement, spécialement.***

Attention ! *notamment* s'écrit avec deux *m.*

notation va voir ② ***note.***

① **note** n. f.

Do, ré, mi, fa, sol, la, si.

1. Signe qui représente un son. *Sylvain savait lire ses notes à six ans.* **2.** Son figuré par une note. *Le professeur de musique a fait une fausse note.* **3.** Détail. *Ces coussins rouges mettent une note de couleur dans la chambre de Nathalie,* une touche de couleur.

Les notes servent à écrire la musique.

② **note** n. f.
1. Petite remarque qui se trouve en bas d'une page ou à la fin d'un livre et qui explique un texte. *Les mots difficiles sont expliqués en note.* **2.** Brève indication recueillie par écrit. *Alex prend des notes pendant le cours d'histoire,* il écrit les idées essentielles pour s'en souvenir. **3.** Papier sur lequel est inscrit ce que l'on a à payer. *Mme Hespel vient de recevoir la note d'électricité ;* vois ***facture.*** *Denis Prost a réclamé sa note d'hôtel.* **4.** Chiffre qui représente l'appréciation du professeur sur le travail de l'élève. *Julie a eu une mauvaise note en récitation.*

J'en prends bonne note, je m'en souviendrai et j'en tiendrai compte.

Pour commencer, il [l'inspecteur] obligea la maîtresse à mettre une très bonne note sur les cahiers des deux petites et à effacer les zéros de conduite du cochon et du sanglier *(les Contes du Chat perché).*

Conjugaison 1

▸ ***noter*** v. **1.** Inscrire. *Nathalie a noté l'adresse de Sylvain dans son carnet ;* vois ***marquer.*** **2.** Remarquer. *Je n'ai noté aucun changement dans le comportement de Mme Harpie ;* vois ***constater.*** **3.** Mettre une note. *La maîtresse a noté sévèrement les dictées.*

La *notation musicale,* c'est la représentation des sons par des signes écrits.

▸ ***notation*** n. f. *La notation d'un devoir,* c'est l'action de le noter. *La maîtresse a terminé la notation des devoirs.*

Autres membres de la famille : **annoter, notaire.**

notice n. f.

Compare *notice* et *notifier* : il est question de **connaître.**

Petit texte qui explique comment se servir d'un appareil. *Avant de mettre en marche sa nouvelle machine à laver, Sophie Pelletier lit la notice explicative,* le mode d'emploi.

Conjugaison 7
▭ Indic. futur : *nous notifierons.*

notifier v.
Faire connaître de manière officielle. *La directrice vient de notifier à Colle et Rat leur renvoi de l'école.*

Compare *notion* et *notoire* : il est question de **connaître.**

notion n. f.
1. Connaissance réduite au minimum. *Sylvain a quelques notions de latin ;* vois ***rudiment.*** **2.** Connaissance intuitive. *Je n'ai pas la moindre notion de l'heure qu'il est ;* vois ***idée.***

Ne confonds pas *notoire et notable.*

notoire adj.
Connu d'un grand nombre de personnes. *Mme Harpie est d'une méchanceté notoire ;* vois ***évident, reconnu.***

Compare *notoriété* et *notoire* : il est question de **connaître.**

notoriété n. f.
Renommée, réputation. *Denis Prost jouit d'une grande notoriété aux États-Unis ;* vois ***célébrité, renom.***

C'est un comédien français célèbre.

Prononce [nɔtʀ].

Va voir aussi ***mon, ton, son, votre, leur.***

notre adj. possessif
Qui est à nous. *Nous avons pris notre voiture pour aller à la campagne. Angèle nous a rendu nos devoirs.*

Au pluriel : *nos.*

Attention à l'accent circonflexe du *ô.* Prononce [notʀ].

Au pluriel : *nôtres.*

nôtre pronom possessif et n.
▭ **pronom possessif** L'être ou la chose qui est à nous. *Ce n'est pas votre fille qui joue le rôle de Cendrillon, c'est la nôtre. Les Bellec ont leurs soucis et nous les nôtres.*
▭ **n. 1.** n. m. *Nous y mettons du nôtre,* nous faisons un effort. **2.** n. m. plur. *Les nôtres,* nos parents, nos amis. *J'espère que vous serez des nôtres dimanche,* que vous viendrez avec nous.

Va voir aussi ***mien, tien, sien, vôtre, leur.***

Conjugaison 1

Le Serpent-Python-Bicolore-de-Rocher descendit sur la berge et se noua en deux demi-clefs autour des jambes de derrière de l'Éléphant *(Histoires comme ça).*

nouer v.
1. Unir en faisant un nœud. *Julie noue les lacets de ses chaussures ;* vois ***attacher.*** **2.** *Marie-Tévy avait la gorge nouée par l'émotion,* la gorge serrée comme par un nœud et elle ne pouvait plus parler.

Le contraire de *nouer,* c'est *dénouer.*

▸ ***noueux*** adj. **1.** *Un arbre noueux,* c'est un arbre dont le tronc a beaucoup de nœuds. *Le vieux noyer a un tronc tout noueux.* **2.** *Des mains noueuses,* ce sont des mains dont les articulations présentent des renflements dus aux rhumatismes. *M. Bonnot a des mains noueuses.*

Au féminin : *noueuse.*
Autres membres de la famille : **dénouer, dénouement, renouer.**

Nougat [nuga] rime avec *repas.*

nougat n. m.
Confiserie faite d'amandes, de sucre cuit et de miel. *Mme Harpie vend du nougat de Montélimar.*

Le nougat est la spécialité de la ville de Montélimar.

nouilles n. f. plur.
Pâtes coupées en lanières minces. *Claire mange des nouilles à la sauce tomate.*

Va voir aussi ***pâte.***

Attention ! deux *r.*
Famille de **nourrir**

On dit aussi : une *épingle de sûreté* ou une *épingle double.*

nourrice n. f.
1. Femme dont le métier est de garder et de nourrir des enfants. *Quand il était petit, Antoine passait la journée chez une nourrice.* **2.** *Une épingle de nourrice,* c'est une épingle munie d'une fermeture. *Autrefois, on attachait les couches des bébés avec des épingles de nourrice.*

Elle chantonne, à la manière des nourrices, un air berceur qui semble indien *(Poil de Carotte).*

Nourrir et tous les mots de sa famille s'écrivent avec deux *r.*
Conjugaison 2

Un soir que [...] le Bûcheron était auprès du feu avec sa femme, il lui dit, le cœur serré de douleur : « Tu vois bien que nous ne pouvons plus nourrir nos enfants » *(le Petit Poucet).*

nourrir v.
1. Donner à manger. *Julie nourrit son chat matin et soir. — Les oiseaux se nourrissent d'insectes,* ils mangent des insectes. **2.** *Nourrir un nouveau-né,* c'est l'allaiter. *Sophie Pelletier a nourri son bébé au sein pendant deux mois.* **3.** Donner de quoi vivre, de quoi subsister. *Ils doivent beaucoup travailler pour nourrir leurs nombreux enfants ;* vois ***élever.*** **4.** *Angèle nourrit l'espoir d'aller en Grèce,* elle espère aller en Grèce.

Est-ce qu'il se figure, ce fainéant, qu'on le nourrit à dormir et à ne rien faire ? *(les Contes du Chat perché).*

▸ ***nourrissant*** adj. Qui nourrit beaucoup ; vois ***nutritif.*** *Le cassoulet est un plat nourrissant.*

▸ ***nourrisson*** n. m. Petit enfant qui se nourrit surtout de lait ; vois ***bébé.*** *Martin n'a que six mois, c'est encore un nourrisson.*

▸ ***nourriture*** n. f. *La nourriture,* c'est l'ensemble des aliments destinés à nourrir l'organisme. *Mme Séverac mange toujours une nourriture légère. Antoine n'aime pas la nourriture de la cantine.*

Autre membre de la famille : **nourrice.**

Je ne pourrai jamais sortir pour chercher ma nourriture, et alors je mourrai *(Histoires comme ça).*

Le Roi dit : « Nous voulons. »

Et nous sommes tous restés, d'abord parce qu'on n'est pas des lâches ni des froussards dans la bande *(le Petit Nicolas).*

nous pronom personnel de la première personne du plur.
1. pronom sujet *Comment vas-tu ? Il y a longtemps que nous ne nous sommes pas vus,* toi et moi. *Nous préférons jouer dans le jardin,* moi et ceux qui sont avec moi. **2.** pronom complément *Elle ne nous a pas vus,* moi et ceux qui sont avec moi. *Mme Harpie nous a donné des sucettes,* à moi et à ceux qui sont avec moi. *Nous nous sommes disputés à la récréation,* moi et celui qui est avec moi. **3.** *Nous avons fabriqué cette bibliothèque nous-mêmes,* c'est nous qui l'avons fabriquée tout seuls. *À nous trois, nous arriverons à porter cette caisse,* tous les trois.

Nous représente la personne qui parle et une ou plusieurs autres ; va voir aussi ***on.***

Elle est venue nous trouver aux grands prés, explique une vache. Elle nous a dit que la Cornette était malade et qu'elle nous réclamait. On l'a suivie sans méfiance *(les Contes du Chat perché).*

nouveau adj., n. m. et adv., **nouvelle** adj. et n. f.
▭ **adj. 1.** *Une chose nouvelle,* c'est une chose qui n'existait pas auparavant, qui vient d'apparaître. *M. Bellec regarde les nouveaux modèles de voitures ;* vois ***récent.*** *C'est la saison des pommes de terre nouvelles.* **2.** *Quelque chose de nouveau,* c'est quelque chose qui remplace une chose plus ancienne. *Les Séverac ont fêté le nouvel an chez des amis. Mme Harpie s'est acheté un nouveau chapeau ;* vois ***autre.*** **3.** Original ; vois ***hardi, neuf.*** *Il peint dans un style tout à fait nouveau.*

Au masculin singulier, on écrit *nouvel* devant un nom qui commence par une voyelle ou un ***h*** muet : *le nouvel élève, le nouvel hôpital.*

Entre onze heures et deux heures du matin, la lune étant nouvelle, il fit à peu près nuit *(Michel Strogoff).*

▭ **n. 1.** n. Personne qui vient d'arriver dans une école, un bureau. *La nouvelle avait l'air intimidé.* **2.** n. m. Ce qui est original, neuf. *Y a-t-il du nouveau depuis tout à l'heure ?*

▭ **adv. 1.** *De nouveau,* pour la seconde fois, une fois de plus. *Le docteur Séverac part de nouveau en Afrique ;* vois ***encore.*** **2.** *À nouveau,* une nouvelle fois. *Marie-Tévy récita à nouveau sa table de multiplication.*

Nous avons eu un nouveau en classe. L'après-midi, la maîtresse est arrivée avec un petit garçon qui avait des cheveux tout rouges, des taches de rousseur et des yeux bleus comme la bille que j'ai perdue hier à la récréation *(le Petit Nicolas).*

Famille de **naître**
Au pluriel : *des nouveau-nés.*

▸ ***nouveau-né*** n. m. Enfant qui vient de naître ; vois ***bébé, nourrisson.*** *M. Doucet ne supporte pas les cris des nouveau-nés.*

Compare : *nouveau → nouveauté, beau → beauté* et *fier → fierté.*

▸ ***nouveauté*** n. f. **1.** *La nouveauté,* c'est ce qui est nouveau. *Denis Prost est sensible au charme de la nouveauté.* **2.** *Une nouveauté,* c'est une chose nouvelle. *Mme Harpie met des talons hauts, c'est une nouveauté !,* elle n'en mettait pas avant. *Le libraire a mis en vitrine toutes les nouveautés,* les livres qui viennent de paraître.

Autres membres de la famille : **① nouvelle, nouvellement ; renouveau, renouveler, renouvelable, renouvellement.**

nouvel va voir **nouveau.**

Attention ! deux *l.*

La dernière lettre que ma mère m'a écrite date déjà de deux mois, mais elle m'apportait de bonnes nouvelles *(Michel Strogoff).*

① **nouvelle** n. f.
1. Événement arrivé récemment et que l'on vient d'apprendre. *Connaissez-vous la nouvelle ? Réjean arrive en France dans quinze jours. Mme Harpie annonce toujours de mauvaises nouvelles,* des événements malheureux. **2.** *Les nouvelles,* ce sont les informations que donnent les journaux, la radio,

Famille de **nouveau**

la télévision. *M. Doucet écoute les nouvelles tous les soirs.* **3.** *Les nouvelles,* ce sont les renseignements récents sur une chose, une personne. *Nous sommes sans nouvelles du docteur Séverac depuis dix jours.*

Pas de nouvelles, bonnes nouvelles (proverbe).

Nouvellement s'emploie seulement devant un participe passé.

▸ ***nouvellement*** adv. Depuis peu de temps. *La vitrine de la pâtisserie a été nouvellement refaite ;* vois ***récemment.***

② ***nouvelle*** n. f.

Histoire courte avec peu de personnages ; vois ***conte.*** *Sophie Pelletier a écrit un recueil de nouvelles pour les enfants.*

Compare ***novice*** et *innover* : dans ces mots, il s'agit de quelque chose de **nouveau.**

novice n. m. et f. et adj.

1. n. m. et f. Personne qui commence à faire une chose dont elle n'a aucune habitude. *En aviation, Alex est encore un novice ;* vois ***débutant.*** **2.** adj. Sans expérience. *Le nouveau garçon boucher est novice dans le métier ;* vois ***ignorant, inexpérimenté.***

Le 1er novembre, c'est la fête de la Toussaint.

novembre n. m.

Onzième mois de l'année. *Les arbres perdent leurs feuilles en novembre.*

Octobre, novembre, décembre.

Famille de ① **noyer**

noyade n. f.

Mort accidentelle, par asphyxie, dans l'eau. *Réjean a sauvé Alex de la noyade.*

Au pluriel : *des noyaux.*

Le noyau contient la graine du fruit.

Autre membre de la famille : **dénoyauter.**

noyau n. m.

1. Partie dure que l'on trouve dans certains fruits. *Les cerises ont un noyau et les raisins ont des pépins. Sylvain a planté un noyau d'avocat.* **2.** Petit groupe de personnes ayant les mêmes idées. *Il ne restait plus qu'un noyau d'opposants.*

Le noyau de l'atome, c'est sa partie centrale. Va voir aussi ***nucléaire.***

Conjugaison 8
▭ Indic. présent : *je noie, nous noyons.* Futur : *je noierai, nous noierons.*

① ***noyer*** v.

1. Tuer en plongeant dans un liquide. *Mme Harpie a noyé deux chatons. — Alex a failli se noyer dans un lac,* mourir asphyxié sous l'eau. **2.** Recouvrir d'eau. *Les fortes pluies ont noyé les champs de blé ;* vois ***inonder, submerger.*** **3.** Faire disparaître dans une masse. *Ses cris étaient noyés dans le tumulte ;* vois ***étouffer.***

Alors, parents, vous allez noyer ce pauvre Alphonse ? Mais dites-moi, il doit être déjà mort *(les Contes du Chat perché).*

▸ ***noyé*** adj. **1.** Mort en se noyant. *Les femmes du village pleurent les marins noyés en mer. —* n. *Loïc sait ranimer les noyés,* les personnes qui ont failli se noyer. **2.** Perdu, dépassé par la difficulté d'un travail. *Marie-Tévy n'arrive plus à suivre, elle est complètement noyée.*

Autre membre de la famille : **noyade.**

Famille de **noix**

② ***noyer*** n. m.

Arbre de grande taille dont le fruit est la noix. *Le verger est planté de noyers. Mamie Lou est assise sur un tabouret en noyer,* en bois de noyer.

Le contraire, c'est *habillé.*

Qu'il est mignon ! Qu'il est nu !... dit la Mère Louve en voyant Mowgli pour la première fois *(le Livre de la jungle).*

nu adj.

1. Sans aucun vêtement. *Julie a plongé toute nue dans la mer. M. Bellec se promène torse nu. En plein hiver, Sylvain est sorti nu-pieds et nu-tête. —* n. m. *Cet artiste peint surtout des nus,* des corps humains sans vêtements. **2.** Sans rien de plus. *D'ici on aperçoit les sommets à l'oeil nu,* sans utiliser de jumelles, de lunettes. *Le boxeur se battait à main nue,* sans gant. **3.** *Les murs de la chambre sont nus,* sans décorations.

On s'est déshabillés, et ça faisait un drôle d'effet d'être là tout nus devant tout le monde *(le Petit Nicolas).*

Autres membres de la famille : **dénué, dénuement, va-nu-pieds.**

Famille de **nue**

On distingue différentes sortes de nuages selon leur forme et leur altitude.

Il y avait un mois que nous étions en route, lorsque nous aperçûmes au loin un gros nuage de poussière *(les Mille et Une Nuits).*

nuage n. m.

1. Amas de vapeur d'eau condensée en fines gouttelettes qui se forme et se maintient en suspension dans l'atmosphère. *Le ciel est chargé de nuages. Sylvain est souvent dans les nuages,* distrait. **2.** Amas de vapeur ou de petites particules qui empêche de voir. *Le docteur Séverac est entouré d'un nuage de fumée.* **3.** *Muriel Doucet et son mari vivent un bonheur sans nuages,* que rien ne trouble.

Lorsque ces gouttelettes deviennent trop lourdes, elles retombent sous forme de pluie, de neige ou de grêle.

▸ ***nuageux*** adj. Couvert de nuages. *Le ciel est nuageux.*

Le contraire, c'est *clair, serein.*

nuance n. f.

1. Chacun des degrés par lesquels peut passer une même couleur. *Le bleu ciel et le bleu marine sont des nuances de bleu ;* vois ***ton.*** **2.** Petite différence. *Il y a quand même une nuance entre se taire et mentir.*

▸ ***nuancé*** adj. *Les opinions de Mme Séverac sont très nuancées,* elles tiennent compte des différences.

Le contraire de *nuancé,* c'est *tranché.*

L'explosion nucléaire d'Hiroshima, en 1945, a détruit la ville et produit d'effroyables souffrances à cause de la radioactivité.

nucléaire adj.
1. Qui concerne le noyau de l'atome. *L'énergie nucléaire maintient liées les particules formant le noyau de l'atome et elle est libérée quand on parvient à le désintégrer.* **2.** Qui utilise l'énergie nucléaire ; vois ***atomique.*** *Les centrales nucléaires sont souvent implantées au bord d'un fleuve ou au bord de la mer. La guerre nucléaire a lieu entre des pays qui utilisent la bombe atomique.*

Elles ont besoin d'une grande quantité d'eau de refroidissement.

Compare ***nudisme*** et ***nudité*** : il s'agit d'être **nu.**

nudisme n. m.
Pratique qui consiste à vivre au grand air tout nu. *L'été, M. Doucet et sa femme font du nudisme.*

Ce sont des *nudistes.*

Compare ***nudiste*** et ***nudité*** : il s'agit d'être **nu.**

nudiste n. m. et f.
Personne qui a pour doctrine de vivre au grand air tout nu. *Les Doucet passent leurs vacances dans un camp de nudistes.*

Ils font du *nudisme.*

Compare ***nudité*** et ***nudisme*** : il s'agit d'être **nu.**

nudité n. f.
État d'une personne nue ou d'une partie du corps nue. *En sortant du bain, Sophie Pelletier cache sa nudité dans un peignoir,* cache son corps nu.

N'oublie pas le ***e*** final.
C'est un vieux mot qui ne s'emploie plus que dans des expressions.

nue n. f.
Nuage. *Yasmina porte Denis Prost aux nues,* elle fait son éloge avec un très grand enthousiasme. *Antoine est tombé des nues quand Angèle lui a fait remarquer qu'il arrivait toujours en retard,* il a été extrêmement surpris.
▸ ***nuée*** n. f. Multitude dense d'animaux, de personnes, formant comme un nuage. *Une nuée de moustiques s'abattit sur Mme Bellec.*

Autres membres de la famille **nuage, nuageux.**

Conjugaison 38 ▭ Indic. présent : *je nuis, nous nuisons.* Futur : *je nuirai, nous nuirons.*

nuire v.
Faire du tort, faire du mal. *Attention ! quelqu'un cherche à vous nuire. Le tabac nuit à la santé.*

Se coucher tard... Nuit ! (R. Devos).

▸ ***nuisance*** n. f. Ensemble d'inconvénients, provoqués par la société industrielle, qui rendent la vie malsaine ou pénible. *La pollution des plages est une nuisance pour les vacanciers.*

Le bruit est aussi une nuisance.

▸ ***nuisible*** adj. Dangereux, nocif. *Le tabac est nuisible à la santé. Il faut détruire les animaux nuisibles,* les animaux parasites, venimeux et destructeurs, ou qui transmettent des maladies.

Le renard, la belette, le corbeau sont des animaux nuisibles.

Le contraire de *nuisible,* c'est *bienfaisant.*

Attention au ***t*** final !
Le contraire de *nuit,* c'est *jour.*

nuit n. f.
1. Espace de temps qui s'écoule depuis le coucher jusqu'au lever du soleil et pendant lequel il fait sombre. *Marie-Tévy n'a pas dormi de la nuit. Claire a rêvé d'un lion pendant toute la nuit. Denis Prost a passé trois nuits à l'hôtel. Julie a mis sa chemise de nuit,* qui sert pendant la nuit. *Le hibou est un oiseau de nuit,* qui vit la nuit. **2.** Obscurité. *En hiver, il fait nuit plus tôt. Les chats sortent quand la nuit tombe,* au crépuscule, le soir.

Va voir aussi ***nocturne.***

La nuit porte conseil (proverbe).

Autre membre de la famille : **minuit.**

Au féminin : *nulle.*

① ***nul*** adj. et pronom
1. adj. Pas un. *Garde cet argent, je n'en ai nul besoin ;* vois ***aucun, pas.*** *Je le reconnais, c'est lui, sans nul doute possible,* sûrement. **2.** pronom Pas une personne. *Nul ne sait où est parti Hippolyte ;* vois ***personne.***
▸ ***nullement*** adv. Pas du tout. *Ce bruit ne me gêne nullement,* en aucune façon.

Le contraire de *nul,* c'est *tous.*
Deux ***l*** à *nullement.*

Va voir *nulle part* à ***part.***

À l'impossible, nul n'est tenu (proverbe).

Au féminin : *nulle.*

② ***nul*** adj.
1. Qui n'a pas d'existence, se réduit à rien. *Les deux équipes ont fait match nul,* il n'y a eu ni gagnant ni perdant. *Les risques d'épidémie sont nuls ;* vois ***inexistant.*** **2.** *Ce devoir est nul, il mérite zéro,* il ne vaut rien. *Nathalie est nulle en maths,* très mauvaise.
▸ ***nullité*** n. f. Incompétence. *Nathalie est d'une parfaite nullité en maths ;* vois ***faiblesse.***

Le contraire de *nul,* c'est *fort.*
Attention ! deux *l.*

Autres membres de la famille : **annuler, annulation.**

Compare ***numéral*** et ***numéro*** : il s'agit de **nombre.**

numéral adj.
« Trois » et « quatrième » sont des adjectifs numéraux, qui indiquent le nombre ou le rang.

Va voir aussi ***cardinal, ordinal.***

Compare ***numérique*** et ***numéro*** : il s'agit de **nombre.**

numérique adj.
Évalué en nombre. *Les ennemis ont gagné en raison de leur supériorité numérique,* parce qu'ils étaient plus nombreux.

Compare *numéro* et *énumérer* : il s'agit de **nombre.**

On écrit nº, en abrégé.

On dit d'une personne bizarre, originale, que c'est *un drôle de numéro.*

numéro n. m.
1. Nombre attribué à une chose pour la distinguer parmi les choses semblables ou pour la classer. *Sylvain a composé le numéro de téléphone de Nathalie. Les numéros gagnants se terminent par un 4.* **2.** Exemplaire d'un journal ou d'une revue. *Le dernier numéro du journal est épuisé.* **3.** Petit spectacle faisant partie d'un programme de cirque, de music-hall. *Les acrobates ont fait un numéro de trapèze volant.*

On s'est tous accroupis autour de la roulette, on a mis nos sous par terre et on a choisi nos numéros. Moi, j'ai pris le 12, Alceste le 6, Clotaire le 0, [...] et Rufus n'a rien voulu prendre parce qu'il a dit qu'il n'allait pas perdre ses sous à cause d'une roulette truquée
(le Petit Nicolas).

Conjugaison 1

▹ **numéroter** v. Marquer un numéro. *Alex a numéroté les pages de son devoir de français.*

numismate n. m. et f.
Spécialiste des médailles et des monnaies anciennes. *Le docteur Séverac collectionne les pièces de monnaie romaines, c'est un numismate.*

Au masculin pluriel : *nuptiaux.*

nuptial adj.
Qui se rapporte à la cérémonie du mariage. *Les Bellec ont reçu la bénédiction nuptiale dans l'église Sainte-Marie de Motbourg.*

nuque n. f.
Partie arrière du cou. *Yves a croisé ses mains derrière sa nuque.*

Prononce [nœrs].

nurse n. f.
Personne chargée de garder et d'élever les enfants. *La nurse anglaise poussait le landau du prince dans le parc.*

Va voir aussi ***gouvernante.***

Au féminin : ***nutritive.***

nutritif adj.
Un aliment nutritif, c'est un aliment qui nourrit beaucoup. *Le lait est un aliment nutritif ;* vois ***nourrissant.***

Compare ***nutritif*** et ***nutrition*** : il s'agit de **nourrir.**

Compare ***nutrition*** et ***nutritif*** : il s'agit de **nourrir.**

nutrition n. f.
Transformation et utilisation des aliments dans l'organisme. *Le docteur Séverac fait des recherches sur la nutrition des enfants en Afrique.*

Autre membre de la famille : **malnutrition.**

Attention au *y* !

nylon n. m.
Fibre synthétique. *Le collant de Julie est en nylon.*

Attention au *y* !

Les nymphes sont toujours très belles, avec des cheveux très longs.

nymphe n. f.
Déesse des eaux, des bois et des montagnes, dans les légendes de la Grèce ancienne. *Les nymphes se baignent dans les fontaines. Les nymphes sont toujours représentées nues.*

Elles personnifient la fécondité de la nature.

O

Oasis [ɔazis] rime avec *service.*

On dit *une oasis* ou *un oasis.*

oasis n. f. ou m.
Endroit, dans un désert, où il y a de l'eau et de la végétation. *La caravane s'est arrêtée dans une oasis pour se reposer à l'ombre des palmiers.*

Là-bas !... Je ne rêve pas [...]. Une oasis !... Milou, nous sommes sauvés ! *(Tintin).*

Conjugaison 2

Les bêtes ne sont à personne, reprit Patricia. Elles ne savent pas obéir. Même quand elles nous accueillent elles restent libres *(le Lion).*

obéir v.
Obéir à quelqu'un, c'est faire ce qu'il ordonne. *Julie n'obéit pas toujours à sa mère. Angèle sait se faire obéir.*
▸ ***obéissance*** n. f. Le fait d'obéir. *Mamie Lou a récompensé Claire de son obéissance.*
▸ ***obéissant*** adj. Qui obéit volontiers. *Diane est une chienne très obéissante ;* vois **docile, soumis.**

Le contraire d'*obéir,* c'est *désobéir.*

Autres membres de la famille : **désobéir, désobéissance, désobéissant.**

Attention ! on dit *un obélisque.*

L'obélisque est un monument de l'art égyptien ancien.

Il fut offert au roi Louis-Philippe.

obélisque n. m.
Colonne de pierre en forme d'aiguille, à quatre faces, se terminant par une petite pyramide. *L'obélisque de la place de la Concorde, à Paris, a été rapporté de Louxor, en Égypte, en 1836.*

Il pèse 230 tonnes et mesure près de 23 mètres de haut.

Attention ! un accent grave dans *obèse,* un accent aigu dans *obésité.*

obèse adj.
Une personne obèse, c'est une personne plus grosse que la normale. *Le charcutier est obèse ;* vois **énorme.** — n. m. et f. Personne anormalement grosse. *Cette obèse n'arrive plus à marcher.*
▸ ***obésité*** n. f. État d'une personne anormalement grosse. *Le charcutier suit un traitement contre l'obésité.*

Le contraire d'*obèse,* c'est *maigre.*

Le contraire d'*obésité,* c'est *maigreur.*

Conjugaison 1

objecter v.
Objecter quelque chose à quelqu'un, c'est lui répondre quelque chose qui s'oppose à ce qu'il vient de dire. *Je n'ai rien à vous objecter.*
▸ ***objecteur de conscience*** n. m. Jeune homme qui refuse de faire son service militaire parce qu'il ne veut pas s'entraîner à faire la guerre. *Les objecteurs de conscience sont contre la violence.*

Les objecteurs de conscience doivent faire des travaux d'utilité publique pendant deux ans.

Famille de **conscient**

Autre membre de la famille : **objection.**

Irkoutsk était le véritable objectif d'Ivan Ogareff *(Michel Strogoff).*

① ***objectif*** n. m.
But que l'on s'est fixé. *Un des objectifs de Denis Prost est de réaliser lui-même un film.*

Il est comédien.

② **objectif** n. m.
Ensemble de lentilles que l'on adapte sur un appareil photographique ou une caméra pour obtenir une image réelle des objets que l'on photographie. *Pour photographier le château de loin, M. Bellec a changé d'objectif.*

Autre membre de la famille : **téléobjectif.**

③ **objectif** adj.
Une personne objective, c'est une personne qui juge les choses commes elles sont réellement, sans se laisser influencer par ses idées personnelles. *Bien qu'ému par la personnalité de l'accusé, le juge essaya de rester objectif ;* vois ***impartial.***

Le contraire d'*objectif,* c'est *partial, subjectif.*

▸ ***objectivement*** adv. Sans parti pris. *Le journaliste a relaté objectivement les faits.*

▸ ***objectivité*** n. f. Qualité d'une personne qui ne prend pas parti ; vois ***impartialité.*** *Ce journal manque d'objectivité.*

Compare : *objectif → objectivité* et *actif → activité.*

objection n. f.
Ce que l'on répond pour s'opposer à une proposition avec laquelle on n'est pas d'accord. *Je prends votre voiture, si vous n'y voyez pas d'objection,* d'inconvénient, d'obstacle.

Famille de **objecter**

objet n. m.
1. Chose solide destinée à un usage quelconque. *Le voleur se heurta à un objet dans l'obscurité. Mme Harpie est allée rechercher son parapluie au bureau des objets trouvés.* **2.** Ce vers quoi tendent les efforts ; vois ***but.*** *Quel est l'objet de votre visite ? Votre plainte est sans objet,* elle n'a pas de raison d'être.

C'est une bonne idée, ces cours pratiques, a dit Papa. La vue des objets rend la leçon inoubliable. Elle est très bien, ta maîtresse, très moderne *(le Petit Nicolas).*

Va voir *complément d'objet* à ***complément.***

① **obliger** v.
Obliger quelqu'un à faire quelque chose, c'est le forcer à faire cette action. *Angèle, l'institutrice, a obligé Antoine à refaire son problème ;* vois ***contraindre.*** *Sylvain a été obligé de partir avant la fin du film.*

Conjugaison 3 ▭ Indic. présent : *nous obligeons.* Imparfait : *j'obligeais, nous obligions.*

La vérité oblige à dire que la fureur d'Harry Blount éclata avec une violence toute britannique *(Michel Strogoff).*

▸ ***obligation*** n. f. Nécessité. *Les élèves doivent rapporter leur carnet signé, c'est une obligation ;* vois ***contrainte.***

▸ ***obligatoire*** adj. Imposé par la loi ; vois ***indispensable, nécessaire.*** *Il est obligatoire d'attacher sa ceinture de sécurité en voiture.*

Le contraire d'*obligatoire,* c'est *facultatif.*

▸ ***obligatoirement*** adv. Nécessairement. *Les élèves doivent obligatoirement faire signer leur carnet par leurs parents.*

Compare : *obliger → obligation, obligatoire, éliminer → élimination, éliminatoire* et *préparer → préparation, préparatoire.*

② **obliger** v.
Obliger quelqu'un, c'est lui rendre service, lui faire plaisir de telle sorte qu'il ait de la reconnaissance. *Vous m'obligeriez beaucoup en ne parlant à personne de cette affaire.*

Conjugaison 3 ▭ Indic. présent : *nous obligeons.* Imparfait : *j'obligeais, nous obligions.*

▸ ***obligeant*** adj. Qui aime faire plaisir, rendre service. *Mme Bonnot est une femme très obligeante ;* vois ***complaisant, gentil, serviable.***

Attention au ***e*** devant le ***a*** !

Eh bien, puisque vous êtes si peu obligeante, je vous donne pour don, qu'à chaque parole que vous direz, il vous sortira de la bouche un serpent ou un crapaud *(les Fées).*

▸ ***obligeance*** n. f. Disposition à rendre service. *Je vous remercie de votre obligeance. Voulez-vous avoir l'obligeance de me suivre ? ;* vois ***amabilité.***

Un corbeau eut même l'obligeance d'aller prendre des renseignements jusqu'à l'autre bout de la forêt *(les Contes du Chat perché).*

▸ ***obligations*** n. f. plur. Devoirs qu'impose la reconnaissance envers quelqu'un qui vous a rendu service. *Mme Bellec se sent des obligations envers le docteur Séverac qui l'a soignée gratuitement.*

Autre membre de la famille : **désobligeant.**

oblique adj.
Qui n'est ni vertical, ni horizontal ; vois ***incliné.*** *Les rayons du soleil sont obliques à la fin de la journée. Yves a traversé la cour en oblique,* en diagonale.

▸ ***obliquer*** v. Prendre une direction en ligne oblique. *La voiture a obliqué vers la gauche ;* vois ***tourner.***

Conjugaison 1

oblitérer v.
Oblitérer un timbre, c'est le marquer d'un cachet spécial qui empêche que l'on s'en serve une seconde fois. *Hippolyte collectionne les timbres neufs et les timbres oblitérés.*

Conjugaison 6 ▭ Indic. présent : *j'oblitère, nous oblitérons.* Futur : *j'oblitérerai.*

obnubiler v.
Remplir complètement l'esprit en chassant les autres idées ; vois ***obséder.*** *Alex est obnubilé par son examen,* il ne pense qu'à cela.

Conjugaison 1

obole n. f.
Petite somme d'argent que l'on donne pour contribuer à quelque chose. *Mme Harpie a apporté son obole à la restauration du presbytère.*

Attention au **sc** dans *obscène* et *obscénité.*

Compare : *obscène → obscénité* et *obèse → obésité.*

obscène adj.
Indécent et grossier. *Colle et Rat ont dit des mots obscènes en passant devant la boutique de Mme Harpie.*
▸ **obscénité** n. f. Grossièreté. *Colle et Rat ont dit des obscénités à Mme Harpie,* des paroles obscènes.

Le contraire d'*obscur,* c'est *clair, lumineux.*

Le contraire d'*obscur,* c'est *célèbre.*

obscur adj.
1. Privé de lumière ; vois ***noir, sombre.*** *L'arrière-boutique de Mme Harpie est obscure.* **2.** Difficile à comprendre. *La sorcière jetait des crapauds dans la marmite en prononçant des paroles obscures ;* vois ***confus, incompréhensible.*** **3.** Inconnu. *Mme Séverac lit les œuvres d'un poète obscur.*
▸ **obscurité** n. f. Absence de lumière. *Claire n'aime pas s'endormir dans l'obscurité ;* vois ***noir.*** *Le soleil s'est couché et l'obscurité s'est faite tout à coup ;* vois ***nuit.***
▸ **obscurcir** v. Priver de clarté, rendre obscur. *Cette peinture verte obscurcit la pièce ;* vois ***assombrir.*** *— Le ciel s'obscurcit, il va pleuvoir,* le ciel s'assombrit.

Le contraire d'*obscur,* c'est *intelligible.*

Le soleil était couché ; la nuit arrivait ; la terreur des pauvres petites augmentait avec l'obscurité *(les Petites Filles modèles).*

Conjugaison 2

Le contraire d'*obscurcir,* c'est *éclaircir, illuminer.*

Conjugaison 6 ▭ Indic. présent : *elle obsède.* Imparfait : *elle obsédait.*

Au féminin : *obsédante.*

obséder v.
Tourmenter sans cesse l'esprit ; vois ***obnubiler.*** *Mme Hespel est obsédée par l'idée que son fils échoue au bacccalauréat.*
▸ **obsédant** adj. Qui occupe sans arrêt l'esprit. *C'est devenu un souvenir obsédant.*

Va voir aussi ***obsession.***

obsèques n. f. plur.
Enterrement. *Angèle a assisté aux obsèques de la mère de Sophie Pelletier ;* vois ***funérailles.***

Elle fait trop de courbettes et de sourires !

obséquieux adj.
Trop poli et trop empressé. *Mme Harpie est obséquieuse avec ses clients.*

Au féminin : *obséquieuse.*

Conjugaison 1

Le czar, sans lui adresser la parole, le regarda pendant quelques instants et l'observa d'un œil pénétrant *(Michel Strogoff).*

Compare : *observer → observation, agiter → agitation* et *moderniser → modernisation.*

observer v.
1. Considérer avec attention afin de connaître, d'étudier. *Sylvain passe des heures à observer les insectes.* **2.** Épier. *Attention, on nous observe !* **3.** Constater, remarquer. *Je n'ai rien observé d'inhabituel dans le comportement de Mme Harpie.* **4.** *Observer une règle, une loi,* c'est la respecter, s'y conformer. *Il faut observer la règle du jeu ;* vois ***suivre.***
▸ **observateur** adj. Qui sait observer. *Marie-Tévy est très observatrice,* elle remarque tout.
▸ **observation** n. f. **1.** Fait de considérer quelque chose avec attention. *Marie-Tévy a l'esprit d'observation.* **2.** Parole par laquelle on fait remarquer quelque chose à quelqu'un. *Avez-vous des observations à faire sur ce que je viens de dire ? ;* vois ***remarque.*** *Le professeur fait sans cesse des observations à Alex,* des reproches. **3.** *Le malade a été mis en observation,* placé sous une surveillance particulière.
▸ **observatoire** n. m. **1.** Établissement scientifique équipé pour observer les astres et tous les phénomènes qui se produisent dans le ciel. *Le télescope de l'observatoire est braqué sur la Grande Ourse.* **2.** Lieu élevé d'où l'on peut facilement observer. *Le sommet de cet arbre fera un excellent observatoire.*

D'ailleurs, fit observer une vache, le chien est trop obéissant pour oser s'en prendre aux parents *(les Contes du Chat perché).*

Je n'ai jamais vu une classe aussi dissipée. Les observations portées sur vos carnets par votre maîtresse en font foi *(le Petit Nicolas).*

Tintin vient de remarquer une grosse étoile très brillante ; intrigué, il téléphone à l'Observatoire.

obsession n. f.
Idée, image qui tourmente sans cesse l'esprit ; vois ***hantise.*** *La peur d'être cambriolée est devenue une obsession pour Mme Harpie,* une idée fixe.

Va voir aussi ***obséder.***

obstacle n. m.
1. Tout objet qui empêche de passer. *Le camion a heurté un obstacle et s'est retourné.* **2.** Ce qui empêche la réalisation de quelque chose. *Mme Hespel a dû surmonter beaucoup d'obstacles avant de réussir ;* vois ***difficulté.*** *La directrice a fait obstacle à ce voyage,* elle a empêché qu'il se fasse.

Une *course d'obstacles,* c'est une course pendant laquelle les chevaux ont à sauter des haies, des murs, des rivières.

Conjugaison 1

s'obstiner v.

Tenir fermement à une idée, à une décision sans vouloir en changer malgré les obstacles. *Julie s'obstine à vouloir partir alors que tout le monde lui demande de rester ;* vois ***s'acharner, s'entêter.***

Je t'avais dit, Sophie, qu'il arriverait un malheur à ta poupée si tu t'obstinais à la mettre au soleil *(les Malheurs de Sophie).*

▸ ***obstination*** n. f. Acharnement, entêtement. *Julie refuse avec obstination de rester déjeuner ;* vois ***insistance, ténacité.***

▸ ***obstinément*** adv. Avec obstination, avec entêtement. *Julie refuse obstinément de rester déjeuner.*

Conjugaison 1

obstruer v.

Boucher. *Des branchages obstruaient le passage ;* vois ***barrer, encombrer.***

Conjugaison 6 ▭ Indic. présent : *j'obtempère.*

obtempérer v.

Obéir. *M. Bellec a fini par obtempérer aux ordres de l'agent de police,* par se soumettre à ses ordres.

Conjugaison 22 ▭ Indic. présent : *j'obtiens, nous obtenons.* Imparfait : *j'obtenais.* Futur : *j'obtiendrai.*

obtenir v.

Obtenir quelque chose, c'est réussir à se le faire accorder, à se le faire donner. *Nathalie a obtenu la permission de rentrer tard. David a obtenu de ses parents que sa sœur vienne avec lui.*

Famille de **tenir**
Va voir aussi ***obtention.***

obtention n. f.

Le fait d'obtenir quelque chose. *Alex ira au Canada après l'obtention de son bac,* quand il aura obtenu son bac.

① obtus adj.

Borné, bouché. *Mme Harpie a l'esprit obtus. Mme Harpie est un peu obtuse.*

Obtus [ɔpty] rime avec *tutu.*

Obtus [ɔpty] rime avec *pointu.*

② obtus adj.

Un angle obtus, c'est un angle plus grand qu'un angle droit. *Un angle de cent degrés est obtus.*

Un angle plus petit qu'un angle droit est *aigu.*

N'oublie pas le ***s*** final qui ne se prononce pas.

obus n. m.

Projectile creux rempli d'explosif. *La muraille était percée de trous d'obus.*

Un obus a la même forme qu'un suppositoire.

Attention ! *occasion, occasionnel, occasionnellement* et *occasionner* s'écrivent avec deux *c.*

occasion n. f.

1. Circonstance qui vient à propos et permet de faire une chose. *Mme Hespel n'a jamais eu l'occasion de rencontrer le docteur Séverac. Julie a organisé un goûter à l'occasion de son anniversaire,* pour son anniversaire. **2.** *Muriel Doucet s'est acheté une voiture d'occasion,* qui n'était pas neuve. **3.** *Une occasion,* c'est un objet pas cher qui représente une bonne affaire pour celui qui l'achète. *Mme Hespel a acheté cette lampe en solde, c'était une bonne occasion.*

Famille de **cas**

Elles sont rares, pour Poil de Carotte, les occasions de se rendre utile à sa famille. Tapi dans un coin, il les attend au passage *(Poil de Carotte).*

▸ ***occasionnel*** adj. Qui arrive par hasard. *La région est très sèche, il n'y tombe que quelques averses occasionnelles ;* vois ***exceptionnel.***

Le contraire d'*occasionnel,* c'est *habituel.*

Le contraire d'*occasionnellement,* c'est *habituellement.*

▸ ***occasionnellement*** adv. Dans de rares circonstances. *Il ne pleut ici qu'occasionnellement ;* vois ***exceptionnellement.***

▸ ***occasionner*** v. Causer. *Ce voyage leur a occasionné bien des soucis ;* vois ***susciter.***

Conjugaison 1

occident n. m.

Le soleil se lève à l'*orient.*

1. Ouest. *Le soleil se couche à l'occident.* **2.** *L'Occident,* c'est l'Europe de l'Ouest et l'Amérique du Nord. *La France fait partie de l'Occident.*

Dans ce sens, on met une majuscule à *Occident.*

▸ ***occidental*** adj. **1.** Qui est à l'ouest. *Le bateau a atteint la côte occidentale de l'Irlande.* **2.** Qui se rapporte à l'Occident. *Les pays occidentaux ont une économie capitaliste.* — n. *Les Canadiens et les Espagnols sont des Occidentaux,* des habitants de l'Occident.

La côte opposée, c'est la côte *orientale.*

Les habitants de l'Orient sont des *Orientaux.*

Attention ! deux *c.*

occulte adj.

Caché, secret. *La magie et l'alchimie sont des sciences occultes,* des pratiques secrètes qui font intervenir des forces qui ne sont reconnues ni par la science ni par la religion.

Attention ! deux *c.*

occuper v.

1. *Occuper son temps à faire quelque chose,* c'est l'employer, le meubler en faisant cette chose. *Mme Bellec occupe ses soirées à tricoter.* **2.** Remplir. *La grosse dame occupe deux places à elle toute seule ;* vois ***prendre.***

Conjugaison 1

Mais la plus jolie ville du monde en devient la plus laide lorsque les envahisseurs l'occupent *(Michel Strogoff).*

3. Habiter. *Les Bonnot occupent le second étage de la maison.* **4.** *Occuper un lieu,* c'est en prendre possession. *Les Allemands ont occupé la France pendant la Deuxième Guerre mondiale ;* vois ***envahir.***

▸ ***s'occuper*** v. **1.** Se distraire. *Julie a toujours de bonnes idées pour s'occuper.* **2.** *S'occuper de quelque chose,* c'est le prendre en main, le prendre en charge. *Laisse ça, je m'en occupe.* **3.** *S'occuper de quelqu'un,* c'est veiller sur lui, le surveiller. *Mme Hespel ne s'occupe pas beaucoup de ses enfants.*

Fini de rire, mes agneaux. Le chef va s'occuper de vous. Ha ! ha ! Je ne voudrais pas être à votre place ! *(Tintin).*

▸ ***occupant*** n. m., ***occupante*** n. f. **1.** Personne qui occupe un lieu. *Les occupants de l'appartement sont partis pour un mois ;* vois ***habitant.*** **2.** Envahisseur. *Les occupants ont quitté le pays.*

▸ ***occupation*** n. f. **1.** Activité qui occupe le temps. *Mme Séverac ne travaille pas, mais elle a de multiples occupations.* **2.** *L'Occupation,* c'est la période pendant laquelle la France était occupée par les Allemands de 1940 à 1945. *Le sucre était rationné pendant l'Occupation.*

L'Occupation prit fin à la Libération.

Elle est conseillère municipale, elle appartient à une association de bienfaisance, elle joue au bridge...

▸ ***occupé*** adj. **1.** Très pris. *La directrice ne peut pas vous recevoir, elle est très occupée en ce moment.* **2.** *Ce taxi n'est pas libre, il est occupé,* il y a quelqu'un dedans. *J'ai essayé de lui téléphoner, mais la ligne était occupée,* elle n'était pas libre.

Le chien était très occupé et ne trouvait jamais un moment pour se reposer dans sa niche *(les Contes du Chat perché).*

Autres membres de la famille : **inoccupé, préoccuper, préoccupant, préoccupation.**

océan n. m.

Vaste étendue d'eau salée qui couvre une grande partie de la surface du globe terrestre ; vois ***mer.*** *Les trois grands océans sont l'océan Atlantique, l'océan Pacifique et l'océan Indien.*

Ô combien de marins,
combien de capitaines [...]
Sous l'aveugle océan
à jamais enfouis
(V. Hugo).

Les océans couvrent environ 70 % de la surface de la Terre.

▸ ***océanique*** adj. **1.** Qui appartient à l'océan. *On trouve des poissons aveugles dans les profondeurs océaniques.* **2.** *Le climat océanique,* c'est le climat des régions qui subissent l'influence de l'océan. *La Bretagne a un climat océanique.*

ocelot n. m.

Ocelot [ɔslo] rime avec *tableau, enclos* et *sanglot.*

Grand chat sauvage à pelage roux tacheté de brun. *Les ocelots vivent en Amérique centrale et en Amérique du Sud. Mme Hespel a mis sa veste d'ocelot,* en fourrure d'ocelot.

L'ocelot mesure environ 1,50 m.

ocre n. m.

Couleur d'un brun-jaune ou orangé. *Les murs des maisons en Italie sont d'un bel ocre.* — adj. invariable *Les murs sont ocre clair.*

octante adj. numéral et n. m. invariable

En Suisse, on dit aussi : *huitante.*

Quatre-vingts. *Soixante et vingt font octante.*

C'est un mot ancien.

octobre n. m.

Septembre, octobre, novembre.

Dixième mois de l'année. *Le docteur Séverac ira en Afrique fin octobre. Angèle aime les beaux octobres ensoleillés.*

Le mois d'octobre a trente et un jours.

octroyer v.

Conjugaison 8 ▭ Indic. présent : *j'octroie, nous octroyons.*

Accorder en faisant une faveur. *Le directeur de la biscuiterie a octroyé un jour de vacances supplémentaire aux ouvriers.*

oculaire adj.

Compare ***oculaire*** et ***oculiste*** : dans ces mots, il s'agit de l'**œil.**

1. *Un témoin oculaire,* c'est un témoin qui a vu de ses propres yeux. *La police recherche des témoins oculaires du hold-up.* **2.** Relatif à l'œil. *Mamie Lou a des troubles oculaires ;* vois ***visuel.***

Le *globe oculaire,* c'est l'œil.

oculiste n. m. et f.

Compare ***oculiste*** et ***oculaire*** : dans ces mots, il s'agit de l'**œil.**

Médecin spécialiste des yeux ; vois ***ophtalmologiste.*** *Antoine est allé chez l'oculiste pour faire vérifier sa vue.*

L'*opticien* va lui faire d'autres lunettes.

odeur n. f.

En rentrant à la maison, les parents reniflèrent sur le seuil de la cuisine. — Nous sentons ici comme une odeur de loup, dirent-ils *(les Contes du Chat perché).*

Émanation qui provoque une sensation à l'intérieur du nez. *Claire a senti une bonne odeur de gâteau dans la cuisine. La bouche d'égout dégage une odeur infecte,* elle sent très mauvais. *Denis Prost déteste l'odeur de l'éther. Mme Harpie chasse les mauvaises odeurs en pulvérisant du désodorisant.*

Va voir aussi ***odorat, sentir.***

Il était si près de Lullaby qu'elle sentait son odeur, une odeur fade et aigre de sueur *(Lullaby).*

odieux adj.

Au féminin : *odieuse.*

1. Qui inspire le dégoût, l'indignation. *Tuer un enfant est un acte odieux ;* vois ***ignoble.*** **2.** Insupportable. *Colle et Rat ont été odieux toute la journée.*

Le contraire d'*odieux,* c'est *aimable, charmant, gentil.*

Compare *odorant* et *odorat* : dans ces mots, il s'agit d'**odeur.**

odorant adj.

Qui dégage une odeur. *Ce camembert est très odorant. Les violettes sont des fleurs odorantes.*

Le contraire d'*odorant,* c'est *inodore.*

Compare **odorat** et *odorant* : il s'agit d'**odeur.**

odorat n. m.

Sens par lequel on perçoit les odeurs, au moyen des fosses nasales. *Les chiens ont l'odorat très développé ;* vois ***flair.***

Va voir aussi ***olfactif.***

Au pluriel : *des yeux.*

Le coq ouvrait des yeux ronds et essayait en vain de comprendre ce qui se faisait *(les Contes du Chat perché).*

« Je ne peux pas rester avec vous, je dois travailler avec monsieur le Directeur, alors regardez-moi dans les yeux et promettez-moi d'être sages » *(le Petit Nicolas).*

œil n. m.

1. Organe de la vue. *Yves a les yeux bleus. Mamie Lou fait les gros yeux à Claire,* la regarde d'un air sévère. *Mme Séverac n'a pas fermé l'œil de la nuit,* elle n'a pas dormi. *Angèle a fermé les yeux sur la dernière bêtise de Colle et Rat,* elle a fait semblant de ne pas la voir. *La file d'attente grossissait à vue d'œil,* d'une manière très visible. **2.** Regard. *Sylvain a suivi Nathalie des yeux jusqu'au bout de l'allée. Julie a jeté un coup d'œil par le trou de la serrure,* un regard rapide. *Cela saute aux yeux,* c'est évident. **3.** Jugement. *Alex n'écoute pas ce que dit le professeur car tout cela n'a aucun intérêt à ses yeux,* selon son appréciation.

Ouvrons l'œil !... Il ne peut pas être très loin..., disent les Dupondt.

Je te regarderai du coin de l'œil et tu ne diras rien *(le Petit Prince).*

▸ ***œillade*** n. f. Clin d'œil complice ou de coquetterie. *Mme Harpie a lancé une œillade à Hippolyte.*

▸ ***œillère*** n. f. Plaque de cuir qui empêche le cheval de voir sur le côté. *Pierre Séverac a mis des œillères au cheval de labour.*

Avoir des œillères : ne pas voir certaines choses par étroitesse d'esprit ou par parti pris.

Autres membres de la famille : **clin d'œil, trompe-l'œil.**

① œillet n. m.

Petit trou dans une étoffe ou dans du cuir servant à passer un lacet, à attacher un bouton. *M. Bonnot passe des lacets neufs dans les œillets de ses chaussures.*

② œillet n. m.

Fleur très odorante de couleur rouge, rose ou blanche. *Mme Bellec a acheté un gros bouquet d'œillets.*

Prononce [ezɔfaʒ].

œsophage n. m.

Canal qui va de la bouche à l'estomac. *En se contractant, les muscles de l'œsophage font descendre les aliments dans l'estomac.*

L'œsophage est une partie du tube digestif.

Œuf [œf] rime avec *neuf.*

Les animaux qui pondent des œufs sont *ovipares.*

On mange aussi des œufs à la coque, des œufs au plat, des œufs en omelette...

œuf n. m.

Corps plus ou moins gros, dur et arrondi, que pondent les femelles des oiseaux et qui contient un germe. *L'hirondelle couve ses œufs dans son nid. Le poussin a cassé sa coquille et il est sorti de l'œuf. Antoine mange des œufs durs,* des œufs de poule cuits dans leur coquille jusqu'à ce que le blanc et le jaune soient durs.

Les serpents, les grenouilles, les poissons pondent aussi des œufs.

Au pluriel : *des œufs* [dezø].

Attention au ***œ*** !

œuvre n. f.

1. Résultat d'un travail, d'une action. *La décoration du hall de l'école est l'œuvre des élèves d'Angèle. Claire vient de terminer son dessin, elle est fière de son œuvre.* **2.** Ensemble de ce qui est fait par un écrivain, un peintre ou un musicien. *Nathalie a déjà lu plusieurs œuvres de Victor Hugo,* plusieurs livres écrits par lui. **3.** *Les pompiers ont tout mis en œuvre pour éteindre rapidement l'incendie,* ils ont employé tous les moyens nécessaires.

La *Joconde* est une *œuvre d'art.*

Autres membres de la famille : **chef-d'œuvre, désœuvré, désœuvrement, main-d'œuvre, ① et ② manœuvre, manœuvrer.**

Attention ! deux *f.*

offense n. f.

Parole ou action qui fait de la peine à quelqu'un en le vexant ; vois ***affront, insulte.*** *M. Bellec a fait une offense à Mme Harpie en oubliant de l'inviter à la communion de son fils.*

Compare *offense* et *défense* : dans ces mots, il s'agit de **frapper.**

Conjugaison 1

▸ ***offenser*** v. *Offenser quelqu'un,* c'est lui faire de la peine en disant ou en faisant quelque chose qui le vexe. *M. Bellec a offensé Mme Harpie sans le vouloir ;* vois ***blesser, froisser, humilier, vexer.***

Au féminin : *offensante.*

▸ ***offensant*** adj. *M. Bellec a eu une attitude offensante pour Mme Harpie,* qui lui a fait de la peine, qui l'a blessée.

Au féminin : *offensive.*

▸ ***offensif*** adj. *Les armes offensives,* ce sont les armes qui servent à attaquer. *Le fusil et le canon sont des armes offensives.*

Les armes *défensives* servent à se défendre.

▸ ***offensive*** n. f. Attaque. *Les armées ennemies ont repris l'offensive la nuit dernière.*

Autre membre de la famille : **inoffensif.**

Attention ! deux *f.*

office n. m.

1. Fonction qu'une personne doit remplir, rôle qu'une chose doit jouer. *Le médicament a rempli son office : la fièvre est tombée. Le soir, Hippolyte fait quelquefois office de chauffeur,* il sert de chauffeur. **2.** *Le rôle du loup a été attribué d'office à Antoine,* sans qu'il l'ait demandé. **3.** Bureau, agence, organisme. *Pour louer une maison en Provence, les Prost ont écrit à l'Office de tourisme d'Avignon.* **4.** Messe. *Tous les dimanches, les Bellec vont à l'office de 11 heures.*

Sur l'étrange abri qui couronnait la petite colline, le grand soleil avait déjà rempli son office. Les murs étaient asséchés *(le Lion).*

Au féminin : *officielle.*

officiel adj.

1. *Il faut une autorisation officielle pour pénétrer dans le centre de recherches,* une autorisation qui vient d'une autorité reconnue. *La nouvelle est officielle depuis hier,* certifiée par les autorités. **2.** *Le ministre des Transports est en visite officielle dans notre ville,* organisée par les autorités. **3.** *Le maire est un personnage officiel,* qui représente l'autorité. — n. m. *La voiture des officiels était précédée par des motards,* la voiture des personnages officiels.

Le contraire d'*officiel,* c'est *officieux.*

▷ ***officiellement*** adv. *Le résultat des élections sera connu officiellement demain,* il sera annoncé par les autorités.

officier n. m.

Un lieutenant, un capitaine, un colonel sont des officiers.

Militaire dont le grade va de sous-officier à général. *Les officiers commandent aux soldats.*

Autre membre de la famille : **sous-officier.**

Au féminin : *officieuse.*

officieux adj.

La nouvelle de sa démission est encore officieuse, elle n'a pas été annoncée par les autorités.

Le contraire d'*officieux,* c'est *officiel.*

Attention ! deux *f.*

offrir v.

1. Donner en cadeau. *Sylvain a offert un disque à Nathalie.* — *Angèle aimerait s'offrir des vacances en Grèce,* se payer. **2.** Proposer. *Mme Séverac offre du café à ses invités. Réjean a offert à Alex de l'héberger l'été prochain.* **3.** Présenter. *Cette solution offre de nombreux avantages.*

Conjugaison 18
▭ Indic. imparfait : *j'offrais, nous offrions.* Futur : *j'offrirai, nous offrirons.* — Subj. présent : *que nous offrions.*

Cette traversée de l'Irtyche n'était pas sans offrir quelque danger *(Michel Strogoff).*

▷ ***offrande*** n. f. Somme d'argent que l'on donne par charité ; vois ***obole.*** *Mme Harpie a déposé son offrande dans le tronc, à l'entrée de l'église.*

▷ ***offre*** n. f. Proposition. *Alex a accepté l'offre que lui faisait Réjean.*

Alex ira passer ses vacances chez lui, cet été.

Attention ! deux *f* dans *offusquer.*

offusquer v.

Choquer. *Sa grossièreté a offusqué tout le monde.*

Conjugaison 1

ogive n. f.

1. Arc qui soutient la voûte d'une église gothique. *Le guide fait admirer la croisée d'ogives,* la partie de la voûte où se croisent deux arcs, à leur sommet. **2.** Partie antérieure d'un projectile, en forme de cône. *Le missile était équipé d'une ogive nucléaire,* dans laquelle se trouvaient des bombes atomiques.

Va voir aussi ***gothique.***

On dit aussi *tête nucléaire.*

ogre n. m., **ogresse** n. f.

Le maître Chat arriva dans le beau Château dont le Maître était un Ogre, le plus riche qu'on ait jamais vu *(le Chat botté).*

Dans les contes de fées, géant ou géante à l'aspect effrayant qui se nourrit de chair fraîche. *L'ogre a dévoré un mouton entier pour son dîner. Antoine a très faim, il mange comme un ogre,* énormément.

Ces petites Ogresses avaient toutes le teint beau parce qu'elles mangeaient de la chair fraîche *(le Petit Poucet).*

oh ! interjection

Mot qui sert à exprimer la surprise, l'admiration, l'indignation, l'impatience. *Oh ! que c'est beau ! Oh ! vous m'ennuyez, à la fin !*

oie n. f.

Les oies sauvages viennent hiverner en France.

Gros oiseau au long cou, au bec large, aux pattes palmées et aux plumes blanches ou grises. *Les Séverac font un élevage d'oies à la ferme. On gave les oies pour faire du foie gras. Mamie Lou a fait du confit d'oie. Colle et Rat trouvent que la directrice est bête comme une oie,* très bête.

Les oies sont herbivores.

Le *jars* est le mâle de l'oie ; l'*oison* est son petit.

Prononce [ɔɲɔ̃].

oignon n. m.

1. Plante, à odeur forte et à saveur un peu piquante, dont on mange le bulbe. *M. Bellec fait revenir des oignons dans une poêle.* **2.** Bulbe de certaines plantes. *Julie a planté des oignons de tulipes.*

Au pluriel : *des oiseaux.*
Les oiseaux pondent des œufs, ils sont *ovipares.*

Et pourtant un oiseau mange son poids de nourriture par jour.

oiseau n. m.
Animal au corps couvert de plumes, pourvu de deux ailes, de deux pattes et d'un bec, et capable de voler. *La plupart des oiseaux font leur nid dans les arbres. Claire a été réveillée par le chant des oiseaux. La chouette est un oiseau de nuit. L'aigle est un oiseau de proie. Marie-Tévy a un appétit d'oiseau,* un très petit appétit. *Il y a cinquante kilomètres à vol d'oiseau de Motbourg à Paris,* en ligne droite.

Petit à petit l'oiseau fait son nid (proverbe).

L'*oiseau-mouche* est le nom courant du *colibri.*

Autre membre de la famille : **oisillon.**

Au féminin : *oiseuse.*

oiseux adj.
Qui ne sert à rien, qui ne mène à rien. *Mme Harpie s'est lancée dans une discussion oiseuse ;* vois ***inutile, vain.***

Le contraire d'*oiseux,* c'est *important, utile.*

Au féminin : *oisive.*

oisif adj.
Une personne oisive, c'est une personne qui ne travaille pas, qui n'est pas occupée. *Mme Harpie ne reste jamais oisive ;* vois ***inactif, inoccupé.*** — n. *De riches oisifs passaient leurs journées au bar de l'hôtel.*

L'oisiveté est la mère de tous les vices (proverbe).

▸ ***oisiveté*** n. f. Inactivité. *Muriel Doucet aimerait passer sa vie dans l'oisiveté.*

Famille de **oiseau**

oisillon n. m.
Très jeune oiseau. *Les oiseaux donnent la becquée à leurs oisillons.*

Au féminin : *oléagineuse.*

oléagineux adj.
Une plante oléagineuse, c'est une plante qui contient de l'huile. *L'arachide est une graine oléagineuse.* — n. m. *Le tournesol et le colza sont des oléagineux,* des plantes qui fournissent de l'huile.

Au féminin : *olfactive.*

olfactif adj.
Le sens olfactif, c'est le sens par lequel on perçoit les odeurs. *Le nez est un organe olfactif.*

Va voir aussi ***odorat.***

Compare : *olive → olivier, cerise → cerisier* et *pomme → pommier.*

olive n. f.
Petit fruit ovale, verdâtre, à peau lisse et à noyau, devenant noir quand il est mûr. *Il y a des olives vertes et des olives noires pour l'apéritif. Mme Roussel a assaisonné la salade à l'huile d'olive.*

On extrait de l'huile des olives.

Le rameau d'olivier est un symbole de paix.

▸ ***olivier*** n. m. Arbre à tronc noueux, à feuilles vert pâle dont le fruit est l'olive. *On cultive l'olivier dans les régions méditerranéennes.*

Une plantation d'oliviers s'appelle une *oliveraie.*

olympique adj.
Les jeux Olympiques, ce sont des rencontres sportives, ayant lieu tous les quatre ans dans un pays différent, auxquelles participent des athlètes de tous les pays. *En 1984, les jeux Olympiques d'été ont eu lieu à Los Angeles. Le champion olympique du saut à la perche a reçu une médaille d'or.*

Dans l'Antiquité, les jeux Olympiques réunissaient les athlètes de toute la Grèce et se déroulaient à Olympie.

Les jeux Olympiques d'hiver, la même année, se déroulèrent à Sarajevo.

ombilical adj.
Le cordon ombilical, c'est le cordon de chair qui relie le bébé à sa mère quand il est à l'intérieur de son ventre. *Le médecin coupe le cordon ombilical à la naissance de l'enfant.*

À l'endroit où l'on coupe le cordon ombilical, il se forme une cicatrice sur le ventre : le *nombril.*

Au féminin : *ombilicale.* Au masculin pluriel : *ombilicaux.*

Famille de **ombre**

ombrage n. m.
1. Ensemble de branches et de feuilles qui font de l'ombre. *Sophie Pelletier se promène sous les ombrages du parc.* **2.** *Nathalie a su que Sylvain écrivait à une jeune fille en Angleterre et elle en a pris ombrage,* elle en a été jalouse, elle en a éprouvé du dépit.

Dans ce sens, on emploie ce mot plutôt au pluriel.

▸ ***ombragé*** adj. *Les allées du parc sont ombragées,* bordées d'arbres qui donnent de l'ombre.

▸ ***ombrageux*** adj. Inquiet, susceptible. *Nathalie a un caractère ombrageux,* elle se vexe facilement.

Au féminin : *ombrageuse.*

Elle prend facilement ombrage.

ombre n. f.
1. Zone sombre formée par une chose opaque qui empêche les rayons du soleil de passer. *Les arbres font de l'ombre sur la place. Julie s'est mise à l'ombre sous le parasol. Il fait trente degrés à l'ombre.* **2.** Image que projette un corps ou un objet éclairé par le soleil ou par une autre lumière. *L'ombre du chat se détache sur le mur du jardin.* **3.** *Il n'y a pas l'ombre d'un doute, ces garnements de Colle et Rat ont encore fait une bêtise,* c'est absolument certain.

L'ombre était si épaisse que Michel Strogoff ne courait aucun risque d'être vu *(Michel Strogoff).*

Autres membres de la famille : **ombrage, ombragé, ombrageux, pénombre.**

Le contraire d'*ombre,* c'est *clarté, lumière.*

Au moment où [...] j'allais m'engager dans le taillis [...] une grande ombre à forme humaine se projeta soudain à côté de la mienne *(le Lion).*

Une vieille dame se promenait par là [...]. Elle lui fait un petit salut avec son ombrelle *(Babar).*

▸ ***ombrelle*** n. f. Sorte de parapluie de couleur claire dont les femmes se servaient autrefois pour se protéger du soleil. *On a adapté une petite ombrelle sur la poussette du bébé.*

Va voir aussi ***parasol.***

Prononce [ɔmlɛt].

omelette n. f.
Plat composé d'œufs battus et cuits dans une poêle. *Mamie Lou a fait une omelette aux champignons.*

On ne fait pas d'omelette sans casser des œufs (proverbe).

Conjugaison 56 ; *omettre* se conjugue comme *mettre.*

omettre v.
Oublier. *Le commissaire avait omis un détail : l'assassin était gaucher.*
▸ ***omission*** n. f. Oubli. *Le suspect a fait plusieurs omissions au cours de son récit.*

omnibus n. m.
Train qui s'arrête dans toutes les gares. *Les omnibus sont moins rapides que les express.* — adj. *M. Doucet a pris un train omnibus.*

Compare ***omnisport*** et ***omnivore*** : dans ces mots, il s'agit de **tout.**

omnisport adj. invariable
Où l'on pratique tous les sports. *M. Doucet fait de la gymnastique dans une salle omnisport.*

Famille de **sport**

Compare ***omnivore*** et ***omnisport*** : dans ces mots, il s'agit de **tout.**

omnivore adj.
Un animal omnivore, c'est un animal qui se nourrit aussi bien de plantes que de viande, qui mange indifféremment tous les aliments. *Les cochons sont omnivores.*

Compare *omni**vore*** et *herbi**vore*** : dans ces mots, il s'agit de **manger.**

Famille de ① **plat**

omoplate n. f.
Os plat triangulaire de l'épaule, en haut du dos. *On a retrouvé le gangster avec un couteau planté entre les deux omoplates.*

C'est familier de dire « on va jouer » au lieu de « nous allons jouer ».

on pronom indéfini
Pronom personnel indéfini de la 3e personne, invariable et toujours sujet. **1.** Les gens. *On dit qu'il fera beau demain.* **2.** Quelqu'un. *On a frappé à la porte.*

Autres membres de la famille : **on-dit, qu'en-dira-t-on.**

Delphine et Marinette caressaient un gros mouton blanc que leur oncle Alfred [...] leur avait donné *(les Contes du Chat perché).*

oncle n. m.
Le frère du père ou de la mère, ou le mari de la tante. *Pierre Séverac est l'oncle de David et Nathalie,* il est le frère de leur père. *L'oncle et la tante de Marie-Tévy habitent à la campagne. Claire appelle son oncle « tonton ».*

Va voir aussi ***neveu, nièce, tante.***

Au féminin : *onctueuse.*

onctueux adj.
Une crème onctueuse, c'est une crème qui n'est ni trop liquide ni trop épaisse et procure une sensation de douceur quand on l'avale. *Mamie Lou verse dans les assiettes une crème au chocolat onctueuse.*

Autres membres de la famille : **onduler, ondulé, ondulation ; micro-onde.**

Être sur la même longueur d'onde, c'est se comprendre.

onde n. f.
1. *Lorsque l'on jette un caillou dans l'eau, il se forme des ondes à la surface,* des cercles, les uns dans les autres, qui se propagent sur l'eau. **2.** *Les ondes,* ce sont les vibrations produites par un émetteur et qui transportent les sons. *Mme Séverac écoute à la radio une émission sur les grandes ondes.* **3.** *Cette chanson passe souvent sur les ondes,* à la radio.

Tintin capte des messages sur ondes courtes.

N'oublie pas le ***e*** final après le ***é.***

ondée n. f.
Pluie soudaine qui ne dure pas longtemps. *Mme Harpie a été surprise par une ondée ;* vois ***averse.***

Au pluriel : *des on-dit.*

on-dit n. m. invariable
Bruit qui court ; vois ***racontar, ragot, rumeur.*** *D'après les on-dit, Angèle aurait un amoureux en Corse.*

Famille de **on** et de **dire**

Conjugaison 1

Le lion m'écouta un instant, bâilla, s'étira (je sentis sous ma main les muscles énormes et noueux onduler) [...] *(le Lion).*

onduler v.
1. Remuer en s'élevant et en s'abaissant tour à tour comme font les vagues. *L'écharpe de Julie ondule au vent.* **2.** *Les cheveux de Sophie Pelletier ondulent naturellement,* ils bouclent légèrement en faisant de petits crans.
▸ ***ondulé*** adj. *Sophie Pelletier a les cheveux ondulés,* légèrement frisés.
▸ ***ondulation*** n. f. **1.** Mouvement de ce qui s'élève et s'abaisse tour à tour. *L'ondulation de la mer faisait tanguer le bateau.* **2.** Succession de bosses et de creux. *La carriole suivait les ondulations du terrain.*

Famille de **onde**

Le contraire d'*ondulé,* c'est *plat, raide.*

Compare : *onduler* → *ondulation* et *vibrer* → *vibration.*

C'est un mot rare ; on dit plutôt *cher.*

onéreux adj.
Cher. *Ce voyage en Californie est très onéreux ;* vois **coûteux.**

Au féminin : *onéreuse.*

ongle n. m.
Partie dure, en corne, qui se trouve à l'extrémité des doigts. *Sylvain s'est coupé les ongles des mains et les ongles des pieds.*

Pour qu'un ongle repousse entièrement, il faut 3 mois.

N'oublie pas le ***e*** après le ***é***.

▷ **onglée** n. f. *Avoir l'onglée,* c'est avoir très mal au bout des doigts parce qu'ils sont engourdis par le froid. *Marie-Tévy n'arrive plus à tenir ses bâtons de ski car elle a l'onglée.*

Onguent [ɔ̃gɑ̃] rime avec *toboggan.*

onguent n. m.
Pommade grasse. *Mme Harpie applique un onguent sur la brûlure qu'elle vient de se faire ;* vois **crème.**

On n'utilise plus beaucoup ce genre de pommade aujourd'hui.

Onirique n'est pas un mot très courant.

onirique adj.
Arrivés au bout du chemin, les enfants découvrirent un paysage onirique, qui semblait sorti d'un rêve.

Dans les bandes dessinées, il y a beaucoup d'onomatopées.

onomatopée n. f.
Mot dont le son imite le bruit que fait une chose. *« Plouf, boum, pan » sont des onomatopées.*

Attention au ***y*** !

onyx n. m.
Pierre rare présentant des parties de couleurs différentes. *On fabrique des vases et des coupes en onyx.*

L'onyx est une variété d'agate.

On peut dire aussi : *ce carnet n'a qu'onze pages.*

onze adj. et n. m. invariable
1. adj. invariable. Dix plus un. *Antoine a onze billes dans sa poche. Ce carnet n'a que onze pages. Angèle a ouvert son livre au chapitre onze.* **2.** n. m. invariable. Le nombre onze. *Onze plus deux égalent treize. Le 11 Novembre est un jour férié,* le onzième jour du mois de novembre.

11 en chiffres arabes
XI en chiffres romains

Huitièmement, Neuvièmement, Dixièmement, Onzièmement, Douzièmement.

▷ **onzième** adj. et n. m. et f.
▭ **adj.** Qui vient tout de suite après le dixième. *Le fantôme était assis sur la onzième marche de l'escalier qui mène aux oubliettes.*
▭ **n. 1.** n. m. et f. *Yasmina est la onzième dans la file d'attente,* elle est entre la dixième et la douzième. **2.** n. m. Partie d'un tout qui est divisé en onze parties égales. *Yves a mangé les trois onzièmes du gâteau.*

On écrit 3/11 ou $\frac{3}{11}$.

opale n. f.
Pierre précieuse blanche aux reflets multicolores. *Mme Séverac porte un collier orné d'opales.*
▷ **opaline** n. f. Matière blanche ou colorée qui ressemble à du verre. *Muriel Doucet a mis des roses dans un vase en opaline.*

Le contraire d'*opaque,* c'est *translucide, transparent.*

opaque adj.
La vitre de ma salle de bains est en verre opaque, qui ne laisse pas passer la lumière.
▷ **opacité** n. f. Propriété d'un corps qui ne laisse pas passer la lumière. *L'opacité des nuages est telle qu'il fait à peine jour.*

Le contraire d'*opacité,* c'est *transparence.*

Autre membre de la famille : **opérette.**

C'était *Don Juan.*

opéra n. m.
1. Pièce de théâtre entièrement chantée et accompagnée de musique. *Les Doucet sont allés, hier soir, écouter un opéra de Mozart.* **2.** Théâtre où l'on joue ces sortes de pièces. *Les Doucet sont allés hier soir à l'Opéra.*

Les chanteuses d'opéra sont des *cantatrices.*

On y donne aussi des ballets.

opération n. f.
1. Suite d'actes à accomplir. *Dans la construction d'une voiture, ce sont des machines qui se chargent de la plupart des opérations.* **2.** *En calcul, il y a quatre opérations,* l'addition, la soustraction, la multiplication et la division. *L'opération de Marie-Tévy est juste.* **3.** Ensemble de manœuvres militaires, de combats. *Le général a pris l'initiative des opérations.* **4.** Action d'ouvrir le corps d'une personne pour en enlever une partie qui est malade, la soigner ou la modifier. *Julie a subi une opération la semaine dernière.* **5.** Affaire. *M. Bellec a fait une bonne opération en achetant son restaurant.*

Ivan Ogareff, ingénieur habile, était très certainement en état de diriger les opérations d'un siège régulier *(Michel Strogoff).*

On dit aussi : une *intervention chirurgicale.*

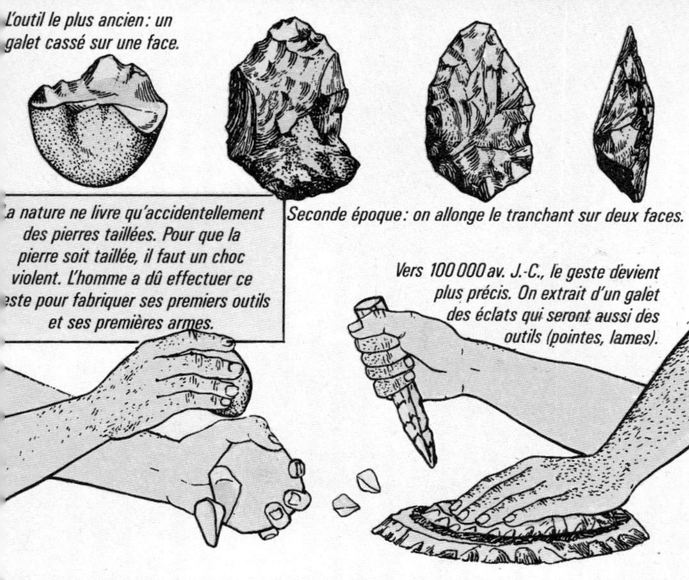
L'outil le plus ancien : un galet cassé sur une face.
La nature ne livre qu'accidentellement des pierres taillées. Pour que la pierre soit taillée, il faut un choc violent. L'homme a dû effectuer ce geste pour fabriquer ses premiers outils et ses premières armes.
Seconde époque : on allonge le tranchant sur deux faces.
Vers 100 000 av. J.-C., le geste devient plus précis. On extrait d'un galet des éclats qui seront aussi des outils (pointes, lames).

La poterie, c'est au début un assemblage de colombins en terre (longs boudins de pâte molle) au moyen d'une glaise très humide. Puis le tour de potier apparaît vers 4 000 av. J.-C. en Mésopotamie. Un assistant manœuvre à la main la tournette (plateau horizontal tournant) du maître potier. Le tour à pied n'apparaîtra que dans l'Antiquité gréco-romaine.
On ne sait ni où ni quand est née la poterie. L'argile existe en de nombreux endroits du globe, le feu est maîtrisé depuis 500 000 av. J.-C. et pourtant l'invention de la céramique s'étend entre 7000 et 5000 av. J.-C. Il faut dire qu'il s'agit d'une pratique de population sédentaire, les poteries se prêtant mal aux multiples déplacements habituels à cette époque.

HISTOIRE DES TECHNIQUES

Pour améliorer les conditions de son existence, l'homme a dû puiser des matériaux dans la nature, les adapter et les transformer.
L'homme se distingue notamment de l'animal par cette recherche permanente et acharnée qui le pousse à créer et à inventer tout ce qui lui permet de vivre mieux. Le premier pas décisif n'est pas la chasse, ni la cueillette, ni même la recherche d'un abri ; cela, les animaux aussi le font. Non, ce qui distingue l'homme de l'animal, c'est la fabrication d'outils artificiels, c'est le fait que, grâce à l'outil, la main de l'homme dispose d'un intermédiaire pour agir sur la matière.
Ensuite, c'est une longue histoire, faite de découvertes, de mises en œuvre et d'améliorations pratiques, de gestes répétés, de savoir-faire transmis, de procédés acquis, de machines sans cesse nouvelles. En quelques mots, c'est l'histoire des techniques.

Dans ce dossier, tu trouveras :
p. 2 - **Histoire des systèmes techniques**
p. 4 - **De l'outil au machinisme**
p. 6 - **De la machine à la société industrielle**
p. 8 - **Inventeurs et inventions**

Les Romains ont inventé bon nombre d'outils de menuisier. Mais ceux-ci n'ont pris une forme définitive que vers la fin du Moyen-Âge.
Le rabot est un outil qui permet d'aplanir ou de redresser des pièces de bois tant à la surface que sur l'épaisseur.
Avec un bédane (ciseau en acier) et un maillet, le menuisier fait des découpes géométriques dans le bois. Il peut ensuite réaliser des assemblages selon le principe du tenon (partie saillante de l'assemblage) dans la mortaise.

À l'ère des robots, l'homme a presque disparu de la production. Il délivre d'abord un certain nombre d'ordres à un ordinateur ; celui-ci pilote alors les robots qui travaillent et modèlent la pièce. La main de l'homme n'agit plus que sur le clavier de l'ordinateur, c'est le cerveau qui fait l'essentiel du travail.

Avec la machine-outil, machine dont l'effort final s'exerce sur un outil, la force de l'homme n'intervient plus directement sur la matière. Actionnée par un moteur, la machine fait agir une pièce qui travaille (fer coupant, par exemple) sur la pièce à façonner (bois, par exemple). L'homme ne sert plus qu'à guider la machine. Celle-ci agit vite et avec plus de précision.

hache de pierre avec une gaine en corne montée sur un manche en bois (8000 ans av. J.-C.)

Image étrange que celle des grottes de Val Camonica (Lombardie). Elle remonte au 4e millénaire av. J.-C. et semble décrire un attelage et un instrument de labour.

Les traces de technique dans les objets:

Les objets techniques, objets fabriqués ou instruments de fabrication, sont les outils les plus précis de l'historien. Ils permettent de remonter très loin dans le temps, jusqu'à la préhistoire. On les a ignorés longtemps et beaucoup ont été détruits. Pour chaque objet trouvé, il importe de déterminer son âge et sa provenance afin de mieux comprendre l'histoire de l'humanité.

charrue 4 socs réversibles

Les traces de technique dans les images:

Dessins d'artiste et surtout dessins de technicien, les images donnent au premier coup d'œil l'idée d'un outil ou d'une machine. Les dessins artistiques sont les plus anciens mais ne sont pas toujours très fidèles à l'objet qui est représenté. Les dessins de l'ingénieur sont, eux, parfois trop compliqués. L'image photographique ou télévisuelle est sans doute celle qui nous aide le mieux à comprendre la technique, la maquette et le modèle réduit également.

Aujour l'ordin assiste le techr et dessine en te compt contra techni

On peut réécrire l'histoire en suivant les techniques

HISTOIRE DES SYSTÈMES TECHNIQUES

Quand on raconte l'histoire des techniques, on a l'habitude d'énumérer les inventions les unes après les autres, dans leur ordre chronologique d'apparition. Pourtant cet ordre apparent en recouvre peut-être un autre.

Ainsi, on ne peut pas tailler correctement un crayon tant qu'on ne dispose pas d'une lame de fer: de la même façon, le taille-crayon ne peut exister tant qu'il n'existe pas de vis d'assemblage pour fixer la lame sur le bl dans lequel est introduit le crayon.

Ce simple exemple suffit à montrer que, po un seul objet, les différentes techniques so déjà dépendantes les unes des autres. Ce q est vrai pour le taille-cray l'est aussi à d'autres échell Les techniques sont cohérent et complémentaires entre ell

Le premier janvier

Si l'histoire des techniques se réduisait à la durée d'une année, le premier janvier serait inventé le premier outil en pierre (le silex taillé qui permet de découper, de trancher et de chasser). Beaucoup plus tard on assemblera cet outil en pierre avec du bois (lance, flèche, faucille).

Le 31 décembre à 22 heur

Les bateaux à voiles multip permettent de mieux navig contre le vent. Des cartes correc l'astrolabe, un instrument permet de calculer la latit grâce à la posit des astres au-dessus l'horizon, et le loch mesure la vitesse d bateau aideron navigation des carave et des gali à travers les océa

Le 30 décembre à 17 heures,

ce serait le début de l'agriculture: l'homme s'installe autour de ses cultures et de ses troupeaux. C'est le moment le plus important de l'histoire humaine.

Les traces de technique dans les écrits:

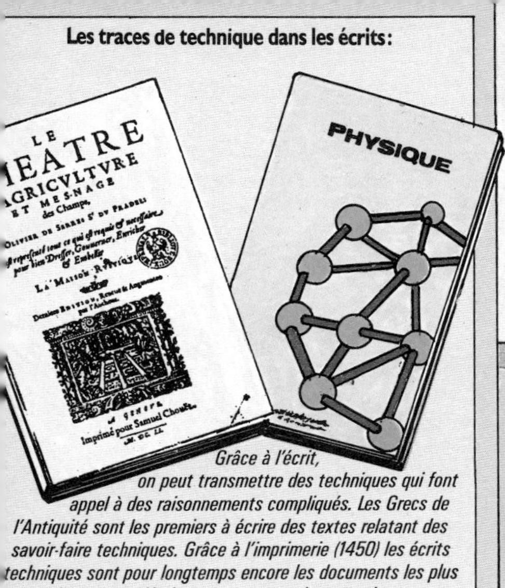

Grâce à l'écrit, on peut transmettre des techniques qui font appel à des raisonnements compliqués. Les Grecs de l'Antiquité sont les premiers à écrire des textes relatant des savoir-faire techniques. Grâce à l'imprimerie (1450) les écrits techniques sont pour longtemps encore les documents les plus nombreux pour décrire et transmettre les connaissances.

L'atelier du forgeron, sur un vase grec ancien.

Les traces de technique dans les gestes et les paroles:

Quand le coup de main et la façon de faire constituent l'essentiel d'une technique, alors seuls le geste et la parole peuvent aider à transmettre le savoir-faire. C'est ainsi que de nombreux artisans et ouvriers d'hier et d'aujourd'hui ont appris leur métier. Bien que moins fondamentale que par le passé, la transmission du savoir-faire par le geste et la parole reste nécessaire dans l'entreprise moderne.

l'échelle d'un pays, d'un continent, d'une ɪoque; elles composent un système chnique.

s techniques et les inventions ne peuvent ıître de rien; elles font toujours appel à ıutres techniques complémentaires comme taille-crayon fait appel à la vis d'assemage de la lame sur le bloc en fer. De ce fait, ute invention nouvelle ne présente un intét que si elle peut s'insérer dans un ensem-e de techniques prêtes à la recevoir. Inutile inventer un taille-crayon si le crayon existe pas encore ou s'il a complètement sparu.

ı système technique est généralement ganisé autour de quelques techniques principales: ce sont celles qui permettent de progresser par rapport à une période antérieure ou par rapport à une autre région géographique. Ce sont des mutations qui n'impliquent pas forcément un bouleversement radical des techniques; les techniques anciennes laissent toujours un héritage, des traces de leur existence qui permettent la transmission des connaissances.

D'un système technique à l'autre, les techniques évoluent. C'est l'histoire des techniques et l'occasion de jeter un regard nouveau sur l'Histoire. Réduite à la durée d'une année, l'histoire des techniques se présenterait comme sur les cinq images de ce calendrier en bas de la page.

Le 31 décembre à 23 heures 30: *la locomotive à vapeur entre en action. L'homme va pouvoir voyager sans dépendre des forces naturelles ou animales.*

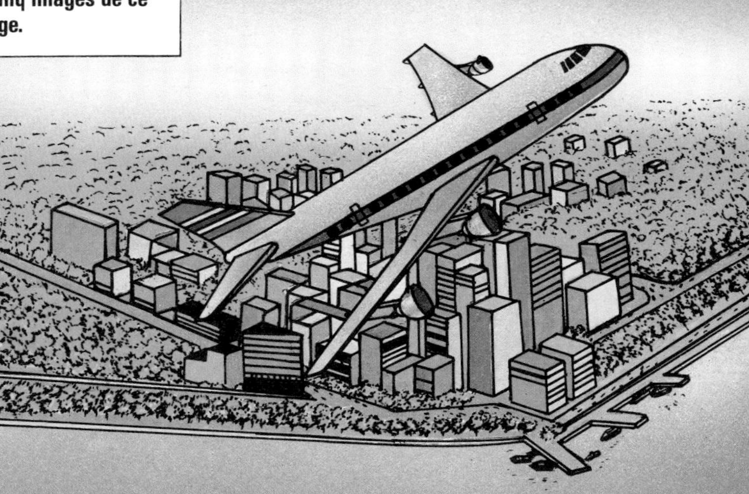

Le 31 décembre à 23 heures 54:

avec le réacteur nucléaire et le moteur à réaction, l'homme s'envole vers de nouveaux espaces. Les dernières heures de l'Histoire sont les plus mouvementées. Les techniques changent très vite. Chaque nouvelle technique est présente partout, c'est ainsi que l'on retrouve des plastiques dans l'Airbus comme dans les emballages alimentaires. Il y a deux millions d'années, il n'y avait pour toute technique que la pierre taillée. Aujourd'hui, un produit unique ne saurait constituer à lui seul toute la technique; par contre, tout produit nouveau doit pouvoir s'insérer dans les techniques déjà présentes.

Entre 30 000 et 10 000 ans av. J.-C. l'homme ne vit plus uniquement dans les cavernes ; il construit des tentes avec des peaux de bêtes, des huttes avec des ossements, comme celle-ci, construite vers l'an -15 000 en Ukraine.
Les produits de la chasse ne servent pas uniquement à la nourriture. Les pointes d'os ou les dents servent à travailler les peaux.
L'homme de Cro-Magnon (vers l'an -30 000) est chasseur et artiste. Il peint sur les murs et fait de la vannerie. Les gestes techniques sont toujours aussi simples mais de plus en plus nombreux et précis.
L'Antiquité (3 000 ans av. J.-C.) est une période de grands travaux : assemblages de gigantesques blocs de pierre pour les centres du pouvoir qui apparaissent dès que les populations se fixent autour des cultures, constructions en brique quand la pierre est absente (Mésopotamie).
Le plan incliné et le transport sur rouleaux sont les rares techniques mises en œuvre pour la construction des édifices : la force humaine ou animale demeure prépondérante. Le transport sur char est réservé aux matériaux plus légers (Égypte vers 2500 av. J.-C.).
Cette machine infernale qui est une forge actionnée par un moulin hydraulique (XVe siècle) annonce la machine des temps modernes :
on dispose d'une énergie naturelle importante, on la transforme grâce à des mécanismes qui changent la direction et la vitesse des mouvements initiaux.
D'autres bi agissent sur soufflet de fo
bielle
La fin du Moyen Âge annonce en Occident un renouveau de la construction après les temps difficiles des invasions. C'est l'époque des grandes cathédrales et des châteaux forts.
Technique nouvelle dans l'art de bâtir, l'arc-boutant (construction en forme d'arc qui permet de soutenir une voûte de l'extérieur) apparaît vers 1200 : il remplace la technique du contrefort-pilier (mur servant d'appui à un autre mur) qui fut utilisée dès 2200 av. J.-C. (Mésopotamie). L'arc-boutant fut utilisé pour la première fois à Notre-Dame de Paris.
Le rouet est un exemple de l'utilisation des matériaux traditionnels (bois et métal) dans la mise en œuvre du système bielle-manivelle.

SYSTÈME TECHNIQUE PRÉHISTORIQUE

(des origines à 8000 ans av. J.-C.)

Fabrication d'outils — **Chasse** — **Cueillette** — **Feu**

Tant que l'homme se contente de la nourriture offerte par la nature, les techniques se limitent à : – la fabrication d'outils pour la chasse, la pêche ou la cueillette – l'élaboration de techniques de chasse – la mise au point de moyens et d'outils pour transformer les produits de la chasse et de la cueillette.

DE L'OUTIL AU MACHINISME

Vers deux millions d'années avant J.-C., l'homme se distingue des animaux en fabriquant les premiers outils en pierre. Il est alors nomade et se déplace vers les sites les plus favorables à son existence. Les techniques essentielles de cette époque se limitent au travail simple de matériaux élémentaires qui facilitent la chasse et la cueillette.

La découverte du feu vers 500 000 av. J.-C. lui permet de cuire les aliments, de se protéger du froid et des animaux. Plus tard, le feu transformera la boue en poterie, le minerai en métal et brûlera la terre qui deviendra fertile.

Car vers 8000 av. J.-C., l'homme devient agriculteur et sédentaire. Il construit des villages près des cultures et des troupeaux. Avec la pierre, le bois et l'argile, il fabrique des outils pour la production, la transformation et la conservation des produits agricoles. Mais il est difficile de progresser quand on ne possède que la force humaine et animale.

Les machines n'apparaîtront qu'avec la maîtrise de l'énergie d'origine naturelle. Celle-ci est disponible en Europe occidentale, ainsi que le bois pour construire les machines. À la fin du Moyen Âge, on met en pratique des mécanismes connus de l'Antiquité méditerranéenne pour capter la force des cours d'eau ou du vent.

Mais capter l'énergie ne suffit pas : il faut aussi des mécanismes pour la transmettre et la transformer. Sans ces mécanismes, il n'y aurait pas de machines. Au XIVe siècle, l'invention la plus importante est celle du système bielle-manivelle qui permet de transformer un mouvement circulaire en un mouvement alternatif de va-et-vient (et vice versa). Allié aux engrenages, ce mouvement peut changer la direction et la vitesse d'une énergie : la machine existe, tout va aller plus vite.

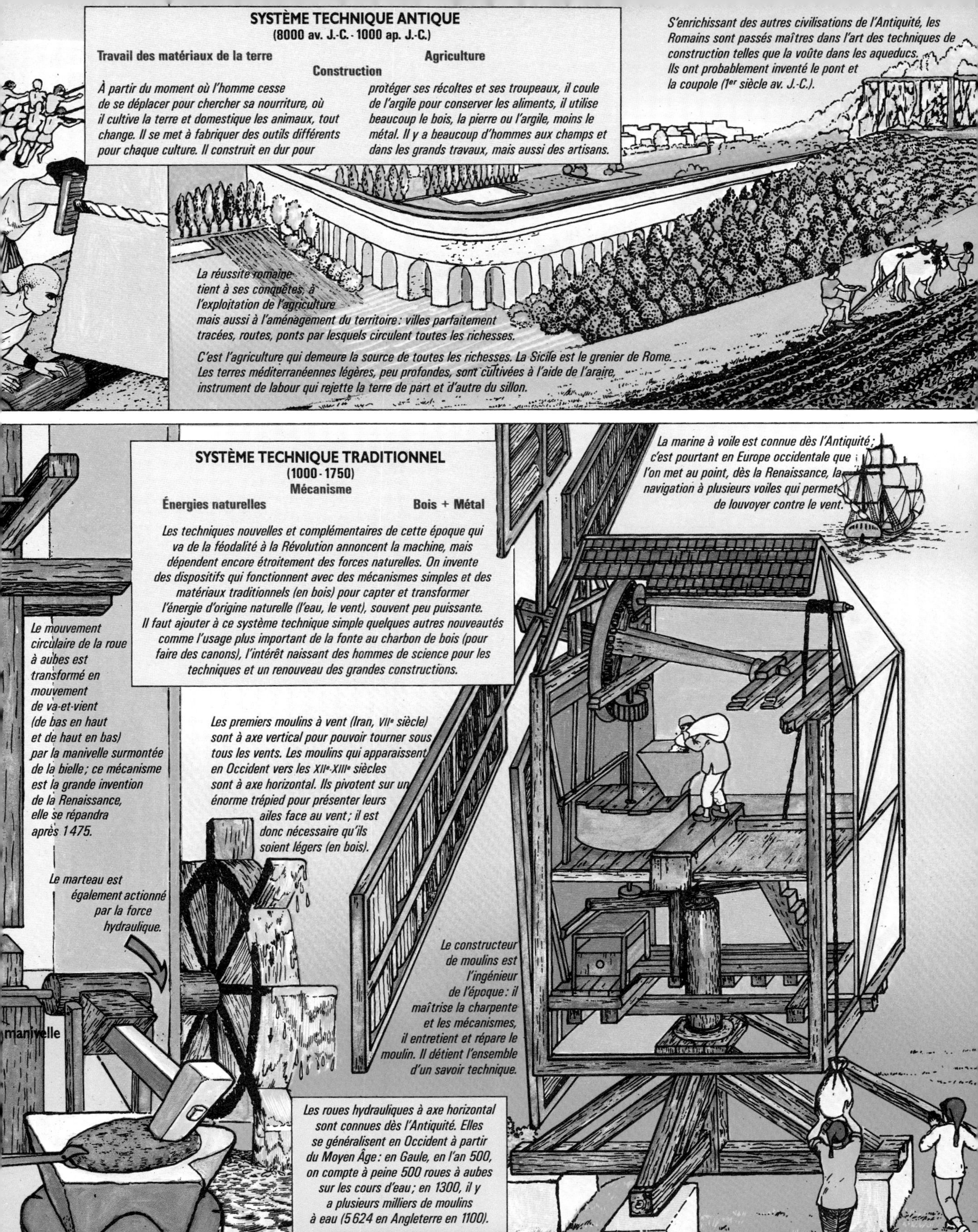
SYSTÈME TECHNIQUE ANTIQUE
(8000 av. J.-C. - 1000 ap. J.-C.)
Travail des matériaux de la terre
Agriculture
Construction
À partir du moment où l'homme cesse de se déplacer pour chercher sa nourriture, où il cultive la terre et domestique les animaux, tout change. Il se met à fabriquer des outils différents pour chaque culture. Il construit en dur pour protéger ses récoltes et ses troupeaux, il coule de l'argile pour conserver les aliments, il utilise beaucoup le bois, la pierre ou l'argile, moins le métal. Il y a beaucoup d'hommes aux champs et dans les grands travaux, mais aussi des artisans.
S'enrichissant des autres civilisations de l'Antiquité, les Romains sont passés maîtres dans l'art des techniques de construction telles que la voûte dans les aqueducs. Ils ont probablement inventé le pont et la coupole (1er siècle av. J.-C.).
La réussite romaine tient à ses conquêtes, à l'exploitation de l'agriculture mais aussi à l'aménagement du territoire : villes parfaitement tracées, routes, ponts par lesquels circulent toutes les richesses.
C'est l'agriculture qui demeure la source de toutes les richesses. La Sicile est le grenier de Rome. Les terres méditerranéennes légères, peu profondes, sont cultivées à l'aide de l'araire, instrument de labour qui rejette la terre de part et d'autre du sillon.
SYSTÈME TECHNIQUE TRADITIONNEL
(1000 - 1750)
Mécanisme
Énergies naturelles
Bois + Métal
Les techniques nouvelles et complémentaires de cette époque qui va de la féodalité à la Révolution annoncent la machine, mais dépendent encore étroitement des forces naturelles. On invente des dispositifs qui fonctionnent avec des mécanismes simples et des matériaux traditionnels (en bois) pour capter et transformer l'énergie d'origine naturelle (l'eau, le vent), souvent peu puissante. Il faut ajouter à ce système technique simple quelques autres nouveautés comme l'usage plus important de la fonte au charbon de bois (pour faire des canons), l'intérêt naissant des hommes de science pour les techniques et un renouveau des grandes constructions.
La marine à voile est connue dès l'Antiquité ; c'est pourtant en Europe occidentale que l'on met au point, dès la Renaissance, la navigation à plusieurs voiles qui permet de louvoyer contre le vent.
Le mouvement circulaire de la roue à aubes est transformé en mouvement de va-et-vient (de bas en haut et de haut en bas) par la manivelle surmontée de la bielle ; ce mécanisme est la grande invention de la Renaissance, elle se répandra après 1475.
Les premiers moulins à vent (Iran, VIIe siècle) sont à axe vertical pour pouvoir tourner sous tous les vents. Les moulins qui apparaissent en Occident vers les XIIe-XIIIe siècles sont à axe horizontal. Ils pivotent sur un énorme trépied pour présenter leurs ailes face au vent ; il est donc nécessaire qu'ils soient légers (en bois).
Le marteau est également actionné par la force hydraulique.
manivelle
Le constructeur de moulins est l'ingénieur de l'époque : il maîtrise la charpente et les mécanismes, il entretient et répare le moulin. Il détient l'ensemble d'un savoir technique.
Les roues hydrauliques à axe horizontal sont connues dès l'Antiquité. Elles se généralisent en Occident à partir du Moyen Âge : en Gaule, en l'an 500, on compte à peine 500 roues à aubes sur les cours d'eau ; en 1300, il y a plusieurs milliers de moulins à eau (5 624 en Angleterre en 1100).

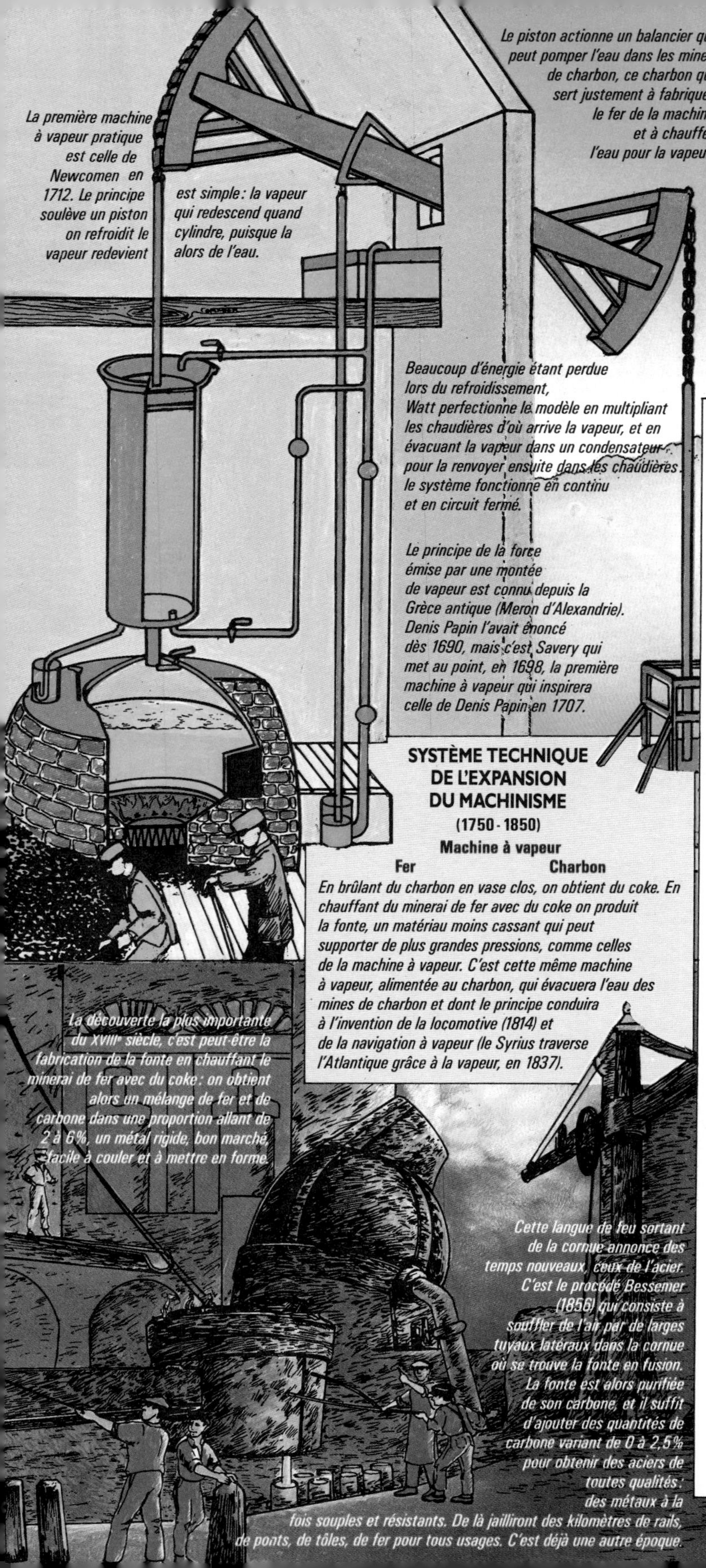

DE LA MACHINE À LA SOCIÉTÉ INDUSTRIELLE

Jusqu'au XVIIIe siècle, l'énergie qui actionne les machines est soumise aux caprices de l'eau ou du vent. Les machines ne peuvent elles-mêmes dépasser une certaine cadence sans risque de rompre les matériaux (bois).
Tout va changer vers 1780, lorsque l'on commence à produire de la fonte, un matériau très dur qui permettra de fabriquer d'autres types de machines, en particulier la machine à vapeur. C'est l'avènement du machinisme.
De nouveaux mécanismes apparaissent : la turbine (1884) puis la centrale nucléaire (1950), qui utilisent toujours la vapeur pour produire une énergie mécanique.
Mais ces machines sont trop compliquées pour être utilisées par tout le monde. Avec le moteur à combustion interne (1876), il n'y a plus de chaudière, on gagne de la place et du poids. À l'intérieur du moteur à réaction, une combustion de gaz alimente une turbine qui propulse l'air vers l'arrière.
Mais le moteur le plus pratique, c'est le moteur électrique. En 1871, Gramme réalise le premier modèle, 43 ans après l'énoncé du principe par Faraday.
Plus ingénieuse encore, la lampe d'Edison (1879) dans laquelle l'arc relié par deux fils électriques produit une étincelle permanente : c'est la lumière électrique.
Avec les moteurs apparaissent aussi vers 1900 les nouveaux matériaux, issus souvent de la collaboration de la métallurgie, de la chimie et de l'électricité : l'aluminium qui apparaît vers 1886, et les aciers très purs des temps modernes.
La chimie quant à elle invente les produits de synthèse souvent à partir du pétrole : celluloïd en 1868, bakélite en 1902, plastiques et résines après 1940.
La production de ces matériaux nouveaux, leur transformation et leur assemblage par des machines adéquates ne seraient pas possibles sans des méthodes de production hypersophistiquées : l'ordinateur intervient ici pour contrôler la résistance et la précision.
Les techniques de saisie et de traitement de l'information, l'automatisation des machines sont les derniers apports du système technique industriel. Grâce à eux, on affine au maximum les techniques existantes, qui semblent avoir produit toutes leurs possibilités. On attend de la science qu'elle nous livre les clefs d'un nouveau système technique.

La première machine à vapeur pratique est celle de Newcomen en 1712. Le principe est simple : la vapeur soulève un piston qui redescend quand on refroidit le cylindre, puisque la vapeur redevient alors de l'eau.

Le piston actionne un balancier qui peut pomper l'eau dans les mines de charbon, ce charbon qui sert justement à fabriquer le fer de la machine et à chauffer l'eau pour la vapeur.

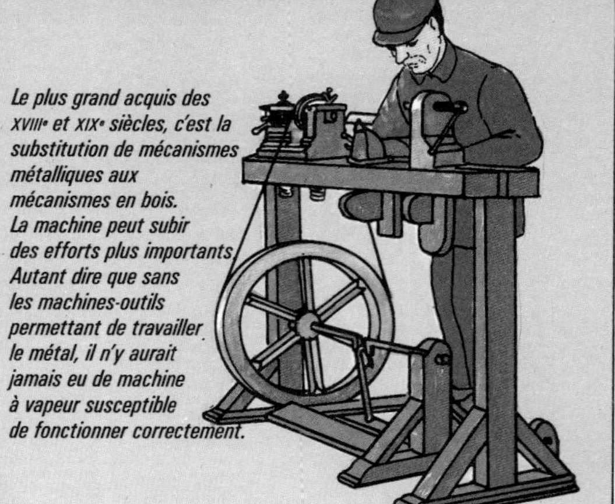

Le plus grand acquis des XVIIIe et XIXe siècles, c'est la substitution de mécanismes métalliques aux mécanismes en bois. La machine peut subir des efforts plus importants. Autant dire que sans les machines-outils permettant de travailler le métal, il n'y aurait jamais eu de machine à vapeur susceptible de fonctionner correctement.

Beaucoup d'énergie étant perdue lors du refroidissement, Watt perfectionne le modèle en multipliant les chaudières d'où arrive la vapeur, et en évacuant la vapeur dans un condensateur pour la renvoyer ensuite dans les chaudières : le système fonctionne en continu et en circuit fermé.

Le principe de la force émise par une montée de vapeur est connu depuis la Grèce antique (Meron d'Alexandrie). Denis Papin l'avait énoncé dès 1690, mais c'est Savery qui met au point, en 1698, la première machine à vapeur qui inspirera celle de Denis Papin en 1707.

SYSTÈME TECHNIQUE DE L'EXPANSION DU MACHINISME
(1750 - 1850)
Machine à vapeur
Fer — Charbon

En brûlant du charbon en vase clos, on obtient du coke. En chauffant du minerai de fer avec du coke on produit la fonte, un matériau moins cassant qui peut supporter de plus grandes pressions, comme celles de la machine à vapeur. C'est cette même machine à vapeur, alimentée au charbon, qui évacuera l'eau des mines de charbon et dont le principe conduira à l'invention de la locomotive (1814) et de la navigation à vapeur (le Syrius traverse l'Atlantique grâce à la vapeur, en 1837).

La découverte la plus importante du XVIIIe siècle, c'est peut-être la fabrication de la fonte en chauffant le minerai de fer avec du coke : on obtient alors un mélange de fer et de carbone dans une proportion allant de 2 à 6 %, un métal rigide, bon marché, facile à couler et à mettre en forme.

Cette langue de feu sortant de la cornue annonce des temps nouveaux, ceux de l'acier. C'est le procédé Bessemer (1856) qui consiste à souffler de l'air par de larges tuyaux latéraux dans la cornue où se trouve la fonte en fusion. La fonte est alors purifiée de son carbone, et il suffit d'ajouter des quantités de carbone variant de 0 à 2,5 % pour obtenir des aciers de toutes qualités : des métaux à la fois souples et résistants. De là jailliront des kilomètres de rails, de ponts, de tôles, de fer pour tous usages. C'est déjà une autre époque.

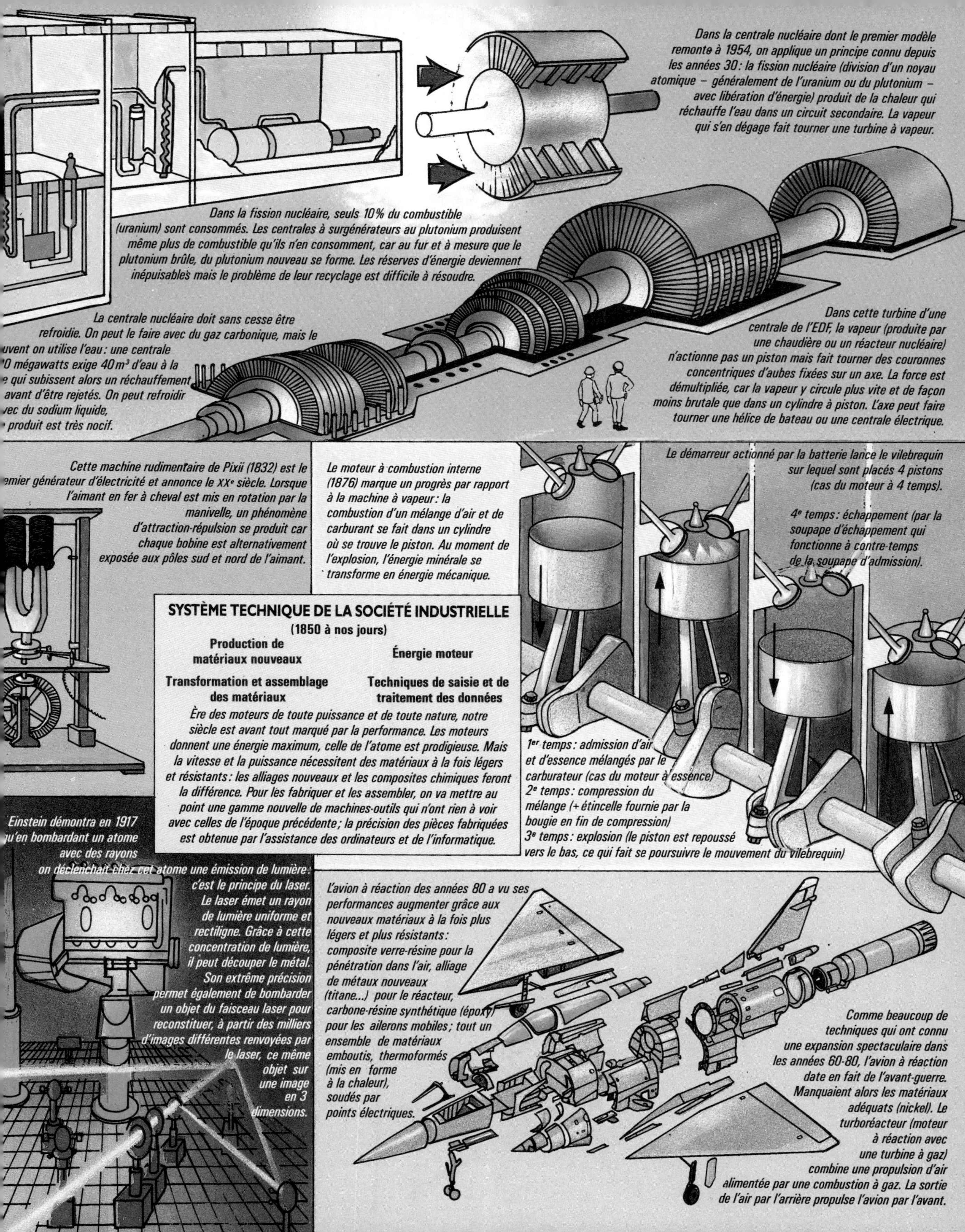

Dans la centrale nucléaire dont le premier modèle remonte à 1954, on applique un principe connu depuis les années 30 : la fission nucléaire (division d'un noyau atomique – généralement de l'uranium ou du plutonium – avec libération d'énergie) produit de la chaleur qui réchauffe l'eau dans un circuit secondaire. La vapeur qui s'en dégage fait tourner une turbine à vapeur.

Dans la fission nucléaire, seuls 10% du combustible (uranium) sont consommés. Les centrales à surgénérateurs au plutonium produisent même plus de combustible qu'ils n'en consomment, car au fur et à mesure que le plutonium brûle, du plutonium nouveau se forme. Les réserves d'énergie deviennent inépuisables mais le problème de leur recyclage est difficile à résoudre.

La centrale nucléaire doit sans cesse être refroidie. On peut le faire avec du gaz carbonique, mais le uvent on utilise l'eau : une centrale 0 mégawatts exige 40 m³ d'eau à la e qui subissent alors un réchauffement avant d'être rejetés. On peut refroidir vec du sodium liquide, produit est très nocif.

Dans cette turbine d'une centrale de l'EDF, la vapeur (produite par une chaudière ou un réacteur nucléaire) n'actionne pas un piston mais fait tourner des couronnes concentriques d'aubes fixées sur un axe. La force est démultipliée, car la vapeur y circule plus vite et de façon moins brutale que dans un cylindre à piston. L'axe peut faire tourner une hélice de bateau ou une centrale électrique.

Cette machine rudimentaire de Pixii (1832) est le emier générateur d'électricité et annonce le XXe siècle. Lorsque l'aimant en fer à cheval est mis en rotation par la manivelle, un phénomène d'attraction-répulsion se produit car chaque bobine est alternativement exposée aux pôles sud et nord de l'aimant.

Le moteur à combustion interne (1876) marque un progrès par rapport à la machine à vapeur : la combustion d'un mélange d'air et de carburant se fait dans un cylindre où se trouve le piston. Au moment de l'explosion, l'énergie minérale se transforme en énergie mécanique.

Le démarreur actionné par la batterie lance le vilebrequin sur lequel sont placés 4 pistons (cas du moteur à 4 temps).

4e temps : échappement (par la soupape d'échappement qui fonctionne à contre-temps de la soupape d'admission).

SYSTÈME TECHNIQUE DE LA SOCIÉTÉ INDUSTRIELLE

(1850 à nos jours)

Production de matériaux nouveaux

Énergie moteur

Transformation et assemblage des matériaux

Techniques de saisie et de traitement des données

Ère des moteurs de toute puissance et de toute nature, notre siècle est avant tout marqué par la performance. Les moteurs donnent une énergie maximum, celle de l'atome est prodigieuse. Mais la vitesse et la puissance nécessitent des matériaux à la fois légers et résistants : les alliages nouveaux et les composites chimiques feront la différence. Pour les fabriquer et les assembler, on va mettre au point une gamme nouvelle de machines-outils qui n'ont rien à voir avec celles de l'époque précédente ; la précision des pièces fabriquées est obtenue par l'assistance des ordinateurs et de l'informatique.

1er temps : admission d'air et d'essence mélangés par le carburateur (cas du moteur à essence)
2e temps : compression du mélange (+ étincelle fournie par la bougie en fin de compression)
3e temps : explosion (le piston est repoussé vers le bas, ce qui fait se poursuivre le mouvement du vilebrequin)

Einstein démontra en 1917 qu'en bombardant un atome avec des rayons on déclenchait chez cet atome une émission de lumière : c'est le principe du laser. Le laser émet un rayon de lumière uniforme et rectiligne. Grâce à cette concentration de lumière, il peut découper le métal. Son extrême précision permet également de bombarder un objet du faisceau laser pour reconstituer, à partir des milliers d'images différentes renvoyées par le laser, ce même objet sur une image en 3 dimensions.

L'avion à réaction des années 80 a vu ses performances augmenter grâce aux nouveaux matériaux à la fois plus légers et plus résistants : composite verre-résine pour la pénétration dans l'air, alliage de métaux nouveaux (titane...) pour le réacteur, carbone-résine synthétique (époxy) pour les ailerons mobiles ; tout un ensemble de matériaux emboutis, thermoformés (mis en forme à la chaleur), soudés par points électriques.

Comme beaucoup de techniques qui ont connu une expansion spectaculaire dans les années 60-80, l'avion à réaction date en fait de l'avant-guerre. Manquaient alors les matériaux adéquats (nickel). Le turboréacteur (moteur à réaction avec une turbine à gaz) combine une propulsion d'air alimentée par une combustion à gaz. La sortie de l'air par l'arrière propulse l'avion par l'avant.

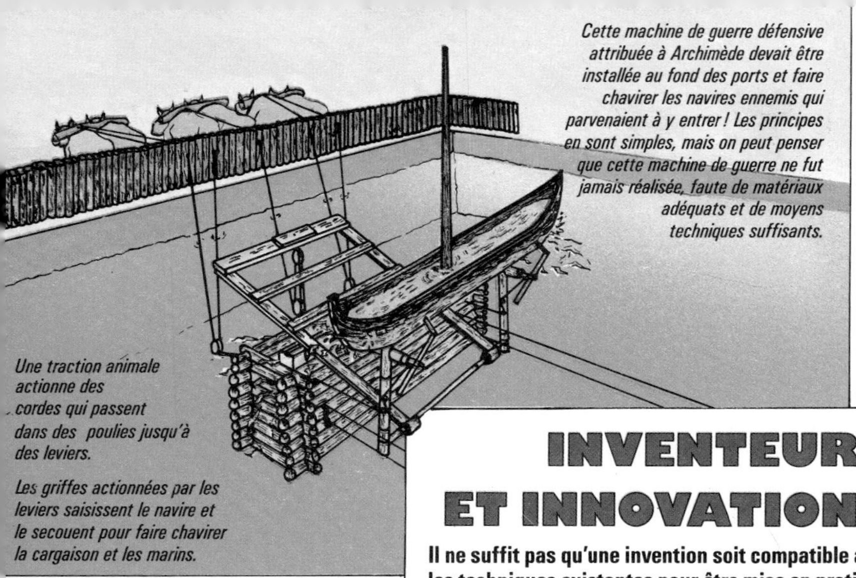

Cette machine de guerre défensive attribuée à Archimède devait être installée au fond des ports et faire chavirer les navires ennemis qui parvenaient à y entrer ! Les principes en sont simples, mais on peut penser que cette machine de guerre ne fut jamais réalisée, faute de matériaux adéquats et de moyens techniques suffisants.

Une traction animale actionne des cordes qui passent dans des poulies jusqu'à des leviers.

Les griffes actionnées par les leviers saisissent le navire et le secouent pour faire chavirer la cargaison et les marins.

Depuis le XIIIe siècle, les efforts des copistes et des scribes ne su[…] plus à la demande de livres. Gutenberg invente la presse à im[…] et les caractères mobiles en plomb. En 1455, il réalise le p[…] texte imprimé. Cette invention revêt un[…] importance que l'on a appelé l'[…] nous vivons : la g[…] Gute[…]

INVENTEURS ET INNOVATIONS

Il ne suffit pas qu'une invention soit compatible avec les techniques existantes pour être mise en pratique. Il importe aussi qu'elle soit acceptée par les hommes qui vont l'employer.

Avec la naissance des nations modernes (XVIe-XVIIIe), la technique devient affaire d'État. La science se met au service de la technique. Chaque État, chaque grande entreprise a son centre de recherche scientifique ou son laboratoire.

À l'ère de l'industrialisation, la technique est devenue l'affaire de tous. Dans l'entreprise, la technique détermine de plus en plus les tâches à effectuer. Chaque invention doit permettre d'économiser du temps, de l'argent et des hommes pour passer dans le cycle industriel.

Ces multiples raisons, tant économiques, sociales que techniques, font qu'il est rare qu'au cours de l'histoire on soit passé brutalement d'un système technique à l'autre. Rare aussi qu'une invention n'ait été une réponse aux exigences de son temps.

On pourrait aussi faire l'histoire des inventeurs : ceux de la préhistoire dont on n'a pas les noms ; ceux de l'Antiquité, comme Archimède, qui inventaient presque pour le plaisir ; ceux de la Renaissance qui savaient construire la machine dans sa totalité.

Puis (dès le XVIIIe siècle), les ingénieurs des grandes écoles, spécialisés dans un domaine, à la fois techniciens et scientifiques, apprennent comment fonctionne la machine et suivant quelle théorie : la technique est devenue technologie.

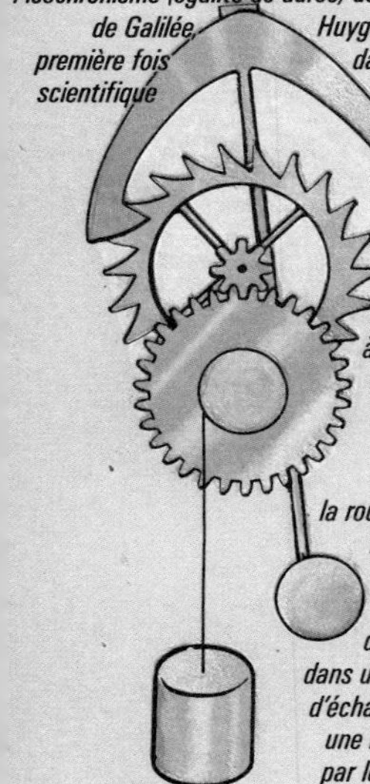

1657 : 1re rencontre de la science et de la technique. En mettant en œuvre sur une horloge la loi de l'isochronisme (égalité de durée) des oscillations de Galilée, Huygens applique pour la première fois dans l'histoire une loi scientifique à une technique.

L'échappement à ancre est inventé un peu moins d'un siècle plus tard : le poids entraîne la roue d'échappement. Lorsque le pendule oscille à droite, la palette gauche de l'ancre s'engage dans une dent de la roue d'échappement et reçoit une impulsion suscitée par le poids, ce qui fait osciller le pendule à gauche.

Sur les chaînes de production automobile, la technique fractionne à l'extrême les savoir-faire. Les tâches se réduisent à un geste simple et unique, ce qui permet un gain de temps, un gain d'argent et un meilleur contrôle de la production.

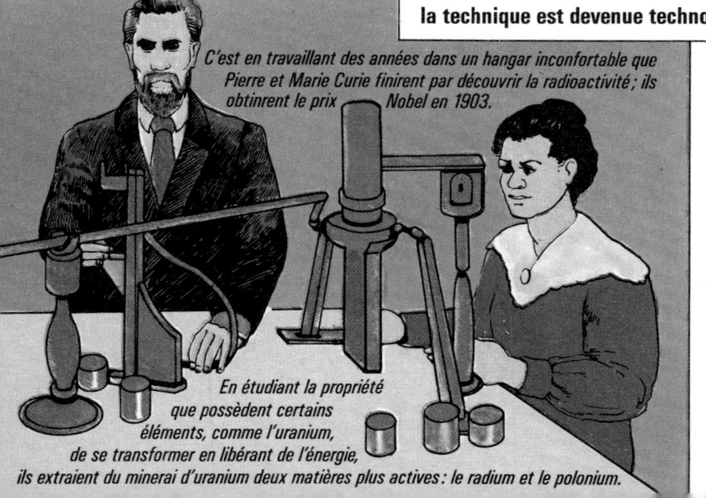

C'est en travaillant des années dans un hangar inconfortable que Pierre et Marie Curie finirent par découvrir la radioactivité ; ils obtinrent le prix Nobel en 1903.

En étudiant la propriété que possèdent certains éléments, comme l'uranium, de se transformer en libérant de l'énergie, ils extraient du minerai d'uranium deux matières plus actives : le radium et le polonium.

Le turbotrain de Bertin : exemple d'une technique d'avant-garde qui n'entra jamais en service. Le réacteur propulsait un véhicule à coussin d'air sur une rampe en béton. D'une capacité de 80 places, ce véhicule a transporté en phase expérimentale plus de 10000 personnes à des vitesses atteignant 400 km/h, ce qui exigeait une perfection extrême dans les techniques de construction du véhicule et de la rampe.

Conjugaison 6
▭ Indic. présent : *j'opère, nous opérons.* Imparfait : *j'opérais.* Futur : *j'opérerai.*

opérer v.
1. Produire un effet. *Le remède commence à opérer ;* vois **agir. 2.** Faire. *La voiture des bandits a opéré un demi-tour à vive allure ;* vois **exécuter. 3.** Ouvrir le corps d'une personne ou un organe pour le soigner ou le modifier. *Julie s'est fait opérer de l'appendicite. M. Bonnot a été opéré d'une jambe.*

Le médecin qui opère s'appelle un *chirurgien.*

▸ **opérateur** n. m., **opératrice** n. f. Personne qui fait fonctionner un appareil. *Quand le téléphone n'était pas automatique, on demandait le numéro de son correspondant à une opératrice.*

Autres membres de la famille : **coopérant, coopérer, coopération, coopératif, coopérative.**

Famille de **opéra**

opérette n. f.
Pièce de théâtre gaie, accompagnée de musique, dont certains dialogues sont chantés et d'autres récités. *Angèle et Hippolyte ont été voir une opérette d'Offenbach.*

Prononce [ɔftalmɔlɔʒist].

ophtalmologiste n. m. et f.
Médecin spécialiste de l'œil ; vois **oculiste.** *Mamie Lou a consulté un ophtalmologiste parce que sa vue baissait.*

N'oublie pas l'accent circonflexe du ***â*** !

opiniâtre adj.
Acharné, obstiné. *Les sauveteurs continuaient leurs recherches avec un courage opiniâtre.*

▸ **opiniâtreté** n. f. Acharnement, persévérance. *Les sauveteurs luttaient contre la tempête avec opiniâtreté.*

J'ai beaucoup vécu chez les grandes personnes. Je les ai vues de très près. Ça n'a pas trop amélioré mon opinion *(le Petit Prince).*

opinion n. f.
1. Manière de penser. *Quelle est votre opinion sur cette affaire de soucoupes volantes ? ;* vois **avis, idée, point de vue.** *La directrice de l'école a bonne opinion de la famille Séverac,* elle pense du bien d'elle. **2.** *L'opinion,* c'est ce que pense l'ensemble des gens. *Les médias ont essayé d'alerter l'opinion sur le sort des otages.*

On dit aussi l'*opinion publique.*

opium n. m.
Drogue tirée d'une plante, le pavot. *L'opium engourdit et soulage ceux qui souffrent.*

Dans *le Lotus bleu,* Tintin est à la poursuite de dangereux trafiquants d'opium.

Compare *opiomane* et *maniaque* : on est **obsédé.**

▸ **opiomane** n. m. et f. Personne qui fume ou mange de l'opium. *Les opiomanes sont des drogués.*

Au féminin : *opportune.*

opportun adj.
Julie a choisi le moment opportun pour partir sans qu'on la voie, le bon moment, le moment favorable.

Le contraire d'*opportun,* c'est *inopportun.*

▸ **opportunément** adv. *Angèle est arrivée opportunément,* au bon moment, à propos.

Attention ! deux ***p*** dans *opportun, opportunément, opportunité* et *opportuniste.*

▸ **opportunité** n. f. *Le docteur Séverac s'interroge sur l'opportunité d'un voyage en Afrique,* il se demande s'il est nécessaire qu'il parte en Afrique et si c'est le moment favorable pour le faire.

▸ **opportuniste** n. m. et f. Personne qui cherche à profiter des occasions qui lui sont favorables. *Les opportunistes n'ont aucun scrupule.*

Autre membre de la famille : **inopportun.**

Deux ***p*** dans *opposer, s'opposer, opposant, opposé* et *opposition.*

opposer v.
1. Mettre face à face pour le combat. *Le match oppose l'équipe de Motbourg à celle de Saint-Germain.* **2.** Placer en face pour faire obstacle. *À tous les reproches qu'on lui a faits, il a opposé un silence obstiné.* **3.** Comparer pour faire ressortir les différences. *On oppose souvent le comportement des chiens et celui des chats.*

Conjugaison 1
Famille de **poser**

Le contraire d'*opposer,* c'est *rapprocher.*

▸ ***s'opposer*** v. **1.** Empêcher, interdire. *La mère de Sylvain s'est opposée à ce qu'il aille au cinéma. Rien ne s'oppose au départ du docteur Séverac.* **2.** Contraster. *Le rouge et le noir sont deux couleurs qui s'opposent violemment.*

Le contraire de *s'opposer,* c'est *permettre.*

▸ **opposant** n. m., **opposante** n. f. Personne qui n'est pas d'accord avec un gouvernement ; vois **adversaire.** *Les opposants au régime militaire se sont réunis secrètement.*

Le contraire d'*opposant,* c'est *défenseur.*

▸ **opposé** adj. et n. m.
▭ **adj. 1.** *Yasmina a accroché un miroir sur le mur opposé à la fenêtre,* sur le mur qui est en face de la fenêtre. *Angèle et Hippolyte sont partis*

Le contraire d'*opposé*, c'est *identique, semblable.*

dans des directions opposées, dans deux directions allant en sens inverse ; vois ***contraire.*** **2.** Très différent. *Mme Harpie et Mme Roussel ont des avis opposés sur l'éducation d'Antoine.* **3.** Hostile. *Elle était opposée à tout changement.*

Le contraire d'*opposé*, c'est *favorable.*

▭ **n. m. 1.** Le contraire. *Il arrive souvent qu'Alex dise une chose et fasse l'opposé.* **2.** *Ici vous êtes dans le sud de Motbourg, la gare est à l'opposé,* du côté opposé.

Le contraire d'*opposition*, c'est *accord, consentement.*

▸ ***opposition*** n. f. **1.** Désaccord, conflit. *L'institutrice est en opposition avec la directrice au sujet du nouveau règlement de l'école.* **2.** Interdiction. *Sylvain voulait aller au cinéma mais il s'est heurté à l'opposition de sa mère ;* vois ***refus.*** **3.** *L'opposition,* c'est l'ensemble des personnes qui ne sont pas d'accord avec la politique d'un gouvernement. *L'opposition a gagné les élections.*

Et elle est devenue la *majorité.*

Deux *p* et deux *s* dans *oppresser, oppressant, oppresseur, oppression.*

oppresser v.

Conjugaison 1

Oppresser quelqu'un, c'est gêner sa respiration. *La chaleur oppressait Mme Bellec ;* vois ***accabler.***

Au féminin : *oppressante.*

▸ ***oppressant*** adj. Étouffant. *Il fait une chaleur oppressante ;* vois ***suffocant.***

▸ ***oppresseur*** n. m. Personne qui exerce une autorité trop grande, qui tyrannise. *Le peuple opprimé essayait de se révolter contre l'oppresseur ;* vois ***tyran.***

Un oppresseur *opprime* les autres.

Compare *oppression* et *compression* : il s'agit de **presser.**

▸ ***oppression*** n. f. **1.** Autorité excessive et injuste ; vois ***tyrannie.*** *La population tente de résister à l'oppression d'un régime tyrannique.* **2.** Sensation d'un poids qui empêche de respirer. *La chaleur donne à Mme Bellec une sensation d'oppression.*

Conjugaison 1

opprimer v.

Opprimer quelqu'un, c'est l'écraser sous le poids d'une autorité trop grande et injuste. *Le seigneur du village opprimait les paysans ;* vois ***asservir, écraser.***

Compare *opprimer* et *imprimer* : il s'agit de **pression.**

Deux *p* dans *opprimer* et *opprimé.*

▸ ***opprimé*** n. m., ***opprimée*** n. f. Personne écrasée sous le poids d'une autorité trop grande et injuste. *Les opprimés se sont révoltés contre l'oppresseur.*

Conjugaison 1

opter v.

Choisir. *Angèle a opté pour la solution la plus simple ;* vois ***adopter, se décider.***

Autres membres de la famille : **adopter, adoptif, adoption ; option.**

Compare *opticien* et *optique* : il s'agit de la **vue.**

opticien n. m., opticienne n. f.

Personne qui fabrique et vend des lunettes, des loupes, des microscopes et des jumelles. *Mamie Lou est allée chez l'opticien acheter de nouvelles lunettes.*

Va voir aussi ***oculiste.***

optimisme n. m.

Le contraire d'*optimisme*, c'est *pessimisme.*

Manière qu'a une personne de prendre toujours les choses du bon côté. *Hippolyte ne perd jamais son optimisme, même dans les situations difficiles.*

Il reste toujours *optimiste.*

optimiste adj.

Le contraire d'*optimiste*, c'est *pessimiste.*

Une personne optimiste, c'est une personne qui prend toujours les choses du bon côté. *Malgré les difficultés, Hippolyte reste toujours optimiste.* — n. m. et f. *Hippolyte est un optimiste.*

Il fait preuve d'*optimisme.*

Famille de **opter**

option n. f.

1. Choix. *Il fallait partir immédiatement, il n'y avait pas d'autre option. En terminale, le latin est une matière à option,* que l'on peut choisir si l'on veut. **2.** Chose qui peut être acquise, si l'on veut, en plus d'une autre. *M. Doucet a acheté une voiture avec option toit ouvrant.*

Ce n'est pas une matière *obligatoire,* elle est *facultative.*

Compare *optique* et *opticien* : dans ces mots, il s'agit de la **vue.**

optique adj. et n. f.

▭ **adj.** De l'œil, de la vision. *Le nerf optique transmet au cerveau les images qui se sont formées au fond de l'œil, sur la rétine.*

▭ **n. f. 1.** Science qui étudie la lumière et les lois de la vision. *L'opticien vend des instruments d'optique,* des lunettes, des jumelles, des loupes. **2.** Manière de voir. *Pour apprécier le guignol, il faut se placer dans l'optique d'un très jeune enfant ;* vois ***point de vue.***

Les microscopes et les télescopes sont aussi des instruments d'optique.

Le contraire d'*opulence,* c'est *misère, pauvreté.*

opulence n. f.
Grande richesse. *Les milliardaires vivent dans le luxe et l'opulence.*

Au féminin : *opulente.*

▸ ***opulent*** adj. **1.** Très riche. *Mme Séverac est née dans une famille opulente.* **2.** Gros. *Mme Bellec a une poitrine opulente ;* vois ***fort.***

Le contraire, c'est *pauvre.*

Opus [ɔpys] rime avec *puce.*

opus n. m.
Indication utilisée pour désigner un morceau de musique avec son numéro, dans l'œuvre d'un compositeur. *Vous venez d'entendre la « Fantaisie en ut majeur, opus 15 », de Schubert.*

L'abréviation de *opus* est *op.* ; on voit cela souvent sur les disques.

opuscule n. m.
Petit livre. *M. Bonnot a publié un opuscule sur les chemins de fer ;* vois ***brochure.***

① **or** n. m.

La parole est d'argent, mais le silence est d'or (proverbe).

Métal précieux jaune et brillant. *Marie-Tévy porte une chaîne en or autour du cou. M. Bellec a des lingots d'or dans sa cave. Mme Séverac a acheté un vieux vase chinois à prix d'or,* très cher. *Mme Harpie croit que les Prost roulent sur l'or,* sont très riches. *Angèle a un cœur d'or,* elle est bonne et généreuse.

L'*or noir,* c'est le pétrole.

Autres membres de la famille : **bouton-d'or, dorer, doré, dorure, mordoré, orfèvre.**

② **or** conjonction

Mais où est donc Ornicar ?

Mot qui sert à lier deux propositions en marquant l'arrivée d'une nouvelle réflexion. *Julie avait dit qu'elle viendrait à quatre heures, or il est quatre heures et demie et elle n'est pas là ;* vois ***cependant.***

Compare ***oracle*** et ***orateur*** : dans ces mots, il s'agit de **parler solennellement.**

oracle n. m.
Réponse que les dieux faisaient, dans l'Antiquité, à ceux qui venaient les interroger dans certains lieux sacrés. *Les prêtres ou les devins interprétaient les oracles.*

En Grèce, à Delphes, la Pythie rendait les oracles d'Apollon.

orage n. m.

Les premiers grondements du tonnerre annonçaient un orage que l'état particulier de l'atmosphère devait rendre redoutable *(Michel Strogoff).*

Trouble violent dans l'atmosphère, qui se manifeste par des éclairs et du tonnerre, souvent accompagnés de pluie et de vent. *Le ciel s'est assombri, l'orage va éclater. Il y a de l'orage dans l'air,* une dispute va éclater.

L'orage se produit quand une masse d'air froid rencontre une masse d'air chaud.

Au féminin : *orageuse.*

▸ ***orageux*** adj. **1.** *Le temps est orageux,* il annonce l'orage. **2.** Tumultueux. *Angèle et la directrice ont eu une discussion orageuse ;* vois ***houleux, mouvementé.***

Le contraire d'*orageux,* c'est *calme, paisible.*

Au féminin : *orale.*
Au masculin pluriel : *oraux.*

oral adj.
1. *Les épreuves orales d'un examen,* ce sont les épreuves pendant lesquelles on est interrogé et on répond de vive voix. *Alex préfère les épreuves orales aux épreuves écrites.* — n. m. *L'oral,* c'est la partie d'un examen qui se passe de vive voix. *Alex a été recalé à l'écrit, il ne passera pas l'oral.* **2.** De la bouche. *Ce médicament se prend par voie orale,* on le met dans la bouche.

▸ ***oralement*** adv. *Angèle a interrogé Marie-Tévy oralement,* en lui posant des questions de vive voix auxquelles Marie-Tévy répondait de la même manière.

orange n. f. et adj. invariable

Les oranges poussent dans les régions chaudes comme le Maroc, l'Espagne, Israël, la Californie.

1. n. f. Assez gros fruit rond d'un jaune un peu rouge. *Sylvain épluche une orange et en mange un quartier. Martin boit du jus d'orange.* **2.** adj. invariable D'une couleur semblable à celle de l'orange ; vois ***orangé.*** *Julie a des gants orange.*

Les oranges sont des *agrumes.*

▸ ***orangé*** adj. D'une couleur proche de l'orange, formée par la combinaison du jaune et du rouge. *Muriel Doucet porte une robe de soie orangée.*

Violet, indigo, bleu, vert, jaune, orangé, rouge.

Attention au ***e*** avant le ***a*** !

▸ ***orangeade*** n. f. Boisson préparée avec du jus d'orange, du sucre et de l'eau. *Mamie Lou sert aux enfants de l'orangeade et de la citronnade.*

Compare : *orange → oranger* et *pêche → pêcher.*

▸ ***oranger*** n. m. Arbre fruitier qui donne des oranges. *Les orangers ont des fleurs blanches qui sentent très bon.*

On met de l'*eau de fleur d'oranger* dans les gâteaux.

Compare : *orange → orangeraie, olive → oliveraie, rose → roseraie.*

▸ ***orangeraie*** n. f. Plantation d'orangers. *Il y a beaucoup d'orangeraies au Maroc.*

▸ ***orangerie*** n. f. Serre où l'on met à l'abri, pendant l'hiver, des orangers cultivés dans des pots. *Les jardiniers sont entrés dans l'orangerie.*

L'Orangerie des Tuileries, à Paris, est un musée.

Ne prononce pas le *g* : [ɔʀɑ̃utɑ̃].

orang-outan n. m.
Grand singe d'Asie, à longs poils d'un brun roux et aux bras très longs. *Les orangs-outans se nourrissent de fruits, de feuilles, d'œufs d'oiseaux et d'insectes.*

On écrit aussi *orang-outang.*

Les orangs-outans vivent dans les arbres.

Le mâle peut mesurer 1,10 m et peser 100 kg.

Compare *orateur* et *oracle* : dans ces mots, on **parle solennellement.**

orateur n. m., **oratrice** n. f.
Personne qui prononce un discours. *À la fin du banquet, l'orateur a été très applaudi.*

orbite n. f.
1. Courbe que décrit un astre autour d'un autre astre. *La Terre parcourt son orbite autour du Soleil en 365 jours 6 heures et 9 minutes.* **2.** Trajectoire que décrit un satellite artificiel autour de la Terre. *Le satellite a été mis sur orbite.* **3.** Chacun des deux trous du crâne dans lesquels se trouvent placés les yeux. *Mme Harpie a les yeux qui sortent des orbites.*

Autre membre de la famille : **exorbité.**

Attention au *h* après le *c* ! Le *chef d'orchestre* dirige l'orchestre.

orchestre n. m.
1. Groupe de musiciens, jouant d'instruments différents, qui exécutent de la musique. *Denis Prost écoute un concerto pour piano et orchestre. Alex fait partie d'un orchestre de jazz.* **2.** Ensemble des places du rez-de-chaussée les plus proches de la scène ou de l'écran, dans une salle de spectacle. *M. Doucet a loué deux fauteuils d'orchestre pour aller voir une pièce de Shakespeare.*

L'Orchestre symphonique de Strasbourg est en tournée aux États-Unis.

N'oublie pas le *e* après le *é* ! Prononce [ɔʀkide].

orchidée n. f.
Fleur dont la forme est très particulière et qui est recherchée pour sa beauté. *Denis Prost a rapporté de Ceylan un grand bouquet d'orchidées mauves.*

Les orchidées poussent dans les pays chauds et humides.

ordinaire adj., n. m. et adv.
▭ **adj. 1.** Habituel. *Pour Marie-Tévy, demain n'est pas un jour ordinaire. Avec sa maladresse ordinaire, M. Bellec a marché sur les pieds de sa femme ;* vois ***coutumier.*** **2.** De la qualité la plus courante. *Voulez-vous de l'essence ordinaire ou du super ?*
▭ **n. m.** Ce qui est habituel. *Cette robe n'est pas banale, elle sort de l'ordinaire.*
▭ **adv.** *D'ordinaire,* de façon habituelle, le plus souvent. *D'ordinaire, le docteur Séverac se lève tôt,* d'habitude.
▸ ***ordinairement*** adv. Habituellement, généralement. *Ordinairement, Mme Bellec est plus aimable.*

Le contraire d'*ordinaire,* c'est *exceptionnel extraordinaire.*

C'est le jour de son anniversaire !

Un matin, la panthère s'éveilla plus frileuse qu'à l'ordinaire... *(les Contes du Chat perché).*

Autre membre de la famille : **extraordinaire.**

ordinal adj.
Un adjectif numéral ordinal, c'est un adjectif qui indique le rang, l'ordre d'une chose ou d'une personne dans un ensemble. *« Troisième », « vingt-cinquième » sont des adjectifs numéraux ordinaux.*

Va voir aussi ② ***cardinal.***

ordinateur n. m.
Machine électronique, dotée de moyens de calcul ultra-rapides, pouvant résoudre des problèmes très complexes. *L'informaticien entre un programme dans la mémoire de l'ordinateur.*

On tape sur un clavier et les informations apparaissent sur l'écran.

Va voir aussi ***informatique.***
Autre membre de la famille : **micro-ordinateur.**

ordination n. f.
Cérémonie par laquelle un homme devient prêtre. *Mme Hespel a assisté à l'ordination de son frère.*

Il a été *ordonné* prêtre.

Attention ! deux *n* dans *ordonnance.*

① **ordonnance** n. f.
Arrangement, disposition. *La maîtresse attire l'attention de ses élèves sur l'ordonnance des mots dans les vers d'un poème.*

Famille de ① **ordonner**

Attention ! deux *n.* Famille de ② **ordonner**

② **ordonnance** n. f.
1. Feuille de papier sur laquelle sont inscrits les médicaments que le médecin a prescrits. *Mme Roussel a montré au pharmacien l'ordonnance du docteur Séverac.* **2.** Loi, décret émanant du gouvernement. *La dernière ordonnance ministérielle contient des mesures concernant la sécurité publique.*

L'*ordonnance,* c'était aussi, autrefois, le soldat qui était au service d'un officier.

Attention ! deux *n* dans *ordonner.*

① **ordonner** v.
1. Mettre dans un certain ordre. *Avant de prendre la parole, le maire a*

Conjugaison 1

ordonné les différentes parties de son discours ; vois **classer.** — *Peu à peu, les souvenirs de Marie-Tévy s'ordonnent et se précisent ;* vois *s'***organiser. 2.** *Le frère de Mme Hespel a été ordonné prêtre,* il a reçu le sacrement qui fait de lui un prêtre.

Mme Hespel a assisté à son *ordination.*

Autres membres de la famille : ① **ordonnance, coordonner, désordonné, subordonner, subordonné.**

▸ ***ordonné*** adj. *Marie-Tévy est une petite fille très ordonnée,* qui a de l'ordre, qui range ses affaires.

Le contraire d'*ordonné,* c'est *brouillon, désordonné.*

② ***ordonner*** v.

Attention ! deux ***n*** dans *ordonner.*

Ordonner à quelqu'un de faire quelque chose, c'est lui donner l'ordre de faire cette chose ; vois **commander.** *Angèle a ordonné à ses élèves de se taire. Le docteur Séverac a ordonné de la pénicilline à Mme Roussel ;* vois **prescrire.**

Autre membre de la famille : ② **ordonnance.**

① ***ordre*** n. m.

1. Organisation, disposition régulière. *Les mots d'un dictionnaire sont rangés dans l'ordre alphabétique. Les concurrents sont classés par ordre d'arrivée.* **2.** Qualité d'une personne qui range les choses à leur place. *Marie-Tévy a beaucoup d'ordre,* elle est très ordonnée. *Julie manque d'ordre,* elle est désordonnée. *Sylvain a mis sa chambre en ordre,* il l'a rangée de façon à ce que chaque chose soit à sa place. **3.** Organisation de la société, respect des lois. *La police a assuré le maintien de l'ordre.* **4.** Catégorie dans laquelle on classe les choses, les personnes. *Denis Prost a reçu le grand prix d'interprétation ou une récompense du même ordre ;* vois **nature, sorte.** *Le prix de cette robe est de l'ordre de mille francs.* **5.** Ensemble de moines ou de religieuses. *Ce moine appartient à l'ordre des bénédictins.*

L'ordre des médecins, des avocats, c'est une organisation officielle à laquelle appartiennent les médecins, les avocats, et qui veille à ce qu'ils exercent leur métier selon les règles.

Le contraire d'*ordre,* c'est *anarchie, révolte.*

Il est comédien.

Autre membre de la famille : **désordre.**

② ***ordre*** n. m.

Acte qui manifeste l'autorité. *Angèle a donné l'ordre à ses élèves de se taire,* elle leur a ordonné de se taire. *Le soldat doit obéir aux ordres de son supérieur ;* vois **commandement, consigne.** *Le lieutenant est sous les ordres du général,* il est inférieur à lui dans la hiérarchie. *Vous resterez ici jusqu'à nouvel ordre,* jusqu'à ce qu'un fait nouveau vienne changer la situation.

Les ordres de votre Majesté vont être exécutés à l'instant, répondit le général Kissof *(Michel Strogoff).*

Allons ! bâille encore. C'est un ordre *(le Petit Prince).*

Autre membre de la famille : **contrordre.**

ordures n. f. plur.

Déchets dont on se débarrasse. *Antoine met les épluchures d'orange dans la boîte à ordures. M. Doucet a jeté une vieille chaise aux ordures,* il s'en est débarrassé.

Va voir aussi ***poubelle.***

Tous les matins, les éboueurs ramassent les ordures.

▸ ***ordurier*** adj. Grossier. *Colle et Rat ont tenu des propos orduriers à Mme Harpie,* ils lui ont dit des choses sales, obscènes.

Au féminin : *ordurière.*

Autre membre de la famille : **vide-ordures.**

orée n. f.

N'oublie pas le ***e*** après le ***é*** !

L'orée du bois, c'est la bordure, la lisière du bois. *Marie-Tévy et Yasmina se sont arrêtées à l'orée de la forêt.*

Elles ne sont pas entrées dans la forêt.

oreille n. f.

Les oreilles, ce sont les deux organes, situés de chaque côté de la tête, qui servent à entendre. *Yves a les oreilles décollées. Julie n'écoute le cours que d'une oreille,* distraitement. *Et maintenant, prêtez l'oreille, je vais vous raconter une histoire,* et maintenant écoutez. *Mme Bellec fait la sourde oreille,* elle fait semblant de ne pas entendre. *Alex nous casse les oreilles avec son saxophone,* il fait trop de bruit. *Antoine s'est fait tirer l'oreille pour ranger sa chambre,* il s'est fait prier. *Colle et Rat dressent l'oreille, la directrice est en train de parler d'eux,* ils se mettent à écouter très attentivement.

Dans un pré voisin, il y avait un âne gris qui tendait le cou pardessus la clôture et faisait bouger ses oreilles *(les Contes du Chat perché).*

Être un peu dur d'oreille : être un peu sourd.

Autres membres de la famille : **oreiller, oreillons, perce-oreille.**

L'oreille est l'organe de l'*ouïe.*

Michel Strogoff prêtait une oreille attentive à tout ce qui se disait, mais il ne se mêlait point aux conversations *(Michel Strogoff).*

Prenez garde ! les murs ont des oreilles.

oreiller n. m.

Famille de **oreille**

Coussin, généralement carré, sur lequel on pose sa tête pour dormir. *Dans son lit, Antoine a des draps jaunes et une taie d'oreiller assortie.*

oreillette n. f.

Cavité supérieure du cœur. *Le cœur humain possède deux oreillettes.*

Va voir aussi ***ventricule.***

oreillons n. m. plur.

Famille de **oreille**

Maladie contagieuse qui donne mal aux oreilles. *M. Doucet a eu les oreillons l'année dernière.*

Les oreillons sont dus à un virus.

Cet adverbe n'est pas très courant, on le trouve surtout dans les livres.

d'ores et déjà adv.

Dès maintenant, dès aujourd'hui. *Le nouveau gymnase n'est pas tout à fait terminé, mais l'on peut d'ores et déjà voir l'aspect qu'il aura.*

Famille de **déjà**

Famille de ① **or**

Les *orfèvres-joailliers* fabriquent des bijoux.

orfèvre n. m.

Personne qui fabrique ou qui vend des objets en métal précieux. *Mme Séverac a acheté une théière en argent chez un orfèvre.*

Être orfèvre en la matière : s'y connaître parfaitement.

organe n. m.

Partie du corps qui a une fonction particulière. *L'œil est l'organe de la vue.*

▷ ***organique*** adj. **1.** *Mme Bonnot souffre d'un trouble organique,* d'un trouble touchant un organe. **2.** *Dans le potager, Odile Séverac utilise de l'engrais organique,* de l'engrais qui vient des animaux ou des végétaux.

Autres membres de la famille : **organisme, organiser, organisateur, organisation, organisé ; désorganiser, désorganisation, réorganiser.**

On se sert plus souvent d'*engrais chimiques.*

Compare : *organiser → organisateur* et *fonder → fondateur.*

organisateur n. m., organisatrice n. f.

Personne qui organise. *L'organisatrice de la fête a été félicitée. M. Bellec est un remarquable organisateur.*

Même famille que **organiser.**

Même famille que **organiser**

organisation n. f.

1. Préparation, aménagement. *L'organisation du pique-nique était parfaite.* **2.** Fait d'être organisé de telle ou telle manière. *Il y a une bonne organisation dans le service où travaille M. Doucet.* **3.** Groupe de personnes qui travaillent ensemble. *L'Organisation des Nations unies s'occupe de maintenir la paix dans le monde.*

Compare : *organiser → organisation* et *réaliser → réalisation.*

C'est l'O. N. U.

Conjugaison 1

Famille de **organe**

organiser v.

1. *Organiser quelque chose,* c'est le préparer selon un plan précis, le mettre sur pied. *Angèle a organisé un pique-nique avec tous les élèves de sa classe.* **2.** *S'organiser,* c'est aménager son emploi du temps de manière à être plus efficace. *Muriel Doucet ne sait pas s'organiser, elle est toujours débordée.*

▷ ***organisé*** adj. *Mme Hespel est allée en Inde en voyage organisé,* un voyage en groupe où tout est prévu et se déroule selon un ordre déterminé.

Déjà la vieille dame organise la dernière partie de cache-cache *(Babar).*

Famille de **organe**

organisme n. m.

1. Le corps humain. *Le manque de sommeil diminue la résistance de l'organisme.* **2.** Association de personnes qui travaillent ensemble. *Le syndicat d'initiative est l'organisme chargé de s'occuper du tourisme de la région.*

On parle aussi de l'organisme pour les plantes et les animaux.

L'orge est une céréale comme le blé et l'avoine.

orge n. f.

Plante portant un épi entouré de longues barbes. *Les grains d'orge servent à nourrir le bétail et à fabriquer la bière.*

orgelet n. m.

Petit bouton sur le bord de la paupière. *Nathalie a souvent des orgelets.*

orgie n. f.

Repas long et bruyant où l'on mange et où l'on boit trop. *Le banquet s'est terminé en orgie.*

Orgue est féminin quand il est au pluriel et qu'il désigne un seul instrument.

orgue n. m.

Grand instrument de musique à vent composé de nombreux tuyaux que l'on fait résonner en se servant de plusieurs claviers. *Le professeur de musique a joué de l'orgue dans l'église de Motbourg. Nathalie est allée écouter les grandes orgues de la cathédrale de Chartres.*

Le musicien qui joue de l'orgue s'appelle un *organiste.*

Prononce [ɔʀgœj].

Il sourit, se tient droit, dans son orgueil, attend les félicitations *(Poil de Carotte).*

orgueil n. m.

Sentiment qu'une personne a d'être beaucoup mieux que les autres ; vois ***suffisance.*** *Alex est d'un orgueil ridicule. Julie est l'orgueil de ses parents,* ses parents sont très fiers d'elle.

N'oublie pas le ***u*** après le ***g*** !

Le contraire d'*orgueil,* c'est *humilité, modestie.*

Le contraire d'*orgueilleux,* c'est *humble, modeste.*

▷ ***orgueilleux*** adj. *Une personne orgueilleuse,* c'est une personne qui pense être supérieure aux autres. *Alex est orgueilleux comme un paon,* très orgueilleux ; vois ***arrogant, fier, prétentieux, vaniteux.*** — n. *Cette orgueilleuse s'imagine que tout le monde l'admire.*

Elle ne voulait pas qu'il la vît pleurer. C'était une fleur tellement orgueilleuse *(le Petit Prince).*

Le soleil se couche à l'*occident.*

L'Orient commence à la Turquie et va jusqu'au Japon.

Les habitants de l'Occident sont des *Occidentaux.*

orient n. m.
1. Est. *Le soleil se lève à l'orient.* **2.** *L'Orient,* c'est l'Asie et les pays à l'est de l'Europe. *Mme Hespel est partie faire un voyage en Orient.*
▸ **oriental** adj. **1.** *Bastia est sur la côte orientale de la Corse,* sur la côte est. **2.** *L'Égypte et la Turquie sont des pays orientaux,* d'Orient. — n. Habitant de l'Orient. *Deux Orientaux visitent le château de Motbourg.*

Dans ce sens, on met une majuscule à *Orient.*

Ajaccio est sur la côte *occidentale.*

Conjugaison 1

orienter v.
1. *Orienter une chose,* c'est la disposer par rapport à une direction. *Pouvez-vous orienter le projecteur vers la droite ? La chambre de Julie est orientée au sud.* **2.** *Orienter quelqu'un,* c'est le diriger vers certaines études. *Les professeurs ont orienté Sylvain vers les sciences.* **3.** *S'orienter,* c'est déterminer l'endroit où l'on se trouve par rapport aux points cardinaux. *Marie-Tévy a du mal à s'orienter dans Motbourg ;* vois *se* ***repérer.***
▸ **orientable** adj. *Le poste de radio a une antenne orientable,* que l'on peut diriger dans le sens que l'on veut.
▸ **orientation** n. f. **1.** Action de se repérer par rapport aux points cardinaux. *Marie-Tévy n'a pas le sens de l'orientation.* **2.** Direction que l'on prend dans ses études. *Nathalie ne sait pas quelle orientation choisir l'année prochaine.*

L'aptitude la plus élémentaire à s'orienter, la notion de droite et de gauche, d'avant et d'arrière, je les avais perdues depuis longtemps et ne m'en souciais plus *(le Lion).*

Autre membre de la famille : **désorienter.**

orifice n. m.
Ouverture. *Pierre Séverac a bouché l'orifice du puits avec des planches.*

Famille de **origine**

originaire adj.
Angèle est originaire d'Ajaccio, elle est née à Ajaccio ; vois ***natif.***

Au masculin pluriel : *originaux.*

original adj. et n. m., **originale** adj. et n. f.
▭ **adj. 1.** Un peu bizarre. *Julie se fait toujours des coiffures originales,* qui ne ressemblent pas à celles des autres ; vois ***excentrique.*** *Sylvain a fait à Nathalie un cadeau très original.* **2.** *M. Bonnot a acheté une édition originale des poèmes de Victor Hugo,* la première édition.
▭ **n. 1.** Personne qui ne se conduit pas comme tout le monde. *Denis Prost est un original.* **2.** n. m. Document ou tableau fait par l'auteur lui-même. *Ce tableau est une copie, l'original est au musée du Louvre. Quand vous aurez photocopié ces lettres, donnez-moi les originaux et gardez les doubles.*
▸ **originalité** n. f. Caractère de ce qui ne ressemble pas aux autres choses. *Mme Roussel a félicité Julie pour l'originalité de sa coiffure. Denis Prost se fait remarquer par son originalité ;* vois ***excentricité.***

Un film *en version originale* n'est pas doublé.

Compare : *original* → *originalité,* *cordial* → *cordialité* et *égal* → *égalité.*

Le contraire d'*original,* c'est *banal, commun.*

George Sand s'habillait en homme et fumait le cigare : c'était une originale !

Le contraire d'*originalité,* c'est *banalité.*

origine n. f.
1. Famille ; vois ***ascendance.*** *Marie-Tévy est d'origine cambodgienne.* **2.** *Beaucoup de mots français sont d'origine latine ou grecque,* ils viennent du latin ou du grec ; vois ***étymologie.*** **3.** Commencement. *À l'origine, la ferme appartenait au frère de Mamie Lou,* au début. **4.** Cause. *L'origine de l'échec d'Alex, c'est sa paresse.*
▸ **originel** adj. Initial ; vois ***primitif.*** *Cette sculpture est si vieille qu'on ne voit même plus quelle était sa forme originelle,* quelle forme elle avait à l'origine.

J'avais ainsi appris une seconde chose très importante ; c'est que sa planète d'origine était à peine plus grande qu'une maison *(le Petit Prince).*

Autre membre de la famille : **originaire.**

oripeaux n. m. plur.
Vêtements bizarres, extravagants, souvent vieux. *Tu ne vas pas sortir avec ces oripeaux !*

orme n. m.
Grand arbre à feuilles dentelées. *Une allée d'ormes longe la rivière. La charpente du grenier est en orme,* en bois d'orme.
▸ **ormeau** n. m. Petit orme. *Les ormeaux ont des feuilles d'un vert très doux.*

Les ormes poussent dans les régions tempérées ; il y en a beaucoup en France.

Conjugaison 1

orner v.
Décorer. *Mme Bellec a orné l'arbre de Noël de boules multicolores. Des broderies ornent le col du chemisier de Mme Roussel.*
▸ **ornement** n. m. Décoration. *Les murs de la salle de gymnastique n'ont aucun ornement.*

Une petite barbiche noire taillée en pointe — un bouc — ornait son menton *(Charlie et la Chocolaterie).*

Les ballerines portaient le costume national, et des bijoux les ornaient à profusion *(Michel Strogoff).*

Au féminin : *ornementale.*

▸ **ornemental** adj. Décoratif. *Des motifs ornementaux sont peints sur les parois du sarcophage.*

ornière n. f.
Trace profonde creusée par les roues d'une voiture dans un chemin de terre. *La camionnette de M. Bellec s'est embourbée dans une ornière.*

N'oublie pas le ***h*** après le ***t*** !

ornithologie n. f.
Science qui étudie les oiseaux. *Sylvain lit des livres d'ornithologie et de botanique.*

L'ornithologie est une partie de la zoologie.

orphelin n. m., **orpheline** n. f.
Enfant dont le père et la mère sont morts. *Yasmina et Julie savent que Marie-Tévy est une orpheline.* — adj. *Marie-Tévy a été orpheline à huit ans,* son père et sa mère sont morts quand elle avait huit ans.

Compare : *orphelin → orphelinat* et *consul → consulat.*

▸ **orphelinat** n. m. Établissement qui recueille les orphelins. *Marie-Tévy a passé un an dans un orphelinat avant d'être adoptée par monsieur et madame Séverac.*

orphéon n. m.
Fanfare. *L'orphéon de Motbourg joue la Marseillaise devant l'hôtel de ville.*

Orteil [ɔʀtɛj] rime avec *bouteille.*

orteil n. m.
Doigt de pied. *Yves s'est foulé le gros orteil en courant sur la plage,* le pouce du pied.

Les humains ont dix orteils.

N'oublie pas le ***h*** après le ***t*** !

orthodoxe adj.
1. Conforme à l'usage. *Ce trafiquant s'est enrichi par des moyens qui n'étaient pas très orthodoxes.* **2.** *La religion orthodoxe* est une religion chrétienne d'Orient qui ne reconnaît pas l'autorité du pape. *Les prêtres de l'Église orthodoxe s'appellent des popes.* — n. m. et f. Chrétien qui appartient à la religion orthodoxe. *Il y a des orthodoxes en Grèce et en Russie.*

Pâques est la grande fête de la religion orthodoxe.

L'Église orthodoxe s'est séparée de l'Église catholique romaine au XIe siècle.

Compare *ortho**graphe*** et *bio**graphie*** : il est question d'**écrire.**

orthographe n. f.
Manière correcte d'écrire les mots. *Nathalie a fait beaucoup de fautes d'orthographe. Sylvain est bon en orthographe. Quelle est l'orthographe du mot fantôme ?,* quelle est la manière correcte de l'écrire ?

Compare ***ortho**graphe* et ***ortho**pédique* : il s'agit de quelque chose de **correct.**

Conjugaison 7
▭ Indic. imparfait : *nous orthographiions.*

▸ **orthographier** v. Écrire en suivant l'orthographe. *Marie-Tévy a du mal à orthographier le mot fantôme.*

Attention au ***h*** après le ***t*** !

orthopédique adj.
Un appareil orthopédique, c'est un appareil qui corrige une malformation des os. *Claire a porté des chaussures orthopédiques,* des chaussures qui maintenaient ses pieds dans une position correcte.

N'oublie pas le ***e*** final !

ortie n. f.
Plante dont les feuilles piquent quand on les touche. *Une piqûre d'ortie donne de petits boutons qui brûlent très fort.*

Les feuilles sont couvertes de poils qui contiennent un liquide irritant.

La queue des orvets se casse très facilement comme celle des lézards.

orvet n. m.
Sorte de lézard sans pattes qui ressemble à un petit serpent. *Les orvets vivent dans les bois et les haies et se nourrissent de limaces et de vers de terre.*

Les orvets sortent quand la nuit tombe.

Au singulier, *os* [ɔs] rime avec *bosse.*

Au pluriel, *os* [o] rime avec *peau.*

os n. m.
Chacune des parties dures et rigides qui forment le squelette de l'homme et des animaux vertébrés. *Le chien ronge un os de gigot. Après son hépatite, Mme Séverac n'avait plus que la peau sur les os,* elle était très maigre. *Julie a vu le président de la République en chair et en os,* en personne.

Autres membres de la famille : **désosser, ossature, osselets, ossements, osseux, ossuaire.**

Prononce [ɔsile].
Conjugaison 1

osciller v.
1. Avoir un mouvement régulier dans un sens puis dans l'autre. *Le balancier de la pendule oscille régulièrement ;* vois *se* **balancer.** **2.** Hésiter. *La directrice oscille entre deux partis à prendre.*

Attention au ***sc*** et aux deux ***l*** dans *osciller* et *oscillation.*

Le pendule de Tournesol s'est mis à osciller : derrière le buisson se trouvait le bracelet de la momie.

▸ **oscillation** n. f. Mouvement de va-et-vient régulier. *Claire regarde les oscillations du balancier ;* vois **balancement.**

Prononce [ɔsilɑsjɔ̃].

Zeille zeille zeille
La soupe à l'oseille
C'est pour les demoiselles
(comptine)

oseille n. f.
Plante dont les feuilles, au goût acide, se mangent cuites. *David mange de la soupe à l'oseille. M. Bellec a fait du turbot à l'oseille.*

Conjugaison 1

oser v.
Oser faire quelque chose, c'est avoir l'audace, le courage de le faire. *Claire n'ose pas s'approcher des vaches. Antoine n'ose plus rien dire depuis que l'institutrice l'a grondé. Comment osez-vous me parler sur ce ton !,* comment avez-vous l'insolence de me parler sur ce ton !

Les petites étaient toutes rouges et restaient bouche bée, sans oser souffler un mot *(les Contes du Chat perché).*

Un terrain planté d'osiers s'appelle une *oseraie.*

osier n. m.
Sorte de saule dont on utilise les petites branches pour faire des paniers. *Mamie Lou a mis les fruits dans une corbeille en osier.*

Va voir aussi ***vannerie.***

Attention ! deux *s.*

ossature n. f.
1. Ensemble des os, dans le corps de l'homme ou de l'animal. *Ce boxeur a une ossature massive ;* vois ***squelette.*** **2.** Ensemble des poteaux et des poutres qui soutiennent un bâtiment. *L'ossature de l'immeuble est en béton ;* vois ***charpente.***

Famille de **os**

Delphine et Marinette jouaient aux osselets devant le fourneau *(les Contes du Chat perché).*

osselets n. m. plur.
Marie-Tévy joue aux osselets, à un jeu qui consiste à lancer en l'air et à rattraper sur le dos de la main des objets, en fer ou en plastique, qui imitent de petits os.

Famille de **os**

Attention ! deux *s* dans *ossements.*

ossements n. m. plur.
Os desséchés d'un cadavre d'homme ou d'animal. *On a retrouvé des ossements de mammouth dans une grotte préhistorique.*

Famille de **os**

Attention ! deux *s.*

osseux adj.
1. Qui concerne les os. *Mme Touati a une maladie osseuse,* une maladie des os. **2.** *Sophie Pelletier a des mains osseuses,* des mains maigres dont les os se voient beaucoup.

Famille de **os**

Famille de **os**

ossuaire n. m.
Endroit où sont conservés des ossements humains. *L'ossuaire de cet ancien cloître est composé de niches creusées dans le mur.*

On y garde les ossements des moines qui ont vécu là.

Le contraire d'*ostensiblement,* c'est *discrètement.*

ostensiblement adv.
Sans se cacher. *Colle et Rat se moquaient ostensiblement de la directrice.*

ostentation n. f.
M. Bellec regardait sa montre avec ostentation, en cherchant à bien faire voir aux autres ce qu'il faisait.

Compare ***ostréi**culteur* et ***ostréi**culture* : il s'agit d'***huîtres.***

ostréiculteur n. m., **ostréicultrice** n. f.
Personne qui élève les huîtres. *Mme Roussel a acheté des huîtres à un ostréiculteur breton.*

Famille de ① **culture**

ostréiculture n. f.
Élevage des huîtres. *On pratique l'ostréiculture en Bretagne.*

otage n. m.
Personne qui est faite prisonnière et qui ne sera libérée que lorsque son ravisseur aura obtenu ce qu'il exigeait. *Un employé de la banque a été pris en otage par les gangsters.*

Les otaries vivent dans l'océan Pacifique et dans les mers de l'hémisphère Sud.

Va voir aussi ***morse.***

otarie n. f.
Animal marin ressemblant un peu au phoque mais avec de petites oreilles et un cou plus allongé. *Les enfants ont vu, au cirque, une otarie qui faisait tenir un ballon en équilibre sur le bout de son nez.*

L'otarie est un mammifère.

On chasse les otaries pour leur huile et pour leur peau.

Attention à l'accent circonflexe du ***ô*** !

ôter v.
1. Enlever. *Le commissaire ôta son chapeau et son imperméable. Ôte tes pieds de là.* **2.** *Ôter quelque chose à quelqu'un,* c'est le lui retirer, l'en priver. *Cet accident lui a ôté l'envie de faire le fou en moto.*

Conjugaison 1

Tonton, ton thé t'a-t-il ôté ta toux ?

otite n. f.
Maladie de l'oreille. *Claire a eu une otite, l'hiver dernier.*

Ne confonds pas *ou* et *où.*

ou conjonction
1. *On peut aller à New York en avion ou en bateau,* aussi bien en avion qu'en bateau. **2.** *Entre ou sors, mais ferme la porte,* soit tu entres, soit tu sors. **3.** *Il restait cinq ou six enfants devant l'école,* environ cinq enfants.

Il faut choisir !

N'oublie pas l'accent grave du *ù.*

où adv. interrogatif et pronom relatif
1. adv. interrogatif En quel lieu ? en quel endroit ? *Où est Julie ? Par où es-tu passé pour arriver si vite ? Dis-moi où tu vas.* **2.** pronom relatif *Réjean nous a parlé du pays où il habite,* dans lequel il habite. *C'est l'heure où le soleil est le plus chaud,* l'heure à laquelle le soleil est le plus chaud.

Il habite au Québec.
Ne confonds pas *où* et *ou.*

Le Petit Poucet [...] s'en revint au logis de son père où il fut reçu avec bien de la joie *(le Petit Poucet).*

Prononce [wat].
On peut dire : *de l'ouate* ou *de la ouate.*

ouate n. f.
Coton spécialement préparé qui sert pour la toilette et les pansements. *L'infirmière a nettoyé la plaie avec un morceau d'ouate imbibée d'alcool.*
▷ ***ouaté*** adj. Où il n'y a presque pas de bruit, comme dans de l'ouate ; vois ***feutré.*** *Le brouillard enveloppait la ville d'une atmosphère ouatée.*

Papa m'a montré comment il fallait mouiller la ouate et comment il fallait mettre les lentilles dessus *(le Petit Nicolas).*

Famille de **oublier**

oubli n. m.
1. Absence de souvenirs dans la mémoire de quelqu'un. *Le temps, en s'écoulant, apporte l'oubli. Ce chanteur était célèbre autrefois, aujourd'hui il est tombé dans l'oubli,* aujourd'hui tout le monde l'a oublié. **2.** *Un oubli,* c'est une chose que l'on aurait dû faire et que l'on a oublié de faire ; vois ***négligence, omission.*** *Excuse-moi de ne pas t'avoir prévenu : c'est un oubli.*

Le contraire d'*oubli,* c'est *souvenir.*

Conjugaison 7
▭ Indic. imparfait : *nous oubliions.*

oublier v.
1. Ne plus se souvenir. *Julie a oublié le numéro de téléphone d'Antoine.* **2.** Ne pas penser. *Mme Harpie a oublié d'acheter du beurre ;* vois ***omettre.*** *Marie-Tévy a oublié son cartable en classe,* elle n'a pas pensé à le prendre ; vois ***laisser.*** *Angèle est en retard, elle a oublié l'heure,* elle ne s'est pas aperçue de l'heure qu'il était. **3.** Cesser volontairement de penser à quelque chose de désagréable. *Oubliez vos soucis et venez danser.*

Ami, remontons le cours du fleuve et vois si quelque barque n'a pas été oubliée sur la rive *(Michel Strogoff).*

Le contraire d'*oublier,* c'est *se rappeler, se souvenir.*
Le contraire d'*oublier,* c'est *penser* à, *songer* à.
Autres membres de la famille : **oubli, oubliette, inoubliable.**

On emploie ce mot surtout au pluriel.

oubliette n. f.
Cachot souterrain où l'on enfermait autrefois les prisonniers. *Le seigneur a fait jeter son rival dans les oubliettes du château.*

Famille de **oublier**

ouest n. m. et adj. invariable
▭ **n. m. 1.** *L'ouest,* c'est l'un des quatre points cardinaux, celui qui est du côté où le soleil se couche ; vois ***couchant, occident.*** *La chambre de Sylvain est exposée à l'ouest. Dreux est à l'ouest de Paris.* **2.** Partie de la France ou d'un autre pays qui est située à l'ouest. *Rennes est une ville de l'Ouest. Les pionniers partirent en chariot à la conquête de l'Ouest,* de l'ouest des États-Unis. **3.** *L'Ouest,* c'est l'Europe occidentale et l'Amérique du Nord. *Ce danseur soviétique vit maintenant à l'Ouest.*
▭ **adj. invariable** Qui se trouve à l'ouest. *Ajaccio est sur la côte ouest de la Corse ;* vois ***occidental.***

Le soleil se lève à l'est.
Nord, sud, est, ouest.
Par opposition à *l'Est,* aux *pays de l'Est.*
Autre membre de la famille : **nord-ouest.**

ouf ! interjection
Mot qui exprime le soulagement. *Ouf ! Mme Harpie est partie, bon débarras.*

oui adv. d'affirmation
Oui sert à indiquer que l'on affirme ou que l'on accepte quelque chose. *Tu pars déjà ? Oui, je pars ;* vois ***assurément, certainement, certes.*** *Est-ce que tu veux encore de la viande ? Oui, je veux bien.*

Il dit non avec la tête
mais il dit oui avec le cœur
il dit oui à ce qu'il aime
il dit non au professeur
(Prévert).

Le contraire de *oui,* c'est *non.*

Attention au tréma du *ï* dans *ouï* et au trait d'union entre *ouï* et *dire.*

ouï-dire n. m. invariable
Mme Harpie a appris par ouï-dire qu'Angèle voulait déménager, elle l'a appris par des bruits qui couraient, elle l'a entendu dire.

Famille de **ouïr** et de **dire**

N'oublie pas le tréma du *ï.*
Famille de **ouïr**

ouïe n. f.
1. *L'ouïe,* c'est le sens qui permet d'entendre les sons. *Angèle entend tout : elle a l'ouïe fine ;* vois ***oreille.*** **2.** *Les ouïes,* ce sont les deux ouvertures, situées de chaque côté de la tête, par lesquelles les poissons respirent. *Le pêcheur tient la carpe par les ouïes.*

Va voir aussi ***audition.***

Prononce [uj].

ouille ! interjection
Mot qui sert à exprimer qu'on a très mal. *Ouille ! tu m'as marché sur le pied ;* vois ***aïe.***

Conjugaison 10 ; *ouïr* ne s'emploie qu'à l'infinitif et au participe passé.

ouïr v.
Entendre, écouter. *Mme Harpie a ouï dire qu'Angèle avait l'intention de changer bientôt d'appartement,* elle l'a entendu dire.

Autres membres de la famille : **inouï, ouï-dire, ouïe.**

On dit *le ouistiti* : on ne fait pas l'élision.

ouistiti n. m.
Petit singe à longue queue touffue. *Les ouistitis vivent en Amérique du Sud, dans les arbres de la forêt tropicale.*

Les ouistitis se nourrissent d'insectes et de fruits.

Va voir aussi ***cyclone, tornade, typhon.***

ouragan n. m.
Forte tempête accompagnée d'un vent très violent. *Il y a souvent des ouragans sur la mer des Antilles.*

Conjugaison 1

ourler v.
Faire un ourlet tout autour d'un morceau de tissu. *Mamie Lou ourle la nappe pour que le tissu ne s'effiloche pas.*
▹ **ourlet** n. m. Bord d'une étoffe replié et cousu. *Mme Bellec a défait l'ourlet du pantalon de son fils pour le rallonger.*

[...] assises à l'ombre d'une haie, Delphine et Marinette ourlaient des torchons *(les Contes du Chat perché).*

Ours [URS] rime avec *course.*
L'ours est un mammifère omnivore.

ours n. m.
1. Grand animal au pelage épais brun, gris ou blanc, au museau allongé et aux pattes armées de griffes. *Les ours nagent très bien et grimpent aux arbres avec agilité.* **2.** Homme grincheux qui vit seul et ne veut voir personne. *Le père d'Angèle est un vieil ours.*

Le gros gibier n'était rien de moins que l'ours sibérien, redoutable et féroce animal dont la taille égale celle de ses congénères des mers glaciales *(Michel Strogoff).*

La Grande Ourse est une constellation.

▹ **ourse** n. f. Femelle de l'ours. *L'ourse sort de sa tanière entourée de ses oursons.*

▹ **ourson** n. m. Petit de l'ours. *À leur naissance, les oursons sont minuscules, presque nus et aveugles.*

Ils ne pèsent que 300 grammes.

Ils verront à 3 semaines.

oursin n. m.
Petit animal marin, rond, à la carapace brun foncé hérissée de piquants. *Sophie Pelletier mange des oursins et des huîtres.*

L'oursin est un fruit de mer.

On écrit aussi *ouste* !

oust ! interjection
Mot que l'on emploie pour chasser quelqu'un ou pour lui dire de se dépêcher. *Allez, oust, sortez de là !*

Outil [uti] rime avec *ortie.*

outil n. m.
Objet dont on se sert pour exécuter un travail manuel. *M. Bellec a sorti ses outils pour réparer la porte de la cuisine. Denis Prost a rangé les outils de jardinage dans la remise.*

Les outils sont dans la *boîte à outils.*

Les mauvais ouvriers ont toujours de mauvais outils (proverbe).

Au féminin : *outillée.*

▹ **outillé** adj. Muni d'outils. *M. Bellec est bien outillé pour réparer la porte.*
▹ **outillage** n. m. Ensemble des outils ou des machines qui servent à exécuter un travail. *La biscuiterie de Motbourg manque d'un outillage perfectionné* ; vois ***équipement, matériel.***

outrage n. m.
Parole ou acte très offensant ; vois ***affront, injure, insulte, offense.*** *Je ne vous ferai pas l'outrage de mettre en doute ce que vous dites.*

Conjugaison 3 ▭ Indic. présent : *nous outrageons.*

▹ **outrager** v. Offenser gravement ; vois ***injurier, insulter.*** *Le témoin s'est senti outragé par les soupçons que le commissaire portait sur lui.*

Famille de ② **outre**

outrance n. f.
Exagération dans les paroles ou le comportement ; vois ***excès.*** *Mme Harpie complimente le maire avec outrance sur ses nouveaux projets. Mme Hespel travaille à outrance depuis un an,* elle travaille trop.

① **outre** n. f.
Sac en peau de bouc ou de chameau, dans lequel on met une boisson. *Les nomades du désert transportent l'eau dans des outres.*

② **outre** préposition et adv.
▭ **préposition** En plus de. *Outre les bagages, Sophie Pelletier avait aussi le chat avec elle.*
▭ **adv. 1.** *En outre,* en plus de cela ; vois ***aussi, également.*** *M. Bonnot a lu toute l'œuvre de Victor Hugo et, en outre, il a appris plusieurs de ses poèmes par cœur.* **2.** *Outre mesure,* excessivement. *J'espère que ce voyage*

ne vous a pas fatigué outre mesure ; vois **trop.** 3. *Passer outre,* c'est ne pas tenir compte de quelque chose. *L'institutrice avait interdit à Colle et Rat de sortir de la classe, mais ils ont passé outre,* ils sont sortis quand même, sans tenir compte de l'interdiction.

Autres membres de la famille : **outrance, outré, outremer, outre-mer.**

Famille de ② **outre**

outré adj.

1. Exagéré. *Mme Harpie fait un éloge outré du travail que le maire a accompli à Motbourg ;* vois **excessif.** 2. Indigné, scandalisé. *La directrice est outrée par la conduite de Colle et Rat.*

Elle veut le flatter.

Famille de ② **outre** et de **mer**

outremer n. m.

Couleur d'un bleu intense, un peu violet. *Sylvain utilise l'outremer pour peindre les profondeurs de la mer.* — adj. invariable *Hippolyte a des chaussettes outremer,* d'un bleu intense un peu violet.

N'oublie pas le trait d'union.

Les départements d'outre-mer et les territoires d'outre-mer sont appelés les D. O. M.-T. O. M.

outre-mer adv.

Au-delà des mers, par rapport à la métropole. *La Martinique et la Guadeloupe sont des départements d'outre-mer,* situés au-delà de la mer par rapport à la France.

Famille de ② **outre** et de **mer**

Famille de **ouvrir**

Le contraire d'*ouvert,* c'est *fermé.*

ouvert adj.

1. Qui n'est pas fermé. *Mamie Lou a laissé la fenêtre grande ouverte. Le magasin restera ouvert jusqu'à 22 heures.* 2. Aimable et franc. *Réjean a de grands yeux bleus et un visage ouvert.*

Au féminin : *ouverte.*

Le contraire d'*ouvert,* c'est *buté, renfermé.*

▷ ***ouvertement*** adv. Sans se cacher, sans dissimuler. *Antoine a dit ouvertement tout ce qu'il pensait.*

▷ ***ouverture*** n. f. 1. Action de s'ouvrir. *L'ouverture de cette porte est automatique.* 2. *Les heures d'ouverture sont affichées sur la porte du magasin,* les heures pendant lesquelles le magasin reste ouvert. 3. Mise en fonctionnement. *Les habitants du quartier attendent avec impatience l'ouverture d'un nouveau restaurant ;* vois **inauguration.** *L'ouverture de la chasse a lieu en septembre,* le premier des jours où il est permis d'aller chasser. 4. Entrée, passage. *L'ouverture de la grotte était gardée par un dragon ;* vois **accès.**

Le contraire d'*ouverture,* c'est *fermeture.*

Le contraire d'*ouvrable,* c'est *férié.*

ouvrable adj.

Les jours ouvrables, ce sont les jours de la semaine qui ne sont pas des jours fériés. *Ce train n'est en service que les jours ouvrables.*

Ce train ne roule pas le dimanche ni les jours de fête.

Une *boîte à ouvrage,* c'est une boîte où l'on met les travaux de couture.

Compare *ouvrage* et *ouvrier* : dans ces mots, il s'agit de **travail.**

ouvrage n. m.

1. Travail ; vois **besogne, tâche.** *Odile Séverac s'est mise à l'ouvrage très tôt, ce matin,* elle s'est mise au travail. 2. Objet fabriqué par un ouvrier, un artisan ou un artiste ; vois **œuvre.** *Ce plateau en argent est un bel ouvrage d'orfèvrerie.* 3. Livre. *Angèle a consulté un ouvrage d'histoire à la bibliothèque.*

Lorsqu'elle avait fait son ouvrage, elle s'allait mettre au coin de la cheminée et s'asseoir dans les cendres *(Cendrillon).*

Famille de **ouvrir**

ouvrant adj.

La voiture du docteur Séverac a un toit ouvrant, un toit qui s'ouvre.

Au pluriel : *des ouvre-boîtes.*

ouvre-boîtes n. m. invariable

Instrument qui sert à ouvrir les boîtes de conserves. *Mme Roussel a ouvert une boîte de petits pois avec un ouvre-boîtes électrique.*

Famille de **ouvrir** et de **boîte**

Au pluriel : *des ouvre-bouteilles.*

Va voir aussi ***tire-bouchon.***

ouvre-bouteilles n. m. invariable

Instrument qui sert à ouvrir les bouteilles qui ont une capsule. *Yasmina a ouvert une bouteille de soda avec l'ouvre-bouteilles ;* vois **décapsuleur.**

Famille de **ouvrir** et de **bouteille**

Famille de **ouvrir**

ouvreur n. m., **ouvreuse** n. f.

Personne qui place les spectateurs dans une salle de cinéma, de théâtre, de concert. *Muriel Doucet a donné un pourboire à l'ouvreuse.*

Compare *ouvrier* et *ouvrage* : dans ces mots, il s'agit de **travail.**

Les ouvriers dépendent d'un patron.

ouvrier n. m., **ouvrière** n. f.

Personne qui fait un métier manuel ou mécanique et reçoit un salaire. *Les ouvrières de la biscuiterie pointent en arrivant à l'usine. La ferme des Séverac emploie plusieurs ouvriers agricoles.* — adj. *Les revendications ouvrières n'ont pas été satisfaites,* les revendications des ouvriers.

Les *employés* font un travail qui n'est pas manuel.

Conjugaison 18 ▭ Indic. imparfait : *nous ouvrions.* Futur : *j'ouvrirai.*

Ali Baba s'approcha doucement de la porte dans le rocher et dit à haute voix — Sésame, ouvre-toi ! À l'instant même, la porte s'ouvrit toute grande *(les Mille et Une Nuits).*

Autres membres de la famille : **entrouvrir, ouvert, ouvertement, ouverture, ouvrant, ouvre-boîtes, ouvre-bouteilles, ouvreur, réouverture.**

ouvrir v.
1. Déplacer les éléments d'une ouverture pour permettre le passage ou pour permettre de voir. *Mamie Lou a ouvert la fenêtre. — Les portes s'ouvrent automatiquement.* **2.** Ôter l'obstacle qui sépare l'intérieur de l'extérieur. *Les gangsters ont ouvert le coffre-fort. Yasmina ouvre une bouteille de soda,* elle la décapsule. **3.** Faire une plaie en coupant. *Le chirurgien a ouvert l'abcès avec son bistouri. Antoine s'est ouvert le genou en tombant.* **4.** *Mme Harpie n'ouvrira pas son magasin demain,* elle ne permettra pas aux clients d'entrer dans son magasin. **5.** Écarter des parties qui étaient l'une contre l'autre. *Ouvrez votre livre à la page cent vingt. Claire ouvre les bras pour embrasser son père.* **6.** Percer. *Les Séverac ont fait ouvrir une fenêtre dans le grenier.* **7.** Commencer. *Un discours du maire ouvrit la cérémonie. — Le récit s'ouvre par une longue description de la tanière des ours.*

Le contraire d'*ouvrir,* c'est *fermer.*

La pâtisserie ouvre tous les jours sauf le lundi.

Ouvrons l'œil, et le bon ! disent les Dupondt.

Babar ouvre le bal avec Céleste *(Babar).*

ovaire n. m.
Glande qui sert à la reproduction chez les femmes et chez les femelles des animaux. *La femme a deux ovaires situés dans le ventre, de chaque côté de l'utérus.*

C'est dans les ovaires que se forment les ovules.

Le ballon ovale, c'est le ballon de rugby ; *le ballon rond,* c'est le ballon de football.

ovale adj.
Qui a une forme ronde et allongée comme celle d'un œuf. *Muriel Doucet a mis le rôti dans un plat ovale. —* n. m. *Le visage de Marie-Tévy a un ovale très régulier,* une courbe ronde et allongée.

ovation n. f.
Ensemble d'applaudissements et de cris par lesquels on accueille quelqu'un pour lui faire honneur ; vois ***acclamation.*** *Quand le chanteur entra sur scène, les spectateurs lui firent une véritable ovation.*

Le contraire d'*ovation,* c'est *huées, tollé.*

ovin adj.
Il existe différentes races ovines, différentes races de mouton. — n. m. *Les moutons, les béliers et les brebis sont des ovins.*

Les vaches sont des *bovins.*

Les requins sont *vivipares.*

ovipare adj.
Un animal ovipare, c'est un animal qui se reproduit en pondant des œufs. *Les oiseaux, les reptiles, la plupart des poissons et des insectes sont ovipares.*

Leurs œufs se développent en dehors du corps de la mère.

Prononce [ɔvni].

Les soucoupes volantes sont des ovnis.

ovni n. m.
Objet volant non identifié. *Colle et Rat disent avoir vu un ovni dans un champ, tout près de Motbourg.*

Ce sont les premières lettres : O., V., N., I.

L'ovule est produit par l'ovaire.

ovule n. m.
Cellule reproductrice, chez la femme et les animaux femelles. *L'ovule est fécondé par le spermatozoïde et produit l'œuf.*

Attention au ***x*** et au ***y*** !

Autre membre de la famille : **inoxydable.**

Conjugaison 1

oxyde n. m.
Substance produite par la combinaison d'un corps avec l'oxygène. *La rouille est un oxyde de fer,* une substance composée de fer et d'oxygène.
▸ ***s'oxyder*** v. Se transformer en oxyde. *L'argent noircit en s'oxydant.*

L'oxyde de carbone est le gaz qui est dégagé par le moteur des voitures.

Attention au ***y*** !

L'officier ouvrit vivement la fenêtre, comme si l'oxygène eût manqué à ses poumons *(Michel Strogoff).*

oxygène n. m.
Gaz invisible et inodore que l'on trouve dans l'air. *L'oxygène est indispensable à la vie des hommes, des animaux et des végétaux.*
▸ **oxygéné** adj. *L'eau oxygénée,* c'est de l'eau qui contient plus d'oxygène. *Mme Bellec s'éclaircit les cheveux avec de l'eau oxygénée.*

L'air est composé essentiellement d'azote et d'oxygène.

C'est aussi un désinfectant.

[illegible] les moutons sont des ovins. — [illegible] *les béliers et les brebis sont des ovins.*

pacha n. m.

Un pacha était un gouverneur de province dans l'ancien Empire turc.

Faire le pacha, c'est se faire servir. *Antoine, lève-toi et mets la table au lieu de faire le pacha.*

On dit cela en parlant d'un homme ou d'un petit garçon.

pachyderme n. m.

Attention ! un *y*.

Gros animal à la peau épaisse. *Les éléphants, les hippopotames et les rhinocéros sont des pachydermes.*

Les pachydermes sont des herbivores.

pacifier v.

Conjugaison 7 ▭ Indic. imparfait : *nous pacifiions.* Futur : *je pacifierai.*

Ramener la paix dans un pays. *Il faudra longtemps pour pacifier ce pays qui sort de la guerre.*

▸ ***pacifique*** adj. Qui aime la paix, le calme. *David est un garçon pacifique. La France entretient des relations pacifiques avec ses voisins.*

L'océan Pacifique fut appelé ainsi, en 1520, par Magellan qui n'y avait rencontré aucune tempête.

Le contraire de *pacifique,* c'est *agressif, belliqueux.*

▸ ***pacifiste*** n. m. et f. et adj. **1.** n. m. et f. Partisan de la paix. *Angèle est une pacifiste convaincue.* **2.** adj. *Une manifestation pacifiste aura lieu samedi prochain,* une manifestation pour la paix.

Va voir aussi ***non-violent.***

pacotille n. f.

Un objet de pacotille, c'est un objet qui n'a aucune valeur. *Mme Séverac ne porte jamais de bijoux de pacotille ;* vois ***toc.***

Elle n'aime que les beaux bijoux.

pacte n. m.

Accord conclu entre plusieurs personnes ou plusieurs pays. *Ces pays autrefois ennemis ont conclu un pacte ;* vois ***alliance, traité.*** *Julie a conclu un pacte avec sa mère,* un marché.

Le pacte de Varsovie est une alliance militaire entre certains pays d'Europe de l'Est.

Le pacte Atlantique regroupe, autour des États-Unis, certains pays d'Europe de l'Ouest.

▸ ***pactiser*** v. Conclure un pacte, un accord. *Les deux ennemis ne se battront plus : ils ont fini par pactiser.*

Conjugaison 1

pactole n. m.

Source de richesse. *On a découvert un vrai pactole dans la cave.*

paella n. f.

Attention ! deux *l*.

Plat espagnol composé de riz cuit avec du poisson, de la viande et des légumes. *M. Bellec fait de la paella une fois par mois.*

Attention ! un *e* à la fin.

pagaie n. f.

Aviron à bout large et court. *On se sert de pagaies pour ramer dans une pirogue, un canoë ou un kayac.*

La pagaie se tient à deux mains.

Compare : *pagaie* → *pagayer* et *raie* → *rayer.*

▸ ***pagayer*** v. Ramer avec une pagaie. *Dans son canoë, Réjean pagayait avec ardeur pour remonter le courant.*

Conjugaison 8 ▭ Indic. imparfait : *nous pagayions.*

Ne confonds pas *pagaïe* [pagɑj] et *pagaie* [pagɛ].

pagaïe n. f.

Grand désordre. *Quelle pagaïe dans la chambre de Julie ! La chambre était en pagaïe.*

On écrit aussi *pagaille.* Ce mot est familier.

① page n. m.

Jeune noble placé au service d'un roi, d'un prince ou d'un seigneur. *Les pages apprenaient le métier des armes.*

Le page devenait ensuite écuyer.

② page n. f.

La page impaire s'appelle *recto* et la page paire *verso.*

1. Chacun des deux côtés d'une feuille de papier. *Ce livre est très épais : il compte huit cents pages. Angèle a arrêté sa lecture à la page 126.* **2.** Le texte écrit sur une page. *Angèle a lu trois pages de son livre et s'est endormie.* **3.** Les deux côtés d'une feuille de papier ; vois ***feuillet.*** *Sophie Pelletier feuilleta rapidement les pages du magazine.* **4.** Passage d'une œuvre d'un écrivain ou d'un musicien. *M. Bonnot connaît par cœur les plus belles pages de Victor Hugo.*

Petit malheureux ! Tu as souillé toutes les pages avec tes doigts ! *(le Petit Nicolas).*

Être à la page, c'est être au courant de tout ce qui est nouveau.

Tourner la page, c'est oublier le passé, passer à autre chose.

pagne n. m.

Morceau de tissu qui se noue autour des reins. *Le sorcier de la tribu n'était vêtu que d'un simple pagne. Les Tahitiennes portent des pagnes en guise de jupe.*

Mowgli eut à porter un pagne autour des reins, ce qui l'ennuya horriblement *(le Livre de la jungle).*

pagode n. f.

Temple d'Extrême-Orient. *Les pagodes sont consacrées au culte de Bouddha. Les pagodes ont souvent un toit relevé sur les bords.*

Autrefois, les pagodes étaient construites en bois.

En Chine, les pagodes ont plusieurs étages.

paie va voir *paye.*

paiement n. m.

Le *e* du milieu ne se prononce pas : [pɛmɑ̃]. Famille de **payer**

Action de payer. *Pour les sommes importantes, le paiement par chèque est plus pratique que le paiement en liquide,* c'est plus pratique de payer par chèque. *Angèle fait ses paiements importants par chèque,* elle paie par chèque les sommes importantes.

Va voir *facilités de paiement* à ***facilité.***

On écrit aussi *payement* : [pɛjmɑ̃].

« Pour tout paiement par chèque, il sera exigé une pièce d'identité. »

N'oublie pas le tréma du *ï.*

païen adj.

Les peuples païens, ce sont les peuples qui ne sont de religion ni chrétienne, ni juive, ni musulmane. *Dans les religions païennes, on adore plusieurs dieux.* – n. *Les Grecs et les Romains étaient des païens.*

Païen se dit surtout des peuples anciens.

Attention ! deux *s.*

① paillasse n. f.

Partie plate de l'évier située à côté de la cuve. *L'égouttoir est posé sur la paillasse.*

Attention ! deux *s* dans *paillasse* et *paillasson.*

② paillasse n. f.

Matelas grossier garni de paille. *Au fond de son cachot, le prisonnier n'avait qu'une paillasse pour s'étendre.*

[...] elle couchait [...] dans un grenier, sur une méchante paillasse *(Cendrillon).*

Compare : *paillasse* → *paillasson* et *saucisse* → *saucisson.*

▸ ***paillasson*** n. m. Petit tapis épais et rugueux placé devant le seuil d'une maison pour s'essuyer les pieds. *M. Bellec essuie ses bottes pleines de boue sur le paillasson.*

Famille de **paille**

paille n. f.

1. *De la paille :* les tiges des céréales une fois séparées du grain. *Pierre Séverac utilise de la paille pour faire la litière des bêtes. Claire a des brins de paille dans les cheveux.* **2.** Petit tuyau servant à boire en aspirant. *Antoine boit sa grenadine avec une paille.* **3.** *De la paille de fer,* c'est un paquet de fils de métal servant à décaper le bois. *M*[me] *Roussel décape le parquet à la paille de fer.*

Être sur la paille, c'est être dans la misère.

Tirer à la courte paille, c'est tirer au sort en choisissant des brins de paille de longueur différente.

Il y a de la paille de blé, de riz ou d'avoine.

Les pailles ne sont plus en paille mais en matière plastique.

▸ ***paillé*** adj. *Une chaise paillée,* c'est une chaise garnie de paille. *Dans la salle du restaurant Bellec, on s'assied sur des chaises paillées.*

Attention ! un seul *t.*

▸ ***paillote*** n. f. Hutte de paille, case. *Certains peuples d'Afrique noire et d'Asie vivent dans des paillotes.*

Autres membres de la famille : **② paillasse, paillasson, empailler, rempailler.**

Attention ! deux *t* dans *paillette,* mais un seul dans *pailleté.*

paillette n. f.
Petite lamelle de matière brillante cousue sur un tissu. *Sophie Pelletier portait une robe noire incrustée de paillettes argentées.*
▸ **pailleté** adj. Orné de paillettes. *Julie aime beaucoup la robe pailletée de sa mère.*

Les *paillettes* sont aussi de petites parcelles d'or contenues dans les sables où il y a de l'or.

Ne confonds pas *pain* et *pin.*

C'est le boulanger qui fait le pain.

Le pain de mie, le pain de campagne, la baguette, la ficelle, le bâtard sont des sortes de pain.

Le *pain d'épice* est une sorte de gâteau au miel.

pain n. m.
1. Aliment à base de farine, d'eau, de sel et de levain fermenté, cuit au four. *Angèle mange une tranche de pain grillé pour son petit déjeuner. Antoine n'aime pas la mie de pain, il préfère la croûte. M. Touati a encore beaucoup de pain sur la planche avant de terminer sa journée,* il a encore beaucoup de travail. *Mme Séverac a acheté une lampe pour une bouchée de pain chez un brocanteur,* pour très peu d'argent. **2.** Sorte de gâteau. *Marie-Tévy préfère les pains au chocolat aux pains aux raisins.*

Marie, trempe ton pain
Marie trempe
ton pain dans la soupe
(comptine).

Autres membres de la famille : **gagne-pain, grille-pain.**

① pair n. m.
1. *Le pair de quelqu'un,* c'est la personne qui a le même rang qu'elle. *Ce chevalier qui a trahi sera jugé par ses pairs.* **2.** *M. Bellec est un cuisinier hors pair,* sans égal. **3.** *Ces deux choses vont de pair,* elles vont ensemble. *Le courage d'Hippolyte va de pair avec son sens de l'initiative.* **4.** *Les Prost emploient une jeune fille au pair pour s'occuper de leur fils,* une jeune fille qu'ils logent et qu'ils nourrissent en échange de son travail.

C'est une jeune Allemande qui vient apprendre le français.

Le contraire de *pair,* c'est *impair.*

② pair adj.
Un nombre pair, c'est un nombre divisible par deux. *Deux, quatre, six, dix sont des nombres pairs.*

Autre membre de la famille : **② impair.**

Ne confonds pas *paire, ① pair, ② pair* et *il perd,* du verbe *perdre.*

paire n. f.
1. Ensemble de deux choses semblables allant par deux. *Hippolyte a plusieurs paires de chaussures noires. M. Bellec a donné une paire de gifles à son fils.* **2.** Objet formé de deux parties symétriques. *Claire, ne cours pas avec cette paire de ciseaux, c'est très dangereux ! Mamie Lou a plusieurs paires de lunettes.*

Les bœufs sont comme les souliers, ils vont presque toujours par deux. C'est pourquoi on dit « une paire de bœufs » *(les Contes du Chat perché).*

Conjugaison 57, comme *paraître* ▭ *Paître* n'a ni passé simple ni temps composés.

paître v.
Manger de l'herbe, brouter. *Les vaches paissaient dans le grand pré. Le pâtre mène paître son troupeau de chèvres.*

Autres membres de la famille : se **repaître, repu.**

Attention ! un *x* à la fin.

On les appelle des *pacifistes.*

Autres membres de la famille : **apaiser, apaisant, apaisement.**

paix n. f.
1. Absence de conflit entre des pays ou des personnes. *Les partisans de la paix dans le monde ont organisé une manifestation.* **2.** À la fin d'une guerre, traité entre des pays ennemis. *La paix vient d'être signée entre les deux pays, ennemis de toujours.* **3.** Calme, tranquillité. *Odile Séverac préfère la paix de la campagne à l'agitation de la ville. M. Touati aimerait avoir la paix chez lui. « Fichez-nous la paix », disent Yves et Antoine à Colle et Rat.*

Ne confonds pas *paix, paie* et *pet.*

Le contraire de *paix,* c'est *guerre.*

Le contraire de *paisible,* c'est *agressif.*

▸ **paisible** adj. Calme, tranquille. *M. Touati est un homme paisible ;* vois ***pacifique.*** *Claire dort d'un sommeil paisible,* que rien ne trouble.
▸ **paisiblement** adv. D'une manière paisible, calme. *Martin dort paisiblement dans son lit.*

Il est d'un *naturel paisible.*

Le contraire de *paisible,* c'est *agité.*

Ce mot est surtout utilisé au pluriel.

palabre n. f.
Discussion très longue et sans intérêt. *« Assez de palabres, dit le maire, il faut prendre une décision. »*

Palabre est employé parfois au masculin.

Conjugaison 1

▸ **palabrer** v. Discuter sans fin. *Le conseil municipal palabrait depuis trois heures sans parvenir à prendre de décision.*

palace n. m.
Hôtel de luxe. *Quand il va au festival de Cannes, Denis Prost descend dans un palace.*

Denis Prost est un comédien célèbre.

Attention ! un *s* à la fin.

Le président de la République française habite le palais de l'Élysée.

① palais n. m.
1. Grande et somptueuse habitation, où vit un haut personnage. *La reine d'Angleterre habite le palais de Buckingham, à Londres.* **2.** Vaste bâtiment public. *Le Grand Palais et le palais de la Découverte, à Paris, sont des musées.* **3.** *Le palais de justice,* c'est le bâtiment où siègent les tribunaux. *Les audiences des procès ont lieu au palais de justice.*

Ne confonds pas *palais* et *palet.*

Attention ! un ***s*** à la fin.

② *palais* n. m.

Partie supérieure de l'intérieur de la bouche. *Le palais est dur au-dessus des dents, puis plus mou vers la gorge.*

Ne confonds pas *palais* et *palet.*

Ne confonds pas *pale* et *pâle.*

pale n. f.

Partie plate d'une hélice. *Les pales du ventilateur brassent de l'air en tournant.*

Attention à l'accent circonflexe du ***â*** !

Autres membres de la famille : **pâleur, pâlichon, pâlir, pâlot.**

Le contraire de *pâle,* c'est *vif.*

Au pluriel : *des chemises jaune pâle.*

pâle adj.

1. *Quelqu'un de pâle,* c'est quelqu'un dont le visage a perdu ses couleurs, est devenu presque blanc. *Sylvain est un peu pâle ce matin ; il ne se sent pas très bien. M. Bellec devint pâle de rage.* **2.** *Les couleurs pâles,* ce sont des couleurs très claires, où il y a beaucoup de blanc. *Yasmina préfère les couleurs pâles aux couleurs vives. Denis Prost portait une chemise jaune pâle.*

Les petites étaient très pâles et tremblaient de peur dans l'attente du savant vétérinaire *(les Contes du Chat perché).*

Ne prononce pas le premier ***e*** : [palfʀənje].

palefrenier n. m.

Personne dont le métier est de soigner les chevaux. *Le palefrenier nourrit les chevaux et les brosse chaque jour.*

Ne confonds pas *palet* et *palais.*

palet n. m.

Petit objet plat et rond que l'on lance. *Marie-Tévy lance le palet sur une case de la marelle.*

Le palet est en pierre ou en métal.

Attention ! deux ***t.***

palette n. f.

1. Plaque mince sur laquelle le peintre étale et mélange ses couleurs. *Marie-Tévy mélange sur sa palette du bleu foncé et du blanc pour obtenir la nuance de bleu qu'elle désire.* **2.** Morceau de viande de mouton ou de porc situé autour de l'omoplate. *M. Bellec a fait une palette aux lentilles pour le déjeuner.*

Attention à l'accent circonflexe du ***â*** !

pâleur n. f.

Le visage de Mme Bellec était d'une grande pâleur, il était très pâle.

Famille de **pâle**

Attention à l'accent circonflexe du ***â*** !

pâlichon adj.

Un peu pâle ; vois ***pâlot.*** *Claire vient d'avoir la grippe, elle est encore toute pâlichonne.*

Famille de **pâle**

palier n. m.

1. Plate-forme située à chaque étage d'un immeuble, à l'extérieur des appartements. *Mme Hespel ne fréquente pas ses voisins de palier.* **2.** *Les alpinistes avancent lentement, par paliers successifs,* par degrés, progressivement.

Conjugaison 2

Le contraire de *pâlir,* c'est *rougir.*

pâlir v.

1. Devenir pâle. *M. Bellec a pâli de colère sous l'insulte.* **2.** Perdre son éclat, sa couleur. *Les rideaux ont pâli au soleil.*

Attention à l'accent circonflexe du ***â*** !
Famille de **pâle**

Attention ! deux ***s.***

palissade n. f.

Clôture faite de planches. *Une palissade entoure le gymnase en construction.*

Palissandre [palisɑ̃dʀ] rime avec *cendre.*

palissandre n. m.

Bois très dur d'une couleur violacée, nuancée de noir et de jaune. *Les Séverac ont une armoire en palissandre dans leur chambre.*

Le palissandre vient de Madagascar et d'Amérique tropicale.

Attention ! deux ***l*** dans *pallier* et *palliatif.*

Pallier ne s'emploie jamais avec une préposition.

pallier v.

Antoine suit des cours particuliers de mathématiques pour pallier sa faiblesse dans cette matière, pour y remédier.

▸ ***palliatif*** n. m. Mesure qui n'a qu'un effet passager. *Cette mesure n'est qu'un palliatif.*

Conjugaison 7 ▭ Indic. imparfait : *nous palliions.* Futur : *nous pallierons.*

Attention à l'accent grave du ***è*** !

Famille de **palme**

palmarès n. m.

Liste des personnes qui ont remporté un prix. *Le nom de Denis Prost n'a jamais figuré au palmarès du festival de Cannes.*

Palmarès [palmaʀɛs] rime avec *caresse.*

Autre membre de la famille : **palmarès.**

palme n. f.

1. Feuille du palmier. *Les palmes poussent en bouquet au sommet du tronc.* **2.** Symbole de la victoire. *Denis Prost aimerait remporter la palme du meilleur acteur.* **3.** Chaussure de caoutchouc ressemblant à une nageoire,

Le ciel est par dessus le toit
Si bleu, si calme
Un arbre par dessus le toit
Berce sa palme (Verlaine).

que l'on utilise pour nager sous l'eau. *Yves a plongé avec ses palmes, son masque et son tuba.*

▸ ***palmé*** adj. *Le canard a des pattes palmées,* dont les doigts sont réunis par une membrane.

Une patte palmée a la forme d'une nageoire.

Compare : *palme* → *palmier* et *datte* → *dattier*.

▸ ***palmier*** n. m. Arbre des régions chaudes qui porte de grandes feuilles en éventail à son sommet. *Les dattiers et les cocotiers sont des palmiers.*

Les plantations de palmiers s'appellent des *palmeraies*.

Compare *palmi**pède**, quadru**pède*** et ***pédestre*** : il est question de **pied**.

palmipède adj.

Un oiseau palmipède, c'est un oiseau qui a les pieds palmés. *La mouette est un oiseau palmipède.* — n. m. *Les canards, les oies, les cygnes sont des palmipèdes.*

Ce mot est employé dans le sud de la France.

palombe n. f.

Pigeon ramier. *On chasse la palombe dans les Landes.*

Attention à l'accent circonflexe du ***â*** !

pâlot adj.

Un peu pâle ; vois ***pâlichon.*** *On voit que Sylvain a été malade, il est pâlot. Yasmina est pâlotte.*

Famille de **pâle**

palourde n. f.

La palourde est un mollusque.

Coquillage ovale gris ou beige. *Mme Roussel a préparé un plat de palourdes farcies.*

Conjugaison 1

palper v.

Examiner en tâtant. *Le docteur Séverac palpe le ventre du malade.*

Conjugaison 1

palpiter v.

Un cœur qui palpite, c'est un cœur qui bat très fort. *Le cœur de Julie palpitait de joie.*

▸ ***palpitant*** adj. Très intéressant ; vois ***passionnant.*** *J'ai vu un film palpitant.*

▸ ***palpitation*** n. f. Battement trop rapide du cœur. *On risque d'avoir des palpitations si l'on boit trop de café.*

paludisme n. m.

Quand on a le paludisme, on a beaucoup de fièvre.

Maladie provoquée par la piqûre de certains moustiques, dans les pays chauds. *Le docteur Séverac a parfois des crises de paludisme.*

On donne aussi le nom de *malaria* à cette maladie.

Conjugaison 1

se pâmer v.

Être comme paralysé par une sensation très agréable. *Mme Séverac s'est pâmée d'admiration devant un tableau ;* vois ***s'extasier.***

Autrefois, on disait *se pâmer* pour *s'évanouir.*

pampa n. f.

Grande plaine, en Amérique du Sud. *On élève de grands troupeaux de vaches et de moutons dans les pampas d'Argentine.*

Attention au ***ph*** !

pamphlet n. m.

Petit livre écrit contre une institution ou contre quelqu'un. *Un député de l'opposition a écrit un pamphlet contre le gouvernement.*

Ce député est un *pamphlétaire.*

L'arbre qui donne des pamplemousses est le *pamplemoussier.*

pamplemousse n. m.

Gros fruit rond et jaune, qui a un goût acide. *Sophie Pelletier boit un jus de pamplemousse tous les matins.*

Les pamplemousses, de même que les oranges et les citrons, sont des agrumes.

pan n. m.

1. Partie flottante d'un vêtement. *Le chien a tiré le pan de l'imperméable avec ses dents.* **2.** *Un pan de mur,* c'est une partie de mur. *Il reste un pan de mur à peindre.*

Autre membre de la famille : **panneau.**

Attention ! un ***e*** après le ***é*** accent aigu.

panacée n. f.

Remède qui guérit tous les maux. *Les somnifères ne sont pas une panacée,* cela ne résout pas les problèmes.

panache n. m.

« Ralliez-vous à mon panache blanc », a dit le roi Henri IV.

1. Bouquet de plumes ornant une coiffure. *Les chevaliers portaient un panache à leur casque.* **2.** Fière allure. *Sophie Pelletier avait du panache dans sa robe longue pailletée.*

panaché adj.
Formé de plusieurs choses différentes. *Marie-Tévy mange une glace panachée fraise-pistache.*

Un *panaché* est un mélange de bière et de limonade.

Panaris [panaʀi] rime avec *canari* et *riz.*

panaris n. m.
Abcès rempli de pus, situé près d'un ongle. *Une écharde peut provoquer un panaris.*

pancarte n. f.
Écriteau sur lequel est inscrite une indication. *Devant le gymnase en construction, il y a une pancarte : « Chantier interdit au public ».*

Pancréas [pɑ̃kʀeɑs] rime avec *grâce.*

pancréas n. m.
Glande de forme allongée, située derrière l'estomac. *Le pancréas fait partie de l'appareil digestif.*

panda n. m.

Le panda est un mammifère qui vit en Chine et au Tibet.

Animal noir et blanc pouvant mesurer un mètre quatre-vingts et peser cent quarante kilos, et qui ressemble à un ours. *Les pandas se nourrissent de pousses de bambou.*

Le panda a les yeux entourés de taches noires.

pané adj.
Recouvert de miettes de pain, de chapelure. *Mme Hespel a fait des escalopes panées.*

Attention à la place du *y* et du *i* !

panégyrique n. m.
Faire le panégyrique de quelqu'un, c'est dire beaucoup de bien de lui. *Le maire a fait le panégyrique de son prédécesseur ;* vois ***éloge.***

Répète plusieurs fois : panier piano, panier piano !

panier n. m.
1. Corbeille avec une ou deux anses. *Sophie Pelletier a pris son panier pour faire les courses ;* vois ***cabas.*** **2.** Corbeille à papiers. *Mme Roussel a mis de vieux papiers au panier,* elle les a jetés. **3.** Filet ouvert fixé à un panneau, dans lequel on doit envoyer le ballon au basket-ball. *Le joueur a fait un panier,* il a marqué un but.

Un *panier à salade* sert à égoutter la salade.

L'homme avançait à grands pas et se frottait déjà les mains en songeant aux provisions qui gonflaient le panier des petites *(les Contes du Chat perché).*

panique n. f.
Grande peur collective ; vois ***affolement.*** *Quand la poste a pris feu, les passants ont été pris de panique.*

Conjugaison 1

▹ ***paniquer*** v. Avoir peur ; vois ***s'affoler.*** *En voyant les flammes, Hippolyte n'a pas paniqué et il a immédiatement appelé les pompiers.*

Ce verbe est familier.

panne n. f.
Arrêt du fonctionnement d'un mécanisme, d'un véhicule. *Un ouvrier est venu réparer le téléviseur qui était en panne. La voiture d'Angèle est tombée en panne d'essence. Il y a eu une panne d'électricité,* un arrêt accidentel du courant.

J'ai ainsi vécu seul [...] jusqu'à une panne dans le désert du Sahara [...]. Quelque chose s'était cassé dans mon moteur *(le Petit Prince).*

Autres membres de la famille : **dépanner, dépannage, dépanneur, dépanneuse.**

Famille de **pan**

panneau n. m.
1. Plaque portant des inscriptions. *Le programme des candidats est affiché sur les panneaux électoraux installés devant les bureaux de vote.* **2.** Surface plane. *Une porte est un panneau de bois.*

Sur le bord de la route, il y a des *panneaux de signalisation* et des *panneaux publicitaires.*

panonceau n. m.
Petit panneau. *Devant le restaurant Bellec, un panonceau porte la carte et le menu.*

panoplie n. f.
Déguisement avec tous les accessoires. *Pour Noël, Claire veut une panoplie d'infirmière.*

Au pluriel : *des panoramas.*

panorama n. m.
Paysage que l'on voit tout autour de soi. *Quel beau panorama du haut de la colline !*

▹ ***panoramique*** adj. *Une vue panoramique,* c'est une vue d'ensemble. *De la tour Eiffel, on a une vue panoramique de Paris.*

panse n. f.
Première poche de l'estomac des ruminants. *La vache garde l'herbe dans sa panse avant de la mâcher.*

Un vase *pansu* est renflé.

Attention au **a** ! Ne confonds pas *panser* et *penser.*

panser v.
1. Soigner en faisant un pansement. *Sophie Pelletier panse la cheville de sa fille qui est tombée de bicyclette.* **2.** Soigner et nettoyer un cheval. *Le garçon d'écurie panse la jument.*

Conjugaison 1

Le garçon d'écurie est chargé du *pansage* des chevaux.

Cela peut être du coton, de la gaze, une compresse, du sparadrap.

▸ ***pansement*** n. m. Ce que l'on met sur une blessure pour la protéger. *Mme Hespel a mis un pansement sur la coupure que s'est faite Sylvain en coupant du pain.*

Babar enfile le pantalon [...] et se regarde dans la glace *(Babar).*

pantalon n. m.
Culotte longue. *Hippolyte ne sait quel pantalon mettre aujourd'hui. Angèle était en pantalon.*

La panthère allongea le cou et, la tête haute, la gueule grande ouverte, fit entendre un terrible miaulement *(les Contes du Chat perché).*

panthère n. f.
Animal féroce au pelage jaune tacheté ou noir, de la famille des félins, comme le chat, qui vit en Afrique et en Asie. *La panthère chasse de grosses proies qu'elle monte dans un arbre. La panthère ne craint pas l'homme et peut s'attaquer à lui. Tarzan a un slip en panthère,* en peau de panthère.

La panthère est un mammifère carnivore.

La panthère d'Afrique est appelée *léopard.*

Un jour, Pinocchio cessa d'être un pantin et devint un petit garçon *(Pinocchio).*

pantin n. m.
Marionnette articulée dont on agite les bras et les jambes avec une ficelle. *Pinocchio était un pantin de bois.*

Pantois [pɑ̃twa] rime avec *toi* et *toit.*

pantois adj. m.
Stupéfait. *On reste pantois devant l'insolence de Colle et Rat.*

Pantois n'a pas de féminin.

Attention ! *pantomime* est un nom féminin.

pantomime n. f.
Pièce de théâtre mimée. *Pour la fête de l'école, les élèves d'Angèle ont joué une pantomime.*

Famille de **mime**

pantoufle n. f.
Chaussure d'intérieur, chausson. *Sitôt rentré de l'école, Yves enlève ses chaussures et met ses pantoufles.*

Attention ! un **d** à la fin. Au féminin : *pantouflarde.*

▸ ***pantouflard*** adj. *Quelqu'un de pantouflard,* c'est quelqu'un qui aime rester chez lui, qui tient à ses habitudes. *M. Bellec est très pantouflard ;* vois ***casanier.***

Ce mot est familier.

Paon [pɑ̃] rime avec *blanc.*

Le paon
En faisant la roue [...]
Apparaît encore plus beau
Mais se découvre le derrière
(Apollinaire).

paon n. m.
Grand oiseau vert et bleu, de la taille d'un faisan, dont le mâle porte une longue queue qu'il peut étaler comme un éventail. *Dans le jardin zoologique, les paons faisaient la roue et se pavanaient sous les yeux admiratifs du public. Denis Prost est orgueilleux comme un paon,* très orgueilleux.

Sur la prière du cochon, le paon se mit à énumérer par le détail tout ce qu'il faut faire pour être beau *(les Contes du Chat perché).*

C'est l'un des premiers mots que les enfants apprennent à dire.

papa n. m.
Nom affectueux que les enfants, même devenus adultes, donnent à leur père. *« Claire, dit Mamie Lou, cours vite chercher ton papa : on le demande au téléphone. » « Papa, crie Claire, viens vite. » M. Bellec est le papa d'Yves.*

Certains enfants appellent leur grand-père *grand-papa* ou *bon-papa.*

Saint Pierre fut le premier pape.

pape n. m.
Chef de l'Église catholique. *Le pape réside à Rome, au palais du Vatican. Le pape est élu par les cardinaux.*

Attention ! deux **s** dans *paperasse* et *paperasserie.*

paperasse n. f.
Papier que l'on considère comme inutile ou encombrant. *Sophie Pelletier s'est débarrassée de toutes les paperasses qui traînaient dans la maison.*

Prononce [papʀas].

Paperasse s'emploie surtout au pluriel.

Prononce [papʀasʀi].

▸ ***paperasserie*** n. f. Accumulation de paperasses. *Il y a vraiment de quoi s'y perdre dans toute cette paperasserie.*

papetier n. m., **papetière** n. f.
Personne qui tient une papeterie. *Julie et Yasmina achètent cahiers, gommes et crayons chez le papetier en face de l'école.*

Prononce [paptje].

Compare ***paperasse*** et ***papetier*** : dans ces mots, il est question de **papier.**

Papeterie [papɛtʀi] rime avec *marqueterie* et *coquetterie.*

▸ ***papeterie*** n. f. Magasin où l'on vend des fournitures pour l'école ou le bureau. *Une papeterie s'est installée juste en face de l'école.*

papi n. m.

Nom que les enfants donnent à leur grand-père. *Sylvain et Alex appellent leur grand-père papi.*

Certains disent *pépé, grand-père* ou *bon-papa.*

papier n. m.

Autre membre de la famille : **coupe-papier.**

Être dans les petits papiers de quelqu'un, c'est être aimé, apprécié par lui.

1. Mince feuille fabriquée à partir de végétaux réduits en pâte et séchés, servant à écrire et à emballer. *Le papier à cigarettes est très fin. Les élèves écrivent leur nom sur une feuille de papier.* **2.** Document important. *Mme Séverac classe des papiers et les range dans son secrétaire.* **3.** *Les papiers d'identité,* ce sont les papiers qui prouvent l'identité d'une personne. *M. Bellec a montré ses papiers d'identité aux gendarmes.*

Le papier a été inventé par les Chinois au IIe siècle de notre ère. Il est apparu en Europe au XIIIe siècle.

On dit aussi qu'il a montré *ses papiers.*

papille n. f.

La langue est recouverte de papilles, de petits points en saillie qui permettent de sentir le goût des aliments.

papillon n. m.

Le papillon passe d'abord par l'état de chenille, puis de chrysalide, avant de devenir insecte.

1. Insecte aux grandes ailes colorées. *Les plus beaux papillons vivent dans les régions équatoriales. Antoine a un filet à papillons.* **2.** *Un nœud papillon,* c'est un nœud plat servant de cravate. *Avec son smoking, Denis Prost met un nœud papillon.*

Les papillons se nourrissent du suc des fleurs.

papillote n. f.

Attention ! un seul *t.*

1. Morceau de papier dans lequel on enroule les cheveux mèche à mèche pour les friser. *Les papillotes ont été remplacées par les bigoudis.* **2.** Papier servant à envelopper des aliments cuits au four. *Mme Roussel a fait des rougets en papillotes.*

Papillote [papijɔt] rime avec *carotte* et *note.*

papilloter v.

Attention ! un seul *t.*

Les yeux papillotent, ils s'ouvrent et se ferment très vite ; vois ***cligner.*** *Claire a tellement sommeil que ses yeux papillotent.*

Conjugaison 1

papoter v.

Conjugaison 1

Bavarder, dire des choses insignifiantes. *Mme Roussel papote avec sa voisine de palier.*

papyrus n. m.

Attention ! un *y.*

Ils découpaient la tige en minces lamelles qu'ils collaient.

1. Plante aquatique des bords du Nil dont la tige servait aux anciens Égyptiens à fabriquer des feuilles pour écrire. *Mme Hespel a chez elle de magnifiques papyrus en pots.* **2.** Manuscrit écrit sur papyrus. *Les plus anciens papyrus datent de l'an 3000 avant Jésus-Christ.*

Papyrus [papiʀys] rime avec *virus* et *russe.*

paquebot n. m.

Le *Normandie* et le *France* étaient de célèbres paquebots français.

Grand bateau qui transporte des passagers. *Les Séverac ont fait une croisière aux Antilles sur un paquebot.*

Certains paquebots mesurent 300 mètres de long.

pâquerette n. f.

Attention à l'accent circonflexe du *â* !

Prononce [pakʀɛt].

Petite marguerite blanche et rose, à cœur jaune. *Au printemps, les prés sont couverts de pâquerettes.*

On l'appelle ainsi car elle fleurit aux environs de Pâques.

Pâques n. f. plur. et n. m. sing.

Cette fête a lieu un dimanche entre le 22 mars et le 25 avril.

1. n. f. plur. Fête chrétienne pour commémorer la résurrection du Christ. *Angèle a souhaité de joyeuses Pâques à ses élèves.* **2.** n. m. sing. Le jour de Pâques. *Mme Roussel a passé les vacances de Pâques à Paimpol.*

À Pâques ou à la Trinité : très tard, jamais.

paquet n. m.

Hier soir, après ma rentrée de l'école, un facteur est venu et a apporté un paquet pour moi *(le Petit Nicolas).*

1. Objet enveloppé dans un emballage. *Angèle a fait un paquet de ses livres. Hippolyte, le facteur, a apporté un paquet à Mme Roussel ;* vois ***colis.*** **2.** *Mme Hespel a acheté un paquet de café,* du café vendu dans un emballage de papier ou de carton. **3.** Grande quantité. *Des paquets de mer s'abattaient sur la jetée,* de grosses vagues.

Le paquetage d'un soldat, c'est l'ensemble de ses affaires.

Autres membres de la famille : **dépaqueter, empaqueter.**

par préposition

On dit aussi *par-devant, par-derrière, par-dessus, par-dessous, par ici, par là.*

1. *Par* indique le lieu. *Claire regarde par la fenêtre. Les Séverac sont passés par Limoges.* **2.** *Par* indique le temps. *Par cette belle journée d'été, Loïc et Yves étaient sortis en mer.* **3.** *Par* indique la fréquence. *M. Bonnot prend*

Une vieille dame se promenait par là avec son chien *(Babar).*

Les parents le saisirent par les deux pattes et le firent entrer dans le sac la tête la première *(les Contes du Chat perché).*

le même médicament trois fois par jour. **4.** *La cantine coûte dix francs par repas,* pour chaque repas. **5.** *Par* exprime le moyen ou la manière. *Denis Prost déteste voyager par le train. David a pris Claire par la main. Répondez par oui ou par non.* **6.** *Par* introduit un complément d'agent. *Antoine a été interrogé par la maîtresse. Julie s'est fait griffer par son chat.*

Autres membres de la famille : **parce que, par-delà, pardessus, parfois, parsemé, parterre, partout, passe-partout.**

Conjugaison 5

parachever v.
Terminer avec soin. *Mamie Lou parachève son gâteau en l'ornant de fruits confits.*

Famille de **achever**

Compare *para*chute, *para*pluie et *para*tonnerre : dans ces mots, il s'agit de **protéger.**

parachute n. m.
Objet formé d'un grand morceau de tissu qui se déploie et qui est relié à un système de sangles, permettant de ralentir la chute quand on saute d'un avion. *Le pilote de l'avion en flammes a sauté en parachute.*

Même famille que **chute**
La surface d'une toile de parachute varie de 50 à 75 mètres carrés.

Conjugaison 1

▸ ***parachuter*** v. Lâcher en parachute. *L'avion a parachuté de nuit les soldats près des lignes ennemies.*

▸ ***parachutisme*** n. m. Sport qui consiste à sauter en parachute. *Il ne faut pas avoir le vertige pour faire du parachutisme.*

Ce sont des soldats ou de simples sportifs.

▸ ***parachutiste*** n. m. et f. Personne qui pratique le parachutisme. *Un commando de parachutistes a été lâché près des lignes ennemies.*

On les appelle parfois des *paras.*

Famille de **parer**

① **parade** n. f.
Manière d'éviter, de parer un coup. *D'Artagnan trouve une parade à chaque coup de son adversaire.*

② **parade** n. f.
1. *Un habit de parade,* c'est un habit très beau, que l'on porte pour une occasion particulière, une fête ou une cérémonie. *Le torero descend dans l'arène, vêtu de son habit de parade.* **2.** *Une parade militaire,* c'est une cérémonie où les soldats défilent en grande tenue. *Le défilé du 14 Juillet est une parade militaire.*

Famille de se **parer**

On l'appelle l'*habit de lumière.*

Conjugaison 1

▸ ***parader*** v. Se pavaner. *Julie parade avec sa nouvelle robe devant Marie-Tévy et Yasmina.*

Paradis [paʀadi] rime avec *mardi* et *incendie.*

Le contraire de *paradis,* c'est *enfer.*

paradis n. m.
1. Dans la religion chrétienne, lieu de bonheur où vont les âmes des justes après la mort ; vois ***ciel.*** *Dans son sermon, l'abbé Gauthier dit que tous ceux qui n'ont pas commis de péché grave iront au paradis.* **2.** Endroit très agréable. *Cette petite île au printemps est un vrai paradis.*

Dans la Bible, le *paradis terrestre* est le jardin où vivent Adam et Ève, les premiers hommes.

Compare : *paradis* → *paradisiaque* et *démon* → *démoniaque.*

▸ ***paradisiaque*** adj. *Un endroit paradisiaque,* c'est un endroit très agréable ; vois ***délicieux, enchanteur.*** *Cette plage déserte est paradisiaque.*

Cela donne une idée du paradis !

paradoxe n. m.
Opinion qui s'oppose à celle qu'ont la plupart des gens. *Denis Prost a le goût du paradoxe.*

Au masculin pluriel : *paradoxaux.*

▸ ***paradoxal*** adj. Bizarre ; vois ***contradictoire.*** *C'est paradoxal de passer ses vacances à la mer quand on préfère la montagne.*

On écrit aussi *paraphe.*

parafe n. m.
Signature. *Le docteur Séverac a mis son parafe au bas de l'ordonnance.*

Attention ! deux *f.*

paraffine n. f.
Matière blanche et cireuse. *La paraffine sert à fabriquer des bougies.*

L'huile de paraffine est un laxatif.

Parages s'emploie toujours au pluriel.

parages n. m. plur.
J'entends des miaulements, le chat doit être dans les parages, dans les environs.

paragraphe n. m.
Morceau de texte qui commence et qui finit par un passage à la ligne. *Cette lettre comprend trois paragraphes.*

Conjugaison 57
▭ Indic. présent : *je parais, il paraît, nous paraissons.* Imparfait : *je paraissais.* Passé simple : *je parus.* Futur : *je paraîtrai.* — Subj. présent : *que je paraisse.*

Attention à l'accent circonflexe du *î* devant le *t* !

paraître v.
1. Se montrer, apparaître. *Un léger sourire parut sur les lèvres d'Angèle.* **2.** *Le livre de Sophie Pelletier va bientôt paraître,* il va bientôt être publié. *Ce journal paraît chaque jour,* il est en vente chaque jour. **3.** *Le docteur Séverac ne laisse pas souvent paraître ses sentiments,* il ne les montre pas. **4.** Sembler, avoir l'air. *Mme Hespel paraît contente de ses vacances. L'abbé Gauthier ne paraît pas son âge,* il fait plus jeune que son âge. **5.** *Il paraît qu'un parking va être construit sur la place de l'église,* on le dit. *Quand elle était jeune, Mme Bonnot était ravissante, paraît-il.*

Autres membres de la famille : **apparaître, comparaître, disparaître, disparu, parution, réapparaître, reparaître, transparaître.**

Attention ! deux *l* entre le *a* et le *è*.

parallèle adj., n. f. et n. m.

▭ **adj.** *Deux droites parallèles,* ce sont deux droites qui vont dans la même direction et qui ne se coupent jamais. *À Motbourg, la rue Jules-Ferry est parallèle à la rue Victor-Hugo.*

Les rails d'une voie ferrée sont parallèles.

▭ **n. f.** *Des parallèles,* ce sont des lignes qui vont dans la même direction et qui ne se coupent jamais. *« Soit deux parallèles x et y », dit le problème de géométrie.*

Les parallèles restent toujours à la même distance l'une de l'autre.

▭ **n. m. 1.** *Un parallèle,* c'est un cercle imaginaire d'un côté ou de l'autre de l'équateur. *Les parallèles mesurent la latitude. Montréal et Milan sont situés sur le même parallèle.* **2.** Comparaison entre deux choses. *Il est difficile d'établir un parallèle entre ces deux événements.*

Tandis que les méridiens mesurent la longitude.

▸ ***parallèlement*** adv. **1.** D'une manière parallèle. *Les quais courent parallèlement au fleuve.* **2.** En même temps. *Le frère d'Angèle travaille et suit des cours d'anglais parallèlement.*

Attention ! deux *l* entre le *a* et le *é*.

▸ ***parallélépipède*** n. m. Objet ayant six faces parallèles deux à deux. *Un cube est un parallélépipède.*

Une boîte à chaussures est un parallélépipède.

Attention ! deux *l* entre le *a* et le *é*.

▸ ***parallélogramme*** n. m. Figure géométrique qui a quatre côtés parallèles deux à deux. *Le rectangle et le losange sont des parallélogrammes.*

Conjugaison 1

paralyser v.

1. *Être paralysé,* c'est ne plus pouvoir bouger son corps ou une partie de son corps à cause d'une maladie ou d'un accident. *Cet homme est paralysé des jambes depuis son accident de voiture.* **2.** *Claire était paralysée par la peur,* elle ne pouvait plus bouger tellement elle avait peur. **3.** *Des embouteillages paralysent la circulation,* ils empêchent la circulation de se faire normalement.

On peut être aussi paralysé par le froid.

Une grève générale peut paralyser un pays.

▸ ***paralysé*** adj. Incapable de bouger. *Il a les deux jambes paralysées depuis son accident.* — n. *Les paralysés se déplacent dans de petites voitures conçues spécialement pour eux ;* vois ***paralytique.***

La paralysie est une maladie des nerfs, quelquefois des muscles.

▸ ***paralysie*** n. f. Maladie ou accident qui immobilise le corps ou une partie du corps. *Cette malade est atteinte de paralysie des membres inférieurs.*

La paralysie d'une moitié du corps s'appelle *hémiplégie.*

▸ ***paralytique*** n. m. et f. Personne qui, à la suite d'une maladie ou d'un accident, ne peut plus bouger. *Ce paralytique ne se plaint jamais de son sort.*

parapet n. m.

Petit mur qui empêche de tomber. *Il est dangereux de s'asseoir sur le parapet d'un pont.*

Il vaut mieux s'y accouder, c'est plus sûr !

Famille de **pluie**

Le tissu du parapluie est attaché à des *baleines.*

parapluie n. m.

Objet portatif formé d'un tissu imperméable et d'un manche, qui sert à se protéger de la pluie. *Angèle ouvre son parapluie. Mme Harpie s'abrite sous son parapluie.*

Un paparapluie
Prit le train pour Paris
En compagnie
D'une mamanrapluie
(P. Vincensini).

Parasite [paʀazit] rime avec *sinusite.*

parasite n. m.

1. Être qui vit sur ou dans le corps d'un autre et en tire sa nourriture. *Le pou est un parasite de l'homme.* — adj. *Le gui est une plante parasite.* **2.** Personne qui vit aux dépens des autres. *Mme Harpie s'arrange pour arriver chez sa sœur à l'heure du déjeuner : quel parasite ! ;* vois ***pique-assiette.*** **3.** *Les parasites,* ce sont les bruits qui perturbent les émissions de radio ou de télévision. *Je n'ai pas compris ce que disait le présentateur, il y avait des parasites.*

Les tiques et les puces sont les principaux parasites du chien.

Parasol [paʀasɔl] rime avec *boussole.*

parasol n. m.

Objet ressemblant à un grand parapluie et qui protège du soleil. *Mme Roussel est assise à l'ombre, sous un parasol.*

Compare *parasol, solaire* et *insolation* : il s'agit du **soleil.**

Attention ! deux *n* et deux *r*. Famille de **tonner**

paratonnerre n. m.

Tige de fer, fixée au toit et reliée au sol, qui protège des effets de la foudre. *Un paratonnerre a été installé sur le clocher de l'église de Motbourg.*

Le paratonnerre a été inventé par Benjamin Franklin.

Famille de **vent**

Compare *parapluie, parasol* et *paravent* : il s'agit de **protéger.**

paravent n. m.
Suite de panneaux articulés qui sert à isoler ou à protéger des courants d'air. *Dans la chambre d'Alex, il y a un lavabo caché par un paravent.*

[...] j'ai horreur des courants d'air. Vous n'auriez pas un paravent ? *(le Petit Prince).*

Parc [paʀk] rime avec *arc, barque* et *monarque.*

Le premier parc naturel a été créé en 1872 aux États-Unis : c'est le parc de Yellowstone.

À Marennes et à Arcachon, par exemple.

parc n. m.
1. Grand jardin dépendant d'un château ou grand jardin public. *Julie et Yasmina se sont donné rendez-vous dans le parc du château.* **2.** *Un parc naturel,* c'est une grande étendue de terrain où la végétation et les animaux sont protégés. *Les Séverac sont passés par le parc régional des Volcans d'Auvergne.* **3.** *Un parc à huîtres,* c'est un bassin où l'on élève les huîtres. *Les parcs à huîtres sont nombreux sur les côtes de l'Atlantique.* **4.** *Un parc de stationnement,* c'est un terrain réservé au stationnement des voitures ; vois ***parking.*** *M. Bellec a garé sa voiture dans le parc de stationnement.*

Un zoo est un *parc zoologique.*

Autres membres de la famille : **parcmètre, parquer.**

Famille de **part**

parcelle n. f.
1. Très petite partie. *Il n'y a pas une parcelle de vérité dans ce qu'a raconté Antoine.* **2.** *Une parcelle de terrain,* c'est un morceau de terrain. *Les enfants Séverac cultivent une parcelle du jardin.*

Ils ont planté des radis et des fraises.

Attention ! *parce que* s'écrit en deux mots.

parce que conjonction
Parce que exprime la cause. *Sylvain est content parce que Nathalie lui a écrit ;* vois ***car.*** *« Pourquoi es-tu en retard, Antoine ? — Parce que... parce qu'un éléphant bloquait la rue ! »*

Famille de **par,** de ② **ce** et de **que**

Quel menteur !

Le parchemin a remplacé le papyrus et plus tard le papier a remplacé le parchemin.

parchemin n. m.
Peau de mouton ou de chèvre spécialement préparée pour que l'on écrive dessus. *Au Moyen Âge, les moines écrivaient sur du parchemin.*

parcimonie n. f.
Avec parcimonie, en petites quantités. *Mme Harpie donne des bonbons à Antoine avec parcimonie,* elle lui en donne peu.

Prononce [paʀkmɛtʀ]. Famille de **parc**

parcmètre n. m.
Appareil qui mesure le temps de stationnement payant, pour les automobiles. *Denis Prost a mis six francs dans le parcmètre.*

Le prix d'une heure de stationnement n'est pas le même partout.

Conjugaison 11 ▭ Indic. présent : *je parcours, nous parcourons.* Imparfait : *je parcourais.* Futur : *je parcourrai.* — Subj. présent : *que je parcoure.*

parcourir v.
1. Aller partout. *Denis Prost a parcouru le monde entier,* il est allé dans toutes les parties du monde. *Cet été, Alex parcourra le Québec.* **2.** *Parcourir une distance,* c'est couvrir cette distance. *Ce train parcourt cinq cents kilomètres en trois heures ;* vois ***franchir.*** **3.** Lire rapidement. *M. Doucet a parcouru son journal dans l'autobus.*

Je me demande combien de kilomètres j'ai pu parcourir, dit-elle à haute voix. Je ne dois pas être loin du centre de la Terre *(Alice au Pays des merveilles).*

Attention ! un *s* à la fin.

▸ ***parcours*** n. m. Trajet. *Le train effectue son parcours en trois heures.*

On peut écrire aussi *par delà.*

Famille de **par,** de ① **de** et de **là**

par-delà préposition
Par rapport à la France, l'Espagne est par-delà les Pyrénées, de l'autre côté des Pyrénées.

Elle se rendit chez les sept nains par-delà les sept montagnes *(Blancheneige).*

Famille de **par** et même famille que **dessus**

pardessus n. m.
Manteau d'homme. *Denis Prost a enlevé son pardessus en arrivant.*

Attention ! deux *n* dans *pardonner* et *pardonnable.*

Conjugaison 1

pardonner v.
1. *Pardonner quelque chose à quelqu'un,* c'est ne pas lui en vouloir, ne pas lui en tenir rigueur. *La directrice de l'école n'a pas pardonné leur insolence à Colle et Rat. Elle ne leur pardonne pas d'avoir été insolents.* **2.** Excuser. *Pardonnez-moi, pourriez-vous me donner l'heure ?*

Faute avouée est à moitié pardonnée (proverbe).

Les pauvres enfants se mirent à genoux en lui demandant pardon ; mais ils avaient affaire au plus cruel de tous les Ogres *(le Petit Poucet).*

▸ ***pardon*** n. m. **1.** *Accorder son pardon à quelqu'un,* c'est lui pardonner. *Antoine a demandé pardon à sa mère.* **2.** *Pardon madame, pourriez-vous me dire l'heure ?,* excusez-moi.

C'est une formule de politesse.

▸ ***pardonnable*** adj. Qui peut être pardonné. *Le retard d'Antoine est bien pardonnable. Antoine est pardonnable,* on peut lui pardonner.

Autre membre de la famille : **impardonnable.**

Famille de **parer** et de ① **balle**

pare-balles n. m. invariable
Les policiers portent souvent des gilets pare-balles, des gilets qui protègent des balles.

Au pluriel : *des pare-brise.*
Famille de **parer** et de **brise**

pare-brise n. m. invariable

Grande vitre à l'avant d'un véhicule, qui protège du vent, de la pluie et des poussières. *M. Bellec a trouvé une contravention sur son pare-brise.*

Quand il pleut, les essuie-glaces essuient le pare-brise.

Au pluriel : *des pare-chocs.*

pare-chocs n. m. invariable

Partie en métal ou en plastique placée à l'avant et à l'arrière d'une voiture qui sert à protéger la carrosserie des chocs. *M. Bellec a enfoncé son pare-chocs arrière en reculant. On roulait pare-chocs contre pare-chocs,* très près les uns des autres en raison de la circulation.

Famille de **parer** et de **choc**

La lune se coucha environ une heure plus tard. Suivit une nuit noire et épaisse comme jamais pareille
(les Contes du Chat perché).

pareil adj. et n. m., pareille adj. et n. f.

▭ **adj. 1.** Semblable. *Les cahiers de Julie et de Yasmina sont pareils ;* vois ***identique.*** *Le cahier de Julie est pareil à celui de Yasmina.* **2.** *On n'a pas idée de déranger les gens à une heure pareille !,* si tôt ou si tard.

▭ **n. 1.** *Ne pas avoir son pareil,* c'est être unique. *Mme Roussel n'a pas sa pareille pour réussir la mousse au chocolat.* **2.** *Rendre la pareille,* c'est faire à quelqu'un ce qu'il vous a fait. *S'il m'accuse, je lui rendrai la pareille.*

Autre membre de la famille : **dépareillé.**

Les parents étaient maintenant bien heureux d'avoir retrouvé les deux petites filles qu'ils aimaient si tendrement, car c'étaient, au fond, d'excellents parents
(les Contes du Chat perché).

parent n. m., parente n. f.

1. *Les parents,* ce sont le père et la mère. *Sophie Pelletier et Denis Prost sont les parents de Julie et Martin.* **2.** Personne qui appartient à la famille. *Les Séverac ont reçu à dîner une de leurs parentes.*

▸ ***parenté*** n. f. *Les liens de parenté,* ce sont les liens qui unissent les personnes d'une même famille. *Il n'y a aucune parenté entre M. Bonnot et l'anarchiste Jules Bonnot,* ils n'ont pas d'ancêtre commun.

Autres membres de la famille : **apparenté, s'apparenter, beaux-parents, grands-parents, arrière-grands-parents.**

Attention ! un ***h*** après le ***t.***

On ouvre la parenthèse : (
On ferme la parenthèse :)

Ce sont des signes de ponctuation.

parenthèse n. f.

1. *Faire une parenthèse,* c'est dire quelque chose en passant. *Dans la conversation, Mme Séverac a fait une parenthèse pour nous expliquer comment elle avait rencontré son mari.* **2.** *Un mot entre parenthèses,* c'est un mot qui est mis entre deux signes qui indiquent qu'on peut comprendre le reste de la phrase même si on ne lit pas ce mot. *Dans la phrase « Nathalie est la sœur (jumelle) de David », jumelle est un mot mis entre parenthèses.*

Là, j'ouvre une parenthèse.
Je ne devrais pas...
distrait comme je le suis !
Chaque fois que j'ouvre une parenthèse,
j'oublie de la refermer !
(R. Devos).

Conjugaison 1

D'Artagnan pare tous les coups de ses adversaires.

parer v.

1. *Parer un coup,* c'est l'éviter. *Antoine a paré le coup de poing d'Yves.* **2.** *Se parer contre quelque chose,* c'est s'en protéger. *Avec son manteau de fourrure, Sophie Pelletier est parée contre le froid.* **3.** *Parer à quelque chose,* c'est y faire face. *Les sauveteurs ont d'abord paré au plus pressé.*

Autres membres de la famille : **imparable, ① parade, pare-balles, pare-brise, pare-chocs.**

Conjugaison 1

se parer v.

S'habiller avec recherche. *La princesse s'était parée de ses plus beaux atours pour aller au bal. Julie se pare devant la glace en minaudant.*

Autres membres de la famille : **apparat, déparer, ② parade, parader, parure.**

Attention ! un seul ***r*** et deux ***s*** dans *paresse, paresseux* et *paresser.*

paresse n. f.

Manque de disposition à faire des efforts, à travailler. *C'est à cause de sa paresse qu'Alex a échoué à son baccalauréat.*

▸ ***paresseux*** n. m., ***paresseuse*** n. f. Personne qui évite de faire des efforts, qui aime ne rien faire. *Alex est un paresseux.* — adj. *Julie est un peu paresseuse.*

— Gros paresseux de chat, lève-toi et viens te promener.
— Ronron, ronron, faisait le chat
(les Contes du Chat perché).

Conjugaison 1

▸ ***paresser*** v. Ne rien faire. *Dimanche, Julie a paressé au lit jusqu'à onze heures.*

Mais tous les bœufs ont leurs défauts, il n'y en a point de parfaits
(les Contes du Chat perché).

parfait adj.

1. Sans défaut, aussi bien que possible. *La rédaction d'Antoine était parfaite,* excellente. *Nul n'est parfait,* personne n'est irréprochable. **2.** Absolu. *Angèle croit au bonheur parfait ;* vois ***idéal.***

Un *parfait* est une glace très crémeuse.

Ne prononce pas le premier ***e*** : [paʀfɛtmɑ̃].

▸ ***parfaitement*** adv. D'une manière parfaite. *Yasmina savait parfaitement sa récitation,* très bien. *Angèle est parfaitement heureuse,* totalement.

Autre membre de la famille : ① **imparfait.**

Famille de **par** et de **fois**

Parfois même, le bœuf n'écoutait pas du tout, et l'attelage s'en allait de travers
(les Contes du Chat perché).

parfois adv.

À certains moments, dans certains cas ; vois ***quelquefois.*** *Parfois, le docteur Séverac rentre tard de ses visites. Mme Roussel va parfois dîner au restaurant Bellec avec son fils. Marie-Tévy est parfois gaie, parfois triste ;* vois ***tantôt.***

Le contraire de *parfois,* c'est *jamais, toujours.*

La ville de Grasse est spécialisée dans la fabrication des parfums.

parfum n. m.
1. Odeur agréable. *Les chats aiment beaucoup le parfum des roses et des œillets.* **2.** Liquide qui sent bon et que l'on met sur soi. *Mme Séverac s'est mis du parfum.* **3.** Goût. *Mme Harpie vend des glaces à tous les parfums.*

Ravageur avait beau promener son museau sur le sol, il ne retrouvait pas la trace du cerf. Le parfum de l'œillet, du jasmin, de la rose et du lilas, qui lui venait à pleines narines, lui masquait en même temps l'odeur de la bête *(les Contes du Chat perché)*.

Conjugaison 1

▸ ***parfumer*** v. **1.** Remplir d'une odeur agréable ; vois ***embaumer.*** *Sophie Pelletier a mis de la lavande dans son armoire pour parfumer le linge.* **2.** Mettre du parfum. *Mme Séverac parfume ses mouchoirs. — Elle s'est parfumée,* elle s'est mis du parfum.

▸ ***parfumerie*** n. f. Magasin où l'on vend du parfum et des produits de beauté. *Sophie Pelletier est une bonne cliente de la parfumerie de la rue Estienne.*

▸ ***parfumeur*** n. m., ***parfumeuse*** n. f. Personne qui tient une parfumerie. *La parfumeuse a vendu une crème de nuit à Angèle.*

pari n. m.
Jeu dans lequel on s'engage à donner quelque chose à la personne qui a raison. *Julie et Yasmina ont fait un pari.*

Conjugaison 7 ▭ Indic. imparfait : *nous pariions.* Futur : *nous parierons.*

▸ ***parier*** v. **1.** Faire un pari. *Julie parie un album de bandes dessinées avec Yasmina qu'elle arrivera la première.* **2.** Affirmer en étant sûr d'avoir raison. *Je te parie que demain Antoine sera en retard.*

▸ ***parieur*** n. m., ***parieuse*** n. f. Personne qui parie de l'argent sur les chevaux aux courses ; vois ***turfiste.*** *M. Bellec est un parieur malchanceux.*

Il n'a jamais gagné au tiercé.

La personne qui commet un parjure est elle-même appelée un *parjure.*

parjure n. m.
Faux serment. *Le faux témoin a commis un parjure,* il a juré de dire la vérité et il a menti.

Famille de ① **jurer**

Prononce [paʀkiŋ]. Ce mot est d'origine anglaise.

parking n. m.
Parc de stationnement pour les voitures. *M. Bellec a garé sa voiture dans un parking souterrain.*

Il y a des parkings payants et des parkings gratuits.

Famille de **parler**

Le cinéma parlant a été inventé en 1927.

parlant adj.
1. *Un film parlant,* c'est un film où l'on entend parler les acteurs. *De nos jours, tous les films sont des films parlants.* **2.** Qui n'a pas besoin d'être expliqué, d'être commenté. *Les élections ont été un triomphe, les chiffres sont parlants.*

Le contraire de *parlant,* c'est *muet.*

Attention ! toujours un ***P*** majuscule.

Parlement n. m.
Ensemble des personnes élues qui votent les lois. *En France, le Parlement est constitué par l'Assemblée nationale et le Sénat.*

Le Parlement détient le pouvoir législatif.

Compare : *parlement → parlementaire* et *supplément → supplémentaire.*

▸ ***parlementaire*** adj. et n. m. et f. **1.** adj. *Les débats parlementaires,* ce sont les débats qui ont lieu au Parlement. *La session parlementaire s'ouvre demain,* la période pendant laquelle le Parlement se réunit. **2.** n. m. et f. Membre du Parlement ; vois ***député, sénateur.*** *Le maire de Motbourg est aussi un parlementaire.*

Il est député.

Conjugaison 1

parlementer v.
Discuter avec l'adversaire pour arriver à un accord. *Le ministre a parlementé avec le chef des rebelles.*

Famille de **parler**

Conjugaison 1

Un chien qui parle ! Est-ce que j'aboie, moi ? (R. Devos).

Je ne vous parle plus, réplique Alphonse. Vous pouvez dire ce qu'il vous plaira. Je n'ouvrirai plus la bouche à de méchantes gens comme vous *(les Contes du Chat perché).*

parler v.
1. S'exprimer avec des mots. *Martin n'a que six mois, il ne sait pas encore parler. Mme Bonnot est enrhumée, elle parle du nez. Julie et Yasmina sont encore en train de parler* ; vois ***bavarder.*** *On a vu Angèle parler à un homme,* lui adresser la parole. *Parle-moi de ton aventure. Mme Bellec et Mme Roussel parlent de leur fils. — M. Doucet et Mme Harpie ne se parlent plus,* ils sont fâchés. **2.** *Parler une langue,* c'est pouvoir s'exprimer dans cette langue. *Le docteur Séverac parle parfaitement l'anglais. — L'espagnol se parle en Argentine.* **3.** *Parler de faire quelque chose,* c'est dire qu'on en a l'intention. *Hippolyte parle de faire le tour de Corse en voilier.* **4.** Avouer. *L'assassin a parlé : il a dénoncé son complice.*

Ce qui m'étonne, moi, c'est qu'à la maison on n'a pas encore parlé de vacances ! Les autres années, Papa dit qu'il veut aller quelque part, Maman dit qu'elle veut aller ailleurs, ça fait des tas d'histoires *(le Petit Nicolas).*

▸ ***parleur*** n. m. *Un beau parleur,* c'est une personne qui aime faire de belles phrases mais qui n'agit pas. *Il faut se méfier des beaux parleurs.*

Compare : *parler → parloir* et *isoler → isoloir.*

▸ ***parloir*** n. m. Salle où sont reçus les visiteurs dans un lycée, une prison. *Le prisonnier a eu un entretien avec son avocat dans le parloir.*

On peut écrire aussi *parlotte.*

▸ ***parlote*** n. f. Conversation sans intérêt. *Mme Harpie aime faire la parlote avec la mercière.*

Autres membres de la famille : **parlant, parlementer, pourparler, reparler, haut-parleur.**

Mowgli a grandi parmi les animaux de la jungle *(le Livre de la jungle).*

parmi préposition

Au milieu de. *J'ai reconnu Denis Prost parmi les invités. Les maisons sont disséminées parmi les arbres,* au milieu des arbres, entre les arbres.

parodie n. f.

Imitation amusante. *L'imitateur faisait une parodie du discours du président de la République.*

Conjugaison 7 ▭ Indic. présent : *je parodie.* Imparfait : *nous parodiions.*

▸ **parodier** v. Imiter une œuvre ou un auteur d'une manière comique. *L'imitateur s'amusait à parodier les hommes politiques les plus célèbres.*

paroi n. f.

1. Mur léger qui sert de séparation à l'intérieur d'une maison, ou face intérieure d'un mur. *Les Séverac ont fait abattre une paroi entre le salon et la salle à manger ;* vois **cloison.** *Les parois de la caverne étaient recouvertes de fresques.* **2.** Surface intérieure d'un récipient. *Du tartre s'est déposé sur les parois de la bouilloire.* **3.** Face verticale d'un rocher, d'une montagne. *Les alpinistes gravissent la haute paroi rocheuse.*

Attention ! deux *s* dans *paroisse, paroissial* et *paroissien.*

paroisse n. f.

Circonscription ecclésiastique où s'exerce le ministère d'un curé ou d'un pasteur. *L'abbé Gauthier est le curé de la paroisse Sainte-Marie.*

▸ **paroissial** adj. De la paroisse. *L'abbé Gauthier dit la messe dans l'église paroissiale.*

Compare : *paroisse → paroissial* et *province → provincial.*

▸ **paroissien** n. m., **paroissienne** n. f. Personne qui dépend d'une paroisse. *L'abbé Gauthier est monté en chaire pour s'adresser à ses paroissiens.*

parole n. f.

Je vous donne pour don, poursuivit la Fée, qu'à chaque parole que vous direz, il vous sortira de la bouche ou une fleur ou une pierre précieuse *(les Fées).*

Des paroles en l'air ne sont pas sérieuses.

Un *homme de parole,* c'est un homme sur qui l'on peut compter.

1. Faculté de communiquer par le langage. *Qu'as-tu Julie, as-tu perdu la parole ?,* es-tu devenue muette ? *Mme Harpie n'adresse plus la parole à sa sœur,* elle ne lui parle plus. *Mme Hespel a pris la parole à la réunion de travail. Julie a coupé la parole à Angèle,* elle l'a interrompue. **2.** Mot ou phrase que l'on prononce. *Denis Prost n'entendait que des paroles flatteuses sur son passage. L'abbé Gauthier a prononcé des paroles de bienvenue.* **3.** Texte. *Julie ne se souvient plus des paroles de la chanson.* **4.** Engagement, promesse sur l'honneur. *Antoine a donné sa parole qu'il serait à l'heure cette fois-ci. Il faut tenir parole,* faire ce que l'on a promis.

Autre membre de la famille : **porte-parole.**

On dit que Clovis a prononcé ces paroles historiques : « Souviens-toi du vase de Soissons. »

Vous m'avez battu sans raison, mais parole de chat, vous vous repentirez ! *(les Contes du Chat perché).*

Attention au *y* de *paroxysme* !

paroxysme n. m.

Le plus haut point. *Les enfants, au paroxysme de la joie, applaudissaient les clowns.*

Conjugaison 1

parquer v.

1. *Parquer des animaux,* c'est les mettre dans un parc. *Pierre Séverac a parqué les moutons.* **2.** *Parquer une voiture,* c'est la ranger dans un parc de stationnement. *On peut parquer sa voiture près du restaurant Bellec ;* vois **garer.**

Famille de **parc**

parquet n. m.

Sol recouvert de lattes de bois assemblées ; vois **plancher.** *Les salles de bal du château ont des parquets cirés.*

Attention ! deux *r.*

parrain n. m.

Personne qui s'engage le jour du baptême d'un enfant à l'aider et à le protéger. *Yves a écrit à son parrain et à sa marraine.*

Cet enfant est le *filleul* de son parrain et de sa marraine.

Famille de **par** et de **semer**

parsemé adj.

Couvert çà et là. *Le ciel est parsemé d'étoiles,* des étoiles brillent par endroits.

part n. f.

Se tailler la part du lion, c'est s'attribuer la plus grosse part, celle du plus fort.

1. Morceau. *Julie doit couper le gâteau en douze parts.* **2.** *Tous les enfants ont pris part aux préparatifs de la fête,* ils y ont participé. *Les amis de Sophie Pelletier ont pris part à son chagrin,* ils s'y sont associés. *Pour sa*

Faire la part des choses, c'est être conciliant.

part, Angèle ne croit pas du tout aux extra-terrestres, personnellement, en ce qui la concerne. **3.** *M. et Mme Bastiani nous ont fait part du mariage de leur fils Lucien,* ils nous l'ont annoncé. **4.** *Qui n'a pas payé sa part ?,* ce que chacun, dans un groupe, doit donner. **5.** Quantité. *Martin a bu une bonne part de son biberon. Une grande part des enfants sait déjà nager,* un grand nombre ; vois ***partie.*** **6.** *On demande Mme Hespel au téléphone. — C'est de la part de qui ?,* qui la demande ? *Ce serait gentil de ta part d'écrire un mot à ton parrain, Yves,* tu serais gentil de le faire. *Il y a un talus de part et d'autre de la route,* des deux côtés. **7.** *Ce chemin ne mène nulle part,* en aucun lieu. *Mamie Lou ne trouve ses lunettes nulle part,* elle ne les trouve en aucun endroit. *Ce magasin est fermé, allons autre part,* ailleurs. *Je vous ai déjà rencontré quelque part,* dans un lieu dont je ne me souviens plus. **8.** *Marie-Tévy restait un peu à part dans la cour,* un peu à l'écart. *Le docteur Séverac a pris son fils à part pour lui parler,* il l'a pris en particulier. *À part quelques brumes, le matin, il fait très beau,* sauf les brumes, si on ne les compte pas.

Occuper une place à part, c'est avoir une place spéciale, différente de celle des autres.

Autres membres de la famille : en **aparté** ; **compartiment** ; **départager** ; **faire-part** ; **parcelle** ; **parti, partial, partialité, impartial, impartialité, partisan** ; **participer, participation, participant, participe** ; **particule** ; **particulier, particulièrement, particularité,** se **particulariser** ; ① **partie, partiel, partiellement** ; ② **partie,** en **contrepartie** ; **partition** ; la **plupart** ; **quote-part** ; **répartir, répartition** ; **séparer** ; **séparation, séparément, inséparable.**

▸ ***partage*** n. m. Division en parts, répartition. *Antoine a eu une bonne part dans le partage. Yves lui a donné en partage les plus belles billes,* comme part dans ce partage.

Un meunier ne laissa pour tous biens à trois enfants qu'il avait que son moulin, son âne et son chat. Les partages furent bientôt faits *(le Chat botté).*

▸ ***partager*** v. **1.** Diviser en parts. *Julie a partagé le gâteau entre ses invités.* **2.** *Yves a partagé ses billes avec Antoine,* il lui en a donné une partie. *À l'hôtel, Alex et Réjean partageaient la même chambre,* ils occupaient la même chambre. *Le docteur Séverac ne partage pas les opinions politiques de sa femme,* il n'a pas les mêmes.

Conjugaison 3

en partance adv.

Famille de **partir**

L'avion en partance pour Marseille est sur la piste, l'avion à destination de Marseille, qui va partir pour Marseille.

partant n. m., partante n. f.

Famille de **partir**

Concurrent au départ d'une course. *Il y a deux favoris parmi les vingt partants de la troisième course.*

partenaire n. m. et f.

Personne avec qui l'on est allié contre d'autres joueurs. *Denis Prost et sa partenaire ont gagné le tournoi de tennis.*

Le contraire de *partenaire,* c'est *adversaire.*

parterre n. m.

Famille de **par** et de **terre**

Partie d'un jardin ou d'un parc où l'on a planté des fleurs ou de petits arbres de façon régulière. *Le jardinier du château taille les ifs des parterres.*

parti n. m.

Famille de **part**

1. Organisation qui regroupe ceux qui ont les mêmes opinions politiques. *Les partis de l'opposition ont appelé à une manifestation.* **2.** *Antoine a pris le parti des filles,* il a défendu leur opinion. *Mme Roussel a pris le parti d'accompagner les Bellec en Bretagne,* elle s'y est décidée. *Il n'y a rien à faire, il faut en prendre son parti,* s'y résigner. *Mme Harpie parle de M. Doucet avec parti pris,* avec une idée préconçue ; vois ***préjugé.*** **3.** *Antoine a su tirer parti des conseils de sa mère,* il a su les utiliser.

Ne confonds pas *parti* et *partie.*

Si elles ne peuvent pas faire leur problème, eh bien ! que voulez-vous, elles ne peuvent pas. Le mieux est d'en prendre son parti *(les Contes du Chat perché).*

Elle est *de parti pris.*

▸ ***partial*** adj. *Une personne partiale,* c'est une personne qui prend parti sans souci de justice ni de vérité. *Un juge ne doit pas être partial.*

Partial [paʀsjal] rime avec *commercial.* Au masculin pluriel : *partiaux.*

Le contraire de *partial,* c'est *impartial.*

▸ ***partialité*** n. f. Attitude d'une personne qui juge avec parti pris. *L'arbitre qui avait fait preuve de partialité a été hué.*

Le contraire de *partialité,* c'est *impartialité.*

participer v.

Conjugaison 1

Participer à quelque chose, c'est y prendre part. *Tous les enfants ont participé aux préparatifs de la fête.*

Participer aux frais, c'est payer sa part.

Famille de **part**

▸ ***participation*** n. f. Action de participer. *Angèle, l'institutrice, a remercié les enfants de leur participation,* de leur aide.

▸ ***participant*** n. m., ***participante*** n. f. Personne qui participe à quelque chose. *Les participants à la course sont-ils prêts ?,* ceux qui participent à la course.

Les participants aux jeux Olympiques sont des sportifs amateurs.

▸ ***participe*** n. m. Vois l'encadré ci-dessous.

le participe

■ Le **participe** est un mode du verbe qui ne varie pas selon la personne.

■ Le **participe présent** est la forme du verbe terminée par *-ant*.
Le participe présent de *parler* est ***parlant ;*** celui de *savoir* est ***sachant.***
Le participe présent est une forme invariable :
*Les enfants **parlant** tous ensemble, on n'entendait rien.*

■ Le **participe passé** est la forme que prend le verbe quand il est conjugué avec l'auxiliaire *avoir* ou l'auxiliaire *être.*
Le participe passé de *parler* est *parlé* : *J'ai **parlé.***
Le participe passé de *savoir* est *su* : *J'ai **su.** Cette leçon est **sue.***

■ **Accord du participe passé**
Quand le participe passé est employé avec *être,* il est accordé avec le sujet :

*Alex est **parti.***
*Les garçons sont **partis.***
*Les filles sont **parties.***

Quand le participe passé est employé avec *avoir,* on cherche d'abord s'il y a un complément d'objet direct.
1. S'il n'y a pas de complément d'objet direct ou s'il y en a un et qu'il est placé après le verbe, alors le participe passé ne s'accorde pas :

*Les filles ont **gagné.***
*Les filles ont **gagné** la partie.*

2. S'il y a un complément d'objet direct et qu'il est placé avant le verbe, alors le participe passé s'accorde avec le complément d'objet direct :

*La première partie, ce sont les filles qui l'ont **gagnée.***

Conjugaison 1

se ***particulariser*** v.
Se distinguer des autres par quelque chose de spécial ; vois *se **singulariser.*** *Alex se particularise par une coupe de cheveux extravagante.*

Même famille que **particulier**

Même famille que **particulier**

particularité n. f.
Caractère particulier qui rend unique en son genre. *Les hiboux ont la particularité d'avoir une aigrette.*

Famille de **part**

L'électron, le neutron et le proton sont des particules.

particule n. f.
1. Très petit élément. *L'atome est constitué de particules.* **2.** La préposition *de* placée devant un nom de famille. *La comtesse de Ségur avait un nom à particule.*

Compare *particule* et *monticule* : il s'agit de quelque chose de **petit.**

Famille de **part**

Tintin a un signe particulier : une houppe de cheveux.

particulier adj. et n. m., ***particulière*** adj. et n. f.
▭ **adj. 1.** Qui ne ressemble à rien d'autre. *Loïc aime la lumière particulière de l'aube en mer ;* vois ***propre.*** **2.** Qui ne concerne qu'une personne ou qu'une chose ; vois ***spécial.*** *Ceci est un cas particulier. Mme Roussel et Loïc se sont parlé en particulier,* seule à seul, en privé. *Marie-Tévy a eu besoin de leçons particulières,* de leçons pour elle toute seule. **3.** *Sylvain est un bon élève, en particulier en physique,* spécialement en physique, surtout en physique.
▭ **n.** Personne seule, qui ne fait pas partie d'un groupe, qui agit en son nom propre. *Angèle a acheté sa voiture à un particulier.*
▸ ***particulièrement*** adv. **1.** Surtout, spécialement. *Hippolyte est coquet, il aime particulièrement les chaussures.* **2.** D'une manière extraordinaire. *Il a particulièrement plu cette année à la ferme.*

Va voir aussi ***particularité.***

Le contraire de *particulier,* c'est *collectif.*

Elle n'a pas eu affaire à un garage.

Famille de **part**

① ***partie*** n. f.
1. Morceau. *Angèle n'a raconté qu'une partie de l'histoire. Le jardin était en partie dans l'ombre,* partiellement. **2.** *Yves fait partie de la chorale,* il

Ne confonds pas *partie* et *parti.*

est au nombre des membres de la chorale. **3.** Domaine particulier ; vois ***branche.*** *La cuisine, c'est sa partie.*

▸ ***partiel*** adj. Pas complet. *On n'a encore que les résultats partiels des élections.*

Partiel [paʀsjɛl] rime avec *ciel.*

Compare : *partiel → partiellement* et *actuel → actuellement.*

▸ ***partiellement*** adv. D'une manière incomplète. *Denis Prost et Sophie Pelletier ont partiellement remboursé leur emprunt,* ils en ont remboursé une partie.

Le contraire de *partiellement,* c'est *intégralement.*

Famille de **part**

② ***partie*** n. f.
1. Personne engagée dans un procès. *L'avocat de la partie adverse est arrivé en retard.* **2.** *Prendre quelqu'un à partie,* c'est s'en prendre à lui, l'insulter. *Mme Harpie prenait les passants à partie.*

Avoir affaire à forte partie, c'est avoir affaire à un adversaire redoutable.

Pendant tout le temps que dura la partie, la Reine n'arrêta pas de se disputer avec les autres joueurs *(Alice au Pays des merveilles).*

③ ***partie*** n. f.
Durée d'un jeu jusqu'à ce qu'il y ait un gagnant. *Denis Prost et Sophie Pelletier font une partie d'échecs. Claire et David ont fait des parties de cartes toute l'après-midi. Colle et Rat n'ont pas fait de bêtises aujourd'hui, mais ce n'est que partie remise,* ils en feront dès qu'ils le pourront.

Conjugaison 16 ▭ Indic. présent : *je pars, nous partons.* Imparfait : *je partais.* Futur : *je partirai.* — Impératif présent : *pars, partez.* — Participe passé : *parti.*

partir v.
1. S'en aller, quitter un endroit. *Antoine est parti à pied. Denis Prost part pour Londres. Réjean est parti travailler à la baie James. Alex veut partir en vacances. Le train est parti il y a dix minutes. Le bateau partira d'Anvers,* Anvers sera son point de départ. **2.** *L'affaire est mal partie,* elle a mal commencé. **3.** Être lancé. *Le coup de feu est parti,* il s'est produit. **4.** Disparaître. *La tache n'est pas partie au lavage.* **5.** *La bibliothèque est ouverte à partir de 10 h,* dès ce moment. *Nous avons eu de la pluie sur la route à partir d'Amiens,* depuis cet endroit.

Le canard partit d'un bon pas sans se retourner et, comme la terre est ronde, il se retrouva au bout de trois mois à son point de départ *(les Contes du Chat perché).*

Autres membres de la famille : **départ,** en **partance, partant, repartir.**

Le féminin s'emploie rarement. Famille de **part**

partisan n. m., ***partisane*** n. f.
1. Personne qui prend parti. *C'est un partisan du socialisme.* — adj. *M. Bellec est partisan des solutions énergiques.* **2.** n. m. Combattant volontaire qui fait partie, en temps de guerre, d'une armée irrégulière ; vois ***franc-tireur.*** *M. Bonnot faisait partie d'un groupe de partisans pendant la Deuxième Guerre mondiale.*

Le contraire de *partisan,* c'est *adversaire.*

Va voir aussi ***maquisard.***

Partition [paʀtisjɔ̃] rime avec *pension.*

partition n. f.
Morceau de musique écrit. *Le chef d'orchestre dirigeait sans partition,* de mémoire.

Famille de **part**

Famille de **par** et de ① **tout**

partout adv.
Dans tous les endroits. *Mamie Lou a cherché ses lunettes partout. Partout où ils passent, Colle et Rat sèment le désordre.*

Famille de se **parer**

parure n. f.
1. Ensemble de très beaux vêtements. *Les dames de la cour portaient leurs plus belles parures.* **2.** Bijoux assortis. *Cette parure en perles comprend un diadème, un collier et des boucles d'oreilles.*

Comme il était fête ce jour,
Elle avait pris une riche parure
Et ses superbes vêtements
(Peau d'Âne).

Parution [paʀysjɔ̃] rime avec *discussion.* Famille de **paraître**

parution n. f.
Moment où un livre est publié ; vois ***sortie.*** *Mme Séverac a lu le roman écrit par Sophie Pelletier dès sa parution,* dès qu'il a été publié ; vois ***publication.***

L'année de parution du premier album de *Tintin* est 1929.

Conjugaison 22 ▭ Indic. présent : *je parviens, nous parvenons.* Imparfait : *nous parvenions.* Futur : *je parviendrai, nous parviendrons.* — Subj. présent : *qu'il parvienne, que nous parvenions.*

parvenir v.
1. Arriver. *La lettre de Sylvain est parvenue à Nathalie au bout de deux jours. Un cri parvint soudain à ses oreilles.* **2.** *Marie-Tévy est si fatiguée qu'elle parvient à peine à ouvrir les yeux ;* vois ***réussir.*** **3.** *Les tomates sont parvenues à maturité,* elles sont arrivées à maturité.

Famille de **venir**

▸ ***parvenu*** n. m., ***parvenue*** n. f. Personne qui est devenue riche très rapidement et qui montre de façon grossière qu'elle a beaucoup d'argent. *Les parvenus portent des bijoux très chers et très voyants.*

Dans *les Vacances,* les Tourneboule, avec leur air hautain, ont l'air de parvenus.

Parvis [paʀvi] rime avec *vie.*

parvis n. m.
Sorte d'esplanade, devant la façade d'une église ou d'une cathédrale. *Les photographes attendent les mariés sur le parvis de l'église.*

Au Moyen Âge, on jouait des pièces de théâtre sur le parvis des cathédrales.

Famille de **passer**

① ***pas*** n. m.
1. Action de mettre un pied devant l'autre pour avancer. *Yves a fait ses premiers pas dans le square,* il a posé un pied devant l'autre pour marcher. *Julie s'approche de sa mère à pas de loup,* sans faire de bruit. *Le funambule avance pas à pas sur son fil,* lentement, avec précaution. **2.** Trace laissée par un pied humain. *Mamie Lou a vu des pas dans la neige, derrière la*

Enfermés dans le temple du Soleil, Tintin et le capitaine Haddock font les cent pas dans leur prison.

Tout d'un coup, ils sursautèrent. On entendait comme le bruit d'un pas lourd ; la vaisselle en tremblait dans le buffet *(les Contes du Chat perché).*

maison. *Sylvain est revenu sur ses pas, pour regarder la vitrine de la librairie.* **3.** Longueur d'un pas. *L'école est à deux pas d'ici,* tout près d'ici. **4.** *Le pas,* c'est la façon de marcher. *Angèle marche d'un bon pas. Pressons le pas, nous sommes en retard !* **5.** *Le pas de la porte,* c'est l'entrée d'une maison. *Le chien s'est couché sur le pas de la porte ;* vois ***seuil.*** **6.** *On ne peut plus visser cet écrou, le pas de vis est faussé,* la rainure en spirale qui entoure une vis.

Les soldats marchent au pas : une, deux ! une, deux !

Au pas, au trot, au galop !

② pas adv. de négation

Ne... pas sert à exprimer la négation. *Claire ne veut pas manger sa viande. Marie-Tévy n'arrive pas à se lever le matin.*

Non, non, ma fille tu n'iras pas danser (chanson).

Autre membre de la famille : **n'est-ce pas ?**

passable adj.

Famille de **passer**

Acceptable. *5 sur 10 est une note passable,* ni bonne ni mauvaise ; vois ***moyen.***

passage n. m.

Famille de **passer**

1. *Nathalie guette le passage du facteur,* elle guette le moment où le facteur va passer. *Va chez le boucher et achète du pain au passage à la boulangerie,* en passant devant la boulangerie. *Loïc est de passage à Motbourg,* il est venu passer quelques jours à Motbourg. **2.** *Sylvain a été reçu à son examen de passage,* l'examen qui permet de passer dans la classe supérieure. **3.** Endroit par où quelqu'un ou quelque chose passe. *Colle et Rat essaient de barrer le passage à Angèle. Le passage à niveau est fermé,* l'endroit aménagé pour permettre aux voitures de croiser une voie ferrée sans danger. **4.** Morceau d'un texte ou d'un film. *David relit dans « le Petit Prince » l'un de ses passages préférés.*

Tintin et le capitaine Haddock coupent par les rochers pour surprendre au passage les Indiens qui ont enlevé Zorrino.

Il faut traverser dans le passage clouté !

À la gare, on prend le *passage souterrain* pour passer d'un quai à l'autre.

① passager n. m., **passagère** n. f.

Famille de **passer**

Personne transportée à bord d'une voiture, d'un avion ou d'un bateau. *L'équipage de l'avion souhaite la bienvenue aux passagers.*

② passager adj.

Famille de **passer**

Qui ne dure pas longtemps ; vois ***court, éphémère.*** *Yves a eu une douleur passagère dans le genou.*

Le contraire de *passager,* c'est *durable, tenace.*

① passant n. m., **passante** n. f.

Famille de **passer**

Personne qui passe dans la rue. *Colle et Rat jettent de l'eau sur les passants.*

② passant n. m.

Famille de **passer**

Petit morceau de tissu cousu verticalement sur un vêtement à l'endroit de la taille. *Julie enfile une ceinture dans les passants de son pantalon.*

passe n. f.

Famille de **passer**

1. *Le mot de passe,* c'est le mot secret qu'il faut savoir pour pouvoir passer. *Le soldat a dit le mot de passe à la sentinelle.* **2.** *Le footballeur fait une passe à son partenaire,* il lui passe la balle. **3.** *Denis Prost est en passe de devenir célèbre,* il est sur le point de le devenir. *Depuis quelque temps, les Bellec traversent une mauvaise passe,* une période d'ennuis.

Le mot de passe est « Kih-Oskh et Rawhajpoutalah » *(Tintin).*

Quand on est dans une période de chance, *on traverse une bonne passe.*

passé n. m.

1. Ce qui existait autrefois, ce qui est arrivé avant maintenant. *Mamie Lou parle toujours du passé avec nostalgie.* **2.** Vois l'encadré ci-dessous.

L'expérience du passé le rendait de plus en plus circonspect pour le présent et l'avenir *(Michel Strogoff).*

Famille de **passer**

le passé

- Les **temps du passé** sont les temps du verbe qui indiquent que l'action ou l'état exprimé par le verbe se situe dans le passé.
- À l'indicatif, les trois temps du passé les plus utilisés sont l'**imparfait,** le **passé composé** et le **passé simple.**
  - Pour l'imparfait, va voir ***imparfait.***
  - Le **passé simple** indique qu'une action est terminée et n'a pas duré longtemps : *Yves* ***claqua*** *la porte et* ***partit.***
  - Le **passé composé** indique qu'une action a eu lieu. Parfois elle n'est pas terminée : *Yasmina a* ***travaillé*** *toute la matinée, et elle* ***travaille*** *encore.*

passe-droit n. m.

Au pluriel : *des passe-droits.*

Faveur qui est accordée à quelqu'un et lui permet de faire quelque chose qui est interdit. *Le maire de Motbourg n'aime pas accorder des passe-droits.*

Famille de **passer** et de ③ **droit**

Au pluriel : *des passe-montagnes.*

passe-montagne n. m.
Sorte de bonnet qui enveloppe complètement la tête et le cou en ne laissant voir que le visage ; vois ***cagoule.*** *En hiver, Claire met un passe-montagne.*

Famille de **passer** et de **mont**

Au pluriel : *des passe-partout.*

passe-partout n. m. invariable
Clé servant à ouvrir plusieurs serrures. *À l'hôtel, la femme de chambre a un passe-partout.*

Famille de **passer,** de **par** et de ① **tout**

Famille de **passer**

passe-passe n. m. invariable
Le prestidigitateur fait des tours de passe-passe, il fait disparaître des objets et les fait réapparaître ailleurs ou sous une autre forme.

Famille de **passer** et de ① **port**

passeport n. m.
Livret dans lequel sont inscrits le nom, l'adresse et la nationalité d'une personne, et qui permet d'aller à l'étranger. *Le douanier met un tampon sur le passeport du docteur Séverac.*

Pour aller dans les pays du Marché commun, il suffit d'avoir une *carte d'identité.*

Conjugaison 1

Les bêtes sauvages passaient devant elle en bondissant mais elles ne lui faisaient pas de mal *(Blancheneige).*

passer v.
1. Avancer sans s'arrêter. *Les vaches regardent passer les trains.* **2.** Venir dans un lieu et y rester très peu de temps. *Antoine est passé voir Marie-Tévy.* **3.** *Les Séverac sont passés par l'Auvergne pour aller à Sarlat,* ils l'ont traversée à un moment de leur trajet. **4.** *Le café passe goutte à goutte,* il traverse le filtre. **5.** *Ce film passe demain à la télévision,* il est projeté sur l'écran. *Julie est passée à la radio.* **6.** Être accepté, admis. *Sylvain passera en quatrième à la rentrée.* **7.** Aller. *Voulez-vous passer à table ?* **8.** *Déjà huit heures ! comme le temps passe !,* comme le temps s'écoule vite ! *Les vacances ont passé trop vite.* **9.** Disparaître, partir. *Ce n'est rien, la douleur va passer.* **10.** *David a dû passer un examen pour entrer en sixième,* il a dû en subir les épreuves. **11.** *Mme Harpie a passé la soirée chez elle,* elle était chez elle pendant toute la soirée. **12.** *Mamie Lou n'aime pas passer l'aspirateur,* l'utiliser. **13.** *Claire passe toujours le même disque,* elle le fait jouer. **14.** Donner. *Passez-moi une cigarette.*

▸ *se* **passer** v. **1.** Se produire, avoir lieu. *L'histoire se passe en l'an 2000. Il se passe des choses étranges dans le château de Motbourg.* **2.** *S'il n'y a plus de pain, on s'en passera,* on vivra sans.

On croit que c'est facile
de ne rien faire du tout
au fond c'est difficile
c'est difficile comme tout
il faut passer le temps
c'est tout un travail
c'est un travail de titan
(Prévert).

[...] elle était occupée à raconter à sa Marraine tout ce qui s'était passé au Bal *(Cendrillon).*

Il est passé par ici, il repassera par là (chanson).

Autres membres de la famille : **dépasser, dépassé, dépassement ; impasse ; laissez-passer ;** ① **pas, passable ; passage,** ① **et** ② **passager ;** ① **et** ② **passant ; passe ; passé ; passe-droit ; passe-montagne ; passe-partout, passe-passe ; passeport ; passerelle ; passe-temps ; passeur ; passoire ;** ① **repasser ;** ② **repasser, repassage ;** ③ **repasser, surpasser ; trépasser, trépas.**

L'alouette, l'hirondelle et la grive font partie de la famille des passereaux.

passereau n. m.
Les passereaux, ce sont des oiseaux de petite taille qui vivent dans les arbres où ils construisent des nids très bien faits. *Le moineau est un passereau.*

C'est un des plus importants groupes d'oiseaux ; il comprend 12 000 espèces.

Attention ! deux *s* et un seul *r.*
Les passerelles sont souvent en métal.

passerelle n. f.
1. Pont étroit réservé aux piétons. *M. Doucet a pris la passerelle pour traverser la voie ferrée.* **2.** Escalier qui permet d'accéder à un avion ou à un bateau. *Les mécaniciens enlèvent la passerelle avant le décollage.* **3.** *Le commandant est sur la passerelle du bateau,* la plate-forme qui se trouve au-dessus des cabines.

Famille de **passer**
Le couloir couvert par lequel on accède parfois à l'avion est une *passerelle télescopique.*

Au pluriel : *des passe-temps.*

passe-temps n. m. invariable
La lecture est le passe-temps favori de Sylvain, ce qu'il aime le plus faire pour passer le temps.

Famille de **passer** et de ① **temps**

passeur n. m., **passeuse** n. f.

Famille de **passer**

1. Personne qui fait traverser une étendue d'eau quand il n'y a pas de pont. *Le passeur nous a fait traverser la rivière dans sa barque.* **2.** Personne qui fait passer une frontière aux gens qui ne sont pas en règle. *Pendant la nuit, le passeur les a conduits en Suisse.*

Dans la mythologie grecque, le passeur Charon faisait traverser le Styx, le fleuve des Enfers, aux âmes des morts.

passible adj.
M. Bellec est passible d'une amende, car il a brûlé un feu rouge, il mérite d'avoir une amende.

Va voir *voix passive* ou *verbe au passif* à **voix.**

Autre membre de la famille : **passivement.**

passif adj.
Quelqu'un de passif, c'est quelqu'un qui ne réagit pas. *Marie-Tévy est une élève trop passive. Au lieu de rester passif devant l'incendie, Hippolyte a alerté les pompiers.*

Le contraire de *passif,* c'est *actif.*

① **passion** n. f.

Cette plante a de grandes fleurs en forme d'étoile.

Le fruit de la passion, c'est le fruit d'une plante tropicale qui pousse surtout en Amérique. *Sylvain mange un sorbet aux fruits de la passion.*

Le fruit de la passion a un goût acidulé.

② **passion** n. f.

Roméo et Juliette s'aimaient avec passion.

1. Amour très intense. *Hippolyte éprouve de la passion pour Angèle.* **2.** *Alex a la passion des voyages,* il aime beaucoup voyager et il le fait très souvent.

Le contraire de *passion,* c'est *haine.*

Attention ! deux *n* dans *passionner, passionnant, passionné* et *passionnément.*

▹ **passionner** v. Intéresser très vivement. *Ce film a passionné les enfants ;* vois **captiver, enthousiasmer.** — *Sylvain se passionne pour les plantes et les animaux,* il s'y intéresse beaucoup.

Conjugaison 1

▹ **passionnant** adj. Très intéressant. *Mamie Lou raconte une histoire passionnante ;* vois **captivant, palpitant.**

Le contraire de *passionnant,* c'est *ennuyeux.*

▹ **passionné** n. m., **passionnée** n. f. *Marie-Tévy est une passionnée de ski,* elle aime beaucoup le ski.

▹ **passionnément** adv. *Hippolyte aime passionnément Angèle,* il l'aime d'un amour très intense.

Famille de **passif**

passivement adv.

Le prisonnier suivait passivement ses gardiens, sans réagir.

Compare : *passer → passoire* et *écumer → écumoire.*

passoire n. f.

Récipient percé de trous qui laisse passer le liquide. *M. Doucet égoutte les pâtes dans la passoire.*

Famille de **passer**

pastel n. m.

Le pastel est fait d'une pâte colorée et durcie.

1. Sorte de crayon de couleur en forme de bâtonnet. *Sylvain a fait un portrait au pastel.* **2.** Œuvre faite au pastel. *Il y a une collection de pastels au musée de Motbourg.* **3.** *Une couleur pastel,* c'est une couleur douce et claire. *Claire a mis ses gants rose pastel.*

Le peintre Degas est célèbre pour ses pastels.

pastèque n. f.

Les pastèques poussent dans les pays chauds.

Gros fruit rond ou ovale dont la peau est lisse et verte et la chair rose. *La pastèque est un fruit très rafraîchissant.*

Les pastèques sont plus grosses que les melons.

pasteur n. m.

Les pasteurs ont le droit de se marier.

Personne qui dirige la cérémonie du culte, dans la religion protestante. *Au temple, les fidèles écoutent le pasteur lire la Bible.*

Conjugaison 1

pasteuriser v.

Pasteuriser un liquide, c'est le chauffer à haute température puis le refroidir brusquement pour détruire les microbes qu'il contient et augmenter ainsi la durée de sa conservation. *Julie boit du lait pasteurisé.*

C'est le savant Louis Pasteur qui a mis au point cette méthode vers 1860.

Pastille [pastij] rime avec *bille.*

pastille n. f.

Petit bonbon rond et plat. *Mme Séverac suce des pastilles contre la toux.*

Va voir aussi ***cachet, comprimé, pilule.***

Pastis [pastis] rime avec *saucisse.*

pastis n. m.

Boisson à l'anis qui contient de l'alcool. *M. Bellec remet de l'eau fraîche dans son pastis.*

patate n. f.

1. *La patate douce,* c'est le tubercule, au goût sucré et agréable, d'une plante vivace des pays chauds. *La patate douce, cultivée dans les pays tropicaux, est moins nourrissante que la pomme de terre.* **2.** Pomme de terre. *Yves déteste éplucher les patates.*

On dit aussi *patate.*

C'est familier de dire *patate* pour *pomme de terre.*

N'oublie pas le ***d*** final.

pataud adj.

Au féminin : *pataude.*

Maladroit et lourd dans ses mouvements ; vois **gauche.** *La petite panthère commence à peine à marcher, elle est encore pataude. Il était pataud et lourdaud.*

Une Tortue, Courtaude Pataude qui mangeait des laitues
(Histoires comme ça).

Conjugaison 3 ▭ Indic. présent : *nous pataugeons.* Imparfait : *je pataugeais.*

patauger v.

1. Marcher sur un sol très mouillé. *Les enfants ont pataugé dans les flaques.* **2.** *L'enquête n'avance plus, le commissaire patauge,* il n'arrive pas à s'en sortir.

Prononce [patʃwœʀk].

patchwork n. m.

Assemblage de morceaux de tissus différents cousus les uns aux autres. *Julie aime les dessus-de-lit en patchwork.*

Patchwork est un mot anglais.

Attention à l'accent circonflexe du **â** !

pâte n. f.

Les macaronis, les nouilles, les raviolis, les spaghettis et le vermicelle sont des pâtes.

1. Mélange plus ou moins épais, à base de farine, que l'on mange après l'avoir fait cuire. *Mme Roussel pétrit la pâte à tarte. Tout le monde mit la main à la pâte,* participa au travail. **2.** *Les pâtes,* ce sont de petits morceaux de pâte, faits avec de la semoule de blé, que l'on vend tout prêts pour la cuisine. *Antoine aime beaucoup les pâtes à la sauce tomate.* **3.** Mélange plus ou moins mou. *Claire joue avec de la pâte à modeler. Marie-Tévy se brosse les dents avec de la pâte dentifrice à la pomme. Mme Harpie vend des pâtes de fruits et des gâteaux à la pâte d'amande.*

De son doigt par hasard il tomba dans la pâte un de ses anneaux de grand prix *(Peau d'Âne).*

Autres membres de la famille : **empâté, pâtée, pâteux, pâtisserie, pâtissier.**

Attention à l'accent circonflexe du **â** !

pâté n. m.

On fait chacun un tour du pâté de maisons et on chronomètre *(le Petit Nicolas).*

1. Viande hachée et épicée, cuite dans une terrine, que l'on mange froide. *Yves mange du pâté de campagne.* **2.** *Un pâté de maisons,* c'est un ensemble de maisons qui forment un bloc. *Sylvain fait le tour du pâté de maisons, son chien en laisse.* **3.** Sable mouillé moulé avec un seau ou un moule. *Claire fait des pâtés sur la plage.* **4.** Grosse tache d'encre. *Le devoir de Marie-Tévy était plein de pâtés.*

Le *pâté en croûte,* c'est un pâté recouvert d'une croûte de pâte.

Attention à l'accent circonflexe du **â** !

pâtée n. f.

1. Mélange de farine, de son et d'herbes avec lequel on nourrit les porcs et les volailles. *La fermière donne la pâtée aux canards.* **2.** Soupe très épaisse avec laquelle on nourrit les chiens et les chats. *Le chien attend sa pâtée en remuant la queue.*

Famille de **pâte**

N'oublie pas l'accent grave du **è**.

patère n. f.

Morceau de bois ou de métal fixé à un mur, qui sert à suspendre des vêtements ; vois ***portemanteau.*** *Avant d'entrer en classe, les enfants accrochent leur manteau à des patères.*

Compare ***paternel*** et ***paternité*** : il s'agit du **père.**

paternel adj.

1. Du père. *Yves a peur des colères paternelles,* de son père. **2.** *L'abbé Gauthier parle à Marie-Tévy d'un ton paternel,* semblable à celui d'un père.

Va voir aussi ***maternel.***

Compare ***paternité*** et ***paternel*** : il s'agit du **père.**

paternité n. f.

Le fait d'être l'auteur, le père d'un livre ou d'une idée. *Un savant américain revendique la paternité de cette découverte.*

La *paternité,* c'est également le lien qui unit un père à ses enfants.

Attention à l'accent circonflexe du **â** !

pâteux adj.

Une matière pâteuse, c'est une matière épaisse comme de la pâte. *Il y a trop de farine dans cette sauce : elle est pâteuse.*

Famille de **pâte**

Elle n'est pas assez *liquide.*

Attention au ***th*** !

pathétique adj.

Émouvant et triste ; vois ***bouleversant, poignant.*** *Les rescapés racontaient le naufrage sur un ton pathétique.*

Attention au ***th*** !

pathologique adj.

Dû à une maladie. *Son amaigrissement est pathologique.*

patibulaire adj.

Inquiétant, sinistre. *Le bandit avait une mine patibulaire,* qui fait peur.

Deux ***m*** dans *patiemment.*

patiemment adv.

Famille de ① **patient**

Avec calme. *Angèle explique patiemment la règle de trois à ses élèves. Mme Roussel attendait patiemment son tour.*

[...] le loup surveillait patiemment les abords de la maison *(les Contes du Chat perché).*

Famille de ① **patient**

patience n. f.

Patience et longueur de temps Font plus que force ni que rage (La Fontaine).

1. Qualité d'une personne qui sait garder son calme ou qui peut attendre longtemps sans s'énerver. *Angèle a beaucoup de patience avec ses élèves. Après une heure d'attente, M. Doucet a perdu patience,* il s'est énervé. **2.** Qualité d'une personne qui va jusqu'au bout de ce qu'elle a entrepris, sans se décourager ; vois ***persévérance.*** *Il faut de la patience pour faire un herbier comme celui d'Antoine. Les puzzles et les réussites sont des jeux de patience,* des jeux qui consistent à mettre en ordre tous les éléments de l'ensemble.

Le contraire de *patience,* c'est *impatience.*

Patience, Babar, murmura Céleste, nous ne resterons pas dans ce cirque. Nous reverrons notre pays, Cornélius et le petit Arthur *(Babar).*

① patient adj.

C'était un très bon âne, doux et patient, comme ils sont presque tous *(les Contes du Chat perché)*.

Quelqu'un de patient, c'est quelqu'un qui sait garder son calme et ne se décourage jamais ; vois ***persévérant.*** *Angèle est très patiente avec ses élèves. Soyez patients, je reviens tout de suite !*

Autres membres de la famille : **impatient, impatience, impatiemment, impatienter, patience, patienter.**

② patient n. m., **patiente** n. f.

Personne qui va chez un médecin pour se faire soigner. *Le docteur Séverac reçoit ses patients l'après-midi ;* vois ***client, malade.***

Conjugaison 1

patienter v.

Attendre avec patience. *Patientez un instant, je reviens tout de suite !*

Famille de ① **patient**

patin n. m.

Les Hollandais ont inventé les patins afin de se déplacer aisément sur les canaux gelés.

1. *Un patin à glace,* c'est une chaussure sous laquelle est fixée une lame qui permet de glisser sur la glace. *Julie lace ses patins à glace. Les enfants font du patin à glace sur la patinoire,* ils patinent. **2.** *Un patin à roulettes,* c'est une semelle de métal munie de roulettes, ou une chaussure sur laquelle est fixée cette semelle, qui permet de rouler sur le sol. *Yasmina met ses patins à roulettes. Antoine et Yves aiment beaucoup faire du patin à roulettes.*

Le hockey sur glace, le patinage de vitesse, le patinage artistique se pratiquent avec des patins.

Les premiers patins à roulettes datent du début du XIXe siècle.

Conjugaison 1

Les pneus cloutés évitent que les roues ne patinent.

▹ ***patiner*** v. **1.** Faire du patin à glace ou du patin à roulettes. *Les enfants patinent sur le lac gelé.* **2.** *Les roues de la voiture patinent,* elles tournent sans que la voiture avance. *Les roues de la voiture patinaient sur le verglas.*

C'est imprudent de patiner sur les trottoirs.

▹ ***patinage*** n. m. Sport que l'on pratique avec des patins à glace ou à roulettes. *Antoine a regardé à la télévision le championnat du monde de patinage artistique.*

▹ ***patineur*** n. m., ***patineuse*** n. f. Personne qui fait du patin à glace ou du patin à roulettes. *Yasmina est une bonne patineuse. Les patineurs glissaient sur le lac.*

▹ ***patinoire*** n. f. Piste aménagée pour le patinage sur glace. *Angèle a emmené ses élèves à la patinoire.*

Autre membre de la famille : **patinette.**

patine n. f.

Aspect, coloration que prennent certains objets avec le temps. *Mme Séverac aime la patine de sa vieille armoire.*

Sa vieille armoire *patinée* lui plaît.

Même famille que **patiner**

patinette n. f.

Jouet formé d'une plate-forme allongée montée sur deux roues et d'un guidon ; vois ***trottinette.*** *Claire a une patinette rouge.*

Attention à l'accent circonflexe du ***â*** !

pâtir v.

Pâtir de quelque chose, c'est en subir les conséquences pénibles, les inconvénients. *M. Doucet et Mme Roussel ont tout fait pour qu'Antoine, leur fils, ne pâtisse pas de leur divorce ;* vois ***souffrir.***

Conjugaison 2

N'oublie pas l'accent circonflexe du ***â*** dans *pâtisserie* et *pâtissier.*

pâtisserie n. f.

1. *Une pâtisserie,* c'est un gâteau. *Antoine aime les pâtisseries.* **2.** *La pâtisserie,* c'est la fabrication des gâteaux. *Yasmina étale la pâte avec un rouleau à pâtisserie.* **3.** Magasin où l'on fabrique et vend des gâteaux. *Sophie Pelletier a acheté une tarte aux pommes à la pâtisserie.*

Famille de **pâte**

▹ ***pâtissier*** n. m., ***pâtissière*** n. f. Personne qui fait ou qui vend des gâteaux. *Pour l'anniversaire de Julie, le pâtissier a préparé deux énormes gâteaux au chocolat.*

Le pâtissier Carême créa au XIXe siècle la première pièce montée.

patois n. m.

Langue particulière à une région. *Dans certaines régions, les paysans parlent encore le patois.*

N'oublie pas l'accent circonflexe du ***â.***

pâtre n. m.

Berger. *Le pâtre emmenait son troupeau de chèvres dans la montagne.*

On trouve ce mot surtout dans les livres.

patriarche n. m.

La Bible dit que Mathusalem vécut 969 ans.

Homme le plus âgé d'une grande famille et qui est considéré comme son chef. *Le patriarche règne sur sa famille.*

Allons enfants de la Patrie
Le jour de gloire est arrivé
(la Marseillaise).

patrie n. f.
Pays où l'on est né, où l'on vit ou auquel on a le sentiment d'appartenir. *Ces exilés politiques ont dû fuir leur patrie.*

▷ **patriote** n. m. et f. Personne qui aime sa patrie et le prouve par ses actes. *Tous les patriotes se sont unis pour défendre la patrie en danger.* — adj. *M. Bonnot est très patriote.*

▷ **patriotique** adj. *« La Marseillaise » est un chant patriotique,* qui exprime l'amour de la patrie.

▷ **patriotisme** n. m. Amour de la patrie qui peut conduire à la défendre si elle est attaquée. *Pendant la Seconde Guerre mondiale, M. Bonnot lutta avec patriotisme contre les occupants.*

Il était dans la Résistance.

Autres membres de la famille : **compatriote, s'expatrier, rapatrier.**

patrimoine n. m.
1. Ensemble des biens dont on a hérité de ses parents ; vois ***fortune, héritage.*** *M. et Mme Bonnot ont fait des économies toute leur vie pour laisser un patrimoine à leur fille.* **2.** Ensemble des richesses de toutes sortes que nos ancêtres nous ont légué. *Le château de Motbourg fait partie du patrimoine artistique français.*

Trois ânes constituaient tout le patrimoine d'Ali Baba
(les Mille et Une Nuits).

Attention ! deux ***n*** dans *patronne,* mais un seul dans *patronage, patronal* et *patronat.*

① **patron** n. m., **patronne** n. f.
1. Saint ou sainte qui protège une ville, un pays, une église, une profession ou les personnes qui portent son nom. *Saint Yves est le patron des avocats.* **2.** Personne qui dirige une entreprise et qui a des employés. *M. Doucet a demandé une augmentation à son patron.*

Saint Patrick est le patron de l'Irlande, sainte Geneviève est la patronne de Paris.

▷ **patronage** n. m. **1.** Soutien apporté par une personne ou un organisme. *Le gala a été organisé sous le patronage de Monsieur le Maire.* **2.** Organisation de loisirs pour les enfants. *Le mercredi, Yves va au patronage de la paroisse.*

▷ **patronal** adj. **1.** *Le 15 août, c'est la fête patronale de Sainte-Marie de Motbourg,* c'est la fête de la sainte patronne de la paroisse. **2.** *Un syndicat patronal,* c'est un syndicat de patrons d'entreprise. *Les syndicats patronaux et les syndicats ouvriers se sont réunis.*

Le C. N. P. F. est un syndicat patronal.

▷ **patronat** n. m. Ensemble des chefs d'entreprise. *Le patronat se montre favorable à cette nouvelle loi.*

② **patron** n. m.
Modèle de papier qui représente, à leurs vraies dimensions, les différentes parties d'un vêtement et que l'on pose sur le tissu à découper. *Muriel Doucet coupe une robe d'après un patron.*

patrouille n. f.
Petit groupe de soldats, de policiers chargés de la surveillance. *La patrouille a arrêté un ivrogne qui faisait du tapage.*

Conjugaison 1

▷ **patrouiller** v. Aller en patrouille. *Les douaniers patrouillaient le long de la frontière.*

Ne confonds pas *patte* [pat] et *pâte* [pɑt].

patte n. f.
1. *Les pattes d'un animal,* ce sont ses membres. *Le chien se dresse sur ses pattes de derrière et attrape le sucre qu'on lui tend.* **2.** Languette d'étoffe ou de cuir, qui sert à fermer un objet. *Le portefeuille de Sophie Pelletier se ferme par une patte.*

[Le kangourou] fila si vite que les pattes de devant lui en cuisaient
(Histoires comme ça).

Autre membre de la famille : **mille-pattes.**

N'oublie pas l'accent circonflexe du ***â*** de *pâture* et de *pâturage.*

pâture n. f.
Nourriture d'un animal. *Les biches cherchent leur pâture dans la forêt.*

▷ **pâturage** n. m. Pré où le bétail vient paître. *L'été, dans les Alpes, on emmène les vaches dans les pâturages de montagne.*

Un pâturage indien est tout en rochers *(le Livre de la jungle).*

paume n. f.
1. *La paume,* c'est le dedans, l'intérieur de la main ; vois ***creux.*** *Pour prédire l'avenir, la voyante regarde la paume de la main gauche.* **2.** *Le jeu de paume,* c'est un ancien sport qui consistait à se renvoyer une balle avec la paume de la main. *Le jeu de paume est l'ancêtre du tennis.*

L'autre face de la main s'appelle le *dos.*

Plus tard, on s'est servi d'une raquette.

On dit aussi *la paume.*

paupière n. f.
Repli de peau qui protège l'œil. *Les paupières sont bordées de cils. Quand on a une poussière dans l'œil, on bat des paupières.*

Deux *t* dans *paupiette.*

paupiette n. f.
Tranche de viande roulée et farcie. *Le boucher prépare des paupiettes de veau.*

Ne confonds pas *pause* et *pose.*

pause n. f.
Arrêt de courte durée. *M. Touati mange un sandwich pendant la pause de dix heures.*

À l'école, cela s'appelle la *récréation.*

pauvre adj.

Il y avait autrefois un pêcheur fort âgé et si pauvre qu'à peine pouvait-il gagner de quoi faire subsister sa femme et ses trois enfants
(les Mille et Une Nuits).
Je ne suis qu'un pauvre homme, Votre Majesté, commença-t-il *(Alice au Pays des merveilles).*

1. *Quelqu'un de pauvre,* c'est quelqu'un qui n'a pas assez d'argent pour subvenir à ses besoins. *Parmi les chômeurs, il y a des gens très pauvres ;* vois ***indigent, misérable, miséreux.*** — n. m. et f. *Les pauvres sont très nombreux dans les pays sous-développés.* **2.** *Une terre pauvre,* c'est une terre qui produit très peu. *Les terres de la Lozère sont pauvres.* **3.** Malheureux, qui fait pitié. *Les pauvres gens ont perdu leur fils dans un accident de voiture.* — n. m. et f. *La pauvre, elle n'a pas de chance !*

Le contraire, c'est *riche.*
Le contraire, c'est *fertile.*
Dans ce sens, *pauvre* se place toujours avant le nom.

▸ **pauvrement** adv. Misérablement. *Ces gens vivent pauvrement.*

Le contraire, c'est *richement.*

L'argent aide à supporter la pauvreté (A. Allais).

▸ **pauvreté** n. f. **1.** État dans lequel se trouve une personne qui n'a pas assez d'argent ; vois ***misère.*** *Dans ce pays, la pauvreté est très grande.* **2.** *La pauvreté du sol rend les cultures difficiles,* la mauvaise qualité de la terre.

Le contraire, c'est *richesse.*
Autre membre de la famille : **appauvrir.**

Conjugaison 1

se pavaner v.
Marcher avec orgueil pour se faire remarquer. *Julie se pavane dans la cour de récréation avec sa nouvelle robe ;* vois ***parader.***

pavé n. m.

Les rues de Paris ont été recouvertes de pavés, sous Philippe Auguste, à la fin du XIIe siècle.

1. Petit bloc de pierre, taillé pour revêtir le sol. *Les coureurs cyclistes n'aiment pas rouler sur les pavés.* **2.** Chose qui a la forme d'un bloc. *M. Bellec fait griller des pavés de bœuf.*

Conjugaison 1

▸ **paver** v. Couvrir avec des pavés, des dalles. *Denis Prost a fait paver la terrasse de sa maison.*

Une *rue pavée* est recouverte de pavés.

pavillon n. m.

Il y a de nombreux pavillons dans la banlieue de Paris.

1. Maison d'habitation particulière avec un jardin ; vois ***villa.*** *Mme Roussel aimerait habiter dans un pavillon.* **2.** *Le pavillon de l'oreille,* c'est la partie visible de l'oreille. *Le pavillon de l'oreille est un cartilage.* **3.** Drapeau que l'on hisse sur un bateau pour indiquer sa nationalité ou faire des signaux. *Le bateau de Loïc navigue sous pavillon français.*

Le *pavillon d'une trompette,* c'est son bout évasé en forme de cornet.

Conjugaison 1

pavoiser v.

En France, on a l'habitude de pavoiser les édifices publics le 14 Juillet.

1. Orner de drapeaux une maison ou une ville, à l'occasion d'une fête. *On a pavoisé les rues de Motbourg, le jour de son jumelage avec une ville suisse.* **2.** Montrer une grande joie. *David pavoisait après avoir gagné son match de football ;* vois ***exulter, triompher.***

On peut dire que Motbourg *a pavoisé.*

Attention au *t* final ! *Pavot* [pavo] rime avec *veau.*

pavot n. m.
Plante cultivée pour ses fleurs et pour ses graines. *Le pavot ressemble à un gros coquelicot.*

Le pavot blanc donne l'opium, une drogue qui fait dormir.

Conjugaison 8 ▭ Indic. présent : *je paie* ou *je paye, nous payons.* Imparfait : *je payais, nous payions.* Futur : *je paierai* ou *je payerai, nous paierons* ou *nous payerons.* — Subj. présent : *que je paie* ou *que je paye, que nous payions.* — Impératif : *paie* ou *paye, payons, payez.*

payer v.
1. *Payer quelqu'un,* c'est lui donner l'argent qu'on lui doit. *M. Bellec paie ses employés à la fin du mois. Mme Roussel trouve qu'elle est mal payée.* **2.** *Payer quelque chose,* c'est donner de l'argent en échange d'un objet ou d'un service. *Julie a payé ses patins deux cents francs ;* vois ***acheter.*** *Aujourd'hui, Angèle doit payer son loyer et ses impôts ;* vois ***régler.*** *Hippolyte paya et sortit du café.* **3.** Subir les conséquences désagréables de quelque chose. *Colle et Rat ont payé cher leur mauvaise conduite.* **4.** Être profitable. *On dit que le crime ne paie pas,* qu'il ne rapporte rien.

On peut payer par chèque ou en espèces.
Qui paie ses dettes s'enrichit (proverbe).
Ils ont été exclus de l'école pendant une semaine.

▸ **payable** adj. *Cet appareil est payable à la livraison,* il doit être payé à la livraison.

Compare : *payer* → *payable* et *pardonner* → *pardonnable.*

Le contraire de *payant,* c'est *gratuit.*

▸ **payant** adj. **1.** Qu'il faut payer. *L'entrée du musée est payante en semaine.* **2.** *Les efforts qu'a faits Hippolyte ont été payants,* ils ont été utiles, ils lui ont rapporté.

Paye [pɛj] rime avec *abeille.* On écrit aussi *paie* [pɛ].

▸ **paye** n. f. Argent donné en échange du travail ; vois ***salaire.*** *M. Touati vient de toucher sa paye.*

▸ ***payeur*** n. m., ***payeuse*** n. f. Personne qui paye ce qu'elle doit. *M. Bellec n'aime pas les mauvais payeurs.*

Autre membre de la famille : **paiement.**

Pays [pei] rime avec *abbaye.*

pays n. m.

1. Territoire bordé de frontières et dirigé par un gouvernement ; vois ***État, nation.*** *La France est un pays d'Europe.* **2.** Région géographique. *Le docteur Séverac aime bien les pays chauds. À la ferme, on boit du vin de pays,* du vin produit dans la région.

La France est un *pays tempéré.*

Comme le canard ne savait pas lire, les petites lui expliquaient les images et lui parlaient des pays dont le nom était marqué sur les cartes *(les Contes du Chat perché).*

▸ ***paysage*** n. m. Partie d'une région que l'on peut voir d'un endroit. *Julie aime bien regarder le paysage par la fenêtre du train.*

Prononce [peizɑ̃].

▸ ***paysan*** n. m., ***paysanne*** n. f. Personne qui vit à la campagne et s'occupe des travaux des champs ; vois ***agriculteur, cultivateur, fermier.*** *Pierre Séverac est un paysan.* — adj. Propre aux paysans. *Le ministre de l'Agriculture a tenu compte des revendications paysannes,* des revendications des paysans.

Paysanne s'écrit avec deux ***n.***

Autres membres de la famille : **dépayser, dépaysement.**

Prononce [pedeʒe].
On écrit aussi P. D. G.
Au pluriel : *des P.-D. G.*

P.-D. G. n. m. invariable

Président-directeur général. *La société où travaille M. Doucet vient de changer de P.-D. G.*

P, D et G sont les premières lettres de *Président, Directeur* et *Général.*

péage n. m.

1. Prix qu'il faut payer pour pouvoir utiliser certaines routes, certains ponts. *C'est une autoroute à péage.* **2.** Endroit où l'on paie, sur une autoroute. *Angèle s'est arrêtée au péage pour prendre un ticket.*

Au Moyen Âge, on acquittait déjà un péage sur certaines voies.

Au pluriel : *des peaux.*

La peau des mammifères porte des poils, celle des oiseaux des plumes et celle des poissons des écailles.

peau n. f.

1. Enveloppe extérieure du corps des hommes et des animaux. *En rentrant de vacances, Yves avait la peau bronzée par le soleil.* **2.** Cuir, fourrure. *Le docteur Séverac a une veste en peau de mouton.* **3.** Enveloppe des fruits. *Julie enlève la peau de la pêche avant de la manger,* elle pèle la pêche. **4.** *La peau du lait,* c'est la pellicule qui se forme sur le lait bouilli. *Alex passe le lait pour en enlever la peau.*

N'avoir que la peau sur les os, c'est être très maigre.

Mowgli savait mieux que personne comment tient une peau de bête, et comment elle s'enlève *(le Livre de la jungle).*

Peau-Rouge est un mot que l'on employait autrefois.

▸ ***Peau-Rouge*** n. m. et f. Indien, Indienne d'Amérique du Nord. *Les Peaux-Rouges se peignaient le visage.* — adj. *Aigle noir était un chef peau-rouge.*

Famille de **rouge**

Attention ! deux ***c.***

peccadille n. f.

Faute sans importance. *Angèle, l'institutrice, ne punit jamais les enfants pour des peccadilles.*

Attention à l'accent circonflexe du ***ê*** de *pêche* et de *pêcher* !

Va voir aussi ***brugnon.***

① pêche n. f.

Fruit du pêcher à gros noyau très dur, à chair juteuse et à la peau veloutée. *Mamie Lou préfère les pêches blanches aux pêches jaunes.*

Une personne qui a une *peau de pêche* a une peau rose et douce.

Les fleurs du pêcher sont roses.

▸ ① ***pêcher*** n. m. Arbre fruitier qui donne les pêches. *Les pêchers sont en fleurs au printemps.*

Ne confonds pas *pêcher* et *péché.*

Famille de ② **pêcher**

② pêche n. f.

1. Action ou manière de prendre les poissons. *M. Bellec va à la pêche le dimanche. Yves aime la pêche à la ligne. Loïc part à la pêche au maquereau sur son bateau.* **2.** Poissons pêchés. *Loïc a rapporté une belle pêche aujourd'hui.*

M. Rateau, le chef du camp, nous a fait distribuer des cannes à pêche et une vieille boîte pleine de vers *(le Petit Nicolas).*

péché n. m.

Chose défendue par la religion chrétienne ; vois ***faute.*** *Tuer et voler sont des péchés très graves. Tout le monde commet des péchés. On confesse ses péchés à un prêtre.*

Un *péché mignon* est une petite faiblesse, un petit défaut.

Conjugaison 6

▸ ***pécher*** v. Commettre un péché. *Quand on se confesse, on s'accuse d'avoir péché.*

Ne confonds pas *pécher* et *pêcher.*

Compare : *pécheur → pécheresse* et *enchanteur → enchanteresse.*

▸ ***pécheur*** n. m., ***pécheresse*** n. f. Personne qui a commis des péchés. *La prière du « Notre Père » dit : « Priez pour nous, pauvres pécheurs. »*

Conjugaison 1

Allons à Messine
Pêcher la sardine
Allons à Lorient
Pêcher le hareng (chanson).

② pêcher v.

Prendre du poisson. *Yves aime bien aller pêcher en mer avec son oncle Loïc. Ils ont pêché un bar et trois maquereaux. M. Bellec pêche à la ligne le dimanche.*

Ne confonds pas *pêcher* et *pécher.*

▸ ***pêcheur*** n. m., ***pêcheuse*** n. f. Personne qui prend du poisson pour gagner sa vie ou pour son plaisir. *Loïc est pêcheur de son métier. M. Bellec est un grand pêcheur à la ligne.*

Autres membres de la famille : **martin-pêcheur, ② pêche, repêcher.**

pectoral adj. et n. m.

Au masculin pluriel : *pectoraux.*

▭ **adj. 1.** *Les nageoires pectorales,* ce sont les nageoires situées de chaque côté du corps d'un poisson, en arrière des ouïes. *Les nageoires pectorales permettent au poisson de se diriger et de se maintenir en équilibre quand il est immobile.* **2.** *Un sirop pectoral,* c'est un sirop qui combat les maladies des poumons et des bronches. *Sylvain prend un sirop pectoral parce qu'il tousse.*

Sur le dos, les poissons ont des nageoires dorsales.

Ce mot est toujours au pluriel dans ce sens.

▭ **n. m. plur.** *Les pectoraux,* ce sont les muscles que l'on a sur la poitrine. *Alex fait de la natation pour développer ses pectoraux.*

pécule n. m.

Somme d'argent économisée peu à peu. *À force d'économiser, Mme Harpie avait amassé un joli pécule.*

Va voir aussi ***magot.***

pécuniaire adj.

Les ennuis pécuniaires, ce sont les ennuis d'argent. *Les Touati ont souvent des ennuis pécuniaires ;* vois ***financier.***

pédagogie n. f.

Art d'enseigner. *Angèle a suivi des cours de pédagogie à l'École normale d'instituteurs.*

▸ ***pédagogique*** adj. Qui concerne la pédagogie. *Angèle a un très grand sens pédagogique,* elle sait très bien enseigner.

▸ ***pédagogue*** n. m. et f. Personne qui a le sens de l'enseignement, qui sait apprendre aux autres. *Angèle est une excellente pédagogue.*

pédale n. f.

Compare *pédale* et *pédestre* : il s'agit du **pied.**

Pièce sur laquelle on appuie avec le pied pour faire tourner une roue ou pour actionner un mécanisme. *Une biche traverse la route, M. Bellec appuie sur la pédale du frein. Pour faire avancer une bicyclette, il faut actionner les pédales.*

Les machines à coudre, les pianos ont des pédales.

Conjugaison 1

▸ ***pédaler*** v. Actionner les pédales d'une bicyclette. *Antoine pédalait à toute allure.*

▸ ***pédalier*** n. m. Mécanisme formé par les pédales, le pignon et la roue dentée d'une bicyclette. *C'est le pédalier qui entraîne la chaîne.*

Au pluriel : *des pédalos.*

▸ ***pédalo*** n. m. Petite embarcation à flotteurs que l'on fait avancer en pédalant. *Alex a fait du pédalo sur un lac.*

pédant adj.

Une personne pédante, c'est une personne qui fait étalage de sa culture d'une façon prétentieuse. *Sophie Pelletier sait beaucoup de choses, mais elle n'est jamais pédante.*

pédestre adj.

Compare *pédestre* et *pédale* : il s'agit du **pied.**

Qui se fait à pied. *Mme Hespel aime les longues randonnées pédestres.*

pédiatre n. m. et f.

Médecin qui soigne les enfants. *Sophie Pelletier emmène son bébé tous les mois chez le pédiatre.*

Le pédiatre est un médecin spécialiste.

pedigree n. m.

Pedigree [pedigʀe] rime avec *tigré.*

Ce mot est d'origine anglaise.

Origine des parents d'un animal de pure race. *Le chien de M. Bellec a un très beau pedigree,* c'est un chien de pure race. *Diane, la chienne de Sylvain, n'a pas de pedigree, c'est un bâtard.*

pègre n. f.

Attention à l'accent grave du ***è*** !

Ensemble des voleurs et des criminels. *Les malfaiteurs qui ont dévalisé la bijouterie de Motbourg appartenaient à la pègre.*

peigner v.

Conjugaison 1 ▭ Indic. imparfait : *nous peignions.*

Coiffer avec un peigne. *Julie peigne ses cheveux devant la glace de la salle de bains. — Julie se peigne longuement devant la glace.*

Un jour, Madeleine peignait sa poupée ; Camille lui présentait les peignes
(les Petites Filles modèles).

Les *peignes* sont aussi de petits objets munis de dents qui servent à retenir les cheveux.

▸ ***peigne*** n. m. Objet muni de dents, qui sert à démêler et à lisser les cheveux. *Mme Séverac se coiffe avec un peigne en corne. Angèle se donne un coup de peigne avant de sortir,* elle se coiffe rapidement. *Les policiers* *ont passé la ville au peigne fin pour retrouver des prisonniers évadés,* ils ont examiné minutieusement tous les endroits de la ville où ils pourraient se cacher.

Autre membre de la famille : **dépeigner.**

Chez les coiffeurs et dans les instituts de beauté, on porte aussi des peignoirs.

peignoir n. m.
Vêtement ample en tissu éponge que l'on met en sortant du bain. *En sortant de sa douche, Angèle s'est séchée dans son grand peignoir blanc.*

Conjugaison 52 ▭ Indic. présent : *je peins, nous peignons.* Imparfait : *je peignais, nous peignions.* Futur : *je peindrai.*

peindre v.
1. Couvrir, colorer avec de la peinture. *Loïc a peint la coque de son bateau en vert.* **2.** Représenter par l'art de la peinture. *Cézanne a peint beaucoup de natures mortes. Depuis qu'il est en retraite, M. Bonnot s'est mis à peindre,* à faire de la peinture. **3.** Décrire, montrer. *Ce roman peint très bien la vie quotidienne à Paris au XIXe siècle.*

Autres membres de la famille : **dépeindre, peintre, peinture, repeindre.**

La peine de mort a été abolie en France en 1981.

① **peine** n. f.
Punition, prévue par la loi, infligée à toute personne qui a commis une faute. *Le voleur a été condamné à une peine de prison de trois mois. Défense de déposer des ordures sous peine d'amende,* on risque une amende si l'on dépose des ordures.

Faire peine à voir, c'est faire pitié.

Se donner de la peine, c'est se démener, se donner du mal.

[...] sa planète d'origine était à peine plus grande qu'une maison ! *(le Petit Prince).*

② **peine** n. f.
1. Chagrin, tristesse. *Sophie Pelletier a eu beaucoup de peine à la mort de sa mère. Mme Harpie a fait de la peine à sa sœur,* du chagrin. **2.** Effort, fatigue. *Ce travail lui a demandé beaucoup de peine. — Je ne suis pas au bout de mes peines,* j'aurai encore des difficultés. *Julie, ce n'est pas la peine de crier, je t'entends,* c'est inutile de crier. *C'était bien la peine de se dépêcher !,* cela ne servait à rien. **3.** *On entend à peine le bruit de la rue,* presque pas. *Angèle était à peine réveillée quand le téléphone a sonné,* elle se réveillait tout juste. **4.** Difficulté, embarras. *M. Bonnot a de la peine à marcher.*

Le contraire de *peine,* c'est *joie, plaisir.*

Toute peine mérite salaire (proverbe).

Va voir *valoir la peine* à ***valoir.***

[...] à peine celle-ci lui eut-elle mis le peigne dans les cheveux que le poison fit son effet *(Blancheneige).*

Conjugaison 1

Le contraire de *peiner,* c'est *réjouir.*

▸ **peiner** v. **1.** Avoir de la peine, de la difficulté. *La voiture peinait dans la côte.* **2.** Faire de la peine à quelqu'un ; vois ***affliger, attrister.*** *La mort de Mme Pelletier a beaucoup peiné Mme Séverac.*

Elle avait beaucoup de sympathie pour elle.

Famille de **peindre**

peintre n. m.
1. *Un peintre en bâtiment,* c'est quelqu'un qui fait les peintures d'une maison. *Les peintres en bâtiment sont habillés de blanc.* **2.** Artiste qui fait de la peinture. *Delacroix, Cézanne et Manet sont de grands peintres français du XIXe siècle.*

On dit aussi un *peintre.*

On dit aussi un *artiste peintre.*

Famille de **peindre**

peinture n. f.
1. Couleur dont on recouvre quelque chose. *Marie-Tévy a reçu à Noël une grande boîte de peinture. Hippolyte applique une seconde couche de peinture sur le mur. La peinture de la chambre commençait à s'écailler,* la couche de peinture qui recouvrait la pièce. **2.** *La peinture,* c'est la représentation de choses réelles ou imaginaires sur une surface, avec des couleurs. *Sophie Pelletier aurait aimé faire de la peinture,* devenir artiste peintre. *Muriel Doucet va souvent dans des expositions de peinture,* de tableaux. **3.** Description. *Ce roman est une bonne peinture du milieu du cinéma.*

« Attention, peinture fraîche. »

La peinture à l'huile a été inventée au XVe siècle par les peintres flamands.

La peinture à l'huile
C'est plus difficile
Mais c'est bien plus beau
Que la peinture à l'eau.

Compare *pelage, pelisse* et *peluche* : il s'agit de **poil.**

pelage n. m.
Ensemble des poils d'un animal ; vois ***fourrure, toison.*** *Félix, le chat de Julie, a un beau pelage tigré.*

Ce sont les mammifères qui ont un pelage.

N'oublie pas les accents circonflexes des deux *ê.*

Famille de **mêler**

pêle-mêle adv.
En désordre, en vrac. *Julie a jeté ses livres et ses cahiers pêle-mêle sur la table du salon.*

Il y a un trait d'union entre *pêle* et *mêle.*

Conjugaison 5 ▭ Indic. présent : *je pèle, nous pelons.* Futur : *je pèlerai.*

peler v.
1. Enlever la peau ; vois ***éplucher.*** *Mme Séverac pèle sa pêche avec un couteau et une fourchette.* **2.** Perdre le dessus de la peau par petits morceaux. *Nathalie a le nez qui pèle.*

Autre membre de la famille : **pelure.**

Attention à l'accent grave du *è* de *pèlerin* et *pèlerinage* !

Prononce [pɛlʀɛ̃].

pèlerin n. m.
Personne qui se rend dans un lieu saint pour prier. *Au Moyen Âge, de nombreux pèlerins allaient à pied à Saint-Jacques-de-Compostelle.*

Petite pluie du matin n'arrête pas le pèlerin (proverbe).

Lourdes et Lisieux sont des lieux de pèlerinage célèbres dédiés à la Vierge.

▸ ***pèlerinage*** n. m. Voyage que l'on fait dans un lieu saint pour des raisons religieuses. *Les Bellec ont fait un pèlerinage à la statue de la Vierge noire de Rocamadour.*

Les Musulmans vont en pèlerinage à La Mecque.

Attention à l'accent grave du *è* de *pèlerine* ! Prononce [pɛlʀin].

pèlerine n. f.
Ample manteau sans manches, qui a souvent un capuchon ; vois ***cape.*** *Autrefois, les écoliers portaient une pèlerine.*

Les gardiens de la paix aussi.

Le pélican nourrit ses petits en leur dégorgeant de la nourriture dans le gosier.

pélican n. m.
Grand oiseau des régions chaudes, au long bec crochu qui porte une poche où il emmagasine de la nourriture. *Le pélican capture ses proies sous l'eau.*

Le pélican est un palmipède qui peut avoir 3 m d'envergure et peser 12 kg.

Compare ***pelisse, pelage*** et ***pelure*** : il s'agit de **poil.**

pelisse n. f.
Manteau ou imperméable doublé de fourrure. *Sophie Pelletier a une pelisse doublée de marmotte.*

Elle portait une longue pelisse de couleur sombre *(Michel Strogoff).*

Attention ! deux *l* dans *pelle, pelletée* et *pelleteuse.* *À la pelle :* en grande quantité.

pelle n. f.
Outil formé d'une mince plaque fixée à un manche. *Le jardinier ramasse les feuilles mortes avec une pelle. Claire creuse un trou dans le sable avec sa pelle.*

On sert les gâteaux avec une *pelle à tarte.*

Prononce [pɛlte].

▸ ***pelletée*** n. f. Contenu d'une pelle. *Pour creuser un trou, Pierre Séverac enlève des pelletées de terre.*

Prononce [pɛltøz].

▸ ***pelleteuse*** n. f. Pelle mécanique qui sert à charger et à déplacer des matériaux. *M. Touati manœuvre la pelleteuse pour charger de la terre dans le camion.*

Attention ! deux *l* entre le ***e*** et le *i.*

pellicule n. f.
1. Petite écaille de peau morte qui se détache du cuir chevelu. *Pierre Séverac utilise un shampooing contre les pellicules.* **2.** Fine couche. *Une pellicule de moisissure s'était formée sur le fromage.* **3.** Feuille mince recouverte d'une matière sensible à la lumière, que l'on utilise pour faire des photos et du cinéma. *Alex change la pellicule de son appareil.*

Compare ***pellicule, monticule*** et ***particule*** : il s'agit de quelque chose de **petit.**

Les pellicules sont vendues en rouleaux.

Il y a des pellicules noir et blanc et des pellicules couleur.

Prononce [pəlɔt] ou [plɔt].

pelote n. f.
1. *Une pelote de laine,* c'est une boule de laine enroulée sur elle-même. *Les chatons aiment jouer avec les pelotes de laine.* **2.** *Une pelote d'épingles,* c'est un petit coussin sur lequel on plante les aiguilles et les épingles. *La pelote d'épingles de Mamie Lou est en velours bleu.* **3.** *La pelote basque,* c'est un jeu dans lequel les joueurs envoient une balle rebondir contre un mur. *On joue à la pelote basque dans le sud-ouest de la France.*

Une petite pelote s'appelle un *peloton.*

Une pelote d'épingles, c'est une personne désagréable.

La balle s'appelle la *pelote.*

Autre membre de la famille : se **pelotonner.**

On prononce [plɔtɔ̃].

peloton n. m.
Groupe de coureurs, dans une course. *Ce jeune cycliste est en train de dépasser tous ses adversaires, il arrive en tête du peloton.*

Un *peloton d'exécution,* c'est un groupe de soldats chargé de tuer un condamné.

Attention ! deux *n.* Prononce [plɔtɔne].

se **pelotonner** v.
Se rouler en boule ; vois *se* ***blottir.*** *Claire s'est pelotonnée dans son lit pour avoir plus chaud.*

Conjugaison 1
Famille de **pelote**

Prononce [pəluz] ou [pluz].

pelouse n. f.
Terrain couvert d'une herbe courte et serrée ; vois ***gazon.*** *« Défense de marcher sur les pelouses », dit l'écriteau. David tond la pelouse qui est devant la maison.*

Et mes pelouses ? Que pensez-vous de mon herbe et de mes boutons d'or ? *(Charlie et la Chocolaterie).*

Prononce [plyʃ] plutôt que [pəlyʃ].

peluche n. f.
1. *Une bête en peluche* est un jouet d'enfant en fausse fourrure représentant un animal. *Claire dort toujours avec son ours en peluche.* **2.** Petit poil qui se détache d'un tissu. *Ce pull-over est de mauvaise qualité, il laisse des peluches.*

C'est familier de dire cela.

Prononce [plyʃø] ou [pəlyʃø].

▸ ***pelucheux*** adj. **1.** Qui est doux et poilu comme la peluche. *Le docteur Séverac a un pardessus en poil de chameau, tout pelucheux.* **2.** Qui laisse des peluches. *Ce pull-over est devenu pelucheux après de nombreux lavages.*

Au féminin : *pelucheuse.*

C'est familier de dire cela.

Prononce [pəlyʀ] ou [plyʀ]. Famille de **peler**

pelure n. f.
Peau d'un fruit ou d'un légume pelé ; vois ***épluchure.*** *Antoine met ses pelures d'orange dans son assiette.*

Le *papier pelure* est un papier très fin, presque transparent.

Au féminin : *pénale.*
Au masculin pluriel : *pénaux.*

pénal adj.
Le code pénal, c'est le code qui fixe les peines à infliger aux accusés. *Les juges appliquent le code pénal.*

Conjugaison 1

▹ **pénaliser** v. Infliger une peine. *M. Bellec a été pénalisé pour excès de vitesse.*

▹ **pénalisation** n. f. Punition infligée pendant un match de football à un joueur qui n'a pas respecté une règle. *Le coup franc est une pénalisation.*

Au football, le *penalty* est une pénalisation grave.

Les pénates étaient les dieux de la maison, chez les anciens Romains.

pénates n. m. plur.
Regagner ses pénates, c'est rentrer chez soi. *À la fin des vacances, Mme Séverac est heureuse de regagner ses pénates.*

Cette expression n'est pas très courante.

Au féminin : *penaude.*

penaud adj.
Honteux. *Antoine était tout penaud d'avoir été pris en flagrant délit de mensonge.*

Le contraire de *penaud,* c'est *fier.*

Conjugaison 1

pencher v.
1. Être oblique. *Dans la tempête, le bateau de Loïc penchait dangereusement.* **2.** Faire aller vers le bas ; vois **incliner.** *Je penche la carafe pour me servir à boire. Julie penche la tête vers Yasmina pour lui parler à l'oreille. — Julie se penche vers Yasmina,* elle baisse le haut du corps. **3.** Avoir tendance à préférer, à croire quelque chose. *Je penche à croire que vous avez raison.* **4.** *Se pencher sur quelque chose,* c'est s'y intéresser vivement, s'en préoccuper. *La directrice de l'école s'est penchée sur le cas des élèves qui doivent redoubler leur classe.*

Penchées sur leurs cahiers de brouillons, Delphine et Marinette sanglotaient
(les Contes du Chat perché).

Le contraire de *pencher,* c'est *redresser.*

Grand-papa Joe se pencha en avant et posa un long doigt décharné sur le genou de Charlie
(Charlie et la Chocolaterie).

▹ **penchant** n. m. **1.** Tendance ; vois **faible.** *Denis Prost a un penchant pour les grosses voitures,* il en a le goût. *Yves a un fâcheux penchant à se mettre en colère.* **2.** *Avoir un penchant pour quelqu'un,* c'est être attiré par lui. *Hippolyte a plus qu'un penchant pour Angèle.*

pendable adj.
Colle et Rat ont joué plus d'un tour pendable à leurs parents, un méchant tour.

Famille de **pendre**

pendaison n. f.
Action de pendre quelqu'un. *Le supplice de la pendaison a existé en Grande-Bretagne jusqu'en 1965.*

① **pendant** n. m.
Des pendants d'oreilles, ce sont des boucles d'oreilles comportant un bijou qui pend. *Angèle a de nombreuses paires de pendants d'oreilles.*

Famille de **pendre**

Famille de **pendre**

② **pendant** adj.
Qui pend. *Diane, la chienne de Sylvain, a les oreilles pendantes.*

③ **pendant** préposition
1. Durant. *Alex ira au Canada pendant l'été,* au cours de l'été. *Claire a pleuré pendant une heure.* **2.** *Pendant que* exprime qu'une action a lieu dans le même temps qu'une autre. *Julie et Yasmina bavardaient pendant qu'Angèle, la maîtresse, écrivait au tableau,* dans le même temps qu'Angèle écrivait.

Pendant huit jours d'affilée, il plut sans arrêt du matin au soir
(les Contes du Chat perché).

Autre membre de la famille : **cependant.**

Conjugaison 41
▭ Indic. présent : *je pends, nous pendons.* Imparfait : *je pendais.* Futur : *je pendrai.* — Subj. présent : *que je pende.* — Impératif : *pends, pendons.*

pendre v.
1. Être fixé par le haut, être suspendu. *Dans la cave, une ampoule pend au plafond.* **2.** Fixer par le haut, suspendre. *Mamie Lou a pendu un jambon au plafond ;* vois **accrocher.** **3.** *Depuis ce matin, Angèle est pendue au téléphone,* elle n'arrête pas de téléphoner. **4.** *Pendre quelqu'un,* c'est le tuer en le suspendant par le cou au moyen d'une corde. *On a pendu le condamné. — Le malheureux s'est suicidé en se pendant.*

Un petit cochon
Pendu au plafond
Tirez-lui la queue
Il vous pondra des œufs
(comptine).

On a pris Tintin pour le bandit Pedro Ramona et on le pend. Heureusement, la corde se casse !

▹ **pendentif** n. m. Bijou qu'on suspend au cou par une chaîne. *Angèle a un pendentif en or.*

Penderie [pɑ̃dʀi] rime avec *perdrix.*

▹ **penderie** n. f. Placard où l'on suspend ses vêtements. *Mme Séverac a rangé sa veste dans la penderie.*

▸ ***pendu*** n. m., ***pendue*** n. f. Personne morte par pendaison. *On a retrouvé le pendu dans sa chambre.*

Autres membres de la famille : **pendaison ; ①, ② pendant, ② dépendre ; ① suspendre, ① suspension.**

« Un peu plus à l'ouest », dit le professeur Tournesol en balançant son pendule.

▸ ① ***pendule*** n. m. Objet suspendu par un fil et qui oscille autour d'un point fixe. *Certaines personnes peuvent trouver des sources grâce à leur pendule.*

② pendule n. f.

Petite horloge que l'on pose sur un meuble ou que l'on accroche au mur. *Mme Séverac remonte la pendule qui est sur la cheminée.*

Compare : *pendule* → *pendulette*, *cloche* → *clochette* et *fille* → *fillette*.

▸ ***pendulette*** n. f. Petite pendule portative ; vois ***réveil.*** *Mme Hespel a une pendulette sur son bureau.*

pêne n. m.

Attention à l'accent circonflexe du *ê* de *pêne*.

Partie d'une serrure qui se déplace quand on tourne la clé. *Il faut appeler le serrurier car le pêne est bloqué.*

Ne confonds pas *pêne, peine* et *penne.*

pénétrer v.

Conjugaison 6 — Indic. présent : *je pénètre, nous pénétrons.* Imparfait : *je pénétrais.* Futur : *je pénétrerai.* — Subj. présent : *que je pénètre, que nous pénétrions.* — Impératif : *pénètre.*

1. Entrer. *L'eau commence à pénétrer dans la barque. Les cambrioleurs ont pénétré dans la bijouterie.* **2.** Parvenir à comprendre ; vois ***découvrir.*** *Nous n'avons pas pu pénétrer son secret.*

La demeure de Geppetto se composait d'une petite pièce au rez-de-chaussée. Le jour y pénétrait par une lucarne *(Pinocchio).*

▸ ***pénétrant*** adj. **1.** *Il tombe une petite pluie fine et pénétrante,* qui pénètre, transperce les vêtements. **2.** *Les roses ont un parfum pénétrant,* violent, fort. **3.** *L'homme avait un regard pénétrant,* aigu, perçant.

▸ ***pénétration*** n. f. Subtilité, perspicacité. *Il avait un esprit d'une grande pénétration.*

▸ ***pénétré*** adj. *Denis Prost est pénétré de son importance,* persuadé, rempli de son importance.

Autre membre de la famille : **impénétrable.**

pénible adj.

1. Qui donne de la peine, dur, fatigant. *Le père de Yasmina se plaint d'avoir un métier trop pénible ;* vois ***épuisant, éreintant.*** **2.** Qui fait de la peine, du chagrin. *Mme Roussel a connu des moments pénibles après son divorce ;* vois ***cruel, éprouvant.***

Le contraire de *pénible,* c'est *aisé, facile.*

Le contraire de *pénible,* c'est *agréable.*

▸ ***péniblement*** adv. **1.** Avec peine, avec effort. *La voiture d'Angèle monte péniblement les côtes ;* vois ***difficilement.*** **2.** À peine, tout juste. *Marie-Tévy arrive péniblement à obtenir la moyenne en français.*

Le contraire de *péniblement,* c'est *facilement.*

péniche n. f.

Autrefois il fallait haler les péniches, maintenant elles avancent avec un moteur.

Long bateau à fond plat, qui sert à transporter les marchandises sur les fleuves ou sur les canaux ; vois ***chaland.*** *Yves Bellec regarde la péniche passer l'écluse.*

pénicilline n. f.

Deux *l* dans *pénicilline.*

La pénicilline est un antibiotique.

Médicament tiré d'un champignon et utilisé pour combattre les infections. *L'infirmière a fait au malade une injection de pénicilline.*

Découverte en 1928 par Fleming, la pénicilline a été expérimentée sur un malade en 1941.

péninsule n. f.

Compare *péninsule* et ***insulaire*** : dans ces mots, il s'agit d'**île.**

Grande presqu'île, étendue de terre qu'entoure la mer de tous les côtés sauf un. *L'Italie et la Grèce sont des péninsules qui s'avancent dans la mer Méditerranée.*

La péninsule Ibérique est formée de l'Espagne et du Portugal.

pénis n. m.

Pénis [penis] rime avec *jaunisse.*

Sexe de l'homme ; vois ***verge.*** *Le pénis et les testicules forment les organes génitaux externes de l'homme.*

pénitence n. f.

1. Punition. *Comme pénitence, Julie a été privée d'argent de poche.* **2.** *Quand ils se confessent, les catholiques font pénitence,* ils se repentent de leurs péchés en promettant à Dieu de ne pas recommencer. **3.** Dans la religion catholique, peine que le prêtre inflige à la personne qui se confesse. *L'abbé Gauthier a donné une légère pénitence à Yves.*

Ce sont des *pénitents.*

pénitencier n. m.

Dans les pénitenciers, on purge les peines de très longue durée.

Prison, bagne. *Ce dangereux criminel a été condamné à vingt années de pénitencier.*

À Saint-Martin-de-Ré, il y a un célèbre pénitencier.

Compare *pénitence* et *pénitent* : on a du **remords.**

pénitent n. m., *pénitente* n. f.
Dans la religion catholique, personne qui confesse ses péchés. *Le pénitent est agenouillé dans le confessionnal.*

pénitentiaire adj.
Qui a rapport aux prisonniers. *Le nouveau ministre de la Justice veut réformer le régime pénitentiaire,* le régime des prisons.

Attention ! *penne* s'écrit avec deux *n.*

penne n. f.
Grande plume des ailes et de la queue des oiseaux. *Les pennes recouvrent le duvet.*

Ne confonds pas *penne, peine* et *pêne.*

Famille de **ombre**

pénombre n. f.
Lumière très faible. *Antoine aperçut une forme dans la pénombre.*

Pensable s'emploie surtout avec des verbes à la forme négative.

pensable adj.
Quelque chose de pensable, c'est quelque chose que l'on peut envisager, imaginer. *Il n'est pas pensable que vous acceptiez.*

Famille de **penser**
Le contraire de *pensable,* c'est *impensable.*

Au féminin : *pensante.*

pensant adj.
Capable de penser. *Les hommes sont des êtres pensants.*

Famille de **penser**

Au pluriel : *des pense-bêtes.*

pense-bête n. m.
Objet, marque, qui sert à se rappeler ce que l'on a peur d'oublier. *Mamie Lou s'est mis un pense-bête pour ne pas oublier de prendre son médicament.*

Famille de **penser** et de ② **bête**

Famille de **penser**

① *pensée* n. f.
1. Ce que l'on pense ; vois ***idée, opinion.*** *Je vais te dire le fond de ma pensée,* ce que je pense réellement. **2.** *Une pensée,* c'est ce que l'on a dans l'esprit quand on réfléchit ou quand on se souvient. *Hippolyte avait l'air perdu dans ses pensées. Dans sa lettre, Mme Roussel envoie à son amie ses plus affectueuses pensées.* **3.** *Sylvain se transporte au bord de la mer par la pensée,* par l'imagination. **4.** *Yves est tout excité à la pensée des vacances prochaines,* à l'idée, à la perspective des vacances.

La *pensée* d'un philosophe, c'est l'ensemble de ses idées.

② *pensée* n. f.
Fleur violette ou jaune, aux pétales veloutés. *Hippolyte a offert à Angèle un bouquet de pensées.*

Conjugaison 1

penser v.
1. Former des pensées, des idées dans son esprit ; vois ***raisonner, réfléchir.*** *Le docteur Séverac est un homme qui pense juste.* **2.** Avoir à l'esprit. *Julie est un peu triste : elle pense à la fin des vacances. Mme Roussel pense à Loïc qui est resté à Paimpol. « Antoine, pense à faire tes devoirs avant d'aller jouer ! »,* n'oublie pas de faire tes devoirs. **3.** Avoir une opinion. *Beaucoup pensent que Denis Prost est un grand acteur,* c'est l'avis de beaucoup. *Mme Harpie pense du mal de tout le monde,* elle a mauvaise opinion de tout le monde. **4.** *Yves pense devenir explorateur, plus tard,* il en a l'intention.

Babar pense à sa maman et se remet à pleurer *(Babar).*

▸ ***pensif*** adj. Absorbé dans ses pensées ; vois ***songeur.*** *Cette remarque laissa Julie pensive. Odile Séverac regardait les flammes danser dans l'âtre d'un air pensif.*

Delphine demeura pensive, car elle ne décidait rien à la légère *(les Contes du Chat perché).*

Autres membres de la famille : **① pensée, arrière-pensée, pensable, impensable, pensant, pense-bête.**

pension n. f.
1. Somme d'argent versée régulièrement à une personne ; vois ***allocation.*** *M. Bonnot touche une pension pour sa blessure de guerre.* **2.** *Pendant ses études, Angèle avait pris pension chez sa tante,* elle était logée et nourrie par sa tante. *Mme Hespel a pris une chambre d'hôtel avec pension complète,* avec tous les repas. **3.** École où l'on habite et où l'on prend ses repas ; vois ***internat, pensionnat.*** *Mme Bellec et Mme Roussel ont fait leurs études dans la même pension.* **4.** *Une pension de famille,* c'est un hôtel simple à l'ambiance familiale. *La mère de M. Bellec tenait une pension de famille à Paimpol.*

Quand un couple divorce, celui qui garde les enfants reçoit une *pension alimentaire* que lui verse son ex-conjoint.

La pension des retraités est la *retraite.*

Attention ! deux *n.*

▸ ***pensionnaire*** n. m. et f. **1.** Élève logé et nourri dans l'école où il fait ses études. *Les pensionnaires vont passer le week-end dans leurs familles ;* vois ***interne.*** **2.** Personne qui prend pension chez un particulier ou dans un hôtel. *Les pensionnaires de l'hôtel doivent prendre leur repas entre douze et treize heures.*

▸ ***pensionnat*** n. m. École privée où les élèves sont logés et nourris ; vois ***internat, pension.*** *Mme Bellec et Mme Roussel ont fait leurs études dans le même pensionnat.*

Autres membres de la famille : **demi-pension, demi-pensionnaire.**

Prononce [pɛ̃tagon].

pentagone n. m.

Figure géométrique qui a cinq côtés et cinq angles. *Le siège de l'état-major des armées des États-Unis s'appelle le Pentagone, car c'est un bâtiment à cinq côtés.*

Compare *pentagone, hexagone* et *polygone* : dans ces mots, il s'agit d'**angles.**

pente n. f.

Surface inclinée, qui monte ou qui descend ; vois ***côte, descente.*** *Marie-Tévy a réussi à descendre la pente à ski, sans tomber. On arrive à la ferme par un chemin en pente raide,* très incliné.

Autres membres de la famille : **appentis, remonte-pente, soupente.**

pénurie n. f.

Manque de ce qui est nécessaire. *Dans certains pays d'Afrique, les plantes ne peuvent pas pousser à cause de la pénurie d'eau ;* vois ***rareté.***

Le contraire de *pénurie,* c'est *abondance.*

Conjugaison 7

pépier v.

Les petits oiseaux pépient, ils poussent de petits cris ; vois ***gazouiller.***

Goutte brune, tendre pépin
Je tiens le pommier
Dans ma main (comptine).

pépin n. m.

Petite graine que l'on trouve dans certains fruits. *Les pommes, les poires, le raisin, les oranges et les citrons ont des pépins.*

Autre membre de la famille : **épépiner.**

pépinière n. f.

Terrain où l'on fait pousser de jeunes arbres avant de les replanter ailleurs. *Denis Prost a acheté de jeunes arbres dans une pépinière pour aménager son jardin.*

▸ ***pépiniériste*** n. m. et f. Jardinier qui cultive de jeunes arbres dans une pépinière. *Denis Prost a demandé conseil au pépiniériste pour choisir ses arbres.*

pépite n. f.

Morceau d'or pur. *Les chercheurs d'or ont trouvé des pépites dans le ruisseau.*

N'oublie pas la cédille du *ç*.
Famille de **percer**

perçant adj.

1. *Les lynx ont une vue perçante,* très bonne ; vois ***pénétrant.*** **2.** *Le bébé poussait des cris perçants,* aigus, qui faisaient mal aux oreilles.

Famille de **percer**

percée n. f.

1. Ouverture qui permet de passer ou d'avoir un point de vue. *Une percée dans les arbres permettait d'apercevoir la mer ;* vois ***trouée.*** **2.** *Faire une percée,* c'est traverser les défenses de l'ennemi, de l'adversaire. *David a réussi une percée dans le camp adverse et il a marqué seul un très beau but.*

Famille de **percer**

percement n. m.

Action de percer, de pratiquer une ouverture, un passage. *Le percement du tunnel a nécessité de très gros moyens techniques.*

On peut dire *un perce-neige* ou *une perce-neige.*

perce-neige n. m. ou f. invariable

Fleur blanche en forme de clochette, qui pousse à la fin de l'hiver. *Les perce-neige fleurissent, c'est bientôt le printemps !*

Famille de **percer** et de **neige**

Famille de **percer** et de **oreille**

perce-oreille n. m.

Insecte qui porte une espèce de pince à l'extrémité de son abdomen. *Les perce-oreilles vivent sous les pierres ou dans les fruits.*

percepteur n. m.

Personne chargée de recueillir l'argent des impôts ou des amendes. *Mme Roussel a reçu un avertissement de son percepteur.*

Va voir aussi ① ***perception.***

Le percepteur est un fonctionnaire.

perceptible adj.

Qui peut être perçu par la vue ou par l'ouïe. *Le bateau s'éloigne à l'horizon, il est à peine perceptible à l'œil nu ;* vois ***visible.***

Va voir aussi ② ***percevoir.***

① **perception** n. f.
Bureau du percepteur, où s'effectue le paiement des impôts. *Mme Roussel est allée à la perception pour demander un délai de paiement.*

C'est là que le *percepteur perçoit* les impôts.

② **perception** n. f.
La perception, c'est ce qui permet de connaître le monde extérieur par les sens ; vois ***sensation.*** *Les yeux, le nez, les oreilles, la langue sont des organes de perception.*

Va voir aussi ② ***percevoir.***

Conjugaison 3 ▭ Indic. présent : *nous perçons.* Imparfait : *je perçais, nous percions.*

percer v.
1. Faire un trou. *Angèle dit aux enfants de percer le carton avec un poinçon pour y passer un lacet de couleur ;* vois ***trouer, perforer.*** **2.** Ouvrir, creuser. *On a percé un tunnel dans la montagne.* **3.** Traverser. *Les cris du bébé percent les oreilles. Le soleil perçait les nuages.* **4.** *Percer un secret,* c'est parvenir à le découvrir. *D'où venait la lumière qu'on a vue cette nuit dans le ciel ? Personne n'a réussi à percer le mystère ;* vois ***pénétrer.*** **5.** Arriver à passer en faisant un trou. *Martin a deux dents qui percent.* **6.** Devenir célèbre. *Denis Prost a d'abord eu de petits rôles, mais il a fini par percer ;* vois ***réussir.***
▸ **perceuse** n. f. Outil qui sert à percer des trous. *Hippolyte a acheté une perceuse électrique.*

Quand il eut tiré son poignard et voulut percer le cœur innocent de Blancheneige, elle se mit à pleurer *(Blancheneige).*

Autres membres de la famille : **perçant, percée, percement, perce-neige, perce-oreille, transpercer.**

Conjugaison 28 ▭ Indic. présent : *je perçois, nous percevons.* Futur : *je percevrai.*

① **percevoir** v.
Recevoir de l'argent. *Ce mois-ci, Mme Roussel a perçu une prime en plus de son salaire. L'État perçoit des taxes sur l'essence, l'alcool et les cigarettes.*

C'est le *percepteur* qui *perçoit* les impôts, à la *perception.*

Conjugaison 28

② **percevoir** v.
1. Sentir, éprouver par les organes des sens. *M. Bellec a perçu un bruit dans le fourré,* il l'a entendu. *On percevait une vague lueur au loin ;* vois ***apercevoir, distinguer.*** **2.** Discerner, saisir. *Il perçut une nuance d'ironie dans sa réponse.*

Autres membres de la famille : **apercevoir, aperçu, inaperçu.**

La perche a une épine sur le dos.

① **perche** n. f.
Poisson à chair délicate, vivant dans les rivières et dans les lacs. *Dimanche dernier, M. Bellec a pêché une grosse perche.*

La perche est un poisson d'eau douce.

Le *saut à la perche,* c'est le saut en hauteur réalisé à l'aide d'une perche.

② **perche** n. f.
1. Bâton long et mince. *Le champion olympique plante sa perche et s'élève en l'air au-dessus de la barre.* **2.** *Comme les enfants ne savaient pas répondre à la question, Angèle, l'institutrice, leur a tendu la perche,* elle les a aidés à se tirer d'embarras.

Une *perche,* c'est aussi la tige de métal qui supporte un micro.

Conjugaison 1

Sais-tu jouer à *chat perché ?* C'est un jeu de poursuite.

percher v.
L'oiseau perche sur une branche, il se tient sur une branche. *Le chat était perché sur le mur,* il était en haut du mur. — *Les poules se perchent pour dormir,* elles se mettent sur des endroits élevés.
▸ **perchoir** n. m. Endroit où viennent se percher les oiseaux domestiques. *Le perroquet, juché sur son perchoir, parle aux passants.*

Maître Corbeau sur un arbre perché,
Tenait en son bec un fromage
(La Fontaine).

Le *s* final ne se prononce pas. *Perclus* [pɛʀkly] rime avec *exclu.*

perclus adj.
M. Bonnot est perclus de rhumatismes, il a de la peine à se mouvoir à cause de ses rhumatismes.

Au féminin : *percluse.*

percolateur n. m.
Appareil qui fait du café automatiquement. *Le patron du café a mis en marche son percolateur.*

Le *percussionniste* est un musicien qui joue d'un instrument à percussion.

percussion n. f.
Les instruments à percussion, ce sont les instruments de musique sur lesquels on frappe pour obtenir des sons. *Les cymbales, le tambour et la grosse caisse sont des instruments à percussion.*

Va voir aussi ***batterie.***

Conjugaison 1

percuter v.
Heurter violemment, entrer dans quelque chose. *La voiture a percuté un arbre.*
▸ **percutant** adj. Frappant. *Cet orateur a des formules percutantes,* qui retiennent l'attention.

On peut dire aussi qu'elle *a percuté contre un arbre.*

Conjugaison 41
▭ Indic. présent : *je perds, nous perdons.* Passé simple : *je perdis, nous perdîmes.* Futur : *je perdrai, nous perdrons.*

perdre v.
1. *Perdre quelque chose,* c'est ne plus l'avoir en sa possession ; vois ***égarer.*** *Antoine a perdu son cartable. Il perd tout ! M. Doucet perdra peut-être de l'argent dans cette affaire.* **2.** Avoir le dessous dans une épreuve, dans un jeu. *Sylvain a perdu la partie, il veut prendre sa revanche. M. Bellec est mauvais joueur, il déteste perdre.* **3.** Cesser d'avoir. *M. Bonnot a perdu tous ses cheveux. Les arbres perdent leurs feuilles en automne. Ne perdons pas la tête,* ne nous affolons pas. *Angèle commence à perdre patience,* à s'énerver. *Le bateau perdit de la vitesse,* ralentit. **4.** *Perdre quelqu'un,* c'est en être séparé. *Mme Harpie est si désagréable qu'elle a perdu tous ses amis,* elle n'a plus d'amis. *Sophie Pelletier vient de perdre sa mère,* sa mère vient de mourir. **5.** *Se perdre,* c'est s'égarer, ne plus retrouver son chemin. *Angèle a mal lu la carte routière et elle s'est perdue.* **6.** *C'est trop compliqué, on s'y perd,* on n'y comprend rien. **7.** Ne pas faire bon usage de quelque chose. *Le docteur Séverac n'aime pas perdre son temps. Il n'y a pas un instant à perdre. Si tu mets la table à cet endroit, tu perds de la place.*

Le contraire de *perdre,* c'est *gagner.*

Perdre quelqu'un de vue, c'est ne plus le voir.

Nous sommes perdues, dit Sophie en éclatant en sanglots ; je ne sais plus mon chemin, nous sommes perdues *(les Petites Filles modèles).*

C'est le temps que tu as perdu pour ta rose qui fait ta rose si importante *(le Petit Prince).*

▸ ***perdant*** adj. *Antoine a tiré un numéro perdant à la loterie,* un numéro qui l'a fait perdre. — n. *Julie est mauvaise perdante,* elle n'aime pas perdre.

Le contraire de *perdant,* c'est *gagnant.*

▸ ***perdition*** n. f. *Le navire était en perdition,* sur le point de sombrer.

▸ ***perdu*** adj. **1.** Égaré. *On va chercher les objets perdus au commissariat.* **2.** Écarté, isolé. *La ferme se trouve dans un coin perdu.* **3.** Très proche de la mort ; vois ***condamné.*** *La malade se savait perdue.*

Autres membres de la famille : **déperdition, éperdu, éperdument, perte.**

perdreau n. m.
Jeune perdrix. *M. Bellec a rapporté deux perdreaux de la chasse.*

Le ***x*** final ne se prononce pas. *Perdrix* [pɛʀdʀi] rime avec *penderie.*

perdrix n. f.
Oiseau de taille moyenne, au plumage roux ou gris, à queue courte. *Les Doucet ont mangé des perdrix aux choux pour le déjeuner.*

Les perdrix font leur nid directement sur le sol.

Le père vint à son tour et, quand il eut bien pleuré, il réfléchit à la nouvelle vie qu'imposait à ses filles leur changement d'état *(les Contes du Chat perché).*

On appelle le pape le *Saint-Père.*

père n. m.
1. Homme qui a un ou plusieurs enfants. *Le docteur Séverac est père de famille. Denis Prost est le père de Julie et de Martin.* **2.** Parent mâle d'un animal. *Le père de Diane, la chienne de Sylvain, n'était pas un chien de pure race.* **3.** Inventeur, créateur d'une chose. *Les frères Lumière sont les pères du cinéma.* **4.** Nom donné à certains religieux, à un prêtre. *« Mon père, pardonnez-moi parce que j'ai péché », dit-on quand on se confesse.*

Tel père, tel fils (proverbe).

C'était un bâtard.

Autres membres de la famille : **beau-père, grand-père, arrière-grand-père.**

On trouve ce mot surtout au pluriel.

pérégrination n. f.
Déplacement, voyage. *Après de nombreuses pérégrinations, Ulysse est rentré chez lui, dans l'île d'Ithaque.*

Toutes ces pérégrinations sont racontées dans *l'Odyssée.*

Les gens autoritaires ont souvent un ton péremptoire.

péremptoire adj.
Sans réplique. *M. Bellec a ordonné à son fils d'un ton péremptoire de rentrer immédiatement.*

Dites-moi, jeunes filles, ne pensez-vous pas qu'il vaudrait mieux, quand on est si loin de la perfection, ne pas trop parler de beauté ? dit le paon *(les Contes du Chat perché).*

perfection n. f.
Caractère de ce qui est parfait, sans défaut. *Le docteur Séverac parle anglais à la perfection,* parfaitement, très bien.

Les *perfectionnistes* cherchent la perfection dans ce qu'ils font.

▸ ***perfectionner*** v. Rendre meilleur, plus proche de la perfection ; vois ***améliorer.*** *Denis Prost prend des leçons de tennis pour perfectionner son style. — Mme Hespel aimerait se perfectionner en anglais.*

Conjugaison 1

Deux ***n*** dans *perfectio**nn**er, perfectio**nn**é* et *perfectio**nn**ement.*

▸ ***perfectionné*** adj. Muni des dispositifs les plus modernes. *M. Doucet a un appareil photo très perfectionné.*

C'était un marchand de pilules perfectionnées qui apaisent la soif *(le Petit Prince).*

▸ ***perfectionnement*** n. m. **1.** Amélioration qui rend un objet plus moderne. *M. Doucet admire les perfectionnements de son nouvel appareil photo.* **2.** *Mme Hespel suit des cours de perfectionnement en anglais,* elle suit des cours pour se perfectionner en anglais.

Autre membre de la famille : **imperfection.**

Le contraire de *perfide,* c'est *loyal.*

perfide adj.
1. Qui trahit celui qui lui fait confiance ; vois ***déloyal, fourbe.*** *Mme Harpie est la personne la plus perfide qui soit.* **2.** Dangereux, nuisible sans qu'il y paraisse. *Mme Harpie embarrasse tout le monde en faisant des insinuations perfides.*

Conjugaison 1

perforer v.

Percer d'un ou de plusieurs trous ; vois **trouer.** *La balle lui a perforé l'intestin.*

Famille de **forer**

▸ **perforation** n. f. *Le malade a une perforation intestinale,* une ouverture accidentelle des intestins.

performance n. f.

Résultat obtenu par un athlète dans une compétition. *Ce cycliste vient de réaliser une excellente performance.*

On parle aussi des performances d'un cheval de course.

perfusion n. f.

Injection lente et continue de médicaments ou de sang dans les veines. *Le malade est sous perfusion.*

pergola n. f.

La pergola a un sommet plat, la tonnelle a un sommet arrondi.

Petite construction, dans un jardin, qui sert de support à des plantes grimpantes. *Loïc et Mme Roussel se sont assis sur un banc, sous la pergola.*

Conjugaison 1

péricliter v.

Aller mal, aller à sa ruine ; vois **décliner.** *Son commerce a rapidement périclité.*

Le contraire de *péricliter,* c'est *prospérer.*

Péril [peʀil] rime avec *stérile.*

péril n. m.

1. Danger. *Le pompier a sauté dans les flammes au péril de sa vie,* en risquant sa vie. **2.** *Faites-le à vos risques et périls,* en acceptant d'en subir toutes les conséquences.

Prononce [peʀijø].

▸ **périlleux** adj. Dangereux. *Le capitaine du bateau a tenté une manœuvre périlleuse entre les rochers. Les trapézistes font des sauts périlleux,* où le corps fait un tour complet sur lui-même.

périmé adj.

Qui n'est plus valable. *Le passeport de Denis Prost est périmé. Il ne faut pas utiliser de médicaments périmés.*

Le contraire de *périmé,* c'est *valide.*

périmètre n. m.

1. Ligne qui délimite le contour d'une figure. *Les enfants doivent calculer le périmètre d'un rectangle.* **2.** Zone qui s'étend autour d'un lieu. *Il n'y a pas d'autre habitation dans un périmètre de cent kilomètres.*

Le périmètre d'un cercle, c'est sa *circonférence.*

période n. f.

Espace de temps. *L'école est fermée pendant la période des vacances ;* vois **durée, époque.**

Compare : *période* → *périodique* et *épisode* → *épisodique.*

▸ **périodique** adj. **1.** Qui se reproduit à intervalles réguliers. *M. Bonnot a des crises périodiques de rhumatismes.* **2.** Qui paraît chaque jour, chaque semaine, chaque mois. *Sylvain est abonné à un journal périodique.* — n. m. *Sylvain est abonné à un périodique,* un journal, une revue, un magazine qui paraît à intervalles réguliers.

Les *quotidiens,* les *hebdomadaires,* les *mensuels* sont des journaux périodiques.

▸ **périodiquement** adv. À intervalles réguliers. *Ces champs sont périodiquement inondés par les eaux du fleuve.*

Péripétie [peʀipesi] rime avec *scie.*

péripétie n. f.

Événement imprévu. *Les pêcheurs ont capturé un requin, quelle péripétie ! ;* vois **aventure.**

Attention au ***ph*** dans *périphérie* [peʀifeʀi] et *périphérique* !

périphérie n. f.

Ensemble des quartiers éloignés du centre d'une ville. *La fabrique de biscuits est à la périphérie de Motbourg.*

▸ **périphérique** adj. Situé à la périphérie. *La fabrique de biscuits est située dans un quartier périphérique de Motbourg.*

À Paris, un boulevard périphérique fait le tour de la ville.

périple n. m.

Long voyage. *Angèle et ses frères ont fait un périple en Méditerranée.*

Conjugaison 2

périr v.

Périr d'ennui, c'est s'ennuyer énormément.

Mourir par accident. *Deux marins ont péri noyés.*

▸ **périssable** adj. *Les denrées périssables,* ce sont des denrées qui s'abîment rapidement. *On transporte les denrées périssables dans des camions frigorifiques.*

Autres membres de la famille : **dépérir, impérissable.**

Compare *périscope* et *téléscope* : il s'agit de **regarder.**

périscope n. m.

Instrument d'optique qui permet de voir par-dessus un obstacle. *Les sous-marins sont équipés de périscopes.*

Attention au *y* de *péristyle* !

péristyle n. m.

Rangée de colonnes qui fait le tour d'un bâtiment ou qui entoure sa cour intérieure. *Les temples antiques étaient entourés d'un péristyle.*

La couleur *gris perle,* c'est un gris très clair.

perle n. f.

1. Petite boule brillante et dure, formée de couches de nacre sécrétées par certaines huîtres. *Les perles sont utilisées depuis l'Antiquité pour faire des bijoux. Il existe des perles naturelles et des perles de culture.* **2.** Petite boule percée d'un trou. *Claire enfile des perles en bois multicolores.* **3.** Goutte d'un liquide. *Les perles de rosée brillaient au soleil.* **4.** Personne très remarquable. *Cette cuisinière est une perle.* **5.** Chose de grande valeur. *Ce timbre du Brésil est la perle de sa collection.*

La perle se forme autour d'un parasite ou d'un grain de sable et grossit pendant cinq ou six ans. Elle peut être parfaitement ronde ou allongée en forme de poire, de couleur blanche, rose, grise ou noire.

Conjugaison 1

▸ ***perler*** v. Se présenter sous forme de petites gouttes. *La sueur perlait sur le front des coureurs.*

▸ ***perlier*** adj. *Une huître perlière,* c'est une huître qui peut sécréter des perles. *L'huître perlière met environ six ans à fabriquer une perle.*

Le contraire de *permanent,* c'est *fugace, fugitif, passager.*

permanent adj.

Qui dure sans changer ; vois ***constant, perpétuel.*** *M. Bonnot a une douleur permanente dans la jambe droite.*

Un *cinéma permanent,* c'est un cinéma où le même film est projeté sans interruption plusieurs fois de suite.

Compare : *permanent → permanence* et *intermittent → intermittence.*

▸ ***permanence*** n. f. **1.** Service qui permet à des bureaux de fonctionner sans interruption. *Quelques policiers assurent la permanence du commissariat.* **2.** Salle où les élèves travaillent sous surveillance quand ils n'ont pas de cours. *Alex est allé apprendre sa leçon d'histoire en permanence.* **3.** *Le commissaire porte en permanence une arme sur lui,* de façon constante.

▸ ***permanente*** n. f. Traitement qui permet d'onduler les cheveux d'une façon durable. *Mme Bellec s'est fait faire une permanente.*

Le contraire de *perméable,* c'est *étanche, imperméable.*

perméable adj.

Qui se laisse traverser par l'eau ou par un liquide. *Le calcaire est une roche perméable.*

Autre membre de la famille : **imperméable.**

Attention ! deux *t.*
Conjugaison 56
▭ Indic. présent : *je permets, nous permettons.* Imparfait : *je permettais.* Futur : *je permettrai.*

permettre v.

1. Donner le droit à quelqu'un de faire quelque chose ; vois ***autoriser.*** *Mme Séverac a permis à ses enfants de se coucher tard ;* vois ***laisser.*** **2.** Rendre une chose possible. *Cette nuit, le ciel sans nuage permet de voir les étoiles. Il n'est pas permis de marcher sur les pelouses.* **3.** *« Permettez-moi de vous féliciter »,* acceptez mes félicitations. **4.** *Se permettre de faire quelque chose,* c'est oser le faire. *Colle et Rat se sont permis de répondre à la maîtresse avec insolence.*

Le contraire de *permettre,* c'est *empêcher, interdire.*

Un coq, qui avait peu de manières, trouva le rapprochement comique et se permit d'en rire bruyamment
(les Contes du Chat perché).

▸ ***permis*** n. m. **1.** Autorisation officielle écrite. *M. Bellec a un permis de chasse.* **2.** *Le permis de conduire,* c'est le certificat qu'il faut avoir pour conduire une voiture, une moto, un camion. *Alex a passé son permis de conduire,* l'épreuve qui donne le permis.

« Lorsque vous aurez quinze ans, dit la grand-mère, je vous donnerai la permission de monter à la surface de la mer »
(la Petite Sirène).

▸ ***permission*** n. f. **1.** Autorisation de faire quelque chose. *Mme Séverac a donné à ses enfants la permission de se coucher tard. Julie est sortie de la classe sans permission,* sans autorisation. **2.** Congé accordé à un militaire. *Les soldats en permission ne portent pas leur uniforme.*

Conjugaison 1

On peut aussi permuter les syllabes ou les lettres d'un mot.

permuter v.

Mettre une chose à la place d'une autre ; vois ***intervertir.*** *Quand on permute les deux chiffres de 58, on obtient 85.*

Compare *permuter* et *muter* : il s'agit de **changer.**

Ce n'est pas un mot très courant.

pernicieux adj.

Mauvais, malfaisant ; vois ***nocif, nuisible.*** *Colle et Rat ont une influence pernicieuse sur les autres élèves.*

Le péroné est un os long et mince.

péroné n. m.

Os de la jambe. *Le tibia et le péroné sont les deux os de la jambe.*

Conjugaison 1

pérorer v.
Parler d'une manière très prétentieuse. *Mme Séverac pérorait au milieu de ses amies.*

perpendiculaire adj.
Une *perpendiculaire,* c'est une droite qui coupe une autre droite en formant un angle droit.
Des lignes perpendiculaires, ce sont des lignes qui se coupent en formant un angle droit. *À Motbourg, le boulevard de la Gare est perpendiculaire à l'avenue du Général-de-Gaulle. Le boulevard et l'avenue sont perpendiculaires.*
En revanche, les *lignes parallèles* ne se coupent jamais.

Conjugaison 6
▭ Indic. présent : *je perpètre, nous perpétrons.*

perpétrer v.
Perpétrer un crime, c'est commettre un crime. *L'horrible crime a été perpétré par un déséquilibré.*
Ne confonds pas *perpétrer* et *perpétuer.*

perpétuel adj.
Je découvris une grande ville très riche et très peuplée, où régnait un printemps perpétuel *(les Mille et Une Nuits).*
1. Qui ne s'arrête jamais ; vois ***incessant.*** *Angèle ne peut pas faire son cours, elle est gênée par un murmure perpétuel.* **2.** Qui se reproduit très souvent ; vois ***continuel.*** *Tout le monde est fatigué par les jérémiades perpétuelles de Mme Harpie.*
Le contraire de *perpétuel,* c'est *éphémère, momentané, passager, provisoire.*
▹ ***perpétuellement*** adv. Fréquemment, souvent ; vois ***constamment.*** *Antoine arrive perpétuellement en retard à l'école.*

à perpétuité adv.
Pour toujours. *Ce dangereux criminel a été condamné à la réclusion à perpétuité,* à rester en prison jusqu'à la fin de sa vie.

perplexe adj.
Hésitant, indécis, embarrassé. *Hippolyte ne sait pas quelles chaussures il va mettre aujourd'hui : il est perplexe.*
Le contraire de *perplexe,* c'est *décidé.*
Compare : *perplexe → perplexité* et *complexe → complexité.*
▹ ***perplexité*** n. f. Embarras, incertitude. *Hippolyte est dans une grande perplexité.*

perquisition n. f.
Fouille faite par la police. *Les policiers ont reçu l'ordre de faire une perquisition au domicile du suspect.*
Compare : *perquisition → perquisitionner* et *question → questionner.*
Deux ***n*** à *perquisitionner.* Conjugaison 1
▹ ***perquisitionner*** v. Faire une perquisition ; vois ***fouiller.*** *Les policiers ont perquisitionné chez le suspect pour trouver des indices.*

Il y a deux ***r*** à *perron.*

perron n. m.
Petit escalier se terminant par une plate-forme devant la porte d'entrée d'une maison. *Mme Séverac accueille ses invités sur le perron.*

Perroquet prend deux ***r.*** Les perroquets peuvent vivre jusqu'à quatre-vingts ans.

perroquet n. m.
Oiseau au plumage très coloré, au gros bec recourbé, capable d'imiter la voix humaine. *Les perroquets sont des oiseaux grimpeurs qui s'apprivoisent très facilement.*
Répéter comme un perroquet, c'est répéter sans comprendre.

Il y a deux ***r*** à *perruche.*

perruche n. f.
Petit oiseau grimpeur à longue queue et au plumage coloré. *Mme Bonnot a un couple de perruches en cage.*
La perruche ressemble beaucoup au perroquet, en plus petit.

Deux ***r*** à *perruque.*

perruque n. f.
Fausse chevelure. *Au temps de Louis XV, les hommes portaient une perruque poudrée. Quand elle se trouve trop mal coiffée, Mme Séverac met une perruque blonde.*
En Angleterre, dans les procès, les magistrats et les avocats portent la perruque.

Conjugaison 1

persécuter v.
Tourmenter sans relâche, tyranniser. *Pendant la Seconde Guerre mondiale, les Juifs ont été persécutés dans toute l'Europe.*
Compare : *persécuter → persécution* et *exécuter → exécution.*
▹ ***persécution*** n. f. Mauvais traitements, injustes et cruels, infligés à une personne ou à un groupe de gens. *Sous Hitler, les Juifs étaient victimes des persécutions nazies. Mme Harpie a la manie de la persécution,* elle se croit sans cesse persécutée.
Certains peuples, comme les Arméniens ou les Indiens d'Amérique, ont subi d'atroces persécutions.

Conjugaison 6 ▭ Indic. présent : *je persévère, nous persévérons.*

persévérer v.
Continuer ce que l'on fait sans jamais se décourager ; vois ***persister, poursuivre.*** *Marie-Tévy a fait des progrès en français, mais il faut qu'elle persévère dans son effort ;* vois ***persister.***
Le contraire de *persévérer,* c'est *renoncer, abandonner.*
Compare : *persévérer → persévérance* et *espérer → espérance.*
▹ ***persévérance*** n. f. Obstination, ténacité dans ce que l'on fait. *Marie-Tévy doit travailler son français avec persévérance si elle veut progresser.*

Il y a deux *n* à *persienne.*

persienne n. f.
Volet formé de plusieurs panneaux percés de fentes. *Mme Séverac ferme les persiennes pour que le soleil n'entre pas dans la chambre.*

Les persiennes peuvent être en bois ou en métal.

Prononce [pɛʀsil] ou [pɛʀsi].

persil n. m.
Plante dont on utilise les feuilles pour donner du goût aux aliments. *M. Bellec a haché du persil et l'a mis sur la salade de tomates.*

M. Bellec est restaurateur à Motbourg.

Conjugaison 1

persister v.
1. S'obstiner, persévérer dans ce que l'on fait ou ce que l'on pense. *Marie-Tévy doit persister dans son effort pour réussir.* **2.** Durer, rester malgré tout ; vois ***subsister.*** *La douleur persiste malgré le calmant.*

Le contraire, c'est *renoncer.*
Le contraire, c'est *cesser.*

Compare : *persister* → *persistance, persistant* et *résister* → *résistance, résistant.*

▸ ***persistance*** n. f. *Devant la persistance du mauvais temps, Angèle a renoncé à partir en pique-nique,* parce qu'elle voyait le mauvais temps durer.

Le contraire, c'est *arrêt.*

▸ ***persistant*** adj. Durable, tenace. *Sylvain est épuisé par une toux persistante. Le sapin est un arbre à feuilles persistantes,* un arbre dont les feuilles ne tombent pas.

Le contraire, c'est *passager.*

Le bouleau est un arbre à *feuilles caduques.*

Attention aux deux *n* de *personnage !*

personnage n. m.
1. Personne qui a un rôle important dans la société ou qui est très connue ; vois ***personnalité.*** *À Motbourg, le maire, l'abbé Gauthier et le docteur Séverac sont des personnages influents. Napoléon est un personnage historique.* **2.** Personne qui figure dans une pièce de théâtre ou un film et qui est jouée par un acteur ou une actrice ; vois ***héros, rôle.*** *Le personnage principal de la pièce est un enfant.*

Famille de ② **personne**

Quelques hauts personnages avaient été informés [...] des événements qui s'accomplissaient au-delà de la frontière *(Michel Strogoff).*

On parle aussi des *personnages d'un roman, d'un tableau.*

Personnaliser, comme *personne,* prend deux *n.*

personnaliser v.
Donner à une chose un caractère personnel pour qu'elle ait l'air bien à soi. *Hippolyte a personnalisé sa chambre en collant sur les murs des affiches et des photos qu'il aime.*

Conjugaison 1

Famille de ② **personne**

Attention ! deux *n* comme dans *personne.*

personnalité n. f.
1. *La personnalité,* c'est ce qui fait qu'une personne est elle-même et non quelqu'un d'autre. *Mme Hespel a une très forte personnalité,* elle a beaucoup de caractère. **2.** *Une personnalité,* c'est une personne importante ou connue ; vois ***personnage.*** *Denis Prost connaît beaucoup de personnalités du monde du spectacle ;* vois ***célébrité.***

Famille de ② **personne**

C'est lui-même un comédien célèbre.

Personne n'a pas de pluriel.

① **personne** pronom indéfini
Aucun être humain. *« As-tu vu quelqu'un, là-haut ? » — « Non, personne. » Il n'y avait personne. Il n'y a jamais personne ici. Que personne ne bouge ! Mamie Lou fait les tartes aux pommes comme personne,* personne d'autre ne les fait aussi bien.

Souvenez-vous, disaient-ils, de n'ouvrir la porte à personne, qu'on vous prie ou qu'on vous menace *(les Contes du Chat perché).*

Le contraire de *personne,* c'est *quelqu'un.*

② **personne** n. f.
1. Être humain. *La famille Séverac est une famille de cinq personnes. M. et Mme Bonnot sont des personnes âgées. La place de cinéma coûte trente-cinq francs par personne. Le maire en personne est venu voir la directrice,* le maire lui-même. **2.** En grammaire, la *première personne* désigne celui ou ceux qui parlent, la *deuxième personne* celui ou ceux à qui l'on parle, la *troisième personne* ce dont on parle. *Conjuguez le verbe aimer à la première personne du singulier du présent et du futur de l'indicatif.*

Quoique je puisse me vanter d'avoir vu une infinité de belles personnes, je puis dire que je n'en ai jamais vu dont la beauté approche la vôtre *(Riquet à la Houppe).*

Les enfants doivent être très indulgents avec les grandes personnes *(le Petit Prince).*

J'aime, j'aimerai.

▸ ***personnel*** adj. et n. m.
▭ **adj. 1.** Ce qui appartient en propre à quelqu'un, est bien à lui ; vois ***individuel, particulier.*** *Chaque élève a rangé ses affaires personnelles dans son bureau. Mme Bellec n'a pas beaucoup d'idées personnelles ;* vois ***original.*** **2.** *Les pronoms personnels* désignent des personnes. *Dans « elle me le donne », « elle », « me » et « le » sont des pronoms personnels.*

Le contraire de *personnel,* c'est *collectif, commun.*

Je, tu, il, elle, nous, vous, ils, elles sont les pronoms personnels sujets.

Me, te, se, lui, leur, le, la sont des pronoms personnels compléments.

▭ **n. m.** Ensemble des personnes qui travaillent dans une entreprise ou chez quelqu'un. *Le personnel de la biscuiterie compte plusieurs centaines d'employés.*

▸ ***personnellement*** adv. **1.** Soi-même, en personne. *Le maire tient à s'occuper personnellement de cette affaire.* **2.** *« Personnellement, je ne suis pas d'accord »,* quant à moi, en ce qui me concerne.

Je sais qu'Ivan Ogareff a juré de se venger personnellement du père du czar *(Michel Strogoff).*

Conjugaison 7
▭ Indic. imparfait : *nous personnifiions.*

▸ ***personnifier*** v. Représenter sous l'aspect d'une personne. *Molière a personnifié l'avarice sous les traits d'Harpagon. Mme Harpie est la méchanceté personnifiée.*

Autres membres de la famille : **impersonnel, personnage, personnaliser, personnalité, pèse-personne.**

Ils sont joyeux *à la perspective* des vacances.

perspective n. f.

1. Façon de dessiner un objet en donnant l'impression de profondeur dans l'espace. *Le peintre a dessiné la maison en perspective.* **2.** Idée qu'un événement va se produire. *La perspective des vacances prochaines rendait les enfants tout joyeux ;* vois ***idée.*** *Denis Prost a une belle carrière en perspective,* en vue.

Il est comédien.

Compare : *perspicace → perspicacité* et *efficace → efficacité.*

perspicace adj.

Capable de deviner les choses ; vois ***fin, subtil.*** *Angèle est très perspicace.*

▸ **perspicacité** n. f. Finesse, subtilité. *Angèle est d'une grande perspicacité.*

Conjugaison 1

persuader v.

Convaincre de faire quelque chose. *Julie a persuadé sa mère de lui acheter de nouvelles chaussures.*

Le contraire de *persuader,* c'est *dissuader.*

▸ ***persuadé*** adj. Convaincu, absolument sûr. *Mme Harpie est persuadée que tout le monde lui en veut.*

▸ ***persuasif*** adj. Qui sait persuader, convaincre ; vois ***convaincant.*** *Julie est très persuasive quand elle veut quelque chose.*

Compare : *persuader → persuasion* et *dissuader → dissuasion.*

Elle emploie un *ton persuasif.*

▸ **persuasion** n. f. Le fait de persuader. *Julie a une grande force de persuasion dès qu'il s'agit d'obtenir ce qu'elle veut.*

Le contraire de *persuasion,* c'est *dissuasion.*

Famille de **perdre**

Perte de la vue, plus terrible peut-être que la perte de la vie ! Le malheureux était condamné à être aveuglé *(Michel Strogoff).*

perte n. f.

1. *La perte de quelque chose,* c'est le fait de ne plus l'avoir en sa possession, d'en être privé. *Mamie Lou est énervée par la perte de ses lunettes. La biscuiterie de Motbourg a subi de grosses pertes cette année,* elle a perdu beaucoup d'argent. **2.** *Sophie Pelletier a été très affectée par la perte de sa mère,* par la mort de sa mère. **3.** *La mer s'étendait à perte de vue,* aussi loin que l'on pouvait voir. **4.** *C'est en pure perte qu'Angèle, l'institutrice, se démène pour Colle et Rat,* inutilement. **5.** *Il a été renvoyé de l'école avec perte et fracas,* brutalement, sans ménagement.

Le contraire de *perte,* c'est *bénéfice.*

pertinent adj.

Plein de bon sens, d'à-propos. *Les élèves ont fait des remarques très pertinentes ;* vois ***judicieux.***

Autres membres de la famille : **impertinent, impertinence.**

Conjugaison 1

perturber v.

Empêcher de fonctionner normalement. *Au moment des départs en vacances, des embouteillages perturbent la circulation.*

Compare *perturber* et *turbulent* : il s'agit de **trouble.**

Compare : *perturber → perturbateur, perturbation* et *fonder → fondateur, fondation.*

▸ ***perturbateur*** n. m., ***perturbatrice*** n. f. Personne qui provoque le trouble, le désordre. *Colle et Rat sont les perturbateurs de la classe.*

▸ ***perturbation*** n. f. Trouble, désordre dans le fonctionnement de quelque chose. *Colle et Rat sèment la perturbation dans la classe. On attend des perturbations atmosphériques dans les prochains jours,* de violents changements de temps.

Autre membre de la famille : **imperturbable.**

Il se produisit de grandes perturbations atmosphériques, qui amenèrent des bourrasques mêlées de pluie *(Michel Strogoff).*

Pervenche [pɛʀvɑ̃ʃ] rime avec *revanche.*

pervenche n. f.

Petite plante à fleurs d'un bleu mauve. *Les pervenches poussent dans les bois et au creux des haies.* — adj. invariable *Yves a les yeux bleu pervenche,* de la couleur de la pervenche.

Pervers [pɛʀvɛʀ] rime avec *verre* et *couvert.*

pervers adj.

Qui aime faire le mal. *Colle et Rat sont un peu pervers.*

Au féminin : *perverse.*

Conjugaison 2

pervertir v.

Pousser à faire le mal ; vois ***corrompre.*** *Angèle, l'institutrice, a peur que Colle et Rat pervertissent les autres enfants de la classe.*

Conjugaison 5
▭ Indic. présent : *je pèse, nous pesons.*
Imparfait : *je pesais.*
Futur : *je pèserai.*

peser v.

1. Déterminer le poids. *Sophie Pelletier pèse son bébé chaque semaine. Hippolyte, le facteur, a pesé les lettres. — Denis Prost se pèse tous les matins sur sa balance.* **2.** Avoir pour poids. *Angèle pèse cinquante kilos,* son poids est de cinquante kilos. **3.** Examiner avec attention. *Le docteur Séverac parlait en pesant ses mots,* en faisant attention à ce qu'il disait. **4.** Être

Autres membres de la famille : **apesanteur, s'apesantir, soupeser.**

Tout bien pesé, après mûre réflexion.

pénible à supporter. *Cette démarche me pèse ;* vois ***coûter.*** **5.** Avoir de l'importance. *Les conseils de Mme Bellec ont pesé dans la décision de Mme Roussel.*

Ne pas peser lourd, c'est avoir peu d'importance.

Compare : *peser → pesant* et *imposer → imposant.*

▹ ***pesant*** adj. **1.** Qui donne une impression de lourdeur. *Antoine imitait la démarche pesante d'un ours.* **2.** Pénible à supporter. *Il régnait dans la classe un silence pesant.*

Le contraire de *pesant,* c'est *léger.*

Compare : *pesant → pesamment* et *bruyant → bruyamment.*

▹ ***pesamment*** adv. D'une manière pesante. *L'ours est retombé pesamment sur ses pieds.*

▹ ***pesanteur*** n. f. *La pesanteur,* c'est la force qui entraîne les corps vers le centre de la Terre ; vois ② ***gravité.*** *Quand il n'y a plus de pesanteur, les corps flottent.*

C'est Newton (1642-1727) qui le premier a déterminé les lois de la pesanteur.

▹ ***pesée*** n. f. Opération par laquelle on connaît un poids. *De quand date votre dernière pesée ?,* depuis quand vous êtes-vous pesé ?

Famille de ② **personne**

▹ ***pèse-personne*** n. m. Balance plate qui a un cadran gradué. *Le cadran du pèse-personne est gradué de kilo en kilo.*

Au pluriel : *des pèse-personnes* ou *des pèse-personne.*

Au pluriel, prononce [pesetas] ou [pezeta].

peseta n. f.
Monnaie espagnole. *Avant d'aller en Espagne, Angèle a changé des francs en pesetas.*

pessimisme n. m.
Façon qu'une personne a de prendre les choses du mauvais côté, d'être persuadée que les choses tourneront mal. *Mme Roussel était triste et voyait l'avenir avec pessimisme.*

Le contraire de *pessimisme,* c'est *optimisme.*

Elle était *pessimiste.*

pessimiste adj.
Mécontent du présent et inquiet pour l'avenir. *L'expérience l'avait rendu pessimiste. Mme Hespel est pessimiste sur les chances de son fils Alex d'être reçu au bac.*

Le contraire de *pessimiste,* c'est *optimiste.*

Elle fait preuve de *pessimisme.*

peste n. f.
1. Très grave maladie contagieuse. *Au Moyen Âge, de terribles épidémies de peste ont fait des millions de victimes en Europe.* **2.** Personne insupportable, méchante. *Hippolyte a traité Julie de petite peste.*

On appelait *pestiféré* quelqu'un qui était malade de la peste.

Conjugaison 1

▹ ***pester*** v. Manifester sa mauvaise humeur ou sa colère par des paroles. *Denis Prost peste tous les matins contre le chat qui se met dans ses jambes.*

Pendant l'été, le marais redevient [...] pestilentiel, impraticable *(Michel Strogoff).*

pestilentiel adj.
Qui répand une odeur infecte ; vois ***puant.*** *Des pneus qui brûlaient rendaient l'atmosphère pestilentielle.*

Pestilentiel [pɛstilɑ̃sjɛl] rime avec *ciel.*

Ce mot est familier.

pet n. m.
Gaz intestinal qui s'échappe de l'anus. *L'âne a lâché des pets sonores. Ça ne vaut pas un pet de lapin,* cela n'a aucune valeur.

Autres membres de la famille : **pétard, pétarader, péter, pétiller, pétillant.**

Pétale est un nom masculin.

pétale n. m.
Chacune des parties colorées qui forment la corolle d'une fleur. *Les roses qui se fanaient perdaient leurs pétales un à un.*

pétanque n. f.
Jeu de boules. *M. Bonnot fait une partie de pétanque dans l'allée sous les platanes.*

Conjugaison 1

pétarader v.
Faire entendre une série de bruits secs et violents. *Le camion démarre en pétaradant.*

Famille de **pet**

Famille de **pet**

pétard n. m.
Petite charge d'explosif contenue dans un emballage. *Colle et Rat ont lancé des pétards dans la boutique de Mme Harpie.*

Conjugaison 6
Famille de **pet**

péter v.
Faire un pet. *L'âne a pété avec un bruit sonore.*

Péter est un mot familier.

Conjugaison 1

pétiller v.
1. Éclater en faisant de petits bruits secs. *Le feu pétille dans la cheminée.*

Famille de **pet**

2. Faire des bulles et un léger bruit. *Le champagne pétillait dans les coupes.* 3. Briller d'un éclat très vif. *Les yeux de Claire pétillaient de malice.*

Compare : *pétiller → pétillant* et *briller → brillant.*

▸ ***pétillant*** adj. **1.** Qui contient de petites bulles ; vois ***gazeux.*** *Yves boit de l'eau pétillante.* **2.** Qui brille avec éclat. *Claire rit et ses yeux sont pétillants de joie.*

petit adj., n. et adv.

▭ **adj. 1.** Qui a une taille inférieure à la moyenne. *Sylvain est petit pour son âge. L'appartement d'Angèle est très petit. Marie-Tévy a de petits pieds.* **2.** Jeune. *Claire est encore petite, elle ne sait pas lire. Marie-Tévy est la petite sœur de David et de Nathalie,* elle est plus jeune qu'eux. **3.** Faible, de peu d'importance. *J'entends le petit bruit de la source.* **4.** *Petit* exprime l'affection. *Bonjour, ma petite Claire chérie.*

Le contraire de *petit,* c'est *grand.*

Quand j'étais petit,
Je n'étais pas grand (chanson).

Moi aussi, j'ai un petit frère, et ça fait toujours des histoires *(le Petit Nicolas).*

Le petit Poucet [...] vit une petite lueur comme d'une chandelle *(le Petit Poucet).*

▭ **n. 1.** Jeune être humain. *Yves et Antoine se sont connus à l'école maternelle, dans la classe des petits.* **2.** Jeune animal. *La chatte a eu des petits.*

Le marcassin est le petit du sanglier.

▭ **adv.** *Petit à petit,* peu à peu. *Petit à petit, Marie-Tévy est devenue moins timide.*

Petit à petit, l'oiseau fait son nid (proverbe).

▸ ***petitesse*** n. f. Caractère de ce qui est de petite dimension. *Angèle se plaint de la petitesse de son appartement.*

Le contraire de *petitesse,* c'est *grandeur.*

Autres membres de la famille : **petit-beurre, petit-gris, rapetisser.**

petit-beurre n. m.

N'oublie pas le trait d'union.
Famille de **petit** et de **beurre**

Petit gâteau sec, fait au beurre. *Claire a mangé tout un paquet de petits-beurre.*

Au pluriel : *des petits-beurre.*

petite-fille n. f.

Famille de **fille**

Fille d'un fils ou d'une fille. *Claire, Marie-Tévy et Nathalie sont les petites-filles de Mamie Lou,* Mamie Lou est leur grand-mère.

Au pluriel : *des petites-filles.*

petit-fils n. m.

Famille de **fils**
Au pluriel : *des petits-fils.*

Fils d'un fils ou d'une fille. *Alex et Sylvain sont les petits-fils du colonel Hespel,* le colonel Hespel est leur grand-père.

Louis XVI était le petit-fils de Louis XV.

petit four n. m.

Très petit gâteau, frais ou sec, sucré ou salé. *Le maire a mangé beaucoup de petits fours pendant le cocktail.*

petit-gris n. m.

Attention au trait d'union !
Famille de **petit** et de ① **gris**

Fourrure gris ardoise d'un écureuil d'Europe du Nord et de Sibérie. *La toque de Réjean est doublée de petit-gris.*

Les *petits-gris* sont aussi de petits escargots à coquille brunâtre.

pétition n. f.

Pétition [petisjɔ̃] rime avec *pension.*

Texte exprimant une demande ou une plainte, et signé par plusieurs personnes. *Les habitants de la place du Marché ont signé une pétition contre le projet de parking.*

petits-enfants n. m. plur.

Attention au trait d'union !

Enfants d'un fils ou d'une fille. *Claire, Marie-Tévy, David et Nathalie sont les petits-enfants de Mamie Lou,* Mamie Lou est leur grand-mère.

Famille de **enfant**

petit-suisse n. m.

Attention au trait d'union !

Petit fromage frais à la crème, en forme de cylindre. *Antoine mange des petits-suisses.*

Au pluriel : *des petits-suisses.*

pétrel n. m.

Oiseau palmipède très vorace, qui vit en haute mer. *Les pétrels vivent en colonies.*

pétrifier v.

Conjugaison 7
▭ Indic. présent : *il pétrifie, nous pétrifions.*
Imparfait : *nous pétrifiions.*

1. Changer en pierre. *En labourant, Pierre Séverac a mis à jour des fossiles pétrifiés.* **2.** Rendre immobile, incapable de bouger. *La peur pétrifiait Marie-Tévy en haut du toboggan.*

pétrin n. m.

Coffre dans lequel on pétrit le pain. *Les boulangers utilisent des pétrins mécaniques.*

Conjugaison 2

pétrir v.
Le boulanger pétrit la pâte, il la presse avec force et la remue en tous sens.

Compare *pétrole* et *olive* : il s'agit d'**huile.**

Une *lampe à pétrole* fonctionne avec un produit tiré du pétrole.

Compare : *pétrole → pétrolier, encre → encrier* et *poudre → poudrier.*

pétrole n. m.
Huile minérale naturelle que l'on tire du sous-sol et que l'on utilise comme source d'énergie. *Certains gisements de pétrole sont sous-marins. En raffinant le pétrole, on obtient de l'essence et du mazout.*
▹ ***pétrolier*** n. m. et adj. **1.** n. m. Navire équipé pour transporter du pétrole en vrac. *Certains pétroliers mesurent plus de trois cents mètres de long.* **2.** adj. Relatif au pétrole. *Les compagnies pétrolières exploitent et vendent le pétrole et les produits pétroliers,* les produits fabriqués à partir du pétrole.
▹ ***pétrolifère*** adj. Qui contient du pétrole. *Dans cette zone, on a découvert des terrains pétrolifères.*

Le premier puits de pétrole a été foré aux États-Unis en 1859.

Le *bleu pétrole* est une nuance où entrent du bleu, du gris et du vert.

pétulant adj.
Vif et exubérant. *Hippolyte décrit sa cousine comme une femme pétulante et gaie.*

Les pétunias se sèment au printemps et fleurissent de mai à octobre.

pétunia n. m.
Plante à fleurs violettes, roses ou blanches. *Mme Roussel a mis des pots de pétunias sur son balcon.*

Cependant, il était le plus fin, et le plus avisé de tous ses frères, et s'il parlait peu, il écoutait beaucoup *(le Petit Poucet).*

peu adv.
1. En petite quantité, pas très. *La bougie éclaire peu,* elle n'éclaire pas beaucoup. *Mme Harpie est peu aimable et elle sourit peu.* **2.** *Il y avait peu de gens sur la plage,* un très petit nombre. *Ce travail demande peu de temps,* pas beaucoup de temps. **3.** Une petite quantité. *Mamie Lou met un peu de sel dans la pâte à tarte. Mme Séverac ne veut qu'un tout petit peu de chocolat.* **4.** Légèrement. *Yasmina est un peu timide. David est un peu moins grand que sa sœur jumelle.* **5.** *Deux minutes pour cuire un œuf, c'est trop peu,* ce n'est pas assez. **6.** *Le bonhomme de neige a fondu peu à peu,* par petites étapes. *Le ventre de Mme Bellec s'arrondit peu à peu.* **7.** *Le docteur Séverac sera là sous peu,* dans un temps très court, très bientôt. **8.** *Depuis peu, Mme Roussel est moins triste,* il n'y a pas longtemps. **9.** *Pour peu qu'on fasse du bruit, Martin se réveille,* aussi peu que ce soit.

Le contraire de *peu,* c'est *beaucoup.*

C'était un bon bœuf, un très bon bœuf, même : doux, patient, laborieux, mais qui avait un peu d'orgueil et d'ambition *(les Contes du Chat perché).*

Va voir *à peu près* à ***près.***

Au zoo de Londres, on peut voir un couple de pandas donnés « au peuple anglais par le peuple chinois ».

peuple n. m.
1. Groupe de gens habitant le même pays et ayant la même culture, les mêmes traditions ; vois ***nation, population.*** *D'autres peuples étaient installés en Gaule avant l'arrivée des Celtes.* **2.** *Le peuple,* c'est la masse de ceux qui sont les plus défavorisés et les plus nombreux. *Le peuple de Paris s'est soulevé en 1871.*
▹ ***peuplade*** n. f. Petit groupe de personnes, formant une société, dans un pays non industrialisé. *Ces peuplades vivaient de la cueillette et de la chasse.*

Conjugaison 1

▹ ***peupler*** v. Habiter, occuper une région, un pays. *Les réfugiés ont peuplé les îles de la lagune. Avant l'arrivée des Européens, l'Amérique était peuplée d'Indiens.*
▹ ***peuplé*** adj. *Une région peuplée,* c'est une région qui compte de nombreux habitants. *Mexico et Tokyo comptent parmi les villes les plus peuplées du monde.*

Lucky Luke accompagne les colons qui vont peupler le Far-West.

Compare : *peupler → peuplement* et *aménager → aménagement.*

▹ ***peuplement*** n. m. Installation d'habitants dans des endroits peu ou pas habités. *Le gouvernement des États-Unis a encouragé le peuplement des États de l'Ouest.*

Autres membres de la famille : **dépeupler, repeupler, surpeuplé.**

Les peupliers atteignent leur haute taille en vingt ou vingt-cinq ans.

peuplier n. m.
Arbre élancé, de haute taille, qui a des petites feuilles et pousse dans des endroits frais et humides. *Les enfants ont pique-niqué près d'une rivière bordée de peupliers.*

Une *peupleraie* est une plantation de peupliers.

Babar arrive près d'une ville [...]. Toutes ces autos lui font peur et il croit voir des chasseurs partout *(Babar).*

peur n. f.
1. Émotion que l'on ressent en face d'un danger ou d'une menace ; vois ***crainte, frayeur, terreur.*** *Certaines personnes ont peur des chiens. Viens, n'aie pas peur. L'orage lui faisait peur. Yves est tombé, mais il a eu plus de peur que de mal. Yasmina se bouchait les oreilles par peur du bruit.* **2.** *Les enfants ne se regardaient pas, de peur de rire,* par crainte de rire.

— C'est le loup, dit Delphine.
— Le loup ? dit Marinette, alors on a peur ?
— Bien sûr, on a peur *(les Contes du Chat perché).*

Le contraire de *peureux,* c'est *brave, courageux.*

▸ ***peureux*** adj. *Une personne peureuse,* c'est une personne qui a facilement peur. *Antoine et Yves disent qu'ils ne sont pas peureux.*

Autre membre de la famille : **apeuré.**

N'oublie pas le trait d'union.

Le contraire de *peut-être,* c'est *sûrement, certainement.*

peut-être adv.
Peut-être indique la possibilité. *Angèle ira peut-être en Grèce cet été. Peut-être qu'il fera beau dimanche.*

Famille de ① **pouvoir** et de ① **être**

Attention au ***ph*** de ***ph**acochère* ! Prononce [fakɔʃɛʀ].

phacochère n. m.
Gros animal d'Afrique, qui ressemble au sanglier. *Le phacochère est un mammifère qui vit en troupeaux et se nourrit surtout d'herbe.*

Le phacochère a une crinière épaisse mais peu de poils.

Attention au ***ph*** de ***ph**alange* ! Prononce [falɑ̃ʒ].

phalange n. f.
Chaque partie du doigt, soutenue par un os. *M. Touati s'est cassé une phalange.*

Le pouce et le gros orteil ont deux phalanges ; les autres doigts en ont trois.

Toutankhamon, Ramsès II, Akhenaton furent de grands pharaons.

pharaon n. m.
Roi de l'Égypte ancienne. *On a retrouvé les momies des pharaons dans les pyramides d'Égypte.*

Les pharaons étaient considérés comme des dieux.

Ne confonds pas *phare* et *fard.*

phare n. m.
1. Haute tour munie d'une forte lumière destinée à guider les bateaux, la nuit. *Loïc a appris à Yves à reconnaître le phare de Paimpol.* **2.** Lumière placée à l'avant d'une voiture pour éclairer la route la nuit. *La voiture de M. Bellec est équipée de phares antibrouillard.*

Autre membre de la famille : **gyrophare.**

Les grands phares sont gardés par des *gardiens de phare.*

Les *laboratoires pharmaceutiques* fabriquent les médicaments.

pharmaceutique adj.
Les produits pharmaceutiques, ce sont les produits vendus en pharmacie, les médicaments. *Les pharmaciens vendent des produits pharmaceutiques.*

Attention au ***ph***, comme dans ***pharmacie*** !

pharmacie n. f.
1. Magasin où l'on vend les médicaments. *Quelle est la pharmacie de garde dimanche prochain ?* **2.** Ensemble de médicaments. *L'armoire à pharmacie est dans la salle de bains.* **3.** Science des médicaments. *Le pharmacien a fait des études de pharmacie.*

On y vend aussi des produits de beauté, des aliments pour bébés.

Le pharmacien est aidé par un *préparateur en pharmacie.*

▸ **pharmacien** n. m., **pharmacienne** n. f. Personne qui tient une pharmacie. *Mme Séverac va chez la pharmacienne acheter de l'aspirine.*

Il y a aussi des pharmaciens dans les hôpitaux.

Ne confonds pas avec le *larynx,* qui est situé au-dessous.

pharynx n. m.
Endroit du fond de la bouche, où arrive l'œsophage. *Les amygdales sont situées dans le pharynx.*

L'angine est une inflammation du pharynx.

phase n. f.
Chacun des moments d'une évolution, d'une action ; vois ***période, stade.*** *Le docteur Séverac connaît bien toutes les phases de cette maladie,* ses différents états.

Il était le symbole d'immortalité chez les premiers chrétiens.

phénix n. m.
Oiseau unique et merveilleux, qui, d'après la légende, vivait plusieurs siècles. *Le phénix mourait brûlé, puis renaissait de ses cendres.*

phénomène n. m.
Un phénomène, c'est une chose qui se passe et que l'on voit, que l'on sent, dont on se rend compte. *Le vieillissement est un phénomène normal. La transmission de pensée est un phénomène inexpliqué.*

La pluie, le vent, la neige sont des phénomènes atmosphériques.

Au masculin pluriel : *phénoménaux.*

▸ ***phénoménal*** adj. Étonnant, surprenant. *Marie-Tévy est d'une souplesse phénoménale.*

Compare *misanthrope* et ***philanthrope*** : dans ces mots, il est question des **hommes.**

philanthrope n. m. et f.
Personne qui consacre son argent ou son énergie à améliorer le sort des hommes. *« Je ne peux pas baisser mes prix », dit M. Bellec, « je ne suis pas un philanthrope ! »*

philatélie n. f.
Connaissance des timbres-poste ; le fait de les collectionner. *Hippolyte est un passionné de philatélie ; il a une très belle collection de timbres.*

De la philatélie ? a dit Le Bouillon. Mais c'est très bien ça ! *(le Petit Nicolas).*

▸ ***philatéliste*** n. m. et f. Personne qui collectionne les timbres-poste. *Hippolyte est un philatéliste.*

Il organise des expositions *philatéliques.*

philosophe n. m. et f.
1. Personne qui s'occupe de philosophie. *Aristote est un philosophe grec de l'Antiquité.* **2.** Personne sage, qui prend les choses avec optimisme. *Hippolyte est un philosophe : même quand ses projets échouent, il ne s'énerve pas.* — adj. *Il est philosophe.*

▸ **philosophie** n. f. **1.** Science qui étudie les problèmes fondamentaux de l'homme, de la vie. *On commence à étudier la philosophie en classe terminale.* **2.** Sagesse. *Hippolyte prend la vie avec philosophie.*

On dit aussi, familièrement, *la philo.*

Voltaire a écrit des *Contes philosophiques.*

▸ **philosophique** adj. *L'abbé Gauthier a fait des études philosophiques,* de philosophie.

Ne confonds pas *philtre* et *filtre.*

philtre n. m.
Boisson magique destinée à rendre amoureux. *Tristan et Iseult furent victimes d'un philtre.*

phobie n. f.
Peur maladive et irraisonnée d'une chose précise. *Mme Séverac a la phobie des araignées ;* vois ***terreur.***

phonétique n. f. et adj.
1. n. f. Étude des sons du langage. *La phonétique est une partie de la linguistique.* **2.** adj. Qui concerne les sons du langage. *L'alphabet phonétique sert à noter les sons d'une langue.*

En alphabet phonétique, *phonétique* s'écrit [fɔnetik].

phoque n. m.
Gros animal qui vit dans l'eau ou au bord de l'eau, qui a une fourrure rase, des pattes avant palmées et des oreilles sans pavillon. *La plupart des phoques vivent dans les mers polaires.*

Les phoques mangent des poissons et des crustacés.

Va voir aussi ***otarie***

Les phoques sont des mammifères.

phosphate n. m.
Produit chimique contenant du phosphore. *Les phosphates servent d'engrais.*

phosphore n. m.
Élément chimique que l'on trouve dans la nature, qui brille dans l'obscurité et qui s'enflamme très facilement. *Le phosphore est indispensable aux végétaux.*

▸ **phosphorescent** adj. Qui brille dans l'obscurité. *Les vers luisants sont phosphorescents.*

Le plancton marin est phosphorescent.

photo n. f. et adj.
1. n. f. Photographie. *Réjean fait de la photo. Angèle a fait développer ses photos de vacances.* **2.** adj. invariable Photographique. *Réjean a trois appareils photo.*

En 1826, Nicéphore Niepce fait les premières photos en noir et blanc.

Famille de **copie**

▸ **photocopie** n. f. Copie d'un document par un procédé photographique, sans négatif. *Angèle distribue des photocopies du programme de la fête.*

La photocopie fut inventée en 1938.

Conjugaison 7

▸ **photocopier** v. *Photocopier un document,* c'est en faire une photocopie. *Angèle a photocopié le programme en cinquante exemplaires.*

▸ **photocopieur** n. m. Machine à photocopier. *Le photocopieur est tombé en panne au bout du dixième exemplaire.*

On dit aussi : une *photocopieuse.*

photogénique adj.
Mamie Lou est très photogénique, elle est très bien en photo.

photographie n. f.
1. Technique qui permet d'obtenir une image des objets par l'action de la lumière sur un film. *Réjean fait de la photographie.* **2.** *Une photographie,* c'est une image photographique, un cliché ; vois ***photo.*** *Réjean a envoyé à Alex des photographies qu'il a prises au Canada.*

On dit le plus souvent *photo.*

La photographie en couleurs date de 1869.

▸ **photographe** n. m. et f. Personne qui prend des photos. *Réjean est un bon photographe amateur.*

Geoffroy s'est approché du photographe : « C'est quoi, votre appareil ? » il a demandé. Le photographe a souri et il a dit : « C'est une boîte d'où va sortir un petit oiseau, bonhomme. — Il est vieux, votre engin », a dit Geoffroy *(le Petit Nicolas).*

▸ **photographier** v. Prendre en photo. *Réjean photographie beaucoup de paysages.*

Conjugaison 7

▸ **photographique** adj. *Un appareil photographique,* c'est un appareil qui sert à prendre des photos. *Réjean a trois appareils photographiques.*

On dit aussi : un *appareil photo.*

phrase n. f. Vois l'encadré ci-dessous.

la phrase

■ Une **phrase** est une suite de mots encadrée par des points dans un texte. Il existe
- des phrases affirmatives : *Le sable est chaud.*
- des phrases interrogatives : *Comment est le sable ?*
- des phrases négatives : *Le sable n'est pas chaud.*

■ Quand on analyse une phrase, on cherche les groupes qui la constituent. Va voir ***groupe.*** Voici un exemple d'analyse de phrase :

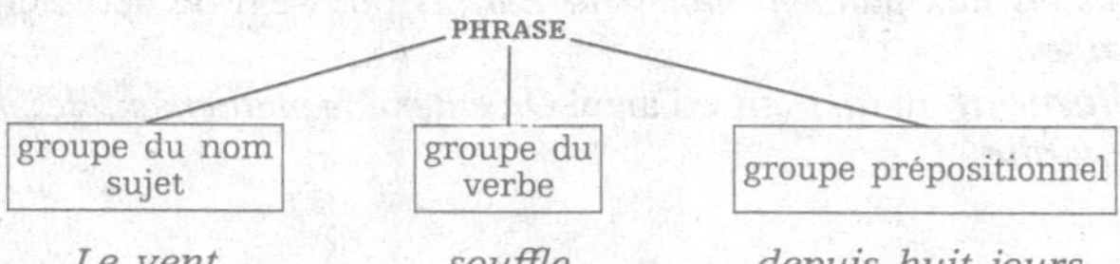

Voici un autre exemple, beaucoup plus compliqué :

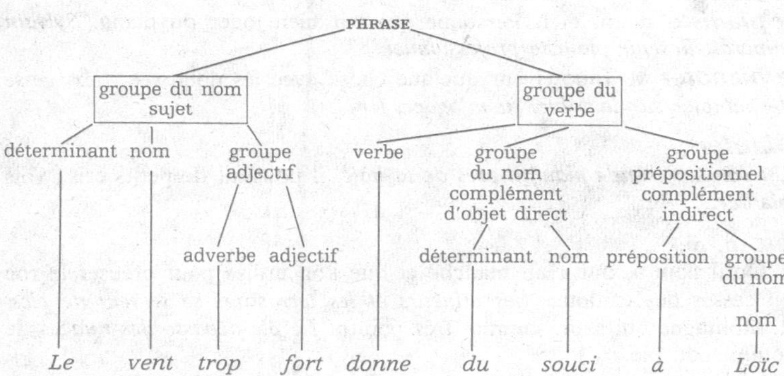

Si tu veux des renseignements sur les compléments, va voir ***complément.***

physionomie n. f.

Attention ! un *y* après le *h* dans *physionomie* et *physionomiste.*

Aspect du visage. *Angèle a une physionomie sympathique ;* vois ***air, expression.***

Féofar-Khan était un homme de quarante ans, haut de stature, la physionomie farouche *(Michel Strogoff).*

▸ **physionomiste** adj. *Une personne physionomiste,* c'est une personne qui est capable de reconnaître au premier coup d'œil le visage de quelqu'un qu'elle a vu très peu de temps ou il y a longtemps. *Angèle est très physionomiste : dès le troisième jour de classe, elle connaît la tête et le nom de tous ses élèves.*

① **physique** n. f. et adj.

1. n. f. Science qui étudie les caractéristiques, les propriétés de la matière et les lois de la nature. *En cours de physique, Alex fait des expériences de mécanique et d'électricité.* **2.** adj. *Un phénomène physique,* c'est un phénomène que peut étudier la physique. *La chute des corps est un phénomène physique.*

La physique explique pourquoi les objets tombent, par exemple.

▸ **physicien** n. m., **physicienne** n. f. Personne dont le métier est d'étudier la physique. *Les découvertes des physiciens et des chimistes permettent de nombreux progrès techniques.*

Einstein est un grand physicien du XXe siècle.

② *physique* adj. et n. m.

Je ne doute pas de ton courage, Nadia, mais il est des fatigues physiques qu'une femme ne peut supporter *(Michel Strogoff).*

1. adj. Du corps ; vois ***corporel.*** *Loïc est en bonne santé physique. Réjean aime l'effort physique.* **2.** n. m. *Le physique,* c'est l'aspect du corps et du visage. *Angèle a un physique agréable.*

L'*éducation physique,* la *culture physique,* c'est la gymnastique.

▹ ***physiquement*** adv. **1.** D'un point de vue physique. *Réjean a un travail physiquement très dur.* **2.** En ce qui concerne l'aspect du corps et du visage. *Denis Prost est bien physiquement.*

Attention ! deux *f.*

piaffer v.

1. *En attendant le départ de la course, les chevaux piaffaient,* ils frappaient le sol avec leurs sabots avant. **2.** *C'est bientôt l'heure de la récréation, les enfants commencent à piaffer d'impatience,* à être très impatients, à s'agiter.

Conjugaison 1

Conjugaison 1

piailler v.

Les petits oiseaux piaillent dans leur nid, ils poussent de petits cris aigus ; vois ***piauler.***

Les cailles piaillent dans les broussailles.

▹ ***piaillement*** n. m. Petit cri aigu. *On entend le piaillement des moineaux dans le jardin.*

Au pluriel : *des pianos.*

piano n. m.

Instrument de musique à clavier, dont les cordes sont frappées par des marteaux. *Sylvain joue du piano. Mme Séverac écoute un concerto pour piano et orchestre.*

[Bertille] s'est mise au piano pour jouer quelque chose en tirant la langue, mais elle a oublié la fin et elle s'est mise à pleurer *(le Petit Nicolas).*

Compare : *piano → pianiste* et *alto → altiste.*

▹ ***pianiste*** n. m. et f. Personne qui sait bien jouer du piano. *Sylvain aimerait devenir pianiste professionnel.*

Conjugaison 1

▹ ***pianoter*** v. Tapoter sur quelque chose avec les doigts. *« Alex, cesse de pianoter sur la table, tu m'agaces ! »*

Conjugaison 1

piauler v.

Un poussin esseulé piaulait près de la haie, il poussait de petits cris ; vois ***piailler.***

Il pousse des *piaulements.*

Ne confonds pas *pic* et *pique.*

pic n. m.

1. Outil pointu, qui a un manche et que l'on utilise pour creuser le roc ou casser des cailloux. *Les mineurs et les terrassiers se servent de pics.* **2.** Montagne qui a un sommet très pointu. *Le pic dépasse des nuages,* le sommet du pic.

Famille de **piquer**

Le pic du Midi d'Ossau domine le sud de la vallée d'Ossau.

Famille de **piquer**

à pic adv.

1. Verticalement. *Un rocher s'élevait à pic au-dessus de la mer. Le bateau a coulé à pic,* droit au fond de l'eau. **2.** Au bon moment, à propos. *Vous arrivez à pic, nous allions commencer à déjeuner !*

Va voir *un à-pic* à ***à-pic.***

Ce sens de *à pic* est familier.

pichenette n. f.

Petit coup donné avec un doigt ; vois ***chiquenaude.*** *D'une pichenette, Mme Séverac a ôté un grain de poussière de la manche de sa veste.*

pichet n. m.

Récipient muni d'un bec et d'une anse. *Julie a versé l'orangeade dans un pichet en grès.*

Pickpocket [pikpɔkɛt] rime avec *enquête.*

pickpocket n. m.

Voleur qui vole en glissant la main dans la poche ou dans le sac des gens. *Les pickpockets profitent des bousculades pour voler les portefeuilles.*

Pickpocket est un mot anglais.

Conjugaison 1

picorer v.

Les moineaux picoraient les miettes autour des enfants, ils les piquaient avec leur bec.

Famille de **piquer**

Conjugaison 1

picoter v.

Une poule sur un mur
Qui picote du pain dur
(comptine).

Donner la sensation de légères piqûres. *Antoine sentait une poussière qui lui picotait le nez.*

Famille de **piquer**

▹ ***picotement*** n. m. Sensation de légères piqûres. *Antoine a senti des picotements dans le nez, avant d'éternuer.*

On éprouve des picotements quand on a des fourmis dans les jambes.

pic-vert va voir **pivert.**

Une vieille Pie commença à s'emmitoufler très soigneusement en marmottant : « Il faut absolument que je rentre ; l'air de la nuit me fait mal à la gorge ! » *(Alice au Pays des merveilles).*

① pie n. f.
Oiseau qui a une longue queue, un plumage noir et blanc à reflets métallisés. *Les pies jacassent. David dit de sa sœur qu'elle est bavarde comme une pie,* très bavarde.

Les pies peuvent s'apprivoiser facilement.

▸ **② pie** adj. invariable *Un cheval pie,* c'est un cheval à robe noire et blanche ou fauve et blanche. *Les cavaliers étaient montés sur des juments pie.*

① pièce n. f.
1. Chacun des éléments qui composent un ensemble. *Le moyeu est la pièce centrale d'une roue de voiture. Angèle a racheté un bol à mixer au rayon des pièces détachées.* **2.** Morceau de tissu destiné à réparer, consolider. *Mamie Lou a mis une pièce au jean de David.* **3.** *Rex, le chien, a mis en pièces la descente de lit,* il l'a mise en morceaux, il l'a déchiquetée. **4.** *Les kiwis se vendent souvent à la pièce,* un par un. *Ces tasses valent dix francs pièce,* chacune vaut dix francs. **5.** *Une pièce d'eau,* c'est un grand bassin ou un petit étang. *Des nénuphars ont fleuri sur la pièce d'eau du jardin public.* **6.** *Une pièce montée,* c'est un gâteau à étages. *M. Bellec avait fait une pièce montée pour la communion de son fils.* **7.** *Une pièce d'identité,* c'est un document officiel qui donne l'identité d'une personne. *Il faut une pièce d'identité pour s'inscrire à la bibliothèque.*

Une histoire *inventée de toutes pièces :* complètement inventée.

Autres membres de la famille : **deux-pièces,** à l'**emporte-pièce, rapiécer.**

Un *costume trois pièces* comporte une veste, un pantalon et un gilet.

Une *pièce de musée* est un objet de grande valeur.

Souvent, les pièces montées sont composées de petits choux à la crème.

Une carte d'identité, un passeport sont des pièces d'identité.

② pièce n. f.
Partie d'un appartement ou d'une maison délimitée par des cloisons. *Le docteur Séverac a installé son cabinet dans une pièce qui donne sur le jardin. L'appartement d'Angèle comprend deux pièces, une cuisine et une salle de bains.*

Comme elle désirait sortir de cette pièce sombre pour aller se promener au milieu des parterres de fleurs [...] ! *(Alice au Pays des merveilles).*

③ pièce n. f.
Morceau de métal, plat, rond, qui sert à payer. *Yasmina met une pièce de cinq francs et un billet de vingt francs dans sa tirelire.*
▸ **piécette** n. f. Petite pièce. *Les enfants ont lancé des piécettes dans le bassin de la fontaine.*

Une pièce a un *côté pile* et un *côté face.*

On dit que cela porte bonheur.

Moi, j'ai eu l'idée de tirer au sort avec une pièce de monnaie *(le Petit Nicolas).*

④ pièce n. f.
Morceau de musique ou texte écrit pour être joué au théâtre. *« L'Avare » est une pièce de théâtre en cinq actes. Sylvain a joué au piano une petite pièce de Mozart.*

L'Avare est une des pièces de Molière.

① pied n. m.
1. Partie du corps située au bout de la jambe et qui sert à se tenir debout et à marcher. *Claire court pieds nus dans l'herbe. Claire est nu-pieds. Julie était habillée en rose de la tête aux pieds,* de haut en bas. *Yves donne un coup de pied dans le ballon. Mamie Lou n'ira pas à Paris, elle ne veut plus y mettre les pieds,* elle ne veut plus y aller. *Angèle a fait des pieds et des mains pour obtenir des renseignements,* elle s'est démenée, elle a fait beaucoup d'efforts. *La directrice de l'école attend Colle et Rat de pied ferme,* elle les attend avec fermeté. *Hippolyte a remplacé son collègue au pied levé,* sans préparation. *Antoine a mis sur pied un réseau d'échange de bandes dessinées,* il l'a organisé. *Mamie Lou et Claire ont fait quatre kilomètres à pied,* en marchant. **2.** Contact avec le sol. *Dans le grand bain, à la piscine, on n'a plus pied,* on ne peut pas, en touchant le sol, avoir la tête hors de l'eau. *Claire perd pied déjà dans le petit bain,* elle ne touche plus le sol. *Le témoin s'est embrouillé dans ses explications et il a complètement perdu pied,* il s'est troublé, ses explications étaient confuses. **3.** *À soixante-dix ans, Mamie Lou a bon pied bon œil,* elle est en pleine forme. **4.** Emplacement des pieds. *Le docteur Séverac s'est assis au pied du lit de la malade pour parler avec elle.* **5.** Partie d'une chose qui touche le sol. *De la menthe pousse au pied du mur.* **6.** Partie d'une chose qui sert de support. *Mme Séverac sert du porto dans de petits verres à pied. La chaise a un pied cassé.*

« Oh mes pauvres petits pieds ! Je me demande qui vous mettra vos bas et vos souliers à présent, mes chéris » *(Alice au Pays des merveilles).*

C'est très intelligent les pieds
Ils vous emmènent très loin
Quand vous voulez aller très loin
Et puis quand
vous ne voulez pas sortir
Ils restent là
ils vous tiennent compagnie
(Prévert).

Pied à pied : pas à pas, très lentement.

Le Sphinx a demandé à Œdipe :
— Quel est l'être doué de la voix qui a quatre pieds le matin, deux à midi et trois le soir ?
Et Œdipe a répondu :
— C'est l'homme, qui marche à quatre pattes quand il est enfant et s'aide d'une canne quand il est vieux.

Avoir les pieds sur terre, c'est être réaliste.

Le cheval de Michel Strogoff n'avait pied nulle part *(Michel Strogoff).*

Va voir *avoir le pied marin* à ① **marin.**

Attention ! deux traits d'union. Au pluriel : *des pied-à-terre.*

▸ ***pied-à-terre*** n. m. invariable Logement que l'on occupe en passant, à l'occasion. *Ils ont loué un petit pied-à-terre à Paris.*

Famille de **terre**

Autres membres de la famille : d'**arrache-pied, cale-pied,** à **cloche-pied, contre-pied, cou-de-pied, croche-pied, marchepied,** de **plain-pied, trépied, va-nu-pieds.**

Attention au trait d'union ! Au pluriel : *des pieds-bots.*

▸ ***pied-bot*** n. m. Pied difforme qui a des tendons et des ligaments trop courts. *Le pauvre homme avait un pied-bot.*

Au pluriel : *des piédestaux.*

▸ ***piédestal*** n. m. Support. *La statue était sur un piédestal. Yves met son oncle Loïc sur un piédestal,* il a pour Loïc une très grande admiration.

② pied n. m.

Un pied contenait douze pouces.

1. Ancienne unité de mesure de longueur. *Le pied mesurait trois cent vingt-quatre millimètres.* **2.** Mesure de longueur employée en aviation, valant plus de trente centimètres. *L'avion volait à quinze cents pieds.* **3.** *Loïc traite son neveu sur un pied d'égalité,* d'égal à égal. **4.** Syllabe d'un vers. *Un alexandrin est un vers de douze pieds.*

Le pied vaut exactement 304,8 mm.

Une armée sur le pied de guerre est équipée et préparée pour la guerre.

▸ ***pied de nez*** n. m. Geste que l'on fait pour se moquer de quelqu'un en étendant la main, les doigts écartés et en appuyant le pouce sur son nez. *Colle et Rat font des pieds de nez en passant devant la boutique de Mme Harpie.*

Famille de **nez**

piège n. m.

1. Ce qui permet d'attraper des animaux. *Odile Séverac met des pièges à souris dans le grenier.* **2.** Danger caché ; vois ***traquenard.*** *Les policiers ont tendu un piège au criminel.*

Conjugaisons 3 et 6 ▭ Indic. présent : *je piège, nous piégeons.* Futur : *je piégerai.*

▸ ***piéger*** v. **1.** Attraper avec un piège. *Pierre Séverac a piégé un renard près du poulailler.* **2.** Installer un système qui fait exploser un objet dès qu'on le touche. *Des terroristes ont piégé une voiture.*

pierre n. f.

On n'a jamais vu un froid pareil à cette saison, disait le père. Je suis sûr que cette nuit il va geler à pierre fendre *(les Contes du Chat perché).*

1. Matière dure et solide, naturelle, qui se trouve dans le sol. *La digue est faite de blocs de pierre.* **2.** Morceau de rocher. *Yves jette des pierres dans l'eau ;* vois ***caillou.*** *Mme Roussel était malheureuse comme les pierres,* très malheureuse. **3.** *Une pierre précieuse,* c'est une pierre très belle et très rare qui vaut très cher. *Mme Séverac porte un bracelet orné de pierres précieuses ;* vois ***pierreries.***

À l'âge de pierre, les hommes faisaient des outils en pierre.

Va voir *pierre ponce* à **ponce.**

Le diamant, le rubis, l'émeraude et le saphir sont des pierres précieuses.

Ses habits furent changés en habits de drap d'or et d'argent tout chamarrés de pierreries *(Cendrillon).*

▸ ***pierreries*** n. f. plur. Pierres précieuses qui servent d'ornement ; vois ***joyau.*** *Les couronnes des rois étaient ornées de pierreries.*

▸ ***pierreux*** adj. Couvert de pierres. *Un chemin pierreux mène à la ferme.*

Autres membres de la famille : **empierrer, lance-pierres.**

piété n. f.

Qualité d'une personne très attachée à la religion ; vois ***dévotion, ferveur.*** *Mme Bellec fait preuve de beaucoup de piété.*

C'est une femme *pieuse.*

Elle va régulièrement à la messe, elle se confesse, elle prie.

piétiner v.

Conjugaison 1

Compare *piétiner* et *piéton* : il s'agit de **pied.**

1. S'agiter sur place en frappant les pieds contre le sol. *Yves piétinait de colère ;* vois ***trépigner.*** *La foule piétine sur les trottoirs,* les gens remuent les pieds sans avancer. **2.** Écraser une chose avec les pieds. *Les enfants ont piétiné les plates-bandes.* **3.** Ne faire aucun progrès. *L'enquête piétine ;* vois ***stagner.***

Le contraire de *piétiner,* c'est *progresser.*

Il fallait une certaine attention pour ne pas piétiner les dormeurs, capricieusement étendus çà et là *(Michel Strogoff).*

▸ ***piétinement*** n. m. **1.** Bruit d'une foule qui piétine. *On entend le piétinement de la manifestation.* **2.** Absence de progrès. *Mme Harpie s'indigne du piétinement de l'enquête ;* vois ***stagnation.***

① piéton n. m.

Personne qui circule à pied. *Les piétons marchent sur les trottoirs.*

▸ ② ***piéton*** adj. Réservé aux piétons ; vois ***piétonnier.*** *La rue Estienne et la rue Furetière sont piétonnes le samedi et le dimanche.*

Compare *piéton* et *piétiner* : dans ces deux mots, il s'agit de **pied.**

Attention ! deux *n.*

▸ ***piétonnier*** adj. Réservé aux piétons ; vois ② ***piéton.*** *Mme Séverac fait ses courses dans la rue piétonnière.*

piètre adj.

Cet adjectif se place toujours devant le nom.

Médiocre, insuffisant. *C'est une piètre consolation pour Sylvain de se dire qu'il reverra Nathalie l'été prochain.*

Il aimerait la revoir avant !

pieu n. m.

Au pluriel : *des pieux.*

Morceau de bois droit et rigide dont l'un des bouts est pointu pour que

Ne confonds pas *pieu* et *pieux.*

l'on puisse l'enfoncer en terre ; vois ***piquet.*** *Pierre Séverac a changé trois pieux de la clôture.*

pieuvre n. f.

Certaines pieuvres mesurent 2 mètres.

Animal marin qui a huit tentacules ; vois ***poulpe.*** *Les pieuvres se nourrissent de crabes et de coquillages.*

La pieuvre est un mollusque sans coquille.

Ne confonds pas *pieux* et *pieu.*

pieux adj.

Une personne pieuse, c'est une personne qui respecte beaucoup la religion. *Mme Bellec est une femme pieuse : elle va à la messe tous les dimanches.*

Le contraire de *pieux,* c'est *impie.*

La femelle du *pigeon* est la *pigeonne.* Le petit est le *pigeonneau.*

Va voir aussi ***tourterelle.***

pigeon n. m.

Oiseau à bec légèrement crochu, aux ailes courtes, au plumage blanc, gris ou brun ; vois ***colombe, palombe, ramier.*** *Les pigeons roucoulent dans les arbres.*

▸ **pigeonnier** n. m. Petit bâtiment en hauteur où l'on élève des pigeons. *Les pigeonniers sont percés de nombreuses niches qui servent d'abri aux pigeons.*

Les *pigeons voyageurs* sont dressés pour porter des messages.

C'est le pigment qui donne la coloration de la peau.

pigment n. m.

Produit coloré. *La chlorophylle est un pigment végétal vert.*

① **pignon** n. m.

Partie haute et triangulaire du mur d'une maison, entre les deux pentes du toit. *Il y a des maisons à pignons sur la place du Marché, à Motbourg.*

Avoir pignon sur rue : avoir une réputation bien établie.

② **pignon** n. m.

Le dérailleur de la bicyclette permet de changer de pignon.

Roue dentée d'un engrenage. *La chaîne de la bicyclette entraîne le pignon de la roue arrière.*

Va voir aussi ***engrenage.***

Famille de ① **pile**

pilastre n. m.

Pilier en partie engagé dans un mur. *Des pilastres de bois doré encadrent les fenêtres du château.*

① **pile** n. f.

1. *Les piles d'un pont,* ce sont les piliers qui le soutiennent. *Les piles sont situées sous les arches du pont.* **2.** Tas plus haut que large d'objets mis les uns sur les autres. *Le clown a renversé une pile d'assiettes.*

Autres membres de la famille : **empiler, pilastre, pilier, pilori, pilotis.**

② **pile** n. f.

La première pile était constituée d'une pile de rondelles de métal.

Appareil qui fournit de l'électricité à partir de l'énergie chimique. *Le poste de radio d'Angèle marche avec des piles.*

Quand les piles sont usées, on les change.

③ **pile** n. f. et adv.

Sur le côté pile des pièces françaises on peut lire : LIBERTÉ-ÉGALITÉ-FRATERNITÉ

1. n. f. *Le côté pile d'une pièce de monnaie,* c'est son revers, son envers. *Mme Roussel joue son départ à pile ou face,* elle jette une pièce en l'air, pour décider de partir ou non, selon que la pièce retombe d'un côté ou de l'autre. **2.** adv. *Cela tombe pile,* juste comme il faut. *Il est dix heures pile,* dix heures précises, exactement dix heures. *M. Bellec s'est arrêté pile,* net, brusquement.

Le contraire de *pile,* c'est *face.*

Conjugaison 1

▸ ① **piler** v. S'arrêter net en voiture. *M. Bellec a pilé juste avant le carrefour.*

Ce mot est familier.

Conjugaison 1

② **piler** v.

Piler une chose, c'est l'écraser en tout petits morceaux ; vois ***broyer.*** *Mamie Lou pile des amandes pour faire un gâteau.*

Autres membres de la famille : **pilon, pilonner.**

Compare ***pileux*** et ***épiler*** : il est question de **poil.**

pileux adj.

Le système pileux, c'est l'ensemble des poils et des cheveux. *M. Bellec a un système pileux très développé,* il a beaucoup de poils.

Famille de ① **pile**

pilier n. m.

Poteau qui soutient un bâtiment ; vois ***colonne, pilastre.*** *Julie s'est cachée derrière un pilier du préau.*

Conjugaison 1

Rome fut pillée au ve siècle par les Vandales.

piller v.

Enlever ce qu'il y a dans un endroit, de façon violente et en détruisant tout. *Des voleurs ont pillé la bijouterie ;* vois ***dévaster, ravager, saccager.***

▸ **pillage** n. m. Vols et dégâts commis par les pillards ; vois ***razzia, sac.*** *La ville a été livrée au pillage.*

Tout ce monde vivait sur les pays traversés et laissait peu de choses à piller après lui *(Michel Strogoff).*

▸ ***pillard*** n. m., ***pillarde*** n. f. Personne qui pille ; vois ***brigand, pirate, voleur.*** *Des pillards mirent Rome à sac.*

Compare : *pilon* → *pilonner* et *chiffon* → *chiffonner.*
Famille de ② **piler**

pilon n. m.
Instrument long et lourd à bout arrondi qui sert à écraser. *Mamie Lou écrase des amandes dans le mortier avec un pilon.*

On appelle aussi *pilon* la cuisse d'une volaille.

Attention ! deux *n.*

▸ ***pilonner*** v. Écraser sous les bombes. *Les bombardiers ont pilonné la ville.*

Conjugaison 1

Famille de ① **pile**

pilori n. m.
Poteau auquel on attachait les criminels sur la place publique. *Au Moyen Âge, on mettait les voleurs au pilori.*

Le *bateau-pilote* amène le pilote jusqu'au navire qu'il doit guider.

pilote n. m.
1. Marin qui aide les capitaines à conduire les navires dans les ports. *Le pilote va à la rencontre des grands navires qui s'approchent du port.* **2.** Personne qui conduit un avion ou une voiture de course. *Alex veut passer son brevet de pilote.*

Conjugaison 1

▸ ***piloter*** v. **1.** Conduire en tant que pilote. *Alex rêve de piloter des avions.* **2.** Servir de guide à quelqu'un. *Réjean a piloté Alex dans Montréal.*

J'ai donc dû choisir un autre métier et j'ai appris à piloter des avions. J'ai volé un peu partout dans le monde *(le Petit Prince).*

Autre membre de la famille : **copilote.**

▸ ***pilotage*** n. m. **1.** Manœuvre d'un pilote de bateau. *Le pilotage est délicat dans les parages de Paimpol.* **2.** Conduite d'un avion, d'un hélicoptère. *L'avion s'est mis en pilotage automatique.*

Attention ! un *s* à la fin, même au singulier.

pilotis n. m.
Ensemble de pieux enfoncés en terre, sur lesquels on construit une maison. *On construit des maisons sur pilotis sur les terrains très humides.*

Famille de ① **pile**

pilule n. f.
Médicament en forme de petite boule que l'on doit avaler. *M. Bonnot prend ses pilules matin et soir.*

Va voir aussi ***cachet, comprimé.***

pimbêche n. f.
Femme ou petite fille désagréable qui prend de grands airs. *Quelle pimbêche, cette Julie !*

Les piments ressemblent aux poivrons, mais sont plus petits.

piment n. m.
Fruit des régions chaudes, très fort, que l'on utilise comme épice. *Mme Touati achète des piments au marché.*

On met du piment rouge dans la sauce du couscous.

pimpant adj.
Frais et élégant ; vois ***fringant, gracieux.*** *Yasmina est toute pimpante, ce matin.*

Ne confonds pas *pin, pain* et *peint.*

Le pin est un conifère.

pin n. m.
Arbre qui produit de la résine et dont les aiguilles sont toujours vertes. *Mamie Lou fait un feu de pommes de pin.*

Autre membre de la famille : **pinède.**

Le *pinacle,* c'est le sommet d'un bâtiment.

pinacle n. m.
Porter quelqu'un au pinacle, c'est en dire beaucoup de bien, le louer. *Les critiques ont porté Denis Prost au pinacle.*

Denis Prost est comédien.

Famille de **pincer**

pince n. f.
1. Outil formé de deux leviers articulés, qui sert à attraper des objets et à les serrer ; vois ***pincette, tenaille.*** *Yves a coupé du fil de fer avec une pince.* **2.** Extrémité des pattes de certains crustacés comme le homard, la langouste, le crabe. *Yves mange des pinces de crabe.*

Il y a des *pinces à épiler,* des *pinces à sucre,* des *pinces à linge,* et bien d'autres encore.

Pinceau [pɛ̃so] rime avec *ruisseau.*

pinceau n. m.
Instrument composé d'une touffe de poils au bout d'un manche, qui sert à étaler de la peinture. *Marie-Tévy fait de l'aquarelle avec un pinceau en poil de martre.*

Les peintres en bâtiment utilisent aussi des rouleaux.

Conjugaison 3 ▭ Indic. présent : *nous pinçons.* Imparfait : *je pinçais.*

pincer v.
1. Serrer très fort entre les doigts, dans une pince ou entre deux objets. *David a pincé Nathalie au bras. Julie s'est pincé le doigt dans la porte.* — *Julie s'est pincée.* **2.** *Pincer les lèvres,* c'est les rapprocher et les rendre

On pince les cordes d'une guitare pour les faire vibrer.

Il ne fait pas chaud dehors. Ça pince, vous savez, dit le loup *(les Contes du Chat perché).*

plus minces. *Angèle a pincé les lèvres pour ne pas rire.* **3.** Piquer ; vois ***mordre.*** *Dès que les enfants sont sortis, le froid les a pincés au visage,* il leur a causé un effet désagréable.

Autre membre de la famille : **pince.**

▸ ***pincé*** adj. Qui a quelque chose de prétentieux et de mécontent. *Mme Harpie a répondu à sa sœur d'un air pincé.*

▸ ***pincée*** n. f. Quantité de poudre que l'on peut prendre entre les doigts. *Il faut rajouter une pincée de sel dans la sauce.*

▸ ***pincement*** n. m. **1.** Action de pincer, de se pincer. *Le pincement des doigts dans une porte est très douloureux.* **2.** *Un pincement au cœur,* c'est un court moment d'angoisse et de douleur. *Mme Séverac a eu un pincement au cœur en voyant sa fille partir en colonie de vacances.*

Au pluriel : *des pince-sans-rire.*

▸ ***pince-sans-rire*** n. m. et f. invariable Personne qui dit des choses drôles sans rire. *Le docteur Séverac est un pince-sans-rire.*

Famille de **sans** et de ① **rire**

Il garde toujours l'air sérieux quand il plaisante.

Il n'est pas à prendre avec des pincettes : il est de très mauvaise humeur.

▸ ***pincettes*** n. f. plur. Longue pince qui sert à remuer les bûches dans le feu. *Claire s'est brûlée en prenant les pincettes dans la cheminée.*

Famille de **pin**

pinède n. f.

Bois, plantation de pins. *Les enfants traversaient une pinède pour aller à la plage.*

pingouin n. m.

On dit toujours
un froid de canard
Et les pingouins
trouvent ça bizarre
(A. Sylvestre).

Oiseau de mer palmipède des régions arctiques, qui a un plumage noir et blanc. *À la saison des nids, des colonies de pingouins nichent sur les falaises et les rochers. Les pingouins plongent pour attraper les poissons dont ils se nourrissent.*

Les pingouins ont des ailes courtes et pointues.

Va voir aussi ***manchot.***

Autre membre de la famille : **pongiste.**

ping-pong n. m. invariable

Tennis de table. *Les enfants font des parties de ping-pong acharnées.*

Prononce [piŋpɔ̃g].

pingre n. m. et f.

Personne très avare. *C'est un vieux pingre.* — adj. *Mme Harpie est très pingre.*

pinson n. m.

Le pinson n'est pas gai
Il est seulement gai
quand il est gai
Et triste quand il est triste
ou ni gai ni triste (Prévert).

Oiseau passereau à plumage bleu verdâtre et noir, au bec court et bon chanteur. *L'hiver, les pinsons se rassemblent en troupes d'oiseaux du même sexe. Claire était gaie comme un pinson,* très gaie.

Le pinson du Nord a la poitrine et les épaules roux orangé ; il hiverne en France.

pintade n. f.

La pintade a une tête petite et nue et une queue courte.

Oiseau de la taille d'une poule, qui a un plumage sombre avec des taches claires. *Odile Séverac élève des pintades dans la basse-cour. Mamie Lou a fait une pintade au chou.*

Le petit de la pintade est le *pintadeau.*

pinte n. f.

En Grande-Bretagne, la pinte vaut 0,57 l, aux États-Unis 0,47 l, au Canada 1,136 l.

Mesure qu'on emploie pour les liquides en Grande-Bretagne, aux États-Unis et au Canada. *Réjean a bu une pinte de bière.*

Autrefois, on employait aussi la pinte en France : elle valait 0,93 l.

pioche n. f.

1. Outil formé d'un manche au bout duquel est fixé un fer dont une extrémité est pointue et l'autre tranchante. *Le terrassier creuse le sol avec une pioche.* **2.** Tas de dominos ou de cartes où l'on peut piocher. *Julie a pris une carte dans la pioche.*

Conjugaison 1

▸ ***piocher*** v. **1.** Creuser avec une pioche. *Le jardinier pioche la terre.* **2.** Fouiller pour prendre quelque chose. *Prenez tout ce que vous voulez, piochez dans le tas,* fouillez dans le tas pour prendre ce qui vous plaît. **3.** Prendre un domino ou une carte dans un tas. *Julie a dû piocher deux fois.*

Les sept nains travaillaient dans les montagnes, creusant et piochant pour en extraire le minerai *(Blancheneige).*

Piolet [pjɔlɛ] rime avec *lait.*

piolet n. m.

Instrument d'alpiniste qui ressemble à une petite pioche légère. *Les alpinistes taillent des marches dans la glace avec leur piolet.*

pion n. m.

N'être qu'un pion sur l'échiquier, c'est être manœuvré.

Pièce du jeu de dames et de divers autres jeux. *Yves et Antoine placent leurs pions sur le damier.*

Damer le pion à quelqu'un, c'est l'emporter sur lui.

Deux *n* dans *pionnier.* Prononce [pjɔnje].

pionnier n. m.
1. Colon qui s'installe sur des terres inhabitées pour les défricher. *Des pionniers se sont installés au Far-West au XIXe siècle.* **2.** Personne qui, la première, fait une chose nouvelle. *Les pionniers de l'aviation volaient dans des avions très peu confortables.*

Les frères Lumière ont été des pionniers du cinéma.

Autre membre de la famille : **pipette.**

pipe n. f.
Petit tuyau évasé à un bout, dans lequel on met du tabac pour le fumer. *Le docteur Séverac fume la pipe.*

Au pluriel : *des pipeaux.*

▸ **pipeau** n. m. Petite flûte à bec. *Sur le tableau, des bergers jouent du pipeau et des bergères caressent des agneaux.*

Moi je n'ai qu'une petite pipe
Une petite pipe en terre
En terre réfractaire
Et j'y tiens (Prévert).

On peut écrire aussi *pipe-line.* Prononce [pajplajn] ou [piplin].

pipeline n. m.
Tuyau qui sert au transport de gaz ou de liquides sur de longues distances. *Le pétrole est transporté par pipelines.*

Le diamètre des pipelines dépasse souvent un mètre.

Conjugaison 1

piper v.
1. *Ne pas piper,* c'est ne pas protester, ne rien dire. *Hippolyte a écouté Angèle sans piper.* **2.** *Vous trichez, les dés sont pipés !,* le jeu est faussé.

On peut dire aussi : *ne pas piper mot.*

Compare : *pipe → pipette* et *cloche → clochette.*

pipette n. f.
Petit tube gradué qui sert à prélever un peu de liquide pour une expérience. *Le pharmacien a aspiré un peu d'eau distillée dans la pipette.*

Famille de **pipe**

Pipi est un mot familier.

pipi n. m.
Urine. *La pièce sentait le pipi de chat. Claire a fait pipi dans l'herbe.*

Famille de **piquer**

[...] parce que tous deux sont en écailles au lieu d'un tout lisse et l'autre tout piquant *(Histoires comme ça).*

piquant adj. et n. m.
1. adj. Qui donne une sensation de piqûre. *En hiver, l'air est froid et piquant.* **2.** n. m. Sorte d'épine ou de poil dur de certains animaux et de certaines plantes. *Les piquants de l'oursin peuvent faire des blessures profondes.*

Les feuilles de cactus sont réduites à des piquants.

Ne confonds pas *pique* et *pic.*

① **pique** n. f.
Arme formée d'un long bâton muni d'un fer plat et pointu ; vois ***lance.*** *Les gardes qui barraient le passage tenaient leurs piques à bout de bras.*

Le manche de la pique s'appelle la *hampe.*

Famille de **piquer**

▸ ② **pique** n. m. Marque du jeu de cartes représentée par un fer de pique noir. *Julie a pioché le roi de pique.*

Trèfle, carreau, cœur, pique.

Famille de **piquer**

en **piqué** adv.
Les avions descendaient en piqué, presque à la verticale.

Au pluriel : *des pique-assiette.*

pique-assiette n. m. et f. invariable
Personne qui se fait inviter sans cesse. *Mme Séverac ne veut plus de ces pique-assiette chez elle.*

Famille de **piquer** et de **assiette**

Au pluriel : *des pique-niques.*

pique-nique n. m.
Repas en plein air, dans la nature. *Les Bellec ont fait un pique-nique dans la forêt de Motbourg.*

Babar décide de faire un pique-nique. Il fait beau, la famille est joyeuse *(Babar).*

Conjugaison 1

▸ **pique-niquer** v. Faire un pique-nique. *Les enfants ont pique-niqué au bord d'une rivière.*

Conjugaison 1

Qui s'y frotte s'y pique (proverbe).

Le peu de vent qui arrivait [...] piquait vivement *(Michel Strogoff).*

piquer v.
1. Percer, entamer légèrement la peau avec une pointe. *Attention aux ronces, cela pique ! ;* vois ***égratigner.*** *Yasmina s'est piqué le doigt avec une épine. — Yasmina s'est piquée.* **2.** Enfoncer une aiguille. *Le docteur Séverac a piqué Julie dans le dos,* il lui a fait une piqûre. **3.** Enfoncer son dard dans la peau de sa victime. *Claire s'est fait piquer par un moustique.* **4.** Donner une sensation de piqûre. *La moutarde forte pique la langue.* **5.** Percer pour attraper. *Claire pique sa viande avec une fourchette.* **6.** Coudre à la machine. *Angèle a bâti les manches de la veste avant de les piquer.* **7.** Froisser, blesser. *La remarque d'Hippolyte a piqué Mme Harpie.* **8.** *Denis Prost parlait avec un invité qui se piquait de cinéma,* qui prétendait connaître le cinéma. **9.** Tomber, descendre brusquement. *L'avion piquait, faisait un looping et remontait.*

La reine se piqua le doigt avec son aiguille et trois gouttes de sang tombèrent dans la neige *(Blancheneige).*

La fumée pique les yeux.

Autres membres de la famille : **à-pic, pic, à pic, picorer, picoter, picotement, piquant ; ① pique, ② pique, en piqué, pique-assiette, repiquer.**

▸ **piquet** n. m. **1.** Petit pieu. *Alex a monté la tente et Réjean enfonce les piquets.* **2.** *Un piquet de grève,* c'est un groupe de grévistes qui reste

Lucky Luke attache son cheval à un piquet.

sur place pour faire en sorte que la grève soit suivie. *Il y avait un piquet de grève devant l'entrée de l'usine.*

▸ ***piquette*** n. f. Vin ou cidre de mauvaise qualité. *Ce vin n'est pas bon, c'est de la piquette.*

Il pique la langue !

N'oublie pas l'accent circonflexe du ***û*** de *piqûre.*

▸ ***piqûre*** n. f. **1.** Petite blessure faite par un objet ou un animal qui pique. *Claire a des piqûres de moustiques sur les jambes.* **2.** Point que fait une machine à coudre. *Angèle a défait les piqûres de la manche.* **3.** Introduction de l'aiguille d'une seringue dans une partie du corps. *On a fait à Julie une piqûre pour l'endormir.*

On dit plutôt une *morsure* de serpent.

On fait une piqûre pour prélever du sang ou injecter un produit.

piranha n. m.

Un piranha mesure de 15 à 35 centimètres de long. Ses dents sont tranchantes comme des rasoirs.

Petit poisson carnassier des fleuves de l'Amérique du Sud, qui est extrêmement vorace. *Un banc de piranhas a dévoré un bœuf quand le troupeau a traversé la rivière.*

Attention au ***h*** après le ***n***. Prononce [piʀana].

pirate n. m.

Le capitaine Crochet est le chef des pirates, ennemis de Peter Pan.

1. Aventurier qui courait les mers pour piller les navires. *Les pirates écumaient les mers.* — adj. *Le navire a été attaqué par un bateau pirate,* un bateau monté par des pirates. **2.** *Un pirate de l'air,* c'est une personne qui prend en otage l'équipage et les passagers d'un avion. *L'avion a été détourné par un pirate de l'air.*

Va voir aussi ***corsaire.***

Compare : *pirate → piraterie* et *camarade → camaraderie.*

▸ ***piraterie*** n. f. Acte de pirate. *Les contrôles de sécurité dans les aéroports sont très sévères en raison des actes de piraterie aérienne.*

pire adj.

Pire est ici le comparatif de *mauvais.*

Pire est ici le superlatif de *mauvais.*

Va voir aussi ② ***pis.***

1. Plus mauvais, plus pénible. *La situation est pire que je ne croyais, dit le garagiste à Angèle,* elle est plus grave. *C'est bien pire que la dernière fois.* **2.** Le plus mauvais. *Angèle a les pires ennuis avec sa voiture,* les plus graves. *Antoine était en retard, sa mère redoutait la pire des catastrophes.* — n. m. Ce qu'il y a de plus mauvais. *Le pire de tout, c'est l'ennui.*

Le contraire de *pire,* c'est *meilleur, mieux.*

Autre membre de la famille : **empirer.**

pirogue n. f.

Dans *l'Oreille cassée,* la pirogue de Tintin a heurté un rocher.

Longue barque étroite et plate qui avance à la pagaie ou à la voile, utilisée en Afrique et en Océanie. *Les explorateurs remontaient le fleuve en pirogue.*

Maintenant, il y a aussi des pirogues à moteur.

Deux ***t*** dans *pirouette.*

pirouette n. f.

1. Tour ou demi-tour sur soi-même, sans changer de place, en pivotant sur le talon ou la pointe d'un seul pied. *Le danseur a fait une série de pirouettes.* **2.** *Hippolyte s'est tiré de la discussion qui l'embarrassait par une pirouette,* par une plaisanterie, une réponse habile qui esquivait le problème.

Il était un petit homme pirouette, cacahuète (chanson).

N'oublie pas le ***s*** à la fin de *pis.*

① ***pis*** n. m.

Mamelle d'une vache, d'une brebis ou d'une chèvre. *La vache avait les pis gonflés de lait.*

Prononce [pi].

N'oublie pas le ***s*** final. Prononce [pi].

Pis est le comparatif de *mal.* On le trouve surtout dans les livres ; on dit plutôt *pire.*

② ***pis*** adv. et adj.

1. adv. De plus en plus mal. *La mère de Sophie Pelletier allait de mal en pis,* elle était de plus en plus malade. **2.** adj. Plus mauvais, plus grave. *C'est bien pis que vous ne pensez. Il est paresseux et, qui pis est, très bête,* et, ce qui est plus grave, très bête.

Le contraire de *pis,* c'est *mieux.*

Va voir *tant pis* à ***tant.***

Au pluriel : *des pis-aller.*

▸ ***pis-aller*** n. m. invariable Moyen, solution que l'on adopte, faute de mieux. *Ce n'est qu'un pis-aller, nous trouverons mieux par la suite.*

Famille de ① **aller**

Un ***s*** et un ***c*** dans *piscine.*

piscine n. f.

Une piscine olympique a 50 mètres de long et 21 mètres de large.

Grand bassin dans lequel on nage. *Hippolyte et Angèle sont allés à la piscine. Le centre sportif de Motbourg comprend une piscine couverte et une piscine en plein air.*

Piscine [pisin] rime avec *bassine.*

pissenlit n. m.

Les fruits du pissenlit, très légers, sont surmontés d'une aigrette.

Plante que l'on trouve dans les prés, qui a des feuilles longues et dentées, et des fleurs jaunes. *Mamie Lou a préparé une salade de pissenlit au lard.*

pistache n. f.

C'est la graine d'un arbre, le *pistachier,* qui pousse sur les sols arides.

Graine verte ou jaune, enfermée dans une coque. *Mme Séverac sert des pistaches grillées à l'apéritif. Antoine mange une glace à la pistache.*

La couleur *vert pistache* est un vert clair, pastel.

piste n. f.

Tintin est sur la piste des ravisseurs du professeur Tournesol. Les Dupondt, eux, sont sur une fausse piste.

1. Ce qui guide dans une recherche. *Le chien de M. Bellec suit la piste d'un lièvre,* les traces laissées par un lièvre. *Dans l'affaire de l'incendie de la poste de Motbourg, le commissaire n'a aucune piste,* rien pour le guider dans sa recherche. **2.** Terrain aménagé pour une course sportive. *Le cycliste vainqueur a fait le tour de la piste sous les applaudissements.* **3.** Partie circulaire d'un cirque, où le spectacle se déroule. *Les clowns entrent en piste en faisant des cabrioles.* **4.** Terrain aménagé pour un usage particulier. *Les cyclistes empruntent les pistes cyclables. « Ne skiez pas hors piste », recommande le moniteur.*

Brouiller les pistes : rendre les recherches difficiles, faire perdre la trace.

Il fait *un tour de piste.*

Dans les aéroports, il y a des pistes d'envol et des pistes d'atterrissage.

Autre membre de la famille : **dépister.**

pistil n. m.

Pistil [pistil] rime avec *asile, avril* et *ville.*

Partie de la fleur qui reçoit le pollen. *Le pistil contient les graines qui donnent les fruits.*

Le pistil est l'organe femelle de la fleur.

pistole n. f.

Ancienne monnaie d'or d'Espagne et d'Italie. *Le cavalier avait une bourse remplie de pistoles.*

pistolet n. m.

Le pistolet a été inventé au XVIe siècle.

Petite arme à feu ; vois ***revolver.*** *Le gangster est entré dans la banque, un pistolet à la main. On a entendu un coup de pistolet.*

Un *pistolet à eau* est un jouet qui envoie de l'eau.

piston n. m.

Le *cornet à pistons* est un instrument de musique à vent.

Pièce qui se déplace dans un tube par un mouvement de va-et-vient. *Dans une pompe à vélo, il y a un piston.*

pitance n. f.

Nourriture insuffisante ou de mauvaise qualité. *Mme Harpie a servi une maigre pitance à Antoine. Le chat miaulait pour réclamer sa pitance,* sa nourriture quotidienne.

piteux adj.

Au féminin : *piteuse.*

Qui a quelque chose de misérable et de lamentable ; vois ***pitoyable.*** *Alex a annoncé son échec d'un air piteux,* qui faisait pitié.

pitié n. f.

Ne confonds pas *pitié* et *piété.*

Et comme elle était si jolie, le chasseur eut pitié et dit : « Cours donc, pauvre enfant. » *(Blancheneige).*

Avoir pitié de quelqu'un, c'est prendre part à sa douleur et souhaiter qu'elle soit soulagée. *Antoine a recueilli un oiseau blessé qui lui faisait pitié. Mme Harpie est sans pitié,* elle ne plaint personne, rien ne l'émeut. *Par pitié, laisse-moi tranquille !,* je t'en prie.

Non, non ! répondaient les parents avec des voix d'ogres, pas de pitié pour les mauvais chats *(les Contes du Chat perché).*

piton n. m.

Ne confonds pas *piton* et *python.*

1. Clou ou vis dont la tête forme un anneau ou un crochet. *M. Bellec a vissé un piton dans le mur pour accrocher un tableau.* **2.** *Un piton rocheux,* c'est un rocher très pointu. *Il y a des pitons rocheux dans la mer.*

Les alpinistes se servent de pitons pour escalader les parois rocheuses.

pitoyable adj.

Compare ***pitoyable,*** ***s'apitoyer*** et ***impitoyable*** : il est question de **pitié.**

Qui inspire la pitié ; vois ***déplorable, lamentable, piteux.*** *Marie-Tévy est arrivée en France dans un état pitoyable.*

Autre membre de la famille : **impitoyable.**

pitre n. m.

Personne qui fait rire avec des plaisanteries, des grimaces. *« Antoine, arrête de faire le pitre ! »*

Compare : *pitre → pitrerie* et *âne → ânerie.*

▸ ***pitrerie*** n. f. Chose que fait un pitre pour amuser. *Antoine fait sans cesse des pitreries.*

pittoresque adj.

N'oublie pas les deux *t* de *pittoresque.*

Qui attire l'attention par son aspect original. *La place du marché de Motbourg est très pittoresque.*

Le contraire de *pittoresque,* c'est *banal.*

pivert n. m.

Le pivert se nourrit des insectes et des larves qui sont dans le bois.

Oiseau jaune et vert, qui frappe le bois avec son bec pointu. *Un pivert a fait des trous dans les volets.*

Pivert [pivɛʀ] s'écrit aussi *pic-vert.*

pivoine n. f.

On dit de quelqu'un qui rougit qu'il est devenu *rouge comme une pivoine.*

Grosse fleur rouge, rose ou blanche. *Mme Séverac a planté des pivoines dans le jardin. Marie-Tévy a apporté un bouquet de pivoines à Angèle.*

Les pivoines s'épanouissent au mois de mai.

Pivot [pivo] rime avec *veau, bravo* et *vos.*

pivot n. m.

Pièce d'un mécanisme sur laquelle s'emboîte une autre pièce qui peut ainsi tourner. *L'aiguille d'une boussole repose sur un pivot.*

Une chaise de dactylo tourne grâce au pivot installé dans le pied.

Conjugaison 1

▹ **pivoter** v. Tourner comme autour d'un pivot. *Antoine a pivoté sur ses talons et a fait demi-tour,* il a tourné sur lui-même.

Prononce [pidza]. Au pluriel : *des pizzas.*

pizza n. f.

Tarte italienne faite de pâte à pain et recouverte de tomates, de jambon, de fromage... *Hippolyte a commandé une pizza aux olives et aux anchois.*

On mange des pizzas dans une *pizzeria.*

Placard [plakaʀ] rime avec *autocar.*

placard n. m.

Sorte d'armoire aménagée dans un mur et fermée par une porte. *Hippolyte a un placard spécial pour ses chaussures.*

Les balais sont rangés dans un *placard à balais.*

Conjugaison 1

placarder v.

Afficher. *Le menu de la cantine est placardé sur la porte de l'école.*

place n. f.

1. Espace public entouré d'édifices. *Le restaurant Bellec est sur la place du Marché.* **2.** Partie d'un lieu. *Yves est très énervé, il ne tient pas en place,* il bouge sans arrêt. *Le commissaire s'est rendu sur place,* là où l'événement s'est produit. **3.** Endroit qu'une personne ou une chose occupe. *Faites-moi une petite place près de vous. Mamie Lou ne retrouve pas ses lunettes, elles ne sont pas à leur place. Angèle fait observer aux élèves la place des mots dans la phrase.* **4.** Siège. *Mme Roussel a réservé deux places de train. La place de Mme Séverac au conseil municipal est restée vide.* **5.** Espace inoccupé. *M. Doucet a eu du mal à trouver une place pour garer sa voiture. Yasmina manque de place pour ranger ses livres.* **6.** *Tenir de la place,* c'est avoir de l'importance. *Angèle tient une grande place dans le cœur d'Hippolyte.* **7.** *Se mettre à la place de quelqu'un,* c'est imaginer qu'on est dans sa situation. *Si j'étais à la place d'Hippolyte, j'essaierais d'oublier Angèle,* si j'étais Hippolyte. *À ta place, je m'en irais,* si j'étais toi. **8.** Rang dans un classement. *Antoine a eu la première place en rédaction,* il a été classé premier. **9.** Emploi. *L'employé de la bijouterie a perdu sa place,* il a été renvoyé. **10.** *M. Bellec a mis des girolles à la place de cèpes,* au lieu de mettre des cèpes. *Quand Angèle a été malade, la directrice a fait la classe à sa place,* elle l'a remplacée.

Une *place forte,* c'est une forteresse.

Le train dans lequel Michel Strogoff prit place devait le déposer à Nijni-Novgorod
(Michel Strogoff).

Comme nous avions retourné leur banc pour le changer de place, Cyrille et Joachim tournaient le dos au tableau
(le Petit Nicolas).

Les voitures de sport sont des voitures à deux places.

— Pas de place ! Pas de place ! s'écrièrent-ils en voyant Alice.
— Il y a de la place à revendre ! s'écria-t-elle avec indignation
(Alice au Pays des merveilles).

Alphonse n'a qu'à sortir du sac et on mettra une bûche de bois à sa place
(les Contes du Chat perché).

Conjugaison 3 ▭ Indic. présent : *nous plaçons.* Imparfait : *je plaçais.*

▹ **placer** v. **1.** *Placer une personne,* c'est la mettre à une certaine place, la conduire à sa place. *Angèle a placé Colle et Rat au premier rang. — Au cinéma, Mme Séverac s'est placée dans le fond de la salle.* **2.** *Placer une chose,* c'est la mettre quelque part. *Mme Séverac place une statuette sur la cheminée.* **3.** *Placer un mot,* c'est dire quelque chose. *Mme Harpie est si bavarde qu'on ne peut jamais placer un mot,* on ne peut pas parler. **4.** *Placer de l'argent,* c'est le confier pour qu'il rapporte des intérêts. *Mme Roussel place ses économies à la Caisse d'épargne.*

L'inspecteur a regardé la maîtresse et il lui a demandé si ces deux élèves étaient toujours placés comme ça *(le Petit Nicolas).*

On peut placer son argent en achetant des actions à la Bourse.

Prononce [plasmɑ̃].

▹ **placement** n. m. **1.** Argent placé pour rapporter des intérêts ; vois ***investissement.*** *Le docteur Séverac a fait de bons placements.* **2.** *Un bureau de placement,* c'est un organisme qui se charge de trouver du travail à ceux qui cherchent un emploi. *Le chômeur s'est adressé au bureau de placement.*

Autres membres de la famille : **déplacer, déplacé, déplacement, emplacement, remplacer, remplaçant, remplacement, irremplaçable, replacer.**

Il fait preuve de *placidité.*

placide adj.

Doux et calme. *Le docteur Séverac est un homme placide.*

N'oublie pas le ***d*** final. *Plafond* [plafɔ̃] rime avec *chiffon.*

plafond n. m.

1. Partie horizontale supérieure d'une pièce. *Le plafond du salon est orné de moulures.* **2.** Maximum que l'on ne peut dépasser. *Le gouvernement a fixé un plafond pour le prix de l'essence,* un prix que l'on ne peut pas dépasser.

La partie inférieure d'une pièce, c'est le *plancher.*

Il y a deux ***n*** dans *plafonner* et *plafonnier.*

▹ **plafonner** v. Ne pas pouvoir dépasser, ne pas pouvoir aller plus loin. *Cet avion plafonne à cinq mille mètres,* il ne peut aller à une altitude supérieure.

Conjugaison 1

▹ **plafonnier** n. m. Lampe fixée au plafond. *Il y a un plafonnier dans le hall de l'immeuble.*

Il y a des plages de sable et des plages de galets.

plage n. f.
1. Étendue plate d'un rivage. *Mme Roussel a passé l'après-midi sur la plage de Paimpol.* **2.** *La plage arrière d'une voiture,* c'est l'endroit plat situé sous la vitre arrière. *Angèle a mis son parapluie sur la plage arrière.*

C'est une plage de sable ! De sable très fin ! On ne trouve pas un seul galet sur cette plage ! *(le Petit Nicolas).*

Conjugaison 7 ▭ Indic. imparfait : *nous plagiions.* Futur : *je plagierai.*

plagier v.
Plagier un auteur, c'est le copier en faisant croire que l'on est soi-même l'auteur. *Ce compositeur a plagié une sonate de Mozart.*

Celui qui plagie fait un *plagiat.*

Prononce le ***d*** final. *Plaid* [plɛd] rime avec *raide.*

plaid n. m.
Couverture écossaise en lainage. *M. Bellec a recouvert les sièges de sa voiture avec des plaids.*

Conjugaison 1

Marinette se fit si pressante, elle plaida la cause du loup avec tant d'émotion dans la voix et tant de larmes dans les yeux, que sa sœur aînée finit par se laisser toucher *(les Contes du Chat perché).*

plaider v.
Défendre une cause devant un tribunal. *L'avocat plaide pour son client.*

On dit aussi qu'*il plaide la cause de son client.*

▷ ***plaidoirie*** n. f. Discours que fait un avocat pour défendre son client ; vois ***plaidoyer.*** *L'avocat a fait une longue plaidoirie.*

▷ ***plaidoyer*** n. m. **1.** Plaidoirie. *L'avocat a fait un long plaidoyer.* **2.** Défense passionnée. *Sophie Pelletier a écrit un plaidoyer contre le massacre des bébés phoques.*

Plaie d'argent n'est pas mortelle (proverbe).

plaie n. f.
Blessure dans la chair. *M. Bellec s'est fait une vilaine plaie en se rasant.*

Conjugaison 52 ▭ Indic. présent : *je plains, nous plaignons.* Imparfait : *je plaignais.* Futur : *je plaindrai.* — Subj. présent : *que je plaigne.*

plaindre v.
1. *Plaindre quelqu'un,* c'est le considérer avec pitié, être triste pour lui. *Angèle plaint les parents de Colle et Rat. Antoine est bien à plaindre d'avoir une tante comme Mme Harpie,* il mérite d'être plaint. **2.** *Se plaindre,* c'est exprimer sa peine, sa douleur ou son mécontentement ; vois *se* ***lamenter.*** *Julie se plaignait de douleurs au ventre. Mme Harpie se plaint sans cesse. M. et Mme Touati se sont plaints au gardien de l'immeuble.*

Avec des véhicules mieux suspendus, les voyageurs n'auraient pas eu à se plaindre du voyage *(Michel Strogoff).*

Autres membres de la famille : **complainte, plainte, plaintif.**

▷ ***plaignant*** n. m., ***plaignante*** n. f. Personne qui dépose une plainte en justice. *Le plaignant a eu gain de cause.*

Ne confonds pas *plaine* et *pleine,* le féminin de *plein.*

plaine n. f.
Grande étendue de pays plat et peu élevé. *La Belgique est un pays de plaines.*

Attention au ***a*** de *plain* !

de **plain-pied** adv.
Au même niveau. *L'école de Motbourg est de plain-pied,* il n'y a pas d'étage, il n'y a qu'un rez-de-chaussée.

Famille de ① **pied**

Ne confonds pas *plainte* et *plinthe.*

Famille de **plaindre**

plainte n. f.
1. *Porter plainte contre quelqu'un,* c'est le dénoncer en justice. *Mme Harpie a porté plainte contre les voyous qui ont cassé sa vitrine.* **2.** Lamentation d'une personne qui a mal ou qui est mécontente. *Julie a été très courageuse, on n'a pas entendu une seule plainte ;* vois ***gémissement.*** *Mme Roussel ne supporte plus les plaintes continuelles de sa sœur ;* vois ***récrimination.***

[...] il y a un monsieur qui vient de porter plainte parce qu'une balle de golf miniature a rayé la carrosserie de sa voiture *(le Petit Nicolas).*

Compare : *plaindre → plainte, plaintif* et *craindre → crainte, craintif.*

▷ ***plaintif*** adj. Qui exprime une plainte, a le ton d'une plainte. *Mme Harpie parle à sa voisine d'une voix plaintive ;* vois ***geignard.***

Conjugaison 54 ▭ Indic. présent : *je plais, nous plaisons.* Futur : *je plairai.* Passé simple : *je plus.*

plaire v.
1. *Plaire à quelqu'un,* c'est lui être agréable. *Ce film ne m'a pas plu. Angèle plaît beaucoup à Hippolyte. — Denis Prost et Sophie Pelletier se sont plu dès qu'ils se sont vus.* **2.** *Il me plaît de faire quelque chose,* cela m'est agréable. *Alex fait toujours ce qui lui plaît. Il travaille quand cela lui plaît. S'il vous plaît,* si cela ne vous dérange pas. *Passe-moi le sel, s'il te plaît.* **3.** *Se plaire à faire quelque chose,* c'est aimer le faire. *Mme Harpie se plaît à dire du mal de tout le monde.* **4.** *Se plaire dans un endroit,* c'est s'y trouver bien. *Mme Roussel se plaît en Bretagne,* elle aime y être.

Si le golf miniature ne vous plaît pas, ne dégoûtez pas les autres du golf miniature ! *(le Petit Nicolas).*

C'est une formule de politesse.

Autres membres de la famille : **complaisance, complaisant, déplaire, déplaisant, plaisance, plaisant, plaisanter, plaisanterie, plaisantin, plaisir.**

Famille de **plaire**

plaisant adj. et n. m.
▭ **adj. 1.** Agréable. *La maison des Prost est très plaisante.* **2.** Amusant, qui fait rire. *Il arrive toujours des aventures plaisantes à Réjean.*

Le contraire de *plaisant,* c'est *déplaisant.*

▭ **n. m.** *Un mauvais plaisant,* c'est quelqu'un qui fait des plaisanteries ou des farces de mauvais goût. *Un mauvais plaisant a téléphoné en pleine nuit à Réjean Cloutier pour lui demander s'il vendait des clous.*

Ce n'est pas plaisant d'être réveillé par un mauvais plaisant !

▸ ***plaisance*** n. f. *Un bateau de plaisance,* c'est un bateau qui sert à naviguer pour son plaisir, pas pour son travail. *Loïc met son bateau dans le port de pêche de Paimpol, pas dans le port de plaisance.*

Conjugaison 1

▸ ***plaisanter*** v. **1.** Dire ou faire des choses qui font rire. *Hippolyte plaisante tout le temps.* **2.** *Ne pas plaisanter avec quelque chose,* c'est le prendre au sérieux. *La directrice de l'école ne plaisante pas avec la discipline.*

Le mal de mer ? a répondu papa. Vous voulez plaisanter. J'ai le pied marin, moi *(le Petit Nicolas).*

« Je vous ai vu, Clotaire. C'est vous l'auteur de cette plaisanterie stupide. Allez au piquet » a dit la maîtresse *(le Petit Nicolas).*

▸ ***plaisanterie*** n. f. Chose que l'on fait ou que l'on dit pour amuser, pour faire rire ; vois ***farce.*** *Antoine aime bien faire des plaisanteries. M. Bellec ne comprend pas la plaisanterie,* il ne comprend pas quand on se moque de lui gentiment.

Les plaisanteries les plus courtes sont les meilleures.

▸ ***plaisantin*** n. m. Personne qui fait des plaisanteries. *Hippolyte et Antoine sont des plaisantins.*

Famille de **plaire**

plaisir n. m.

Impression agréable que l'on a quand on est content, satisfait ; vois ***bien-être, contentement.*** *Quel plaisir d'être en vacances ! ;* vois ***bonheur, joie.*** *Un des plaisirs favoris de Mamie Lou est de se promener tôt le matin. Mme Séverac a beaucoup de plaisir à écouter de la musique. L'appétit d'Antoine fait plaisir à voir. Reprendrez-vous un peu de viande ? — Avec plaisir,* volontiers. *Marie-Tévy dessine pour le plaisir,* parce que cela lui plaît.

Les parents prirent tant de plaisir à jouer qu'ils en vinrent à ne plus pouvoir s'en passer *(les Contes du Chat perché).*

Le contraire de *plaisir,* c'est *douleur, tristesse.*

Ils se mirent à table, et mangèrent d'un appétit qui faisait plaisir au Père et à la Mère *(le Petit Poucet).*

① *plan* adj.

Une surface plane, c'est une surface plate, lisse. *L'eau au repos est une surface plane.*

▸ ② ***plan*** n. m. **1.** Surface plane. *Les camions montent dans le bateau par un plan incliné.* **2.** *Le premier plan d'une photo,* c'est ce que l'on voit à l'avant de la photo. *Marie-Tévy est au premier plan ; à l'arrière-plan, on voit la mer.*

Autres membres de la famille : **aplanir, arrière-plan, planer, planeur.**

Un *gros plan,* au cinéma, c'est une image rapprochée d'un objet, d'un visage.

③ *plan* n. m.

1. Dessin qui représente un bâtiment ou une ville, vus du dessus. *Angèle a tracé le plan de l'école et l'a affiché au mur.* **2.** *Le plan d'un texte,* c'est la façon dont se suivent ses paragraphes. *Avant de commencer une rédaction, il faut en faire le plan.* **3.** Projet pour faire quelque chose. *Yves et Antoine ont imaginé un plan pour arrêter les voleurs de la bijouterie. Le gouvernement a décidé un plan d'action pour lutter contre le chômage.*

Les architectes dessinent des plans de maisons, de monuments.

Le plan d'Ivan Ogareff a été combiné avec le plus grand soin *(Michel Strogoff).*

Pourrais-tu faire un plan de ta ville ou de ton village ?

La table des matières donne le plan du livre.

Autre membre de la famille : **planifier.**

planche n. f.

1. Morceau de bois, plat, long et étroit ; vois ***latte.*** *M. Bellec a construit une cabane en planches au fond du jardin.* **2.** *Loïc apprend à Mme Roussel à faire la planche,* à se laisser flotter sur le dos. **3.** *Les planches,* c'est le plancher de la scène d'un théâtre. *Autrefois, Mme Bonnot est montée sur les planches,* elle a fait du théâtre. **4.** Feuille d'un livre qui comporte uniquement des dessins. *Ce dictionnaire est illustré de planches en couleurs.* **5.** *Une planche à roulettes,* c'est une planche munie de roulettes, sur laquelle on peut se déplacer. *Julie fait du slalom en planche à roulettes.* **6.** *Une planche à voile,* c'est une planche munie d'une voile, que l'on fait avancer sur l'eau. *Alex a fait de la planche à voile au Touquet.*

Une *planche à repasser* sert à repasser et une *planche à pain* à couper du pain.

Puis elle vient remplacer Babar qui repose ses muscles raidis en faisant la planche *(Babar).*

Yves préfère le *patin à roulettes.*

Les gens qui font de la planche à voile sont des *véliplanchistes.*

▸ ***plancher*** n. m. **1.** Ce qui sépare deux étages d'une maison. *Chez Yasmina, le plancher en béton est recouvert d'un parquet.* **2.** Sol d'une pièce, fait de planches. *Pierre Séverac a changé deux lattes du plancher du grenier.*

Sur le plancher
Une araignée
Se tricotait des bottes
(chanson).

Le plancher est plus grossier que le parquet.

plancton n. m.

Ensemble de très petits animaux qui vivent dans l'eau. *Les baleines se nourrissent de plancton.*

Dans le plancton, il y a des larves de crustacés, des œufs de poissons.

Une partie du plancton est végétale, l'autre est animale.

Conjugaison 1
Famille de ① **plan**
Va voir aussi ***planeur.***

planer v.

1. Voler sans battre des ailes. *Les oiseaux de proie planent au-dessus de la vallée.* **2.** *L'avion planait au-dessus des nuages,* il volait sans moteur. **3.** *Un danger plane sur la ville,* il est là et la menace.

L'ascenseur planait maintenant au-dessus de la petite maison des Bucket *(Charlie et la Chocolaterie).*

planète n. f.

Corps qui tourne autour du Soleil. *Mercure, Vénus, la Terre, Mars, Jupiter, Saturne, Uranus, Neptune et Pluton sont les neuf planètes du système solaire.*

Mercure est la planète la plus proche du Soleil, Pluton la plus éloignée.

Les planètes n'émettent pas de lumière. C'est le Soleil qui les éclaire.

▸ ***planétaire*** adj. **1.** *Le système planétaire,* c'est l'ensemble des planètes. *Les astronomes étudient le système planétaire.* **2.** Qui concerne la planète Terre tout entière ; vois ***mondial.*** *La pollution est un problème planétaire.*

Autre membre de la famille : **interplanétaire.**

Le planeur vole en utilisant les courants atmosphériques.

planeur n. m.
Avion léger sans moteur, fait pour planer. *On fait décoller les planeurs en les remorquant.*

Famille de ① **plan**

Conjugaison 7 ▭ Indic. imparfait : *nous planifiions.*

planifier v.
Organiser quelque chose en suivant un plan. *L'institutrice a planifié le travail de la classe pour le trimestre.*

Famille de ③ **plan**

Attention ! ce mot est masculin.

Famille de **sphère**

planisphère n. m.
Carte qui représente toute la Terre ; vois ***mappemonde.*** *Angèle montre à ses élèves l'emplacement des continents et des océans sur le planisphère accroché au mur.*

Le planisphère est plat ; le globe terrestre est une sphère.

Famille de **planter**

plant n. m.
Plante jeune, destinée à être repiquée, ou qui vient de l'être. *Mamie Lou doit repiquer les plants de salade.*

Ne confonds pas *plant* et *plan.*

La plante du pied va du talon à la base des orteils.

① **plante** n. f.
La plante du pied, c'est le dessous du pied. *En bricolant, M. Bellec s'est enfoncé un clou rouillé dans la plante du pied.*
▸ **plantaire** adj. *Une verrue plantaire,* c'est une verrue sur la plante du pied. *On brûle les verrues plantaires avec de l'azote liquide.*

On les enlève aussi au bistouri.

Conjugaison 1

Savez-vous planter les choux à la mode de chez nous ? (chanson).

planter v.
1. Mettre une plante dans la terre. *Mamie Lou a planté des salades et des tomates ;* vois ***repiquer.*** **2.** Enfoncer. *Pierre Séverac plante les pieux de la clôture. Un chien a planté ses dents dans le mollet d'Hippolyte.* **3.** Mettre debout, droit. *Réjean plante sa tente au bord d'un lac.* — *Se planter devant quelqu'un,* c'est rester debout, immobile devant lui. *Le gendarme se plante devant M. Bellec et lui demande ses papiers.*

Le contraire de *planter,* c'est *arracher, déraciner.*

Le chat restait planté sur ses quatre pattes au milieu de la cour, et il avait beaucoup de chagrin *(les Contes du Chat perché).*

Une plantation de jeunes arbres est une *pépinière.*

▸ **plantation** n. f. **1.** Ensemble de plantes cultivées ; vois ***culture.*** *L'orage a saccagé les plantations.* **2.** Grande ferme où l'on cultive des produits tropicaux. *L'oncle d'Hippolyte travaille dans une plantation de canne à sucre.*

Les esclaves travaillaient dans les plantations de coton.

La *flore* d'un pays est l'ensemble des plantes qui y poussent.

▸ ② **plante** n. f. Végétal de petite taille. *La plante qui pousse sous cet arbre est une bruyère. Le caoutchouc est une plante verte,* une plante sans fleur qui reste toujours verte.

La *botanique* est l'étude des plantes.

▸ **planteur** n. m., **planteuse** n. f. Personne qui possède une plantation dans les pays tropicaux. *L'oncle d'Hippolyte travaille chez un riche planteur.*

Autres membres de la famille : **plant, implanter, transplanter.**

Au féminin : *plantureuse.*

plantureux adj.
Un repas plantureux, c'est un repas très abondant ; vois ***copieux.*** *La cérémonie était suivie d'un repas plantureux.*

Conjugaison 1

plaquer v.
1. Recouvrir d'une couche de matière. *Les murs de la salle de bains sont plaqués de marbre.* **2.** Mettre une chose à plat. *Le vent plaquait la jupe de Claire.* **3.** *Les policiers ont plaqué le voleur au sol,* ils l'ont appuyé contre le sol avec force.

Des bijoux *plaqués or* sont recouverts d'une mince couche d'or.

Les cuisinières électriques ont des *plaques de cuisson.*

▸ **plaque** n. f. **1.** Feuille d'une matière rigide, plate et peu épaisse. *La table est recouverte d'une plaque de verre.* **2.** Objet de forme aplatie. *Antoine a mangé une plaque de chocolat à lui seul ;* vois ***tablette.*** **3.** Tache plus ou moins grande. *Mme Harpie a des plaques rouges sur la peau. Les plaques d'ombre et de lumière se succèdent dans le sous-bois.*

Va voir *plaque d'immatriculation* à ***immatriculation.***

Autre membre de la famille : **contre-plaqué.**

Ne confonds pas *plastic* et *plastique.*

plastic n. m.
Explosif qui a la consistance du mastic. *Un attentat au plastic a failli détruire la préfecture.*

Autres membres de la famille : **plastiquer, plastiquage.**

Conjugaison 7 ▭ Indic. imparfait : *nous plastifiions.*

plastifier v.
Couvrir d'une couche de plastique. *Mme Bellec a fait plastifier son permis de conduire.*

① **plastique** adj.
Les arts plastiques, ce sont les arts qui recherchent la beauté des formes. *La sculpture, l'architecture, le dessin, la peinture, sont des arts plastiques.*

Ne confonds pas *plastique* et *plastic.*

② **plastique** adj.
La matière plastique, c'est une matière artificielle qui peut être moulée. *Claire met du sable dans un seau en matière plastique.*

On dit aussi un seau *en plastique.*

Conjugaison 1

plastiquer v.
Faire exploser un bâtiment avec du plastic. *Les terroristes ont voulu plastiquer la préfecture.*

Famille de **plastic**

On écrit aussi *plasticage.*

▸ **plastiquage** n. m. Attentat au plastic. *Le plastiquage du bâtiment n'a pas fait de victimes.*

plastron n. m.
Partie d'une chemise qui recouvre la poitrine. *Autrefois, on amidonnait le plastron des chemises d'homme.*

Les Anciens croyaient que la Terre était plate.

① **plat** adj.
1. Sans creux ni bosses. *Loïc a un petit canot à fond plat. On mange la viande dans une assiette plate,* peu profonde. *Angèle a le ventre plat,* peu saillant. **2.** Peu épais, mince. *La sole est un poisson plat.* **3.** *Cet écrivain a un style plat,* banal, sans originalité. **4.** *Antoine lit, à plat ventre sur son lit,* couché, étendu sur le ventre. **5.** *Pose ton cahier bien à plat pour écrire,* bien horizontalement. *Angèle a retrouvé son pneu à plat,* dégonflé.

Elle se mit à plat sur son petit estomac avec les jambes en l'air *(Histoires comme ça).*

Le *plat de la main,* c'est la paume et les doigts étendus.

▸ ② **plat** n. m. **1.** Partie plate d'une chose. *Yves n'aime pas faire du vélo sur le plat,* sur un terrain plat. **2.** Plongeon où le corps arrive dans l'eau à plat. *Sylvain a fait un plat dans la piscine,* il a plongé et son corps est arrivé à plat dans l'eau.

Autres membres de la famille : **plateau, plate-bande, plate-forme, ① platine, platitude, aplatir, omoplate.**

On sert le poisson sur un plat long, la purée dans un plat creux, les tartes sur des plats à tarte.

③ **plat** n. m.
1. Sorte de grande assiette dans laquelle on sert les aliments à table. *M. Bellec pose le plat brûlant au milieu de la table.* **2.** Contenu d'un plat. *Antoine a fini le plat.* **3.** Aliment préparé pour être mangé. *Le cassoulet est un plat régional du Sud-Ouest.*

Les *œufs au plat* ou *œufs sur le plat* sont frits sans leur coquille, en laissant le jaune entier.

platane n. m.
Grand arbre au feuillage épais, à écorce lisse se détachant par plaques irrégulières. *Le boulevard de la Gare est bordé de platanes.*

Le platane peut atteindre 30 m de haut.

Famille de ① **plat**
Va voir *plateau d'une balance* à ***balance.***

Le plateau de Millevaches, dans le Limousin, s'élève à 978 m d'altitude.

plateau n. m.
1. Objet plat qui sert à poser et à transporter des objets. *La serveuse apporte les consommations sur un plateau.* **2.** Étendue de pays assez plate, dominant les environs. *Du plateau, on a une belle vue sur la ville.* **3.** Endroit où sont plantés les décors et où jouent les comédiens. *L'acteur est monté sur le plateau pour jouer sa scène.*

Le *plateau continental* est la partie peu profonde du fond marin qui borde les continents.

Famille de ① **plat** et de **bande**

plate-bande n. f.
Bande de terre cultivée, dans un jardin. *Mamie Lou sarcle ses plates-bandes.*

Famille de ① **plat** et de **forme**

plate-forme n. f.
1. Surface plane, horizontale, plus ou moins en hauteur. *Pierre Séverac a construit une plate-forme dans la grange pour stocker les épis de maïs.* **2.** Partie ouverte, à l'arrière d'un autobus. *M. Doucet voyageait sur la plate-forme de l'autobus.*

Au pluriel : *des plates-formes.*

Famille de ① **plat**

① **platine** n. f.
La platine d'une chaîne stéréo, c'est le support plat sur lequel on pose le disque. *Alex veut changer sa platine et ses haut-parleurs.*

Le platine, comme l'or et le diamant, se trouve dans les débris de roches anciennes.

② **platine** n. m.
Métal précieux, d'un blanc grisâtre. *Sophie Pelletier porte un bracelet en platine.*

Des cheveux *blond platine* sont d'un blond presque blanc.

Famille de ① **plat**

platitude n. f.
1. *Des platitudes,* ce sont des banalités, des choses sans intérêt. *Mme Harpie débite des platitudes à la mercière.* **2.** Manque d'originalité, médiocrité. *Mme Roussel se plaint de la platitude de sa vie.*

N'oublie pas l'accent circonflexe du *â* de *plâtre, plâtrer* et *plâtrier.*

plâtre n. m.
1. Poudre blanche qui mélangée à de l'eau, forme une pâte dure en séchant. *Les murs de la maison sont recouverts de plâtre.* **2.** *Les plâtres,* ce sont les parties d'une maison recouvertes de plâtre. *Les plâtres ne sont pas encore secs.* **3.** *Un plâtre,* c'est une enveloppe de plâtre qui sert à immobiliser un membre fracturé. *Julie a gardé son plâtre à la cheville pendant deux semaines.*

Le plâtre est fait à partir du gypse.

Conjugaison 1

Elle a eu la cheville *plâtrée.*

▸ ***plâtrer*** v. **1.** Couvrir une chose de plâtre. *M. Bellec a plâtré les fissures du plafond.* **2.** Mettre une partie du corps dans un plâtre. *On a dû plâtrer la cheville de Julie.*

▸ ***plâtrier*** n. m. Ouvrier qui recouvre les murs de plâtre. *Les peintres viendront quand les plâtriers auront fini leur travail.*

Le contraire de *plausible,* c'est *incroyable, invraisemblable.*

plausible adj.
Vraisemblable, que l'on peut croire. *Les explications d'Antoine sont rarement plausibles.*

Il dit souvent n'importe quoi !

Attention ! un *s* devant le *c.*

plébiscite n. m.
Vote dans lequel on doit répondre, par oui ou par non, à une question sur la confiance que l'on accorde au dirigeant ; vois ***référendum.*** *Napoléon III fut proclamé empereur le 2 décembre 1852 après un plébiscite.*

Plébiscite [plebisit] rime avec *appendicite.*

plein adj., n. m., préposition et adv.

Respirer à pleins poumons, c'est remplir complètement ses poumons d'air.

La confiance du grand-duc était accordée à Ivan Ogareff pleine et entière *(Michel Strogoff).*

En plein air, c'est dehors.

▭ **adj. 1.** Rempli. *La valise était pleine à craquer. Le cinéma est plein. L'autobus est plein : je prendrai le suivant ;* vois **complet.** *Hippolyte a une boîte pleine de timbres rares. La jupe de Julie est pleine de taches. Claire est pleine de santé. Angèle est pleine d'indulgence.* **2.** *Une femelle pleine,* c'est une femelle qui attend des petits. *La jument est pleine.* **3.** Total, entier. *Mme Roussel travaille à temps plein. Aujourd'hui, c'est la pleine lune. Sylvain donne pleine satisfaction à sa mère.* **4.** *Réjean s'est réveillé en pleine nuit,* au milieu de la nuit. *Le bateau de Loïc est en pleine mer,* au large. *M. Bellec a tiré en plein milieu de la cible,* exactement au milieu.

Le contraire de *plein,* c'est *vide.*

La casserole était pleine d'une mélasse violâtre, bouillonnante et moussante *(Charlie et la Chocolaterie).*

▭ **n. m. 1.** *Faire le plein,* c'est remplir complètement un réservoir. *M. Bellec s'est arrêté dans une station-service pour faire le plein d'essence.* **2.** *La fête battait son plein,* elle était à son comble.

On dit qu'*il a fait le plein.*

Ce sens est familier.

▭ **préposition et adv.** En grande quantité. *Il y a du charbon plein la cave,* la cave est remplie de charbon. *Mme Harpie a plein d'argent,* beaucoup d'argent.

▸ ***pleinement*** adv. Entièrement. *Alex est pleinement satisfait de ses vacances ;* vois ***complètement, totalement.***

Autres membres de la famille : **terre-plein, trop-plein.**

Le contraire de *pléthore,* c'est *pénurie.*

pléthore n. f.
Excès. *Il y a pléthore de choux-fleurs cette année,* il y en a trop.

N'oublie pas le ***h*** après le ***t.***

Conjugaison 1

Éplucher des oignons, des échalotes fait pleurer.

Et les animaux vinrent aussi pleurer Blancheneige, d'abord une chouette, puis un corbeau, enfin une petite colombe *(Blancheneige).*

pleurer v.
1. Verser des larmes. *Le bébé pleure quand il a faim. Sophie Pelletier a beaucoup pleuré quand sa mère est morte. Marie-Tévy pleurait à chaudes larmes. Antoine pleure de rire en regardant les clowns.* **2.** Regretter. *Sophie Pelletier pleure sa mère disparue.* **3.** Se lamenter. *Mme Harpie pleure sur son sort.*

Allons ! ça ne sert à rien de pleurer comme ça ! se dit-elle d'un ton sévère *(Alice au Pays des merveilles).*

▸ ***pleurs*** n. m. plur. Larmes. *Mme Roussel était en pleurs,* elle pleurait.

La Bûcheronne était tout en pleurs. « Hélas ! où sont maintenant mes enfants ? » *(le Petit Poucet).*

Conjugaison 1

▸ ***pleurnicher*** v. Pleurer sans raison ou sur un ton geignard. *Julie ne cesse de pleurnicher en disant qu'elle a mal au ventre.*

On dit aussi *un pleurnicheur, une pleurnicheuse.*

▸ ***pleurnichard*** n. m., ***pleurnicharde*** n. f. Personne qui pleurniche. *Angèle n'aime pas les pleurnichards !* — adj. *Julie parle sur un ton pleurnichard.*

pleurésie n. f.
Maladie des poumons. *On peut mourir d'une pleurésie.*

Prononce [pløtʀ].

Ce mot n'est pas très courant.

pleutre n. m.
Homme qui n'a pas de courage ; vois ***lâche, poltron.*** *Quel pleutre !* — adj. *Hippolyte n'est pas pleutre.*

Le contraire de *pleutre,* c'est *courageux.*

Conjugaison 23

Il pleut, il pleut bergère
Rentre tes blancs moutons
(chanson).

pleuvoir v.
1. *Il pleut,* il tombe de l'eau de pluie. *Il a beaucoup plu l'automne dernier. Il pleut à verse.* **2.** S'abattre. *Les coups pleuvaient sur le boxeur.*

Il pleut, il mouille
C'est la fête à la grenouille
(comptine).

En ce temps-là, la peau du Rhinocéros lui allait tout juste et collait partout. Elle ne faisait de plis nulle part *(Histoires comme ça).*

Ne confonds pas *pli* et *plie.*

Il jouait à la belote.

pli n. m.
1. Endroit d'un tissu ou d'un papier qui a été plié ou froissé. *Denis Prost aime que le pli de son pantalon soit impeccable. Julie a fait des faux plis en repassant la robe de sa poupée.* **2.** *Une mise en plis,* c'est une opération qui consiste à enrouler les cheveux mouillés autour de rouleaux pour leur donner une forme. *Mme Séverac a mis des bigoudis pour se faire une mise en plis.* **3.** Lettre. *Aujourd'hui, le docteur Séverac a reçu un pli recommandé de son notaire.* **4.** Cartes que le gagnant ramasse. *M. Bellec a fait le dernier pli grâce au valet d'atout.*

Un *pli de terrain,* c'est une ondulation de terrain en creux ou en relief.

Autres membres de la famille : **déplier, dépliant, pliable, pliage, pliant, plier, plissé, plissement, plisser, pliure, repli, replier.**

Ce poisson s'appelle aussi un *carrelet.*

plie n. f.
Poisson plat qui a les yeux à droite. *Mme Hespel a fait une plie au four.*

Plier [plije] rime avec *étrier.* Conjugaison 7 ▭ Indic. présent : *je plie, nous plions.* Imparfait : *je pliais, nous pliions.* Futur : *je plierai.* — Subj. présent : *que je plie, que nous pliions.*

plier v.
1. Mettre en double, une ou plusieurs fois. *Antoine a plié sa serviette avant de sortir de table.* **2.** Rabattre les parties d'un objet articulé. *Mamie Lou plie sa chaise longue. Après une prise de sang, on doit plier le bras. — Le vélo d'Antoine peut se plier.* **3.** Se courber ; vois **ployer.** *La branche plie sous le poids des fruits.* **4.** *Se plier à quelque chose,* c'est s'adapter à quelque chose par force. *Il faut se plier aux circonstances.*

Le contraire de *plier,* c'est *déplier.*

Les vents me sont moins
qu'à vous redoutables
Je plie et ne romps pas
(La Fontaine).

Compare : *plier → pliable* et *porter → portable.*

▸ **pliable** adj. *Un objet pliable,* c'est un objet qui peut être plié facilement. *Antoine a un vélo pliable.*

▸ **pliant** n. m. et adj. **1.** n. m. Siège dont les pieds se replient. *M. Bellec emporte son pliant quand il va à la pêche.* **2.** adj. *Un objet pliant,* c'est un objet fabriqué de manière à pouvoir se plier. *Angèle a des chaises pliantes rangées dans un placard.*

Famille de **pli**

N'oublie pas le ***h*** après le ***t***.

plinthe n. f.
Planche fixée en bas d'un mur, au ras du plancher. *Les fils électriques passent derrière la plinthe.*

Ne confonds pas *plinthe* et *plainte.*

Attention ! deux ***s*** dans *plisser, plissé* et *plissement.*

Famille de **pli**

plisser v.
1. Faire des plis. *Julie a plissé une feuille de papier pour faire un éventail.* **2.** *Plisser les yeux,* c'est les fermer à demi. *Claire plisse les yeux car il y a beaucoup de soleil. — Ses yeux se plissent.*

Conjugaison 1

L'œil méchant d'Ivan Ogareff se plissa légèrement
(Michel Strogoff).

▸ **plissé** adj. Formé de plis. *Angèle a mis sa jupe plissée.*

▸ **plissement** n. m. *Un plissement de terrain,* c'est une déformation de la surface de la Terre. *Les Alpes sont apparues à la suite du plissement alpin.*

Les Vosges et le Massif central résultent du plissement hercynien.

Prononce [plijyʀ].

pliure n. f.
Endroit où un pli est formé. *Julie a plié la feuille de papier en deux et l'a déchirée en suivant la pliure.*

Famille de **pli**

Un *sommeil de plomb,* c'est un sommeil très lourd.

plomb n. m.
1. Métal de grande densité, gris-bleu, qui se travaille facilement. *Le plomb est l'un des métaux les plus lourds. La conduite d'eau est en plomb. M. Bonnot a une collection de soldats de plomb.* **2.** *Un plomb,* c'est une petite boule de plomb. *Le pêcheur met des plombs au bout de sa ligne pour empêcher le fil de flotter. Les cartouches de chasse sont remplies de plomb.* **3.** *Les plombs,* ce sont des fils de plomb qui fondent quand le courant électrique est trop fort et évitent ainsi les courts-circuits ; vois ***fusible.*** *Les plombs ont sauté quand Mme Hespel a branché son aspirateur.*

Trois soldats de plomb
Sous un ciel de plomb
Défilaient d'aplomb
Une deux, une deux (comptine).

Qu'est-ce qui pèse le plus lourd, un kilo de plumes ou un kilo de plomb ?

Conjugaison 1

▸ **plomber** v. **1.** Mettre des plombs. *On plombe l'ourlet d'un rideau pour qu'il tombe droit.* **2.** *Plomber une dent,* c'est boucher une dent cariée avec un alliage spécial. *Mme Séverac s'est fait plomber une molaire.*

Cet alliage s'appelle un *amalgame.*

C'est le dentiste qui fait ce travail.

▸ **plombage** n. m. *Le dentiste a fait un plombage,* il a plombé une dent.

▸ **plomberie** n. f. Ensemble des tuyaux et des canalisations. *Le docteur Séverac a fait refaire la plomberie de la salle de bains.*

Un *entrepreneur de plomberie,* c'est un plombier.

▸ **plombier** n. m. Personne qui installe et répare les installations sanitaires. *Le plombier est venu réparer le tuyau qui fuyait.*

Conjugaison 3 ▭ Indic. présent : *nous plongeons.* Imparfait : *je plongeais.*

plonger v.
1. Descendre au fond de l'eau. *Le sous-marin plongea.* **2.** Se jeter à l'eau, la tête et les bras en avant. *Marie-Tévy a peur de plonger dans la piscine.* **3.** Faire entrer dans un liquide. *Mme Roussel plonge les assiettes dans l'eau. — Julie s'est plongée dans un bain chaud.* **4.** *Votre question m'a plongé dans l'embarras,* elle m'a mis brusquement dans l'embarras. *Une panne d'électricité nous plongerait dans l'obscurité. — Le docteur Séverac se plonge volontiers dans la lecture de revues médicales.*

J'étais encore sur l'île, ou plutôt sur la baleine, lorsqu'elle plongea brusquement
(les Mille et Une Nuits).

Et il [Babar] avance sa trompe pour la plonger dans la soupière
(Babar).

Il est alors *plongé dans la lecture.*

Nadia était restée plongée dans un assoupissement profond
(Michel Strogoff).

▸ **plongeant** adj. *Une vue plongeante,* c'est une vue de haut en bas. *Du haut de la colline, on a une vue plongeante sur la Dordogne.*

▸ ***plongée*** n. f. *Faire de la plongée,* c'est aller sous l'eau. *Les hommes-grenouilles sont en plongée. Denis Prost fait de la plongée sous-marine.*

▸ ***plongeoir*** n. m. Tremplin au-dessus de l'eau. *Julie a sauté du plongeoir.*

▸ ***plongeon*** n. m. Saut dans l'eau, la tête et les bras en avant. *Yves a réussi un beau plongeon.*

Autres membres de la famille : **déploiement, déployer.**

ployer v.

Se courber. *Les branches du poirier ploient sous le poids des poires.*

Conjugaison 8

Quelque chose de très ennuyeux est *ennuyeux comme la pluie.*

pluie n. f.

Eau qui tombe du ciel. *Antoine est parti à l'école sous une pluie battante. Les jours de pluie, Mamie Lou ne sort pas.*

Autre membre de la famille : **parapluie.**

plume n. f.

Un oiseau a de 1 000 à 30 000 plumes : cela représente 10 % du poids de son corps.

Au clair de la lune
Mon ami Pierrot
Prête-moi ta plume
Pour écrire un mot !
(chanson).

1. Chacun des éléments, formé d'une tige bordée de barbes, qui recouvrent le corps des oiseaux. *Le pigeon lisse ses plumes. Mme Harpie a un chapeau avec une plume de perroquet. Mme Hespel a un oreiller en plumes. Autrefois, on écrivait avec une plume d'oie.* **2.** Petite lame de métal, terminée en pointe, adaptée à un stylo et qui, enduite d'encre, sert à écrire. *Le stylo de Denis Prost a une plume en or.*

Le paon venait de déployer les longues plumes de sa traîne *(les Contes du Chat perché).*

La plume en métal a remplacé la plume d'oie vers 1825.

▸ ***plumage*** n. m. Ensemble des plumes d'un oiseau. *Le corbeau a un plumage noir.*

Déjà le coq reprenait de l'aplomb et ne craignait pas de comparer son plumage à celui du paon *(les Contes du Chat perché).*

Au pluriel : *des plumeaux.*

▸ ***plumeau*** n. m. Ustensile formé d'un manche au bout duquel sont fixées des plumes, et qui sert à enlever la poussière. *La femme de ménage passe le plumeau sur la commode.*

Conjugaison 1

Alouette, gentille alouette,
Alouette, je te plumerai !
(chanson).

▸ ***plumer*** v. *Plumer un oiseau,* c'est lui enlever ses plumes. *Mamie Lou plume le poulet avant de le faire cuire.*

▸ ***plumet*** n. m. Touffe de plumes qui orne un chapeau. *Le soldat avait un plumet sur son casque.*

▸ ***plumier*** n. m. Boîte dans laquelle on range les crayons, les stylos. *Julie a un plumier, Yasmina a une trousse.*

Autre membre de la famille : **porte-plume.**

Famille de ① **plus** et de **part**

la plupart n. f.

1. *À cet âge-là, les enfants dorment la plupart du temps,* le plus souvent. **2.** Le plus grand nombre. *La plupart des invités sont partis après minuit. Les invités étaient, pour la plupart, venus en voiture.*

On dit aussi : *la plupart des invités est partie après minuit.*

pluriel n. m.

Catégorie grammaticale qui indique que le mot désigne plusieurs personnes ou plusieurs choses. *Mettez « cheval » au pluriel. — Le pluriel d'un mot,* c'est sa forme au pluriel. *Le pluriel de « cheval » est « chevaux ».*

Le contraire de *pluriel,* c'est *singulier.*

le pluriel

■ Les noms au **pluriel** désignent plusieurs objets. Les verbes, les adjectifs, les déterminants sont au pluriel quand ils s'accordent avec un nom au pluriel.
Dans la phrase suivante, tous les mots sont au singulier :
Le bel Italien chante une romance.
Les voici au pluriel :
Les beaux Italiens chantent des romances.

Généralement, *plus* se prononce [ply] devant une consonne, [plyz] devant une voyelle et [plys] en fin de phrase.

① plus adv. et préposition

1. *Louis Séverac est plus âgé que son frère. Prends-en plus ;* vois ***davantage.*** **2.** *Plus Hippolyte voit Angèle, plus il la trouve belle.* **3.** *La directrice de l'école est plus ou moins sévère selon les jours,* sa sévérité varie. **4.** *Plus de la moitié des élèves d'Angèle sont des filles,* il y a une majorité de filles. *Il était plus de minuit quand les invités sont partis,* il était minuit passé. **5.** *Une seconde de plus et le lait débordait,* une seconde supplémentaire. **6.** *Louis est le*

Le contraire, c'est *moins.*

Si tu viens, par exemple, à quatre heures de l'après-midi, dès trois heures je commencerai d'être heureux. Plus l'heure avancera, plus je me sentirai heureux *(le Petit Prince).*

Alceste Jolivet affecta la plus complète et la plus hautaine indifférence *(Michel Strogoff).*

plus âgé des frères Séverac. Claire est la plus gentille petite fille que je connaisse. **7.** *Deux plus trois font cinq ;* vois **et. 8.** *Aujourd'hui, il fait plus dix degrés,* dix degrés au-dessus de zéro.

On écrit : 2 + 3 = 5.
On écrit : + 10°.

Prononce toujours [ply].

▸ ② **plus** adv. *Antoine n'est pas là, et Yves non plus,* ni l'un ni l'autre ne sont là. *Nathalie ne joue plus à la poupée,* elle a arrêté d'y jouer. *M. Doucet ne verra plus jamais Mme Harpie. « Je ne veux plus entendre un mot », dit Angèle.*

Autres membres de la famille : la **plupart, surplus.**

— L'agneau que j'ai mangé, dit le loup. Lequel ? [...]
— Comment ? vous en avez donc mangé plusieurs !
(les Contes du Chat perché).

plusieurs adj. indéfini plur.
Plus d'un. *Julie a invité plusieurs amies à goûter. Angèle a envoyé plusieurs cartes postales à son frère. Denis Prost est déjà allé aux États-Unis plusieurs fois. Le docteur Séverac s'est lavé les mains à plusieurs reprises.*

Plusieurs, c'est au moins deux, et généralement plus de deux.

Prononce le *s* : [plyskɔpaʀfɛ].
Attention ! deux traits d'union.

plus-que-parfait n. m.
Temps composé du passé dans lequel l'auxiliaire est à l'imparfait. *Dans la phrase : « Alex avait téléphoné », le verbe « téléphoner » est au plus-que-parfait de l'indicatif.*

N'oublie pas l'accent circonflexe du *ô*.

plutôt adv.
1. De préférence. *Denis Prost prendra l'avion plutôt que le train. Plutôt que de passer ses vacances à la montagne, il a préféré aller au bord de la mer.* **2.** Assez. *Marie-Tévy est plutôt petite pour son âge. Il fait plutôt beau depuis huit jours.*

Allons, assez pleuré ! Ce n'est pas ça qui raccommodera ce plat. Tenez, allez plutôt chercher du bois dans la remise *(les Contes du Chat perché).*

Le *régime pluvial* d'un fleuve dépend du volume des pluies.

pluvial adj.
Les eaux pluviales, ce sont les eaux de pluie. *Une citerne recueille les eaux pluviales.*

Au masculin pluriel : *pluviaux.*

Compare *pluvial* et *pluvieux* : il s'agit de la **pluie.**

pluvieux adj.
Le temps est pluvieux aujourd'hui, il pleut. *La Normandie et la Bretagne sont des régions pluvieuses,* où il pleut beaucoup.

Le contraire de *pluvieux,* c'est *sec.*

Pneu est l'abréviation de *pneumatique.*

pneu n. m.
Enveloppe de caoutchouc qui entoure une roue. *Les pneus du vélo d'Yves sont à plat ; il faut les regonfler. Le docteur Séverac fait vérifier la pression des pneus de sa voiture avant de prendre la route.*

Les pneus ont été inventés en 1895 par les frères Michelin.

① **pneumatique** n. m. va voir **pneu.**

② **pneumatique** adj.
1. *Un marteau pneumatique,* c'est un marteau qui fonctionne à l'air comprimé. *Les ouvriers ont défoncé le trottoir avec un marteau pneumatique.* **2.** Que l'on peut gonfler avec de l'air. *Le canot pneumatique dérivait dangereusement vers le large.*

Les marteaux pneumatiques font beaucoup de bruit.

On dit aussi *marteau-piqueur.*

Il y a aussi des matelas pneumatiques.

La pneumonie est marquée par une forte fièvre et des accès de toux.

pneumonie n. f.
Maladie des poumons due à une infection provoquée par un microbe. *De nos jours, la pneumonie se guérit très bien grâce aux antibiotiques.*

La pneumonie s'appelait autrefois la *fluxion de poitrine.*

Il se leva de bon matin, et alla au bord d'un ruisseau où il emplit ses poches de petits cailloux blancs *(le Petit Poucet).*

poche n. f.
1. Partie d'un vêtement dans laquelle on peut mettre des objets que l'on porte sur soi. *Hippolyte se promène les mains dans les poches. Angèle a toujours sur elle un peigne de poche,* qui tient dans la poche. *Yves s'est offert des bandes dessinées avec son argent de poche,* l'argent que ses parents lui donnent pour ses dépenses. **2.** Compartiment d'un sac, d'un cartable, d'un portefeuille. *Ce sac est très pratique avec ses nombreuses poches.* **3.** Petit sac en papier ou en matière plastique. *Mme Roussel a mis ses emplettes dans une poche en plastique.* **4.** Creux rempli d'un liquide. *Un abcès est une poche de pus.* **5.** Petite déformation en forme de bosse, dans un tissu. *Ce pantalon de mauvaise qualité fait des poches aux genoux.*

Il y a aussi des *lampes de poche,* des *couteaux de poche,* des *livres de poche.*

Compare : *poche → pochette* et *cuve → cuvette.*

▸ **pochette** n. f. **1.** *Une pochette de disque,* c'est l'enveloppe de carton qui le protège. *Les disques de Denis Prost sont rangés soigneusement dans leurs pochettes.* **2.** Petit mouchoir qui dépasse de la poche de poitrine d'un veston. *Hippolyte arbore une pochette assortie à sa cravate.*

On ne sait pas à l'avance ce qu'il y a dans une *pochette-surprise.*

Conjugaison 1

▸ ① **pocher** v. Se déformer, faire des poches. *Ce pantalon poche aux genoux.*

Autre membre de la famille : **empocher.**

Conjugaison 1

② **pocher** v.
1. *Pocher un œil à quelqu'un,* c'est le lui meurtrir par un coup violent. *Yves s'est battu dans la cour, il est revenu chez lui avec un œil poché.* **2.** Cuire dans l'eau bouillante. *Mme Roussel a fait pocher un merlan pour le déjeuner.*

Les *œufs pochés* sont cuits sans leur coquille.

Le tour de son œil était bleu et tuméfié.

pochoir n. m.
Feuille de carton ou de métal trouée sur laquelle on passe une brosse ou un pinceau pour peindre un dessin sur une surface. *Les motifs de ce tissu sont faits au pochoir.*

On peut aussi écrire des inscriptions au pochoir.

Podium [pɔdjɔm] rime avec *homme.*

podium n. m.
Estrade sur laquelle monte le vainqueur d'une compétition sportive. *Les champions olympiques montent sur le podium pour recevoir leurs médailles.*

Au pluriel : *des podiums.*

Attention à l'accent circonflexe du *ê* !

On écrit parfois *poële.*

① **poêle** n. m.
Appareil de chauffage dans lequel on brûle du combustible. *Autrefois, il y avait un grand poêle à bois dans la cuisine de la ferme.*

Poêle [pwal] rime avec *voile.*

Attention à l'accent circonflexe du *ê* dans *poêle* et *poêlon* !

Compare : *poêle* → *poêlon* et *cruche* → *cruchon.*

② **poêle** n. f.
Récipient rond et plat en métal, à petits bords et muni d'un long manche, dans lequel on fait frire les aliments. *Le beurre grésille dans la poêle.*
▸ **poêlon** n. m. Casserole en métal ou en terre, à manche creux, dans laquelle on fait revenir ou mijoter les aliments. *On fait la fondue dans un poêlon.*

Ne confonds pas *poêle* et *poil.*

Le manche de la poêle s'appelle la *queue.*

L'amour c'est le plus beau poème
Pourquoi ne pas s'aimer toujours
(Ch. Trenet).

poème n. m.
Texte poétique en vers ou en prose ; vois **poésie.** *Angèle a donné à apprendre à ses élèves un poème de Prévert. M. Bonnot sait par cœur certains poèmes de Victor Hugo.*

Les mots il suffit qu'on les aime
Pour écrire un poème
(R. Queneau).

La poésie peut être en vers ou en prose.

Manquer de poésie, c'est être terre à terre, grossier.

poésie n. f.
1. Art d'évoquer par le langage des impressions, des sentiments ou de décrire des objets grâce à l'harmonie des sons et au rythme des mots. *La poésie lyrique évoque des sentiments et des émotions.* **2.** Poème. *Angèle a de nombreux recueils de poésies dans sa bibliothèque.* **3.** Beauté émouvante. *Ces ruines au coucher du soleil sont pleines de poésie.*

Bien placés bien choisis
Quelques mots font une poésie
(R. Queneau).

Longtemps longtemps longtemps après que les poètes ont disparu
Leurs chansons courent encore dans les rues
(Ch. Trenet).

poète n. m.
Écrivain qui fait des poèmes. *Prévert est le poète préféré de Julie. Anna de Noailles est un grand poète ;* vois **poétesse.**
▸ **poétesse** n. f. Femme qui écrit des poèmes. *Anna de Noailles est une grande poétesse.*

Pour une femme, on peut dire *un poète* ou *une poétesse.*

poétique adj.
1. Qui a un rapport avec la poésie. *Parfois, Hippolyte écrit avec un style poétique.* **2.** D'une beauté émouvante. *L'automne donnait un aspect poétique à la forêt.*

Attention ! un *s* à la fin.

Le poids se mesure en grammes, en kilos ou en tonnes.

Ne pas faire le poids, c'est ne pas être assez fort, assez compétent.

Avoir un poids sur la conscience, c'est ne pas avoir la conscience en paix.

poids n. m.
1. Ce que pèse une personne, un animal ou une chose. *Le poids d'Angèle est de cinquante kilos. M. Bellec a pris du poids,* il a grossi. *Le livreur ploie sous le poids des colis ;* vois **charge, fardeau. 2.** Objet de métal servant à peser certaines choses. *L'épicier a rajouté un poids de cinquante grammes pour équilibrer les plateaux de la balance.* **3.** Boule, masse de métal qu'un sportif lance le plus loin possible. *Il est champion de lancer du poids.* **4.** Sensation de lourdeur, de pesanteur. *Antoine a mangé trop de gâteau, il a un poids sur l'estomac.* **5.** *M. Touati est écrasé par le poids des soucis,* il a l'impression très pénible d'avoir trop de soucis. **6.** Force, influence. *Cet argument n'a pas eu beaucoup de poids auprès du maire.*

Ne confonds pas *poids, pois* et *poix.*

Faire deux poids, deux mesures, c'est juger différemment deux choses semblables.

Il a une nombreuse famille, un travail pénible et peu d'argent.

Famille de **lourd**

▸ **poids lourd** n. m. Très gros camion. *Les poids lourds ne doivent pas dépasser la vitesse de quatre-vingts kilomètres à l'heure. Les poids lourds pèsent plus de trois tonnes et demie.*

Autre membre de la famille : **contrepoids.**

Attention ! un *d* à la fin.

poignard n. m.

Arme à lame courte et large, très pointue du bout. *L'assassin frappa sa victime de trois coups de poignard dans le dos.*

Le regard de Michel Strogoff entra comme un poignard dans le cœur du Sibérien (*Michel Strogoff*).

Conjugaison 1

▸ ***poignarder*** v. Frapper de coups de poignard. *Le forcené a poignardé sa victime en plein cœur.*

poigne n. f.

Force que l'on a dans le poignet, dans la main. *Il faut de la poigne pour dévisser ce bouchon.*

Avoir de la poigne, c'est aussi avoir de l'autorité.

À poignées, par poignées : à pleines mains.

▸ ***poignée*** n. f. **1.** Quantité de matière que peut contenir une main fermée. *On lançait des poignées de riz sur le passage des mariés.* **2.** Partie d'un objet qui sert à le prendre avec la main. *Antoine a cassé la poignée de son cartable.* **3.** *Le maire donne une poignée de main à tous les membres du conseil municipal,* il leur serre la main. **4.** *Une poignée d'agitateurs a semé le désordre,* quelques agitateurs.

Les valises et les portes aussi ont des poignées.

À la force du poignet : par ses seuls efforts.

▸ ***poignet*** n. m. **1.** Articulation qui réunit l'avant-bras à la main. *Yves s'est foulé le poignet en tombant.* **2.** Extrémité d'une manche couvrant le poignet. *Hippolyte portait une chemise aux poignets élimés.*

Autres membres de la famille : **empoigner, empoignade.**

poignant adj.

Qui serre, déchire le cœur ; vois ***émouvant, pathétique.*** *Nos adieux ont été poignants.*

Ne confonds pas *poil* et *poêle.*

poil n. m.

1. Chacun des filaments qui recouvrent la peau de certains animaux et, en divers endroits, celle des humains. *Le chat Félix perd ses poils au printemps. La barbe et la moustache sont formées de poils.* **2.** *Le poil,* c'est l'ensemble des poils. *Le poil des chats est extrêmement doux ;* vois ***pelage.*** *Les êtres humains adultes ont du poil aux aisselles et au pubis.*

Les cheveux, les sourcils et les cils sont des poils.

L'ensemble des poils, c'est le *système pileux.*

Pourquoi ne pas avoir du poil comme tout le monde ? C'est tellement plus commode dit le lapin à Delphine et Marinette (*les Contes du Chat perché*).

▸ ***poilu*** adj. Couvert de poils nombreux et apparents ; vois ***velu.*** *M. Bellec a la poitrine et les jambes très poilues.*

Autre membre de la famille : à **rebrousse-poil.**

On imprime une marque dans un métal précieux à l'aide d'un poinçon.

poinçon n. m.

Instrument de métal très pointu servant à percer, à graver. *Le cordonnier fait des trous dans une ceinture avec un poinçon.*

Attention à la cédille du *ç* !

Attention ! deux *n* dans *poinçonner.*

▸ ***poinçonner*** v. Trouer ou graver une matière à l'aide d'un poinçon. *Les bijoux d'or ou d'argent sont poinçonnés.*

Conjugaison 1

Conjugaison 49 ▭ Ce verbe est de plus en plus remplacé par le verbe *pointer.*

poindre v.

Le jour point, il commence à apparaître. *L'aube commençait tout juste à poindre. Quelques bourgeons poignaient sur les arbres,* apparaissaient.

On trouve ce mot surtout dans les livres.

Attention ! un *g* à la fin.

Avec le poing, on *empoigne.*

poing n. m.

Main fermée. *Angèle a tapé du poing sur la table pour se faire entendre. Yves et Antoine se sont battus à coups de poing. Martin dort à poings fermés,* profondément.

Je m'en allais, les poings dans mes poches crevées (A. Rimbaud).

① point n. m.

1. Endroit, lieu. *Cette chaîne de magasins a de nombreux points de vente. L'oasis est un point d'eau dans le désert,* un endroit où il y a de l'eau. *Les alpinistes ont eu du mal à trouver des points d'appui sur cette paroi à pic,* des endroits où s'appuyer. *La voiture d'Angèle démarre mal, c'est son point faible,* sa faiblesse. **2.** La plus petite partie d'espace possible. *Les deux droites D1 et D2 se coupent en un point x. Le bateau n'était plus qu'un tout petit point à l'horizon,* une petite trace. **3.** *Le point,* c'est la position d'un navire en mer. *Le capitaine fait le point chaque jour,* il calcule la position du bateau. **4.** *Le levier de vitesse est au point mort,* il n'est pas en prise. **5.** Petit signe rond. *Deux phrases sont séparées par un point. Un texte se termine par un point final. Il faut bien placer les points sur les i et les j.* **6.** Chacune des unités d'une notation. *Il manque deux points à Marie-Tévy pour avoir la moyenne. Une partie de ping-pong se joue en vingt et un points.* **7.** *Il est parti au point du jour,* au moment où le jour se levait,

Dans cette eau trouble, on sentait une fondrière vaseuse, sur laquelle le pied ne pouvait prendre un point d'appui (*Michel Strogoff*).

Un *point lumineux,* c'est une petite lumière.

Le point est l'un des principaux *signes de ponctuation.*

Elle a 3 sur 10.

Le *point de départ,* c'est l'endroit d'où l'on part.

Va voir *point de repère* à ***repère.***

Les *quatre points cardinaux* sont le nord, le sud, l'est et l'ouest.

Faire le point, c'est analyser la situation.

Vois l'encadré ci-dessous et l'encadré à ***ponctuation.***

Va voir aussi ***poindre.***

Rien ne sert de courir, il faut partir à point (La Fontaine).

Les sauvages ignoraient à quel point la peau des éléphants est épaisse et dure *(Babar)*.

allait poindre. **8.** *Vous arrivez à point,* au bon moment. *Hippolyte aime la viande cuite à point,* ni trop saignante ni trop cuite. **9.** *Cet appareil n'est pas encore au point,* il ne fonctionne pas encore. **10.** *Les choses en sont toujours au même point,* dans le même état. **11.** Degré. *Yves n'avait jamais vu son père en colère à ce point. Yves n'imaginait pas à quel point son père était énervé. M. Bellec était énervé à tel point qu'il s'est mis à crier très fort.* **12.** *Angèle était sur le point de sortir,* elle allait sortir.

Mettre au point un appareil photo, c'est le régler.
Autres membres de la famille : **embonpoint, point de vue, ② pointer, ① pointage, pointillé, pointilleux, rond-point.**

les points

Le **point**	.	marque la fin d'une phrase. *Le vent souffle.*
Le **point d'interrogation**	?	marque la fin d'une phrase interrogative. *Est-ce qu'il y a du vent ? Tu viens ?*
Le **point d'exclamation**	!	marque la fin d'une phrase exclamative. *Comme le vent souffle !*
Le **point-virgule**	;	s'utilise au lieu du point entre deux phrases dont le sens est lié. *Le vent souffle ; les toits s'envolent.*
Les **deux points**	:	annoncent une citation. *Ronan dit : « Le vent souffle. »* Ils annoncent aussi une cause ou une conséquence. *Le vent souffle : les toits s'envolent.*
Les **points de suspension**	...	indiquent qu'une phrase n'est pas terminée. *Le vent déracine les arbres, arrache les toits, soulève des vagues énormes...*

② *point* n. m.

Le point mousse, le point de jersey, le point de riz sont des points de tricot.

1. Piqûre faite dans un tissu avec une aiguille enfilée d'un fil. *Odile Séverac a bâti un ourlet à grands points.* **2.** *Un point de tricot,* c'est une manière de tricoter les mailles. *Mme Roussel montre à une amie un nouveau point de tricot.*

Faire un point à un vêtement, c'est le raccommoder grossièrement.

Ces ballerines n'étaient point esclaves et exerçaient leur profession en liberté *(Michel Strogoff)*.

③ *point* adv. de négation

Ne... point sert à exprimer la négation. *Malgré les apparences, elle n'était point sotte ;* vois **②** ***pas.***

Point est un mot que l'on trouve surtout dans les livres.

Famille de ① **point**

pointage n. m.

Action de pointer. *Angèle fait chaque matin le pointage de ses élèves,* elle pointe leur nom sur la liste.

Va voir aussi ② **pointer.**

Prononce [pwɛ̃dvy].

point de vue n. m.

1. Endroit élevé d'où l'on a une belle vue. *Du haut de la colline, on a un superbe point de vue sur toute la région.* **2.** Manière de voir les choses. *Mme Séverac ne partageait pas le point de vue de son mari,* elle n'avait pas le même avis que lui.

Famille de ① **point,** de **de** et de **voir**

Autre membre de la famille : **pointu.**

pointe n. f.

1. Extrémité pointue d'un objet servant à percer, à piquer. *Odile Séverac a cassé la pointe de son aiguille.* **2.** Partie d'un objet qui s'avance. *À la pointe de l'île, s'élève un phare.* **3.** *Julie marche sur la pointe des pieds pour ne pas réveiller son petit frère,* elle marche sur l'extrémité des pieds. **4.** Sorte de clou. *Claire a marché sur une pointe rouillée.* **5.** Petite quantité. *M. Bellec a mis une pointe d'ail dans sa sauce,* un peu d'ail. **6.** *Une technique de pointe,* c'est une technique très nouvelle. *L'électronique est une technique de pointe.*

On taille la pointe des crayons avec un taille-crayons.

[Elles] s'en revinrent au Palais sur la pointe des pieds, sans plus de bruit que des souris *(Histoires comme ça)*.

Une *pointe d'accent,* c'est un léger accent.

La *vitesse de pointe* d'une voiture, c'est sa plus grande vitesse.

Les *heures de pointe* sont celles où il y a le plus de monde.

Conjugaison 1

▸ ① ***pointer*** v. **1.** Dresser en pointe. *Le chat pointe les oreilles en avant.* **2.** S'élever en formant une pointe. *Le clocher pointe vers le ciel,* il se dresse.

Conjugaison 1

Babar pointe sa trompe sur la carte *(Babar)*.

② *pointer* v.

1. Diriger. *Le bandit pointait son arme sur sa victime. Angèle pointe vers Colle et Rat un index accusateur.* **2.** Marquer chaque élément d'une liste pour faire un contrôle. *Sur son relevé de banque, Mme Hespel pointe chaque*

Famille de ① **point**
Va voir aussi ***pointage.***

Il y a dans les usines des machines spéciales appelées *pointeuses.*

chèque enregistré. **3.** Enregistrer son heure d'arrivée et son heure de départ. *Mme Roussel pointe chaque matin et chaque soir à la biscuiterie où elle travaille.*

Pointer au chômage, c'est être chômeur.

Famille de ① **point**

pointillé n. m.

Ligne formée de petits points qui se suivent. *Sur la carte, les frontières sont dessinées en pointillé.*

Famille de ① **point**

pointilleux adj.

Très minutieux et exigeant ; vois ***tatillon.*** *La directrice de l'école est très pointilleuse sur les horaires.*

Famille de **pointe**

pointu adj.

Terminé en pointe. *Un crayon bien taillé est pointu. Les aiguilles et les clous sont des objets pointus.*

Turlututu, chapeau pointu !

Le contraire de *pointu,* c'est *arrondi.*

pointure n. f.

Taille des chaussures, des gants ou des chapeaux. *Quelle pointure faites-vous ?, demande le marchand de chaussures à Hippolyte. Mme Séverac n'a pas trouvé de gants à sa pointure.*

Hippolyte chausse du 42.

poire n. f.

Certaines variétés de poires mûrissent en hiver.

Fruit qui contient des pépins et qui a une forme allongée, plus large du côté opposé à la queue. *Antoine aime la compote de poires.*

Couper la poire en deux, c'est transiger.

Compare : *poire → poirier, cerise → cerisier* et *pomme → pommier.*

▸ ***poirier*** n. m. **1.** Arbre de taille moyenne, que l'on cultive pour ses fruits, les poires. *Les fleurs du poirier sont blanches.* **2.** *Yves fait le poirier sur la plage,* il se tient en équilibre, la tête au sol.

On fait des meubles avec le bois du poirier.

poireau n. m.

Le poireau contient du potassium, du calcium, du phosphore, du soufre, du fer et des vitamines.

Légume de forme allongée, qui a des feuilles vertes et un pied blanc. *Mamie Lou a fait de la soupe aux poireaux et aux pommes de terre. Hippolyte a mangé des poireaux vinaigrette.*

Le poireau est une variété d'ail.

Ne confonds pas *pois, poids* et *poix.*

pois n. m.

Les petits pois sont verts, Les petits poissons rouges.

La plante aussi s'appelle *pois chiche.*

1. *Des petits pois,* ce sont des graines rondes contenues dans les gousses d'une plante. *Mamie Lou écosse des petits pois. M. Bellec a préparé un canard aux petits pois.* **2.** *Les pois chiches,* ce sont les graines rondes et jaunes contenues dans les gousses d'une plante à fleurs blanches. *Mme Touati a mis des pois chiches dans le couscous.* **3.** *Les pois de senteur,* ce sont des fleurs roses, bleues ou blanches, très parfumées. *Sophie Pelletier fait un bouquet de pois de senteur.* **4.** Petit rond. *Mme Séverac portait une robe noire à pois blancs.*

La plante aussi s'appelle *pois.* Des *pois cassés,* ce sont des pois secs divisés en deux.

Ce sont les fleurs d'une plante grimpante appelée elle aussi *pois de senteur.*

poison n. m. et f.

Si l'on boit une bonne partie du contenu d'une bouteille portant l'étiquette : *poison,* ça ne manque presque jamais, tôt ou tard, d'être mauvais pour la santé *(Alice au Pays des merveilles).*

1. n. m. Substance dangereuse pour la santé, qui peut provoquer la mort. *Certains champignons contiennent un poison violent.* **2.** n. m. et f. Personne désagréable, insupportable. *Quelle poison, cette Mme Harpie, elle dit du mal de tout le monde ! « Colle et Rat, vous êtes des poisons, de vraies teignes » s'écrie Hippolyte.*

Autres membres de la famille : **contrepoison, empoisonner, empoisonnement, empoisonneur.**

Attention ! deux *s* dans *poisser* et *poisseux.*

Famille de **poix**

poisser v.

Salir avec une matière gluante. *Un carré de chocolat fondu a poissé la poche du tablier de Claire.*

Conjugaison 1

▸ ***poisseux*** adj. Gluant, collant. *Après avoir mangé des bonbons, les enfants avaient les mains poisseuses.*

poisson n. m.

Le poisson scie
a des soucis
le poisson sole
ça le désole (Prévert).

Animal qui a des nageoires et vit dans l'eau. *Le turbot est un poisson de mer. La truite est un poisson d'eau douce. Le pêcheur a pris du poisson. M. Bellec a fait de la soupe de poisson. Antoine a deux poissons rouges dans un aquarium. L'enquête risque de finir en queue de poisson,* sans conclusion satisfaisante. *Les enfants adorent faire des poissons d'avril,* des farces que l'on fait le premier avril.

Être comme un poisson dans l'eau, être très à l'aise.

Attention ! deux *s* et deux *n* dans *poissonnerie, poissonneux* et *poissonnier.*

▸ ***poissonnerie*** n. f. Boutique où l'on vend des poissons, des coquillages et des crustacés. *M. Bellec a acheté des crabes à la poissonnerie.*

▸ ***poissonneux*** adj. Qui contient de nombreux poissons. *Cette rivière est très poissonneuse.*

Compare : *poisson → poissonnier* et *charbon → charbonnier.*

▸ ***poissonnier*** n. m., ***poissonnière*** n. f. Personne qui vend des poissons et des fruits de mer. *La poissonnière a vidé et écaillé les soles.*

Si l'on ne voit pas pleurer
les poissons
Qui sont dans l'eau profonde
C'est que jamais
quand ils sont polissons
Leur maman ne les gronde
Quand ils s'oublient
à faire pipi au lit
Ou bien sur leurs chaussettes
Ou à cracher comme
des pas polis
Elle reste muette
La maman des poissons
est bien gentille !
(B. Lapointe).

Au pluriel : *des poitrails.*

poitrail n. m.
Devant du corps du cheval et de quelques autres animaux, entre l'encolure et les pattes de devant. *L'âne de Claire a le poitrail et le ventre gris clair.*

Son dos était serré contre le poitrail du grand fauve *(le Lion).*

poitrine n. f.
1. Partie du corps située entre les épaules et l'abdomen, qui contient le cœur et les poumons ; vois ***buste, thorax, torse.*** *Hippolyte marche sur la plage en gonflant la poitrine.* **2.** Seins d'une femme. *Mme Bellec a une poitrine opulente.*

Cet arbuste est un *poivrier.*

poivre n. m.
Épice au goût fort et piquant, faite des fruits d'un petit arbuste des régions tropicales. *Mme Roussel ajoute du sel et du poivre dans la vinaigrette. Le docteur Séverac a les cheveux poivre et sel,* bruns mêlés de blancs.

Il y a certainement trop de poivre dans cette soupe ! parvint à dire Alice, tout en éternuant tant qu'elle pouvait *(Alice au Pays des merveilles).*

Conjugaison 1

▸ ***poivrer*** v. Assaisonner de poivre. *Mme Roussel a salé et poivré la sauce.*
▸ ***poivron*** n. m. Piment doux vert ou rouge. *Mme Hespel fait une salade de tomates et de poivrons.*

Attention ! un ***x*** à la fin. Ne confonds pas *poix, pois* et *poids.*

poix n. f.
Matière visqueuse qui contient de la résine ou du goudron de bois. *La poix est utilisée comme colle.*

Autres membres de la famille : **poisser, poisseux.**

Famille de **pôle**

Ah ! si toute cette contrée sibérienne eût été envahie par la nuit polaire, cette nuit permanente de plusieurs mois ! *(Michel Strogoff).*

polaire adj.
Situé près des pôles. *Le cercle polaire est une ligne imaginaire parallèle à l'équateur,* la ligne qui limite les régions polaires. *En hiver, dans les régions polaires, la température s'abaisse jusqu'à moins cinquante degrés. Le climat polaire est très rigoureux. Les ours polaires sont blancs,* les ours qui vivent dans les régions polaires.

Une *expédition polaire* est une expédition qui mène près du pôle Nord ou du pôle Sud.

Polder [pɔldɛʀ] rime avec *air. Polder* est un mot néerlandais.

polder n. m.
Région plus basse que le niveau de la mer, que l'on a entourée de digues afin de l'assécher et de la cultiver. *La Hollande est une région de polders.*

En France, des polders ont été aménagés dans la baie du Mont-Saint-Michel, en Vendée et en Saintonge.

L'Américain Peary atteignit le pôle Nord le 6 avril 1909.

pôle n. m.
1. Chacun des deux points de la Terre par lesquels passe l'axe imaginaire autour duquel la Terre tourne sur elle-même. *Le pôle Nord est le pôle arctique.* **2.** Région comprise entre le pôle et le cercle polaire. *Les pôles ont un climat rigoureux.* **3.** *Un pôle d'attraction,* c'est un centre d'intérêt. *Les bébés girafes sont le pôle d'attraction du zoo de Motbourg.*

Le pôle Sud est le pôle *antarctique.*

Autre membre de la famille : **polaire.**

polémique n. f.
Débat très vif, discussion très violente. *Des journalistes et des scientifiques ont engagé une polémique au sujet des extra-terrestres.*

Autres membres de la famille : **impoli, impolitesse, poliment, politesse.**

① **poli** adj.
Une personne polie, c'est une personne qui respecte les règles de la politesse. *Yasmina est une petite fille très polie,* très bien élevée.

Le contraire de *poli,* c'est *impoli.*

Famille de **polir**

② **poli** adj.
Lisse et brillant. *Claire ramasse des cailloux blancs et polis pour les mettre au fond de l'aquarium.*

Le contraire de *poli,* c'est *rugueux.*

Autre membre de la famille : **policier.**

Police secours, c'est le service chargé de porter secours dans les cas d'urgence.

① **police** n. f.
Organisation chargée d'assurer l'ordre public, de faire respecter les lois de la vie en société. *Quand on lui a cassé sa vitrine, Mme Harpie a appelé la police. Le commissaire de police mène l'enquête. Un agent de police réglait la circulation devant l'école.*

La police n'est pas tendre par le temps qui court, et on ne sait trop avec qui l'on voyage ! *(Michel Strogoff).*

② **police** n. f.
Une police d'assurance, c'est un contrat d'assurance. *Mme Hespel a souscrit à une nouvelle police d'assurance pour son appartement.*

Polichinelle n. m.
Nom d'un personnage de comédie, qui est bossu. *Polichinelle a reçu des coups de bâton. Hippolyte est amoureux d'Angèle, c'est le secret de Polichinelle,* ce n'est pas un secret, tout le monde le sait.

Polichinelle est aussi une marionnette.

Famille de ① **police**

policier n. m. et adj.
▭ **n. m.** Personne qui appartient à un service de police. *Des policiers en uniforme accompagnaient le commissaire.*
▭ **adj. 1.** Relatif à la police. *Une enquête policière est en cours,* une enquête de la police. **2.** *M. Doucet lit des romans policiers,* qui racontent des énigmes et des enquêtes policières.

Agatha Christie, Georges Simenon sont des auteurs de romans policiers.

Un *chien policier* est un chien dressé pour aider les policiers dans leur travail.

Famille de ① **poli**

poliment adv.
D'une manière polie. *Yves a demandé poliment à sa grand-mère s'il pouvait sortir de table.*

polio n. m. et f. et adj. va voir **poliomyélite** et **poliomyélitique.**

Attention à la place du *y* et des *i* dans *poliomyélite* et *poliomyélitique* !

poliomyélite n. f.
Maladie très grave de la moelle épinière, qui s'accompagne généralement de paralysie. *Il existe un vaccin contre la poliomyélite.*

On abrège souvent ce mot et on dit la *polio.*

▸ **poliomyélitique** n. m. et f. Malade atteint de poliomyélite. *Les poliomyélitiques suivent une rééducation.* — adj. *Ils ont un enfant poliomyélitique.*

On dit aussi les *polios.*

Conjugaison 2

polir v.
Frotter pour rendre lisse et brillant. *M. Bellec polit le dessus de la table avec du papier de verre ;* vois **poncer.**

Autres membres de la famille : **dépoli, ② poli.**

Polisson [pɔlisɔ̃] rime avec *garçon.*

polisson n. m., **polissonne** n. f.
Enfant farceur et désobéissant. *Antoine est un polisson.* — adj. *Claire est très polissonne.*

Famille de ① **poli**

politesse n. f.
Respect des manières et du langage que l'on suit quand on a une bonne éducation. *Mme Harpie aurait pu avoir la politesse de dire bonjour à Angèle.*

Je vous prie de m'excuser et *s'il vous plaît* sont des formules de politesse.

politique n. f. et adj.

Je lui parlais de bridge, de golf, de politique et de cravates. Et la grande personne était bien contente de connaître un homme aussi raisonnable *(le Petit Prince).*

▭ **n. f.** Manière de gouverner un pays et de mener les relations avec les autres pays. *Denis Prost ne s'intéresse pas à la politique. Mme Séverac fait de la politique.*

Dans certains pays, on est mis en prison ou exilé quand on s'oppose à la politique menée par le gouvernement.

▭ **adj. 1.** *Mme Séverac n'a pas les mêmes opinions politiques que son mari,* ils ne sont pas d'accord sur la façon dont un pays doit être gouverné. **2.** *Les hommes politiques,* ce sont les personnes qui s'occupent de politique, participent ou voudraient participer au gouvernement. *Les chefs de partis politiques, les ministres sont des hommes politiques.*

Il y a les hommes politiques de la majorité et ceux de l'opposition.

Il y a ceux de gauche, ceux de droite, ceux du centre, ceux d'extrême droite et ceux d'extrême gauche.

Les politiciens sont des *hommes politiques.*

▸ **politicien** n. m., **politicienne** n. f. Personne qui a une activité politique dans la majorité ou dans l'opposition. *On a vu un débat entre politiciens à la télévision.*

Autre membre de la famille : **apolitique.**

La polka était en vogue au XIXe siècle.

polka n. f.
Danse polonaise très rythmée. *On ne danse plus très souvent la polka.*

Attention ! deux *l.* *Pollen* [pɔlɛn] rime avec *madeleine* et *porcelaine.*

pollen n. m.
Poussière formée de petits grains produits par les étamines des fleurs et qui, une fois sur le pistil, donnent naissance à un fruit. *Les insectes et le vent transportent le pollen d'une fleur à l'autre.*

Le pollen est généralement de couleur jaune.

Conjugaison 1

Attention ! deux *l* dans *polluer* et *pollution.*

polluer v.
Salir en rendant malsain et dangereux. *Les usines qui versent leurs déchets dans les rivières polluent l'eau.*

Ces déchets sont des produits *polluants.*

▸ **pollution** n. f. Fait d'être pollué. *Cette plage est trop près des égouts qui se déversent dans la mer ; on ne peut pas se baigner à cause de la pollution.*

polo n. m.
1. Sport dans lequel les joueurs, à cheval, poussent une balle de bois avec des maillets. *Denis Prost a déjà joué au polo.* **2.** Chemise à col rabattu, en tricot. *Antoine a des polos de toutes les couleurs.*

On enfile un polo par la tête.

Ce mot est familier.

polochon n. m.
Traversin. *David, Nathalie et Marie-Tévy ont fait une bataille de polochons.*

Mon bon Paul, je suis bien fâchée de t'avoir appelé poltron *(les Malheurs de Sophie).*

poltron n. m., **poltronne** n. f.
Personne qui manque de courage. *Hippolyte n'est pas un poltron.* — adj. *Hippolyte n'est pas poltron ;* vois **peureux.**

Le contraire de *poltron,* c'est *courageux.*

Compare ***poly**culture* et ***poly**gone* : il y a **plusieurs** choses.

polyculture n. f.
Culture de plusieurs produits sur un même domaine ou dans la même région. *Pierre Séverac pratique la polyculture.*

Famille de ① **culture**

Compare *polygame* et *monogame* : il s'agit de **mariage**.

polygame n. m. et f.
Homme qui a plusieurs femmes ou femme qui a plusieurs maris à la fois. *Le sultan était polygame.* — adj. *Les Français n'ont pas le droit d'être polygames.*

Compare *polyglotte* et *polythéiste* : il s'agit de **plusieurs** choses.

polyglotte adj.
Qui parle plusieurs langues. *Sophie Pelletier est polyglotte : elle parle le français, l'anglais et l'allemand.*

Compare *polygone* et *pentagone* : dans ces mots, il s'agit d'**angles.**

polygone n. m.
Figure de géométrie qui a plusieurs côtés. *Le trapèze, le losange, le triangle sont des polygones. Le carré est un polygone régulier.*

Les côtés et les angles du carré sont égaux.

Compare *polythéiste* et *polyglotte* : il s'agit de **plusieurs** choses.

polythéiste n. m. et f.
Personne qui croit en plusieurs dieux. *Les anciens Romains étaient des polythéistes.* — adj. *La religion romaine était polythéiste.*

Attention ! deux *m*.

pommade n. f.
Crème grasse que l'on met sur la peau pour soigner ou soulager la douleur. *Julie passe de la pommade à l'endroit où un moustique l'a piquée.*

On met de la pommade sur les piqûres, les brûlures, les boutons.

pomme n. f.

La couleur *vert pomme* est un vert vif et clair.

1. Fruit du pommier, rond et contenant des pépins. *Angèle croque une pomme. Mamie Lou a fait une tarte aux pommes.* **2.** *La pomme de pin,* c'est le fruit du pin. *Claire ramasse des pommes de pin pour allumer le feu.* **3.** *Une pomme d'arrosoir,* c'est le bout percé de trous qui s'adapte au bec d'un arrosoir. *Grâce à la pomme d'arrosoir, on peut verser l'eau en pluie.* **4.** *La pomme d'Adam,* c'est la petite bosse que les hommes ont à l'avant du cou. *La pomme d'Adam d'Hippolyte bouge quand il parle.*

Le jus de pomme fermenté, c'est du *cidre* et l'eau-de-vie de pomme du *calvados.*

Attention ! deux *m* dans *pomme* et *pommeau.*

▸ **pommeau** n. m. Bout arrondi de la poignée d'une épée. *Le pommeau de l'épée du chevalier était en or.*

Au pluriel : *des pommeaux.*

Famille de **terre**

▸ **pomme de terre** n. f. Légume qui pousse sous terre. *Mme Hespel a épluché des pommes de terre.*

La pomme de terre a été apportée du Pérou en 1534. Parmentier en fit manger aux Parisiens en 1788.

Attention ! deux *m*.

▸ **pommelé** adj. *Le cavalier montait un cheval pommelé,* à la robe tachetée de clair.

Attention ! deux *m* et deux *t*.

▸ **pommette** n. f. Haut de la joue, au-dessous de l'œil. *Marie-Tévy a les pommettes saillantes.*

La feuille du pommier
Paraît heureuse au crépuscule
(E. Guillevic).

▸ **pommier** n. m. Arbre fruitier qui donne des pommes. *Les pommiers ont des fleurs roses. Il y a plus de six mille variétés de pommiers.*

Les vergers de pommiers s'appellent des *pommeraies.*

① **pompe** n. f.

Alors Blancheneige l'aima et le suivit, et leur noce fut préparée en grande pompe et magnificence *(Blancheneige).*

1. *Louis et Sarah Séverac s'étaient mariés en grande pompe,* avec un grand faste, un grand luxe. **2.** *Les pompes funèbres se trouvent en face de la mairie,* la société qui s'occupe des enterrements.

On appelle familièrement les employés des pompes funèbres des *croque-morts.*

Au féminin : *pompeuse.*

▸ **pompeux** adj. Solennel et un peu ridicule. *Le maire a fait un discours pompeux.*

② **pompe** n. f.
Appareil qui aspire et renvoie du liquide ou de l'air. *On installe des pompes à eau dans le désert pour puiser l'eau. M. Bellec a arrêté sa voiture devant la pompe à essence qui distribue le super. Yves regonfle ses pneus avec sa pompe à vélo.*

Une *pompe à incendie* permet d'éteindre le feu grâce à un jet d'eau très puissant et continu.

Conjugaison 1

▸ **pomper** v. Aspirer avec une pompe. *La machine à laver a débordé, il a fallu pomper l'eau dans la cuisine.*

Dans un théâtre, il y a toujours un *pompier de service.*

▸ **pompier** n. m. Homme qui lutte contre les incendies ; vois **sapeur-pompier.** *Quand la poste a pris feu, Hippolyte a appelé les pompiers.*

▸ **pompiste** n. m. et f. Personne qui distribue l'essence dans une station-service. *M. Bellec a donné un pourboire au pompiste.*

Autre membre de la famille : **sapeur-pompier.**

pompon n. m.

Les *roses pompon* ont des pétales serrés.

1. Boule de fils de laine. *Les chaussons de Martin ont des pompons bleus.* **2.** *Mme Harpie trouve sa sœur trop grosse, c'est le pompon !,* c'est le comble.

Les marins ont un béret avec un pompon rouge.

Attention ! deux *n*.

se **pomponner** v.
Se faire beau. *Sophie Pelletier s'est pomponnée pour la soirée de clôture du festival de Cannes.*

Conjugaison 1

La pierre ponce est une roche volcanique.

ponce adj. f.
Une pierre ponce, c'est une pierre très légère et poreuse qui sert à frotter la peau pour la rendre lisse. *Julie frotte ses doigts tachés d'encre avec une pierre ponce.*

Conjugaison 3 — Indic. présent : *je ponce, nous ponçons.*

▸ ***poncer*** v. Frotter pour rendre lisse avec un produit ou un appareil spécial. *M. Bellec ponce le dessus de la table avec du papier de verre ;* vois ***polir.***

Une *ponceuse* est une machine qui sert à poncer.

Prononce [pɔ̃tʃo].

poncho n. m.
Manteau formé d'un grand morceau de tissu comportant un trou au centre pour passer la tête. *Au Mexique, les paysans portent des ponchos.*

Les ponchos sont portés par les Indiens d'Amérique du Sud.

poncif n. m.
Chose écrite très banale, sans originalité ; vois ***banalité, cliché.*** *Denis Prost a refusé de jouer dans un film policier rempli de poncifs.*

ponction n. f.
1. Piqûre qui sert à retirer du liquide ou à introduire un médicament dans un organe. *Une ponction peut se faire avec une aiguille ou avec un bistouri.* **2.** Prélèvement d'argent. *L'achat d'une voiture ferait une grave ponction dans le budget d'Angèle.*

C'est une opération chirurgicale.

ponctuel adj.
1. Qui est toujours à l'heure ; vois ***exact.*** *Hippolyte est ponctuel à ses rendez-vous,* il n'est pas en retard. **2.** Qui ne concerne qu'un point précis. *Angèle, l'institutrice, a fait des critiques ponctuelles de la rédaction de Julie, mais elle l'a trouvée bonne dans l'ensemble.*

Le contraire de *ponctuel,* c'est *global.*

Conjugaison 1

ponctuer v.
Mettre des signes de ponctuation dans un texte. *Sylvain a mal ponctué sa dictée.*

▸ ***ponctuation*** n. f. Vois l'encadré ci-dessous.

la ponctuation

Les **signes de ponctuation** permettent de séparer les éléments qui constituent une phrase, ou les phrases entre elles.
Les **signes de ponctuation** sont

• le point	.	Va voir à ***point.***
• le point d'interrogation	?	Va voir à ***point.***
• le point d'exclamation	!	Va voir à ***point.***
• la virgule	,	Va voir à ***virgule.***
• le point-virgule	;	Va voir à ***point.***
• les deux points	:	Va voir à ***point.***
• les points de suspension	...	Va voir à ***point.***
• les parenthèses	( )	Va voir à ***parenthèse.***
• les crochets	[ ]	Va voir à ***crochet.***
• les guillemets	« » ou “ ”	Va voir à ***guillemet.***
• le tiret	—	Va voir à ***tiret.***

Ce mot n'est pas très courant.

pondération n. f.
Équilibre, juste mesure ; vois ***modération.*** *Le docteur Séverac fait toujours preuve de pondération dans ses propos.*

pondéré adj.
Modéré dans ses paroles et dans ses actes. *Le docteur Séverac est connu comme un homme pondéré.*

Le contraire de *pondéré,* c'est *excessif, impulsif.*

Conjugaison 41

pondre v.
Déposer des œufs. *Les oiseaux, les reptiles et les poissons pondent des œufs. La poule rousse a pondu un œuf ce matin. Les tortues marines pondent leurs œufs dans le sable, près de la mer.*

C'est une bonne *pondeuse.*

Ce sont les femelles qui pondent.
Autre membre de la famille : **ponte.**

Poney [pɔnɛ] est un mot d'origine anglaise.

poney n. m.
Cheval d'une race de très petite taille. *Claire a fait une promenade à dos de poney.*

Certains poneys sont dressés pour le cirque.

Pongiste [pɔ̃ʒist] rime avec *aubergiste.*

pongiste n. m. et f.
Joueur de ping-pong. *Après le match, les pongistes se sont serré la main.*

Famille de **ping-pong**

Attention au *t* final !

Sur le pont d'Avignon
On y danse, on y danse
Sur le pont d'Avignon,
On y danse tous en rond
(chanson).

① **pont** n. m.
1. Construction qui permet de franchir un cours d'eau, une voie ferrée ou une route. *Un pont de pierre franchit la rivière. Il y a trente-sept ponts sur la Seine, à Paris.* **2.** *Un pont aérien,* c'est une liaison régulière au-dessus d'une région dangereuse ou d'accès difficile. *L'armée a établi un pont aérien au-dessus de la zone des combats.* **3.** *Faire le pont,* c'est avoir un jour de congé supplémentaire entre deux jours fériés. *Le 1er janvier tombant un mardi cette année, les employés de la biscuiterie feront le pont,* ils ne travailleront pas le lundi 31 décembre.

Va voir aussi ***viaduc.***

Sur le pont du Nord
Un bal y est donné
(chanson).

Autres membres de la famille : **pont-levis, ponton.**

C'est le dessus du vaisseau qu'on appelle le pont et l'on s'y promène *(les Vacances).*

② **pont** n. m.
Plancher recouvrant la coque d'un bateau. *Les cabines sont au-dessous du pont. Une barque n'a pas de pont, mais les paquebots en ont souvent plusieurs.*

Autre membre de la famille : **entrepont.**

Famille de **pondre**

ponte n. f.
Action de pondre. *Pour la plupart des oiseaux, la saison de la ponte se situe au printemps.*

Dans l'ancienne Rome, le grand pontife était le chef religieux.

pontife n. m.
Le souverain pontife, c'est le pape. *Le souverain pontife a accordé une audience à une délégation d'évêques.*

▸ **pontifical** adj. Qui concerne le pape. *Une messe pontificale a été célébrée en grande pompe,* une messe célébrée par le pape.

Au masculin pluriel : *pontificaux.*

Au pluriel : *des ponts-levis.*
Famille de ① **pont** et de ① **lever**

pont-levis n. m.
Pont qui peut se lever et s'abaisser au-dessus d'un fossé. *Les occupants du château fort ont relevé le pont-levis pour empêcher l'ennemi d'entrer.*

Le pont-levis se manœuvrait grâce à de grosses chaînes.

Famille de ① **pont**

ponton n. m.
Sorte de plate-forme flottant sur l'eau. *Un ponton en lattes de bois servait de débarcadère.*

Prononce [pɔp].

Au pluriel : *des festivals pop.*

pop adj. invariable
La musique pop, c'est une musique très rythmée qui vient d'Angleterre et des États-Unis. *Alex va dans tous les festivals de musique pop.*

Pop est un mot anglais qui veut dire populaire.

Il y a des popes en Grèce et dans les pays slaves.

pope n. m.
Prêtre de l'Église orthodoxe. *Les popes ont le droit de se marier.*

popeline n. f.
Tissu de coton ou de soie, fin et serré. *La popeline sert surtout à faire des chemises.*

Compare ***populace*** et ***populeux*** : il s'agit du **peuple.**

populace n. f.
Peuple. *Très snob, il refusait tout contact avec la populace.*

Populace est un mot très méprisant.

Compare ***populaire*** et ***populeux*** : il s'agit du **peuple.**

Le contraire de *populaire,* c'est *impopulaire.*

Compare : *populaire → popularité* et *scolaire → scolarité.*

populaire adj.
1. Qui appartient au peuple. *Mme Harpie emploie des expressions populaires.* **2.** Apprécié par un grand nombre de gens. *Le maire a su se rendre populaire auprès des habitants.* **3.** *Ils habitent un quartier populaire,* habités par des gens du peuple.

▸ **popularité** n. f. Considération, faveur. *Le maire de Motbourg jouit d'une grande popularité.*

Le contraire de *populaire,* c'est *bourgeois.*

Autre membre de la famille : **impopulaire.**

Compare ***population*** et ***populaire*** : il s'agit du **peuple.**

population n. f.
Ensemble des habitants d'un pays, d'une région, d'une ville. *La population de Motbourg est de neuf mille cinq cents habitants.*

Autre membre de la famille : **surpopulation.**

Compare ***populeux*** et ***population*** : il s'agit du **peuple.**

populeux adj.
Un endroit populeux, c'est un endroit très peuplé. *Mexico et Tokyo sont les villes les plus populeuses du monde.*

Ne confonds pas *populeux* et *populaire.*

Ne prononce pas le *c* : [pɔʀ]. Ne confonds pas *porc, port* et *pore.*

Compare : *porc → porcelet* et *coq → coquelet.*

porc n. m.
Animal au corps épais, au museau terminé par un groin, élevé pour sa chair et pour sa peau ; vois ***cochon.*** *Le jambon et le saucisson sont de la viande de porc. Sophie Pelletier a une ceinture et un sac en peau de porc.*
▸ **porcelet** n. m. Jeune porc, cochon de lait. *La truie peut avoir de dix à quatorze porcelets par portée.*

Avec le sang du porc, on fait du boudin, avec les soies, des brosses, et avec la peau tannée des objets en cuir.

Autres membres de la famille : **porc-épic, porcherie, porcin.**

La porcelaine a été inventée par les Chinois.

porcelaine n. f.
Matière blanche et fine avec laquelle on fabrique de la vaisselle, des vases, des bibelots. *Pour faire honneur à ses invités, Mme Séverac avait sorti ses plus belles assiettes de porcelaine.*

La porcelaine s'obtient à partir d'une argile blanche appelée *kaolin.*

On prononce [pɔʀkepik] même au pluriel : *des porcs-épics.*

Famille de **porc**

porc-épic n. m.
Petit animal, plus gros que le hérisson, au corps recouvert de longs piquants. *Les porcs-épics sont des rongeurs qui vivent en Afrique, en Asie et dans le sud de l'Europe.*

Quand ils se sentent en danger, les porcs-épics se roulent en boule comme les hérissons.

porche n. m.
Partie couverte d'un bâtiment, qui abrite la porte d'entrée. *Surpris par la pluie, Hippolyte s'est abrité sous le porche d'un immeuble.*

On appelle aussi *porcherie* un endroit très sale.

porcherie n. f.
Bâtiment où l'on élève les porcs. *La porcherie est située au fond de la cour.*

Famille de **porc**

Famille de **porc**

porcin adj.
La race porcine, c'est la race des porcs. *Les porcs et les sangliers appartiennent à la race porcine.* — n. m. *Les sangliers sont des porcins.*

L'élevage porcin, c'est l'élevage des porcs.

Ne confonds pas *pore, porc* et *port.*

pore n. f.
Petit trou de la peau. *Les pores permettent à la sueur de s'écouler à la surface de la peau.*
▸ **poreux** adj. *Une matière poreuse,* c'est une matière percée de trous minuscules qui laissent passer l'eau. *Le calcaire est une matière poreuse.*

La pierre ponce est poreuse.

Il y a aussi des livres pornographiques.

pornographique adj.
Un film pornographique, c'est un film qui montre des choses obscènes, indécentes. *Les films pornographiques sont interdits aux mineurs.*

On les appelle aussi les *films pornos,* les *films classés X.*

À Saint-Malo, beau port de mer Trois beaux navires sont arrivés (chanson).

Autres membres de la famille : **aéroport, héliport, passeport, portuaire.**

① port n. m.
Endroit aménagé sur une côte ou sur la rive d'un fleuve pour abriter les bateaux. *Rouen est un port fluvial. Marseille est un port maritime. Après leur journée de pêche, les pêcheurs sont rentrés au port. Le docteur Séverac a téléphoné à sa femme pour dire qu'il était arrivé à bon port,* qu'il était arrivé à destination sans accident.

Il y a plus haut, aux dernières maisons de Krasnoiarsk, un petit port d'embarquement *(Michel Strogoff).*

Famille de **porter**

② port n. m.
1. *À moto, le port du casque est obligatoire,* il faut porter un casque. **2.** Prix du transport d'une lettre ou d'un colis. *Les frais de port d'un colis sont en général payés par l'expéditeur.*

portable adj.
1. *Un vêtement portable,* c'est un vêtement que l'on peut porter ; vois ***mettable.*** *Cette robe est démodée, elle n'est plus portable.* **2.** Transportable. *Angèle a un téléviseur portable ;* vois ***portatif.***

Famille de **porter**

Famille de **porte**

portail n. m.
Grande porte à l'entrée d'un jardin, d'une propriété privée ou d'un parc ; vois ***grille.*** *Le portail du jardin des Séverac est en fer forgé.*

Au pluriel : *des portails.*

Famille de **porter**

portant adj.
1. *Être bien portant,* c'est être en bonne santé. *Sylvain n'est pas très bien portant en ce moment.* **2.** *Le malfaiteur a tiré sur sa victime à bout portant,* le bout de l'arme touchant presque la victime.

Il y a aussi des postes de radio et des téléviseurs portatifs.

portatif adj.
Un objet portatif, c'est un objet qui peut être transporté facilement ; vois ***portable.*** *L'écrivain tape ses romans sur une machine à écrire portative.*

Famille de **porter**

porte n. f.

1. Panneau que l'on peut faire pivoter ou glisser pour permettre l'ouverture et la fermeture d'un bâtiment, d'une pièce, d'un meuble ou d'un véhicule. *Angèle ferme la porte de son appartement à double tour. Quand le chat veut entrer dans une pièce, il gratte à la porte. Si Colle et Rat continuent à faire des farces, ils seront mis à la porte de l'école,* ils seront renvoyés. **2.** *Les portes d'une ville,* ce sont les endroits par où l'on peut entrer dans une ville. *La porte Dauphine et la porte Maillot sont deux des portes de Paris.*

Faire du porte-à-porte, c'est faire de la vente à domicile.

Alice ouvrit la porte et vit qu'elle donnait sur un petit couloir guère plus grand qu'un trou à rat *(Alice au Pays des merveilles).*

À la porte ! se mirent à crier toutes les bêtes. À la porte le coq ! *(les Contes du Chat perché).*

Autres membres de la famille **portail, portier, portière, portillon.**

en porte-à-faux adv.

En déséquilibre. *Cette pile de livres est en porte-à-faux sur la table, elle risque de tomber.*

On peut aussi écrire *en porte à faux,* sans traits d'union.

Famille de **porter** et de ① **faux**

porte-avions n. m. invariable

Grand bateau de guerre qui sert à transporter des avions. *Le pont supérieur des porte-avions sert de piste d'envol.*

Attention au trait d'union !

Famille de **porter** et de **avion**

Au pluriel : *des porte-avions.*

porte-bagages n. m. invariable

Support plat, placé sur un vélo ou une moto, qui permet de transporter des objets ou des personnes. *Odile Séverac transporte Claire sur le porte-bagages de son vélo.*

Attention au trait d'union !

Famille de **porter** et de **bagage**

Au pluriel : *des porte-bagages*

porte-bonheur n. m. invariable

Objet qui est supposé porter chance ; vois ***fétiche, mascotte.*** *Le trèfle à quatre feuilles et le fer à cheval sont des porte-bonheur.*

Attention au trait d'union !

Famille de **porter** et de **bonheur**

Au pluriel : *des porte-bonheur*

porte-cartes n. m. invariable

Sorte de portefeuille où l'on range ses papiers d'identité. *Le docteur Séverac a toujours son porte-cartes sur lui. Denis Prost a un porte-cartes en cuir.*

Attention au trait d'union !

Famille de **porter** et de ① **carte**

Au pluriel : *des porte-cartes.*

porte-clés n. m. invariable

Anneau qui sert à tenir ensemble plusieurs clés. *Angèle a deux porte-clés.*

Certaines personnes collectionnent les porte-clés.

Famille de **porter** et de **clé**

porte-documents n. m. invariable

Serviette très plate qui sert à ranger des papiers ou des dossiers. *Mme Hespel transporte ses dossiers dans un porte-documents en cuir.*

Au pluriel : *des porte-documents.*

Famille de **porter** et de **document**

① portée n. f.

Une portée, c'est le nombre de petits qu'une femelle de mammifère met bas en une seule fois. *Une truie peut avoir jusqu'à quatorze petits par portée.*

C'est une assez belle portée convint le sanglier *(les Contes du Chat perché).*

Famille de **porter**

② portée n. f.

Les cinq lignes horizontales et parallèles sur lesquelles sont écrites les notes de musique. *Sylvain déchiffre peu à peu les notes écrites sur la portée.*

Famille de **porter**

Il y a aussi des notes qui sont au-dessus de la portée et d'autres au-dessous.

③ portée n. f.

1. *Le vase était à la portée de Claire,* il était tout près d'elle, elle pouvait l'atteindre facilement. *Ce livre n'est pas à la portée de Julie,* il est trop difficile pour elle. **2.** *Antoine n'a pas toujours conscience de la portée de ses mensonges,* il n'en mesure pas toujours les effets, les conséquences.

Famille de **porter**

Vous avez trouvé la solution du problème, mais c'était à la portée de tout le monde *(les Contes du Chat perché).*

Michel Strogoff était alors hors de portée des cavaliers usbecks *(Michel Strogoff).*

portefeuille n. m.

Enveloppe munie de poches où l'on range des billets de banque et parfois ses papiers. *Le docteur Séverac a un très beau portefeuille en crocodile.*

Portefeuille s'écrit en un seul mot.

Famille de **porter** et de **feuille**
Va voir aussi ***porte-cartes.***

portemanteau n. m.

Support fixé au mur ou muni d'un pied, servant à accrocher les vêtements. *Les enfants laissent leur manteau ou leur blouson au portemanteau, dans le vestiaire, à l'entrée de la classe.*

Portemanteau s'écrit en un seul mot.

Famille de **porter** et de **manteau**

Il y a tant de costumes accrochés aux portemanteaux. Babar essaie tout *(Babar).*

porte-monnaie n. m. invariable

Petit sac où l'on range des pièces de monnaie ; vois ① ***bourse.*** *Marie-Tévy range soigneusement son argent de poche dans un porte-monnaie orné d'un Mickey. Certains portefeuilles sont aussi des porte-monnaie.*

Au pluriel : *des porte-monnaie.*

Famille de **porter** et de **monnaie**

Prenez mon porte-monnaie, dit la vieille dame à Babar et allez acheter ce que vous voulez au Grand Magasin, là-bas *(Babar).*

porte-parole n. m. invariable

Personne qui parle au nom de quelqu'un ou d'un groupe. *Mme Séverac est le porte-parole des conseillers municipaux auprès du maire de Motbourg.*

Famille de **porter** et de **parole**

Au pluriel : *des porte-parole.*

Famille de **porter** et de **plume**

porte-plume n. m. invariable
Sorte de tige au bout de laquelle on enfonce une plume. *Autrefois, les écoliers écrivaient avec des porte-plume en trempant la plume dans un encrier.*

Au pluriel : *des porte-plume.*

Conjugaison 1

porter v.
1. Supporter un poids. *Denis Prost porte sa fille sur ses épaules. Mme Bellec ne doit rien porter de lourd.* **2.** *Porter la responsabilité de quelque chose,* c'est supporter cette chose. *L'abbé Gauthier a expliqué pendant le catéchisme que tout le monde porte la responsabilité de ses fautes.* **3.** Prendre pour mettre dans un endroit. *Mme Roussel a porté la valise de son fils à la consigne. Hippolyte, le facteur, a porté une lettre recommandée à Mme Harpie ;* vois **apporter.** **4.** Avoir sur soi. *Antoine porte des lunettes. Le docteur Séverac porte la barbe. Hier, Mme Hespel portait une robe jaune.* **5.** *Une femelle qui porte,* c'est une femelle qui attend des petits. *La souris porte ses petits pendant vingt et un jours.* **6.** *Mme Harpie a porté plainte contre un voisin,* elle s'est plainte contre lui en justice. *Angèle demande à ses élèves de porter leur attention sur l'orthographe du mot « plinthe ». On dit que passer sous une échelle porte malheur,* cela apporte du malheur. **7.** *Porter à quelque chose ou à faire quelque chose,* c'est y inciter. *L'attitude de Colle et Rat ne porte pas la directrice de l'école à l'indulgence.* **8.** *La conversation portera sur les élections,* elle aura les élections pour sujet. **9.** *La voix d'Hippolyte porte loin,* elle s'entend de loin. **10.** Avoir de l'effet. *Les remarques qu'Angèle a faites à Antoine ont porté.* **11.** *Comment vous portez-vous ?,* comment allez-vous, êtes-vous en bonne santé ? *M. Bonnot se porte mieux depuis qu'il a été opéré,* il va mieux.

Le Chat continua ainsi pendant deux ou trois mois à porter de temps en temps au Roi du Gibier de la chasse de son Maître *(le Chat botté).*

Porter secours, c'est secourir.

La nuit porte conseil (proverbe).

On peut dire aussi qu'*il a une voix qui porte.*

Un jour sa mère ayant cuit et fait des galettes, lui dit : « Va voir comme se porte ta mère-grand, car on m'a dit qu'elle était malade » *(le Petit Chaperon rouge).*

Babar porte le sac à dos de secours, tout ce qui reste de leurs bagages *(Babar).*

Autres membres de la famille : **aéroporté, apporter, déportation, déporté, déporter, emporté, emportement, à l'emporte-pièce, emporter, exportateur, exportation, exporter, importation, ② importer, insupportable, ② port, portable, portant, portatif, porte-à-faux, porte-avions, porte-bagages, porte-bonheur, porte-cartes, porte-clés, porte-documents, ①, ②, ③ portée, portefeuille, portemanteau, porte-monnaie, porte-parole, porte-plume, rapport, rapporter, ①, ② rapporteur, remporter, report, ② reporter, support, supportable, ① supporter, transport, transporter, transporteur, triporteur.**

▸ **porteur** n. m., **porteuse** n. f. **1.** Personne qui apporte quelque chose. *Le porteur du télégramme était Hippolyte.* **2.** Personne qui porte les bagages des voyageurs. *Mme Hespel a appelé un porteur sur le quai, à la descente du train.*

Famille de **voix**
Au pluriel : *des porte-voix.*

▸ **porte-voix** n. m. invariable Appareil qui amplifie la voix. *Les clowns ont défilé dans Motbourg, en criant dans des porte-voix qu'un cirque était installé près du zoo pour trois jours.*

Famille de **porte**

portier n. m.
Personne qui surveille les entrées et les sorties à la porte d'un établissement. *Denis Prost a demandé au portier de l'hôtel s'il y avait du courrier pour lui.*

Famille de **porte**

portière n. f.
Porte d'une voiture ou d'un wagon. *Avant le départ du train, on doit s'assurer de la fermeture des portières.*

Compare : *porte → portillon* et *botte → bottillon.*

portillon n. m.
Petite porte à battant. *Un portillon sépare la cuisine de la salle du restaurant.*

Famille de **porte**

portion n. f.
1. Part. *Antoine a eu la plus grosse portion de gâteau ;* vois **morceau.** **2.** Partie. *Claire cultive des radis dans une portion du jardin qui lui est réservée.*

Autres membres de la famille : **disproportion, proportion, proportionné, proportionnel.**

Un *portique,* c'est aussi une galerie couverte soutenue par deux rangées de colonnes.

portique n. m.
Barre horizontale soutenue par deux poteaux, à laquelle sont suspendus des agrès. *Dans le jardin des Séverac, il y a un portique avec deux balançoires et un trapèze.*

On peut y suspendre des anneaux, des cordes, des trapèzes.

Porto est le nom d'une ville du Portugal.

porto n. m.
Vin sucré du Portugal. *Mme Roussel a bu un porto à l'apéritif.*

Au pluriel : *des portos.*

portrait n. m.
1. Image qui représente une personne. *Sophie Pelletier a fait le portrait de sa fille au crayon.* **2.** *Être le portrait de quelqu'un,* c'est lui ressembler beaucoup. *Martin est le portrait de sa sœur au même âge.* **3.** Description d'une personne. *Le sujet de la rédaction était « Faites le portrait de votre grand-mère ».*

Un portrait peut être un dessin, une peinture ou une photo.

La cadette était le vrai portrait de son Père pour la douceur et l'honnêteté *(les Fées).*

Leurs portraits finis, les deux animaux affirmèrent qu'ils en étaient pleinement satisfaits *(les Contes du Chat perché).*

Famille de ① **port**

portuaire adj.
Qui appartient à un port. *Loïc a montré à Mme Roussel l'équipement portuaire de Paimpol.*

Conjugaison 1

Le contraire, c'est *enlever.*

L'Enfant d'Éléphant [...] posait des questions à propos de tout ce qu'il voyait, entendait, éprouvait, sentait et touchait et tous ses oncles et tantes le cognaient ; ce qui ne l'empêchait pas de rester plein d'une insatiable curiosité *(Histoires comme ça).*

poser v.
1. Mettre. *Mme Roussel a posé son panier sur la table. — La mésange s'est posée sur une branche. L'avion se posera à 10 h 15,* il atterrira. **2.** Installer. *Hippolyte a posé du papier peint dans sa chambre.* **3.** *Poser une question,* c'est interroger. *Julie, réponds-moi ; je t'ai posé une question ! Antoine pose souvent des questions indiscrètes à sa mère.* **4.** *Poser une opération,* c'est écrire les nombres pour faire l'opération. *Angèle a demandé de faire l'addition mentalement, sans la poser.* **5.** Ne pas bouger quand on doit être photographié ou pris comme modèle pour un tableau. *Les artistes ont l'habitude de poser pour les photographes.* **6.** *Poser sa candidature,* c'est se déclarer candidat. *Mme Roussel a posé sa candidature au comité d'entreprise.*

Les parents posèrent leurs outils contre le mur et, poussant la porte, s'arrêtèrent au seuil de la cuisine *(les Contes du Chat perché).*

Marinette fit poser l'âne de profil et se mit à peindre *(les Contes du Chat perché).*

▸ ***pose*** n. f. **1.** Installation. *Hippolyte s'est fait aider par un de ses frères pour la pose du papier peint.* **2.** Attitude. *Le mannequin garde la pose pendant plusieurs secondes,* il reste sans bouger pendant qu'on le photographie. **3.** *Prendre des poses,* c'est avoir des attitudes pas naturelles. *Denis Prost a tendance à prendre des poses quand un journaliste l'interviewe.*

Ne confonds pas *pose* et *pause.*

Alors, vous allez bien prendre la pose, faire un joli sourire et le monsieur va nous prendre une belle photographie ! *(le Petit Nicolas).*

Le paon tourna lentement sur lui-même en prenant des poses, pour que chacun pût le voir tout à son aise *(les Contes du Chat perché).*

▸ ***posé*** adj. Calme et sérieux. *Le docteur Séverac est un homme posé.*

▸ ***posément*** adv. Calmement. *Le docteur Séverac a examiné posément le blessé.*

Agathe ne sait guère marcher posément ; elle préfère haleter, le sang aux joues *(Poil de Carotte).*

▸ ***poseur*** n. m., ***poseuse*** n. f. Personne qui prend des poses, n'est pas naturelle ; vois ***prétentieux.*** *Mme Harpie trouve que Denis Prost est un poseur.* — adj. *Denis Prost est un peu poseur.*

▸ ***position*** n. f. **1.** Manière de se tenir. *Angèle a pris une mauvaise position en dormant, et ce matin elle a un torticolis.* **2.** Place. *Loïc et Yves ont participé à une régate, leur bateau est arrivé en troisième position.* **3.** Endroit où l'on se trouve. *Loïc fait le point pour connaître la position du bateau.* **4.** Situation. *Il est dans une position fâcheuse,* en mauvaise posture. **5.** Point de vue. *Voilà ma position sur ce problème,* mon avis.

Rester sur ses positions, c'est refuser de changer d'avis. *Prendre position,* c'est choisir, exprimer son avis.

Autres membres de la famille : **apposer, déposer, dépositaire, déposition, dépôt, dépotoir, entreposer, entrepôt, exposé, exposer, exposition, s'interposer, juxtaposer, opposant, opposé, opposer, s'opposer, opposition, repos, reposant, ①, ② reposer, superposer, supposer, supposition.**

positif adj.
1. Affirmatif. *La réponse de la directrice a été positive,* la directrice a dit oui. **2.** Plus grand que zéro. *Le signe + précède les nombres positifs.* **3.** Qui se produit. *La cuti-réaction est positive,* une réaction s'est produite. **4.** Utile. *L'exclusion de Colle et Rat a été positive pour la classe d'Angèle,* elle a présenté des avantages.

Les nombres négatifs sont précédés du signe —.

Le contraire, c'est *négatif.*

+ 32 est un nombre positif.

Conjugaison 6

▭ Indic. présent : *je possède, nous possédons.*

Autre membre de la famille : **déposséder.**

posséder v.
1. Avoir à soi. *Denis Prost et Sophie Pelletier possèdent une belle maison. Le docteur Séverac possède des documents intéressants sur le choléra.* **2.** Connaître parfaitement. *Angèle possède parfaitement son métier. Le conférencier possédait bien son sujet.*

Moi, je possède une fleur que j'arrose tous les jours *(le Petit Prince).*

Compare ***possesseur*** et ***possession*** : dans ces mots, il s'agit de **posséder.**

possesseur n. m.
Personne qui possède quelque chose. *Denis Prost et Sophie Pelletier sont possesseurs d'une belle maison ;* vois ***propriétaire.***

Attention ! deux fois deux *s* dans *possesseur.*

Compare ***possessif*** et ***possesseur*** : dans ces mots, il est question de **posséder.**

possessif adj.
1. *Un adjectif possessif* est un déterminant qui indique à qui appartient ce qui est désigné par le nom auquel il se rapporte. *« Mon », « ton », « son », « notre », « votre », « leur » sont des adjectifs possessifs.* **2.** *Un pronom possessif* est un pronom qui remplace un nom en indiquant à qui appartient ce qu'il désigne. *« Le mien », « le tien », « le sien », le nôtre », « le vôtre », « le leur » sont des pronoms possessifs.*

Va voir aussi ***mon, ton, son, notre, votre, leur.***

Va voir aussi ***mien, tien, sien, nôtre, vôtre, leur.***

Compare ***possession, possesseur*** et ***possessif*** : dans ces mots, il est question de **posséder.**

possession n. f.
1. Le fait de posséder quelque chose. *Denis Prost et Sophie Pelletier sont entrés en possession de leur maison il y a deux ans,* ils ont acquis leur maison il y a deux ans. *Le forcené n'était pas en possession de toutes ses facultés,* il n'était pas dans son état normal. **2.** Chose possédée. *Cette jolie maison est la possession du maire de Motbourg.*

Le bœuf blanc engraissait régulièrement et prenait bonne mine. Il était en possession d'une très belle philosophie *(les Contes du Chat perché).*

possible n. m. et adj.

Les deux sœurs firent tout leur possible pour faire entrer leur pied dans la pantoufle, mais elles ne purent en venir à bout *(Cendrillon).*

▭ **n. m.** *Faire son possible,* c'est faire ce que l'on peut. *Denis Prost fera tout son possible pour être là demain.*

▭ **adj. 1.** Qui peut être fait, peut exister. *Est-il possible que Colle et Rat aient vu une soucoupe volante ? Ils ont dû inventer cette histoire, ce n'est pas possible !* **2.** *Il est possible que je vienne demain,* il se peut que je vienne. *Marie-Tévy viendra-t-elle ? Possible,* peut-être. **3.** Qui constitue une limite extrême. *Colle et Rat ont fait toutes les sottises possibles,* il n'y a pas de pires sottises. *Appliquez-vous autant que possible, a dit la maîtresse. Faites le moins possible de ratures. Rendez-moi vos devoirs le plus tôt possible.*

Le contraire, c'est *impossible.*

Aller à Kolyvan, où les Tartares n'étaient pas encore, c'était possible *(Michel Strogoff).*

Bœuf, nous sommes très contentes de ton travail. Voilà que tu en sais maintenant presque autant que nous et peut-être plus, si c'est possible *(les Contes du Chat perché).*

▸ ***possibilité*** n. f. **1.** Chose possible, qui peut arriver. *La directrice de l'école a envisagé toutes les possibilités et elle a conclu qu'il fallait renvoyer Colle et Rat.* **2.** *Avoir la possibilité de faire quelque chose,* c'est pouvoir le faire. *Angèle avait la possibilité de partir aux sports d'hiver.*

Autres membres de la famille : **impossible, impossibilité.**

Le contraire de *possibilité,* c'est *impossibilité.*

① **poste** n. f.

Dans ce sens, on dit *la poste* ou *les postes.*

1. Service public chargé de l'acheminement du courrier, des téléphones et d'opérations bancaires. *Hippolyte est un employé des postes. Tous les ans, les facteurs distribuent les calendriers des postes.* **2.** Endroit où s'effectuent les opérations du domaine des postes. *Il y a eu un incendie à la poste de Motbourg. Mme Roussel est allée chercher une lettre recommandée à la poste.*

En France, c'est l'administration des P. T. T.

On dit aussi : un *bureau de poste.*

Mettre une lettre à la poste, c'est la mettre dans une boîte à lettres publique.

Au masculin pluriel : *postaux.*

▸ ***postal*** adj. Qui concerne la poste. *Mamie Lou a reçu un colis postal,* un colis envoyé par la poste. *En France, le code postal est un numéro à cinq chiffres,* le numéro qui correspond à l'endroit où le courrier doit être distribué.

Va voir *carte postale* à ***carte.***

Le code postal de Paimpol, c'est 22500.

Autre membre de la famille : **postier.**

▸ ① ***poster*** v. Mettre à la poste. *Antoine a posté une lettre pour son père.*

Conjugaison 1

② **poste** n. m.

Fidèle à son poste, l'employé attendait derrière son guichet que le public vînt réclamer ses services *(Michel Strogoff).*

1. Lieu où l'on doit être. *La sentinelle est à son poste. Un soldat ne doit pas quitter son poste.* **2.** *Le poste de police,* c'est l'endroit où se tiennent les policiers de service. *Le malfaiteur a été emmené au poste de police.* **3.** Emploi. *Angèle a un poste d'institutrice. Angèle est en poste à Motbourg depuis plusieurs années.* **4.** Appareil qui reçoit ou émet des émissions. *Mamie Lou a un poste de radio dans sa chambre.*

Du matin au soir, fidèles au poste, elles retiraient le papier de ces bâtons de chocolat *(Charlie et la Chocolaterie).*

Un *poste de télévision,* c'est un téléviseur.

Conjugaison 1

▸ ② ***poster*** v. **1.** Placer dans un endroit précis. *L'inspecteur a posté des policiers en civil derrière la bijouterie.* **2.** *Se poster,* c'est s'installer pour surveiller. *Mme Harpie s'est postée derrière sa fenêtre pour voir avec qui sortait Hippolyte.*

③ **poster** n. m.

Poster [pɔstɛʀ] rime avec *artère* et *secrétaire.*

Affiche. *Hippolyte a mis dans sa chambre des posters de la Martinique.*

Un poster peut être une photo ou un dessin.

postérieur adj.

1. Qui est derrière. *Au zoo, Marie-Tévy a vu des ours qui se tenaient debout sur leurs pattes postérieures,* leurs pattes de derrière. **2.** Qui a lieu après. *L'arrivée d'Angèle à Motbourg est postérieure à celle de Marie-Tévy.*

Le règne de Louis XV est postérieur à celui de Louis XIV.

Le contraire de *postérieur,* c'est *antérieur.*

a **posteriori** va voir ***a posteriori.***

postérité n. f.

Les œuvres des grands artistes passent à la postérité, à ceux qui viendront après eux.

Attention ! un ***h*** après le ***t***.

posthume adj.

Qui se produit après la mort. *Le soldat a été décoré à titre posthume,* alors qu'il était mort. *Les « Mémoires d'outre-tombe » sont une œuvre posthume de Chateaubriand,* cet ouvrage est paru après la mort de son auteur.

Un *enfant posthume* est né après la mort de son père.

Un *postiche* est une fausse mèche de cheveux.

postiche adj.

Faux. *Le bandit portait une moustache et une barbe postiches.*

Famille de ① **poste**

postier n. m., **postière** n. f.

Personne qui travaille à la poste. *Hippolyte est postier à Motbourg.*

Il est facteur.

① postillon n. m.

Conducteur d'une diligence ; vois ① **cocher.** *Le postillon fouettait ses chevaux.*

② postillon n. m.

Quand on envoie des postillons, on *postillonne.*

Goutte de salive que l'on envoie en parlant. *Arrête de m'envoyer des postillons !*

post-scriptum n. m. invariable

Post-scriptum [pɔstskʀiptɔm] rime avec *pomme.*

Au pluriel : *des post-scriptum.*

Texte situé à la fin d'une lettre, après la signature. *Antoine a indiqué l'heure d'arrivée de son train en post-scriptum.*

Post-scriptum s'écrit **P.-S.** en abrégé.

postuler v.

Conjugaison 1

Postuler un emploi, c'est le demander. *M. Doucet avait postulé un emploi d'informaticien à Paris.*

posture n. f.

1. Position du corps. *Le professeur de gymnastique nous a appris des postures de yoga.* **2.** *Être en mauvaise posture,* c'est être dans une situation difficile. *Antoine a été pris en flagrant délit de mensonge, il est en mauvaise posture.*

Être en bonne posture, être dans une situation favorable.

pot n. m.

En passant, elle prit un pot sur une étagère ; il portait une étiquette sur laquelle on lisait : CONFITURE D'ORANGES, mais, à la grande déception d'Alice, il était vide *(Alice au Pays des merveilles).*

1. Récipient. *Les pots de confiture sont dans le placard de la cuisine. Julie remplit le pot à eau et le met sur la table. Mme Séverac fait pousser de la menthe dans un pot de fleurs.* **2.** Marmite. *Mamie Lou a fait une poule au pot,* une poule bouillie avec des légumes. *Hippolyte a tourné autour du pot avant de dire à Angèle qu'il aimerait dîner avec elle,* il ne l'a pas dit tout de suite. **3.** *Le pot d'échappement d'un véhicule,* c'est le tuyau par lequel sortent les gaz brûlés. *Quand un pot d'échappement est percé, cela fait beaucoup de bruit.*

Ne confonds pas *pot* et *peau.*

Autres membres de la famille : **empoté, pot-au-feu, pot-de-vin, potée, poterie, potiche, potier.**

potable adj.

Compare ***potable*** et ***potion*** : dans ces mots, il est question de **boire.**

De l'eau potable, c'est de l'eau que l'on peut boire sans danger pour la santé. *L'eau polluée n'est pas potable,* on ne peut pas la boire.

potage n. m.

Bouillon dans lequel on a fait cuire des légumes ; vois **soupe.** *Mme Roussel a fait du potage à la tomate.*

potager n. m. et adj.

M. Bongrain était tout fier pour le hors-d'œuvre parce qu'il nous a expliqué que les tomates venaient de son potager *(le Petit Nicolas).*

1. n. m. Jardin dans lequel on cultive des légumes et des fruits. *Odile Séverac s'occupe du potager de la ferme.* **2.** adj. *Les plantes potagères,* ce sont les plantes dont on peut manger certaines parties ; vois **légume.** *Les carottes, les navets et les haricots sont des plantes potagères.*

On dit aussi un *jardin potager.*

potasse n. f.

La potasse est produite surtout au Canada et en U. R. S. S.

Substance chimique blanche qui se dissout dans l'eau. *La potasse est utilisée comme engrais.*

pot-au-feu n. m. invariable

Famille de **pot** et de **feu**

Plat fait de viande de bœuf qui a bouilli avec des légumes. *Dans le pot-au-feu, on met des carottes, des navets, des oignons, du céleri, des poireaux et du persil.*

Au pluriel : *des pot-au-feu.*

pot-de-vin n. m.

Famille de **pot** et de **vin**

Somme d'argent qui se donne en plus de la somme convenue dans un marché, ou pour obtenir quelque chose de façon illégale. *Le maire de Motbourg a refusé les pots-de-vin que lui avait offerts un agent immobilier.*

Au pluriel : *des pots-de-vin.*

poteau n. m.

Au pluriel : *des poteaux.*

Pilier enfoncé dans le sol. *La route est bordée de poteaux électriques,* de piliers portant des fils électriques.

potée n. f.

Famille de **pot**

Plat de viande de porc ou de bœuf bouillie accompagnée de légumes. *Mamie Lou a fait de la potée aux choux.*

Ne prononce pas le premier ***e*** : [pɔtle].

potelé adj.
Qui a des formes rondes et pleines ; vois ***dodu, grassouillet.*** *Claire est une petite fille potelée.*

Le contraire de *potelé,* c'est *maigre.*

On appelait autrefois *gibier de potence* une personne qui méritait d'être pendue.

potence n. f.
Instrument de supplice formé de deux poutres perpendiculaires soutenant une corde à laquelle on pendait les condamnés ; vois ***gibet.*** *La potence était dressée sur la place du village.*

Potentiel [pɔtɑ̃sjɛl] rime avec *ciel.*

potentiel n. m.
Capacité de production. *Le potentiel industriel de cette région est très important.*

Famille de **pot**

poterie n. f.
1. Fabrication d'objets en terre cuite. *Angèle fait faire de la poterie à ses élèves.* **2.** Objet en terre cuite. *Autrefois, on conservait l'huile dans des poteries.*

Les premières poteries datent de 7 000 ans avant Jésus-Christ.

poterne n. f.
Porte cachée dans la muraille d'un château fort ou d'une forteresse. *La poterne donnait sur le fossé.*

La poterne était souvent située sous le pont-levis.

Famille de **pot**

potiche n. f.
Grand vase de porcelaine. *Mme Séverac a plusieurs potiches chinoises.*

Famille de **pot**

potier n. m.
Personne qui fabrique et vend des poteries. *Le potier façonne la terre sur un tour et la fait cuire dans un four.*

On emploie ce mot surtout au pluriel.

potin n. m.
Bavardage, commérage ; vois ***cancan, racontar, ragot.*** *Mme Harpie adore raconter des potins. Mme Roussel est au courant de tous les potins du quartier.*

On dit aussi des *commérages.*

Compare ***potion*** et ***potable*** : dans ces mots, il est question de **boire.**

potion n. f.
Médicament liquide que l'on boit. *Mme Séverac prend une cuiller de potion pour dormir avant de se coucher.*

Panoramix prépare la potion magique pour Astérix et ses compagnons.

Un potiron peut peser plusieurs dizaines de kilos.

potiron n. m.
Grosse citrouille. *Mamie Lou a fait de la soupe au potiron pour le dîner.*

La chair du potiron est orangée.

Au pluriel : *des pots-pourris.*

pot-pourri n. m.
Morceau de musique réunissant plusieurs airs à la suite. *L'orchestre a joué un pot-pourri.*

Au pluriel : *des poux.*

pou n. m.
Insecte très petit qui vit dans les cheveux et les poils de l'homme et qui se nourrit de son sang en le piquant. *L'infirmière écarte les cheveux des enfants et regarde s'ils ont des poux.*

Autre membre de la famille : **pouilleux.**

Les poux pondent leurs œufs, les *lentes,* à la base des cheveux ou des poils.

poubelle n. f.
Récipient dans lequel on jette les ordures. *Sophie Pelletier a jeté ses vieilles pantoufles à la poubelle. Sylvain descend la poubelle tous les soirs. Hippolyte est allé vider la poubelle.*

C'est le préfet de Paris, Eugène Poubelle, qui a rendu obligatoire en 1884 l'usage de la poubelle.

pouce n. m.
1. Le plus gros et le plus court des doigts de la main de l'homme, qui peut être mis en face des autres doigts. *Martin suce son pouce. Angèle tient la photo entre le pouce et l'index.* **2.** On dit *« pouce ! »* quand on veut arrêter le jeu un moment. *Pouce ! a crié Antoine, mon lacet s'est défait.* **3.** Ancienne mesure de longueur qui valait un peu moins de trois centimètres. *Yves n'a pas bougé d'un pouce pour faire de la place à Julie,* il n'a pas bougé du tout.

Il était fort petit et quand il vint au monde, il n'était guère plus gros que le pouce, ce qui fit qu'on l'appela le Petit Poucet
(le Petit Poucet).

Le pouce n'a que deux phalanges.

Se tourner les pouces, c'est rester sans rien faire.

Le pouce était la douzième partie du pied.

poudre n. f.
1. Matière moulue en grains très fins. *Mme Séverac met une cuiller de sucre en poudre dans son citron pressé.* **2.** Produit de maquillage que l'on met sur le visage avec une houppette ou un gros pinceau. *Sophie Pelletier se remet un peu de poudre avant de sortir.* **3.** Mélange de produits chimiques fait pour exploser. *Il y a de la poudre dans les cartouches.*

La neige fraîche sur laquelle il est agréable de skier, et qui a la consistance d'une poudre, s'appelle de la *neige poudreuse.*

La boîte dans laquelle on met la poudre est un *poudrier.*

Prendre la poudre d'escampette, c'est s'enfuir.

Conjugaison 1

▸ ***poudrer*** v. Mettre de la poudre. *Sophie Pelletier s'est poudré le nez. — Mme Séverac s'est poudrée avant de sortir.*

Autrefois, on se poudrait les cheveux.

Pouf [puf] rime avec *touffe.*

pouf n. m.
Gros coussin posé sur le sol, qui sert de siège. *Nathalie s'est assise sur le pouf du salon.*

Au pluriel : *des poufs.*

Attention ! deux *f* dans *pouffer.*

pouffer v.
Pouffer de rire, c'est éclater de rire malgré soi. *Les enfants ont pouffé de rire quand ils ont vu Hippolyte avec deux chaussures différentes.*

Conjugaison 1

Au féminin : *pouilleuse.*

pouilleux adj.
Très pauvre et sale. *Ils habitent dans un quartier pouilleux ;* vois ***misérable.***

Famille de **pou**

Famille de ② **poule**

poulailler n. m.
Abri dans lequel vivent les poules. *Le soir, Odile Séverac fait rentrer les poules dans le poulailler.*

poulain n. m.
Petit du cheval et de la jument, mâle ou femelle, jusqu'à l'âge de deux ans et demi. *Claire caresse le poulain que la jument a eu au printemps.*

Le poulain double son poids de naissance à un mois.

① ***poule*** n. f.
Groupe d'équipes de rugby qui doivent se rencontrer au cours d'un championnat. *L'équipe de rugby de la ville est en poule A.*

② ***poule*** n. f.

Va voir *avoir la chair de poule* à ***chair.***

Va voir *la poule au pot* à **pot**.

1. Oiseau de basse-cour, femelle du coq, à ailes courtes et arrondies, portant une petite crête. *La poule rousse a pondu un œuf. M. Bellec prépare de la poule au riz.* **2.** *Une poule mouillée,* c'est une personne peureuse. *Hippolyte n'est pas une poule mouillée.*

Une *mère poule* est une mère qui protège ses enfants avec excès.

Avant trois mois, c'est un *poussin.*

▸ ***poulet*** n. m. Petit de la poule, de trois à dix mois. *Julie aime beaucoup manger du poulet rôti.*

Autre membre de la famille : **poulailler.**

pouliche n. f.
Jeune jument. *Une pouliche n'est plus un poulain, mais n'est pas encore adulte.*

N'oublie pas le ***e*** à la fin de *poulie.*

poulie n. f.
Petite roue sur laquelle passe une corde ou une chaîne et qui sert à soulever une charge. *La corde à laquelle on accroche un seau pour prendre de l'eau au fond du puits passe par une poulie.*

Attention ! *poulpe* est un nom masculin.

poulpe n. m.
Animal marin qui a huit longs bras munis de ventouses ; vois ***pieuvre.*** *Les poulpes sont des mollusques qui se nourrissent de crabes, de homards et de coquillages.*

Les bras du poulpe s'appellent des *tentacules.*

Pouls [pu] se prononce comme *pou.*

pouls n. m.
Battement des artères produit par le passage du sang envoyé par le cœur, et que l'on sent très bien sur le poignet. *Le docteur Séverac prend le pouls du malade,* il compte le nombre de battements. *Le malade a un pouls rapide,* il a plus de battements qu'il ne faut.

Le pouls normal a de 70 à 80 battements par minute. Il devient plus rapide quand on fait un effort ou quand on a de la fièvre.

poumon n. m.

La pneumonie et la tuberculose sont des maladies du poumon.

Va voir aussi ***pulmonaire***.

Les poumons, ce sont les deux organes qui servent à respirer et qui sont situés dans la cage thoracique. *L'air entre et sort des poumons par la trachée-artère et par les bronches.*

Autre membre de la famille : **s'époumoner.**

poupe n. f.
La poupe, c'est l'arrière d'un bateau. *Le pêcheur a mis ses filets à la poupe.*

L'avant, c'est la *proue.*

poupée n. f.

Marie-Edwige mange par petits bouts, et ça prend longtemps, parce qu'avant de les mettre dans sa bouche, les petits morceaux de gâteau, elle les offre à sa poupée ; mais la poupée, bien sûr, elle n'en prend pas *(le Petit Nicolas).*

Jouet représentant une personne. *Claire a beaucoup de poupées. Nathalie ne joue plus à la poupée. Mamie Lou a confectionné des habits de poupée.*

▸ ***poupon*** n. m. **1.** Bébé. *Martin est un beau poupon de six mois.* **2.** Poupée représentant un bébé. *Claire a un poupon en caoutchouc qui s'appelle Amélie ;* vois ***baigneur.***

Sophie put prendre la plus jolie poupée qu'elle eût jamais vue. Les joues étaient roses avec de petites fossettes ; les yeux bleus et brillants ; le cou, la poitrine, les bras en cire, charmants et potelés *(les Malheurs de Sophie).*

Conjugaison 1

▸ ***pouponner*** v. Dorloter un bébé. *Mamie Lou adore pouponner,* s'occuper des bébés.

▸ ***pouponnière*** n. f. Endroit où l'on garde, dans la journée, les bébés et les enfants jusqu'à l'âge de trois ans ; vois ***crèche.*** *Quand Antoine était petit, son père le déposait à la pouponnière en allant travailler.*

pour préposition et n. m. invariable

Il faut être ému pour émouvoir ! pensait Alcide Jolivet (*Michel Strogoff*).

Faire de la magie ce n'est pas drôle s'il n'y a personne pour regarder, et c'est pour ça que la maman de Maixent lui a permis de nous inviter (*le Petit Nicolas*).

« Un pour tous et tous pour un » était la devise des Trois Mousquetaires.

Soyez tranquilles, parents, dirent les vaches. Pour manger, on mangera (*les Contes du Chat perché*).

▭ **préposition 1.** *Pour* indique le but, la conséquence. *Le sucre est mauvais pour les dents. Mme Séverac a téléphoné pour prendre rendez-vous chez le coiffeur. Mme Roussel a acheté du sirop pour la toux,* du sirop qui combat la toux ; vois ***contre.*** *Julie a organisé un goûter pour son anniversaire,* à l'occasion de son anniversaire. *Mme Harpie est trop désagréable pour qu'on l'aime.* **2.** *Pour* indique la destination. *Denis Prost est parti pour les États-Unis.* **3.** *Pour* indique une date, une durée. *Denis Prost est parti pour une semaine. Angèle, l'institutrice, a donné une rédaction pour vendredi prochain.* **4.** *Pour* indique le choix, l'adhésion. *Le docteur Séverac et sa femme n'ont pas voté pour le même candidat. Personne à Motbourg n'est pour la construction d'un parking,* personne n'y est favorable. **5.** *Pour* indique l'échange, le remplacement. *Angèle a acheté une robe pour cinq cents francs,* en donnant cinq cents francs. *Aujourd'hui, deux savons pour le prix d'un !* **6.** *Pour* indique la cause. *Antoine a été puni pour avoir menti,* parce qu'il avait menti. *Le cinéma est fermé pour travaux,* en raison de travaux. **7.** En ce qui concerne. *Pour ma part, je n'aime pas Mme Harpie,* quant à moi. *Mamie Lou est bien pour son âge,* par rapport à son âge.
▭ **n. m. invariable** *Le pour et le contre,* ce sont les bons et les mauvais côtés de quelque chose. *Denis Prost a pesé le pour et le contre avant d'acheter sa maison.*

Il faut manger pour vivre et non vivre pour manger !

Les petites se frottèrent les yeux pour les avoir rouges (*les Contes du Chat perché*).

Celui qui est pour tout ce qui est contre et contre tout ce qui est pour n'est pas favorable à grand-chose !

Dire un mot pour un autre, dire un mot au lieu d'un autre.

Les phoques ne sont pas gens très malins, et il leur faut du temps pour peser le pour et le contre (*le Livre de la jungle*).

Famille de **boire**

▸ ***pourboire*** n. m. Petite somme d'argent qu'un client donne en plus du prix, à la personne qui l'a servi. *M. Bellec a donné un pourboire au pompiste.*

Famille de **cent**

Autres membres de la famille : **pourquoi, pourtant.**

▸ ***pourcentage*** n. m. Proportion pour cent. *Le pourcentage d'élèves passant en sixième est de quatre-vingts pour cent,* sur cent élèves, quatre-vingts passent en sixième.

Cela s'écrit : **80 %.**

On voit ce mot surtout dans les livres.

pourceau n. m.
Porc, cochon. *Les pourceaux grognent sur le fumier.*

Au pluriel : *des pourceaux.*

Conjugaison 1

pourchasser v.
Poursuivre avec ardeur et obstination. *Le chat pourchasse les souris dans le grenier.*

Famille de **chasser**

Le loup était bien penaud de s'être pourléché au souvenir d'une gamine potelée (*les Contes du Chat perché*).

se **pourlécher** v.
Se passer la langue sur les lèvres pour montrer qu'on est content avant ou après un bon repas. *Antoine se pourléchait pendant que sa mère préparait les gâteaux.*

Famille de **lécher**
Conjugaison 6

Famille de **parler**

pourparler n. m.
Discussion entre plusieurs États ou plusieurs groupes de personnes, en vue d'arriver à un accord. *Les deux pays en guerre sont entrés en pourparlers.*

Ce mot s'emploie le plus souvent au pluriel.

Le pourpoint fut en usage du XIIIe au XVIIe siècle.

pourpoint n. m.
Veste que les hommes portaient autrefois. *Le prince portait un pourpoint bordé de dentelle.*

Autre membre de la famille : à **brûle-pourpoint.**

La pourpre était extraite d'un mollusque : le murex. Il fallait 12 000 murex pour obtenir 1,5 g de pourpre.

pourpre n. f. et n. m.
1. n. f. Colorant rouge que l'on utilisait dans l'Antiquité. *Les Phéniciens furent les premiers à utiliser la pourpre.* **2.** n. m. Couleur rouge foncé tirant sur le violet. *Mme Séverac a choisi des rideaux d'un beau pourpre.* — adj. *Les rideaux du salon sont pourpres,* rouge foncé.

Autre membre de la famille : s'**empourprer.**

Famille de **pour** et de **quoi**

Ici, *pourquoi* introduit une interrogation indirecte.

pourquoi adv. et conjonction
1. Pour quelle raison ? *Pourquoi Julie pleure-t-elle ? Julie ! Pourquoi pleurer ?,* à quoi bon pleurer ? **2.** Pour quelle cause. *Angèle demande à Antoine pourquoi il est en retard.* **3.** *Antoine ne s'est pas réveillé à l'heure, c'est pourquoi il est en retard,* c'est pour cela qu'il est en retard. *Voilà pourquoi Antoine n'était pas là à huit heures et demie,* voilà la raison pour laquelle il n'était pas là.

Ici, *pourquoi* introduit une interrogation directe.

Conjugaison 2
Attention ! deux *r* dans *pourrir* et *pourriture.*

pourrir v.
Se décomposer, s'altérer, se gâter. *Les fruits ont pourri.*

▸ **pourriture** n. f. Matière en train de pourrir. *Une odeur de pourriture se dégage de la poubelle.*

Conjugaison 40
▭ Indic. présent : *je poursuis, nous poursuivons, ils poursuivent.* Imparfait : *je poursuivais.* Futur : *je poursuivrai.* — Subj. présent : *que je poursuive.*

La fête se poursuit tard dans la nuit, les étoiles sont levées *(Babar).*

poursuivre v.
1. *Poursuivre quelqu'un,* c'est courir derrière lui pour l'atteindre, le rattraper ; vois ***pourchasser.*** *Les gendarmes ont poursuivi les malfaiteurs à travers la ville.* **2.** Harceler. *Mme Harpie poursuit les enfants de sa hargne,* elle ne cesse de leur montrer sa hargne. **3.** *Poursuivre quelqu'un en justice,* c'est l'attaquer en justice, porter plainte contre lui. *M. Bellec a poursuivi un de ses voisins en justice.* **4.** Continuer sans s'arrêter. *Mamie Lou poursuivait son récit, sans s'inquiéter des aboiements de Rex. — La discussion s'est poursuivie fort tard,* elle a continué.

Famille de **suivre**

On dit aussi *poursuivre quelqu'un devant les tribunaux.*

Le contraire de *poursuivre,* c'est *abandonner, arrêter.*

▸ **poursuite** n. f. **1.** Action de poursuivre. *Julie se lança à la poursuite de Marie-Tévy.* **2.** *Engager des poursuites contre quelqu'un,* c'est lui faire un procès. *M. Bellec a engagé des poursuites contre son voisin.* **3.** Continuation. *Le conseil municipal a voté la poursuite des travaux du gymnase.*

Un détachement de cavaliers, lancé à sa poursuite, ne pouvait manquer de lui couper la route *(Michel Strogoff).*

Tintin s'est déguisé pour échapper à ses poursuivants.

▸ **poursuivant** n. m., **poursuivante** n. f. Personne qui en poursuit une autre. *Le voleur a échappé à ses poursuivants.*

Flattée, la maîtresse hésitait pourtant à le [le sanglier] recevoir dans sa classe *(les Contes du Chat perché).*

pourtant adv.
Pourtant marque l'opposition entre deux choses ; vois ***cependant, néanmoins, toutefois.*** *M. Bellec aime bien Motbourg, pourtant il regrette parfois sa Bretagne natale.*

Famille de **pour** et de **tant**

Famille de **tourner**

pourtour n. m.
Le pourtour d'une chose, c'est la partie qui en fait le tour. *Le pourtour de la place est planté d'arbres.*

Conjugaison 25 ▭ Indic. présent : *je pourvois, nous pourvoyons.* Imparfait : *nous pourvoyions.* Futur : *je pourvoirai.*

pourvoir v.
1. Fournir le nécessaire. *M. Touati pourvoit seul à l'entretien de sa famille,* il gagne seul l'argent nécessaire à faire vivre sa famille ; vois ***assurer.*** **2.** *Être pourvu de quelque chose,* c'est l'avoir. *La voiture de James Bond est pourvue de gadgets très modernes.*

Autres membres de la famille : **dépourvu,** au **dépourvu.**

Pourvu que est toujours suivi du subjonctif.

pourvu que conjonction
1. À condition que, du moment que. *Pourvu qu'il soit avec son ami Yves, Antoine est content ;* vois ***si.*** **2.** *Pourvu qu'il fasse beau demain !,* espérons qu'il fera beau demain.

Pourvu que ça dure !, disait la mère de Napoléon.

Conjugaison 1
Pousser comme un champignon, c'est pousser très vite.

① **pousser** v.
Se développer, grandir. *Rien ne pousse sur ce terrain rocailleux. Les cheveux de Claire ont beaucoup poussé depuis l'été dernier.*

Les premières dents poussent vers six mois.

▸ **pousse** n. f. Bourgeon. *Les arbres se couvrent de pousses au printemps. Les pousses de bambou sont comestibles.*

Autre membre de la famille : ② **repousser.**

Conjugaison 1

Le contraire de *pousser,* c'est *détourner, retenir.*

Babar se met à pousser des hurlements qui résonnent entre les troncs d'arbre *(Babar).*

② **pousser** v.
1. Faire bouger en appuyant. *Poussez la porte pour entrer. Pierre Séverac poussait une brouette,* il la faisait avancer devant lui. *Julie a poussé Yasmina du coude pour la prévenir.* **2.** *Pousser une personne à faire quelque chose,* c'est l'entraîner, l'inciter à le faire. *Colle et Rat poussent les autres enfants à faire des bêtises.* **3.** *Se pousser,* c'est s'écarter pour laisser la place. *Poussez-vous, les enfants, laissez passer le photographe.* **4.** Faire entendre. *Julie poussa des cris de joie en voyant arriver son père. Hippolyte a poussé un soupir de soulagement.*

Le contraire de *pousser,* c'est *tirer.*

Pousser une personne à bout, c'est l'exaspérer.

▸ **poussée** n. f. **1.** Force exercée en poussant. *La digue n'a pas résisté à la poussée des vagues ;* vois ***pression.*** **2.** *Une poussée de fièvre,* c'est un accès de fièvre, une fièvre qui vient brusquement et dure peu. *Martin a eu une poussée de fièvre.*

La poussée du vent fait avancer le voilier.

▸ **poussette** n. f. Petite voiture d'enfant très basse. *Julie aime bien promener son frère dans sa poussette.*

Autres membres de la famille : ① **repousser, repoussant.**

Partager la salle de bains
Il n'y a qu'une salle de bains dans la maison. Tout le monde en a besoin à la même heure : qui sera le premier à l'utiliser ? Et pour combien de temps ? Qui prendra la décision ? Comment en discuter ?
On a le droit d'écouter la radio, mais les voisins ont le droit de vivre dans le silence.
Qui mettra la table ?
On peut préférer lire, regarder la télévision, jouer ou avoir ses devoirs à faire, mais il faut bien mettre la table.
Le droit peut protéger la liberté de chacun dans sa recherche de l'existence qu'il préfère, comme il peut servir à définir les devoirs des individus dans la collectivité.
Le droit prévoit quels sont les devoirs de chacun envers le groupe ou la société en général ; par exemple : faire le service militaire, payer des impôts pour que les services publics (écoles, hôpitaux, construction de routes...) puissent fonctionner.

QU'EST-CE QUE LE DROIT ?

Dans une famille, il n'est pas toujours facile d'organiser la vie quotidienne : qui mettra la table, qui fera les courses ou la cuisine, qui occupera le premier la salle de bains, qui séparera les enfants qui se chamaillent ? À côté de l'organisation de la vie quotidienne, il faut aussi prendre des décisions importantes : si l'appartement est trop petit, où ira-t-on habiter, où partira-t-on en vacances ? Souvent, les problèmes se résolvent d'eux-mêmes : en discutant, on se met d'accord.

Quelquefois, il faut décider d'une règle qui s'imposera à tous pour l'avenir, ou bien donner à quelqu'un le pouvoir de prendre une décision en cas de difficulté (dans le cadre de la famille, en général ce sont les parents).

Dans la société, le droit règle la répartition des choses communes, par exemple : qui peut stationner dans la rue, comment peut-on utiliser l'eau des rivières ?

Le droit doit empêcher que l'on abuse des biens collectifs, il doit aussi empêcher que la liberté des uns gêne la liberté des autres.

Ce sont également des règles de droit qui fixent la manière dont on adoptera de nouvelles lois : qui aura droit à la parole, comment l'on en discutera, qui prendra la décision... Les décisions peuvent être acceptées facilement. Mais parfois on les trouve injustes, on n'est pas d'accord, on se dispute. La loi organise la façon selon laquelle les individus ou les groupes peuvent contester et remettre en cause les règles existantes et chercher à en faire adopter de nouvelles. Dans une famille, qui est un petit groupe, un parent peut intervenir pour que l'on respecte les règles : il dispose d'une autorité supérieure ou d'une force plus grande qui lui permet de s'imposer.

Lorsque l'on est plus nombreux, c'est plus difficile : l'autorité est déléguée à des personnes spécialement chargées d'intervenir, y compris par la contrainte ou la force : les juges ou la police. La loi doit déterminer leur rôle et leurs pouvoirs. Mais elle peut aussi définir les droits des individus ou des groupes contre les autorités, les droits que chacun peut invoquer pour faire respecter sa personne ou sa liberté contre un pouvoir excessif ou injuste.

Dans ce dossier tu trouveras :

Page 2 - **Droits et devoirs**
Page 4 - **Qui fait quoi**
Page 6 - **Le système représentatif**
Page 8 - **Le droit international**

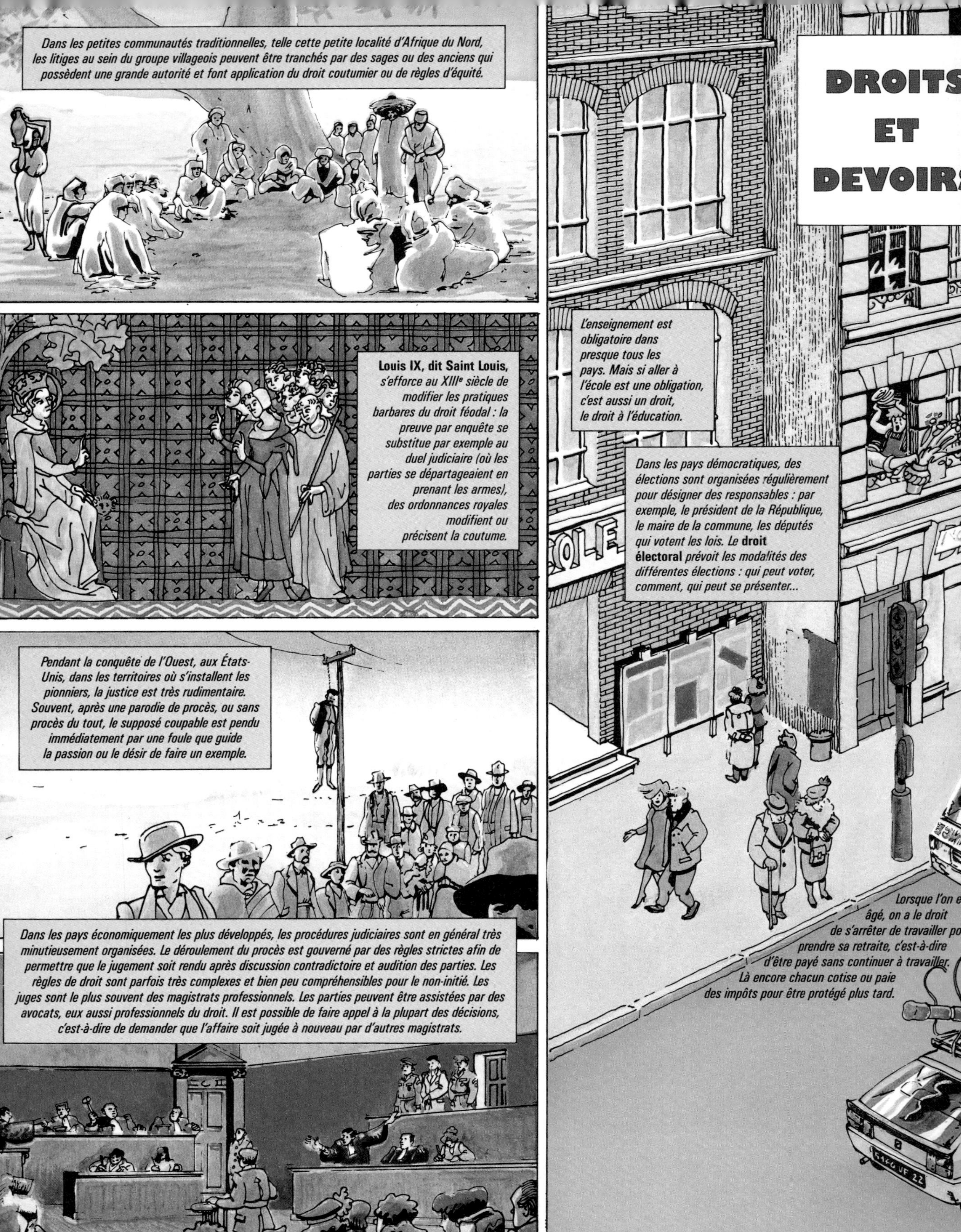
Dans les petites communautés traditionnelles, telle cette petite localité d'Afrique du Nord, les litiges au sein du groupe villageois peuvent être tranchés par des sages ou des anciens qui possèdent une grande autorité et font application du droit coutumier ou de règles d'équité.
Louis IX, dit Saint Louis, s'efforce au XIIIe siècle de modifier les pratiques barbares du droit féodal : la preuve par enquête se substitue par exemple au duel judiciaire (où les parties se départageaient en prenant les armes), des ordonnances royales modifient ou précisent la coutume.
Pendant la conquête de l'Ouest, aux États-Unis, dans les territoires où s'installent les pionniers, la justice est très rudimentaire. Souvent, après une parodie de procès, ou sans procès du tout, le supposé coupable est pendu immédiatement par une foule que guide la passion ou le désir de faire un exemple.
Dans les pays économiquement les plus développés, les procédures judiciaires sont en général très minutieusement organisées. Le déroulement du procès est gouverné par des règles strictes afin de permettre que le jugement soit rendu après discussion contradictoire et audition des parties. Les règles de droit sont parfois très complexes et bien peu compréhensibles pour le non-initié. Les juges sont le plus souvent des magistrats professionnels. Les parties peuvent être assistées par des avocats, eux aussi professionnels du droit. Il est possible de faire appel à la plupart des décisions, c'est-à-dire de demander que l'affaire soit jugée à nouveau par d'autres magistrats.
DROITS
ET
DEVOIRS
L'enseignement est obligatoire dans presque tous les pays. Mais si aller à l'école est une obligation, c'est aussi un droit, le droit à l'éducation.
Dans les pays démocratiques, des élections sont organisées régulièrement pour désigner des responsables : par exemple, le président de la République, le maire de la commune, les députés qui votent les lois. Le **droit électoral** prévoit les modalités des différentes élections : qui peut voter, comment, qui peut se présenter...
Lorsque l'on e… âgé, on a le droit de s'arrêter de travailler po… prendre sa retraite, c'est-à-dire d'être payé sans continuer à travailler. Là encore chacun cotise ou paie des impôts pour être protégé plus tard.

ns la société, il arrive souvent que les gens ne
ent pas d'accord, il y a alors des conflits.
peuvent se régler par la force toute simple : l'indi-
u – ou le groupe – le plus fort gagne. Mais le len-
nain, s'il faiblit, il peut être vaincu à son tour : c'est
qui peut se passer dans une cour de récréation où
se dispute des billes.
borer et respecter des règles durables permet
viter le recours à la violence en cas de conflit.
Le droit organise la hiérarchie des pouvoirs mais aussi les rapports entre les hommes : ce que chacun a le droit de faire et le devoir de ne pas faire, comment celui qui cause un dommage doit en réparer les conséquences, qui bénéficiera des services collectifs – écoles, sécurité sociale...
Voici de nombreux exemples où s'appliquent les règles de droit.
PALAIS DE JUSTICE
Le **droit des libertés publiques** *définit les grandes libertés dont bénéficient les groupes et les individus dans la société, comme le droit de grève, le droit de manifester, le droit des citoyens de s'associer dans des partis politiques ou des syndicats...*
C'est dans des **palais de justice** *que siègent en général les* **tribunaux.** *Les positions des "parties au procès", c'est-à-dire des personnes qui réclament quelque chose ou se défendent devant un tribunal, sont le plus souvent exposées par des* **avocats.** *L'avocat aide son client (la partie qu'il assiste) à s'exprimer, ou parle à sa place pour le défendre ou demander que ses droits soient respectés. Le tribunal, composé de* **juges,** *dira, dans son jugement, qui a raison et comment la loi doit être appliquée.*
Les **médias** *(journaux, télévision...) sont en rapport avec l'exercice des libertés publiques : le droit d'expression (éditer un journal, dire ce que l'on désire) et le droit d'informer sont prévus et organisés par des lois qui protègent ces droits et en définissent les limites (si l'on peut critiquer le comportement de quelqu'un, on n'a pas le droit de l'insulter).*
Le Monde
Le **droit commercial** *organise les rapports*
ffaires des commerçants.
me faire la preuve
commande ou des
ions de vente
une marchandise.
La victime du tapage nocturne peut se plaindre aux autorités – car faire trop de bruit pendant la nuit est un délit puni par la loi pénale –, elle peut demander que les auteurs du délit soient condamnés par un tribunal et l'indemnisent, c'est-à-dire compensent en argent les ennuis qu'elle a subis.
Lorsque quelqu'un est malade ou blessé, et qu'il est emmené à l'hôpital, cela coûte très cher. C'est la société ou un organisme d'assurances qui réglera la plus grande partie des frais, grâce aux impôts ou aux cotisations sociales que chacun paie régulièrement. Ainsi, dans les sociétés modernes, chacun paie pour être un jour assisté en cas de besoin : c'est l'assurance sociale.
Des règles de droit très précises prévoient
s quelles conditions elle intervient.
Un certain nombre d'actes sont interdits par la **loi pénale :** *par exemple, porter atteinte à une personne, en la blessant ou en la menaçant, ou à la propriété d'autrui en volant son bien. Ces actes sont punis par des amendes ou des peines de prison dont décident des juges.*
Dans cet accident, le conducteur de la voiture
de droite est passé au rouge, c'est un délit pénal, il pourra être
i : peine d'amende, retrait de permis de conduire ou peine de
n s'il a blessé quelqu'un. Il devra aussi indemniser les
mes de sa faute de conduite et payer les réparations
camionnette car il est responsable de l'accident.

Le ministère des **Finances** *prépare chaque année le budget de l'État, les dépenses et les moyens de les financer par des impôts et des taxes. Il étudie et met* **en œuvre** *la plus grande partie de la politique économique générale du gouvernement.*

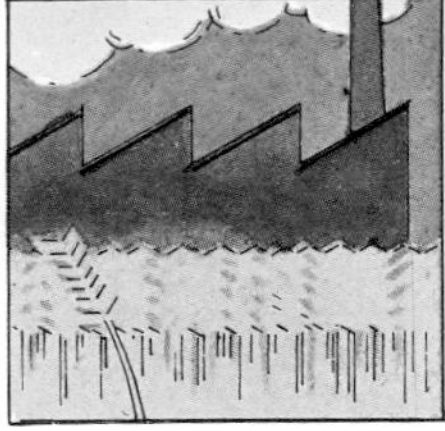

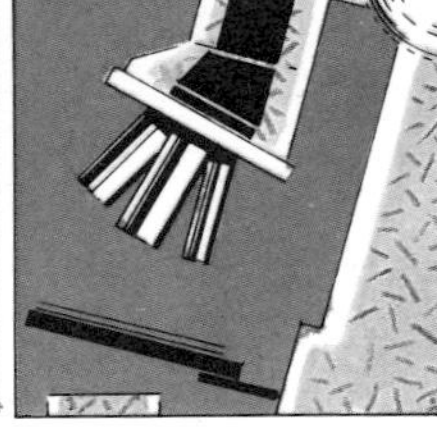

*Le ministère de l'***Agriculture** *s'occupe de la production agricole et de la vie rurale. Il gère de nombreux budgets destinés à promouvoir ou contrôler l'activité agricole et à orienter les marchés de produits agricoles.*
Le ministère de l' **Industrie** *est chargé de mettre en œuvre la politique industrielle du pays et de contrôler l'activité des productions industrielles.*
La politique de recherche est parfois placée sous la responsabilité du ministre de l'Industrie, parfois gérée par un ministre de la **Recherche**.

*Les grandes décisions d'***aménagement du territoire** *(politique des transports, incitation économique dans telle ou telle zone, grands travaux) influencent le développement des villes et des régions.*

Les **Affaires étrangères** *ont pour domaine les relations du pays avec les pays étrangers et les organismes internationaux : ce ministère définit la politique étrangère, négocie les traités et nomme les représentants diplomatiques de la France à l'étranger.*

La **Défense** *administre les armées et doit préparer la politique de défense du pays. Mais c'est le président de la République qui a la responsabilité de décider si l'arme nucléaire (bombe atomique) sera employée en cas de conflit grave.*

QUI FAIT QUOI

Pour administrer un pays, il faut de nombreuses autorités.

Le *gouvernement de la France* – formé par le *Premier ministre,* les ministres et les secrétaires d'État – siège à Paris, la capitale.

C'est le gouvernement qui conduit la politique générale du pays. Il prend notamment les grandes décisions qui engagent l'avenir ou les propose aux assemblées (*Assemblée nationale* et *Sénat*). Les ministères, qui sont installés à Paris, ont chacun leur domaine de compétence propre. Mais à côté des ministères, administrations centrales, qui prennent des décisions souvent applicables à tout le pays, il existe aussi des pouvoirs locaux.

Certains dépendent directement du gouvernement et des ministères dont ils sont les représentants (le commissaire de la République ou préfet du gouvernement par exemple).

D'autres sont élus et disposent d'une certaine autonomie pour agir au niveau régional ou local et gérer leur budget (par exemple le maire et son conseil municipal dans la commune, le conseil régional dans la région, le conseil général dans le département...). La France est encore un pays très centralisé, où beaucoup de décisions se prennent à Paris, et où les ministres ont beaucoup de pouvoirs. Mais elle s'est engagée dans un processus de décentralisation en augmentant les responsabilités et l'autonomie des collectivités locales élues, telles que les régions ou les communes.

D'autres pays ont un système très différent, où le pouvoir central ne s'exerce que dans des domaines particuliers (par exemple : la diplomatie, l'armée, la monnaie), d'autres étant réservés aux pouvoirs locaux (l'éducation, l'organisation des services sociaux ou médicaux, la police, etc.). C'est le cas en particulier des États adoptant la forme de fédération ou de confédération : République fédérale d'Allemagne, Confédération helvétique (Suisse), États-Unis d'Amérique, etc.

Le **préfet** *est le représentant de l'État central dans les départements et auprès de pouvoirs locaux. Le préfet qui se trouve dans une ville capitale régionale est aussi le préfet de région.*

En cas d'accident grave dans cette usine mettant en da les populations, le préfet organise les secc comme il coordonne l'activité pompiers chargés de lutter contre les feux de fo

Le préfet surveille le fonctionnement des pouvoirs locaux, fait appliquer dans le département les lois et règlements de l'État.

Le centre hospitalier régional es un hôpital assez important. La région participe à son financem Son budget de fonctionnement obéit à des règles définies par les Affaires sociale

Une inondation est une catastrophe naturelle, le préfet organise les mesures de secours d'urgence.

Les permis de pêche ou de chasse sont délivrés par les services de la préfecture, comme les permis de conduire ou les certificats d'immatriculation des véhicules automobiles (carte grise).

Le **garde champêtre** *est sous l'autorité du maire; il a autorité pour verbaliser lorsqu'il constate une infraction; il doit noter les circonstances de celle-ci et l'identité du coupable.*

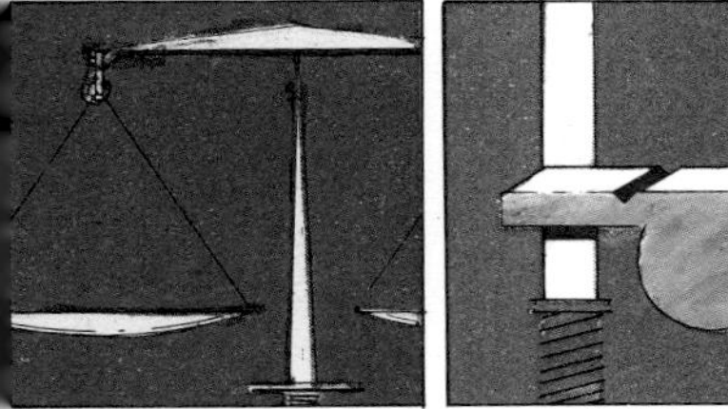

Le ministre de la **Justice** *(appelé aussi* **garde des Sceaux***) administre le fonctionnement du système judiciaire (tribunaux) et des prisons.*
La **police** *est placée sous l'autorité du ministre de l'Intérieur (mais la* **gendarmerie,** *corps militaire, dépend du ministère de la Défense).*
L' **Intérieur** *s'occupe aussi des relations entre l'État central et les collectivités locales (régions, départements, communes). C'est de lui que dépendent les préfets-commissaires de la République.*

*L'***Éducation nationale** *gère une grande partie du budget de l'enseignement et définit les programmes scolaires. Mais les bâtiments sont à la charge des collectivités locales, et les universités jouissent d'une certaine autonomie dans leur gestion.*

Le ministère de la **Culture** *doit aider au développement des arts et des lettres : théâtre, édition, musique, danse, peinture, sculpture, etc. Il subventionne certaines activités artistiques.*

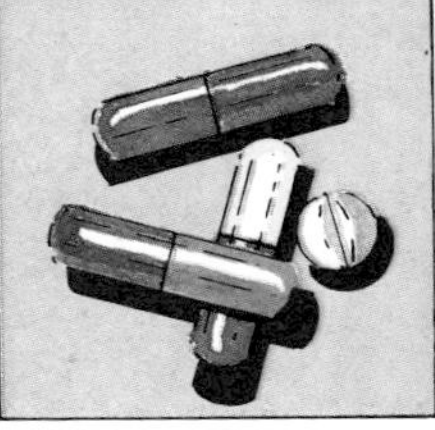

*Les ministères de l'***Emploi** *et des* **Affaires sociales** *définissent les grandes lignes de la politique de santé (système hospitalier, recherche médicale, enseignement) et s'occupent des régimes de sécurité sociale (assurance maladie, assurance vieillesse). La politique de l'emploi a pour principal objet de combattre le chômage et de régler les conditions de travail des salariés.*
Le ministre du **Logement** *a la charge de favoriser l'exercice du droit au logement qui devrait permettre à chacun d'être logé dans de bonnes conditions.*

Il y a en France 22 régions. Chacune d'elles est dotée d'une assemblée, le **conseil régional,** *élue au suffrage universel direct par les habitants de la région. Le conseil régional élit à sa tête un président. La région décide de nombreux investissements ou y participe; elle gère d'importants équipements publics (grands projets routiers, centres hospitaliers, lycées, etc.).*
Elle perçoit pour son financement un certain nombre de taxes (sur les cartes grises ou les permis de conduire, par exemple) ou reçoit de l'argent du budget général de l'État.
La France compte 96 départements métropolitains (c'est-à-dire appartenant au territoire européen du pays) et 4 départements d'outre-mer (Guadeloupe, Réunion, Martinique, Guyane). L'assemblée départementale porte le nom de **conseil général,** *elle est composée de conseillers généraux élus dans les arrondissements (subdivisions des départements). Le conseil général décide d'investissements d'intérêt départemental (routes départementales, collèges, aide sociale, c'est-à-dire l'assistance apportée aux plus pauvres, etc.).*

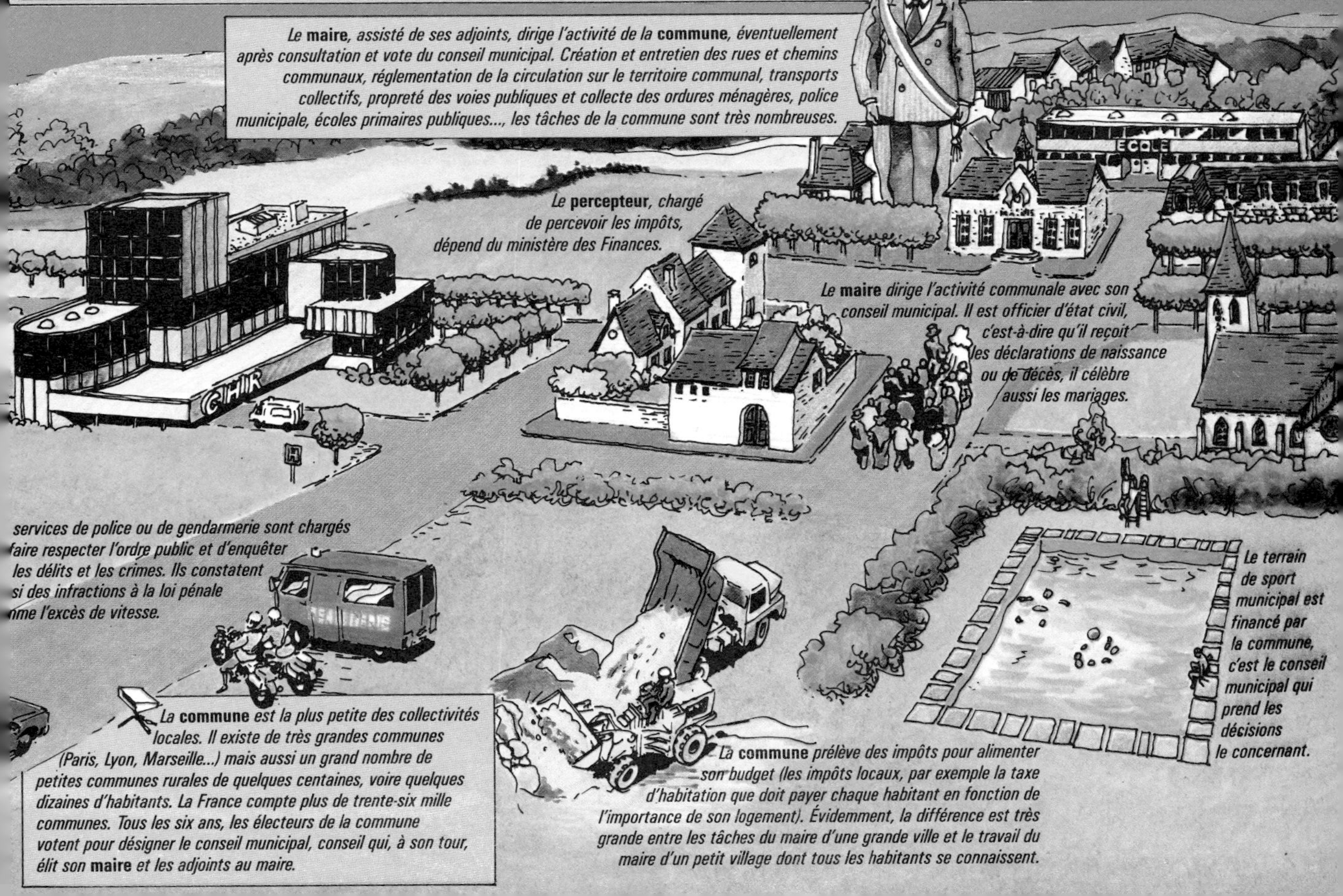

Le **maire***, assisté de ses adjoints, dirige l'activité de la* **commune***, éventuellement après consultation et vote du conseil municipal. Création et entretien des rues et chemins communaux, réglementation de la circulation sur le territoire communal, transports collectifs, propreté des voies publiques et collecte des ordures ménagères, police municipale, écoles primaires publiques..., les tâches de la commune sont très nombreuses.*

Le **percepteur***, chargé de percevoir les impôts, dépend du ministère des Finances.*

Le **maire** *dirige l'activité communale avec son conseil municipal. Il est officier d'état civil, c'est-à-dire qu'il reçoit les déclarations de naissance ou de décès, il célèbre aussi les mariages.*

services de police ou de gendarmerie sont chargés faire respecter l'ordre public et d'enquêter les délits et les crimes. Ils constatent si des infractions à la loi pénale nme l'excès de vitesse.

Le terrain de sport municipal est financé par la commune, c'est le conseil municipal qui prend les décisions le concernant.

La **commune** *est la plus petite des collectivités locales. Il existe de très grandes communes (Paris, Lyon, Marseille...) mais aussi un grand nombre de petites communes rurales de quelques centaines, voire quelques dizaines d'habitants. La France compte plus de trente-six mille communes. Tous les six ans, les électeurs de la commune votent pour désigner le conseil municipal, conseil qui, à son tour, élit son* **maire** *et les adjoints au maire.*

La **commune** *prélève des impôts pour alimenter son budget (les impôts locaux, par exemple la taxe d'habitation que doit payer chaque habitant en fonction de l'importance de son logement). Évidemment, la différence est très grande entre les tâches du maire d'une grande ville et le travail du maire d'un petit village dont tous les habitants se connaissent.*

Parce que leurs décisions financières et économiques peuvent influencer directement l'économie du pays et sa situation sociale, les pouvoirs économiques (entreprises industrielles et commerciales, banques...) sont nécessairement concernés par les décisions du pouvoir politique. Les puissances économiques forment souvent des groupes de pression importants.

Les **sénateurs** *: ils sont élus pour neuf ans au suffrage indirect et renouvelés par tiers tous les trois ans ; ils siègent au palais du Luxembourg à Paris.*

Le **Conseil constitutionnel** *est composé de neuf membres désignés par tiers par le président de la République, les présidents de l'Assemblée nationale et du Sénat. Sur la demande de l'un de ces derniers ou de soixante parlementaires, le Conseil constitutionnel peut dire qu'une loi qui vient d'être votée n'est pas conforme aux règles ou principes contenus dans la Constitution. La loi déclarée* **inconstitutionnelle** *ne peut être mise en vigueur.*

Les **députés** *: ils sont élus pour cinq ans (une* **législature***) au suffrage universel direct. Mais le président de la République a le pouvoir de dissoudre l'Assemblée nationale et de provoquer de nouvelles élections en cas de difficulté entre le pouvoir exécutif et le pouvoir législatif ; l'Assemblée nationale siège au Palais-Bourbon à Paris.*

En France, le gouvernement est dirigé par le Premier ministre et composé des **ministres** *et* **secrétaires d'État.** *Le Premier ministre est nommé par le président de la République ; il désigne alors ses ministres. Le Président peut mettre fin aux fonctions du Premier ministre ; le gouvernement peut aussi être l'objet d'une motion de censure votée par la majorité des députés, et il doit alors se retirer. Le gouvernement se réunit chaque semaine, avec le président de la République, pour faire le point sur son action : c'est le* **Conseil des ministres.**

*Le Parlement est composé de deux assemblées : l'***Assemblée nationale** *et le* **Sénat.** *Ces assemblées étudient et votent les textes de loi qui leur sont proposés, soit par le gouvernement, soit par un de leurs membres (sénateur ou député).*
Les projets ou propositions de loi sont discutés tour à tour devant l'Assemblée nationale et le Sénat. En cas de divergence, c'est l'Assemblée qui a le dernier mot.
Le Parlement vote aussi chaque année le **budget,** *c'est-à-dire la liste des dépenses et des recettes (impôts) de l'État pour l'année à venir. Il contrôle aussi l'activité du gouvernement.*
Les parlementaires peuvent poser des questions aux ministres, demander au gouvernement de s'expliquer sur tel ou tel point.
L'Assemblée nationale peut aussi contraindre le Premier ministre et le gouvernement à démissionner en votant une **motion de censure** *à la majorité des voix.*
Le Premier ministre peut demander aux députés ou aux sénateurs de **voter la confiance,** *c'est-à-dire d'approuver par un vote le programme général du gouvernement.*

Les électeurs votent au **suffrage universel** *lorsque toutes les personnes ayant la nationalité du pays possèdent un droit de vote égal. En France, les électeurs votent au suffrage universel pour désigner leurs représentants dans plusieurs assemblées : les conseillers municipaux (au niveau communal), les conseillers généraux (dans le département), les conseillers régionaux et aussi les députés qui formeront l'Assemblée nationale, chargée, avec le Sénat, de voter les lois. Ces représentants, choisis directement par les électeurs pour exercer leurs fonctions, sont élus au suffrage universel* **direct.** *D'autres le sont au suffrage* **indirect,** *c'est-à-dire qu'ils sont élus par d'autres élus, et non par l'ensemble des électeurs. Ainsi, les sénateurs sont désignés par le vote d'un* **collège électoral** *qui comprend les maires, les conseillers généraux, les députés du département.*
Depuis 1965, le président de la République est élu au suffrage direct par tous les citoyens français et pour une durée de sept ans.

Les partis politiques sont des associations de personnes qui se groupent pour faire triompher leurs idées, accéder au pouvoir ou influencer celui-ci. La plupart des candidats aux élections appartiennent à un parti politique. En France, la création d'un parti est libre, et chacun peut appartenir au parti de son choix. On classe généralement les partis de la droite à la gauche, selon leurs positions politiques et leur programme. Les partis de droite sont réputés plus favorables à la libre entreprise et à l'activité privée dans le domaine économique, plus sensibles aux valeurs d'ordre en général, les partis de gauche plus portés à développer les services sociaux, avec pour priorités la solidarité nationale et la réduction des inégalités économiques et sociales. Mais, de l'extrême gauche à l'extrême droite, les nuances, les différences entre partis sont nombreuses.

…resse, écrite ou audiovisuelle, joue un rôle …ortant dans la vie politique. En effet, c'est par …que passe une grande partie de l'information …ue reçoit le citoyen quant au fonctionnement des institutions ou quant à l'état des questions sociales, économiques et politiques.

LE SYSTÈME REPRÉSENTATIF

Dans beaucoup de pays, le système politique est celui de la démocratie représentative.

Cela veut dire que le pouvoir appartient en principe à tous les citoyens (le mot grec d'où vient *démocratie* signifiait "gouvernement par le peuple") et qu'il est exercé par leurs représentants élus. Mais, bien souvent, le système politique n'est démocratique qu'en théorie : les élections peuvent être truquées. Certaines idées disposent de moyens de diffusion disproportionnés par rapport aux autres. Le droit d'expression, qui permet aux électeurs de discuter du choix de leurs représentants ou de s'organiser pour défendre leurs idées, est parfois très limité.

Entre la démocratie parfaite, qui n'existe sans doute pas, et la démocratie de simple apparence, purement formelle, les régimes politiques sont nombreux.

Dans la plupart des États, les règles essentielles du fonctionnement du système représentatif sont fixées par un document écrit : la *Constitution.*

La France vit actuellement sous le régime de la Constitution de la Ve République, adoptée en 1958. La Constitution rappelle les droits fondamentaux des citoyens, puis organise en détail les rapports qu'entretiennent le président de la République, le Premier ministre – qui dirigent la politique du pays (c'est le *pouvoir exécutif*) – et le Parlement – qui vote les lois, c'est-à-dire les grandes règles de la vie sociale et le budget de l'État (c'est le *pouvoir législatif*). Elle précise aussi le rôle et les garanties d'indépendance de l'autorité judiciaire (les juges composant la *magistrature*).

Les illustrations t'expliquent comment fonctionnent les institutions politiques françaises et quels sont leurs pouvoirs respectifs.

Certains États ont des systèmes politiques très différents comme les *dictatures* où les pouvoirs sont concentrés entre les mains d'un chef ou d'un groupe.

Les démocraties représentatives ont à leur tête un *chef d'État,* le plus souvent élu (en France, c'est le président de la République). Certains pays ont toujours un roi (ou une reine) alors que l'on considère qu'ils font partie des démocraties (Belgique, Grande-Bretagne, Espagne, Pays-Bas, etc.). Le monarque a très peu de pouvoir personnel, son rôle est surtout symbolique : ce sont des *monarchies constitutionnelles.*

Le président de la République est le **chef de l'État.** *Il est élu pour sept ans par le suffrage universel direct. Il ne peut être contraint à la démission. Il est le chef des armées. Il représente la France aux yeux de l'étranger. Son élection au suffrage universel, son pouvoir de nommer le Premier ministre et de dissoudre l'Assemblée nationale lui confèrent un rôle essentiel.*

En France, l'âge du droit de vote est fixé à 18 ans.

Un exemple de confédération : la Suisse

La Suisse est une confédération formée de vingt-trois cantons qui se sont réunis au cours de l'histoire. Chaque canton est un petit État, qui possède ses lois et son système de gouvernement particulier réglé par la constitution cantonale. Au pouvoir fédéral qui siège à Berne, capitale de la confédération, et aux grands ministères reviennent la diplomatie ou la politique de défense. Si la plupart des lois – au niveau cantonal ou fédéral – sont l'œuvre des assemblées législatives, le système politique suisse se distingue par un trait original : l'usage étendu du **référendum.** *À l'échelon de la confédération ou du canton, à la demande d'un certain nombre de citoyens, ou parfois obligatoirement, en certaines matières et dans certains cantons, un texte législatif n'est définitif que s'il est approuvé par la majorité des votants au suffrage universel direct.*

Les groupes de pression (syndicats, associations professionnelles, groupements de consommateurs, etc.) ne participent pas directement et officiellement à la vie politique. Mais, s'ils représentent des forces importantes, aux plans du nombre, de l'autorité morale ou de la puissance économique, ils peuvent aussi faire entendre leur voix pour que les intérêts ou opinions de leurs membres ne soient pas contrariés par le pouvoir politique et qu'il en soit tenu compte dans les décisions gouvernementales ou le vote des lois. Leurs moyens d'action sont innombrables, depuis la manifestation publique ou la grève à l'appel des syndicats jusqu'aux pressions plus discrètes sur les parlementaires ou les responsables gouvernementaux, voire – pour les groupes les plus riches – l'appui financier aux campagnes électorales de tel ou tel parti politique.

Le sondage consiste à interroger un échantillon réduit de la population soigneusement sélectionné, il permet de se faire une idée assez fidèle de l'opinion.

LE DROIT INTERNATIONAL

Le monde est divisé en États nationaux (par exemple : la Suisse, les États-Unis, la Belgique, l'Inde).

Certains sont très grands (l'Union soviétique, les États-Unis, la Chine), d'autres très petits (le grand-duché de Luxembourg, le Liechtenstein, les États insulaires de l'océan Pacifique...).

Les États entretiennent toutes sortes de relations : commerciales, militaires, culturelles. Pour régler les questions et difficultés, les États se font représenter dans les pays étrangers par des ***ambassadeurs*** et négocient des traités, qui sont des sortes de lois s'appliquant entre deux ou plusieurs États sur un sujet donné. Il existe par exemple des traités d'alliance militaire, des traités d'assistance économique, ou des traités de commerce qui réglementent le trafic des marchandises d'un État à l'autre.

Au-delà des rapports diplomatiques classiques d'État à État, on a vu naître des institutions internationales qui sont des organismes permanents groupant plusieurs États et chargés de mener des politiques communes dans tel ou tel domaine.

Il existe des institutions "universelles" comme l'Organisation des Nations unies. L'O.N.U., à laquelle appartiennent presque tous les États du monde, a pour but de tenter d'éviter le recours à la force dans les conflits entre États. Des institutions spécialisées des Nations unies ont aussi pour vocation de favoriser la coopération internationale, par exemple l'Unesco dans le domaine de l'éducation et de la culture, ou l'Organisation mondiale de la santé, dans le domaine de la médecine et des politiques sanitaires.

Enfin il existe des institutions plus restreintes, elles regroupent généralement des pays qui ont de forts intérêts en commun.

C'est le cas d'alliances militaires, comme l'***Alliance atlantique*** (où sont alliés de nombreux pays occidentaux) ou comme le ***pacte de Varsovie*** pour les pays socialistes d'Europe de l'Est. D'autres organisations ont un but économique. En Europe de l'Ouest, la C.E.E. (Communauté économique européenne appelée aussi "Marché commun"), à l'Est le Comecon organise les rapports économiques de nombreux pays socialistes.

La multiplication des traités et des institutions internationales crée peu à peu un "ordre international". L'on peut espérer que les États régleront de plus en plus leurs différends dans ce cadre en se soumettant aux règles du droit international ou en ayant systématiquement recours à la négociation plutôt qu'à l'affrontement.

Dans certains pays, la **réglementation sanitaire** *s'oppose à l'entrée des animaux étrangers. Si tu veux faire entrer ton chat en Grande-Bretagne, il faudra qu'il subisse une quarantaine, c'est-à-dire une longue période d'observation pour s'assurer qu'il n'a aucune maladie.*

La circulation routière internationale est devenue très importante. Il ne serait pas possible de faire payer des taxes ou des droits de douane à chaque fois qu'une nouvelle automobile entre dans un pays. Aussi, les véhicules voyagent la plupart du temps en **franchise douanière,** *c'est-à-dire qu'on ne réclamera des droits que s'ils sont définitivement importés dans le pays.*

Le **droit aérien** *international et le* **droit de l'espace** *sont des droits relativement récents, dont la nécessité s'est fait sentir en raison du développement du transport aérien et de l'exploitation de l'espace.*

Le **droit de la mer** *concerne la navigation des bateaux et aussi le régime sous lequel sont placés les étendues maritimes et le fond des mers. La plus grande partie des mers est constituée d'eaux internationales qui n'appartiennent à aucun État et sur lesquelles la navigation est libre. Les étendues maritimes situées près des côtes sont des eaux territoriales sur lesquelles l'État côtier exerce sa souveraineté en réglementant le trafic ou les droits de pêche par exemple. L'exploitation économique du fond de la mer, appelée à un grand avenir, fait l'objet de conférences internationales afin de définir par la négociation les droits des pays riverains sur les fonds qui les bordent.*

Certaines monnaies sont dominantes, et sont généralement utilisées pour le commerce international (pour fixer le prix des marchandises dans une vente internationale, par exemple); c'est notamment le cas du dollar américain. La C.E.E. a créé une unité monétaire commune – l'ECU (European Currency Unit) – destinée à se substituer peu à peu aux monnaies nationales des pays du Marché commun.

Les relations monétaires internationales, les **taux de change** *(c'est-à-dire la valeur d'une monnaie nationale par rapport aux autres) sont une des grandes préoccupations du droit économique international.*

A la douane, la police contrôle tes papiers pour examiner s'ils sont en règle et si tu peux pénétrer dans le pays : la circulation des hommes n'est pas libre entre les États. Souvent, pour se rendre dans un pays lointain, il faut obtenir un visa, c'est-à-dire une autorisation préalable de l'État de destination.

Les douaniers vérifient que tes bagages ne contiennent pas de marchandises interdites à l'importation, ou te demandent de payer des droits de douane pour certaines d'entre elles.

Le clocher d'une église s'écroula au milieu de torrents de poussière et de flammes (*Michel Strogoff*).

poussière n. f.

1. Poudre de terre desséchée. *Les cavaliers soulèvent un nuage de poussière.* **2.** Petits morceaux de matière, qui flottent dans l'air et se déposent sur les objets. *La femme de ménage ôte la poussière avec un plumeau.* **3.** *Une poussière,* c'est un grain de poussière. *Yasmina avait une poussière dans l'œil.*

Anne, ma sœur Anne, ne vois-tu rien venir ? — Je vois, répondit la sœur Anne, une grosse poussière qui vient de ce côté-ci (*la Barbe-bleue*).

Au féminin : *poussiéreuse.*

▸ ***poussiéreux*** adj. Couvert de poussière. *Julie a découvert dans le grenier des malles pleines de livres poussiéreux.*

Y a pas plus doux que mon mouton, ni plus fainéant, ni plus poussif (*les Contes du Chat perché*).

poussif adj.

1. Qui respire difficilement, manque de souffle. *Une jument poussive montait péniblement la côte.* **2.** Qui fonctionne mal. *La voiture d'Angèle est un peu poussive,* elle marche par à-coups.

Les poussins sont couverts d'un duvet jaune ou gris.

poussin n. m.

Petit de la poule et du coq, qui vient de sortir de l'œuf. *Les poussins entourent la poule en piaillant.*

Le poussin est un jeune poulet.

poutre n. f.

Grosse pièce de bois longue qui sert de support dans une construction. *Une des poutres de la grange est mangée par les vers.*

Compare : *poutre → poutrelle* et *lame → lamelle.*

▸ ***poutrelle*** n. f. Longue barre d'acier qui sert de support dans une construction. *Le toit du nouveau hangar repose sur des poutrelles métalliques.*

Conjugaison 33 ▭ Indic. présent : *je peux* ou *je puis, nous pouvons, ils peuvent.* Imparfait : *je pouvais.* Futur : *je pourrai.* — Subj. présent : *que je puisse.*

① pouvoir v.

1. Avoir la possibilité, être capable. *Mamie Lou ne peut pas coudre sans lunettes.* **2.** Avoir le droit, la permission. *Yasmina a demandé à sa mère si elle pouvait aller au cinéma.* **3.** Risquer. *Le vent peut se lever d'un instant à l'autre. Il faut équiper la voiture avec des pneus à clous car il peut y avoir de la neige en cette saison. — Il se peut qu'il soit retardé par le mauvais temps,* il est possible qu'il soit retardé par le mauvais temps. **4.** *N'en pouvoir plus,* c'est être très fatigué, très souffrant ou très nerveux. *Je n'en peux plus, je m'en vais.*

Je n'aurais pas cru que c'était si amusant de jouer dit le loup. Quel dommage qu'on ne puisse pas jouer comme ça tous les jours ! (*les Contes du Chat perché*).

▸ ② ***pouvoir*** n. m. **1.** Possibilité, capacité ; vois ***faculté.*** *Le docteur Séverac a un grand pouvoir de concentration.* **2.** *Un pouvoir,* c'est un droit. *En cas de crise, le gouvernement peut prendre les pleins pouvoirs.* **3.** Possibilité d'agir sur une personne, autorité que l'on a sur elle. *La ville est tombée au pouvoir des rebelles,* sous leur domination. **4.** Possibilité de gouverner un pays. *Les militaires ont pris le pouvoir. Le roi n'a plus de pouvoir, ce sont ses ministres qui gouvernent le pays.*

Le *pouvoir d'achat,* c'est la capacité d'acheter, déterminée par la quantité d'argent dont on dispose.

Je n'ai rien vu de plus étonnant, dis-je, que le pouvoir de votre fille sur ce fauve (*le Lion*).

Autres membres de la famille : **peut-être, puissance, puissant, impuissance, impuissant, sauve-qui-peut.**

Les praires ressemblent aux palourdes.

praire n. f.

Coquillage arrondi, dont on mange la chair. *Loïc a mangé des praires farcies.*

Les praires sont des mollusques.

La *Grande Prairie :* les steppes du Far West, en Amérique du Nord.

prairie n. f.

Terrain couvert d'herbe ; vois ***pâturage, pré.*** *Pierre Séverac a fauché la prairie.*

praline n. f.

Bonbon fait d'une amande trempée dans du sucre bouillant. *Un marchand de pralines s'est installé sur la place du marché.*

Les pralines sont roses ou brunes.

▸ ***praliné*** adj. Parfumé aux pralines. *Antoine commande une glace pralinée. Mamie Lou aime beaucoup le chocolat praliné,* du chocolat contenant des pralines écrasées.

Famille de ① **pratique**

Le contraire de *praticable,* c'est *impraticable.*

praticable adj.

Un chemin praticable, c'est un chemin où l'on peut passer facilement, sans danger. *On a goudronné le chemin pour le rendre praticable par tous les temps.*

Les steppes, souvent marécageuses, ne sont pas aisément praticables (*Michel Strogoff*).

Famille de ① **pratique**

praticien n. m., praticienne n. f.

Médecin qui soigne les malades. *Le docteur Séverac est un excellent praticien.*

D'autres médecins sont chercheurs.

① pratique n. f.

Il est parfois difficile de passer de la théorie à la pratique.

1. *La pratique,* c'est l'ensemble des activités mettant en application ce que l'on sait et donnant des résultats que l'on peut voir. *Angèle a suivi des cours pour apprendre son métier, mais c'est surtout par la pratique qu'elle a progressé.* **2.** Manière d'exercer une activité ; vois ***usage.*** *Le docteur Séverac a mis ses décisions en pratique,* il les a réalisées. **3.** *Une pratique,* c'est une manière habituelle d'agir. *Le travail en groupe est une pratique courante dans la classe d'Angèle.*

Angèle est institutrice.

▸ **pratiquement** adv. Dans la pratique, en fait. *Antoine a souvent de bonnes idées, mais qui, pratiquement, sont difficiles à réaliser.*

Le contraire de *pratiquement,* c'est *théoriquement.*

▸ **② pratique** adj. **1.** Qui concerne la réalité, les situations matérielles. *M. Bellec a un sens pratique très développé.* **2.** Facile à utiliser ; vois ***commode.*** *L'avion est le moyen de transport le plus pratique pour aller de Paris à Tunis.*

Le stylo de papa perd un peu d'encre [...]. C'est très pratique pour dessiner les explosions *(le Petit Nicolas).*

Conjugaison 1

▸ **pratiquer** v. **1.** Appliquer, utiliser. *Angèle pratique des méthodes d'enseignement modernes. Mme Séverac pratique le yoga depuis de nombreuses années,* elle fait du yoga. **2.** Faire. *Pierre Séverac veut pratiquer des ouvertures dans le toit du grenier ;* vois ***ménager.*** *Il est arrivé au docteur Séverac de pratiquer des opérations chirurgicales en Afrique.* **3.** Faire exactement ce qui est exigé par sa religion. *M. Doucet est catholique mais il ne pratique plus.*

▸ **pratiquant** adj. *Une personne pratiquante,* c'est une personne qui observe les pratiques de sa religion. *Mme Bellec est très pratiquante : elle se confesse régulièrement et va à la messe toutes les semaines.* — n. *Mme Bellec est une pratiquante assidue.*

Autres membres de la famille : **praticable, impraticable, praticien.**

pré n. m.

Terrain où pousse de l'herbe pour la nourriture du bétail ; vois ***prairie.*** *Les vaches paissent dans les prés.*

préalable adj.

Au préalable : d'abord, avant, auparavant.

Qui a lieu avant. *Avant d'engager sa secrétaire, Mme Hespel a eu avec elle un entretien préalable.*

préambule n. m.

Attention ! un ***m*** devant le ***b***.

Début d'un texte ou d'un discours, qui en annonce le sujet ; vois ***introduction.*** *Le maire a fait un préambule interminable avant de commencer son discours. Il m'a demandé sans préambule ce que je venais faire ici.*

Mon 1er est un terrain, mon 2e dure une année, on peut faire mon 3e avec du savon et on commence avec mon tout.

préau n. m.

Au pluriel : *des préaux.*

Partie couverte d'une cour d'école. *Antoine et Marie-Tévy jouent aux osselets dans un coin du préau.*

préavis n. m.

Famille de **avis**

Donner un préavis à quelqu'un, c'est le prévenir officiellement, un certain temps à l'avance, de ce que l'on va faire. *Le locataire qui veut quitter son appartement doit donner trois mois de préavis à son propriétaire.*

précaire adj.

Dont l'avenir est incertain, dont la durée n'est pas assurée ; vois ***éphémère, fragile.*** *M. Bonnot a une santé précaire.*

Le contraire de *précaire,* c'est *durable, solide.*

précaution n. f.

Deux précautions valent mieux qu'une (proverbe).

1. Ce que l'on fait pour éviter un mal ou des ennuis. *Par précaution, il vaut mieux prendre une assurance avant d'aller à l'étranger.* **2.** Prudence. *Ce produit est dangereux, il faut le manier avec précaution.*

Michel Strogoff devait donc prendre les plus minutieuses précautions en traversant cette contrée *(Michel Strogoff).*

précéder v.

Conjugaison 6

Précéder quelqu'un dans une fonction, c'est avoir occupé cette fonction avant lui, avoir été son *prédécesseur.*

1. *Précéder quelqu'un,* c'est marcher, aller devant lui. *Yves a précédé Antoine pour lui montrer le chemin de la grotte secrète.* **2.** Exister, avoir lieu avant, plus tôt. *Le roman est précédé d'une longue introduction.*

Le contraire de *précéder,* c'est *suivre.*

▸ **précédent** adj. et n. m. **1.** adj. Qui vient avant. *Je l'avais déjà vu l'année précédente,* l'année d'avant celle dont on parle. **2.** n. m. *Un précédent,* c'est une chose qui s'est déjà passée, et qui peut servir d'exemple pour une autre qui lui ressemble. *C'est un cas sans précédent,* sans exemple, qui ne s'est jamais vu.

Le jour précédent, c'est la *veille.*

Le contraire de *précédent,* c'est *suivant.*

Un succès sans précédent, c'est un succès extraordinaire, jamais vu.

Attention aux deux *m* !

▸ ***précédemment*** adv. Avant, auparavant. *Angèle a donné en dictée un texte que les enfants avaient étudié précédemment.*

Le contraire de *précédemment*, c'est *après, ultérieurement.*

« Aime ton prochain comme toi-même » est l'un de ces préceptes.

précepte n. m.
Règle de morale. *Au catéchisme, l'abbé Gauthier enseigne les préceptes de la morale chrétienne.*

précepteur n. m., ***préceptrice*** n. f.
Professeur particulier d'un enfant qui ne va pas à l'école. *Le jeune prince avait pour précepteur un étudiant pauvre.*

Le précepteur donne ses cours à domicile.

Attention à l'accent circonflexe du ***ê*** !

Conjugaison 1

prêcher v.
1. Faire un sermon. *L'abbé Gauthier prêche tous les dimanches à l'église Sainte-Marie de Motbourg.* **2.** *Prêcher quelque chose à quelqu'un,* c'est le lui conseiller sans arrêt. *Antoine prêche à tout le monde le respect de la nature.*

Prêcher dans le désert, c'est parler sans être entendu.

Compare *précieux* et *déprécier* : il est question de **prix.**

précieux adj.
1. *Un objet précieux,* c'est un objet qui a une grande valeur, vaut très cher. *L'or est un métal précieux.* **2.** *Une chose précieuse,* c'est une chose que l'on apprécie beaucoup, que l'on respecte, que l'on trouve très importante. *Votre aide m'a été précieuse,* très utile. *La santé est un bien précieux.*

Va voir *pierre précieuse* à ***pierre.***

précipice n. m.
Vallée très profonde, dont les parois sont presques verticales ; vois ***abîme, gouffre, ravin.*** *La voiture est tombée au fond du précipice.*

[...] cette vallée, qui est un précipice où nul ne pourrait descendre *(les Mille et Une Nuits).*

S'il fait moins de 0 °C dans le nuage, l'eau gèle et forme de la neige ou de la grêle.

précipitations n. f. plur.
Les précipitations, ce sont des chutes d'eau : pluie, neige ou grêle. *La météo annonce de fortes précipitations pour demain.*

On dit aussi *précipitations atmosphériques.*

Le contraire de *précipité,* c'est *lent.*

précipité adj.
1. Très rapide. *On entendit un pas précipité dans l'escalier.* **2.** Qui se fait trop vite, à la hâte, sans prendre son temps. *Son départ a été trop précipité et il a oublié beaucoup d'affaires ;* vois ***hâtif.***

Attention aux deux *m* !

▸ ***précipitamment*** adv. Très vite, en grande hâte, avec précipitation. *Les poules s'enfuirent précipitamment à l'approche des enfants ;* vois ***brusquement.***

Le contraire de *précipitamment,* c'est *lentement, tranquillement.*

▸ ***précipitation*** n. f. Hâte excessive. *Il faut prendre ses décisions sans précipitation.*

Conjugaison 1

précipiter v.
1. Faire tomber vers un endroit bas et profond. *L'assassin a précipité la voiture dans le ravin pour faire croire à un accident. — Une femme s'est précipitée du sixième étage,* elle s'est jetée du sixième étage. **2.** Faire arriver avant le moment prévu ; vois ***avancer.*** *Angèle a précipité son départ ;* vois ***brusquer.*** **3.** *Se précipiter,* c'est s'élancer brusquement ; vois *se* ***hâter.*** *Les enfants se sont précipités vers la sortie,* ils se sont rués vers la sortie ; vois ***foncer.***

Grand frère Félix, jurant le nom de Dieu, se précipite sur la lourde porte *(Poil de Carotte).*

précis adj.
1. Clair, bien expliqué. *Les invités ont bien trouvé le chemin de la maison, grâce aux indications précises que nous leur avions données. Hippolyte n'avait rien de précis à faire, il flânait ;* vois ***particulier.*** **2.** *Une personne précise,* c'est une personne qui a des idées très claires, très nettes. *Je suivrai l'avis de mon notaire, qui est un homme précis.* **3.** Exact. *Hippolyte a pris les mesures précises des étagères qu'il veut poser dans sa cuisine,* les bonnes mesures, au millimètre près. *Sylvain est arrivé à deux heures précises,* exactement à deux heures ; vois ***juste, pile.***

Le contraire de *précis,* c'est *flou, imprécis, vague.*

Compare : *précis → précisément, précision* et *confus → confusément, confusion.*

▸ ***précisément*** adv. **1.** Clairement, d'une manière précise. *Angèle répond toujours précisément aux questions de ses élèves.* **2.** Justement. *Claire voulait précisément la poupée que ses cousins lui ont apportée.*

▸ ***préciser*** v. **1.** Expliquer d'une façon précise ou plus précise. *Précisez votre idée en donnant des exemples.* **2.** *Se préciser,* c'est devenir plus net, plus précis. *On entend un grondement, le danger se précise.*

Conjugaison 1

Vous avez dans vos paroles, cher confrère, une précision qui m'est tout particulièrement agréable *(Michel Strogoff).*

▹ ***précision*** n. f. **1.** Clarté, netteté. *Les renseignements que l'on m'a donnés sont d'une grande précision.* **2.** *Une balance de précision,* c'est une balance qui mesure les poids avec exactitude. *Le pharmacien se sert d'une balance de précision.* **3.** *Des précisions,* ce sont des détails, des explications supplémentaires. *Le commissaire a demandé au suspect des précisions sur son emploi du temps.*

Autres membres de la famille : **imprécis, imprécision.**

Précoce [pʀekɔs] rime avec *bosse* et *féroce.*

Le contraire de *précoce,* c'est *arriéré.*

précoce adj.
1. Qui se produit plus tôt que d'habitude. *De la neige en novembre ! l'hiver est précoce.* **2.** *Un enfant précoce,* c'est un enfant plus avancé que les autres enfants de son âge. *Claire a toujours été une petite fille précoce.*

Le contraire de *précoce,* c'est *tardif.*

Famille de **concevoir**

préconçu adj.
Une idée préconçue, c'est une idée toute faite, que l'on adopte sans réfléchir soi-même à la question. *Mme Roussel avait une idée préconçue sur le climat de la Bretagne,* elle avait des préjugés.

Conjugaison 1

préconiser v.
Recommander vivement. *Le médecin lui a préconisé la marche à pied.*

précurseur n. m. et adj. m.
1. n. m. Personne qui, la première, a fait une œuvre ou formulé des idées qui ont servi ensuite aux autres hommes. *Louis Pasteur a été un précurseur de la biologie moderne.* **2.** adj. m. *Un signe précurseur,* c'est un signe qui annonce quelque chose de précis. *L'arrivée des hirondelles est un signe précurseur du printemps.*

Les chats sauvages, les renards, les putois, les fouines sont les prédateurs de la belette.

prédateur n. m.
Animal qui chasse et tue d'autres animaux pour se nourrir. *La belette est un prédateur de petits rongeurs.* — adj. *Les lions sont des animaux prédateurs.*

Les prédateurs se nourrissent de leurs *proies.*

Prononce [pʀedesesœʀ]. Ce nom n'a pas de féminin.

prédécesseur n. m.
Personne qui a précédé quelqu'un dans une fonction. *Mme Hespel s'est installée dans le bureau de son prédécesseur,* de la personne qui occupait son poste avant elle.

Un nouvel académicien fait l'éloge de son prédécesseur le jour où il est reçu à l'Académie française.

Va voir aussi ***prêcher.***

prédicateur n. m.
Personne qui prêche. *Le prédicateur monte en chaire.*

Alors le Roi [...] se souvint de la prédiction des Fées *(la Belle au bois dormant).*

prédiction n. f.
Paroles prononcées par celui qui prédit quelque chose. *Les prédictions de la voyante se sont réalisées,* ce qu'elle a prédit.

prédilection n. f.
Préférence très nette. *Claire aime tous ses cousins, mais elle a une prédilection pour David ;* vois ***faible.*** *Le grenier est le lieu de prédilection des enfants pour jouer,* leur lieu préféré.

Le plat de prédilection d'Obélix, c'est le sanglier rôti.

Conjugaison 37
▭ Indic. présent : *je prédis, nous prédisons.* Futur : *je prédirai.*

prédire v.
Annoncer qu'un événement va arriver, comme si on lisait dans l'avenir. *La voyante lui a prédit qu'il ferait fortune.*

Famille de **dire**
Va voir aussi ***prédiction.***

Conjugaison 1

prédominer v.
Être le plus important, l'emporter sur tout le reste. *Parmi les parfums de fleurs, celui des roses prédominait.*

Famille de **dominer**

Famille de **fabriquer**

préfabriqué adj.
Des éléments préfabriqués, ce sont des éléments de construction qui sont fabriqués en série et qui doivent, ensuite, être assemblés sur place. *On a livré à l'école des cloisons préfabriquées.*

Lis bien la préface de ce dictionnaire. Elle contient beaucoup d'explications.

préface n. f.
Texte placé au début d'un livre et qui sert à le présenter aux lecteurs ; vois ***avant-propos, introduction.*** *L'auteur explique dans sa préface dans quelles circonstances il a écrit son livre.*

Dans sa préface à son roman *les Trois Mousquetaires,* Alexandre Dumas dit qu'il a retrouvé les mémoires de M. d'Artagnan.

Conjugaison 3
▭ Indic. présent : *je préface, nous préfaçons.*

▹ ***préfacer*** v. Présenter par une préface. *Un auteur bien connu a préfacé le livre de Sophie Pelletier.*

préfecture n. f.

Va voir aussi ***préfet.***

1. Administration qui dépend d'un préfet. *M. Bellec doit écrire à la préfecture. Angèle a garé sa voiture près de la préfecture,* près du bâtiment où sont les services de la préfecture. **2.** Ville où est installée cette administration ; vois ***chef-lieu.*** *Créteil est la préfecture du Val-de-Marne.*

À Paris, les services de direction de la police sont groupés à la *préfecture de police.*

préférer v.

Conjugaison 6
▭ Indic. présent : *je préfère, nous préférons.* Imparfait : *je préférais.* Futur : *je préférerai.*

Aimer mieux. *De ses deux fils, c'est Louis que Mamie Lou préfère. Angèle a préféré se coucher de bonne heure.*

À part le petit déjeuner, le déjeuner et le dîner, c'est le goûter que je préfère *(le Petit Nicolas).*

▹ ***préféré*** adj. Le plus aimé, jugé le meilleur. *Mamie Lou écoute sans se lasser sa chanson préférée,* celle qui lui plaît le plus parmi toutes les chansons. — n. *Cette chanson, c'est la préférée de Mamie Lou. Le plus jeune des enfants était le préféré de sa mère ;* vois ***chouchou.***

Mademoiselle Jacqueline est la préférée
De Monsieur Janot qui veut l'épouser
(chanson).

Compare : *préférer → préférable* et *souhaiter → souhaitable.*

▹ ***préférable*** adj. Qui mérite d'être préféré, d'être choisi. *« Il y a du brouillard, restons au port, c'est préférable », dit Loïc.*

C'est un p'tit cordonnier
Qu'a eu la préférence, lonla...
(chanson).

▹ ***préférence*** n. f. Jugement ou sentiment qui fait placer une personne ou une chose au-dessus des autres. *Mamie Lou a une nette préférence pour son fils Louis. Hippolyte apporte le courrier à l'école, de préférence à l'heure de la sortie des classes,* plutôt à cette heure-là.

Le contraire de *préférence,* c'est *aversion, répulsion.*

préfet n. m.

Depuis 1982, le nom officiel du préfet est *commissaire de la République.*

Personne nommée par le président de la République, qui représente le gouvernement à la tête du département. *Le maire de Motbourg a invité le préfet à l'inauguration du gymnase.*

La France est divisée en 22 régions : à la tête de chacune se trouve un *préfet de région.*

préfixe n. m.

Élément placé devant un mot et qui change le sens de ce mot. *Dans le mot « inconsolable », le préfixe est « in- ».*

Va voir aussi ***suffixe.***

préhistoire n. f.

La préhistoire se divise en trois grandes périodes : le paléolithique, le mésolithique et le néolithique.

Époque très ancienne qui commence à l'apparition de l'homme sur la Terre et finit avec l'invention de l'écriture et le travail des métaux. *Les hommes de la préhistoire fabriquaient des outils.*

Famille de ② **histoire**

préhistorique adj.

Le mammouth est un éléphant préhistorique.

Qui appartient à l'époque de la préhistoire. *Dans les grottes de Lascaux, on peut voir des peintures préhistoriques.*

Famille de **historique**

préjudice n. m.

Le contraire de *préjudice,* c'est *bénéfice.*

Causer un préjudice à quelqu'un, c'est lui faire du tort. *Cette affaire lui causa un grave préjudice.*

▹ ***préjudiciable*** adj. Qui cause un préjudice, un tort ; vois ***nuisible.*** *Le tabac est préjudiciable à la santé.*

préjugé n. m.

Compare *préjugé* et *préhistoire* : il s'agit de ce qui est **avant.**

Avis que l'on a sans avoir réfléchi ni vérifié. *Avant même de le connaître, Mme Harpie avait des préjugés contre M. Doucet,* son opinion était faite.

Famille de **juger**

se prélasser v.

N'oublie pas les deux ***s.***

Se reposer, rester sans rien faire. *Sophie Pelletier s'est prélassée tout l'après-midi au soleil sur une chaise longue.*

Conjugaison 1

prélat n. m.

N'oublie pas le ***t*** final. Prononce [prela].

Haut personnage du clergé, dans l'Église catholique. *Les cardinaux et les évêques sont des prélats.*

prélever v.

Conjugaison 5
▭ Indic. présent : *je prélève, nous prélevons.* Futur : *je prélèverai.*

Prendre une partie. *Angèle a prélevé de l'argent sur son compte pour payer ses impôts,* elle a pris une part de l'argent qu'elle a sur son compte. *Le notaire a prélevé le montant de ses honoraires sur la succession.*

Famille de ① **lever**

Compare : *prélever → prélèvement* et *achever → achèvement.*

Attention aux accents de *prélèvement* !

▹ ***prélèvement*** n. m. *Faire un prélèvement,* c'est enlever une certaine quantité. *Le docteur Séverac a fait un prélèvement de sang à Julie,* il lui a pris un peu de sang.

préliminaire adj.

Qui précède une autre chose plus importante. *Avant d'aborder les sujets à l'ordre du jour, le maire a fait un discours préliminaire.*

▸ ***préliminaires*** n. m. plur. Discussions qui précèdent un accord. *Il y a eu de longs préliminaires avant la signature de la paix.*

Un prélude est fait pour être joué avant un autre morceau.

prélude n. m.

1. Petit morceau de musique. *Sylvain joue un prélude de Chopin.* **2.** Point de départ. *Mme Séverac et le maire se sont rencontrés plusieurs fois à des réunions politiques ; cela a été un prélude à leur amitié.*

Compare *prématuré* et *maturité* : il est question d'être **mûr.**

prématuré adj.

1. *Une chose prématurée,* c'est une chose qui se produit trop tôt. *Dire que Marie-Tévy et Antoine vont se marier serait prématuré.* **2.** *Un enfant prématuré,* c'est un enfant qui naît avant la date prévue de l'accouchement. *Les enfants prématurés sont généralement petits et maigres.*

Ce sont *des prématurés.*

▸ ***prématurément*** adv. Trop tôt. *La mère de Sophie Pelletier est morte prématurément,* elle n'avait pas encore l'âge où la plupart des gens meurent.

Famille de **méditer**

prémédité adj.

Un crime prémédité, c'est un crime qui a été préparé. *L'assassin n'a pas tué sa femme dans un accès de folie, son crime était prémédité.*

Il s'était acheté un fusil la veille de son crime.

premier adj. et n. m., ***première*** adj. et n. f.

Alcide Jolivet et Harry Blount venaient de se rencontrer pour la première fois à cette fête du Pont-Neuf *(Michel Strogoff).*

L'abréviation de *premier,* c'est 1er ; celle de *première,* c'est 1re.

▭ **adj. 1.** Qui apparaît avant les autres. *Le premier jour de l'année est férié,* le jour qui commence l'année. *Martin n'a pas encore fait ses premiers pas,* il ne sait pas encore marcher. *Marie-Tévy est arrivée première à l'épreuve de course à pied.* **2.** Qui se présente avant les autres. *Prenez la première rue à droite. Julie et Yasmina sont assises au premier rang.* **3.** Qui est meilleur que les autres. *Sylvain a été premier en histoire. Denis Prost voyage en première classe.* **4.** *Les nombres premiers,* ce sont des nombres que l'on ne peut diviser que par eux-mêmes ou par un, si l'on veut obtenir pour résultat un nombre entier. *3 et 17 sont des nombres premiers.*

C'est le *1er janvier* que l'on appelle le *premier de l'an.*

Le contraire de *premier,* c'est *dernier.*

▭ **n. 1.** *Marie-Tévy est arrivée la première à l'épreuve de course à pied,* avant les autres. *Antoine n'est pas le premier de sa classe,* le meilleur élève. *Angèle n'accepte pas de sortir avec le premier venu,* avec n'importe qui. **2.** *M. et Mme Bellec habitent au premier,* au premier étage.

Quand trois poules vont aux champs
La première va devant,
La seconde suit la première,
La troisième va derrière
(comptine).

▸ ***premièrement*** adv. D'abord, en premier. *Julie a deux raisons d'être contente : premièrement c'est mercredi, deuxièmement c'est son anniversaire.*

Famille de **molaire**

prémolaire n. f.

Les prémolaires, ce sont les dents qui se trouvent entre les canines et les molaires. *L'homme adulte a huit prémolaires.*

prémonitoire adj.

Un rêve prémonitoire, c'est un rêve au cours duquel on voit des choses qui vont vraiment se réaliser. *Hippolyte avait vu la poste en feu dans un rêve : c'était un rêve prémonitoire.*

Quelques jours après, la poste de Motbourg prenait feu.

Conjugaison 2

se ***prémunir*** v.

Se protéger de quelque chose à l'avance. *Angèle a pris son parapluie pour se prémunir contre la pluie.*

Famille de se **munir**

Conjugaison 58
▭ Indic. présent : *je prends, nous prenons.* Imparfait : *je prenais.* Futur : *je prendrai.* Passé simple : *je pris.* — Subj. présent : *que je prenne, que nous prenions.*

prendre v.

1. Mettre dans sa main. *Angèle a pris un livre sur l'étagère. Antoine prend Marie-Tévy par la main,* il lui donne la main. **2.** Mettre avec soi. *Angèle a oublié de prendre son parapluie. M. Bellec prendra de l'essence sur la route. Antoine prendra le pain en rentrant de l'école,* il ira l'acheter. **3.** Considérer. *Alex prend la vie du bon côté,* il n'en voit que les bons côtés. *La directrice a très mal pris les réflexions de Colle et Rat,* elle les a mal acceptées. *Antoine a pris sa tante en horreur,* il l'a en horreur. *La directrice n'aime pas qu'on la prenne pour une imbécile,* qu'on la considère comme une imbécile. — *Denis Prost se prend au sérieux.* **4.** Faire sien. *Le maire prend l'avis des conseillers municipaux,* il leur demande leur avis. *Julie a pris l'habitude de se laver les dents avant de se coucher. Mme Séverac a pris rendez-vous chez le coiffeur. Pendant la guerre, M. Bonnot avait pris le surnom de Leduc.* **5.** *Angèle a pris Marie-Tévy pour Yasmina,* elle l'a confondue avec Yasmina. **6.** Absorber. *Hippolyte prend un café au bar ;* vois ***boire.*** *Mamie Lou prend ses médicaments avant chaque repas.*

Clotaire ajouta que la gifle l'ayant commotionné, il ne pouvait plus tenir son poste. Son père dit qu'il prendrait sa place *(le Petit Nicolas).*

Les petites se crurent obligées de mentir et de prendre un air étonné, ce qui ne manque jamais d'arriver quand on reçoit le loup en cachette de ses parents *(les Contes du Chat perché).*

Les pères de l'autre école jouaient la défense. Certains posaient les deux pieds sur la boîte et empêchaient les autres de la prendre *(le Petit Nicolas)*.

Le corbeau, honteux et confus,
Jura, mais un peu tard,
qu'on ne l'y prendrait plus
(La Fontaine).

Quand ils en avaient fini avec les petites, les parents s'en prenaient au chat *(les Contes du Chat perché)*.

7. Employer. *Antoine trouve que ses devoirs lui prennent trop de temps.* **8.** Attraper. *M. Bellec prendra peut-être un brochet,* il le pêchera. *Les ennemis ont pris la ville,* ils l'ont conquise. *Le tyran a pris le pouvoir,* il s'en est emparé. *Mme Harpie s'est fait prendre son argent,* on lui a volé son argent. *Le cambrioleur s'est fait prendre par la police,* il a été arrêté. **9.** *Angèle a d'abord essayé de prendre Colle et Rat par la douceur,* d'être douce avec eux pour les amener à faire ce qu'elle voulait. **10.** Surprendre. *Antoine a été pris en flagrant délit de mensonge.* **11.** Se mettre à utiliser. *Denis Prost prendra l'avion demain. Loïc a pris la mer,* il est parti en mer. **12.** Se mettre à avoir. *Mme Séverac n'a pas encore pris la parole,* elle n'a pas encore parlé. *Le docteur Séverac a pris du poids,* il a grossi. *Sylvain a pris froid.* **13.** *Yasmina s'en est prise à Colle et Rat qui ont fait punir toute la classe,* elle s'est attaquée à eux. **14.** *Angèle sait s'y prendre avec Colle et Rat,* elle sait comment faire. **15.** Durcir, épaissir. *La mayonnaise ne prend pas.* **16.** Réussir à exister. *Le feu a pris dans la forêt.*

Michel Strogoff, ne voulant rien donner au hasard, prit le temps de réfléchir *(Michel Strogoff)*.

Autres membres de la famille : **emprise, entreprendre, entreprenant, entrepreneur, entreprise,** se **méprendre, méprise, prise, reprendre, repris de justice,** ① **reprise, surprendre, surprenant, surprise.**

Quand on connaît bien une personne, on l'appelle par son prénom.

prénom n. m.

Nom qui s'ajoute au nom de famille. *Le fils de Mme Roussel s'appelle Antoine Doucet : Antoine est son prénom, Doucet son nom de famille.*

Famille de **nom**

Conjugaison 1

préoccuper v.

1. Causer du souci, occuper totalement l'esprit ; vois ***inquiéter.*** *L'avenir d'Alex préoccupe sa mère.* **2.** *Se préoccuper de quelque chose,* c'est s'en occuper avec intérêt et inquiétude. *Mme Séverac s'est préoccupée de la campagne électorale.*

N'oublie pas les deux **c** dans *préoccuper, préoccupant* et *préoccupation.*

▸ ***préoccupant*** adj. *Une chose préoccupante,* c'est une chose qui préoccupe, inquiète. *La situation est préoccupante, a dit le directeur de l'usine ;* vois ***grave, sérieux.***

▸ ***préoccupation*** n. f. Souci, inquiétude. *Le directeur de l'usine a de graves préoccupations.*

Famille de **occuper**

[...] Poil de Carotte ne se préoccupe que de ne pas nettoyer son assiette, trop tôt, par gourmandise, ou trop tard, par lambinerie. Dans ce but, il se livre à des calculs compliqués *(Poil de Carotte)*.

Conjugaison 1

préparer v.

1. Faire tout ce qu'il faut pour qu'une chose soit prête. *Mme Hespel prépare le dîner. Sophie Pelletier s'est préparé un sandwich. Denis Prost préparera ses bagages demain.* **2.** *Alex n'a pas bien préparé son examen,* il n'a pas assez travaillé. **3.** *Se préparer,* c'est s'arranger pour être prêt. *Denis Prost se prépare à partir. Sophie Pelletier s'est préparée pour la soirée.*

La maîtresse nous a expliqué que le directeur de l'école allait partir, il prenait sa retraite. Pour fêter ça, on prépare des choses terribles, à l'école, on va faire comme pour la distribution des prix *(le Petit Nicolas)*.

Telle était donc la situation que Michel Strogoff envisagea nettement, et il se prépara à lui faire face *(Michel Strogoff)*.

▸ ***préparatifs*** n. m. plur. Ce que l'on fait pour préparer quelque chose. *Denis Prost a terminé les préparatifs de son départ.*

Compare : *préparer* → *préparation, préparatoire, éliminer* → *élimination, éliminatoire* et *obliger* → *obligation, obligatoire.*

▸ ***préparation*** n. f. *La préparation de ce plat n'est pas longue,* il ne faut pas beaucoup de temps pour le préparer. *Sophie Pelletier a un roman en préparation,* elle se prépare à en écrire un.

▸ ***préparatoire*** adj. *Mme Hespel a assisté à une réunion préparatoire avant le départ de Sylvain en colonie de vacances,* une réunion qui a servi à préparer le départ.

Le *cours préparatoire* est la première classe de l'enseignement primaire.

Dans certains votes, la voix du président est prépondérante : c'est elle qui décide en cas d'égalité.

prépondérant adj.

Une chose prépondérante, c'est une chose qui a plus de poids, plus d'importance que les autres. *Les grandes nations jouent un rôle prépondérant dans la politique mondiale.*

À, avec, dans, en, par, pour, sous, sur sont des prépositions.

préposition n. f.

Mot invariable qui relie un complément au mot dont il dépend. *Dans la phrase « La robe de Julie est verte », « de » est une préposition.*

prérogative n. f.

Avantage qu'une personne possède, grâce à sa fonction ou à son état. *Renvoyer un élève est une prérogative de la directrice.*

Attention à l'accent grave du **è** et au **s** final !

près adv.

1. À une petite distance. *Pendant la récréation, Angèle a pu passer chez elle, car elle habite tout près,* à proximité. *Mamie Lou ne voit pas bien de*

Ne confonds pas *près* et *prêt.* Le contraire, c'est *loin.*

Autre membre de la famille : **auprès de.**

près, quand la chose qu'elle regarde est proche d'elle. *Angèle habite près de l'école. Julie est assise près de Yasmina,* à côté de Yasmina. *La ferme des Séverac est près de Sarlat.* **2.** *Il est près de midi,* pas loin de midi. *Près de la moitié des élèves étaient absents,* environ la moitié. **3.** *Ce soir, le restaurant Bellec est à peu près vide,* presque vide. **4.** *Être près de faire quelque chose,* c'est être sur le point de le faire. *Julie était près de pleurer.*

Examiner quelque chose de *près,* c'est l'examiner attentivement.

Rufus a dit qu'il ne connaissait pas la fable par cœur, mais qu'il savait à peu près de quoi il s'agissait *(le Petit Nicolas).*

Ne confonds pas avec *être prêt à faire quelque chose.*

Présage [prezaʒ] rime avec *visage.*

présage n. m.

Signe qui annonce l'avenir. *Certains pensent que croiser un chat noir est un mauvais présage,* que cela annonce quelque chose de mauvais.

Trouver un trèfle à quatre feuilles est un *heureux présage.*

Attention au ***y*** de *presbyte* ! Prononce le ***s*** : [prɛsbit].

presbyte n. m. et f.

Personne qui ne voit plus bien de près. *Les presbytes mettent des lunettes pour lire.* — adj. *Mamie Lou est presbyte.*

Attention au ***y*** ! Prononce le ***s*** : [prɛsbitɛr].

presbytère n. m.

Maison du curé, près de l'église. *À cette heure-ci, l'abbé Gauthier est au presbytère.*

Ce mot est souvent employé au pluriel.

prescription n. f.

Ordre précis. *Mme Hespel a suivi scrupuleusement les prescriptions du médecin,* les recommandations écrites sur l'ordonnance.

prescrire v.

Ne confonds pas *prescrire* et *proscrire.*

Recommander vivement. *Le médecin a prescrit des antibiotiques à Sylvain ;* vois ***ordonner.***

Conjugaison 39, comme *écrire.*

① présent n. m. et adj.

▭ **n. m. 1.** Partie du temps qui est en train de se passer. *Il faut vivre dans le présent et ne plus penser au passé.* **2.** Temps du verbe qui indique que l'action est en train de se passer. *Conjuguez le verbe « pouvoir » au présent de l'indicatif. Dans la phrase « Il faut que tu viennes », le verbe « venir » est au présent du subjonctif.* **3.** *À présent, on ne voyage plus en diligence,* maintenant, de nos jours. *Jusqu'à présent, Sylvain a toujours été un bon élève,* jusqu'ici.

Il existe aussi un conditionnel présent, un impératif présent, un infinitif présent et un participe présent.

À présent, allons vite porter la cage sous le chêne. Pourvu que l'écureuil y soit encore ! dit Sophie à Paul *(les Malheurs de Sophie).*

Le contraire de *présent,* c'est *absent.*

▭ **adj. 1.** *Une personne présente,* c'est une personne qui est là. *Mme Séverac était présente à la réunion.* **2.** *Le moment présent,* c'est celui qui est en train d'exister. *À la minute présente, c'est l'équipe de Motbourg qui mène.*

▸ ***présence*** n. f. **1.** Le fait d'être dans un endroit. *La présence du maire à la réunion du conseil municipal est indispensable,* il faut qu'il y soit. *Certains élèves font juste acte de présence,* ils sont là, mais ils ne font rien. *L'accusé ne veut parler qu'en présence de son avocat,* devant son avocat. **2.** *Avoir la présence d'esprit de faire quelque chose,* c'est réagir vite quand il le faut et faire ce qu'il y a à faire. *Quand il a vu les flammes, Hippolyte a eu la présence d'esprit d'appeler les pompiers.*

Le déplorable hasard qui l'avait mis en présence de sa mère avait trahi son incognito *(Michel Strogoff).*

Le contraire de *présence,* c'est *absence.*

On trouve ce mot surtout dans les livres.

② présent n. m.

Cadeau. *Le prince fit un magnifique présent à sa fiancée.*

Famille de **présenter**

Conjugaison 1

présenter v.

Babar présente Arthur et Céleste à la vieille dame *(Babar).*

1. *Présenter une personne à une autre,* c'est la faire connaître en disant son nom. *Angèle a présenté son frère Lucien à Hippolyte. — « Je me présente : Hippolyte Bertrand », a dit Hippolyte.* **2.** Faire connaître au public. *Denis Prost présentera son film à la télévision,* il en parlera. *C'est une femme qui présentait le journal télévisé hier soir.* **3.** Montrer. *M. Bellec a dû présenter ses papiers aux gendarmes. La directrice de l'école veut que Colle et Rat lui présentent des excuses,* qu'ils lui demandent de les excuser. **4.** Disposer pour montrer. *Le bijoutier présente la bague dans un écrin. Ce plat est bien présenté.* **5.** *Se présenter à un examen,* c'est le passer. *Alex s'est déjà présenté deux fois au baccalauréat. Mme Séverac se présentera aux élections municipales,* elle sera candidate. **6.** *Hippolyte a profité de l'occasion qui se présentait pour aller en Corse,* de l'occasion qui survenait, qui arrivait.

J'ai su, dit Sybil en souriant, que Patricia vous a fait aujourd'hui les honneurs de notre Parc et vous a présenté son meilleur ami *(le Lion).*

Le frère d'Angèle lui a proposé de l'emmener en voiture.

▸ ***présentable*** adj. Digne d'être présenté, d'un bel aspect. *Le gâteau qu'a fait Julie est bon mais il n'est pas présentable,* il n'est pas joli à voir.

Compare : *présenter → présentable, présentateur, présentation* et *réparer → réparable, réparateur, réparation.*

▸ ***présentateur*** n. m., ***présentatrice*** n. f. Personne qui présente une émission de radio ou de télévision, un spectacle. *La présentatrice a annoncé le programme de la soirée.*
▸ ***présentation*** n. f. **1.** *Faire les présentations,* c'est présenter les gens. *Mme Séverac accueille ses invités et fait les présentations.* **2.** Apparence. *M. Bellec a soigné la présentation de son canard à l'orange.*

Autres membres de la famille : **② présent, représenter, représentant, représentatif, représentation.**

Conjugaison 1

préserver v.
Protéger. *La naphtaline préserve les vêtements contre les mites.*

On peut dire aussi qu'*elle préserve des mites.*

Le *président-directeur général* est celui qui est à la tête d'une société commerciale.

Va voir aussi ***P.-D. G.***

président n. m., ***présidente*** n. f.
1. Personne qui dirige les discussions, le travail, dans une réunion. *Le président a levé la séance.* **2.** *Le président de la République,* c'est le chef de l'État. *Le discours du président de la République sera diffusé à la radio et à la télévision. Le Président des États-Unis est élu tous les quatre ans.*
▸ ***présidence*** n. f. Fonction de président. *La présidence de la République est la plus haute charge de l'État.*
▸ ***présidentiel*** adj. *En France, l'élection présidentielle a lieu tous les sept ans,* l'élection du président de la République. *La France a un régime présidentiel,* dans lequel elle est gouvernée par un président de la République.

En France, il est élu pour 7 ans par tous les Français qui sont électeurs.

Présidentiel [prezidɑ̃sjɛl] rime avec *ciel.*

Autre membre de la famille : **vice-président.**

Conjugaison 1

présider v.
Occuper la place de président. *C'est le maire qui préside les réunions du conseil municipal.*

Les gens présomptueux *présument* de leurs possibilités.

présomptueux adj.
Quelqu'un de présomptueux, c'est quelqu'un qui a une trop bonne opinion de lui-même. *Denis Prost est un peu présomptueux ;* vois ***prétentieux.***

Le contraire de *présomptueux,* c'est *modeste.*

presque adv.
À peu près, pas tout à fait. *Yves est presque aussi grand qu'Antoine. Cela fait presque une heure qu'Hippolyte attend Angèle. Angèle ne boit presque jamais d'alcool.*

La pauvre femme était presqu'aussi morte que son Mari, et n'avait pas la force de se lever pour embrasser ses frères

(la Barbe-bleue).

Famille de **île**

Va voir aussi ***isthme.***

▸ ***presqu'île*** n. f. Terre entourée d'eau de presque tous les côtés sauf un ; vois ***péninsule.*** *La presqu'île de Quiberon est reliée à la terre par une très étroite langue de terre de six kilomètres.*

Attention ! deux *s.*
Famille de ② **presser**

pressant adj.
Urgent. *M. Touati a souvent de pressants besoins d'argent.*

Famille de ① **presser**

① ***presse*** n. f.
1. Machine qui sert à écraser un objet ou à y laisser une empreinte. *Pour fabriquer des disques on utilise une presse.* **2.** Machine à imprimer. *Autrefois, on imprimait avec une presse à bras.*

Mettre sous presse, c'est commencer à imprimer.

La *liberté de la presse,* c'est le droit qu'ont les journaux d'imprimer et de faire connaître leurs informations.

② ***presse*** n. f.
La presse, c'est l'ensemble des journaux. *L'événement a été commenté par toute la presse. Mme Bellec aime beaucoup lire la presse du cœur,* les journaux qui racontent des histoires d'amour.

On appelle parfois les nouvelles données à la radio ou à la télévision la *presse parlée.*

Famille de ② **presser**

Aller au plus pressé : faire d'abord ce qu'il y a de plus urgent.

pressé adj.
1. *Quelqu'un de pressé,* c'est quelqu'un qui n'a pas beaucoup de temps et qui est forcé de se dépêcher. *Où vas-tu, Hippolyte, tu as l'air bien pressé ?* **2.** *Un travail pressé,* c'est un travail qui doit être fait très vite ; vois ***urgent.*** *Mme Hespel expédie d'abord les tâches les plus pressées.*

Dix-sept heures à attendre ! C'était fâcheux pour un homme aussi pressé *(Michel Strogoff).*

Au pluriel : *des presse-citron.*

presse-citron n. m. invariable
Appareil servant à presser les citrons et les oranges pour en faire sortir le jus. *On utilise un presse-citron pour faire des citronnades et des orangeades.*

Famille de ① **presser** et de **citron**

Attention ! deux *s* dans *pressentir* et *pressentiment.*

Compare ***pressentiment, préjugé*** et ***prénom*** : il s'agit de ce qui est **avant.**

pressentir v.
Sentir à l'avance, deviner. *Personne n'avait pressenti le moindre danger.*
▸ ***pressentiment*** n. m. Impression, intuition que l'on a d'une chose avant qu'elle ne se produise. *Loïc a le pressentiment d'une tempête ; il ne sortira pas en mer aujourd'hui.*

Conjugaison 16, comme *sentir.*
Famille de **sentir**

Attention ! deux *s*.

① presser v.

1. *Presser un fruit,* c'est en faire sortir le jus. *Julie presse des oranges pour se faire une orangeade.* **2.** Appuyer sur quelque chose. *Pour ouvrir la grille, il faut presser le bouton.* **3.** *Claire se pressait peureusement contre sa mère,* elle se blottissait contre elle. *Les gens se pressent dans les wagons du métro,* ils s'entassent, se serrent les uns contre les autres.

Il pressa sur trois différents boutons qui faisaient partie de la machine *(Charlie et la Chocolaterie).*

Conjugaison 1

Autres membres de la famille : **① presse, presse-citron, pression, pressoir, pressurer.**

Conjugaison 1

② presser v.

1. *Presser quelqu'un,* c'est l'obliger à se dépêcher. *Rien ne vous presse, prenez votre temps.* **2.** *Angèle sentit qu'on la suivait et elle pressa le pas,* elle marcha plus vite ; vois ***accélérer.*** **3.** *Allons, le temps presse !,* il faut faire vite. **4.** *Se presser,* c'est se dépêcher. *Allons, Antoine, presse-toi un peu, tu vas encore être en retard à l'école ! Yves faisait ses devoirs sans se presser,* en prenant tout son temps.

En passant devant la roulotte, elles pressèrent le pas, osant à peine jeter un regard de côté *(les Contes du Chat perché).*

On dit aussi *presser l'allure.*

Autres membres de la famille : **s'empresser, empressé, empressement, pressant, pressé.**

Famille de ① **presser**

pression n. f.

1. *D'une légère pression de la main, elle referma la boîte,* en appuyant légèrement dessus. **2.** *La pression de l'air,* c'est son poids. *Le baromètre donne la pression atmosphérique,* le poids de l'air dans l'atmosphère. *M. Bellec a fait vérifier la pression des pneus de son auto ;* vois ***gonflage.*** **3.** *Une pression,* c'est un bouton qui se ferme en appuyant dessus. *La robe de Marie-Tévy se ferme dans le dos par des pressions.* **4.** *La directrice de l'école a fait pression sur Angèle pour éviter l'exclusion définitive de Colle et Rat,* elle a utilisé son influence, son autorité.

La *pression artérielle,* c'est la force exercée par le sang contre la paroi des artères ; va voir aussi ***tension.***

On dit aussi : un *bouton-pression.*

Ils n'ont été exclus de la classe qu'une semaine.

Attention aux deux ***s*** !

Famille de ① **presser**

pressoir n. m.

Machine servant à presser des fruits ou des graines pour en extraire le jus. *On presse le raisin dans un pressoir pour fabriquer du vin.*

Il y a aussi des pressoirs à huile, à olives, à pommes.

Conjugaison 1

Famille de ① **presser**

pressurer v.

Exploiter quelqu'un. *Sous l'Ancien Régime, le peuple était pressuré par les riches et les gens puissants.*

On trouve ce mot surtout dans les livres.

prestance n. f.

Allure, aspect qui en impose. *Avec sa haute taille, Pierre Séverac a beaucoup de prestance.*

Il mesure 1,85 m !

Le contraire de *preste,* c'est *lent, maladroit.*

preste adj.

Rapide et adroit. *D'un geste preste, le voleur prit le portefeuille d'un passant.*

Compare *presti**digit**ateur* et ***digit**al* : dans ces mots, il s'agit des **doigts.**

prestidigitateur n. m., prestidigitatrice n. f.

Personne qui fait des tours de magie ; vois ***illusionniste.*** *Le prestidigitateur a fait sortir un lapin du chapeau.*

▶ ***prestidigitation*** n. f. Art de faire des tours de magie. *Les spectateurs ont applaudi le numéro de prestidigitation.*

prestige n. m.

Avoir du prestige, c'est provoquer le respect ou l'admiration. *Le métier de cosmonaute a beaucoup de prestige auprès des enfants.*

▶ ***prestigieux*** adj. Qui provoque l'admiration, frappe l'imagination. *Pour Julie, la carrière de danseuse est prestigieuse.*

Compare : *prestige → prestigieux* et *prodige → prodigieux.*

Conjugaison 1

présumer v.

1. Croire, supposer. *Je présume que vous savez pourquoi je vous ai demandé de venir.* **2.** *Alex a trop présumé de ses possibilités, il s'est fait recaler au bac,* il s'est fait une trop bonne opinion de ses possibilités.

Présumer de ses forces, c'est trop compter sur elles.

Il a été *présomptueux.*

Ne confonds pas *prêt* et *près.*

① prêt adj.

1. *Yasmina est prête à partir pour l'école,* en état de partir. *Les bandits étaient prêts à tout,* décidés à tout. **2.** *« Le dîner est prêt, à table ! »,* préparé, en état d'être mangé.

Michel Strogoff fit quelques pas et demeura de nouveau immobile, prêt à répondre *(Michel Strogoff).*

Autre membre de la famille : s'**apprêter.**

Attention à l'accent circonflexe du ***ê*** !

② prêt n. m.

La banque a consenti un prêt au docteur Séverac, elle lui a prêté de l'argent. *Denis Prost a sollicité un prêt auprès de la banque pour payer sa maison,* il a emprunté de l'argent à la banque.

Famille de **prêter**

Conjugaison 41 ▭ Indic. présent : *je prétends, il prétend, nous prétendons.* Imparfait : *je prétendais.* Passé simple : *je prétendis, nous prétendîmes.* Futur : *je prétendrai.* — Subj. présent : *que je prétende.*

prétendre v.
1. Avoir l'intention, vouloir. *La directrice de l'école prétend être obéie.* **2.** Affirmer, soutenir. *Yves a prétendu qu'il a fait son devoir sans être aidé.*

« Chers Amis, dit le dompteur, le commandant du bateau m'a dit que vous prétendiez être roi et reine des éléphants... » *(Babar).*

▸ ***prétendant*** n. m. Jeune homme qui fait la cour à une jeune fille. *Avant son mariage, Mme Séverac a eu de nombreux prétendants.*

▸ ***prétendu*** adj. *Mme Hespel a invoqué une prétendue grippe pour échapper à cette réception ennuyeuse,* elle a fait croire qu'elle avait la grippe.

Au féminin : *prétentieuse.*

▸ ***prétentieux*** adj. *Quelqu'un de prétentieux,* c'est quelqu'un de vaniteux, content de lui. *Certains trouvent Denis Prost un peu prétentieux.*

Le contraire de *prétentieux,* c'est *modeste.*

▸ ***prétention*** n. f. **1.** Ambition. *Mme Harpie a la prétention de se mêler de l'éducation de son neveu,* elle a l'intention de s'en mêler. **2.** Vanité. *Certains trouvent Denis Prost d'une grande prétention.*

Le contraire de *prétention,* c'est *modestie.*

Conjugaison 1

prêter v.
1. Mettre une chose à la disposition de quelqu'un à condition qu'il vous la rende. *Claire prête volontiers ses jouets. La banque a prêté de l'argent au docteur Séverac.* **2.** *Denis Prost a prêté son concours à une fête de bienfaisance,* il y a participé. *Il ne faut pas prêter attention aux commérages de Mme Harpie,* il ne faut pas y faire attention. **3.** Attribuer. *Vous me prêtez des intentions que je n'ai pas.* **4.** *C'est un sujet qui ne prête pas à rire,* qui ne fait pas rire.

Va voir *prêter serment* à ***serment.***

Va voir *prêter l'oreille* à ***oreille.***

C'est un sujet sérieux.

Quand tu prêtes un objet à quelqu'un, tu fais un *prêt ;* quand on te prête quelque chose, c'est un *emprunt.*

Autre membre de la famille : ② **prêt.**

prétexte n. m.
Raison que l'on donne à une action, et qui n'est pas la vraie. *Colle et Rat ont toujours des prétextes pour ne pas faire leurs devoirs. Sous prétexte que sa mère a oublié de le réveiller, Antoine est arrivé hier à dix heures.*

Sous des prétextes divers, tous s'éloignèrent, et bientôt, Alice se trouva seule *(Alice au Pays des merveilles).*

Tous les prétextes sont bons !

▸ ***prétexter*** v. Donner comme prétexte. *Mme Hespel prétexta une grippe pour ne pas aller à cette réception ennuyeuse.*

Conjugaison 1

Attention à l'accent circonflexe du ***ê*** !

prêtre n. m.
Homme qui appartient au clergé ; vois ***ecclésiastique.*** *L'abbé Gauthier est l'un des prêtres de la paroisse Sainte-Marie, à Motbourg. Il y a quatre prêtres à Sainte-Marie de Motbourg.*

Dans l'Antiquité, les prêtres faisaient des sacrifices aux dieux et présidaient aux cérémonies.

preuve n. f.
1. *Une preuve,* c'est ce qui démontre qu'une chose est vraie. *Pour condamner quelqu'un, il faut avoir la preuve qu'il est coupable. Les cadeaux sont des preuves d'affection,* des marques, des signes d'affection. **2.** *Les pompiers ont fait preuve de courage pendant l'incendie,* ils ont manifesté du courage. **3.** *Avant d'occuper un poste de responsabilité, Mme Hespel a dû faire ses preuves,* prouver sa valeur. **4.** *La preuve d'une opération,* c'est le calcul qui vérifie qu'elle est juste. *Julie a fait la preuve de ses multiplications : elles sont justes !*

La preuve que le petit prince a existé, c'est qu'il était ravissant, qu'il riait, et qu'il voulait un mouton *(le Petit Prince).*

Une preuve sert à *prouver* quelque chose.

Pour vérifier qu'une multiplication est juste, on fait la preuve par neuf.

Le ***x*** final de *preux* [PRØ] ne se prononce pas.

preux n. m.
Chevalier très brave. *Roland, le neveu de Charlemagne, était un preux.*

Preux s'employait surtout au Moyen Âge.

Conjugaison 29, comme *valoir,* sauf au subj. présent : *que je prévale, que nous prévalions, qu'ils prévalent.*

prévaloir v.
1. L'emporter. *Dans un vote, c'est l'opinion de la majorité qui prévaut. C'est l'avis du maire qui a prévalu au conseil municipal.* **2.** *Angèle est modeste et ne s'est jamais prévalue de ses connaissances,* elle ne s'en est jamais vantée.

Famille de **valoir**

On trouve ce mot surtout dans les livres.

Conjugaison 22 ▭ Indic. présent : *je préviens, il prévient, nous prévenons.* Imparfait : *je prévenais.* Passé simple : *je prévins.* Futur : *je préviendrai.*

prévenir v.
1. Dire à l'avance, avertir. *Mme Roussel a prévenu ses amis de son arrivée. « Je vous préviens qu'à la prochaine incartade, vous serez renvoyés définitivement », a dit la directrice de l'école à Colle et Rat.* **2.** Informer, mettre au courant. *C'est Hippolyte qui a prévenu les pompiers quand la poste a pris feu.* **3.** *Les vaccins préviennent les maladies,* ils permettent de les éviter.

— Je vous avais prévenu, dit le cheval. Vous avez voulu que je caracole. Eh bien ! J'ai caracolé *(les Contes du Chat perché).*

Mieux vaut prévenir que guérir (proverbe).

▸ ***prévenant*** adj. *Quelqu'un de prévenant,* c'est quelqu'un qui entoure les autres d'attentions, va au-devant de leurs désirs. *Mme Séverac est très prévenante avec ses invités.*

▸ ***prévenance*** n. f. *Une prévenance,* c'est une attention délicate, une gentillesse que l'on a envers quelqu'un. *Pierre et Louis Séverac entourent leur mère de prévenances.*

La *médecine préventive* permet d'éviter d'avoir des maladies

▸ ***préventif*** adj. *Une mesure préventive,* c'est une mesure qui sert à éviter que des choses fâcheuses n'arrivent. *Les vaccins ont un rôle préventif contre les maladies.*

prévention n. f.

1. Précaution, mesure que l'on prend pour éviter que des choses fâcheuses n'arrivent. *La prévention routière sert à limiter les risques d'accidents de la route.* **2.** Préjugé. *Au début de l'année, les élèves avaient des préventions contre leur professeur de mathématiques.*

On parle aussi de la *prévention médicale.*

Ils pensaient du mal de lui sans le connaître.

prévenu n. m., ***prévenue*** n. f.

Personne soupçonnée par un juge d'être coupable. *La prévenue a été inculpée par le juge, puis incarcérée jusqu'au jugement.*

Va voir aussi ***inculpé.***

Un prévenu n'est pas forcément coupable.

Famille de **voir**

prévisible adj.

Quelque chose de prévisible, c'est quelque chose que l'on peut prévoir. *L'échec d'Alex au bac était prévisible.*

Le contraire de *prévisible,* c'est *imprévisible.*

Famille de **voir**

prévision n. f.

Opinion qu'une personne a sur des événements qui risquent d'arriver. *Si son fils est reçu au bac, Mme Hespel se sera trompée dans ses prévisions.*

Va voir aussi ***prévoir.***

Conjugaison 24 ▭ Indic. présent : *je prévois, nous prévoyons.* Imparfait : *je prévoyais, nous prévoyions* [pʀevwajjɔ̃]. Futur : *je prévoirai.*

prévoir v.

1. Penser à l'avance, en réfléchissant qu'un événement risque bien d'arriver. *Mme Hespel avait prévu l'échec de son fils au bac.* **2.** Organiser d'avance, décider pour l'avenir. *Le conseil municipal de Motbourg a prévu la construction d'un nouveau gymnase. Denis Prost est arrivé plus tôt que prévu,* plus tôt qu'on ne l'attendait. *Le repas est prévu pour six,* il y a à manger pour six.

Comme prévu, Astérix et Obélix ont battu les Romains à plates coutures.

Famille de **voir**

Dans la fable de La Fontaine, la cigale est insouciante, mais la fourmi est prévoyante.

▸ ***prévoyant*** adj. *Quelqu'un de prévoyant,* c'est quelqu'un qui sait prévoir, sait s'organiser. *Mme Touati, qui est prévoyante, profite des soldes pour équiper toute la famille pour l'année.*

▸ ***prévoyance*** n. f. Qualité d'une personne qui sait prévoir. *Mme Touati fait preuve de prévoyance.*

Conjugaison 7 ▭ Indic. imparfait : *nous priions.*

prier v.

1. S'adresser à Dieu. *Agenouillé dans le chœur de l'église, l'abbé Gauthier prie avec ferveur.* **2.** Demander avec insistance. *Mme Séverac vous prie de l'excuser, elle est un peu souffrante. Antoine ne s'est pas fait prier pour reprendre du dessert,* il en a repris sans qu'on insiste.

[...] les parents prièrent Alphonse de vouloir bien rester à la ferme *(les Contes du Chat perché).*

Puisqu'il faut mourir [...] donnez-moi un peu de temps pour prier Dieu *(la Barbe-bleue).*

Attention ! un trait d'union et un ***D*** majuscule.

▸ ***prie-Dieu*** n. m. invariable Siège bas qui sert à s'agenouiller pour prier. *Les jeunes filles étaient en prière sur leurs prie-Dieu garnis de velours.*

Famille de **dieu**

Au pluriel : *des prie-Dieu.*

▸ ***prière*** n. f. **1.** Pensée qu'une personne adresse à Dieu. *L'abbé Gauthier adresse à Dieu une fervente prière.* **2.** Texte que l'on récite en s'adressant à Dieu. *Yves dit sa prière avant de s'endormir.* **3.** Demande insistante. *Prière de ne pas fumer,* ne fumez pas, s'il vous plaît.

primaire adj.

L'*enseignement secondaire* suit l'*enseignement primaire.*

1. *L'enseignement primaire,* c'est l'enseignement que l'on reçoit à l'école, du cours préparatoire au cours moyen deuxième année. *Marie-Tévy va à l'école primaire, David et Nathalie vont au collège.* **2.** *L'ère primaire,* c'est la plus ancienne période de formation de la Terre. *Les plus anciens fossiles, les poissons et les reptiles, sont apparus à l'ère primaire.*

L'ère primaire a duré environ 340 millions d'années.

primate n. m.

Mammifère qui a un cerveau développé et qui peut saisir des objets avec ses mains. *Le chimpanzé et l'homme sont des primates.*

Dans le classement des espèces, les primates forment un ordre.

① ***prime*** n. f.

1. Somme d'argent qu'une personne reçoit parfois, en plus de son salaire. *Les employés perçoivent une prime de transport. Le personnel de l'usine a eu une prime de fin d'année ;* vois ***gratification.*** **2.** Objet donné en supplément à un acheteur. *Dans ces barils de lessive, il y a, en prime, un porte-clés.*

Conjugaison 1

▸ ① ***primer*** v. Distinguer par une récompense. *Le jury de la dernière foire agricole a primé les oies élevées par Odile Séverac.*

② **prime** adj.
De prime abord, Loïc a l'air bourru, au premier abord, à première vue.

Conjugaison 1

▸ ② **primer** v. L'emporter, dominer. *Chez les avares, c'est l'appât du gain qui prime.*

Prononce [pʀimsotje].

▸ **primesautier** adj. Spontané. *Réjean aime les filles gaies et primesautières.*

Famille de **saut**

▸ **primeur** n. f. *Le journaliste a eu la primeur de la nouvelle,* il l'a sue le premier.

On trouve ce mot surtout dans les livres.

Primeurs est toujours au pluriel.

▸ **primeurs** n. f. plur. Fruits et légumes qui mûrissent et sont vendus avant la saison normale. *Le marchand de primeurs vend déjà des fraises.*

Le coucou est une primevère sauvage.

▸ **primevère** n. f. Plante qui a des fleurs jaunes et qui fleurit au début du printemps. *Les primevères ont fleuri dans le sous-bois.*

Les primevères que l'on cultive peuvent être de différentes couleurs.

primitif adj.
1. Premier, initial. *Le jean de Julie a depuis longtemps perdu sa couleur primitive.* **2.** *Les hommes primitifs,* ce sont les hommes préhistoriques, les premiers hommes. *Les hommes primitifs vivaient de la cueillette et de la chasse.* **3.** Très simple, réduit au minimum ; vois ***rudimentaire.*** *Alex et Réjean avaient bricolé une installation électrique un peu primitive.*

C'était un Primitif qui vivait dans une grotte et portait très peu d'habits
(Histoires comme ça).

Quand le jean était neuf, il était bleu ; maintenant il est presque blanc.

Au masculin pluriel : *primordiaux.*

primordial adj.
Très important ; vois ***capital, essentiel.*** *Les vitamines jouent un rôle primordial dans la santé.*

prince n. m.
1. Fils de roi ou membre d'une famille royale. *Les princes recevaient une éducation soignée. Ce matin, Hippolyte est vêtu comme un prince,* très bien habillé. **2.** Souverain d'une principauté. *Rainier III est prince de Monaco depuis 1949.*

Lundi matin, l'empereur,
sa femme et le p'tit prince
Sont venus chez moi
pour me serrer la pince
(chanson).

Un prince jeune et amoureux est toujours vaillant
(la Belle au bois dormant).

▸ **princesse** n. f. Fille d'un roi, d'un prince ou femme d'un prince. *La princesse a ouvert le bal avec le roi son père. Denis Prost logeait au Grand Hôtel aux frais de la princesse,* aux frais de l'organisation qui l'avait invité.

▸ **princier** adj. Digne d'un prince. *Il nous reçut d'une manière princière.*

▸ **principauté** n. f. État qui a un prince pour souverain. *La principauté de Monaco est sous la protection du président de la République française.*

La principauté de Monaco est située entre Nice et Menton.

Au masculin pluriel : *principaux.*

① **principal** adj. et n. m.
▭ **adj. 1.** *La chose principale,* c'est la chose la plus importante. *Ce plan n'indique que les rues principales.* **2.** *Dans une phrase, la proposition principale* est celle qui ne dépend pas d'une autre proposition et qui a elle-même des propositions subordonnées. *Dans la phrase « je crois bien qu'il dort », « je crois bien » est la principale,* la proposition principale.
▭ **n. m.** *Ils sont sains et saufs, c'est le principal,* la chose la plus importante.

Les rues *secondaires* ne sont pas indiquées.

Va voir aussi ***proposition.***

Où est la proposition principale dans *Il a vu l'homme qui a vu l'homme qui a vu l'homme qui a vu l'ours ?* C'est *Il a vu l'homme.*

▸ **principalement** adv. Par-dessus tout, avant les autres choses ; vois ***surtout.*** *Le corps humain est principalement constitué d'eau.*

② **principal** n. m., **principale** n. f.
Directeur, directrice d'un collège. *Mme Séverac a rendez-vous avec Mme la Principale.*

principe n. m.
1. Règle de conduite à laquelle on est fidèle. *Mme Bellec est très attachée à ses principes.* **2.** Loi scientifique. *Le principe d'Archimède est l'un des grands principes de la physique.* **3.** *En principe, le docteur Séverac doit aller en Afrique le mois prochain,* théoriquement, normalement.

C'est une femme qui a des principes.

Il y a aussi le principe de la chute des corps ou celui de la conservation de l'énergie.

Attention au *s* final !

printemps n. m.
Saison située après l'hiver et avant l'été, et où la végétation commence à renaître. *Les arbres reverdissent, les fleurs commencent à éclore : c'est le printemps ! Au printemps, les jours allongent et la température s'adoucit.*

Le printemps commence le 21 mars et finit le 21 juin, quand commence l'été.

Famille de ① **temps**

Après tout ce blanc vient le vert
Le printemps vient après l'hiver
(Cl. Roy).

▸ **printanier** adj. Qui évoque le printemps. *La température est printanière aujourd'hui,* elle est douce comme au printemps. *Tu es bien printanière, Julie, dans cette tenue,* tu portes une tenue légère comme si c'était le printemps.

Les jonquilles, les jacinthes et les primevères sont des fleurs printanières.

priorité n. f.

Il faut laisser la priorité aux autos qui viennent de droite.

1. *Avoir la priorité,* c'est avoir le droit de passer le premier, en auto. *Les autos qui viennent de droite ont la priorité.* **2.** *Le conseil municipal de Motbourg va examiner en priorité la question du projet de parking,* il va l'examiner avant toute chose, d'abord.

Quand on vient de gauche, on n'a pas la priorité.

Compare : *priorité → prioritaire, majorité → majoritaire* et *humanité → humanitaire.*

▸ **prioritaire** adj. **1.** *Un véhicule prioritaire,* c'est un véhicule qui a le droit de passer le premier. *Les ambulances et les cars de police sont prioritaires,* les autres véhicules doivent leur laisser le passage. **2.** *Une chose prioritaire,* c'est une chose qui passe avant toutes les autres, qui est plus importante. *Pour le maire de Motbourg, l'aide aux plus pauvres est une tâche prioritaire.*

Les routes à grande circulation sont toujours prioritaires.

Famille de **prendre**

prise n. f.

1. *La Révolution française a commencé par la prise de la Bastille,* au moment où le peuple s'empara de la Bastille. **2.** Animal que l'on attrape à la chasse ou à la pêche. *M. Bellec a fait de belles prises à la chasse : un lapin et un beau faisan.* **3.** *Le professeur a montré à Yves une nouvelle prise de judo,* une nouvelle façon d'attraper son adversaire. **4.** *L'alpiniste a bien du mal à trouver des prises sur cette paroi à pic,* des appuis. *Attention, il ne faut pas lâcher prise, ou c'est la chute !,* il ne faut pas cesser de tenir son appui. **5.** *Les Touati sont toujours aux prises avec des problèmes d'argent,* ils luttent contre eux. **6.** *C'est difficile d'avoir prise sur Colle et Rat,* d'agir sur eux. **7.** *Une prise de courant,* c'est l'endroit où l'on peut brancher un appareil électrique. *La lampe est branchée à la prise de courant.* **8.** *On a fait une prise de sang à Sylvain,* on lui a pris un peu de sang pour l'analyser.

C'était le 14 juillet 1789.

Il y a aussi des *prises de catch.*

Il y a des *prises mâles* et des *prises femelles.*

On dit plus souvent *une prise.*

Conjugaison 1

priser v.

Apprécier. *Hippolyte prise beaucoup la compagnie d'Angèle.*

Famille de **prix**

prisme n. m.

Objet transparent à facettes, qui réfléchit et décompose la lumière. *À travers un prisme, on peut voir un à un tous les composants de la lumière.*

C'est le *spectre* de la lumière.

prison n. f.

Autres membres de la famille : **emprisonner, emprisonnement.**

1. Endroit où l'on enferme les condamnés et les prévenus qui vont être jugés. *La prison de Motbourg est située un peu en dehors de la ville.* **2.** Peine de prison. *Le malfaiteur a été condamné à cinq ans de prison,* à passer cinq ans en prison.

Zon zon zon zon zon
Allez en prison,
En prison, petits bonshommes
Qui voulez tous mes hommes
(comptine).

Le loup ne savait pas ouvrir les portes, il demeura prisonnier dans la cuisine *(les Contes du Chat perché).*

▸ **prisonnier** n. m., **prisonnière** n. f. Personne que l'on a enfermée dans une prison. *Pendant la guerre, M. Bonnot a été fait prisonnier par les Allemands.* — adj. *Mme Bellec est prisonnière de son éducation,* esclave de son éducation.

Deux *n* à *prisonnier* et à *prisonnière.*

privé adj.

1. *Un endroit privé,* c'est un endroit où le public n'a pas le droit d'aller. *Sur la grille du château, il est écrit : « Propriété privée, entrée interdite ».* **2.** *Denis Prost n'aime pas beaucoup que l'on s'occupe de sa vie privée,* sa vie personnelle, intime. **3.** *L'enseignement privé,* c'est l'enseignement qui ne dépend pas de l'État. *Sylvain est élève dans un cours privé.*

Le contraire de *privé,* c'est *public.*

Dans l'industrie, le *secteur privé* ne dépend pas de l'État.

Le cours Godefroy de Bouillon.

Conjugaison 1

priver v.

1. Empêcher quelqu'un de profiter d'un avantage, de quelque chose d'agréable. *Claire a été privée de dessert parce qu'elle n'a pas été sage.* **2.** *Mme Séverac se prive de gâteaux pour perdre quelques kilos,* elle s'impose de ne plus en manger.

Ne pas se priver de faire quelque chose, c'est le faire.

Compare : *priver → privation, conserver → conservation* et *réserver → réservation.*

▸ **privation** n. f. Absence, manque de choses nécessaires. *Les moines s'imposent volontairement toutes sortes de privations.*

Leur nourriture est souvent très frugale.

Attention à l'accent grave du *è.*

privilège n. m.

Droit, avantage particulier accordé à une personne ou à un groupe de gens. *Avant la Révolution de 1789, les nobles avaient de nombreux privilèges.*

Ces privilèges ont été abolis la nuit du 4 août 1789.

Attention aux accents aigus des *é* !

▸ **privilégié** adj. Qui bénéficie de privilèges. *Avant la Révolution, la noblesse et le clergé étaient des classes privilégiées.* — n. *Seuls, quelques privilégiés peuvent s'offrir des vacances très coûteuses.*

Le contraire de *privilégié,* c'est *défavorisé.*

Prix se termine par un *x*.

Le cheval fut payé un haut prix, et, quelques minutes plus tard, il était prêt à partir *(Michel Strogoff)*.

prix n. m.
1. Ce que coûte quelque chose ; vois **valeur.** *Le prix de l'essence augmentera la semaine prochaine. Cet ensemble plaît beaucoup à Angèle, mais il est hors de prix,* excessivement cher. **2.** Importance, valeur accordée à quelque chose. *Denis Prost attache beaucoup de prix à l'avis de ses amis quand on lui propose un rôle. Mamie Lou trouve que le calme n'a pas de prix,* est très précieux. *Malgré le mauvais temps, Julie a voulu à tout prix étrenner ses nouveaux souliers,* elle l'a voulu absolument, coûte que coûte. **3.** Récompense donnée aux meilleurs, dans une compétition. *Sylvain a eu le premier prix d'anglais l'année dernière.*

Arthur a eu le premier prix d'orthographe *(Babar)*.

Il coûte un prix fou !

À aucun prix : en aucun cas, jamais.

Autres membres de la famille : **mépriser, mépris, méprisable, méprisant, commissaire-priseur, priser.**

probable adj.
Qui a beaucoup de chances de se produire, d'arriver ; vraisemblable. *Il est probable que Mme Roussel prendra ses vacances au mois d'août. Son départ en vacances est probable.*

Autre membre de la famille : **improbable.**

Compare : *probable → probablement* et *semblable → semblablement.*

▸ **probablement** adv. Sans doute, vraisemblablement. *L'incendie était probablement un accident.*

Compare : *probable → probabilité* et *responsable → responsabilité.*

▸ **probabilité** n. f. Chance qu'un événement a de se produire. *Comme Alex n'avait pas travaillé de l'année, ses probabilités de réussite au bac étaient plutôt faibles.*

Selon toute probabilité : selon toute vraisemblance.

probant adj.
Qui prouve quelque chose ; vois **convaincant.** *Les raisons que donne Antoine de son retard à l'école ne sont pas très probantes.*

Ce qui est *probant* apporte une *preuve.*

probité n. f.
Grande honnêteté ; vois ① **intégrité.** *Tout le monde à Motbourg est d'accord sur la probité du maire.*

Ce mot ne s'emploie pas très souvent.

Quelqu'un qui fait preuve de probité est *probe.*

problème n. m.
1. Difficulté qu'il faut résoudre pour trouver une solution. *L'attitude de Colle et Rat pose un gros problème à la directrice de l'école. Les Touati ont souvent des problèmes d'argent,* des ennuis d'argent. **2.** Exercice d'arithmétique qui consiste, en faisant des calculs, à donner la solution aux questions posées. *Yasmina lit attentivement l'énoncé du problème.*

Qui diable puis-je bien être ? Ah ! voilà le grand problème *(Alice au Pays des merveilles)*.

Il n'y a pas de problème : c'est simple, facile.

Si jamais votre problème n'est pas juste, vous pouvez compter que ça ne se passera pas comme ça *(les Contes du Chat perché)*.

▸ **problématique** adj. Qui pose des problèmes, n'est pas certain. *La réussite d'Alex au bac est problématique.*

procéder v.
1. *Procéder à une opération,* c'est l'exécuter, l'accomplir. *Une fois par semaine, Mme Bonnot procède au nettoyage de la cage des perruches.* **2.** Agir, faire. *Il faut procéder très soigneusement.*

Conjugaison 6, comme *céder* ▭ Indic. présent : *je procède, nous procédons.* — Subj. présent : *que je procède, que nous procédions.* — Impératif : *procède.*

Procéder s'emploie à la place de *faire* pour parler d'actions longues, difficiles ou minutieuses à accomplir.

▸ **procédé** n. m. **1.** Méthode, manière de faire. *L'usine où travaille Mme Hespel expérimente de nouveaux procédés de fabrication.* **2.** Manière d'agir à l'égard des autres ; vois **comportement, conduite.** *Personne à Motbourg n'apprécie les procédés de Mme Harpie.*

Procédure fait partie du vocabulaire du droit.

▸ **procédure** n. f. Suite de formalités qu'il faut remplir. *Quand ils ont vu qu'ils ne s'entendaient plus, les parents d'Antoine ont entamé une procédure de divorce.*

procès n. m.
1. Action en justice. *Elle a intenté un procès à son propriétaire,* elle l'a attaqué en justice. *Mme Harpie est en procès avec un de ses voisins.* **2.** Déroulement d'un jugement. *Le procès de ce célèbre criminel a fait l'objet de nombreux commentaires dans la presse.*

Ne prononce pas le *s* final [pʀɔsɛ].

On peut *perdre* ou *gagner un procès.*

Autre membre de la famille : **procès-verbal.**

procession n. f.
Défilé religieux qui se fait en chantant des cantiques et en priant. *Mme Bellec suivait la procession en chantant des cantiques à tue-tête.*

Attention ! un *c* et deux *s* à *procession.*

processus n. m.
Façon de se dérouler, d'évoluer, toujours de la même façon. *Angèle a fait un schéma au tableau pour expliquer le processus de la circulation du sang.*

Attention ! un *c*, puis deux *s*. *Processus* [pʀɔsesys] rime avec *puce.*

Processus est un mot scientifique.

Famille de **procès** et de **verbe**

procès-verbal n. m.

1. Contravention. *L'agent a dressé un procès-verbal à M. Bellec pour excès de vitesse.* **2.** Compte rendu d'une réunion. *Tous les membres du conseil ont approuvé le procès-verbal de la dernière réunion.*

Au pluriel : *des procès-verbaux.*

Compare ***prochain*** et ***proche*** : il est question d'être **près.**

La prochaine fois : la première fois où la chose se reproduira.

① **prochain** adj.

1. Qui suit immédiatement. *La semaine prochaine, c'est l'anniversaire de Marie-Tévy,* la semaine qui suit celle-ci. *Muriel Doucet se lève de sa place car elle descend au prochain arrêt du bus,* à l'arrêt suivant. **2.** Près de se produire. *Lucien, l'un des frères d'Angèle, a annoncé officiellement son prochain mariage.*

Le contraire de *prochain,* c'est *dernier.*

Le contraire de *prochain,* c'est *lointain.*

▸ **prochainement** adv. Dans très peu de temps, bientôt. *Lucien, le frère d'Angèle, va se marier prochainement.*

② **prochain** n. m.

Le prochain, c'est autrui. *Ce que Mme Harpie préfère, c'est dire du mal de son prochain,* des autres.

Le contraire de *proche,* c'est *lointain, éloigné.*

Autres membres de la famille : **approcher, approchant, approche, rapprocher, rapprochement.**

proche adj. et n. m. et f.

▭ **adj. 1.** Très près, à faible distance. *L'appartement d'Angèle est proche de l'école.* **2.** Peu éloigné dans le temps. *Les vacances sont proches, il ne reste qu'une semaine de classe.* **3.** *Mme Bellec et Mme Roussel sont restées très proches,* très intimes.

Ce sont des amies très proches.

▭ **n. m. et f.** *Les proches,* ce sont les parents. *Mme Pelletier est morte entourée de ses proches.*

Conjugaison 1

proclamer v.

1. Reconnaître officiellement. *Napoléon a été proclamé empereur des Français le 18 mai 1804.* **2.** Affirmer publiquement et avec force ; vois ***clamer, crier.*** *L'accusé proclamait haut et fort son innocence.*

Conjugaison 1

Il l'a emprunté à un camarade.

procurer v.

1. Faire obtenir, fournir. *Denis Prost a procuré à Angèle des places pour un spectacle de danse. Pour ses vacances à la montagne, Alex s'est procuré pour rien un équipement complet de ski.* **2.** Apporter, causer. *Le jardinage procure beaucoup de plaisir à Mamie Lou.*

Là, dût-il en payer dix fois la valeur, il se procurerait des habits et un cheval *(Michel Strogoff).*

Famille de **prodigue**

Ce mot se trouve surtout dans les livres.

prodigalité n. f.

Des prodigalités, ce sont des dépenses excessives. *À force de prodigalités, cet héritier a dépensé toute sa fortune.*

Ce mot s'emploie surtout au pluriel.

prodige n. m.

1. Événement extraordinaire, miraculeux. *Qu'Alex soit encore en vie après son accident de moto tient du prodige ;* vois ***miracle.*** **2.** Personne qui a des dons extraordinaires ; vois ***génie.*** *Mozart donnait déjà des concerts à l'âge de six ans, c'était un prodige !* — adj. *Mozart était un enfant prodige.*

Ne confonds pas *prodige* et *prodigue.*

Compare : *prodige → prodigieux* et *prestige → prestigieux.*

▸ **prodigieux** adj. Extraordinaire, étonnant. *La princesse était d'une beauté prodigieuse.*

▸ **prodigieusement** adv. D'une manière prodigieuse ; vois ***extraordinairement.*** *La princesse était prodigieusement belle et intelligente.*

Ne confonds pas *prodigue* et *prodige.*

Prodigue n'est pas un mot très courant.

prodigue adj.

1. Très dépensier. *Dans la Bible, l'enfant prodigue avait dépensé tout son héritage.* **2.** *Mme Harpie est prodigue de bons conseils,* elle donne beaucoup de conseils.

Le contraire de *prodigue,* c'est *avare, économe.*

Conjugaison 1

▸ **prodiguer** v. Donner sans compter, en grand nombre. *Le malade a guéri rapidement grâce aux soins que lui a prodigués le médecin.*

Autre membre de la famille : **prodigalité.**

producteur adj. et n. m., **productrice** adj. et n. f.

▭ **adj.** *La France est un pays producteur de vin,* elle produit beaucoup de vin. *L'Alsace et la Bourgogne sont des régions productrices de vin.*

Va voir aussi ***produire*** et ***production.***

Les producteurs produisent ce qui sera acheté par les *consommateurs.*

▭ **n. 1.** *La France est une grande productrice de vin,* elle produit beaucoup de vin. **2.** *Un producteur de cinéma,* c'est la personne qui trouve de l'argent pour faire un film. *Denis Prost a rencontré plusieurs producteurs au dernier festival de Cannes.*

Denis Prost est un comédien célèbre.

production n. f.

Va voir aussi ***produire*** et ***producteur.***

1. *La production,* c'est ce qui est produit par l'agriculture ou par l'industrie. *Grâce à de nouvelles machines, la production a beaucoup augmenté à la biscuiterie de Motbourg. La production de vin est très élevée en France,* la quantité produite. **2.** *Les productions du sol,* ce sont les produits du sol. *Le blé, l'orge et le maïs sont des productions du sol.*

Le charbon et le fer sont des productions du sous-sol.

produire v.

Conjugaison 38 ▭ Indic. présent : *je produis, il produit, nous produisons.* Imparfait : *je produisais.* Futur : *je produirai.* Passé simple : *je produisis, nous produisîmes, ils produisirent.* — Subj. présent : *que je produise, que nous produisions.*

1. Causer, provoquer. *La nouvelle produisit un grand soulagement.* **2.** Donner, fournir. *Les terres des Séverac produisent du maïs et du tabac.* **3.** Fabriquer grâce à un travail. *La biscuiterie de Motbourg produit de plus en plus de biscuits chaque année.* **4.** *Produire un film,* c'est fournir l'argent nécessaire à sa réalisation, le financer. *Ce film a été produit par une société américaine.* **5.** *Se produire,* c'est arriver, avoir lieu. *Un grave accident s'est produit sur l'autoroute entre Motbourg et Paris.*

Le nombre de biscuits produits augmente régulièrement.

▹ ***produit*** n. m. **1.** Chose produite par la nature ou fabriquée grâce à un travail. *Le blé et le maïs sont des produits de la terre ;* vois ***production.*** *Sophie Pelletier a de nombreux produits de beauté.* **2.** *Le produit d'une multiplication,* c'est son résultat. *Le nombre quinze est le produit de trois multiplié par cinq.*

Ce sont des produits de l'agriculture.

Les voitures sont des produits de l'industrie.

Autre membre de la famille : **sous-produit.**

15 = 3 × 5 ou 5 × 3.

proéminent adj.

Un nez proéminent, c'est un grand nez ; vois ***saillant.*** *Mme Harpie a un nez très proéminent.*

profane n. m. et f.

Personne qui n'est pas initiée, qui ne connaît rien dans un domaine. *Odile Séverac est une profane en musique,* elle n'y connaît rien. — adj. *Elle est profane en la matière.*

Le contraire de *profane,* c'est *connaisseur.*

Conjugaison 1

▹ ***profaner*** v. *Profaner une chose sacrée,* c'est ne pas la respecter. *Des voyous ont profané l'église de Motbourg.*

proférer v.

Conjugaison 6

Dire d'une voix forte, violemment. *Colle et Rat sont partis en proférant des injures.*

professeur n. m.

Personne qui enseigne une matière. *Le professeur de français de Sylvain est une femme. Un professeur de piano donne des cours à Sylvain.*

profession n. f.

1. *Faire profession de quelque chose,* c'est le déclarer ouvertement. *Le maire de Motbourg fait profession d'idées libérales.* **2.** Travail par lequel on gagne sa vie ; vois ***métier.*** *Quelle est votre profession ? Le docteur Séverac exerce sa profession à Motbourg.*

De sa véritable profession, Pierre Strogoff était chasseur *(Michel Strogoff).*

Comme j'étais marchand, je fréquentais les gens de ma profession *(les Mille et Une Nuits).*

Au féminin : *professionnelle.*

▹ ***professionnel*** adj. **1.** Qui concerne le métier. *M. Doucet a des soucis professionnels,* qui concernent son travail. **2.** Qui exerce une activité par profession. *Cet orchestre est composé de musiciens professionnels,* de musiciens de profession. — n. *Ce footballeur est un professionnel,* il est payé pour jouer au football.

Le contraire de *professionnel,* c'est *amateur.*

profil n. m.

Profil [pʀɔfil] rime avec *mille, chlorophylle* et *avril.*

Visage vu de côté. *Angèle a un joli profil.*

Conjugaison 1

▹ *se* ***profiler*** v. Se montrer avec des contours précis ; vois *se* ***découper,*** *se* ***dessiner,*** *se* ***détacher.*** *Motbourg n'est plus très loin, on voit le clocher de l'église se profiler à l'horizon.*

profit n. m.

Ivan Ogareff payait largement cet espionnage, dont il retirait grand profit *(Michel Strogoff).*

1. Avantage. *Le séjour à la montagne a été d'un grand profit pour les enfants,* il leur a fait du bien. *Colle et Rat ont tiré profit du retard de la maîtresse pour mettre du savon sur le tableau noir,* ils ont profité de son retard. **2.** *Faire des profits,* c'est gagner de l'argent. *Cette année, le restaurant Bellec a fait de gros profits.*

Au profit de quelqu'un : à son bénéfice.

Le contraire de *profit,* c'est *perte.*

Conjugaison 1

Il fallait profiter de l'obscurité que l'aube allait chasser *(Michel Strogoff).*

▸ ***profiter*** v. **1.** *Profiter de quelque chose,* c'est en tirer avantage. *Colle et Rat ont profité du retard de la maîtresse pour faire des bêtises.* **2.** Être utile. *L'air de la montagne a profité à Marie-Tévy,* il lui a fait du bien.

Je crois qu'il profita, pour son évasion, d'une migration d'oiseaux sauvages *(le Petit Prince).*

▸ ***profitable*** adj. Utile, suivi d'un résultat. *Cette expérience leur a été profitable.*

▸ ***profiteur*** n. m., ***profiteuse*** n. f. Personne qui tire profit du malheur des autres. *Pendant les guerres, il y a toujours des profiteurs,* des gens à qui cela rapporte.

profond adj.

1. *Un trou profond,* c'est un trou qui a le fond éloigné des bords. *À la ferme, il y a un puits très profond. Le puits est profond de douze mètres.* **2.** Très grand. *Il y avait un profond silence dans la forêt.* **3.** Qui va au fond des choses. *Il ne faut pas déranger Angèle qui est plongée dans de profondes réflexions,* elle réfléchit en allant au fond d'elle-même.

Un *placard profond* a le fond éloigné de la porte.

Compare : *profond → profondément* et *précis → précisément.*

▸ ***profondément*** adv. D'une manière profonde. *Le puits a été creusé profondément,* loin vers le bas. *Le docteur Séverac dit au malade de respirer profondément,* à fond. *Je me suis profondément ennuyé ;* vois ***extrêmement.***

Après le déjeuner, pendant que Babar explore les environs, Céleste restée seule s'est endormie profondément *(Babar).*

Compare : *profond → profondeur* et *grand → grandeur.*

▸ ***profondeur*** n. f. **1.** Distance qui va du fond jusqu'au bord. *Le puits a une profondeur de douze mètres. Le placard n'a pas assez de profondeur pour suspendre toutes les affaires.* **2.** *Travailler en profondeur,* c'est travailler en allant au fond des choses, d'une manière non superficielle. *Alex n'a pas assez travaillé en profondeur.*

Autre membre de la famille : **approfondir.**

profusion n. f.

Grande quantité ; vois ***abondance.*** *Pour son anniversaire, Julie a eu des cadeaux à profusion,* en abondance.

Elle ne savait plus où les mettre !

On rencontre ce mot surtout dans les livres.

progéniture n. f.

Ensemble des enfants d'une personne, des petits d'un animal. *La mésange apporte des vers à sa progéniture.*

Il y a deux ***m*** dans *programme* et *programmer.*

programme n. m.

1. Annonce des spectacles, des émissions et de ce qui les compose. *Sophie Pelletier a acheté un programme de télévision et de radio. Ce soir, il y a une émission de variétés au programme.* **2.** Ensemble des matières enseignées. *La philosophie est au programme des classes terminales.* **3.** *Le programme d'un homme politique ou d'un parti politique,* c'est l'exposé de ses intentions et des objectifs qu'il se fixe s'il est au gouvernement. *Le maire a exposé son programme pendant la campagne électorale.*

Le *programme d'un ordinateur,* c'est l'ensemble des informations que l'on entre dans l'ordinateur pour qu'il puisse résoudre des problèmes.

Conjugaison 1

▸ ***programmer*** v. Inscrire dans un programme de cinéma, de radio, de télévision. *Denis Prost a regardé l'émission sur le cinéma, qui était programmée hier soir.*

Programmer un ordinateur, c'est lui donner un programme.

progrès n. m.

Le bœuf faisait des progrès surprenants. Au bout du mois, il commençait à savoir compter, il lisait presque couramment, et il avait même appris une petite poésie *(les Contes du Chat perché).*

1. Amélioration, développement en bien. *Marie-Tévy a fait des progrès en français. Cet élève est en progrès. La médecine a fait de grands progrès depuis le début du siècle,* elle est devenue plus efficace. **2.** *Le progrès,* c'est l'évolution de la civilisation, qui doit rendre la vie plus facile, plus agréable. *On ne doit pas nier le progrès.*

Babar fait attention et répond comme il faut. C'est un élève qui fait des progrès *(Babar).*

Au Moyen Âge, les paysans craignaient que le progrès technique ne leur enlève leur travail : parfois ils se révoltaient contre l'installation des moulins et cassaient les machines.

Conjugaison 1

Le contraire de *progresser,* c'est *régresser.*

▸ ***progresser*** v. **1.** Se développer. *La maladie de la mère de Sophie Pelletier a progressé très vite.* **2.** S'améliorer, faire des progrès. *Marie-Tévy progresse en français,* elle devient meilleure.

▸ ***progressif*** adj. *Une évolution progressive,* c'est une évolution qui se fait peu à peu, régulièrement. *Angèle fait faire à Marie-Tévy des exercices de difficulté progressive,* des exercices de plus en plus difficiles.

▸ ***progressiste*** n. m. et f. Personne qui est favorable au progrès, aux réformes modernes. *Le maire de Motbourg est un progressiste.* — adj. *Le maire est progressiste.*

▸ ***progressivement*** adv. Petit à petit. *Les jours diminuent progressivement,* un peu tous les jours.

progression n. f.

Les glaciers avancent de plusieurs centimètres par an.

Mouvement en avant. *La progression des glaciers est très lente.*

N'oublie pas le ***h*** après le ***o***.

prohibitif adj.
Un prix prohibitif, c'est un prix trop élevé ; vois ***excessif.*** *Avec les gelées, les tomates ont atteint des prix prohibitifs,* elles sont trop chères.

Au féminin : *prohibitive.*

proie n. f.

Ivan Ogareff attendait donc, dans les ténèbres, comme un fauve prêt à s'élancer sur une proie *(Michel Strogoff).*

1. Animal qu'un autre animal attrape pour le manger. *Le renard s'est jeté sur sa proie et l'a dévorée. L'aigle est un oiseau de proie,* un oiseau qui se nourrit de proies vivantes ; vois ***rapace.*** **2.** *La poste était la proie des flammes,* le feu la détruisait.

Va voir aussi ***prédateur.***

projecteur n. m.
1. Appareil qui envoie une lumière très forte ; vois ***spot.*** *La scène du théâtre est éclairée par des projecteurs.* **2.** Appareil qui sert à projeter des images sur un écran. *M. Bellec a prêté son projecteur à Mme Roussel pour qu'elle passe ses diapositives.*

Il y a aussi des projecteurs pour passer des films.

C'est un *appareil de projection.*

projectile n. m.
Objet que l'on lance à la main ou avec une arme. *Des voyous ont lancé des projectiles dans la vitrine.*

Les balles de fusil sont des projectiles.

projection n. f.
1. *La projection d'un film,* c'est son passage sur un écran. *Mme Séverac a assisté à la projection d'un film.* **2.** Lancement. *L'éruption du volcan a commencé par des projections de cendres,* des cendres ont été projetées.

On projette un film avec un *appareil de projection* appelé aussi *projecteur.*

Elle a vu le film dans une *salle de projection.*

Conjugaison 4

① **projeter** v.
Projeter de faire quelque chose, c'est avoir l'intention de le faire. *Mme Roussel projette de passer ses vacances à Paimpol.*

▸ ***projet*** n. m. **1.** Intention. *Mme Roussel fait des projets de vacances. Angèle forme le projet d'aller en Grèce.* **2.** *Le roman de Sophie Pelletier n'est qu'à l'état de projet,* il n'est pas encore écrit.

Le projet, simple et logique, que forma Michel Strogoff, ce fut de gagner Kolyvan *(Michel Strogoff).*

Quand on fait des projets, il faut les réaliser sans attendre *(les Contes du Chat perché).*

Conjugaison 4 ▭ Indic. présent : *je projette, nous projetons.* Imparfait : *je projetais.* Futur : *je projetterai.*

② **projeter** v.
1. Jeter en avant avec force. *L'explosion a projeté les passants contre le mur d'en face.* **2.** *Projeter un film,* c'est envoyer les images du film sur un écran. *Mme Roussel projettera demain ses photos de vacances.*

Famille de **jeter**

Elle utilisera un *projecteur.*

prolétaire n. m. et f.
Personne qui n'a que son salaire pour vivre, gagne peu d'argent et ne possède pas de capitaux. *M. Touati est un prolétaire.*

L'ensemble des prolétaires, c'est le *prolétariat.*

Conjugaison 6 ▭ Indic. présent : *ils prolifèrent.* Imparfait : *ils proliféraient.* Futur : *ils proliféreront.*

proliférer v.
Devenir plus nombreux ; vois *se* ***multiplier.*** *À l'approche de l'orage, les fourmis volantes prolifèrent.*

▸ ***prolifération*** n. f. Multiplication rapide. *Il y a une prolifération de livres sur les bienfaits des plantes,* il en paraît beaucoup.

Compare : *proliférer → prolifération* et *exagérer → exagération.*

prolixe adj.
Une personne prolixe, c'est une personne qui parle beaucoup. *Le maire était fatigué ; il n'a pas été très prolixe.*

Compare *prologue, épilogue* et *dialogue* : dans ces mots, il s'agit de **dire** quelque chose.

prologue n. m.
Première partie d'un roman, d'une pièce ou d'un film, où l'auteur explique ce qui s'est passé avant l'action proprement dite. *Dans le prologue du roman, l'auteur parle de l'enfance des parents de l'héroïne.*

Conjugaison 3 ▭ Indic. présent : *je prolonge, nous prolongeons.* Imparfait : *je prolongeais.*

prolonger v.
1. Faire durer plus longtemps. *Mme Roussel aimerait prolonger son séjour à Paimpol.* **2.** Faire aller plus loin. *La route a été prolongée jusqu'au hameau.*

Famille de **long**

▸ ***prolongation*** n. f. **1.** Temps supplémentaire. *Mme Roussel a demandé une prolongation de congé de quatre jours.* **2.** Période qui prolonge un match de football quand les deux équipes sont à égalité. *Il a fallu jouer les prolongations.*

La main est dans le prolongement du bras.

▸ **prolongement** n. m. Ce qui prolonge une chose. *Le prolongement de la route n'est pas encore goudronné.*

Conjugaison 5 ▭ Indic. présent : *je promène, nous promenons.*

promener v.
Faire faire un tour. *Alex promènera Diane, sa chienne, après dîner,* il l'emmènera faire un tour. — *Le dimanche après-midi, les Bellec se promènent en forêt.*

Famille de **mener**

Patatrac mon anorak
Roule roule ma cagoule
Patatrac mon anorak
Hé hé hé mes gros souliers
On ne voit plus que mon nez
Moi je vais me promener
(A. Sylvestre).

Sophie, je t'ai promis que, lorsque tu aurais quatre ans, tu viendrais avec moi faire mes grandes promenades du soir *(les Malheurs de Sophie).*

▸ **promenade** n. f. Trajet que l'on fait en se promenant. *Les Bellec sont partis en promenade dans la forêt.*

▸ **promeneur** n. m., **promeneuse** n. f. Personne qui se promène à pied. *Les Bellec ont rencontré des promeneurs dans la forêt.*

Conjugaison 56

Vous nous avez désobéi, grondèrent les parents. Ce qui est promis est promis. Vous allez filer chez la tante Mélina *(les Contes du Chat perché).*

promettre v.
1. *Promettre une chose à quelqu'un,* c'est s'engager à la lui donner. *Denis Prost a promis de nouveaux patins à roulettes à sa fille.* **2.** *Promettre de faire quelque chose,* c'est s'engager à le faire. *Loïc a promis à son neveu Yves de l'emmener en haute mer.* **3.** Annoncer. *Loïc promet à Yves du beau temps pour demain,* il lui prédit qu'il fera beau. **4.** Donner de grandes espérances. *Sylvain travaille très bien, il promet,* on peut espérer qu'il réussira dans la vie. **5.** *Se promettre de faire quelque chose,* c'est en faire le projet, en avoir l'intention ; vois *se* **jurer.** *Mme Séverac s'est promis d'aller aux Bahamas.*

Elle promit à sa Marraine qu'elle ne manquerait pas de sortir du Bal avant minuit *(Cendrillon).*

Les filles de l'Ogre n'étaient pas encore fort méchantes ; mais elles promettaient beaucoup, car elles mordaient déjà les petits enfants pour en sucer le sang *(le Petit Poucet).*

▸ **promesse** n. f. Ce que l'on s'engage à faire. *M. Bellec tient toujours ses promesses.*

Attention ! deux ***t*** dans *promettre* et *prometteur.*

▸ **prometteur** adj. Qui laisse présager une réussite ; vois **encourageant.** *Denis Prost a fait des débuts prometteurs au cinéma.*

Au féminin : *prometteuse.*

promiscuité n. f.
Voisinage désagréable auquel on ne peut échapper. *Les prisonniers vivent dans la promiscuité.*

Famille de **mont**

promontoire n. m.
Pointe de terre élevée qui s'avance dans la mer ; vois **cap.** *Le phare est situé sur un promontoire.*

Quand l'immeuble est construit, le promoteur le vend.

promoteur n. m., **promotrice** n. f.
Personne qui fait construire des immeubles. *Un promoteur a proposé aux Séverac de leur acheter leur terrain pour y construire un hôtel.*

On dit aussi : un *promoteur immobilier.*

Un colonel qui devient général reçoit une promotion.

promotion n. f.
1. Avancement. *Mme Hespel a obtenu une promotion rapide,* un emploi plus haut placé. **2.** *Un produit de promotion,* c'est un produit pour lequel on fait de la publicité et qui est vendu moins cher pendant un certain temps. *Mme Séverac a acheté des savonnettes en promotion.*

Va voir aussi ***promouvoir.***

Conjugaison 27 ▭ Ce verbe s'emploie surtout à l'infinitif et à la voix passive.

promouvoir v.
1. *Promouvoir quelqu'un,* c'est lui donner un emploi, un grade plus élevé. *Mme Hespel a été promue chef de service.* **2.** *Promouvoir une chose,* c'est faire en sorte qu'elle se développe. *Le maire de Motbourg veut promouvoir l'installation d'industries dans sa ville ;* vois **encourager.**

Ne prononce pas le second ***p*** : *prompt* [pʀɔ̃], *prompte* [pʀɔ̃t].

prompt adj.
Rapide. *Colle et Rat ont insulté Yasmina ; elle a été prompte à réagir. Je vous souhaite un prompt rétablissement.*

Le contraire de *prompt,* c'est *lent.*

Ne prononce pas le second ***p*** : [pʀɔ̃tityd].

▸ **promptitude** n. f. Rapidité, vivacité. *La promptitude de la réaction de Yasmina a étonné Colle et Rat.*

Le contraire de *promptitude,* c'est *lenteur.*

Conjugaison 1

promulguer v.
Promulguer une loi, c'est la rendre officielle, la faire connaître à tout le monde. *La loi qui abolit la peine de mort en France a été votée par les députés et promulguée en 1981.*

En France, c'est le président de la République qui promulgue les lois.

Attention à l'accent circonflexe du ***ô*** !

prôner v.
Prôner une chose, c'est en faire l'éloge, la recommander en insistant ; vois **vanter.** *L'abbé Gauthier prône la tolérance et le respect de toutes les idées.*

Conjugaison 1

Famille de **nom**

pronom n. m. Vois l'encadré ci-dessous.

le pronom

- Le **pronom** est un mot qui a la même fonction qu'un nom dans une phrase.
- Souvent, le pronom remplace un autre mot ou un groupe de mots :
  dans *Antoine arriva mais Marie-Tévy ne **le** vit pas,*
  le remplace *Antoine.*
  dans *Antoine devait venir, mais Marie-Tévy ne **le** savait pas,*
  le remplace *Antoine devait venir.*
  Parfois, le pronom ne remplace pas un autre mot :
  *Marie-Tévy n'a **rien** dit.*
  ***Qui** est venu ?*
- Il existe plusieurs classes de pronoms :
  - les pronoms personnels comme *je, tu, nous.* Va voir ***personnel.***
  - les pronoms possessifs comme *le mien, le vôtre.* Va voir ***possessif.***
  - les pronoms démonstratifs comme *ceci, cela.* Va voir ***démonstratif.***
  - les pronoms interrogatifs comme *qui, quoi.* Va voir ***interrogatif.***
  - les pronoms relatifs comme *qui, dont.* Va voir ***relatif.***
  - les pronoms indéfinis comme *tout, rien.* Va voir ***indéfini.***

Les verbes pronominaux se conjuguent avec l'auxiliaire *être.*

pronominal adj.
Un verbe pronominal, c'est un verbe devant lequel il y a un pronom personnel de la même personne que le sujet. *Le verbe « se fâcher » est un verbe pronominal.*

Certains verbes comme le verbe *s'absenter* n'existent qu'à la forme pronominale.

Conjugaison 3
Attention à la cédille du ***ç*** devant ***a*** et ***o*** !

prononcer v.
1. *Prononcer un mot,* c'est le dire. *Julie, muette d'étonnement, ne put prononcer un mot.* **2.** *Prononcer un son,* c'est l'articuler d'une certaine façon. *Les R anglais sont difficiles à prononcer. — « Haut » et « eau » se prononcent de la même façon.* **3.** *Prononcer un jugement,* c'est le rendre, le faire connaître. *Le tribunal a prononcé une peine de deux mois de prison contre les malfaiteurs.* **4.** *Se prononcer sur quelque chose,* c'est dire ce que l'on en pense, donner son avis. *Les conseillers municipaux se sont prononcés contre le projet de parking.*

Prononcer un discours, c'est le dire en public.

Cependant, en entendant la peine prononcée par l'émir, Michel Strogoff ne faiblit pas *(Michel Strogoff).*

Compare *annoncer, dénoncer, prononcer* : on **dit** quelque chose.

Les gens qui zézayent ont un défaut de prononciation.

▸ **prononciation** n. f. Manière dont un mot, un son est prononcé. *« Eau » et « haut » ont la même prononciation.*

Certains journaux donnent les pronostics des courses de chevaux.

pronostic n. m.
Opinion que l'on donne sur ce qui va arriver ; vois ***prévision.*** *Sylvain pensait qu'Alex aurait son bac : il s'était trompé dans ses pronostics.*

Pronostiquer une chose, c'est l'annoncer, la prévoir, en faire le pronostic.

La propagande est une sorte de publicité.

propagande n. f.
Action menée pour influencer, faire partager des idées. *Les partis politiques font de la propagande avant les élections.*

Famille de **propager**

Conjugaison 3 ▭ Indic. présent : *nous propageons.* Imparfait : *je propageais.*

propager v.
1. *Propager une nouvelle,* c'est la faire connaître, la répandre. *Le journal local a propagé une fausse nouvelle.* **2.** *Se propager,* c'est se répandre. *L'incendie s'est rapidement propagé aux bâtiments voisins.*

On *propage* aussi *des idées.*

La vitesse de propagation du son est de 340 mètres par seconde.

▸ **propagation** n. f. *La propagation de l'incendie a été très rapide,* l'incendie s'est propagé rapidement.

Autre membre de la famille : **propagande.**

Le propane vient du pétrole.

propane n. m.
Gaz dont on se sert pour chauffer. *Pierre Séverac a changé la bouteille de propane de la cuisinière.*

Attention à l'accent grave du ***è*** dans *prophète* et à l'accent aigu du ***é*** dans *prophétesse* !

prophète n. m., **prophétesse** n. f.
Personne qui prédit l'avenir au nom de Dieu ; vois ***devin.*** *Isaïe, Jérémie, Ézéchiel et Daniel sont les grands prophètes de la Bible. Mahomet est le prophète des musulmans.*

Nul n'est prophète en son pays (proverbe).

Attention à l'accent aigu du *é* !

▸ ***prophétie*** n. f. Ce qui est annoncé par les personnes qui prédisent l'avenir ; vois ***prédiction.*** *Mme Hespel ne croit pas aux prophéties des voyantes.*

Prophétie [pʀɔfesi] rime avec *scie.*

C'est une terre propice aux rébellions que cette terre sibérienne *(Michel Strogoff).*

propice adj.
Favorable. *Le climat de la région est propice à la santé. Attendons le moment propice pour agir ;* vois ***opportun.***

Le contraire de *propice,* c'est *néfaste.*

Famille de **portion**

Delphine peignit le cheval avec, à ses pieds, un coq réduit à de justes proportions *(les Contes du Chat perché).*

proportion n. f.
1. *Les proportions d'un objet,* ce sont ses dimensions les unes par rapport aux autres. *La maison a de belles proportions.* **2.** Quantité d'une chose par rapport à un ensemble. *La proportion de sucre dans le quatre-quarts est d'un quart.* **3.** *La méchanceté de Mme Harpie a pris des proportions considérables,* elle a pris une importance considérable, elle est devenue très grande.

Celle des œufs, du beurre et de la farine aussi.

Attention ! deux *n* dans *proportionné* et *proportionnel.* Compare : *proportion → proportionnel* et *exception → exceptionnel.*

▸ ***proportionné*** adj. *La punition était proportionnée à la faute,* elle était en rapport avec la faute.

Un athlète *bien proportionné* a de belles proportions.

▸ ***proportionnel*** adj. *La taille des enfants est proportionnelle à leur âge,* elle est en rapport avec leur âge, elle change avec leur âge.

Mon innocent propos n'avait servi que de prétexte, d'occasion à une crise longuement mûrie *(le Lion).*

propos n. m.
1. Chose que l'on dit ; vois ***parole.*** *Mme Harpie et Mme Roussel échangent des propos injurieux.* **2.** *La directrice de l'école a envoyé une circulaire aux parents d'élèves à propos de la classe de neige,* au sujet de la classe de neige. *M. Bellec se met en colère à tout propos,* pour un rien. **3.** *Ah ! je te cherchais, tu arrives à propos !,* à point, au bon moment. **4.** But que l'on se fixe, intention. *Mon propos était de vous convaincre.*

Conjugaison 1

Cette ville, la ville des éléphants, je vous propose de l'appeler Célesteville *(Babar).*

▸ ***proposer*** v. **1.** Présenter, offrir. *Antoine a proposé son manteau à Marie-Tévy qui avait froid. Yasmina a proposé à sa mère de faire les courses.* **2.** *Les Bellec se proposent de visiter l'Espagne l'année prochaine,* ils ont l'intention de visiter l'Espagne.

Viens jouer avec moi, lui proposa le petit prince. Je suis tellement triste... *(le Petit Prince).*

Compare : *proposer → proposition* et *opposer → opposition.*

▸ ***proposition*** n. f. **1.** *Faire une proposition à quelqu'un,* c'est lui proposer quelque chose. *Hippolyte a fait à Angèle la proposition d'aller au cinéma.* **2.** Vois l'encadré ci-dessous.

Autres membres de la famille : **avant-propos, à-propos.**

la proposition

■ Une **proposition** est un morceau de phrase qui contient un verbe. Certaines phrases ne contiennent qu'une seule proposition que l'on appelle **proposition indépendante :**

Le vent souffle.

■ Une phrase peut contenir plusieurs propositions indépendantes :

Le vent souffle, les toits s'envolent.

Elle peut contenir une **proposition principale** et des **propositions subordonnées** qui dépendent de la principale :

subordonnée | principale

Lorsque le vent souffle, | *les toits s'envolent.*

Dans cet exemple, la proposition subordonnée est introduite par la conjonction *lorsque.* Elle est complément de la proposition principale *les toits s'envolent.* C'est un complément de phrase. On l'appelle une **proposition circonstancielle.**

principale | subordonnée

Ronan dit | *que le vent souffle.*

La subordonnée est introduite par la conjonction *que.* Elle est complément du verbe *dire.* C'est une **proposition complétive.**

principale | subordonnée

Yves regarde les toits | *qui s'envolent.*

La subordonnée est introduite par le pronom relatif *qui.* Elle est complément du nom *toits.* C'est une **proposition relative.**

① ***propre*** adj.
Qui n'a aucune trace de poussière, de saleté ; vois ***impeccable, net.*** *Yves a les mains propres, il vient de les laver.*

Le contraire de *propre,* c'est *sale.*

Le contraire de *proprement,* c'est *salement.*

▸ ① **proprement** adv. D'une manière propre. *Martin ne mange pas encore proprement.*

Il n'a que six mois.

▸ **propreté** n. f. *Ces trottoirs sont d'une grande propreté,* ils sont très propres.

Autre membre de la famille : **malpropre.**

② **propre** adj. et n. m.

▭ **adj. 1.** Qui appartient à une personne et non à une autre. *Je l'ai vu de mes propres yeux,* de mes yeux à moi. *Angèle est venue par ses propres moyens,* en se débrouillant seule. **2.** *L'insouciance est un défaut propre à la jeunesse,* particulier à la jeunesse. **3.** *Un nom propre,* c'est un nom qui ne désigne qu'une seule personne ou une seule chose. *« Lyon » est un nom propre ; « lion » est un nom commun.* **4.** *Le sens propre d'un mot,* c'est son premier sens. *Un « ours », au sens propre, est un animal ; au sens figuré, c'est un homme sauvage, impoli.* **5.** *La cave est propre à faire une salle de jeux,* elle convient pour cela.

Le contraire de *propre,* c'est *figuré.*

Le contraire de *propre,* c'est *impropre.*

▭ **n. m.** *Le rire est le propre de l'homme,* la qualité, la chose qui lui est particulière.

Proprement dit : au sens exact, au sens propre.

▸ ② **proprement** adv. *À proprement parler,* en appelant les choses par leur nom exact. *Cette maison n'est pas à proprement parler un taudis, mais elle est quand même très sale.*

▸ **propriété** n. f. **1.** *Pierre Séverac a l'entière propriété de sa ferme,* elle est entièrement à lui, il en est totalement propriétaire. **2.** Belle maison avec un grand jardin. *M. Doucet a une propriété de famille à la campagne.* **3.** Qualité qui caractérise les choses d'une espèce. *L'eau a la propriété de bouillir à cent degrés.*

▸ **propriétaire** n. m. et f. Personne qui possède quelque chose. *M. Bellec a trouvé une veste dans son restaurant ; il attend que son propriétaire vienne la rechercher. Les Séverac sont propriétaires de leur maison.*

Autres membres de la famille : **amour-propre, approprié, s'approprier, copropriété, copropriétaire, exproprier, impropre.**

Conjugaison 1

propulser v.

Faire avancer en poussant. *L'avion est propulsé par des moteurs à réaction.*

Compare *propulser* et *expulser* : il s'agit de **pousser.**

Les pattes, les ailes, les nageoires servent à la propulsion des animaux.

▸ **propulsion** n. f. *La force de propulsion,* c'est la force, la poussée qui permet de faire avancer. *Le « Redoutable » est un sous-marin à propulsion nucléaire,* qui avance grâce à l'énergie nucléaire.

Conjugaison 39, comme *écrire*
▭ Indic. présent : *je proscris, nous proscrivons.*
Passé simple : *je proscrivis.*
Futur : *je proscrirai.*

proscrire v.

1. *Proscrire quelqu'un,* c'est le chasser de son pays ; vois ***bannir, exiler.*** *Les révolutionnaires ont été proscrits.* **2.** Interdire. *La religion musulmane proscrit l'alcool.*

Ne confonds pas *proscrire* et *prescrire.*

Le contraire de *proscrire,* c'est *autoriser.*

prose n. f.

Façon de parler ou d'écrire ordinaire, sans faire de vers. *Les romans sont écrits en prose.*

Compare *prospecter* et *inspecter* : il s'agit de **regarder.**

prospecter v.

Prospecter le sol, c'est l'étudier pour y chercher des richesses naturelles. *Des ingénieurs prospectent le désert pour y trouver du pétrole.*

Conjugaison 1

▸ **prospection** n. f. Recherche effectuée dans le sol pour y trouver des richesses naturelles. *La prospection a permis de découvrir un nouveau gisement de pétrole.*

Les compagnies pétrolières font de la prospection sous les mers.

Prononce le ***s*** de la fin. *Prospectus* [prɔspɛktys] rime avec *puce.*

prospectus n. m.

Papier sur lequel est imprimée une publicité. *Mme Hespel a trouvé de nombreux prospectus dans sa boîte à lettres.*

Attention ! ***è*** dans *prospère* ; mais ***é*** dans *prospérer* et *prospérité.*

prospère adj.

Riche, opulent. *Motbourg se trouve dans une région prospère. Le magasin de Mme Harpie est prospère,* il marche bien ; vois ***florissant.***

Conjugaison 6

▸ **prospérer** v. Devenir prospère, de plus en plus riche. *Le restaurant Bellec prospère,* il marche bien, il se développe.

Le contraire de *prospérer,* c'est *péricliter.*

▸ **prospérité** n. f. Richesse, opulence. *Le restaurant Bellec est en pleine prospérité,* il est prospère, il marche bien.

Conjugaison 1

se prosterner v.
S'incliner très bas pour marquer son respect. *Le prêtre se prosterne devant l'autel.*

prostré adj.
Abattu, accablé. *Sophie Pelletier demeura prostrée à l'annonce de la mort de sa mère.*

protagoniste n. m. et f.
Personne qui joue un rôle important dans une affaire, dans un drame ; vois ***héros.*** *La France et l'Angleterre furent les protagonistes de la guerre de Cent Ans.*

Antoine est un grand, il a 8 ans !

protecteur n. m. et adj., **protectrice** n. f. et adj.
1. n. Personne qui protège, défend les autres. *Dans la cour de récréation, Antoine s'est fait le protecteur des petits* ; vois ***défenseur.*** **2.** adj. *La Société protectrice des animaux,* c'est un organisme qui protège les animaux contre les mauvais traitements. *La Société protectrice des animaux recueille les animaux perdus.*

C'est la S. P. A., qui a été fondée à Londres en 1824.

protection n. f.
1. *Prendre quelqu'un sous sa protection,* c'est le protéger. *Dans la cour de récréation, Antoine prend les petits sous sa protection.* **2.** Chose qui sert à protéger. *Les vêtements de ski sont une bonne protection contre le froid.*

Conjugaison 3 et 6
▭ Indic. présent : *je protège, nous protégeons.*
Imparfait : *je protégeais.*
Futur : *je protégerai.*

protéger v.
1. *Protéger quelqu'un,* c'est le défendre d'une agression, d'un danger. *Antoine protège les petits dans la cour de récréation.* **2.** Mettre à l'abri. *Les lunettes de soleil protègent les yeux du soleil. Un parapluie protège de la pluie.*

L'ombre, redevenue épaisse, protégeait de nouveau le radeau *(Michel Strogoff).*

protéine n. f.
Substance nourrissante contenue dans la viande, le poisson, les œufs. *La viande est un aliment riche en protéines.*

En France, les protestants ont été persécutés pendant les guerres de religion, jusqu'à la signature de l'édit de Nantes par Henri IV en 1598.

protestant n. m., **protestante** n. f.
Chrétien qui appartient à la religion réformée et qui ne reconnaît pas l'autorité du pape. *Les protestants assistent au culte dans un temple.* — adj. *Il est de religion protestante.*

Il y a environ 350 millions de protestants dans le monde.

▸ ***protestantisme*** n. m. Religion des protestants. *Le protestantisme est apparu au XVIe siècle avec l'opposition de Luther et de Calvin au pape.*

On l'appelle aussi : *religion réformée.*

Conjugaison 1

protester v.
1. Déclarer avec force que l'on n'est pas d'accord. *Personne n'a protesté contre l'exclusion de l'école de Colle et Rat,* personne ne s'y est opposé. **2.** Affirmer. *Le cambrioleur protestait de son innocence,* il affirmait qu'il était innocent.

Michel Strogoff ne protesta pas. Il ne fit pas entendre une plainte *(Michel Strogoff).*

Compare : *protester → protestation* et *attester → attestation.*

▸ ***protestation*** n. f. **1.** Manifestation de désaccord. *La décision de la directrice de l'école n'a entraîné aucune protestation,* personne n'a protesté. **2.** Déclaration, manifestation. *Je ne crois pas beaucoup à ses protestations d'amitié.*

Le contraire de *protestation,* c'est *approbation.*

Une *prothèse dentaire* est une fausse dent ou un appareil remplaçant plusieurs dents.

prothèse n. f.
Appareil qui remplace un membre ou un organe. *On a amputé le soldat d'une jambe et on lui a mis une prothèse.*

Attention ! un ***h*** après le ***t***.

Le *chef du protocole* veille à ce que le protocole soit bien respecté.

protocole n. m.
Ensemble de règles que l'on doit observer dans les cérémonies et les réunions officielles ; vois ***étiquette.*** *Il faut observer le protocole quand on est reçu par la reine.*

prototype n. m.
Modèle unique d'un objet qui n'est pas encore fabriqué en série. *Le champion automobile a essayé un prototype de voiture de course.*

Famille de **type**

protubérance n. f.
Petite partie en relief ; vois ***saillie.*** *La verrue qu'a Mme Harpie sur le nez forme une protubérance.*

L'arrière du bateau, c'est la *poupe.*

proue n. f.
Avant d'un bateau. *La proue du bateau fend les vagues.*

Prononce [pʀuɛs].

prouesse n. f.
Exploit qui montre le courage, la force ou l'héroïsme de quelqu'un. *Marie-Tévy est très fière de ses prouesses à ski.*

Conjugaison 1

Va voir aussi ***preuve.***

prouver v.
1. Démontrer que quelque chose est vrai. *Le cambrioleur n'a pas pu prouver son innocence. Les bijoux qu'on a retrouvés chez le suspect prouvent qu'il est coupable.* **2.** Exprimer une chose par ses actions ou ses paroles. *Hippolyte a prouvé qu'il était courageux,* il en a fait la preuve ; vois ***montrer.***

« Le roi Babar, toi ? J'en ai entendu parler. Mais rien ne me prouve que tu dis vrai, Babar n'en serait pas là » *(Babar).*

Conjugaison 22 ▭ Indic. présent : *je proviens, nous provenons.* Imparfait : *je provenais.* Passé simple : *je provins.* Futur : *je proviendrai.*

provenir v.
1. Venir. *Ces oranges proviennent du Maroc.* **2.** Avoir son origine. *Le caviar provient des esturgeons,* on tire le caviar des esturgeons.
▸ ***provenance*** n. f. Endroit d'où vient une chose. *Ce caviar est-il de provenance russe ou iranienne ?,* vient-il d'U. R. S. S. ou d'Iran ? *L'avion en provenance de Rome aura quinze minutes de retard.*

Famille de **venir**

Compare : *provenir* → *provenance* et *soutenir* → *soutenance.*

Va voir aussi ***dicton, maxime.***

proverbe n. m.
Phrase qui exprime une vérité générale, un conseil de sagesse. *« Un tiens vaut mieux que deux tu l'auras » est un proverbe.*
▸ ***proverbial*** adj. Bien connu. *Le courage des pompiers est proverbial.*

Au masculin pluriel : *proverbiaux.*

Compare : *proverbe* → *proverbial* et *monde* → *mondial.*

Utile ! vous appelez cela utile ? Mais vous avez été une providence pour elles ; vous les avez sauvées de la mort, tirées de la misère *(les Vacances).*

providence n. f.
Sagesse de Dieu qui dirige et protège tout ce qu'Il a créé ; vois ***destin.*** *M. Bellec fait confiance à la providence pour se tirer d'affaire.*
▸ ***providentiel*** adj. *Un événement providentiel,* c'est un événement qui se produit grâce à un heureux hasard. *L'arrivée d'une patrouille de police au moment du cambriolage a été providentielle.*

Providentiel [pʀɔvidɑ̃sjɛl] rime avec *ciel.*

[...] une redoutable invasion menaçait de soustraire à l'autonomie russe les provinces sibériennes *(Michel Strogoff).*

province n. f.
1. Région, avec ses traditions et ses coutumes. *La Bretagne, la Normandie et le Poitou sont des provinces françaises.* **2.** *La province,* c'est l'ensemble de la France sans Paris et sa région. *M. Doucet s'est installé à Paris car il ne supportait plus de vivre en province.*
▸ ***provincial*** adj. De la province. *Le docteur Séverac aime beaucoup la vie provinciale.*

Compare : *province* → *provincial* et *glace* → *glacial.*

Les *provinciaux* sont les personnes qui habitent en province.

proviseur n. m.
Personne qui dirige un lycée ; vois ***directeur.*** *Des élèves très dissipés ont été convoqués par le proviseur.*

Les cavaliers s'étendirent au long de la route et se partagèrent les provisions de leurs havresacs *(Michel Strogoff).*

provision n. f.
1. Choses utiles que l'on a en réserve. *Angèle a une provision de cahiers dans une armoire de sa classe. Pierre Séverac a fait provision de bois pour l'hiver,* il a fait rentrer du bois. **2.** *Les provisions,* ce sont les choses nécessaires que l'on achète pour vivre. *Mme Hespel est allée au marché faire ses provisions ;* vois ***commission, course.*** **3.** Somme d'argent que l'on a en banque. *Il ne faut pas faire de chèque sans provision,* sans avoir assez d'argent sur son compte.

J'avais écouté l'histoire du marchand en buvant la dernière goutte de ma provision d'eau *(le Petit Prince).*

Autres membres de la famille : **approvisionner, approvisionnement.**

Omsk ne pouvait être qu'une halte provisoire pour cette cavalerie tartare *(Michel Strogoff).*

provisoire adj.
Destiné à être remplacé. *David a un appareil dentaire provisoire. Les deux pays en guerre ont signé un accord provisoire,* qui ne durera pas.
▸ ***provisoirement*** adv. Pour peu de temps. *Pendant les travaux effectués dans sa chambre, Angèle dort provisoirement dans le salon ;* vois ***momentanément.***

Le contraire de *provisoire,* c'est *définitif.*

Le contraire de *provisoirement,* c'est *définitivement.*

Conjugaison 1

provoquer v.
1. *Provoquer quelque chose,* c'est en être la cause ; vois ***causer, entraîner.*** *C'est peut-être une fuite de gaz qui a provoqué l'explosion.* **2.** *Provoquer quelqu'un,* c'est le pousser à réagir avec dureté ou violence ; vois ***exciter.*** *Colle et Rat provoquent la directrice de l'école.*
▸ ***provocateur*** n. m., ***provocatrice*** n. f. Personne qui incite les autres à la violence. *Des provocateurs ont fait dégénérer la manifestation en émeute.*

Compare : *provoquer* → *provocateur, provocation,* et *indiquer* → *indicateur, indication.*

Je ne comprends pas ton attitude, a dit Maman à Papa. Et puis, d'abord, je ne vois pas quelles sont les catastrophes que peuvent provoquer ces crayons de couleur ! Non, vraiment je ne vois pas ! *(le Petit Nicolas).*

▸ ***provocation*** n. f. *Des provocations,* ce sont des paroles et des choses que font des personnes qui provoquent. *La directrice a répondu aux provocations de Colle et Rat en les excluant de l'école.*

Compare ***proximité,*** *ap**proxim**atif* et *ap**proxim**ation* : il s'agit d'être **proche.**

proximité n. f.
1. Caractère de ce qui est près dans l'espace. *Angèle habite à proximité de l'école,* tout près de l'école. **2.** Caractère de ce qui est près dans le temps. *La proximité des vacances excite les enfants.*

Le contraire de *prudent,* c'est *imprudent.*

prudent adj.
Qui fait attention au danger. *Angèle est très prudente quand elle conduit.*

▸ ***prudemment*** adv. En faisant attention. *Angèle conduit prudemment.*

Le contraire de *prudemment,* c'est *imprudemment.*

Vous voulez dire ?... demandai-je en laissant par prudence la question inachevée *(le Lion).*

▸ ***prudence*** n. f. Qualité de celui qui prévoit les risques et les dangers et qui évite de faire des choses dangereuses. *Angèle conduit avec prudence. Le docteur Séverac a eu la prudence de se faire vacciner avant d'aller en Afrique.*

Autres membres de la famille : **imprudent, imprudemment, imprudence.**

prune n. f.
Petit fruit de forme ronde ou allongée, à chair juteuse et sucrée et contenant un noyau. *Mamie Lou a fait une tarte aux prunes.*

Les mirabelles, les quetsches, les prunelles et les reine-claudes sont des prunes.

Les prunes poussent sur un *prunier.*

▸ ***pruneau*** n. m. Prune séchée, de couleur noire. *M. Bellec prépare un lapin aux pruneaux.*

Les pruneaux d'Agen sont célèbres.

▸ ① ***prunelle*** n. f. Petite prune bleu foncé. *Les prunelles servent à faire de l'eau-de-vie.*

Les prunelles sont mûres aux premières gelées.

Les prunelles poussent sur un *prunellier.*

② ***prunelle*** n. f.
Petit rond noir au centre de l'œil ; vois ***pupille.*** *Mme Harpie tient à son magot comme à la prunelle de ses yeux,* elle y tient beaucoup.

Les rayons lumineux passent par la prunelle.

Compare *pseud**onyme**,* ***anonyme*** et *hom**onyme*** : dans ces mots, il s'agit de **noms.**

pseudonyme n. m.
Faux nom que l'on choisit pour cacher son identité. *Pendant la guerre, M. Bonnot avait pris le pseudonyme de Leduc.*

Michel Strogoff voyage sous le pseudonyme de Nicolas Korpanoff *(Michel Strogoff).*

Attention aux deux ***y*** dans *psychanalyse, psychanalyser* et *psychanalyste* !

Famille de **analyse**

psychanalyse n. f.
Méthode qui permet de soigner certains troubles psychologiques en faisant parler le malade de choses graves qu'il avait peut-être oubliées. *Freud est le fondateur de la psychanalyse.*

Prononce [k] le ***ch*** dans *psy**ch**analyse* [psikanaliz], *psy**ch**analyser* [psikanalize] et *psy**ch**analyste* [psikanalist].

Conjugaison 1

▸ ***psychanalyser*** v. *Psychanalyser une personne,* c'est, pour le psychanalyste, la faire parler en l'écoutant dans le but de la soigner. *Elle s'est fait psychanalyser.*

Compare *psy**ch**analyste* et *psy**ch**iatre* : dans ces mots, il s'agit de l'**esprit.**

▸ ***psychanalyste*** n. m. et f. Personne qui soigne par la psychanalyse. *Une jeune psychanalyste s'est installée à Motbourg.*

Certains psychanalystes sont médecins.

Prononce [k] le ***ch*** dans *psy**ch**iatre* [psikjatʀ] et *psy**ch**iatrique* [psikjatʀik].

psychiatre n. m. et f.
Médecin qui s'occupe des maladies mentales. *L'accusé a été examiné par un psychiatre.*

Compare *psych**iatre*** et *péd**iatre*** : dans ces mots, il s'agit de **soigner.**

▸ ***psychiatrique*** adj. *Un hôpital psychiatrique,* c'est un hôpital où l'on soigne les malades mentaux. *Elle a été internée dans un hôpital psychiatrique.*

Autrefois, on internait les malades mentaux dans des asiles.

Prononce [k] le ***ch*** dans *psy**ch**ologie* [psikɔlɔʒi], *psy**ch**ologique* [psikɔlɔʒik] et *psy**ch**ologue* [psikɔlɔg].

psychologie n. f.
1. Étude de ce qui se passe dans l'esprit. *Sophie Pelletier s'intéresse à la psychologie de l'enfant.* **2.** Qualité d'une personne qui comprend les sentiments et les attitudes des autres et peut prévoir leurs réactions. *Angèle a beaucoup de psychologie ;* vois ***intuition.*** *Mme Harpie manque de psychologie.*

Vous avez, je vois, quelques ennuis avec la discipline, a dit l'inspecteur à la maîtresse, il faut user d'un peu de psychologie élémentaire *(le Petit Nicolas).*

Le contraire de *psychologique,* c'est *physique.*

▸ ***psychologique*** adj. *Marie-Tévy a des problèmes psychologiques,* dans son esprit.

Compare : *psychologie* → *psychologique, psychologue* et *archéologie* → *archéologique, archéologue.*

▸ ***psychologue*** n. m. et f. et adj. **1.** n. m. et f. Personne spécialiste de psychologie. *Quand un élève a des problèmes en classe, on fait appel à un psychologue scolaire.* **2.** adj. Qui comprend les autres et prévoit leurs réactions. *M. Bellec n'est pas très psychologue, il dit souvent des choses vexantes.*

Famille de **puer**

puanteur n. f.

Très mauvaise odeur. *Quelle puanteur dans le local où sont rangées les poubelles !*

puberté n. f.

L'âge de la puberté varie selon les pays, en raison, principalement, de l'alimentation et du climat.

Ensemble des transformations du corps et de l'esprit qui se produisent lors du passage de l'enfance à l'adolescence. *Au moment de la puberté, la voix des garçons devient plus grave et les seins des filles commencent à se développer.*

public adj. et n. m.

Au féminin : *publique.*

Les *jardins publics*, les cafés, les salles de spectacle sont des lieux *publics*.

▭ **adj. 1.** *L'intérêt public,* c'est l'intérêt de tous ; vois ***commun, général.*** *La construction d'un nouveau gymnase est une réalisation d'intérêt public.* **2.** Ouvert à tous. *On entre gratuitement dans un jardin public. La vente est publique,* tout le monde peut y assister.

▭ **n. m. 1.** L'ensemble de la population. *Le musée est ouvert au public de neuf heures à dix-sept heures,* à tous. **2.** *Le livre de Sophie Pelletier a touché un vaste public,* beaucoup de gens. *Le public a applaudi le chanteur,* les spectateurs ; vois ① ***assistance.*** **3.** *Le docteur Séverac a pris la parole en public,* devant un certain nombre de personnes réunies.

Interdit au public : défense d'entrer.

Autre membre de la famille : **publiquement.**

Famille de **publier**

publication n. f.

1. Le fait de faire connaître à tous. *La télévision a donné le résultat du vote dès sa publication,* dès qu'il a été annoncé, publié. **2.** *Les journaux ont parlé du livre de Sophie Pelletier à sa publication,* quand il a été publié ; vois ***parution.*** **3.** Texte publié. *Le docteur Séverac est abonné à des publications scientifiques.*

publicité n. f.

Fernando traverse la ville en tirant [les éléphants] avec une cordelette verte. Il pense : « Bonne publicité pour le cirque » *(Babar).*

1. Art, moyen de faire connaître un produit pour mieux le vendre. *Muriel Doucet travaille dans une agence de publicité.* **2.** Image, texte, film qui sert à faire vendre un produit. *Les enfants regardent les publicités à la télévision.*

On emploie souvent l'abréviation familière : *pub* [pyb].

▸ ***publicitaire*** adj. Qui fait la publicité d'un produit. *Muriel Doucet a posé pour des photos publicitaires.*

Va voir *campagne publicitaire* à ② ***campagne.***

publier v.

Conjugaison 7
▭ Indic. présent : *je publie, nous publions.* Imparfait : *je publiais, nous publiions.* Futur : *je publierai.*

1. Annoncer en public. *Les bans sont publiés,* ils sont affichés en public. **2.** Faire paraître un texte ou un document dans un livre ou un journal ; vois ***éditer.*** *Une lettre et une photo de Julie ont été publiées dans le journal de Motbourg.*

Autre membre de la famille : **publication.**

Famille de **public**

publiquement adv.

En public. *Mme Harpie a injurié le boucher publiquement.*

Le contraire de *publiquement,* c'est *secrètement.*

puce n. f.

Certaines puces, comme celle du rat, peuvent transmettre la peste et d'autres maladies.

1. Insecte parasite de l'homme et de quelques animaux. *Claire a été piquée par une puce. L'air triste d'Antoine a mis la puce à l'oreille d'Angèle,* a fait naître ses soupçons. **2.** *Le marché aux puces,* c'est un marché où l'on vend des choses anciennes et toutes sortes d'objets d'occasion. *Hippolyte s'est acheté des chemises au marché aux puces.*

La pie au nid
La puce au lit (M. Genevoix).

Les *puces électroniques* sont de très petits éléments dans un ordinateur.

Compare : *puce → puceron* et *mouche → moucheron.*

▸ ***puceron*** n. m. Insecte parasite des plantes. *Les rosiers étaient envahis par les pucerons.*

pudding n. m.

Pudding est un mot anglais qui se prononce [pudiŋ].

Gâteau que l'on fait avec de la farine, des œufs, de la graisse de bœuf, des raisins secs et des épices. *À Noël, en Angleterre, on mange du pudding.*

On peut écrire aussi *pouding.*

pudeur n. f.

Une personne qui a de la pudeur est *pudique.*

1. Gêne qu'une personne éprouve à montrer son corps. *Par pudeur, les baigneurs changeaient de maillot en s'enveloppant dans des serviettes.* **2.** Délicatesse, discrétion. *Ayez la pudeur de vous taire devant lui.*

pudique adj.

Une personne pudique est une personne qui éprouve de la pudeur. *Les baigneurs pudiques s'enroulaient vite dans de grandes serviettes en sortant de l'eau.*

Va voir aussi ***pudeur.***

puer v.

Autre membre de la famille : **puanteur.**

Sentir très mauvais ; vois ***empester.*** *Ce champignon pue,* il a une odeur infecte.

Conjugaison 1

puéricultrice n. f.

Infirmière spécialisée dans les soins à donner aux petits enfants. *À la maternité, la puéricultrice change les bébés avec dextérité.*

Au féminin : *puérile.*

puéril adj.

Indigne d'un adulte, qui ne convient qu'à un enfant. *Hippolyte a eu une réaction puérile ;* vois ***infantile.***

Attention ! un ***t*** à la fin. Prononce [pyʒila].

pugilat n. m.

Bagarre à coups de poing. *La dispute a dégénéré en pugilat.*

Prononce [pɥi].

puis adv.

1. Après cela, dans le temps qui suit ; vois ***ensuite.*** *Antoine a mangé une pomme, puis une poire, puis une banane.* **2.** *Il y avait Antoine, Yves, Yasmina, Julie et puis Marie-Tévy,* et Marie-Tévy. *On a entendu un grand bruit et puis plus rien.*

Autres membres de la famille : **depuis, puisque.**

Conjugaison 1

Rinçant aussitôt sa cruche, elle puisa de l'eau au plus bel endroit de la fontaine *(les Fées).*

puiser v.

1. *Puiser de l'eau,* c'est tirer de l'eau. *Autrefois, Mamie Lou devait puiser l'eau au puits, dans la cour.* **2.** Prendre dans une réserve. *Sylvain a puisé dans ses économies pour offrir un cadeau à Nathalie.*

Famille de **puits**

Famille de **puis** et de **que**

Devant une voyelle ou un ***h*** muet, *puisque* devient ***puisqu'.***

puisque conjonction

Puisque indique une cause. *Puisque c'est si facile, fais-le toi-même ! Je viendrai puisqu'il le faut.*

Allons, puisque je suis un homme, il faut me conduire en homme *(le Livre de la jungle).*

Famille de ① **pouvoir**

puissant adj.

1. *Une personne puissante,* c'est une personne qui a du pouvoir, qui peut commander beaucoup de gens, décider beaucoup de choses. *Le patron de Mme Hespel est un homme riche et puissant.* **2.** Qui a de la force physique. *Loïc est un puissant athlète,* il est très fort. **3.** *Pour tirer sa caravane, M. Bellec a une voiture puissante,* qui peut tirer des charges très lourdes.

Un *remède puissant,* c'est un remède qui agit énergiquement.

Les Romains avaient une armée puissante.

▸ ***puissance*** n. f. **1.** Force, autorité d'un pays. *Rome a étendu sa puissance jusqu'en Orient.* **2.** *La puissance d'une ampoule électrique,* c'est l'intensité de la lumière qu'elle produit. *La puissance d'un appareil électrique se mesure en watts.* **3.** *Les chefs des grandes puissances se sont réunis,* des pays les plus riches et les plus forts.

Rome était au faîte de sa puissance au IVe siècle.

La *puissance d'une voiture,* c'est la force de son moteur.

puits n. m.

Autre membre de la famille : **puiser.**

Le premier puits de pétrole a été foré aux États-Unis en 1859.

1. Construction autour d'un trou profond dans le sol qui atteint une nappe d'eau souterraine. *Autrefois, Mamie Lou tirait l'eau du puits.* **2.** Trou creusé dans le sol ou le sous-sol, pour exploiter un gisement. *Les mineurs descendaient dans la mine par un puits.*

Qui a mis dans le puits
Le chat de Lucie ?
Je l'ai vu, c'est Gaston !
Viens ici, mauvais garçon !
(comptine).

Pull-over est un mot anglais qui se prononce [pulɔvœʀ] ou [pylɔvɛʀ].

pull-over n. m.

Vêtement tricoté, en laine ou en coton, qui couvre le haut du corps et qu'on enfile par la tête. *Mamie Lou tricote des pull-overs pour toute la famille.*

On dit aussi *un pull.*

Au pluriel : *des pull-overs.*

Conjugaison 1

pulluler v.

Être en très grand nombre. *Les grenouilles pullulent dans cet étang ;* vois ***grouiller.*** *Les fautes pullulent dans ce texte ;* vois ***foisonner.***

Les cavaliers tartares pullulaient *(Michel Strogoff).*

L'artère pulmonaire passe à travers les poumons.

pulmonaire adj.

Qui concerne les poumons. *La tuberculose est une maladie pulmonaire.*

pulpe n. f.

1. *La pulpe d'un fruit,* c'est sa chair. *La pulpe du raisin est très juteuse.* **2.** *La pulpe des dents,* c'est le tissu qui remplit l'intérieur des dents. *Quand une carie atteint la pulpe, c'est très douloureux.*

Conjugaison 1

pulvériser v.

1. Projeter un liquide en fines gouttelettes ; vois ***vaporiser.*** *Pierre Séverac a pulvérisé de l'insecticide sur le maïs.* **2.** Détruire complètement, réduire en petits morceaux ou en poussière. *L'explosion a pulvérisé la cabine téléphonique.*

Compare : *pulvériser* → *pulvérisateur* et *vaporiser* → *vaporisateur.*

▸ ***pulvérisateur*** n. m. Appareil qui sert à projeter un liquide en fines gouttelettes ; vois ***atomiseur, vaporisateur.*** *Pierre Séverac remplit d'insecticide le pulvérisateur.*

On l'appelle aussi *couguar.*

puma n. m.
Animal sauvage d'Amérique, de la famille des félins comme le chat, qui vit en solitaire. *Sa queue lui servant de balancier, le puma poursuit les singes dans les arbres. Le puma a un poil long ou un poil court, selon la région où il vit.*

Un puma peut atteindre 1,35 m de long et peser 100 kg.

Ces mammifères communiquent entre eux par une sorte de sifflement aigu et ils peuvent vivre 15 ans.

① **punaise** n. f.
Petit insecte plat qui sent très mauvais et suce le sang. *Les punaises se cachent dans les fentes des planchers et des meubles.*

Les punaises ne transmettent pas de maladie.

Les punaises des bois sont vertes.

② **punaise** n. f.
Petit clou à tête plate et à pointe courte. *Angèle a fixé des dessins au mur avec des punaises.*

Punch [pɔ̃ʃ] rime avec *bronche.*

① **punch** n. m.
Boisson à base de rhum et de citron. *Hippolyte a rapporté du punch de la Martinique.*

Le punch peut se boire chaud ou froid.

Punch [pœnʃ] rime avec *lunch.*

② **punch** n. m.
Capacité d'un boxeur à porter des coups secs et efficaces. *Le boxeur a perdu son match car il manquait de punch.*

On dit d'une personne dynamique qu'*elle a du punch.*

Conjugaison 2

Le contraire de *punir,* c'est *récompenser.*

punir v.
Punir une personne, c'est lui infliger quelque chose de désagréable parce qu'elle a mal agi ou qu'elle s'est mal conduite. *Angèle, l'institutrice, a puni Colle et Rat : elle les a privés de récréation.*

Vous serez punies. Défense de jouer et au pain sec ! *(les Contes du Chat perché).*

▸ ***punition*** n. f. Ce que l'on fait subir à une personne punie. *Pour leur punition, Colle et Rat ne sont pas allés en récréation. Angèle a donné comme punition de conjuguer le verbe « savoir » à tous les temps de l'indicatif.*

Le contraire de *punition,* c'est *récompense.*

Autre membre de la famille : **impuni.**

Prononce [pypil] ou [pypij].

① **pupille** n. m. et f.
Enfant orphelin ou abandonné qui est pris en charge par un tuteur. *Les biens du pupille sont gérés par son tuteur.*

Prononce [pypil] ou [pypij].

② **pupille** n. f.
Partie noire au milieu de l'œil ; vois ***prunelle.*** *Dans le noir, la pupille s'agrandit.*

pupitre n. m.
Petite table inclinée sur laquelle on pose un livre, une partition de musique. *Le chef d'orchestre a posé sa partition sur son pupitre.*

À l'Assemblée nationale, les députés ont des pupitres.

pur adj.
1. Qui n'est mélangé à rien d'autre. *Mme Séverac a un pull en pure laine,* en laine non mélangée. *M. Bellec boit son vin pur,* sans eau. **2.** Non pollué. *L'eau de la rivière est pure,* elle est bonne à boire ; vois ***clair.*** *À la campagne, l'air est pur.* **3.** *Pour une fois, Antoine a dit la pure vérité,* la stricte vérité.

Confiture pur sucre, pur fruit.

Le contraire de *pur,* c'est *impur.*

Il vint respirer, sur un large balcon, cet air pur que distillait une belle nuit de juillet *(Michel Strogoff).*

Compare : *pur* → *purement, pureté* et *dur* → *durement, dureté.*

▸ ***purement*** adv. Uniquement. *M. Doucet a suivi des études purement scientifiques. Mme Harpie a refusé purement et simplement de nous recevoir chez elle,* sans explication.

▸ ***pureté*** n. f. *Ce diamant est d'une grande pureté,* il est sans défaut. *Cette eau est d'une pureté incomparable ;* vois ***limpidité.***

Autres membres de la famille : **épurer, épuration, impur, impureté, purifier, pur-sang.**

Si l'on dit seulement *de la purée,* c'est de la purée de pommes de terre.

purée n. f.
Légumes bouillis et écrasés. *M. Bellec a fait une purée de céleri pour accompagner le rôti.*

Les bébés, qui n'ont pas de dents, mangent des purées.

purgatoire n. m.
Dans la religion catholique, lieu où, après la mort, les âmes expient leurs péchés avant d'aller au paradis. *Prions pour les âmes qui sont au purgatoire.*

Les protestants ne croient pas à l'existence du purgatoire.

Conjugaison 3 ▭ Indic. présent : *je purge, nous purgeons.* Imparfait : *je purgeais.* Futur : *je purgerai.*

purger v.
1. Vider de son contenu. *Il faut purger les conduites d'eau en temps de gel* ; vois ***vidanger.*** **2.** Donner un produit qui lutte contre la constipation. *L'infirmière a purgé le malade. — Le chat s'est purgé en mangeant de l'herbe.* **3.** *Purger une peine,* c'est la subir. *Les cambrioleurs ont purgé une peine de trois ans de prison,* ils ont fait trois ans de prison.

Ma commère, il vous faut purger
Avec quatre grains d'ellébore
(La Fontaine).

▸ ***purge*** n. f. **1.** Évacuation d'un gaz ou d'un liquide qui empêche un appareil de bien fonctionner. *Le robinet de purge du radiateur fuit.* **2.** Médicament qui lutte contre la constipation. *Mamie Lou a pris une purge.*

Conjugaison 7 ▭ Indic. imparfait : *nous purifiions.*

purifier v.
Rendre pur, enlever les impuretés. *Sophie Pelletier a ouvert la fenêtre pour purifier l'air.*

Famille de **pur**

Le purin sent très mauvais.

purin n. m.
Liquide qui s'écoule du fumier. *Le purin est un excellent engrais.*

Au pluriel : *des pur-sang.*

pur-sang n. m. invariable
Cheval de course de pure race. *Le jockey montait un pur-sang à la robe pommelée.*

Famille de **pur** et de **sang**

Compare ***purulent*** et ***suppurer*** : il s'agit de **pus.**

purulent adj.
Qui produit ou contient du pus. *Il faut désinfecter cette plaie purulente.*

Pus [py] rime avec *trapu.*

pus n. m.
Liquide jaunâtre qui contient des microbes et qui se forme aux endroits infectés. *Mme Harpie avait un bouton plein de pus sur le nez.*

Va voir aussi ***purulent.***

pustule n. f.
Bouton plein de pus. *La variole se manifeste par la formation de pustules.*

Putois [pytwa] rime avec *toit.* Le putois est un mammifère qui a cinq ou six petits par an.

putois n. m.
Petit animal sauvage à fourrure brune, qui sent très mauvais. *Les putois se nourrissent de petits rongeurs, d'oiseaux, de lézards et de grenouilles.*

Un putois mesure environ 60 cm de long.

putréfaction n. f.
Pourriture. *On a trouvé dans la cuve un rat en état de putréfaction,* en train de se décomposer.

Compare ***putride*** et ***imputrescible*** : dans ces mots, il s'agit de **pourrir.**

putride adj.
Une odeur putride, c'est une odeur de pourriture. *Une odeur putride se dégage de la poubelle.*

Attention à l'orthographe ! Prononce [putʃ].

putsch n. m.
Coup d'État. *Un putsch militaire a renversé le gouvernement.*

Au pluriel : *des putschs.*

Attention aux deux ***z*** ! Prononce [pœzl] ou [pyzl].

puzzle n. m.
Jeu composé de morceaux que l'on doit assembler pour faire un dessin. *Claire aime beaucoup faire des puzzles.*

C'est un jeu de patience.

Attention au ***y*** !
On peut écrire aussi : il est *en pyjamas.*

pyjama n. m.
Vêtement de nuit composé d'une veste et d'un pantalon. *Sylvain dort en pyjama. M. Bellec est en pyjama.*

La vieille dame a donné une chemise à Céleste et un pyjama à Babar *(Babar).*

Attention au ***y*** et n'oublie pas l'accent circonflexe du ***ô*** !

pylône n. m.
Poteau en fer ou en béton, soutenant des échafaudages, des lignes électriques ou des câbles. *La voiture est rentrée dans un pylône électrique.*

Attention à la place du ***y*** et du ***i*** dans *pyramide* !

pyramide n. f.
Objet ou monument dont la base est un carré et les quatre faces sont des triangles. *Les tombeaux des pharaons étaient des pyramides.*

Les pyramides d'Égypte comptent parmi les sept merveilles du monde.

Attention au ***y*** !

pyromane n. m. et f.
Personne qui allume des incendies par plaisir ; vois ***incendiaire.*** *L'incendie de la poste est accidentel, ce n'est pas l'œuvre d'un pyromane.*

Attention au ***y*** et au ***h*** !

python n. m.
Très grand serpent d'Afrique et d'Asie, non venimeux, qui broie les animaux dont il se nourrit en les serrant entre ses anneaux. *Certains pythons peuvent mesurer dix mètres et s'attaquent à des chiens, des antilopes et des cochons.*

[Baloo et la Panthère] partirent ensemble à la recherche de Kaa, le Python de Rocher
(le Livre de la jungle).

quadragénaire n. m. et f.
Personne qui a entre quarante et cinquante ans. *Mme Hespel est une quadragénaire.* — adj. *Elle est quadragénaire.* Elle a 45 ans.

quadrige n. m.
La course de quadriges était une épreuve des jeux Olympiques.
Char antique à deux roues, tiré par quatre chevaux. *Les courses de quadriges faisaient partie des jeux du cirque à Rome.*

Compare *quadrilatère* et ***latéral*** : dans ces mots, il s'agit des **côtés.**
quadrilatère n. m.
Figure géométrique qui a quatre côtés. *Le carré, le losange, le rectangle, le parallélogramme sont des quadrilatères.*

quadrille n. m.
Danse que l'on dansait autrefois, à plusieurs couples. *Le quadrille se composait de cinq figures.* Le quadrille était à la mode au XIXe siècle.

Conjugaison 1
quadriller v.
1. Tracer des lignes droites qui se coupent perpendiculairement en formant des carreaux. *La maîtresse a quadrillé le tableau noir pour reproduire une grille de mots croisés.* **2.** *Quadriller un endroit,* c'est le diviser en secteurs pour le surveiller. *La police a quadrillé le quartier pour empêcher les cambrioleurs de s'enfuir.*
▸ ***quadrillé*** adj. *Du papier quadrillé,* c'est du papier à carreaux. *On apprend à écrire sur du papier quadrillé.*
▸ ***quadrillage*** n. m. **1.** Dessin formé de carreaux. *Sylvain écrit sur du papier à petit quadrillage,* qui a de petits carreaux. **2.** *Le commissaire de police a ordonné le quadrillage du quartier,* la division du quartier en secteurs pour pouvoir en assurer le contrôle.

quadrimoteur n. m.
Avion qui a quatre moteurs. *Les quadrimoteurs sont des avions puissants.* Famille de ① **moteur**

Compare *quadrupède* et ***pédestre*** : il s'agit de **pied.**
quadrupède adj.
Qui a quatre pattes. *Les chiens, les dromadaires sont quadrupèdes.* — n. m. *Le chat est un quadrupède.*

quadruple n. m. et adj.
1. n. m. *Le quadruple d'un nombre,* c'est le produit de ce nombre multiplié par quatre. *Quatre-vingts est le quadruple de vingt.* **2.** adj. *Mme Hespel a fait taper son rapport en quadruple exemplaire,* en quatre exemplaires.

$20 \times 4 = 80$.

Conjugaison 1

▸ **quadrupler** v. Multiplier par quatre. *Pierre Séverac a quadruplé sa récolte de tabac grâce à de nouveaux engrais.*

On peut dire aussi que *la récolte de tabac a quadruplé.*

quai n. m.

En arrivant en avance, nous trouverons le quai vide et nous éviterons les bousculades et la confusion, a dit Maman *(le Petit Nicolas).*

1. Plate-forme longeant une voie ferrée. *Les voyageurs se pressaient sur le quai du métro.* **2.** Dans un port, plate-forme aménagée au bord de l'eau et où les bateaux peuvent accoster. *Le paquebot est amarré le long du quai.* **3.** Route qui borde un cours d'eau. *Les Doucet aiment se promener le long des quais de la Seine.*

Le *ticket de quai* donne accès au quai.

On dit aussi qu'il est *à quai.*

Conjugaison 7 ▭ Indic. imparfait : *nous qualifiions.*

qualifier v.
1. Désigner, caractériser par un mot, une expression. *Le maire a qualifié d'héroïque l'attitude des pompiers lors de l'incendie de la poste. L'adjectif qualifie le nom.* **2.** *Être qualifié pour faire un travail,* c'est avoir les qualités, les capacités pour le faire. *Mme Hespel est qualifiée pour le poste qu'elle occupe.* **3.** *Se qualifier,* c'est pouvoir participer à une épreuve sportive. *L'équipe de football de David s'est qualifiée pour le match final.*

Va voir aussi ***qualificatif.***

Compare : *qualifier → qualificatif, qualification* et *signifier → significatif, signification.*

▸ **qualificatif** adj. et n. m. **1.** adj. *Un adjectif qualificatif,* c'est un adjectif qui caractérise, qualifie un nom. *« Courageux », dans « le pompier a été courageux » est un adjectif qualificatif.* **2.** n. m. Mot ou groupe de mots servant à qualifier, à apprécier. *Le maire a désigné les pompiers par les qualificatifs les plus élogieux.*

Au féminin : *qualificative.*

Elle a une grande *qualification professionnelle.*

▸ **qualification** n. f. **1.** *Mme Hespel a toutes les qualifications nécessaires pour le poste de direction qu'elle occupe,* elle est tout à fait qualifiée pour cela. **2.** *L'équipe de football de David a gagné le match de qualification pour la finale,* le match qui l'a qualifiée pour la finale.

Autres membres de la famille : **disqualifier, disqualification, inqualifiable.**

qualité n. f.

M. Bellec est restaurateur.

Le contraire de *qualité,* c'est *défaut.*

1. *La qualité d'un produit,* c'est ce qui fait qu'il est bon ou mauvais. *À Rungis, M. Bellec n'achète que des produits de bonne qualité.* **2.** Trait de caractère auquel on attache de la valeur. *Le courage et la générosité sont des qualités.* **3.** *M. Touati s'est exprimé en qualité de délégué syndical,* en tant que délégué syndical.

On dit aussi *des produits de qualité.*

Quand [kɑ̃] se prononce [kɑ̃t] devant une voyelle : *quand il viendra.*

Va voir *quand même* à **même.**

quand adv. et conjonction
1. adv. À quel moment. *Quand Mme Roussel retournera-t-elle à Paimpol ? Depuis quand Angèle vit-elle à Motbourg ?* **2.** conjonction Lorsque, au moment où. *Quand il pleut, Julie met ses bottes et son imperméable. Yves n'aime pas quand son père se met en colère.*

Attention ! un ***d*** à la fin.

Je ne savais pas où aller, et comme j'avais entendu dire : « À quand les vacances... », je me dis : bon ! Je vais aller à Caen (R. Devos).

Ne confonds pas le *quant* de *quant à* avec *quand.*

quant à prép.
M. Bellec est originaire de Paimpol, quant à sa femme, elle est de Motbourg, pour ce qui est de sa femme, en ce qui la concerne.

Prononce [kɑ̃ta].

N'oublie pas les deux traits d'union.

▸ **quant-à-soi** n. m. invariable Réserve. *Mme Séverac reste sur son quant-à-soi avec les gens qu'elle connaît peu,* elle garde sa réserve.

Famille de **soi**

quantité n. f.
1. *Quelle quantité d'œufs faut-il pour faire ce gâteau ?,* combien en faut-il ?
2. *L'abbé Gauthier possède des quantités de livres,* de nombreux livres.
3. *Mme Séverac a des robes en quantité,* en grand nombre, beaucoup.

quarante adj. et n. m. invariable

Ali Baba suivit de l'œil les quarante voleurs jusqu'à ce qu'il les eût perdus de vue... *(les Mille et Une Nuits).*

1. adj. invariable Quatre fois dix. *M. Doucet a quarante ans. Ouvrez votre livre page quarante.* **2.** n. m. invariable Le nombre quarante. *Quarante et deux font quarante-deux.*

40 en chiffres arabes
XL en chiffres romains

Compare : *quarante → quarantaine* et *cinquante → cinquantaine.*

▸ **quarantaine** n. f. **1.** Groupe d'environ quarante personnes ou quarante choses semblables. *M. Bonnot a une quarantaine de soldats de plomb.* **2.** Âge d'environ quarante ans. *Le docteur Séverac a la quarantaine.* **3.** Isolement, dont la durée n'est pas toujours la même, que l'on impose aux voyageurs et aux marchandises pour éviter la contagion. *Le médecin du service de santé a mis le navire en quarantaine.*

Quarante et un, quarante-deux, quarante-trois...

Deux cas de peste bubonique à bord !... J'ai ordonné trois semaines de quarantaine ! *(Tintin).*

À l'origine, la quarantaine durait quarante jours.

On peut dire aussi *huit heures un quart.*

quart n. m.
Un quart, c'est une partie d'un tout divisé en quatre parties égales. *Trois est le quart de douze. Le temps a passé si vite qu'Angèle n'a pas fait le quart de ce qu'elle avait projeté. Mme Hespel part de chez elle chaque matin à huit heures et quart,* à huit heures et quinze minutes. *La bouteille est aux trois quarts pleine.*

En abrégé, on écrit 1/4.

On dit aussi : *la bouteille est pleine aux trois quarts.*

Famille de **heure**

▸ ***quart d'heure*** n. m. Durée de quinze minutes. *Il y a quatre quarts d'heure dans une heure. Hippolyte a attendu Angèle trois quarts d'heure.*

Passer un mauvais quart d'heure : passer un mauvais moment.

Je vous donne un demi-quart d'heure, reprit la Barbe-bleue, mais pas un moment davantage *(la Barbe-bleue).*

Autre membre de la famille : **quatre-quarts.**

▸ ① ***quartier*** n. m. **1.** Morceau d'une chose représentant le quart de la totalité. *Yasmina coupe sa pomme en quartiers.* **2.** Chacune des quatre phases de la Lune. *La Lune est dans son premier quartier,* seul le premier quart est éclairé par le Soleil.

Les *quartiers d'une orange,* ce sont les tranches découpées naturellement dans la pulpe.

Dans mon quartier, il y a des boulevards, des avenues... (J. Charpentier).

② ***quartier*** n. m.
Partie d'une ville. *M. Doucet habite dans le quartier de la Bastille, à Paris. L'église et le marché sont dans le même quartier de Motbourg.*

L'incendie dévorait tout le quartier de Kolyvan *(Michel Strogoff).*

Prononce [kwaʀtz].

L'améthyste est une sorte de quartz.

quartz n. m.
Roche transparente et très dure, formée de cristaux. *Dans le granit et dans les grains de sable, on trouve des cristaux de quartz.*

Une *montre à quartz* contient une lame de quartz qui vibre à l'intérieur.

Quasi [kasi] rime avec *Asie.*

Devant un nom, *quasi* s'écrit avec un trait d'union.

quasi adv.
Presque, pour ainsi dire. *Le lundi matin, on a retrouvé l'animal quasi mort de faim ;* vois ***quasiment.*** *En divorçant, M. Doucet a laissé la quasi-totalité des meubles à sa femme,* presque tous les meubles.

Ce mot ne s'emploie pas beaucoup.

▸ ***quasiment*** adv. À peu près, presque. *On a retrouvé l'animal quasiment mort de faim.*

Ce mot est un peu familier.

Le *quatorzième* vient juste après le treizième.

quatorze adj. et n. m. invariable
1. adj. invariable Dix plus quatre. *Antoine a mangé quatorze bonbons. Le magasin ouvre à quatorze heures,* à deux heures de l'après-midi. **2.** n. m. invariable Le nombre quatorze. *Sept et sept font quatorze.*

14 en chiffres arabes
XIV en chiffres romains

quatre adj. et n. m. invariable
1. adj. invariable Trois plus un. *Dans les pays tempérés, il y a quatre saisons. Antoine est affamé, il mange comme quatre,* il mange énormément. *Angèle s'est mise en quatre pour préparer la fête de l'école,* elle s'est donné beaucoup de mal. *Alex monte l'escalier quatre à quatre,* très vite, en montant plusieurs marches à la fois. **2.** n. m. invariable Le nombre quatre. *Quatre et un font cinq.*

Deux et deux font quatre
Trois et un font quatre aussi
On va pas se battre
Pour un nombre aussi petit
(A. Sylvestre).

4 en chiffre arabe
IV en chiffres romains

Ils habitent *au quatrième.*

▸ ***quatrième*** adj. et n. m. et f. **1.** adj. Qui succède au troisième. *Les Touati habitent au quatrième étage.* **2.** n. f. Classe de l'enseignement secondaire. *L'année prochaine, David entrera en quatrième.*

Famille de **quart**

Au pluriel : *des quatre-quarts.*

▸ ***quatre-quarts*** n. m. invariable Gâteau dans lequel il y a le même poids de beurre, de farine, d'œufs et de sucre. *Julie a fait toute seule un quatre-quarts pour le goûter.*

Famille de **saison**

▸ ***quatre-saisons*** n. f. invariable *Une marchande de quatre-saisons,* c'est une personne qui vend des fruits et des légumes dans une petite voiture. *« Achetez, mesdames, mes belles tomates », crie la marchande de quatre-saisons.*

On dit aussi une *marchande des quatre-saisons.*

Famille de **vingt**

Attention ! pas de ***s*** à vingt s'il est suivi d'un autre nombre : *quatre-vingt-deux, quatre-vingt-trois...*

▸ ***quatre-vingt(s)*** adj. et n. m. **1.** adj. Quatre fois vingt. *Le père de Mme Hespel a plus de quatre-vingts ans. Ouvrez votre livre page quatre-vingt,* à la quatre-vingtième page. *Yasmina a misé sur le numéro quatre-vingt,* le quatre-vingtième numéro. **2.** n. m. Le nombre quatre-vingt. *Huit multiplié par dix font quatre-vingts.*

Toujours invariable dans ce sens.

80 en chiffres arabes
LXXX en chiffres romains

Famille de **vingt** et de **dix**

90 = 9 × 10.

▸ ***quatre-vingt-dix*** adj. Neuf fois dix. *La mère de Mamie Lou a vécu jusqu'à l'âge de quatre-vingt-dix ans.*

Le *quatre-vingt-dixième* suit le quatre-vingt-neuvième.

Prononce [kwatyɔʀ].

Au pluriel : *des quatuors.*

quatuor n. m.
1. Morceau de musique écrit pour quatre instruments. *L'abbé Gauthier possède dans sa discothèque tous les quatuors à cordes de Beethoven.* **2.** Groupe de quatre musiciens qui exécutent un quatuor. *Le célèbre quatuor s'est produit hier à la Maison de la Culture de Motbourg.*

Ce mot qui vient du latin veut dire quatre.

Que est un pronom interrogatif.

Que est un pronom relatif complément.

Autres membres de la famille : **alors que, bien que, est-ce que, lorsque, parce que, puisque, quoique, quelque, quelque chose, quelquefois, quelqu'un, qu'en-dira-t-on, tandis que.**

Que est ici un adverbe exclamatif.

que pronom, conjonction et adv.

▭ **pronom 1.** *Que* est utilisé dans les interrogations. *Que se passe-t-il ?,* quelle chose ? *Que faire, maintenant ?,* quoi faire ? *Qu'est-ce que tu veux ?* **2.** *Que* est utilisé dans les subordonnées relatives et désigne une personne ou une chose. *La voiture que Denis Prost venait d'acheter est tombée en panne. Faites ce que vous pouvez.*

Loup y es-tu ? Que fais-tu ? (chanson).

▭ **conjonction 1.** *Que* introduit une subordonnée complétive. *La directrice de l'école croit que Colle et Rat finiront par se calmer. Le docteur a annoncé à Sophie Pelletier que sa mère était morte.* **2.** *Que* s'emploie dans les comparaisons. *Yves est plus grand qu'Antoine. La tarte de Mamie Lou est meilleure que celle du pâtissier.* **3.** *Que* s'emploie avec *ne. Claire n'a que cinq ans.* **4.** *Que,* suivi d'un subjonctif, exprime un ordre ou un souhait. *Que personne ne sorte !*

L'obscurité ne pouvait que favoriser dans une grande mesure les projets des fugitifs (*Michel Strogoff*).

▭ **adv.** Comme, combien. *Que cette robe va bien à Angèle ! Qu'il fait froid, ce matin ! Que c'est beau !*

Au féminin pluriel : *quelles.*

Mais ces dangers [...] ne pouvaient arrêter [...] Michel Strogoff et Nadia, décidés à les braver, quels qu'ils fussent (*Michel Strogoff*).

quel adj. et pronom

▭ **adj. 1.** adj. interrogatif *Quelle heure est-il ? Quels livres Angèle emportera-t-elle en vacances ? Je ne sais plus quel jour nous sommes.* **2.** adj. exclamatif *Quelle jolie robe, Julie ! Quel dommage qu'il pleuve !* **3.** *Quel que soit le temps qu'il fait, M. Doucet va courir au bois de Vincennes chaque matin,* par n'importe quel temps.

▭ **pronom interrogatif** *De Julie ou de Yasmina, quelle est la plus grande ?,* laquelle est la plus grande ?

Autres membres de la famille : **auquel, duquel, lequel, quelconque, quelque, quelque chose, quelquefois, quelqu'un, quelques-uns.**

Famille de **quel**

Quelconque est un adjectif indéfini.

quelconque adj.

1. *Une chose quelconque,* c'est une chose médiocre, ordinaire. *Le nouveau restaurant de Motbourg est très quelconque.* **2.** N'importe lequel. *Sous un prétexte quelconque, Hippolyte a téléphoné à Angèle.*

Un *triangle quelconque* n'a aucune propriété particulière par rapport à un autre triangle.

Famille de **quel** et de **que**

Va voir *quelque part* à **part.**

Quelque est un adjectif indéfini.

quelque adj.

1. *Depuis quelque temps, Mme Roussel va passer ses vacances à Paimpol,* depuis un certain temps. *J'ai quelque peine à te croire,* un peu de peine. **2.** *Angèle a invité quelques amis à dîner,* un petit nombre d'amis ; vois **plusieurs.**

Dans ce sens, *quelque* est au singulier.

Maintenant, dit la reine, je vais inventer quelque chose qui te fera périr (*Blancheneige*).

▸ ***quelque chose*** pronom m. *Antoine cache quelque chose dans sa main,* une chose. *Mamie Lou a préparé quelque chose de bon pour le dîner.*

Famille de **chose**

Le contraire de *quelque chose,* c'est *rien.*

Famille de **fois**

▸ ***quelquefois*** adv. Parfois, de temps en temps. *Angèle va quelquefois à la piscine avec Hippolyte.*

▸ ***quelqu'un*** pronom m. Une personne. *On entend quelqu'un jouer du piano. Mme Hespel est quelqu'un de très compétent.*

Famille de **un**

▸ ***quelques-uns*** pronom m. plur., ***quelques-unes*** pronom f. plur. Un petit nombre, plusieurs. *Quelques-uns des spectateurs sont partis avant la fin. Yves a répété à sa mère quelques-unes des histoires drôles qu'Antoine lui a racontées.*

Famille de **un**

Conjugaison 1

quémander v.

Demander en insistant. *Julie quémande de l'argent à sa mère pour s'acheter des bonbons.*

Famille de **que,** de ② **en,** de **dire** et de **on**

qu'en-dira-t-on n. m. sing.

Le qu'en-dira-t-on, c'est ce que les gens pensent et disent des autres. *Angèle a toujours fait ce qui lui plaisait, sans se soucier du qu'en-dira-t-on.*

Attention ! un *n* et deux *l.*

quenelle n. f.

Petit rouleau ou boulette de pâte contenant un hachis de poisson, de volaille ou de veau. *M. Bellec a préparé des quenelles de veau.*

Ce mot appartient au langage des enfants.

quenotte n. f.

Dent. *Claire a perdu une quenotte le jour de son anniversaire.*

Quenouille [kənuj] rime avec *grenouille.*

Va voir aussi *fuseau* et *rouet.*

quenouille n. f.

Petit bâton entouré de fibres de laine ou de coton que les femmes filaient en les déroulant sur le fuseau. *Autrefois, les femmes filaient la laine avec une quenouille.*

[...] une bonne vieille était seule à filer sa quenouille (*la Belle au bois dormant*).

Deux *l* dans *querelle*, *se quereller* et *querelleur*.

querelle n. f.

Dispute. *Une querelle a éclaté entre les deux automobilistes. L'éducation d'Antoine est un éternel sujet de querelle entre Mme Roussel et sa sœur.*

Le loup dit qu'il aimait mieux s'en aller que d'être le sujet d'une querelle entre les deux plus jolies blondes qu'il eût jamais vues *(les Contes du Chat perché)*.

Conjugaison 1

▸ *se* ***quereller*** v. Avoir une querelle, se disputer. *Mme Roussel et sa sœur se querellent souvent ;* vois *se* ***chamailler.***

On vit souvent des frères et des sœurs se quereller... et venir se plaindre à leurs parents *(les Petites Filles modèles)*.

▸ ***querelleur*** adj. Qui aime les querelles, les disputes. *Mme Harpie est très querelleuse.*

Quérir n'existe qu'à l'infinitif.

quérir v.

Aller chercher. *Le roi ordonna à ses officiers d'aller quérir un de ses beaux habits pour en revêtir son hôte.*

Ce verbe est assez rare et ne se trouve que dans les livres.

question n. f.

La torture s'appelait autrefois la *question*.

1. Demande que l'on adresse à quelqu'un pour avoir une réponse ; vois ***interrogation.*** *« Qui veut répondre à la question ? » demande la maîtresse. Antoine est très curieux ; il pose sans cesse des questions.* **2.** Sujet, problème. *C'est une question très délicate.* **3.** *Au conseil municipal de Motbourg, il a été question d'un projet de parking,* on en a parlé. *Il est question que la directrice de l'école soit remplacée l'année prochaine.* **4.** *Son autorité a été mise en question,* mise en cause. *Voilà la personne en question,* celle dont il s'agit.

Le petit prince, qui me posait beaucoup de questions, ne semblait jamais entendre les miennes *(le Petit Prince)*.

Je tiens juste dans le sac et il ne peut être question pour toi de prendre ma place *(les Contes du Chat perché)*.

▸ ***questionnaire*** n. m. Liste de questions. *Veuillez remplir scrupuleusement ce questionnaire.*

Va voir aussi ***formulaire.***

Conjugaison 1

▸ ***questionner*** v. Poser des questions, interroger. *L'inspecteur a questionné les suspects sur leur emploi du temps ce soir-là.*

N'oublie pas l'accent circonflexe du *ê* dans *quête* et *quêter*.

quête n. f.

1. Collecte d'argent destinée à une œuvre pieuse ou charitable. *L'abbé Gauthier a organisé une quête pour les pauvres de la paroisse.* **2.** *Muriel Doucet s'est mise en quête d'un nouveau travail,* à la recherche d'un nouveau travail.

Conjugaison 1

▸ ***quêter*** v. Faire la quête. *On a quêté pour les pauvres de la paroisse.*

Attention ! ***tsch***. Prononce [kwɛtʃ].

quetsche n. f.

Prune allongée de couleur violet sombre. *Mme Roussel a fait une tarte aux quetsches.*

queue n. f.

La queue d'une vache n'est pas faite pour servir de balançoire à un chien *(les Contes du Chat perché)*.

1. Partie qui prolonge vers l'arrière le corps de certains animaux. *Les chiens remuent la queue en signe de joie. En s'enfuyant, le lézard a perdu sa queue. Cette histoire n'a ni queue ni tête,* elle est absurde, elle n'a aucun sens. **2.** Tige d'une fleur, d'un fruit. *Mme Bellec a coupé la queue des tulipes avant de les mettre dans le vase.* **3.** *La queue d'une casserole,* c'est son manche. *Alex attrape la poêle par la queue et fait sauter des crêpes.* **4.** *Antoine est monté dans le wagon de queue,* dans le dernier wagon. **5.** File de gens qui attendent. *Il y avait une énorme queue devant la pâtisserie. Les gens faisaient la queue devant les cinémas,* ils attendaient leur tour.

Sa queue lui battait les flancs avec fureur *(le Lion)*.

À la queue leu leu : les uns derrière les autres.

Autre membre de la famille : **tête à queue.**

qui pronom

Qui est un pronom interrogatif.

Qui est un pronom relatif.

1. *Qui* est utilisé dans des interrogations et désigne des personnes. *Qui te l'a dit ? Qui sont ces gens ? De qui parles-tu ? Dis-moi qui c'est.* **2.** *Qui* est utilisé dans des subordonnées relatives et désigne des personnes et des choses. *La personne qui vient de passer est Hippolyte. Le crayon qui est là est le mien. L'homme avec qui parle Angèle est le docteur.*

Qui êtes-vous ma bonne dame ? demande Michel Strogoff, balbutiant ces mots plutôt qu'il ne les prononça *(Michel Strogoff)*.

Autres membres de la famille : **qui-vive, sauve-qui-peut.**

▸ ***quiconque*** pronom indéfini N'importe qui. *Demande à Denis Prost qui jouait avec lui dans son dernier film, il le sait mieux que quiconque.*

quiche n. f.

On dit aussi une *quiche lorraine*.

Tarte garnie d'un mélange d'œufs, de crème et de petits morceaux de lard. *M. Bellec a sorti la quiche du four.*

Quidam [kidam] rime avec *dame* ; on prononce aussi [kɥidam].

quidam n. m.

Personne que l'on ne connaît pas. *Deux quidams en imperméable ont demandé à le voir.*

On emploie ce mot pour plaisanter.

Le contraire de *quiétude*, c'est *agitation.*

quiétude n. f.
Calme, tranquillité. *Le docteur Séverac aime la quiétude des soirées au coin du feu.*

quignon n. m.
Un quignon de pain, c'est un morceau de pain. *Pierre Séverac a déjeuné d'un morceau de fromage et d'un quignon de pain.*

① **quille** n. f.
Morceau de bois long et rond que l'on doit renverser avec une boule lancée à la main. *David joue aux quilles avec Claire.*

Arriver comme un chien dans un jeu de quilles, c'est tomber mal.

② **quille** n. f.
Partie d'un bateau située sous la coque, dans le sens de la longueur. *Loïc a mis son bateau en cale sèche pour repeindre la quille.*

La quille sert à équilibrer le bateau.

Attention ! un ***i*** avant les deux ***l*** et un ***i*** après.

quincaillier n. m., **quincaillière** n. f.
Personne qui tient une quincaillerie. *M. Bellec a acheté des clous chez le quincaillier.*
▹ ***quincaillerie*** n. f. Magasin où l'on vend des outils, des ustensiles de ménage. *M. Bellec est allé à la quincaillerie acheter un marteau et des clous.*

quinconce n. m.
Pierre Séverac a planté les pommiers en quinconce, disposés par groupes de cinq, dont quatre formant un carré et le cinquième au milieu.

La quinine est extraite de l'écorce du quinquina.

quinine n. f.
Médicament contre le paludisme. *Le docteur Séverac prend de la quinine quand il va en Afrique.*

Prononce [kɛ̃kaʒenɛʀ].

quinquagénaire n. m. et f.
Personne qui a entre cinquante et soixante ans. *L'abbé Gauthier est un énergique quinquagénaire.*

Un quinquagénaire a cinq fois dix ans.

Au pluriel : *des quintaux.*

quintal n. m.
Poids de cent kilogrammes. *La Beauce produit environ 40 quintaux de blé à l'hectare.*

Quintal s'écrit **q** en abrégé.

quinte n. f.
Une quinte de toux, c'est un accès de toux. *Les quintes de toux sont caractéristiques de la coqueluche.*

Compare ***quint****ette* et ***quint****uple* : il est question de **cinq.**

quintette n. f.
Œuvre de musique d'ensemble, écrite pour cinq instruments ou cinq voix. *« La Truite » de Schubert est un quintette.*

Va voir aussi ***quatuor, trio.***

quintuple n. m.
Cent est le quintuple de vingt, est cinq fois plus grand que vingt.

Conjugaison 1

▹ ***quintupler*** v. **1.** Multiplier une chose par cinq. *Le fermier a quintuplé sa production de lait en dix ans.* **2.** Devenir cinq fois plus grand. *La production de lait a quintuplé en dix ans.*

Des *quintuplés,* ce sont cinq enfants frères et sœurs nés en même temps.

quinze adj. et n. m. invariable
1. adj. invariable Quatorze plus un. *Hippolyte a quinze paires de chaussures. Alex part pour Montréal dans quinze jours,* dans deux semaines. *Ouvrez votre livre page quinze,* à la quinzième page. **2.** n. m. invariable Le nombre quinze. *Deux fois quinze font trente.*

15 en chiffres arabes
XV en chiffres romains

Compare : *quinze → quinzaine* et *douze → douzaine.*

▹ ***quinzaine*** n. f. **1.** Groupe d'environ quinze personnes ou quinze choses semblables. *Une quinzaine de personnes attendaient l'autobus.* **2.** Durée de quinze jours ou de deux semaines. *Il a fait très beau pendant la première quinzaine de juin.*
▹ ***quinzième*** adj. et n.
▭ **adj.** Qui suit le quatorzième. *Louis XI vivait au quinzième siècle.*
▭ **n. 1.** n. m. et f. *Mme Hespel est la quinzième dans la file d'attente.* **2.** n. m. Partie d'un tout divisé en quinze parties égales. *Un quinzième des voyageurs était mécontent.*

ou 1/15

Prononce [kipʀɔko].

quiproquo n. m.

Erreur qui fait que l'on prend une personne ou une chose pour une autre ; vois ***malentendu, méprise.*** *Un client a pris Mme Harpie pour la mère d'Antoine, quel quiproquo !*

Au pluriel : *des quiproquos.*

N'oublie pas les deux *t.*

En être quitte pour la peur : avoir simplement peur sans autre inconvénient.

quitte adj.

1. *Être quitte envers quelqu'un,* c'est ne plus rien lui devoir. *Yves a rendu ses billes à Marie-Tévy, il est quitte envers elle.* **2.** *Essayons de passer, quitte à faire demi-tour plus loin,* au risque de faire demi-tour.

Ils ne se doivent plus rien, *ils sont quittes.*

▸ ***quittance*** n. f. Papier qui reconnaît qu'on a payé ce qu'on devait. *Chaque mois le locataire reçoit une quittance de loyer.*

Autres membres de la famille : **acquitter, acquittement, acquit.**

N'oublie pas les deux *t.*

Conjugaison 1

Puisque c'est comme ça, c'est promis, demain je quitterai la maison *(le Petit Nicolas).*

quitter v.

1. Laisser quelqu'un en partant. *Tous les matins, Julie embrasse sa mère en la quittant pour aller à l'école. — Antoine et Marie-Tévy ne se quittent plus,* ils sont inséparables. **2.** S'en aller d'un endroit. *M. Doucet a quitté Motbourg pour s'installer à Paris.* **3.** Cesser de faire une chose que l'on faisait ; vois ***abandonner.*** *Il a quitté son emploi pour aller à l'étranger. Allô ! M. Doucet, ne quittez pas, on vous parle,* ne raccrochez pas.

Sa Katie l'a quitté (B. Lapointe).

Le contraire de *quitter,* c'est *garder.*

Famille de **qui** et de ① **vivre**

qui-vive n. m. invariable

Être sur le qui-vive, c'est se méfier, être sur ses gardes. *La sentinelle est restée toute la nuit sur le qui-vive.*

Ce mot est invariable.

quoi pronom

Quoi désigne toujours une chose.

Autre membre de la famille : **pourquoi.**

1. *Quoi* est utilisé dans des interrogations. *J'ai une surprise : devine quoi ? À quoi penses-tu ? Je ne sais quoi penser ;* vois **que.** **2.** *Quoi* est utilisé dans des subordonnées relatives. *Voilà de quoi je voulais te parler.* **3.** *Quoi* est utilisé dans des exclamations. *Quoi, tu oses dire le contraire !* **4.** *Téléphone, quoi qu'il arrive,* quelle que soit la chose qui arrive.

Je suppose que je devais manger ou boire quelque chose ; mais la grande question est : quoi ? *(Alice au Pays des merveilles).*

Introduisant une opposition, *quoique* est suivi d'un verbe au subjonctif.

▸ ***quoique*** conjonction Bien que, alors que. *David et Claire s'entendent très bien, quoique David soit beaucoup plus âgé qu'elle.*

Famille de **que**

Prononce [kɔlibɛ].

quolibet n. m.

Plaisanterie contre quelqu'un. *L'acteur était si ridicule qu'il dut s'enfuir sous les quolibets de la foule.*

On trouve ce mot surtout dans les livres.

Prononce [kɔtpaʀ].

Au pluriel : *des quote-parts.*

quote-part n. f.

Ce que chacun reçoit ou doit payer quand on partage une somme d'argent. *Chacun a payé sa quote-part au restaurant.*

Famille de **part**

quotidien adj. et n. m.

1. adj. *M. Bonnot fait sa promenade quotidienne dans le parc du château,* sa promenade de chaque jour ; vois ***habituel, journalier.*** **2.** n. m. Journal qui paraît tous les jours. *Le docteur Séverac achète chaque matin plusieurs quotidiens.*

Le Monde, Libération, le Figaro sont des quotidiens.

▸ ***quotidiennement*** adv. Tous les jours. *Mme Roussel se rend quotidiennement à la biscuiterie pour travailler.*

Quotient [kɔsjɑ̃] rime avec *patient* et *insouciant.*

quotient n. m.

Résultat d'une division. *Le quotient de vingt par cinq est quatre.*

Conjugaison 1

rabâcher v.
Répéter tout le temps la même chose ; vois ***radoter.*** *M. Bellec trouve que son beau-père rabâche ses souvenirs de guerre ;* vois ***ressasser.***

Conjugaison 1

rabaisser v.
Rabaisser quelqu'un, c'est le présenter comme moins bien qu'il n'est pour qu'il soit mal jugé ; vois ***dénigrer.*** *Mme Harpie essaie toujours de rabaisser sa sœur.*

Famille de **baisser**

▸ ***rabais*** n. m. Réduction sur le prix d'une chose ; vois ***remise.*** *Ce magasin fait des rabais intéressants.*

Les soldes sont de la vente *au rabais.*

Conjugaison 41
▭ Indic. présent : *je rabats, nous rabattons.* Imparfait : *je rabattais.* Futur : *je rabattrai.* — Subj. présent : *que je rabatte.*

rabattre v.
1. Mettre à plat. *Le docteur Séverac rabat le col de son manteau.* **2.** *Rabattre une partie d'une somme d'argent,* c'est l'enlever. *Le marchand n'a pas voulu rabattre un centime du prix demandé.* **3.** Forcer à aller dans une direction. *Les chasseurs ont rabattu le gibier. — La voiture se rabat,* elle se met brusquement sur le côté de la route. **4.** *Se rabattre sur quelque chose,* c'est l'accepter faute de mieux. *Ayant peu d'argent, Angèle s'est rabattue sur une voiture d'occasion.*

Le contraire de *rabattre,* c'est *relever.*

Famille de **abattre**

Elle aurait préféré une voiture neuve !

▸ ***rabat*** n. m. Partie d'une chose que l'on peut replier. *Le manteau a des poches à rabat.*

Au pluriel : *des rabat-joie.* Famille de **joie**

▸ ***rabat-joie*** n. m. et f. invariable Personne qui empêche les autres de s'amuser. *Mme Harpie est une rabat-joie.*

Le contraire de *rabat-joie,* c'est *boute-en-train.*

Attention ! deux *b.*

rabbin n. m.
Prêtre de la religion juive. *Le rabbin célèbre les cérémonies dans la synagogue.*

Attention à l'accent circonflexe du *â* dans *râble* et *râblé* !

râble n. m.
Le râble du lapin, c'est le bas du dos du lapin. *Mme Roussel a préparé un râble de lapin à la moutarde.*

Le râble est le meilleur morceau du lapin.

▸ ***râblé*** adj. Qui a le dos large et musclé. *Alex est un garçon râblé ;* vois ***trapu.***

rabot n. m.
Outil de menuisier qui sert à enlever par lamelles les inégalités d'une surface de bois. *M. Bellec a passé le rabot sur le bas de la porte.*

Quand on passe le rabot, on enlève des *copeaux* de bois.

Conjugaison 1

▸ ***raboter*** v. Rendre lisse en passant un rabot. *M. Bellec a raboté la porte.*

rabougri adj.
Une plante rabougrie, c'est une plante mal développée. *Mme Harpie a des plantes vertes rabougries dans son salon.*

Conjugaison 1

rabrouer v.
Rabrouer quelqu'un, c'est le traiter durement, lui parler méchamment ; vois ***rembarrer.*** *Mme Roussel n'a pas osé rabrouer sa sœur.*

racaille n. f.
Ensemble de gens malhonnêtes, peu recommandables. *La racaille des villes voisines a troublé le bal du 14 Juillet.*

Conjugaison 1
Attention ! deux ***c*** et deux ***m*** dans *raccommoder* et *raccommodage.*

raccommoder v.
1. Réparer en cousant. *Mamie Lou raccommode les chaussettes de Claire ;* vois ***repriser.*** **2.** *Se raccommoder,* c'est se réconcilier. *Antoine et Yves se sont fâchés, mais ils se sont raccommodés.*

A B C D
Ma culotte est déchirée,
Je vais la raccommoder
(comptine).

▸ ***raccommodage*** n. m. Réparation de vêtements. *Mamie Lou a fait du raccommodage.*

Attention ! deux ***c***.
Conjugaison 1

raccompagner v.
Raccompagner quelqu'un, c'est l'accompagner vers l'endroit d'où il vient ou chez lui. *Julie a raccompagné Yasmina chez elle.*

Famille de **accompagner**

Conjugaison 1

raccorder v.
Relier. *Le plombier a raccordé les deux tuyaux sous l'évier,* il les a fait communiquer. *Une nouvelle route doit raccorder la ville à l'autoroute. — La route se raccorde à l'autoroute après le pont du chemin de fer,* la route rejoint l'autoroute.

Attention ! deux ***c*** dans *raccorder, raccord* et *raccordement.*

▸ ***raccord*** n. m. **1.** Pièce servant à relier deux éléments. *Le plombier a placé un raccord entre les deux tuyaux.* **2.** *Hippolyte a fait un raccord de peinture dans son entrée,* il a remis de la peinture là où il en manquait.

▸ ***raccordement*** n. m. *Une voie de raccordement,* c'est une voie qui relie deux voies ferrées. *Des wagons sont sur la voie de raccordement.*

Elle *raccorde* deux voies.

Conjugaison 2
Famille de ① **court**

raccourcir v.
1. Rendre plus court. *Mamie Lou a raccourci la jupe de Claire.* **2.** Devenir plus court. *En automne, les jours raccourcissent.*

Le contraire de *raccourcir,* c'est *rallonger.*

Raccourci [ʀakuʀsi] rime avec *merci, aussi* et *acrobatie.*

▸ ***raccourci*** n. m. Chemin plus court que le chemin ordinaire. *Il y a un raccourci pour aller du village à la ferme, mais on ne peut pas l'emprunter en voiture.*

Attention ! deux ***c***.
Conjugaison 1
Le contraire de *raccrocher,* c'est *décrocher.*
Famille de **accrocher**

raccrocher v.
1. Accrocher de nouveau. *Quand la peinture sera sèche, Angèle raccrochera ses tableaux au mur.* **2.** Mettre fin à une communication téléphonique. *Quand Mme Harpie a entendu la voix de M. Doucet au téléphone, elle a raccroché immédiatement.* **3.** *Se raccrocher à quelque chose,* c'est s'y retenir. *Hippolyte a failli tomber dans l'escalier, mais il a pu se raccrocher à la rampe ;* vois *se* ***rattraper.***

Mme Harpie déteste M. Doucet.

Les Tartares appartiennent plus spécialement à deux races distinctes, la race caucasique et la race mongole *(Michel Strogoff).*

race n. f.
1. Groupe d'êtres humains ayant certains caractères physiques communs. *Hippolyte est de race noire.* **2.** Espèce. *Il y a de nombreuses races de chiens. M. Bellec a un braque de race,* qui a un pedigree.

On distingue les jaunes, les blancs, les noirs, mais la couleur de la peau n'est pas essentielle.

▸ ***racé*** adj. **1.** *Un animal racé,* c'est un animal qui a les qualités de sa race. *Le braque de M. Bellec est racé.* **2.** *Une personne racée,* c'est une personne distinguée et élégante. *Mme Séverac est une femme racée.*

Autres membres de la famille : **racial, racisme, raciste.**

Famille de **achat**

rachat n. m.
Achat de quelque chose que l'on a déjà vendu. *Le promoteur a vendu l'immeuble avec faculté de rachat,* de le racheter.

Conjugaison 5
▭ Indic. présent : *je rachète, nous rachetons.* Imparfait : *je rachetais.* Passé simple : *je rachetai.* — Subj. présent : *que je rachète.*

racheter v.
1. Acheter de nouveau. *Mme Hespel a envoyé son fils racheter du pain parce que des amis étaient venus dîner à l'improviste.* **2.** Acheter à quelqu'un ce qu'il a acheté. *Angèle avait racheté sa voiture à un ami.* **3.** *Racheter ses erreurs,* c'est les réparer, les faire oublier. *Julie a racheté sa mauvaise note en mathématiques en ne faisant pas de faute à sa dictée. — Julie s'est rachetée en étant très attentive,* elle a fait oublier ses erreurs.

Famille de **acheter**

Ah ! vous êtes bien tous les mêmes. Vous vous soutenez tous. Il n'y en a pas un pour racheter l'autre *(les Contes du Chat perché).*

rachitique adj.
Qui a le squelette mal formé, mal développé. *Dans les pays du tiers monde, il y a beaucoup d'enfants rachitiques.*

C'est parce qu'ils ne mangent pas à leur faim.

Racial [ʀasjal] rime avec *glacial* et *partial.*

Au masculin pluriel : *raciaux.*

racial adj.
Relatif à la race. *Dans certains pays, des émeutes raciales opposent les Blancs et les Noirs,* des émeutes entre des personnes de race différente.

Famille de **race**

racine n. f.
1. Partie d'un arbre ou d'une plante qui s'enfonce dans la terre. *Les arbres se nourrissent par leurs racines.* **2.** Partie d'une dent qui s'enfonce dans la gencive. *Les molaires ont trois racines.* **3.** *La racine carrée d'un nombre,* c'est le nombre dont le carré est égal à ce nombre. *Quatre est la racine carrée de seize.* **4.** *« Vicin- » est la racine latine du mot « vicinal »,* la partie du mot latin sur laquelle est formé ce mot.

Les carottes sont des racines que l'on mange.

$\sqrt{16} = 4$.

Autres membres de la famille : **déraciner, enraciné.**

Famille de **race**

racisme n. m.
Croyance en la supériorité d'une race sur les autres, mépris pour les autres races. *Rien ne peut justifier le racisme.*

Famille de **race**

raciste n. m. et f.
Personne qui n'aime pas les gens des autres races. *Les racistes se croient supérieurs aux autres.* — adj. *Hitler avait des idées racistes.*

Conjugaison 1

racler v.
Frotter vigoureusement avec quelque chose de dur ; vois ***gratter.*** *Mme Roussel racle la casserole dans laquelle les oignons ont brûlé.*

Conjugaison 1

racoler v.
Attirer par tous les moyens. *M. Bellec essaye de racoler des clients en faisant de la publicité dans le journal.*

M. Bellec tient un restaurant.

Conjugaison 1
Famille de **conter**

raconter v.
1. *Raconter quelque chose,* c'est en faire le récit. *Claire aime bien que Mamie Lou lui raconte des histoires. Alex raconte son voyage à ses amis.* **2.** Dire. *Antoine raconte souvent n'importe quoi.*

Et elle se mit à raconter, autant qu'elle pouvait se les rappeler, toutes les étranges Aventures que vous venez de lire *(Alice au Pays des merveilles).*

Ce mot s'emploie surtout au pluriel.

▸ ***racontar*** n. m. Chose méchante ou fausse que l'on dit au sujet de quelqu'un ; vois ***cancan, potin, ragot.*** *Il ne faut pas croire tout ce que dit Mme Harpie, ce ne sont que des racontars.*

Famille de **corne**

racorni adj.
Devenu dur comme de la corne. *Ce rôti n'est plus mangeable, il est tout racorni.*

radar n. m.
Appareil qui permet de savoir où se trouve un objet que l'on ne voit pas. *La position des avions dans le ciel est contrôlée par des radars.*

Sur les routes, les gendarmes contrôlent la vitesse des voitures avec des radars.

rade n. f.
Grand bassin donnant sur la mer, dans lequel les navires s'abritent. *La rade de Brest peut recevoir de très gros navires.*

La rade de Toulon aussi.

radeau n. m.
Plate-forme destinée à flotter faite de morceaux de bois assemblés. *Les naufragés ont construit un radeau et ont pu atteindre une île.*

Au milieu des glaçons qu'entraînait l'Angara, le radeau filait avec rapidité *(Michel Strogoff).*

Le Radeau de la Méduse est un tableau de Géricault, qui se trouve au Louvre.

radiateur n. m.
1. Appareil de chauffage. *Mme Hespel a un radiateur électrique dans sa chambre.* **2.** Appareil qui refroidit un moteur. *Le garagiste vérifie le niveau d'eau du radiateur de la voiture.*

Compare *radiation* et *irradier* : il s'agit de **rayons.**

radiation n. f.
Onde, rayonnement. *Après l'explosion d'une bombe atomique, des radiations se propagent.*

Au pluriel : *des radicaux.*

Va voir l'encadré ***familles de mots.***

① **radical** n. m.
Partie d'un mot qui veut dire quelque chose et que l'on retrouve dans plusieurs mots. *« Popul- », le radical de « populaire » et de « population », signifie « peuple ». « All- », « va- » et « ir- » sont les trois radicaux du verbe « aller ».*

Le *radical* est un élément du mot ; va voir ***élément.***

Au masculin pluriel : *radicaux.*

② **radical** adj.
1. Qui s'attaque à la cause de ce que l'on veut changer. *Renvoyer Colle et Rat de l'école est un moyen radical pour avoir une meilleure ambiance.* **2.** Total. *Le renvoi de Colle et Rat a provoqué un changement radical dans la classe.*
▷ **radicalement** adv. Complètement, totalement. *Le maire est radicalement opposé à la construction d'un parking ;* vois ***absolument.***

Sur le plan médical
Quel est le moyen radical
D'enlever les amygdales ?
Un sourire amical,
Un intermède musical
Ou une intervention
chirurgicale ?

Conjugaison 7 ▭ Indic. imparfait : *nous radiions.*

radier v.
Enlever d'une liste. *Colle et Rat ont été radiés de la liste des membres du club,* leurs noms ont été rayés.

Les autres membres du club avaient demandé leur *radiation.*

radieux adj.
1. *Le soleil est radieux,* il brille d'un grand éclat ; vois ***éclatant.*** *Antoine et Yves sont partis à bicyclette sous un soleil radieux.* **2.** Rayonnant de bonheur. *Le jour de son mariage, Mme Bellec était radieuse.*

Au pluriel : *des radios.*

Radio est ici l'abréviation de *radiodiffusion.*

Radio est ici l'abréviation de *radiographie.*

① **radio** n. f.
1. Émission et transmission de sons par le moyen des ondes. *Julie a participé à une émission de radio. Mme Harpie n'écoute jamais la radio.* **2.** Photographie de l'intérieur du corps par le moyen des rayons X. *On a fait à Julie une radio de la cheville ; elle est passée à la radio.*

Une *radio,* c'est aussi l'appareil qui reçoit les émissions.

Autre membre de la famille : **autoradio.**

Radio est ici l'abréviation de *radiotélégraphiste.*

② **radio** n. m.
Personne qui assure les liaisons par radio à bord d'un bateau ou d'un avion. *Le pilote et le radio sont à bord.*

Compare ***radio**actif* et ***radio**logie* : dans ces mots, il est question de **radiations.**

radioactif adj.
Qui émet des rayonnements pouvant être dangereux, en se transformant. *Le radium et l'uranium sont des matières radioactives.*

Famille de **actif**

Ces matières se désintègrent par *radioactivité.*

Famille de **diffuser**

radiodiffusion n. f.
Émission et transmission de programmes par le moyen des ondes ; vois ① ***radio.*** *Les premières émissions françaises de radiodiffusion ont eu lieu à Paris en 1920.*

Compare *radio**graphie*** et *photo**graphie*** : dans ces mots, on **enregistre** quelque chose.

radiographie n. f.
Photographie de l'intérieur du corps par le moyen des rayons X ; vois ① ***radio.*** *Tous les ans, il faut passer une radiographie des poumons.*

Compare ***radio**logue* et ***radio**graphie* : dans ces mots, il est question de **radiations.**

radiologue n. m. et f.
Médecin qui fait des radiographies. *Le docteur Séverac a envoyé Julie passer une radio chez le radiologue.*

On dit aussi *radiologiste.*

Compare *radio**phonique*** et *magnéto**phone*** : il est question de **sons.**

radiophonique adj.
Qui concerne la radiodiffusion. *Mme Bellec a participé à un jeu radiophonique,* qui passe à la radio.

Attention ! un ***s*** à la fin. Prononce [ʀadi].

radis n. m.
Racine d'une plante potagère, à chair blanche et à peau rose et blanche. *Mamie Lou mange des radis avec du beurre et du sel.*

Il existe aussi un gros radis à peau noire appelé *radis noir.*

Radium [ʀadjɔm] rime avec *gentilhomme* et *podium.*

radium n. m.
Élément radioactif que l'on trouve dans plusieurs minerais. *Le radium a été découvert par Pierre et Marie Curie.*

Pierre et Marie Curie ont prouvé l'existence du radium en 1898.

Conjugaison 1

radoter v.
Répéter toujours la même chose ; vois ***rabâcher.*** *Cesse de radoter.*
▸ ***radotage*** n. m. Ce que dit une personne qui radote. *Les radotages de Mme Harpie agacent tout le monde.*

Les gens qui radotent sont des *radoteurs* ou des *radoteuses.*

Conjugaison 2

se ***radoucir*** v.
1. Devenir plus doux, se calmer. *Mme Harpie, qui était très en colère, s'est soudain radoucie en apercevant Hippolyte.* **2.** *Le temps se radoucit,* il se réchauffe. *Le temps s'est radouci et le bonhomme de neige a fondu.*

Famille de **doux**

rafale n. f.
1. Coup de vent soudain et brutal ; vois ***bourrasque.*** *Le vent soufflait par rafales.* **2.** Série de coups de feu tirés très rapidement. *Les gangsters, pour couvrir leur fuite, ont tiré des rafales de mitraillette.*

Attention ! deux *f.*
Conjugaison 2
Famille de ① **ferme**

raffermir v.
Rendre plus ferme. *Muriel Doucet fait des exercices de gymnastique qui raffermissent les muscles du ventre. — Ses muscles se raffermissent.*

Le contraire de *raffermir,* c'est *ramollir.*

Conjugaison 1

raffiner v.
Raffiner une matière, c'est séparer les éléments qui la composent pour obtenir un produit pur. *On distille le pétrole pour le raffiner.*

Famille de ② **fin**
Va voir aussi ***affiner.***

Attention ! deux *f* dans *raffiner, raffinage, raffiné* et *raffinerie.*

▸ ***raffinage*** n. m. Opération qui permet de raffiner une matière. *L'essence s'obtient par raffinage du pétrole.*

Par raffinage du pétrole, on obtient aussi des gaz liquéfiés, du fuel, du bitume.

▸ ***raffiné*** adj. **1.** Traité par raffinage. *Le sucre raffiné est blanc.* **2.** Qui montre beaucoup de goût ou beaucoup de délicatesse. *Ce bijou discret est le cadeau d'un homme raffiné.*

Le contraire de *raffiné,* c'est *grossier.*

▸ ***raffinerie*** n. f. Usine qui transforme certains produits en les raffinant. *Des raffineries de pétrole sont installées à proximité des grands ports.*

Conjugaison 1
Famille de **fou**

raffoler v.
Aimer à la folie. *Antoine raffole des gâteaux au chocolat.*

Conjugaison 1

rafistoler v.
Réparer tant bien que mal. *Sylvain a rafistolé le phare de son vélo avec du fil de fer.*

Rafistoler est un mot familier.

rafle n. f.
Arrestation de toutes les personnes présentes dans un endroit. *Le gangster a été pris dans la rafle que la police a faite cette nuit dans les bars.*

Le 16 juillet 1942, treize mille Juifs ont été arrêtés au cours d'une rafle à Paris.

Prononce [ʀafl].

Conjugaison 2
Famille de ① **frais**

rafraîchir v.
1. Rendre frais, refroidir un peu. *La pluie a rafraîchi l'atmosphère. — Le vent s'est un peu rafraîchi.* **2.** Donner une sensation de fraîcheur. *Ce plongeon dans la piscine m'a rafraîchi. — Voulez-vous vous rafraîchir ?,* boire une boisson fraîche. **3.** Rendre la fraîcheur du neuf à une chose qui a vieilli. *Hippolyte a décidé de rafraîchir la peinture de son studio.*

Le contraire de *rafraîchir,* c'est *réchauffer.*

On rafraîchit une chose *défraîchie.*

▸ ***rafraîchissant*** adj. Qui donne une sensation de fraîcheur. *Une petite brise rafraîchissante vient de la mer.*

L'orangeade et la citronnade sont des boissons rafraîchissantes.

▸ ***rafraîchissement*** n. m. **1.** Baisse de la température. *La pluie a provoqué un léger rafraîchissement.* **2.** Boisson fraîche sans alcool. *Julie a servi des rafraîchissements à ses amis.*

Conjugaison 2

ragaillardir v.
Redonner des forces à une personne découragée ou fatiguée. *Un sourire de la maîtresse a ragaillardi Marie-Tévy.*

Famille de **gaillard**

rage n. f.
1. Maladie mortelle causée par un virus et transmise par la morsure de certains animaux. *Odile Séverac a fait vacciner son chien Rex contre la rage.* **2.** Violente colère. *Yves était fou de rage d'avoir perdu la partie.* **3.** *Une rage de dents,* c'est un mal de dents insupportable. *Mme Séverac a couru chez le dentiste dès que sa rage de dents a commencé.* **4.** *Faire rage,* c'est se déchaîner, atteindre la plus grande violence. *L'incendie faisait rage, attisé par un vent violent.*

Louis Pasteur mit au point le vaccin contre la rage en 1885.

Sophie, restée seule dans le cabinet de pénitence, pleurait non pas de repentir mais de rage *(les Petites Filles modèles).*

Ce sont surtout les renards et les chiens qui transmettent la rage.

Conjugaison 3
▭ Indic. présent : *je rage, nous rageons.*

▸ ***rager*** v. Enrager. *Julie rageait de ne pas pouvoir aller au cinéma.*

Ce mot est un peu familier.

▸ ***rageur*** adj. Qui montre la mauvaise humeur. *Mme Harpie dit du mal des autres d'un ton rageur ;* vois ***hargneux.***

Autres membres de la famille : **enrager, enragé.**

Ce mot est familier et s'emploie surtout au pluriel.

ragot n. m.
Bavardage malveillant ; vois ***cancan, potin, racontar.*** *Mme Harpie aime bien faire des ragots.*

Attention à l'accent circonflexe du ***û*** !

ragoût n. m.
Plat composé de morceaux de viande et de légumes cuits ensemble dans une sauce. *M. Bellec prépare du ragoût de mouton.*

Famille de **goût**

Famille de **goût**

ragoûtant adj.
Appétissant. *Les beignets de morue qu'a faits Mme Harpie ne sont pas très ragoûtants.*

Le contraire de *ragoûtant,* c'est *dégoûtant.*

Raid [ʀɛd] rime avec *quadrupède.*

raid n. m.
1. Attaque par surprise. *Un raid aérien a détruit la ville.* **2.** Longue course qui met à l'épreuve la résistance du matériel et l'endurance des hommes. *Alex voudrait participer à un raid à moto.*

Ne confonds pas *raid* et *raide.*

Le contraire de *raide,* c'est *souple.*

raide adj.
1. Qui manque de souplesse. *M. Bonnot marche avec une canne parce qu'il a une jambe raide,* qui ne se plie pas. *Marie-Tévy a les cheveux raides,* plats et lisses. **2.** Tendu au maximum. *Le funambule marche sur une corde raide.* **3.** Très incliné. *Le sentier qui mène à la ferme est en pente raide. L'escalier du grenier est très raide,* il est difficile à gravir. **4.** *Tomber raide mort,* c'est mourir soudainement. *Les soldats sont tombés raides morts.*

Le contraire de *raide,* c'est *frisé.*

Compare : *raide → raideur, raidir* et *pâle → pâleur, pâlir.*

▸ ***raideur*** n. f. État de ce qui est raide. *M. Bonnot a une raideur dans la jambe,* sa jambe est raide.

▸ ***raidillon*** n. m. Partie d'un chemin en pente raide. *Antoine a gravi le raidillon à bicyclette.*

Conjugaison 2

▸ ***raidir*** v. Faire devenir raide. *Le sauteur à la perche raidit ses muscles avant de s'élancer ;* vois ***contracter.*** *— Décontracte-toi, Julie, ne te raidis pas !*

Le tigre a le pelage fauve avec des raies noires.

① ***raie*** n. f.
1. Ligne ou bande tracée sur quelque chose. *Julie a un pull rouge à raies blanches ;* vois ***rayure.*** **2.** Ligne qui sépare les cheveux. *Angèle se fait souvent la raie au milieu.*

Autres membres de la famille : **rayer, rayé, rayure.**

La raie a les yeux sur la face dorsale.

② ***raie*** n. f.
Poisson de mer au corps aplati en forme de losange et à la queue hérissée de piquants. *M. Bellec a fait de la raie au beurre noir.*

Certaines raies pèsent plusieurs tonnes.

Rail [ʀɑj] rime avec *muraille* et *corail.*

rail n. m.
Les rails, ce sont les barres d'acier parallèles installées sur des traverses et qui constituent une voie ferrée. *Les trains roulent sur des rails.*

Autres membres de la famille : **autorail, dérailler, dérailleur.**

Conjugaison 1

railler v.
Tourner en ridicule. *Ce n'est pas gentil de railler Angèle d'avoir l'accent du Midi,* de se moquer d'elle.

On rencontre ce mot surtout dans les livres.

Prononce : [ʀɑjʀi].

▸ ***raillerie*** n. f. Plaisanterie, moquerie. *Les railleries d'Antoine agacent Angèle.*

Au féminin : *railleuse.*

▸ ***railleur*** adj. Ironique. *Antoine parle souvent sur un ton railleur ;* vois ***moqueur.***

Les rainettes se nourrissent d'insectes.

rainette n. f.
Petite grenouille aux doigts munis de ventouses. *Les rainettes, grâce à leur couleur verte, ne se voient pas sur les feuilles.*

Attention ! un ***a.***

rainure n. f.
Fente longue et étroite. *Mamie Lou a fait tomber une aiguille dans une rainure du parquet,* dans la fente entre deux lames de parquet.

Il faudrait un aimant pour la récupérer.

Quand on cueille le raisin, on fait les *vendanges.*

Le raisin sert à faire le vin.

raisin n. m.
Fruit de la vigne, constitué de grains réunis en grappes. *Yves aime bien le raisin noir. Antoine préfère le raisin blanc. Angèle a bu un jus de raisin.*

Les *raisins secs* sont des raisins séchés.

Il faut exiger de chacun ce que chacun peut donner, reprit le roi. L'autorité repose d'abord sur la raison *(le Petit Prince).*

On considère que l'on a atteint l'âge de raison à sept ans.

On ne tarda guère à s'apercevoir que le cheval avait raison *(les Contes du Chat perché).*

J'ai de sérieuses raisons de croire que la planète d'où venait le petit prince est l'astéroïde B 612 *(le Petit Prince).*

raison n. f.

1. *La raison,* c'est ce qui permet de comprendre, de juger et d'agir comme il faut ; vois ***esprit, intelligence.*** *Colle et Rat font souvent des choses contraires à la raison,* des choses folles. *Angèle a essayé de ramener Yves à la raison,* de le rendre raisonnable. *Certains pensent que Mme Harpie a perdu la raison,* qu'elle est devenue folle. *Claire n'a pas encore l'âge de raison,* l'âge à partir duquel on sait ce que l'on doit faire. **2.** *Avoir raison,* c'est ne pas se tromper. *Angèle a raison quand elle dit qu'Antoine est étourdi. Je lui donne raison,* je l'approuve. **3.** Cause, motif. *Mme Séverac est partie de la réunion sans donner de raison,* sans expliquer pourquoi. *M. Bellec se met en colère pour une raison ou pour une autre,* pour n'importe quel motif. *L'avion n'a pas décollé en raison du brouillard,* à cause du brouillard. *Colle et Rat ont été punis à juste raison,* avec une raison valable, à juste titre. **4.** *Se faire une raison,* c'est se résigner à admettre ce que l'on ne peut changer. *Si Julie est encore malade demain, il faudra bien qu'elle se fasse une raison,* qu'elle en prenne son parti. **5.** *Julie a acheté dix bonbons à raison d'un franc les deux,* sur la base d'un franc les deux bonbons.

Le contraire de *raison,* c'est *tort.*

Je crois qu'on a toujours tort d'essayer d'avoir raison devant des gens qui ont toutes les bonnes raisons de croire qu'ils n'ont pas tort ! (R. Devos).

Elle a donc payé les dix bonbons cinq francs.

Promettez-nous d'être raisonnables. N'allez pas dans les trèfles et attendez notre retour pour aller boire à la rivière *(les Contes du Chat perché).*

▸ **raisonnable** adj. **1.** Qui pense et agit avec sagesse et raison ; vois ***sensé.*** *Sois raisonnable Julie, tu ne peux pas sortir si tu as de la fièvre !* **2.** *Un prix raisonnable,* c'est un prix qui n'est pas exagéré. *Le prix du menu est très raisonnable,* il n'est pas excessif.

Nicolas, nous devons parler d'homme à homme. Il faut que tu sois très raisonnable, m'a dit Papa *(le Petit Nicolas).*

▸ **raisonnablement** adv. D'une manière sensée. *La directrice ne peut raisonnablement demander à Angèle plus de patience,* ce serait excessif de le lui demander.

Angèle est déjà une institutrice très patiente.

Suivez bien mon raisonnement. Puisque les vaches ont été volées, elles n'ont pu l'être que par des voleurs *(les Contes du Chat perché).*

▸ **raisonnement** n. m. Enchaînement des pensées qui aboutit à une conclusion. *Le résultat du problème n'est pas bon : le raisonnement est juste mais les opérations sont fausses.*

Ne confonds pas *raisonner* et *résonner.*

Autre membre de la famille : **déraisonner.**

▸ **raisonner** v. **1.** Employer des arguments pour convaincre. *Avec sa manie de raisonner, il agace, au lieu de convaincre. Rien ne sert de raisonner avec Mme Harpie, elle veut toujours avoir le dernier mot.* **2.** *Raisonner quelqu'un,* c'est chercher à l'amener à être raisonnable. *La maîtresse n'a pas pu raisonner Colle et Rat.*

Conjugaison 1

Avec la police russe, qui est très péremptoire, il est absolument inutile de vouloir raisonner *(Michel Strogoff).*

Conjugaison 2
Famille de **jeune**

rajeunir v.

1. Faire paraître plus jeune. *Ta coiffure te rajeunit. — Mme Harpie essaie de se rajeunir,* de paraître plus jeune. **2.** Paraître plus jeune. *M. Bonnot a rajeuni de dix ans depuis qu'il a maigri.*

Le contraire de *rajeunir,* c'est *vieillir.*

▸ **rajeunissement** n. m. Le fait de rajeunir. *Mme Harpie ferait bien de suivre une cure de rajeunissement,* qui sert à paraître plus jeune.

Le contraire de *rajeunissement,* c'est *vieillissement.*

Conjugaison 1
Famille de **ajouter**

rajouter v.

Ajouter de nouveau. *M. Bellec a rajouté du sel dans la sauce.*

Conjugaison 1
Famille de ① **juste**

rajuster v.

1. Remettre en bonne place, en ordre. *Hippolyte a rajusté sa cravate avant d'entrer.* **2.** *Rajuster les salaires,* c'est les relever pour qu'ils suivent l'augmentation des prix. *Le directeur de la biscuiterie a décidé de rajuster les salaires des employés.*

On dit aussi *réajuster.*

▸ **rajustement** n. m. *Le directeur de la biscuiterie a accordé un rajustement des salaires,* une augmentation des salaires proportionnelle à l'augmentation des prix.

On dit aussi *réajustement.*

Attention à l'accent circonflexe du ***â*** !

râle n. m.

Bruit anormal que l'on fait en respirant. *Le docteur Séverac a trouvé un râle au poumon droit de son malade, en l'auscultant.*

Famille de **râler**

Conjugaison 2
Le contraire de *ralentir,* c'est *accélérer.*

ralentir v.

Aller plus lentement. *Les voitures ralentissent avant le virage.*

▸ **ralenti** n. m. **1.** *Le ralenti d'un moteur,* c'est la vitesse la plus faible à laquelle tourne un moteur. *Angèle a fait régler le ralenti de sa voiture.* **2.** *Passer un film au ralenti,* c'est le faire passer plus lentement que la vitesse normale. *On a pu revoir au ralenti le moment où le footballeur a marqué un but.*

Si le ralenti est mal réglé, le moteur de la voiture cale à l'arrêt.

Famille de **lent**

▸ ***ralentissement*** n. m. Le fait d'aller moins vite. *Les travaux sur l'autoroute provoquent un ralentissement de la circulation,* les voitures roulent plus lentement.

Le contraire de *ralentissement,* c'est *accélération.*

Attention à l'accent circonflexe du ***â*** dans *râler* et *râleur* !

Conjugaison 1

râler v.

1. Faire entendre un bruit anormal en respirant. *On entendait râler les blessés sur le champ de bataille.* **2.** Montrer sa mauvaise humeur en grognant. *Julie, arrête de râler ! ;* vois ***ronchonner, rouspéter.***

Ce sens de *râler* est un peu familier.

▸ ***râleur*** n. m., ***râleuse*** n. f. Personne qui est de mauvaise humeur et le montre. *Mme Harpie est une râleuse.* — adj. *Ce qu'elle peut être râleuse !*

Autre membre de la famille : **râle.**

Conjugaison 7 ▭ Indic. présent : *nous rallions.* Imparfait : *nous ralliions.* Futur : *je rallierai.*

rallier v.

1. *Rallier un endroit,* c'est le rejoindre et s'y regrouper. *Les soldats rallieront le camp demain.* **2.** Unir pour une cause commune, mettre d'accord. *Cet homme politique a rallié tous les mécontents.* **3.** *Se rallier à quelque chose,* c'est l'approuver. *Les conseillers municipaux se sont ralliés à l'avis du maire.*

Ne confonds pas *rallier* et *relier.*

Famille de **lier**

Attention ! deux ***l*** dans *rallier* et *ralliement.*

▸ ***ralliement*** n. m. **1.** *Un point de ralliement,* c'est un endroit où des personnes doivent se réunir. *Quand Angèle emmène ses élèves en sortie, le point de ralliement est toujours l'école.* **2.** Adhésion. *Le maire comptait sur le ralliement des conseillers municipaux.*

Notre équipe s'appelle l'équipe « Œil de lynx », et notre chef nous a dit que notre cri de ralliement c'est « Courage ! » *(le Petit Nicolas).*

Conjugaison 3 ▭ Indic. présent : *nous rallongeons.* Imparfait : *je rallongeais.*

rallonger v.

1. Rendre plus long. *Claire a encore grandi, Mamie Lou doit rallonger toutes ses robes.* **2.** Devenir plus long. *En automne, les nuits rallongent ;* vois ***allonger.***

Famille de **long**

Le contraire de *rallonger,* c'est *diminuer, raccourcir.*

Attention ! deux ***l*** dans *rallonger* et *rallonge.*

▸ ***rallonge*** n. f. **1.** Planche qui sert à allonger une table. *Nous serons dix à table, il faudra mettre la rallonge.* **2.** Fil électrique qui sert à en prolonger un autre. *Le fil du fer à repasser est trop court, il faut une rallonge.*

Ce fil s'appelle aussi un *prolongateur.*

Attention ! deux ***l*** et un seul ***m*** à *rallumer.*

Famille de **allumer**

rallumer v.

Allumer de nouveau. *Denis Prost rallume sa cigarette qui s'est éteinte. — Les lumières se sont rallumées à la fin du film.*

Conjugaison 1

rallye n. m.

Compétition où les concurrents doivent se retrouver à un endroit déterminé. *Denis Prost a envie de participer au rallye Paris-Dakar.*

Le plus souvent, les rallyes ont lieu en voiture ou à moto.

ramadan n. m.

Mois pendant lequel les musulmans ne doivent ni manger, ni boire, ni fumer entre le lever et le coucher du soleil. *Pendant tout le ramadan, les Touati se couchent tard car ils dînent quand il fait nuit.*

Le ramadan correspond au neuvième mois de l'année musulmane.

ramage n. m.

Chant des oiseaux. *On entend, dans le sous-bois, le ramage des rossignols.*

Si votre ramage
Se rapporte à votre plumage
(La Fontaine).

On rencontre ce mot surtout dans les livres.

ramages n. m. plur.

Dessins représentant des rameaux, des branches fleuries. *Mme Roussel a mis une robe à ramages.*

Conjugaison 1

Même famille que **amasser**

ramasser v.

1. Prendre par terre. *En automne, Claire aime bien ramasser des feuilles mortes.* **2.** Prendre pour mettre ensemble. *Angèle a ramassé les cahiers ;* vois ***relever.*** **3.** *Se ramasser,* c'est se mettre en boule. *Diane, la chienne de Sylvain, s'est ramassée avant de sauter sur le chat.*

Ivan Ogareff, ramassé sur lui-même comme un tigre, ne proférait pas un mot *(Michel Strogoff).*

Ramassez les débris et allez les jeter dans un fossé. Les parents ne s'apercevront peut-être de rien *(les Contes du Chat perché).*

▸ ***ramassage*** n. m. *Le camion de la laiterie passe pour le ramassage du lait dans les fermes,* il vient chercher le lait.

Un *car de ramassage scolaire* va chercher et ramène les enfants qui habitent des hameaux éloignés de l'école.

▸ ***ramassis*** n. m. Tas. *La directrice a un ramassis de vieux papiers sur son bureau. Il y a toujours un ramassis de mauvaises langues dans le magasin de Mme Harpie.*

Attention ! un ***m*** avant le ***b.***

rambarde n. f.

Sorte de rampe, de garde-fou sur un pont ou une passerelle de navire ; vois ***bastingage.*** *Les passagers du paquebot se tenaient à la rambarde d'embarquement.*

Il y a aussi des rambardes sur les ponts, les jetées.

Famille de **ramer**

① ***rame*** n. f.

Longue barre de bois à bout plat que l'on manœuvre avec les bras pour faire avancer une barque ; vois **aviron.** *Loïc tire sur les rames pour lutter contre le courant.*

② ***rame*** n. f.

Cela se dit surtout en parlant du métro.

File de wagons attachés les uns aux autres. *La dernière rame de métro vient de passer.*

Au pluriel : *des rameaux.*

rameau n. m.

Petite branche. *La colombe de l'arche de Noé tenait dans son bec un rameau d'olivier.*

Conjugaison 5

ramener v.

Elle l'y *avait amenée* le matin.

Famille de **mener**

1. *Ramener quelqu'un,* c'est le faire revenir avec soi à l'endroit où il était avant. *Sophie Pelletier a ramené sa fille de l'école en voiture.* **2.** Faire renaître, rétablir. *Le nouveau gouvernement a ramené l'ordre dans le pays.*

Conjugaison 1

ramer v.

Manœuvrer les rames. *Loïc ramait contre le courant.*

▸ ***rameur*** n. m., ***rameuse*** n. f. Personne qui rame. *Sur les galères, il y avait plusieurs rangs de rameurs.*

Autre membre de la famille : ① **rame.**

ramier n. m.

Les ramiers vivent dans les forêts et les jardins.

Gros pigeon sauvage. *Les ramiers roucoulaient, perchés sur les arbres du jardin.*

On dit aussi *pigeon ramier.*

Conjugaison 7
▭ Indic. imparfait : *ils se ramifiaient*
Futur : *il se ramifiera.*

se ***ramifier*** v.

1. Se partager en plusieurs petites branches, en rameaux. *Les grosses branches de l'arbre se ramifient en branches plus petites, puis en rameaux.* **2.** Se subdiviser. *Les gros vaisseaux sanguins se ramifient en vaisseaux plus petits.*

Les plus petits sont les *vaisseaux capillaires.*

Compare : *ramifier → ramification* et *qualifier → qualification.*

▸ ***ramification*** n. f. **1.** Division en branches plus petites. *Les ramifications de cette branche sont très nombreuses.* **2.** Subdivision. *Dans le corps, les vaisseaux sanguins et les nerfs comportent des ramifications.*

Famille de ① **mou**
Conjugaison 2
Le contraire de *se ramollir,* c'est *durcir.*

ramollir v.

Rendre plus mou. *Mme Roussel a sorti le beurre du réfrigérateur pour le ramollir. — Le beurre s'est ramolli à la chaleur,* il est devenu plus mou. *Les biscuits se sont ramollis.*

Le contraire de *ramollir,* c'est *raffermir.*

Conjugaison 1

ramoner v.

Nettoyer le conduit d'une cheminée pour en enlever la suie. *Mme Roussel fait ramoner chaque année le conduit de sa chaudière à gaz.*

Au matin du départ il mit sa planète bien en ordre. Il ramona soigneusement ses volcans en activité *(le Petit Prince).*

▸ ***ramonage*** n. m. *Cette cheminée a besoin d'un bon ramonage,* elle a besoin d'être ramonée.

Autrefois, les ramoneurs étaient de petits Savoyards.

▸ ***ramoneur*** n. m. Celui dont le métier est de ramoner les cheminées. *Les ramoneurs sont montés sur le toit pour ramoner la cheminée.*

rampe n. f.

1. Sorte de route en pente par où entrent et sortent les voitures, dans un parking. *La voiture descend la rampe pour accéder au deuxième sous-sol.* **2.** Balustrade sur laquelle on s'appuie, le long d'un escalier. *« Attention, Claire, tiens-toi bien à la rampe, l'escalier est glissant ! »* **3.** *La fusée s'est élevée dans le ciel le long de la rampe de lancement,* la construction en pente qui permet de lancer la fusée. **4.** Rangée de lumières disposées au bord d'une scène de théâtre. *Pendant la représentation, on éteint les lumières de la salle et on allume la rampe pour éclairer la scène.*

Les rampes peuvent être en bois, en métal, en pierre.

Il est plus prudent de tenir la rampe d'un escalier mécanique.

Les devantures de magasin et les pistes d'aéroport aussi sont éclairées par des rampes.

Conjugaison 1

ramper v.

1. Avancer en se traînant sur le ventre. *Les serpents se déplacent en rampant.* **2.** S'abaisser, s'humilier. *M. Doucet n'a jamais rampé devant ses chefs.*

Avant de savoir marcher, les bébés rampent sur le sol.

rance adj.

Le beurre est devenu rance, il a pris en vieillissant un goût et une odeur désagréables. *Il faut jeter cette vieille huile rance.*

Au pluriel : *des ranchs* ou *des ranches.*

ranch n. m.
Grande ferme des États-Unis où l'on pratique l'élevage du bétail. *Ce vaste ranch compte plusieurs centaines de bovins.*

Ce mot est américain.

rancœur n. f.
Rancune, amertume que l'on éprouve à la suite d'une déception, d'une injustice. *Son échec lui inspira des propos pleins de rancœur.*

On trouve ce mot surtout dans les livres.

Attention à la cédille du *ç*, comme dans *façon* et *leçon* !

rançon n. f.
1. Prix exigé en échange de la liberté de quelqu'un. *Les ravisseurs ont exigé une très forte rançon,* beaucoup d'argent. **2.** *Denis Prost ne peut pas sortir sans être reconnu, c'est la rançon de la gloire,* les inconvénients qui résultent de sa célébrité.

C'est un comédien célèbre.

Conjugaison 1

▷ ***rançonner*** v. Demander une rançon. *Les brigands rançonnaient les voyageurs de la diligence.*

Attention ! deux ***n***.

rancune n. f.
Sentiment amer, mêlé de haine, que l'on éprouve envers quelqu'un qui vous a fait du mal ; vois ***rancœur, ressentiment.*** *Yasmina a de la rancune contre Julie qui n'a pas su garder son secret.*

Sans rancune ! : oublions nos ressentiments.

Compare : *rancune → rancunier* et *aventure → aventurier.*

▷ ***rancunier*** adj. *Quelqu'un de rancunier,* c'est quelqu'un qui éprouve facilement de la rancune ; vois ***vindicatif.*** *Yasmina est très rancunière.*

Attention ! deux ***n***.

On fait des randonnées à pied, à cheval ou à bicyclette.

randonnée n. f.
Longue promenade. *Le moniteur de ski a emmené les enfants faire une randonnée en montagne.*

rang n. m.

Silence, dans les rangs !

1. Ligne de personnes ou de choses ; vois ***rangée.*** *Les élèves, en rang par deux, attendent de rentrer dans la classe. Julie est assise au troisième rang.* **2.** Place que l'on occupe dans un classement. *Sylvain a toujours un très bon rang en classe.* **3.** Place d'une personne dans la société. *Le président de la République a été traité avec tous les honneurs dus à son rang.*

Un *rang* de tricot, c'est une ligne de mailles.

La France occupe l'un des premiers rangs mondiaux pour la production de vin.

▷ ***rangée*** n. f. Suite de personnes ou de choses disposées sur la même ligne ; vois ***rang.*** *Une double rangée d'arbres borde la route.*

Conjugaison 3 ▭ Indic. présent : *je range, nous rangeons.* Imparfait : *je rangeais, nous rangions.*

▷ ***ranger*** v. **1.** Mettre une chose à sa place, avec ordre. *Mme Bellec ne sait plus où elle a rangé son tricot.* **2.** Mettre de l'ordre dans un endroit. *Yves a mis deux heures à ranger sa chambre.*

▷ *se* ***ranger*** v. **1.** Se mettre en rang. *Rangez-vous par trois !* **2.** S'écarter pour laisser le passage. *Le taxi s'est rangé contre le trottoir pour laisser passer l'ambulance.*

▷ ***rangement*** n. m. *Faire du rangement,* c'est mettre de l'ordre. *Mme Bellec et Yves ont fait du rangement tout l'après-midi.*

Autres membres de la famille : **arranger, arrangeant, arrangement, déranger, dérangé, dérangement.**

Conjugaison 1

ranimer v.
1. Rendre la conscience à une personne évanouie. *Les pompiers ont ranimé le blessé.* **2.** *Ranimer un feu,* c'est lui redonner de la force. *Mamie Lou a ranimé le feu qui menaçait de s'éteindre ;* vois ***attiser, rallumer.***

Va voir aussi ***réanimation.***

Famille de **animer**

rapace n. m.

Les griffes des rapaces sont des *serres.*

Oiseau au bec puissant, pointu et recourbé et aux fortes griffes, qui mange les petits animaux qu'il chasse. *Les aigles et les vautours sont des rapaces diurnes, les chouettes et les hiboux des rapaces nocturnes.*

On les appelle aussi *oiseaux de proie.*

Conjugaison 7 ▭ Indic. imparfait : *nous rapatriions.*

rapatrier v.
Faire rentrer une personne dans son pays. *Après la guerre, les prisonniers ont été rapatriés.*

Famille de **patrie**

Attention à l'accent circonflexe du ***â*** !

râpe n. f.
Ustensile rugueux qui sert à râper du fromage, des légumes ou à polir du bois. *Yasmina râpe du gruyère avec une râpe à fromage.*

Conjugaison 1

▷ ***râper*** v. Réduire en petits morceaux avec une râpe. *Mme Roussel a râpé des carottes et du céleri.*

▷ ***râpé*** adj. **1.** Réduit en très petits morceaux. *Julie mange des carottes râpées.* **2.** Très usé ; vois ***élimé.*** *Sophie Pelletier a mis un vieux manteau râpé pour aller dans la forêt.*

Autre membre de la famille : **râpeux.**

Conjugaison 1
Famille de **petit**

rapetisser v.

1. Faire paraître une chose plus petite qu'elle n'est. *La distance rapetisse les objets.* **2.** Devenir plus petit. *La chemise a rapetissé au lavage ;* vois ***rétrécir.***

Le contraire de *rapetisser,* c'est *agrandir.*

Famille de **râpe**

râpeux adj.

Rugueux comme une râpe. *Le chat a une langue râpeuse.*

Prononce ***ph*** comme ***f*** : [ʀafja].

raphia n. m.

Ficelle faite avec les feuilles d'un palmier. *Angèle a des sets de table en raphia.*

Le palmier s'appelle aussi *raphia.*

Compare : *rapide* → *rapidité,* *humide* → *humidité* et *stupide* → *stupidité.*

① *rapide* adj.

1. Qui bouge, se déplace très vite. *Yves est rapide à la course. Denis Prost conduit une voiture rapide.* **2.** *Une personne rapide,* c'est une personne qui fait vite ce qu'elle fait ; vois ***prompt.*** *Mme Hespel est rapide dans son travail. Sylvain a un esprit rapide,* il comprend vite ; vois ***vif.*** **3.** Qui est vite fait. *Mme Roussel a fait une visite rapide à Mme Bellec ;* vois ***bref.*** *Angèle était pressée et marchait à pas rapides. La guérison de Julie a été rapide ;* vois ***prompt.***

Le plus rapide des animaux est le martinet : il vole à 200 km/h.

Le contraire de *rapide,* c'est *lent.*

▸ ② ***rapide*** n. m. **1.** Partie d'une rivière où le courant est très fort et où il se forme des tourbillons. *Alex a descendu des rapides en canoë.* **2.** Train qui s'arrête peu et va vite. *Mme Hespel a pris le rapide de 7 h 34 pour Paris.*

Et un rapide illuminé, grondant comme le tonnerre, fit trembler la cabine d'aiguillage *(le Petit Prince).*

▸ ***rapidement*** adv. Vite, à grande vitesse, en peu de temps. *Mme Roussel traversa rapidement la rue.*

Le contraire de *rapidement,* c'est *lentement.*

▸ ***rapidité*** n. f. Vitesse. *Marie-Tévy fait des progrès d'une grande rapidité.*

Conjugaison 3 et 6
▭ Indic. présent : *je rapièce, nous rapiéçons.*

rapiécer v.

Rapiécer un vêtement, c'est le réparer en mettant une pièce de tissu. *Mme Harpie porte un vieux tablier qui a été rapiécé plusieurs fois.*

Famille de ① **pièce**

rapine n. f.

Ce mot se trouve surtout dans les livres.

Vol, pillage. *Les brigands vivaient de rapines et se cachaient dans la montagne.*

Conjugaison 4
▭ Indic. présent : *je rappelle, nous rappelons.*
Imparfait : *je rappelais.*
Futur : *je rappellerai.*

rappeler v.

1. Appeler une personne ou un animal pour le faire revenir. *Sylvain rappelle son chien en le sifflant.* **2.** *Antoine s'est levé pendant la dictée ; la maîtresse l'a rappelé à l'ordre,* elle lui a fait des reproches. **3.** Appeler de nouveau au téléphone. *Le docteur n'est pas là, pouvez-vous le rappeler plus tard ?* **4.** *Rappeler quelque chose à quelqu'un,* c'est le faire s'en souvenir. *Yves, rappelle-moi le nom de ton grand-père.* **5.** Faire penser à une chose. *L'Irlande rappelle la Bretagne à M. Bellec.* **6.** *Se rappeler une chose,* c'est l'avoir dans la mémoire, s'en souvenir. *Je ne me rappelle plus bien mon rêve. Te rappelles-tu si c'était à droite ou à gauche ? Je me le rappelle.*

Famille de **appeler**

Alors, mon coucher de soleil ? rappela le petit prince, qui jamais n'oubliait une question une fois qu'il l'avait posée *(le Petit Prince).*

Attention ! *je me le rappelle,* mais *je m'en souviens.*

À la fenêtre, il rêve en pensant à son enfance et pleure en se rappelant sa maman *(Babar).*

▸ ***rappel*** n. m. **1.** *Le gouvernement a ordonné le rappel des exilés,* il a ordonné qu'on les fasse revenir, qu'on les rappelle. **2.** Applaudissements qui rappellent un artiste sur scène à la fin d'un spectacle. *Le spectacle des clowns a beaucoup plu, il y a eu trois rappels.* **3.** *Angèle s'est fait faire une vaccination de rappel contre le tétanos,* une nouvelle piqûre du vaccin contre le tétanos.

Attention ! deux ***p*** dans *rapporter, rapport* et *rapporteur.*
Famille de **porter**

rapporter v.

1. Apporter une chose là où elle était au départ, la remettre à sa place. *Prends tout ce dont tu as besoin, et rapporte-le quand tu auras fini ;* vois ***rendre.*** **2.** Apporter une chose en revenant d'un endroit ; vois ***ramener.*** *Denis Prost a rapporté à Julie un cadeau des États-Unis.* **3.** Produire des bénéfices, de l'argent. *L'argent que Mme Harpie garde dans son bas de laine ne lui rapporte rien.* **4.** Répéter une chose que l'on a entendue, apprise. *Je ne fais que rapporter les paroles d'Antoine.* **5.** *Se rapporter à quelque chose,* c'est avoir un lien, un rapport avec cette chose. *Cet exercice se rapporte à ce que nous avons étudié la semaine dernière.*

Conjugaison 1

Les chiens de chasse rapportent le gibier à leur maître.

L'argent placé à la caisse d'épargne rapporte un intérêt.

▸ ***rapport*** n. m. **1.** Argent que rapporte quelque chose ; vois ***gain, profit.*** *Pierre Séverac vit du rapport de ses terres.* **2.** Texte qui raconte, explique

Les rapports du tiercé sont donnés à la radio.

comment une chose s'est passée. *Les policiers ont rédigé un rapport sur l'incendie de la poste de Motbourg.* **3.** Lien, relation entre deux choses. *On se demande s'il y a un rapport entre l'incendie et la disparition d'une camionnette de la poste.* **4.** *Julie est grande par rapport à Marie-Tévy,* si on la compare à Marie-Tévy. **5.** Relation entre des personnes. *Les Séverac entretiennent de bons rapports avec leurs voisins.*

Va voir aussi ***compte rendu.***

Toujours au pluriel dans ce sens.

Le rapporteur est un demi-cercle gradué.

▸ ① ***rapporteur*** n. m. Instrument qui sert à mesurer les angles. *Sylvain trace un triangle avec un compas et un rapporteur.*

▸ ② ***rapporteur*** n. m., ***rapporteuse*** n. f. Personne qui répète des choses pour faire du mal. *Rapporteuse ! a crié David à Nathalie.*

Conjugaison 1

rapprocher v.

1. Mettre plus près ; vois ***approcher.*** *Yves a rapproché sa chaise de celle de Loïc. Ils ont rapproché leurs chaises. — Yves et Loïc se sont rapprochés l'un de l'autre. L'orage se rapprochait,* il devenait plus proche. **2.** Faire approcher d'un temps à venir. *Chaque heure les rapprochait du départ.* **3.** Rendre des personnes plus proches, faire qu'elles s'aiment mieux. *Antoine et Marie-Tévy aiment beaucoup les histoires merveilleuses ; c'est cela qui les a rapprochés.* **4.** *Ce n'est pas tout à fait la même couleur, mais c'est celle qui s'en rapproche le plus,* celle qui est la plus près, par la ressemblance.

Le contraire de *rapprocher,* c'est *éloigner.*

Les arbres, qui s'écartèrent pour laisser passer le Prince charmant, se rapprochèrent après son passage *(la Belle au bois dormant).*

Écoutez... les pas se rapprochent !... Quelqu'un se dirige vers la crypte *(Tintin).*

Attention ! deux ***p*** dans *ra**pp**rocher* et *ra**pp**rochement.*

▸ ***rapprochement*** n. m. *Les policiers ont fait un rapprochement entre l'incendie de la poste et la disparition d'une camionnette,* ils ont établi un rapport entre les deux ; vois ***relation.***

Famille de **proche**

Rapt [ʀapt] rime avec *apte.*

rapt n. m.

Enlèvement d'une personne. *Des malfaiteurs avaient organisé le rapt du fils du directeur de l'usine pour obtenir une rançon.*

Va voir aussi ***kidnapper.***

raquette n. f.

1. Instrument qui sert à lancer la balle dans certains jeux. *Denis Prost a cassé une des cordes de sa raquette de tennis.* **2.** Large semelle tendue de lanières que l'on attache sous ses chaussures pour marcher dans la neige. *Le trappeur a chaussé ses raquettes.*

Il y a aussi des raquettes de ping-pong.

rare adj.

Tout ce qui est rare est cher. Un cheval bon marché est rare, donc un cheval bon marché est cher !

1. Dont il existe peu d'exemplaires. *Le docteur Séverac possède quelques livres rares. Au ciel brillaient de rares étoiles,* des étoiles en petit nombre. **2.** Qui se produit peu souvent. *Les rares jours où il ne pleuvait pas, Muriel Doucet allait à la plage.* **3.** Peu abondant ; vois ***clairsemé.*** *Les moutons broutaient l'herbe rare.*

Le contraire de *rare,* c'est *commun, courant.*

Il est très rare qu'une montagne change de place. Il est très rare qu'un océan se vide de son eau *(le Petit Prince).*

Le contraire de *rarement,* c'est *souvent.*

▸ ***rarement*** adv. Peu souvent. *Pierre Séverac quitte rarement sa ferme.*

▸ ***rareté*** n. f. *Le docteur Séverac a quelques livres d'une grande rareté,* très rares.

▸ ***rarissime*** adj. Très rare. *Les voyages de Pierre Séverac sont rarissimes.*

Conjugaison 7

▸ *se* ***raréfier*** v. Devenir rare. *L'oxygène se raréfie en altitude.*

Ne prononce pas le ***s*** [ʀa]. Au féminin *rase.* Famille de **raser**

ras adj.

1. Coupé très court. *Pendant son service militaire, Hippolyte avait les cheveux ras.* **2.** *L'avion a atterri en rase campagne,* en pleine campagne, dans un endroit sans arbres et sans maisons. **3.** *Julie a rempli son verre à ras bords,* jusqu'au niveau du bord. **4.** *À marée haute, l'eau arrive au ras du quai,* au niveau du quai.

Le phoque a une fourrure à poil ras.

On écrit aussi *à ras bord.*

▸ ***rasade*** n. f. Contenu d'un verre rempli à ras bord. *Denis Prost s'est servi une grande rasade de whisky.*

Conjugaison 1

raser v.

1. Couper le poil au ras de la peau. *M. Doucet s'est rasé la moustache. — Denis Prost ne s'était pas rasé depuis trois jours,* il ne s'était pas fait la barbe. **2.** Démolir complètement. *On a dû raser une maison pour construire le gymnase.* **3.** Passer très près de quelque chose. *Colle et Rat marchaient en rasant les murs pour ne pas être vus.*

Ayant eu l'idée de raser sa barbe, la tante Mélina avait trouvé sans peine à se marier *(les Contes du Chat perché).*

La ville de Brest a été rasée par les bombardements en 1944.

J'ai vu un coiffeur raser les murs ! (R. Devos).

Famille de **motte**

▸ ***rase-mottes*** n. m. invariable *Un avion est passé en rase-mottes,* en volant très près du sol.

Les lames de rasoir sont très coupantes.

▶ ***rasoir*** n. m. Instrument qui sert à raser le poil. *M. Bonnot se rase avec un rasoir électrique.*

Autres membres de la famille : **ras, rasade.**

Attention ! deux *s* entre les deux *a*.
Conjugaison 7

rassasier v.
Rassasier quelqu'un, c'est lui donner à manger jusqu'à ce qu'il n'ait plus faim. *Antoine est difficile à rassasier.*

Le contraire de *rassasier,* c'est *affamer.*

N'oublie pas les deux *s*.
Famille de **assembler**

rassembler v.
Mettre ensemble, au même endroit. *Angèle a rassemblé les élèves dans la cour. À la fin de la journée, chacun rassemble ses affaires et les met dans son cartable. — La foule se rassemble sur la place pour regarder le feu d'artifice.*

▶ ***rassemblement*** n. m. Groupe de personnes qui se sont rassemblées ; vois ***attroupement.*** *Les policiers ont dispersé le rassemblement qui s'était formé devant la poste.*

Conjugaison 1

Les oiseaux aussi se rassemblent pour parler des éléphants *(Babar).*

Conjugaison 26, comme *s'asseoir.*

se rasseoir v.
S'asseoir de nouveau. *Les enfants se sont levés quand la directrice est entrée dans la classe ; elle leur a dit de se rasseoir.*

Famille de s'**asseoir**

Conjugaison 6 ▭ Indic. présent : *je rassérène, nous rassérénons.*

rasséréner v.
Ramener au calme une personne inquiète, énervée. *Mme Hespel s'inquiétait de ne pas voir rentrer son fils ; son coup de téléphone l'a rassérénée.*

Ce mot se trouve surtout dans les livres.
Famille de **serein**

Attention ! deux *s* après le *a* et un *s* à la fin.

rassis adj.
Du pain rassis, c'est du pain qui n'est plus très frais, qui est un peu dur. *Il ne restait qu'un vieux croûton de pain rassis.*

Le féminin *rassise* ne s'emploie presque pas.

Conjugaison 1

[Céleste avait peur d'aller en ballon] Babar la rassurait, lui affirmant qu'il savait comment manœuvrer, que ce n'était pas difficile *(Babar).*

rassurer v.
Rendre la confiance ; vois ***tranquilliser.*** *Le médecin a rassuré Mme Hespel : son fils Sylvain sera bientôt guéri. — Rassurez-vous, tout se passera bien,* ne vous faites pas de souci.

Le contraire de *rassurer,* c'est *affoler, inquiéter.*

▶ ***rassurant*** adj. *Une nouvelle rassurante,* c'est une nouvelle qui redonne confiance, qui tranquillise. *Après son accident, Alex a envoyé aussitôt à sa mère des nouvelles rassurantes. Un individu peu rassurant rôde autour de l'école.*

Le contraire de *rassurant,* c'est *alarmant, inquiétant.*

Famille de **sûr**

Un affreux chat en casquette
Courait après les souris
Un affreux rat en liquette
Grignotait du riz et du riz
(R. Queneau).

rat n. m.
1. Petit rongeur à museau pointu et à très longue queue, plus gros que la souris. *Dans la cave, Claire a vu deux gros rats gris s'enfuir à son approche. Les bandits sont encerclés par les policiers, les voilà faits comme des rats,* les voilà pris au piège. **2.** *Les petits rats de l'Opéra,* ce sont de très jeunes danseurs et danseuses. *Les petits rats font de la figuration dans « le Casse-Noisette ».*

Les rats sont des animaux nuisibles qui propagent des épidémies, la peste, par exemple.

Autre membre de la famille : **raton.**

Les nouveau-nés aussi sont tout *ratatinés.*

se ratatiner v.
Se réduire et se déformer. *La peau du visage se ride et se ratatine avec l'âge.*

Conjugaison 1

La ratatouille est un plat niçois.

ratatouille n. f.
Plat composé de tomates, de courgettes, de poivrons et d'aubergines cuits à l'huile d'olive. *Mme Roussel mange du rôti de veau avec de la ratatouille.*

J'ai la rate
Qui s'dilate (chanson).

rate n. f.
Organe situé en arrière de l'estomac, sous le diaphragme, à gauche. *Le chirurgien a dû lui enlever la rate à la suite de son accident.*

La rate est un organe important, mais pas essentiel.

Attention à l'accent circonflexe du *â* !
Au pluriel : *des râteaux.*

râteau n. m.
Outil de jardinage formé d'un long manche ajusté à une pièce de métal garnie de dents séparées. *Le jardinier ratisse la grande allée du château avec un râteau.*

Va voir aussi ***ratisser.***

Attention à l'accent circonflexe du *â* !

râtelier n. m.
1. Sorte d'échelle disposée horizontalement contre le mur, dans laquelle on met le fourrage du bétail. *Pierre Séverac a mis du foin dans le râtelier de l'écurie.* **2.** Dentier. *Mme Bonnot porte un râtelier.*

Va voir aussi ***mangeoire.***
Ce sens est familier.

Conjugaison 1

rater v.
1. Manquer ce que l'on voulait atteindre. *M. Bellec a raté le lièvre qu'il*

avait visé. Antoine a raté son train, il s'est réveillé trop tard. **2.** Ne pas réussir. *Mamie Lou ne rate jamais ses tartes.*

▷ ***raté*** n. m. Bruit anormal que fait un moteur. *Le moteur de la voiture d'Angèle a des ratés.*

Conjugaison 7
▭ Indic. imparfait : *nous ratifiions, vous ratifiiez.*

ratifier v.
Approuver, confirmer officiellement. *Le président de la République a ratifié l'accord commercial entre les deux pays.*

On ratifie des traités, des contrats.

En temps de guerre, les gens reçoivent des rations.

ration n. f.
Quantité de nourriture distribuée à un homme ou à un animal pendant une journée. *Odile Séverac distribue aux poules leur ration de grain.*

Autres membres de la famille : **rationner, rationnement.**

Attention ! deux *n.*

rationnel adj.
Conforme au bon sens, à la raison. *Cette cuisine a été aménagée de manière très rationnelle.*

Conjugaison 1

Famille de **ration**

Attention ! deux *n* dans *rationner* et *rationnement.*

rationner v.
1. Distribuer en quantité limitée. *Les naufragés ont dû rationner l'eau potable et les vivres pour survivre.* **2.** *Se rationner,* c'est diminuer sa ration de nourriture. *Mme Séverac se rationne pour perdre ses kilos superflus.*
▷ ***rationnement*** n. m. *Pendant la Deuxième Guerre mondiale, il y avait des tickets de rationnement,* qui donnaient droit à des rations.

En temps de guerre, tous les biens de consommation sont rationnés.

Deux *s* à *ratisser.*
Conjugaison 1

ratisser v.
1. Nettoyer à l'aide d'un râteau. *Le jardinier ratissait la grande allée du château.* **2.** Fouiller avec soin. *À la suite du meurtre, les policiers ont ratissé tout le quartier.*

Au Japon, il y a un art de ratisser les cailloux de certains jardins.

Famille de **rat**

Les ratons laveurs lavent leur nourriture dans l'eau avant de la manger.

raton n. m.
1. Jeune rat. *Claire a découvert dans le grenier une portée de ratons.* **2.** *Le raton laveur* est un petit animal carnassier, originaire d'Amérique du Nord, à pelage épais et à longue queue tigrée. *Les ratons laveurs se nourrissent de poissons et de mollusques.*

Quatre fossoyeurs
un jardin
des fleurs
un raton laveur (Prévert).

Conjugaison 1

Attention ! deux *t* dans *rattacher* et *rattachement.*

rattacher v.
1. Attacher de nouveau ce qui s'est détaché. *Mamie Lou rattache les cheveux de Claire avec une barrette.* **2.** Fondre en un seul ensemble ; vois ***annexer.*** *C'est Anne de Bretagne qui rattacha la Bretagne à la France.*
▷ ***rattachement*** n. m. *Le rattachement de la Bretagne à la France date du XVIe siècle,* la Bretagne est rattachée à la France depuis le XVIe siècle.

Famille de **attacher**

Conjugaison 1

Le temps perdu ne se rattrape jamais (proverbe).

Attention ! deux *t* mais un seul *p* dans *rattraper* et *rattrapage.*

rattraper v.
1. Attraper de nouveau ce que l'on avait laissé échapper. *Mamie Lou a réussi à rattraper la maille qu'elle avait laissée filer.* **2.** Récupérer, regagner. *Angèle, l'institutrice, aide Marie-Tévy à rattraper son retard en français.* **3.** Rejoindre. *« Partez devant, je vous rattraperai » dit Odile Séverac à son mari et à sa fille.* **4.** *Mme Harpie a trébuché et s'est rattrapée à un parcmètre,* elle s'est raccrochée à un parcmètre.
▷ ***rattrapage*** n. m. *Angèle donne à Marie-Tévy des cours de rattrapage,* des cours qui l'aident à rattraper son retard.

Même famille que **attraper**

Elle nous a volé
Trois p'tits sacs de blé.
Nous la rattraperons
La p'tite hirondelle...
(comptine).

rature n. f.
Trait servant à barrer un mot que l'on a écrit, pour l'annuler. *Antoine a fait beaucoup de ratures dans son devoir.*

Conjugaison 1

▷ ***raturer*** v. Barrer, rayer des mots. *Antoine a raturé plusieurs mots dans son devoir.*

Souvent, les manuscrits des écrivains sont pleins de ratures.

Prononce [ʀok].

rauque adj.
Une voix rauque, c'est une voix qui a un son grave et voilé. *Denis Prost est enrhumé, il a une voix rauque.*

Le contraire de *rauque,* c'est *clair.*

Ce mot s'emploie toujours au pluriel.

ravages n. m. plur.
Dégâts très importants causés par une catastrophe. *L'incendie a fait des ravages.*

L'alcool fait des ravages dans l'organisme.

Conjugaison 3
▭ Indic. présent : *je ravage, nous ravageons.*

▷ ***ravager*** v. Faire des dégâts très importants. *Des pillards ont ravagé le village. La guerre a ravagé le pays. Une tornade a ravagé la région.*

Conjugaison 1

① ***ravaler*** v.
Ravaler un mur, c'est le nettoyer, le réparer et le repeindre. *En France, on ravale la façade des immeubles tous les dix ans.*

On peut ravaler un mur en le décapant sous un jet puissant d'eau et de lessive, de vapeur ou de sable.

▸ ***ravalement*** n. m. Nettoyage et réparations des murs extérieurs d'un bâtiment. *Le ravalement de la cathédrale a duré six mois.*

Conjugaison 1

② ***ravaler*** v.
S'empêcher d'exprimer un sentiment. *Hippolyte a ravalé sa colère et n'a rien dit.*

Famille de **avaler**

Conjugaison 1

ravauder v.
Raccommoder ; vois ***repriser.*** *Mme Bonnot n'arrive pas à se séparer d'un vieux corsage qu'elle a maintes fois ravaudé.*

rave n. f.
Plante dont on mange la racine. *Les navets, les radis et les betteraves sont des raves.*

Famille de ① **ravir**

ravi adj.
Très content ; vois ***enchanté.*** *Mme Roussel est ravie de ses vacances.*

ravier n. m.
Petit plat creux et allongé qui sert à présenter les hors-d'œuvre. *Julie a mis les radis dans un ravier.*

ravin n. m.
Vallée étroite qui a des pentes abruptes. *On entend le torrent qui gronde au fond du ravin.*

Conjugaison 1

raviner v.
Les eaux ravinent le sol, elles y creusent des sillons. *Les torrents ont raviné le flanc de la montagne.*

Un *visage raviné* est marqué de rides profondes.

Ce mot est emprunté à l'italien.

raviolis n. m. plur.
Pâtes formées de petits carrés farcis de viande ou de légumes. *Antoine a mangé trois fois des raviolis à la sauce tomate.*

La farce est à base de viande, de poisson ou de légumes.

Conjugaison 2

① ***ravir*** v.
Plaire beaucoup ; vois ***enchanter.*** *Le spectacle a ravi les enfants. Ce chapeau vous va à ravir, dit la vendeuse à Mme Séverac,* il vous va très bien, admirablement.

Compare : *ravir → ravissant, ravissement* et *frémir → frémissant, frémissement.*

Autre membre de la famille : **ravi.**

▸ ***ravissant*** adj. Très joli. *Claire est une ravissante petite fille.*

▸ ***ravissement*** n. m. Émotion qu'une personne éprouve quand elle est transportée de joie ; vois ***enchantement.*** *Hippolyte écoutait Angèle avec ravissement.*

Quand la chèvre blanche arriva dans la montagne, ce fut un ravissement général *(les Lettres de mon moulin).*

Conjugaison 2

② ***ravir*** v.
Enlever de force. *L'aigle a ravi sa proie.*

▸ ***ravisseur*** n. m., ***ravisseuse*** n. f. Personne qui a commis un rapt. *Les ravisseurs demandent une rançon.*

Tintin est sur la piste des ravisseurs du professeur Tournesol.

Conjugaison 1

se ***raviser*** v.
Changer d'avis. *Angèle et Hippolyte voulaient aller à la piscine, mais, comme il pleuvait, ils se sont ravisés.*

Conjugaison 1

ravitailler v.
Fournir des vivres ou du matériel ; vois ***approvisionner.*** *Un avion a ravitaillé les réfugiés,* il leur a apporté ce qu'il leur fallait. — *Les coureurs cyclistes n'ont pas le temps de s'arrêter pour se ravitailler,* pour se procurer les choses dont ils ont besoin.

▸ ***ravitaillement*** n. m. Provisions, réserves. *Alex et Réjean sont partis en montagne avec du ravitaillement pour plusieurs jours.*

Conjugaison 1

raviver v.
Rendre plus vif. *Mamie Lou se sert d'un soufflet pour raviver le feu dans la cheminée.*

Famille de **vif**

Conjugaison 8 ▭ Indic. présent : *je raye, nous rayons.* Imparfait : *je rayais, nous rayions.* Futur : *je rayerai.*

rayer v.
1. Laisser en creux la trace d'une ou plusieurs raies. *Le diamant raye le verre.* **2.** Faire un trait sur un mot ou un groupe de mots que l'on veut supprimer ; vois **barrer.** *Angèle a rayé l'ancienne adresse de son frère sur son carnet.*

Va voir aussi **rayure.** *Rayer un souvenir de sa mémoire,* c'est décider de ne plus y penser.

Famille de ① **raie**

▸ **rayé** adj. **1.** Qui a des rayures. *Denis Prost portait une cravate rayée.* **2.** Qui porte une ou plusieurs éraflures. *Angèle a trié les disques rayés.*

① **rayon** n. m.

L'épaisseur d'un rayon est d'environ 3 cm.

1. Gâteau de cire portant des alvéoles. *Les abeilles déposent le miel dans les rayons de la ruche.* **2.** Planche d'un meuble de rangement. *Les livres de Claire sont sur le rayon du bas de la bibliothèque ;* vois **étagère. 3.** Partie d'un grand magasin réservée à une sorte de marchandise. *Angèle cherche des clous au rayon du bricolage.*

Le *chef de rayon* a la responsabilité du rayon.

Attention ! deux *n.*

▸ **rayonnage** n. m. Étagère d'un meuble de rangement ; vois **rayon.** *Il n'y a plus de place sur les rayonnages de la bibliothèque.*

② **rayon** n. m.
1. Trace de lumière en ligne droite. *Des grains de poussière brillent dans le rayon de soleil. Le rayon du phare balayait la mer.* **2.** Radiation. *Le malade suit un traitement par rayons.* **3.** Élément métallique qui joint le moyeu à la jante d'une roue. *L'écharpe d'Antoine s'est prise dans les rayons de la roue arrière du vélo.* **4.** *Le rayon d'un cercle,* c'est la ligne que l'on peut tracer du centre jusqu'à n'importe quel point de la circonférence. *Tous les rayons d'un cercle sont égaux.*

Les appareils de radiographie utilisent les *rayons X.*

On peut tracer aussi les rayons d'une sphère.

Le rayon est égal à la moitié du diamètre.

Conjugaison 1

▸ **rayonner** v. **1.** Montrer que l'on est content, heureux. *Le visage de Claire rayonnait de bonheur.* **2.** Partir du même point central. *Dans le parc, il y a une fontaine d'où rayonnent de petites allées à l'abri des buis.*

Le visage du vieil homme rayonnait tandis qu'il suivait des yeux chaque geste de Mr Wonka *(Charlie et la Chocolaterie).*

▸ **rayonnant** adj. *Une personne rayonnante,* c'est une personne qui montre qu'elle est heureuse, contente ; vois **radieux.** *En recevant les félicitations du jury, Denis Prost était rayonnant.*

Attention ! deux *n.*

▸ **rayonnement** n. m. **1.** *Le rayonnement d'un astre,* c'est l'ensemble des radiations qu'il émet. *Le rayonnement solaire est une source d'énergie.* **2.** Influence, prestige. *« Votre travail contribue au rayonnement de la culture française », a dit le ministre aux acteurs qu'il félicitait.*

Famille de ① **raie**

rayure n. f.
1. Bande de couleur sur un fond d'une autre couleur. *Julie a un pull vert à rayures bleues.* **2.** Éraflure. *Il y a une rayure sur le capot de la voiture d'Angèle.*

Les zèbres et les tigres ont des rayures sur leur pelage.

Famille de **marée**
On écrit aussi *raz de marée.*
Les raz-de-marée sont fréquents dans l'océan Pacifique.

raz-de-marée n. m. invariable
Vague isolée très haute et très violente, qui pénètre dans les terres. *Les raz-de-marée sont provoqués par des éruptions volcaniques ou des tremblements de terre.*

La vague peut atteindre 30 m de haut.

Prononce [ʀazja] ou [ʀadzja].

razzia n. f.
Attaque de pillards. *Des brigands ont fait une razzia dans le hameau.*

Au pluriel : *des razzias.*

Au pluriel : *des ré.*

ré n. m. invariable
Note de musique. *Le ré est la deuxième note de la gamme de do.*

Do, ré, mi, fa, sol, la, si.

Un réacteur est un moteur à *réaction.*

réacteur n. m.
Moteur d'avion à réaction. *Certains avions ont deux réacteurs, d'autres en ont trois ou quatre.*

Famille de ① **action**
Les moteurs des avions à réaction sont des *moteurs à réaction,* appelés aussi *réacteurs.*

réaction n. f.
1. Façon de répondre à une action, d'y réagir. *M. Bellec a souvent des réactions violentes.* **2.** *Un avion à réaction,* c'est un avion dont les moteurs chassent les gaz vers l'arrière, ce qui projette l'avion, par réaction, vers l'avant. *Les avions à réaction ont un ou plusieurs réacteurs.*

En 1944 l'avion à réaction *Messerschmitt* entra en service dans l'armée allemande.

Conjugaison 1

se **réadapter** v.
S'adapter de nouveau à quelque chose dont on a perdu l'habitude. *M. Doucet aurait du mal à se réadapter à la vie provinciale.*

Même famille que **adapter**

Conjugaison 2

réagir v.

1. Avoir une réaction. *Angèle a très bien réagi, elle ne s'est pas mise en colère.* **2.** *Réagir contre quelque chose,* c'est s'y opposer. *Mme Séverac a réagi contre l'inertie des conseillers municipaux.*

Famille de ① **agir**

Conjugaison 1

réaliser v.

Marinette, [...] s'étant elle-même examinée, elle vit son poitrail, ses membres poilus munis de sabots et comprit que les vœux de la veille s'étaient réalisés *(les Contes du Chat perché).*

1. Faire exister vraiment. *M. Bellec voudrait ouvrir un hôtel, mais il a besoin d'argent pour réaliser son projet. — Les projets d'Antoine se réaliseront peut-être un jour.* **2.** *Réaliser un film,* c'est le mettre en scène, le diriger. *Denis Prost est acteur, mais il aimerait réaliser des films.* **3.** Se rendre compte. *Colle et Rat ne réalisent pas la gravité de leurs bêtises,* ils n'en ont pas conscience.

L'emploi de *réaliser* dans ce sens est souvent critiqué.

▸ ***réalisable*** adj. Possible. *Pour le moment, le projet de M. Bellec n'est pas réalisable,* il ne peut pas être réalisé.

Le contraire de *réalisable,* c'est *irréalisable.*

▸ ***réalisateur*** n. m., ***réalisatrice*** n. f. Personne qui prépare et dirige un film, une émission. *Denis Prost a invité à dîner le réalisateur du film dans lequel il joue.*

Va voir aussi ***metteur en scène.***

▸ ***réalisation*** n. f. **1.** *La réalisation d'un projet,* c'est son exécution. *M. Bellec a besoin d'argent pour la réalisation de son projet.* **2.** *La réalisation d'un film,* c'est sa mise en scène. *Denis Prost doit participer à la réalisation du prochain film où il jouera.*

Autre membre de la famille : **irréalisable.**

réaliste adj.

Quand on est réaliste, on voit les choses avec *réalisme.*

Une personne réaliste, c'est une personne qui voit les choses comme elles sont réellement. *Le docteur Séverac est un homme réaliste.*

Autre membre de la famille : **surréaliste.**

réalité n. f.

1. *La réalité,* c'est ce qui existe vraiment, réellement. *Les savants tentent d'expliquer la réalité.* **2.** *Yves se met souvent en colère, mais en réalité c'est un tendre,* en fait.

Famille de **animer**

réanimation n. f.

Action qui consiste à aider à vivre une personne dont le cœur ou la respiration viennent de s'arrêter. *Le blessé a été conduit dans la salle de réanimation.*

Va voir aussi ***ranimer.***

Conjugaison 57

réapparaître v.

Famille de **paraître**

Apparaître de nouveau ; vois ***reparaître.*** *La lune a réapparu après le passage des gros nuages.*

On peut dire aussi que la lune *est réapparue.*

Famille de **apparition**

réapparition n. f.

Le fait de réapparaître. *Le Soleil a fait sa réapparition après l'averse.*

Au féminin : *rébarbative.*

rébarbatif adj.

Difficile et ennuyeux ; vois ***rebutant.*** *Alex trouve que son livre de mathématiques est rébarbatif.*

Conjugaison 41

▭ Indic. présent : *je rebats, nous rebattons.* Imparfait : *je rebattais.* Passé simple : *je rebattis.* Futur : *je rebattrai.*

rebattre v.

Rebattre les oreilles à quelqu'un avec quelque chose, c'est lui en parler sans arrêt. *Mme Harpie nous rebat les oreilles avec l'histoire de sa vitrine qui a été cassée.*

Ne confonds pas *rebattre* et *rabattre.*

Famille de **battre**

▸ ***rebattu*** adj. *C'est un sujet rebattu,* dont on a beaucoup parlé, sur lequel on a dit tout ce qu'il y avait à dire.

Attention ! deux *t* dans *rebattre* et *rebattu.*

Compare ***rebelle, belligérant*** et ***belliqueux*** : dans ces mots, il est question de **guerre.**

rebelle adj.

1. *Des soldats rebelles,* ce sont des soldats qui s'opposent aux autorités ; vois ***révolté.*** *Des troupes rebelles ont occupé la station de radio.* — n. m. et f. *Des rebelles ont été faits prisonniers.* **2.** *Colle et Rat sont rebelles à tout effort,* ils ne veulent pas faire d'efforts ; vois ***réfractaire.***

Va voir aussi ***mutin.***

Conjugaison 1

▸ *se* ***rebeller*** v. Se révolter. *Les soldats se sont rebellés contre le gouvernement.*

Attention à l'accent aigu du ***é*** !

▸ ***rébellion*** n. f. Révolte. *Le gouvernement a mis fin à la rébellion.*

Attention ! deux *f.*

Conjugaison 1

se **rebiffer** v.

Refuser de continuer à faire quelque chose. *Julie s'est rebiffée quand sa mère lui a demandé de redescendre pour acheter du pain,* elle a refusé d'y aller ; vois *se* ***révolter.***

Ce mot est familier.

Conjugaison 1
reboiser v.
Replanter des arbres dans un endroit. *On a reboisé la colline après l'incendie.*
Famille de **bois**

rebondi adj.
De forme arrondie. *Claire a les joues rebondies,* bien rondes, bien pleines.

Conjugaison 2
Famille de **bondir**
rebondir v.
1. Faire un bond après avoir touché un obstacle. *Le ballon a rebondi trois fois.* **2.** Prendre un nouveau développement après un arrêt. *L'audition d'un témoin a fait rebondir l'enquête.*
▷ ***rebond*** n. m. Mouvement d'une balle qui rebondit. *David a attrapé le ballon après le premier rebond,* après que le ballon a rebondi.
▷ ***rebondissement*** n. m. Développement imprévu. *L'enquête a eu des rebondissements.*

Balle
Balle qui détales
Balle si tu montes haut
Tu rebondis trop
(A. Sylvestre).

Le loup posa ses pattes sur le rebord de la fenêtre *(les Contes du Chat perché).*
rebord n. m.
Bord qui dépasse. *Mme Hespel a mis des pots de fleurs sur le rebord de la fenêtre. Odile Séverac s'est assise sur le rebord du puits,* sur la margelle.
Famille de ① **bord**

Conjugaison 1
reboucher v.
Boucher ce qui a été ouvert, débouché. *M. Bellec a rebouché la bouteille de cognac,* il a remis le bouchon.
Famille de ② **boucher**

Attention ! un ***s*** à la fin.
à ***rebours*** adv.
Compter à rebours, c'est compter à l'envers pour arriver au zéro. *La fusée va bientôt partir, le compte à rebours a commencé.*
10, 9, 8, 7, 6, 5, 4, 3, 2, 1, 0. Feu !

Conjugaison 1
rebrousser v.
1. *Les chats n'aiment pas qu'on leur rebrousse le poil,* qu'on relève leurs poils dans le sens contraire à leur position naturelle. **2.** *Rebrousser chemin,* c'est revenir sur ses pas. *Nathalie et David ont rebroussé chemin quand l'orage a éclaté.*
▷ *à* ***rebrousse-poil*** adv. En rebroussant le poil. *Les chats n'aiment pas qu'on les caresse à rebrousse-poil.*
Famille de **poil**

Rébus [ʀebys] rime avec *autobus* et *puce.*
rébus n. m.
Devinette faite d'une suite de dessins, de signes, de chiffres, de lettres. *Hippolyte aime bien composer des rébus. Angèle fait déchiffrer un rébus à ses élèves.*

Ne prononce pas le ***t*** final : [ʀəby].
rebut n. m.
Mettre quelque chose au rebut, c'est s'en débarrasser. *Les Séverac ont mis leur vieux buffet de cuisine au rebut.*

Conjugaison 1
rebuter v.
Décourager, dégoûter quelqu'un. *L'énoncé du problème a rebuté Sylvain,* il l'a découragé parce qu'il était difficile à comprendre.
▷ ***rebutant*** adj. Difficile et ennuyeux. *Le livre de mathématiques d'Alex est rebutant ;* vois ***rébarbatif.***

récalcitrant adj.
Le contraire de *récalcitrant,* c'est *docile.*
Qui résiste avec entêtement. *L'âne refuse d'avancer, il est récalcitrant,* il ne se laisse pas faire.

Conjugaison 1
Ce verbe est familier.
recaler v.
Refuser à un examen. *Alex a déjà été recalé deux fois à son baccalauréat.*
Le contraire de *recaler,* c'est *recevoir.*

Conjugaison 1
récapituler v.
Répéter quelque chose en le résumant, en n'en citant que les points les plus importants. *Le maire a récapitulé les propositions des conseillers municipaux.*

Conjugaison 5 ▭ Indic. présent : *je recèle, il recèle, nous recelons.* Imparfait : *je recelais.* Futur : *je recèlerai.* — Subj. présent : *que je recèle, que nous recelions.*
receler v.
1. Contenir, renfermer. *Le sous-sol de la région recèle des fossiles.* **2.** Garder chez soi des objets volés par quelqu'un d'autre. *Les malfaiteurs recelaient des bijoux dans une villa inhabitée.*
▷ ***recel*** n. m. Délit commis par celui qui garde des objets volés. *Le malfaiteur a été inculpé de recel de bijoux,* de receler des bijoux.
On écrit aussi *recéler* qui se conjugue comme *céder.*

▸ ***receleur*** n. m., ***receleuse*** n. f. Celui qui pratique le recel. *Les cambrioleurs ont revendu le stock de bijoux volés à un receleur.*

Conjugaison 1

recenser v.
Dénombrer les habitants d'un pays. *On recense la population française tous les sept ans.*

Le recensement se fait par un questionnaire adressé à chaque personne.

▸ ***recensement*** n. m. Opération qui consiste à compter les habitants d'un pays. *En France, le recensement de la population est effectué tous les sept ans.*

Les recensements donnent des renseignements sur la population.

Compare : *récent* → *récemment* et *décent* → *décemment.*

récent adj.
Un événement récent, c'est un événement qui s'est produit il y a peu de temps. *L'ouverture du nouveau restaurant est toute récente.*

Le contraire de *récent,* c'est *ancien, vieux.*

Attention ! deux ***m***. Prononce [ʀesamɑ̃].

▸ ***récemment*** adv. Il y a peu de temps ; vois ***dernièrement.*** *Mme Roussel a vu sa sœur récemment.*

Attention ! un ***c*** puis deux ***s***.

récépissé n. m.
Papier qui prouve qu'une personne a bien reçu un objet ou de l'argent de quelqu'un ; vois **reçu**. *Le facteur apporte un mandat à Mme Roussel et lui fait signer le récépissé.*

Compare ***récepteur*** et ***réception*** : dans ces mots, il s'agit de **recevoir.**

récepteur n. m.
Appareil qui reçoit et amplifie les sons et les images envoyés par l'émetteur. *Le récepteur téléphonique permet de recevoir les communications, le récepteur de radio de capter les émissions et le récepteur de télévision de suivre les émissions télévisées.*

Compare ***réception*** et ***récepteur*** : dans ces mots, il s'agit de **recevoir.**

réception n. f.
1. *Dès la réception de la lettre, Loïc a répondu,* dès qu'il a reçu la lettre. **2.** *Les Séverac donnent une réception deux fois par an,* ils réunissent chez eux leurs relations. **3.** *La réception,* c'est l'endroit où l'on reçoit les clients d'un hôtel. *Avant de sortir de l'hôtel, Denis Prost dépose ses clés à la réception.*

La personne qui accueille les clients d'un hôtel est *un réceptionniste* ou *une réceptionniste.*

recette n. f.
1. Total des sommes d'argent reçues. *Le malfaiteur a fracturé le tiroir-caisse du magasin et volé la recette de la journée.* **2.** *Dans un budget équilibré, les dépenses ne doivent pas dépasser les recettes,* l'argent dépensé ne doit pas dépasser l'argent gagné. **3.** Manière de préparer un plat. *Mamie Lou ne donne à personne sa recette de canard aux cèpes.*

Recettes est au pluriel dans ce cas.

Si les recettes sont plus importantes que les dépenses, on fait un bénéfice.

C'est son secret !

Conjugaison 28
▭ Indic. présent : *je reçois, nous recevons, ils reçoivent.* Imparfait : *je recevais, nous recevions.* Futur : *je recevrai.* Passé simple : *je reçus, nous reçûmes.* — Subj. présent : *que je reçoive.*

recevoir v.
1. *Recevoir quelque chose,* c'est se voir donner, adresser quelque chose. *M. Touati ne reçoit pas un gros salaire. Nathalie a reçu une lettre de Sylvain.* **2.** Être atteint. *David a reçu le ballon en pleine figure. Hippolyte s'est abrité sous un porche pour ne pas recevoir l'averse.* **3.** *Recevoir des amis,* c'est les accueillir chez soi. *Ce soir, Angèle reçoit quelques amis à dîner.* **4.** *Alex n'a pas été reçu au bac,* il n'a pas réussi, il n'a pas été admis.

Attention ! ***ç*** cédille devant ***o*** et ***u***.

Autre membre de la famille : **reçu.**

Famille de **changer**

de rechange adj.
Le garagiste attend une pièce de rechange pour réparer la voiture d'Angèle, une pièce destinée à remplacer la pièce usée ou cassée.

Les *vêtements de rechange* permettent de se changer.

Conjugaison 1

recharger v.
Recharger une arme, c'est y remettre des cartouches, de la poudre. *Après avoir tiré, M. Bellec a rechargé son fusil. Pierre Séverac recharge son briquet,* il y remet du gaz ou de l'essence.

Famille de **charger**

▸ ***recharge*** n. f. *Une recharge de stylo,* c'est un petit réservoir cylindrique contenant de l'encre ; vois ***cartouche.*** *Nathalie a changé la recharge de son stylo.*

Attention ! un ***e*** entre le ***g*** et le ***a***.

▸ ***rechargeable*** adj. *Un objet rechargeable,* c'est un objet qui peut être rechargé. *Ce briquet n'est pas rechargeable, il est jetable.*

Famille de **chauffer**
Attention ! un ***d*** à la fin, comme dans *chaud.*

réchaud n. m.
Petit fourneau portatif servant à chauffer ou à cuire les aliments. *Quand ils campaient, Alex et Réjean préparaient leur repas sur un réchaud à gaz.*

Il y a aussi des réchauds électriques.

Conjugaison 1
Famille de **chauffer**

réchauffer v.

Chauffer à nouveau ce qui a refroidi. *Mamie Lou réchauffe le ragoût qu'elle a préparé la veille.*

Le contraire de *réchauffer*, c'est *refroidir.*

Attention ! deux *f* dans *réchauffer* et dans *réchauffement.*

▸ *se* ***réchauffer*** v. **1.** Avoir chaud de nouveau. *Claire s'est réchauffée devant la cheminée.* **2.** Devenir plus chaud. *La température s'est un peu réchauffée ces jours derniers.*

Le temps était beau, mais déjà l'air, rafraîchi pendant les nuits, ne se réchauffait que plus difficilement aux rayons du soleil *(Michel Strogoff).*

Le contraire de *réchauffement*, c'est *refroidissement.*

▸ ***réchauffement*** n. m. *Il y a eu ces jours-ci un léger réchauffement de la température,* la température s'est réchauffée.

Attention à l'accent circonflexe du ***ê*** !

rêche adj.

Rude au toucher, rugueux. *Le nouveau jean de Julie est encore un peu rêche. En hiver, les mains d'Odile Séverac sont rêches et gercées.*

Le contraire de *rêche*, c'est *doux, moelleux.*

Conjugaison 1
Famille de **chercher**

rechercher v.

1. Chercher activement à découvrir, à retrouver. *La police recherche les auteurs de l'attentat.* **2.** Essayer d'obtenir, d'avoir. *Mme Séverac recherche toujours la perfection dans ce qu'elle fait.*

C'est une perfectionniste.

▸ ***recherche*** n. f. **1.** Effort pour retrouver quelqu'un ou quelque chose. *Pour le moment, les bandits ont échappé aux recherches des policiers. Une fois de plus, Mamie Lou est à la recherche de ses lunettes,* elle est en train de les chercher. **2.** *La recherche,* c'est l'ensemble des travaux scientifiques qui contribuent à la découverte de connaissances nouvelles. *Les biologistes font de la recherche en laboratoire.* **3.** *Sophie Pelletier s'habille avec recherche,* avec raffinement.

Le bœuf était si profondément absorbé par la recherche de la solution qu'il n'entendait rien et demeurait immobile en marmottant des chiffres *(les Contes du Chat perché).*

Sa manière de s'habiller est très *recherchée.*

Conjugaison 1

rechigner v.

Antoine rechigne à essuyer la vaisselle, il manifeste de la mauvaise volonté. *Julie range sa chambre en rechignant,* en renâclant.

Famille de **choir**

rechute n. f.

À peine guéri de son angine, Sylvain a fait une rechute, son angine a recommencé.

récidive n. f.

Faire une récidive, c'est commettre une nouvelle infraction, après avoir été condamné. *À peine sortis de prison, les bandits ont fait une récidive de vol.*

En cas de récidive, la peine est plus lourde que pour une première infraction.

Conjugaison 1

▸ ***récidiver*** v. Commettre une récidive. *À peine sortis de prison, les malfaiteurs ont récidivé.*

▸ ***récidiviste*** n. m. et f. Personne qui récidive. *Ce bandit a déjà fait dix ans de prison, c'est un récidiviste.*

récif n. m.

« Mais pas moyen de passer par là, chef : ce sont des récifs » *(Tintin).*

Rocher à peine recouvert par la mer. *Le bateau a heurté un récif et a fait naufrage.*

Les récifs sont très dangereux pour la navigation.

récipient n. m.

Les pots, les plats, les bocaux, les bouteilles sont des récipients.

Objet creux qui peut contenir des matières solides ou des liquides. *Ce récipient est trop petit, l'eau va déborder !*

réciproque adj. et n. f.

1. adj. *Un sentiment réciproque,* c'est un sentiment éprouvé par deux personnes en même temps. *Hippolyte regrette que son amour pour Angèle ne soit pas réciproque.* **2.** n. f. *La réciproque,* c'est l'inverse. *Hippolyte aime Angèle, mais la réciproque n'est pas vraie.*

▸ ***réciproquement*** adv. Mutuellement, l'un l'autre. *Mme Roussel et Mme Bellec se rendent réciproquement service. Mme Roussel rend service à Mme Bellec et réciproquement,* et vice versa.

Conjugaison 1

réciter v.

Dire à haute voix et de mémoire. *Chacun à leur tour, les enfants récitent le poème qu'ils ont appris par cœur.*

▸ ***récit*** n. m. Histoire que l'on raconte. *David aime particulièrement les récits d'aventures. Angèle a demandé aux enfants d'écrire le récit de leurs dernières vacances,* de raconter par écrit leurs dernières vacances.

Souvenir par souvenir, détail par détail, Sybil Bullit me fit le récit de cette époque *(le Lion).*

▸ ***récitation*** n. f. **1.** Exercice qui consiste à réciter un texte appris par cœur. *Yasmina est première en récitation.* **2.** Poème ou texte que l'on doit apprendre par cœur et réciter. *Les élèves de la classe d'Angèle ont une récitation à apprendre pour demain.*

Au pluriel : *des récitals.*

▸ ***récital*** n. m. Séance au cours de laquelle un artiste se produit en public. *Le célèbre pianiste donnera trois récitals dans la région.*

Il y a aussi des récitals de danse.

réclame n. f.

Ces produits sont en réclame, ils sont en vente à prix réduit ; vois ***promotion.***

Conjugaison 1

réclamer v.

Demander en insistant. *Dès son réveil, le bébé réclame sa mère. D'un geste, le maire a réclamé le silence.*

▸ ***réclamation*** n. f. Demande, protestation. *Mme Hespel a adressé une réclamation au fabricant d'aspirateurs.*

Conjugaison 1

reclasser v.

Classer de nouveau. *La pile de dossiers est tombée, il va falloir tout reclasser !*

Famille de ① **classe**

réclusion n. f.

La réclusion à perpétuité dure toute la vie.

Emprisonnement, détention. *Les cambrioleurs ont été condamnés à cinq ans de réclusion.*

Attention ! deux *f.*
Conjugaison 1

recoiffer v.

Coiffer quelqu'un qui est décoiffé. *Odile Séverac recoiffe Claire : ses cheveux étaient tout emmêlés. — Julie se recoiffe devant la glace de la salle de bains.*

Famille de **coiffer**

Famille de **coin**

recoin n. m.

Coin caché. *David et Nathalie ont exploré tous les recoins du grenier.*

Conjugaison 1

recoller v.

1. Coller quelque chose qui s'est décollé. *Yves a recollé le timbre sur l'enveloppe.* **2.** Réparer avec de la colle. *Mme Séverac recolle le vase brisé avec de la colle forte. Elle a recollé tous les morceaux du vase.*

Famille de **colle**

récolte n. f.

La récolte du blé s'appelle la *moisson,* celle des fruits la *cueillette,* et celle du raisin les *vendanges.*

Action de ramasser ou de cueillir les produits de la terre. *La récolte du maïs a été bonne cette année.*

▸ ***récolter*** v. Faire une récolte. *Pierre Séverac a récolté beaucoup de maïs, cette année.*

Conjugaison 1

Conjugaison 1

recommander v.

Une *lettre recommandée,* c'est une lettre pour laquelle on paye une taxe particulière afin qu'elle soit remise en mains propres à son destinataire.

1. Demander à quelqu'un avec insistance. *Le bébé s'est endormi, Sophie Pelletier recommande à sa fille de ne pas faire de bruit. La directrice a recommandé à l'institutrice la plus grande fermeté avec Colle et Rat.* **2.** *Recommander quelqu'un,* c'est intervenir en sa faveur. *M. Doucet a recommandé auprès du directeur son ancien camarade d'études.*

Tu n'as donc pas mis le pain dans ta main grande ouverte, comme je te l'ai tant de fois recommandé ? *(les Malheurs de Sophie).*

Attention ! deux ***m*** dans *recom**m**ander, recom**m**andable* et *recom**m**andation.*

▸ ***recommandable*** adj. Digne d'être fréquenté. *Colle et Rat ne sont pas très recommandables.*

C'est l'avis de la directrice et des parents d'élèves.

▸ ***recommandation*** n. f. **1.** *Mme Touati fait toutes sortes de recommandations à sa fille qui doit prendre le train toute seule,* elle lui donne de nombreux conseils. **2.** Appui, protection. *Mme Hespel a écrit une lettre de recommandation à l'une de ses relations pour son ancienne secrétaire qui cherche du travail.*

J'avais, dans mes papiers, des lettres de recommandation *(le Lion).*

Conjugaison 3 ▭ Indic. présent : *nous recommençons.* Imparfait : *je recommençais.*

recommencer v.

1. Refaire depuis le début. *L'institutrice a dû recommencer son explication car les élèves n'écoutaient pas.* **2.** Commencer à nouveau. *Yves recommence son devoir parce qu'il a fait une rature. — Il recommence à pleuvoir.* **3.** Reprendre. *La pluie a recommencé.*

Famille de **commencer**

Je fais comme Paul, chère amie, et je demande grâce pour cette fois. Si elle recommence, ce sera différent *(les Malheurs de Sophie).*

Conjugaison 1

récompenser v.

« Que Dieu te récompense, ma fille, de ce que tu fais pour mes vieux ans ! » *(Michel Strogoff).*

Donner une récompense. *L'institutrice a récompensé les élèves qui avaient bien appris leurs leçons. Julie a été récompensée de ses efforts,* elle a réussi grâce à ses efforts.

Le contraire de *récompenser,* c'est *punir.*

▸ ***récompense*** n. f. Cadeau donné à quelqu'un parce qu'il a fait quelque chose de bien. *Angèle a donné une récompense à Julie.*

Tintin offre une récompense à qui retrouvera Milou.

Conjugaison 7 ▭ Indic. imparfait : *nous réconciliions.*

réconcilier v.
Réconcilier deux personnes, c'est les remettre d'accord alors qu'elles étaient fâchées. *Marie-Tévy a réconcilié Yves et Antoine. — Yves et Antoine se sont réconciliés.*

Famille de **concilier**

▸ **réconciliation** n. f. *Les disputes d'Yves et d'Antoine finissent toujours par des réconciliations,* Yves et Antoine se réconcilient toujours.

Conjugaison 38

reconduire v.
Raccompagner. *Denis Prost a reconduit Yasmina chez elle après le dîner ;* vois ***ramener.***

Famille de **conduire**

Conjugaison 1

réconforter v.
1. Redonner du courage. *Quand Sophie Pelletier a perdu sa mère, tous ses amis l'ont réconfortée.* **2.** Redonner des forces. *Après ces heures de route, un thé bien chaud vous réconforterait.*

Famille de ① **fort**

▸ **réconfortant** adj. *Des paroles réconfortantes,* ce sont des paroles qui redonnent du courage. *Sophie Pelletier a été très touchée par les paroles réconfortantes de ses amis.*

▸ **réconfort** n. m. Ce qui redonne du courage. *Les témoignages de sympathie ont apporté un grand réconfort à Sophie Pelletier.*

D'un côté ce serait bien réconfortant de ne jamais devenir une vieille femme... mais, d'un autre côté, avoir des leçons à apprendre toute ma vie !... *(Alice au Pays des merveilles).*

Conjugaison 57
Famille de **connaître**

Qui je suis ? tu le demandes ! Mon enfant, est-ce que tu ne reconnais plus ta mère ? *(Michel Strogoff).*

reconnaître v.
1. *Reconnaître quelqu'un ou quelque chose,* c'est savoir qui c'est ou ce que c'est parce qu'on l'a déjà vu. *Mamie Lou n'a pas reconnu David tout de suite tellement il a grandi. On ne reconnaît plus l'appartement d'Angèle depuis qu'elle a fait faire des travaux. — Malgré dix ans de séparation, ils se sont reconnus immédiatement.* **2.** *Reconnaître une faute,* c'est admettre qu'on l'a faite. *L'accusé a reconnu ses torts. M. Bellec a reconnu qu'il s'était trompé,* il l'a admis. **3.** *Reconnaître le terrain,* c'est l'examiner. *Un détachement d'éclaireurs est parti reconnaître le terrain.* **4.** Admettre officiellement. *La France a reconnu la Chine populaire en 1964,* elle a admis officiellement l'existence de la Chine populaire.

Babar frémit et glisse à l'oreille de Céleste : « Je reconnais la ville. J'en suis sûr. C'est ici que j'ai rencontré la vieille dame quand j'étais petit » *(Babar).*

▸ **reconnaissable** adj. Facile à reconnaître. *Julie est reconnaissable à ses yeux verts et à ses cheveux roux.*

Attention ! deux ***n*** et deux ***s*** dans *reconnaissable, reconnaissance* et *reconnaissant.*

▸ **reconnaissance** n. f. **1.** *Des soldats sont partis en reconnaissance,* ils sont allés examiner les lieux. **2.** Gratitude que l'on éprouve envers quelqu'un. *Le maire a exprimé sa reconnaissance aux pompiers pour leur courage lors de l'incendie.*

Le contraire de *reconnaissance,* c'est *ingratitude.*

▸ **reconnaissant** adj. Qui éprouve de la reconnaissance, de la gratitude. *Je vous suis très reconnaissante de m'avoir aidée.*

Le contraire de *reconnaissant,* c'est *ingrat.*

Conjugaison 1

reconstituer v.
Pour les besoins du film, on a reconstitué un village gaulois, on a recréé un village gaulois tel qu'il était.

Famille de **constituer**

▸ **reconstitution** n. f. *Une reconstitution historique,* c'est une évocation précise et fidèle de choses passées. *Ce film est une reconstitution de la bataille d'Alésia.*

Conjugaison 38
Famille de **construire**

reconstruire v.
Construire de nouveau ce qui a été démoli. *Après l'incendie, il a fallu reconstruire la poste.*

On a procédé à sa *reconstruction.*

Conjugaison 2

reconvertir v.
Reconvertir une entreprise, c'est la transformer pour l'adapter à de nouvelles conditions économiques. *On a reconverti la fabrique de tanks en usine d'automobiles.*

Famille de **convertir**

Conjugaison 7 ▭ Indic. imparfait : *nous recopiions.*

recopier v.
Écrire à nouveau ce que l'on a déjà écrit. *Yasmina a recopié sur son cahier les exercices qu'elle avait faits au brouillon.*

Famille de **copie**

Attention ! un ***d*** à la fin.

record n. m.
Meilleur résultat jamais atteint auparavant. *Ce coureur a battu le record du monde du cent mètres.*

En un temps record : très vite.

Conjugaison 1

recoucher v.

Sophie Pelletier a recouché Martin après lui avoir donné son biberon, elle l'a remis au lit. — *Julie s'est levée pour aller boire et elle s'est recouchée aussitôt.*

Famille de **coucher**

Conjugaison 48

recoudre v.

Coudre ce qui est décousu. *Mamie Lou a recousu le bouton de sa jupe.*

Famille de **coudre**

Conjugaison 1
Famille de **couper**

recouper v.

1. Couper de nouveau. *Mme Hespel a recoupé des tranches de rôti pour Alex.* **2.** *Le témoignage d'Hippolyte recoupe celui du chef des pompiers,* il coïncide avec le témoignage du chef des pompiers et le confirme. — *Les deux témoignages se recoupent.*

Grâce à ces témoignages, on a pu faire des *recoupements.*

Conjugaison 1

recourber v.

Rendre courbe. *Antoine recourbe un morceau de fil de fer pour s'en faire un hameçon.*

Famille de **courbe**

Conjugaison 11

recourir v.

Recourir à quelqu'un, c'est lui demander son aide, faire appel à lui. *Le docteur Séverac a recouru à un expert pour connaître la valeur de ses tableaux.*

Compare : *recourir → recours* et *secourir → secours.*

▸ ***recours*** n. m. **1.** *Avoir recours à quelqu'un,* c'est faire appel à lui. *Le docteur Séverac a eu recours à un expert.* **2.** Dernier moyen efficace. *Il n'y a aucun recours contre la méchanceté de Mme Harpie,* il n'y a rien à faire.

Ne prononce pas le ***s*** à la fin : [rəkuʀ].

Conjugaison 1
Ne confonds pas *recouvrer* et *recouvrir.*

recouvrer v.

1. Avoir de nouveau, retrouver, récupérer. *Après un séjour à la montagne, Sylvain recouvrera la santé.* **2.** Recevoir un paiement. *Le percepteur recouvre les impôts ;* vois ***percevoir.***

Après une journée de repos, Nadia eut recouvré une partie de ses forces *(Michel Strogoff).*

▸ ***recouvrement*** n. m. *Le recouvrement d'une somme,* c'est le fait de la toucher. *Cet impôt est mis en recouvrement le 15 novembre,* il doit être payé le 15 novembre.

Conjugaison 18

recouvrir v.

1. Couvrir de nouveau ce qui est découvert. *Sophie Pelletier a recouvert Martin,* elle a remis une couverture sur lui. **2.** Couvrir complètement. *Hippolyte recouvre de papier peint les murs de son entrée.*

Ne confonds pas *recouvrir* et *recouvrer.*

Famille de **couvrir**

récréation n. f.

La récréation a lieu dans la *cour de récréation.*

Moment pendant lequel les élèves peuvent se détendre, s'amuser. *Pendant la récréation, Julie aime bien jouer aux billes.*

Conjugaison 7
▭ Indic. imparfait : *nous nous récriions.*

se ***récrier*** v.

Protester en s'exclamant. *Mme Harpie s'est récriée quand sa sœur l'a accusée d'être toujours de mauvaise humeur.*

Famille de **crier**

récrimination n. f.

Plainte, protestation. *Les récriminations de Mme Harpie agacent tout le monde.*

Conjugaison 1

se ***recroqueviller*** v.

Se replier sur soi-même. *Julie s'est recroquevillée sous les couvertures pour avoir moins froid.*

Attention ! un ***s*** devant le deuxième ***c.***

recrudescence n. f.

Nouvelle augmentation plus grave, après une accalmie. *On attend une recrudescence du froid après ces quelques jours de beau temps.*

Attention ! *recrue* est un nom féminin.

recrue n. f.

Soldat qui vient d'arriver dans l'armée. *Les nouvelles recrues ont été conduites dans leur dortoir.*

Conjugaison 1

▸ ***recruter*** v. Engager. *M. Bellec, le patron du restaurant, a recruté un nouveau serveur ;* vois ***embaucher.***

Famille de **angle**

rectangle n. m.

Figure géométrique qui a quatre côtés égaux deux à deux et qui a quatre angles droits. *Dessinez un rectangle de 20 cm de long sur 15 cm de large.*

Un *triangle rectangle* a un angle droit.

Compare *rectangulaire* et *triangulaire* : il est question d'**angle.**

rectangulaire adj.
Qui a la forme d'un rectangle. *Les paquets de lessive sont rectangulaires.*

rectifier v.
Rendre exact, changer ce qui ne va pas ; vois ***corriger.*** *Antoine a rectifié le résultat de son opération avant de rendre son devoir.*

Conjugaison 7 ▭ Indic. imparfait : *je rectifiais, nous rectifiions.* Futur : *je rectifierai.*

Compare : *rectifier → rectification* et *justifier → justification.*

▹ ***rectification*** n. f. Correction. *Le maire a fait quelques rectifications dans le texte de son discours.*

Le contraire de *rectiligne,* c'est *sinueux.*

rectiligne adj.
En ligne droite. *L'avenue du Général-de-Gaulle est rectiligne ;* vois ***droit.***

Famille de **ligne**

Au pluriel : *des rectos.*

recto n. m.
Premier côté d'une feuille de papier ; vois ***endroit.*** *Le début du questionnaire est au recto. La feuille est imprimée recto verso,* des deux côtés.

L'envers d'une feuille, c'est le *verso.*

Famille de **recevoir**

reçu n. m.
Papier prouvant que l'on a reçu quelque chose. *Le teinturier a donné un reçu à Mme Hespel.*

Conjugaison 12 ▭ Indic. présent : *je recueille, nous recueillons,* Imparfait : *je recueillais, nous recueillions.* Futur : *je recueillerai.*

recueillir v.
1. Ramasser, rassembler, réunir. *La police a recueilli de nombreux témoignages ;* vois ***enregistrer.*** **2.** Accueillir chez soi une personne qui est dans le malheur ou un animal abandonné. *Les Séverac ont recueilli un chien errant.*

Quand Michel Strogoff revint à lui, il se trouva dans la cabane d'un moujik qui l'avait recueilli et soigné *(Michel Strogoff).*

▹ ***recueil*** n. m. Livre qui réunit plusieurs textes. *Sophie Pelletier a écrit un recueil de contes pour enfants.*

Conjugaison 12

se ***recueillir*** v.
S'isoler en soi-même pour réfléchir ou prier. *Sophie Pelletier se recueille sur la tombe de sa mère.*

▹ ***recueillement*** n. m. État d'une personne qui s'isole du monde extérieur pour se concentrer, méditer. *Yves assiste à la messe avec recueillement.*

Conjugaison 1

Deux soldats repoussèrent Marga Strogoff. Elle recula, mais resta debout, à quelques pas de son fils *(Michel Strogoff).*

reculer v.
1. Aller vers l'arrière. *Claire recule pour laisser passer sa mère. — Julie s'est reculée pour regarder son dessin.* **2.** Renoncer à faire une chose trop difficile. *Antoine a promis à Marie-Tévy de l'emmener la nuit dans le bois ; il n'est pas très rassuré, mais il est trop tard pour reculer.* **3.** Mettre plus loin en arrière. *Angèle recule sa chaise.* **4.** Reporter à plus tard. *Le producteur souhaite reculer la date de sortie du film ;* vois ***différer, repousser, retarder.***

Le contraire de *reculer,* c'est *avancer.*

Pour elle, il ne reculerait devant aucun danger !

Recul [rəkyl] rime avec *particule.*

▹ ***recul*** n. m. **1.** Mouvement vers l'arrière. *Antoine a eu un mouvement de recul en voyant Mme Harpie.* **2.** *Julie prend du recul pour regarder son dessin,* elle recule, elle s'éloigne.

▹ *à* ***reculons*** adv. En reculant, en allant en arrière. *Claire a traversé le jardin à reculons et à cloche-pied.*

L'âne se mit à marcher à reculons et en zigzaguant *(les Contes du Chat perché).*

Conjugaison 5 ▭ Indic. présent : *je récupère, nous récupérons.* Imparfait : *je récupérais.* Futur : *je récupérerai.* — Subj. présent : *que je récupère.*

récupérer v.
1. Retrouver une chose qu'on avait perdue ou prêtée. *Yves a eu du mal à récupérer le livre qu'il avait prêté à Colle et Rat.* **2.** Recueillir, rassembler des choses qui seraient perdues. *Le garagiste récupère des pièces dans les voitures accidentées.*

▹ ***récupération*** n. f. *Les pièces de récupération,* ce sont les pièces récupérées. *M. Bellec a réparé sa voiture avec des pièces de récupération.*

Conjugaison 1

récurer v.
Nettoyer en frottant. *Mme Roussel a passé une heure à récurer le plat : le gratin avait brûlé.*

Famille de **curer**

Conjugaison 1
Famille de ① **cycle**

recycler v.
1. *Recycler une chose,* c'est lui faire subir un traitement pour la réutiliser. *Sylvain écrit sur du papier recyclé.* **2.** *Se recycler,* c'est suivre des cours pour faire un nouveau travail. *M. Doucet s'est recyclé en suivant des cours du soir.*

Dans les villes, on recycle les eaux usées.

▸ ***recyclage*** n. m. Formation suivie pour acquérir de nouvelles connaissances ou s'adapter à un nouveau travail. *M. Doucet suit des cours de recyclage.*

Compare ***rédac****teur* et ***rédac****tion* : il est question de **rédiger.**

rédacteur n. m., *rédactrice* n. f.

Personne qui rédige un texte ; vois ***auteur.*** *Sophie Pelletier a été rédactrice dans un journal pour enfants.*

rédaction n. f.

1. Manière de rédiger un texte. *La rédaction de ce texte a demandé trois heures,* il a fallu trois heures pour le rédiger. **2.** Texte qu'on rédige en classe pour s'exercer à écrire. *Yves est premier en rédaction.*

La *rédaction* d'un journal, c'est aussi l'endroit où les journalistes écrivent leurs articles.

Attention ! deux *d.*

reddition n. f.

Le fait de se rendre, de reconnaître qu'on est vaincu. *La paix a été signée peu après la reddition de la ville,* après que la ville s'est rendue à l'ennemi ; vois ***capitulation.***

Conjugaison 41 ▭ Indic. présent : *je redescends, nous redescendons.* Imparfait : *je redescendais.*

redescendre v.

1. Descendre après être monté. *Les enfants sont montés en téléphérique et redescendus à skis. Marie-Tévy a redescendu la piste jusqu'au départ du téléphérique.* **2.** Mettre en bas une chose qui avait été montée. *Mamie Lou a redescendu les valises du grenier.*

Famille de **descendre**

Famille de ① **devoir**

redevable adj.

Être redevable d'une chose à quelqu'un, c'est la lui devoir. *Denis Prost est redevable de son succès au metteur en scène qui l'a remarqué.*

Denis Prost est un acteur connu.

Famille de ① **devoir**

redevance n. f.

Somme d'argent que l'on doit payer régulièrement. *Hippolyte n'a pas encore payé la redevance pour la télévision ;* vois ***impôt, taxe.***

Conjugaison 3 ▭ Indic. présent : *nous rédigeons.*

rédiger v.

Écrire un texte. *Sophie Pelletier rédigeait un article pour une revue d'art.*

Va voir aussi ***rédacteur, rédaction.***

Napoléon, pendant ses campagnes, portait une redingote grise.

redingote n. f.

Long manteau d'homme fendu derrière du bas à la taille. *Les hommes ont porté la redingote jusqu'au début du XXe siècle.*

À l'origine, on la mettait pour monter à cheval.

Conjugaison 37

Famille de **dire**

redire v.

1. Dire plusieurs fois ; vois ***répéter.*** *Yves a redit à sa mère qu'il voulait être marin.* **2.** Dire ce qu'un autre a déjà dit ; vois ***répéter.*** *Ne le redis à personne, c'est un secret.* **3.** *Trouver à redire,* c'est trouver quelque chose à critiquer. *Mme Harpie trouve à redire à tout.*

Il y avait des histoires si drôles que le loup dut les redire deux et trois fois *(les Contes du Chat perché).*

Famille de **dire**

redite n. f.

Chose répétée inutilement ; vois ***répétition.*** *Évitez les redites dans vos rédactions.*

Conjugaison 1

Famille de **donner**

redonner v.

1. Rendre à quelqu'un ce qu'on lui avait pris, ce qu'il n'avait plus ; vois ***restituer.*** *Colle et Rat ne veulent pas redonner son livre à Yasmina.* **2.** Donner de nouveau à quelqu'un. *Redonne du dessert à Antoine !*

Le contraire de *redonner,* c'est *reprendre.*

Conjugaison 1

Famille de **double**

redoubler v.

1. *Redoubler une classe,* c'est la recommencer. *Alex a redoublé sa terminale.* **2.** Recommencer de plus belle. *Les nuages se rapprochèrent et la pluie redoubla.* **3.** *La directrice redouble d'amabilité,* montre encore plus d'amabilité.

▸ ***redoublant*** n. m., ***redoublante*** n. f. Élève qui redouble une classe. *Alex, quoique redoublant, n'a pas eu son bac.*

▸ ***redoublement*** n. m. Le fait d'être double. *Attention au redoublement de la lettre d dans le mot reddition !*

Le Normand redoubla d'efforts avec ses rames, et nous nous trouvâmes sur le sable *(les Vacances).*

Les détonations redoublaient et se rapprochaient sensiblement *(Michel Strogoff).*

redoute n. f.

Petit bâtiment fortifié, isolé. *La redoute tomba vite aux mains de l'ennemi.*

Va voir aussi ***blockhaus.***

Conjugaison 1

redouter v.
Avoir peur ; vois ***craindre.*** *Tous les enfants redoutent la directrice. Mamie Lou redoute que l'orage éclate.*

Le jeune loup était trop redoutable pour être affronté seul à seul *(Croc-Blanc).*

▹ ***redoutable*** adj. Dont on doit avoir peur, qu'il faut redouter ; vois ***dangereux, effrayant.*** *Yves fait du judo, c'est un adversaire redoutable.*

Le contraire de *redoutable,* c'est *inoffensif.*

Famille de **doux**

redoux n. m.
Radoucissement de la température au milieu de l'hiver. *Le redoux provoque des avalanches.*

Conjugaison 1
Famille de ① **dresser**

redresser v.
1. Remettre dans une position droite. *Pierre Séverac a redressé les poteaux de la clôture que le cheval avait démolie. — En se redressant, Antoine s'est cogné la tête à la table.* **2.** Redonner sa forme normale. *Le garagiste a redressé le pare-chocs de la voiture. — L'économie du pays s'est redressée après la guerre,* elle a retrouvé son niveau normal. **3.** *Redresser la situation,* c'est rattraper des erreurs. *Julie avait dit des bêtises devant une personne importante, mais sa mère a su redresser la situation.*

Le contraire de *redresser,* c'est *baisser, pencher.*
Le contraire de *redresser,* c'est *plier, tordre.*

▹ ***redressement*** n. m. Retour à un niveau correct. *Après la guerre, le redressement de la France a pris plusieurs années,* la France a mis plusieurs années à se redresser.

▹ ***redresseur*** n. m., ***redresseuse*** n. f. *Un redresseur de torts,* c'est une personne qui veut venger les innocents et punir les coupables. *Zorro est un redresseur de torts.*

réduction n. f.

Va voir aussi ***réduire.***

1. Diminution. *On prévoit une réduction du personnel à la biscuiterie. Le libraire fait cinq pour cent de réduction à ses bons clients,* de diminution de prix ; vois ***rabais, remise, ristourne.*** **2.** Reproduction dans un format plus petit. *Cette photo est une réduction de la photo originale. M. Bellec a construit pour Yves une ferme en réduction,* une ferme miniature, une maquette de ferme.

Le contraire de *réduction,* c'est *augmentation.*
Le contraire de *réduction,* c'est *agrandissement.*
C'est un *modèle réduit.*

Conjugaison 38
▭ Indic. présent : *je réduis, nous réduisons, ils réduisent.* Imparfait : *je réduisais.* Futur : *je réduirai.* — Subj. présent : *que je réduise.*

réduire v.
1. Rendre plus petit, moins important ; vois ***diminuer.*** *Le conducteur réduit la vitesse de sa voiture avant d'aborder le virage.* **2.** Mettre dans un état désagréable ; vois ***amener.*** *La remarque d'Angèle a réduit Yves au silence ;* vois ***contraindre.*** *Yves en a été réduit à se taire,* il y a été forcé. **3.** *Réduire une chose en morceaux,* c'est la mettre en morceaux. *Le mixer a réduit les pommes de terre en purée. — Le vieux parchemin s'est réduit en poussière,* s'est transformé, est tombé en poussière. **4.** *Les économies d'Antoine se réduisent à quelques centaines de francs,* consistent seulement en quelques centaines de francs.

Le contraire de *réduire,* c'est *augmenter.*
Réduire à néant, c'est détruire, faire disparaître.

▹ ① ***réduit*** adj. **1.** Reproduit à petite échelle. *David a des modèles réduits d'avions.* **2.** *Un tarif réduit,* c'est un tarif moins élevé que le tarif normal. *Les familles nombreuses ont droit à des tarifs réduits dans les chemins de fer.*

▹ ② ***réduit*** n. m. Petite pièce sombre ; vois ***cagibi.*** *Mme Bellec range les balais dans le réduit derrière la cuisine.*

Famille de **éduquer**

rééducation n. f.
Ensemble de soins qui permettent de récupérer l'usage d'un membre, d'une partie du corps blessée ou atteinte par la maladie. *Le blessé a dû suivre plusieurs séances de rééducation.*

réel adj.
Qui existe vraiment ; vois ***vrai.*** *Les journaux rapportent des faits réels ;* vois ***authentique, véritable.***

Le contraire de *réel,* c'est *fictif, imaginaire, irréel.*

Jules César a réellement existé, pas Astérix.

▹ ***réellement*** adv. En fait, en réalité ; vois ***effectivement, véritablement, vraiment.*** *Je vous assure, Denis Prost a réellement reçu un prix pour son film.*

Autre membre de la famille : **irréel.**

Conjugaison 43

réélire v.
Élire de nouveau. *Aux dernières élections, le maire a été réélu facilement.*

Famille de **élire**

Conjugaison 60
▭ Indic. présent : *je refais, vous refaites.* Imparfait : *je refaisais.* Futur : *je referai.*

refaire v.
1. Faire de nouveau ce que l'on a déjà fait ; vois ***recommencer.*** *Julie refait toujours les mêmes erreurs. Sophie Pelletier referait volontiers un voyage en Grèce.* **2.** Remettre en état. *Le restaurant Bellec a été refait à neuf.*

Famille de **faire**
Va voir aussi ***réfection.***

réfection n. f.
Réparation, remise à neuf. *La route départementale est en réfection.*

On *refait* la route.

Le réfectoire d'une école s'appelle la *cantine.*

réfectoire n. m.
Salle à manger dans un bâtiment où des personnes vivent en groupe. *Les moines prennent leurs repas dans le réfectoire.*

Au pluriel : *des référendums.*
Prononce [ʀefeʀɛ̃dɔm].

référendum n. m.
Vote de tous les électeurs servant à approuver ou rejeter une proposition du gouvernement ; vois ***plébiscite.*** *En Suisse, de nombreuses décisions sont prises par référendum.*

En 1962, les Français approuvèrent par référendum l'indépendance de l'Algérie.

Conjugaison 6 ▭ Indic. présent : *je me réfère, nous nous référons.* Futur : *je me référerai.*

se référer v.
Se reporter ; vois ***recourir.*** *Mme Bellec se réfère souvent à l'avis de son mari,* elle prend l'avis de son mari.

Si vous ne connaissez pas le sens d'un mot, référez-vous au dictionnaire !

On appelle *référence* l'indication placée en tête d'une lettre et que le correspondant doit rappeler.

▸ **référence** n. f. **1.** Indication de l'auteur d'une citation et de l'ouvrage dont elle est tirée. *La référence est à la fin de la citation.* **2.** *Des références,* ce sont des attestations servant de recommandations à une personne qui cherche du travail. *Le candidat a de sérieuses références.*

Un dictionnaire est un *ouvrage de référence,* fait pour être consulté.

Conjugaison 1

refermer v.
Fermer ce qui était ouvert. *Le docteur Séverac referma le journal et le posa sur la table.*

Famille de **fermer**

Conjugaison 2
Les sons aussi se réfléchissent : c'est l'*écho.*

C'est un canard avisé et qui avait beaucoup de sérieux. Pour mieux réfléchir, il cacha sa tête sous son aile *(les Contes du Chat perché).*

réfléchir v.
1. *Les miroirs réfléchissent l'image des objets,* ils en renvoient l'image, ils la reflètent. — *Les nuages se réfléchissaient dans le lac,* ils se reflétaient. **2.** Faire usage de la réflexion ; vois ***penser.*** *Antoine parle souvent sans réfléchir.*
▸ **réfléchi** adj. Qui réfléchit avant d'agir ; vois ***raisonnable, sérieux.*** *Sylvain est un garçon réfléchi. Tout bien réfléchi, nous viendrons par le train,* tout bien considéré, après avoir bien réfléchi.

C'est la *réflexion* de la lumière.

Quant à Michel Strogoff, il parlait peu et réfléchissait beaucoup *(Michel Strogoff).*

Le contraire de *réfléchi,* c'est *étourdi.*

reflet n. m.
1. Image réfléchie. *Julie contemple son reflet dans la glace.* **2.** Effet brillant produit par la lumière qui se réfléchit. *La moire est un tissu à reflets changeants.* **3.** Expression, image. *On dit souvent que les yeux sont le reflet de l'âme.*

Le Chameau, toujours dans l'oisiveté la plus mortelle, regardait son propre reflet dans une flaque d'eau *(Histoires comme ça).*

Conjugaison 6
▭ Indic. présent : *je reflète, nous reflétons.* Futur : *je refléterai.*

▸ **refléter** v. **1.** Réfléchir l'image d'un objet. *Les miroirs reflètent les objets. — La lune se reflétait dans la mer.* **2.** Exprimer, manifester. *Le visage de la directrice reflétait une grande contrariété.*

Les réflexes sont commandés par la moelle épinière.

réflexe n. m.
1. Réaction automatique et très rapide d'une partie du corps quand elle est stimulée. *Quand il fait froid ou que l'on a peur, les poils de la peau se hérissent ; c'est un réflexe.* **2.** Geste très rapide que l'on fait sans y penser. *Angèle a eu le réflexe de freiner quand l'enfant a traversé la rue en dehors des clous.*

On a la chair de poule.

Au volant, il faut d'excellents réflexes.

Voyons, mes enfants, au lieu de vous disputer, avouez que vous avez agi tous deux sans réflexion et que vous êtes tous deux coupables de la mort de l'écureuil *(les Malheurs de Sophie).*

réflexion n. f.
1. Le fait d'examiner au fond de soi une idée, un problème ; vois ***méditation.*** *Denis Prost ne sait pas s'il va accepter ce rôle, il a demandé une semaine de réflexion,* pour réfléchir. *Hippolyte a l'air perdu dans ses réflexions,* dans ses pensées. *Réflexion faite, Denis Prost va accepter ce rôle,* après y avoir bien réfléchi. **2.** Observation, remarque. *Mme Harpie fait sans cesse des réflexions désagréables.*

Va voir aussi ***réfléchir.***

Le contraire de *refluer,* c'est *affluer.*

refluer v.
Reculer, se retirer. *Les spectateurs refluaient vers la sortie.*

Conjugaison 1

Le contraire de *reflux,* c'est *flux.*

reflux n. m.
Mouvement de la marée descendante. *La mer avait commencé son reflux.*

Famille de **flux**

Famille de **forme**

En Amérique latine, des réformes agraires ont été entreprises entre 1960 et 1970 pour donner la terre aux paysans.

réforme n. f.
Ensemble de changements servant à améliorer quelque chose. *Le gouvernement de ce pays a entrepris de profondes réformes politiques et sociales.*

La Réforme est un mouvement religieux qui, au XVIe siècle, a donné naissance au protestantisme.

Conjugaison 1

▷ ① ***réformer*** v. Faire une réforme. *En France, l'enseignement a été réformé de nombreuses fois.*

Conjugaison 1

② **réformer** v.
Réformer un soldat, c'est le déclarer incapable de servir dans l'armée. *Alex aimerait bien se faire réformer pour éviter de faire son service militaire.*

En 732 Charles Martel refoula les Arabes hors de France.

refouler v.
1. Faire reculer, repousser. *L'armée a refoulé les envahisseurs.* **2.** Retenir en soi, réprimer. *Yves s'aperçut que son père refoulait sa colère.*

Conjugaison 1

réfractaire adj.
1. *Être réfractaire à quelque chose,* c'est refuser de s'y soumettre, y être rebelle. *Colle et Rat sont réfractaires à la discipline de l'école.* **2.** *Une matière réfractaire,* c'est une matière qui résiste à de très hautes températures. *Certains fours sont en briques réfractaires.*

Refrain [ʀəfʀɛ̃] rime avec *frein* et *train.*

refrain n. m.
1. Partie d'une chanson qui se répète après chaque couplet. *Tout le monde a repris le refrain en chœur.* **2.** Paroles que quelqu'un répète sans cesse ; vois ***chanson, rengaine.*** *Mme Harpie se plaint sans cesse, c'est toujours le même refrain.*

Changez un peu de refrain, Mme Harpie !

Conjugaison 6
▭ Indic. présent : *je refrène, nous refrénons.*

refréner v.
Réprimer, retenir. *À l'approche du départ, les enfants refrénaient mal leur impatience.*

On écrit aussi *réfréner.*

Le réfrigérateur a été inventé en 1922 aux États-Unis.

réfrigérateur n. m.
Sorte d'armoire qui sert à conserver les aliments au froid. *Mme Roussel a mis le beurre et le lait dans le réfrigérateur.*

Conjugaison 2
Famille de **froid**

Compare : *refroidir → refroidissement* et *étourdir → étourdissement.*

Attention ! deux *s.*

refroidir v.
1. Devenir plus froid ou moins chaud. *« À table », crie Mamie Lou, « la soupe va refroidir ! » — Le temps s'est refroidi, ces derniers jours.* **2.** *Refroidir quelqu'un,* c'est diminuer son ardeur, son enthousiasme. *Les airs furibonds de Mme Harpie refroidissent les gens les mieux disposés. — Le zèle d'Antoine s'est bien refroidi,* il est devenu moins grand.

▷ ***refroidissement*** n. m. Abaissement de la température. *On annonce un refroidissement pour les jours prochains.*

Le contraire de *refroidir,* c'est *réchauffer.*

Le contraire de *refroidissement,* c'est *réchauffement.*

refuge n. m.
1. Endroit où l'on est protégé, à l'abri d'un danger ; vois ***abri.*** *Le meilleur refuge du chat est sous le lit de Julie. Pendant l'averse, Hippolyte a trouvé refuge sous un porche.* **2.** En haute montagne, cabane où les alpinistes peuvent s'abriter. *Les alpinistes ont passé la nuit dans un refuge.*

Conjugaison 7
▭ Indic. imparfait : *nous nous réfugiions, vous vous réfugiiez.*

▷ *se* ***réfugier*** v. Se mettre à l'abri ou en sécurité quelque part. *Terrorisé par le bruit, le chat s'est réfugié sous le lit de Julie.*

▷ ***réfugié*** n. m., ***réfugiée*** n. f. Personne qui a fui son pays pour échapper à un danger. *Ces réfugiés ont demandé asile à la France.*

Le cheval n'eut pas plus tôt entendu l'avertissement du canard qu'il bondit des quatre fers et courut se réfugier à l'autre bout de la cour *(les Contes du Chat perché).*

Conjugaison 1

Bullit, je le sentais, ne pouvait rien me refuser ce soir *(le Lion).*

refuser v.
1. Ne pas accepter. *Antoine ne refuse jamais les bonbons qu'on lui offre. Colle et Rat refusent d'obéir,* ils ne veulent pas obéir. **2.** *Alex a été refusé deux fois au bac,* il a été recalé deux fois.

Le contraire de *refuser,* c'est *accepter.*

▷ *se* ***refuser*** v. **1.** *Les Prost ne se refusent rien,* ils ne se privent de rien. **2.** *Se refuser à faire quelque chose,* c'est ne pas vouloir le faire. *Mme Roussel se refuse à ranger la chambre de son fils.*

Elle trouve qu'il est assez grand pour cela.

Attention ! un *s* à la fin.

▷ ***refus*** n. m. *Quand M. Touati a demandé une augmentation, il s'est heurté à un refus,* on la lui a refusée.

Le contraire de *refus,* c'est *acceptation.*

Conjugaison 1

réfuter v.
Réfuter un argument, c'est montrer qu'il est faux. *Il a réfuté tous les arguments de ses adversaires.*

Autre membre de la famille : **irréfutable.**

Conjugaison 1

regagner v.

1. Reprendre, retrouver ce que l'on avait perdu ; vois ***rattraper.*** *Le coureur a regagné peu à peu tout le terrain qu'il avait perdu.* **2.** Revenir, retourner à un endroit. *Après la récréation, les élèves regagnent leur classe.*

Famille de **gagner**

Regain [ʀəgɛ̃] rime avec *gain* et *vin.*

regain n. m.

1. Herbe qui repousse dans une prairie qui vient d'être fauchée. *Au mois d'août, Pierre Séverac fauche le regain.* **2.** Retour, renouveau. *Au moment des fêtes de fin d'année, les magasins connaissent un regain d'activité.*

régal n. m.

Nourriture très bonne. *Les tartes aux pommes de Mamie Lou sont un vrai régal.*

Au pluriel : *des régals.*

Conjugaison 1

▸ *se* **régaler** v. Manger quelque chose de très bon avec grand plaisir. *Les enfants se sont régalés au goûter d'anniversaire de Julie.*

Conjugaison 1

Le monsieur des lunettes m'a regardé dans les yeux avec une machine qui ne fait pas mal *(le Petit Nicolas).*

Qui parle de choses qui ne le regardent point, entend ce qui ne lui plaît pas *(les Mille et Une Nuits).*

regarder v.

1. Observer, examiner. *Mme Roussel regardait le paysage par la fenêtre du train. Angèle regarda sa montre : huit heures, déjà ! Antoine, regarde devant toi quand tu marches ! Sophie Pelletier regarde son bébé dormir. — Julie se regarde souvent dans la glace.* **2.** Être orienté, tourné dans une direction. *La ferme regarde vers l'ouest.* **3.** *Mme Harpie se mêle toujours de ce qui ne la regarde pas,* de ce qui ne la concerne pas. **4.** Tenir compte. *Denis Prost ne regarde pas à la dépense,* il est dépensier.

Il ne cessait pas de regarder le ciel tout en parlant, ce qu'Alice trouvait parfaitement impoli *(Alice au Pays des merveilles).*

Attention ! un ***d*** à la fin.

▸ **regard** n. m. Expression des yeux de quelqu'un qui regarde. *Mme Harpie examina l'intrus d'un regard méfiant. Mme Roussel suivait du regard le bateau qui s'éloignait,* elle le suivait des yeux.

Ses yeux étaient d'un bleu foncé, avec un regard droit, franc, inaltérable *(Michel Strogoff).*

régate n. f.

Course de bateaux à voiles ou à rames. *Cet été, Yves a participé à une régate.*

régent n. m., **régente** n. f.

Marie de Médicis fut régente à la place de son fils Louis XIII.

Personne qui gouverne un pays à la place d'un souverain qui n'a pas encore l'âge de régner ou qui est absent. *Anne d'Autriche a été régente pendant la minorité de son fils Louis XIV.*

Philippe d'Orléans, appelé le Régent, gouverna la France à la place de Louis XV de 1715 à 1723.

La Régence, c'est la période pendant laquelle Philippe d'Orléans a été régent.

▸ **régence** n. f. Gouvernement exercé par un régent ou une régente. *Anne d'Autriche a exercé la régence pendant la minorité de Louis XIV.*

▸ **régenter** v. Diriger avec autorité. *Mme Harpie régente tout le monde.*

Conjugaison 1

régie n. f.

La R. A. T. P., c'est la Régie autonome des transports parisiens.

Entreprise gérée par l'État. *La Régie française des tabacs fabrique toutes les cigarettes françaises et les distribue dans les bureaux de tabac.*

① **régime** n. m.

On l'appelle l'*Ancien Régime.*

Quand on a trop de tension, on suit un régime sans sel.

1. Manière dont un État est organisé. *Jusqu'en 1789, la France a vécu sous un régime monarchique.* **2.** Manière de se nourrir en mangeant seulement certains aliments. *Mme Séverac suit un régime pour perdre quelques kilos.* **3.** *Le régime d'un fleuve,* c'est la quantité d'eau qui s'écoule par seconde selon la saison et le climat. *Le régime d'un fleuve dépend des pluies et du relief.* **4.** *Le régime d'un moteur,* c'est la vitesse à laquelle il tourne. *Pour lutter contre le courant, Loïc lança le moteur de son bateau à plein régime,* à pleine vitesse.

La France a plusieurs fois changé de régime.

Elle ne mange plus de matières grasses ni de sucre.

② **régime** n. m.

Un régime de bananes, c'est l'ensemble des bananes poussant en grappe sur la même tige. *Les régimes de bananes s'alignaient sur le quai, prêts à être embarqués.*

Il y a aussi des régimes de dattes.

régiment n. m.

Troupe de soldats commandée par un colonel. *Un régiment comprend environ mille soldats.*

région n. f.

Partie d'un pays. *Le nord de la France est une région très peuplée. La ferme des Séverac est située dans la région de Sarlat,* près de Sarlat.

Compare : *région* → *régional* et *nation* → *national.*

Va voir aussi ***folklore.***

▸ **régional** adj. Particulier à une région. *En Bretagne, les coutumes régionales sont encore très vivantes.*

Au masculin pluriel : *régionaux.*

Je voulus me présenter mais il poursuivit : Je sais, je sais... Votre nom est sur le registre des entrées *(le Lion).*

registre n. m.
Cahier où sont notés des noms ou des chiffres. *M. Bellec tient ses comptes sur un gros registre noir. Le secrétaire de mairie enregistre les naissances, les mariages et les décès sur le registre d'état civil.*

Autres membres de la famille : **enregistrer, enregistrement, enregistreur.**

La *règle du jeu,* c'est la manière dont il faut jouer.

[...] il était en règle, [...] à l'abri de toute mesure de police *(Michel Strogoff).*

règle n. f.
1. Instrument allongé servant à tracer des traits droits et à mesurer des longueurs. *Yasmina souligne une phrase avec sa règle.* **2.** Formule qui indique ce qu'il faut faire dans un cas précis ; vois ***loi, principe, règlement.*** *Angèle explique à ses élèves les règles d'accord de l'adjectif avec le nom. Colle et Rat ignorent les règles de la politesse,* ils sont très impolis. **3.** *Être en règle,* c'est être en accord avec la loi. *Pour aller à l'étranger, il faut avoir un passeport en règle.*

Autres membres de la famille : **dérégler, règlement, réglementaire, réglementer, régler, réglable, réglage.**

Famille de **règle**

Attention à l'accent grave du *è* dans *règlement* et à l'accent aigu du *é* dans *réglementaire* et *réglementer* !

règlement n. m.
1. Ensemble de règles que l'on doit respecter. *Les promeneurs sont soumis au règlement du jardin public.* **2.** *Le règlement d'une affaire,* c'est le fait de la résoudre, de trouver une solution. *Les diplomates espèrent que le règlement du conflit est proche.* **3.** Paiement. *Passez à la caisse pour le règlement de vos achats.*
▸ ***réglementaire*** adj. Permis ou imposé par le règlement. *Angèle a fait les demandes réglementaires pour avoir un poste d'institutrice en Corse.*
▸ ***réglementer*** v. Imposer un ensemble de règles. *Le maire a réglementé le stationnement dans les rues de la ville.*

Les articles du règlement sont affichés à l'entrée du jardin.

Conjugaison 1

Conjugaison 6

Régler sa montre, c'est la mettre à l'heure.

Mme Séverac aurait pu aussi régler ses achats par chèque.

On peut les avancer ou les reculer.

régler v.
1. Fixer exactement ; vois ***établir.*** *En voyage organisé, le programme de la journée est réglé d'avance.* **2.** *Régler une chose,* c'est la mettre au point pour qu'elle fonctionne. *Le carburateur de la voiture était mal réglé.* **3.** Terminer ; vois ***résoudre.*** *Cette affaire n'est pas encore réglée.* **4.** Payer. *Mme Séverac a réglé ses achats en espèces.*
▸ ***réglable*** adj. Que l'on peut régler, mettre dans la position voulue. *Les sièges de la voiture de M. Bellec sont réglables.*
▸ ***réglage*** n. m. Opération qui permet de régler un appareil ou un mécanisme. *Le réglage du chauffage se fait à l'aide d'un bouton.*

Famille de **règle**
Le contraire de *régler,* c'est *dérégler.*

Avoir un compte à régler avec quelqu'un, c'est avoir des explications à lui demander.

Réglisse s'emploie couramment au masculin quand ce mot désigne le jus ou la pâte tirée de la réglisse.

réglisse n. f. et m.
1. n. f. Plante qui a une racine sucrée. *La réglisse a des fleurs blanches, violettes ou bleues.* **2.** n. m. ou f. Bonbon fait de réglisse. *Julie mange un réglisse.*

Attention à l'accent grave du *è* de *règne* !

Louis XIV avait cinq ans à la mort de son père (1643) et il mourut en 1715.

règne n. m.
1. Période pendant laquelle un souverain exerce son pouvoir. *Le règne de Louis XIV a duré plus d'un demi-siècle. Les lycées ont été créés sous le règne de Napoléon Ier.* **2.** Chacune des trois grandes divisions de la nature. *L'homme fait partie du règne animal.*
▸ ***régner*** v. **1.** *Le souverain règne,* il exerce son pouvoir. *Cléopâtre a régné en Égypte au premier siècle avant Jésus-Christ.* **2.** Exister, durer. *Un profond silence régnait dans la maison déserte. Angèle fait régner l'ordre dans sa classe.*

Il y a le règne animal, le règne végétal et le règne minéral.

Conjugaison 6 ▭ Indic. présent : *je règne, nous régnons.*

Le pape est mort. Un nouveau pape est appelé à régner.
— Araignée ? Quel drôle de nom pour un pape !

Conjugaison 1

regonfler v.
Gonfler une chose qui s'est dégonflée. *Sylvain regonfle les pneus de sa bicyclette.*

Famille de **gonfler**

Famille de **gorge**

Le contraire de *regorger,* c'est *manquer.*

regorger v.
Regorger de quelque chose, c'est en contenir une très grande quantité. *Le sous-sol regorge de minerais.*

Conjugaison 3 ▭ Indic. présent : *je regorge, nous regorgeons.*

Conjugaison 1

Le contraire de *régression,* c'est *croissance, progression.*

régresser v.
Diminuer ; vois ***reculer.*** *La vaccination a fait régresser la tuberculose.*
▸ ***régression*** n. f. Diminution ; vois ***recul.*** *Les progrès de la médecine ont permis la régression de la tuberculose.*

Le contraire de *régresser,* c'est *se développer, progresser.*

La maladie est *en régression.*

Conjugaison 1

regretter v.

1. *Regretter une chose,* c'est éprouver de la tristesse en pensant qu'elle est passée ou qu'elle n'a pas eu lieu. *Mme Roussel regrette le temps des vacances.* **2.** Être mécontent d'avoir fait quelque chose ; vois *se* ***repentir.*** *Denis Prost regrette d'être allé à cette soirée.* **3.** *Je regrette de vous avoir fait attendre,* je vous demande de m'en excuser.

Regretter quelqu'un, c'est s'attrister de son absence ou de sa mort.

▹ ***regret*** n. m. **1.** Sentiment de tristesse causé par la perte de ce que l'on aimerait avoir encore ; vois ***nostalgie.*** *Antoine quitte chaque fois son père avec regret. Angèle a quitté la Corse à regret,* à contrecœur. **2.** Mécontentement, chagrin d'avoir fait quelque chose ; vois ***remords.*** *Colle et Rat n'ont exprimé aucun regret devant la directrice.*

Attention ! deux *t.*

▹ ***regrettable*** adj. Qui est à regretter. *C'est une erreur regrettable.*

Conjugaison 1

regrouper v.

Grouper de nouveau ce qui était dispersé. *Le chien regroupe les vaches en aboyant. — Les enfants se sont regroupés autour du professeur,* ils ont formé de nouveau un groupe.

Famille de **groupe**

Conjugaison 1

régulariser v.

Rendre régulier. *Le barrage a régularisé le débit du fleuve.*

régularité n. f.

Autre membre de la famille : **irrégularité.**

1. Caractère régulier. *Sylvain travaille avec régularité.* **2.** Caractère d'une chose conforme aux règles. *La régularité des élections a été mise en cause.*

Le contraire de *régularité,* c'est *irrégularité.*

régulier adj.

Le contraire de *régulier,* c'est *irrégulier.*

Compare ***régulier*** et ***régularité*** : il est question de **règle.**

1. Qui ne varie pas, se répète de la même façon. *Le souffle de Martin endormi est régulier. M. Bonnot mène une vie régulière,* il a des habitudes et n'en change pas. **2.** Bien ordonné. *Angèle a une écriture régulière,* harmonieuse, bien formée et nette. **3.** Conforme aux règles. *Ces élections sont tout à fait régulières,* conformes à la loi.

À intervalles réguliers : à intervalles égaux.

Le voyage se faisait dans des conditions supportables, lentement sans doute, mais régulièrement *(Michel Strogoff).*

▹ ***régulièrement*** adv. **1.** Selon un rythme constant. *M. Doucet se fait couper les cheveux régulièrement.* **2.** Normalement, d'ordinaire. *Régulièrement, le matin de Noël, les enfants se lèvent très tôt !* **3.** Légalement. *Le président a été élu régulièrement,* comme la loi l'exige.

Il va chez le coiffeur tous les deux mois.

Autre membre de la famille : **irrégulier.**

Attention ! un *h* dans *réhabiliter.*

Famille de **habiliter**

réhabiliter v.

1. *Réhabiliter un condamné,* c'est reconnaître publiquement qu'il a été injustement condamné et qu'il mérite l'estime et la considération de tous. *Galilée avait été condamné par l'Église mais il a été réhabilité.* **2.** *Se réhabiliter,* c'est mériter de nouveau l'estime des autres. *Par leur bonne conduite, les prisonniers se sont réhabilités.*

Conjugaison 1

L'Église a condamné Galilée au XVIIe siècle.

Prononce [ʀəose].

Famille de **haut**

rehausser v.

Rendre plus haut ; vois ***surélever.*** *Pierre Séverac a rehaussé le mur qui entoure le potager.*

Conjugaison 1

rein n. m.

Chez l'homme, le rein a la forme d'un haricot ; il mesure 12 cm de long, 6 cm de large et pèse environ 150 g.

1. Chacun des deux organes qui filtrent le sang pour éliminer les déchets et produisent l'urine. *Les reins sont placés de chaque côté de la colonne vertébrale.* **2.** *Mme Séverac a souvent mal aux reins,* dans la partie inférieure du dos.

Va voir aussi ***rognon.***

Ne confonds pas *reine, rêne* et *renne.*

reine n. f.

1. Femme d'un roi ou femme qui gouverne un royaume. *La reine Victoria régna sur la Grande-Bretagne et l'Irlande de 1837 à 1901.* **2.** Seule femelle qui pond, chez les abeilles, les guêpes, les fourmis. *Il n'y a qu'une reine dans une ruche.*

Toi que j'appelais « sirène »
Tu es reine de mon cœur
De mon cœur tu es la reine
(B. Lapointe).

Au pluriel : *des reines-marguerites.*

▹ ***reine-marguerite*** n. f. Plante à fleurs roses, mauves ou jaunes. *Les reines-marguerites fleurissent de juillet à novembre.*

Famille de **marguerite**

Conjugaison 6

▭ Indic. présent : *je réintègre, nous réintégrons.*

réintégrer v.

Réintégrer un endroit, c'est y revenir. *Les vacances sont bientôt terminées, Mme Roussel va réintégrer son appartement.*

Famille de **intégrer**

Conjugaison 6
▭ Indic. présent :
je réitère, nous réitérons.

réitérer v.

Faire de nouveau, recommencer. *Angèle a réitéré sa question aux élèves qui ne l'écoutaient pas ;* vois ***renouveler.***

Conjugaison 2

rejaillir v.

Rejaillir sur quelqu'un, c'est se reporter sur lui ; vois ***retomber.*** *Ta honte rejaillit sur nous tous.*

Famille de **jaillir**

Conjugaison 4
▭ Indic. présent :
je rejette, nous rejetons.

rejeter v.

1. *Rejeter une chose,* c'est jeter en sens inverse une chose que l'on a reçue ou que l'on a prise. *M. Bellec a rejeté le petit brochet dans la rivière.* **2.** *Rejeter un tort sur quelqu'un,* c'est le faire retomber sur lui. *Colle et Rat essayaient de rejeter la responsabilité du chahut sur Yves et Antoine.* **3.** *Rejeter une proposition,* c'est la refuser. *Le conseil municipal a rejeté le projet de parking ;* vois ***écarter.***

Famille de **jeter**

Le brochet n'avait pas la taille réglementaire.

Compare :
rejeter → rejet
et *jeter → jet.*

▸ ***rejet*** n. m. **1.** Refus. *Le conseil municipal a voté le rejet du projet de parking.* **2.** Nouvelle pousse. *Des rejets ont poussé sur cette plante que l'on croyait morte ;* vois ***rejeton.***

▸ ***rejeton*** n. m. Nouvelle pousse ; vois ***rejet.*** *La plante a plusieurs rejetons.*

Conjugaison 49
▭ Indic. présent :
je rejoins, nous rejoignons.
Imparfait : *je rejoignais.*
Futur : *je rejoindrai.*
— Subj. présent :
que je rejoigne,
que nous rejoignions.

rejoindre v.

1. *Rejoindre quelqu'un,* c'est le retrouver. *Mme Roussel rejoindra les Bellec à Paimpol le 15 août. — Mme Roussel et les Bellec se rejoindront chez Loïc.* **2.** *Rejoindre quelqu'un,* c'est atteindre une personne qui est devant, qui a de l'avance ; vois ***rattraper.*** *Yves a rejoint Antoine qui était parti dix minutes avant lui.* **3.** *Rejoindre un lieu,* c'est y retourner ; vois ***regagner.*** *Mme Roussel rejoindra Motbourg début septembre.* **4.** *Voici le sentier qui rejoint la ferme,* qui mène à la ferme. — *Plusieurs sentiers se rejoignent à la ferme,* s'y réunissent.

Famille de **joindre**

« Prends garde, Pinocchio ! Le monstre te rejoint !... le voici !... Le voici !... Hâte-toi, hâte-toi, ou tu es perdu !... » *(Pinocchio).*

Conjugaison 2

réjouir v.

Rendre heureux, joyeux. *La venue de Mme Roussel à Paimpol réjouit Loïc,* cela lui fait plaisir. — *Loïc se réjouit de la venue de Mme Roussel,* il en éprouve de la joie.

Famille de **jouir**

Attention ! deux ***s*** dans
réjouissance et *réjouissant.*

▸ ***réjouissance*** n. f. **1.** Joie que partage tout le monde. *Pendant les vacances, les occasions de réjouissance sont nombreuses.* **2.** *Des réjouissances,* ce sont des fêtes. *M. Bellec a annoncé le programme des réjouissances pour la journée,* des distractions.

▸ ***réjouissant*** adj. *Une chose réjouissante,* c'est une chose qui rend joyeux, fait plaisir. *L'annonce de l'échec d'Alex au bac n'est pas une nouvelle bien réjouissante ;* vois ***gai.***

Le contraire de *réjouissant,* c'est *désolant.*

Conjugaison 1

relâcher v.

1. Faire escale. *Le cargo relâche deux jours à Marseille,* il s'arrête deux jours dans le port de Marseille. **2.** Rendre moins serré ; vois ***desserrer, détendre.*** *Alex a relâché les sangles de son sac à dos.* **3.** Laisser faiblir. *Après une heure de cours, les enfants relâchent leur attention. — La directrice ne veut pas que la discipline se relâche,* qu'elle devienne moins rigoureuse. **4.** *Relâcher un prisonnier,* c'est le remettre en liberté ; vois ***libérer.*** *Le prisonnier a été relâché hier.*

Famille de **lâcher**

N'oublie pas
l'accent circonflexe
du ***â*** de *relâcher,*
relâche et *relâchement.*

▸ ***relâche*** n. f. **1.** *Mme Harpie se plaint sans relâche,* sans arrêt. **2.** Fermeture périodique d'une salle de spectacle. *Dans ce théâtre, le lundi est jour de relâche,* on n'y joue pas le lundi.

On peut dire que ce théâtre *fait relâche* le lundi.

▸ ***relâchement*** n. m. Diminution. *La directrice se bat contre le relâchement de la discipline.*

Attention ! un ***s*** à la fin,
même au singulier.

Le bâton qu'ils se passent
s'appelle aussi le *relais.*

relais n. m.

1. *Une course de relais,* c'est une course disputée entre des équipes de plusieurs coureurs qui se remplacent à une distance déterminée. *Yves et Antoine ont participé à une course de relais quatre fois cent mètres.* **2.** *Prendre le relais de quelqu'un,* c'est le remplacer, le relayer. *Angèle, l'institutrice, a pris le relais d'une de ses collègues pour surveiller la récréation.* **3.** *Un relais de télévision,* c'est un dispositif qui retransmet des émissions envoyées par un émetteur. *On aperçoit un relais de télévision sur la colline.*

Famille de **relayer**

C'est un *relais quatre fois cent mètres,* un *quatre cents mètres relais.*

Conjugaison 3
▭ Indic. présent : *je relance, nous relançons.*

relancer v.
1. *Yves a relancé le ballon à Antoine,* il l'a lancé après l'avoir reçu ; vois **renvoyer.** **2.** Remettre en marche, en activité. *Le gouvernement a relancé l'économie du pays,* il lui a redonné de l'élan.

Famille de **lance**
Le gouvernement a pris des mesures de *relance.*

On rencontre ce mot surtout dans les livres.

relater v.
Raconter en détail. *Dans « le Livre de la jungle », Kipling relate les aventures de Mowgli.*

Conjugaison 1

relatif adj.
1. *Mme Harpie et Mme Roussel ont une discussion relative à l'éducation des enfants,* se rapportant à l'éducation des enfants. **2.** Imparfait. *Mme Harpie est d'une honnêteté relative,* elle n'est pas vraiment honnête. **3.** *Un pronom relatif* est un pronom qui introduit une proposition subordonnée en la reliant à un mot de la proposition principale. *Qui, que, quoi, dont, où, lequel sont les pronoms relatifs.*

Elle est *relativement* malhonnête.

La proposition introduite par un pronom relatif est une *subordonnée relative.*

relation n. f.
1. *Une relation entre deux choses,* c'est un rapport qui les unit ; vois **lien.** *Le commissaire se demande s'il y a une relation entre l'incendie de la poste de Motbourg et la disparition du fourgon postal.* **2.** *Avoir des relations avec quelqu'un,* c'est le fréquenter ; vois **contact.** *Le comédien Denis Prost a des relations professionnelles avec de nombreux metteurs en scène. Mme Harpie a de mauvaises relations avec son beau-frère,* elle n'est pas en bons termes avec lui. **3.** *Une relation,* c'est une personne que l'on connaît mais avec qui on a des liens moins forts qu'avec un ami. *Les Séverac ont organisé un cocktail auquel ils ont invité toutes leurs relations ;* vois **connaissance.**

Les pays du Marché commun entretiennent des relations commerciales très importantes.

Conjugaison 1

se relaxer v.
Se détendre, se reposer. *Mme Roussel s'est bien relaxée pendant les vacances.*
▷ **relaxation** n. f. Repos. *Quand elle est très énervée, Mme Séverac fait des exercices de relaxation ;* vois **détente.**

Le yoga est un excellent moyen de relaxation.

Conjugaison 8
▭ Indic. présent : *je relaie* ou *je relaye, nous relayons.* Imparfait : *je relayais.* Futur : *je relaierai* ou *je relayerai.*

relayer v.
Relayer quelqu'un, c'est prendre sa suite, le remplacer ; vois **relever.** *Mme Séverac est restée toute la nuit au chevet de sa fille, son mari l'a relayée à six heures du matin. — M. et Mme Séverac se sont relayés au chevet de leur fille,* ils sont restés à son chevet à tour de rôle.

Autre membre de la famille : **relais.**

Conjugaison 6
▭ Indic. présent : *je relègue, nous reléguons.*

reléguer v.
Reléguer une chose dans un endroit, c'est l'y mettre pour s'en débarrasser. *Odile Séverac a relégué la vieille vaisselle dans le grenier.*

relent n. m.
Mauvaise odeur. *Des relents de friture s'échappent de l'arrière-boutique de Mme Harpie.*

Conjugaison 5
▭ Indic. présent : *je relève, nous relevons.* Imparfait : *je relevais.* Futur : *je relèverai.* — Subj. présent : *que je relève, que nous relevions.*

relever v.
1. Remettre debout. *David a relevé Claire qui était tombée. — David a aidé Claire à se relever.* **2.** Ramasser. *L'institutrice relève les cahiers.* **3.** Remettre plus haut, remonter. *Angèle a relevé ses cheveux pour se faire un chignon. Denis Prost relève le col de son pardessus.* **4.** Donner plus de goût. *M. Bellec relève la sauce avec du poivre.* **5.** Remarquer. *Angèle, l'institutrice, a relevé trois fautes dans la dictée de Julie ;* vois **noter.** **6.** *Un employé de l'E. D. F. est venu relever le compteur,* il a noté le chiffre du compteur correspondant à la quantité d'électricité utilisée. **7.** *Relever quelqu'un,* c'est le remplacer. *Le docteur Séverac a relevé sa femme au chevet de leur fille ;* vois **relayer.**
▷ **relevé** n. m. *Un relevé de banque,* c'est un papier sur lequel est noté l'état d'un compte bancaire. *Angèle vérifie son relevé de banque.*
▷ **relève** n. f. Remplacement d'une personne par une autre. *Le docteur Séverac a pris la relève de sa femme au chevet de leur fille.*

Famille de ① **lever**

M. Bellec fait une sauce bien *relevée.*

Relever quelqu'un de ses fonctions, c'est le renvoyer.

Sur la carte, on distingue bien les montagnes, les plaines, les vallées...

relief n. m.

1. *Le relief,* c'est l'ensemble des creux et des bosses qui recouvrent la surface de la Terre. *Angèle a affiché une carte du relief de la France.* **2.** *Une inscription en relief,* c'est une inscription en saillie, qui fait une protubérance. *Les pièces de monnaie sont imprimées en relief.* **3.** *Mettre en relief,* c'est mettre en évidence, faire valoir. *Le spot qu'a acheté le docteur Séverac met en relief le tableau du salon.*

Angèle est institutrice.

Autre membre de la famille **bas-relief.**

Conjugaison 7 ▭ Indic. présent : *je relie, nous relions.* Imparfait : *je reliais, nous reliions.*

relier v.

1. *Relier un livre,* c'est attacher ensemble les feuilles qui le composent et les couvrir avec une couverture rigide. *Mme Séverac a fait relier des livres anciens.* **2.** Attacher ensemble. *Les alpinistes sont reliés par une corde.* **3.** Faire communiquer. *Une route relie Motbourg à l'autoroute ;* vois ***rattacher.***

Ne confonds pas certaines formes du verbe *relier* et certaines formes du verbe *relire.*

Famille de **lier**

▸ ***relieur*** n. m., ***relieuse*** n. f. Personne dont le métier est de relier des livres. *Mme Séverac a porté des livres brochés chez le relieur pour qu'il les relie.*

Va voir aussi ***reliure.***

religieux adj. et n. m., **religieuse** adj. et n. f.

▭ **adj. 1.** Qui se rapporte à la religion. *Pâques et Noël sont des fêtes religieuses. M. et Mme Bellec ont fait un mariage religieux,* ils se sont mariés à l'église. **2.** *Une personne religieuse* est une personne qui pratique une religion. *Les Bellec sont très religieux.*

Le contraire de *religieux,* c'est *athée.*

Ils se sont mariés *religieusement.*

▭ **n. m. et f.** Personne qui consacre sa vie à servir Dieu ; vois ***moine, nonne, sœur.*** *Mme Bellec et Mme Roussel ont été pensionnaires chez des religieuses.*

Les religieux prononcent des vœux.

Les guerres de Religion opposèrent les protestants et les catholiques de France de 1562 à 1598.

religion n. f.

Croyance en un dieu ou en plusieurs dieux. *Les Bellec sont de religion catholique, les Touati de religion musulmane. Denis Prost ne pratique aucune religion.*

La religion chrétienne regroupe plus d'un milliard de croyants dans le monde.

Compare ***reliquat*** et ***relique*** : il **reste** quelque chose.

reliquat n. m.

Ce qui reste d'une somme à payer. *Mme Hespel doit encore un reliquat sur le prix du téléviseur qu'elle a acheté à crédit.*

Attention ! un ***t*** à la fin.

relique n. f.

Morceau qui reste du corps d'un saint, ou objet ayant appartenu à un saint ou au Christ. *On conserve des reliques de saint Jean-Baptiste dans la cathédrale d'Amiens.*

C'est une partie de sa tête.

Conjugaison 43

Famille de ① **lire**

relire v.

1. Lire ce que l'on vient d'écrire pour le vérifier, le corriger. *Sylvain relit sa lettre avant de la mettre dans l'enveloppe.* **2.** Lire une deuxième fois. *Mme Séverac relit « Madame Bovary » de Flaubert.*

La lettre libellée, le czar la relut avec une extrême attention, puis il la signa *(Michel Strogoff).*

Compare : *relier → reliure* et *brûler → brûlure.*

reliure n. f.

Couverture rigide d'un livre. *Mme Séverac a acheté des livres qui ont une reliure en cuir.*

Famille de **lier**

Conjugaison 38

reluire v.

Briller. *Hippolyte cire ses chaussures et les fait reluire,* il les frotte pour qu'elles aient un aspect brillant.

Famille de **luire**

Attention à l'accent circonflexe du ***â*** !

Famille de **mâcher**

remâcher v.

1. Mâcher une deuxième fois. *Les vaches remâchent l'herbe qu'elles mangent.* **2.** *Remâcher quelque chose,* c'est y penser sans cesse ; vois ***ruminer.*** *Mme Harpie remâche sa rancune contre son beau-frère.*

Conjugaison 1

remanier v.

Modifier. *Le maire a remanié son discours,* il l'a repris et corrigé ; vois ***retoucher.*** *Le Premier ministre a remanié son gouvernement,* il en a modifié la composition.

Conjugaison 7

Le Premier ministre a procédé à un *remaniement* ministériel.

Conjugaison 7

Famille de **mari**

se **remarier** v.

Se marier à nouveau. *M. Doucet s'est remarié après son divorce. Il s'est remarié avec une femme beaucoup plus jeune que lui.*

Les veufs et les divorcés peuvent se remarier.

Conjugaison 1

remarquer v.

Remarquer quelque chose, c'est avoir l'attention attirée par quelque chose. *Mme Séverac a tout de suite remarqué la nouvelle coiffure de sa voisine. Denis Prost aime se faire remarquer,* il aime attirer l'attention sur lui.

▸ ***remarque*** n. f. **1.** Observation comportant une critique. *Mme Harpie a encore fait des remarques à sa sœur ;* vois ***réflexion.*** **2.** Note portant sur un point auquel il faut faire attention. *Il y a des remarques sur les difficultés grammaticales à la fin du texte.*

▸ ***remarquable*** adj. Digne d'être remarqué. *Le docteur Séverac est d'une intelligence remarquable.*

▸ ***remarquablement*** adv. D'une manière remarquable. *Le docteur Séverac est remarquablement intelligent.*

Je fis remarquer au petit prince que les baobabs ne sont pas des arbustes, mais des arbres grands comme des églises (*le Petit Prince*).

Attention ! un *m* devant le *b* et deux *l*.
Famille de ② **balle**

remballer v.

Remettre dans son emballage, ranger. *À la fin du marché, les marchands remballent ce qu'ils n'ont pas vendu.*

Conjugaison 1

Attention ! un *m* devant le *b*.
Conjugaison 1

rembarquer v.

Embarquer à nouveau. *Après une escale de quelques heures, les passagers de l'avion ont rembarqué.*

Famille de **barque**

Pense au *m* devant le *b* et aux deux *r*.
Ce mot est familier.

rembarrer v.

Repousser brutalement quelqu'un, l'envoyer promener ; vois ***rabrouer.*** *Nathalie a rembarré son frère qui lui demandait un service.*

Conjugaison 1

Conjugaison 8
▭ Indic. présent : *je remblaie* ou *je remblaye, nous remblayons.*
Futur : *je remblaierai* ou *je remblayerai.*

remblayer v.

1. Boucher un trou, un fossé avec de la terre et des pierres. *Les ouvriers remblaient la tranchée qu'ils ont creusée dans le trottoir.* **2.** *Les cantonniers ont remblayé la route,* ils l'ont surélevée avec de la terre et des pierres.

▸ ***remblai*** n. m. **1.** *Les cantonniers font des travaux de remblai sur le trottoir,* ils remblaient le trou dans le trottoir. **2.** *Un remblai,* c'est un amas de terre et de pierres qui sert à boucher les trous du sol ou à le surélever. *La voie ferrée est posée sur un remblai.*

Le contraire de *remblayer,* c'est *déblayer.*

À La Baule, le remblai est une sorte d'esplanade le long de la plage.

Attention ! deux *r* dans *rembourrer.*
Famille de **bourrer**

rembourrer v.

Rembourrer un siège, c'est le garnir d'une matière molle et confortable. *Les sièges de la voiture sont mal rembourrés.*

Conjugaison 1

Conjugaison 1
Famille de ① **bourse**

rembourser v.

Rendre de l'argent qui a été prêté. *Les Prost remboursent chaque mois à la banque une partie de l'argent qu'ils ont emprunté pour acheter leur maison. « Julie, prête-moi dix francs, je te les rembourserai demain. »*

▸ ***remboursement*** n. m. *Mme Hespel a demandé au fabricant le remboursement de son aspirateur,* elle a demandé que le fabricant le lui rembourse.

« Remboursez ! remboursez ! » hurlaient les spectateurs mécontents.

Conjugaison 2

se **rembrunir** v.

Prendre un air sombre. *À ces mots, le visage de M. Bellec se rembrunit.*

Famille de **brun**

Attention à l'accent grave du *è* !
Un *remède de bonne femme,* c'est un remède très simple.

remède n. m.

1. Produit utilisé pour soigner une maladie ou soulager un malaise ; vois ***médicament.*** *Ce sirop est un remède contre la toux.* **2.** *La lecture des bandes dessinées est un bon remède à l'ennui,* cela aide à ne pas s'ennuyer.

Conjugaison 7

▸ ***remédier*** v. Trouver une solution à ce qui ne va pas. *Pour remédier au chômage, il faudrait construire de nouvelles usines.*

Un *remède de cheval,* c'est un remède brutal.

Autre membre de la famille : **irrémédiable.**

Attention ! un *m* devant le *b* dans *remembrement.*
Famille de **membre**

remembrement n. m.

Réunion de plusieurs petites parcelles de terrain en une seule par échange entre les différents propriétaires. *Le remembrement des terres sert à agrandir la surface des champs et à améliorer la culture du sol.*

Dans la moitié nord de la France, plus de 12 millions d'hectares ont subi le remembrement.

Compare se *remémorer, commémorer* et *mémorable* : il s'agit de la **mémoire.**

se **remémorer** v.

Se remémorer une chose, c'est se la rappeler, s'en souvenir. *M. Bonnot se remémore le nom de tous ses compagnons de guerre.*

Conjugaison 1

Conjugaison 7 ▭ Indic. imparfait : *nous remerciions.* Futur : *je remercierai.*

remercier v.

1. *Remercier quelqu'un,* c'est lui dire merci, lui témoigner sa reconnaissance. *Mme Roussel a remercié chaleureusement Loïc de son invitation. Mme Séverac remercie l'institutrice d'aider sa fille à rattraper son retard en français.* **2.** Congédier. *Au bout d'un mois, il a été remercié ;* vois ***renvoyer.***

Famille de ① **merci**

Je choisis ce qu'il y avait de plus précieux dans mes ballots, et j'en fis présent au roi Mihrage pour le remercier de son hospitalité *(les Mille et Une Nuits).*

Un *e* entre le *i* et le *m* dans *remerciement.*

▷ ***remerciement*** n. m. *Mme Roussel a envoyé à Loïc une lettre de remerciement,* pour le remercier.

Conjugaison 56

Famille de **mettre**

remettre v.

1. Mettre un objet à la place où il était. *Hippolyte a remis son briquet dans sa poche. M. Doucet ne remettra jamais les pieds chez sa belle-sœur,* il n'y retournera jamais. **2.** Mettre à nouveau un vêtement que l'on avait enlevé. *Mme Séverac remit son manteau et ses gants.* **3.** Mettre quelque chose dans l'état où il était. *Loïc n'arrive plus à remettre en marche le moteur de son bateau. Avant l'arrivée de ses parents, Julie remet tout en ordre.* **4.** *Sophie Pelletier s'est remise à travailler un mois après la naissance de son fils,* elle a recommencé à travailler. **5.** Mettre une seconde fois, ajouter. *Mme Séverac remit de l'eau dans la théière.* **6.** Donner. *Le facteur remet le colis à son destinataire.* **7.** Reporter à plus tard. *Denis Prost a remis son départ à cause de la grève des avions.* **8.** *Se remettre d'une maladie,* c'est se rétablir. *Julie s'est remise rapidement de son opération de l'appendicite.* **9.** *S'en remettre à quelqu'un,* c'est lui faire totalement confiance. *Je n'y connais rien, je m'en remets à vous,* je vous fais confiance.

Je n'aime pas les petits menteurs m'a dit la dame ; tu ferais mieux de remettre ce billet où tu l'as trouvé *(le Petit Nicolas).*

Les petites, au milieu de cette compassion bruyante, s'étaient remises à pleurer et leurs sanglots ajoutaient au tumulte *(les Contes du Chat perché).*

Paul la retourna [la poupée], la regarda de tous les côtés, puis la remit à Sophie en secouant la tête *(les Malheurs de Sophie).*

▷ ***remise*** n. f. **1.** *La remise en ordre de sa chambre lui a pris plusieurs heures,* il a passé plusieurs heures à remettre sa chambre en ordre. **2.** *La remise des prix a lieu à la fin de l'année scolaire,* les prix sont remis, distribués ; vois ***distribution.*** **3.** Diminution de prix ; vois ***rabais, réduction.*** *Cette parfumerie fait des remises à ses meilleures clientes.* **4.** Endroit où l'on peut abriter des voitures, ranger des objets divers. *Les outils de jardinage sont dans la remise, au fond du jardin.*

Les outils *sont remisés* dans la cabane au fond du jardin.

Attention ! deux *s.*

rémission n. f.

1. *À la prochaine incartade, Colle et Rat seront renvoyés sans rémission,* sans indulgence. **2.** Diminution momentanée d'un mal. *Pendant sa maladie, la mère de Sophie Pelletier eut des moments de rémission.*

La décision de la directrice est irrévocable !

Conjugaison 1

Famille de **monter**

remonter v.

1. Monter de nouveau après être descendu. *Angèle remonte chez elle pour prendre ce qu'elle a oublié. Les skieurs remontent la pente sur le remonte-pente. Le baromètre a remonté.* **2.** Augmenter après avoir diminué. *Les températures ont remonté aujourd'hui.* **3.** Relever. *Le docteur Séverac remonte les vitres de la voiture. Yves remonte le col de son manteau.* **4.** *Remonter une rivière,* c'est naviguer dessus en allant vers la source. *Le courant est très fort, le bateau de Loïc a bien du mal à le remonter,* à aller en sens inverse du courant. **5.** *Le château de Motbourg remonte au XIIIe siècle,* il date du XIIIe siècle. **6.** *Hippolyte remonte son réveil,* il tend le ressort qui le fait fonctionner. **7.** Remettre en place les pièces d'un mécanisme. *Le mécanicien a remonté le radiateur du camion.* **8.** *Remonter quelqu'un,* c'est lui redonner des forces. *Après cette longue promenade, un bon thé chaud nous remontera !*

Le contraire de *remonter,* c'est *redescendre.*

Le contraire de *remonter,* c'est *baisser.*

Le courant, très vif, était extrêmement difficile à remonter *(Michel Strogoff).*

Il tourne le *remontoir.*

Remonter le moral à quelqu'un, c'est lui redonner courage quand il est triste, déprimé.

▷ ***remontant*** n. m. Médicament ou boisson qui redonne des forces quand on est fatigué ; vois ***fortifiant.*** *La vitamine C est un bon remontant.*

▷ ***remontée*** n. f. **1.** *Alex et Réjean ont effectué la remontée d'une rivière en canoë,* ils sont allés vers la source. **2.** *Les remontées mécaniques,* ce sont les appareils qui permettent aux skieurs de remonter en haut des pistes. *Cette station de sports d'hiver est très bien équipée en remontées mécaniques.*

Les remonte-pentes, les télésièges, les téléskis et les téléphériques sont des remontées mécaniques.

Au pluriel : *des remonte-pentes.*

▷ ***remonte-pente*** n. m. Câble servant à hisser les skieurs en haut d'une pente au moyen de perches ; vois ***téléski.*** *Il y a de nombreux remonte-pentes dans cette station de sports d'hiver.*

Famille de **pente**

▷ ***remontoir*** n. m. Petite pièce servant à remonter un mécanisme. *Pour remonter les montres, on tourne le remontoir.*

Les montres à quartz n'ont pas de remontoir.

Conjugaison 1

remontrer v.

En remontrer à quelqu'un, c'est montrer qu'on lui est supérieur, vouloir lui donner des leçons. *Denis Prost est un peu prétentieux, il prétend en remontrer à tout le monde.*

Famille de **montrer**

Ce mot s'emploie plutôt au pluriel.

▸ **remontrance** n. f. *Faire des remontrances à quelqu'un,* c'est lui faire des observations, des reproches. *L'institutrice a fait des remontrances à Colle et Rat qui n'écoutaient pas ce qu'elle disait.*

remords n. m.

Prononce [ʀəmɔʀ].

Sentiment de regret mêlé de honte que l'on éprouve quand on a mal agi. *Mme Roussel a des remords de s'être mise en colère contre son fils. L'assassin était poursuivi par le remords.*

Il était *bourrelé de remords.*

Je me suis mal conduit envers toi, chien... mais si tu savais quel remords j'ai eu... *(les Contes du Chat perché).*

Conjugaison 1

remorquer v.

Tirer derrière soi un véhicule sans moteur ou en panne. *M. Bellec remorque sa caravane avec sa voiture.*

▸ **remorque** n. f. Véhicule tiré par un autre. *Une petite remorque est attachée à l'arrière de la voiture. Le camion tirait une énorme remorque. Avec sa camionnette, Louis Séverac a pris en remorque la voiture en panne,* il l'a remorquée.

Va voir aussi *semi-remorque.*

La *remorque,* c'est aussi le câble qui sert à remorquer un véhicule ou un bateau.

▸ **remorqueur** n. m. Petit bateau très puissant qui peut remorquer de gros bateaux. *Les remorqueurs ont tiré le paquebot jusqu'au quai.*

Autre membre de la famille : **semi-remorque.**

rémouleur n. m.

Comme les vitriers, les rémouleurs sont souvent ambulants.

Personne dont le métier est d'aiguiser les lames des instruments tranchants. *Le rémouleur aiguise les couteaux sur sa meule.*

Famille de **moudre**

Attention ! même au singulier, *remous* se termine par un *s.*

remous n. m.

1. Mouvement de l'eau qui tourbillonne ; vois ***tourbillon.*** *La baignade est interdite sur cette plage car les remous y sont dangereux.* **2.** Agitation dans une foule. *Le discours du maire provoqua des remous dans la salle.*

Conjugaison 1

rempailler v.

C'est le *rempailleur* qui rempaille les chaises.

Garnir un siège avec de la paille. *Mme Séverac a fait rempailler les chaises de la salle à manger.*

Famille de **paille**

Attention ! un *t* à la fin.

rempart n. m.

Grosse muraille qui entoure un château fort ou une ville fortifiée. *Le château de Motbourg était autrefois entouré de remparts.*

Saint-Malo et Carcassonne sont entourées de remparts.

Conjugaison 3 ▭ Indic. présent : *nous remplaçons.* Imparfait : *je remplaçais.* Passé simple : *je remplaçai.*

remplacer v.

1. Changer. *Angèle aimerait bien remplacer sa vieille voiture par une voiture neuve.* **2.** Mettre une chose à la place d'une autre. *Remplacez les infinitifs en italiques par des formes au futur.* **3.** Faire le travail de quelqu'un à sa place. *Quand le docteur Séverac est en vacances, c'est un autre médecin qui le remplace.*

Famille de **place**

Il lui importait donc de le ménager, ce cheval, car il ne savait plus quand et comment il pourrait le remplacer *(Michel Strogoff).*

N'oublie pas la cédille du *ç.*

▸ **remplaçant** n. m., **remplaçante** n. f. Personne qui en remplace une autre dans un travail. *Au début de sa carrière, Angèle occupait un poste de remplaçante dans une école de la banlieue de Marseille.*

Maintenant, Angèle est *titulaire* de son poste.

▸ **remplacement** n. m. **1.** *Hippolyte s'est acheté un nouveau briquet en remplacement de celui qu'il a perdu,* pour remplacer celui qu'il a perdu. **2.** *Quand elle a commencé à travailler, Angèle, l'institutrice, a d'abord fait des remplacements,* elle a remplacé d'autres instituteurs.

Conjugaison 2

Famille de **emplir**

remplir v.

1. Rendre plein. *Odile Séverac remplit une casserole d'eau chaude. — Le réservoir se remplit peu à peu. La salle se remplissait à vue d'œil.* **2.** *Remplir un formulaire,* c'est compléter par des renseignements les espaces laissés en blanc. *Mme Hespel a rempli soigneusement le formulaire de déclaration de revenus.* **3.** *En entendant l'institutrice complimenter Yasmina, le cœur de Julie se remplit de jalousie,* elle a été très jalouse. **4.** *Remplir une fonction,* c'est l'exercer. *Mme Séverac remplit la fonction de conseillère municipale.*

Le cirque se remplit. Le spectacle commence *(Babar).*

Le contraire, c'est *vider.*

Il faut remplir des formulaires pour toutes sortes de choses, les impôts et la Sécurité sociale, par exemple.

Remplir ses engagements, c'est les tenir.

Attention ! deux *s.*

▸ **remplissage** n. m. *Le pompiste effectue le remplissage du réservoir d'essence des autos,* il remplit le réservoir des autos.

Conjugaison 1

remporter v.

1. Emporter ce que l'on avait apporté. *Julie remporte les bandes dessinées qu'elle avait prêtées à Yasmina.* **2.** Obtenir. *Marie-Tévy a remporté le premier prix du concours de dessin.*

Remporter une victoire, c'est la gagner.

Famille de **porter**

Conjugaison 1

remuer v.

1. Faire changer de position ; vois ***déplacer, mouvoir.*** *Les chiens remuent la queue quand ils sont contents.* **2.** *Mme Séverac remue la salade,* elle la brasse, la retourne. **3.** Bouger, mouvoir son corps. *En classe, Antoine est très agité, il remue sans arrêt. — « Allons, remue-toi, Julie, tu vas être en retard à l'école ! »,* dépêche-toi.

Remuer ciel et terre, c'est se donner beaucoup de mal.

Ne pas remuer le petit doigt, c'est ne rien faire.

[...] elle ne remuait et ne bougeait pas plus qu'une morte *(Blancheneige).*

▷ ***remuant*** adj. Turbulent, agité. *Antoine est un enfant très remuant.*

Au féminin : *remuante.*

▷ ***remue-ménage*** n. m. invariable Agitation désordonnée et bruyante. *Quand Julie se prépare pour aller à l'école, quel remue-ménage !*

Au pluriel : *des remue-ménage.*

Famille de **ménage**

Conjugaison 6

▭ Indic. présent : *je rémunère, nous rémunérons.*

rémunérer v.

Payer ; vois ***rétribuer.*** *Le travail de M. Touati n'est pas très bien rémunéré.*

On dit plus souvent *payer.*

▷ ***rémunérateur*** adj. *Un travail rémunérateur,* c'est un travail bien payé. *Le travail de M. Touati n'est pas très rémunérateur.*

Au féminin : *rémunératrice.*

▷ ***rémunération*** n. f. Somme d'argent que reçoit une personne pour un travail ; vois ***rétribution.*** *Mme Roussel a demandé une rémunération plus importante à son chef de service.*

Le salaire, les appointements, les honoraires sont différentes sortes de rémunération.

Elle trouve qu'elle n'est pas assez payée.

Attention à l'accent circonflexe du ***â*** !

renâcler v.

Montrer son mécontentement devant une contrainte ; vois ***rechigner.*** *M. Bellec paie ses contraventions en renâclant.*

Il soupire, il bougonne !

Conjugaison 1

Attention ! deux ***s*** dans *renaissance,* comme dans *naissance.*

renaissance n. f.

1. Nouvel essor que prend une chose après une période où elle s'était affaiblie. *« On assiste à une renaissance du cinéma fantastique », dit un metteur en scène.* **2.** *La Renaissance,* c'est, en Europe, la période historique qui va de la fin du XIVe siècle à la fin du XVIe siècle. *Les châteaux de la Loire datent de la Renaissance.*

Famille de **naître**

Dans ce sens, *Renaissance* s'écrit avec un ***R*** majuscule.

Elle se situe après le Moyen Âge.

Conjugaison 59

▭ Indic. présent : *il renaît, nous renaissons.* — *Renaître* n'a pas de participe passé.

renaître v.

1. Recommencer à vivre ou à se développer. *« Bateau à bâbord ! », l'espoir renaît chez les naufragés ;* vois ***reparaître.*** **2.** Reprendre des forces, avoir de nouveau du courage. *Sous le soleil de Corse, Angèle se sent renaître.*

Attention à l'accent circonflexe du ***î*** devant le ***t.***

Famille de **naître**

renard n. m., renarde n. f.

Mammifère à la tête fine, au museau pointu, aux oreilles triangulaires et à la queue très touffue. *Carnivore, le renard chasse surtout la nuit. Le renard glapit ou jappe. Antoine est rusé comme un renard,* très rusé.

— Qui es-tu ? dit le petit prince. Tu es bien joli... — Je suis un renard, dit le renard *(le Petit Prince).*

Va voir aussi ***fennec.***

Le petit de la renarde est le *renardeau.*

Conjugaison 2

renchérir v.

Renchérir sur quelque chose, c'est l'approuver et aller encore plus loin en paroles ou en actions. *David renchérit sur tout ce que dit sa sœur.*

Je dirais même plus..., renchérit Dupont *(Tintin).*

Conjugaison 1

rencontrer v.

1. *Rencontrer une personne,* c'est se trouver par hasard en sa présence. *En faisant les courses, Angèle a rencontré Sophie Pelletier. — Angèle et Sophie Pelletier se sont rencontrées chez le boulanger.* **2.** *L'équipe de football de Motbourg rencontrera demain les champions en titre,* elle jouera contre eux. **3.** *Se rencontrer,* c'est faire connaissance. *Sylvain et Nathalie se sont rencontrés l'été dernier.*

« Les grands esprits se rencontrent ! », s'exclament deux personnes qui disent la même chose en même temps.

En passant dans un bois elle rencontra compère le loup qui eut bien envie de la manger *(le Petit Chaperon rouge).*

▷ ***rencontre*** n. f. **1.** Action de rencontrer quelqu'un. *Loïc est allé à la rencontre de Mme Roussel,* il est allé au-devant d'elle, pour l'accueillir. **2.** Partie, match. *L'arbitre a sifflé la fin de la rencontre.*

Un jour pendant sa promenade Babar voit venir à sa rencontre deux petits éléphants tout nus *(Babar).*

Famille de ① **en** et de **contre**

Famille de **rendre**

rendement n. m.

Quantité produite par rapport à l'unité de surface cultivée ou par rapport au matériel utilisé. *Pierre Séverac calcule le rendement à l'hectare de sa production de maïs,* la quantité de maïs produite par hectare. *Il faudrait moderniser les machines de l'usine pour améliorer leur rendement ;* vois ***efficacité.***

Cette année, le rendement a diminué.

Au pluriel : *des rendez-vous.*

rendez-vous n. m. invariable
Rencontre convenue entre plusieurs personnes, dans un endroit et à un moment qu'elles ont fixés. *Angèle et Hippolyte ont rendez-vous à la piscine à 14 heures. Le docteur Séverac reçoit sur rendez-vous.*

Famille de **rendre** et de **vous**

Conjugaison 16 ▭ Indic. présent : *je me rendors, nous nous rendormons.*

se **rendormir** v.
Recommencer à dormir après avoir été réveillé. *Le chat a juste ouvert un œil et s'est vite rendormi.*

Famille de **dormir**

Conjugaison 41 ▭ Indic. présent : *je rends, nous rendons.* Imparfait : *je rendais.* Futur : *je rendrai.*

Autres membres de la famille : **rendement, rendez-vous.**

rendre v.
1. Redonner à quelqu'un ce qu'on lui a pris ou ce qu'on a reçu. *Antoine a rendu à Yves toutes ses billes. Je lui ai prêté cent francs, j'espère qu'il va me les rendre.* **2.** Produire, avoir un rendement. *Ces terres rendent peu.* **3.** Faire devenir. *Le départ rend Sylvain mélancolique. Ces enfants me rendront folle.* **4.** *Se rendre,* c'est se soumettre ; vois ***capituler.*** *Vercingétorix s'est rendu à Jules César.* **5.** *Se rendre quelque part,* c'est y aller. *Chaque matin, Mme Hespel se rend à son bureau.*

Je vais lui donner pour don de pouvoir rendre beau ou belle la personne qui lui plaira
(Riquet à la Houppe).

Attention à l'accent circonflexe du ***ê*** !

Ne confonds pas *rêne, renne* et *reine.*

rêne n. f.
Chacune des courroies fixées sur un harnais, avec lesquelles le cavalier dirige sa monture. *Le postillon tirait sur les rênes pour que les chevaux de la diligence s'arrêtent.*

Le Père Noël tient les rênes de ses rennes.

Ne prononce pas le ***t*** final : [ʀənega].

renégat n. m., **renégate** n. f.
Personne qui a renié sa religion. *Les renégats étaient considérés comme des traîtres.*

Compare ***négatif*** et ***renégat*** : dans ces mots, on **nie.**

Conjugaison 1

renfermer v.
1. Contenir, avoir à l'intérieur. *Le sous-sol de ce pays renferme du charbon et du fer.* **2.** *Marie-Tévy s'était renfermée en elle-même et restait les yeux baissés,* elle ne livrait rien de ses sentiments.

Famille de **fermer**

Il n'y a pas d'homme plus renfermé, plus avare de paroles
(le Lion).

▸ ① ***renfermé*** adj. *Une personne renfermée,* c'est une personne qui ne montre pas ses sentiments. *Mme Roussel était assez renfermée avant sa rencontre avec Loïc.*

Le contraire de *renfermé,* c'est *expansif, ouvert.*

▸ ② ***renfermé*** n. m. Mauvaise odeur d'un endroit mal aéré. *Le cagibi sentait le renfermé.*

Famille de **enfler**

renflé adj.
Gros et rond ; vois ***bombé.*** *Mme Séverac a mis les pivoines dans un vase aux formes renflées.*

Conjugaison 1

renflouer v.
1. *Renflouer un navire,* c'est le remettre en état de naviguer. *Les ouvriers du chantier naval essayent de renflouer cette épave.* **2.** *Renflouer une entreprise,* c'est la sortir de ses difficultés financières en lui fournissant de l'argent. *Plusieurs banques sont prêtes à renflouer la biscuiterie de Motbourg.*

Famille de **enfoncer**

renfoncement n. m.
Endroit formant un creux ; vois ***coin, recoin.*** *Le chat apeuré, s'est caché dans un renfoncement.*

Conjugaison 3 ▭ Indic. présent : *je renforce, nous renforçons.* Imparfait : *je renforçais.* Futur : *je renforcerai.*

renforcer v.
1. Rendre plus solide. *Pierre Séverac a cloué deux planches sur la porte du poulailler pour la renforcer ;* vois ***consolider.*** *L'enquête a renforcé les soupçons du commissaire,* elle les a confirmés. **2.** Rendre plus fort, plus efficace. *De nouveaux skieurs sont venus renforcer l'équipe.*

Famille de **force**

▸ ***renforcement*** n. m. *Les joueurs souhaitent le renforcement de leur équipe,* que leur équipe soit renforcée.

Attention ! un ***t*** à la fin, comme dans *effort.*

▸ ***renfort*** n. m. *Les renforts,* ce sont les soldats ou le matériel qui doivent renforcer une armée. *Le capitaine a demandé des renforts.*

renfrogné adj.
Tendu, crispé par le mécontentement ; vois ***maussade.*** *Mme Harpie est toujours sombre et renfrognée.*

Le contraire de *renfrogné,* c'est *enjoué, aimable.*

rengaine n. f.
1. Chanson que l'on a trop entendue et qui est devenue lassante. *Mme Bellec*

écoute une vieille rengaine à la radio. **2.** *Avec lui, c'est toujours la même rengaine,* ce sont les mêmes paroles et les mêmes idées qui reviennent tout le temps.

Conjugaison 3 ▭ Indic. présent : *nous nous rengorgeons.*

se ***rengorger*** v.
Montrer que l'on est content de soi en prenant un air avantageux. *Denis Prost se rengorge en voyant qu'on l'a reconnu.*

Famille de **gorge**

Conjugaison 7 ▭ Indic. imparfait : *nous reniions.*

renier v.
Renoncer à une chose à laquelle on aurait dû rester fidèle. *Il a renié ses opinions par peur d'être emprisonné.*

Famille de **nier**

Chien, renifle-moi un peu [...] ne me reconnais-tu pas ? (les Contes du Chat perché).

renifler v.
1. Aspirer fort par le nez pour sentir. *Le chien renifle les traces du cerf.* **2.** Faire entrer de l'air par le nez en faisant du bruit. *Cesse de renifler et mouche-toi.*

Conjugaison 1

Ne confonds pas *renne, reine* et *rêne.*

renne n. m.
Animal qui ressemble à un gros cerf aux bois aplatis et qui vit dans les régions froides de l'hémisphère nord. *Les Lapons pratiquent l'élevage du renne dont ils suivent les migrations.*

Le renne du Canada s'appelle le *caribou.*

renom n. m.
Bonne réputation, célébrité. *Les biscuits de Motbourg ont acquis un grand renom sur le marché.*

Famille de **nom**

Attention ! deux *m* dans *renommé* et *renommée.*

▸ ***renommé*** adj. Célèbre, réputé. *La cuisine française est renommée dans le monde entier.*

Le contraire de *renommé,* c'est *inconnu.*

Bonne renommée vaut mieux que ceinture dorée (proverbe).

▸ ***renommée*** n. f. Célébrité ; vois ***notoriété.*** *Pasteur était un savant de renommée mondiale. La cuisine française jouit d'une grande renommée.*

Conjugaison 3 ▭ Indic. présent : *nous renonçons.*

renoncer v.
Décider de ne pas faire, de ne pas continuer. *Réjean a dû renoncer à son voyage faute d'argent. Je renonce à comprendre, c'est trop difficile !*

Les boutons d'or sont des renoncules jaunes.

renoncule n. f.
Petite fleur sauvage aux couleurs vives. *Claire a cueilli des renoncules dans la forêt.*

Conjugaison 1

Renouer la conversation, c'est recommencer à parler.

renouer v.
1. Nouer une chose qui est dénouée. *Claire essaie de renouer ses lacets de chaussures.* **2.** *Renouer avec quelqu'un,* c'est reprendre des relations avec lui. *Mme Séverac a renoué avec un ami d'enfance.*

Famille de **nouer**

Le contraire de *renouveau,* c'est *déclin.*

renouveau n. m.
Vigueur nouvelle ; vois ***renaissance.*** *Le théâtre connaît un renouveau depuis quelque temps.*

Famille de **nouveau**

Conjugaison 4 ▭ Indic. présent : *je renouvelle, nous renouvelons.* Imparfait : *je renouvelais.* Futur : *je renouvellerai.* — Subj. présent : *que je renouvelle.*

renouveler v.
1. Remplacer une chose qui a déjà servi par une chose nouvelle et semblable. *Mme Séverac a renouvelé sa garde-robe, cette année ;* vois ***changer.*** *— La peau se renouvelle sans arrêt.* **2.** *M. Touati a fait renouveler sa carte de travail,* il l'a fait prolonger, il a fait les démarches nécessaires pour qu'elle soit encore valable. **3.** *Je souhaite que cet incident ne se renouvelle pas,* qu'il ne recommence pas, qu'il ne se reproduise pas.

Famille de **nouveau**

▸ ***renouvelable*** adj. *Un abonnement est renouvelable,* on peut le renouveler quand il est terminé.

Attention ! deux *l.*

▸ ***renouvellement*** n. m. **1.** *Mme Séverac a procédé au renouvellement de sa garde-robe,* elle l'a renouvelée. **2.** *M. Touati, a demandé le renouvellement de sa carte de travail,* il a demandé qu'on la lui renouvelle.

Compare *rénover, innover* et *novice* : il s'agit de quelque chose de **nouveau.**

rénover v.
Remettre à neuf ; vois ***moderniser, transformer.*** *L'immeuble où habite Angèle a été complètement rénové.*

Conjugaison 1

▸ ***rénovation*** n. f. Remise à neuf ; vois ***restauration.*** *La rénovation de l'immeuble a duré six mois.*

Conjugaison 1

renseigner v.

Donner un renseignement, une information ; vois ***informer.*** *Je cherche la poste, pouvez-vous me renseigner ? — Angèle s'est renseignée sur les horaires de bateau pour la Corse,* elle a pris des renseignements, elle s'est informée.

▷ ***renseignement*** n. m. Chose que l'on fait connaître à quelqu'un ; vois ***information.*** *Angèle a demandé des renseignements à une agence de voyage.*

Le pays était-il donc si abandonné qu'il ne s'y trouvât plus un seul sibérien pour le renseigner *(Michel Strogoff).*

rente n. f.

Un *rentier,* une *rentière* vivent de leurs rentes, sans travailler.

Argent que rapporte régulièrement ce que l'on possède. *Mme Séverac a des rentes.*

▷ ***rentable*** adj. *Une affaire rentable,* c'est une affaire qui fait des bénéfices. *Le restaurant Bellec est très rentable.*

▷ ***rentabilité*** n. f. *La rentabilité du restaurant est bonne,* le restaurant rapporte assez d'argent.

Conjugaison 1
Famille de **entrer**

rentrer v.

1. Entrer dans un endroit dont on est sorti. *Mme Harpie a vu un homme sortir de la maison puis y rentrer précipitamment.* **2.** Revenir chez soi. *Le docteur Séverac rentrera d'Afrique demain.* **3.** Mettre à l'intérieur, à l'abri. *En voyant arriver la pluie, Mme Bellec a rentré les parasols.* **4.** *Il est rentré dans ses frais,* il a récupéré l'argent qu'il avait dépensé. *Tout est rentré dans l'ordre,* l'ordre est revenu. **5.** Entrer avec force quelque part. *La voiture de M. Bellec est rentrée dans un arbre.* **6.** S'enfoncer, s'emboîter dans quelque chose. *La clé rentre dans la serrure.*

Il pleut, il pleut, bergère,
Rentre tes blancs moutons
(chanson).

« Mon bon chasseur, laisse-moi la vie, je m'enfuirai dans le bois sauvage et je ne rentrerai plus jamais » *(Blancheneige).*

▷ ***rentrée*** n. f. **1.** *La rentrée des classes,* c'est la période qui suit les grandes vacances, et où les élèves rentrent en classe. *La veille de la rentrée, Sylvain ne tenait plus en place.* **2.** *Une rentrée d'argent,* c'est une somme d'argent que l'on reçoit, que l'on encaisse. *M. Bellec attend les rentrées du mois prochain pour repeindre le restaurant ;* vois ***recette.***

Conjugaison 1
Famille de **verser**

renverser v.

1. Faire tomber. *Le cycliste a renversé un piéton. Yves a renversé la bouteille d'encre. — La bouteille s'est renversée.* **2.** *Renverser un gouvernement,* c'est l'obliger à démissionner. *Le tyran a été renversé.* **3.** Incliner en arrière. *Julie renverse la tête parce qu'elle saigne du nez.*

La *crème renversée* se fait dans un moule que l'on renverse pour la démouler.

Compare :
renverser → *renversant*
et *bouleverser* → *bouleversant.*

▷ ***renversant*** adj. *Une nouvelle renversante,* c'est une nouvelle qui étonne énormément. *Colle et Rat auraient vu une soucoupe volante, c'est renversant !*

▷ *à la* ***renverse*** adv. *Claire est tombée à la renverse,* en arrière, sur le dos.

Compare :
renverser → *renversement* et
bouleverser → *bouleversement.*

▷ ***renversement*** n. m. **1.** *À la fin de l'histoire, on assiste à un renversement de la situation,* un changement complet de la situation. **2.** Chute, écroulement. *Le renversement du régime a obligé le tyran à fuir.*

Le personnage qui était pauvre devient très riche et celui qui était riche devient pauvre.

Prononce [ʀɑ̃vwaje].
Famille de **envoyer**

renvoyer v.

1. Faire retourner une personne là où elle était. *Sylvain est guéri, on peut le renvoyer en classe.* **2.** Faire partir, mettre à la porte ; vois ***congédier, licencier.*** *Colle et Rat ont été renvoyés de l'école.* **3.** Relancer un objet qu'on a reçu. *Le joueur a renvoyé le ballon d'un coup de tête.* **4.** Faire reporter quelque chose à quelqu'un. *La lettre a été renvoyée à l'expéditeur.*

Conjugaison 8 ▭ Indic. présent : *je renvoie, nous renvoyons.*
Imparfait : *je renvoyais, nous renvoyions.*
Futur : *je renverrai, nous renverrons.*

▷ ***renvoi*** n. m. **1.** Mise à la porte, licenciement. *La directrice a décidé le renvoi de Colle et Rat.* **2.** Indication, dans un livre, invitant le lecteur à se reporter à une autre page. *Après la définition du mot, il peut y avoir un renvoi à un synonyme.* **3.** Rot. *Le bébé a eu un renvoi,* il a rejeté par la bouche l'air qu'il avait dans l'estomac.

Dans ce dictionnaire, c'est *« vois », « va voir »* et *« va voir aussi »* qui indiquent les renvois.

Conjugaison 1
Même famille que **organiser**

réorganiser v.

Organiser d'une autre manière. *Hippolyte a réorganisé le ciné-club.*

Famille de **ouvrir**

réouverture n. f.

Le fait d'ouvrir à nouveau un établissement qui a été quelque temps fermé. *La réouverture de la poste s'est faite deux mois après l'incendie.*

On avait installé des bureaux provisoires, en attendant la réouverture de la poste.

Ne confonds pas *repaire* et *repère.*

repaire n. m.

1. Cachette qui sert d'abri aux animaux sauvages ; vois ***antre, tanière.*** *La* *panthère attendait la nuit dans son repaire.* **2.** Lieu qui sert de refuge à des individus dangereux. *Cette auberge était un repaire de brigands.*

Conjugaison 57 ▭ Indic. présent : *il se repaît, nous nous repaissons.*

se ***repaître*** v.

Un animal qui se repaît, c'est un animal qui se nourrit. *Les koalas se repaissent de feuilles d'eucalyptus.*

Famille de **paître**

Conjugaison 41 ▭ Indic. présent : *je répands, nous répandons.* Imparfait : *je répandais.* Futur : *je répandrai.* — Subj. présent : *que je répande.*

répandre v.

1. Disperser, laisser tomber une chose qui s'étale. *Le camion a répandu son chargement sur la route. — Les choux se sont répandus sur la route.* **2.** *Le poêle répandait une douce chaleur,* il produisait une chaleur qui s'étendait autour de lui ; vois ***dégager.*** *— Une odeur infecte s'est répandue dans la pièce.* **3.** Faire connaître une nouvelle, la dire à tous. *Colle et Rat prétendent avoir vu une soucoupe volante et répandent ce bruit dans l'école. — La nouvelle s'est répandue comme une traînée de poudre,* elle a été très vite connue de tous.

Attila répandait la terreur.

Une idée très répandue, c'est une idée qui est partagée par beaucoup de gens.

Conjugaison 57

reparaître v.

Se montrer de nouveau. *Après la pluie, le soleil reparaît ;* vois ***réapparaître.***

Famille de **paraître**

Conjugaison 1

réparer v.

1. Remettre en bon état. *Sylvain a réparé son vélo.* **2.** *Réparer un oubli,* c'est faire ce qu'il faut pour supprimer les conséquences fâcheuses de cet oubli. *Pour réparer son oubli, Denis Prost a envoyé des fleurs à la personne qui l'avait attendu en vain.*

Compare : *réparer → réparable* et *laver → lavable.*

▸ ***réparable*** adj. Qu'on peut réparer. *Cette montre n'est pas réparable.*

▸ ***réparateur*** n. m. et adj., ***réparatrice*** n. f. et adj. **1.** n. Personne dont le métier est de réparer les objets. *Le réparateur de radio a remis à neuf le transistor d'Angèle.* **2.** adj. *Après la promenade, les enfants ont dormi d'un sommeil réparateur,* qui leur a redonné des forces.

Compare : *réparer → réparation, opérer → opération* et *préparer → préparation.*

▸ ***réparation*** n. f. Travail qu'on fait pour réparer un objet. *Combien coûtera la réparation de mon transistor ? L'ascenseur est en réparation,* le réparateur le répare.

Autre membre de la famille : **irréparable.**

Conjugaison 1

reparler v.

Parler à nouveau de quelque chose. *Les enfants ont reparlé, ces jours-ci, de l'affaire de la soucoupe volante.*

Famille de **parler**

Celui qui a de la repartie *répond du tac au tac.*

repartie n. f.

Réponse rapide et juste. *Angèle a la repartie facile. Alex a de la repartie.*

Prononce [ʀəparti].

Conjugaison 16
Famille de **partir**
Les vacances sont finies !

repartir v.

1. Partir pour l'endroit d'où l'on vient. *Les Séverac ont quitté la ferme et sont repartis pour Motbourg.* **2.** Partir de nouveau après un temps d'arrêt. *Le chef de gare agite un drapeau et le train repart.*

Repartir à zéro, c'est tout recommencer.

Conjugaison 2
Famille de **part**

répartir v.

1. Partager ; vois ***distribuer.*** *Angèle a réparti le travail entre Yves, Antoine et Yasmina. — Les enfants se sont réparti les tâches.* **2.** Étaler dans le temps. *Le stage est réparti sur huit semaines.*

Angèle est institutrice.

▸ ***répartition*** n. f. Partage ; vois ***distribution.*** *Angèle a fait la répartition du travail.*

Attention ! un ***s*** à la fin.

Un *repas froid* est fait de plats froids.

Va voir aussi ***déjeuner, dîner, goûter, petit déjeuner.***

repas n. m.

Nourriture que l'on prend à heures régulières. *Mme Séverac a fait un repas léger à midi. Le bébé fait cinq repas par jour,* il se nourrit en cinq fois. *L'été, les Prost prennent leurs repas dans le jardin,* ils mangent dans le jardin.

Parfois, à l'entrée du zoo, on affiche l'heure du repas des fauves.

Conjugaison 1
Famille de **passer**

① ***repasser*** v.

1. Passer de nouveau. *Denis Prost avait oublié ses papiers, il a dû repasser chez lui ;* vois ***revenir.*** *Antoine passe et repasse devant la vitrine de jouets.* **2.** *Alex doit repasser le baccalauréat,* se présenter de nouveau au baccalauréat. *Mme Roussel a repassé l'épreuve de conduite du permis de conduire.*

Repasser un film, c'est le projeter à nouveau.

Il court, il court, le furet,
le furet du bois joli.
Il est passé par ici,
Il repassera par là (comptine).

Conjugaison 1
Famille de **passer**

② ***repasser*** v.
Effacer les faux plis du linge, le rendre lisse à l'aide d'un fer à repasser. *Hippolyte repasse ses chemises. Certains tissus ne se repassent pas,* ils sont infroissables.

C'était elle qui repassait le linge de ses sœurs *(Cendrillon).*

Compare : *repasser* → *repassage* et *laver* → *lavage.*

▸ ***repassage*** n. m. *La femme de ménage a fini le repassage,* elle a repassé tout le linge.

La *table de repassage* se plie et se range.

Conjugaison 1

③ ***repasser*** v.
Repasser sa leçon, c'est la relire, la réviser. *Yasmina repasse ses leçons avant de partir pour l'école.*

Famille de **passer**

Attention à l'accent circonflexe du *ê* de *repêcher* !
Famille de ② **pêcher**

repêcher v.
1. Retirer de l'eau. *Yves a lâché sa canne à pêche ; Loïc l'a repêchée de justesse.* **2.** *Repêcher un candidat,* c'est le recevoir à l'examen, alors qu'il n'a pas le nombre de points suffisant. *Le jury a refusé de repêcher Alex au bac.*

Conjugaison 1
On repêche les candidats qui ont un bon dossier scolaire.

Conjugaison 52
Famille de **peindre**

repeindre v.
Peindre à neuf. *M*[me] *Harpie a repeint sa boutique.*

Conjugaison 16 ▭ Indic. présent : *nous nous repentons.* Imparfait : *je me repentais.* Futur : *je me repentirai.*

se ***repentir*** v.
Regretter d'avoir fait une chose, en se disant qu'on ne recommencera plus. *Antoine s'est repenti d'avoir menti à sa mère.*
▸ ***repentir*** n. m. Regret de ce que l'on a fait ; vois ***remords.*** *Le repentir d'Antoine était sincère.*

[...] elle redit plus de vingt fois qu'ils s'en repentiraient et qu'elle l'avait bien dit *(le Petit Poucet).*

Conjugaison 1

répercuter v.
1. Renvoyer un son dans une autre direction. *Les montagnes répercutaient l'écho.* **2.** *Se répercuter,* c'est se transmettre, avoir une influence sur quelque chose. *La bonne humeur d'Angèle se répercute sur l'ambiance de la classe.*
▸ ***répercussion*** n. f. Effet, conséquence. *L'humidité a des répercussions sur les rhumatismes.*

Angèle est l'institutrice.

Attention à l'accent grave du *è* de *repère* !
Ne confonds pas *repère* et *repaire.*

repère n. m.
1. Marque qui permet de retrouver un endroit. *M. Bellec trace des repères sur le mur avant d'accrocher le tableau. Pour trouver l'entrée de la grotte, le repère est le gros chêne.* **2.** *Un point de repère,* c'est un objet ou un endroit à partir duquel on peut se retrouver. *Les phares servent de points de repère aux bateaux.*

On peut aussi avoir des repères dans le temps, pour retrouver la date d'un événement.

Attention à l'accent aigu du *é* de *repérer* !
Cet emploi est familier.
C'est une petite ville !

▸ ***repérer*** v. **1.** Situer avec précision, par rapport à des points de repère. *Les pirates ont repéré le trésor.* **2.** Découvrir, trouver. *Antoine a repéré une grande grotte dans la forêt.* **3.** *Se repérer,* c'est se retrouver, savoir où on est. *On se repère facilement dans Motbourg.*

Conjugaison 6 ▭ Indic. présent : *je repère, nous repérons.* Imparfait : *je repérais.* Futur : *je repérerai.*

répertoire n. m.
1. Carnet, cahier dans lequel on classe des choses par ordre alphabétique. *M*[me] *Hespel cherche un numéro dans son répertoire téléphonique.* **2.** *Le répertoire d'un artiste,* c'est l'ensemble des œuvres qu'il a l'habitude de jouer, de chanter. *Ce pianiste a de nombreux concertos de Mozart à son répertoire.*

Les pièces de Molière font partie du répertoire classique.

Conjugaison 6 ▭ Indic. présent : *je répète, nous répétons.* Imparfait : *je répétais.* Futur : *je répéterai.*

répéter v.
1. Dire une chose que l'on a déjà dite ; vois ***redire.*** *M*[me] *Harpie répète toujours la même chose. Angèle, l'institutrice, a répété cent fois qu'apercevoir ne prend qu'un p. — Se répéter,* c'est redire la même chose. *M*[me] *Harpie se répète, et cela fait rire tout le monde.* **2.** Dire ce qu'un autre a déjà dit. *Marie-Tévy a répété à Julie ce qu'Antoine lui avait raconté.* **3.** Refaire quelque chose que l'on a déjà fait ; vois ***recommencer.*** *Elle répète les mêmes erreurs.* **4.** *Les comédiens répètent tous les soirs,* ils jouent sans public pour mettre la pièce au point.
▸ ***répétition*** n. f. **1.** Chose que l'on a déjà dite ou écrite. *Angèle apprend aux enfants à éviter les répétitions dans leurs rédactions.* **2.** Séance de travail au cours de laquelle les comédiens, les musiciens s'exercent avant de jouer en public. *La pièce a demandé deux mois de répétitions.*

Les perroquets enthousiasmés répètent sans s'arrêter : « Venez voir Célesteville. » *(Babar).*

L'essentiel est invisible pour les yeux, répéta le petit prince, afin de se souvenir *(le Petit Prince).*

Un travail *répétitif,* c'est un travail qui est toujours pareil.

Conjugaison 1

repeupler v.
Peupler de nouveau un endroit qui s'est dépeuplé. *Des jeunes, venus de la ville, ont repeuplé le village que les paysans avaient peu à peu quitté. — Le village s'est repeuplé.*

Famille de **peuple**

Conjugaison 1

repiquer v.
Mettre en terre ce qui a été semé ailleurs. *Mamie Lou repique des salades. Les paysannes chinoises repiquent le riz.*

Famille de **piquer**

Attention ! un ***t*** à la fin.

répit n. m.
Détente, repos. *Je n'ai pas eu un instant de répit depuis ce matin.*

Sans répit : sans arrêt.

Conjugaison 3 ; attention à la cédille du ***ç*** devant ***a*** ou ***o*** !

replacer v.
Remettre une chose à sa place. *Yves replaçait le pot de crème sur l'étagère quand sa mère est entrée ;* vois ***ranger, remettre.***

Famille de **place**

replet adj.
Bien en chair, un peu gras ; vois ***dodu, grassouillet.*** *Mme Harpie est une petite femme replète.*

Le contraire de *replet,* c'est *maigre.*

Au féminin : *replète.*

Conjugaison 7 ▭ Indic. imparfait : *nous repliions.* Futur : *nous replierons.*

replier v.
1. Plier une chose qui avait été dépliée. *Le docteur Séverac replia son journal.* **2.** Fermer en pliant. *Yves replie la lame de son couteau.* **3.** *Se replier,* c'est reculer en bon ordre. *Le général ordonna à ses troupes de se replier.*

Famille de **pli**

▸ ***repli*** n. m. **1.** Pli profond ou qui se répète. *Marie-Tévy s'était cachée dans les replis du rideau.* **2.** Recul, retraite. *Le général ordonna le repli des troupes.*

Un repli peut éviter une défaite.

Beaucoup de statues grecques ne sont connues que par des répliques.

① **réplique** n. f.
Copie d'une œuvre d'art. *Les Romains ont fait de nombreuses répliques de statues grecques.*

② **réplique** n. f.
1. Réponse vive marquant un désaccord ; vois ***repartie, riposte.*** *La réplique d'Yves ne se fit pas attendre.* **2.** Texte que doit dire un acteur dans un dialogue. *Denis Prost avait oublié sa réplique, alors il a improvisé.*

Denis Prost est comédien.

▸ ***répliquer*** v. Répondre à quelqu'un par une réplique. *Angèle déteste qu'on lui réplique. Yves obéit à son père sans répliquer.*

Conjugaison 1

Ce n'est pas une preuve du tout, répliqua Marinette *(les Contes du Chat perché).*

Conjugaison 41 ▭ Indic. présent : *je réponds, nous répondons, ils répondent.* Imparfait : *je répondais.* Futur : *je répondrai.* — Subj. présent : *que je réponde.*

répondre v.
1. Faire connaître ce que l'on pense à quelqu'un qui s'est adressé à vous. *Marie-Tévy répond à Angèle. Nathalie a répondu à la lettre de Sylvain. Mme Roussel a répondu à Loïc qu'elle acceptait son invitation.* **2.** Réagir à quelque chose. *Rex répond à l'appel de son nom. M. Bellec a répondu au salut de M. Touati. Devant les attaques de Colle et Rat, Yves et Antoine ont décidé de répondre à la force par des blagues.* **3.** *Mme Hespel est déçue car le travail d'Alex ne répond pas à son attente,* il ne correspond pas à ce qu'elle attendait. **4.** *Vous pouvez lui confier ce travail, je réponds de lui,* je garantis qu'il fera ce qu'il faut, je m'engage pour lui.

Ne soyez pas si pressé, répondit doucement la petite fille *(le Lion).*

Répondre du tac au tac, c'est répondre très vite.

Je ne réponds de rien : je ne garantis rien.

On dit aussi *répondeur automatique* ou *téléphonique.*

▸ ***répondeur*** n. m. Appareil que l'on branche sur un téléphone et qui donne une réponse enregistrée. *Comme la personne qu'il appelait était absente, Denis Prost a laissé un message sur le répondeur.*

La plupart des répondeurs permettent aussi de laisser des messages.

Avoir réponse à tout, c'est savoir ce qu'il faut dire ou faire dans n'importe quelle situation.

▸ ***réponse*** n. f. **1.** Ce que l'on dit ou écrit pour répondre à quelqu'un. *Nathalie a reçu une réponse à sa lettre. Antoine a trouvé la bonne réponse.* **2.** Réaction à quelque chose. *La blague d'Antoine était une réponse aux attaques de Colle et Rat. Hippolyte a sonné chez Angèle, mais il n'a pas obtenu de réponse.*

Une *réponse de Normand,* c'est une réponse qui ne dit ni oui ni non.

▸ ***répondant*** n. m. *Un répondant,* c'est une personne qui répond d'une autre, qui s'engage pour elle. *Le docteur Séverac a servi de répondant à Denis Prost quand il a emprunté une grosse somme à la banque.*

Attention ! un ***t*** à la fin.

report n. m.
Mme Séverac a demandé le report de la réunion, elle a demandé que la réunion ait lieu plus tard, soit reportée à plus tard.

Famille de **porter**

Le journaliste qui fait un reportage est un *reporter*.

reportage n. m.
Article ou émission où un journaliste raconte ce qu'il a vu et entendu. *Marie-Tévy regarde un reportage sur l'Afrique, à la télévision.*

Prononce [rəpɔrtɛr].

① **reporter** n. m.
Journaliste qui fait des reportages. *Le reporter envoie ses informations par télex.*

Tintin est reporter au *Petit Vingtième.*

Conjugaison 1

② **reporter** v.
1. Écrire ailleurs. *Reportez le résultat dans la colonne de gauche.* **2.** Renvoyer une chose à plus tard. *La réunion du conseil municipal a été reportée au lendemain.* **3.** *Depuis son divorce, Mme Roussel reporte toute son affection sur son fils,* elle lui donne toute son affection. **4.** *Se reporter à un texte,* c'est le regarder pour y trouver un renseignement. *Si vous ne connaissez pas le sens d'un mot, reportez-vous au dictionnaire.*

Famille de **porter**
Va voir aussi ***report***.

Conjugaison 1

① **reposer** v.
1. *Mamie Lou laisse reposer la pâte deux heures avant de faire les crêpes,* elle ne la touche plus. **2.** *La maison de Loïc repose sur un bloc de granit,* elle est construite sur un bloc de granit. **3.** *Ce que tu dis ne repose sur rien,* n'est pas fondé, ne peut être prouvé. **4.** *Marie-Tévy repose sa tête sur l'oreiller,* elle la met, la pose sur l'oreiller. **5.** *La lumière douce de la lampe repose la vue,* n'est pas fatigante pour la vue. **6.** *Mme Hespel a besoin de vacances pour se reposer,* pour ne plus être fatiguée ; vois ***se délasser, se détendre.*** **7.** *Se reposer sur quelqu'un,* c'est lui faire confiance, compter sur lui. *Le docteur Séverac se repose entièrement sur sa femme pour la décoration de la maison.*

Famille de **poser**

Le sommeil de Babar est agité, mais cela le repose tout de même *(Babar).*

Elle courut aussi longtemps que ses jambes purent la porter [...], alors elle vit une petite maison et y entra pour se reposer *(Blancheneige).*

▸ **repos** n. m. **1.** Délassement, détente. *Mme Hespel prendra quelques jours de repos en juillet,* elle se reposera quelques jours. *Le lundi est le jour du repos hebdomadaire, au restaurant Bellec.* **2.** *Ce travail est de tout repos,* il ne donne aucun mal.

Tintin goûte chez le Maharajah un repos bien mérité.

Aladdin, qui n'avait pris aucun repos depuis trois jours, dormit toute la nuit d'un profond sommeil *(les Mille et Une Nuits).*

▸ **reposant** adj. *Mme Hespel a passé des vacances reposantes,* qui l'ont reposée, qui l'ont délassée.

Le contraire de *reposant,* c'est *fatigant.*

Conjugaison 1
Famille de **poser**

② **reposer** v.
Poser une chose qu'on a soulevée. *Claire a réussi à soulever la valise, mais elle a dû la reposer aussitôt.*

Elle était trop lourde pour elle.

Conjugaison 1

① **repousser** v.
1. Pousser en arrière. *Mme Bellec repousse la table contre le mur.* **2.** Faire reculer. *Charles Martel a repoussé les Arabes à Poitiers en 732.* **3.** Refuser d'accepter. *Il a repoussé les conseils de son frère.* **4.** Remettre une chose à plus tard. *Mme Séverac a fait repousser la réunion du conseil municipal.*

▸ **repoussant** adj. Dégoûtant, répugnant. *Ce crapaud a un aspect repoussant.*

Michel Strogoff s'élança aussitôt vers la porte de la maison et la repoussa violemment *(Michel Strogoff).*

Famille de ② **pousser**
Le contraire de *repousser,* c'est *accepter.*

Conjugaison 1

② **repousser** v.
Pousser à nouveau. *Au printemps, les feuilles repoussent. Quand on rase la barbe, elle repousse plus dure.*

Famille de ① **pousser**

Attention ! un *h* dans *répréhensible.*

répréhensible adj.
Une action répréhensible, c'est une action qui mérite d'être punie ; vois ***blâmable, condamnable.*** *Antoine aime bien faire des farces, mais cela n'a rien de répréhensible.*

Le contraire de *répréhensible,* c'est *louable.*

Conjugaison 58, comme *prendre* ▭ Indic. présent : *je reprends, nous reprenons, ils reprennent.*

reprendre v.
1. Prendre une autre fois. *Antoine a repris de la tarte.* **2.** Prendre ce que l'on avait donné, prêté. *Colle et Rat ont repris à Yasmina les billes qu'ils lui avaient données.* **3.** *La police a repris le prisonnier évadé,* elle l'a pris à nouveau, rattrapé. **4.** Recommencer après une interruption. *Le docteur Séverac reprendra sa lecture après dîner. Les cours ont repris en septembre.* — *Yves s'y est repris à plusieurs fois pour ouvrir le pot de confiture,* il a recommencé plusieurs fois. **5.** *Reprendre quelqu'un,* c'est corriger son erreur lorsqu'il se trompe. *Angèle, l'institutrice, reprend ses élèves quand ils font des fautes en parlant.* — *Se reprendre,* c'est rectifier ce que l'on a dit. *Elle a fait une faute de français, mais elle s'est reprise aussitôt.*

Famille de **prendre**

Va voir aussi ① ***reprise***.
Après une heure de repos, il reprit donc sa course à travers la steppe *(Michel Strogoff).*

Ce mot est toujours au pluriel.

représailles n. f. plur.
Ce que l'on fait pour se venger quand on a été attaqué. *Antoine et Yves ont décidé d'exercer des représailles contre Colle et Rat.*

Conjugaison 1

Mon dessin ne représentait pas un chapeau. Il représentait un serpent boa qui digérait un éléphant *(le Petit Prince).*

représenter v.
1. Faire apparaître dans l'esprit par une image ; vois ***montrer.*** *Le dessin de Marie-Tévy représente la ferme.* **2.** Être le signe, le symbole ; vois ***évoquer, symboliser.*** *La justice est représentée par une balance.* **3.** *Les travaux du gymnase représentent plusieurs millions de francs,* ils correspondent à plusieurs millions de francs. **4.** *Représenter une pièce,* c'est la jouer, l'interpréter. *Les élèves du collège représenteront « la Farce de Maître Pathelin ».* **5.** *Représenter quelqu'un,* c'est tenir sa place, agir en son nom. *Les députés représentent le peuple.* **6.** *Se représenter quelque chose,* c'est se l'imaginer. *Elle se représenta la scène et sourit.*

Famille de **présenter**

▷ ***représentant*** n. m., ***représentante*** n. f. **1.** Personne qui représente quelqu'un et agit en son nom. *Les députés sont les représentants du peuple.* **2.** Personne dont le métier est de rendre visite aux gens au nom d'une société, pour leur vendre des produits. *Le représentant en encyclopédies a vendu des livres à Mme Séverac.*

▷ ***représentatif*** adj. *Alex est bien représentatif des garçons de son âge,* il en est un bon exemple ; vois ***typique.***

Au féminin : *représentative.*

▷ ***représentation*** n. f. **1.** Image, signe. *Le dessinateur donne une représentation de l'espace par la perspective.* **2.** Spectacle constitué par une pièce de théâtre que l'on joue. *La représentation dure une heure.*

Attention ! deux *s.*

répression n. f.
Châtiment, punition. *Les prix chez Mme Harpie, la marchande de bonbons, ont été contrôlés par un agent du service de la répression des fraudes,* du service qui punit les personnes qui fraudent.

Va voir aussi ***réprimer.***

réprimande n. f.
Reproche sévère ; vois ***blâme.*** *Malgré les réprimandes de la directrice, Colle et Rat continuent à être insolents.*

Conjugaison 1

▷ ***réprimander*** v. Faire des réprimandes. *La directrice a convoqué Colle et Rat dans son bureau et les a réprimandés.*

Conjugaison 1

réprimer v.
1. Empêcher de s'exprimer, de se manifester ; vois ***contenir.*** *Hippolyte et Angèle réprimaient difficilement leur envie de rire. Denis réprimait sa colère.* **2.** Punir. *La loi réprime le banditisme. L'armée a réprimé la révolte,* elle l'a fait cesser en employant la violence.

Va voir aussi ***répression.***

repris de justice n. m.
Personne qui a été condamnée plusieurs fois à des peines de prison ; vois ***récidiviste.*** *Parmi les auteurs du hold-up, il y a plusieurs repris de justice.*

Famille de **prendre** et de ② **juste**

Famille de **prendre**

① **reprise** n. f.
1. *La reprise du travail s'effectuera demain,* on reprendra le travail demain. *On attend la reprise des négociations entre les deux pays. — Angèle, l'institutrice, a demandé à Antoine à maintes reprises d'être à l'heure,* de nombreuses fois. **2.** Partie d'un match de boxe. *La reprise dure trois minutes et s'arrête à un coup de gong.* **3.** *La voiture du docteur Séverac a de bonnes reprises,* elle accélère facilement après avoir ralenti.

On dit aussi : *à plusieurs reprises.*

Les boxeurs ont une minute de repos entre chaque reprise.

② **reprise** n. f.
Raccommodage effectué sur un tissu déchiré ou troué. *Mamie Lou a fait des reprises à son tablier.*

Pour faire une reprise, il faut entrecroiser les fils comme lorsque l'on tisse.

Certaines reprises sont aussi fines que des broderies.

Conjugaison 1

▷ ***repriser*** v. *Repriser un vêtement,* c'est le raccommoder. *Hippolyte reprise ses chaussettes.*

réprobation n. f.
Jugement très sévère que l'on porte sur une personne ou une chose qui déplaît profondément. *Le colonel Hespel a été choqué par la conduite d'Alex et il lui a fait part de sa réprobation.*

Il *réprouve* la conduite d'Alex.

Au féminin : *réprobatrice.*

▷ ***réprobateur*** adj. Qui exprime la réprobation. *Dans le train, les voyageurs regardaient les enfants qui chahutaient d'un air réprobateur.*

Conjugaison 1

reprocher v.
1. *Reprocher quelque chose à quelqu'un,* c'est lui exprimer son mécontentement à propos d'une chose dont on le tient pour coupable ou responsable. *M. Doucet reproche à sa femme sa mauvaise humeur.* **2.** *Se reprocher quelque chose,* c'est se considérer comme responsable d'une chose que l'on regrette. *La directrice se reproche d'avoir été trop sévère avec Antoine.*

Autre membre de la famille : **irréprochable.**

▸ **reproche** n. m. Remontrance, réprimande. *Mme Harpie accable son neveu de reproches.*

Au féminin : *reproductrice.*

reproducteur adj.
Les organes reproducteurs, ce sont les organes qui servent à la reproduction des êtres vivants. *Le pistil et les étamines sont les organes reproducteurs des fleurs.*

Les organes reproducteurs des humains s'appellent aussi les *organes génitaux.*

reproduction n. f.
1. Copie d'un objet ; vois ***imitation.*** *Ce livre contient des reproductions de tableaux.* **2.** *Les abeilles permettent la reproduction de nombreuses fleurs en transportant le pollen,* elles permettent à de nombreuses fleurs de se reproduire.

Va voir aussi *se **reproduire.***

Conjugaison 38 ▭ Indic. présent : *je reproduis, nous reproduisons.* Futur : *je reproduirai.*

reproduire v.
1. Imiter. *L'appeau reproduit le cri du canard.* **2.** Faire exister à de nombreux exemplaires. *L'imprimerie a permis de reproduire des textes à des milliers d'exemplaires.*

Tarzan sait reproduire tous les bruits de la jungle.

Les anguilles reviennent vers leur lieu de naissance, la mer des Sargasses, pour s'y reproduire.

▸ *se* **reproduire** v. **1.** Donner naissance à des êtres vivants de la même espèce que la sienne. *Les êtres humains, les animaux et les plantes se reproduisent. Les lapins se reproduisent très rapidement.* **2.** Se produire de nouveau ; vois ***recommencer.*** *L'éclipse ne se reproduira que dans vingt ans. Veillez à ce que cette erreur ne se reproduise pas.*

Va voir aussi ***reproducteur*** et ***reproduction.***

Conjugaison 1

réprouver v.
Réprouver une chose, c'est la rejeter en la condamnant sévèrement ; vois ***blâmer, désapprouver.*** *Mme Hespel réprouve les fréquentations de son fils Alex.*

Va voir aussi ***réprobation.***

reptile n. m.
Les reptiles, ce sont les animaux vertébrés qui ont des écailles ou une carapace. *Les serpents, les lézards, les crocodiles et les tortues sont des reptiles.*

Il y a environ 6 000 espèces de reptiles.

Le dinosaure est un reptile fossile.

Le contraire de *repu,* c'est *affamé.*

repu adj.
Qui a mangé à sa faim ; vois ***rassasié.*** *Le bébé, repu, s'endort béatement.*

Famille de **paître**

république n. f.
Régime politique qui a un président et un parlement élus. *La France et le Portugal sont des républiques. Le président de la République a nommé un nouveau Premier ministre.*

La France est devenue une république en 1792.

En France, le président de la République est élu au suffrage universel.

« Liberté, Égalité, Fraternité » est la devise de la République française.

▸ **républicain** adj. **1.** Qui appartient à la république. *Les institutions françaises sont républicaines.* **2.** Partisan de la république. *Les armées républicaines battirent les Prussiens à Valmy le 20 septembre 1792.*

Le calendrier républicain est celui que la Première République avait établi en France en 1793.

Conjugaison 1

répugner v.
1. *Répugner à quelqu'un,* c'est lui faire horreur. *L'idée même de manger lui répugnait.* **2.** *Angèle, l'institutrice, répugne à mettre les enfants en retenue,* elle n'aime pas cela.

▸ **répugnant** adj. Qui dégoûte, fait horreur ; vois ***dégoûtant.*** *Le champignon dégageait une odeur répugnante.*

▸ **répugnance** n. f. Dégoût très vif ; vois ***répulsion.*** *La vue des araignées cause de la répugnance à Mme Harpie. Alex débouche l'évier avec répugnance ;* vois *à* ***contrecœur.***

Nadia, domptant sa répugnance, regardait tous ces cadavres (*Michel Strogoff*).

Répulsion [ʀepylsjɔ̃] rime avec *attention.*

répulsion n. f.
Très profond dégoût ; vois ***répugnance.*** *M. Bellec a de la répulsion pour les cafards.*

Le contraire de *répulsion,* c'est *attirance, attraction.*

Réputation [ʀepytɑsjɔ̃] rime avec *pension.*

réputation n. f.

1. *La directrice a la réputation d'être sévère,* elle est connue pour sa sévérité. *Si Antoine ne manque pas à sa réputation, il sera en retard,* s'il agit comme on sait qu'il fait d'habitude. *Le cours Godefroy de Bouillon a bonne réputation,* on dit que c'est un bon collège. **2.** Célébrité. *La réputation d'acteur de Denis Prost grandit de jour en jour.*

— Que me conseillez-vous d'aller visiter ? demanda-t-il.
— La planète Terre, lui répondit le géographe. Elle a bonne réputation *(le Petit Prince).*

Denis Prost est un acteur *réputé.*

réputé adj.

Connu, célèbre. *Un orchestre réputé donne un concert à Motbourg ce soir.*

Conjugaison 21
▭ Indic. présent : *je requiers, nous requérons.*
Futur : *je requerrai.*

requérir v.

1. Réclamer au nom de la loi. *Le procureur a requis trois ans de prison pour l'accusé.* **2.** Demander, réclamer. *Ce travail requérait toute notre attention.*

Autre membre de la famille : **requis.**

Attention à l'accent circonflexe du *ê* dans *requête* !

requête n. f.

Demande pressante ; vois ***prière.*** *Denis Prost, le comédien bien connu, a cédé aux requêtes des journalistes qui voulaient l'interviewer.*

requin n. m.

Certains requins peuvent mesurer de 15 à 18 mètres de long.

Poisson de grande taille, carnivore, très puissant et très vorace. *Les requins vivent dans les mers chaudes ou tempérées.*

Seul le requin blanc attaque l'homme.

Famille de **requérir**

requis adj.

Les conditions requises, ce sont les conditions nécessaires, obligatoires, exigées. *Alex remplit les conditions requises pour travailler dans une banque pendant les vacances.*

Attention ! deux *n.*

réquisitionner v.

Réquisitionner une chose, c'est exiger qu'on la mette à sa disposition. *Les autorités ont réquisitionné des fermes pour loger les sinistrés.*

Conjugaison 1

réquisitoire n. m.

Discours qui est prononcé contre l'accusé, dans un tribunal. *Après le réquisitoire, l'avocat s'est levé pour prononcer le plaidoyer.*

C'est le procureur qui prononce le réquisitoire.

rescapé n. m., rescapée n. f.

Personne qui a échappé à un accident ou à une catastrophe. *Un chalutier a recueilli les rescapés du naufrage.*

à la rescousse adv.

Au secours, à l'aide. *Alex se serait noyé si Réjean n'était pas allé à sa rescousse,* le secourir.

Au pluriel : *des réseaux.*

réseau n. m.

1. Ensemble formé par des fils entrelacés. *L'araignée attend que des insectes se prennent dans le réseau de sa toile.* **2.** Ensemble de voies de communication, de lignes électriques ou téléphoniques. *Les inondations ont affecté le réseau routier de toute la région.* **3.** Organisation secrète. *M. Bonnot faisait partie d'un réseau de résistance.*

Le R. E. R., réseau express régional du métro de Paris, relie entre elles des lignes qui desservent Paris et toute sa région.

Le *réseau de télévision,* c'est l'ensemble des émetteurs et des relais.

Au pluriel : *des résédas.*

réséda n. m.

Plante aux fleurs très parfumées disposées en grappes. *Le réséda entre dans la composition de nombreux parfums. Les fleurs de réséda sont jaunes, verdâtres ou rougeâtres.*

— Où résida le réséda ?
Résida-t-il au Canada
(R. Desnos).

Famille de **réserver**

réservation n. f.

Faire une réservation, c'est retenir une place ou une chambre pour une certaine date. *Denis Prost a annulé sa réservation dans le vol Paris-Londres.*

Famille de **réserver**

① réserve n. f.

1. *Émettre des réserves,* c'est dire que l'on n'est pas tout à fait d'accord. *Le maire a émis des réserves sur le projet proposé par les conseillers municipaux. Yves a une admiration sans réserve pour son oncle,* il l'admire sans réticence. **2.** Provision mise de côté pour en disposer au moment voulu. *Antoine a une réserve de chocolats dans sa chambre. Mamie Lou a toujours*

Les chameaux ont des réserves de graisse dans leurs bosses.

La réserve était immense. Elle s'étendait sur des dizaines et des dizaines de lieues *(le Lion)*.

des bonbons en réserve, de côté. **3.** Territoire où les plantes et les animaux sont protégés. *La chasse et la pêche sont interdites dans la réserve.* **4.** Endroit où un commerçant range sa marchandise en stock. *Il doit rester un pantalon à votre taille dans la réserve.*

Les territoires réservés aux Indiens dans le nord des États-Unis s'appellent aussi des *réserves.*

② ***réserve*** n. f.
Attitude d'une personne discrète qui se garde de tout excès ; vois ***retenue.*** *Mme Séverac garde toujours une certaine réserve avec les personnes qu'elle ne connaît pas.*
▸ ***réservé*** adj. *Une personne réservée,* c'est une personne qui a de la réserve. *Mme Séverac est une femme réservée.*

Compare *réserver* et *conserver* : il est question de **garder.**

réserver v.
1. Faire mettre à part, de côté, ce que l'on désire avoir plus tard. *Si l'on veut dîner au restaurant Bellec, il vaut mieux réserver sa table ;* vois ***retenir.*** *Le docteur Séverac a réservé une place dans l'avion pour Lomé ;* vois ***louer.*** **2.** *Réserver une chose à quelqu'un,* c'est la lui destiner spécialement. *Cette rue est réservée aux piétons,* seuls les piétons peuvent y passer. **3.** Être destiné à procurer. *Cette partie de pêche a réservé bien des surprises à Loïc.*

Conjugaison 1
Réserver ses forces, c'est les garder pour plus tard.

Autres membres de la famille : **réservation, ① réserve.**

Compare : *réserver → réservoir* et *arroser → arrosoir.*

▸ ***réservoir*** n. m. Bassin ou récipient qui peut contenir un liquide que l'on garde en réserve. *Angèle remet le bouchon du réservoir d'essence de sa voiture.*

Les réservoirs du Concorde peuvent contenir 95 tonnes de carburant.

Conjugaison 1

résider v.
1. Habiter ; vois ***demeurer.*** *Le docteur Séverac réside à Motbourg.* **2.** Se trouver. *C'est là que réside la difficulté.*

Irkoutsk est la résidence du gouverneur général de la Sibérie orientale *(Michel Strogoff).*

▸ ***résidence*** n. f. Endroit où l'on habite. *Le presbytère est la résidence de l'abbé Gauthier.*

Une *résidence secondaire,* c'est une maison de campagne, de vacances.

▸ ***résidentiel*** adj. Où il n'y a que des maisons et des immeubles réservés à l'habitation. *Les Séverac habitent le quartier résidentiel de Motbourg.*

résidu n. m.
Reste. *Le goudron est un des résidus de la distillation du pétrole,* ce qui reste du pétrole quand on l'a distillé.

Conjugaison 1

Tintin ne veut pas se résigner à abandonner Milou et va le chercher dans le nid du condor.

se ***résigner*** v.
Accepter sans protester. *Julie s'est résignée à prendre tous ses médicaments.*
▸ ***résignation*** n. f. Le fait d'accepter sans protester ; vois ***soumission.*** *La résignation se lisait dans les yeux de Julie.*

Le contraire de *résignation,* c'est *révolte.*

Conjugaison 7

résilier v.
Résilier un contrat, c'est y mettre fin. *Le propriétaire a résilié le bail.*

résine n. f.
Produit collant et visqueux qui s'écoule de certains arbres. *Les conifères produisent de la résine.*

On se sert de la résine pour fabriquer du vernis, des peintures et des enduits.

Au féminin : *résineuse.*

▸ ***résineux*** adj. *Un arbre résineux,* c'est un arbre qui produit de la résine. *Le sapin et le mélèze sont des arbres résineux.* — n. m. *Les conifères sont des résineux,* des arbres qui produisent de la résine.

Conjugaison 1

résister v.
1. Ne pas céder. *La vitre a résisté au choc.* **2.** Supporter. *Le cactus résiste à la sécheresse. Les enfants ne voulaient pas dormir et résistaient à la fatigue.* **3.** S'opposer, lutter. *La ville assiégée a résisté trois mois,* elle s'est défendue.

La garnison d'Omsk, réduite à deux mille hommes, avait vaillamment résisté *(Michel Strogoff).*

Compare : *résister → résistance, résistant* et *endurer → endurance, endurant.*

▸ ***résistance*** n. f. **1.** Force pour supporter des épreuves, la fatigue. *Réjean et son père ont une grande résistance ;* vois ***endurance.*** **2.** Le fait de résister, de s'opposer. *Le voleur s'est laissé arrêter sans opposer de résistance.* **3.** Action de s'opposer à une attaque par les moyens de la guerre. *M. Bonnot a fait de la résistance.*

La Résistance, c'était une organisation armée de Français qui s'opposaient à l'occupation allemande pendant la Seconde Guerre mondiale.

Le contraire de *résistance,* c'est *soumission.*

▸ ***résistant*** adj. et n. m., ***résistante*** adj. et n. f.
▭ **adj. 1.** *Une chose résistante,* c'est une chose qui résiste aux coups ou à l'usure. *Le tissu des chaises longues est résistant.* **2.** *Une personne résistante,* c'est une personne qui supporte bien l'effort prolongé ; vois ***endurant.*** *Réjean et son père sont très résistants.*

Le contraire de *résistant,* c'est *fragile.*

Le lierre est une plante résistante.

Le contraire de *résistant,* c'est *faible, fragile.*

Autre membre de la famille : **irrésistible.**

▭ **n.** Personne qui fait de la résistance. *M. Bonnot appartenait à un groupe de résistants.*

Va voir aussi ***maquisard.***

Famille de ① **résoudre**

résolu adj.
Une personne résolue, c'est une personne qui sait prendre une décision et ne pas en changer. *Angèle est restée calme et résolue.*
▸ ***résolument*** adv. Avec force. *Mme Hespel s'oppose résolument à la proposition de son fils ;* vois ***énergiquement.***

Le contraire de *résolu,* c'est *indécis, irrésolu.*

Famille de ① **résoudre**

résolution n. f.
Prendre une résolution, c'est décider une chose avec fermeté. *Denis Prost a pris la résolution d'arrêter de fumer.*

Attention ! deux *n.*
Famille de **sonner**
Conjugaison 1

résonner v.
1. Retentir en s'accompagnant d'échos. *La voix de Julie résonnait dans la grotte.* **2.** *Le préau résonnait de cris d'enfants,* était plein de cris d'enfants.

Ne confonds pas *résonner* et *raisonner.*

Conjugaison 1

résorber v.
1. *Se résorber,* c'est disparaître peu à peu. *L'hématome se résorbe lentement.* **2.** Faire disparaître ; vois ***supprimer.*** *Le gouvernement prend des mesures pour résorber le chômage.*

La famine fut si grande que ces pauvres gens résolurent de se défaire de leurs enfants *(le Petit Poucet).*

① ***résoudre*** v.
Décider après avoir bien réfléchi. *Mme Roussel a résolu de retourner en Bretagne. Il semblait résolu à tout,* fermement décidé. — *Mme Hespel s'est résolue à prendre des vacances.*

Conjugaison 51
Autres membres de la famille : **résolu, résolument, résolution.**

Conjugaison 51
▭ Indic. présent : *je résous, nous résolvons.*
Futur : *je résoudrai.*

② ***résoudre*** v.
Résoudre un problème, c'est trouver sa solution. *Le commissaire n'a pas résolu l'énigme de l'incendie de la poste. L'énigme n'est pas résolue.*

Respect [ʀɛspɛ] rime avec *paix.*

respect n. m.
1. Attitude et sentiment d'une personne qui a de la considération pour quelqu'un en raison de son âge, de sa valeur. *Sylvain éprouve un profond respect pour son professeur de piano. Le maire a présenté ses respects à Mme Séverac,* il lui a témoigné l'estime qu'il a pour elle. **2.** Le fait de se conformer à des règles. *L'arbitre veille au respect des règles du jeu,* à ce que les joueurs suivent les règles du jeu. **3.** *Tenir quelqu'un en respect,* c'est le forcer à se soumettre en le menaçant. *Le policier avait sorti son revolver et tenait l'homme en respect.*

Le contraire de *respect,* c'est *insolence.*

Autre membre de la famille : **respectueux.**

Omsk est le centre de l'organisation militaire de la Sibérie occidentale qui est destinée à tenir en respect les populations kirghises *(Michel Strogoff).*

Conjugaison 1

C'est mon opinion, répliqua le Thon, et toutes les opinions, comme on dit en politique, doivent être respectées *(Pinocchio).*

▸ ***respecter*** v. **1.** Considérer avec respect. *Sylvain aime et respecte son professeur de piano. Angèle, l'institutrice, respecte l'avis des enfants,* elle en tient compte. **2.** *Respecter une règle,* c'est la suivre, lui obéir ; vois ***observer.*** *Les automobilistes doivent respecter le code de la route.*

Le contraire de *respectable,* c'est *négligeable.*

▸ ***respectable*** adj. **1.** Digne de respect. *C'est une personne respectable. Votre avis est très respectable, mais ce n'est pas le mien.* **2.** Assez important. *Ce manteau coûte une somme respectable.*

Le contraire de *respectable,* c'est *méprisable.*

respectif adj.
Qui concerne chaque chose, chaque personne par rapport aux autres. *Tous les enfants retournèrent à leurs places respectives,* chacun à sa place.
▸ ***respectivement*** adv. Dans l'ordre. *Alex et Sylvain ont respectivement dix-huit et douze ans,* le premier a dix-huit ans, le second douze.

Le contraire de *respectueux,* c'est *insolent.*

respectueux adj.
Qui témoigne du respect. *Les élèves s'adressent à la directrice sur un ton respectueux.*

Famille de **respect**

Conjugaison 1

Blancheneige se remit à respirer un peu et se ranima petit à petit *(Blancheneige).*

respirer v.
1. Faire entrer de l'air dans les poumons et le rejeter. *« Respirez à fond », dit le docteur en auscultant son malade.* **2.** Avoir un moment de calme, de repos. *J'ai eu du travail toute la journée, je n'ai pas eu un moment pour respirer.*

Va voir aussi ***expirer*** et ***inspirer.***

Compare *respiration* et *inspirer* : il est question de **souffle.**

▸ ***respiration*** n. f. Le fait d'absorber de l'oxygène et de rejeter du gaz carbonique. *Yves bloque sa respiration avant de plonger.*

Autre membre de la famille : **irrespirable.**

Ils appartiennent à l'*appareil respiratoire.*

▸ ***respiratoire*** adj. Qui permet la respiration. *Le larynx et la trachée sont des voies respiratoires.*

Compare *resplendir* et ***splendide*** : dans ces deux mots, il est question de **briller.**

resplendir v.

Conjugaison 2

Briller d'un vif éclat. *Le soleil resplendit. Le visage de Yasmina resplendissait de joie.*

▸ ***resplendissant*** adj. Très brillant ; vois ***éclatant.*** *Le soleil était resplendissant. Yves a une mine resplendissante,* il a très bonne mine.

responsable adj.

1. Qui a commis une faute et doit réparer le tort causé. *Le conducteur responsable de l'accident était ivre.* — n. m. et f. *Les responsables ont été punis.* **2.** *Être responsable de quelqu'un,* c'est être chargé de veiller sur lui et devoir répondre de ses actes. *Les parents sont responsables de leurs enfants mineurs,* ils doivent répondre d'eux.

Tu deviens responsable pour toujours de ce que tu as apprivoisé. Tu es responsable de ta rose... *(le Petit Prince).*

Michel Strogoff sentit plus lourdement alors le poids de la responsabilité qui pesait sur lui *(Michel Strogoff).*

▸ ***responsabilité*** n. f. **1.** Obligation de réparer le tort que l'on a causé par sa faute. *Des témoins ont confirmé la responsabilité du conducteur,* ils ont confirmé qu'il était responsable de l'accident. **2.** Obligation de remplir un devoir, d'assumer les conséquences de ses actes et de ceux des personnes dont on est responsable. *La directrice a la responsabilité de la sécurité des enfants,* elle en est responsable.

Rejeter les responsabilités sur quelqu'un, c'est le rendre seul responsable.

Autre membre de la famille : **irresponsable.**

resquiller v.

Conjugaison 1

Entrer sans payer. *Des barrières empêchent les gens de resquiller dans le métro.*

Attention ! deux *s*.

ressac n. m.

Retour violent des vagues sur elles-mêmes, lorsqu'elles ont frappé un obstacle. *On entendait le bruit du ressac contre le récif.*

Conjugaison 2

Le bœuf blanc se ressaisit et s'excusa d'une voix maussade. — C'est bon, j'ai été distrait *(les Contes du Chat perché).*

se ressaisir v.

Famille de **saisir**

Reprendre son calme, être de nouveau maître de soi. *Angèle a failli perdre patience, mais elle s'est ressaisie à temps. Le boxeur s'est ressaisi au quatrième round,* il s'est rendu maître de la situation en étant plus énergique, plus ferme.

Attention ! deux fois deux *s* dans *ressasser.*

ressasser v.

Conjugaison 1

Répéter de façon lassante. *Mme Harpie ressasse toujours les mêmes histoires.*

Conjugaison 1

Famille de **sembler**

ressembler v.

1. Avoir des traits communs. *Martin ressemble à sa sœur au même âge. Mme Harpie ressemble à un sac de pommes de terre. — David et Nathalie se ressemblent comme deux gouttes d'eau,* énormément. **2.** *Antoine, à l'heure ! Cela ne lui ressemble pas,* ce n'est pas son habitude.

Qui se ressemble s'assemble (proverbe).

Quand je demande ça
On dit que je suis bête
Mais toujours les enfants
Ressemblent aux parents
(chanson).

▸ ***ressemblance*** n. f. *Sur les photos, la ressemblance entre Martin et Julie est frappante,* ils se ressemblent d'une façon frappante.

Le contraire de *ressemblance,* c'est *différence.*

▸ ***ressemblant*** adj. *Marie-Tévy a fait un portrait d'Antoine très ressemblant,* qui ressemble beaucoup à Antoine.

Conjugaison 4

Attention ! deux *s*.

ressemeler v.

Famille de **semelle**

Garnir d'une semelle neuve. *Les cordonniers ressemellent les chaussures.*

Attention ! deux *s*.

ressentiment n. m.

Famille de **sentir**

Sentiment d'amertume au souvenir de torts que l'on a subis ; vois ***rancœur, rancune.*** *Il garda un vif ressentiment de l'injustice subie.*

Famille de **sentir**

Il ressentit alors le coup qui lui avait été porté à la tête *(Michel Strogoff).*

ressentir v.

Conjugaison 16 ▭ Indic. présent : *je ressens.* Futur : *je ressentirai.*

1. Éprouver, sentir. *Hippolyte cachait ce qu'il ressentait,* ses sentiments, ses émotions. **2.** *Se ressentir d'un mal,* c'est continuer à en sentir les effets. *Julie s'est ressentie longtemps de son opération.*

Attention ! deux *s* et deux *r* dans *resserre.*

resserre n. f.

Pièce où l'on range des provisions ou des outils ; vois ***remise.*** *M. Bellec a rangé ses outils dans la resserre.*

Conjugaison 1

Le contraire de *resserrer,* c'est *desserrer.*

Famille de **serrer**

resserrer v.

Attention ! deux *s* et deux *r* dans *resserrer.*

1. Serrer davantage. *Sylvain resserre les boulons des freins.* **2.** *Se resserrer,* c'est devenir plus étroit ; vois *se* ***rétrécir.*** *Ici, la vallée se resserre et ne livre passage qu'à un homme à la fois.*

Conjugaison 14
▭ Indic. présent : *je ressers, nous resservons.* Imparfait : *je resservais.* Futur : *je resservirai.*

resservir v.
1. Servir de nouveau un plat. *Mamie Lou ressert du gigot à ses petits-enfants.* **2.** Être encore utilisable. *Mamie Lou garde les ficelles qui peuvent resservir,* que l'on pourra utiliser de nouveau.

Attention ! deux *s*.
Famille de **servir**

Attention au *t* final !

① **ressort** n. m.
1. Pièce d'un mécanisme qui peut se tendre et se détendre en produisant un mouvement. *M. Bonnot a fait réparer le ressort de sa montre.* **2.** Énergie, force. *Mme Hespel n'a pas de ressort ce matin.*

② **ressort** n. m.
1. *En dernier ressort, Mme Roussel a décidé d'accepter l'invitation de Loïc,* finalement, en définitive. **2.** *Cette décision est du ressort de la directrice,* c'est de son domaine, de sa compétence.

▸ ***ressortissant*** n. m., ***ressortissante*** n. f. Personne qui vit dans un autre pays que le sien. *C'est le consul de France à Londres qui marie les ressortissants français habitant cette ville.*

Conjugaison 16
▭ Indic. présent : *je ressors, nous ressortons.* Imparfait : *je ressortais.* Futur : *je ressortirai.*

ressortir v.
1. Sortir d'un endroit peu après y être entré. *Le hamster entre dans sa cage et en ressort aussitôt.* **2.** Être plus visible. *Marie-Tévy a peint les fleurs sur un fond uni, pour qu'elles ressortent mieux. Ce maquillage fait ressortir les yeux,* il les met en valeur. **3.** Apparaître comme conséquence. *Il ressort de ce rapport que vous avez tort,* c'est la conclusion qu'on peut en tirer. *Que ressortira-t-il de cette discussion ?,* quelles en seront les conséquences ?

Famille de ① **sortir**

[Les petites] avaient choisi un papier gris sur lequel le blanc, qui était la couleur des bœufs, ressortait parfaitement *(les Contes du Chat perché).*

ressource n. f.
1. Possibilité, recours. *Le livre est épuisé, mais vous avez encore la ressource de l'emprunter à la bibliothèque.* **2.** *Les ressources,* ce sont les moyens dont on dispose pour vivre. *Cette famille était presque sans ressources,* très pauvre. **3.** *Les ressources d'un pays,* ce sont ses richesses naturelles. *Les ressources minières de la région s'épuisent.*

Robinson Crusoé a survécu grâce aux ressources de son île.

Conjugaison 1
Attention à l'orthographe !
Va voir aussi ***résurrection.***

ressusciter v.
Revenir à la vie, redevenir vivant. *Selon les Évangiles, Jésus-Christ est ressuscité le troisième jour après sa mort.*

Blancheneige [...] se dressa, ressuscitée. « Ah Dieu, où suis-je ? » *(Blancheneige).*

restant n. m. et adj.
▭ **n. m.** Ce qui reste d'une chose. *Avec le restant de la collecte, Hippolyte a acheté des fleurs.*
▭ **adj. 1.** *Qui prendra la part restante du gâteau ?,* la part qui reste. **2.** *Mme Roussel a reçu une lettre poste restante,* qu'elle est allée chercher à la poste.

On dit plutôt *le reste* que *le restant.*

Conjugaison 1

① **restaurer** v.
1. Faire exister de nouveau ce qui avait disparu ; vois ***rétablir.*** *La municipalité voudrait restaurer les fêtes du carnaval.* **2.** *Restaurer une œuvre d'art,* c'est la remettre en état, la réparer. *La cathédrale a été restaurée.*

On restaure aussi des tableaux, des meubles.

▸ ① ***restaurateur*** n. m., ***restauratrice*** n. f. Personne qui fait le métier de restaurer des œuvres d'art. *Le travail du restaurateur est très minutieux.*

La Restauration, en France, c'est le règne de Louis XVIII et celui de Charles X, de 1814 à 1830.

▸ ***restauration*** n. f. **1.** Rétablissement. *Les royalistes sont partisans de la restauration de la royauté.* **2.** Remise en état. *La restauration de la cathédrale durera un an.*

Conjugaison 1

② se **restaurer** v.
Reprendre des forces en mangeant. *Les alpinistes se restaurent avant de repartir.*

▸ ***restaurant*** n. m. Établissement où l'on sert des repas payants. *Le restaurant Bellec est sur la place du Marché.*

C'est un bon restaurant.

▸ ② ***restaurateur*** n. m., ***restauratrice*** n. f. Personne qui fait le métier de tenir un restaurant. *M. Bellec est restaurateur.*

Autre membre de la famille : **wagon-restaurant.**

Conjugaison 1

rester v.

1. Être quelque part, passer du temps dans un endroit ; vois ***demeurer.*** *Loïc et Mme Roussel sont restés sur la plage jusqu'au coucher du soleil. Alex est resté un mois au Canada.* **2.** Continuer d'être. *Le chat restait immobile, guettant la souris. Le restaurant Bellec restera ouvert en juillet.* **3.** *Il reste du pain,* il y en a encore. **4.** *Si nous ne voulons pas nous disputer, il vaut mieux en rester là,* il vaut mieux arrêter de discuter. **5.** *Tout est prêt pour la fête ; reste à savoir s'il fera beau ce jour-là,* on ne sait pas s'il fera beau.

Et d'abord, à quoi bon rester ici à faire des problèmes, quand il fait si beau dehors ? *(les Contes du Chat perché).*

Michel Strogoff resta seul, à quelques pas de sa mère, inanimée, peut-être morte *(Michel Strogoff).*

▸ ***reste*** n. m. **1.** Ce qui reste. *Avec le reste de pâte, Mamie Lou a fait une tartelette. Alex a fait une partie de ses devoirs, il fera le reste demain.* **2.** *Angèle lisait et le reste du temps, elle nageait,* aux autres moments. **3.** *Les restes,* c'est ce qui n'a pas été mangé, la nourriture qui reste. *Le dimanche soir, on mange les restes.*

Irkoutsk était isolée du reste du monde *(Michel Strogoff).*

J'avais le reste du jour pour me reposer, et le reste de la nuit pour dormir *(le Petit Prince).*

Autre membre de la famille : **restant.**

Conjugaison 1

restituer v.

Restituer quelque chose à quelqu'un, c'est lui rendre une chose qui lui appartient. *Colle et Rat ont dû restituer à Yasmina le stylo qu'ils lui avaient volé.*

Conjugaison 52
▭ Indic. présent : *je restreins, nous restreignons.*

restreindre v.

Diminuer, rendre plus petit. *La vie a augmenté, il va falloir restreindre nos dépenses. — Il s'est restreint par nécessité,* il a dû réduire ses dépenses.

Le contraire de *restreindre,* c'est *accroître.*

restriction n. f.

1. *La proposition de Mme Séverac a été adoptée sans restriction par le conseil municipal,* complètement, sans réserve. **2.** *Des restrictions,* ce sont des privations, en temps de pénurie ; vois ***rationnement.*** *M. et Mme Bonnot ont souffert des restrictions pendant la guerre.*

Mme Séverac est conseillère municipale.

Conjugaison 1 ▭ Ce verbe ne s'emploie qu'à l'infinitif, au participe présent et à la troisième personne.

résulter v.

Être le résultat, la conséquence ; vois ***découler, provenir.*** *Les échecs d'Alex résultent de sa paresse.*

▸ ***résultat*** n. m. **1.** Conséquence, aboutissement. *Les échecs d'Alex sont le résultat de sa paresse.* **2.** Issue d'une action, manière dont une chose se termine. *M. Bellec attend les résultats des courses.* **3.** Solution. *Marie-Tévy est la seule à avoir trouvé le résultat de la division.*

Sur la gauche de l'Obi, les cavaliers usbecks s'étaient arrêtés pour attendre le résultat de la bataille *(Michel Strogoff).*

résumer v.

Conjugaison 1

Résumer un texte, c'est le redire en moins de mots ; vois ***abréger.*** *Angèle a demandé à ses élèves de résumer l'histoire de Cendrillon en dix lignes.*

Compare : *résumer → résumé* et *abréger → abrégé.*

▸ ***résumé*** n. m. Texte qui en résume un autre ; vois ***abrégé.*** *Angèle a demandé à ses élèves de faire un résumé de « Cendrillon ».*

Attention ! deux ***r*** dans *résu**rr**ection.*

résurrection n. f.

Retour de la mort à la vie. *Le dimanche de Pâques, les chrétiens fêtent la résurrection du Christ.*

Va voir aussi ***ressusciter.***

Conjugaison 2

rétablir v.

1. Faire exister de nouveau. *La police a rétabli l'ordre ;* vois ***ramener.*** *— Le silence s'est rétabli peu à peu,* il est revenu. **2.** Remettre en bonne santé. *Le traitement du docteur Séverac a vite rétabli Mme Bonnot. — Mme Bonnot s'est vite rétablie,* elle a vite guéri.

Famille de **établir**

▸ ***rétablissement*** n. m. **1.** *La maîtresse a eu du mal à obtenir le rétablissement du silence,* à obtenir que le silence se rétablisse. **2.** Guérison. *Le rétablissement de la malade a été rapide.*

Conjugaison 1

retaper v.

1. Réparer, arranger. *Pierre Séverac a retapé le grenier pour en faire des chambres.* **2.** *Se retaper,* c'est retrouver ses forces, se remettre en forme. *Mme Hespel avait besoin de vacances pour se retaper.*

Famille de **taper**
Cet emploi est familier.

Conjugaison 1

retarder v.

1. Mettre en retard. *Ces incidents ont retardé Angèle. Nous avons été retardés par les embouteillages.* **2.** Reporter à plus tard ; vois ***différer, reculer, repousser.*** *Le départ de l'avion a été retardé d'une heure.* **3.** *Cette pendule retarde de cinq minutes,* elle indique cinq minutes de moins que l'heure réelle.

Famille de **tard**

Le contraire de *retarder,* c'est *avancer.*

Le contraire de *retard*, c'est *avance*.

▸ ***retard*** n. m. **1.** Le fait d'arriver après le moment prévu. *Le train avait deux heures de retard. Antoine est souvent en retard à l'école.* **2.** *Marie-Tévy a du retard sur ses camarades de classe,* elle est moins avancée que les autres. **3.** *La pendule a pris du retard,* elle retarde.

Alice ne trouva pas non plus tellement bizarre d'entendre le Lapin se dire à mi-voix : « Oh, mon Dieu ! Oh, mon Dieu ! Je vais être en retard. » *(Alice au Pays des merveilles).*

Compare : *retarder* → *retardataire* et *destiner* → *destinataire.*

▸ ***retardataire*** n. m. et f. Personne qui arrive en retard. *Les retardataires ont dû attendre la fin du premier morceau pour entrer dans la salle de concert.*

▸ à ***retardement*** adj. *Une bombe à retardement,* c'est une bombe qui explose après qu'on l'a posée, grâce à un mécanisme spécial. *Pendant la guerre, M. Bonnot a fait sauter un pont avec des bombes à retardement.*

Elle permet à celui qui la pose de s'en aller avant qu'elle saute.

Conjugaison 22, comme *tenir* ▭ Indic. présent : *je retiens, nous retenons, ils retiennent.* Imparfait : *je retenais.* Futur : *je retiendrai* — Subj. présent : *que je retienne.*

retenir v.

1. *Retenir quelqu'un,* c'est le garder, l'empêcher de partir. *Les gangsters ont retenu le directeur de la banque en otage.* **2.** Empêcher de bouger, maintenir en place. *Loïc retenait Yves par le bras pour l'empêcher de tomber. Yasmina a les cheveux retenus par un ruban. — Yves se retenait à Loïc,* il se rattrapait, se raccrochait à Loïc. **3.** *Elle s'est retenue à grand-peine de dire ce qu'elle pensait,* elle s'en est empêchée. **4.** Garder. *On retient de l'argent aux salariés pour payer leurs cotisations sociales.* **5.** Faire une retenue dans une opération. *Je pose 4 et je retiens 2.* **6.** Réserver. *Denis Prost a retenu une chambre à Cannes pour le festival.* **7.** Garder dans sa mémoire ; vois *se* ***souvenir.*** *Yves a bien retenu comment attacher les hameçons à la ligne.*

Babar a bien envie d'attraper Fernando et de le lancer en l'air jusqu'au trapèze, mais il se retient *(Babar).*

Va voir aussi **retenue.**

Conjugaison 2

retentir v.

Se faire entendre avec force ; vois ***résonner.*** *Les cris des enfants retentissent dans la cour de récréation.*

▸ ***retentissant*** adj. **1.** Qui fait beaucoup de bruit ; vois ***bruyant, sonore.*** *Il y a eu un coup de tonnerre retentissant.* **2.** *Le film a eu un succès retentissant,* il a eu un grand succès ; vois ***éclatant.***

Plus faible et atténué, mais encore distinct et redoutable, le grondement [...] retentit longuement *(le Lion).*

Attention ! deux ***s*** dans *retentissant* et *retentissement.*

▸ ***retentissement*** n. m. *Le film a eu un grand retentissement,* il a provoqué un grand intérêt, beaucoup de réactions.

Même famille que **retenir**

retenue n. f.

1. Prélèvement effectué sur une somme d'argent. *Le patron enlève les retenues de Sécurité sociale sur les salaires.* **2.** Chiffre que l'on garde pour le compter dans la colonne suivante, dans une opération. *N'oublie pas la retenue.* **3.** Punition qui consiste à garder un élève à l'école alors qu'il n'a pas de cours ; vois ***consigne.*** *Alex a été gardé en retenue de cinq heures à sept heures.* **4.** Réserve, discrétion. *Elle se mit à rire sans retenue.*

3 fois 8, 24 ; je pose 4 et je retiens 2.

La maîtresse s'est fâchée et elle a mis toute la classe en retenue *(le Petit Nicolas).*

réticent adj.

Réservé, hésitant. *Il s'est d'abord montré réticent, puis il a fini par accepter.*

▸ ***réticence*** n. f. Hésitation, réserve dans ce que l'on dit ou dans ce que l'on fait. *Après bien des réticences, il a accepté de nous aider.*

rétif adj.

Le contraire de *rétif,* c'est *docile.*

Un cheval rétif, c'est un cheval qui refuse d'avancer, d'obéir. *Denis Prost montait une jument rétive.*

Les ânes sont souvent rétifs.

rétine n. f.

Membrane qui tapisse le fond de l'œil. *La rétine reçoit les impressions lumineuses et les transmet au nerf optique.*

Conjugaison 1

retirer v.

1. Enlever, ôter. *Mme Bellec retira son manteau et ses gants. M. Bellec conduisait trop vite, on lui a retiré son permis de conduire pour un mois.* **2.** Faire sortir. *Denis Prost retire les mains de ses poches. M. Doucet a retiré de l'argent à la banque.* **3.** *Je retire ce que j'ai dit,* je cesse de l'affirmer, je l'annule ; vois *se* ***rétracter.*** **4.** *Angèle retire beaucoup de joies de son métier,* elle a beaucoup de joies qui lui viennent de son métier.

Famille de **tirer**

Il a eu un *retrait* de permis.

Pour la dernière fois, Nicolas, tu retires ce que tu as dit ? *(le Petit Nicolas).*

Le contraire de *retirer,* c'est *maintenir.*

Angèle est institutrice.

Conjugaison 1

▸ *se* ***retirer*** v. **1.** *Le docteur Séverac rêve parfois de se retirer à la campagne,* d'aller vivre à la campagne pour y être tranquille. **2.** *La mer se retire,* elle descend. *M. Bonnot s'est retiré des affaires à soixante ans,* il a quitté les affaires.

Il faut m'excuser, mais je vis très retiré. Je ne sors guère que la nuit *(les Contes du Chat perché).*

Il a pris sa *retraite.*

Conjugaison 1

retomber v.

1. Toucher le sol après s'être élevé. *La fusée est retombée dans l'océan Pacifique ;* vois **redescendre.** *Le chat est retombé sur ses pattes.* **2.** *Sylvain est retombé malade,* il est tombé malade à nouveau. **3.** Pendre. *Ses cheveux lui retombaient sur les épaules.* **4.** *C'est sur lui que retombent toutes les responsabilités,* c'est lui qui a toutes les responsabilités.

Famille de **tomber**

Ce mot est toujours au pluriel.

▷ **retombées** n. f. plur. **1.** *Les retombées radioactives,* ce sont des matières radioactives qui retombent après l'explosion d'une bombe atomique. *Les retombées radioactives peuvent provoquer des cancers.* **2.** Conséquence. *Les recherches pour la conquête de l'espace ont de nombreuses retombées dans notre vie de tous les jours ;* vois **répercussion.**

Conjugaison 1

rétorquer v.

Répondre, répliquer. *Yves a rétorqué à l'institutrice que la dictée était trop difficile.*

Retors [ʀətɔʀ] rime avec *tort.*

retors adj.

Rusé, malin, très habile. *Mme Hespel est parfois retorse en affaires.*

Conjugaison 1

retoucher v.

Modifier pour améliorer. *Mme Roussel a retouché sa robe,* elle y a fait une retouche.

Famille de ① **toucher**

▷ **retouche** n. f. Modification, changement que l'on apporte à une chose pour la corriger, l'améliorer. *Mme Roussel a fait une retouche à sa robe.*

Conjugaison 1

retourner v.

1. Tourner de l'autre côté, dans l'autre sens. *M. Bellec retourne la viande sur le gril. Odile Séverac retourne la terre du potager,* elle la travaille, elle la laboure. *Hippolyte retourne ses poches pour chercher de la monnaie,* il met la face intérieure à l'extérieur. — *Marie-Tévy se retournait dans son lit sans pouvoir s'endormir.* **2.** *Julie s'était déguisée, et les gens se retournaient sur son passage,* ils tournaient la tête en arrière pour la regarder. **3.** *Retourner un paquet,* c'est le renvoyer, le réexpédier. *Mme Bellec a reçu un colis qui n'était pas pour elle, elle l'a retourné à l'expéditeur.* **4.** *Retourner quelque part,* c'est aller à l'endroit d'où l'on vient, ou dans un endroit où l'on est déjà allé. *Ne voyant pas venir Angèle, Hippolyte est retourné chez lui ;* vois **rentrer.** *Sophie Pelletier retournerait bien à Venise.*

Famille de **tourner**

Retourner sa veste, c'est changer brusquement d'opinion.

— Bonjour, répondit poliment le petit prince, qui se retourna mais ne vit rien *(le Petit Prince).*

« Eudes, retournez à votre place ! » a crié la maîtresse *(le Petit Nicolas).*

▷ **retour** n. m. **1.** Fait de revenir à son point de départ, d'où l'on vient. *Il faut songer au retour. À mon retour, je vous téléphonerai,* quand je serai rentré. **2.** Réapparition. *La météo a annoncé le retour du soleil.* **3.** *Angèle a demandé aux enfants d'être sages, en retour, elle leur a promis de leur raconter une histoire,* en échange, elle a promis de leur raconter une histoire.

Répondre par retour du courrier, immédiatement, par le courrier qui suit.

Angèle est institutrice.

Conjugaison 3

retracer v.

Raconter de façon vivante. *Ce livre retrace la vie d'un village au siècle dernier.*

Famille de **tracer**

Conjugaison 1

Ses griffes sont *rétractiles.*

rétracter v.

Le chat rétracte ses griffes, il les rentre.

Conjugaison 1

se **rétracter** v.

Revenir sur ce que l'on a dit ; vois *se* **dédire.** *L'accusée a avoué, puis s'est brusquement rétractée.*

retrait n. m.

1. *Le champion de tennis a annoncé son retrait de la compétition,* il a annoncé qu'il se retirait de la compétition. **2.** *La maison est construite en retrait de la route,* en arrière de la route, un peu à l'écart.

Un excès de vitesse peut amener un retrait du permis de conduire.

▷ ① **retraite** n. f. **1.** Recul d'une armée qui risque une défaite ; vois **repli.** *Le général a décidé de battre en retraite,* de se replier. **2.** *Une retraite aux flambeaux,* c'est un défilé, la nuit, avec des lampions. *Le 14 juillet, une retraite aux flambeaux est organisée dans les rues de la ville.*

Rien n'est plus beau que la retraite aux flambeaux (B. Lapointe).

Il est *à la retraite.*

▷ ② **retraite** n. f. **1.** *M. Bonnot a pris sa retraite à soixante ans,* il s'est arrêté de travailler à soixante ans. **2.** Argent que l'on touche quand on est à la retraite ; vois **pension.** *M. Bonnot touche une bonne retraite.*

La maîtresse nous a expliqué que le directeur de l'école allait partir, il prenait sa retraite *(le Petit Nicolas).*

▸ ***retraité*** n. m. et adj., ***retraitée*** n. f. et adj. Personne qui est à la retraite. *M. Bonnot est un retraité heureux.* — adj. *M. Bonnot est retraité depuis plusieurs années.*

Conjugaison 1

retrancher v.

1. Enlever, ôter. *Si on retranche 4 de 12, on obtient 8 ;* vois ***soustraire.*** **2.** *Se retrancher,* c'est se protéger, se mettre à l'abri. *Les armées ennemies se retranchèrent derrière le fleuve.*

Le contraire de *retrancher,* c'est *ajouter.*

▸ ***retranchement*** n. m. Endroit où l'on est protégé de l'ennemi ; vois ***fortification.*** *L'armée était protégée par de solides retranchements.*

Famille de **trancher**

Famille de **mettre**

retransmettre v.

Retransmettre une émission, c'est la diffuser, la faire parvenir plus loin. *La télévision a retransmis les images de la comète.*

Conjugaison 56, comme *mettre.*

Elle les a retransmises en direct.

▸ ***retransmission*** n. f. *Nous avons vu les images de la comète grâce à la retransmission télévisée,* parce qu'elles étaient retransmises à la télévision.

Conjugaison 2

rétrécir v.

1. Rendre plus étroit. *Mme Roussel a fait rétrécir sa jupe.* **2.** Devenir plus étroit. *Le pull d'Alex a rétréci au lavage. — Le souterrain se rétrécit au bout de vingt mètres,* il devient plus étroit.

Le contraire de *rétrécir,* c'est *élargir.*

▸ ***rétrécissement*** n. m. *Un panneau indique un rétrécissement de la chaussée,* que la chaussée est rétrécie.

Le contraire de *rétrécissement,* c'est *élargissement.*

rétribuer v.

Rétribuer un travail, c'est le payer ; vois ***rémunérer.*** *Le travail de Mme Hespel est bien rétribué.*

Conjugaison 1

Compare : *rétribuer → rétribution* et *distribuer → distribution.*

▸ ***rétribution*** n. f. Argent que l'on reçoit pour un travail ; vois ***rémunération, salaire.*** *Mme Séverac ne reçoit aucune rétribution quand elle travaille pour des œuvres de bienfaisance.*

rétrograder v.

1. Passer la vitesse inférieure en conduisant un véhicule. *En voyant le feu passer au rouge, Angèle rétrograde de troisième en seconde.* **2.** Évoluer en perdant tout ce qui avait été acquis ; vois ***régresser.*** *L'économie du pays a rétrogradé pendant la guerre.*

Conjugaison 1

Le contraire de *rétrograde,* c'est *avancé.*

▸ ***rétrograde*** adj. *Mme Harpie est un esprit rétrograde,* qui s'oppose au progrès.

rétrospectif adj.

En pensant à la profondeur du ravin dans lequel il a failli tomber, l'alpiniste éprouve une peur rétrospective, il a peur après coup.

Il a eu peur *rétrospectivement.*

▸ ***rétrospective*** n. f. Présentation de l'ensemble des œuvres d'un artiste. *Hippolyte organise au ciné-club une rétrospective des films de Charlie Chaplin.*

Conjugaison 1

retrousser v.

Replier une chose vers le haut ; vois ***relever.*** *Yves retroussa son pantalon pour traverser la rivière.*

Le renard retroussa ses babines et montra les dents (Giono).

On dit aussi : *un nez en trompette.*

▸ ***retroussé*** adj. *Un nez retroussé,* c'est un nez court au bout relevé. *Julie a un nez retroussé.*

Conjugaison 1

Famille de **trouver**

retrouver v.

1. Trouver ce que l'on avait perdu, ce que l'on n'avait plus. *Julie a retrouvé son cartable dans le jardin. M. Bellec a retrouvé des secrets de cuisine de sa grand-mère.* **2.** *Retrouver quelqu'un,* c'est le rejoindre. *M. Bellec ira retrouver sa famille à Paimpol. — Marie-Tévy et Antoine se sont retrouvés chez Julie.* **3.** Reconnaître. *On retrouve chez Julie des expressions de son père.* **4.** *Après son divorce, Mme Roussel s'est retrouvée seule avec son fils,* elle a été seule.

Retrouvant un peu d'aplomb elles balbutièrent qu'elles ne comprenaient rien à ce qui s'était passé *(les Contes du Chat perché).*

▸ ***retrouvailles*** n. f. plur. Fait de se retrouver après avoir été séparés. *Mamie Lou a fait un grand repas pour fêter les retrouvailles avec ses enfants.*

Même famille que **viseur**

rétroviseur n. m.
Petit miroir qui permet au conducteur de voir derrière lui sans avoir à se retourner. *Avant de doubler, Angèle regarde dans le rétroviseur si personne n'arrive.*

Chaque voiture a un rétroviseur intérieur et un rétroviseur extérieur.

Conjugaison 7 ▭ Indic. imparfait : *nous réunifiions.*

réunifier v.
Rendre son unité à ce qui l'avait perdu. *Le Viêt-nam, longtemps divisé en Viêt-nam du Nord et Viêt-nam du Sud, fut réunifié en 1976.*

Même famille que **unifier**

Conjugaison 2

réunir v.
1. Mettre ensemble ; vois ***grouper, rassembler.*** *Sylvain réunit les lettres de Nathalie dans une boîte à chaussures. La police a réuni tous les témoignages sur l'incendie de la poste. Mamie Lou aime réunir sa famille à la ferme.* **2.** *Se réunir,* c'est se retrouver. *À Noël, les Séverac se réunissent tous à la campagne. Toutes les semaines, le conseil municipal se réunit,* il a une réunion.
▸ ***réunion*** n. f. *Mamie Lou aime organiser des réunions de famille,* réunir la famille, faire que tous les membres de la famille soient rassemblés. *Mme Séverac a beaucoup parlé pendant la réunion du conseil municipal,* pendant que le conseil était réuni ; vois ***séance.***

[M]ichel Strogoff, Nadia, Wassili [F]édor étaient réunis *(Michel Strogoff).*

[M]^me^ Séverac est conseillère [m]unicipale.

Même famille que **unir**
Le contraire de *réunir,* c'est *disperser.*

Conjugaison 2
Le contraire de *réussir,* c'est *échouer.*

réussir v.
1. Obtenir un bon résultat. *Je veux bien essayer, mais je ne suis pas sûr de réussir. Alex n'a pas réussi au bac,* il n'a pas été reçu. **2.** *Le coureur a réussi à dépasser tous ses concurrents,* il y est parvenu. **3.** *Le climat de La Bourboule réussit à Sylvain,* il lui convient, il a un bon effet sur lui.
▸ ***réussite*** n. f. **1.** Succès. *M. Bellec est content de la réussite de son restaurant.* **2.** Jeu de cartes où l'on joue seul. *Nathalie fait des réussites.*

Il n'est pas nécessaire d'espérer pour entreprendre, ni de réussir pour persévérer (Guillaume d'Orange).

Le contraire de *réussite,* c'est *échec.*

C'est une belle réussite !

Conjugaison 29

revaloir v.
Rendre la pareille à quelqu'un. *Je te remercie de m'avoir aidé ; je te revaudrai cela un jour.*

Famille de **valoir**

revanche n. f.
1. *Prendre sa revanche sur quelqu'un,* c'est reprendre l'avantage sur lui, se venger. *Notre équipe a perdu dimanche ; elle va prendre sa revanche.* **2.** Partie, match qui donne au perdant une chance de gagner. *Marie-Tévy a gagné la première partie de dames ; si Antoine gagne la revanche, ils feront la troisième partie.* **3.** *Alex a de mauvais résultats scolaires, en revanche il est très sportif,* en contrepartie.

La troisième partie s'appelle *la belle.*

Attention à l'accent circonflexe du ***ê*** !
Famille de **rêver**

rêvasser v.
Penser à des choses vagues, se laisser aller à la rêverie. *Mme Bellec rêvasse en tricotant.*

Conjugaison 1

Famille de **rêver**

rêve n. m.
1. Suite d'images, formant souvent une histoire, qui se présentent à l'esprit pendant que l'on dort ; vois ***songe.*** *Dors bien, fais de beaux rêves.* **2.** Chose que l'on aimerait bien faire. *Le rêve d'Alex serait d'aller passer un an au Québec.*

[A]lice se leva [...] tout en réfléchissant de son mieux au rêve merveilleux qu'elle venait de faire *(Alice au Pays des merveilles).*

Va voir aussi ***cauchemar.***
Attention à l'accent circonflexe du ***ê*** !

rêvé adj.
Idéal. *La montagne est un endroit rêvé pour passer ses vacances,* un endroit parfait.

Famille de **rêver**

revêche adj.
Une personne revêche, c'est une personne désagréable, qui a mauvais caractère. *Quelle est la personne la plus revêche de Motbourg ? Mme Harpie, bien sûr !* ; vois ***acariâtre, grincheux, rébarbatif.***

Le contraire de *revêche,* c'est *agréable, avenant.*

Conjugaison 1
Famille de ② **veille**

réveiller v.
1. *Réveiller quelqu'un,* c'est le tirer du sommeil ; vois ***éveiller.*** *Mamie Lou a été réveillée par des aboiements. — Loïc et Yves se sont réveillés avant l'aube pour partir en mer.* **2.** *Les vacances à la ferme réveillent de vieux souvenirs chez le docteur Séverac,* elle les fait revivre ; vois ***ranimer, raviver.***

Le Roi ordonna qu'on la laissât dormir en repos, jusqu'à ce que son heure de se réveiller fût venue *(la Belle au bois dormant).*

Au pluriel : *des réveils.*
Le réveil d'un volcan est toujours possible.

▸ ***réveil*** n. m. **1.** Moment où l'on se réveille. *Marie-Tévy est souvent de mauvaise humeur au réveil.* **2.** Moment où une chose reprend son activité. *Sylvain observe le réveil de la nature au printemps.* **3.** Pendule munie d'une sonnerie qui réveille à l'heure indiquée par une aiguille spéciale. *Nathalie a mis son réveil à 7 heures.*

réveillon n. m.

Réveillonner, c'est faire un réveillon.

Repas de fête que l'on fait la nuit de Noël et la nuit du 31 décembre au 1er janvier. *Mamie Lou a préparé une dinde pour le réveillon de Noël.*

Famille de ② **veille**

révéler v.

Le contraire de *révéler,* c'est *taire.*

1. Faire connaître ce qui était inconnu, secret ; vois ***dévoiler, divulguer.*** *Antoine a pris Marie-Tévy à part pour lui révéler un secret.* **2.** Laisser deviner, indiquer quelque chose. *L'attitude d'Hippolyte révèle son amour pour Angèle. — Ses sentiments se sont révélés très vite.*

Conjugaison 6 ▭ Indic. présent : *je révèle, nous révélons.* Imparfait : *je révélais.* Futur : *je révélerai.*

Compare : *révéler → révélateur, révélation* et *dominer → dominateur, domination.*

▸ ***révélateur*** adj. Significatif. *Le silence de Colle et Rat est révélateur.*

Au féminin : *révélatrice.*

▸ ***révélation*** n. f. Chose inconnue que l'on fait connaître. *Le témoin a fait des révélations à la police.*

revenant n. m.

Âme d'un mort qui revient dans notre monde et que l'on peut voir ; vois ***fantôme, spectre.*** *On dit que le château de Motbourg est hanté par des revenants.*

Famille de **venir**

revendiquer v.

Revendiquer quelque chose, c'est réclamer une chose à laquelle on estime avoir droit. *Les grévistes revendiquent une augmentation de salaire.*

Conjugaison 1

Compare : *revendiquer → revendication* et *éduquer → éducation.*

▸ ***revendication*** n. f. *Le patron a écouté les revendications des grévistes,* leurs réclamations, ce qu'ils revendiquent.

revendre v.

Conjugaison 41 ▭ Indic. présent : *je revends, nous revendons.*

Vendre une chose que l'on a achetée. *Mme Hespel a revendu sa voiture pour en acheter une neuve.*

Famille de **vendre**

revenir v.

Après avoir encore embrassé les marcassins, Delphine et Marinette s'éloignèrent en promettant de revenir dans un moment *(les Contes du Chat perché).*

1. Venir de nouveau dans un lieu que l'on a quitté. *Le médecin a promis de revenir demain ;* vois ***repasser.*** *Reviens vite à la maison.* **2.** Rentrer. *Les enfants reviennent de l'école à quatre heures et demie.* **3.** *Son nom me revient tout à coup,* il me vient à nouveau à l'esprit alors que je l'avais oublié. **4.** *Mme Bellec est revenue à elle après un long évanouissement,* elle a repris conscience. **5.** Plaire. *Sa tête ne me revient pas,* il ne m'est pas sympathique. **6.** Coûter au total. *Ce voyage nous est revenu très cher.* **7.** *Denis Prost est revenu sur sa décision,* il a annulé ce qu'il avait décidé. **8.** *Faire revenir un aliment,* c'est le faire dorer dans un corps gras chaud avant de le cuire. *Mme Roussel fait revenir des oignons dans une poêle.*

Famille de **venir**

Conjugaison 22 ▭ Indic. présent : *je reviens, nous revenons, ils reviennent.* Imparfait : *je revenais.* Futur : *je reviendrai.* — Subj. présent : *que je revienne.*

On paye un impôt sur le revenu.

▸ ***revenu*** n. m. Argent que l'on gagne. *Les Séverac ont de gros revenus.*

rêver v.

Conjugaison 1

Babar s'endort enfin, son sommeil est agité et bientôt il rêve *(Babar).*

1. Faire un rêve. *Yves a rêvé de la directrice. Claire a rêvé qu'elle était attaquée par un lion.* **2.** Laisser aller son imagination ; vois ***rêvasser.*** *À quoi penses-tu, Julie, tu rêves ?* **3.** Imaginer, souhaiter. *Mme Roussel n'a pas la vie dont elle rêvait.*

Autres membres de la famille : **rêve, rêvasser, rêverie, rêveur.**

réverbérer v.

Conjugaison 6 ▭ Indic. présent : *il réverbère.* Imparfait : *il réverbérait.* Futur : *il réverbérera.*

Renvoyer la lumière ou la chaleur. *Le mur blanc réverbère la chaleur.*

▸ ***réverbère*** n. m. Lampadaire qui sert à éclairer les rues. *Hippolyte déchiffrait une lettre à la lumière d'un réverbère.*

Bonjour. Pourquoi viens-tu d'éteindre ton réverbère ? *(le Petit Prince).*

révérence n. f.

[Cendrillon] fit aussitôt une grande révérence à la compagnie et s'en alla le plus vite qu'elle put *(Cendrillon).*

Salut que l'on fait en inclinant le buste et en pliant les genoux. *Les dames de la cour passaient devant la reine en faisant de profondes révérences.*

rêverie n. f.

Prononce [REVRI].

Ce que l'on imagine quand on laisse aller son imagination ; vois ***songerie.*** *La rêverie de Julie fut interrompue par l'arrivée de sa mère.*

Famille de **rêver**

…s progrès techniques permettent …aintenant d'aller chercher le pétrole au …nd des mers. On appelle …s zones les zones …ff-shore, c'est-à-dire "loin …s côtes". On va ainsi …hercher le pétrole à …300 mètres …-dessous de la …rface de la mer.
Le transport du pétrole est assuré par d'énormes navires-citernes qu'on appelle des **tankers.** Le trafic du pétrole assure plus de 50 % du trafic maritime mondial total !
Le pétrole est aujourd'hui au centre de l'économie mondiale. Aucun pays industrialisé ne peut s'en passer, il est à la fois source d'énergie et matière première de nombreuses industries. Son prix est donc suivi avec beaucoup d'attention.
Évolution du prix moyen du pétrole en dollars par baril
25
15
5
1960 1965 1970 1975 1980 1985
À la fin de 1973, le prix du baril de pétrole a été multiplié par quatre. Cette hausse fantastique a bouleversé l'économie mondiale.
Après avoir repéré un terrain favorable, les ingénieurs installent des derricks, c'est-à-dire des pylônes métalliques qui supportent des tubes de forage garnis de dents très dures pour attaquer les roches.
Quand tu penses au pétrole, tu penses immédiatement à l'essence, mais le pétrole est présent aussi sous des formes auxquelles tu ne t'attends pas, comme les engrais ou les aliments pour le bétail.
Quand tes parents paient un plein d'essence, plus de la moitié de la somme aboutit dans les caisses de l'État sous forme d'impôt.
La vente de l'essence est contrôlée par sept grandes compagnies pétrolières qui s'entendent depuis 1928 pour se partager les marchés. Depuis 1986 une souplesse est apparue dans ces accords qui permet de constater des différences de prix suivant les pompistes.

QU'EST-CE QUE L'ÉCONOMIE ?

L'économie étudie comment fonctionnent la production, la consommation et les échanges des produits nécessaires à notre vie de tous les jours.

Les entreprises ont un rôle de production. Elles fabriquent entre autres choses des automobiles, des maisons, des produits alimentaires, des vêtements. Elles proposent aussi des services, par exemple des voyages ou des émissions de radio. D'autre part, elles versent des salaires à leurs employés, distribuent les profits de leurs activités et payent des impôts à l'État.

Les familles perçoivent des salaires; elles ont aussi d'autres revenus, comme les allocations familiales versées par l'État. Avec cet argent, elles peuvent acheter les produits que les entreprises leur proposent. Elle peuvent aussi économiser : c'est l'épargne. L'argent économisé est souvent dépensé plus tard pour des achats importants. Les familles doivent aussi verser des impôts à l'État.

L'État, grâce aux impôts qu'il perçoit, construit des écoles, des autoroutes, des hôpitaux. De façon générale, il s'occupe de ce qui concerne l'intérêt de tous.

Les relations entre les entreprises, les familles et l'État constituent, dans un pays, le circuit économique fondamental. Il existe aussi des relations entre les pays, en général les importations (achats) et les exportations (ventes).

Pour bien comprendre comment fonctionne l'économie, comment par exemple est déterminé le prix de l'essence, depuis l'extraction du pétrole dans les déserts d'Arabie jusqu'à la pompe du distributeur, il faut des milliers d'informations.

Dans ce dossier tu trouveras :

Page 2 – **Consommer**
Page 4 – **Produire**
Page 6 – **Vendre**
Page 8 – **Une entreprise multinationale**

Le premier besoin que l'homme doit satisfaire est celui de manger. Pendant des milliers d'années, pour se nourrir, l'homme s'est contenté de chasser les animaux sauvages avec des flèches ou des javelots. Dans certaines régions d'Afrique, cette activité est encore pratiquée.

Puis l'homme a su domestiquer des animaux et les élever pour en consommer la viande. Autrefois, on disait surtout "gagner son pain". De nos jours, on dit plutôt "gagner son bifteck", un bifteck qui nous apparaît très souvent pesé, emballé, étiqueté avec son prix.

CONSOMMER

La satisfaction des besoins des hommes au cœur de l'activité économique, mais tains besoins échappent à la sphère éc mique : respirer est un besoin vital mais est encore un bien que l'on peut consom gratuitement ! De même, pendant les mill d'années de la préhistoire, l'homme a pu nourrir en poursuivant et tuant des bêtes en cueillant des fruits sauvages. Il 10 000 ans, il a commencé à s'organiser p mieux s'alimenter. Il a découvert l'agricult pour produire lui-même les aliments né saires à sa survie. Lorsque la survie a assurée il a fallu se loger, se vêtir, se gner, s'instruire, se distraire. Les beso varient selon les individus, leur âge, sexe et selon le climat où ils vivent.

Avec la nourriture, le vêtement est un besoin fondamental de l'homme. C'est aussi une parure destinée à séduire, à montrer sa place dans la société. Pour se vêtir, l'homme s'est d'abord recouvert de peaux de bêtes. Puis des artisans se sont spécialisés dans le tissage de vêtements en utilisant la laine des moutons ou les fibres d'origine végétale comme le coton, le lin ou le chanvre.

De nos jours, on continue de tisser ces fibres mais on utilise de plus en plus des fibres synthétiques comme le nylon ou le tergal, plus faciles à travailler et moins chères. Alors qu'autrefois le tailleur ou la ménagère fabriquaient des vêtements sur mesure, aujourd'hui on achète le plus souvent des habits taillés sur les mesures d'un modèle moyen. C'est le prêt-à-porter.

Construire une maison pour s'abriter n'est pas une chose simple. Il faut trouver des matériaux capables de protéger du froid et de la pluie, les assembler de manière que la construction résiste à l'usure du temps. Pendant très longtemps, les techniques de construction n'ont guère évolué.

C'est à partir de 1850 que la construction des maisons et des immeubles a fait d'immenses progrès. Aujourd'hui le béton, le métal et le verre remplacent la pierre et la brique, et la construction va beaucoup plus vite. Ainsi, en 1931, les 86 étages de l'Empire State Building de New York ont été dressés en cinq mois !

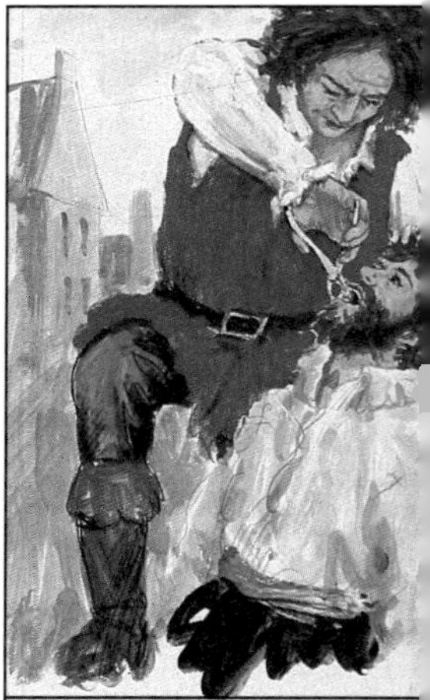

Plus les besoins fondamentaux sont satisfaits, plus l'homme se préoccupe de sa santé. C'est probablement la grande révolution des cent dernières années.

Pendant très longtemps, l'eau n'a pas été considérée comme un bien économique. Pour étancher sa soif, il suffisait de boire à la source.

Mais aujourd'hui, la vie à la ville (ou dans l'espace) fait de l'eau un bien rare. L'eau que l'on trouve dans nos maisons est traitée dans des usines, elle est filtrée, purifiée. Parfois de grandes villes doivent faire venir leur eau potable de plusieurs centaines de kilomètres.
Une véritable industrie s'est créée autour de l'eau minérale que des entreprises vendent, en imaginant de nouveaux emballages.

nachine économique s'efforce de répon- au mieux à tous ces besoins, même nd ils sont nuisibles comme le tabac, ou nd ils sont artificiellement suscités par ociété de consommation. Car l'économie fait pas de morale. Elle crée aussi des oins pour pousser les hommes à consom- de nouveaux produits dont on se pas- très bien avant leur diffusion, comme comobile, les magnétoscopes ou les ordi- eurs. Les objets changent, les habitudes consommation aussi.

si, en Europe, il y a 100 ans, la bicyclette t un objet de luxe que seuls les riches vaient s'offrir. Elle a ensuite été considé- comme un moyen de transport réservé ux qui ne pouvaient acheter de voiture. ourd'hui, elle est pour beaucoup un en de faire du sport.

Certes on peut vivre sans lecture, sans distractions, mais il est difficile d'imaginer une vie agréable sans un minimum de connaissances et de loisirs.

Alors qu'autrefois beaucoup de familles hésitaient à envoyer leurs enfants à l'école, même quand elle était obligatoire, aujourd'hui, elles dépensent plus pour leurs loisirs et leur culture que pour leurs vêtements. Cette évolution montre à quel point les habitudes de consommation ont été récemment bouleversées.

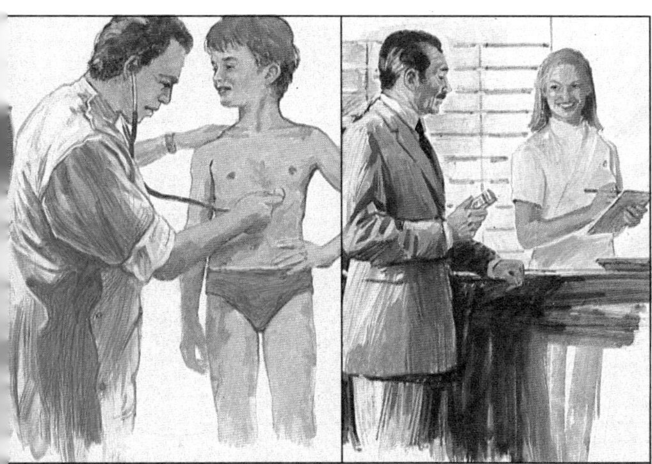

cle dernier, on ne faisait guère appel au médecin ou au dentiste qui n'était qu'un vulgaire eur de dents, et la moitié des enfants mouraient avant l'âge de cinq ans. Aujourd'hui, os pays, on consacre de plus en plus d'argent à la consommation de produits aceutiques. Cette augmentation des dépenses de santé a considérablement amélioré hysique de la population et a permis d'allonger sa durée moyenne de vie.

Il est difficile de vivre dans une société sans communiquer avec les autres. Rappelle-toi le guerrier de Marathon qui courait à Athènes pour annoncer la victoire des Grecs sur les Perses et qui mourait d'épuisement en arrivant, ou les cavaliers qui livraient les lettres à cheval à travers le pays ! De nos jours, le téléphone est bien plus rapide !

PRODUIRE

Tu sais maintenant que l'homme a des beso
qui le poussent à rechercher des biens pour
consommer. La nature en met certains à sa
position mais la plupart doivent être produ
Produire, c'est transformer la nature pour sa
faire les besoins de l'homme.
Et pour produire, il faut utiliser deux choses qu
appelle en économie les ***facteurs de producti***
le ***travail*** et le ***capital.***
Sans travail, la terre ne donnerait que de maig
récoltes, le coton ne serait pas transformé
chemise, ni le pétrole en énergie. Pour produire
blé, des vêtements et de la chaleur, il faut d
travailler, se faire aider par des outils de plus
plus sophistiqués auxquels l'homme ajoute s
savoir-faire. Ces outils, qu'il s'agisse d'une pioc

Beaucoup de gens pensent que le travail est un but dans la vie. Les économistes, eux, estiment que le travail est simplement un moyen de gagner de l'argent pour acheter ce dont on a besoin. C'est pour cette raison qu'ils pensent que les progrès techniques doivent conduire à une réduction du temps de travail, car la machine fera de plus en plus de choses à la place de l'homme.

La première activité d'une entreprise consiste à acheter les matières premières que fournit la nature et qui seront ensuite transformées par les machines et l'activité des travailleurs, comme ici le café.

*Aujourd'hui, l'économie de nos pays es
dominée par quelques grandes entrepr
dirigées par un conseil d'administratio
réunissant les plus gros actionnaires,
c'est-à-dire les plus puissants propriéta
de l'entreprise, ceux-là même qui désig
le président-directeur général
(dit familièrement P.-D. G.).*

Le poisson est devenu une matière première importante de l'industrie; il n'est pas uniquement destiné à l'alimentation mais aussi à la fabrication d'engrais ou de colles fortes. Une meilleure exploitation de la mer pourrait contribuer d'une manière décisive à lutter contre la faim dans le monde.

Avant d'être transformée en écharpe, en pull ou en robe, la laine des moutons doit être lavée, peignée et débarrassée de ses impuretés qui représentent plus de 50 % du poids de la laine brute.

ne hache ou d'un ordinateur, s'appellent les *yens de production* ou encore le *capital.* C'est croissance de ce capital qui est le moteur entiel de la production. En un siècle, par exem- , le nombre de travailleurs en France a augnté de 20%. En 1906, il y avait 19,8 millions personnes au travail, aujourd'hui, un peu plus 23 millions. Or, dans le même temps, la pro- :tion a été multipliée par sept ! Seul le dévelop- nent du capital a permis cette prodigieuse ltiplication.

sont les *entreprises* qui réunissent les deux teurs de production que sont le travail et le ital. Qu'elles soient grandes ou petites, pu- ques ou privées, toutes les entreprises ont point commun : elles fabriquent des biens offrent des services que nous payons, et en ntrepartie du travail, elles distribuent des enus qui nous permettent de les acheter.

En échange de leur travail, les hommes perçoivent un revenu avec lequel ils peuvent se procurer ce que produisent les entreprises. Ils peuvent également en épargner une partie, bouclant ainsi le circuit économique que représentent toutes les flèches.

Fabriquer des vêtements, quel défi pour les entreprises qui doivent faire face aux caprices de la mode et à la concurrence des pays où les salaires peu élevés font baisser les prix de revient. L'industrie textile, qui a été à l'origine de la révolution industrielle en Europe, est aujourd'hui en difficulté dans la plupart des pays industrialisés ; ceux-ci ne peuvent lutter contre les exportations des pays asiatiques (Taiwan, Singapour, etc.).

Une entreprise doit surveiller attentivement ses stocks, c'est-à-dire les produits qu'elle entrepose, en prévision de l'évolution du marché. Si ses stocks gonflent, c'est un très mauvais signe qui peut annoncer des difficultés économiques sérieuses, car cela signifie que les marchandises qu'elle produit ne se vendent pas.

se développer et acheter ouvelles machines, les eprises ont besoin d'argent. font alors appel à l'épargne en ttant des actions et des ations. C'est la Bourse, dans ce qui joue le rôle d'intermédiaire l'entreprise et l'épargnant. font aussi appel aux banques euvent intervenir dans les ires de l'entreprise pour rôler que les sommes qu'elles nt sont bien employées ; elles aitent alors regarder les otes, donner des conseils sur la ion ou vérifier la qualité des uits que fabrique l'entreprise ncore elles proposent ouvelles méthodes de vente.

Dans l'Antiquité, les bestiaux, surtout les moutons et les bœufs, ont été utilisés comme marchandises-monnaies. Ainsi, le mot latin **pecunia** *qui veut dire "argent" viendrait de* **pecus** *qui signifie "troupeau" en latin.*

Au Moyen Âge, en Italie, les **banchieri** *étaient des hommes chargés de peser les monnaies d'or et d'argent, de changer les* **florins** *de Florence en* **écus** *français ou en* **ducats** *vénitiens. Avec le développement du commerce, les banchieri prirent de plus en plus d'importance. Ce sont les ancêtres de nos banquiers.*

Les premiers billets de banque sont apparus en Anglete et en Suède au milieu du XVIIe siècle. Ces billets étaien des reçus garantissant que dans les caves de la banqu s'entassaient bien les pièces d'or et d'argent qui pouva à tout moment être échangées contre les billets.

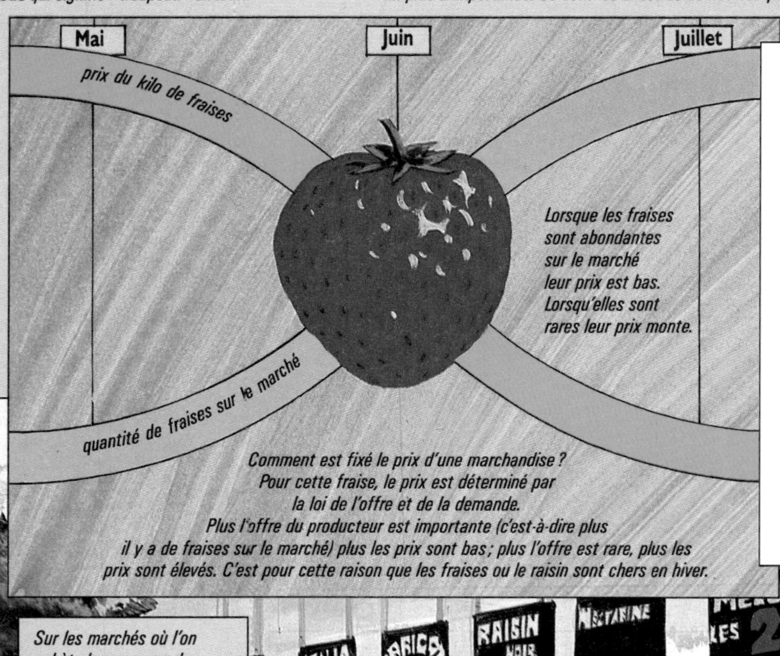

Lorsque les fraises sont abondantes sur le marché leur prix est bas. Lorsqu'elles sont rares leur prix monte.

Comment est fixé le prix d'une marchandise ? Pour cette fraise, le prix est déterminé par la loi de l'offre et de la demande. Plus l'offre du producteur est importante (c'est-à-dire plus il y a de fraises sur le marché) plus les prix sont bas ; plus l'offre est rare, plus les prix sont élevés. C'est pour cette raison que les fraises ou le raisin sont chers en hiver.

VENDRE

À partir du moment où les hommes se sont spécialisés d certains travaux, les uns cultivant la terre, les autres fabriqu des poteries pour conserver les aliments, ou élevant des m tons, ou encore fabriquant des outils en fer, il a fallu qu'ils t vent le moyen de s'échanger ces marchandises, car le potier a besoin de blé et le cultivateur d'outils.

À l'origine, ces échanges se sont faits par le *troc,* c'est-à-dire échangeant des marchandises contre des marchandises. On par exemple que dans la Grèce antique un grand trépied bronze valait 12 bœufs. Simple en apparence, le troc est en très compliqué. Suppose que le propriétaire d'un bœuf ait bes d'une poignée de sel et que le propriétaire du sel désire acqu un bœuf, l'échange ne pourra pas se faire car le propriétaire bœuf aura l'impression qu'en l'échangeant contre une poignée sel, il sera volé.

Dans un deuxième temps, sont alors apparues

Sur les marchés où l'on achète les pommes de terre, la salade ou les tomates, on peut comparer les prix, évaluer la qualité des marchandises et même discuter avec le commerçant. Si madame Dupont estime que les fraises sont trop chères, elle choisira plutôt des poires. En prenant cette décision, madame Dupont résume parfaitement bien le mécanisme de l'échange qui est à la base de la formation des prix.

ı'est-ce qu'un chèque ? Un document sur lequel il ·ffit d'inscrire une somme et de signer pour acquérir un ıns ou une raquette de tennis, à condition d'avoir de ·rgent à la banque. Dans ce système, c'est un ı d'écriture qui remplace la remise d'une pièce ou d'un billet.

Demain (cela a déjà commencé), nous aurons des porte-monnaie sans monnaie : la carte de crédit, cette carte de quelques centimètres carrés et de moins d'un millimètre d'épaisseur suffira à régler partout la presque totalité de nos dépenses.

Les banques font désormais partie de notre paysage quotidien. Elles reçoivent les dépôts de leurs clients et leur prêtent de l'argent qu'ils remboursent petit à petit en payant un intérêt.

ıarchandises-monnaies", c'est-à-dire des marchandises que tous ; membres d'une société acceptaient même quand ils n'en aient pas immédiatement besoin.

s marchandises étaient des marchandises de consommation urante, pouvant être facilement conservées. Les haches, les quillages, le bœuf, les blocs de thé ont rempli cette fonction. fin, une étape décisive est franchie vers 650 avant J.-C. avec pparition des pièces de monnaie en or ou en argent.

s pièces présentaient de nombreux avantages. Comme le métal écieux était rare, il était cher et représentait une grande valeur us une forme peu encombrante. En outre, les pièces d'or et rgent peuvent se conserver très longtemps sans perdre de leur leur.

rtement convoitées, ces pièces d'or et d'argent étaient toujours ceptées dans les échanges. De nos jours, les métaux précieux nt remplacés par d'autres instruments de paiement comme le let de banque et surtout les chèques et cartes de crédit qui surent la quasi-totalité des échanges commerciaux.

Dans de grandes métropoles il existe des marchés de gros comme les halles de Rungis pour Paris. Ils servent d'intermédiaires entre les producteurs et les consommateurs. C'est là que les détaillants vont acheter ce qu'on trouve dans leurs boutiques.

Une grande partie des échanges se fait maintenant dans ce qu'on appelle les magasins à grande surface. Vers 1960, en France, ces magasins assuraient moins de 2 % du commerce intérieur. De nos jours, ce pourcentage s'élève à plus de 20 %, et même à plus de 30 % pour les produits alimentaires.

UNE ENTREPRISE MULTINATIONALE

Le développement du commerce, l'essor des transports et des moyens de transmission ont multiplié les relations économiques entre les différents pays. Ces échanges ne concernent pas seulement les marchandises mais aussi les services, les capitaux et les hommes.

Depuis les années 1950, la mondialisation des échanges est due pour une large part à l'activité de sociétés géantes implantées dans de nombreux pays, que l'on appelle des *multinationales.*

La majorité des entreprises multinationales sont américaines. Elles emploient parfois plusieurs centaines de milliers de travailleurs sur tous les continents et réalisent des chiffres d'affaires dont le montant est supérieur aux budgets de nombreux pays.

Sur le marché du blé par exemple, cinq sociétés géantes qu'on appelle "les cinq sœurs" contrôlent 85% du commerce mondial. Elles ont en main les navires qui assurent le transport, les silos, les industries de transformation, les péniches et les wagons. Elles disposent d'informations actualisées sur les productions et les prix du grain dans des dizaines de pays. La plus puissante d'entre elles dispose d'un réseau de 140 filiales implantées dans 36 pays. Les multinationales assurent aujourd'hui plus de 25% du commerce mondial.

Les bureaux des sociét multinationales sont plus souvent situés dans l pays industrialisés. C'e là en effet que se trouve les banques, les clien les plus riches, l agences de public nécessaires à commercialisation d produits et les universit où elles trouvent un personn qualifié et des burea de recherche performan

On dit souvent que les pays en voie de développement produisent et exportent des matières premières comme du café et du cacao par exemple. Parfois ce sont les entreprises multinationales installées sur place qui produisent et exportent ces matières premières.

Il y a quelques dizaines d'années, les multinationales tendaient à produire des objets très divers. Ainsi une entreprise pouvait produire des téléphones, du parfum, du champagne, des yaourts et des livres. Aujourd'hui, la plupart d'entre elles recentrent leurs activités.

Un homme d'affaires, aujourd'hui, se doit de connaître plusieurs langues. Il doit pouvoir voyager et se sentir à l'aise aussi bien à Paris qu'à New York ou à Singapour. Il doit également connaître le cours des différentes monnaies et des matières premières. Il doit enfin savoir prendre en compte les habitudes, les règles et les lois de chaque pays dans lequel il travaille.

Compare *revers*, ***envers*** et ***verso*** : on **change de côté.**

Au tennis ou au ping-pong, le revers, c'est le coup de raquette effectué avec le dos de la main en avant.

revers n. m.
1. Côté opposé au côté principal d'une chose ; vois ***envers, verso.*** *Inscris ton nom au revers de la feuille ;* vois ***dos.*** **2.** *Un revers de main,* c'est un geste du dos de la main par lequel on écarte ou l'on frappe. *Mamie Lou chasse une guêpe d'un revers de main.* **3.** Partie d'un vêtement qui forme un repli. *Denis Prost porte un pantalon à revers.* **4.** *Le père de Mme Séverac était très riche, mais il a essuyé un revers de fortune qui l'a ruiné,* un événement malheureux concernant sa fortune a transformé la situation.

C'est le revers de la médaille : c'est le côté désagréable d'une chose qui paraissait sous son beau jour.

réversible adj.
Un vêtement réversible, c'est un vêtement qui peut être porté à l'endroit et à l'envers. *Denis Prost porte un imperméable réversible.*

Autre membre de la famille : **irréversible.**

Conjugaison 20 ▭ Indic. présent : *je revêts, nous revêtons.*

Attention à l'accent circonflexe du *ê* dans *revêtir* et *revêtement* !

revêtir v.
1. Mettre un vêtement. *Pour le bal que donnait le roi, les invités ont revêtu leurs plus beaux atours.* **2.** Recouvrir une surface pour la décorer ou la protéger. *Les routes sont revêtues de bitume.*
▸ ***revêtement*** n. m. Matière qui recouvre une surface, pour l'embellir ou la protéger. *Des ouvriers refont le revêtement de l'autoroute.*

Famille de **vêtir**

Attention à l'accent circonflexe du ***ê*** dans ***rêveur*** !

rêveur adj.
Une personne rêveuse, c'est une personne qui se laisse souvent aller à la rêverie. *Sylvain est un enfant rêveur.* — n. *C'est un rêveur.*

Famille de **rêver**

Compare *revigorer*, ***vigueur*** et ***vigoureux*** : il s'agit d'**énergie.**

revigorer v.
Redonner de la vigueur, des forces ; vois ***ragaillardir, remonter.*** *Ce petit café m'a revigoré.*

Conjugaison 1

Prononce [ʀəviʀmɑ̃].

revirement n. m.
Brusque changement d'opinion ou de décision. *Le revirement du Premier ministre a étonné tout le monde.*

Famille de **virer**

Conjugaison 1

réviser v.
1. Revoir ce que l'on a appris. *Yasmina révise ses leçons avant de partir pour l'école ;* vois ③ ***repasser.*** **2.** Vérifier le bon fonctionnement de quelque chose. *M. Bellec a donné sa voiture à réviser.*

Compare : *réviser* → *révision* et *préciser* → *précision.*

▸ ***révision*** n. f. **1.** *Sylvain fait des révisions avant son examen,* il revoit les matières qu'il a apprises. **2.** Examen par lequel on vérifie que quelque chose marche bien. *M. Bellec a laissé sa voiture au garage pour la révision des cinquante mille kilomètres.*

Réviser son jugement, c'est le modifier.

Conjugaison 46 ▭ Indic. présent : *je revis, nous revivons.* Passé simple : *je revécus.*

revivre v.
1. Retrouver ses forces, son énergie. *Quand arrivent les beaux jours, Mamie Lou se sent revivre.* **2.** *Revivre un événement,* c'est le vivre à nouveau. *Denis Prost n'aimerait pas revivre son enfance.* **3.** *Faire revivre le passé,* c'est lui redonner vie. *Dans « Notre-Dame de Paris », Victor Hugo fait très bien revivre le Moyen Âge.*

Famille de ① **vivre**

Compare : *révoquer* → *révocation* et *éduquer* → *éducation.*

révocation n. f.
Annulation d'une décision, d'une loi. *La révocation de l'édit de Nantes par Louis XIV date de 1685.*

Famille de **révoquer**

Conjugaison 30

La vieille dame est restée seule. Triste, elle pense : « Quand reverrai-je mon petit Babar ? » *(Babar).*

revoir v.
1. Voir de nouveau. *Mme Hespel a revu par hasard une de ses amies de classe. — Elles se sont revues avec plaisir.* **2.** Voir de nouveau par le souvenir. *Mamie Lou revoit les lieux de son enfance. — Mme Bellec se revoit encore dans son uniforme de pensionnaire.* **3.** Réviser. *Yasmina revoit ses leçons avant d'aller à l'école ;* vois ③ ***repasser.***
▸ *au* ***revoir*** interjection Mots que l'on dit en quittant quelqu'un que l'on va revoir. *« Au revoir, madame, à demain. »*

Famille de **voir**

Quand on rencontre quelqu'un, on lui dit *bonjour.*

Conjugaison 1

se ***révolter*** v.
1. *Se révolter contre quelqu'un,* c'est refuser de lui obéir, se dresser contre lui ; vois *se* ***soulever,*** *s'****insurger.*** *Parfois, au Moyen Âge, les serfs se révoltaient contre leur seigneur.* **2.** S'indigner. *David se révolte toujours contre l'injustice.*

À Rome, en 73 avant Jésus-Christ, le gladiateur Spartacus organisa une grande révolte d'esclaves.

▸ ***révoltant*** adj. *Une chose révoltante,* c'est une chose qui provoque l'indignation, la colère. *Angèle trouve la mauvaise foi révoltante.*

▸ ***révolte*** n. f. **1.** Soulèvement d'un groupe de gens contre ceux qui les gouvernent. *Au Moyen Âge, les abus suscitaient souvent des révoltes chez les serfs.* **2.** Mouvement d'indignation, de colère. *L'attitude de Colle et Rat a souvent provoqué des sursauts de révolte dans la classe.*

Colle et Rat sont vraiment trop insupportables.

▸ ***révolté*** adj. Indigné, en révolte contre quelqu'un ou quelque chose. *Toute la classe est révoltée par l'attitude de Colle et Rat.* — n. *Les révoltés ont été impitoyablement châtiés ;* vois ***rebelle.***

révolu adj.
Passé, terminé. *Le bateau à vapeur appartient à une époque révolue. Alex a dix-huit ans révolus,* passés.

Trois cent soixante-cinq jours un quart, exactement.

On l'appelle souvent *la Révolution.*

révolution n. f.
1. Tour complet que fait un astre autour d'un autre. *La révolution de la Terre autour du Soleil s'effectue en une année.* **2.** Changement brutal et complet de régime politique, s'accompagnant souvent d'actions violentes. *La Révolution française de 1789 a provoqué la chute de la royauté et l'avènement de la république.* **3.** Changement profond. *Les peintres impressionnistes ont opéré une révolution dans la peinture.*

La révolution industrielle date du XIXe siècle.

▸ ***révolutionnaire*** adj. et n.
▭ **adj. 1.** Propre à la révolution. *« La Marseillaise » a d'abord été un chant révolutionnaire. Les tribunaux révolutionnaires ont condamné à mort des milliers de gens.* **2.** *Une découverte révolutionnaire,* c'est une découverte qui apporte des changements considérables dans un domaine. *L'automobile et le téléphone ont été des inventions révolutionnaires.*

Dans le calendrier révolutionnaire, la semaine comptait dix jours.

▭ **n. m. et f.** Personne qui fait une révolution. *Robespierre, Marat et Danton étaient des révolutionnaires.*

Attention ! deux ***n*** dans *révolutionnaire* et *révolutionner.*

▸ ***révolutionner*** v. **1.** Transformer complètement, bouleverser. *La machine à vapeur révolutionna l'industrie.* **2.** Agiter, mettre en émoi. *L'affaire des soucoupes volantes a révolutionné tout Motbourg.*

Conjugaison 1

Revolver est un mot anglais. Prononce [ʀevɔlvɛʀ].

Va voir aussi ***pistolet.***

revolver n. m.
Arme à feu automatique, à canon court, que l'on tient d'une seule main. *Les bandits menaçaient le caissier de la banque de leur revolver. Le commissaire tira en l'air un coup de revolver.*

Le revolver a été inventé par Samuel Colt en 1836.

Conjugaison 1

Va voir aussi ***révocation.***

révoquer v.
1. Chasser de son poste. *Le fonctionnaire malhonnête a été révoqué.* **2.** Annuler, abolir une loi, une décision. *Louis XIV révoqua l'édit de Nantes en 1685.*

Autres membres de la famille : **révocation, irrévocable.**

Famille de **voir**

① ***revue*** n. f.
Journal épais, souvent illustré, paraissant à intervalles réguliers ; vois ***périodique.*** *Le docteur Séverac écrit des articles pour des revues médicales. Sophie Pelletier est abonnée à des revues d'art ;* vois ***journal, magazine.***

Famille de **voir**

② ***revue*** n. f.
1. Défilé militaire. *M. Bonnot assiste chaque année à la revue du 14 Juillet. Le général passe ses troupes en revue,* il en fait l'inspection. **2.** *Le maire et les conseillers ont passé en revue les principaux problèmes de la commune,* ils les ont examinés un par un.

Une *revue de music-hall,* c'est un spectacle de music-hall.

Conjugaison 1

se ***révulser*** v.
Mme Bellec s'est évanouie, ses yeux se sont révulsés, ils se sont retournés de telle sorte que l'on n'en voyait plus que le blanc.

Attention ! deux traits d'union.

Au pluriel : *des rez-de-chaussée.*

rez-de-chaussée n. m. invariable
La boutique de Mme Harpie est au rez-de-chaussée, au niveau de la rue, du sol.

Famille de **chaussée**

Attention ! un ***h*** après le ***r*** dans *rhabiller.*
Famille de **habiller**

rhabiller v.
Rhabiller quelqu'un, c'est habiller quelqu'un qui était déshabillé. *Claire déshabille et rhabille sa poupée pendant des heures entières. — Après s'être baignée dans la piscine, Angèle s'est rhabillée dans sa cabine.*

Conjugaison 1

Attention ! un ***h*** après le ***r***.

Un rhinocéros avec une corne sur le nez, deux petits yeux de cochon et peu de manières *(Histoires comme ça).*

rhinocéros n. m.
Gros animal d'Afrique et d'Asie, à peau très épaisse, portant une ou deux cornes sur le nez. *Les rhinocéros sont des herbivores qui vivent dans les savanes et les régions marécageuses. Le rhinocéros est le plus gros mammifère terrestre après l'éléphant.*

Rhinocéros [ʀinɔseʀɔs] rime avec *bosse.*

Il peut peser 4 tonnes.

Attention ! un ***h*** après le ***r***.
Prononce [ʀɔdɔdɛ̃dʀɔ̃].

rhododendron n. m.
Arbuste à fleurs roses ou rouges. *Mme Séverac a planté un massif de rhododendrons devant la maison.*

Les rhododendrons ressemblent beaucoup aux azalées.

Attention ! un ***h*** après le ***r*** dans ***rhubarbe.***

La rhubarbe a un goût acide.

rhubarbe n. f.
Plante à larges feuilles dont la tige peut se manger. *Mamie Lou a fait une tarte à la rhubarbe pour le goûter.*

On fait aussi des compotes et des confitures de rhubarbe.

Attention ! un ***h*** après le ***r***.
Rhum [ʀɔm] rime avec *pomme.*

rhum n. m.
Alcool fabriqué avec du jus de canne à sucre. *Le grog et le punch sont des boissons à base de rhum. Antoine déguste un baba au rhum.*

Le meilleur rhum est fabriqué à la Martinique.

Attention ! un ***h*** après le ***r***.

rhumatisme n. m.
Douleur dans les articulations. *Quand le temps est humide, Mamie Lou a des rhumatismes.*

Attention ! un ***h*** après le ***r***.
Autre membre de la famille : s'**enrhumer.**

rhume n. m.
Inflammation des muqueuses du nez, de la gorge et des bronches. *Hippolyte a attrapé un rhume en prenant froid sous l'averse.*

Quand on a un rhume, on a le nez qui coule, on tousse et on éternue.

Attention au ***m*** de *ribambelle* !
Ce mot est familier.

ribambelle n. f.
Grand nombre. *Yasmina a une ribambelle de frères et sœurs.*

ricaner v.
Rire bêtement ou pour se moquer. *Marie-Tévy ne sait pas sa leçon ; Colle et Rat ricanent méchamment.*

Conjugaison 1

Prononce [ʀikanmɑ̃].

▹ ***ricanement*** n. m. Rire bête ou méprisant. *« Colle et Rat, cessez vos ricanements », dit Angèle.*

Geoffroy a un papa très riche qui lui achète tous les jouets qu'il veut *(le Petit Nicolas).*

riche adj.
1. *Quelqu'un de riche,* c'est quelqu'un qui a beaucoup d'argent et de biens. *Les parents de Mme Séverac étaient très riches.* — n. *Dans les pays en voie de développement, il y a beaucoup plus de pauvres que de riches.* **2.** *Autour de Motbourg, le sol est très riche,* très fertile. **3.** *Les fruits sont riches en vitamines,* ils contiennent beaucoup de vitamines.

Richissime veut dire extrêmement riche.

Le contraire de *riche,* c'est *pauvre.*

Compare : *riche → richesse, jeune → jeunesse* et *triste → tristesse.*

▹ ***richesse*** n. f. **1.** *Le prince était d'une fabuleuse richesse,* il était fabuleusement riche. **2.** *Les richesses,* ce sont les choses précieuses ; vois ***trésor.*** *Mme Harpie cache ses richesses au fond de sa cave.* **3.** *Les richesses d'un pays,* ce sont ses ressources. *Le pétrole constitue la principale richesse du sous-sol de ce pays.*

Le contraire de *richesse,* c'est *pauvreté.*

Autre membre de la famille : **enrichir.**

ricochet n. m.
Faire des ricochets, c'est lancer des cailloux à la surface de l'eau en les faisant rebondir. *Yves fait des ricochets dans la mare. Le caillou a fait ricochet sur l'eau,* il a rebondi.

Conjugaison 1

▹ ***ricocher*** v. Rebondir, faire ricochet. *Le caillou a ricoché sur l'eau.*

Rictus [ʀiktys] rime avec *puce.*

rictus n. m.
Sorte de grimace. *En se tordant la cheville, Nathalie eut un rictus de douleur.*

ride n. f.
1. Petit pli de la peau sur le visage et sur le cou. *Mamie Lou a des rides sur le front.* **2.** Petit pli à la surface de l'eau. *Il n'y avait pas une ride sur la mer ; c'était le calme plat.*

On a des rides quand on est vieux.

Les rideaux sont suspendus à une *tringle* par des *anneaux* ou des *crochets.*

rideau n. m.
1. Morceau de tissu transparent suspendu à une fenêtre qui sert à tamiser la lumière ou à isoler une pièce de l'extérieur. *Avant de se coucher, Nathalie ferme les volets et tire les rideaux de la fenêtre de sa chambre.* **2.** Grande draperie qui sépare la scène de la salle, dans un théâtre. *Le rideau se lève, la pièce va commencer.*

Les *doubles rideaux,* plus épais, se mettent par-dessus les rideaux.

Conjugaison 1

rider v.

1. *Se rider,* c'est se marquer de rides. *Le visage se ride en vieillissant.* **2.** Marquer de plis, d'ondulations. *La brise ridait légèrement la surface de l'eau.*

Autres membres de la famille : **ride, dérider.**

▷ ***ridé*** adj. Marqué de rides. *Le visage des gens très vieux est tout ridé. Elle a la peau ridée.*

À la naissance, les bébés sont parfois tout ridés.

ridicule adj. et n. m.

▭ **adj. 1.** *Une chose ridicule,* c'est une chose qui donne envie de rire, de se moquer ; vois ***grotesque, risible.*** *Mme Harpie porte un chapeau ridicule.* **2.** Absurde, idiot. *Il serait ridicule de rester dans sa chambre alors qu'il fait si beau.* **3.** Insignifiant, dérisoire. *Le garagiste veut reprendre la voiture d'Angèle pour un prix ridicule.*

Elle est ridicule avec ce chapeau !

▭ **n. m. 1.** *Le ridicule,* c'est ce qui fait qu'une chose donne envie de rire, de se moquer. *Mme Harpie n'a vraiment pas le sens du ridicule.* **2.** *Tous les enfants, dans la rue, tournent Mme Harpie en ridicule,* se moquent d'elle.

Elle n'a pas peur du ridicule.

Conjugaison 1

▷ ***ridiculiser*** v. Rendre ridicule. *Colle et Rat essaient de ridiculiser tout le monde. — Mme Harpie se ridiculise avec ce chapeau,* elle se rend ridicule.

rien pronom et n. m.

Rien est un pronom indéfini qui s'emploie presque toujours avec *ne.*

▭ **pronom 1.** Aucune chose. *Julie n'a peur de rien. On ne voit rien dans cette pièce. « Que disais-tu, Marie-Tévy ? — Oh, rien... » Marie-Tévy n'a rien dit du tout. Cela ne fait rien,* cela n'est pas grave, cela n'a pas d'importance. *Il n'y a rien d'intéressant à la télévision, ce soir.* **2.** *Antoine a attendu Yves pour rien,* inutilement, en vain. *Le garagiste veut reprendre la voiture d'Angèle pour presque rien,* pour très peu d'argent. **3.** *Les témoins ont juré de dire toute la vérité, rien que la vérité,* seulement la vérité.

Le contraire de *rien,* c'est *quelque chose.*

— Qu'est-ce que tu as ?
— Ce n'est rien, dit le chien *(les Contes du Chat perché).*

Rien que d'y penser : à cette seule pensée.

▭ **n. m.** Peu de chose. *Un rien fait rire Martin. Marie-Tévy pleure pour un rien,* pour très peu de chose. *Alex perd son temps à des riens,* à des bêtises.

En un rien de temps : très vite.

Autre membre de la famille : **vaurien.**

Famille de ① **rire**

rieur adj.

Qui aime rire, qui rit souvent. *Claire est une petite fille très rieuse.*

rigide adj.

1. *Une matière rigide,* c'est une matière qui est dure, ne se déforme pas. *Les livres reliés ont une couverture rigide.* **2.** *Mme Séverac a des principes très rigides,* que rien ne peut faire changer ; vois ***rigoureux, strict.***

Le contraire de *rigide,* c'est *souple, mou.*

Ces livres ont une plus grande *rigidité* que les livres brochés.

rigole n. f.

1. Petit fossé qui sert à l'écoulement de l'eau. *Réjean a creusé une rigole tout autour de sa tente.* **2.** Petit filet d'eau qui ruisselle. *La pluie forme des rigoles sur le sol.*

Sur les planches à découper, il y a parfois des rigoles pour le jus de viande.

Conjugaison 1

rigoler v.

Rire, s'amuser. *Antoine a fait rigoler toute la classe avec ses histoires.*

Ce mot est très familier.

rigueur n. f.

1. Très grande sévérité. *La directrice a demandé à l'institutrice de faire preuve de rigueur envers Colle et Rat. Hippolyte n'a pas tenu rigueur à Angèle de l'avoir fait attendre en vain,* il ne lui en a pas voulu. **2.** Caractère de ce qui est pénible. *Au Canada, la rigueur de l'hiver est très grande,* sa dureté. **3.** Exactitude, précision. *Mme Roussel fait preuve de rigueur dans son travail.* **4.** *À cette réception, la tenue de soirée était de rigueur,* obligatoire. **5.** *On peut à la rigueur se passer de lui,* si c'est vraiment indispensable.

Les ordres du gouvernement moscovite avaient été exécutés avec une rigueur absolue *(Michel Strogoff).*

Le contraire de *rigueur,* c'est *indulgence.*

On dit aussi *les rigueurs de l'hiver.*

Le smoking pour les messieurs et la robe longue pour les dames.

▷ ***rigoureux*** adj. **1.** Dur à supporter ; vois ***rude.*** *Dans les pays continentaux, les hivers sont rigoureux.* **2.** Très précis. *Le raisonnement mathématique est très rigoureux.*

Compare : *rigueur → rigoureux, rigoureusement* et *vigueur → vigoureux, vigoureusement.*

▷ ***rigoureusement*** adv. D'une manière rigoureuse, stricte. *Dans les trains, il est rigoureusement interdit de jeter des bouteilles par la fenêtre ;* vois ***absolument, complètement.***

rillettes n. f. plur.

Pâté fait de viande de porc ou d'oie hachée et cuite dans la graisse. *M. Bellec s'est fait un sandwich aux rillettes.*

Conjugaison 1
Cela ne rime à rien : cela n'a aucun sens.

rimer v.
Un mot rime avec un autre mot quand il se termine par le même son. *« Épice » rime avec « réglisse » et avec « délice ».*
▸ **rime** n. f. Dernier mot d'un vers qui finit par le même son que le dernier mot d'un autre vers. *Antoine cherche une rime à « Angèle ».*

L'amiral Larima.
La rime à quoi ?
La rime à rien (Prévert).

Conjugaison 3
▭ Indic. présent : *je rince, nous rinçons.* Imparfait : *je rinçais.* Futur : *je rincerai.*

rincer v.
1. Nettoyer à l'eau pure. *Pierre Séverac a rincé les verres.* **2.** Passer à l'eau pour enlever les traces des produits de lavage. *Angèle rince ses cheveux à l'eau froide.*
▸ **rinçage** n. m. Action de passer à l'eau. *La machine à laver fait plusieurs rinçages avant l'essorage.*

Attention à la cédille du *ç* !

Ring est un mot anglais. Prononce [riŋ].

ring n. m.
Estrade carrée entourée de cordes où se déroulent les combats de boxe et de catch. *Les boxeurs sont montés sur le ring.*

Au pluriel : *des rings.*

riposte n. f.
Réaction de défense très rapide. *La riposte de l'ennemi a été foudroyante.*

Conjugaison 1

▸ **riposter** v. **1.** Répondre vivement. *Antoine a riposté à sa mère qu'il ne rangerait pas sa chambre.* **2.** Réagir à une attaque en attaquant à son tour ; vois **contre-attaquer.** *L'ennemi a riposté à coups de grenade.*

Tiens ! riposta le chat en lui donnant un coup de griffe, tu l'as bien mérité ! *(les Contes du Chat perché).*

Conjugaison 36

Il arrive que grand frère Félix et Poil de Carotte se roulent par terre tant ils rient *(Poil de Carotte).*

Vous ne prétendez tout de même pas courir les chemins en pareil équipage ! Je vous avertis que vous feriez rire de vous *(les Contes du Chat perché).*

① rire v.
1. Montrer de la gaieté par l'expression du visage et le souffle qui sort de la bouche par petites secousses sonores. *Hippolyte plaisante, Angèle rit. La farce a réussi, les enfants éclatent de rire. Martin rit aux éclats.* **2.** S'amuser. *Angèle aime rire et danser.* **3.** *Rire de quelqu'un,* c'est se moquer de lui. *Mme Harpie n'aime pas qu'on rie d'elle.*
▸ **② rire** n. m. Bruit de quelqu'un qui rit. *On entend les rires des enfants,* on les entend rire. *Antoine a un gros rire. Hippolyte se souvient des fous rires qu'il avait en classe,* des rires qu'il ne pouvait arrêter.
▸ **risée** n. f. Moquerie. *Avec ce pantalon trop court, Antoine croit être un objet de risée,* il croit qu'on peut se moquer de lui.
▸ **risible** adj. Qui attire la moquerie. *La colère de Mme Harpie était risible ;* vois **ridicule, grotesque.**

Le premier qui rira
Aura une tapette (comptine).

C'est pour rire : ce n'est pas sérieux.

Autres membres de la famille : **dérision, dérisoire, pince-sans-rire, rieur, souriant, ① et ② sourire.**

ris n. m.
Le ris de veau, c'est une glande située dans le cou du veau. *M. Bellec a fait des ris de veau aux morilles.*

risque n. m.
Danger possible. *L'escalade de cette falaise présente des risques. Les pompiers ont pris des risques pour éteindre l'incendie,* ils se sont exposés à des accidents éventuels.

C'est un risque à courir : cela vaut la peine d'essayer, même si l'on n'est pas sûr de réussir.

Conjugaison 1
Qui ne risque rien n'a rien (proverbe).

▸ **risquer** v. **1.** Courir un danger. *Le pompier risquait sa vie,* il pouvait se tuer. *L'alpiniste risquait de tomber.* **2.** Pouvoir. *L'incendie risque de se rallumer avec ce vent.*

Ici, on ne paie pas. On risque sa vie, voilà tout, dit le vieux marinier *(Michel Strogoff).*

Au pluriel : *des risque-tout.*

▸ **risque-tout** n. m. et f. invariable Personne audacieuse qui oublie la prudence. *Alex et Réjean sont des risque-tout.*

Famille de ① **tout**

Attention ! deux *s* et un seul *l* dans *rissoler.*

rissoler v.
Faire rissoler, c'est faire cuire dans la graisse à feu vif. *Faites rissoler des oignons dans la poêle.*

Conjugaison 1

Prononce [risturn].

ristourne n. f.
Réduction faite sur un prix ; vois **remise.** *La fleuriste fait une ristourne de 10 % à Mme Bellec,* elle réduit les prix de 10 %.

rite n. m.
1. Ensemble des cérémonies en usage dans une religion ; vois **liturgie.** *Yves a été baptisé selon le rite catholique.* **2.** Habitude. *Tous les samedis, M. Bonnot joue aux échecs, c'est devenu un rite.*

Il y a un rite, par exemple, chez mes chasseurs. Ils dansent le jeudi avec les filles du village. Alors le jeudi est un jour merveilleux *(le Petit Prince).*

Compare : *rite → rituel* et *sexe → sexuel.*

▸ **rituel** adj. **1.** Qui fait partie d'un rite. *Des chants rituels accompagnent la danse des Indiens.* **2.** Habituel. *Les Bellec font leur promenade rituelle du dimanche au bord de la rivière.*

Famille de **rive**

rivage n. m.

Partie de la terre qui borde la mer ; vois ***côte, littoral.*** *Le bateau s'éloigne du rivage. Yves a trouvé une bouteille que la mer avait rejetée sur le rivage.*

Au masculin pluriel : *des rivaux.*

rival n. m., ***rivale*** n. f.

Personne qui lutte contre d'autres pour gagner ; vois ***adversaire, concurrent.*** *Le champion de tennis a battu un à un tous ses rivaux.* — adj. *Les équipes rivales s'observaient avant le début de la partie.*

Bambi a vaincu son rival dans un terrible combat.

Conjugaison 1

▹ ***rivaliser*** v. *Rivaliser avec quelqu'un,* c'est essayer de le battre, d'être meilleur que lui. *Notre équipe ne peut pas rivaliser avec la vôtre,* elle ne peut pas gagner contre elle.

Compare : *rival → rivaliser, rivalité* et *égal → égaliser, égalité.*

▹ ***rivalité*** n. f. Lutte qui oppose des rivaux. *Les joueurs oublient leur rivalité quand ils sortent du terrain.*

rive n. f.

Partie de la terre qui borde un cours d'eau, un lac ou un étang ; vois ***berge, bord.*** *Les rives du fleuve sont marécageuses.*

Du milieu du fleuve, les rives restaient invisibles *(Michel Strogoff).*

▹ ***riverain*** n. m., ***riveraine*** n. f. **1.** Personne qui habite sur la rive d'un cours d'eau, d'un lac. *En hiver, les habitations des riverains de la Loire sont souvent inondées.* **2.** *Stationnement interdit, sauf aux riverains,* aux personnes habitant cette rue.

Autres membres de la famille : ① **dériver, dérivatif, dérive, rivage, rivière.**

Conjugaison 1

river v.

1. Assembler par des clous spéciaux. *Pierre Séverac a rivé deux plaques de tôle.* **2.** *Être rivé à quelque chose,* c'est ne pas le quitter comme si l'on y était attaché. *Yves est rivé à la télévision depuis une heure. Hippolyte avait les yeux rivés sur Angèle,* il ne la quittait pas des yeux.

Ces clous sont des *rivets.*

▹ ***rivet*** n. m. Tige en métal que l'on aplatit à une extrémité pour assembler très solidement ce que l'on veut faire tenir ensemble. *Les plaques qui servent à construire les ailes des avions sont fixées par des rivets.*

Il existe diverses sortes de rivets pour assembler le bois, le fer, le cuir, le carton, le tissu.

Famille de **rive**

Va voir aussi ***fleuve.***

rivière n. f.

1. Cours d'eau qui se jette dans un autre cours d'eau. *Les enfants se sont baignés dans la rivière.* **2.** *La princesse portait une rivière de diamants,* un grand collier à plusieurs rangs.

Le bateau glissait rapidement sur la rivière *(Charlie et la Chocolaterie).*

rixe n. f.

Violente bagarre. *Des passants se sont trouvés pris dans une rixe.*

riz n. m.

Céréale dont les graines contiennent beaucoup d'amidon. *Le riz pousse sur un sol humide et a besoin d'un climat chaud. M. Bellec a préparé une poule au riz.*

La Chine et l'Inde sont les premiers producteurs mondiaux de riz.

▹ ***rizière*** n. f. Terrain recouvert d'eau où l'on cultive le riz. *On repique le riz dans la rizière quand les pousses atteignent vingt centimètres.*

Les rizières doivent être recouvertes de 10 à 20 centimètres d'eau.

robe n. f.

1. Pelage de certains animaux. *Le jockey montait une jument à la robe pie.* **2.** Vêtement fait d'une seule pièce, qui couvre le haut et le bas du corps, avec ou sans manches. *Angèle portait une petite robe d'été décolletée sans manches.* **3.** *Une robe de chambre,* c'est un vêtement long et large, à manches, que l'on porte chez soi. *Julie était en chemise de nuit et en robe de chambre.*

C'était Bagheera, la panthère noire. Sa robe est tout entière noire comme l'encre, mais les marques de la panthère y affleurent, sous certains jours, comme font les reflets de la moire *(le Livre de la jungle).*

Autre membre de la famille : **garde-robe.**

Les avocats et les magistrats portent des vêtements noirs et amples à grandes manches appelés *robes.*

robinet n. m.

Appareil qui permet d'ouvrir ou de fermer le passage à un liquide ou à un gaz. *Mme Bellec a ouvert le robinet d'eau froide à fond.*

robot n. m.

1. Mécanisme automatique qui peut remplacer l'homme dans certains travaux. *Des robots sont utilisés dans les usines.* **2.** *Un portrait-robot,* c'est un portrait établi d'après des témoignages. *Le commissaire a fait établir le portrait-robot du cambrioleur.*

Au pluriel : *des portraits-robots.*

robuste adj.

Fort et résistant ; vois ***vigoureux.*** *Réjean et son père sont robustes,* d'une solide constitution. *Pierre Séverac a une santé robuste.*

[Paul] est maintenant robuste comme un vrai marin *(les Vacances).*

Ils sont d'une grande *robustesse.*

Famille de **roche**

roc n. m.
Matière rocheuse dure. *Des marches ont été taillées dans le roc.*

▸ **rocaille** n. f. Amoncellement de pierres entre lesquelles on fait pousser des plantes. *Mme Bellec fait pousser des pensées et des myosotis dans une rocaille.*

Compare : *rocaille* → *rocailleux* et *pierre* → *pierreux.*

▸ **rocailleux** adj. **1.** Plein de pierres ; vois ***caillouteux, pierreux.*** *Les enfants trébuchaient dans le chemin rocailleux.* **2.** *Une voix rocailleuse,* c'est une voix rauque. *Denis Prost prend une voix rocailleuse pour imiter la voix de l'ogre.*

rocambolesque adj.
Une aventure rocambolesque, c'est une aventure pleine de péripéties extraordinaires, digne de Rocambole. *Marie-Tévy adore les histoires rocambolesques que raconte Antoine.*

Rocambole est le héros de romans écrits par Ponson du Terrail, au XIXe siècle.

Compare : *roche* → *rocheux* et *boue* → *boueux.*

roche n. f.
1. Matière très dure ; vois ***pierre.*** *La roche affleurait sous le chemin de terre.* **2.** Matière qui forme l'écorce terrestre. *Le basalte est une roche volcanique.*

C'est clair comme de l'eau de roche : c'est évident.

▸ **rocher** n. m. Bloc de pierre. *Alex et Réjean partent en forêt escalader les rochers.*

▸ **rocheux** adj. Formé de rochers. *Le bateau louvoie entre les îlots rocheux.*

Autres membres de la famille : **roc, rocaille, rocailleux.**

On dit aussi : *rock and roll* [ʀɔkɛnʀɔl].

rock n. m.
Musique populaire américaine issue du jazz, très rythmée. *Alex a de nombreux disques de rock.*

On appelle aussi *rock* la danse que l'on exécute sur cette musique.

On écrit aussi *rodeo.*

rodéo n. m.
Aux États-Unis, fête au cours de laquelle des cavaliers tentent de maîtriser un cheval sauvage ou un taureau. *Ce cow-boy a gagné plusieurs rodéos.*

Les premiers rodéos furent organisés pour marquer le bétail au fer rouge.

Conjugaison 1

Ne confonds pas *roder* et *rôder.*

roder v.
Roder une voiture neuve, c'est l'utiliser avec précaution le temps que les pièces du moteur s'adaptent les unes aux autres. *Réjean rode sa nouvelle moto.*

Il faut rouler à une vitesse modérée.

▸ **rodage** n. m. *Ma voiture est en rodage,* elle n'est pas encore rodée.

Conjugaison 1

rôder v.
Errer dans un lieu avec de mauvaises intentions. *Un témoin affirme avoir vu rôder un individu bizarre autour de la poste.*

Ne confonds pas *rôder* et *roder.*

Attention à l'accent circonflexe du ***ô*** !

▸ **rôdeur** n. m., **rôdeuse** n. f. Individu qui rôde. *Le commissaire demande au témoin de décrire le rôdeur.*

Conjugaison 1

rogner v.
1. Couper sur les bords. *Le relieur rogne les feuillets.* **2.** *Rogner sur une somme d'argent,* c'est en enlever une petite partie par mesquinerie. *Mme Harpie promet chaque année à Antoine des étrennes, mais elle rogne toujours sur la somme promise.*

rognon n. m.
Rein d'un animal. *M. Bellec a préparé des rognons de porc à la moutarde.*

roi n. m.
1. Chef d'un pays qui a le pouvoir parce qu'un membre de sa famille l'avait avant lui ; vois ***monarque, souverain.*** *Le roi Louis XIV avait tous les pouvoirs.* **2.** *La fête des Rois,* c'est une fête chrétienne qui rappelle la visite des Rois mages à Jésus, peu après sa naissance. *Lors de la fête des Rois, on mange la galette des Rois.* **3.** Carte à jouer qui porte le dessin d'un roi. *Yasmina a gagné la partie en jouant le roi de pique.*

Pour les rois, le monde est très simple. Tous les hommes sont des sujets *(le Petit Prince).*

Va voir *Roi mage* à **mage.**

Le *bleu roi* est un bleu vif.

Le lion est le roi des animaux.

Autres membres de la famille : **royal, royalement, royaliste, royaume, royauté.**

roitelet n. m.
Petit oiseau à huppe jaune, plus petit que le moineau. *Antoine observe des roitelets avec des jumelles.*

Le roitelet se nourrit d'insectes.

Le roitelet est un passereau.

Attention à l'accent circonflexe du ***ô*** !

rôle n. m.
1. Texte que dit un acteur. *Denis Prost apprend son rôle. Denis Prost jouait*

Denis Prost est comédien.

Ivan Ogareff venait donc de jouer avec succès son indigne rôle *(Michel Strogoff).*

le rôle d'un brigand, le personnage d'un brigand. **2.** Influence que l'on exerce. *Mme Séverac joue un rôle important au conseil municipal. Enseigner le ski est le rôle du moniteur ;* vois **fonction.** **3.** *À tour de rôle,* chacun à son tour. *Les soldats montent la garde à tour de rôle.*

Autre membre de la famille : **enrôler.**

Les habitants de l'actuelle ville de Rome s'appellent aussi des *Romains.*

Romain n. m., **Romaine** n. f.
Habitant de l'ancienne Rome et de son empire. *Les Romains ont envahi et colonisé la Gaule.* — adj. *César était un empereur romain. L'étude de l'Antiquité grecque et romaine permet de mieux comprendre la civilisation d'aujourd'hui.*

Ils sont fous ces Romains ! dit Obélix.

Va voir *chiffre romain* à ***chiffre.***

① **roman** n. m.
Livre où l'auteur imagine l'histoire qui arrive à des personnages. *« Le Lion », de Joseph Kessel, est un roman d'aventures.*

Autre membre de la famille : **romanesque.**

▸ ***romancier*** n. m., ***romancière*** n. f. Personne qui écrit des romans. *Joseph Kessel fut journaliste et romancier.*

George Sand fut une romancière célèbre.

Les monuments romans ont été construits aux XIe et XIIe siècles.

② **roman** adj.
L'art roman, c'est l'art du Moyen Âge en Europe, avant l'art gothique. *La ville de Vézelay est célèbre pour sa basilique romane.*

Les églises romanes sont massives et de lignes très simples.

romance n. f.
Chanson sentimentale. *Mamie Lou aime les romances de l'ancien temps.*

Famille de ① **roman**

romanesque adj.
Digne d'un roman. *Antoine invente des histoires romanesques.*

romanichel n. m., **romanichelle** n. f.
Personne d'un peuple originaire de l'Inde, qui a une vie de nomade. *Des romanichels nous ont vendu des paniers en osier.*

Ce sont des *tziganes.* On dit aussi des *bohémiens* ou des *gitans.*

romantique adj.
1. *L'art romantique,* c'est l'art du XIXe siècle, qui voulait se libérer des contraintes des siècles précédents et accordait une grande place aux sentiments. *Victor Hugo est un poète romantique.* **2.** *Mme Bellec aime les paysages romantiques,* qui font rêver et remplissent d'émotion.

Beethoven et Schubert sont des musiciens romantiques.

romarin n. m.
Petit arbuste à l'odeur agréable, dont on utilise les jeunes pousses pour parfumer certains plats. *Mamie Lou met du thym et du romarin dans le ragoût.*

Le romarin a de petites feuilles pointues.

Conjugaison 41 ▭ Indic. présent : *je romps, il rompt, nous rompons.* Imparfait : *je rompais.* Futur : *je romprai.* — Subj. présent : *que je rompe.*

rompre v.
1. Casser, briser. *Un jour, Rex a rompu sa chaîne et s'est enfui. Quand les clowns arrivèrent, les enfants applaudirent à tout rompre,* très fort. — *Rex a tellement tiré sur sa chaîne qu'elle s'est rompue,* elle a cassé, elle s'est brisée. **2.** Faire cesser ; vois ***interrompre.*** *Le bruit d'un moteur rompit le silence.* **3.** *Rompre avec quelqu'un,* c'est cesser d'être ami avec lui, se brouiller avec lui. *Il a rompu avec sa famille depuis plusieurs années.*

Rex est le chien des Séverac.

À peine quelques buissons maigres et brûlés rompent-ils çà et là la monotonie de l'immense plaine *(Michel Strogoff).*

Autres membres de la famille : **interrompre, ininterrompu.**

▸ ***rompu*** adj. **1.** *Cet alpiniste est rompu aux longues marches en montagne,* il en a une grande habitude. **2.** *Mme Bellec et Mme Roussel ont parlé à bâtons rompus,* un peu de tout, d'une manière peu suivie.

La ronce est un mûrier sauvage.

ronce n. f.
Arbuste épineux qui donne des mûres. *Pierre Séverac arrache les ronces qui envahissent le talus.*

Alors elle se mit à courir sur les cailloux et à travers les ronces *(Blancheneige).*

Conjugaison 1

ronchonner v.
Protester en montrant que l'on est de mauvaise humeur ; vois ***grogner, râler.*** *Yves, qu'as-tu encore à ronchonner ?*

Ce mot est familier.

rond adj., adv. et n. m.
▭ **adj.** **1.** *Une chose ronde,* c'est une chose qui a la forme d'un cercle ou d'une boule. *La Terre est ronde ;* vois ***sphérique.*** *Les chevaliers s'assirent autour d'une table ronde ;* vois ***circulaire.*** *Marie-Tévy a un visage rond.* **2.** Arrondi, voûté. *M. Bonnot a le dos rond.* **3.** Gros et petit. *Mme Harpie est bien ronde.* **4.** *Des chiffres ronds,* ce sont des nombres entiers, sans décimales. *Cela fait cent francs tout ronds,* exactement cent francs.
▭ **adv.** *Cela ne tourne pas rond,* il y a quelque chose d'anormal.

Je regardai cette apparition avec des yeux tout ronds d'étonnement *(le Petit Prince).*

Les médecins ont mis six mille ans à découvrir cela ! Oui ! six mille ans en chiffres ronds ! *(Michel Strogoff).*

Le canard partit d'un bon pas sans se retourner et, comme la terre est ronde, il se retrouva au bout de trois mois à son point de départ *(les Contes du Chat perché).*

Dansez, les petites belles
Toutes en rond.
Les oiseaux avec leurs ailes
Applaudiront (V. Hugo).

▭ **n. m. 1.** Cercle, circonférence. *Denis Prost fait des ronds de fumée avec sa cigarette. Les enfants se sont assis en rond par terre,* en cercle. **2.** Objet rond. *Mamie Lou a distribué des ronds de serviette,* des anneaux pour tenir serrées les serviettes de table roulées. •

▸ ***ronde*** n. f. **1.** Danse où plusieurs personnes forment un cercle et tournent. *Les enfants se sont pris par la main et ont fait une ronde.* **2.** Note de musique qui vaut quatre noires. *Une ronde vaut deux blanches.* **3.** *À la ronde,* dans les environs, alentour. *On ne voyait pas un arbre à dix kilomètres à la ronde.* **4.** Visite d'inspection, de surveillance. *Le gardien de nuit fait sa ronde.*

Quand on n'est rien que deux, on ne s'amuse pas bien. On ne peut pas jouer à la ronde *(les Contes du Chat perché).*

Les guetteurs des châteaux forts circulaient sur le *chemin de ronde.*

▸ ***rondelet*** adj. *Une personne rondelette,* c'est une personne assez grosse ; vois ***dodu, potelé.*** *Mme Harpie est une femme rondelette.*

Une *somme rondelette,* c'est une somme assez importante.

Le contraire de *rondelet,* c'est *maigre.*

▸ ***rondelle*** n. f. Petite tranche ronde. *Yves se coupe des rondelles de saucisson.*

▸ ***rondement*** adv. Vite et efficacement. *Cette affaire a été rondement menée.*

▸ ***rondeur*** n. f. Forme ronde d'une partie du corps. *M. Bellec aime la rondeur des bras de sa femme.*

▸ ***rondin*** n. m. Morceau de tronc ou de branche d'arbre coupé. *Réjean a construit une cabane en rondins.*

Famille de ① **point**
Au pluriel : *des ronds-points.*

▸ ***rond-point*** n. m. Place ronde d'où partent plusieurs avenues ; vois ***carrefour.*** *Denis Prost a été pris dans un encombrement au rond-point des Champs-Élysées.*

Autre membre de la famille : **arrondir.**

Conjugaison 1

ronfler v.

1. Faire du bruit avec le nez, en respirant pendant son sommeil. *Mme Bellec secoue son mari pour qu'il s'arrête de ronfler.* **2.** Faire un bruit semblable à celui d'une personne qui ronfle ; vois ***ronronner, vrombir.*** *Le feu a pris et le poêle commence à ronfler.*

Aussitôt que le Petit Poucet entendit ronfler l'Ogre, il réveilla ses frères *(le Petit Poucet).*

Mais dès qu'il dort, il ronfle. C'est comme une passion *(Poil de Carotte).*

▸ ***ronflement*** n. m. **1.** Bruit que fait une personne qui ronfle. *Yves entend les ronflements de son père à travers la cloison.* **2.** Bruit continu, semblable à celui d'une personne qui ronfle. *Le ronflement du moteur s'affaiblit, et le bateau disparut à l'horizon.*

Conjugaison 3 ▭ Indic. présent : *nous rongeons.* Imparfait : *je rongeais.*

ronger v.

1. User en coupant avec les dents par petits morceaux ; vois ***grignoter.*** *Rex rongeait un os. Nathalie se ronge les ongles.* **2.** Détruire peu à peu. *La rouille ronge le fer ;* vois ***attaquer.*** *Marie-Tévy était rongée de remords d'avoir menti à l'institutrice,* elle était dévorée de remords, torturée par le remords.

▸ ***rongeur*** n. m. Petit animal qui a des incisives tranchantes, et qui ronge ses aliments. *Les lapins, les rats, les écureuils, les castors sont des rongeurs.*

Les rongeurs n'ont pas de canines.

Les rongeurs sont des mammifères.

ronron n. m.

Petit grondement continu et régulier du chat lorsqu'il est content. *Blotti sur les genoux de Julie, Félix faisait entendre un ronron de satisfaction ;* vois ***ronronnement.***

Conjugaison 1

Compare : *ronronner → ronronnement* et *miauler → miaulement.*

▸ ***ronronner*** v. Faire entendre des ronrons. *Félix ronronnait sous les caresses de Julie. Le moteur ronronne,* il fait un bruit doux et régulier.

▸ ***ronronnement*** n. m. **1.** Bruit du chat qui ronronne ; vois ***ronron.*** *Le ronronnement de Félix berçait Julie.* **2.** Bruit doux et régulier d'une machine. *Le ronronnement du moteur s'éteignit au loin.*

Il [le chat] se mit à ronronner tout bas, tout doux, tout doux, tout bas, jusqu'à ce que le Bébé s'endormît *(Histoires comme ça).*

roquefort n. m.

Fromage de lait de brebis, qui contient des moisissures bleu-vert, et a un goût très fort. *Yves se fait une tartine de roquefort.*

Le roquefort est fabriqué dans l'Aveyron, à Roquefort.

roquet n. m.

Petit chien qui aboie pour un rien. *Ne t'inquiète pas, ce roquet aboie, mais il ne te mordra pas.*

Famille de ① **rose**

rosace n. f.

1. Figure faite de demi-cercles contenus dans un cercle, qui évoquent les pétales d'une fleur épanouie. *Marie-Tévy dessine des rosaces avec son* *compas.* **2.** Grand vitrail rond. *La façade de Notre-Dame comporte une immense rosace.*

rosbif n. m.
Rôti de bœuf. *Qui veut une autre tranche de rosbif ?*

① **rose** n. f.
Un grand rosier se dressait près de l'entrée du jardin ; il était tout couvert de roses blanches, mais trois jardiniers s'affairaient à le peindre en rouge *(Alice au Pays des merveilles).*
1. Fleur du rosier, à la tige garnie d'épines et qui sent très bon. *Hippolyte a offert à Angèle un bouquet de roses rouges. Sophie Pelletier s'est réveillée fraîche comme une rose,* avec un teint éblouissant. **2.** *Une rose des sables,* c'est une pierre en forme de rose, que l'on trouve dans le Sahara. *Mme Séverac a posé une belle rose des sables sur sa cheminée.*
L'églantine est une rose sauvage.
Il n'y a pas de roses sans épines (proverbe).
Ce sont des cristaux de gypse.

▸ ② **rose** adj. et n. m. **1.** adj. Rouge très pâle. *Yasmina porte un ruban rose dans les cheveux.* **2.** n. m. Couleur rose. *Yasmina aime le rose.*
Autres membres de la famille : **rosace, roseraie, rosette, rosier.**

Le vin rosé, c'est du vin rouge clair.
▸ **rosé** adj. Légèrement teinté de rose. *Mme Séverac porte une jupe beige rosé.*

roseau n. m.
Voyez
Près des étangs
Ces grands roseaux mouillés
(Ch. Trenet).
Plante à tige droite et lisse, qui pousse dans l'eau. *M. Bellec était à l'affût, caché derrière les roseaux de l'étang.*
La Fontaine est l'auteur de la fable *le Chêne et le Roseau* ?

rosée n. f.
C'est la vapeur d'eau, contenue dans l'air, qui se condense.
Fines gouttelettes d'eau qui se déposent la nuit sur le sol. *L'herbe était humide de rosée.*
La rosée se forme parce qu'il fait plus froid la nuit.

Famille de ① **rose**
roseraie n. f.
Terrain planté de rosiers. *M. Doucet a emmené Antoine voir la roseraie du parc de Bagatelle.*
C'est à Paris, dans le bois de Boulogne.

rosette n. f.
La rosette indique que l'on est officier d'un ordre.
Insigne en forme de petite rose ; vois ***décoration.*** *M. Bonnot a la rosette de la Légion d'honneur.*
Famille de ① **rose**

Famille de ① **rose**
rosier n. m.
Petit arbre épineux qui donne des roses. *Mme Séverac taille les rosiers du jardin.*
L'églantier est un rosier sauvage.

Ce mot est familier.
rosse n. f.
Personne dure et méchante. *« Quelle rosse », a dit Mme Roussel en parlant de sa sœur.*
Une rosse fait des *rosseries.*

Conjugaison 1
rosser v.
Battre violemment. *Yasmina s'est fait rosser par Colle et Rat à la sortie de l'école.*

rossignol n. m.
Sur la plus haute branche
le rossignol chantait (chanson).
Oiseau au chant varié et très harmonieux. *Le rossignol est un petit passereau qui mesure environ seize centimètres.*
Le rossignol se nourrit d'insectes, de vers et de baies.

rotation n. f.
Mouvement tournant. *L'alternance du jour et de la nuit est due à la rotation de la Terre sur elle-même.*

Famille de **rôtir**
rôti n. m.
On fait aussi cuire le rôti à la broche ou à la cocotte.
Morceau de viande que l'on fait cuire à feu vif. *Mme Roussel a fait du rôti de porc au four, accompagné de pommes de terre.*
Un *rosbif* est un rôti de bœuf.

rotin n. m.
Tige souple d'un palmier grimpant que l'on utilise pour faire des meubles. *Mme Roussel a une table de nuit en rotin.*
Les meubles en rotin sont légers et résistants.

Conjugaison 2
rôtir v.
En passant par la cuisine
De Monsieur Porte-Farine
J'ai vu qu'il rôtissait
Trois douzaines de poulets
(comptine).
Cuire à feu vif. *Mme Roussel fait rôtir le rosbif. — Il y a du poulet rôti au menu.*
Attention à l'accent circonflexe du ***ô*** !

▸ **rôtissoire** n. f. Four où l'on fait rôtir la viande. *Un mécanisme fait tourner régulièrement la broche de la rôtissoire.*
Autre membre de la famille : **rôti.**

rotonde n. f.
Bâtiment circulaire. *Cette rotonde est surmontée d'une coupole.*

rotule n. f.
Petit os rond et plat, sur le devant du genou. *Le joueur de tennis s'est luxé la rotule.*

roturier n. m., **roturière** n. f.
Personne qui n'appartient pas à une famille noble. *La princesse a épousé un roturier.*

Famille de **roue**

rouage n. m.
Chacune des pièces d'un mécanisme. *L'horloger nettoie les rouages de la montre.*

Au féminin : *roublarde.*

roublard adj.
Rusé et pas toujours honnête. *Ce commerçant est un peu roublard.*

Ce mot est familier.

rouble n. m.

Un rouble vaut cent kopecks.

Monnaie utilisée en U. R. S. S. *Les Soviétiques paient en roubles.*

Conjugaison 1

Compare : *roucouler → roucoulement* et *hurler → hurlement.*

roucouler v.
Les pigeons et les tourterelles roucoulent, ils poussent leur cri.
▹ **roucoulement** n. m. Cri du pigeon et de la tourterelle. *On entend le roucoulement des tourterelles.*

Être la cinquième roue du carrosse, c'est être inutile ou insignifiant.

Le cochon tourna la tête [...] Derrière lui, il apercevait sa traîne déployée en un immense éventail.
— Regardez ! dit-il. Je fais la roue !
(les Contes du Chat perché).

roue n. f.
1. Cercle qui tourne sur un axe et qui permet à un véhicule de rouler. *Les roues de l'avion ont touché le sol.* **2.** Cercle qui tourne sur lui-même et qui transmet le mouvement à un objet ; vois ***poulie, rouage.*** *La chaîne du vélo passe sur une roue dentée.* **3.** *Le paon se pavanait en faisant la roue,* en déployant en rond les plumes de sa queue. *Yves prend son élan pour faire la roue,* pour tourner sur lui-même en s'appuyant successivement sur les mains et les pieds.
▹ **rouet** n. m. Instrument qui a une roue et une pédale et qui servait autrefois à filer. *Avec un rouet, on filait la laine, le chanvre et le lin.*

La roue est apparue trois mille ans avant Jésus-Christ.

Autres membres de la famille : **dérouler, déroulement, enrouler, rouage, rouler, roulant, rouleau, roulement, roulette, roulis, roulotte.**

Le contraire de *roué,* c'est *naïf.*

roué adj.
Habile et rusé. *Mme Hespel a parfois affaire à des hommes d'affaires particulièrement roués ;* vois ***malin.***

rouge adj., n. m. et adv.

Cette bonne femme lui fit faire un petit chaperon rouge, qui lui seyait si bien, que partout on l'appelait le Petit Chaperon rouge *(le Petit Chaperon rouge).*

▭ **adj.** De la couleur du sang, du rubis ou du coquelicot. *M. Bellec boit un verre de vin rouge. Le chat observe les poissons rouges dans leur bocal. Le feu est rouge : les piétons peuvent passer. Sylvain est devenu rouge comme une tomate,* sa peau est devenue rouge sous l'afflux du sang.
▭ **n. m. 1.** La couleur rouge. *Marie-Tévy a choisi un rouge vif pour colorier le toit de la maison. Le feu est passé au rouge.* **2.** *Mme Séverac se met du rouge à lèvres,* du fard pour les lèvres.
▭ **adv.** *Tout d'un coup, M. Bellec a vu rouge,* il est entré dans une terrible colère.

Va voir *fer rouge* à ***fer.***

Se fâcher tout rouge, c'est devenir rouge de colère.

▹ **rougeâtre** adj. Légèrement rouge. *Colle et Rat affirment qu'ils ont vu une lueur rougeâtre illuminer l'intérieur de la soucoupe volante.*
▹ **rougeaud** adj. *Une personne rougeaude,* c'est une personne qui a le teint rouge. *Un gros garçon rougeaud et timide est assis à côté de Nathalie.*

Famille de **gorge**

Au pluriel : *des rouges-gorges.*

▹ **rouge-gorge** n. m. Oiseau de petite taille, qui a un plumage rouge vif sur la gorge et la poitrine. *Des rouges-gorges ont fait leur nid sous une souche.*

Le rouge-gorge est un passereau. Il s'apprivoise facilement. On l'entend chanter en hiver.

▹ **rougeole** n. f. Maladie contagieuse pendant laquelle la peau se couvre de taches rouges. *Claire a eu la rougeole l'année dernière.*

Conjugaison 8

▹ **rougeoyer** v. Prendre une teinte rouge. *Le ciel rougeoyait au coucher du soleil.*
▹ **rouget** n. m. Poisson de mer brun-vert au ventre argenté. *Les rougets prennent une teinte rouge lorsqu'ils sont morts.*

Le rouget de roche mesure environ 40 centimètres.

▹ **rougeur** n. f. Tache rouge sur la peau. *Angèle avait des rougeurs sur les jambes.*

Conjugaison 2
Autre membre de la famille : **peau-rouge.**

▸ ***rougir*** v. **1.** Devenir rouge, parce que l'on a chaud ou que l'on est ému. *Sylvain a rougi sans répondre à la question de sa mère.* **2.** Se sentir coupable. *Je n'ai pas à rougir de cela,* à en avoir honte.

Le contraire de *rougir,* c'est *pâlir.*

rouille n. f.

La rouille est brun-rouge.

Produit qui se forme sur le fer quand il est exposé à l'humidité. *Il y a des taches de rouille sur ce vieux couteau.*

On protège le fer contre la rouille avec du minium.

Conjugaison 1

▸ ***rouiller*** v. Se couvrir de rouille. *Les outils ont rouillé sous la pluie. La barre de fer est rouillée.*

Conjugaison 1

rouler v.

Va voir *rouler sur l'or* à ① ***or.***

Un *pull à col roulé* a un col enroulé sur lui-même.

1. Se déplacer en tournant sur soi-même. *Des billes ont roulé sous l'armoire.* **2.** Se déplacer grâce à des roues ou à des roulettes. *La voiture roulait lentement.* **3.** Mettre en rouleau. *Sophie Pelletier et Denis Prost ont roulé le tapis pour que leurs invités puissent danser.* **4.** *Les chiens se roulaient dans l'herbe,* se tournaient, allongés, d'un côté et de l'autre. **5.** *Rouler quelqu'un,* c'est le tromper. *Mme Hespel s'est fait rouler par le marchand d'aspirateurs.*

Famille de **roue**

Bientôt on entendit le bruit de la voiture roulant sur la route *(les Contes du Chat perché).*

Rouler, dans ce sens, est familier.

▸ ***roulant*** adj. **1.** *Julie apporte le café sur la table roulante,* que l'on peut déplacer grâce à ses roulettes. **2.** *Antoine prend l'escalier roulant pour sortir du métro,* l'escalier mécanique. **3.** *Denis Prost devait répondre à un feu roulant de questions,* à de nombreuses questions qui se succédaient rapidement.

Au pluriel : *des rouleaux.*

▸ ***rouleau*** n. m. **1.** Bande enroulée en forme de cylindre. *Hippolyte a acheté des rouleaux de papier peint.* **2.** Grosse vague qui se brise sur le rivage. *Quand il y a beaucoup de vent, la mer fait des rouleaux.* **3.** Objet en forme de cylindre, que l'on peut faire rouler. *Mamie Lou étend la pâte à l'aide du rouleau à pâtisserie.*

Un *rouleau compresseur* sert à aplanir le revêtement d'une route.

Ce n'était plus un roulement confus, mais une suite de coups de canon distincts *(Michel Strogoff).*

▸ ***roulement*** n. m. **1.** Bruit continu et sourd. *On entend au loin des roulements de tambour.* **2.** *Les ouvriers de l'usine travaillent de nuit, par roulement,* en se relayant, à tour de rôle.

▸ ***roulette*** n. f. **1.** Petite roue fixée sur un objet, qui permet de le déplacer. *Le berceau a des roulettes.* **2.** Instrument qui sert à soigner les dents cariées. *Le dentiste m'a passé la roulette.* **3.** Jeu de hasard où une petite boule d'ivoire lancée dans une cuvette, tourne et finalement se pose sur une case numérotée. *Denis Prost a joué le numéro 7 à la roulette.*

Cet instrument est une petite pointe qui tourne très vite.

Va voir *patin à roulettes* à ***patin.***

Une roulette, c'est une petite roue avec des numéros peints dessus, et où il y a une bille blanche *(le Petit Nicolas).*

Attention ! un ***s*** à la fin.
Va voir aussi ***tangage.***

▸ ***roulis*** n. m. Mouvement d'un côté à l'autre que la mer impose à un bateau. *Le vent se lève, il y a du roulis.*

▸ ***roulotte*** n. f. Voiture aménagée comme une maison ; vois ***caravane.*** *Les acteurs se maquillaient dans des roulottes.*

Les forains vivent dans des roulottes.

roupie n. f.

Monnaie de l'Inde et du Pakistan. *Les Indiens paient en roupies.*

Famille de **roux**

rouquin adj.

Qui a les cheveux roux. *Julie est une petite fille rouquine.* — n. *Julie est une rouquine.*

Ce mot est familier.

Ce mot est familier.

rouspéter v.

Protester ; vois ***râler.*** *Il grogne, bougonne, ronchonne ou rouspète ! Quel mauvais caractère. Mme Harpie rouspète toute la journée.*

Conjugaison 6
C'est une *rouspéteuse.*

Attention ! deux ***s.***

La *rousseur* des feuilles mortes, c'est leur couleur rousse

rousseur n. f.

Une tache de rousseur, c'est une tache rousse sur la peau. *Julie est bien jolie, avec ses yeux verts, ses taches de rousseur et son nez retroussé.*

Famille de **roux**

Attention ! deux ***s.***
Famille de **roux**

roussi n. m.

Odeur d'une chose qui a un peu brûlé. *Ça brûle ! ça sent le roussi.*

route n. f.

1. Voie de communication importante. *M. Bellec roule sur une route nationale. M. Doucet a pris la route de Paris,* celle qui va à Paris. **2.** Chemin à suivre. *Voici un plan qui indique la route pour arriver à Sarlat. Commissaire, vous faites fausse route !,* vous vous trompez. **3.** Voyage,

Le *code de la route* est le code qui réglemente la circulation.

Eh bien, messieurs, répondit Michel Strogoff, voilà qui est convenu. Nous ferons route ensemble *(Michel Strogoff)*.

trajet. *En route !*, partons ! *Pierre Séverac a dû utiliser la manivelle pour mettre en route le moteur du tracteur,* pour le mettre en marche.

▹ ***routier*** adj. et n. m. **1.** adj. Relatif aux routes. *M. Doucet regarde la carte routière avant de prendre la route,* la carte sur laquelle les routes sont indiquées. **2.** n. m. Personne qui fait le métier de conduire un camion sur de longs trajets. *Le routier a pris un auto-stoppeur.*

Les *transports routiers,* ce sont les transports par route.

Autres membres de la famille : **autoroute, déroute, dérouter.**

routine n. f.

Habitude si souvent répétée qu'elle devient mécanique. *Hippolyte ne supporte pas la routine.*

Il n'a pas l'esprit *routinier.*

roux adj.

D'une couleur entre le brun et le rouge. *Julie a les cheveux roux.* — n. *Qui est cette jolie rousse, qui parle avec Denis Prost ?*

Les écureuils et les renards ont le pelage roux.

Autres membres de la famille : **rouquin, rousseur, roussi.**

royal adj.

Prononce [ʀwajal].

1. Du roi. *Voici la photo officielle de la famille royale. L'ambassadeur a été reçu au palais royal.* **2.** Digne d'un roi ; vois ***magnifique.*** *Denis Prost a fait un cadeau royal à Sophie Pelletier.*

Le lendemain Babar et Céleste mettent leurs habits royaux et des couronnes neuves *(Babar).*

Famille de **roi**

Au masculin pluriel : *royaux.*

▹ ***royalement*** adv. D'une manière somptueuse. *Mme Séverac a reçu royalement ses invités.*

▹ ***royaliste*** n. m. et f. Partisan de la monarchie. *Les royalistes souhaitent que le pays soit gouverné par un roi.* — adj. *Les journaux royalistes soutiennent le roi.*

Compare : *royal → royaliste* et *social → socialiste.*

royaume n. m.

Famille de **roi**

État gouverné par un roi. *La Belgique est un royaume.*

royauté n. f.

Pouvoir royal ; vois ***monarchie.*** *La Révolution française a provoqué la chute de la royauté.*

Famille de **roi**

ruade n. f.

Famille de **ruer**

Mouvement brusque que les chevaux ou les ânes font en lançant en arrière leurs membres postérieurs. *La mule a lancé une ruade.*

ruban n. m.

1. Bande de tissu qui sert d'ornement ou de lien. *Yasmina a attaché ses nattes avec deux rubans rouges.* **2.** Bande mince et étroite d'une matière souple. *Mme Roussel change le ruban de sa machine à écrire. Sylvain ferme l'enveloppe avec du ruban adhésif.*

Le ruban d'une machine à écrire est imprégné d'encre.

rubéole n. f.

Maladie très contagieuse où la peau se couvre de taches rouges. *La rubéole est provoquée par un virus.*

Les taches rouges de la rubéole et celles de la rougeole se ressemblent.

Il existe un vaccin contre la rubéole.

rubis n. m.

Pierre précieuse de couleur rouge. *On taille les rubis pour en faire des bijoux.*

Les plus beaux rubis se trouvent en Birmanie.

Rubis [ʀybi] rime avec *habit.*

rubrique n. f.

Ensemble des articles d'un journal consacrés à un sujet. *Hippolyte lit attentivement la rubrique sportive.*

ruche n. f.

1. Petite maison construite par l'homme pour abriter les abeilles. *On enfume les ruches pour récolter le miel.* **2.** Endroit où beaucoup de gens s'affairent. *Les jours de marché, le centre de la ville est une véritable ruche.*

Dans la ruche, les abeilles construisent des rayons de cire.

On dit aussi une *fourmilière.*

Une ruche est habitée par un essaim d'abeilles.

rude adj.

1. Simple et grossier ; vois ***fruste.*** *Pierre Séverac a des manières un peu rudes.* **2.** Dur à supporter ; vois ***pénible.*** *La ferme impose de rudes travaux. L'hiver a été rude ;* vois ***rigoureux.*** **3.** Dur au toucher ; vois ***rugueux.*** *Le docteur Séverac a une barbe rude.*

Le contraire de *rude,* c'est *raffiné.*

Le contraire de *rude,* c'est *agréable, doux.*

▹ ***rudement*** adv. **1.** Durement, brutalement. *En tombant, Yves a rudement heurté le sol, et s'est écorché les genoux.* **2.** Avec dureté, sans ménagement. *Mme Harpie parle rudement à Antoine ;* vois ***sèchement.***

▹ ***rudesse*** n. f. Dureté, sévérité. *Mme Harpie interpelle Antoine avec rudesse ;* vois ***brutalité.***

Le contraire de *rudesse,* c'est *douceur, gentillesse.*

Conjugaison 8 ▭ Indic. présent : *je rudoie, nous rudoyons, ils rudoient.*

▸ ***rudoyer*** v. *Rudoyer quelqu'un,* c'est le traiter durement, avec des paroles dures ; vois ***maltraiter.*** *Mme Roussel reproche à sa sœur de rudoyer les enfants.*

rudiment n. m.

Des rudiments, ce sont des connaissances élémentaires ; vois ***base.*** *Yves a appris des rudiments de solfège à la chorale.*

« Moi je possède quelques rudiments d'anglais », a dit Agnan, qui, il faut le dire, parle bien *(le Petit Nicolas).*

Compare : *rudiment → rudimentaire* et *aliment → alimentaire.*

▸ ***rudimentaire*** adj. Peu développé. *Les serpents ont des membres rudimentaires. Yves a des connaissances rudimentaires en solfège ;* vois ***élémentaire.***

rue n. f.

Les gens qui passaient dans la rue se retournaient en rigolant pour le regarder, monsieur Blédurt *(le Petit Nicolas).*

Voie bordée de maisons, dans une ville ou un village ; vois ***avenue, boulevard.*** *L'avenue du Général-de-Gaulle est la rue principale de Motbourg. La chambre de Julie donne sur la rue.*

Être à la rue, c'est ne pas avoir de domicile, être sans abri.

▸ ***ruelle*** n. f. Petite rue. *Le soir, Mme Roussel évite les ruelles obscures.*

ruer v.

Conjugaison 1

1. *Le cheval rue,* il lance violemment ses pattes postérieures vers l'arrière. *Le cheval, affolé, se mit à ruer, et faillit renverser son cavalier.* **2.** *Se ruer,* c'est s'élancer avec violence, se précipiter ; vois ***foncer.*** *Dès que la cloche a sonné, les enfants se sont rués vers la sortie.*

Les ânes, les mulets ruent aussi.

Autre membre de la famille : **ruade.**

▸ ***ruée*** n. f. Mouvement d'un grand nombre de personnes dans la même direction. *Dès que la cloche se mit à sonner ce fut une ruée vers la sortie.*

La Ruée vers l'or est un film de Charlie Chaplin.

rugby n. m.

Attention ! un ***y*** à la fin. Prononce bien le ***g*** : [ʀygbi].

On joue au rugby en équipes de 13 ou de 15 joueurs.

Sport d'équipe dans lequel il faut poser un ballon ovale derrière la ligne de but de l'adversaire, ou le faire passer entre les poteaux de but. *Pierre et Louis Séverac ont joué au rugby dans l'équipe de Sarlat.*

Ce mot est d'origine anglaise.

rugir v.

Les fauves rugissent, ils poussent leur cri. *Le tigre, blessé à mort, se mit à rugir.*

Conjugaison 2

Compare : *rugir → rugissement* et *frémir → frémissement.*

▸ ***rugissement*** n. m. Cri des fauves. *Le lion poussa un rugissement terrible.*

rugueux adj.

Le contraire de *rugueux,* c'est *lisse, poli.*

Rude au toucher ; vois ***râpeux, rêche.*** *Le chat se frotte contre l'écorce rugueuse de l'arbre.*

ruine n. f.

1. *Des ruines,* ce sont les restes d'un bâtiment détruit ; vois ***décombres, vestige.*** *La ville d'Arles est célèbre pour ses ruines romaines.* **2.** *Tomber en ruine,* c'est s'écrouler. *Pierre Séverac a réparé la grange qui tombait en ruine.* **3.** Perte de l'argent, des biens que l'on possède. *De mauvaises affaires ont conduit le père de Mme Séverac au bord de la ruine.*

Conjugaison 1

▸ ***ruiner*** v. **1.** *Ruiner sa santé,* c'est l'endommager, la démolir. *Si Denis Prost continue à beaucoup fumer et à ne pas dormir suffisamment, il va ruiner sa santé.* **2.** Faire perdre tout son argent. *De mauvaises affaires ont failli le ruiner. — Les joueurs qui jouent pour de l'argent peuvent se ruiner au jeu,* perdre tout leur argent.

On dit aussi *se ruiner la santé.*

Le contraire de *ruiner,* c'est *enrichir.*

Compare : *ruine → ruineux* et *honte → honteux.*

▸ ***ruineux*** adj. *Une chose ruineuse,* c'est une chose qui amène la ruine, la perte de l'argent. *Il s'était lancé dans des dépenses ruineuses.*

ruisseau n. m.

Au pluriel : *des ruisseaux.*

Les petits ruisseaux font les grandes rivières (proverbe).

Petit cours d'eau. *David et Marie-Tévy ont construit un petit moulin au bord du ruisseau qui coule derrière la ferme.*

Va voir aussi ***torrent.***

ruisseler v.

Conjugaison 4 ▭ Indic. présent : *je ruisselle, nous ruisselons, ils ruissellent.* Imparfait : *je ruisselais.* Futur : *je ruissellerai.*

1. Couler en formant de petits ruisseaux ; vois ***dégouliner.*** *Les larmes ruisselaient le long des joues de Marie-Tévy.* **2.** *Yves ruisselle de sueur,* il est couvert d'une sueur qui coule.

▸ ***ruisselant*** adj. *Yves était ruisselant de sueur,* trempé, inondé de sueur.

rumeur n. f.

Mémoire qui meurt
Photos effacées
Rumeur ô rumeur
Des choses passées (Aragon).

1. Bruit de voix que l'on ne distingue pas bien ; vois ***brouhaha.*** *Du restaurant Bellec, on entend la rumeur du marché.* **2.** Nouvelle qui se répand, bruit qui court. *Antoine a fait courir la rumeur qu'Angèle, l'institutrice, allait se marier ;* vois ***bruit.***

Mon Dieu, mon Dieu,
la vie est là
Simple et tranquille.
Cette paisible rumeur-là
Vient de la ville (Verlaine).

Conjugaison 1

ruminer v.
1. *Les vaches ruminent,* elles mâchent l'herbe qui revient de l'estomac, avant de l'avaler définitivement. **2.** *Ruminer une chose,* c'est y penser sans arrêt. *Mme Harpie rumine ses griefs contre M. Doucet.*

L'estomac des ruminants a plusieurs parties.

▹ **ruminant** n. m. *Les ruminants,* ce sont les animaux qui ruminent. *Les vaches, les moutons, les cerfs, les chameaux sont des ruminants.*

Les ruminants sont des mammifères.

rupestre adj.
Des peintures rupestres, ce sont des peintures exécutées sur un rocher. *En Dordogne, de nombreuses grottes sont ornées de gravures et de peintures rupestres datant de la préhistoire.*

La grotte de Lascaux est célèbre pour ses peintures rupestres.

Compare ***rupture*** et *interruption* : dans ces mots, il est question de **rompre.**

rupture n. f.
1. Fait de se casser. *La neige a provoqué la rupture des fils de téléphone.* **2.** Arrêt brusque, interruption d'une chose qui durait. *La guerre a causé la rupture des relations diplomatiques entre ces deux pays.* **3.** Séparation entre des personnes qui s'aimaient ; vois ***brouille.*** *Mme Roussel a mal supporté la rupture avec son mari.*

Le contraire de *rupture,* c'est *réconciliation.*

Le contraire de *rural,* c'est *urbain.*

rural adj.
Qui concerne la vie à la campagne. *Mamie Lou n'aime pas la ville, elle préfère la vie rurale.*

Au masculin pluriel : *ruraux.*

Il a fait chou blanc
Ce grand duc avec ses trucs,
ses astuces, ses ruses
de Russe blanc
(B. Lapointe).

ruse n. f.
Une ruse, c'est ce qu'on fait pour tromper quelqu'un ; vois ***feinte, stratagème, subterfuge.*** *Antoine a trouvé une ruse pour attirer Colle et Rat dans son piège.*

▹ **rusé** adj. Qui fait preuve de ruse ; vois ***habile, malin.*** *Antoine est rusé comme un renard.*

Et malin comme un singe !

Conjugaison 1

▹ **ruser** v. Agir avec ruse. *Antoine va devoir ruser pour attirer Colle et Rat dans son piège.*

Rustine est un nom de marque.

rustine n. f.
Petite rondelle de caoutchouc qui sert à réparer les chambres à air de bicyclette. *Yves a collé une rustine sur sa chambre à air crevée.*

Des *plantes rustiques* sont des plantes qui poussent sans que l'on s'en occupe beaucoup.

rustique adj.
Des meubles rustiques, ce sont des meubles de campagne, solides et de formes simples. *Sophie Pelletier a mis une armoire rustique dans sa chambre.*

rustre n. m.
Homme grossier et brutal ; vois ***brute, goujat, malotru, mufle.*** *Ce rustre a bousculé Angèle.*

rutilant adj.
Brillant. *Denis Prost conduit une rutilante voiture de sport.*

Attention ! un ***y***, puis ***th*** dans *rythme.*

rythme n. m.
1. *Le rythme d'une musique,* c'est son mouvement ; vois ***cadence.*** *Mme Bellec aime le rythme du tango. L'orchestre jouait sur un rythme endiablé.* **2.** Mouvement régulier. *Le docteur Séverac prend le pouls de Julie pour connaître son rythme cardiaque,* la vitesse à laquelle bat son cœur. *Le bateau se balance au rythme des vagues.*

Un rythme peut être lent ou rapide, vif, saccadé, haché.

Le rythme de la respiration est plus rapide chez les bébés que chez les adultes.

Conjugaison 1

▹ **rythmer** v. **1.** Soumettre à un rythme régulier. *Les vagues rythment le mouvement du bateau.* **2.** *Yasmina rythme la chanson en claquant dans les mains,* elle en marque le rythme.

▹ **rythmique** adj. *La danse rythmique* est une forme de danse qui tient de la danse classique et de la gymnastique. *Julie fait de la danse rythmique.*

S

s' va voir ***se.***

sa adj. possessif f. va voir ***son.***

Attention ! deux ***b*** et un ***t*** à la fin dans *sabbat.*

sabbat n. m.

1. Jour de repos hebdomadaire, dans la religion juive. *Le jour du sabbat est consacré au culte.* **2.** Réunion de sorciers, qui avait lieu la nuit, selon les légendes anciennes. *Les sorciers et les sorcières faisaient de grands banquets bruyants, lors des sabbats.*

C'est le samedi.

Le Sahara est un désert de sable.

sable n. m.

Ensemble de petits grains de roche ou de coquillages écrasés. *En rentrant de la plage, Yves avait du sable dans ses chaussures.*

On appelle *sables mouvants* le sable mouillé dans lequel on peut s'enliser.

Conjugaison 1

▸ ① ***sabler*** v. Couvrir de sable. *On a sablé la route enneigée.*

▸ ***sablier*** n. m. Instrument qui sert à mesurer le temps, à l'aide de deux récipients de verre superposés, entre lesquels coule du sable. *On se sert d'un sablier pour mesurer le temps de cuisson des œufs à la coque.*

On renverse le sablier quand le sable a fini de couler.

Attention ! deux *n.*

▸ ***sablonneux*** adj. Couvert de sable. *Les Séverac ont pique-niqué dans une clairière sablonneuse.*

Autre membre de la famille : s'**ensabler.**

Ce mot vient du nom de la ville de Sablé, dans la Sarthe.

sablé n. m. et adj.

1. n. m.Petit gâteau sec qui se casse facilement. *Mme Séverac sert des sablés avec le thé.* **2.** adj. *Une pâte sablée,* c'est une pâte à gâteau qui se casse facilement. *Mme Bellec fait une pâte sablée pour la tarte au citron.*

Conjugaison 1

② ***sabler*** v.

Sabler le champagne, c'est boire du champagne pour fêter quelque chose. *Quand Denis Prost a eu son prix, il a invité tous ses amis à sabler le champagne.*

Denis Prost est comédien.

Attention ! un ***d*** à la fin.

sabord n. m.

Ouverture dans le côté d'un navire, permettant le passage de la bouche des canons. *Ouvrez les sabords !*

« Mille millions de mille sabords ! » hurle le capitaine Haddock.

Conjugaison 1

▸ ***saborder*** v. *Saborder un navire,* c'est le percer pour le couler. *Les pirates, se voyant pris, sabordèrent leur navire.*

sabot n. m.

Les sabots, ce n'est pas si commode qu'on croit. On se fait surtout mal aux pieds *(les Contes du Chat perché).*

1. Chaussure faite d'un morceau de bois creusé. *Mamie Lou met ses sabots pour sortir dans le jardin.* **2.** Corne qui entoure l'extrémité des doigts de certains animaux. *Les chevaux, les moutons et les chèvres sont des animaux à sabots.*

Le buffle passa le long du fourré, grondant, les naseaux écumeux et martelant le sol de ses sabots *(le Lion).*

▸ ***sabotier*** n. m., ***sabotière*** n. f. Personne qui fabrique des sabots. *Le sabotier taille et creuse des morceaux de bois pour en faire des sabots.*

saboter v.

Conjugaison 1

1. *Saboter un travail,* c'est le faire vite et mal. *Yves a saboté sa rédaction ;* vois ***bâcler.*** **2.** *Saboter une chose,* c'est l'abîmer pour qu'on ne puisse plus s'en servir. *L'avion a été saboté.*

▸ ***sabotage*** n. m. Action de saboter. *L'accident d'avion est dû à un sabotage.*

▸ ***saboteur*** n. m., ***saboteuse*** n. f. Personne qui fait du sabotage. *Les saboteurs avaient sectionné des tuyaux dans le moteur de l'avion.*

Dans *le Temple du Soleil,* le dernier wagon s'est détaché : « Du sabotage !... Je comprends tout, à présent ! », dit Tintin.

sabre n. m.

Grande épée pointue et tranchante d'un seul côté. *Les cavaliers se battaient au sabre.*

Les Turcs avaient des sabres recourbés : les *cimeterres.*

① **sac** n. m.

Objet fabriqué dans une matière souple, qui sert à transporter diverses choses. *Mme Harpie met les bonbons dans un sac en papier. Alex remplit son sac à dos. Mme Hespel sort son porte-monnaie de son sac à main. Antoine a plus d'un tour dans son sac,* il est malin. *Le voleur a été pris la main dans le sac,* en flagrant délit.

Mme Harpie tient une pâtisserie-confiserie.

Autres membres de la famille : **sachet, sacoche ; besace ; cul-de-sac.**

② **sac** n. m.

Pillage. *Rome fut mise à sac en 410 par les Wisigoths.*

Le sac de Rome dura six jours.

▸ ***saccager*** v. **1.** Piller, ravager. *Rome fut saccagée par les Wisigoths,* elle fut mise à sac. **2.** Abîmer, mettre en désordre. *Colle et Rat ont saccagé le jardin en jouant au ballon.*

Conjugaison 3 ▭ Indic. présent : *nous saccageons.* Imparfait : *je saccageais, nous saccagions.*

Attention ! deux ***c*** dans *saccager* et *saccage.*

▸ ***saccage*** n. m. *Toutes les fleurs ont été piétinées, quel saccage !*

saccade n. f.

Mouvement brusque et irrégulier ; vois ***à-coup, secousse.*** *La voiture avança encore par saccades pendant cinq cents mètres puis s'arrêta tout à fait.*

Attention ! deux ***c*** dans *saccade* et *saccadé.*

▸ ***saccadé*** adj. Brusque et irrégulier. *M. Bellec avançait d'un pas saccadé.*

sacerdoce n. m.

Fonction, travail du prêtre. *L'abbé Gauthier exerce son sacerdoce à Motbourg depuis quinze ans.*

sachet n. m.

Famille de ① **sac**

Petit sac. *Mme Harpie a offert à Antoine un tout petit sachet de bonbons pour son anniversaire.*

Mme Harpie est très avare.

sacoche n. f.

Sac solide de forme simple. *Le facteur part en tournée, sa sacoche de toile en bandoulière.*

On peut accrocher des sacoches au porte-bagages d'un vélo.

Famille de ① **sac**

sacré adj.

1. *Une chose sacrée,* c'est une chose que l'on respecte parce qu'elle concerne la religion ; vois ***saint.*** *L'Ancien et le Nouveau Testament sont les livres sacrés des chrétiens.* **2.** Très important. *Pour Alex, l'amitié est sacrée.*

En Inde, la vache est un animal sacré que l'on ne peut manger.

Famille de **sacrer**

sacrement n. m.

Cérémonie chrétienne très importante. *Le baptême, le mariage, l'extrême-onction sont des sacrements.*

Il y a sept sacrements pour les catholiques.

Famille de **sacrer**

sacrer v.

Conjugaison 1

Charlemagne fut sacré empereur en l'an 800, il fut déclaré solennellement empereur au cours d'une cérémonie.

Au nom de notre peuple, mon cher Babar, je te sacre roi des éléphants *(Babar).*

▸ ***sacre*** n. m. Cérémonie religieuse par laquelle l'Église déclare un homme souverain ou évêque. *Le sacre des rois de France avait lieu à Reims.*

Autres membres de la famille : **consacrer, consacré, sacrement, sacrifice, sacrifier, sacrilège, sacristie, sacristain.**

Famille de **sacrer**

sacrifice n. m.

1. Présent que l'on fait à un dieu. *Les Grecs faisaient des sacrifices d'animaux qu'ils tuaient pour en examiner les entrailles.* **2.** *Faire un sacrifice,* c'est se priver volontairement de quelque chose. *Les croisés n'hésitaient pas à faire le sacrifice de leur vie.*

Ils lisaient l'avenir dans les entrailles des animaux.

Conjugaison 7 ▭ Indic. présent : *nous sacrifions.* Imparfait : *nous sacrifiions.*

▸ ***sacrifier*** v. **1.** Offrir en sacrifice ; vois ***immoler.*** *Les Grecs sacrifiaient des animaux à leurs dieux.* **2.** *Sacrifier une chose à une autre,* c'est la faire passer après l'autre, la négliger à cause de l'autre. *Alex n'a jamais sacrifié un jour de vacances à son travail.* **3.** *Se sacrifier,* c'est se dévouer, en renonçant à s'occuper de soi. *Mamie Lou s'est sacrifiée pour payer les études de son fils Louis.*

Dieu avait demandé à Abraham de lui sacrifier son fils Isaac.

Famille de **sacrer**

sacrilège n. m.

Crime contre une chose sacrée. *Voler dans une église est un sacrilège.*

Famille de **sacrer**

sacristie n. f.

Pièce située dans une église, où l'on range les objets qui servent à la messe. *Mme Bellec est allée dans la sacristie pour parler à l'abbé Gauthier.*

Le prêtre et les enfants de chœur s'habillent dans la sacristie.

▸ ***sacristain*** n. m. Homme qui s'occupe de l'entretien de l'église. *Le sacristain range les vases sacrés dans la sacristie.*

sadique adj.

Une personne sadique, c'est une personne qui a du plaisir à faire souffrir les autres. *Mme Harpie est un peu sadique, elle est contente quand sa sœur ne va pas bien ;* vois ***méchant.*** — n. m. et f. *Ce crime est l'œuvre d'un sadique.*

Celui qui aime souffrir est *masochiste.*

Je n'avais pas dix ans que mon père m'emmenait en safari *(le Lion).*

safari n. m.

Expédition de chasse, en Afrique noire. *Les chasseurs ont tué un lion, un zèbre et un éléphant au cours du safari.*

Dans un *safari-photo,* on se contente de photographier les animaux sauvages.

Le safran vient de la fleur de crocus.

safran n. m.

Poudre orangée utilisée en cuisine pour parfumer les plats. *La paella est un plat à base de riz assaisonné de safran.*

Le safran donne aux plats une couleur jaune.

sagace adj.

Quelqu'un de sagace, c'est quelqu'un qui comprend vite et qui a de l'intuition ; vois ***clairvoyant, perspicace, subtil.*** *Angèle a un esprit sagace.*

Ce mot se trouve surtout dans les livres.

Compare : *sagace → sagacité* et *perspicace → perspicacité.*

▸ ***sagacité*** n. f. Qualité d'une personne sagace ; vois ***finesse, perspicacité.*** *Angèle a des jugements pleins de sagacité.*

Sagaie [sagɛ] rime avec *muguet.*

sagaie n. f.

Lance des tribus primitives ; vois ***javelot.*** *Le chasseur a touché une antilope avec sa sagaie.*

C'est un long bâton terminé par une pointe en fer.

sage adj.

1. Réfléchi et raisonnable ; vois ***prudent, sensé, sérieux.*** *Autrefois, Denis Prost ne pensait qu'à s'amuser ; il devient plus sage en vieillissant.* **2.** *Un enfant sage,* c'est un enfant calme et obéissant. *Mme Bellec a promis à Yves et à Antoine de les emmener au zoo s'ils étaient sages.*

Le contraire de *sage,* c'est *fou.*

Le contraire de *sage,* c'est *turbulent.*

Ainsi, pour être sage, comme tu le promettais tout à l'heure, il faut te montrer obéissante *(les Petites Filles modèles).*

Au pluriel : *des sages-femmes.* Famille de **femme**

▸ ***sage-femme*** n. f. Femme dont le métier est d'aider les femmes à accoucher. *C'est une sage-femme qui a accouché Sophie Pelletier.*

Grande est la sagesse des petits enfants qui savent regarder et se taire *(Histoires comme ça).*

▸ ***sagesse*** n. f. **1.** Qualité d'une personne sage ; vois ***modération, prudence.*** *Mamie Lou donne des conseils pleins de sagesse.* **2.** Qualité d'un enfant sage ; vois ***docilité, tranquillité.*** *Yves a été d'une sagesse exemplaire aujourd'hui.*

Autre membre de la famille : s'**assagir.**

Conjugaison 1

saigner v.

1. Perdre du sang. *Marie-Tévy est tombée par terre et elle saigne du nez.* **2.** *Saigner un animal,* c'est l'égorger pour qu'il perde son sang, jusqu'à ce qu'il meure. *Les musulmans saignent les animaux qu'ils mangent.*

Son nez saigne.

Se saigner aux quatre veines, c'est se priver en donnant tout ce que l'on peut.

Les anciens médecins faisaient des *saignées* : ils ouvraient une veine pour faire couler du sang, ce qui devait guérir les malades.

▸ ***saignant*** adj. *Un bifteck saignant,* c'est un bifteck peu cuit. *Tu préfères ta viande saignante ou très bien cuite ?*

▸ ***saignement*** n. m. *Mme Séverac appuie avec un coton sur la plaie pour arrêter le saignement,* pour que cela ne saigne plus ; vois ***hémorragie.***

Conjugaison 13 ▭ Indic. présent : *il saille, nous saillons.* Imparfait : *il saillait.* Futur : *il saillera.*

saillir v.

Former une bosse qui dépasse. *M. Bonnot a les veines qui saillent sur le dos de la main.*

▸ **saillant** adj. *Des pommettes saillantes,* ce sont des pommettes qui forment un relief ; vois ***proéminent.*** *Marie-Tévy a les pommettes saillantes.*

▸ **saillie** n. f. Partie d'une chose qui dépasse, qui fait une bosse. *Le chat est monté en haut du mur en s'appuyant sur les pierres en saillie.*

Ne confonds pas *sain, saint* et *sein.*

Le contraire de *sain,* c'est *malsain.*

Va voir *sain et sauf* à ***sauf.***

sain adj.

1. En bonne santé. *Antoine a des dents saines, il n'a pas besoin d'aller très souvent chez le dentiste.* **2.** Bon pour la santé ; vois ***salubre.*** *L'air de la montagne est sain.* **3.** *Des idées saines,* ce sont des idées bonnes et normales. *Angèle, l'institutrice, a des jugements sains sur ses élèves,* elle les voit tels qu'ils sont.

Le contraire de *sain,* c'est *malade.*

Autres membres de la famille : **assainir, assainissement, malsain.**

Attention ! un ***x*** à la fin.

saindoux n. m.

Graisse de porc fondue. *Mme Harpie fait frire le poisson dans du saindoux.*

Le sainfoin est une plante très résistante.

sainfoin n. m.

Plante à fleurs rouges ou jaunes, que l'on cultive pour nourrir les bêtes. *Le sainfoin a une racine très longue.*

En France, le sainfoin est de moins en moins cultivé.

La Vierge Marie est apparue à sainte Bernadette, à Lourdes, en 1858.

Autre membre de la famille : **Toussaint.**

Prononce [sẽtte].

Au pluriel : *des saint-bernard* ou *des saint-bernards.*

Attention ! pas de trait d'union ; au pluriel : *des saintes nitouches.*

saint n. m. et adj., **sainte** n. f. et adj.

▭ **n.** Personne que l'Église catholique respecte après sa mort, parce qu'elle a mené une vie exemplaire. *Sur les tableaux, les saints sont représentés avec des auréoles.*

▭ **adj. 1.** *Un saint homme,* c'est un homme qui mène une vie parfaite, qui est bon et généreux. *L'abbé Gauthier est un saint homme.* **2.** *Au catéchisme, les enfants apprennent l'histoire sainte,* l'histoire religieuse.

▸ **sainteté** n. f. **1.** Qualité d'une personne qui vit comme un saint. *Saint Louis avait une réputation de sainteté.* **2.** *Sa Sainteté,* c'est le titre donné au pape. *Sa Sainteté le pape a béni la foule.*

▸ **saint-bernard** n. m. Chien de montagne que l'on dresse à porter secours aux voyageurs perdus dans la montagne. *Un saint-bernard a découvert le skieur enfoui sous l'avalanche.*

▸ **sainte nitouche** n. f. Fille qui fait semblant d'être innocente. *David a traité ses sœurs de saintes nitouches.*

Il vaut mieux s'adresser à Dieu qu'à ses saints, au chef plutôt qu'à ceux qui sont sous ses ordres.

Les *Lieux saints,* ce sont les lieux où vécut le Christ.

On dit aussi le *Saint-Père.*

Les saint-bernards sont de grands chiens à poils longs.

Famille de **y** et de ① **toucher**

Conjugaison 2

Cornélius saisit le chapeau melon et s'en coiffe avec un grand sérieux *(Babar).*

David et Nathalie sont jumeaux.

saisir v.

1. Attraper avec la main, rapidement ou avec force ; vois ***empoigner.*** *Le gardien de but a saisi la balle. — Mme Bellec s'est saisie d'un couteau,* elle l'a pris. **2.** *Saisir l'occasion,* c'est en profiter. *Antoine saisit le moindre prétexte pour excuser ses retards.* **3.** Comprendre. *Julie, cachée derrière la porte, saisissait quelques mots de la conversation.* **4.** *Marie-Tévy fut saisie de peur en voyant le rat,* elle fut prise de peur, envahie par la peur. **5.** *Le tribunal a été saisi de cette affaire,* on la lui a confiée.

▸ **saisie** n. f. *L'huissier a ordonné une saisie,* il a ordonné que l'on prenne les meubles d'une personne qui devait de l'argent.

▸ **saisissant** adj. Étonnant, frappant, troublant. *Il y a une ressemblance saisissante entre David et Nathalie.*

▸ **saisissement** n. m. Effet causé par un sentiment, une impression brutale. *Marie-Tévy resta muette de saisissement en voyant le rat.*

Cela ne se dit que pour les tribunaux.

Autres membres de la famille : **dessaisir, insaisissable,** se **ressaisir.**

Attention ! deux ***n.***

saison n. f.

1. *Les saisons,* ce sont les quatre grandes époques de l'année : le printemps, l'été, l'automne et l'hiver. *Le printemps est la saison des fleurs.* **2.** Moment, période. *Les enfants attendent la saison des vacances. Le docteur Séverac évite d'aller en Afrique à la saison des pluies.*

▸ **saisonnier** adj. *Un travail saisonnier,* c'est un travail qui ne se fait qu'à certaines saisons. *Les moniteurs de ski ont une activité saisonnière.*

En Afrique, les deux grandes saisons sont la *saison des pluies* et la *saison sèche* ou *hivernage.*

Autre membre de la famille : **quatre-saisons.**

La laitue, la scarole, la batavia, sont des salades.

salade n. f.

1. Plante cultivée pour ses feuilles que l'on mange généralement crues avec de la vinaigrette. *M. Bellec a commandé trois cageots de salades.*

La *salade de fruits* est un mélange de fruits coupés servis avec du sirop.

Compare : *salade → saladier* et *beurre → beurrier.*

Reprendrez-vous de la salade ? **2.** Plat froid fait d'un mélange de légumes, de viandes, d'œufs ou de poisson servi avec de la vinaigrette. *M. Bellec fait une salade de pommes de terre et de bœuf cuit. Nous avons mangé des tomates en salade,* servies comme une salade.

▸ ***saladier*** n. m. Grand plat creux utilisé pour servir la salade. *M. Bellec prépare la vinaigrette dans le fond du saladier.*

La *salade niçoise* se compose d'olives, de tomates, d'anchois, etc.

salaire n. m.

Argent que l'on reçoit régulièrement pour un travail ; vois ***appointements, rémunération.*** *On a refusé une augmentation de salaire à M. Touati.*

Celui qui reçoit un salaire est un *salarié.*

salamandre n. f.

La salamandre est un batracien, comme la grenouille.

Petit animal noir taché de jaune, qui peut vivre à l'air ou dans l'eau, et dont la peau lisse sécrète un liquide venimeux. *Autrefois, on croyait que les salamandres pouvaient vivre dans le feu.*

La salamandre a la forme d'un lézard.

Ce mot est d'origine italienne.

salami n. m.

Gros saucisson sec haché fin. *M. Bellec coupe des tranches de salami.*

Le salami le plus réputé est celui de Milan.

Famille de **saler**

salant adj. m.

Un marais salant, c'est un bassin creusé sur les côtes pour recueillir le sel de la mer. *Il y a de nombreux marais salants sur la côte charentaise.*

L'eau de mer s'évapore et seul le sel reste.

salarié n. m., salariée n. f.

Les employés, les ouvriers sont des salariés.

Personne qui reçoit un salaire. *La biscuiterie de Motbourg compte deux cents salariés.*

Va voir aussi **salaire.**

sale adj.

Mais les moins délicats
et les plus malheureux
La voyant si maussade
et si pleine d'ordure,
Ne voulaient écouter
ni retirer chez eux
Une si sale créature
(Peau d'Âne).

1. Qui n'est pas propre ; vois ***crasseux, dégoûtant, malpropre.*** *La maison de Mme Harpie est sale et mal tenue. Julie, ne touche pas le livre avec tes mains sales !* **2.** Très désagréable. *Quel sale temps !*; vois ***mauvais.*** *Mme Harpie a traité Antoine de sale gosse.*

Dans ce sens, *sale* est toujours après le nom qu'il qualifie.

Dans ce sens, *sale* est avant le nom qu'il qualifie.

▸ ***salement*** adv. D'une manière sale, en salissant. *Les cochons mangent salement.*

Le contraire de *salement,* c'est *proprement.*

▸ ***saleté*** n. f. **1.** État d'une chose sale. *La maison de Mme Harpie est d'une grande saleté.* **2.** Chose sale. *Tu en as fait des saletés avec ta peinture !*; vois ***cochonnerie.***

Autres membres de la famille : **salir, salissant.**

Conjugaison 1

saler v.

Mettre du sel. *Mme Roussel a oublié de saler l'eau des pâtes.*

Quand on *sale* la viande pour la conserver, on la plonge complètement dans le sel.

▸ ***salé*** adj. et n. m.

▭ **adj. 1.** Qui a goût de sel. *Ce jambon est trop salé.* **2.** Qui contient du sel. *L'eau de mer est salée.*

▭ **n. m.** *Du petit salé,* c'est du porc salé. *Au menu, il y avait du petit salé aux lentilles.*

Mme Bellec aide son mari à tenir le restaurant.

▸ ***salière*** n. f. Petit pot où l'on met du sel et que l'on place sur la table du repas. *Mme Bellec remplit les salières du restaurant.*

Autres membres de la famille : **dessaler, salant.**

Conjugaison 2

Famille de **sale**

salir v.

1. Rendre sale ; vois ***souiller, tacher.*** *Julie a sali son pantalon en marchant dans la boue. Les enfants se sont sali les pieds. — Claire s'est salie en jouant.* **2.** *Mme Harpie a cherché à salir la réputation de sa sœur,* à la ternir.

C'est vrai, en faisant les guignols dans la cave, on s'était un peu salis *(le Petit Nicolas).*

▸ ***salissant*** adj. **1.** *Une chose salissante,* c'est une chose qui devient facilement sale. *Mme Bellec met des nappes de couleur : c'est moins salissant que le blanc.* **2.** *Un travail salissant,* c'est un travail où l'on se salit beaucoup. *La mécanique est un travail salissant.*

salive n. f.

La salive est sécrétée par les *glandes salivaires.*

Liquide que l'on a naturellement dans la bouche. *Marie-Tévy mouille son doigt de salive pour tourner la page de son livre.*

La salive contient des substances qui aident à digérer les aliments.

Conjugaison 1

▸ ***saliver*** v. Produire de la salive. *L'odeur alléchante qui vient de la cuisine fait saliver Antoine.*

salle n. f.

Elle se trouvait à présent dans une longue salle basse éclairée par une rangée de lampes accrochées au plafond *(Alice au Pays des merveilles).*

Grande pièce, dans un bâtiment. *Le soir, l'institutrice ferme la salle de classe à clé. La salle de cinéma était pleine.*

On se lave dans la *salle de bains.* On prend ses repas dans la *salle à manger.* On attend dans la *salle d'attente.*

▸ ***salon*** n. m. **1.** Pièce où l'on reçoit les invités, dans une maison. *Après le dîner, les invités sont passés au salon.* **2.** *Un salon de coiffure,* c'est une boutique de coiffeur. *Les salons de coiffure sont souvent fermés le lundi.* **3.** Exposition. *Pierre Séverac vient tous les ans à Paris pour le Salon de l'agriculture.*

Va voir *salle de séjour* à ***séjour.***

Un *salon de thé* est une pâtisserie où l'on peut s'asseoir pour boire du thé et manger des gâteaux.

salopette n. f.
Pantalon à bretelles, qui monte devant sur la poitrine. *Pour bricoler, M. Bellec met une salopette en grosse toile bleue.*

La petite fille portait une salopette fraîche d'un bleu délavé *(le Lion).*

On utilise du salpêtre pour faire des explosifs.

salpêtre n. m.
Poudre blanche qui couvre les vieux murs humides. *Les murs de la cave sont couverts de salpêtre.*

Salsifis [salsifi] rime avec *géographie.*

salsifis n. m.
Plante cultivée pour ses longues racines brunes que l'on mange. *M. Bellec a fait de la pintade avec des salsifis.*

Les salsifis sont récoltés en automne et en hiver.

Il y avait des funambules, des avaleurs de sabres et des jongleurs.

saltimbanque n. m. et f.
Personne qui fait des tours d'adresse, des acrobaties en public. *Des saltimbanques se sont produits à la fête du village.*

Le contraire de *salubre,* c'est *insalubre, malsain.*

salubre adj.
Bon pour la santé ; vois ***sain.*** *Le climat breton est très salubre.*

Autre membre de la famille : **insalubre.**

Conjugaison 1

Lorsqu'il aborda la planète il salua respectueusement l'allumeur *(le Petit Prince).*

saluer v.
1. Faire un salut. *Angèle a salué Mme Bellec d'un signe de tête. À la fin du spectacle, les acteurs saluent le public.* **2.** Accueillir. *L'entrée de l'équipe de Motbourg a été saluée par des applaudissements et des coups de sifflet.*

Michel Strogoff salua militairement *(Michel Strogoff).*

Famille de ② **salut**

Attention ! un *t* à la fin.

① **salut** n. m.
Le fait d'échapper à la mort, au danger. *Pris dans la tempête, Loïc ne dut son salut qu'à la solidité de son bateau.*
▸ **salutaire** adj. Bon, utile ; vois ***bénéfique, bienfaisant.*** *L'abbé Gauthier a donné des conseils salutaires à Mme Roussel.*

Le contraire de *salutaire,* c'est *fâcheux, mauvais.*

② **salut** n. m.
Geste que l'on fait ou parole que l'on dit quand on rencontre quelqu'un. *Yves a fait un grand salut de la main à Antoine.*
▸ **salutation** n. f. Salut exagéré. *Hippolyte fait de grandes salutations à Mme Harpie.*

Phileas Fogg salua ses collègues, qui lui rendirent son salut *(le Tour du monde en 80 jours).*

Autre membre de la famille : **saluer.**

salve n. f.
Ensemble de coups de feu ou de coups de canon tirés en même temps ou l'un après l'autre. *L'arrivée de l'amiral fut saluée par une salve de coups de canon.*

Des *salves d'applaudissements* sont des applaudissements qui éclatent très fort et tous ensemble.

Le samedi est le premier jour du week-end.

samedi n. m.
Jour de la semaine entre le vendredi et le dimanche. *Tous les samedis, Mme Roussel fait son marché.* — adv. *Samedi, nous irons au marché.*

Samouraï [samuʀaj] rime avec *rail.*

samouraï n. m.
Guerrier japonais d'autrefois. *Les samouraïs étaient au service d'un seigneur, comme les chevaliers du Moyen Âge.*

Attention au tréma du ï !

Sanatorium [sanatɔʀjɔm] rime avec *aquarium* et *homme.*

sanatorium n. m.
Maison où l'on soigne les tuberculeux, au grand air. *Mme Bonnot a fait un séjour dans un sanatorium.*

Au pluriel : *des sanatoriums.* On dit souvent *un sana.*

sanction n. f.
Punition, condamnation. *La directrice a menacé Colle et Rat de sanctions.*
▸ **sanctionner** v. Punir. *Colle et Rat vont être sanctionnés pour leur mauvaise conduite.*

Elle veut les renvoyer de l'école.

Le contraire de *sanctionner,* c'est *récompenser.*

Conjugaison 1

Les églises et les temples sont des sanctuaires.

sanctuaire n. m.
Bâtiment consacré aux cérémonies religieuses. *Mme Séverac a visité les sanctuaires de la vallée du Nil, en Égypte.*

sandale n. f.
Chaussure légère faite d'une semelle retenue par des lanières qui passent sur le dessus du pied. *Yves marche pieds nus dans ses sandales.*

Prononce [sɑ̃dwitʃ].

Au pluriel, on écrit *des sandwichs* ou *des sandwiches.*

sandwich n. m.
Un sandwich est constitué de deux tranches de pain entre lesquelles on met des aliments froids ; vois **casse-croûte.** *Mme Bellec prépare des sandwichs au jambon et au fromage pour le pique-nique.*

C'est le comte de Sandwich qui a donné son nom à ce mets, que son cuisinier inventa.

Attention au ***g*** final !

Le sang contient des globules rouges et des globules blancs. Un adulte a environ 5 litres de sang dans le corps.

sang n. m.
Liquide rouge qui circule dans le corps. *Angèle explique la circulation du sang dans les veines et les artères. Denis Prost est allé donner son sang dans un camion de transfusion. Quand Yves a vu Colle et Rat battre Yasmina, son sang n'a fait qu'un tour,* il a été bouleversé d'indignation et il a réagi immédiatement. *Mme Hespel se fait du mauvais sang pour l'avenir d'Alex,* elle s'inquiète, elle se tourmente.

Le vieux loup dut s'arrêter pour lécher le sang qui coulait de ses blessures non fermées *(Croc-Blanc).*

Glacer le sang, c'est faire très peur.

Dans la jungle, la vie et la nourriture dépendent du sang-froid *(le Livre de la jungle).*

▶ **sang-froid** n. m. Maîtrise de soi, contrôle de ses émotions qui permet de garder son calme. *Hippolyte a gardé son sang-froid pendant l'incendie de la poste.*

Famille de **froid**

Le Mouton était encore tout sanglant, mais il ne lui en sembla que meilleur *(le Petit Poucet).*

▶ **sanglant** adj. **1.** Couvert de sang. *Le chevalier retira son épée sanglante du corps de son adversaire.* **2.** Qui fait couler beaucoup de sang ; vois **meurtrier.** *La guerre de 1914-1918 fut particulièrement sanglante.*

Autres membres de la famille : **ensanglanter, exsangue, pur-sang, sangsue, sanguin, sanguinaire, sanguinolent.**

sangle n. f.
Bande large et plate, très solide, qui sert à attacher ou à tenir serré ; vois **courroie.** *Denis Prost vérifie les sangles de la selle avant de monter à cheval.*

La femelle du sanglier est la *laie,* le petit le *marcassin.*

sanglier n. m.
Porc sauvage à peau épaisse garnie de poils foncés, vivant dans les forêts. *M. Bellec va chasser le sanglier en Normandie.*

Le sanglier vit dans une *bauge.*

sanglot n. m.
Respiration brusque et bruyante, quand on pleure. *Marie-Tévy a éclaté en sanglots.*

Elle regarda Alice et s'efforça de parler, mais [...] les sanglots étouffèrent sa voix *(Alice au Pays des merveilles).*

Conjugaison 1

▶ **sangloter** v. Pleurer avec des sanglots. *Mme Séverac est venue voir pourquoi Marie-Tévy sanglotait.*

Prononce [sɑ̃sy].

Autrefois, on utilisait les sangsues en médecine.

sangsue n. f.
Gros ver qui colle à la peau et suce le sang. *La sangsue s'accroche à la peau grâce à ses deux ventouses.*

Famille de **sang**

Famille de **sang**

sanguin adj.
Qui concerne le sang. *Le sang circule dans les vaisseaux sanguins. Angèle, l'institutrice, explique la circulation sanguine à ses élèves.*

Famille de **sang**

sanguinaire adj.
Cruel. *Néron fut un tyran sanguinaire,* qui aimait tuer, faire couler le sang.

Famille de **sang**

sanguinolent adj.
Couvert de sang. *Le docteur Séverac défit le pansement sanguinolent.*

sanitaire adj.
1. Qui concerne la santé publique, l'hygiène. *Le docteur Séverac faisait partie d'une équipe sanitaire en Afrique.* **2.** *Les appareils sanitaires,* ce sont les appareils qui distribuent et évacuent l'eau dans les maisons. *Les lavabos, les baignoires, les douches sont des appareils sanitaires.*

Les toilettes et les éviers aussi.

Ne confonds pas *sans, cent* et *sang.*

sans préposition et conjonction
1. Préposition indiquant le manque, la privation. *La classe a commencé sans Antoine. Mme Bonnot déteste rester sans rien faire.* **2.** conjonction *Yasmina a fait la vaisselle sans qu'on s'en aperçoive,* de telle sorte qu'on ne s'en est pas aperçu.

Le contraire de *sans,* c'est *avec.*

Sans que est suivi du subjonctif.

▶ **sans-gêne** adj. et n. m. invariable **1.** adj. invariable *Une personne sans-gêne,* c'est une personne qui agit sans penser qu'elle peut gêner les autres. *Colle et Rat sont vraiment sans-gêne.* **2.** n. m. invariable Désinvolture, impolitesse. *Colle et Rat sont d'un sans-gêne incroyable.*

Famille de **gêne**

Autre membre de la famille : **pince-sans-rire.**

Attention ! deux ***n*** dans *sansonnet.*

sansonnet n. m.
Étourneau. *Les sansonnets vivent en bandes.*

santal n. m.

Nous abordâmes à l'île de Salahat, d'où l'on tire le santal *(les Mille et Une Nuits).*

Arbre d'Afrique et d'Asie, au bois précieux, dont on extrait une essence très parfumée. *Le bois de santal, très recherché, est utilisé par les ébénistes et les parfumeurs.*

Il y a des parfums et des savons au santal.

santé n. f.

Boire à la santé de quelqu'un, c'est boire en son honneur.

1. *La santé,* c'est le bon état, le bon fonctionnement du corps. *Fumer n'est pas très bon pour la santé.* **2.** *Être en bonne santé,* c'est bien se porter. *Mamie Lou a une excellente santé,* elle n'est jamais malade.

Être en mauvaise santé, c'est se porter mal.

santon n. m.

Les santons sont apparus au XVIIIe siècle, en Provence.

Petit personnage de terre cuite peinte servant à décorer les crèches de Noël. *Yves a mis des santons dans la crèche.*

La dimension des santons varie de 2 à 35 centimètres.

saper v.

Conjugaison 1

Creuser pour faire s'écrouler. *La mer a sapé la falaise,* elle a creusé sa base.

sapeur-pompier n. m.

Au pluriel : *des sapeurs-pompiers.*

Pompier. *Les sapeurs-pompiers sont chargés de combattre les incendies.*

Famille de ② **pompe**

saphir n. m.

Attention au ***ph***. *Saphir* [safiʀ] rime avec *suffire.*

1. Pierre précieuse transparente et bleue. *Mme Séverac a une bague ornée d'un saphir.* **2.** Petite pointe de saphir, qui frotte sur le sillon des disques. *Alex change régulièrement le saphir de sa chaîne stéréo, pour ne pas abîmer ses disques.*

Le saphir a remplacé l'ancienne aiguille des phonographes.

sapin n. m.

Le sapin est un conifère, comme le pin et le cyprès.

Une *sapinière* est une plantation de sapins.

Arbre résineux, qui reste toujours vert, et dont les feuilles sont des aiguilles. *Les forêts de sapins sont nombreuses dans les régions montagneuses. Les jeunes sapins servent à faire les arbres de Noël.*

Mon beau sapin,
Roi des forêts,
Que j'aime ta verdure
(chanson).

sarabande n. f.

Faire la sarabande, c'est jouer en faisant beaucoup de bruit. *Au lieu de dormir, Claire et ses cousins font la sarabande.*

La sarabande était autrefois une danse espagnole.

sarbacane n. f.

Autrefois, la sarbacane était une arme de guerre et de chasse.

Tube creux dans lequel on souffle pour lancer de petits projectiles. *Avec une sarbacane, Antoine lance des boulettes de papier sur ses camarades de classe.*

sarcasme n. m.

Moquerie méchante. *Mme Harpie répondit à sa sœur par des sarcasmes.*

▸ ***sarcastique*** adj. Moqueur et méchant ; vois ***sardonique.*** *L'institutrice ne supporte plus les ricanements sarcastiques de Colle et Rat.*

Fantomas regarde sa victime d'un air sarcastique.

sarcler v.

Conjugaison 1

Arracher les mauvaises herbes ; vois ***désherber.*** *Mamie Lou sarcle le potager.*

sarcophage n. m.

Les sarcophages égyptiens étaient sculptés et peints.

Cercueil de pierre. *Les momies des pharaons étaient déposées dans des sarcophages richement décorés.*

Les sarcophages étaient placés à l'intérieur des pyramides.

sardine n. f.

Être serrés comme des sardines, c'est être très serrés.

Petit poisson de mer que l'on mange frais ou conservé dans l'huile. *Mme Roussel a fait des sardines grillées pour le dîner.*

sardonique adj.

Un rire sardonique, c'est un rire moqueur et méchant ; vois ***sarcastique.*** *Colle et Rat éclatèrent d'un rire sardonique.*

sari n. m.

Au pluriel : *des saris.*

Le sari traditionnel mesure 1,12 m sur 5,20 m.

Long morceau de tissu de soie ou de coton dans lequel se drapent les femmes indiennes. *Le sari est le vêtement traditionnel des femmes, en Inde.*

Les couleurs et les dessins des saris varient selon les régions de l'Inde.

sarment n. m.

Sarment [saʀmɑ̃] rime avec *diamant* et *maman.*

Branche de vigne qui porte les grappes. *Pour qu'une vigne pousse bien, il faut tailler les sarments.*

sarrasin n. m.
Céréale à petits grains. *Mme Roussel fait des crêpes avec de la farine de sarrasin.*

On l'appelle aussi *blé noir.*

Sas [sas] rime avec *chasse* et *trace.*

On doit passer par un sas pour entrer dans un sous-marin.

sas n. m.
Petite pièce munie de deux portes hermétiques, permettant le passage entre deux pièces ou entre une pièce et le milieu extérieur. *Les cosmonautes sortent de la fusée en empruntant le sas.*

Baxter ouvre la porte du sas de la fusée et trouve Tintin et le capitaine Haddock inanimés.

satanique adj.
Qui fait penser au diable, paraît inspiré par le diable ; vois ***démoniaque, diabolique.*** *Les sorcières des contes ont un pouvoir satanique.*

Dans la Bible, Satan est le chef des démons.

satellite n. m.
1. Astre qui tourne autour d'une planète. *La Lune est le satellite de la Terre.* **2.** Engin que l'on lance de la Terre à l'aide d'une fusée pour qu'il tourne autour de la Terre. *Les satellites permettent de retransmettre des émissions télévisées ou de faire des observations météorologiques.*

C'est un *satellite naturel.*

Spoutnik, lancé par les Soviétiques en 1957, fut le premier satellite.

Ce sont des *satellites artificiels.*

Compare ***satiété*** et ***insatiable*** : il est question d'avoir ou de ne pas avoir **assez.**

à ***satiété*** adv.
Manger à satiété, c'est manger jusqu'à ce que l'on n'ait plus faim. *Dans les pays pauvres, les gens ne mangent pas à satiété.*

Satiété [sasjete] rime avec *société* et *assiettée.*

satin n. m.
Tissu de soie lisse et brillant. *Mme Séverac portait une robe de satin noir.*
▸ ***satiné*** adj. *Une matière satinée,* c'est une matière qui a l'aspect lisse et brillant du satin. *Angèle a choisi une peinture satinée pour sa cuisine.*

Je te donne pour ta fête
Un chapeau noisette
Un petit sac en satin
(Max Jacob).

Une *peau satinée,* c'est une peau très douce.

satire n. f.
Critique moqueuse. *Ce film est une satire violente de la publicité.*
▸ ***satirique*** adj. *Une œuvre satirique,* c'est une œuvre qui critique en se moquant. *M. Bonnot aime regarder les dessins satiriques dans les journaux.*

satisfaction n. f.
1. Contentement, joie que l'on éprouve quand les choses sont exactement comme on veut. *Mme Roussel constata avec satisfaction que son fils faisait ses devoirs.* **2.** *Une satisfaction,* c'est ce qui donne de la joie, du plaisir. *La seule satisfaction de Mme Harpie est de dire du mal des autres.* **3.** *M. Touati a réclamé une augmentation mais n'a pas obtenu satisfaction,* il n'a pas obtenu ce qu'il réclamait.

Regarde, Henry, dit Bill avec satisfaction, si j'ai bien travaillé ! Ces imbéciles seront forcés de se tenir tranquilles jusqu'à demain *(Croc-Blanc).*

Va voir aussi ***satisfait.***

Va voir aussi ***satisfaire.***

Conjugaison 60, comme *faire*
▭ Indic. présent : *nous satisfaisons.*
Futur : *nous satisferons.*

satisfaire v.
1. *Satisfaire quelqu'un,* c'est lui plaire, lui convenir. *Le métier d'institutrice satisfait pleinement Angèle.* **2.** *Mamie Lou satisfait les moindres désirs de sa petite-fille,* elle essaie de les réaliser ; vois ***contenter, exaucer.*** **3.** *Le candidat ne satisfait pas à toutes les conditions pour occuper ce poste,* il ne remplit pas toutes les conditions.

Compare ***satisfaire*** et ***satisfaction*** : dans ces deux mots, il y en a **assez.**

Prononce [satisfəzɑ̃], comme *bienfaisant.*

▸ ***satisfaisant*** adj. *Une chose satisfaisante,* c'est une chose qui satisfait, qui correspond à ce que l'on souhaite ; vois ***acceptable, bon.*** *Les résultats scolaires de Julie sont satisfaisants, dans l'ensemble.*

Ainsi donc, jusqu'ici, le voyage de Michel Strogoff s'accomplissait dans des conditions satisfaisantes *(Michel Strogoff).*

Famille de **faire**

▸ ***satisfait*** adj. Qui a ce qu'il veut. *Angèle, l'institutrice, est satisfaite des progrès de Marie-Tévy en français ;* vois ***content.***

saturé adj.
1. Rempli. *Après l'averse, la terre est saturée d'eau,* elle ne peut pas contenir plus d'eau. **2.** *Angèle est saturée de romans policiers,* elle en est dégoûtée à force d'en avoir trop lu.

La mayonnaise, la vinaigrette et la béchamel sont des sauces.

sauce n. f.
Liquide plus ou moins épais qui sert à accompagner certains plats. *Pour le dîner, il y a des spaghettis à la sauce tomate. M. Bellec a fait une sauce au vin et aux échalotes pour accompagner l'entrecôte.*

[L'Ogre] disait à sa femme que ce serait là de friands morceaux lorsqu'elle leur aurait fait une bonne sauce *(le Petit Poucet).*

Compare : *sauce* → *saucière* et *soupe* → *soupière.*

▸ ***saucière*** n. f. Récipient dans lequel on sert les sauces. *La sauce avait été mise dans une saucière en argent.*

Deux *s* dans *saucisse* et *saucisson.*

Il y a beaucoup de sortes de saucisses : les saucisses de Toulouse, les saucisses de Morteau et celles de Francfort par exemple.

saucisse n. f.
Charcuterie faite de viande de porc hachée entourée d'un boyau, qui se mange chaude. *Hippolyte a fait griller des saucisses pour le déjeuner. Dans le cassoulet et la choucroute, il y a des saucisses.*

▸ **saucisson** n. m. Sorte de grosse saucisse cuite ou séchée, qui se mange généralement froide. *Alex a coupé quelques rondelles de saucisson.*

Combien font ces six saucissons-ci
Et ces six saucisses aussi ?
— C'est six sous ces six saucissons-ci
Et six sous ces six saucisses aussi (comptine).

① **sauf** préposition
À l'exclusion de, excepté. *Tout le monde était content, sauf Mme Harpie.*

Autres membres de la famille : **sauvegarde, sauvegarder, sauve-qui-peut, sauver, sauvetage, sauveteur,** à la **sauvette.**

② **sauf** adj.
Indemne. *Les soldats ennemis ont laissé la vie sauve aux prisonniers,* ils ne les ont pas tués. *Malgré une violente tempête, les marins sont rentrés au port sains et saufs,* vivants et indemnes.

Le féminin *sauve* n'est pas souvent employé.

Au féminin : *saugrenue.*

saugrenu adj.
Bizarre, inattendu. *Antoine a parfois des idées saugrenues.*

Les saules poussent souvent près des rivières et des étangs.

saule n. m.
Arbre qui pousse dans les endroits humides. *À certains endroits, la rivière est bordée de saules.*

Les *saules pleureurs* ont des branches tombantes.

Attention à l'accent circonflexe du *â* de *saumâtre* !

saumâtre adj.
Une eau saumâtre, c'est un mélange d'eau douce et d'eau de mer, qui a un goût légèrement salé. *Dans les estuaires et les lagunes, l'eau est saumâtre.*

Les saumons, grâce à leur sens de l'orientation très développé, reviennent dans le cours d'eau où ils sont nés.

saumon n. m.
Poisson de mer à chair rose très délicate, qui remonte les fleuves pour pondre ses œufs. *Mme Séverac a servi un saumon à l'oseille à ses invités.*

Le saumon se mange poché, grillé ou fumé. Les œufs de saumon se consomment frais.

saumure n. f.
Eau très salée dans laquelle on conserve les aliments. *Les olives sont conservées dans la saumure.*

Au pluriel : *des saunas.*

sauna n. m.
Endroit où l'on prend des bains de vapeur très chauds. *Mme Séverac va au sauna une fois par semaine.*

Le sauna est d'origine finlandaise.

Conjugaison 1

saupoudrer v.
Couvrir d'une matière réduite en poudre. *Mme Roussel saupoudre les sardines de farine avant de les mettre dans la poêle.*

Saupoudrer a voulu d'abord dire : « poudrer de sel ».

Certains sauriens mesurent quelques centimètres.

saurien n. m.
Reptile au corps couvert d'écailles. *Les lézards, les crocodiles, les caméléons sont des sauriens.*

Ne confonds pas *saut, sceau, seau* et *sot.*

Il y a aussi le *saut en longueur,* le *saut à la perche.*

saut n. m.
1. Mouvement par lequel on s'élève au-dessus du sol. *Antoine fait du saut en hauteur. L'acrobate a fait un saut périlleux,* son corps a effectué un tour complet en l'air. **2.** *Faire un saut dans un endroit,* c'est y aller rapidement et ne pas y rester. *Angèle a fait un saut à la poste pour acheter des timbres.*

Certains acrobates font des doubles ou même des triples sauts périlleux.

Conjugaison 1

Nous allons sauter !... Il y a une machine infernale dans la cale ! *(Tintin).*

▸ **sauter** v. **1.** S'élever un court instant au-dessus du sol. *Claire saute à la corde. Yves a sauté par-dessus la chaise.* **2.** S'élancer d'un endroit élevé. *Alex aimerait sauter en parachute.* **3.** Se précipiter. *Julie a sauté au cou de son père,* elle s'est jetée dans ses bras pour l'embrasser. **4.** Exploser. *Pendant la guerre, M. Bonnot a fait sauter un pont. Le train a sauté sur une mine. Les plombs ont sauté,* ils ont fondu. **5.** Omettre. *Julie a sauté une page,* il y a une page de son livre qu'elle n'a pas lue. **6.** *M. Bellec a fait sauter des pommes de terre,* il les a fait revenir à feu vif.

Si vous êtes pressés d'aller quelque part, vous sautez sur mon dos et je vous conduis plus vite que ne saurait faire un cheval, dit le cerf *(les Contes du Chat perché).*

Il a fait des *pommes de terre sautées.*

▸ **saute** n. f. Changement brusque. *Il y a souvent des sautes de température au printemps. Mme Séverac a des sautes d'humeur,* elle est de bonne humeur et tout à coup elle a des accès de mauvaise humeur.

Patricia m'avait habitué aux sautes d'humeur les plus violentes et les plus rapides *(le Lion).*

Elles apprendront à leurs maris à jouer à la balle et à saute-mouton *(les Contes du Chat perché).*

▸ **saute-mouton** n. m. Jeu où l'on saute par-dessus quelqu'un qui se tient courbé. *Yves et Antoine jouent à saute-mouton.*

Famille de **mouton**

Les sauterelles ont 4 ailes.

▸ **sauterelle** n. f. Insecte vert ou gris qui se déplace en sautant sur ses pattes de derrière qui sont très longues. *Les sauterelles se nourrissent d'herbe et de petits insectes.*

Les grandes sauterelles peuvent atteindre 4 centimètres de long.

Va voir aussi ***criquet.***

Autres membres de la famille : **assaut, primesautier, soubresaut, sursaut, sursauter.**

▸ ***sautiller*** v. Faire de petits sauts. *Un moineau sautillait sur le rebord de la fenêtre.*

Conjugaison 1

▸ ***sautoir*** n. m. Collier très long que l'on porte sur la poitrine. *Mme Séverac a un sautoir de perles.*

sauvage adj.

Lorsque, parfois, j'avais eu la chance d'épier quelque temps un animal sauvage à son insu, je n'avais pu le faire que de très loin ou en cachette, et pour ainsi dire frauduleusement *(le Lion).*

1. *Un animal sauvage,* c'est un animal qui vit en liberté dans la nature. *Les lions et les belettes sont des animaux sauvages.* **2.** *Une plante sauvage,* c'est une plante qui pousse sans être cultivée. *Claire a fait un bouquet de fleurs sauvages,* de fleurs des champs. **3.** *Un endroit sauvage,* c'est un endroit qui n'est pas habité par les hommes. *Alex et Réjean ont campé dans des régions très sauvages.* **4.** *En Afrique, le docteur Séverac a vu des tribus sauvages,* qui ne connaissent pas nos civilisations ; vois ***primitif.*** — n. m. et f. *Il a rencontré des sauvages.* **5.** *Une personne sauvage,* c'est une personne qui n'aime pas rencontrer des gens qu'elle ne connaît pas. *Claire n'est pas sauvage ;* vois ***timide.*** **6.** *Colle et Rat poussent des cris sauvages dans la rue,* des cris stridents, inhumains ; vois ***barbare.***

Le contraire de *sauvage,* c'est *domestique.*

Les sauvages ignoraient à quel point la peau des éléphants est épaisse et dure *(Babar).*

▸ ***sauvagement*** adv. D'une manière sauvage, barbare. *Des voyous ont frappé sauvagement Mme Harpie ;* vois ***cruellement.***

sauvegarde n. f.

Protection. *Les serfs étaient sous la sauvegarde de leur seigneur.*

Conjugaison 1
Famille de ② **sauf** et de **garder**

▸ ***sauvegarder*** v. *Sauvegarder une chose,* c'est la protéger ; vois ***préserver.*** *Les habitants de la ville veulent sauvegarder la place du Marché, ils refusent que l'on y construise un parking.*

Les écologistes veulent sauvegarder la nature.

Au pluriel : *des sauve-qui-peut.*

sauve-qui-peut n. m. invariable

Fuite désordonnée où chacun se tire d'affaire comme il peut, sans s'occuper des autres. *Quand l'incendie s'est déclaré dans le bureau de poste, ce fut un sauve-qui-peut général.*

Famille de ② **sauf,** de **qui** et de ① **pouvoir**

Conjugaison 1

sauver v.

1. *Sauver quelqu'un,* c'est le faire échapper à un danger. *Réjean a sauvé Alex qui était tombé dans un lac.* **2.** *Se sauver,* c'est s'enfuir pour échapper à un danger. *Colle et Rat se sont sauvés quand ils ont entendu arriver Angèle.*

Babar se sauve parce qu'il a peur du chasseur *(Babar).*

Il lui *a sauvé la vie.*

Famille de ② **sauf**

Famille de ② **sauf**

sauvetage n. m.

Loïc a participé au sauvetage d'un naufragé, il a aidé à le sauver.

Il lui a envoyé une *bouée de sauvetage.*

Famille de ② **sauf**

sauveteur n. m.

Personne qui participe à un sauvetage. *L'arrivée rapide des sauveteurs a permis de sauver les naufragés ;* vois ***secouriste.***

à la sauvette adv.

La directrice a mûrement réfléchi avant de prendre cette décision.

Très vite, sans attirer l'attention. *La décision de renvoyer Colle et Rat n'a pas été prise à la sauvette.*

Famille de ② **sauf**

sauveur n. m.

Même famille que **sauver**

Personne qui sauve. *« Réjean, tu es mon sauveur ! », a dit Alex.*

Sans Réjean, Alex se serait noyé.

savane n. f.

Vaste prairie des régions très chaudes où poussent de hautes herbes mais peu d'arbres et de fleurs. *Des girafes, des zèbres, des antilopes et de nombreux fauves vivent dans la savane.*

La savane se trouve dans les régions tropicales d'Afrique, d'Asie, d'Amérique et d'Australie.

savant adj. et n. m.

Connais-tu la comédie de Molière *les Femmes savantes* ?

Les *mots savants* sont des mots composés d'éléments grecs ou latins.

▭ **adj. 1.** *Une personne savante,* c'est une personne qui sait beaucoup de choses ; vois ***érudit.*** *Sophie Pelletier est très savante en histoire.* **2.** *Un chien savant,* c'est un chien que l'on a dressé à faire des exercices. *Au cirque, les enfants ont aimé le numéro des chiens savants.* **3.** Compliqué et pas compréhensible par tout le monde. *Cette explication est trop savante pour moi.*

Je vous promets, je vous promets, maman, je serai un jour aussi savante que vous, dit Patricia avec ferveur *(le Lion).*

Le contraire de *savant,* c'est *simple.*

▭ **n. m.** Personne savante qui contribue au progrès d'une science. *Pasteur est un savant qui a inventé le vaccin contre la rage.*

Famille de **savoir**

savate n. f.
Vieille chaussure ou vieille pantoufle. *Mme Harpie, en savates, balayait sa boutique.*

Elle a une pâtisserie-confiserie.

saveur n. f.
Goût. *Ce gigot est sans saveur,* il n'a pas de goût, il est insipide.

Conjugaison 32 ▭ Indic. présent : *je sais, nous savons.* Imparfait : *je savais.* Futur : *je saurai.* Passé simple : *je sus, nous sûmes.* — Subj. présent : *que je sache.*

① **savoir** v.
1. *Savoir quelque chose,* c'est en connaître l'existence. *Savez-vous l'âge de Mme Harpie ?,* le connaissez-vous ? *Je sais qu'il est plus âgé que sa sœur,* je suis au courant de cela. *Denis Prost fera savoir l'heure de son arrivée,* il la communiquera. *Sophie Pelletier a l'air d'en savoir long sur cette histoire.* **2.** Connaître par l'étude ou par l'intelligence. *Le docteur Séverac sait l'anglais,* il l'a appris et il peut le parler. *Antoine ne savait pas sa leçon. Sachez votre récitation par cœur demain. Colle et Rat ne sont pas très bien élevés, que je sache,* autant que je puisse en juger. **3.** *Savoir ce qu'on veut,* c'est ne pas hésiter, se décider facilement. *Angèle sait ce qu'elle veut. Julie a traîné toute la journée, elle ne savait pas quoi faire,* elle s'ennuyait. **4.** Pouvoir. *Je ne saurais vous dire l'âge de la directrice. Il ne saurait être question d'excuser Colle et Rat,* il n'en est pas question.

— Oui, dit Bullit. Mais surtout qu'elle ne sache pas qu'il la surveille *(le Lion).*

Vous n'êtes pas sans savoir : vous n'ignorez pas.

— Qu'est-ce qu'un hectare ? dit le chien. — On ne sait pas très bien, dit Delphine *(les Contes du Chat perché).*

Les parents criaient que rien ne saurait les empêcher de noyer une sale bête qui faisait pleuvoir *(les Contes du Chat perché).*

Colle et Rat sont des garnements.

▸ ② **savoir** n. m. Ensemble de connaissances ; vois ***culture, instruction.*** *Angèle fait profiter ses élèves de son savoir,* de tout ce qu'elle sait.

M. Bellec est cuisinier de son métier.

▸ **savoir-faire** n. m. invariable Habileté. *En cuisine, M. Bellec a du savoir-faire ;* vois ***compétence.***

Famille de **faire**

▸ **savoir-vivre** n. m. invariable *Mme Séverac a du savoir-vivre,* elle connaît et applique les règles de la politesse, elle a une bonne éducation.

Famille de ① **vivre**

Autres membres de la famille : à l'**insu** de, **savant.**

savon n. m.
Produit qui sert à laver. *Sophie Pelletier a acheté des savons parfumés à la lavande. Mme Harpie a glissé sur un morceau de savon.*

Une *savonnette,* c'est un petit savon.

Il y a des savons solides, des savons liquides et des savons en paillettes.

Conjugaison 1

▸ **savonner** v. Laver en frottant avec du savon. *Denis Prost savonne Martin dans son bain. — Julie s'est savonnée avec vigueur.*

Attention ! deux *n* dans *savonner* et *savonneux.*

▸ **savonneux** adj. *Une eau savonneuse,* c'est une eau qui contient du savon. *Mamie Lou nettoie ses lunettes à l'eau savonneuse.*

Compare : *savon → savonner, savonneux* et *soupçon → soupçonner, soupçonneux.*

Conjugaison 1

savourer v.
Manger lentement pour apprécier le goût. *Angèle savoure les marrons glacés que lui a offerts Hippolyte.*

Compare ***savourer*** et ***saveur*** : dans ces mots, il s'agit du **goût.**

▸ **savoureux** adj. *Un aliment savoureux,* c'est un aliment qui est très bon. *Mamie Lou a fait une tarte aux myrtilles très savoureuse.*

saxophone n. m.
Instrument de musique à vent, en cuivre. *Alex joue du saxophone dans un orchestre de jazz.*

On dit familièrement un *saxo.*

Un joueur de saxophone s'appelle un *saxophoniste.*

Prononce [sɛnɛt].

Attention à l'orthographe de *saynète* !

saynète n. f.
Petite pièce de théâtre très courte. *Pour la distribution des prix, tous les élèves avaient préparé des saynètes.*

sbire n. m.
Personne sans scrupule qui exécute les ordres qu'on lui donne, quels qu'ils soient. *Le chef du gang a fait tuer son adversaire par ses sbires.*

On appelle aussi *sbires* des policiers sans scrupule.

scabreux adj.
Une histoire scabreuse, c'est une histoire qui peut choquer, qui n'est pas très convenable ; vois ***trivial.*** *M. Bellec aime bien les histoires scabreuses.*

Famille de **scalper**

scalp n. m.
Peau du crâne, avec les cheveux, que les Indiens arrachaient à leurs ennemis. *L'Indien avait attaché trois scalps à sa ceinture.*

Le scalp était un trophée.

scalpel n. m.
Petit couteau très tranchant qui sert aux chirurgiens ; vois ***bistouri.*** *Le chirurgien a ouvert le ventre du malade avec un scalpel.*

Conjugaison 1

scalper v.
Scalper quelqu'un, c'est lui arracher la peau du crâne avec les cheveux. *Les Indiens scalpaient leurs ennemis, morts ou vivants.*

Autre membre de la famille : **scalp.**

scandale n. m.
1. Chose condamnable et révoltante. *Colle et Rat ont provoqué un scandale en racontant les pires choses sur Angèle, l'institutrice.* **2.** *Faire du scandale,* c'est protester violemment en faisant beaucoup de bruit, en public. *Denis Prost a fait du scandale parce que sa chambre d'hôtel n'était pas chauffée.*

Ils ont dit qu'elle s'était endormie sur son bureau, mais ce n'était pas vrai !

▸ **scandaleux** adj. Révoltant, honteux. *Colle et Rat ont une conduite scandaleuse.*

Ils sont vraiment insupportables.

Conjugaison 1

▸ **scandaliser** v. Choquer ; vois ***révolter.*** *La conduite de Colle et Rat scandalise tout le monde.*

Conjugaison 1

scander v.
Les manifestants scandaient des slogans, ils prononçaient les mots en détachant les syllabes sur un certain rythme.

scaphandre n. m.
Équipement composé d'une combinaison et d'un casque qui permet de respirer sous l'eau. *Le plongeur a mis son scaphandre pour aller visiter l'épave.*

Tintin a découvert la Licorne, où se trouve le trésor de Rackham le Rouge : « Vous pouvez préparer le scaphandre » dit-il au capitaine Haddock.

Les cosmonautes portent aussi un scaphandre quand ils vont dans l'espace.

▸ **scaphandrier** n. m. Plongeur muni d'un scaphandre. *Les scaphandriers ont rapporté des amphores grecques qu'ils ont trouvées au fond de la mer.*

Va voir aussi ***homme-grenouille.***

Attention au ***e*** final de *scarabée* !

scarabée n. m.
Insecte noir à reflets bruns et dorés qui a des cornes sur la tête. *Les scarabées se nourrissent d'excréments.*

Le scarabée est un coléoptère qui ressemble au hanneton.

La scarlatine commence par une angine, puis les boutons apparaissent.

scarlatine n. f.
Maladie contagieuse qui se manifeste par une forte fièvre et des plaques rouges sur la peau et dans la bouche. *Sylvain a eu la scarlatine.*

On soigne la scarlatine avec des antibiotiques.

Ne confonds pas *sceau, saut, seau* et *sot.*

Au pluriel : *des sceaux.*

sceau n. m.
Cachet officiel avec lequel on fait une marque sur des documents importants. *Le roi apposa son sceau sur la lettre.*

En France, on appelle le ministre de la Justice le *garde des Sceaux.*

Attention ! un ***c*** après le ***s.***

Prononce [seleʀa].

scélérat n. m., **scélérate** n. f.
Bandit, criminel. *Les policiers ont arrêté les scélérats qui avaient attaqué la bijouterie.*

Conjugaison 1

Ne confonds pas *sceller* et *seller.*

sceller v.
1. Marquer avec un sceau. *Le roi a scellé sa lettre.* **2.** Fermer parfaitement. *On scelle les boîtes de conserve.* **3.** Fixer avec du ciment ou du plâtre. *Pierre Séverac a scellé les gonds de la grille.*

Autre membre de la famille : **desceller.**

Au pluriel : *des scénarios.*

scénario n. m.
Le scénario d'un film, c'est un texte qui décrit ce qui se passe dans le film. *Le metteur en scène a écrit le scénario de son film à partir d'un roman.*

Le scénario contient les dialogues du film et explique comment les scènes doivent être filmées.

Attention ! un ***c*** après le ***s.***

scène n. f.
1. Endroit du théâtre où jouent les acteurs. *Le public a applaudi quand l'acteur principal est entré en scène.* **2.** *Mettre en scène une pièce de théâtre,* c'est faire un spectacle à partir du texte de la pièce. *La mise en scène de cette pièce est très originale.* **3.** Partie d'une pièce de théâtre. *Dans la dernière scène de la pièce, tous les personnages se réconcilient.* **4.** Action d'une pièce de théâtre. *La scène se passe à Paris.* **5.** Partie d'un livre, d'un film. *Denis Prost aime bien tourner les scènes de bataille.* **6.** Événement qui ressemble à une scène de théâtre. *Hippolyte a invité Angèle à dîner ; Yves était témoin de la scène.*

Ne confonds pas *scène* et *saine.*

La mise en scène est faite par le *metteur en scène.*

Un *acte* se compose de plusieurs scènes.

Faire une scène à quelqu'un, c'est lui faire de grands reproches en s'agitant.

Une *scène de ménage,* c'est une dispute dans un couple.

Prononce [sɛptik].

Attention ! un ***c*** après le ***s.***

sceptique adj.
Une personne sceptique, c'est une personne qui ne croit pas facilement quelque chose, qui doute ; vois ***incrédule, méfiant.*** *Mme Hespel est très sceptique quant au succès de son fils Alex à son bac.*

▸ ***scepticisme*** n. m. Attitude d'une personne sceptique. *Mme Hespel parle de la réussite de son fils à son bac avec un grand scepticisme.*

Le contraire de *scepticisme*, c'est *conviction*.

Attention ! un *c* après le *s*.

sceptre n. m.
Bâton qui est le signe du pouvoir d'un roi. *Assis sur son trône, le roi porte sa couronne et tient le sceptre à la main.*

Attention ! *s, c, h* dans *schéma*.
Au pluriel : *des schémas*.

schéma n. m.
Dessin qui représente quelque chose de façon très simplifiée. *L'institutrice a fait au tableau un schéma du système respiratoire.*
▸ ***schématique*** adj. Très simplifié. *Angèle a fait un dessin schématique des poumons.*

Attention ! un *c* après le *s* dans *schiste*.

schiste n. m.
Roche composée de feuilles superposées. *L'ardoise est un schiste.*

Les feuilles du schiste se détachent facilement.

Prononce [ʃus].
Ce mot est d'origine allemande.

schuss n. m.
Descente à ski en suivant la plus grande pente. *Le skieur descend la pente en schuss,* sans freiner.

Il descend *tout schuss.*

sciatique n. f.
Douleur violente dans la hanche et dans la jambe jusqu'au pied. *Mme Bellec a parfois des crises de sciatique.*

On a mal le long du *nerf sciatique.*

Famille de **scier**

scie n. f.
Outil ou machine qui sert à découper des matières dures, grâce à une lame dentée. *Pierre Séverac coupe des bûches à la scie électrique. Le couteau à pain a une lame en forme de scie. Il existe des scies à bois, des scies à métaux.*

Si six scies
scient six cyprès
six cyprès
seront sciés (comptine).

Prononce [sjamɑ̃].
Compare *sciemment, science* et *conscient* : il est question de **savoir.**

sciemment adv.
En connaissance de cause, en sachant ce que l'on fait ; vois ***volontairement.*** *C'est sciemment que Mme Roussel a oublié d'inviter sa sœur au dîner qu'elle donnait dimanche.*

Le contraire de *sciemment*, c'est *involontairement.*

Attention ! un *c* après le *s*.
La physique est une science de la nature, ne l'oubliez jamais *(Lullaby).*
Compare *science, conscient* et *sciemment* : il s'agit de **savoir.**

science n. f.
1. *Les sciences,* ce sont les matières comme les mathématiques, la physique, la biologie, où l'on fait des calculs ou des expériences. *Marie-Tévy est meilleure en sciences qu'en français.* **2.** *La science,* c'est l'ensemble des connaissances qui résultent des travaux des sciences. *La science a fait des progrès extraordinaires au XXe siècle.*

Les *sciences naturelles* étudient les êtres vivants et la nature, par l'observation.

On dit aussi des *romans d'anticipation.*
Famille de **fiction**

▸ ***science-fiction*** n. f. *Les romans de science-fiction* racontent des histoires qui se passent dans le monde futur. *Mme Hespel lit beaucoup de romans de science-fiction.*

Il existe aussi des films de science-fiction.

Compare *scientifique, science* et *conscient* : il est question de **savoir.**
Les personnes qui étudient les sciences sont des *scientifiques.*

scientifique adj.
1. Qui concerne les sciences. *Les chercheurs font des travaux scientifiques. Mme Hespel lit des revues scientifiques.* **2.** Précis et rigoureux, en suivant les méthodes de la science. *Angèle a donné aux enfants l'explication scientifique du tonnerre.*

Le nom scientifique du mille-pattes est la scolopendre.

Conjugaison 7
Autres membres de la famille : **scie, sciure.**

scier v.
Couper avec une scie. *M. Bellec scie des planches pour faire des étagères.*
▸ ***scierie*** n. f. Usine où l'on scie des troncs d'arbres pour en faire des planches. *À la scierie, on débite le bois avec des scies mécaniques.*

Scions, scions du bois
Pour la mère Nicolas
Qui a cassé ses sabots
(comptine).

Conjugaison 1
Attention ! un *c* après le *s*.

scinder v.
Couper, diviser. *Cette affaire a scindé le conseil municipal en deux clans. — L'équipe s'est scindée en deux.*

Il y a eu une *scission* entre ceux qui étaient pour et ceux qui étaient contre.

Conjugaison 1
Ses grands yeux sombres scintillaient de gaieté *(le Lion).*

scintiller v.
Briller en faisant de petits éclats. *La bague de Mme Séverac scintille au soleil.*
▸ ***scintillant*** adj. Qui scintille. *Mme Touati a un foulard en tissu scintillant.*

Les étoiles scintillent dans le ciel.

Attention ! un *c* après le premier *s* dans *scission.*

scission n. f.

Division, séparation entre des groupes de personnes. *Cette affaire a provoqué une scission au sein du conseil municipal.*

Le conseil municipal s'est *scindé* en deux.

Compare : *scier* → *sciure* et *peler* → *pelure.*

sciure n. f.

Poussière du bois que l'on scie. *Le menuisier balaye la sciure qui couvre le sol de son atelier.*

Famille de **scier**

L'école, le collège, le lycée sont des *établissements scolaires.*

scolaire adj.

Relatif à l'école. *Sylvain a de très bons résultats scolaires. Angèle ira en Corse pendant les vacances scolaires.*

L'*année scolaire* va de septembre à juin.

Compare ***scol**aire* et ***scol**arité* : dans ces mots, il s'agit d'**école.**

scolarité n. f.

Période pendant laquelle on fait ses études. *En France, la scolarité est obligatoire jusqu'à seize ans,* on doit aller à l'école jusqu'à seize ans.

Un *certificat de scolarité* prouve que l'on va à l'école.

scoliose n. f.

Déformation de la colonne vertébrale qui est déviée sur le côté. *David fait de la gymnastique pour corriger un début de scoliose.*

On peut avoir une scoliose en ne se tenant pas droit.

Attention ! ce nom est féminin.

Combien de pattes a une scolopendre ?

scolopendre n. f.

Petit animal dont le corps est formé de vingt et un anneaux portant chacun une paire de pattes. *Certaines scolopendres des régions chaudes ont une morsure dangereuse.*

On l'appelle aussi *mille-pattes.*

Prononce [skutɛʀ] ou [skutœʀ].

Ce mot est d'origine anglaise.

scooter n. m.

Moto à petites roues, avec une carrosserie qui forme un plancher et monte jusqu'au guidon. *Muriel Doucet fait du scooter.*

Scorbut [skɔʀbyt] rime avec *dispute.*

scorbut n. m.

Maladie causée par le manque de vitamine C. *Autrefois, les marins attrapaient le scorbut car ils ne mangeaient pas de fruits.*

Le scorbut fait tomber les dents et provoque des hémorragies.

score n. m.

Compte des points au cours d'un match. *Le score final était de 2 à 0.*

scories n. f. plur.

Déchets que l'on obtient après avoir fondu du minerai ou brûlé du charbon. *Certaines scories sont utilisées comme engrais.*

Les terrils du Nord sont formés de scories.

Le scorpion est de la même famille que l'araignée.

scorpion n. m.

Petit animal dont la queue est armée d'un aiguillon crochu et venimeux. *M. Touati s'est fait piquer par un scorpion, au Maroc.*

La piqûre de certains scorpions est mortelle.

Scotch est un nom de marque.

scotch n. m.

Ruban de plastique collant transparent. *M. Bonnot cherche le rouleau de scotch pour rafistoler ses lunettes.*

Scout [skut] rime avec *écoute.*

scout n. m.

Jeune qui fait partie d'une organisation de scoutisme ; vois ***éclaireur, louveteau.*** *Les scouts pratiquent de nombreuses activités de plein air.* — adj. *Pierre Séverac connaît de nombreuses chansons scoutes.*

Un scout doit faire une bonne action tous les jours : c'est sa B. A.

Le scoutisme a été fondé en 1907 par le général anglais Baden-Powell.

▸ ***scoutisme*** n. m. Mouvement qui regroupe des jeunes pour compléter leur éducation morale et physique. *Le scoutisme est un mouvement international.*

scribe n. m.

Homme dont le métier était d'écrire des textes, dans l'Antiquité. *Les scribes égyptiens écrivaient sur du papyrus.*

Il n'y avait pas encore d'imprimerie.

On emploie aussi le mot anglais *script-girl* : [skʀiptgœʀl].

scripte n. f.

Femme dont le métier est de noter tous les détails des scènes d'un film, au fur et à mesure qu'on les tourne. *La scripte aide le réalisateur dans son travail.*

scrupule n. m.

Avoir scrupule à faire quelque chose, c'est hésiter à le faire.

Inquiétude que l'on a quand on se demande si on devrait faire une chose ou non. *Mme Harpie dit du mal de tout le monde sans aucun scrupule.*

Avec une attention scrupuleuse, il vérifie toutes les additions.

▸ ***scrupuleux*** adj. Qui est exigeant sur le plan moral ; vois ***consciencieux, honnête.*** *M. Bellec est très scrupuleux dans la gestion de son restaurant.*

Le contraire de *scrupuleux,* c'est *négligent, malhonnête.*

▸ ***scrupuleusement*** adv. D'une manière scrupuleuse, avec exactitude. *M. Bellec paye scrupuleusement ses factures le jour prévu.*

Le contraire de *scrupuleusement,* c'est *négligemment.*

Conjugaison 1

scruter v.

Examiner, observer avec une grande attention. *Loïc scrute le ciel pour essayer de prévoir le temps qu'il fera.*

Céleste scrute l'horizon, un peu angoissée par le silence *(Babar).*

Après le vote, on sort les bulletins de l'urne pour les compter.

scrutin n. m.

Vote au moyen de bulletins déposés dans une boîte fermée. *Le maire a été élu au premier tour de scrutin.*

La boîte s'appelle une *urne.*

Conjugaison 1

Ne prononce pas le ***p*** de *sculpter, sculpteur* et *sculpture.*

sculpter v.

Tailler une matière dure pour en faire un objet qui est une œuvre d'art. *Les Grecs et les Romains sculptaient des statues dans le marbre.*

▸ ***sculpteur*** n. m. Personne qui fait des sculptures. *Michel-Ange fut un grand sculpteur italien de la Renaissance.*

On dit *une femme sculpteur.*

▸ ***sculpture*** n. f. **1.** Art qui consiste à sculpter des matériaux. *La sculpture égyptienne a produit des œuvres gigantesques.* **2.** Œuvre d'art obtenue en sculptant une matière. *M. Doucet montre à Antoine les sculptures égyptiennes du musée du Louvre ;* vois ***statue.***

Geppette chercha les oreilles sans les trouver. Et savez-vous pourquoi ? Parce que, dans la fougue de son inspiration, l'artiste avait oublié de les sculpter *(Pinocchio).*

Il y a des sculptures en pierre, en bois, et même en métal.

Se devient *s'* devant une voyelle ou un *h* muet.

se pronom personnel

Angèle s'est installée à Motbourg. Le clocher se voit de loin. Les oiseaux se sont envolés. Yasmina et Julie se sont donné la main. Angèle et Mme Harpie se sont rencontrées devant la poste.

Se est le pronom réfléchi de la 3e personne du singulier et du pluriel.

séance n. f.

1. Réunion de travail. *Les séances du conseil municipal finissent parfois très tard.* **2.** Temps consacré à quelque chose de précis. *Une séance de cinéma a été organisée dans l'école.*

Séance tenante, c'est immédiatement, sans attendre.

① ***séant*** n. m.

Être sur son séant, c'est être assis. *Mme Séverac, brusquement réveillée, se mit sur son séant.*

Ce mot se trouve surtout dans les livres.

② ***séant*** adj.

Convenable, décent. *Il n'est pas séant de partir avant la fin de la réunion.*

Famille de **seoir**

Ne confonds pas *seau, sceau, saut* et *sot.*

Au pluriel : *des seaux.*

seau n. m.

Récipient plus haut que large, muni d'une anse, qui sert à transporter des liquides ou des objets en morceaux. *Pierre Séverac transporte la pâtée des cochons dans des seaux.*

Il pleut à seaux, beaucoup.

Attention ! un seul ***l.***

sébile n. f.

Petite coupe avec laquelle on mendie de l'argent. *Yves a mis une pièce dans la sébile de l'aveugle.*

Les chaussettes de l'archiduchesse sont sèches.

Au bout de vingt-trois jours, il n'avait toujours pas plu. La terre était si sèche que rien ne poussait plus *(les Contes du Chat perché).*

Le contraire de *sec,* c'est *doux.*

sec adj. et n. m.

▭ **adj. 1.** Qui n'est pas imprégné de liquide. *Le linge sera bientôt sec. Cette terre est très sèche, il faut l'arroser.* **2.** *Des légumes et des fruits secs,* ce sont des légumes et des fruits que l'on a débarrassés de leur humidité afin de les conserver. *Mme Hespel a mis des raisins secs dans le cake.* **3.** Sans rien d'autre. *Antoine n'aime pas manger du pain sec.* **4.** Désagréable. *Mme Harpie a répondu à M. Doucet d'un ton sec,* pas aimable. **5.** *Hippolyte aime le vin blanc sec,* pas sucré.

Le contraire de *sec,* c'est *humide, mouillé.*

Le contraire de *sec,* c'est *frais, vert.*

▭ **n. m. 1.** Endroit qui n'est pas humide. *Ces biscuits sont à conserver au sec.* **2.** *Le torrent est à sec,* il n'a plus d'eau. *Ce manteau doit être nettoyé à sec,* il ne doit pas être lavé avec de l'eau.

Autres membres de la famille : **assécher, dessécher, sécher, séchage, sèchement, sécheresse, séchoir.**

sécateur n. m.

Gros ciseaux qui servent au jardinage. *Pierre Séverac taille le rosier avec un sécateur.*

Attention ! un ***s,*** un ***c*** puis deux ***s*** dans *sécession.*

sécession n. f.

Une partie de la population a fait sécession, elle s'est séparée de l'État auquel elle appartenait pour former un autre État. *La guerre de Sécession opposa le nord et le sud des États-Unis de 1861 à 1865.*

séchage n. m.

Le fait de devenir sec. *Cette peinture est à séchage rapide,* elle sèche rapidement.

Même famille que **sécher**

sèchement adv.

Avec froideur, sans douceur. *Mme Harpie a répondu sèchement à M. Doucet.*

Famille de **sec**

Conjugaison 6

Les cannibales ont réussi à ficeler Céleste avec la corde sur laquelle séchaient les habits *(Babar).*

sécher v.

1. Devenir sec. *Odile Séverac a mis du linge à sécher dehors.* **2.** Rendre sec. *Ce vent chaud va sécher le linge. Le froid sèche la peau ;* vois ***dessécher.*** *Julie se sèche les cheveux. — Nathalie s'est séchée avec une serviette bleue.*

Famille de **sec**

Le contraire de *sécher,* c'est *humecter, humidifier.*

Famille de **sec**

sécheresse n. f.

Manque de pluie. *Si la sécheresse continue, la récolte sera mauvaise.*

Compare : *sécher* → *séchoir* et *raser* → *rasoir.*

Même famille que **sécher**

séchoir n. m.

Un séchoir à linge, c'est un assemblage de fils sur lesquels on met du linge à sécher. *Odile Séverac a étendu le linge sur le séchoir.*

Un *séchoir à cheveux,* c'est un appareil électrique qui souffle de l'air chaud.

second adj. et n. m., **seconde** adj. et n. f.

▭ **adj. 1.** Qui vient après le premier ; vois ***deuxième.*** *Les Bonnot habitent au second étage. M. Doucet a épousé Muriel en secondes noces.* **2.** Qui vient après le meilleur. *Mme Roussel a pris un billet de seconde classe,* une classe moins luxueuse et moins chère que la première classe.

Le ***c*** se prononce [g] : [səgɔ̃, səgɔ̃d].

Elle voyage *en seconde.*

Elle est son *bras droit.*

▭ **n. 1.** n. m. Personne qui en aide une autre ; vois ***adjoint, assistant.*** *Mme Hespel est le second du directeur.* **2.** n. f. Classe de l'enseignement secondaire entre la troisième et la première. *Mme Bellec a arrêté ses études en seconde.*

▹ ***secondaire*** adj. **1.** Peu important. *Au début de sa carrière, ce comédien ne jouait que des rôles secondaires.* **2.** *L'enseignement secondaire,* c'est l'enseignement qui suit l'enseignement primaire. *Un C. E. S. est un collège d'enseignement secondaire.* — n. m. *Sylvain est un élève du secondaire.*

L'ère secondaire est une ère géologique pendant laquelle apparurent les oiseaux et les premiers mammifères.

Conjugaison 1

▹ ***seconder*** v. *Seconder une personne,* c'est l'aider, l'assister. *Mme Hespel seconde le directeur de l'usine.*

seconde n. f.

1. Soixantième partie de la minute. *Sylvain a couru cent mètres en dix secondes.* **2.** Temps très court. *Attendez-moi une seconde. Je n'en ai que pour deux secondes.*

Il y a 60 secondes dans une minute et 3 600 dans une heure.

Conjugaison 1

Le vent secouait les branches des platanes et des marronniers *(Lullaby).*

secouer v.

1. Remuer dans tous les sens plusieurs fois. *Secouez le flacon avant l'emploi ;* vois ***agiter.*** **2.** Ébranler. *M. Bonnot a été secoué par son opération ;* vois ***choquer.***

Autre membre de la famille : **secousse.**

Conjugaison 11 ▭ Indic. présent : *je secours, nous secourons.* Imparfait : *je secourais.* Passé simple : *je secourus.* Futur : *je secourrai.* — Subj. présent : *que je secoure.*

secourir v.

Secourir quelqu'un, c'est venir en aide à quelqu'un qui en a besoin. *Réjean a secouru Alex qui était en train de se noyer.*

▹ ***secourable*** adj. *Une personne secourable,* c'est une personne qui est toujours prête à aider les autres. *Réjean est un ami secourable.*

▹ ***secouriste*** n. m. et f. Personne qui a appris des méthodes de sauvetage pour venir en aide aux blessés. *Hippolyte a son brevet de secouriste.*

Un secouriste a suivi des cours de *secourisme.*

Ivan Ogareff ! cria Nadia, sachant bien que ce nom détesté ferait venir à son secours *(Michel Strogoff).*

▹ ***secours*** n. m. **1.** Ce qui aide une personne en danger à s'en sortir. *Une fois tombé dans le lac, Alex appela au secours. Réjean est venu au secours d'Alex qui se noyait.* **2.** Aide que l'on apporte à des victimes. *Le gouvernement a envoyé des secours aux populations chassées par l'inondation.* **3.** *M. Bellec a remplacé la roue crevée par la roue de secours,* de rechange.

« Au secours, au secours, voilà Monsieur le Marquis de Carabas qui se noie ! » *(le Chat botté).*

Une *sortie de secours* sert en cas d'urgence.

Attention ! deux ***s*** dans *secousse.*

secousse n. f.

Mouvement brusque qui secoue. *Le train a démarré après plusieurs secousses.*

Famille de **secouer**

Delphine et Marinette, qui voulaient faire une surprise à leurs parents, décidèrent de garder le secret sur les études du bœuf blanc
(les Contes du Chat perché).

Le calife et son vizir sortirent seuls par une porte secrète du jardin du palais
(les Mille et Une Nuits).

secret n. m. et adj.

▭ **n. m. 1.** Chose que l'on ne doit dire à personne. *Julie a dit un secret à Yasmina. Antoine ne sait pas garder les secrets.* **2.** Moyen connu seulement de quelques personnes. *M. Bellec a un secret pour faire le bœuf bourguignon.* **3.** *Faire une chose en secret,* c'est la faire sans que personne le sache. *Antoine a écrit une longue lettre à Marie-Tévy en secret,* en cachette.

▭ **adj. 1.** *Quelque chose de secret,* c'est quelque chose qui doit rester caché. *Le maire met ses documents secrets dans un coffre ;* vois ***confidentiel.*** **2.** *Une chose secrète,* c'est une chose connue de peu de personnes et qui est difficile à trouver. *Il y a un tiroir secret dans le secrétaire.* **3.** *Une personne secrète,* c'est une personne qui ne se confie pas. *Marie-Tévy est très secrète.*

La vérité, je crois, est que ma rencontre avec votre fille m'a semblé être un secret entre nous
(le Lion).

Nadia avait deviné qu'un mobile secret dirigeait tous les actes de Michel Strogoff
(Michel Strogoff).

secrétaire n. m. et f.

1. Personne qui s'occupe du courrier, répond au téléphone, classe les dossiers. *Mme Roussel est secrétaire à la biscuiterie.* **2.** n. m. *Un secrétaire,* c'est un meuble à tiroirs, avec un panneau que l'on peut rabattre et qui sert de table pour écrire. *Mme Séverac range les factures dans son secrétaire.*

Compare : *secrétaire → secrétariat* et *commissaire → commissariat.*

▹ ***secrétariat*** n. m. **1.** Bureau et service dirigé par un secrétaire. *Demandez les formulaires à mon secrétariat.* **2.** Métier de secrétaire. *Mme Roussel a suivi des cours de secrétariat.*

Conjugaison 6

sécréter v.

Sécréter un liquide, c'est le produire. *Les glandes salivaires sécrètent la salive.*

Les serpents venimeux sécrètent du venin.

La résine est une sécrétion du pin.

▹ ***sécrétion*** n. f. *La sueur est une sécrétion du corps,* une substance produite par le corps.

secte n. f.

Groupe de personnes qui ont des croyances et des pratiques religieuses qui les distinguent des autres membres d'une religion. *Les membres d'une secte se regroupent autour d'un chef religieux ou d'un maître spirituel.*

C'est un terme péjoratif qui évoque le fanatisme.

▹ ***sectaire*** adj. *Une personne sectaire,* c'est une personne qui n'admet pas que l'on n'ait pas les mêmes idées qu'elle ; vois ***intolérant.*** *Mme Harpie est sectaire.*

secteur n. m.

1. Partie d'un territoire. *Les enfants qui habitent dans le secteur de la mairie vont à l'école Jules-Ferry ;* vois ***quartier.*** **2.** Ensemble d'entreprises qui entrent dans la même catégorie. *Les entreprises qui ne dépendent pas de l'État font partie du secteur privé.*

Celles qui dépendent de l'État appartiennent au *secteur public.*

section n. f.

Le syndicat est constitué par les sections syndicales de toutes les entreprises.

1. Partie d'un groupe. *Mme Roussel est inscrite à la section syndicale de la biscuiterie.* **2.** *Une section,* c'est une partie d'une ligne d'autobus. *Il faut donner deux tickets pour trois sections.*

Une *section militaire* est un groupe d'une trentaine de soldats commandé par un lieutenant.

Conjugaison 1

▹ ***sectionner*** v. Couper. *Des maraudeurs ont sectionné les fils de fer barbelés.*

séculaire adj.

Qui existe depuis au moins cent ans. *Il y a des arbres séculaires dans la forêt de Motbourg.*

Va voir aussi ***centenaire.***

sécurité n. f.

1. Situation tranquille ne présentant aucun danger. *Ici, nous serons en sécurité,* à l'abri du danger. *Les gendarmes assurent la sécurité publique,* la sûreté des personnes. **2.** *La Sécurité sociale,* c'est une organisation de l'État qui aide les citoyens à faire face aux dépenses dues aux maladies, aux accidents, à la naissance des enfants. *La Sécurité sociale rembourse en partie les médicaments.*

Va voir *ceinture de sécurité* à ***ceinture.***

Pour bénéficier de l'aide de la Sécurité sociale, il faut avoir une carte d'immatriculation.

La Sécurité sociale a été créée en 1945.

Autre membre de la famille : **insécurité.**

sédentaire adj.

1. *Mme Roussel a un travail sédentaire,* qui ne l'oblige pas à se déplacer. **2.** *Un peuple sédentaire,* c'est un peuple qui vit toujours au même endroit. *De nos jours, la plupart des peuples sont sédentaires.*

Elle est toujours à la biscuiterie.

Le contraire de *sédentaire,* c'est *nomade.*

On emploie ce mot surtout au pluriel.

sédiment n. m.
Dépôt fait de débris de roches usées par l'eau, la glace ou le vent. *Il y a des sédiments au fond de la mer.*

séducteur n. m., **séductrice** n. f.
Personne qui emploie tous les moyens pour plaire. *Denis Prost est un grand séducteur,* il plaît aux femmes.

Va voir aussi ***séduire.***

séduction n. f.
Va voir aussi ***séduire.***
Pouvoir d'une personne qui séduit. *Denis Prost exerce une grande séduction sur les femmes.*

Conjugaison 38
▭ Indic. présent : *je séduis, nous séduisons.* Imparfait : *je séduisais.* Futur : *je séduirai.*

séduire v.
Plaire énormément. *Denis Prost a séduit Sophie Pelletier en la faisant rire. Mme Séverac a tout de suite été séduite par la gentillesse du maire.*
▸ **séduisant** adj. *Denis Prost est très séduisant,* il plaît beaucoup.

Au féminin : *séduisante.*

segment n. m.
Un segment de droite, c'est un morceau de ligne droite limité par deux points. *Tracez un segment de droite de trois centimètres.*

ségrégation n. f.
La ségrégation raciale, c'est la séparation complète entre les personnes de couleur et les Blancs, dans un pays. *L'Afrique du Sud pratique la ségrégation raciale.*

En Afrique du Sud, la ségrégation raciale s'appelle l'*apartheid.*

La seiche porte sur la tête huit bras et deux tentacules.

seiche n. f.
Petit animal marin qui projette un liquide noir quand il est attaqué ; vois ***calamar.*** *La seiche a une coquille intérieure.*

La seiche est un mollusque.
C'est l'*os de seiche.*

Le seigle est une céréale qui peut atteindre 2 mètres de haut.

seigle n. m.
Plante qui a des épis garnis de poils et contenant des grains gris qui produisent de la farine. *Le pain de seigle a une mie grisâtre.*

Le seigle résiste bien au froid.

seigneur n. m.
Noble dont dépendaient une terre et ses occupants. *Les seigneurs habitaient des châteaux.*

Ne confonds pas *sein, sain* et *saint.*

sein n. m.
1. Mamelle de la femme. *Mme Bellec a de gros seins. Sophie Pelletier a donné le sein à son bébé pendant deux mois,* elle l'a allaité. **2.** *Marie-Tévy a été bien accueillie au sein de sa nouvelle famille,* dans sa nouvelle famille.

Va voir aussi ***poitrine.***

séisme n. m.
Tremblement de terre. *Un terrible séisme a détruit Tokyo en 1923.*

seize adj. et n. m. invariable
1. adj. invariable Quinze plus un. *Julie a ramassé seize escargots dans le jardin. Antoine a ouvert son livre de géographie page seize,* à la seizième page. **2.** n. m. invariable Le nombre seize. *Vingt moins quatre font seize.*

16 en chiffres arabes
XVI en chiffres romains

Compare : *seize → seizième* et *douze → douzième.*

▸ **seizième** adj. et n. m. **1.** adj. Qui vient après le quinzième. *Le restaurant panoramique se trouve au seizième étage.* **2.** n. m. Partie d'un tout divisé en seize parties égales. *Yves a mangé les trois seizièmes de la tarte aux pommes.*

3/16 ou $\frac{3}{16}$

séjour n. m.
Temps pendant lequel on reste assez longtemps dans un endroit. *Mme Roussel est rentrée reposée de son séjour à Paimpol.*

Dans un appartement, la *salle de séjour* est la pièce où l'on se réunit le plus souvent.

Conjugaison 1

▸ **séjourner** v. Rester quelque temps dans un endroit. *Mme Roussel a séjourné deux semaines à Paimpol.*

Ne confonds pas *sel, selle* et *celle.*
Le sel se dissout dans l'eau.

sel n. m.
1. Matière blanche que l'on utilise pour assaisonner, saler les aliments. *Mme Roussel a oublié de mettre du sel dans l'eau des pâtes. Mme Harpie veut mettre son grain de sel dans l'éducation de son neveu,* elle veut intervenir, dire ce qu'elle pense, alors qu'elle ne devrait pas. **2.** Ce qui donne de l'intérêt. *Sophie Pelletier a fait une plaisanterie pleine de sel,* d'esprit, d'humour.

Le *gros sel* a de gros grains et le *sel fin* a des grains fins.
Le *sel gemme* est du sel que l'on tire des mines.
Le *sel marin* vient des marais salants.

Compare : *sélection → sélectionner, friction → frictionner* et *addition → additionner.*

sélection n. f.
Faire une sélection, c'est choisir ce qui convient le mieux. *Pour recruter son nouveau serveur, M. Bellec a dû faire une sélection parmi dix candidats ;* vois **choix.**

Attention ! deux *n.*

▸ **sélectionner** v. Choisir en faisant une sélection. *M. Bellec a sélectionné le candidat le plus dégourdi ;* vois **recruter.**

Conjugaison 1

Ce mot est d'origine anglaise. Au pluriel : *des self-services.*

self-service n. m.
Restaurant dans lequel le client se sert lui-même. *Mme Hespel a déjeuné dans un self-service.*

On dit aussi un *self,* mais c'est familier.

Ne confonds pas *selle, sel* et *celle.*

① **selle** n. f.
Les selles, ce sont les excréments des humains. *Le médecin a demandé que l'on fasse une analyse des selles du malade.*

Aller à la selle, c'est expulser ses excréments.

② **selle** n. f.
1. Morceau de cuir que l'on met sur le dos d'un cheval pour servir de siège au cavalier. *Denis Prost vérifie les sangles de la selle avant de monter à cheval.* **2.** Petit siège d'un vélo, d'une moto. *Yves règle la hauteur de la selle de son vélo.*

Ils allaient comme vont les gens d'armes, droits sur leurs selles *(Robin des Bois).*

Conjugaison 1

▸ **seller** v. *Seller un cheval,* c'est lui mettre une selle. *Denis Prost selle son cheval.*

Ne confonds pas *seller* et *sceller.*

Attention ! deux *l* et deux *t* dans *sellette.*

Cette expression est familière.

▸ **sellette** n. f. *Être sur la sellette,* c'est être la personne que l'on juge, que l'on interroge. *L'émission médicale vient de commencer, c'est au tour du docteur Séverac d'être sur la sellette.*

La sellette était un petit siège où s'asseyaient les accusés que l'on interrogeait.

selon préposition
1. En prenant pour modèle ; vois **conformément à, suivant.** *M. Bellec fait le civet selon une recette de sa grand-mère.* **2.** D'après. *Selon les journaux, Denis Prost a des chances de remporter un prix au festival de Cannes.* **3.** *Nous partirons ou non, selon le temps qu'il fera demain,* en fonction du temps. *L'humeur de Denis Prost change selon que son public l'admire ou le critique.*

Dès le lendemain, les noces furent faites, ainsi que Riquet à la Houppe l'avait prévu et selon les ordres qu'il en avait donnés *(Riquet à la Houppe).*

Ce mot est toujours au pluriel.

semailles n. f. plur.
Travail qui consiste à semer. *L'automne et le printemps sont les saisons des semailles.*

Famille de **semer**

En semaine, c'est entre le lundi et le vendredi.

Une revue *hebdomadaire* paraît une fois par semaine.

semaine n. f.
1. Période de sept jours que l'on fait commencer le dimanche ou le lundi. *Les enfants seront en vacances à partir de la semaine prochaine.* **2.** Durée de sept jours. *Mme Roussel prend une semaine de vacances, à partir de mercredi prochain.*

La fin de la semaine, c'est la *fin de semaine* ou le *week-end.*

Il y a 52 semaines dans une année.

Conjugaison 1

sembler v.
Avoir l'air, paraître. *La maison semblait abandonnée. Angèle semble fatiguée. Il m'a semblé entendre du bruit,* j'ai eu l'impression d'entendre du bruit. *Il semble que la pluie ait cessé,* on dirait que la pluie a cessé.

Les rochers blancs semblaient des icebergs debout sur l'eau *(Lullaby).*

Le contraire de *semblable,* c'est *différent.*

Dans la lumière du feu, un animal semblable à un chien se glissait d'un mouvement oblique et furtif *(Croc-Blanc).*

▸ **semblable** adj. et n. m. **1.** *Une chose semblable à une autre* est une chose qui lui ressemble beaucoup ; vois **analogue, comparable, similaire.** *Julie a voulu un pull semblable à celui de Yasmina. David et Nathalie ont des yeux semblables.* **2.** n. m. *Il a passé sa vie à s'occuper de ses semblables,* des autres, de son prochain.

Antoine *simulait.*

▸ **semblant** n. m. *Antoine faisait semblant de dormir,* il faisait comme s'il dormait, il se donnait l'apparence de quelqu'un qui dort.

Autres membres de la famille : **ressembler, ressemblance, ressemblant, vraisemblable, vraisemblablement, vraisemblance, invraisemblable, invraisemblance.**

Lullaby enfila ses chaussettes et ses chaussures montantes à semelle de crêpe *(Lullaby).*

semelle n. f.
1. Dessous de la chaussure. *Les chaussures d'Antoine glissent, car la semelle est usée.* **2.** Morceau de feutre, de liège, que l'on met dans une chaussure. *Yves met une semelle dans ses bottes parce qu'elles sont trop grandes.* **3.** *Ne pas quitter quelqu'un d'une semelle,* c'est rester tout le temps avec lui. *Claire ne quitte pas son cousin d'une semelle.*

Les semelles peuvent être en cuir, en caoutchouc, en liège.

Autre membre de la famille : **ressemeler.**

Conjugaison 5 ▭ Indic. présent : *je sème, nous semons, ils sèment.* Imparfait : *je semais.* Futur : *je sèmerai.*

semer v.
1. Mettre des graines dans la terre pour qu'elles donnent des plantes. *Pierre Séverac sème du blé.* **2.** Répandre. *Le docteur Séverac semait des pièces de monnaie par le trou de sa poche. Colle et Rat sèment la terreur dans la cour de récréation.*

Qui sème le vent récolte la tempête (proverbe).

Autres membres de la famille : **clairsemé, ensemencer, parsemé, semailles, semis.**

Ce mot s'emploie surtout au pluriel.

▸ **semence** n. f. Graine que l'on sème. *Pierre Séverac trie les semences pour sélectionner les meilleures graines.*

Compare *semestre* et *trimestre* : il s'agit de **mois**.

Compare : *semestre → semestriel* et *trimestre → trimestriel.*

semestre n. m.

Période de six mois. *Sophie Pelletier a passé un semestre dans une université américaine.*

▸ ***semestriel*** adj. *Le docteur Séverac est abonné à une revue semestrielle,* qui paraît tous les six mois.

Il y a 2 semestres dans une année.

On trouve ce mot surtout dans les livres.

sémillant adj.

Vif et gai ; vois ***fringant.*** *Denis Prost a joué dans un film le rôle d'un sémillant jeune musicien.*

séminaire n. m.

1. École où étudient les futurs prêtres catholiques. *L'abbé Gauthier a commencé des études de musique avant d'entrer au séminaire.* **2.** Réunion de personnes qui étudient un sujet. *Mme Hespel est allée à un séminaire d'ingénieurs du textile.*

Les élèves d'un séminaire sont les *séminaristes.*

Attention ! un trait d'union entre *semi* et *remorque.*

semi-remorque n. m.

Gros camion formé d'une remorque et d'un tracteur. *Deux semi-remorques se sont renversés sur l'autoroute.*

Famille de **remorquer**

Attention ! un *s* final dans *semis*, même au singulier.

semis n. m.

Terrain où l'on a semé des graines. *Une corde délimite l'emplacement des semis de salades.*

Famille de **semer**

semonce n. f.

Ce fut une verte semonce !

1. Reproche, réprimande. *Angèle, l'institutrice, a adressé une sérieuse semonce à Yves.* **2.** *Un coup de semonce,* c'est un coup de canon qui donne l'ordre à un navire de s'arrêter. *Le bâtiment ennemi continua sa route malgré les coups de semonce.*

Va voir aussi ***sommation.***

Le *sucre semoule* a des grains plus gros que le *sucre glace.*

semoule n. f.

Sorte de farine faite de morceaux de grains de blé dur. *Sophie Pelletier fait du caramel pour le gâteau de semoule.*

On fait le couscous avec de la semoule.

Au féminin : *sempiternelle.* Attention ! un *m* devant le *p.*

sempiternel adj.

Continuel et lassant ; vois ***perpétuel.*** *Mme Harpie ennuie tout le monde avec ses sempiternelles remontrances ;* vois ***éternel.***

Elle est *sempiternellement* mécontente.

Sénat n. m.

L'Assemblée nationale et le Sénat forment le Parlement.

Assemblée qui vote les lois, en France, et dont les membres sont élus par les députés, les conseillers généraux. *Les lois sont votées par l'Assemblée nationale, puis par le Sénat.*

Le Sénat siège au palais du Luxembourg, à Paris.

On dit *une femme sénateur.*

▸ ***sénateur*** n. m. Personne qui fait partie du Sénat. *Le maire de Motbourg est sénateur.*

Les sénateurs sont élus pour neuf ans.

sénile adj.

Propre aux vieillards, à la vieillesse. *Le vieil homme était affecté d'un léger tremblement sénile.*

Le contraire de *sénile,* c'est *juvénile.*

Attention ! pas d'accent sur le ***e***.

senior n. m. et f.

Sportif de la catégorie des adultes. *L'équipe des seniors a gagné.*

Les seniors sont entre les juniors et les vétérans.

Prononce le *s* final [sɑ̃s], sauf dans *sens dessus dessous* [sɑ̃dsydsu].

Autre membre de la famille : à **contresens.**

① *sens* n. m.

Direction. *Cette rue est en sens unique. Pour faire des sandwichs, on coupe le pain dans le sens de la longueur. On ferme le robinet en le tournant dans le sens des aiguilles d'une montre. Les cambrioleurs ont laissé la bijouterie sens dessus dessous,* dans un grand désordre.

Le chien courait par les sentiers en tous sens, battant les buissons et les taillis *(les Contes du Chat perché).*

Prononce le *s* final : [sɑ̃s].

② *sens* n. m.

1. *Les sens,* c'est ce qui permet à l'homme et aux animaux de sentir, de percevoir les objets. *La vue, l'ouïe, l'odorat, le goût, le toucher sont les cinq sens.* **2.** *Avoir le sens de quelque chose,* c'est le connaître sans réfléchir, par l'instinct. *Loïc a le sens de l'orientation. Yasmina a le sens du rythme.* **3.** *Avoir du bon sens,* c'est être capable de bien juger, savoir ce qui est raisonnable ; vois ***sagesse.*** *Le docteur Séverac admire le bon sens de Mamie Lou.* **4.** *À mon sens, Hippolyte n'épousera jamais Angèle,* à mon avis, d'après moi. **5.** *Le sens d'un mot,* c'est l'idée à laquelle il correspond ; vois ***signification.*** *Deux mots qui ont le même sens sont synonymes.*

Cela tombe sous le sens : c'est évident.

En perdant le sens des responsabilités, Croc-Blanc s'était affaibli et ne savait plus comment se gouverner *(Croc-Blanc).*

Va voir *sens figuré* à ***figuré*** et *sens propre* à ***propre.***

Alice éprouva une sensation très bizarre qui l'intrigua beaucoup jusqu'à ce qu'elle eût compris de quoi il s'agissait : elle recommençait à grandir *(Alice aux Pays des merveilles).*

▸ ***sensation*** n. f. **1.** *Une sensation,* c'est une impression que l'on a à partir de ce que l'on sent. *Le froid donne une sensation de brûlure. Angèle avait la sensation d'être suivie dans la rue. Alex aime les sensations fortes.* **2.** *Faire sensation,* c'est faire une forte impression sur les gens. *L'entrée de Denis Prost fit sensation.*

J'éprouvai une singulière et subtile sensation de fraîcheur : ce corps était si grand, si large, qu'il m'abritait du soleil *(le Lion).*

Attention ! deux ***n.***

▸ ***sensationnel*** adj. *L'annonce du mariage d'Hippolyte et d'Angèle serait une nouvelle sensationnelle,* qui ferait sensation.

C'est familier d'employer *sensationnel* pour *exceptionnel.*

Elle a des *idées sensées.*

▸ ***sensé*** adj. *Une personne sensée,* c'est une personne qui a du bon sens ; vois ***raisonnable, sage.*** *Angèle est une femme très sensée.*

Ne confonds pas *sensé* et *censé.*

▸ ***sensibilité*** n. f. **1.** *Marie-Tévy a beaucoup de sensibilité,* elle réagit très fort à ce qu'elle sent, à ce qui lui arrive. *C'est une œuvre pleine de sensibilité,* d'émotion, de sentiment. **2.** *Sylvain est d'une grande sensibilité au froid,* il réagit très fort au froid. **3.** *Cette balance est d'une grande sensibilité,* elle est très sensible, elle réagit à de petits changements.

Elle a *une vive sensibilité.*

Le contraire de *sensibilité,* c'est *insensibilité.*

▸ ***sensible*** adj. **1.** Capable de sentir. *L'oreille des chiens est sensible aux ultrasons.* **2.** Douloureux au moindre contact. *Mme Bonnot a les pieds sensibles.* **3.** Émotif, impressionnable. *Marie-Tévy est une enfant très sensible. Mme Roussel a été sensible à la gentillesse de son fils,* elle en a été touchée, émue. **4.** *Un appareil sensible,* c'est un appareil qui réagit au moindre contact. *Le pharmacien a une balance très sensible.* **5.** *Les prix ont baissé de façon sensible,* d'une façon suffisante pour qu'on le remarque ; vois ***appréciable, notable.***

Le contraire de *sensible,* c'est *insensible.*

Faire vibrer la corde sensible, c'est parler à une personne de ce qui la touche le plus.

▸ ***sensiblement*** adv. **1.** À peu près. *Yves et Antoine ont sensiblement la même taille.* **2.** Assez pour être remarqué. *Les prix ont sensiblement baissé.*

▸ ***sensiblerie*** n. f. Sensibilité exagérée. *Le docteur Séverac accuse parfois sa femme de sensiblerie.*

Autres membres de la famille : **contresens, insensé, insensible, insensibiliser, insensibilité, insensiblement, non-sens.**

Une *sentence,* c'est aussi une maxime de morale.

sentence n. f.
Décision d'un juge ; vois ***jugement, verdict.*** *Le juge a prononcé sa sentence.*

La senteur de la fumée des feux emplissait ses narines *(Croc-Blanc).*

senteur n. f.
Odeur agréable ; vois ***parfum.*** *La senteur fraîche de l'herbe coupée embaumait.*

Famille de **sentir**

sentier n. m.
Chemin étroit. *Les enfants marchaient à la queue leu leu sur le sentier qui mène à la grotte.*

Un vif sentiment de pitié se peignit sur la figure d'Alcide Jolivet et de son compagnon *(Michel Strogoff).*

sentiment n. m.
1. Ce que l'on éprouve, ce que l'on ressent ; vois ***émotion, passion.*** *Antoine éprouve parfois un sentiment de haine pour sa tante.* **2.** Impression. *Yves a le sentiment de s'être trompé,* il s'en doute, sans en être très sûr, sans savoir en quoi.

L'amour était un sentiment que Croc-Blanc continuait à ignorer *(Croc-Blanc).*

Les *bons sentiments,* ce sont les sentiments généreux.

Famille de **sentir**

▸ ***sentimental*** adj. *Une personne sentimentale,* c'est une personne rêveuse, sensible, romanesque. *Mme Bellec est très sentimentale.*

sentinelle n. f.
Soldat qui surveille ce qui se passe. *Deux sentinelles montent la garde devant la tente du général.*

La sentinelle s'abrite dans une guérite.

Conjugaison 16 ▭ Indic. présent : *je sens, nous sentons.* Futur : *je sentirai.* — Subj. présent : *que je sente.*

sentir v.
1. *Sentir une chose,* c'est la connaître par les sens, par des sensations. *Mamie Lou a senti un courant d'air. — Mme Bellec s'est sentie mieux après la sieste. Yves ne se sentait plus de joie,* il était fou de joie. **2.** *Sentir une odeur,* c'est en avoir la sensation par l'odorat. *Je sens une odeur de brûlé. Claire cueillit une fleur et la sentit,* elle la respira pour savoir si elle avait une odeur. **3.** Avoir une impression, un pressentiment. *Yves ne sentait pas le danger,* il ne s'en rendait pas compte. *David ne sent pas sa force. — Julie s'est sentie humiliée.* **4.** Apprécier, goûter. *Antoine sentait la beauté du paysage.* **5.** *Faire sentir quelque chose à quelqu'un,* c'est faire qu'il s'en rende compte. *Colle et Rat ont fait sentir à Yasmina qu'elle était de trop.* **6.** Dégager une odeur. *Cette fleur ne sent rien. Cela sent le poulet rôti.*

Lullaby sentit son cœur battre très fort *(Lullaby).*

L'ogre flairait à droite et à gauche, disant qu'il sentait la chair fraîche *(le Petit Poucet).*

Je ne sais qu'une chose, ou plutôt je ne la sais pas, je la sens ! *(Michel Strogoff).*

Autres membres de la famille : **assentiment, consentir, consentement, pressentir, pressentiment, senteur, sentiment, sentimental, ressentiment, ressentir.**

Conjugaison 26 ▭ *Seoir* ne se conjugue qu'à la 3e personne.

Autres membres de la famille : **bienséance, ② séant, seyant.**

seoir v.

Seoir à quelqu'un, c'est lui aller bien, l'avantager, lui convenir. *Ce soir-là, Angèle portait une robe qui lui seyait à merveille. L'invité d'honneur était placé à droite de Mme Séverac, comme il sied en ce genre d'occasion.*

Les voilà bien aises et bien occupées à choisir les habits et les coiffures qui leur siéraient le mieux *(Cendrillon).*

Les sépales, parfois verts, peuvent ressembler à des pétales.

sépale n. m.

Chacune des petites pièces du calice d'une fleur, situées à la base des pétales. *Les sépales protègent la corolle de la fleur en bouton.*

Les sépales s'écartent au moment de l'éclosion de la fleur.

Conjugaison 1

Famille de **part**

Aucun enclos, aucune haie, aucune marque visible ne séparait le Parc de la brousse ordinaire *(le Lion).*

séparer v.

1. *Séparer des personnes,* c'est les éloigner les unes des autres. *Angèle a séparé Antoine et Yves qui se battaient. — Les parents d'Antoine se sont séparés il y a plusieurs années,* ils se sont quittés. **2.** Considérer comme étant à part ; vois ***différencier, dissocier.*** *Denis Prost a toujours séparé sa vie privée de son métier d'acteur.* **3.** Constituer une séparation. *Une grille sépare le jardin de la rue,* elle isole le jardin de la rue. **4.** *Le fleuve se sépare en deux bras,* il se divise.

Le contraire de *séparer,* c'est *rassembler, réunir.*

Le contraire de *séparer,* c'est *confondre, mélanger.*

▸ ***séparation*** n. f. **1.** Fait d'être séparé. *Antoine souffre un peu de la séparation de ses parents,* de ce que ses parents sont séparés. **2.** Ce qui sépare deux choses. *Chez Hippolyte, un simple rideau sert de séparation entre le cabinet de toilette et la chambre.*

Le contraire de *séparation,* c'est *union.*

▸ ***séparément*** adv. De façon séparée, à part l'un de l'autre. *La directrice a interrogé Colle et Rat séparément,* l'un après l'autre.

Le contraire de *séparément,* c'est *ensemble.*

Sept [sɛt] rime avec *sucette.*

Ne confonds pas *sept, cet* et *cette.*

sept adj. invariable

Six plus un. *Il y a sept jours dans la semaine. Mme Roussel se lève à sept heures tous les matins. Yves est né le sept juillet,* le septième jour du mois de juillet. — n. m. invariable Le numéro sept. *M. Bellec avait le sept de cœur.*

7 en chiffre arabe
VII en chiffres romains

Ce mot est employé en Belgique et en Suisse.

▸ ***septante*** adj. et n. m. invariable Soixante-dix. *Soixante plus dix font septante.*

Autres membres de la famille : **septennat, septième.**

septembre n. m.

Neuvième mois de l'année. *L'automne commence le 23 septembre.*

Attention ! deux ***n*** et un ***t*** final dans *septennat.*

septennat n. m.

Période de sept ans. *En France, le président de la République est élu pour un septennat.*

Famille de **sept**

Au masculin pluriel : *septentrionaux.*

septentrional adj.

Situé au nord. *La Scandinavie est en Europe septentrionale.*

Le contraire de *septentrional,* c'est *méridional.*

Ne prononce pas le ***p*** : [sɛtjɛm].

Famille de **sept**

septième adj. et n. m.

1. adj. Qui vient après le sixième. *Juillet est le septième mois de l'année.*
2. n. m. Partie d'un tout qui est divisé en sept parties égales. *Yasmina a mangé les six septièmes de la tarte.*

6/7 ou $\frac{6}{7}$

sépulture n. f.

Lieu où est enterré un mort ; vois ***tombe, tombeau.*** *Dans l'ancienne Égypte, les pyramides servaient de sépulture aux pharaons.*

Ce mot n'est pas très courant.

Ce mot s'emploie toujours au pluriel.

séquelles n. f. plur.

Troubles qui persistent après une maladie ou un accident. *M. Bonnot a gardé des séquelles de sa blessure de guerre.*

séquence n. f.

Suite d'images qui forme une scène, dans un film. *Cette séquence, très difficile à jouer pour les acteurs, a été refaite plusieurs fois.*

Le metteur en scène n'était jamais satisfait !

Conjugaison 1

Compare : *séquestrer → séquestration* et *illustrer → illustration.*

séquestrer v.

Séquestrer quelqu'un, c'est le maintenir enfermé sans en avoir le droit. *Les malfaiteurs ont séquestré l'enfant pour obtenir une rançon.*

▸ ***séquestration*** n. f. État d'une personne enfermée. *La séquestration des otages dure depuis plusieurs mois,* les otages sont séquestrés depuis plusieurs mois.

Prononce [sekɔja].
Au pluriel : *des séquoias.*

séquoia n. m.
Très grand arbre d'Amérique du Nord, de la famille du sapin, qui peut vivre très longtemps. *Certains séquoias de Californie atteignent 120 mètres de haut.*

Il existe des séquoias de deux mille, et même quatre mille ans.

Serein [səʀɛ̃] rime avec *rein* et *parrain.*
Au féminin : *sereine.*

serein adj.
1. Pur et calme, sans nuages. *Le ciel était serein, c'était une belle journée d'été.* **2.** Calme et tranquille ; vois ***paisible.*** *La réunion du conseil municipal a été houleuse, seul le maire est resté serein.*

Ne confonds pas *serein* et *serin.*

▷ ***sérénité*** n. f. Calme, tranquillité d'esprit. *Le maire a conservé toute sa sérénité.*

Autre membre de la famille : **rasséréner.**

sérénade n. f.
Concert qui se donnait autrefois la nuit sous la fenêtre d'une femme aimée. *Le jeune comte, éperdu d'amour, avait fait venir deux joueurs de luth pour donner une sérénade à sa belle.*

Prononce [sɛʀ] ou [sɛʀf].
Ne confonds pas *serf* et *cerf.*

serf n. m.
Au Moyen Âge, paysan qui dépendait entièrement du seigneur dont il travaillait la terre. *Les serfs devaient donner une grande partie de leur récolte au seigneur.*

Les serfs n'avaient aucune liberté et étaient soumis à de nombreuses corvées.

sergent n. m.
Sous-officier du grade le plus bas. *Le sergent porte un galon sur sa manche.*

série n. f.
1. Suite, succession de choses semblables. *Mme Roussel vient d'acheter une série de casseroles. La dictée est suivie d'une série de questions.* **2.** Grand nombre d'exemplaires exactement semblables fabriqués à la chaîne. *Les voitures sont fabriquées en série.*

Va voir aussi *à la chaîne* à ***chaîne.***

On les appelle des *voitures de série.*

sérieux adj. et n. m.
▭ **adj. 1.** *Un visage sérieux,* c'est un visage qui ne sourit pas ; vois ***grave.*** *Le visage du docteur Séverac est souvent sérieux.* **2.** Appliqué ; vois ***consciencieux.*** *Yasmina est une élève sérieuse.* **3.** Grave, inquiétant. *La pneumonie et la scarlatine sont des maladies sérieuses.*

Le petit garçon avait un visage sérieux et ses yeux bleus étaient cachés par des lunettes
(Lullaby).

▭ **n. m. 1.** Qualité d'une personne appliquée, consciencieuse. *Alex manque de sérieux dans son travail.* **2.** *Garder son sérieux,* c'est s'empêcher de rire. *L'institutrice avait du mal à garder son sérieux devant les pitreries d'Antoine.* **3.** *Prendre quelque chose au sérieux,* c'est y attacher de l'importance. *Marie-Tévy prend tout ce qu'on lui dit très au sérieux.*

Les petites avaient du mal à garder leur sérieux et plusieurs fois, en rencontrant le regard de sa sœur, Marinette fit semblant de s'étrangler pour dissimuler qu'elle riait
(les Contes du Chat perché).

▷ ***sérieusement*** adv. **1.** Sans rire, sans plaisanter. *Quand on plaisante, Marie-Tévy croit toujours que l'on parle sérieusement.* **2.** Avec application, conscience ; vois ***consciencieusement.*** *Si Alex avait travaillé plus sérieusement, il aurait sûrement eu son bac.* **3.** Fortement ; vois ***gravement.*** *Le blessé était sérieusement atteint à la jambe.*

Compare :
sérieux → sérieusement
et *curieux → curieusement.*

Je ne plaisante pas, monsieur. Je parle très sérieusement
(Charlie et la Chocolaterie).

Ne confonds pas *serin* et *serein.*

serin n. m.
Petit oiseau au plumage jaune ; vois ***canari.*** *Les Bonnot ont un couple de serins en cage.*

Le serin est un passereau. C'est un très bon chanteur.

Conjugaison 1

▷ ***seriner*** v. Répéter sans arrêt. *Mme Harpie serine toujours les mêmes histoires.*

Ce mot est familier.

seringue n. f.
Petite pompe terminée par une aiguille qui sert à injecter un liquide dans le corps. *On fait les piqûres avec une seringue.*

serment n. m.
Promesse solennelle faite en invoquant quelque chose de sacré ou de grande valeur morale. *Dans un procès, les témoins et les jurés font le serment de dire la vérité. Les témoins ont prêté serment,* ils se sont engagés à dire la vérité, ils l'ont juré.

Les magistrats et les médecins font un serment pour s'engager à bien exercer leur métier.

Il n'y a pas de serment qui puisse empêcher un fils de secourir sa mère
(Michel Strogoff).

sermon n. m.
1. Discours que fait un prêtre dans une église, au cours d'une cérémonie religieuse. *À la messe de onze heures, l'abbé Gauthier a fait un sermon*

sur la charité. **2.** Discours souvent long et ennuyeux, destiné à réprimander quelqu'un. *Mme Harpie fait un sermon à son neveu chaque fois qu'elle le rencontre.*

Va voir aussi *faire la leçon* à ***leçon*** et *faire la morale* à ***morale.***

Conjugaison 1

▸ ***sermonner*** v. Faire des reproches, des remontrances. *Mme Hespel a sermonné son fils Alex qui vient d'échouer au bac.*

serpe n. f.

Outil tranchant à large lame recourbée, terminé par un manche et servant à tailler, à élaguer les branches des arbres. *Le jardinier élague à la serpe les branches du marronnier.*

Un *visage taillé à coups de serpe* est un visage aux traits rudes, grossiers.

Compare : *serpe → serpette* et *boule → boulette.*

▸ ***serpette*** n. f. Petite serpe. *Le vigneron taille sa vigne avec une serpette.*

serpent n. m.

Les serpents se nourrissent d'œufs et d'animaux vivants.

Animal au corps cylindrique très allongé et couvert d'écailles, dépourvu de pattes et qui se déplace en rampant. *Les morsures de serpents peuvent être très dangereuses.*

Les serpents sont des reptiles. Les vipères, les couleuvres et les boas sont des serpents.

Conjugaison 1

▸ ***serpenter*** v. Faire des méandres. *La rivière serpente entre deux haies de saules.*

Compare : *serpent → serpentin* et *tambour → tambourin.*

▸ ***serpentin*** n. m. Petit rouleau de papier coloré qui se déroule quand on le lance. *Le jour du carnaval, les enfants lançaient des serpentins.*

Attention ! deux *l*, puis un *i* dans *serpillière.*

serpillière n. f.

Chiffon de grosse toile servant à laver le sol. *Odile Séverac passe la serpillière sur le carrelage de la cuisine.*

Serre prend deux *r.*

serre n. f.

Construction vitrée, quelquefois chauffée, où l'on cultive les plantes qui craignent le froid. *En France, les plantes exotiques sont cultivées en serre.*

L'hiver, les légumes sont parfois cultivés dans des serres.

Conjugaison 1

serrer v.

La vieille serra Blancheneige si fort avec le lacet, qu'elle en perdit le souffle et tomba comme morte *(Blancheneige).*

1. Tenir fort en pressant, en comprimant. *Dans la rue, Mme Harpie serre son sac contre elle.* **2.** *M. Bellec serre les boulons de la roue qu'il vient de changer,* il les visse à fond. **3.** Comprimer. *Julie a enlevé ses chaussures neuves qui lui serraient les pieds.* **4.** *Dans le métro, aux heures d'affluence, les gens sont serrés,* ils sont les uns contre les autres. — *Claire se serre contre sa mère,* elle se blottit contre elle.

Wassili Fédor serra avec émotion la main que lui tendit le grand-duc *(Michel Strogoff).*

Ils sont *serrés comme des sardines.*

Attention ! deux *r* dans *serrer* et *serres.*

▸ ***serres*** n. f. plur. Griffes très puissantes des oiseaux de proie. *L'aigle a emporté un lapin dans ses serres.*

Autres membres de la famille : **desserrer, resserrer.**

serrure n. f.

Elle pensa mourir de peur, et la clef du cabinet, qu'elle venait de retirer de la serrure, lui tomba de la main *(la Barbe-bleue).*

Dispositif qui permet d'ouvrir une porte ou un meuble à l'aide d'une clé. *Angèle introduisit la clé dans la serrure. Julie regarde par le trou de la serrure.*

▸ ***serrurier*** n. m. Personne qui fait et répare les serrures et fabrique les clés. *Le serrurier est venu poser une nouvelle serrure chez les Séverac.*

Conjugaison 2

sertir v.

Sertir une pierre précieuse, c'est la fixer dans une monture. *Le joaillier sertit un diamant dans une monture en or.*

Sérum [serɔm] rime avec *rhum* et *pomme.*

Au pluriel : *des sérums.*

sérum n. m.

1. Liquide jaunâtre qui se sépare d'un caillot de sang coagulé. *Le sang est composé de globules et de sérum.* **2.** Liquide tiré du sang et destiné à lutter contre certains microbes ; vois ***vaccin.*** *Il existe un sérum qui protège contre le tétanos.*

Il y a des sérums contre les morsures de serpent.

Famille de **servir**

servante n. f.

Autrefois, femme employée comme domestique ; vois ***bonne.*** *Une armée de servantes et de valets s'affairait dans le château.*

Famille de **servir**

serveur n. m., **serveuse** n. f.

Personne qui sert les clients dans un café ou un restaurant. *Denis Prost laissa un pourboire à la serveuse.*

Famille de **servir**

serviable adj.

Toujours prêt à rendre service ; vois ***complaisant.*** *Mme Roussel est très serviable.*

Famille de **servir**

service n. m.
1. Travail que l'on a à accomplir. *Le facteur prend son service à 7 heures.* **2.** Groupe de personnes qui travaillent ensemble. *M. Doucet travaille au service administratif de sa société.* **3.** *Le service militaire,* c'est la période pendant laquelle un jeune homme doit servir dans l'armée. *Hippolyte a déjà fait son service militaire.* **4.** Travail de celui qui sert des clients. *Au restaurant Bellec, le service est impeccable,* on est impeccablement servi. **5.** Somme d'argent destinée au serveur ou à la serveuse d'un restaurant et qui s'ajoute au prix du repas ; vois ***pourboire.*** *Le service est le plus souvent de 15 %.* **6.** *Un service,* c'est ce que l'on fait pour aider quelqu'un. *Yasmina rend beaucoup de services à sa mère. Mme Roussel rend volontiers service à ses voisins,* elle cherche à les aider, à leur être utile. **7.** *Le distributeur de billets est hors service,* il ne fonctionne pas. **8.** Ensemble de pièces de vaisselle assorties. *Dans les grandes occasions, Mme Bellec sort son service en porcelaine de Limoges.*

Les *services publics,* ce sont les activités utiles à tous dans un pays ou dans une ville.

Le projet d'Ivan Ogareff est donc [...] d'offrir ses services au grand-duc *(Michel Strogoff).*

La panthère rendait des services. Par exemple, on pouvait dormir sur ses deux oreilles, la maison était bien gardée *(les Contes du Chat perché).*

Un *service à café,* c'est un assortiment de tasses à café et de soucoupes.

serviette n. f.
1. Morceau de tissu dont on se sert à table ou pour la toilette. *Denis Prost pose sa serviette de table sur ses genoux. Alex s'allonge sur sa serviette de bain.* **2.** Cartable ; vois ***porte-documents.*** *Mme Hespel transporte ses dossiers dans une serviette en cuir.*

La vieille dame lui noue une serviette autour du cou pour qu'il ne fasse pas de taches sur son beau costume *(Babar).*

Il ne faut pas mélanger les torchons et les serviettes (proverbe).

servile adj.
Qui marque la soumission. *Colle et Rat voulaient s'attirer l'indulgence de la maîtresse par des flatteries serviles ;* vois ***bas.***

Conjugaison 14
▭ Indic. présent : *je sers, nous servons, ils servent.* Imparfait : *je servais.* Futur : *je servirai.*

servir v.
1. *Servir chez quelqu'un,* c'est travailler pour lui, être son domestique. *La grand-mère de Mme Roussel avait servi comme femme de chambre dans un château.* **2.** *Servir quelqu'un à table,* c'est lui donner à manger. *Mme Bellec sert Yves. — Yves ne se sert pas tout seul.* **3.** *Servir quelque chose à quelqu'un,* c'est lui donner cette chose à boire ou à manger. *M. Bellec nous a servi une salade en entrée et de l'ananas comme dessert.* **4.** Aider, être utile. *L'imagination d'Antoine le sert bien.* **5.** *Servir à quelque chose,* c'est être utile. *Les lunettes de soleil ne te serviront à rien s'il pleut. Le tire-bouchon sert à ouvrir les bouteilles.* **6.** Être utilisé. *Cette pièce sert de débarras.* **7.** *Se servir de quelque chose,* c'est l'utiliser. *Mme Bellec se sert d'une machine à calculer pour faire ses comptes.*
▷ ***serviteur*** n. m. Homme dont le métier est de travailler pour un maître ; vois ***domestique.*** *Les serviteurs du château ont astiqué les cuivres.*

On n'est jamais si bien servi que par soi-même (proverbe).

Nous avons appris que tu allais nourrir tous les Animaux de la terre, et mes frères m'ont envoyé demander quand ce serait servi *(Histoires comme ça).*

Maintenant nager ne servait plus à rien. L'eau calme, devenue soudain furieuse, le roulait avec elle *(Croc-Blanc).*

Autres membres de la famille : **desservir, libre-service, resservir, servante, serveur, serviable, service, station-service.**

servitude n. f.
1. Esclavage ; vois ***sujétion.*** *Les Romains réduisaient les peuples vaincus en servitude.* **2.** Contrainte, obligation. *Odile Séverac se plaint parfois des servitudes de la ferme.*

Le contraire de *servitude,* c'est *liberté.*

ses va voir ① ***son.***

Attention ! trois *s* dans *session.* Ne confonds pas *session* et *cession.*

session n. f.
La session d'un examen, c'est la période pendant laquelle on peut le passer. *Autrefois, il y avait une deuxième session du baccalauréat en septembre.*

Une *session du Parlement,* c'est la période pendant laquelle il se réunit.

Set [sɛt] rime avec *chaussette.*

set n. m.
Partie d'un match de tennis, de ping-pong ou de volley-ball ; vois ***manche.*** *Le champion a gagné la finale en trois sets.*

Ne confonds pas *set, cet, cette* et *sept.*

Seuil [sœj] rime avec *cerfeuil.*

seuil n. m.
1. Entrée d'une maison. *M. Bellec se tenait sur le seuil du restaurant,* sur le pas de la porte. **2.** Commencement. *Je vous souhaite, au seuil de l'année nouvelle, beaucoup de bonheur.*

seul adj.
1. Sans personne avec soi. *Mme Harpie vit seule. Un homme seul marchait dans les bois. Claire sait manger toute seule,* sans qu'on l'aide. **2.** Unique. *Yves est l'un des seuls élèves à avoir su répondre à la question. Il n'y a plus une seule place de libre.* — n. *Yves a été le seul à répondre à la question.* **3.** Seulement. *Seuls les enfants peuvent monter sur le manège. Antoine aime Marie-Tévy, et elle seule.*
▷ ***seulement*** adv. **1.** Uniquement, sans rien d'autre. *Il reste seulement deux places,* il ne reste que deux places. *Antoine vient seulement d'arriver,* il arrive à l'instant ; vois ① ***juste.*** *Non seulement il est en retard, mais*

— Où sont les hommes ? reprit enfin le petit prince. On est un peu seul dans le désert... — On est seul aussi chez les hommes, dit le serpent *(le Petit Prince).*

Une personne seule est *solitaire.* Elle est dans la *solitude.*

En vérité, ce projet semblait excellent [...] ; la seule difficulté c'est qu'Alice ne savait pas le moindrement du monde comment le mettre à exécution *(Alice au Pays des merveilles).*

Sa pipe de sucre rouge entre deux doigts seulement, il se cambre, incline la tête du côté gauche *(Poil de Carotte).*

en plus il trouve cela drôle. **2.** Mais. *Hippolyte rêve d'épouser Angèle, seulement elle n'est pas d'accord.*

On sentait [...] la sève monter dans les arbres *(Croc-Blanc).*

sève n. f.
Liquide qui circule dans les plantes et les nourrit. *La sève monte dans les feuilles au printemps.*

La sève est tirée du sol par les racines.

Le contraire de *sévère,* c'est *indulgent.*

On dit aussi : *une défaite sévère.*

sévère adj.
1. *Une personne sévère,* c'est une personne dure, exigeante, qui punit facilement. *La directrice de l'école est très sévère. Mme Harpie regarde son neveu d'un air sévère.* **2.** Sans gaieté ; vois ***austère, strict.*** *Mme Roussel a une coiffure sévère.* **3.** Très grave, très difficile. *L'équipe de Motbourg a infligé une sévère défaite à ses adversaires.*

Aussi sévère que celle des dieux était la discipline imposée par Croc-Blanc à ses compagnons *(Croc-Blanc).*

▸ ***sévèrement*** adv. Avec sévérité. *La directrice a parlé sévèrement à Antoine.*

Attention ! un *é* accent aigu, puis un *è* accent grave dans *sévère et sévèrement.*

Attention ! trois *é* dans *sévérité.*

▸ ***sévérité*** n. f. Caractère d'une personne sévère. *La directrice a critiqué Antoine avec sévérité.*

Le contraire de *sévérité,* c'est *indulgence.*

Ce mot est toujours au pluriel.

sévices n. m. plur.
Mauvais traitements ; vois ***coup, violence.*** *Le prisonnier s'est plaint de sévices exercés sur lui.*

Conjugaison 2

sévir v.
1. Punir sévèrement. *La directrice de l'école a sévi contre Colle et Rat.* **2.** Faire des ravages. *Une effroyable épidémie de peste sévit à Londres en 1655.*

Elle les a renvoyés.

On commence à lui donner de la soupe, de la bouillie.

sevrer v.
Sevrer un enfant, c'est cesser de l'allaiter et de ne lui donner que du lait. *Martin a été sevré à deux mois.*

Conjugaison 5

sexe n. m.
1. Ce qui fait que l'on distingue l'homme de la femme, ou le mâle de la femelle. *Martin est un enfant du sexe masculin.* **2.** *Les femmes ont beaucoup lutté pour l'égalité des sexes,* des hommes et des femmes. **3.** Partie du corps située entre les cuisses, et qui est différente chez l'homme et chez la femme. *Le sexe est la partie externe des organes de la reproduction.*

On dit par plaisanterie que les hommes sont le *sexe fort,* et les femmes le *sexe faible.*

Au féminin : *sexuelle.*

▸ ***sexuel*** adj. Relatif au sexe. *Les organes sexuels de l'homme sont différents de ceux de la femme.*

On dit aussi les *organes génitaux.*

Famille de **seoir**

seyant adj.
Julie porte une robe très seyante, qui lui va très bien.

On écrit aussi *shampoing.*
Prononce [ʃɑ̃pwɛ̃].

shampooing n. m.
1. Lavage des cheveux. *Mme Bellec se fait deux shampooings par semaine.* **2.** Produit qui sert à se laver les cheveux. *Mme Séverac se lave les cheveux avec un shampooing traitant.*

Prononce [ʃeʀif].

shérif n. m.
Officier de police, aux États-Unis. *Le shérif a arrêté les malfaiteurs et les a jetés en prison.*

Le shérif est élu.

Shoot [ʃut] rime avec *route.*

shoot n. m.
Coup de pied puissant dans un ballon. *Le but a été marqué sur un shoot de l'ailier droit.*

Ce mot est d'origine anglaise.

Conjugaison 1

▸ ***shooter*** v. Donner un coup de pied puissant dans un ballon. *L'ailier a shooté dans le but.*

Prononce le *t* final : [ʃɔʀt].

short n. m.
Culotte courte. *Denis Prost met un short et un tee-shirt blancs pour jouer au tennis.*

Un *bermuda* est un short long.

Si devient *s'* devant *il* et *ils.*

Il faut bien que je supporte deux ou trois chenilles si je veux connaître les papillons *(le Petit Prince).*

① ***si*** conjonction
1. *Si* sert à introduire une condition, une hypothèse. *Si tu vas à Paris, va voir la tour Eiffel. Si j'avais su, je ne serais pas venue. Et si Mme Harpie allait tout raconter ?* **2.** *Si* sert à introduire une proposition complétive. *Hippolyte se demande si Angèle viendra au rendez-vous. Dis-moi si cela te plaît.*

Ne confonds pas *si, ci, scie* et *six.*

Autre membre de la famille : **sinon.**

② **si** adv.
1. *Si* sert à s'opposer à ce que quelqu'un vient de dire à la forme négative. *« Angèle n'est pas corse. — Si, elle est corse. » Hippolyte n'est pas corse, Angèle si.* **2.** Tellement, autant. *Pas si vite ! Marie-Tévy ne s'était jamais sentie si heureuse ;* vois **aussi.** *Ils ont si mal joué qu'ils ont été sifflés.* **3.** *Si* est utilisé dans les comparaisons ; vois **aussi.** *On n'est jamais si bien servi que par soi-même.*

La tante Mélina n'est pas si méchante qu'on le dit *(les Contes du Chat perché).*

Autre membre de la famille : **sitôt.**

③ **si** n. m. invariable
Note de musique. *Sylvain a joué un la au lieu d'un si.*

Au pluriel : *des si.*

Do, ré, mi, fa, sol, la, si.

siamois adj.
1. *Un chat siamois,* c'est un chat au poil ras et aux yeux bleus. *Un chat siamois dormait sur le fauteuil.* **2.** *Des frères siamois,* ce sont des jumeaux qui naissent attachés l'un à l'autre. *On détacha des frères siamois pour la première fois en 1912, en Angleterre.* — n. *Autrefois, on exhibait les siamois dans les cirques.*

Le *Siam* est l'ancien nom de la Thaïlande. Les chats siamois sont originaires d'Asie.

sibyllin adj.
Mystérieux, obscur, difficile à comprendre ; vois **énigmatique.** *Le magicien prononça des paroles sibyllines.*

Attention ! un *y* après le *b* dans *sibyllin.*

Ce mot se trouve surtout dans les livres.

sidérer v.
Étonner beaucoup ; vois **ébahir, époustoufler.** *Cette nouvelle nous a sidérés.*

Conjugaison 6

sidérurgie n. f.
Industrie qui produit la fonte, le fer et l'acier. *La sidérurgie lorraine a connu de graves difficultés.*

Les *sidérurgistes* sont les ouvriers ou les industriels de la sidérurgie.

La sidérurgie est la *métallurgie* du fer et de l'acier.

siècle n. m.
Période de cent ans. *Cette ferme a plus d'un siècle. La Fontaine vivait au XVII*[e] *siècle,* pendant la période comprise entre 1601 et 1700.

Le XXe siècle a commencé le 1er janvier 1901.

Un arbre *séculaire* est un arbre qui a plus d'un siècle.

siège n. m.
1. Endroit où se trouvent la direction et les principaux services d'un organisme. *La société où travaille M*[me] *Hespel a son siège à Paris.* **2.** *Faire le siège d'une ville,* c'est s'établir devant pour s'en emparer. *Les Allemands firent le siège de Paris pendant la guerre de 1870-1871.* **3.** Objet fabriqué pour que l'on puisse s'asseoir dessus. *Angèle pose son panier sur le siège arrière de la voiture. Prends un siège,* assieds-toi. **4.** Place à gagner dans une élection. *Le parti a perdu vingt sièges à l'Assemblée nationale.*
▸ **siéger** v. Être en séance de travail. *Les députés ont siégé toute la nuit.*

Le *siège d'une douleur,* c'est l'endroit où l'on a mal.

Les chaises, les fauteuils, les tabourets sont des sièges.

Conjugaisons 3 et 6

Autres membres de la famille : **assiéger, télésiège.**

sien pronom possessif et n. m., **sienne** pronom possessif et n. f.
▭ **pronom possessif** de la troisième personne du singulier. *Préfères-tu ma chambre ou la sienne ?,* celle qui est à lui.
▭ **n. 1.** n. m. *Il y a mis du sien,* il a fait un effort. **2.** n. m. plur. *Les siens,* ce sont ses parents, ses amis. *Denis Prost reviendra passer Noël avec les siens.* **3.** n. f. plur. *Julie a encore fait des siennes,* des bêtises.

Au pluriel : *les siens, les siennes.*

Au pluriel, on dit : *ils ont fait des leurs.*

sieste n. f.
Repos pris après le repas de midi. *À l'école maternelle, les enfants font la sieste l'après-midi.*

siffler v.
1. Produire un son aigu en faisant sortir de l'air par la bouche. *Antoine sait bien siffler. M. Bellec sifflait « la Marseillaise ».* **2.** *Pierre Séverac siffle son chien,* il l'appelle en sifflant. *Le policier a sifflé une automobiliste,* il a soufflé dans un sifflet pour qu'elle s'arrête. **3.** *Le public a sifflé les chanteurs,* il a montré qu'il ne les aimait pas en criant, en sifflant.
▸ **sifflement** n. m. Son produit en sifflant. *Marie-Tévy entendit un sifflement admiratif derrière elle.*
▸ **sifflet** n. m. **1.** Petit instrument formé d'un tuyau court avec une ouverture, servant à produire des sons aigus. *L'arbitre a donné un coup de sifflet : c'est la fin du match.* **2.** Sifflement. *Les chanteurs ont été accueillis par des sifflets.*

Attention ! deux *f.*
Conjugaison 1

« Le train sifflera trois fois » est le titre d'un western.

Kaa le python siffle en s'approchant de Mowgli *(le Livre de la jungle).*

Le contraire de *siffler,* c'est *applaudir.*

On n'entendit rien d'autre que le bruit des vagues et le sifflement allongé du vent *(Lullaby).*

Un *coup de sifflet,* c'est le son produit en soufflant dans un sifflet.

Conjugaison 1

▸ ***siffloter*** v. Siffler négligemment en produisant un air de musique. *Antoine se promenait en sifflotant. M. Bellec sifflote « la Marseillaise ».*

sigle n. m.
Abréviation d'un groupe de mots formée en prenant la première lettre de chacun de ces mots. *« H. L. M. » est le sigle de « habitation à loyer modéré ».*

« S. N. C. F. », « P. M. U. » et « U. R. S. S. » sont des sigles.

Au pluriel : *des signaux.*

Les panneaux de signalisation sont des *signaux routiers.*

signal n. m.
1. Signe fait par quelqu'un pour indiquer le moment d'agir. *À mon signal, vous partirez.* **2.** Signe qui donne une information. *Le signal d'alarme s'est déclenché.*

Un singe donne le signal en tapant deux noix de coco l'une contre l'autre avec un bruit sec *(Babar).*

▸ ***signalement*** n. m. Description physique d'une personne. *La police a diffusé le signalement du bandit à la radio.*

Conjugaison 1

R. A. S. [ɛʀaɛs] signifie « rien à signaler ».

▸ ***signaler*** v. **1.** Annoncer par un signal. *Ces virages ne sont pas bien signalés.* **2.** Faire remarquer en attirant l'attention. *L'institutrice a signalé à Yves la faute d'accord qu'il a faite dans sa dictée.* **3.** *Se signaler,* c'est se faire remarquer. *Colle et Rat se sont signalés par leur insolence.*

Ce jour-là, vers quatre heures du soir, Nicolas signala à l'horizon les hauts clochers des églises de Nijni-Oudinsk *(Michel Strogoff).*

▸ ***signalisation*** n. f. Ensemble des signaux d'une route. *Il faut respecter la signalisation. La signalisation du virage est mal faite,* le virage est mal signalé.

Famille de **signe**

Famille de **signe**

signature n. f.
La signature d'une personne, c'est son nom qu'elle écrit à la main pour approuver ce qui est écrit. *Le docteur Séverac a une signature illisible.*

Pauvre bête, murmura Scott avec pitié. Ce qu'elle attend, c'est quelque signe d'humaine bonté *(Croc-Blanc).*

N'ayant pas la force de parler tant elles avaient peur, les petites firent signe qu'elles ne savaient pas *(les Contes du Chat perché).*

signe n. m.
1. *Un signe,* c'est ce qui montre, qui prouve quelque chose ; vois ***indice, marque, signal.*** *Cette brume est signe de beau temps. C'est un signe qui ne trompe pas. Mme Bellec a envoyé une carte postale à Mme Roussel en signe d'amitié ;* vois ***gage, preuve, témoignage.*** *La fièvre est un signe d'infection.* **2.** Geste ou mouvement destiné à faire savoir quelque chose. *Antoine a fait signe à Marie-Tévy de venir. Colle et Rat communiquent par signes pendant la classe.* **3.** Objet qui représente quelque chose ; vois ***symbole.*** *Les mots sont les signes de la langue. Le signe « × » signifie « multiplié par ».* **4.** *Les signes du zodiaque,* ce sont les douze figures de l'astrologie qui correspondent aux mois. *Denis Prost est né sous le signe du Lion.*

Elle ne donnait aucun signe de vie ; elle avait à la tête une large blessure ; son visage, son cou, ses bras étaient inondés de sang *(les Petites Filles modèles).*

Va voir *signe de croix* à ***croix.***

Les points, les virgules sont des *signes de ponctuation.*

Conjugaison 1

▸ ***signer*** v. *Signer un papier,* c'est y mettre sa signature. *Angèle a oublié de signer son chèque.*

Lullaby avait ouvert les lettres, et elle avait répondu en signant du nom de sa mère *(Lullaby).*

Conjugaison 1

▸ *se* ***signer*** v. Faire le signe de croix. *Yves se signe en entrant dans l'église.*

▸ ***signet*** n. m. Ruban ou bande de carton qui sert à marquer les pages d'un livre. *Grâce au signet, Mme Bellec a retrouvé tout de suite l'endroit du livre où elle s'était arrêtée.*

Conjugaison 7 ▭ Indic. présent : *nous signifions.* Imparfait : *nous signifiions.*

▸ ***signifier*** v. **1.** Avoir un sens. *Je ne sais pas ce que signifie « presbytère »,* ce que ce mot veut dire. **2.** Faire savoir quelque chose. *Le terroriste a signifié ses revendications à la police.*

Croc-Blanc avait appris ce qu'était le rire et ce qu'il signifiait *(Croc-Blanc).*

▸ ***significatif*** adj. *Ce qui est significatif,* c'est ce qui exprime clairement quelque chose ; vois ***expressif, marquant.*** *Angèle a fait à Yves une remarque significative.*

▸ ***signification*** n. f. Ce que signifie une chose. *Le geste d'Antoine avait une signification peu claire. Les enfants ont étudié les diverses significations du mot « salade ».*

Autres membres de la famille : **désigner, désignation, insigne, insignifiant, signal, signalement, signaler, signalisation, signature.**

Mais elle se tut vivement, car le Lapin Blanc cria « Silence ! » tandis que le Roi mettait ses lunettes et regardait anxieusement autour de lui pour voir qui se permettait de parler *(Alice au Pays des merveilles).*

silence n. m.
1. Fait de ne pas parler. *Angèle demande à ses élèves de garder le silence,* de se taire. *Relisez votre devoir en silence,* sans rien dire. **2.** Absence de bruit. *Pierre et Odile Séverac aiment se promener dans le silence de la nuit.*

▸ ***silencieux*** adj. et n. m.

▭ **adj. 1.** *Un endroit silencieux,* c'est un endroit où règne le silence ; vois ***tranquille.*** *La rue où habite Mme Hespel est silencieuse.* **2.** Qui reste sans parler. *Colle et Rat sont rarement silencieux.*

Le contraire de *silencieux,* c'est *bavard.*

Le contraire de *silencieux,* c'est *bruyant.*

▭ **n. m.** Dispositif qui diminue le bruit. *Les pots d'échappement des automobiles sont équipés d'un silencieux.*

▸ ***silencieusement*** adv. Sans parler, sans faire de bruit. *Pierre et Odile Séverac se promènent silencieusement sur la colline.*

Le contraire de *silencieusement,* c'est *bruyamment.*

On obtient une étincelle en frottant deux silex l'un contre l'autre.

silex n. m.
Roche très dure, à éclats coupants. *Les hommes préhistoriques fabriquaient des outils en silex.*

Tout avait été si rapide [...] que je reconnus seulement alors la silhouette [...] de Patricia *(le Lion).*

silhouette n. f.
1. Forme sombre dont on ne voit que les contours. *La silhouette de la maison se découpe à l'horizon.* **2.** Allure d'une personne. *Sophie Pelletier a une jolie silhouette.*

Attention ! un ***h*** après le ***l***.

Compare *sillage* et *sillon* : il s'agit de **fente.**

sillage n. m.
Trace que laisse un bateau derrière lui quand il avance. *Yves aime regarder le sillage, à l'arrière du bateau.*

Compare *sillon* et *sillage* : il s'agit de **fente.**

sillon n. m.
1. Longue tranchée faite dans la terre par une charrue. *Pierre Séverac a creusé les sillons dans le champ, il peut semer.* **2.** Fine ligne creuse sur la surface d'un disque, faite pour l'enregistrement. *Quand le sillon d'un disque est abîmé, on n'entend plus bien ce qui est enregistré.*

Autre membre de la famille : **microsillon.**

Conjugaison 1

▸ ***sillonner*** v. Parcourir en tous sens. *La forêt est sillonnée de nombreux petits chemins où il fait bon se promener.*

Aucun chemin de fer ne sillonne encore ces immenses plaines *(Michel Strogoff).*

Au pluriel : *des silos.*

silo n. m.
Grand réservoir dans lequel on conserve des céréales, du fourrage. *Le silo à maïs est juste derrière la ferme.*

simagrée n. f.
Des simagrées, ce sont des manières un peu ridicules faites pour tromper. *Assez de simagrées, Claire ! Dis-moi où tu as mis les lunettes de Mamie Lou !*

Six magrets m'agréent, mais ces simagrées ne m'agréent pas !

similaire adj.
Des choses similaires, ce sont des choses à peu près semblables. *Ces deux boissons sont similaires.*

Compare *similitude* et *similaire* : il s'agit de choses **semblables.**

similitude n. f.
Grande ressemblance. *Il y a une grande similitude entre la rédaction de Julie et celle de Yasmina.*

Elles ont dû travailler ensemble !

Le simoun souffle sur le Sahara, l'Égypte, l'Arabie et l'Iran.

simoun n. m.
Vent violent très chaud et très sec qui souffle dans le désert. *Le simoun provoque des tourbillons de sable.*

Va voir aussi ***sirocco.***

Les *temps simples d'un verbe,* ce sont les temps sans auxiliaire.

simple adj.
1. *Une personne simple,* c'est une personne qui ne fait pas de manières. *Le docteur Séverac est resté très simple.* **2.** *M. Doucet a pris un aller simple pour Motbourg,* il a pris juste un aller. **3.** Facile à comprendre. *La bataille est le jeu de cartes le plus simple.* **4.** Sans complication. *Sophie Pelletier avait une robe toute simple.* **5.** *Le passage à la douane est une simple formalité,* une formalité et rien de plus ; vois ***pur.***

Elle partagerait tous leurs simples chagrins et prendrait plaisir à toutes leurs simples joies, en se rappelant sa propre enfance et les heureuses journées d'été *(Alice au Pays des merveilles).*

Alcide Jolivet eut tout simplement une envie féroce d'étrangler l'honorable correspondant du *Daily Telegraph* *(Michel Strogoff).*

▸ ***simplement*** adv. **1.** Sans complication. *Sophie Pelletier nous a reçus très simplement.* **2.** Seulement. *Le douanier a simplement demandé : « Rien à déclarer ? »*

▸ ***simplet*** adj. *Une personne simplette,* c'est une personne qui a une intelligence inférieure à la normale. *Cette petite fille est simplette.*

▸ ***simplicité*** n. f. **1.** Qualité d'une chose facile à comprendre ou à utiliser. *Les règles du jeu de dames sont d'une grande simplicité.* **2.** *Sophie Pelletier nous a reçus en toute simplicité,* sans façon, sans cérémonie.

Conjugaison 7 ▭ Indic. présent : *nous simplifions.* Imparfait : *nous simplifiions.*

▸ ***simplifier*** v. Rendre plus facile, plus simple ; vois ***faciliter.*** *Une nouvelle voiture me simplifierait la vie, se dit souvent Angèle.*

Le petit prince ne savait pas que, pour les rois, le monde est très simplifié. Tous les hommes sont des sujets *(le Petit Prince).*

▸ ***simplification*** n. f. Action de rendre plus simple. *Arrondissez au chiffre supérieur pour la simplification des calculs.*

Chez les êtres simples, la notion du bien et du mal est simpliste elle-même *(Croc-Blanc).*

▸ ***simpliste*** adj. *Un raisonnement simpliste,* c'est un raisonnement qui ne considère qu'un aspect des choses et simplifie trop. *Il serait simpliste de croire que Mme Séverac sera élue parce qu'elle a le soutien du maire.*

Mme Séverac se présente aux élections municipales.

Simulacre ou non, la sincérité de Patricia semblait sans mélange *(le Lion).*

simulacre n. m.
Ce que l'on fait quand on fait semblant. *Les troupes ennemies se sont rendues après un simulacre de combat ;* vois **semblant.**

Les troupes ennemies ne se sont pas vraiment battues.

Conjugaison 1

Une personne qui simule est un *simulateur.*

simuler v.
Simuler une chose, c'est la faire paraître vraie alors qu'elle ne l'est pas. *Alex a simulé un violent mal de tête pour ne pas aller au lycée ;* vois **feindre.**
▸ **simulation** n. f. Action de faire semblant. *La maladie d'Alex n'était qu'une simulation.*

C'est un mal de tête *simulé.*

Compare : *simultané* → *simultanément* et *instantané* → *instantanément.*

simultané adj.
Des choses simultanées, ce sont des choses qui se produisent en même temps. *Le coup de tonnerre et la panne d'électricité ont été simultanés.*
▸ **simultanément** adv. En même temps. *Le feu a pris dans la grange et dans le grenier simultanément.*

Le contraire de *simultané,* c'est *successif.*

Il est *de bonne foi.*

Compare : *sincère* → *sincèrement, sincérité* et *sévère* → *sévèrement, sévérité.*

Le contraire de *sincérité,* c'est *hypocrisie.*

sincère adj.
1. *Une personne sincère,* c'est une personne qui dit ce qu'elle pense. *Hippolyte est un garçon sincère ;* vois **franc, loyal.** *Antoine est sincère quand il dit que plus tard il épousera Marie-Tévy.* **2.** Réel. *Pierre Séverac accueille son frère avec une joie sincère.*
▸ **sincèrement** adv. D'une manière sincère. *Antoine pense sincèrement épouser Marie-Tévy plus tard.*
▸ **sincérité** n. f. **1.** Qualité d'une personne sincère ; vois **franchise, loyauté.** *Hippolyte a parlé à Angèle en toute sincérité.* **2.** Caractère de ce qui est sincère. *Angèle doute de la sincérité des sentiments d'Hippolyte.*

Le contraire de *sincère,* c'est *hypocrite, menteur.*

Hippolyte a dit à Angèle qu'il l'aimait.

sinécure n. f.
Emploi bien payé où il n'y a presque rien à faire. *Alex aimerait trouver une sinécure.*

Il est tellement paresseux !

Va voir aussi ***chimpanzé, gorille, macaque, orang-outan, ouistiti.***

Le singe est un mammifère.

Conjugaison 3 ▭ Indic. présent : *nous singeons.*

Le singe rit de ses singeries !

singe n. m.
Animal très évolué, qui a la face nue, des membres inférieurs plus petits que les membres supérieurs, des mains et souvent une longue queue qui peut saisir des objets. *Les singes vivent dans les pays chauds.*
▸ **singer** v. *Singer quelqu'un,* c'est l'imiter en se moquant de lui. *Colle et Rat singeaient la directrice lorsqu'elle est entrée dans la classe.*
▸ **singerie** n. f. Grimace. *Antoine fait rire tout le monde avec ses singeries.*

La femelle est la *guenon.*

Ploum ! Ploum !
Un petit singe
Lavait son linge
Dans un encrier,
Un buvard pour sécher.
Ploum ! (comptine).

Conjugaison 1

se singulariser v.
Se faire remarquer. *Pendant le cocktail, M*[me] *Séverac s'est singularisée en ne buvant pas de champagne.*

Compare *se* ***singul****ariser* et ***singul****ier* : on est **unique.**

Compare ***singul****arité* et ***singul****ier* : c'est **unique.**

singularité n. f.
Ce qui est particulier à quelqu'un ou à quelque chose ; vois **particularité.** *Cette voiture présente une singularité : elle parle.*

Hum ! je ne sais pas ce qu'a le bœuf, mais depuis quelque temps, je trouve qu'il a des airs singuliers, tout à fait singuliers *(les Contes du Chat perché).*

singulier adj. et n. m.
1. adj. Digne d'être remarqué par son aspect étrange ; vois **bizarre, curieux, étrange, original.** *Julie a eu l'idée singulière de donner un bain à son chat.* **2.** n. m. Catégorie grammaticale indiquant que le mot désigne une seule chose. *Dans la phrase « Les filles et le garçon étaient là », le mot « garçon » est au singulier.*
▸ **singulièrement** adv. **1.** Bizarrement. *M*[me] *Harpie était habillée singulièrement.* **2.** Beaucoup, très. *Il fait singulièrement froid pour la saison.*

Le contraire de *singulier,* c'est *banal.*

Le contraire de *singulier,* c'est *pluriel.*

Bill semblait avoir oublié ses sinistres pressentiments *(Croc-Blanc).*

① **sinistre** adj.
1. Effrayant, inquiétant. *Le cri de la chouette dans la nuit est sinistre.*
2. Triste ; vois **lugubre.** *L'appartement de M*[me] *Harpie est sinistre.*

Autres membres de la famille : **② sinistre, sinistré.**

Famille de ① **sinistre**

② **sinistre** n. m.
Événement catastrophique. *Après l'incendie de la poste, le maire s'est rendu sur les lieux du sinistre.*
▸ **sinistré** n. m., **sinistrée** n. f. Personne victime d'un sinistre. *Les sinistrés ont été accueillis dans les villages voisins.* — adj. *Les populations sinistrées ont été rapidement secourues.*

Sinon s'écrit toujours en un seul mot.

sinon conjonction
1. Si ce n'est. *Quand la poste a pris feu, que pouvait faire Hippolyte sinon appeler les pompiers ?* **2.** Ou alors ; vois ***autrement.*** *Julie doit être malade, sinon elle serait déjà arrivée.*

Famille de ① **si** et de **non**

La route était plane, ce qui la rendait plus facile, mais très sinueuse, ce qui l'allongeait *(Michel Strogoff).*

sinueux adj.
Un chemin sinueux mène à la ferme, un chemin qui forme des courbes. *Le voleur s'est enfui à travers les ruelles étroites et sinueuses.*
▸ ***sinuosité*** n. f. Ligne courbe. *La Seine a de nombreuses sinuosités ;* vois ***méandre.***

Le contraire de *sinueux,* c'est *rectiligne.*

La sinusite est une inflammation due à un microbe.

sinusite n. f.
Maladie qui atteint les cavités des os du visage qui se trouvent au-dessus et au-dessous des yeux. *Une sinusite donne mal à la tête.*

siphon n. m.
1. Tuyau recourbé qui sert à l'écoulement de l'eau sous un évier, un lavabo. *M. Bellec a nettoyé le siphon du lavabo qui était bouché.* **2.** Tuyau recourbé qui sert à transvaser un liquide. *Le garagiste a retiré l'essence qui restait dans le réservoir à l'aide d'un siphon.* **3.** Bouteille remplie d'eau gazeuse sous pression. *Appuie sur le levier du siphon pour que l'eau sorte !*

Le siphon empêche les mauvaises odeurs de remonter.

Autrefois, *sire* voulait dire « seigneur ».

sire n. m.
Titre que l'on donne à un souverain quand on lui parle ; vois ***majesté.*** *Sire, me pardonnerez-vous mon audace ?*

Un *triste sire,* c'est un individu peu recommandable.

La petite sirène soupira tristement en regardant sa queue de poisson *(la Petite Sirène).*

① **sirène** n. f.
Être imaginaire, à tête et à buste de femme et à queue de poisson. *Dans les légendes, on dit que les sirènes attiraient les marins sur les écueils par la douceur de leur chant.*

Dans *l'Odyssée,* les *sirènes* sont des oiseaux.

Pendant la guerre, les sirènes annonçaient les alertes.

② **sirène** n. f.
Appareil qui sert à donner un signal et qui fait un bruit très fort et prolongé. *Les Séverac ont fait installer une sirène d'alarme dans leur maison.*

Les voitures de police ou de pompiers sont équipées de sirènes.

Attention ! deux *c.*

sirocco n. m.
Vent très chaud et très sec qui souffle du Sahara. *Le sirocco a desséché toutes les récoltes.*

Va voir aussi ***simoun.***

Attention ! un *p* à la fin. *Sirop* [siʀo] rime avec *poireau* et *numéro.*

sirop n. m.
1. Boisson très sucrée, épaisse, à base de jus de fruits et qui se boit mélangée à de l'eau. *Julie boit du sirop de framboise.* **2.** Médicament liquide, très sucré, fait avec des extraits de plantes. *Le docteur Séverac a prescrit à Yves un sirop contre la toux.*

Va voir aussi ***sirupeux.***

Conjugaison 1

▸ ***siroter*** v. Boire à petites gorgées, en savourant. *M. Bonnot sirote son café au coin du feu ;* vois ***déguster.***

Ce verbe est familier.

Au féminin : *sirupeuse.*

sirupeux adj.
Un liquide sirupeux, c'est un liquide qui a la consistance épaisse du sirop. *Le miel a un aspect sirupeux.*

Ce mot appartient au vocabulaire de la géographie.

sismique adj.
Une secousse sismique, c'est une secousse provoquée par un tremblement de terre. *Les secousses sismiques peuvent ébranler l'écorce terrestre à une très grande profondeur.*

Va voir aussi ***séisme.***

site n. m.
1. Lieu où se trouve une ville, un édifice ; vois ***emplacement, position, situation.*** *Le village est construit sur le site d'une ville romaine.* **2.** Paysage très beau ou pittoresque. *Angèle a emmené ses élèves visiter les principaux sites touristiques de la région.*

Les sites remarquables sont souvent des *sites classés* et *protégés.*

Conjugaison 1

▸ ***situer*** v. Placer, localiser. *La ville de Nice est située au bord de la Méditerranée.*

Un second cri perça le silence. Les deux hommes en situèrent le son *(Croc-Blanc).*

▸ ***situation*** n. f. **1.** Emplacement d'une ville ; vois ***site.*** *Motbourg a une situation privilégiée.* **2.** Ensemble de circonstances. *Colle et Rat se sont mis dans une mauvaise situation. La situation financière de la biscuiterie de Motbourg n'est pas très bonne ces derniers temps.* **3.** *La situation de quelqu'un,* c'est son emploi ; vois ***place, poste.*** *Mme Hespel a une belle situation.*

Ils ont fait une farce à la directrice et risquent maintenant d'être renvoyés.

Michel Strogoff arriva, par la suite, à une haute situation dans l'empire *(Michel Strogoff).*

Attention à l'accent circonflexe du *ô* !

sitôt adv.
1. Aussitôt. *Sitôt couchée, Claire s'endormit. Sitôt qu'elle fut couchée, elle s'endormit,* dès qu'elle fut couchée. **2.** *Yves a été sévèrement puni de sa désobéissance, il ne recommencera pas de sitôt,* pas avant longtemps.

Dans ce sens, on emploie plutôt *aussitôt.*

Famille de ② **si** et de **tôt**

Prononce [sis] ; mais devant une voyelle, prononce [siz] : *six amis* [sizami] ; devant une consonne, prononce [si] : *six chaises* [siʃɛz].

six adj. invariable
Cinq plus un. *Claire aura six ans l'année prochaine. Angèle s'est réveillée à six heures.* — n. m. invariable Le nombre six. *Deux fois trois font six.*

Attention ! un *x* à la fin.
6 en chiffre arabe
VI en chiffres romains

▸ **sixième** adj. et n. m. et f.
▭ **adj.** Qui succède au cinquième. *Les ouvriers de la biscuiterie réclament une sixième semaine de vacances,* une semaine de plus que la cinquième.
▭ **n. m. et f. 1.** *Yves est le sixième de la classe,* il est classé après le cinquième. **2.** n. f. *La sixième,* c'est la première classe de l'enseignement secondaire. *David et Nathalie étaient en sixième l'an dernier.*

Compare : *six → sixième* et *dix → dixième.*

Cette année, ils sont en cinquième.

Prononce [skɛtʃ].
Au pluriel : *des sketches.*

sketch n. m.
Scène comique très courte, jouée par un très petit nombre d'acteurs ou un seul acteur. *Antoine et Yves ont écrit un sketch qu'ils joueront à la fête de l'école.*

Ce mot est d'origine anglaise.

ski n. m.
1. Long patin très étroit que l'on chausse pour glisser sur la neige. *Les Séverac ont loué des skis dans la station de sports d'hiver.* **2.** Sport qui consiste à glisser sur la neige à l'aide de skis. *Marie-Tévy aime bien faire du ski. Le moniteur de ski a donné un cours aux enfants.*
▸ **skier** v. Faire du ski. *Le docteur Séverac skie depuis son plus jeune âge.*
▸ **skieur** n. m., **skieuse** n. f. Personne qui fait du ski. *Les skieurs dévalaient la pente à toute allure. Marie-Tévy est une très bonne skieuse.*

Le *ski alpin* se pratique sur les terrains en pente et le *ski de fond* sur terrain plat.

Conjugaison 7

Le *ski nautique* se pratique sur l'eau, au moyen de deux skis ou d'un seul, le skieur étant tiré par un bateau, à grande vitesse.

Autre membre de la famille : **téléski.**

Slalom [slalɔm] rime avec *homme.*

slalom n. m.
Épreuve de ski dans laquelle le skieur descend le plus vite possible en zigzaguant entre des piquets plantés dans la neige. *L'épreuve de slalom a été remportée par un skieur autrichien.*

L'espace entre deux piquets s'appelle une *porte.*

Slip [slip] rime avec *tulipe.*

slip n. m.
Petite culotte que l'on porte comme sous-vêtement ou comme maillot de bain. *Yves prend son slip de bain et sa serviette, puis se dirige vers la piscine.*

Au pluriel : *des slogans.*

slogan n. m.
Petite phrase courte et frappante, souvent répétée, que l'on utilise dans la publicité ou la politique pour attirer l'attention. *Les manifestants s'avançaient en cortège, en scandant inlassablement le même slogan.*

« Un verre, ça va, trois verres, bonjour les dégâts » est un slogan contre l'abus d'alcool.

Au pluriel : *des smokings.*

smoking n. m.
Tenue de soirée composée d'un veston à revers de soie et d'un pantalon orné d'un galon de soie. *Pour cette soirée, les hommes doivent être en smoking et les femmes en robe longue.*

Smoking est un mot d'origine anglaise.

Attention ! un *c* avant le *k*.
Au pluriel : *des snack-bars.*

snack-bar n. m.
Café-restaurant où l'on sert rapidement des repas légers. *Angèle déjeuna d'une omelette et d'une salade dans un snack-bar.*

Ce mot est d'origine anglaise.
On dit aussi un *snack.*

Snob [snɔb] rime avec *robe.*
Au féminin : *snob.*
Au pluriel : *snobs.*

snob adj.
Quelqu'un de snob, c'est quelqu'un qui, dans ses manières, ses goûts et ses relations, veut à tout prix avoir l'air distingué, manque de simplicité. *Certains, à Motbourg, trouvent Mme Séverac un peu snob.*
▸ **snobisme** n. m. Manière d'être d'une personne snob. *« C'est par snobisme que Mme Séverac joue au bridge et au golf », pensent certains.*

Snob est un mot d'origine anglaise.

sobre adj.
1. Qui évite de trop manger et surtout de trop boire d'alcool. *M. Bellec est sobre quand il conduit.* **2.** Simple et discret, qui ne cherche pas à faire de l'effet. *Angèle porte toujours des vêtements assez sobres.*
▸ **sobrement** adv. **1.** Avec modération. *Quand il doit conduire, M. Bellec boit sobrement,* peu. **2.** Simplement, avec discrétion. *Angèle s'habille sobrement.*

Le contraire de *sobre,* c'est *excentrique.*

Le chameau est connu pour sa sobriété.

▸ ***sobriété*** n. f. **1.** Comportement d'une personne sobre. *Le docteur Séverac est un homme d'une grande sobriété.* **2.** Simplicité, discrétion. *L'art classique est remarquable par la sobriété des lignes.*

« Poil de Carotte » et « Riquet à la Houppe » sont des sobriquets.

sobriquet n. m.
Surnom que l'on donne à quelqu'un pour se moquer de lui. *« Mme Harpie » est un sobriquet : ce n'est pas le vrai nom de la sœur de Mme Roussel.*

Autrefois, les socs étaient en bois. De nos jours, ils sont en métal.

soc n. m.
Grosse lame pointue d'une charrue, qui ouvre des sillons dans la terre et permet de labourer. *Le soc a heurté une grosse pierre.*

Soc [sɔk] rime avec *roc* et *loque.*

Le contraire de *sociable,* c'est *sauvage.*

sociable adj.
Quelqu'un de sociable, c'est quelqu'un qui aime la compagnie des autres. *Julie est une petite fille très sociable.*

Au masculin pluriel : *sociaux.*

social adj.
1. Propre à la société. *Le docteur Séverac et M. Touati appartiennent à deux classes sociales différentes.* **2.** *Les mesures sociales,* ce sont des mesures qui cherchent à améliorer le sort des travailleurs. *L'augmentation du salaire des plus pauvres est une mesure sociale.*

L'un est un bourgeois, l'autre un ouvrier.

Va voir *Sécurité sociale* à ***sécurité.***

Compare ***sociable, social*** et ***société*** : il s'agit de **groupe.**

▸ ***socialisme*** n. m. Doctrine de ceux qui sont partisans d'améliorer le sort des gens les plus modestes et qui veulent rendre la société plus juste en faisant prévaloir l'intérêt général sur les intérêts particuliers. *Le socialisme a commencé à se développer au XIXe siècle.*

Le socialisme est critiqué par les libéraux parce qu'il donne beaucoup d'importance à l'État.

Les socialistes veulent supprimer les injustices sociales.

▸ ***socialiste*** n. m. et f. Partisan du socialisme. *Les socialistes de ce pays ont pris de nombreuses mesures en faveur des plus pauvres.* — adj. *Le parti socialiste a présenté des candidats aux élections.*

société n. f.
1. Groupe organisé d'êtres vivants. *Les abeilles et les fourmis vivent en société.* **2.** Ensemble d'hommes vivant dans un pays à un moment donné et respectant les mêmes lois ; vois ***collectivité, communauté.*** *Avant la Révolution de 1789, la société française était divisée en trois classes.* **3.** Fréquentation, compagnie. *Denis Prost aime la société des femmes.* **4.** *Les jeux de société,* ce sont des jeux qui se jouent à plusieurs. *Les échecs et le jeu de l'oie sont des jeux de société.* **5.** Entreprise commerciale ; vois ***compagnie, établissement.*** *Le siège de la société dans laquelle travaille M. Doucet est à Paris.* **6.** Association, club. *Yves fait partie de la société sportive de Motbourg.*

Ceux qui ne respectent pas ces lois sont *en marge de la société.*

Un invincible besoin de la protection et de la société de l'homme s'emparait de lui *(Croc-Blanc).*

Il y a des *sociétés développées* ou *industrielles,* des *sociétés traditionnelles,* des *sociétés primitives...*

La Société protectrice des animaux protège les animaux.

▸ ***sociétaire*** n. m. et f. Personne qui fait partie d'une société, d'une association. *Yves est sociétaire du club sportif de Motbourg.*

La sociologie fait partie des sciences humaines.

sociologie n. f.
Science qui étudie les sociétés humaines. *La sœur de Sophie Pelletier a fait des études de sociologie.*

socle n. m.
Partie sur laquelle repose une construction, une statue ; vois ***support.*** *La colonne repose sur un socle de bronze.*

Attention ! un ***c*** avant le ***q.***

socquette n. f.
Chaussette courte, arrivant à la cheville. *Marie-Tévy portait des socquettes blanches.*

— Mademoiselle aime peut-être le soda *(le Lion).*

soda n. m.
Boisson à base d'eau gazeuse et de sirop de fruits. *Julie boit un soda à l'orange avec une paille.*

Au pluriel : *des sodas.*

Fabrice m'a expliqué que c'était très embêtant d'avoir une fille comme sœur *(le Petit Nicolas).*

sœur n. f.
1. Personne de sexe féminin qui a les mêmes parents que celui qui parle ou dont on parle. *Mme Harpie est la sœur aînée de Mme Roussel. Je vous présente ma sœur.* **2.** Religieuse. *Mme Bellec a été élevée chez les sœurs.*

Autres membres de la famille : **belle-sœur, demi-sœur.**

Au pluriel : *des sofas.*

sofa n. m.
Sorte de lit de repos pouvant servir de siège. *Le sofa du salon est recouvert de velours noir.*

Va voir aussi ***canapé, divan.***

Ne confonds pas *soi, soie* et *soit.*

On a toujours besoin d'un plus petit que soi (proverbe).

soi pronom
Pronom personnel masculin et féminin de la troisième personne du singulier. *Il fait bon rentrer chez soi après une dure journée de travail. « Chacun pour soi », se dit l'égoïste. Il vaut toujours mieux compter sur soi-même que sur les autres.*

Cela va de soi : c'est évident.

Famille de **dire**

▸ ***soi-disant*** adj. invariable et adv. **1.** adj. invariable Prétendu. *Cette soi-disant héritière n'était qu'une aventurière,* celle qui prétendait être l'héritière. **2.** adv. *Antoine n'avait soi-disant pas eu le temps de faire ses devoirs,* d'après ce qu'il disait.

Au pluriel : *soi-disant.*

Autre membre de la famille : **quant-à-soi.**

Ne confonds pas *soie, soi* et *soit.*

soie n. f.
1. Tissu très fin, doux et brillant, fait à partir d'un fil produit par la chenille d'un papillon. *Sophie Pelletier portait une chemise de soie rose.* **2.** Poil long et rude du porc ou du sanglier. *Les soies du porc servent à fabriquer des brosses.*

Le *ver à soie,* qui produit la soie, est la chenille d'un papillon appelé *bombyx.*

La ville de Lyon est réputée pour ses soieries.

▸ ***soierie*** n. f. Tissu de soie. *Chez les Doucet, le divan du salon est recouvert d'une soierie bleue.*

Autre membre de la famille : **soyeux.**

soif n. f.
1. Besoin de boire. *Quand il fait très chaud, on a soif.* **2.** Fort désir. *Sylvain a soif d'apprendre le plus de choses possible.*

Autre membre de la famille : **assoiffé.**

Conjugaison 1

La poupée vécut très longtemps bien soignée, bien aimée, mais petit à petit elle perdait ses charmes
(les Malheurs de Sophie).

soigner v.
1. Prendre soin. *Mme Séverac soigne avec amour les fleurs de son jardin.* **2.** Apporter du soin, de l'application à ce qu'on fait. *« Soigner l'écriture et la présentation » a noté l'institutrice sur le cahier d'Yves.* **3.** S'occuper de rétablir la santé d'une personne malade. *C'est le docteur Séverac qui a soigné Antoine quand il a eu la grippe.*

Le contraire, c'est *négliger.*
Le contraire, c'est *bâcler.*

▸ ***soigné*** adj. **1.** Fait, exécuté avec soin, application. *Le cahier d'Yves n'est pas très soigné.* **2.** *Mme Séverac est une personne très soignée,* elle fait attention à son aspect, à ses vêtements.

▸ ***soigneux*** adj. *Une personne soigneuse,* c'est une personne qui prend soin des choses ou qui fait les choses en s'appliquant ; vois ***minutieux.*** *Yasmina est très soigneuse.*

Le contraire de *soigneux,* c'est *négligent.*

▸ ***soigneusement*** adv. Avec soin. *Les livres de Sylvain sont soigneusement rangés sur les étagères.*

soin n. m.
1. Attention, application que l'on apporte à ce que l'on fait. *Sylvain range ses affaires avec soin.* **2.** *Mme Séverac prend soin des fleurs de son jardin,* elle s'en occupe, elle les soigne. **3.** *Prendre soin de faire quelque chose,* c'est penser à s'occuper de quelque chose. *Odile Séverac avait eu soin de fermer les volets pour que la maison conserve sa fraîcheur,* elle avait fait attention à fermer les volets. **4.** *Les soins,* c'est l'ensemble de ce que l'on fait pour guérir un malade, un blessé. *Le blessé a été transporté à l'hôpital pour y recevoir des soins,* pour y être soigné.

Il est très *soigneux.*

— Vous êtes bien assez grand pour prendre soin de vous-même, et ce qui vous arrivera m'est bien égal, dit Patricia
(le Lion).

Être aux petits soins pour quelqu'un, c'est être très attentionné pour lui.

soir n. m.
1. Fin du jour, au moment où le soleil se couche. *Le soir tombe très tôt, en hiver.* **2.** Partie de la journée qui suit l'après-midi et qui précède la nuit ; vois ***soirée.*** *Hippolyte va souvent danser le samedi soir.*

Mais il plut toute la matinée et l'après-midi jusqu'à la tombée du soir
(les Contes du Chat perché).

Le contraire de *soir,* c'est *matin.*

Une *robe du soir,* c'est une robe très habillée.

▸ ***soirée*** n. f. **1.** Dernière partie de la journée qui va de la fin du jour jusqu'au moment où l'on va se coucher. *Angèle avait passé la soirée chez des amis.* **2.** Fête, réception qui a lieu le soir. *Les Séverac ont donné une soirée la semaine dernière.*

Une *tenue de soirée* est une tenue habillée.

Autre membre de la famille : **bonsoir.**

Famille de ① **être**

Prononce [swa].

Soit... soit exprime un choix entre deux possibilités.

soit conjonction et adv.
▭ **conjonction 1.** Ou. *Mme Roussel ira à Paimpol soit le 15 soit le 16 juillet,* ou bien le 15 ou bien le 16 juillet. **2.** À savoir. *Cette revue paraît un mois sur deux, soit six fois par an,* c'est-à-dire six fois par an.

Le contraire de *soit... soit,* c'est *ni... ni.*

Prononce le *t* final : [swat].

▭ **adv.** Admettons, d'accord. *« Tu ne veux pas finir ta viande, Claire ? Eh bien, soit ! Mais tu n'auras pas de dessert. »*

— Soit ! répondit la princesse. Et la sorcière lui coupa la langue
(la Petite Sirène).

Soixante et un, soixante-deux, soixante-trois, soixante-quatre.

soixante adj. et n. m. invariables

1. adj. invariable Six fois dix. *M. Bonnot a pris sa retraite à soixante ans. Angèle a ouvert son livre à la page soixante,* à la soixantième page. **2.** n. m. invariable Le nombre soixante. *Réjean habite au soixante rue Sainte-Catherine.*

60 en chiffres arabes
LX en chiffres romains

Le *soixantième* suit le cinquante-neuvième.

Compare : *soixante → soixantaine* et *quarante → quarantaine.*

▸ ***soixantaine*** n. f. **1.** Groupe d'environ soixante personnes ou soixante choses semblables. *Il y a une soixantaine d'enfants dans la cour de récréation.* **2.** Âge d'environ soixante ans. *M. Bonnot a la soixantaine.*

Il a soixante-trois ans.

Famille de **dix**

▸ ***soixante-dix*** adj. et n. m. invariable Soixante plus dix ; vois ***septante.*** *Mamie Lou a soixante-dix ans.*

70 en chiffres arabes
LXX en chiffres romains

Le soja est cultivé depuis plus de trois mille ans en Extrême-Orient.

soja n. m.

Plante, ressemblant au haricot, qui sert à l'alimentation des hommes et du bétail. *Mme Hespel a fait une salade de germes de soja.*

On fabrique de l'huile avec le soja.

Un peu d'herbe poussait dans les fissures du sol *(Lullaby).*

① **sol** n. m.

1. Partie de la Terre qui est à la surface ; vois ***terrain.*** *Dans le sud-ouest de la France, le sol se prête bien à la culture du maïs et du tabac.* **2.** Surface sur laquelle on marche. *Le sol de la cuisine est recouvert de carrelage.*

Autres membres de la famille : **entresol, sous-sol.**

Au pluriel : *des sol.*

② **sol** n. m. invariable

Note de musique. *Denis Prost écoute le « Trio en sol mineur » de Chopin.*

Do, ré, mi, fa, sol, la, si.

Compare *solaire, insolation* et *parasol* : il est question du **soleil.**

Va voir *cadran solaire* à ***cadran.***

solaire adj.

1. Qui concerne le Soleil. *La Terre est éclairée par la lumière solaire.* **2.** Qui fonctionne grâce au soleil. *La maison des Prost est équipée d'un chauffage solaire.* **3.** Qui protège du soleil. *Sur la plage, Mme Roussel s'enduit de crème solaire.*

Le *système solaire* comprend le Soleil et les planètes qui tournent autour de lui.

Famille de ① **solde**

soldat n. m.

Homme qui sert dans l'armée ; vois ***militaire.*** *M. Bellec a fait son service militaire comme simple soldat,* comme militaire non gradé.

Être à la solde de quelqu'un, c'est être payé par lui.

① **solde** n. f.

Salaire versé à un militaire. *Les simples soldats ne touchent pas une grosse solde.*

Autre membre de la famille : **soldat.**

Famille de **solder**

② **solde** n. m.

1. Somme qu'il reste à payer. *Vous payez vingt pour cent à la commande et le solde à la livraison.* **2.** *Des articles en solde,* ce sont des articles vendus au rabais. *Hippolyte s'est acheté deux paires de chaussures en solde. Ces soldes sont très intéressants.*

Attention, ce nom est masculin !

Ces articles sont des *soldes.*

Conjugaison 1

solder v.

1. Vendre au rabais. *En été, le marchand de chaussures solde les bottes,* il vend les bottes moins cher. **2.** *Se solder par quelque chose,* c'est y aboutir. *Les efforts de Mme Roussel pour se réconcilier avec sa sœur se sont soldés par un échec.*

Autre membre de la famille : ② **solde.**

La sole ressemble à la limande.

sole n. f.

Poisson de mer plat et ovale, couvert d'écailles fines. *Au menu, il y avait des filets de sole à la crème.*

Ne confonds pas *sole* et *sol.*

Le Soleil est une étoile située à environ 150 millions de kilomètres de la Terre.

Dehors le soleil était chaud, le ciel et la mer brillaient *(Lullaby).*

soleil n. m.

1. Astre qui donne la lumière et la chaleur à la Terre et autour duquel tournent les planètes. *Le Soleil se lève à l'est et se couche à l'ouest.* **2.** Lumière, chaleur qu'envoie le Soleil. *Angèle s'étend sur la plage au soleil. Antoine a un coup de soleil sur les épaules,* une brûlure causée par le soleil. *Mme Roussel a mis ses lunettes de soleil,* qui la protègent du soleil. *Aujourd'hui, il fait très chaud, le soleil chauffe. Il fait un soleil de plomb.*

La température à la surface du Soleil est de 6 000°.

Elle prend un *bain de soleil.*

Autre membre de la famille : **ensoleillé.**

Prononce [sɔlanɛl].

solennel adj.

1. Célébré en public, avec pompe. *L'inauguration de la chapelle a été très solennelle.* **2.** Fait avec grand sérieux. *Antoine a fait à Marie-Tévy la promesse solennelle de la protéger,* une promesse sur laquelle il ne peut revenir. **3.** Officiel et cérémonieux. *Le maire a fait son discours sur un ton solennel ;* vois ***pompeux.***

Il l'a fait avec *solennité.*

solfège n. m.
Façon dont on lit et écrit la musique. *Avant d'apprendre à jouer du piano, Sylvain a fait du solfège.*

Conjugaison 7 ▭ Indic. imparfait : *nous solfiions.*

solfier v.
Chanter en disant le nom des notes de musique. *Sylvain savait solfier à l'âge de six ans.*

Pour solfier, il faut avoir fait du *solfège.*

solidaire adj.
1. *Des personnes solidaires,* ce sont des personnes qui se sentent responsables les unes des autres et se soutiennent. *Tous les ouvriers de la biscuiterie sont solidaires et s'opposent au renvoi de plusieurs d'entre eux.* **2.** *Des choses solidaires,* ce sont des choses qui dépendent les unes des autres, qui sont liées. *Les roues d'une voiture sont solidaires deux par deux.*

Compare : *solidaire → solidarité* et *scolaire → scolarité.*

▸ ***solidarité*** n. f. Relation entre des personnes solidaires. *Les ouvriers de la biscuiterie ont décidé de faire une grève, par solidarité, si certains étaient renvoyés.*

solide adj.
1. *Une chose solide,* c'est une chose qui ne se casse pas facilement, qui résiste aux chocs et à l'usure ; vois ***résistant.*** *Vous pouvez monter sur cette chaise, elle est solide.* **2.** *Une personne solide,* c'est une personne forte et robuste, qui ne tombe pas facilement malade. *Hippolyte est un garçon solide.* **3.** Qui n'est ni liquide ni gazeux. *Quand il gèle, l'eau devient solide.* — n. m. *La pierre et le bois sont des solides,* des corps qui ne sont ni des liquides, ni des gaz.

Le contraire de *solide,* c'est *fragile.*

L'eau paraissait aussi solide que la terre, mais elle n'était pas du tout solide *(Croc-Blanc).*

L'eau devient alors de la glace.

Prononce [sɔlidmɑ̃].

▸ ***solidement*** adv. D'une façon solide. *Antoine a attaché solidement le paquet sur son porte-bagages,* de manière à ce que le paquet ne tombe pas.

Conjugaison 7

▸ *se* ***solidifier*** v. Devenir solide ; vois ***durcir.*** *Sous l'effet du gel, l'eau se solidifie,* elle passe de l'état liquide à l'état solide.

Le contraire de *se solidifier,* c'est *se liquéfier, s'évaporer.*

Le contraire de *solidité,* c'est *fragilité.*

▸ ***solidité*** n. f. Qualité de ce qui ne se casse et ne s'use pas facilement. *Réjean a choisi ses chaussures de ski pour leur solidité ;* vois ***robustesse.***

Autre membre de la famille : **consolider.**

Compare ***soliste, solitaire*** et ***solo*** : il s'agit d'être **seul.**

soliste n. m. et f.
Musicien ou chanteur qui interprète tout seul un morceau. *Mme Bellec est la soliste de la chorale de l'abbé Gauthier.*

Elle a une très jolie voix.

Compare ***solitaire, solitude*** et ***solo*** : il s'agit d'être **seul.**

solitaire adj. et n. m.
▭ **adj. 1.** Qui vit seul, évite la compagnie des autres. *Loïc est très solitaire.* **2.** Où l'on est seul. *Loïc habite une maison solitaire à l'écart de Paimpol ;* vois ***isolé.***
▭ **n. m.** Diamant monté seul sur une bague. *Le docteur Séverac a offert un solitaire à sa femme pour son anniversaire.*

L'ours est un animal solitaire qui vit dans les grandes forêts des régions montagneuses.

Compare ***solitude*** et ***soliste*** : dans ces mots, il s'agit d'être **seul.**

solitude n. f.
Situation d'une personne qui est seule. *Loïc aime la solitude,* il aime être seul.

solive n. f.
Les solives, ce sont les grandes barres de bois ou de fer sur lesquelles sont fixées les planches du plancher. *Les solives de la ferme sont en chêne.*

Conjugaison 1

solliciter v.
Demander. *Mme Roussel a sollicité un poste à la mairie ;* vois ***postuler.***

Attention ! deux *l* dans *solliciter* et *sollicitude.*

▸ ***sollicitude*** n. f. Attention et gentillesse. *Le docteur Séverac écoute ses malades avec sollicitude.*

Le vieux loup se faisait [...] et plus plein de sollicitude *(Croc-Blanc).*

Compare ***solo, soliste*** et ***solitude*** : dans ces mots, il s'agit d'être **seul.**

solo n. m.
Morceau joué ou chanté par un seul interprète. *Mme Bellec chante en solo dans la chorale de l'abbé Gauthier.*

Au pluriel : *des solos.*

solstice n. m.
Jour de l'année où le Soleil se trouve le plus loin de l'équateur. *Le jour le plus long de l'année dans l'hémisphère nord est le 21 ou le 22 juin, jour du solstice d'été.*

Le 21 ou le 22 décembre est le jour du *solstice d'hiver ;* c'est le jour le plus court de l'année.

Compare ***solstice*** et ***solaire*** : dans ces mots, il s'agit du **soleil.**

Le café soluble, inventé par un Japonais, fut vendu la première fois en 1906 à Chicago.

soluble adj.
Une matière soluble, c'est une matière qui peut se dissoudre dans un liquide. *Le sucre est soluble dans l'eau.*

① **solution** n. f.
Liquide contenant une matière dissoute. *Le sérum physiologique est une solution d'eau et de sel. Une matière en solution,* dissoute dans un liquide.

Une *solution de facilité* est un moyen qui demande peu d'effort.

② **solution** n. f.
1. *La solution d'un problème,* c'est l'opération par laquelle on le résout et son résultat. *Sylvain a trouvé très vite la solution de son problème de mathématiques.* **2.** Moyen par lequel on peut se sortir d'une difficulté. *Renvoyer Colle et Rat de l'école serait la meilleure solution.*

Ils sont insupportables.

solvable adj.
Une personne solvable, c'est une personne qui peut payer ce qu'elle doit. *Un commerçant qui n'est pas solvable fait faillite.*

L'air était humide et sombre comme à l'intérieur d'une grotte *(Lullaby).*

sombre adj.
1. *Un endroit sombre,* c'est un endroit peu éclairé. *L'arrière-boutique de Mme Harpie est très sombre ;* vois ***obscur.*** **2.** Foncé. *Denis Prost portait un costume sombre.* **3.** Triste et inquiet. *À l'annonce de son échec, Alex est devenu sombre. L'avenir paraît sombre,* inquiétant.

Le contraire de *sombre,* c'est *clair.*

Autre membre de la famille : **assombrir.**

Conjugaison 1

sombrer v.
1. *Le bateau a sombré,* il a cessé de flotter et s'est enfoncé dans l'eau, il a fait naufrage ; vois ***chavirer, couler.*** **2.** S'enfoncer sans pouvoir résister. *Denis Prost a sombré dans un profond sommeil,* il s'est endormi très vite et profondément.

sommaire adj. et n. m.
▭ **adj. 1.** Très court et très simple. *Angèle, l'institutrice, a donné une explication sommaire de la circulation du sang.* **2.** Très rapide et sans formalités ; vois ***expéditif.*** *On a condamné les coupables par un jugement sommaire.*

Va voir aussi ***résumé.***

▭ **n. m.** Table des matières comprenant le résumé des chapitres d'un livre. *Le sommaire est au début du livre.*

Attention ! deux ***m*** dans *sommaire* et *sommairement.*

▸ ***sommairement*** adv. D'une façon courte, simple et rapide. *Angèle, l'institutrice, a expliqué sommairement le rôle du cœur dans la circulation du sang ;* vois ***brièvement.***

Famille de **sommer**

sommation n. f.
Ordre impératif. *Après la troisième sommation, les policiers enfoncèrent la porte et s'emparèrent du bandit,* après lui avoir demandé trois fois de se rendre.

① **somme** n. f.
1. Résultat d'une addition. *Douze est la somme de sept et cinq.* **2.** Ensemble de choses qui s'ajoutent. *Réussir son bac demande une somme d'efforts non négligeable. En somme, Alex n'a pas assez travaillé,* tout bien considéré. **3.** Quantité d'argent. *Mme Bellec n'aime pas sortir avec une grosse somme d'argent dans son sac,* avec beaucoup d'argent.

Somme toute : après tout.

[...] bien qu'il fût un Roi Crabe, il n'était qu'un Crabe en somme *(Histoires comme ça).*

② **somme** n. m.
Faire un somme, c'est dormir. *Claire a fait un petit somme après le déjeuner.*

Les heures passèrent et il les occupa à faire quelques sommes *(Croc-Blanc).*

Quelques heures de sommeil et quelques compresses d'eau fraîche, il n'en faut pas plus pour remettre un Anglais sur pied *(Michel Strogoff).*

▸ ***sommeil*** n. m. État dans lequel on est lorsque l'on dort. *Mme Roussel a le sommeil léger,* elle se réveille facilement. *Claire avait sommeil,* elle avait envie de dormir.

Conjugaison 1

▸ ***sommeiller*** v. Dormir légèrement et peu de temps. *Mamie Lou et Claire ont sommeillé après le déjeuner.*

Autres membres de la famille : **assommer, assommant, ensommeillé.**

Attention ! deux ***m*** dans *sommelier.*

sommelier n. m., **sommelière** n. f.
Personne qui s'occupe de la cave et des vins dans un restaurant. *Le sommelier nous a apporté la carte des vins.*

Autre membre de la famille : **sommation.**

sommer v.
Demander de façon solennelle ou avec force. *Angèle a sommé Colle et Rat de se taire.*

Conjugaison 1

sommet n. m.
1. Point le plus élevé. *Le mont Blanc est le sommet le plus élevé de France ;* vois ***cime.*** **2.** Degré le plus élevé. *Denis Prost n'est pas encore au sommet de sa gloire.* **3.** Endroit où se coupent deux côtés d'une figure géométrique. *Un triangle a trois sommets.*

Il culmine à 4 807 mètres.

Il est comédien.

sommier n. m.
Partie d'un lit sur laquelle est posé le matelas. *Le lit d'Alex a un sommier à ressorts.*

sommité n. f.
Personnage important. *Le docteur Séverac participe à un congrès réunissant des sommités médicales,* des médecins éminents.

Compare *somnambule* et *funambule* : dans ces mots, il s'agit d'**aller.**

somnambule n. m. et f.
Personne qui se lève et marche pendant son sommeil. *Au réveil, les somnambules ne se souviennent pas de ce qu'ils ont fait.*

Votre mari est somnambule
Il se promène sur les toits
(Ch. Trenet).

Compare *somnifère, somnambule* et *insomnie* : il s'agit du **sommeil.**

somnifère n. m.
Médicament qui fait dormir ; vois ***soporifique.*** *Mme Séverac a pris un somnifère avant de se coucher.*

Conjugaison 1

somnoler v.
Dormir à moitié. *Marie-Tévy somnole dans la voiture.*
▸ ***somnolent*** adj. À moitié endormi. *Marie-Tévy, somnolente, s'est allongée sur la banquette arrière.*
▸ ***somnolence*** n. f. État d'une personne qui dort à moitié. *Il était tard, et rien ne pouvait tirer Marie-Tévy de sa somnolence.*

Compare : *somnoler* → *somnolent, somnolence* et *négliger* → *négligent, négligence.*

Compare *somnoler, somnambule, somnifère* et *insomnie* : dans ces mots, il est question du **sommeil.**

somptueux adj.
Luxueux, beau et cher ; vois ***fastueux, magnifique.*** *Le producteur a donné une somptueuse réception pour la sortie du film.*

Devant un nom féminin commençant par une voyelle ou un ***h*** muet, on emploie *son.*

① **son** adj. possessif m., ***sa*** adj. possessif f., ***ses*** adj. possessif plur.
Qui est à lui, lui appartient, le ou la concerne ; vois ***sien.*** *Il a apporté tous ses instruments : son tambour, son harmonica, sa flûte et sa harpe. Je lui ai donné son orange.*

Delphine prit la précaution de placer le panier entre ses jambes *(les Contes du Chat perché).*

Famille de **sonner**

Va voir *mur du son* à ***mur.***

② **son** n. m.
Ce que l'on entend ; vois ***bruit.*** *Antoine a reconnu Marie-Tévy au son de sa voix. Mme Bellec aime danser au son de l'accordéon.*

Le son se propage dans l'air à la vitesse de 322 mètres par seconde.

Des *taches de son,* ce sont des taches de rousseur.

③ **son** n. m.
Enveloppe des grains de céréales moulues. *Le pain complet contient du son.*

En moulant le grain, on obtient de la farine et du son.

Dans la sonate, l'ordre des mouvements lents et rapides est fixe.

sonate n. f.
Morceau de musique classique pour un ou deux instruments. *Sylvain joue une sonate pour piano de Mozart.*

sonde n. f.
1. Instrument qui sert à mesurer la profondeur de l'eau. *Par temps de brouillard, Loïc se repère en mer grâce à la sonde.* **2.** Appareil qui sert à forer et à sonder le sol. *On utilise des sondes pour rechercher du pétrole.*
▸ ***sonder*** v. **1.** Reconnaître au moyen d'une sonde. *On a sondé le terrain pour chercher du pétrole.* **2.** *Sonder quelqu'un,* c'est chercher à savoir ce qu'il pense. *Hippolyte a sondé Angèle pour connaître ses goûts en musique.*
▸ ***sondage*** n. m. **1.** Exploration à l'aide d'une sonde. *Les sondages ont permis de découvrir du pétrole.* **2.** *Un sondage d'opinion,* c'est une enquête qui permet de savoir ce que pense la population. *Les sondages d'opinion permettent de prévoir le résultat des élections.*

Les *sondes aériennes* servent à mesurer des altitudes.

Conjugaison 1

Conjugaison 3 ▭ Indic. présent : *nous songeons.* Imparfait : *je songeais, nous songions.*

songer v.
Songer à une chose, c'est y penser ; vois ***réfléchir.*** *À quoi songes-tu, Marie-Tévy ? Hippolyte songe à se marier. Antoine, il va falloir songer à faire tes devoirs.*

Il leur eût été facile, pour laisser passer notre voiture, d'aligner leur troupeau le long de la piste. Ils n'y songèrent pas *(le Lion).*

Compare : *songe → songer, songerie, songeur* et *rêve → rêver, rêverie, rêveur.*

▸ **songe** n. m. Rêve. *La princesse fit un songe surprenant.*
▸ **songerie** n. f. Rêverie. *Marie-Tévy, perdue dans sa songerie, a cessé de lire.*
▸ **songeur** adj. Pensif ; vois ***rêveur.*** *Marie-Tévy regardait dehors d'un air songeur.*

Songe et *songerie* sont des mots qui se trouvent surtout dans les livres.

Au féminin : *songeuse.*

Conjugaison 1

sonner v.
1. Faire résonner. *Le sacristain sonne les cloches de l'église pour le mariage.* **2.** Résonner, tinter. *Les cloches sonnent à toute volée ;* vois ***carillonner.*** *Le téléphone a sonné,* il a produit une sonnerie. **3.** Faire fonctionner une sonnerie. *Sonnez trois coups, puis entrez.* **4.** *Sonner quelqu'un,* c'est l'appeler par une sonnerie. *À la clinique, Julie pouvait sonner l'infirmière, si elle avait besoin de quelque chose.*

Cendrillon entendit sonner onze heures trois quarts : elle fit aussitôt une grande révérence à la compagnie, et s'en alla le plus vite qu'elle put *(Cendrillon).*

Autrefois, en cas de danger, on sonnait le tocsin.

▸ **sonnerie** n. f. Bruit d'une chose qui sonne. *On entend une sonnerie de téléphone chez les voisins. La sonnerie du réveil a réveillé Antoine en sursaut.*

La sonnerie retentit au-dessus de la cour, dans les galeries *(Lullaby).*

▸ **sonnette** n. f. Mécanisme qui déclenche une sonnerie. *Donne trois coups de sonnette, je saurai que c'est toi.*

Le crotale est aussi appelé *serpent à sonnette.*

Autres membres de la famille : **résonner, sonore, sonoriser, sonorité, insonoriser, ② son, ultra-son, supersonique, unisson.**

sonnet n. m.
Petit poème de quatorze vers. *Verlaine a écrit des sonnets.*

Famille de **sonner**

sonore adj.
1. Qui résonne fort. *M. Bellec parle d'une voix sonore ;* vois ***éclatant, retentissant.*** **2.** Qui renvoie le son. *Le gymnase est sonore.* **3.** De la nature du son. *Parlez après le signal sonore,* après le son qui vous avertit que vous pouvez parler.

Dans son gosier, le glapissement de sa voix était plus sonore que celui de ses frères et sœurs *(Croc-Blanc).*

Conjugaison 1

▸ **sonoriser** v. *Sonoriser une salle,* c'est y installer du matériel qui rend le son plus fort et le diffuse. *Le maire a fait sonoriser la salle des fêtes.*
▸ **sonorité** n. f. Qualité du son. *Le piano de Sylvain a une belle sonorité.*

Le matériel pour sonoriser une salle s'appelle familièrement la *sono.*

sophistiqué adj.
1. D'une beauté, d'une élégance très recherchée, artificielle. *Cette femme est un peu sophistiquée.* **2.** Complexe, perfectionné. *Alex a un appareil de photo très sophistiqué.*

Le contraire de *sophistiqué,* c'est *naturel, simple.*

soporifique n. m. et adj.
1. n. m. Produit qui fait dormir ; vois ***somnifère.*** *Les voleurs ont mis un soporifique dans la pâtée du chien.* **2.** adj. Ennuyeux, endormant. *Le maire a fait un discours soporifique.*

Les Lilliputiens avaient mis un soporifique dans les barriques de vin pour endormir Gulliver.

Au pluriel : *des sopranos* ou *des soprani.*

On dit aussi *soprane.*

soprano n. m. et f.
Personne qui chante d'une voix très élevée. *Denis Prost a rencontré une soprano de l'Opéra de Paris.*

Le *saxophone soprano* est le plus aigu des saxophones.

sorbet n. m.
Glace à l'eau sans crème ni lait, à base de jus de fruit. *Sophie Pelletier a demandé un sorbet à la pomme et au cassis.*

Les oiseaux aiment beaucoup les fruits du sorbier.

sorbier n. m.
Arbre à petits fruits rouge orangé. *Le sorbier du jardin est couvert de fruits.*

Compare ***sorcellerie*** et ***ensorceler*** : il est question de **sorcier.**

sorcellerie n. f.
Magie pratiquée par les sorciers. *Jeanne d'Arc fut accusée de sorcellerie et brûlée vive.*

C'est de la sorcellerie ! : c'est une chose inexplicable.

Ce n'est pas sorcier : ce n'est pas bien difficile.

sorcier n. m., **sorcière** n. f.
Personne qui pratique une magie secrète. *En Europe, au Moyen Âge, l'Église pourchassait les sorciers. Les sorcières des contes de fées sont souvent laides et méchantes. En Afrique, les sorciers sont très respectés.*

Va voir aussi ***magicien.***

sordide adj.
1. Sale et repoussant ; vois ***misérable, pouilleux.*** *La sorcière habitait dans*

un taudis sordide. **2.** Moralement ignoble, répugnant. *Mme Harpie est d'une avarice sordide.*

Ce mot est toujours au pluriel.

sornettes n. f. plur.
Paroles qui ne sont pas sérieuses, qui ne reposent sur rien ; vois ***balivernes.*** *Antoine ne cesse de débiter des sornettes.*

Attention ! un ***t*** à la fin.

sort n. m.
1. Ce qui arrive à quelqu'un, du fait du hasard ou du destin ; vois ***destinée.*** *Mme Roussel n'est pas contente de son sort.* **2.** Destin, fatalité. *C'est un coup du sort !, s'écria Mme Harpie.* **3.** *Tirer au sort,* c'est désigner par le hasard. *Le gagnant sera tiré au sort.* **4.** *Jeter un sort à quelqu'un,* c'est l'ensorceler, attirer le malheur sur lui par la sorcellerie. *La sorcière a jeté un sort au nouveau-né.*

On peut tirer au sort en jouant à pile ou face, ou à la courte paille.

Autre membre de la famille : **sortilège.**

sorte n. f.
1. Ensemble de personnes ou de choses ayant une caractéristique en commun ; vois ***catégorie, espèce, genre, variété.*** *Odile Séverac cultive toutes sortes de fleurs.* **2.** *La mandoline est une sorte de guitare,* quelque chose qui ressemble à une guitare, une espèce de guitare ; vois ***genre.*** **3.** *Julie, tu ne vas pas sortir habillée de la sorte,* de cette façon. **4.** *Julie a habillé son chat de telle sorte qu'il ressemble à un bébé,* elle l'a habillé de telle manière qu'il ressemble à un bébé. **5.** *Alex a fait en sorte de ne pas réveiller son frère,* il s'est arrangé pour ne pas le réveiller.

Autres membres de la famille : **assortir, assortiment.**

Famille de ① **sortir**

sortie n. f.
1. Endroit par où l'on sort ; vois ***porte.*** *La maison a une sortie sur le jardin. Ce panneau indique la sortie de secours ;* vois ***issue.*** **2.** Moment où des personnes sortent. *C'est l'heure de la sortie des élèves.* **3.** *Faire une sortie,* c'est dire des choses que l'on ne devrait pas dire. *Mme Harpie a encore fait une sortie contre sa sœur.* **4.** *On attend avec impatience la sortie du dernier film de Denis Prost,* on attend qu'il soit présenté au public. **5.** Somme dépensée ; vois ***dépense.*** *Mme Bellec inscrit les sorties dans une colonne et les recettes dans une autre.*

Lullaby chercha la sortie du magasin, presque en courant *(Lullaby).*

Le contraire de *sortie,* c'est *entrée.*

Denis Prost est un comédien célèbre.

sortilège n. m.
Influence magique que peut exercer un sorcier ; vois ***charme.*** *La magicienne avait eu recours à des sortilèges pour envoûter le jeune homme.*

L'Enfant et les Sortilèges est une œuvre musicale de Maurice Ravel sur un texte de Colette.

Famille de **sort**

Conjugaison 16
▭ Indic. présent : *je sors, nous sortons, ils sortent.* Imparfait : *je sortais.* Futur : *je sortirai.* — Subj. présent : *que je sorte.*

① **sortir** v.
1. Aller hors d'un lieu, aller dehors. *Julie est sortie de la pièce en claquant la porte ;* vois ***partir.*** **2.** Aller au spectacle ou dîner dehors. *Ce soir, les Prost sortent avec des amis. Les Doucet sortent souvent.* **3.** Quitter, venir de. *Mme Séverac sort de chez le coiffeur.* **4.** *Ce film doit sortir bientôt,* il doit être présenté au public. **5.** Emmener dehors. *Sylvain sort son chien tous les matins. Julie a sorti deux livres de la bibliothèque.* **6.** Mettre dehors. *Le docteur Séverac a sorti la voiture du garage. Le chat sort ses griffes.* **7.** Apparaître. *Les bourgeons sortent au printemps.*
▸ ② ***sortir*** n. m. *La nature renaît au sortir de l'hiver,* au moment où l'on sort de l'hiver.

Autres membres de la famille : **ressortir, sortie.**

Entre les pattes de devant, énormes, qui jouaient à sortir et à rentrer leurs griffes, je vis Patricia *(le Lion).*

Prononce [ɛsoɛs].

S. O. S. n. m.
Signal de détresse. *Le navire en perdition a lancé un S. O. S.*

Attention ! un ***e*** à la fin.

sosie n. m.
Personne qui ressemble exactement à une autre. *Le professeur de mathématiques est le sosie de Tournesol.*

Dupont est le sosie de Dupond.

sot adj.
Bête ; vois ***idiot, stupide.*** *Marie-Tévy n'a pas été assez sotte pour répondre aux insultes de Colle et Rat.*
▸ ***sottise*** n. f. **1.** Bêtise, stupidité. *Marie-Tévy n'a pas eu la sottise de répondre à Colle et Rat.* **2.** Chose stupide ; vois ***ânerie, idiotie, imbécillité.*** *Antoine ne cesse de dire des sottises.*

Il n'est point de sot métier (proverbe).

Attention ! deux ***t*** dans *sottise.*

J'ai vu Nicolas
Qu'est pourtant pas sot
Tremper ses pinceaux
Dans du chocolat
(Obaldia).

Un sou est un sou : il ne faut pas gaspiller son argent.

sou n. m.
1. Ancienne pièce de monnaie qui valait cinq centimes. *M. Bonnot a encore de vieilles pièces de cent sous.* **2.** *Je n'ai pas un sou,* je n'ai pas d'argent. **3.** *Julie porte une bague de quatre sous,* sans valeur.

Un sou représentait très peu d'argent.

Autre membre de la famille : **grippe-sou.**

Famille de ① **bas**

soubassement n. m.
Partie inférieure des murs d'un bâtiment ; vois ***base.*** *Le soubassement repose sur les fondations.*

Famille de **saut**

soubresaut n. m.
Mouvement brusque et involontaire ; vois ***sursaut.*** *Antoine eut un soubresaut en voyant la directrice entrer dans la classe.*

souche n. f.
1. Ce qui reste du tronc avec les racines, quand un arbre a été coupé. *Yves s'assit sur une souche pour se reposer.* **2.** *La famille de Mme Séverac est de souche alsacienne,* d'origine alsacienne. **3.** Partie d'une feuille qui reste fixée à un carnet, quand on en a enlevé la partie qui se détache ; vois ***talon.*** *Mme Bellec note la date sur la souche du chèque.*

Je suis sortie de chez moi par la fenêtre [...], dit la petite fille. Il fallait bien. Je donne déjà trop de soucis à mes parents le jour *(le Lion).*

① **souci** n. m.
1. Inquiétude ; vois ***préoccupation, tracas.*** *Les études d'Alex sont pour sa mère un souci continuel. Mme Hespel se fait du souci pour l'avenir de son fils,* elle s'inquiète pour lui. **2.** *M. Bellec a le souci de satisfaire ses clients,* il veille à ce qu'ils soient satisfaits.

M. Bellec tient un restaurant.

Conjugaison 7

▸ *se* **soucier** v. S'inquiéter, se préoccuper. *Mme Harpie ne se soucie guère de ce qu'on pense d'elle.*

Autres membres de la famille : **insouciant, insouciance.**

Au féminin : *soucieuse.*

▸ **soucieux** adj. **1.** Inquiet, plein de soucis. *Mme Hespel parle de son fils d'un air soucieux.* **2.** *M. Bellec est soucieux de plaire à ses clients,* il veut leur plaire, il s'en préoccupe.

J'étais très soucieux car ma panne commençait de m'apparaître comme très grave *(le Petit Prince).*

② **souci** n. m.
Petite plante de jardin, à fleurs jaunes ou orangées. *Le ballon est tombé dans le parterre de soucis.*

Famille de ① **coupe**

Ouvrir des yeux comme des soucoupes, c'est les ouvrir très grand, les écarquiller.

soucoupe n. f.
1. Petite assiette qui se place sous une tasse. *M. Bellec pose une petite cuillère sur la soucoupe de la tasse à café.* **2.** *Une soucoupe volante,* c'est un objet volant mystérieux. *Colle et Rat prétendent qu'ils ont vu une soucoupe volante.*

Va voir aussi ***ovni.***

soudain adj. et adv.
1. adj. Brusque, subit. *Antoine eut une envie soudaine d'aller jouer dehors.*
2. adv. Tout d'un coup. *Soudain, Antoine eut envie d'aller jouer dehors ;* vois ***soudainement.***

▸ **soudainement** adv. Tout d'un coup, brusquement ; vois ***soudain.*** *Cette idée m'est venue soudainement.*

Puis soudain, elle comprit que rien ne pourrait lui arriver, jamais *(Lullaby).*

Conjugaison 1

souder v.
Souder deux pièces de métal, c'est les faire tenir ensemble en les faisant fondre ou en les unissant avec du métal fondu. *Le plombier soude des tuyaux de cuivre.*

Compare : *souder → soudure, relier → reliure* et *plier → pliure.*

▸ **soudure** n. f. Endroit où deux métaux sont soudés ensemble. *La soudure du tuyau s'est défaite.*

Conjugaison 8 ▭ Indic. présent : *je soudoie, nous soudoyons.*

soudoyer v.
Soudoyer quelqu'un, c'est le payer pour qu'il agisse malhonnêtement ; vois ***acheter, corrompre.*** *L'espion a essayé de soudoyer le gardien de l'usine.*

Attention ! deux *f* dans *souffler, soufflé, souffle, soufflet, souffleur,* mais un seul *f* dans *boursouflé.*

souffler v.
1. Faire sortir de l'air par la bouche ou par le nez. *Marie-Tévy souffle sur sa soupe pour la refroidir.* **2.** *Le vent souffle,* il produit un courant d'air. **3.** *Souffler une bougie,* c'est l'éteindre en faisant sortir de l'air par la bouche. *Yves a soufflé en une seule fois les huit bougies de son gâteau d'anniversaire.* **4.** Dire à voix basse ; vois ***chuchoter.*** *Antoine souffla la réponse à Marie-Tévy.*

Conjugaison 1

Le vent soufflait dans ses cheveux et les emmêlait *(Lullaby).*

▸ ***soufflé*** n. m. Plat fait d'une pâte légère qui gonfle en cuisant. *Mme Bellec mange du soufflé au fromage.*

▸ ***souffle*** n. m. **1.** Air rejeté par la bouche, respiration. *Julie, cachée derrière la porte, retenait son souffle. Sylvain est à bout de souffle,* épuisé, respirant difficilement. *L'insolence d'Yves a coupé le souffle à Angèle,* elle l'a beaucoup étonnée. **2.** Mouvement de l'air. *Il fait très chaud, il n'y a pas un souffle d'air.*

Je considérais en retenant mon souffle le singe minuscule posé si près de ma figure *(le Lion).*

Un coureur qui a du *souffle* ne *s'essouffle* pas facilement.

▸ ***soufflet*** n. m. **1.** Instrument qui sert à envoyer de l'air. *Mme Séverac attise le feu avec un soufflet.* **2.** *Les wagons sont reliés par des soufflets,* par des parties pliantes et souples.

Autres membres de la famille : **boursouflé, essouffler.**

▸ ***souffleur*** n. m. Personne chargée de souffler leur rôle aux acteurs, dans un théâtre. *Autrefois, le souffleur parlait par un trou placé sur le devant de la scène.*

C'était le *trou du souffleur.*

souffrir v.

Attention ! deux *f.*

Conjugaison 18 ▭ Indic. présent : *je souffre, il souffre, nous souffrons, ils souffrent.* Imparfait : *je souffrais.* Futur : *je souffrirai.* — Subj. présent : *que je souffre.*

1. Avoir mal, éprouver une douleur. *Julie a souffert après son opération de l'appendicite. Mme Roussel souffre de sa solitude.* **2.** *Les plantes ont beaucoup souffert de la sécheresse,* elles ont été très abîmées par la sécheresse. **3.** Supporter. *Mme Harpie ne souffre pas que l'on fasse des plaisanteries sur elle.*

Cela te fera souffrir comme si l'on te coupait avec une épée tranchante *(la Petite Sirène).*

▸ ***souffrance*** n. f. **1.** Douleur. *Ce vieil homme a enduré de grandes souffrances.* **2.** *Un colis en souffrance,* c'est un colis que l'on n'est pas allé retirer quand il est arrivé. *Le paquet est resté plusieurs jours en souffrance à la poste.*

Il est inutile de s'appesantir sur les souffrances de tant de malheureux prisonniers *(Michel Strogoff).*

▸ ***souffrant*** adj. Un peu malade. *Yasmina n'est pas allée en classe car elle était souffrante.*

▸ ***souffre-douleur*** n. m. invariable Personne que l'on fait souffrir par plaisir ; vois ***martyr, victime.*** *Yasmina est le souffre-douleur de Colle et Rat.*

Ce pauvre enfant était le souffre-douleur de la maison, et on lui donnait toujours le tort *(le Petit Poucet).*

Famille de **douleur**

▸ ***souffreteux*** adj. De santé fragile ; vois ***maladif.*** *Sylvain est un enfant un peu souffreteux.*

Au féminin : *souffreteuse.*

soufre n. m.

Attention ! un seul *f.*

Matière jaune clair que l'on trouve dans la nature. *Le soufre qui brûle dégage des vapeurs suffocantes.*

Autrefois, le bout des allumettes était couvert de soufre.

souhaiter v.

N'oublie pas le *h.*

Désirer, espérer. *Hippolyte souhaite revoir Angèle bientôt. Angèle a souhaité de bonnes vacances à ses élèves.*

Conjugaison 1

▸ ***souhait*** n. m. Désir ; vois ***vœu.*** *Hippolyte a exprimé à Angèle le souhait de la revoir bientôt. La ferme où habite Mamie Lou est un endroit retiré et paisible à souhait,* aussi paisible que l'on puisse le souhaiter.

Je te promets [...]
D'exaucer pleinement les trois premiers souhaits
Que tu voudras former
(les Souhaits ridicules).

À vos souhaits !, dit-on à une personne qui éternue.

▸ ***souhaitable*** adj. Désirable. *Angèle a toutes les qualités souhaitables pour faire une excellente institutrice.*

souiller v.

Conjugaison 1

Salir. *Des taches de vin souillaient la nappe. Les enfants sont rentrés souillés de boue.*

▸ ***souillon*** n. f. Femme négligée, sale. *Mme Harpie a parfois l'air d'une souillon.*

Souiller et *souillon* sont des mots qui se trouvent surtout dans les livres.

souk n. m.

Au pluriel : *des souks.*

Marché couvert, dans les pays arabes. *Le docteur Séverac a rapporté des bijoux qu'il a achetés dans un souk marocain.*

soûl adj.

Soûl [su] rime avec *mou, soûle* [sul] avec *moule.*

On écrit aussi *saoul, saoule.*

1. Ivre. *Angèle est un peu soûle dès qu'elle boit un verre de vin.* **2.** *Tu peux dormir tout ton soûl, personne ne te réveillera,* tu peux dormir autant que tu veux.

Ce mot est familier.

Autre membre de la famille : se **soûler.**

soulager v.

Conjugaison 3 ▭ Indic. présent : *nous soulageons.* Imparfait : *je soulageais, nous soulagions.*

Soulager quelqu'un, c'est le débarrasser d'une partie de sa douleur, de son inquiétude. *L'aspirine soulage les maux de tête. Mme Hespel fut soulagée de savoir qu'Alex, son fils, était bien rentré ;* vois ***apaiser, calmer.***

Lullaby se sentit soulagée d'avoir décidé de ne plus aller à l'école *(Lullaby).*

▸ ***soulagement*** n. m. État de celui qui se trouve mieux. *Mme Hespel poussa un soupir de soulagement.*

On écrit aussi *se saouler.*
Famille de **soûl**

se **soûler** v.
Devenir ivre. *Il s'est soûlé en buvant trop de vin.*

Conjugaison 1

Conjugaison 5 ▭ Indic. présent : *je soulève, nous soulevons, ils soulèvent.*

soulever v.
1. Lever à une faible hauteur. *Marie-Tévy essaie de soulever Antoine.* **2.** *La voiture soulève de la poussière,* elle la fait s'élever. **3.** *Se soulever,* c'est se révolter. *Au Moyen Âge, les paysans poussés par la misère se soulevaient parfois contre les nobles et pillaient les châteaux.* **4.** Provoquer. *Le discours de la directrice souleva l'enthousiasme.*

Lullaby arriva devant un endroit où le grillage était soulevé, et c'est par là qu'elle passa à quatre pattes *(Lullaby).*

Soulever une question, c'est la poser.

Famille de ① **lever**

▸ **soulèvement** n. m. **1.** Élévation de la surface de la terre. *Un soulèvement de terrain a provoqué l'effondrement du port.* **2.** Mouvement de révolte ; vois ***émeute.*** *Les soulèvements de paysans furent sévèrement réprimés.*

Le contraire de *soulèvement,* c'est *affaissement.*

soulier n. m.
Chaussure. *Pierre Séverac chausse de gros souliers pour travailler dans les champs.*

Être dans ses petits souliers, c'est être mal à l'aise.

On dit plus souvent *chaussure.*

Conjugaison 1

souligner v.
1. Tirer un trait sous un mot. *Soulignez les verbes en rouge.* **2.** Faire remarquer avec insistance, mettre en valeur. *Les médecins ont souligné l'importance de cette découverte.*

Famille de **ligne**

Conjugaison 56 ▭ Indic. présent : *je soumets, nous soumettons, ils soumettent.* Passé simple : *je soumis.* Futur : *je soumettrai.* — Subj. présent : *que je soumette.*

soumettre v.
1. Obliger à obéir. *Les colons américains soumirent peu à peu toutes les tribus d'Indiens. — Moins forts que les Blancs, les Indiens durent se soumettre.* **2.** *Se soumettre à quelque chose,* c'est s'y plier, s'y conformer. *Les citoyens doivent se soumettre aux lois du pays.* **3.** Proposer. *Le maire a soumis le problème au conseil municipal.*

▸ **soumission** n. f. Obéissance. *Les soldats étaient d'une soumission aveugle à l'égard de leur chef.*

Famille de **mettre**

Si dures que fussent pour lui toutes ces défaites, il ne se soumit pas *(Croc-Blanc).*

soupape n. f.
Partie d'un appareil qui peut bouger pour laisser passer un gaz, un liquide ; vois ***clapet, valve.*** *Dans les moteurs de voiture, les soupapes règlent l'entrée et la sortie des gaz.*

Babar tire une seconde fois la soupape. Le ballon descend toujours *(Babar).*

N'oublie pas la cédille du *ç.*

soupçon n. m.
1. *Avoir des soupçons,* c'est avoir l'impression que quelqu'un a fait quelque chose de mal. *Mme Harpie ne sait pas qui a cassé sa vitrine, mais elle a des soupçons.* **2.** Très petite quantité. *Mettez un soupçon de sel dans la pâte à tarte.*

Conjugaison 1

Les petites se regardaient avec un peu de surprise. Elles n'auraient jamais soupçonné que le loup pût avoir une voix aussi douce *(les Contes du Chat perché).*

▸ **soupçonner** v. **1.** *Soupçonner quelqu'un,* c'est le croire coupable ; vois ***suspecter.*** *Mme Harpie soupçonne Colle et Rat d'avoir lancé des cailloux dans sa vitrine.* **2.** Sentir, se douter de quelque chose. *Angèle, l'institutrice, soupçonne Antoine d'avoir encore inventé une histoire.*

Quand les nains virent Blancheneige couchée par terre, comme morte, ils soupçonnèrent aussitôt la marâtre *(Blancheneige).*

▸ **soupçonneux** adj. Méfiant, plein de soupçons. *Mme Harpie regarda Colle et Rat d'un air soupçonneux.*

Au féminin : *soupçonneuse.*

soupe n. f.
Aliment liquide assez épais, fait surtout d'eau et de légumes écrasés ; vois ***bouillon, potage.*** *Antoine a repris deux fois de la soupe aux poireaux.*

On forçait la petite fille à manger sa soupe, alors qu'elle désirait tant rester petite (Obaldia).

On fait aussi de la soupe de poisson.

▸ **soupière** n. f. Récipient large et profond, dans lequel on sert la soupe. *Mme Roussel a posé la soupière sur la table.*

▸ ① **souper** n. m. Repas que l'on prend très tard, la nuit. *Après la projection du film, le metteur en scène a invité les comédiens à un souper chez lui.*

Dans certaines régions, on appelle *souper* le dîner.

Conjugaison 1

▸ ② **souper** v. Prendre un repas très tard le soir, dîner très tard. *Les comédiens sont allés souper chez le metteur en scène.*

Famille de **pente**

soupente n. f.
Petite pièce aménagée sous un escalier, ou dans la hauteur d'une pièce. *La soupente sert de placard à balais.*

Conjugaison 5 ▭ Indic. présent : *je soupèse, nous soupesons.*

soupeser v.
Soupeser une chose, c'est la soulever et la tenir dans la main pour en évaluer le poids. *Yves soupesa la grosse valise : elle était trop lourde pour lui.*

Famille de **peser**

Au pluriel : *des soupiraux.*

soupirail n. m.
Petite ouverture pratiquée au bas d'un mur extérieur pour donner de l'air et de la lumière au sous-sol. *La cave était faiblement éclairée par deux soupiraux.*

Conjugaison 1

soupirer v.
Pousser un soupir. *Antoine soupire en faisant ses devoirs. Dans son bain, Angèle soupira d'aise.*

▹ **soupir** n. m. Respiration longue et profonde qui exprime l'ennui, la fatigue ou la satisfaction. *Antoine pousse de gros soupirs en faisant ses devoirs. Mme Roussel poussa un soupir de soulagement en retrouvant ses clés.*

Rendre le dernier soupir, c'est mourir.

▹ **soupirant** n. m. Amoureux. *Hippolyte est le soupirant d'Angèle.*

souple adj.
1. *Une chose souple,* c'est une chose que l'on peut plier et courber facilement sans qu'elle se casse ; vois ***flexible.*** *Le caoutchouc est une matière souple.* **2.** *Quelqu'un de souple,* c'est quelqu'un dont le corps est capable de se plier et de se mouvoir sans effort dans toutes les positions. *Julie fait la roue et le grand écart : elle est très souple.* **3.** *Un caractère souple,* c'est un caractère qui s'adapte facilement aux gens et aux situations. *Mme Bellec a un caractère très souple.*

Le contraire de *souple,* c'est *raide, rigide.*

Croc-Blanc se fit souple comme un chat *(Croc-Blanc).*

Les acrobates et les danseurs doivent être très souples.

▹ **souplesse** n. f. **1.** *Les félins sont des animaux d'une grande souplesse,* au corps très souple. **2.** *M. Bellec manque parfois de souplesse,* il n'a pas un caractère très souple, très accommodant.

Le contraire de *souplesse,* c'est *raideur.*

Autres membres de la famille : **assouplir, assouplissement.**

source n. f.
1. Eau qui sort du sol. *Réjean et Alex se sont désaltérés à l'eau d'une source.* **2.** *Réjean et Alex ont remonté le fleuve jusqu'à sa source,* jusqu'à l'endroit où il prend naissance. **3.** Origine, cause. *Le médecin n'a pas encore trouvé la source du mal.* **4.** Origine d'une information. *On sait maintenant de source sûre que l'incendie de la poste est un accident,* on le sait de manière sûre.

C'est le *sourcier* qui découvre les sources.

La Loire prend sa source au mont Gerbier-de-Jonc.

Va voir *source d'énergie* à ***énergie.***

Ne prononce pas le *l* final. *Sourcil* [SURSI] rime avec *souci.*

sourcil n. m.
Ligne de poils au-dessus des yeux. *M. Bonnot a des sourcils très épais. Mécontent, Loïc fronçait les sourcils.*

▹ **sourciller** v. Manifester son émotion ou son mécontentement. *Colle et Rat reçurent la punition sans sourciller.*

Conjugaison 1

Au féminin : *sourde.*

Les sourds souffrent de *surdité.*

sourd adj.
1. Qui n'entend pas ou n'entend pas bien. *M. Bonnot est un peu sourd d'une oreille. Antoine fait la sourde oreille quand sa mère l'appelle,* il fait semblant de ne pas entendre. — n. *Yves criait comme un sourd.* **2.** *Colle et Rat sont restés sourds aux remarques de la directrice,* ils ont refusé de les entendre. **3.** *On entendit un bruit sourd,* peu sonore ; vois ***étouffé.*** **4.** *En tombant, Nathalie ressentit une douleur sourde dans la jambe,* une douleur pas très nette, mais continue.

Sourd comme un pot : très sourd.

V'là qu'il a dit : « ô ma Ladie » deux fois. Mais sa Ladie est sourde à ses salades (B. Lapointe).

Le contraire de *sourd,* c'est *aigu.*

▹ **sourdement** adv. Avec un bruit sourd. *Au loin, le tonnerre grondait sourdement.*

▹ **sourdine** n. f. **1.** Petit appareil qui amortit le son d'un instrument de musique. *Pour ne pas gêner les voisins quand il joue du piano, Sylvain met la sourdine.* **2.** *On entendait la radio en sourdine,* faiblement, tout doucement.

Cherokee commença à gronder d'abord en sourdine, puis plus âprement *(Croc-Blanc).*

Au pluriel : *des sourds-muets.* Famille de **muet**

▹ **sourd-muet** n. m., **sourde-muette** n. f. Personne qui est à la fois sourde et muette. *Les sourds-muets communiquent entre eux par gestes.*

Autres membres de la famille : **assourdir, assourdissant.**

Au féminin : *souriante.* Famille de ① **rire**

souriant adj.
Quelqu'un de souriant, c'est quelqu'un qui sourit, qui est aimable. *Mme Bellec est toujours souriante.*

Elle montre *un visage souriant.*

Au pluriel : *des souriceaux.*

souriceau n. m.
Petit de la souris. *Odile Séverac a trouvé dans le grenier toute une portée de souriceaux.*

Famille de **souris**

[...] elle dit à Cendrillon de lever un peu la trappe de la souricière *(Cendrillon).*

souricière n. f.
1. Piège à souris. *Odile Séverac a posé des souricières dans le grenier.* **2.** Piège tendu par la police. *Le malfaiteur se retrouva pris dans la souricière.*

Famille de **souris**
Il était fait comme un rat !

Conjugaison 36, comme *rire.*
Famille de ① **rire**

① **sourire** v.
1. Prendre une expression rieuse avec la bouche et les yeux pour montrer que l'on est content ou que l'on veut être aimable. *Mme Bellec sourit gracieusement aux clients de son restaurant.* **2.** *La chance a souri à Hippolyte : il a gagné au loto, cette semaine,* la chance l'a favorisé. **3.** *La perspective d'avoir à garder son frère ne souriait pas tellement à Julie,* cela ne lui plaisait pas tellement.

Tous les chats sont capables de sourire, et ils sourient pour la plupart *(Alice au Pays des merveilles).*

Les lèvres d'Ivan Ogareff s'étaient desserrées dans un cruel sourire *(Michel Strogoff).*

▸ ② **sourire** n. m. *Mme Bellec a un très joli sourire,* elle a une jolie expression quand elle sourit. *Le bébé fait déjà de nombreux sourires,* il sourit déjà beaucoup.

Une souris verte
Qui courait dans l'herbe
(comptine).

souris n. f.
Petit animal rongeur à très longue queue, plus petit que le rat. *Le chat chasse les souris. Odile Séverac a mis des pièges à souris dans le grenier.*

Autres membres de la famille : **souriceau, souricière, chauve-souris.**

Sournois [suʀnwa] rime avec *noix.*

Croc-Blanc devint méchant et sournois *(Croc-Blanc).*

sournois adj.
Quelqu'un de sournois, c'est quelqu'un qui dissimule ce qu'il pense ou ce qu'il sait, souvent dans une intention malveillante ; vois ***hypocrite.*** *Colle et Rat sont insolents et sournois.*

Au féminin : *sournoise.*
Le contraire de *sournois,* c'est *franc.*

Ne confonds pas *sous, sou* et *soûl.*

sous préposition
1. Plus bas par rapport à une chose située au-dessus. *Le chat s'est réfugié sous le fauteuil. Hippolyte s'est abrité sous un porche pendant l'averse.* **2.** *Mme Roussel a mis sa lettre sous enveloppe,* à l'intérieur de l'enveloppe. **3.** *Les branches ploient sous le poids des fruits,* à cause de leur poids. **4.** *L'école est sous la responsabilité de la directrice,* la directrice en est la responsable. **5.** *Sous la Révolution, le château de Motbourg a été endommagé,* à l'époque de la Révolution.

Le contraire de *sous,* c'est *sur.*
Aussitôt sa femme les fit cacher sous le lit et alla ouvrir la porte *(le Petit Poucet).*

Autre membre de la famille : **dessous.**

Attention ! un trait d'union entre *sous* et *alimenté.*

sous-alimenté adj.
Qui n'a pas assez à manger. *Quand il va en Afrique, le docteur Séverac s'occupe des enfants sous-alimentés.*

Famille de **aliment**

Attention ! un trait d'union entre *sous* et *bois.*

sous-bois n. m.
Végétation qui pousse sous les arbres d'une forêt. *De nombreux champignons poussent dans les sous-bois.*

Famille de **bois**

Conjugaison 39, comme *écrire.*

souscrire v.
1. S'engager à payer. *Le docteur Séverac a souscrit à une encyclopédie en cours de publication.* **2.** Donner son adhésion ; vois ***consentir.*** *Les policiers refusent de souscrire aux exigences des ravisseurs.*

Souscrire, en ce sens, n'est pas très courant.

Attention ! un trait d'union entre *sous* et *cutané.*

sous-cutané adj.
Situé ou fait sous la peau. *Ce vaccin s'administre par piqûre sous-cutanée.*

Famille de **cutané**

Attention ! un trait d'union entre *sous* et *entendu.*

sous-entendu n. m.
Chose que l'on laisse deviner sans la dire vraiment ; vois ***allusion, insinuation.*** *Les paroles de Mme Harpie étaient pleines de sous-entendus.*

Famille de **entendre**

Attention ! un trait d'union entre *sous* et *estimer.*
Conjugaison 1

sous-estimer v.
Estimer au-dessous de sa valeur, de son importance. *Denis Prost a perdu le match de tennis car il a sous-estimé son adversaire,* il l'a cru moins fort qu'il ne l'était.

Famille de **estimer**
Le contraire de *sous-estimer,* c'est *surestimer.*

Attention ! un trait d'union entre *sous* et *marin.*
Famille de ① **marin**

sous-marin adj. et n. m.
1. adj. Situé sous la surface de la mer. *Denis Prost fait de la plongée sous-marine.* **2.** n. m. Navire qui peut naviguer sous l'eau ; vois ***submersible.*** *Certains sous-marins peuvent atteindre une vitesse de quarante nœuds.*

Le relief sous-marin n'est pas plat, au contraire, il est très accidenté.

Attention ! un trait d'union entre *sous* et *officier.*
Famille de **officier**

sous-officier n. m.
Militaire au grade moins élevé que l'officier. *Le sergent et l'adjudant sont des sous-officiers.*

Ils sont les auxiliaires des officiers.

Attention ! un trait d'union entre *sous* et *produit.*
Au pluriel : *des sous-produits.*

sous-produit n. m.
Produit obtenu en plus de la fabrication d'un premier produit. *Les résines, les matières plastiques et les textiles synthétiques sont des sous-produits du pétrole.*

Famille de **produire**

Attention ! un trait d'union entre *sous* et *sol.*
Au pluriel : *des sous-sols.*
Famille de ① **sol**

sous-sol n. m.
1. Partie du sol qui se trouve loin sous la surface. *Le sous-sol de ce pays est riche en métaux précieux.* **2.** Partie d'une construction située au-dessous du niveau du sol, mais qui n'est pas une cave. *Dans la maison des Prost, le garage est situé au sous-sol.*

Dans certains grands immeubles, le sous-sol a plusieurs étages.

Attention ! un trait d'union entre *sous* et *titre.*
Au pluriel : *des sous-titres.*
Famille de **titre**

sous-titre n. m.
1. Titre placé après le titre principal et destiné à le compléter. *Le sous-titre d'un livre est imprimé en caractères plus petits que le titre.* **2.** Texte qui traduit les dialogues d'un film, au bas de l'image. *Est-ce que vous préférez voir le film doublé ou avec des sous-titres ?*

Les films avec des sous-titres sont des films en *version originale.*

Quand on fait une soustraction, on *soustrait* un nombre d'un autre.

soustraction n. f.
Opération par laquelle on retranche un nombre d'un autre. *Tous les enfants de la classe d'Angèle savent faire depuis longtemps les soustractions.*

Le contraire de la *soustraction,* c'est l'*addition.*

Conjugaison 50 ▭ Indic. présent : *je soustrais, nous soustrayons.* Imparfait : *je soustrayais, nous soustrayions.* Futur : *je soustrairai, nous soustrairons.*

soustraire v.
1. Retrancher par soustraction un nombre d'un autre. *En soustrayant dix de quinze, on obtient cinq ;* vois ***déduire, enlever, ôter.*** **2.** Prendre, voler. *Avec beaucoup d'adresse, le voleur soustrayait le portefeuille de tous les voyageurs.* **3.** *Le docteur Séverac ne s'est jamais soustrait à ses engagements,* il n'a jamais cherché à y échapper.

Le contraire de *soustraire,* c'est *additionner, ajouter.*

Attention ! un trait d'union entre *sous* et *verre.*
Au pluriel : *des sous-verre.*

sous-verre n. m. invariable
Photo ou gravure placée entre une plaque de verre et un carton rigide. *Un sous-verre, représentant une ancienne carte des environs de Motbourg, est accroché au mur, dans le vestibule.*

Famille de **verre**

Attention ! un trait d'union entre *sous* et *vêtement.*
Famille de **vêtir**

sous-vêtement n. m.
Vêtement qui se porte sous les autres vêtements. *Les slips, les soutiens-gorge et les caleçons sont des sous-vêtements.*

Au pluriel : *des sous-vêtements.*

soutane n. f.
Longue robe boutonnée devant, portée par les prêtres catholiques. *Le pape porte une soutane blanche et les évêques une soutane violette.*

Autrefois, les simples prêtres portaient une soutane noire.

soute n. f.
Partie d'un navire ou d'un avion où l'on met des marchandises ou des bagages. *Les valises sont rangées dans la soute à bagages de l'avion.*

Conjugaison 22 ▭ Indic. présent : *je soutiens, nous soutenons.* Imparfait : *je soutenais, nous soutenions.* Passé simple : *je soutins.* Futur : *je soutiendrai.* — Subj. présent : *que je soutienne.* — Impératif : *soutiens.*

soutenir v.
1. Tenir par-dessous en servant de support, d'appui ; vois ***porter, supporter.*** *De fortes poutres et des solives soutiennent le toit.* **2.** Maintenir debout, empêcher de tomber. *Dès le lendemain de son opération, Julie, soutenue par une infirmière, a fait quelques pas dans sa chambre.* **3.** Réconforter, aider. *Après la mort de sa mère, Sophie Pelletier a été soutenue par tous ses amis.* **4.** *Antoine soutient toujours Marie-Tévy quand elle est attaquée,* il prend toujours son parti. **5.** Affirmer, prétendre. *Colle et Rat soutiennent avoir vu une soucoupe volante.* **6.** *Ce romancier sait vraiment soutenir l'intérêt du lecteur,* maintenir son intérêt en éveil.

Famille de **tenir**

Ils lui ont apporté leur *soutien.*

Attention ! deux *r.*
Famille de **terre**

souterrain adj. et n. m.
1. adj. Situé au-dessous du niveau du sol. *Pour traverser l'avenue, il faut emprunter le passage souterrain.* **2.** n. m. Tunnel, passage souterrain. *On dit que le château de Motbourg a des souterrains de plusieurs kilomètres.*

Même famille que **soutenir**

soutien n. m.
Aide, appui. *Mme Séverac assure le maire de Motbourg de son soutien.*

Au pluriel : *des soutiens-gorge.*

▸ ***soutien-gorge*** n. m. Sous-vêtement de femme qui couvre et maintient les seins. *Les soutiens-gorge s'achètent dans les magasins de lingerie.*

Le premier soutien-gorge fut fabriqué en 1914.

Conjugaison 1

soutirer v.

1. *Pierre Séverac soutire du vin avec une pompe,* il le transvase d'un tonneau à un autre récipient pour que la lie reste au fond du tonneau. **2.** Obtenir en insistant ou par la ruse. *Les faux assureurs avaient réussi à soutirer de l'argent à tous les gens du quartier en leur proposant de faux contrats d'assurance.*

Famille de **tirer**

Conjugaison 22 ▭ Indic. présent : *je me souviens, nous nous souvenons.*

Le contraire de *se souvenir,* c'est *oublier.*

se **souvenir** v.

Avoir présent dans l'esprit, dans la mémoire, se rappeler. *Marie-Tévy se souvient mal du Cambodge. Alex se souviendra toujours que Réjean lui a sauvé la vie.*

Plus tard, quand Lullaby se réveillait, elle essayait de se souvenir de ce qu'elle avait vu *(Lullaby).*

Il ne m'était pas difficile de suivre dans ses souvenirs mon rude compagnon *(le Lion).*

▸ ***souvenir*** n. m. **1.** Mémoire. *Marie-Tévy a presque perdu le souvenir du Cambodge.* **2.** Événement, moment passé qui reste dans la mémoire. *Les petits Séverac aiment que Mamie Lou leur raconte ses souvenirs de jeunesse.* **3.** Objet qui fait se souvenir de quelqu'un. *Sophie Pelletier tient beaucoup à cette bague, car c'est un souvenir de sa mère.*

Un *souvenir de voyage,* c'est un objet que l'on rapporte d'un pays où l'on est allé en voyage.

souvent adv.

Quand on tombe dans la neige, ce qui arrive souvent, le soleil est là pour vous réchauffer *(Babar).*

À intervalles assez rapprochés ; vois ***fréquemment.*** *Sylvain pense souvent à Nathalie. Antoine voit très souvent son père. Le plus souvent, Mme Hespel prend ses vacances en août,* habituellement, généralement.

Le contraire de *souvent,* c'est *jamais, rarement.*

souverain n. m. et adj., **souveraine** n. f. et adj.

▭ **n.** Chef d'un royaume ou d'un empire ; personne qui règne sur un pays. *Louis XIV était un souverain absolu.*

Va voir aussi ***roi, reine, empereur, impératrice, monarque.***

Le souverain pontife, c'est le pape.

▭ **adj. 1.** *Dans une démocratie, grâce aux élections, le peuple est souverain,* il est seul à décider qui gouvernera. **2.** *Ce sirop est souverain contre la toux,* il est très efficace. **3.** Extrême, total. *Mme Harpie fait preuve d'un mépris souverain pour les autres.*

Compare : *souverain → souverainement* et *soudain → soudainement.*

▸ ***souverainement*** adv. Extrêmement, très. *Mme Harpie est souverainement méprisante.*

▸ ***souveraineté*** n. f. Pouvoir, autorité. *En démocratie, le peuple exerce sa souveraineté en votant.*

Au féminin : *soyeuse.*
Famille de **soie**

soyeux adj.

Doux et brillant comme de la soie. *Martin a des cheveux soyeux.*

Le contraire de *spacieux,* c'est *étroit, exigu, petit.*

spacieux adj.

Grand, vaste. *Les Prost habitent une maison spacieuse.*

Il y a de l'*espace* dans leur maison !

Le ***g*** est suivi d'un ***h.*** C'est un mot d'origine italienne.

spaghettis n. m. plur.

Pâtes longues et fines. *Antoine a avalé une énorme assiettée de spaghettis à la crème.*

Va voir aussi ***macaronis, raviolis.***

Ne prononce pas le ***p*** final : [spaʀadʀa].

sparadrap n. m.

Tissu collant utilisé pour faire des pansements. *Angèle a recouvert la plaie de gaze qu'elle a fait tenir avec du sparadrap.*

spasme n. m.

Contraction brusque et involontaire d'un muscle ; vois ***convulsion, crampe.*** *La peur provoque souvent des spasmes de l'estomac.*

Un spasme d'épouvante secoua Henry *(Croc-Blanc).*

▸ ***spasmodique*** adj. *Le poisson était parcouru de contractions spasmodiques,* dues à des spasmes.

Prononce [spasjal].

La N. A. S. A. est le centre américain de recherche spatiale situé à Houston.

spatial adj.

Les cosmonautes ont embarqué dans la fusée pour un long voyage spatial, dans l'espace. *Alex rêve de monter dans des engins spatiaux,* utilisés pour voyager dans l'espace.

Au féminin : *spatiale.*
Va voir aussi ***cosmique.***

spatule n. f.

La *spatule* d'un ski, c'est son avant recourbé.

Instrument formé d'un manche et d'une large lame. *M. Bellec étale du mastic avec une spatule.*

Prononce [spikœʀ].

Speaker et *speakerine* sont des mots que l'on n'emploie plus beaucoup.

speaker n. m.
Homme qui présente les émissions, à la radio ou à la télévision. *Le speaker a donné le programme de la soirée.*

On dit plutôt *présentateur.*

▸ **speakerine** n. f. Femme qui présente les émissions, à la radio ou à la télévision. *La speakerine présente le programme de télévision de la journée.*

On dit plutôt *présentatrice.*

Au masculin pluriel : *spéciaux.*

spécial adj.
1. Particulier. *Ces malades sont hospitalisés dans un pavillon spécial.* **2.** Inhabituel, exceptionnel. *Quand il parle de la guerre, M. Bonnot prend une voix spéciale.*

▸ **spécialement** adv. **1.** Exprès. *Denis Prost a joué un rôle écrit spécialement pour lui.* **2.** En particulier, surtout. *Alex aime les sports dangereux, et spécialement la moto.*

Michel Strogoff avait été reçu par le czar, qui l'attacha spécialement à sa personne *(Michel Strogoff).*

Conjugaison 1

▸ **spécialiser** v. *Un cardiologue est un médecin spécialisé dans les maladies du cœur,* qui soigne uniquement les maladies du cœur.

▸ **spécialiste** n. m. et f. **1.** Personne qui connaît très bien un travail, un domaine particulier ; vois ***expert.*** *Un historien de l'art est un spécialiste de l'histoire de l'art.* **2.** Médecin spécialisé dans une partie de la médecine. *M. Bonnot est allé consulter un spécialiste.*

Le contraire de *spécialiste,* c'est *généraliste.*

▸ **spécialité** n. f. **1.** Domaine que l'on connaît le mieux. *La spécialité de ce médecin est la cardiologie.* **2.** *Les spécialités d'un restaurant,* ce sont les plats que l'on ne trouve que là, ou qui y sont particulièrement bien réussis. *L'épaule d'agneau au citron est une spécialité du restaurant Bellec.*

La paella est une spécialité espagnole.

Conjugaison 7

spécifier v.
Indiquer de façon précise ; vois ***préciser.*** *Angèle a bien spécifié qu'elle partait à quatre heures.*

spécimen n. m.
Exemple qui représente bien les choses de la même espèce ; vois ***échantillon.*** *Angèle a montré aux enfants quelques beaux spécimens de champignons.*

Spécimen [spesimɛn] rime avec *domaine.*

Compare *spectacle, spectateur, spectaculaire* et *inspecter* : il s'agit de **regarder.**

spectacle n. m.
1. Ce que l'on voit ; vois ***tableau.*** *La poste dévastée par l'incendie offrait un triste spectacle.* **2.** Ce que l'on montre au public pour le distraire. *Julie a vu un spectacle de marionnettes.*

Les pièces de théâtre, les films, les ballets sont des spectacles.

spectaculaire adj.
Impressionnant pour celui qui regarde ; vois ***étonnant, frappant.*** *Le prestidigitateur a fait des tours spectaculaires.*

spectateur n. m., **spectatrice** n. f.
1. Personne qui voit quelque chose ; vois ***témoin.*** *Yves a été le spectateur involontaire d'une bagarre.* **2.** Personne qui assiste à un spectacle, à une compétition sportive, à une cérémonie. *Les spectateurs hurlaient dans le stade.*

La louve, objet du litige, assise sur son train de derrière, regardait, spectatrice paisible *(Croc-Blanc).*

Autre membre de la famille : **téléspectateur.**

① **spectre** n. m.
Fantôme, revenant. *Son visage était d'une pâleur de spectre.*

② **spectre** n. m.
Suite de couleurs due à la décomposition de la lumière blanche. *On peut voir le spectre de la lumière en la faisant passer à travers un prisme.*

Rouge, orangé, jaune, vert, bleu, indigo, violet : ce sont les couleurs du spectre.

L'arc-en-ciel montre toutes les couleurs du spectre.

Conjugaison 1

spéculer v.
Faire des opérations de commerce en jouant sur le fait que les prix montent et baissent. *Les producteurs spéculent sur le prix du café en faisant des stocks.*

Les *spéculateurs* font des *spéculations.*

▸ **spéculateur** n. m., **spéculatrice** n. f. Personne qui spécule. *Les spéculateurs ont fait monter le prix du café.*

spéléologue n. m. ou f.
Personne qui explore les grottes et les rivières souterraines. *Une équipe de spéléologues a passé un mois sous terre.*

Les *spéléologues* font de la *spéléologie.*

sperme n. m.

Le sperme contient de très nombreuses cellules appelées *spermatozoïdes.*

Liquide fabriqué par les glandes qui servent à la reproduction chez les hommes et les animaux mâles. *Le sperme est une matière visqueuse et blanchâtre.*

sphère n. f.

1. Figure géométrique qui a la forme d'une boule. *La Terre a la forme d'une sphère aplatie aux deux pôles.* **2.** Domaine, milieu. *Le maire de Motbourg connaît bien les sphères politiques parisiennes.*

Autres membres de la famille : **atmosphère, atmosphérique, hémisphère, planisphère, stratosphère.**

Une balle, une bille sont des objets sphériques.

▸ ***sphérique*** adj. En forme de sphère ; vois ***rond.*** *L'orange a une forme sphérique.*

sphinx n. m. invariable

Le Sphinx tuait les voyageurs qui ne résolvaient pas l'énigme qu'il leur posait.

Monstre des légendes grecques anciennes qui a un corps de lion, des ailes et une tête de femme. *Œdipe sut résoudre l'énigme du Sphinx.*

Au pluriel : *des sphinx.*

spirale n. f.

Un ressort est un fil enroulé en spirale.

Ligne courbe qui tourne autour d'un axe. *Yves a un cahier à spirale,* dont les pages sont reliées par une spirale en métal.

Un *escalier en spirale,* c'est un escalier en colimaçon.

spirituel adj.

1. Qui concerne l'esprit. *L'abbé Gauthier s'occupe de l'éducation spirituelle des enfants,* de l'éducation de leur esprit, de leur âme. **2.** Amusant, drôle, malicieux. *L'abbé Gauthier est un homme spirituel,* plein d'esprit. *Sophie Pelletier fait des plaisanteries spirituelles,* fines, pleines d'esprit.

▸ ***spirituellement*** adv. De façon drôle, avec esprit. *L'histoire était racontée spirituellement.*

Cet enfant ne commença pas plutôt à parler, qu'il dit mille jolies choses, et qu'il avait dans toutes ses actions je ne sais quoi de si spirituel, qu'on en était charmé *(Riquet à la Houppe).*

spiritueux n. m.

Boisson qui contient beaucoup d'alcool. *Autrefois, Mme Harpie a tenu un commerce de vins et spiritueux.*

splendeur n. f.

Compare ***splendeur*** et ***splendide*** : dans ces mots, il est question de **briller.**

1. Beauté qui donne une impression de luxe. *La nature en mai est dans toute sa splendeur.* **2.** Chose très belle ; vois ***merveille.*** *Cette tapisserie est une splendeur.*

splendide adj.

Quelques os éparpillés furent en peu de temps tout ce qui restait du splendide animal *(Croc-Blanc).*

Très beau. *Il fait un temps splendide ;* vois ***magnifique.*** *Le producteur a donné une fête splendide ;* vois ***somptueux.*** *Les roses du jardin étaient splendides.*

Le contraire de *splendide,* c'est *horrible.*

spolier v.

Croc-Blanc spolia même un piège appartenant à Castor-Gris *(Croc-Blanc).*

Spolier quelqu'un, c'est le priver de ce qui est à lui, de façon violente et malhonnête ; vois ***déposséder.*** *Il a été spolié de son héritage par son frère.*

Conjugaison 7

spongieux adj.

Au féminin : *spongieuse.*

Mou et qui retient l'eau, comme une éponge. *On s'enfonçait jusqu'aux chevilles dans le sol spongieux du sous-bois.*

spontané adj.

1. Que l'on fait sans y être contraint, obligé. *Le coupable a fait des aveux spontanés,* sans qu'on lui demande rien. **2.** Qui agit avec naturel, sans réfléchir ou calculer. *Julie est une petite fille spontanée.*

▸ ***spontanéité*** n. f. Caractère de quelqu'un qui agit sans calcul, avec naturel. *Denis Prost aime la spontanéité de sa fille.*

▸ ***spontanément*** adv. Avec spontanéité. *L'accusé a tout avoué spontanément,* de lui-même.

sporadique adj.

On ne rencontre pas ce mot très souvent.

Qui se produit çà et là, de temps en temps. *L'orage s'éloigna ; on entendait encore des coups de tonnerre sporadiques,* irréguliers et isolés.

Le contraire de *sporadique,* c'est *constant, fréquent, répété.*

sport n. m.

Les *sports d'hiver* se pratiquent sur la neige ou la glace : ski, luge, patin à glace...

Jeu ou exercice physique pratiqué régulièrement. *Yves aime beaucoup le sport : il fait de la natation et du football. Le football est le sport préféré de David.*

Le football, le rugby, le volley sont des *sports d'équipe.*

▸ ***sportif*** adj. **1.** Qui concerne le sport. *Un match de tennis est une compétition sportive.* **2.** *Une personne sportive,* c'est une personne qui fait du sport, qui aime le sport. *Yves est un garçon sportif.* — n. *Hippolyte est un sportif.*

Autre membre de la famille : **omnisport.**

Spot [spɔt] rime avec *compote.*

spot n. m.

1. Petit projecteur. *Un spot éclaire le tableau.* **2.** *Un spot publicitaire,* c'est un message publicitaire, à la radio ou à la télévision. *Ce comédien a enregistré des spots publicitaires.*

Ce mot est d'origine anglaise.

Prononce toutes les lettres : [spʀint].

sprint n. m.

Fin d'une course, où les coureurs vont le plus vite possible. *Yves a gagné au sprint ; il était le seul à pouvoir encore accélérer.*

Sprint est un mot d'origine anglaise.

Conjugaison 1

▸ ***sprinter*** v. Accélérer et aller très vite, à la fin d'une course. *Seul Yves a pu sprinter.*

Prononce [spʀinte].

Prononce [skwaʀ].

square n. m.

Petit jardin public au milieu d'une place. *Yasmina a emmené son petit frère jouer au square.*

Prononce [skwatɛʀ] ou [skwatœʀ].

squatter n. m.

Personne qui s'installe dans un logement vide, sans en avoir le droit. *Des squatters occupent l'immeuble qui doit être démoli.*

Squatter est un mot d'origine anglaise.

Attention ! deux *t* dans *squelette* et *squelettique.*

squelette n. m.

Ensemble des os du corps. *Le squelette de l'homme comprend 208 os.*

Seuls les vertébrés ont un squelette avec une colonne vertébrale.

▸ ***squelettique*** adj. Très maigre. *Julie a nourri un chat squelettique qui errait dans le jardin.*

Conjugaison 1

stabiliser v.

1. Rendre stable. *Le gouvernement a réussi à stabiliser les prix,* à faire qu'ils ne changent pas. **2.** *Loïc eut du mal à stabiliser le bateau,* à faire en sorte qu'il ne bouge pas trop, tout en avançant.

stabilité n. f.

État de ce qui ne bouge pas, reste en équilibre. *Vérifie la stabilité de l'échelle avant de monter dessus. Le gouvernement se félicite de la stabilité des prix.*

Va voir aussi ***stable.***

stable adj.

Le contraire de *stable,* c'est *changeant, instable.* Le contraire de *stable,* c'est *instable.*

1. *Ce qui est stable,* c'est ce qui reste toujours dans le même état, qui ne change pas ; vois ***durable, solide.*** *Le temps a l'air stable.* **2.** Qui tient en équilibre. *Tu peux monter sur l'échelle, elle est stable.*

Autre membre de la famille : **instable.**

① stade n. m.

Terrain de sport. *Le professeur de gymnastique a emmené la classe au stade.*

② stade n. m.

Moment, étape dans ce qui change, évolue ; vois ***phase, période.*** *Le papillon passe par plusieurs stades avant d'atteindre sa forme définitive.*

C'est d'abord une chenille, puis une chrysalide.

stage n. m.

Temps passé à se former ou à se perfectionner. *Mme Roussel a suivi un stage d'informatique.*

▸ ***stagiaire*** n. m. et f. Personne qui suit un stage. *Après son baccalauréat, Mme Hespel a été stagiaire dans une banque.*

Conjugaison 1

stagner v.

1. *Un liquide qui stagne,* c'est un liquide qui reste immobile, sans couler ; vois ***croupir.*** *L'eau stagne dans la mare.* **2.** Ne pas bouger, ne pas changer ; vois ***piétiner.*** *Colle et Rat sont toujours d'aussi mauvais élèves ; ils stagnent dans leur médiocrité.*

Prononce le ***g*** et le ***n*** séparément dans *stagner* [stagne], *stagnant* [stagnɑ̃] et *stagnation* [stagnɑsjɔ̃].

▸ ***stagnant*** adj. *Un liquide stagnant,* c'est un liquide qui ne coule pas. *Une mauvaise odeur se dégage des eaux stagnantes.*

▸ ***stagnation*** n. f. Immobilité, arrêt. *Le gouvernement s'inquiète de la stagnation de la production d'électricité.*

Les stalactites tombent.

stalactite n. f.
Colonne de calcaire qui se forme à partir de la voûte d'une grotte. *À mesure que le calcaire de l'eau se dépose, la stalactite s'agrandit.*

Va voir aussi ***stalagmite.***

Les stalagmites montent.

stalagmite n. f.
Colonne de calcaire qui s'élève à partir du sol d'une grotte. *Il arrive qu'une stalagmite et une stalactite se rejoignent et forment une colonne complète.*

Va voir aussi ***stalactite.***

Les stalles forment deux rangées, de chaque côté du chœur.

stalle n. f.
1. Siège de bois à haut dossier, dans le chœur d'une église. *L'église Sainte-Marie de Motbourg a des stalles richement sculptées.* **2.** Compartiment réservé à un cheval, dans une écurie ; vois ***box.*** *Le palefrenier a ramené le cheval dans sa stalle.*

Les stalles sont réservées au clergé.

Stand [stɑ̃d] rime avec *bande.*

stand n. m.
1. *Un stand de tir,* c'est un endroit aménagé pour tirer sur des cibles. *Les policiers s'entraînent à tirer dans des stands de tir.* **2.** Endroit réservé à un commerçant, dans une foire, une exposition, une fête. *Angèle a visité tous les stands de la foire d'automne, à Motbourg.*

Attention ! un ***d*** à la fin.

① ***standard*** adj. invariable
Normal, semblable au modèle courant. *M*^me^ *Hespel avait une cuisinière d'un modèle standard ; elle l'a changée pour un modèle de luxe.*

Au pluriel : *des modèles standard.*

Compare : *standard → standardiser* et *divin → diviniser.*

▸ ***standardiser*** v. Rendre standard. *Les prises de courant sont standardisées,* elles sont toutes pareilles.

Conjugaison 1

② ***standard*** n. m.
Appareil qui permet de faire communiquer les postes téléphoniques d'un endroit avec l'extérieur. *Pour appeler l'extérieur, il faut passer par le standard.*

Dans les administrations, dans les entreprises, il y a un standard.

▸ ***standardiste*** n. m. et f. Personne dont le métier est de répondre au téléphone et de passer les communications. *La standardiste a demandé à M*^me^ *Hespel de patienter.*

Standing [stɑ̃diŋ] rime avec *ring.*

standing n. m.
Niveau de vie. *M*^me^ *Hespel tient à son standing. C'est un immeuble de grand standing,* de luxe.

Standing est un mot d'origine anglaise.

Star [staʀ] rime avec *car* et *art.*

star n. f.
Vedette de cinéma ; vois ***étoile.*** *Cette star d'Hollywood s'était fait construire une somptueuse villa.*

Star est un mot d'origine anglaise.

Starter [staʀtɛʀ] rime avec *parterre.*

starter n. m.
Dispositif qui aide le moteur d'une voiture à démarrer. *Le matin, il faut mettre le starter pour démarrer.*

Le starter fait arriver plus d'essence dans le moteur.

station n. f.
1. Arrêt, halte. *Angèle fait de longues stations devant les vitrines.* **2.** Le fait de rester dans une certaine position. *La station debout est pénible à M. Bonnot.* **3.** Endroit où l'on fait des observations scientifiques. *Une station météorologique est installée sur la montagne.* **4.** Ensemble des installations d'un émetteur de radio ou de télévision. *Julie a été interviewée par Radio-Motbourg dans les studios de la station.* **5.** Endroit aménagé pour l'arrêt de véhicules. *M*^me^ *Roussel attend à la station d'autobus ;* vois ***arrêt.*** **6.** Lieu où l'on séjourne pour une raison précise. *M. et M*^me^ *Bonnot ont passé l'été dans une station balnéaire,* une ville au bord de la mer.

Il y a aussi des *stations de taxi* et des *stations de métro.*

On fait des cures dans des *stations thermales.*

On fait du ski dans une *station de sports d'hiver.*

Attention ! deux ***n*** dans *stationnaire, stationner* et *stationnement.*

▸ ***stationnaire*** adj. Qui n'évolue pas. *Le malade est dans un état stationnaire.*

Conjugaison 1

▸ ***stationner*** v. Rester à la même place un certain temps, sur la voie publique. *Il est interdit de stationner sur la place les jours de marché,* de garer sa voiture.

Le contraire de *stationner,* c'est *circuler.*

▸ ***stationnement*** n. m. *Un véhicule en stationnement,* c'est un véhicule garé. *Les jours de marché, le stationnement est interdit sur la place,* il est interdit de stationner.

Au pluriel : *des stations-service.*

▸ ***station-service*** n. f. Endroit où l'on vend de l'essence. *Denis Prost s'est arrêté dans une station-service pour prendre de l'essence.*

Attention au trait d'union.
Famille de **servir**

On peut faire des statistiques sur les naissances, les décès, les prix, le chômage.

statistique n. f.
Les statistiques, ce sont des chiffres qui permettent d'obtenir des renseignements, de comparer ou d'expliquer certaines choses dans un domaine particulier. *Les statistiques de la mairie permettent de savoir combien d'enfants partent en vacances chaque année.*

Les *statisticiens* étudient les statistiques.

Ne confonds pas *statue* et *statut.*

statue n. f.
Sculpture qui représente une personne ou un animal en entier. *M. Doucet montre à Antoine les statues du musée du Louvre. Une statue équestre du duc de Motbourg a été érigée sur la place du Marché.*

Patricia le regardait droit dans les yeux et sans plus remuer que si elle avait été une petite statue de bois oubliée dans la brousse *(le Lion).*

Prononce [statɥɛt].

▸ ***statuette*** n. f. Petite statue. *Le docteur Séverac a rapporté d'Afrique des statuettes d'ivoire.*

Conjugaison 1

statuer v.
Prendre une décision officielle. *Le tribunal a statué sur le cas de l'accusé.*

Prononce [statykwo].

statu quo n. m. invariable
État actuel des choses. *Personne n'étant d'accord, le maire a décidé de maintenir le statu quo.*

Au pluriel : *des statu quo.*

stature n. f.
Alex a une stature d'athlète, la taille et l'allure d'un athlète.

Ne confonds pas *statut* et *statue.*

statut n. m.
1. Situation d'une personne dans la société, dans un groupe, définie par des règles. *Les instituteurs ont le statut de fonctionnaire.* **2.** *Les statuts,* ce sont les règles qui permettent à une association de fonctionner. *Cette nouvelle association vient de déposer ses statuts.*

Toute association doit avoir des statuts.

steak n. m.
Morceau de bœuf destiné à être grillé ; vois ***bifteck.*** *Mme Hespel a fait des steaks frites.*

Prononce [stɛk].

Steak est un mot d'origine anglaise.

stèle n. f.
Monument fait d'une pierre qui porte des inscriptions. *Les archéologues ont découvert une stèle funéraire romaine.*

Au pluriel : *des sténodactylos.*

On dit aussi : *une sténo, elle est sténo.*

sténodactylo n. m. et f.
Personne qui connaît la sténographie et sait taper à la machine à écrire. *Mme Hespel a embauché une nouvelle sténodactylo.*

Famille de **dactylo**

Compare *sténo**graph**ie* et *ortho**graph**e* : dans ces mots, il est question d'**écrire.**

sténographie n. f.
Écriture simplifiée qui permet de noter les paroles aussi vite qu'on les prononce. *Mme Roussel a pris en sténographie des notes de la réunion.*

On dit aussi : la *sténo.*

Conjugaison 7

▸ ***sténographier*** v. Noter en sténographie. *Mme Roussel a sténographié la lettre que lui a dictée le directeur.*

Une assez profonde obscurité, à minuit, enveloppa la steppe *(Michel Strogoff).*

steppe n. f.
Grande plaine au climat sec, à la végétation pauvre. *Les Huns venaient des steppes de l'Asie centrale.*

stère n. m.
Unité de mesure de volume qui vaut un mètre cube. *Le docteur Séverac a fait rentrer deux stères de bois.*

stéréophonie n. f.
Enregistrement du son qui donne l'impression que les sons viennent de plusieurs points de l'espace. *Cette émission est retransmise en stéréophonie.*

On dit aussi : la *stéréo.*

On dit aussi : une *chaîne stéréo.*

▸ ***stéréophonique*** adj. Qui utilise les procédés de la stéréophonie. *Alex a une chaîne stéréophonique.*

Famille de **type**

stéréotype n. m.
Opinion toute faite ; vois ***cliché.*** *Le candidat a fait un discours plein de stéréotypes.*

▸ ***stéréotypé*** adj. *Une formule stéréotypée,* c'est une formule toute faite, figée. *Le maire a utilisé des formules stéréotypées dans son discours.*

stérile adj.

C'est une contrée stérile que celle qui s'étend sur la droite de l'Obi *(Michel Strogoff)*.

1. *Un être stérile,* c'est un être qui ne peut pas se reproduire. *Le mulet est un animal stérile.* **2.** *Une terre stérile,* c'est une terre qui ne permet pas de faire de la culture. *Le sol du désert est stérile.* **3.** Qui ne donne pas de résultat, qui ne sert à rien ; vois ***vain.*** *Ses efforts sont restés stériles ;* vois ***inutile.*** **4.** Sans microbe. *Le docteur Séverac fait un pansement avec une compresse stérile.*

Le contraire de *stérile,* c'est *fécond.*

Le contraire de *stérile,* c'est *fertile.*

Conjugaison 1

▸ ***stériliser*** v. Désinfecter, enlever les microbes. *On fait bouillir les biberons pour les stériliser.*

Le *lait stérilisé* peut se conserver plusieurs mois.

▸ ***stérilisation*** n. f. Opération qui consiste à désinfecter, enlever les microbes. *On procède à la stérilisation du lait en le faisant bouillir.*

▸ ***stérilité*** n. f. **1.** Incapacité de se reproduire. *Le médecin a donné à son client un traitement contre la stérilité.* **2.** *Les paysans se plaignent de la stérilité du sol,* du fait qu'il ne produit rien.

Le contraire de *stérilité,* c'est *fertilité.*

Sternum [stɛʀnɔm] rime avec *économe.*

sternum n. m.

Os plat au milieu de la poitrine. *Sept paires de côtes sont attachées au sternum.*

Au pluriel : *des sternums.*

N'oublie pas le ***h*** après le deuxième ***t*** dans *stét**h**oscope.*

stéthoscope n. m.

Appareil qui permet d'écouter les bruits de l'intérieur du corps. *Le docteur Séverac a ausculté Antoine avec son stéthoscope.*

Le stéthoscope fut inventé par Laennec en 1805.

Prononce [stjuwaʀd] ou [stiwaʀt].

steward n. m.

Homme qui sert les passagers d'un avion ou d'un bateau. *Les stewards et les hôtesses de l'air apportent les repas aux passagers.*

Steward est un mot d'origine anglaise.

Conjugaison 1

stimuler v.

1. Encourager, exciter. *Les compliments de la directrice ont stimulé Yves.* **2.** Augmenter. *Le grand air stimule l'appétit.*

Le contraire de *stimuler,* c'est *décourager.*

▸ ***stimulant*** adj. et n. m. **1.** adj. Encourageant. *Les bonnes notes sont très stimulantes,* elles stimulent, elles encouragent. **2.** n. m. *Le café est un stimulant,* un produit qui excite, qui augmente l'activité.

stipuler v.

Ce mot s'emploie à propos de contrats ou de textes officiels.

Faire savoir. *L'annonce stipule qu'il faut écrire au journal,* elle le dit ; vois ***préciser.***

Conjugaison 1

Attention ! un ***c*** puis un ***k*** dans *stock.*

stock n. m.

Marchandise en réserve ; vois ***provision, réserve.*** *Mme Harpie, la pâtissière, renouvelle son stock de bonbons toutes les semaines.*

Être en rupture de stock, c'est ne plus avoir une marchandise en stock.

Conjugaison 1

▸ ***stocker*** v. Garder en stock, en réserve ; vois ***entreposer.*** *M. Bellec stocke les conserves à la cave.*

N'oublie pas le tréma du ***ï.***

stoïque adj.

Courageux et impassible ; vois ***héroïque.*** *Yasmina est restée stoïque devant les attaques de Colle et Rat.*

Elle n'a pas montré sa peur.

Stop [stɔp] rime avec *enveloppe* et *microscope.*

stop interjection et n. m.

1. interjection Cri qui ordonne de s'arrêter. *« Stop ! », dit le douanier.* **2.** n. m. Panneau du code de la route qui oblige à s'arrêter. *M. Bellec n'a pas respecté le stop.*

On dit aussi *« halte ! ».*

Il est passé sans s'arrêter.

Attention ! deux ***p.***
Conjugaison 1

▸ ***stopper*** v. **1.** S'arrêter. *Le train a dû stopper en pleine campagne.* **2.** Faire s'arrêter. *Loïc a stoppé le moteur du bateau.* **3.** Arrêter, empêcher de continuer. *Le gouvernement veut stopper la grève.*

Autres membres de la famille : **auto-stop, auto-stoppeur.**

store n. m.

Lullaby écarta un peu les lames des stores pour regarder dehors *(Lullaby).*

Rideau qui se déroule devant une fenêtre. *Quand il y a beaucoup de soleil, le docteur Séverac baisse les stores de son bureau.*

Certains stores sont faits de lamelles de bois ou de plastique.

strabisme n. m.

Défaut d'une personne qui louche. *Mme Harpie est atteinte d'un léger strabisme,* elle louche un peu.

strangulation n. f.

Étranglement. *Vercingétorix est mort par strangulation.*

Il a été étranglé dans sa prison.

strapontin n. m.
Siège attaché à un endroit fixe et qui se replie. *Sophie Pelletier, arrivée en retard au cinéma, dut s'asseoir sur un strapontin.*

Ce n'est pas très confortable, un strapontin.

stratagème n. m.
Ruse habile. *Colle et Rat n'ont pas su déjouer le stratagème d'Antoine.*

strate n. f.
Couche de terrain dans le sol. *Dans la falaise, on voit des strates inclinées.*

stratégie n. f.
1. Manière d'organiser une guerre, une bataille. *Le général a expliqué sa stratégie aux soldats.* **2.** Plan d'action. *La stratégie du maire lui a permis d'être réélu.*
▸ ***stratégique*** adj. *Un port est un point stratégique dans un pays,* un point qui a de l'importance pour la guerre.

Va voir aussi ***tactique.***

stratifié adj.
Disposé en couches superposées. *La falaise est formée de roches stratifiées.*

Va voir aussi ***strate.***

stratosphère n. f.
Région de l'atmosphère dans laquelle les courants sont horizontaux et forment des couches. *Il y a très peu de nuages dans la stratosphère.*

La stratosphère est située entre 12 et 50 km de la surface de la Terre.

Famille de **sphère**

strict adj.
1. Qui laisse peu de liberté ; vois ***astreignant, étroit.*** *Mme Harpie a des principes très stricts.* **2.** *Une personne stricte,* c'est une personne sévère ; vois ***rigide.*** *Le colonel Hespel est un homme très strict.* **3.** *Le strict nécessaire,* c'est le minimum nécessaire, indispensable. *Alex est allé au Canada avec le strict nécessaire.*

Au féminin : *stricte.*

La *stricte vérité,* c'est ce qui est exactement conforme à la réalité.

Il avait un tout petit sac.

strident adj.
Un bruit strident, c'est un bruit aigu et très fort. *Les enfants jouaient en poussant des cris stridents.*

strie n. f.
Petite rayure. *La surface de ce coquillage est marquée de stries profondes.*
▸ ***strié*** adj. Marqué de stries. *La coquille est striée.*

strip-tease n. m.
Spectacle au cours duquel une femme se déshabille en musique. *Ce cabaret présente un numéro de strip-tease.*

Prononce [stʀiptiz].

Strip-tease est un mot d'origine anglaise.

strophe n. f.
Ensemble de vers séparés des autres, dans un poème. *Un sonnet est composé de quatre strophes.*

Va voir aussi ***couplet.***

structure n. f.
Manière dont les parties d'une chose sont assemblées, organisées. *Quand on analyse une phrase, on fait ressortir sa structure.*

Les géologues étudient la structure de la Terre.

stuc n. m.
Matière qui imite le marbre. *Des décorations en stuc ornent le plafond de la mairie.*

Le stuc est fait de plâtre, de poussière de marbre et de colle.

Stuc [styk] rime avec *duc.*

studieux adj.
Une personne studieuse, c'est une personne qui aime étudier, qui travaille avec application. *Yasmina est une élève studieuse.*

Le contraire de *studieux,* c'est *paresseux.*

studio n. m.
1. Appartement qui n'a qu'une seule pièce. *Hippolyte habite un studio rue Victor-Hugo.* **2.** Ensemble de locaux aménagés pour tourner des films ou faire des enregistrements. *Toutes les scènes du film ont été tournées en studio.*

Au pluriel : *des studios.*

On peut visiter les studios de la radio et de la télévision.

stupéfaction n. f.
Étonnement qui laisse incapable d'agir ; vois ***stupeur.*** *Mme Séverac, à la stupéfaction générale, quitta la réunion avant la fin.*

Les personnes présentes sont restées *stupéfaites.*

Famille de **faire**
Va voir aussi ***stupéfaction.***

stupéfait adj.
Étonné au point de ne pouvoir rien faire. *L'institutrice est restée stupéfaite devant le culot d'Yves ;* vois ***interdit.***

Elle était *stupéfiée.*

stupéfiant n. m.
Drogue qui engourdit l'esprit. *La police a arrêté un trafiquant de stupéfiants.*

Conjugaison 7

stupéfier v.
Étonner de manière à laisser sans réaction. *Le culot d'Yves a stupéfié l'institutrice.*

Elle est restée *stupéfaite.*

stupeur n. f.
Étonnement profond qui laisse sans réaction ; vois ***stupéfaction.*** *Ce drame affreux plongea toute la ville dans la stupeur.*

stupide adj.
Bête, idiot, sans intelligence. *Ce film était vraiment stupide. Il me regardait d'un air stupide.*

Le contraire de *stupide,* c'est *intelligent.*

▸ ***stupidité*** n. f. **1.** Bêtise, idiotie. *Cette réponse est d'une stupidité incroyable !* **2.** Chose stupide. *Tu perds ton temps à des stupidités.*

Le contraire de *stupidité,* c'est *intelligence.*

Attention au ***y*** !

style n. m.
1. Manière d'écrire. *Prévert a un style inimitable.* **2.** Ensemble des caractères d'une œuvre d'art qui la fait ressembler à d'autres. *Mme Séverac a une armoire de style Louis XIII.* **3.** Façon de se comporter. *Alex n'a pas prévenu qu'il serait en retard ; c'est bien son style.*

Un *meuble de style,* c'est un meuble d'un style ancien.

Conjugaison 1

▸ ***styliser*** v. Représenter une chose en simplifiant les formes. *Le dessin représente un palmier stylisé.*

Attention au ***y*** !

stylet n. m.
Poignard à lame très mince et pointue. *La princesse dissimulait un stylet dans sa ceinture.*

Attention au ***y*** !
Au pluriel : *des stylos.*

stylo n. m.
Instrument servant à écrire avec de l'encre. *Yves a cassé la plume de son stylo. Veux-tu un stylo ou un crayon ?*

Un *stylo à encre* écrit avec une plume ; un *stylo à bille,* avec une bille de métal.

suaire n. m.
Morceau de tissu dans lequel on enveloppe un mort ; vois ***linceul.*** *Le saint suaire servit à ensevelir le Christ.*

On trouve ce mot surtout dans les livres.

suave adj.
Doux et agréable. *Cette mélodie suave porte à la rêverie.*

subalterne adj.
Inférieur, peu important. *Mme Roussel a un emploi subalterne.*

Conjugaison 1

subdiviser v.
Subdiviser une chose, c'est diviser une chose qui a déjà été divisée. *Les chapitres du livre sont subdivisés en paragraphes.*

Famille de **diviser**

Conjugaison 2

subir v.
1. Supporter quelque chose sans le vouloir, en y étant obligé. *Mme Roussel subit la mauvaise humeur de sa sœur.* **2.** Supporter quelque chose volontairement, sans s'y opposer. *Julie a subi une opération de l'appendicite.*

La persécution sans fin qu'il subissait eut sur son caractère une influence néfaste *(Croc-Blanc).*

subit adj.
Qui se produit brusquement ; vois ***soudain.*** *Une vague de froid subite s'est abattue sur le pays.*

▸ ***subitement*** adv. Brusquement ; vois ***soudain.*** *D'après Colle et Rat, tout était calme lorsque, subitement, apparut une soucoupe volante.*

Au féminin : *subjective.*

subjectif adj.
Toutes les opinions sont subjectives, elles sont le reflet de la personnalité de ceux qui les expriment.

Le contraire de *subjectif,* c'est ③ *objectif.*

subjonctif n. m. Vois l'encadré ci-dessous.

le subjonctif

■ Le **subjonctif** est un mode du verbe que l'on trouve surtout dans les propositions subordonnées.

■ Il existe quatre temps du subjonctif :
- le présent : *Il faut que je **parte**.*
- l'imparfait : *Il fallait que je **partisse**.*
- le passé : *Il fallait que je **sois parti**.*
- le plus-que-parfait : *Il aurait fallu que je **fusse parti**.*

L'imparfait et le plus-que-parfait ne se trouvent que dans les livres.

■ On utilise aussi le subjonctif pour exprimer un souhait :
*Qu'il **parte**, et que je n'**entende** plus parler de lui.*

Conjugaison 1

subjuguer v.
Séduire vivement. *Le conférencier a subjugué son auditoire en parlant de l'Afrique,* il l'a beaucoup intéressé.

Ils étaient subjugués par ce spectacle fantastique *(Charlie et la Chocolaterie).*

sublime adj.
Admirable. *La musique de ce film est sublime,* elle est très belle.

Conjugaison 1

submerger v.
1. Inonder. *À la fonte des neiges, les prés ont été submergés,* ils ont été complètement recouverts d'eau. **2.** *M. Doucet est submergé de travail,* il est débordé, il a trop de travail.

Autre membre de la famille : **insubmersible.**

submersible n. m.
Sous-marin. *Le « Narval » fut en 1899 le prototype des submersibles.*

Conjugaison 1

subodorer v.
Deviner quelque chose qui n'est pas clair. *« Je subodore quelque chose de louche », dit le commissaire ;* vois ***flairer.***

subordination n. f.
Conjonction de subordination ; va voir à **conjonction.**

Attention ! deux *n.*
Conjugaison 1

subordonner v.
1. Placer sous l'autorité de quelqu'un. *Mme Roussel est subordonnée à son chef de service,* elle est sous ses ordres. **2.** *Être subordonné à quelque chose,* c'est en dépendre. *La durée du voyage en voiture est subordonnée à la circulation.*

Famille de ① **ordonner**

▸ ***subordonné*** n. m., ***subordonnée*** n. f. Personne placée sous l'autorité de quelqu'un. *Le chef de service a réuni ses subordonnés.*

Va voir *proposition subordonnée* à ***proposition.***

subrepticement adv.
Par surprise, sans se faire remarquer. *Colle et Rat ont accroché subrepticement un poisson d'avril dans le dos de l'institutrice.*

Subside s'emploie plutôt au pluriel.

subside n. m.
Argent versé pour aider. *Le conseil municipal de Motbourg a versé des subsides à Hippolyte pour le ciné-club dont il s'occupe ;* vois ***subvention.***

subsidiaire adj.
Une question subsidiaire, c'est une question supplémentaire qui sert à départager les gagnants d'un concours. *La question subsidiaire du concours de mots croisés était : « Combien de personnes ont participé à ce concours ? »*

Le contraire de *subsidiaire,* c'est *principal.*

Conjugaison 1

subsister v.
1. Continuer d'exister malgré tout ; vois ***rester.*** *Du temple antique, il ne subsiste que ces deux colonnes.* **2.** Continuer à vivre ; vois ***survivre.*** *Les clochards de Motbourg subsistent grâce à ce que leur donne l'abbé Gauthier.*

Ne confonds pas *subsister* et *substituer.*

▸ ***subsistance*** n. f. Ce qui permet de vivre, ce qui assure l'existence matérielle. *Quels sont vos moyens de subsistance ?*

substance n. f.
1. Matière. *L'or est une substance brillante ;* vois ***corps.*** **2.** Ce qu'il y a de plus important ; vois ***essentiel.*** *« Pas de parking sur la place du Marché ! », c'est en substance ce qu'a dit le maire,* en résumé.

Son amitié pour moi avait pris plus de profondeur, de vérité et comme une nouvelle substance *(le Lion).*

Substantiel [sybstɑ̃sjɛl] rime avec *ciel.*

▸ ***substantiel*** adj. **1.** Nourrissant. *Angèle a pris un petit déjeuner substantiel ;* vois ***copieux.*** **2.** Important. *Mme Hespel a eu une augmentation de salaire substantielle.*

substantif n. m.
Nom. *« Table » est un substantif féminin, « meuble » est un substantif masculin.*

Conjugaison 1

substituer v.
Mettre à la place ; vois ***remplacer.*** *À la cantine, Colle et Rat ont substitué du sel au sucre,* ils ont mis du sel à la place du sucre. — *Pour l'inauguration du musée, Mme Séverac s'est substituée au maire,* elle a pris sa place.

Compare : *substituer → substitution* et *instituer → institution.*

▸ ***substitution*** n. f. Remplacement. *Il a été condamné pour substitution de documents.*

subterfuge n. m.
Moyen habile pour échapper à quelque chose. *Pour échapper à une invitation qui l'ennuyait, Mme Hespel a trouvé un subterfuge.*

Elle a fait dire qu'elle était malade.

Au féminin : *subtile.*

subtil adj.
1. Fin et intelligent. *Le docteur Séverac est un homme subtil.* **2.** Difficile à percevoir. *La différence entre le châtain clair et le châtain foncé est souvent subtile.*

▸ ***subtilité*** n. f. Caractère d'une personne subtile. *Le docteur Séverac fait des remarques pleines de subtilité.*

Conjugaison 1

subtiliser v.
Voler adroitement sans que cela se voie. *Colle et Rat ont subtilisé leur livret scolaire dans le bureau de la directrice.*

Conjugaison 22

subvenir v.
Subvenir aux besoins de quelqu'un, c'est lui fournir de quoi vivre. *Mme Hespel subvient seule aux besoins de ses enfants ;* vois ***pourvoir.***

Famille de **venir**

Subvention [sybvɑ̃sjɔ̃] rime avec *pension.*

subvention n. f.
Argent donné par l'État ou par une association pour aider ; vois ***subside.*** *Hippolyte a obtenu une subvention du conseil municipal pour le ciné-club qu'il anime.*

Les théâtres *subventionnés* reçoivent de l'argent de l'État.

Le *suc gastrique* est un liquide fabriqué par l'estomac qui sert à la digestion.

suc n. m.
Liquide qui est à l'intérieur des plantes et de la viande. *Mamie Lou a fait un sirop à base de sucs de fruits.*

Autre membre de la famille : **succulent.**

Prononce [syksedane].

succédané n. m.
Ce qui remplace plus ou moins bien autre chose. *Ce pâté est un succédané de foie gras.*

On dit aussi un *ersatz.*

Conjugaison 6

Le contraire de *succéder,* c'est *précéder.*

Attention ! le participe passé est invariable.

succéder v.
1. Venir après, se produire après. *Plus tard, Yves succédera peut-être à son père à la tête du restaurant Bellec.* **2.** *Se succéder,* c'est venir l'un après l'autre. *Les députés se sont succédé à la tribune. Les mois se succèdent,* ils se suivent.

Quelquefois même, l'hiver succède presque inopinément à l'été *(Michel Strogoff).*

Si ces six sangsues sont sur son sein sans sucer son sang, ces six sangsues sont sans succès.

Autre membre de la famille : **insuccès.**

succès n. m.
1. Résultat heureux ; vois ***réussite.*** *Mme Roussel a passé son permis de conduire avec succès,* elle a réussi à l'avoir. *Denis Prost est sur le chemin du succès ;* vois ***gloire.*** **2.** Victoire. *L'équipe de football de Motbourg a remporté de nombreux succès.* **3.** *Avoir du succès,* c'est plaire. *Denis Prost commence à avoir du succès,* à être connu et à plaire au public.

Le contraire de *succès,* c'est *échec.*

C'est un comédien déjà célèbre.

Successeur n'a pas de féminin.

Va voir aussi ***succession.***

successeur n. m.
Personne qui succède à quelqu'un. *Le maire de Motbourg aimerait que Mme Séverac soit son successeur à la mairie,* qu'elle prenne sa place quand il ne sera plus maire.

Le contraire de *successeur,* c'est *prédécesseur.*

Attention ! deux **c** puis deux **s** dans *successif* et *successivement.*

successif adj.

Des choses successives, ce sont des choses qui se succèdent, se suivent. *Les échecs successifs de son fils Alex au baccalauréat désespèrent M*[me] *Hespel.*

▸ ***successivement*** adv. L'un après l'autre. *On a entendu successivement plusieurs coups de feu et des cris.*

On a entendu une *succession* de coups de feu et de cris.

Tout ensemble repassait dans sa mémoire une succession d'images qui s'y étaient imprimées *(Croc-Blanc).*

succession n. f.

1. Enchaînement ; vois ***suite.*** *Une succession de contretemps a retardé M*[me] *Séverac ;* vois ***série.*** **2.** Ensemble des biens que laisse une personne en mourant. *À la mort de sa mère, Sophie Pelletier a payé des droits de succession.* **3.** *Prendre la succession de quelqu'un,* c'est lui succéder. *M. Bellec aimerait que, plus tard, son fils prenne sa succession à la tête de son restaurant.*

Va voir aussi ***successeur.***

Va voir aussi ***succéder*** et ***successif.***

Elle a dû donner de l'argent à l'État pour toucher son héritage.

Succinct [syksɛ̃] rime avec *saint.* Au féminin : *succincte* [syksɛ̃t].

succinct adj.

Dit ou écrit en peu de mots ; vois ***bref, sommaire.*** *Le maire a fait un exposé succinct de la situation.*

Attention ! trois **c** dans *succinct.*

Il y a deux **c** dans *succomber.*

succomber v.

1. Mourir. *Le soldat a succombé à ses blessures.* **2.** *Succomber à quelque chose,* c'est ne pas y résister ; vois ***céder.*** *Antoine a succombé à la tentation : il a mangé tous les bonbons.*

Conjugaison 1

Deux **c** dans *succulent.*

succulent adj.

D'un goût délicieux. *Le lapin à la moutarde était succulent,* très bon ; vois ***excellent, exquis, savoureux.***

Famille de **suc**

Deux **c** dans *succursale.*

Il existe aussi des succursales de banques.

succursale n. f.

Établissement, magasin qui dépend d'un autre. *Cette chaîne de magasins a des succursales dans de nombreuses villes.*

C'est un *magasin à succursales multiples.*

Conjugaison 3 ▭ Indic. présent : *je suce, nous suçons.*

sucer v.

1. Faire fondre dans la bouche. *Antoine suce un bonbon fourré à la confiture de fraises.* **2.** *Claire suce encore son pouce,* elle le met dans sa bouche et le tète.

[...] des caramels mous qui changent de couleur toutes les dix secondes quand on les suce *(Charlie et la Chocolaterie).*

Annie aime les sucettes
Les sucettes à l'anis
(S. Gainsbourg).

▸ ***sucette*** n. f. Bonbon à sucer fixé au bout d'un bâtonnet. *M*[me] *Harpie vend des bonbons et des sucettes de toutes les couleurs.*

sucre n. m.

Il y a du sucre en poudre et du sucre en morceaux.

1. Matière blanche, soluble dans l'eau, à saveur très douce, que l'on utilise dans les desserts, la pâtisserie et la confiserie. *Angèle boit son thé sans sucre.* **2.** Morceau de sucre. *Hippolyte met deux sucres dans son café.*

Le sucre est tiré de la *canne à sucre* ou de la *betterave à sucre.*

Conjugaison 1

▸ ***sucrer*** v. Mettre du sucre. *Angèle ne sucre jamais son thé,* elle n'y met jamais de sucre.

▸ ***sucré*** adj. Qui contient du sucre, a le goût du sucre. *Le miel est sucré.*

▸ ***sucrerie*** n. f. **1.** Usine où l'on fabrique le sucre. *Les sucreries des Antilles fabriquent du sucre de canne.* **2.** Friandise à base de sucre. *Antoine aime beaucoup les sucreries.*

Montez dans votre chambre, mademoiselle ; vous ne descendrez que pour dîner et vous n'aurez ni dessert ni plat sucré *(les Petites Filles modèles).*

▸ ***sucrier*** adj. et n. m. **1.** adj. Qui a rapport au sucre. *On tire du sucre des betteraves sucrières.* **2.** n. m. Récipient où l'on met le sucre. *Julie a cassé le sucrier de porcelaine.*

sud n. m. et adj. invariable

▭ **n. m. 1.** *Le sud,* c'est l'un des quatre points cardinaux, celui qui est diamétralement opposé au nord. *La façade de l'école est exposée au sud ;* vois ***midi.*** *Bourges est au sud de la Loire,* au-dessous de la Loire en regardant une carte. **2.** *Le Sud,* c'est la partie sud d'un pays. *Johannesburg est une ville d'Afrique du Sud.*

Nord, sud, est, ouest.

Dans ce sens, on met une majuscule à *Sud.*

▭ **adj. invariable** Qui se trouve au sud. *Le Brésil est dans l'hémisphère sud.*

Conjugaison 1

suer v.

Être en sueur ; vois ***transpirer.*** *Hippolyte suait à grosses gouttes.*

On dit plutôt *transpirer.*

La sueur, qui est principalement composée d'eau et de sel, s'écoule par les pores de la peau.

▸ ***sueur*** n. f. Liquide qui sort de la peau quand on a très chaud, que l'on a fait un gros effort physique et parfois lorsqu'on a peur ; vois ***transpiration.*** *Hippolyte a dansé toute la nuit, sa chemise est trempée de sueur. Hippolyte est en sueur d'avoir tant dansé,* il est en nage.

La peur donne des *sueurs froides.*

Conjugaison 37
▭ Indic. présent : *je suffis, nous suffisons.* Futur : *je suffirai.* Passé simple : *je suffis.* — Subj. présent : *que je suffise.*

suffire v.
1. *Le salaire de Mme Hespel suffit largement à faire vivre sa famille,* il est assez important pour faire vivre sa famille. *« Cela suffit, David et Nathalie, arrêtez de vous disputer »,* en voilà assez. **2.** *Pour démarrer, il suffit de tourner la clé de contact,* il n'y a qu'à tourner la clé de contact. *Il suffirait qu'Alex travaille davantage pour avoir son bac,* il faudrait qu'il travaille.

Attention aux deux *f* !

Les loups savent qu'ils sont sûrs de nous avoir et qu'il suffit de patienter *(Croc-Blanc).*

Ivan Ogareff avait laissé une garnison suffisante à Omsk *(Michel Strogoff).*

▸ ***suffisant*** adj. **1.** *Angèle n'a pas la somme suffisante pour faire le voyage qu'elle projetait,* la somme qu'elle peut mettre ne suffit pas. **2.** *Quelqu'un de suffisant,* c'est quelqu'un qui a une trop haute idée de lui-même ; vois ***prétentieux, vaniteux.*** *Certains trouvent Denis Prost un peu suffisant.*

Le contraire de *suffisant,* c'est *insuffisant.*
Autres membres de la famille : **insuffisant, insuffisamment, insuffisance.**

Attention aux deux *m* !

▸ ***suffisamment*** adv. En quantité suffisante ; vois ***assez.*** *Alex n'a pas travaillé suffisamment pour réussir au baccalauréat.*

Le contraire de *suffisamment,* c'est *insuffisamment.*

suffixe n. m.
Élément qui se place après un radical pour former un mot dérivé et qui termine ce mot. *Le suffixe « -able » peut s'ajouter au radical d'un verbe pour former un adjectif.*

Par exemple, sur *critiquer,* on forme *critiquable.*

Va voir aussi ***préfixe.***

Attention ! deux *f* dans *suffoquer* et *suffocant.*

suffoquer v.
1. Empêcher de respirer ; vois ***oppresser.*** *L'épaisse fumée suffoquait Hippolyte.* **2.** Respirer avec difficulté. *On suffoque dans cette pièce surchauffée ;* vois ***étouffer.*** **3.** *Il était suffoqué par tant d'insolence,* il en avait le souffle coupé de surprise.

Conjugaison 1

Haletante, éblouie et suffoquée de joie, Patricia criait : — Regardez ! Comme ils sont beaux ! *(le Lion).*

Attention au *c* dans *suffocant* !

▸ ***suffocant*** adj. Qui empêche de respirer, étouffe. *Une fumée suffocante se dégageait de la poste en flammes ;* vois ***étouffant.***

Attention aux deux *f* dans *suffrage* !

suffrage n. m.
1. *Le suffrage universel,* c'est un système de vote dans lequel tous les citoyens majeurs peuvent voter. *En France, le président de la République est élu au suffrage universel.* **2.** *Un suffrage,* c'est une voix, dans une élection. *Le candidat de la majorité a obtenu 52 % des suffrages exprimés.* **3.** Opinion favorable, approbation. *Ce nouveau film a rallié tous les suffrages,* il a plu à tout le monde.

Conjugaison 6
▭ Indic. présent : *je suggère, nous suggérons.*

suggérer v.
1. Donner l'idée ; vois ***proposer.*** *Loïc suggéra à Mme Roussel de faire une promenade en mer.* **2.** Évoquer à l'esprit, rappeler. *Cette musique suggère des chants d'oiseaux.*

Va voir aussi ***suggestion.***

suggestion n. f.
Idée que l'on propose ; vois ***proposition.*** *Au cours de la réunion, Mme Séverac a fait une suggestion très intéressante.*

Elle *a suggéré* quelque chose.

suicide n. m.
Action de se donner la mort volontairement. *Très déprimé, il avait fait plusieurs tentatives de suicide.*

Compare *suicide, homicide* et *insecticide* : dans ces mots, il s'agit de **tuer.**

▸ *se* ***suicider*** v. Se tuer volontairement. *La femme s'était suicidée d'un coup de revolver.*

Conjugaison 1

suie n. f.
Matière noire déposée par la fumée. *Les ramoneurs ont enlevé la suie qui tapissait l'intérieur de la cheminée.*

suif n. m.
Graisse des animaux ruminants. *Le suif sert à fabriquer des savons.*

Autrefois, le suif servait à fabriquer des chandelles.

Conjugaison 1

suinter v.
S'écouler lentement, goutte à goutte. *L'eau suintait des parois humides de la grotte.*

On dit aussi que *le sang suinte d'une plaie.*

▸ ***suintement*** n. m. Écoulement goutte à goutte. *L'humidité de la cave provenait du suintement de l'eau sur les murs fissurés.*

Famille de **suivre**

suite n. f.
1. Série, succession d'événements. *Tous les films dans lesquels a joué Denis Prost ont été une suite de succès.* **2.** Ce qui suit, qui vient après dans un récit. *Mamie Lou racontera la suite de l'histoire demain.* **3.** *Dans son sommeil, il prononçait des mots sans suite,* sans lien entre eux.

C'est maintenant un acteur célèbre.

4. Conséquence, effet. *La mère de Sophie Pelletier est morte des suites d'une longue maladie.* 5. *Hippolyte a de la suite dans les idées,* il est persévérant, il mène à bien ses projets. 6. *Prendre la suite de quelqu'un,* c'est lui succéder. *M. Bellec aimerait bien que son fils Yves prenne sa suite à la tête du restaurant.* 7. *La suite de quelqu'un,* c'est son escorte, les gens qui l'accompagnent. *Le roi s'est déplacé avec toute sa suite.* 8. *Antoine a mangé trois gâteaux à la suite,* les uns après les autres, successivement. *M. Bonnot a une jambe un peu raide à la suite d'une blessure de guerre,* à cause d'elle. 9. *Yasmina rentre tout de suite chez elle après l'école,* immédiatement, sans attendre.

On peut dire aussi qu'il a mangé trois gâteaux *de suite.*

Famille de **suivre**

Pendant les quinze jours suivants, il allait faire très froid *(Charlie et la Chocolaterie).*

① ***suivant*** adj.
Qui vient immédiatement après. *Dans les chapitres suivants, le héros vit d'incroyables aventures.* — n. *Ce n'est pas cette rue-ci qu'il fallait prendre, mais la suivante.*

Le contraire de *suivant,* c'est *précédent.*

Famille de **suivre**

② ***suivant*** préposition
Conformément à, selon. *Antoine est encore arrivé en retard à l'école, suivant son habitude.*

Conjugaison 40 ▭ Indic. présent : *je suis, nous suivons.* Futur : *je suivrai.* Passé simple : *je suivis.*

Les jours se suivent et ne se ressemblent pas (proverbe).

Suivre l'exemple de quelqu'un, c'est l'imiter.

suivre v.
1. Aller derrière. *La chienne suit son maître pas à pas. Les mariés marchaient devant et le cortège suivait.* — *Les voitures se suivent à la queue leu leu,* elles avancent les unes derrière les autres. 2. Venir, se produire après ; vois ***succéder.*** *Un violent coup de tonnerre a suivi de près l'apparition de l'éclair.* 3. Aller, marcher le long. *Les promeneurs suivirent le sentier qui s'enfonçait dans la forêt. La voie ferrée suit la route nationale,* elle la longe, elle est parallèle à la route. 4. *Mme Roussel ne suit jamais les conseils de Mme Harpie,* elle ne s'y conforme jamais. 5. *L'enquête suit son cours,* elle continue. 6. *Sylvain suit des cours de piano,* il prend des cours de piano. 7. *M. Bellec suivait le match de rugby à la télévision,* il le regardait à la télévision. 8. *Marie-Tévy a du mal à suivre en classe,* à rester au niveau.

J'ai entendu des marins, dit Bill, me parler des requins qui ont coutume de suivre les navires *(Croc-Blanc).*

Autres membres de la famille : **suite, ① et ② suivant, ensuite, s'ensuivre, poursuivre, poursuite, poursuivant.**

① ***sujet*** adj.
Mme Hespel est sujette aux migraines, elle a très souvent des migraines.

Il y avait au pays de Zouman, dans la Perse, un roi dont les sujets étaient d'origine grecque *(les Mille et Une Nuits).*

② ***sujet*** n. m., ***sujette*** n. f.
1. Personne soumise à l'autorité d'un souverain. *Le roi était très aimé de ses sujets.* 2. Citoyen d'un pays. *Réjean est sujet canadien.*

Ah ! voilà un sujet, s'écria le roi quand il aperçut le petit prince *(le Petit Prince).*

③ ***sujet*** n. m.
1. Ce dont il s'agit dans une conversation, une réunion, un récit. *Cela ferait un bon sujet de roman. Mme Hespel se fait du souci au sujet de l'avenir d'Alex, son fils aîné,* à propos de l'avenir d'Alex. 2. Question sur laquelle on réfléchit, on travaille. *L'institutrice a écrit au tableau le sujet de la rédaction.* 3. Motif. *L'argent était un éternel sujet de dispute entre eux,* une cause de dispute. 4. Vois l'encadré ci-dessous.

le sujet

- Le sujet est le groupe du nom avec lequel le verbe s'accorde :
  Les vagues *s'écrasent sur la plage.*
- Le sujet est le plus souvent avant le verbe. Mais il peut aussi être après :
  *As-**tu** vu Loïc ?*
  *À l'avant du bateau est attachée **une ancre.***
- Il peut y avoir plusieurs sujets pour un seul verbe :
  ***Yves** et **Loïc** vont à la pêche.*
  Dans ce cas, le verbe se met au pluriel.
- Il peut y avoir un seul sujet pour plusieurs verbes :
  ***Loïc** met le moteur en route, largue les amarres et s'éloigne du quai.*

Voici [...] le puissant et redoutable sultan des Indes *(les Mille et Une Nuits).*

sultan n. m.
Souverain musulman. *En Turquie, au Maroc et dans de nombreux pays musulmans, il y avait des sultans.*

La femme du sultan est une *sultane.*

Attention ! *super...* est toujours collé au mot qu'il renforce ; il n'y a pas de trait d'union entre les deux.

① *super...*

Préfixe qui indique le plus haut degré, la supériorité, et qui se place devant certains noms pour en renforcer le sens. *Mme Séverac fait ses courses une fois par semaine au supermarché. Ce célèbre acteur anglais doit jouer prochainement dans une superproduction.*

Va voir aussi ***archi..., extra..., ultra...***

On dit familièrement *c'est super* pour « c'est magnifique, superbe, très bien ».

Super [sypɛʀ] rime avec *père*.

② *super* n. m.

Essence de qualité supérieure. *M. Bellec ne met que du super dans sa voiture. Angèle a fait le plein de super à la pompe à essence du grand garage.*

Super est l'abréviation familière de *supercarburant.*

Elle jugeait que c'étaient de très jolis mots, des mots superbes *(Alice au Pays des merveilles).*

superbe adj.

Très beau ; vois ***magnifique, splendide.*** *Hier, il faisait un temps superbe. Angèle revient de vacances, elle a une mine superbe.*

Le contraire de *superbe*, c'est *affreux, horrible.*

supercherie n. f.

Tromperie, imposture. *Une supercherie a été découverte au musée : des voleurs avaient remplacé par un faux le tableau qu'ils avaient volé.*

superficie n. f.

Surface, étendue. *La maison des Séverac a une superficie de deux cents mètres carrés.*

▹ ***superficiel*** adj. **1.** Peu profond. *La coupure que M. Bellec s'est faite au doigt est superficielle.* **2.** *Alex a des connaissances très superficielles en anglais,* très sommaires, très vagues.

Le contraire de *superficiel,* c'est *approfondi.*

Le contraire de *superficiel,* c'est *profond.*

Au féminin : *superflue.*

superflu adj.

Qui n'est pas absolument nécessaire, utile. *Si elle veut économiser de l'argent pour faire un voyage, Angèle doit éviter les dépenses superflues.*

Le contraire de *superflu,* c'est *nécessaire.*

supérieur adj. et n. m., ***supérieure*** adj. et n. f.

Les bras sont les membres supérieurs.

Le contraire de *supérieur,* c'est *inférieur.*

▭ **adj. 1.** Situé plus haut. *Les Bellec habitent au-dessus de leur restaurant et les Bonnot à l'étage supérieur.* **2.** Plus grand. *Neuf est supérieur à sept. Yasmina a eu une note supérieure à celle de Julie.* **3.** Plus fort, meilleur. *L'équipe de football de Motbourg était supérieure à l'équipe adverse.*

Cela s'écrit aussi 9 > 7.

Le vieux loup [...] lui était supérieur en science et en sagesse *(Croc-Blanc).*

▭ **n.** *Un supérieur, une supérieure,* c'est quelqu'un sous les ordres de qui travaillent d'autres personnes. *La directrice de l'école est la supérieure d'Angèle, l'institutrice.*

Le contraire de *supériorité,* c'est *infériorité.*

▹ ***supériorité*** n. f. Qualité de ce qui est supérieur à quelque chose ou à quelqu'un. *Les résultats du match ont prouvé la supériorité de l'équipe de football de Motbourg.*

Va voir *comparatif de supériorité* à ***comparatif.***

Va voir aussi ***comparatif.***

superlatif n. m. Vois l'encadré ci-dessous.

le superlatif

- Le superlatif d'un adjectif ou d'un adverbe, c'est cet adjectif ou cet adverbe précédé de *très, le plus, le moins.*
- ***Très loin*** est le superlatif absolu de *loin.* ***Le plus jeune*** est le superlatif relatif de supériorité de *jeune.* ***La moins heureuse*** est le superlatif relatif d'infériorité de *heureuse.*
- *Bon, bonne* ont des superlatifs irréguliers : ***le meilleur*** et ***la meilleure.*** *Mauvais, mauvaise* ont des superlatifs irréguliers : ***le pire, la pire,*** mais on peut dire aussi ***le plus mauvais, la plus mauvaise.***

Famille de **marché**

Le premier supermarché ouvrit en 1918.

supermarché n. m.

Grand magasin où l'on se sert soi-même. *Mme Séverac fait ses courses une fois par semaine au supermarché voisin.*

On dit aussi : *magasin à grande surface.*

Conjugaison 1

superposer v.

Poser l'un au-dessus de l'autre. *Le marchand de légumes a superposé ses cageots sur le trottoir.*

Famille de **poser**

Le Concorde est un avion supersonique.

supersonique adj.
Un avion supersonique, c'est un avion qui peut dépasser la vitesse du son. *Le premier avion supersonique date de 1947.*

Même famille que ② **son**

Va voir aussi ***superstition.***

superstitieux adj.
Quelqu'un de superstitieux, c'est quelqu'un qui croit aux présages et pense que certaines choses portent bonheur ou malheur. *Mme Séverac est très superstitieuse, elle refuse de passer sous une échelle.*

On dit que passer sous une échelle porte malheur.

superstition n. f.
Fait de croire que certaines choses portent bonheur ou malheur. *Par superstition, Denis Prost a refusé de prendre l'avion un vendredi 13.*

Il est *superstitieux.*

Conjugaison 1

superviser v.
Superviser un travail, c'est le contrôler sans entrer dans les détails. *Mme Hespel supervise le travail de sa secrétaire.*

Même famille que **viser**

Deux ***p*** dans *supplanter.*

supplanter v.
Prendre la place d'une personne ou d'une chose. *Mme Hespel a un collègue qui cherche à la supplanter ;* vois ***évincer.*** *La télévision n'a pas supplanté le cinéma.*

Conjugaison 1

Conjugaison 1

suppléer v.
Remédier à un défaut en le compensant. *Antoine n'est pas très robuste, mais sa rapidité supplée à son manque de force.*

Attention ! deux ***p*** dans *suppléer* et *suppléant.*

▸ **suppléant** adj. Qui remplace une personne dans son travail. *Une institutrice suppléante a remplacé Angèle pendant son congé de maladie ;* vois ***remplaçant.***

On dit aussi : *une suppléante.*

supplément n. m.
1. Ce qui est ajouté à une chose déjà complète. *À la fin de l'année, Mme Roussel a reçu un supplément de salaire.* **2.** Somme d'argent que l'on paye en plus du prix normal. *Dans certains trains rapides, il faut payer un supplément.*

Avez-vous acquitté le supplément ?

▸ **supplémentaire** adj. En plus de ce qui est habituel. *Comme il faisait très froid, Mamie Lou a sorti des couvertures supplémentaires.*

Des *heures supplémentaires,* ce sont des heures de travail faites en plus de l'horaire normal.

supplication n. f.
Prière par laquelle on supplie. *Le vainqueur refusa d'écouter les supplications des vaincus.*

Attention ! deux ***p*** dans *supplice.*

Va voir aussi ***torture.***

supplice n. m.
1. Punition qui cause de grandes souffrances physiques. *Au Moyen Âge, la justice condamnait les gens à de terribles supplices.* **2.** Cruelle souffrance morale. *Les visites qu'il doit faire à sa tante sont pour Antoine un supplice.*

Quelque épouvantable supplice, familier aux barbares de l'Asie centrale, menaçait certainement Michel Strogoff *(Michel Strogoff).*

Conjugaison 7 ▭ Indic. présent : *nous supplions.* Imparfait : *nous suppliions.*

supplier v.
1. *Supplier quelqu'un,* c'est le prier humblement en demandant une faveur ; vois ***implorer.*** *Les vaincus suppliaient les vainqueurs de leur laisser la vie sauve.* **2.** Prier avec insistance. *L'enfant suppliait ses parents de l'emmener avec eux.*

Supplier ces hommes féroces, c'était inutile, et, d'ailleurs, indigne de lui *(Michel Strogoff).*

Conjugaison 1

① **supporter** v.
1. Soutenir, porter un poids. *Des poutres de chêne supportent le plafond.* **2.** Subir et accepter des choses pénibles. *Yves ne supporte pas les critiques de son professeur. Yasmina ne supporte pas de rester inactive. Mme Séverac ne supporte pas qu'on lui mente.* **3.** *Supporter quelqu'un,* c'est l'accepter. *Marie-Tévy a du mal à supporter Colle et Rat.* **4.** *Ce bois ne supporte pas l'humidité,* il n'y résiste pas.

Famille de **porter**

Cette façon de supporter son mal allait à l'âme fière de la jeune fille *(Michel Strogoff).*

Croc-Blanc ne pouvait supporter de voir rire de lui *(Croc-Blanc).*

Attention ! deux ***p*** dans *supporter, support* et *supportable.*

▸ **support** n. m. Ce qui soutient quelque chose. *La maquette est fixée sur un support de bois.*

▸ **supportable** adj. **1.** *La douleur était à peine supportable,* on pouvait à peine la supporter. **2.** *La conduite de Colle et Rat n'est plus supportable,* on ne peut plus l'accepter ; vois ***tolérable.***

Le contraire de *supportable,* c'est *insupportable.*

Supporter [sypɔʀtɛʀ] rime avec *terre.*

② supporter n. m.

Personne qui encourage des sportifs dans leur effort. *Les supporters de l'équipe de Motbourg ont fêté la victoire.*

Conjugaison 1

supposer v.

1. Admettre, imaginer une chose à partir de laquelle on peut en déduire une autre. *Supposons que l'entrée du souterrain existe encore, comment t'y prendrais-tu pour la trouver ?* **2.** Penser, croire ; vois ***présumer.*** *Je suppose que tu connais la nouvelle.* **3.** *Avouer ses erreurs suppose du courage,* il faut du courage pour avouer ses erreurs.

En tout cas, c'en est fini maintenant de Gros-Gaillard. Je suppose qu'il est déjà digéré
(Croc-Blanc).

Famille de **poser**

Que cette station fût abandonnée dans les circonstances actuelles, on devait le supposer
(Michel Strogoff).

Attention ! deux *p* dans *supposer* et *supposition.*

▷ ***supposition*** n. f. Chose que l'on suppose ; vois ***hypothèse.*** *Yves fait des suppositions sur l'emplacement de l'entrée du souterrain.*

suppositoire n. m.

Médicament que l'on introduit dans l'anus. *Sylvain s'est mis un suppositoire pour soigner son angine.*

Attention ! deux *p* dans *suppression.*

suppression n. f.

Les députés ont voté la suppression de la peine de mort, ils ont décidé, par un vote, de la supprimer.

Conjugaison 1

supprimer v.

1. Faire disparaître. *Mamie Lou veut supprimer une cloison pour agrandir la cuisine ;* vois ***détruire.*** *L'aspirine supprime la douleur ;* vois ***arrêter.*** **2.** Enlever, ôter. *M. Bellec a fait un excès de vitesse ; on lui a supprimé son permis de conduire,* on l'en a privé.

Va voir aussi ***suppression.***

N'oublie pas les deux *p.*
Conjugaison 1

suppurer v.

La plaie suppure, il en sort du pus.

Attention ! deux *p* dans *supputer.*

supputer v.

Calculer en faisant des suppositions ; vois ***évaluer.*** *Alex supputait ses chances d'avoir son bac.*

Conjugaison 1

N'oublie pas l'accent circonflexe du *ê* dans *suprême.*

suprême adj.

1. *Le roi représentait l'autorité suprême,* la plus haute. **2.** *Loïc s'est sorti de la tempête avec une suprême habileté,* une très grande habileté. **3.** *Le coureur a gagné la course dans un suprême effort,* dans un dernier effort, dans un effort désespéré.

Attention à l'accent aigu du *é* dans *suprématie !*

▷ ***suprématie*** n. f. Domination. *La suprématie de l'équipe de football de Motbourg est incontestable dans la région.*

Suprématie [sypʀemasi] rime avec *pharmacie.*

① sur préposition

1. *Alex pose les clés sur la table,* il les pose de telle façon que la table leur sert de support. *La clé est sur la porte.* **2.** *Je n'ai pas d'argent sur moi,* avec moi, dans mes poches. **3.** *Un élève sur vingt a redoublé,* un élève parmi vingt. **4.** *Prenez sur la droite,* vers la droite. *M. Bellec tire sur le lièvre,* en direction du lièvre. **5.** *Julie juge les gens sur la manière dont ils sont habillés,* d'après la manière dont ils sont habillés. **6.** *J'ai appris quelque chose sur Angèle,* à propos d'Angèle. **7.** *Sur le moment, je n'y ai pas pensé,* juste à ce moment-là.

En passant, elle prit un pot sur une étagère ; il portait une étiquette sur laquelle on lisait : CONFITURE D'ORANGE
(Alice au Pays des merveilles).

Autre membre de la famille : **sur-le-champ.**

Le contraire de *sur,* c'est *sous.*

Je compte sur vous pour être sages, a dit la maîtresse
(le Petit Nicolas).

Ne confonds pas *sur* et *sûr.*

② sur adj.

Acide. *Mme Harpie a donné à Antoine des pommes sures.*

sûr adj.

1. Certain, convaincu. *Mme Hespel était sûre de réussir. Marie-Tévy est sûre d'avoir raison. Je suis sûr de toi,* j'ai confiance en toi. *Julie est sûre d'elle,* elle a de l'assurance. **2.** *Motbourg est une ville très sûre, la nuit,* sans danger, on n'y risque rien. **3.** *Yasmina est une amie sûre,* en qui on peut avoir confiance, sur qui on peut compter. **4.** *À coup sûr,* sans risque d'échec. *Yves va gagner, à coup sûr,* c'est certain. **5.** Certain, évident ; vois ***indubitable.*** *Ce qui est sûr, c'est que Loïc ne quittera jamais sa Bretagne natale.* **6.** *Bien sûr,* évidemment, sûrement. *Sylvain aime-t-il Nathalie ? — Bien sûr !*

Les bois n'ont jamais été moins sûrs, dit le chien. On chasse presque tous les jours
(les Contes du Chat perché).

Le contraire de *sûr,* c'est *douteux.*

Je suis sûre de ne pas être Édith, se dit-elle
(Alice au Pays des merveilles).

Autres membres de la famille : ① et ② **assurer,** ① et ② **assurance, assuré, assurément, rassurer, rassurant, sûrement, sûreté.**

Famille de **abonder**

surabondant adj.

Trop abondant. *La récolte de pommes a été surabondante cette année.*

N'oublie pas le tréma du *ë* au féminin : *suraiguë.*

suraigu adj.
Très aigu ; vois ***strident.*** *Yasmina, tout excitée, se met à parler d'une voix suraiguë.*

Famille de **aigu**

Conjugaison 1

surajouter v.
Ajouter en plus, après coup. *Quelques corrections ont été surajoutées au texte. — Des frais imprévus sont venus se surajouter aux dépenses habituelles.*

Famille de **ajouter**

Famille de **an**

suranné adj.
Démodé, vieillot ; vois ***désuet.*** *Mamie Lou a des goûts un peu surannés.*

Conjugaison 3 ▭ Indic. présent : *nous surchargeons.* Imparfait : *je surchargeais, nous surchargions.*

surcharger v.
1. Charger d'un poids trop lourd. *Le balcon est surchargé de plantes vertes.* **2.** *L'institutrice ne veut pas surcharger les enfants de travail,* leur donner trop de travail ; vois ***accabler.***

Famille de **charger**

L'atmosphère que respirait Croc-Blanc était surchargée d'inimitié haineuse et mauvaise *(Croc-Blanc).*

Famille de **chauffer**

surchauffé adj.
1. *Un lieu surchauffé,* c'est un lieu trop chauffé. *On étouffait dans le wagon surchauffé.* **2.** *Les esprits étaient surchauffés,* surexcités.

Conjugaison 1

surclasser v.
Être nettement meilleur que les autres. *Yves surclasse tous ses camarades à la course ;* vois ***surpasser.***

Famille de ① **classe**

N'oublie pas l'accent circonflexe du *î.*

De surcroît : en plus.

surcroît n. m.
Ce qui vient s'ajouter à ce que l'on a déjà ; vois ***excédent, supplément.*** *Les fêtes de fin d'année donnent un surcroît de travail aux commerçants.*

Famille de **croître**

surdité n. f.
Infirmité dont souffre une personne sourde. *M. Bonnot est affligé d'une légère surdité.*

Il n'entend pas bien.

sureau n. m.
Petit arbre à baies rouges ou noires. *Mamie Lou a fait de la confiture de sureau.*

Les tiges de sureau contiennent de la moelle.

Au pluriel : *des sureaux.*

Conjugaison 5

surélever v.
Donner plus de hauteur. *La maison dans laquelle habitent les Bellec a été surélevée d'un étage au siècle dernier,* on l'a rehaussée d'un étage.

Famille de ① **lever**

N'oublie pas l'accent circonflexe du *û.*

sûrement adv.
D'une manière certaine ; vois ***certainement.*** *Yves ne sera sûrement pas le premier en mathématiques. Antoine est tout pâle, il est sûrement malade,* sans doute ; vois ***probablement.***

Famille de **sûr**

Même famille que **enchère**

surenchère n. f.
Enchère plus élevée que l'enchère précédente. *À force de surenchères, ce meuble est devenu inabordable.*

Le meuble est devenu trop cher.

Conjugaison 1

surestimer v.
Estimer au-dessus de sa valeur. *Alex a surestimé ses possibilités, et sous-estimé la difficulté de l'examen.*

Famille de **estimer**

N'oublie pas l'accent circonflexe du *û.*

sûreté n. f.
Absence de danger ; vois ***sécurité.*** *Pour plus de sûreté, prenons une lampe. Le bateau de Loïc est en sûreté dans le port,* à l'abri du danger. *M. Bellec a installé un verrou de sûreté sur la porte de la cave,* un verrou qui assure une protection supplémentaire.

Famille de **sûr**

Il lui était loisible de s'échapper et de se mettre en sûreté s'il y avait lieu *(Croc-Blanc).*

Prudence est mère de sûreté (proverbe).

Famille de **exciter**

surexcité adj.
Très excité, énervé. *Claire, surexcitée, guettait l'arrivée du père Noël.*

Prononce [sœʀf]. Ce mot est d'origine anglaise.

surf n. m.
Sport qui consiste à se laisser porter par de grosses vagues sur une planche. *On peut faire du surf sur les plages de la côte basque.*

Famille de **face**

surface n. f.
1. Face apparente, visible. *La surface de l'eau au repos est horizontale.* **2.** Superficie. *Le salon a une surface de vingt mètres carrés. Calculez la surface d'un rectangle de quatre mètres sur douze.*

Un supermarché est un *magasin à grande surface.*

Le vent balayait sans arrêt la mer, lissait sa surface *(Lullaby).*

Famille de **faire**

surfait adj.
Inférieur à sa réputation, surestimé. *J'ai trouvé ce livre bien surfait.*

Conjugaison 5
▭ Indic. présent : *je surgèle, nous surgelons.*

surgeler v.
Surgeler des aliments, c'est les congeler très rapidement. *Dans cette usine, on surgèle des légumes.*

Famille de **gel**

▹ **surgelé** adj. *Les produits surgelés,* ce sont les produits alimentaires qui ont été congelés très rapidement. *Mme Roussel a acheté des filets de poisson surgelés.* — n. m. *Les surgelés sont dans le congélateur.*

Les premiers aliments surgelés ont été commercialisés en 1930.

Conjugaison 2
[...] l'aurore surgit d'un seul coup, prompte et glorieuse *(le Lion).*

surgir v.
Apparaître brusquement. *Un avion surgit des nuages. Des difficultés ont surgi au milieu des négociations ;* vois ***naître.***

L'homme surgit devant elle, sans qu'elle puisse comprendre d'où il sortait *(Lullaby).*

[Il] saisit une gaffe, qu'il manœuvra avec une force surhumaine *(Michel Strogoff).*

surhumain adj.
Qui semble au-dessus des forces d'un homme normal. *Angèle fit un effort surhumain pour rester calme.*

Famille de **humain**

Famille de ① **sur,** de ① **le** et de **champ**

sur-le-champ adv.
Aussitôt, immédiatement. *Le docteur Séverac a reçu un appel téléphonique et il est parti sur-le-champ.*

Le surlendemain d'aujourd'hui, c'est *après-demain.*

surlendemain n. m.
Jour qui suit le lendemain. *Julie put se lever le surlendemain de son opération de l'appendicite.*

Même famille que **lendemain**

Conjugaison 5
Famille de **mener**

surmener v.
Fatiguer de façon excessive. *Angèle, l'institutrice, ne surmène pas ses élèves,* elle ne leur donne pas trop de travail.

▹ **surmenage** n. m. Fatigue due à un excès de travail. *Colle et Rat ne risquent pas le surmenage.*

Son cheval, surmené depuis son départ d'Elamsk, n'aurait pas pu faire un pas de plus *(Michel Strogoff).*

Conjugaison 1
On peut surmonter sa timidité, sa répugnance.

surmonter v.
1. Être placé au-dessus. *Un baldaquin surmontait le lit du comte.* **2.** Vaincre en faisant un effort. *Marie-Tévy est descendue à la cave en surmontant sa peur,* en la dominant, en la maîtrisant.

Famille de **monter**

Conjugaison 3

surnager v.
Flotter à la surface d'un liquide. *Des détritus surnageaient dans le port.*

Famille de **nager**

Famille de **nature**

surnaturel adj.
Une chose surnaturelle, c'est une chose qu'on ne peut expliquer par les lois de la nature ; vois ***magique.*** *On dit que les sorciers ont des pouvoirs surnaturels.*

Famille de **nom**
Va voir aussi ***sobriquet.***

surnom n. m.
Nom que l'on donne à quelqu'un à la place de son vrai nom. *« Mme Harpie » est le surnom de la marchande de bonbons.*

Deux *m* dans *surnommer.*
Conjugaison 1

▹ **surnommer** v. *Surnommer quelqu'un,* c'est lui donner un surnom. *Les enfants ont surnommé la marchande de bonbons « Mme Harpie ».*

M. Mouchabière est un nouveau surveillant pour lequel nous n'avons pas encore eu le temps de trouver un surnom rigolo *(le Petit Nicolas).*

Famille de **nombre**

en **surnombre** adv.
En trop. *Le conducteur du car a pris des passagers en surnombre,* en plus du nombre permis.

Conjugaison 1
Famille de **passer**

surpasser v.
Surpasser quelqu'un, c'est être meilleur que lui ; vois ***surclasser.*** *Yasmina surpasse toute la classe en chant. — Aujourd'hui, la cuisinière s'est surpassée,* elle a fait encore mieux que d'habitude.

Elle ne pouvait pas souffrir que quelqu'un la surpassât en beauté *(Blancheneige).*

Famille de **peuple**

surpeuplé adj.
Où il y a trop d'habitants. *Le Japon est un pays surpeuplé.*

Va voir aussi ***surpopulation.***

surplomb n. m.
Partie d'un mur, d'une paroi rocheuse qui dépasse par rapport à la base. *Les alpinistes ont rencontré des surplombs dans leur ascension.*

Un balcon *en surplomb* dépasse de la façade.

Conjugaison 1

▹ **surplomber** v. *Le balcon surplombe la rue,* il dépasse de la façade, en avançant au-dessus de la rue.

surplus n. m.
Ce qui est en plus de la quantité voulue ; vois ***excédent.*** *Les paysans ont brûlé leurs surplus de récoltes.*

Ils ne pouvaient pas les vendre.

Famille de ① **plus**

Famille de **population**

surpopulation n. f.
Population trop nombreuse pour les ressources d'un pays. *Les pays qui ont une natalité très forte souffrent de la surpopulation.*

Ces pays sont *surpeuplés.*

Conjugaison 58 ▭ Indic. présent : *je surprends, nous surprenons, ils surprennent.* Imparfait : *je surprenais.* Futur : *je surprendrai.*— Subj. présent : *que je surprenne.*

surprendre v.
1. Prendre sur le fait. *L'institutrice a surpris Colle et Rat en train de faire des bêtises,* elle les a trouvés en train de faire des bêtises. **2.** *L'ennemi a surpris la sentinelle au milieu de la nuit,* l'ennemi est arrivé par surprise jusqu'à la sentinelle. **3.** Étonner, stupéfier. *Les réactions d'Yves surprendront toujours sa mère.*

Pourquoi Bullit m'avait-il suivi et rejoint de cette marche silencieuse qui surprenait chaque fois ? *(le Lion).*

Famille de **prendre**

▸ ***surprenant*** adj. Étonnant, inattendu. *J'ai appris une nouvelle surprenante.*

▸ ***surprise*** n. f. **1.** *La sentinelle a été attaquée par surprise,* alors qu'elle ne s'y attendait pas. **2.** Étonnement. *Mme Bellec poussa une exclamation de surprise.* **3.** Chose inattendue, qui surprend. *Si tu ne travailles pas assez, tu risques d'avoir de mauvaises surprises.* **4.** Cadeau fait à quelqu'un pour le surprendre agréablement. *Denis Prost a apporté une surprise à sa fille.*

Mais quelle surprise, alors qu'on attendait un bébé, d'en voir arriver trois à la fois ! *(Babar).*

Pense aux deux *r.*
Famille de **réaliste**

surréaliste adj.
L'art surréaliste, c'est un art, né au début du XXe siècle, utilisant l'imaginaire et le rêve, non la réalité. *Salvador Dali est un peintre surréaliste.*

André Breton était un poète surréaliste.

Famille de **saut**

sursaut n. m.
Mouvement dû à la surprise, qui fait que l'on se dresse brutalement. *Sylvain eut un sursaut en entendant frapper à la fenêtre.*

Un grondement de la louve, tel qu'il n'en avait encore ouï de semblable, le réveilla en sursaut *(Croc-Blanc).*

Conjugaison 1

▸ ***sursauter*** v. Avoir un sursaut. *Sylvain sursauta de peur.*

Une *peine de prison avec sursis* est une peine que l'on effectue seulement si l'on est condamné à nouveau.

sursis n. m.
Remise à une date postérieure ; vois ***délai.*** *Le docteur Séverac avait obtenu un sursis pour faire son service militaire,* il avait fait son service militaire après l'âge normal.

Sursis [syʀsi] rime avec *merci.*

Famille de ① **tout**

surtout adv.
1. Avant tout. *Mme Harpie est surtout très égoïste.* **2.** Plus particulièrement, spécialement. *David aime beaucoup le sport, surtout le football.*

Agnan [...] avait surtout des livres *(le Petit Nicolas).*

Surtout, n'ayons l'air de rien, dit le chat *(les Contes du Chat perché).*

Conjugaison 1

surveiller v.
1. *Surveiller quelqu'un,* c'est l'observer en faisant très attention, veiller sur lui. *Julie surveille son petit frère en l'absence de ses parents.* **2.** *Surveiller quelque chose,* c'est contrôler que tout se déroule comme il faut ; vois ***inspecter.*** *L'architecte surveille la construction de la maison.*

Pendant la sieste, notre chef d'équipe nous surveille et nous raconte des histoires *(le Petit Nicolas).*

Henry surveillait la marmite où bouillaient des fèves *(Croc-Blanc).*

▸ ***surveillance*** n. f. Le fait d'observer en faisant attention. *Angèle assure la surveillance de la récréation,* elle surveille la récréation.

Et puis, monsieur Dubon, le surveillant, nous a conduits en classe *(le Petit Nicolas).*

▸ ***surveillant*** n. m., ***surveillante*** n. f. Personne qui surveille les élèves, qui doit assurer la discipline. *Le professeur étant absent, un surveillant est venu faire travailler les élèves.*

Famille de ② **veille**

Conjugaison 22

survenir v.
Arriver brusquement, de façon imprévue. *Si un problème survenait, téléphonez-moi ;* vois *se* ***produire.***

Famille de **venir**

Famille de **vêtir**

survêtement n. m.
Blouson et pantalon destinés à être portés sur une tenue de sport. *Le joueur de tennis a mis son survêtement dès la fin du match.*

Famille de **vie**

survie n. f.
Le fait de rester en vie. *Pris dans la tempête, Loïc n'a dû sa survie qu'à la solidité de son bateau.*

Conjugaison 46 ▭ Indic. présent : *je survis, il survit, nous survivons, ils survivent.* Imparfait : *je survivais.* Futur : *je survivrai.* — Subj. présent : *que je survive.*

survivre v.
1. *Survivre à quelqu'un,* c'est continuer à vivre après sa mort. *Le roi de France Louis XIV survécut à son fils et à ses petits-enfants.* **2.** Échapper à la mort. *Seul le pilote a survécu à l'accident d'avion.*

Famille de ① **vivre**

Le louveteau avait mordu dans un ennemi en apparence plus puissant que lui et il avait survécu *(Croc-Blanc).*

▸ ***survivance*** n. f. Ce qui reste d'une chose disparue. *Les feux de la Saint-Jean sont une survivance des anciennes fêtes agricoles.*

▸ ***survivant*** n. m., ***survivante*** n. f. Personne qui survit à d'autres, qui vit encore alors que d'autres sont mortes. *Le pilote de l'avion est le seul survivant de l'accident.*

Conjugaison 1

survoler v.

1. Voler au-dessus. *L'avion a survolé les Alpes,* il a volé au-dessus des Alpes. *Nous survolons le Mont-Blanc.* **2.** Lire, examiner rapidement. *Le docteur Séverac survole les titres du journal.*

Famille de ① **voler**

▸ ***survol*** n. m. Action de survoler. *Le survol des zones militaires est interdit,* il est interdit de les survoler.

En général, on prononce le deuxième ***s*** : [sys].

sus adv.

1. *Courir sus à l'ennemi,* c'est l'attaquer. *Sus à l'ennemi !* **2.** *En sus,* en plus. *Le service est en sus du prix indiqué,* en supplément.

Attention ! un ***s*** devant le ***c*** dans *susceptible.*

① ***susceptible*** adj.

Mes projets de vacances sont susceptibles de changer, ils peuvent changer.

Le cochon n'était pas une mauvaise bête, au contraire, mais susceptible et, quand il avait perdu, facilement rageur *(les Contes du Chat perché).*

② ***susceptible*** adj.

Une personne susceptible, c'est une personne qui se vexe facilement. *Mme Séverac est susceptible : elle n'apprécie pas beaucoup les plaisanteries faites à son sujet.*

▸ ***susceptibilité*** n. f. Caractère d'une personne susceptible. *Il faut ménager la susceptibilité de Mme Séverac.*

Attention ! un ***s*** avant le ***c*** dans *susciter.*

susciter v.

Provoquer, soulever, faire naître. *La construction d'un nouveau gymnase dans la ville a suscité l'intérêt de tous les habitants.*

Conjugaison 1

Au masculin, ne prononce ni le ***c*** ni le ***t*** : [syspɛ]. Au féminin : *suspecte* [syspɛkt].

suspect adj.

1. *Une personne suspecte,* c'est une personne qui fait naître des soupçons ; vois ***louche.*** *Un individu suspect rôdait autour de la poste.* — n. *La police a interrogé deux suspects.* **2.** *Une chose suspecte,* c'est une chose qui fait naître le doute, dans laquelle on n'arrive pas à avoir confiance. *La police a éliminé tous les témoignages suspects.*

▸ ***suspecter*** v. Soupçonner. *Le commissaire suspecte le témoin d'avoir menti. Il suspecte son témoignage,* il n'y croit pas.

Conjugaison 1

Conjugaison 41

Le traîneau, sens dessus dessous, demeurait suspendu entre le tronc d'un arbre et un énorme roc *(Croc-Blanc).*

① ***suspendre*** v.

Suspendre une chose, c'est la faire tenir de manière à ce qu'elle pende. *M. Bellec a suspendu le lustre à un crochet. — Yasmina s'est suspendue au trapèze par les pieds.*

Un *pont suspendu* est un pont soutenu par des câbles.

▸ ① ***suspension*** n. f. **1.** *La suspension d'un véhicule,* c'est le système qui permet d'amortir les secousses ; vois ***amortisseur.*** *La voiture d'Angèle a une très mauvaise suspension ; gare aux cahots !* **2.** Appareil d'éclairage suspendu au plafond ; vois ***lustre.*** *M. Bellec a mis une jolie suspension dans son salon.*

Famille de **pendre**

Conjugaison 41 ▭ Indic. présent : *je suspends, nous suspendons, ils suspendent.* Imparfait : *je suspendais.* Futur : *je suspendrai.*

② ***suspendre*** v.

1. Arrêter, interrompre. *Comme il se faisait tard, on a suspendu la séance du conseil municipal.* **2.** *Suspendre quelqu'un,* c'est lui retirer ses fonctions pendant un certain temps. *La fédération de football a suspendu pour un mois un joueur trop violent.*

Soudain Patricia suspendit tout mouvement *(le Lion).*

En suspens [ɑ̃syspɑ̃] rime avec *serpent.*

▸ *en* ***suspens*** adv. *Les travaux sont restés en suspens,* ils n'ont pas été finis, en attendant une décision.

▸ ② ***suspension*** n. f. **1.** Arrêt, interruption. *Les deux pays ont décidé la suspension des hostilités.* **2.** *La fédération a menacé le joueur de suspension,* de le suspendre, de lui interdire de jouer pendant un certain temps.

Va voir *points de suspension* à ① ***point.***

Prononce [syspɛns]. C'est un mot d'origine anglaise.

suspense n. m.

Moment d'une histoire où l'on a peur en attendant la suite. *Denis Prost a joué dans un film à suspense.*

Hitchcock était le maître du suspense.

suspicion n. f.

Méfiance envers des gens que l'on suspecte ; vois ***défiance.*** *Mme Harpie observait son neveu avec un regard plein de suspicion.*

Conjugaison 1

susurrer v.
Murmurer doucement ; vois **chuchoter.** *Julie susurre des secrets à l'oreille de Yasmina.*

suture n. f.
Des points de suture, ce sont des points que l'on fait pour recoudre une plaie. *Quand Yves s'est ouvert l'arcade sourcilière, le médecin lui a fait deux points de suture.*

Les terres concédées par le suzerain à son vassal constituaient le *fief.*

suzerain n. m., ***suzeraine*** n. f.
Au Moyen Âge, seigneur ou dame qui avait remis une partie de ses terres à un vassal. *Le vassal devait obéissance et fidélité à son suzerain.*

Attention au **z** dans *suzerain* !

Le contraire de *svelte,* c'est *épais, lourd.*

svelte adj.
Mince, élancé. *Angèle est une jeune femme svelte.*

Prononce [switʃœʀt] ou [swɛtʃœʀt]. C'est un mot anglais.

sweat-shirt n. m.
Pull-over en coton épais serré à la taille et aux poignets. *Julie porte souvent des jeans et des sweat-shirts.*

Au pluriel : *des sweat-shirts.*

Attention ! un ***y*** et deux ***l*** dans *sy**ll**abe.*

syllabe n. f.
Groupe de consonnes et de voyelles que l'on prononce d'un seul coup. *Angèle, l'institutrice, dicte les mots difficiles en détachant les syllabes.*

Le mot *grelot* a six lettres et deux syllabes. *Symbole* a deux syllabes : le ***e*** est muet.

N'oublie pas le ***y*** dans *symbole, symbolique* et *symboliser.*

symbole n. m.
1. Ce qui représente une chose abstraite ; vois ***image.*** *La colombe est le symbole de la paix.* **2.** Signe qui correspond à une chose précise. *Le signe « × » est le symbole de la multiplication.*

O est le symbole de l'oxygène.

▸ ***symbolique*** adj. **1.** Qui constitue un symbole. *La colombe a une signification symbolique.* **2.** Qui est important pour ce qu'il représente et non pour ce qu'il est réellement. *Mme Roussel a donné une somme symbolique pour la paroisse,* une petite somme, mais qui montre ses bonnes intentions.

Conjugaison 1

▸ ***symboliser*** v. **1.** Représenter par un symbole. *Le peintre a symbolisé la mort par un vieillard.* **2.** *La colombe symbolise la paix,* elle en est le symbole.

Attention ! un ***y*** dans *symétrie* et *symétrique.*

symétrie n. f.
Caractère d'une chose que l'on peut diviser en deux parties semblables, de part et d'autre d'une ligne, ou par rapport à un centre. *Les ailes du château présentent une parfaite symétrie.*

Le contraire de *symétrique,* c'est *asymétrique.*

▸ ***symétrique*** adj. *Les ailes du château sont symétriques,* elles présentent une symétrie.

Autres membres de la famille : **asymétrique, dissymétrique.**

Attention au ***y*** et au ***h*** dans *sympathie* !

Par sympathie pour le chien dont le découragement faisait pitié, le coq se mit à aboyer *(les Contes du Chat perché).*

sympathie n. f.
Attirance spontanée que l'on éprouve pour une personne avec laquelle on pense que l'on va bien s'entendre ; vois ***amitié, bienveillance.*** *Sophie Pelletier a beaucoup de sympathie pour Angèle, l'institutrice de sa fille.*

Le contraire de *sympathie,* c'est *antipathie, indifférence.*

▸ ***sympathique*** adj. *Une personne sympathique,* c'est une personne pour qui on éprouve de la sympathie. *Au premier coup d'œil, Nathalie a trouvé Sylvain sympathique ;* vois ***agréable.***

Le contraire de *sympathique,* c'est *antipathique.*
On dit très familièrement : *sympa.*

Conjugaison 1

▸ ***sympathiser*** v. S'entendre très bien avec quelqu'un. *Nathalie et Sylvain ont vite sympathisé.*

Attention au ***y*** et au ***ph*** dans *symphonie* !

symphonie n. f.
Long morceau de musique composé pour un grand orchestre. *Beethoven a composé neuf symphonies.*

L'*Hymne à la joie* fait partie de la IXe Symphonie de Beethoven.

N'oublie pas le ***y*** et l'accent circonflexe du ***ô*** dans *symptôme.*

symptôme n. m.
Signe qui permet de reconnaître une maladie. *Yves a des courbatures et de la fièvre, il présente tous les symptômes de la grippe.*

Prononce [sɛ̃ptom].

Attention au ***y*** dans *synagogue* !

synagogue n. f.
Bâtiment, temple où ont lieu les cérémonies religieuses des juifs. *Les synagogues sont généralement orientées vers Jérusalem.*

Le rabbin célèbre les cérémonies dans la synagogue.

syncope n. f.
Arrêt ou ralentissement des battements du cœur, accompagné de l'arrêt

de la respiration et d'une perte de connaissance ; vois ***évanouissement.*** *Mme Bellec est tombée en syncope pendant la messe.*

Au masculin pluriel : *syndicaux.*

syndical adj.

Relatif à un syndicat. *Mme Roussel a assisté à une réunion syndicale,* à une réunion des membres d'un syndicat.

Les gens qui jouent un rôle actif dans un syndicat sont des *syndicalistes.*

syndicat n. m.

1. Groupement de personnes qui veulent défendre ensemble leurs intérêts. *Mme Roussel appartient à un syndicat de travailleurs.* **2.** *Un syndicat d'initiative,* c'est un organisme destiné à développer le tourisme dans une localité. *Le syndicat d'initiative de Motbourg organise des expositions dans la région.*

Une personne qui fait partie d'un syndicat est *syndiquée.*

synonyme n. m.

Mot qui a le même sens qu'un autre. *« Malin » est un synonyme de « rusé ».* — adj. *« Boulevard » et « avenue » sont synonymes.*

Deux mots de sens opposés sont des *contraires.*

Attention au ***y*** et au ***h*** qui suit le ***t*** dans *synthèse, synthétique* et *synthétiseur* !

synthèse n. f.

1. *Faire la synthèse de plusieurs idées,* c'est les regrouper de façon ordonnée et cohérente. *À la fin de la réunion, le maire a fait la synthèse des informations.* **2.** *Un produit de synthèse,* c'est un produit fabriqué à partir des éléments qui le constituent. *Cette usine fabrique du caoutchouc de synthèse.*

Les produits de synthèse sont des produits *synthétiques.*

Il existe aussi du caoutchouc naturel.

▸ ***synthétique*** adj. **1.** *Le maire a fait un résumé synthétique de ce qui avait été dit,* il a fait un résumé qui était une synthèse. **2.** *Les produits synthétiques,* ce sont les produits fabriqués par synthèse ; vois ***artificiel.*** *Yves a des bottes en caoutchouc synthétique.*

Le nylon est un textile synthétique.

Le contraire de *synthétique,* c'est *naturel.*

▸ ***synthétiseur*** n. m. Appareil électronique qui crée des sons. *Alex aimerait jouer du synthétiseur.*

système n. m.

Va voir *système métrique* à ***métrique.***

1. Ensemble d'éléments qui fonctionnent ensemble et forment un tout organisé. *Le système nerveux comprend le cerveau, la moelle épinière et les nerfs.* **2.** Moyen utilisé pour arriver à un but ; vois ***méthode.*** *Angèle, l'institutrice de CE2, a essayé un nouveau système de notation.*

Le système solaire est constitué par le Soleil, les planètes et les autres corps célestes qui tournent autour de lui.

Attention à l'accent grave du ***è*** dans *système* et à l'accent aigu du ***é*** dans *systématique* !

▸ ***systématique*** adj. Méthodique, organisé. *Les gendarmes ont fait une fouille systématique de la région.*

t

t' va voir ***te, toi.***

ta va voir ***ton.***

tabac n. m.

Tabac [taba] rime avec *combat.*

Les cigarettes sont faites de tabac haché, enveloppé dans un papier fin ; les cigares sont des rouleaux de feuilles de tabac.

1. Plante haute à larges feuilles. *Il y a beaucoup de champs de tabac dans le sud-ouest de la France.* **2.** Produit fait avec les feuilles de cette plante séchées et préparées pour être fumées. *Le docteur Séverac a acheté du tabac pour sa pipe.* **3.** Boutique où l'on peut acheter du tabac, des cigarettes, des allumettes. *Mme Roussel est allée au tabac s'acheter un paquet de cigarettes.*

Le tabac est originaire d'Amérique.

On dit aussi un *bureau de tabac.* Les tabacs sont signalés par une enseigne rouge que l'on appelle une *carotte.*

▷ ***tabagie*** n. f. Endroit rempli de fumée de cigarette. *Cette chambre est une vraie tabagie.*

▷ ***tabatière*** n. f. Petite boîte dans laquelle on met du tabac en poudre que l'on prise. *Le chef des pirates avait une tabatière en argent ornée de brillants.*

J'ai du bon tabac dans ma tabatière (chanson).

table n. f.

Brusquement, elle se trouva près d'une petite table à trois pieds, entièrement faite de verre massif *(Alice au Pays des merveilles).*

1. Meuble fait d'un plateau posé sur des pieds. *La table de la salle à manger est ronde. Le docteur Séverac a installé une table de ping-pong dans le garage. Yasmina met la table,* elle met sur la table ce qu'il faut pour manger, elle met le couvert. *Les Touati se mettent à table,* ils s'installent autour de la table pour manger. **2.** *Une table ronde,* c'est une réunion où l'on discute. *Le maire a organisé une table ronde sur le sport à Motbourg.* **3.** *La table des matières,* c'est la liste des chapitres d'un livre. *La maîtresse consulte la table des matières du livre de grammaire pour trouver le chapitre sur les adjectifs.* **4.** *La table de multiplication,* c'est le tableau des multiplications des nombres avec le résultat. *On doit apprendre les tables de multiplication par cœur.*

Certaines tables ont des tiroirs, les *tables de nuit,* par exemple.

Le ping-pong s'appelle aussi *tennis de table.*

Va voir aussi ***index, sommaire.***

▷ ***tableau*** n. m. **1.** Peinture faite sur un support rigide ; vois ***toile.*** *Sophie Pelletier a acheté un tableau abstrait.* **2.** Description, récit. *Le maire a brossé un rapide tableau des activités sportives de sa ville.* **3.** Panneau sur lequel on met des informations. *Hippolyte a mis le programme du ciné-club sur le tableau d'affichage.* **4.** Panneau sur lequel on écrit, en classe. *Angèle a écrit l'énoncé du problème au tableau.* **5.** *Le tableau de bord d'un véhicule,*

Au pluriel : *des tableaux.*

Un tableau peut être un portrait, une nature morte, un paysage.

Jouer sur tous les tableaux, essayer de profiter de tout.

c'est l'endroit où sont les compteurs, les voyants et les commandes. *M. Bellec jette un coup d'œil au tableau de bord pour vérifier sa vitesse.* **6.** Série de renseignements disposés en listes, selon un ordre strict. *Les différentes formes des verbes sont présentées dans les tableaux de conjugaison.*

Conjugaison 1

▸ ***tabler*** v. *Tabler sur une chose,* c'est compter sur elle. *Alex table sur la chance pour avoir son bac.*

▸ ***tablette*** n. f. **1.** Petite étagère. *Yves pose sa brosse à dents sur la tablette au-dessus du lavabo.* **2.** Petite plaque. *Antoine et Marie-Tévy ont partagé une tablette de chocolat.*

Charlie pouvait voir les grandes tablettes de chocolat empilées dans la vitrine *(Charlie et la Chocolaterie).*

▸ ① ***tablier*** n. m. Plancher d'un pont. *Le tablier du pont était couvert de neige.*

On met le tablier par-dessus les autres vêtements pour ne pas les salir.

② ***tablier*** n. m.
Vêtement qui protège le devant du corps. *M. Bellec, le restaurateur, met un tablier blanc pour faire la cuisine.*

Rendre son tablier, c'est démissionner.

tabou adj.
Un sujet tabou, c'est un sujet dont il ne faut pas parler. *Il ne faut pas parler de Mme Harpie à son beau-frère, c'est un sujet tabou,* il ne veut pas qu'on lui parle d'elle.

On écrit : *des sujets tabous* ou *des sujets tabou.*

tabouret n. m.
Siège à pieds, sans bras et sans dossier. *Claire est montée sur le tabouret pour attraper le pot de confitures. Sylvain règle la hauteur du tabouret de piano.*

Une centaine d'écureuils étaient juchés sur de hauts tabourets *(Charlie et la Chocolaterie).*

Ne confonds pas *tache* et *tâche.*

tache n. f.
1. Marque d'une couleur différente du reste. *Julie a les joues couvertes de taches de rousseur.* **2.** Marque sale ; vois ***éclaboussure, salissure, souillure.*** *Yves a des taches de boue sur ses chaussettes ;* vois ***trace.***

Le peuple animal autour de l'eau moirée de taches de soleil était plus dense *(le Lion).*

Les petites avaient pris garde à ne pas faire de taches de peinture à leurs vêtements *(les Contes du Chat perché).*

Conjugaison 1
Ne confonds pas *tacher* et *tâcher.*

▸ ***tacher*** v. **1.** Salir en faisant des taches ; vois ***souiller.*** *Yves a taché ses chaussettes en marchant dans la boue. — Julie s'est tachée en remplissant son stylo à encre.*

▸ ***tacheté*** adj. Couvert de petites taches. *Le léopard a un pelage tacheté.*

Autres membres de la famille : ② **détacher, détachant.**

N'oublie pas l'accent circonflexe du *â.*

tâche n. f.
1. Travail à faire ; vois ***besogne, ouvrage.*** *Mme Séverac n'aime pas beaucoup les tâches ménagères.*

Ne confonds pas *tâche* et *tache.*

Conjugaison 1
Le contraire de *tâcher,* c'est *éviter.*

▸ ***tâcher*** v. Faire des efforts ; vois ***essayer.*** *Antoine, tâche d'arriver à l'heure ! Tâchez que cela ne se reproduise plus,* faites en sorte que cela ne se reproduise plus.

Je suivais le grand corps de Bullit en tâchant de mettre mes pas juste dans les siens *(le Lion).*

tacheté va voir ***tache.***

tacite adj.
Un accord tacite, c'est un accord sur lequel on n'a rien dit ni écrit ; vois ***implicite, sous-entendu.*** *D'un accord tacite, Colle et Rat emboîtèrent le pas à Marie-Tévy.*

▸ ***taciturne*** adj. Silencieux, peu bavard. *Hippolyte était bien taciturne ce matin.*

Le contraire de *taciturne,* c'est *bavard.*

Ce mot est familier.

tacot n. m.
Vieille voiture qui n'avance pas. *La voiture de Loïc est un tacot.*

Tact [takt] rime avec *pacte.*

tact n. m.
Délicatesse dans les rapports avec les autres. *Angèle, l'institutrice, a beaucoup de tact, elle reprend les enfants sans les vexer.*

tactique n. f.
Manière de mettre un plan à exécution ; vois ***stratégie.*** *L'équipe de football de Motbourg a une tactique de défense parfaite.*

Taffetas [tafta] rime avec *résultat.*

taffetas n. m.
Tissu de soie. *Au mariage de son frère, Angèle portait une robe de taffetas bleu clair.*

N'oublie pas les deux *f.*

taie n. f.
Une taie d'oreiller, c'est une enveloppe de tissu dans laquelle on met un oreiller. *Sophie Pelletier a acheté des draps et des taies d'oreiller bleus.*

On met un traversin dans une *taie de traversin.*

Conjugaison 1

Famille de **tailler**

taillader v.
Faire des coupures dans la peau. *M. Doucet s'est tailladé le menton en se rasant.*

Il sentait le vent qui lui tailladait les joues *(Charlie et la Chocolaterie).*

Grâce à la taille, le roi avait une armée permanente.

① ***taille*** n. f.
Impôt payé autrefois au seigneur par les serfs et les roturiers. *Le peuple était écrasé par la taille et la gabelle.*

La taille a été abolie en 1789.

Oh ! je ne suis pas tellement difficile pour ce qui est de la taille [...]. Ce qu'il y a d'ennuyeux, c'est de changer si souvent de taille *(Alice au Pays des merveilles).*

② ***taille*** n. f.
1. Hauteur du corps humain. *Yves se redresse de toute sa taille. La taille du docteur Séverac est d'un mètre quatre-vingts. Tu es de taille à te défendre,* tu es assez grand, assez fort, tu en es capable. **2.** Grandeur d'un vêtement. *Ce pantalon est trop petit, il faudrait la taille au-dessus.* **3.** Grandeur ; vois ***dimension, format.*** *Antoine a un livre de la taille d'un timbre-poste.*

Aucun lit n'allait à Blancheneige, l'un était trop long, l'autre trop court, enfin le septième fut à sa taille *(Blancheneige).*

On dit d'une personne qui a la taille très fine qu'elle a une *taille de guêpe.*

③ ***taille*** n. f.
Partie du tronc entre les côtes et les hanches. *Angèle a la taille fine. Mme Roussel est entrée dans l'eau jusqu'à la taille ;* vois ***ceinture.***

Conjugaison 1

tailler v.
1. Couper pour donner une certaine forme. *Julie taille ses crayons de couleur.* **2.** Découper des morceaux de tissu pour faire un vêtement ; vois ***couper.*** *Mme Roussel a taillé une robe.*

Tailler un arbre, c'est en couper certaines branches.

Une *pierre de taille* est une pierre taillée pour la construction.

▸ ④ ***taille*** n. f. Action de tailler. *Mme Bellec s'occupe de la taille des rosiers,* elle les taille.

▸ ***taillé*** adj. **1.** Fait. *Alex est taillé en athlète,* il est fait comme un athlète ; vois ***bâti.*** **2.** Coupé. *David a les cheveux taillés en brosse.*

On peut écrire *taille-crayon* ou *taille-crayons* au singulier comme au pluriel.

▸ ***taille-crayon*** n. m. Instrument servant à tailler les crayons. *Julie a deux taille-crayons, un pour les gros crayons et un pour les petits.*

Famille de **crayon**

Mon père m'a mariée
À un tailleur de pierres
(chanson).

▸ ***tailleur*** n. m. **1.** Homme dont le métier est de faire des vêtements pour les hommes, dans un petit atelier. *Le tailleur a pris les mesures du docteur Séverac.* **2.** Ouvrier qui façonne une matière en la taillant. *À Amsterdam, il y a beaucoup de tailleurs de diamants.* **3.** Costume de femme composé d'une veste et d'une jupe de même tissu. *Mme Séverac portait un tailleur de flanelle.*

Trois cents tailleurs lilliputiens confectionnèrent un costume à Gulliver.

Autres membres de la famille : **entailler, entaille, taillader.**

Taillis [taji] rime avec *bouillie.*

▸ ***taillis*** n. m. Partie d'un bois où il n'y a que de petits arbres ; vois ***fourré.*** *Mamie Lou envoie David chercher du bois dans les taillis.*

Les taillis alternaient avec de grands espaces découverts *(le Lion).*

Ne confonds pas *tain* et *teint.*

tain n. m.
Couche de métal que l'on applique sur une plaque de verre pour en faire un miroir. *Le tain de la glace est un peu abîmé.*

Le tain est à base d'étain ou de mercure.

Conjugaison 54

— Taisez-vous ! ordonna la Reine, pourpre de fureur.
— Je ne me tairai pas ! réplique Alice
(Alice au Pays des merveilles).

taire v.
1. *Se taire,* c'est ne pas parler, garder le silence. *Julie s'est tue pour écouter les oiseaux. Chut, taisez-vous ! Avec une chance sur deux de dire une bêtise, peut-être vaut-il mieux se taire. — Peu à peu, les bruits de la maison se sont tus,* ils se sont arrêtés, ils ont cessé. **2.** *Taire une chose,* c'est ne pas la dire ; vois ***cacher.*** *Julie est incapable de taire un secret.*

La Directrice se tut un long moment, et le silence emplit la grande salle, comme un vent froid *(Lullaby).*

Le contraire de *taire,* c'est *révéler.*

Talc [talk] rime avec *calque.*

talc n. m.
Poudre blanche qui absorbe l'humidité. *Julie met du talc dans son bonnet de bain.*

Autre membre de la famille : **talquer.**

talent n. m.
Aptitude particulière dans un domaine ; vois ***capacité, don.*** *Sylvain a un réel talent pour le piano. Denis Prost est un comédien de talent.*

Il a *du talent.*

Talisman [talismɑ̃] rime avec *moment* et *maman.*

talisman n. m.
Objet qui a des pouvoirs magiques, qui porte bonheur. *Mme Harpie garde une patte de lapin comme talisman.*

talon n. m.
1. Partie d'une feuille de carnet qui reste quand on en a détaché une partie.

Angèle inscrit le montant de ses achats sur le talon de son carnet de chèques. **2.** Arrière du pied. *Yves courait ; ses talons s'enfonçaient profondément dans le sable. Colle et Rat sont sur les talons de Yasmina,* ils la suivent de très près. **3.** Partie d'une chaussette, d'un bas, d'une chaussure, qui est au niveau du talon. *Angèle a mis des chaussures à talons plats.*

Le *talon d'Achille,* c'est le point faible de quelqu'un.

M. Filippi éteignit sa cigarette sous son talon *(Lullaby).*

Avoir l'estomac dans les talons, c'est avoir faim.

Elle portait des souliers à talons hauts, une robe de soie à fleurs [...] et autour du cou un rang de perles *(le Lion).*

Conjugaison 1

▹ ***talonner*** v. Suivre de très près, en poursuivant. *Colle et Rat talonnent Yasmina.*

Conjugaison 1
Famille de **talc**

talquer v.
Mettre du talc. *Julie talque son bonnet de bain.*

Talus [taly] rime avec *salut.*

talus n. m.
Terrain en pente très inclinée, le long d'un chemin, d'un champ. *Un talus borde la voie ferrée.*

On l'appelle aussi : *grand fourmilier.*

Le tamanoir peut mesurer 2,50 m.

tamanoir n. m.
Animal qui a une langue fine et visqueuse, grâce à laquelle il capture les fourmis dont il se nourrit. *Les tamanoirs vivent en Amérique du Sud.*

Je n'ai pas vu le tamanoir
Il est rentré dans son manoir
(R. Desnos).

tambour n. m.
1. Instrument de musique fait d'un cylindre fermé de chaque côté par une peau tendue sur laquelle on frappe avec des baguettes. *Un roulement de tambour annonce le début de la cérémonie.* **2.** Cylindre qui tourne, dans une machine. *Mme Bellec a une machine à laver à tambour.*

Le *tambour* est aussi celui qui joue du tambour.

Mener une affaire tambour battant, c'est la mener rapidement.

Sans tambour ni trompette, discrètement, sans attirer l'attention.

Le tambourin s'appelle aussi un *tambour de basque.*

▹ ***tambourin*** n. m. Instrument de musique fait d'une peau tendue sur un petit cercle de bois muni de grelots. *Marie-Tévy danse en s'accompagnant d'un tambourin.*

Le tambourin et le tambour sont des instruments à percussion.

Conjugaison 1

▹ ***tambouriner*** v. Faire du bruit en tapant régulièrement sur un objet dur, comme sur un tambour. *Qui tambourine à la porte ?*

Tamis [tami] rime avec *ami.*

tamis n. m.
Instrument formé d'une grille fine tendue sur un cadre, qui retient les gros morceaux d'un mélange ; vois ***crible, passoire.*** *Avant de faire du ciment, Loïc passe le sable au tamis pour enlever les cailloux qu'il contient.*

Le *tamis* d'une raquette de tennis, c'est l'ensemble des cordes tendues et croisées avec lesquelles on frappe la balle.

Conjugaison 1

▹ ***tamiser*** v. **1.** Passer au tamis. *Loïc tamise le sable.* **2.** *Tamiser une lumière,* c'est la rendre moins forte. *L'abat-jour tamise la lumière.*

Il donne une *lumière tamisée.*

Un ***m*** devant le ***p.***

On récure les casseroles avec un *tampon métallique.*

tampon n. m.
1. Petit morceau de tissu roulé en boule ou pressé. *Angèle nettoie la plaie avec un tampon de coton imbibé d'alcool.* **2.** Morceau de caoutchouc portant une inscription, qui sert à marquer ; vois ***cachet.*** *Mme Roussel donne un coup de tampon sur les lettres qui partent de la biscuiterie.* **3.** Ce qui amortit les chocs. *Les wagons de chemin de fer sont munis de tampons à l'avant et à l'arrière.*

On encre le tampon de caoutchouc en le posant sur un *tampon encreur.*

Conjugaison 1

▹ ***tamponner*** v. **1.** Essuyer, nettoyer avec un tampon. *Angèle tamponne doucement la plaie.* **2.** Mettre un coup de tampon. *Mme Roussel tamponne le courrier.* **3.** *Se tamponner,* c'est se heurter violemment, rentrer l'un dans l'autre. *Deux voitures se sont tamponnées.*

Attention ! deux ***n*** dans *tamponner* et *tamponneur.*

▹ ***tamponneur*** adj. *Des autos tamponneuses,* ce sont des petites voitures électriques que l'on fait se heurter. *M. Doucet a emmené son fils Antoine faire un tour d'autos tamponneuses à la fête foraine.*

Tam-tam [tamtam] rime avec *hippopotame.*

tam-tam n. m.
Tambour d'Afrique noire. *Les villageois dansent au rythme des tam-tams.*

Les tam-tams servent aussi à transmettre des messages.

La tanche peut mesurer 50 centimètres et peser 5 à 6 kilos.

tanche n. f.
Poisson d'eau douce, à la peau sombre et gluante. *Yves et Antoine ont pêché des tanches dans l'étang.*

La chair de la tanche est bonne à manger.

Tandem [tɑ̃dɛm] rime avec *diadème.*

tandem n. m.
Bicyclette qui a deux sièges et deux pédaliers. *Réjean et Alex ont fait une promenade en tandem.*

Ne prononce pas le ***s*** : [tɑ̃dikə].

Famille de **que**

tandis que conjonction
1. Pendant que, alors que. *Yasmina joue à la poupée tandis que Julie lit une bande dessinée.* **2.** Alors que, au contraire. *Alex ne pense qu'à s'amuser, tandis que Sylvain, lui, travaille.*

Rufus [...] s'est mis à courir après Alceste, tandis que moi je galopais de nouveau autour du jardin *(le Petit Nicolas).*

Famille de **tanguer**

tangage n. m.
Mouvement d'un bateau dont l'avant et l'arrière s'enfoncent dans l'eau l'un après l'autre. *Le roulis et le tangage rendent les déplacements difficiles à bord du bateau.*

D'abord un ***a***, puis un ***e***.

tangent adj.
1. Qui touche une ligne ou une surface en un seul point. *Tracez une droite tangente à ce cercle,* une droite qui touche le cercle en un seul point. **2.** *Alex est passé en terminale, mais c'était tangent,* c'était juste, il a failli ne pas y arriver.

Ce sens est familier.

▸ ***tangente*** n. f. Droite qui touche le cercle en un seul point. *Tracez une tangente à ce cercle.*

Compare *tang**ent*** et *tang**ible*** : il s'agit de **toucher.**

tangible adj.
Qu'on peut toucher, voir ; vois ***concret, réel.*** *Il n'y a pas de preuves tangibles du passage de la soucoupe volante.*

La musique sur laquelle on danse le tango s'appelle aussi *tango.*

tango n. m.
Danse assez lente, sur un rythme à deux temps, originaire d'Argentine. *M. Bellec est un très bon danseur de tango.*

Au pluriel : *des tangos.*

Conjugaison 1

tanguer v.
Le bateau tanguait violemment dans la tempête, son arrière et son avant s'enfonçaient dans l'eau l'un après l'autre.

Autre membre de la famille : **tangage.**

tanière n. f.
Trou, caverne où se réfugie une bête sauvage ; vois ***gîte, repaire, terrier.*** *Le renard, traqué par les chasseurs, s'est abrité dans sa tanière.*

Croc-Blanc regrettait la tanière où il était né *(Croc-Blanc).*

Tank [tɑ̃k] rime avec *banque.*

tank n. m.
Char d'assaut. *Les tanks ennemis ont encerclé la ville.*

Conjugaison 1

Un *visage tanné,* c'est un visage bruni par l'effet du soleil.

tanner v.
Tanner des peaux, c'est les préparer pour en faire du cuir. *On tanne la peau de porc pour en faire des sacs et des ceintures.*

Le *tannage* empêche les peaux de pourrir.

▸ ***tannerie*** n. f. Endroit où l'on tanne les peaux. *Les tanneries sentent très fort à cause des produits qu'on y emploie.*

Deux ***n*** dans *tanner, tannerie* et *tanneur.*

▸ ***tanneur*** n. m. Personne dont le métier est de tanner les peaux. *Les tanneurs utilisent des produits spéciaux pour tanner les peaux.*

Ne confonds pas *tant, temps, taon* et *tend* (du verbe *tendre*).

tant adv.
1. Tellement. *Antoine aime tant Marie-Tévy ! Je te l'ai dit tant de fois !,* tellement souvent. *Antoine a tant d'amour pour Marie-Tévy qu'il la suivrait jusqu'au bout du monde.* **2.** Une quantité que l'on ne précise pas. *Angèle gagne tant par mois.* **3.** Autant. *Yves frappait tant qu'il pouvait. Ce n'est pas tant la pluie qu'il détestait que le froid.* **4.** *Angèle a réussi à faire démarrer sa voiture tant bien que mal,* avec peine. **5.** *Le docteur Séverac a donné son avis en tant que médecin,* du point de vue du médecin, dans la mesure où il est médecin. **6.** *Tant qu'à changer de voiture, Angèle en voudrait une neuve,* s'il faut en changer. **7.** *Julie est guérie, tant mieux !,* c'est bien, je m'en réjouis. *Mme Bellec n'a pas voulu aller au cinéma, tant pis !,* c'est dommage. **8.** *Yves reste jouer dehors tant que sa mère ne l'appelle pas,* aussi longtemps que sa mère ne l'appelle pas.

Il épousa des femmes tant et plus. Il épousa neuf cent quatre-vingt-dix-neuf femmes, sans compter Balkis la Très Adorable *(Histoires comme ça).*

Le jeune prince ne mangea point, tant il était occupé à la considérer *(Cendrillon).*

Arthur travaille tant qu'il peut pour se faire pardonner sa bêtise *(Babar).*

Autres membres de la famille : **autant, pourtant, tantôt.**

tante n. f.
Sœur du père ou de la mère, ou femme de l'oncle. *Mme Harpie est la tante d'Antoine. « Bonjour tante Odile », dit David.*

Demain c'est dimanche
La fête à ma tante (comptine).

Les enfants disent parfois *tata* ou *tati.*

Famille de **tant** et de **tôt**

tantôt adv.
Parfois. *Julie change souvent d'humeur : tantôt elle rit, tantôt elle boude,* à un moment elle rit, puis à un autre moment elle boude.

Taon [tɑ̃] rime avec *faon* et *dégoûtant.*

taon n. m.
Grosse mouche dont la femelle suce le sang des animaux et de l'homme. *Les vaches chassent les taons avec leur queue.*

Ne confonds pas *taon, tant, temps* et *tend,* de *tendre.*

Famille de **taper**

Camille aimait à courir, à faire et à entendre du tapage *(les Petites Filles modèles).*

tapage n. m.
Bruit violent et désordonné ; vois ***chahut, tintamarre, vacarme.*** *En revenant du match, les supporters de l'équipe faisaient un tapage infernal.*

Le contraire de *tapage,* c'est *silence.*

▸ ***tapageur*** adj. **1.** *Julie est une enfant tapageuse,* qui fait du tapage. **2.** *Mme Harpie porte une robe aux couleurs tapageuses,* criardes, voyantes.

Conjugaison 1

taper v.
1. Frapper, donner des coups ; vois ***battre, cogner.*** *M. Bellec tape sur un clou avec son marteau ;* vois ***frapper.*** *Julie tape du pied.* **2.** Donner une tape. *Antoine a tapé sur l'épaule de Marie-Tévy. David a tapé sur Nathalie.* **3.** *Ces enfants me tapent sur les nerfs,* ils m'énervent, m'agacent. **4.** Écrire avec une machine à écrire. *Mme Roussel a tapé dix lettres ce matin.*

Agnan a des lunettes et on ne peut pas taper sur lui aussi souvent qu'on le voudrait *(le Petit Nicolas).*

On peut dire aussi : *David a tapé Nathalie.*

▸ ***tape*** n. f. Coup donné avec le plat de la main ; vois ***claque.*** *Antoine donne une petite tape sur l'épaule de Marie-Tévy.*

Castor-Gris donna une tape à Croc-Blanc qui se coucha aussitôt *(Croc-Blanc).*

Autres membres de la famille : **retaper, tapage, tapageur, tapoter.**

Famille de se **tapir**

en ***tapinois*** adv.
En se cachant, à la dérobée, en catimini. *Colle et Rat s'approchèrent des filles en tapinois.*

tapioca n. m.
Farine de manioc cuite et séchée, présentée en grains. *Mme Séverac épaissit le potage avec du tapioca.*

On fait aussi des desserts à base de tapioca.

tapir n. m.
Animal gros comme un petit cochon, qui mange de l'herbe, et dont le nez se prolonge en courte trompe. *Les tapirs vivent en Asie du Sud-Est et en Amérique tropicale.*

Les tapirs sont bas sur pattes et ont une fourrure rase.

Le tapir est un mammifère.

Autre membre de la famille : en **tapinois.**

se ***tapir*** v.
Se cacher en se blottissant ; vois *se* ***terrer.*** *Le chat s'est tapi sous le buffet.*

Conjugaison 2

tapis n. m.
1. Morceau de tissu épais dont on recouvre le sol d'une pièce. *Julie a renversé son verre sur le tapis du salon.* **2.** Tissu qu'on met sur certaines tables. *Les tables de jeu sont gainées d'un tapis vert.* **3.** *Un tapis roulant,* c'est une longue bande souple qui se déplace sur des rouleaux et sert à transporter des objets ou des gens. *Les passagers de l'avion récupèrent leurs valises sur un tapis roulant.* **4.** Couche épaisse. *Un tapis de feuilles mortes recouvre la cour de l'école.*

Envoyer son adversaire au tapis, c'est l'envoyer au sol, le battre.

Mettre une question sur le tapis, c'est la poser, faire qu'on en discute.

Va voir aussi ***moquette.***

Les personnages des *Contes des Mille et Une Nuits* se déplacent souvent sur des tapis volants.

Conjugaison 1

▸ ***tapisser*** v. Couvrir de tapisserie, de tissu, de papier peint ; vois ***recouvrir.*** *Mme Bellec veut tapisser les murs du salon d'un joli papier à fleurs.*

▸ ***tapisserie*** n. f. **1.** Panneau décoratif fait de motifs tissés. *Les murs des châteaux étaient ornés de tapisseries.* **2.** Canevas recouvert de broderie faite à la main. *Mme Bonnot fait de la tapisserie.*

Les tapisseries des Flandres, des Gobelins et d'Aubusson étaient très réputées.

▸ ***tapissier*** n. m. Personne dont le métier est de poser les tissus qui recouvrent certains meubles. *Mme Séverac a porté un fauteuil chez le tapissier pour qu'il le recouvre.*

Conjugaison 1

tapoter v.
Frapper légèrement en donnant de petits coups. *Le docteur Séverac tapota la joue de Julie.*

Famille de **taper**

taquet n. m.
Morceau de bois qui sert à coincer, à bloquer, à caler un objet. *La porte de la grange est fermée par un taquet.*

taquin adj.
Qui s'amuse à taquiner les autres. *Antoine est taquin. Claire est une petite fille taquine.*

Il a un *caractère taquin.*

Conjugaison 1

▸ ***taquiner*** v. S'amuser à agacer gentiment les autres. *Antoine adore taquiner Marie-Tévy.*

▸ ***taquinerie*** n. f. Ce que l'on dit ou ce que l'on fait pour taquiner quelqu'un. *Antoine fait sans cesse des taquineries à Marie-Tévy,* il la taquine sans cesse.

tarabiscoté adj.
Trop compliqué. *Cette phrase est bien tarabiscotée.*

Conjugaison 1

tarabuster v.
Embêter, tourmenter sans arrêt par des paroles ; vois ***harceler, houspiller, tracasser.*** *Mme Hespel tarabuste son fils Alex pour qu'il travaille davantage.*

tard adv.
1. Après le moment habituel ; après un temps trop long. *Alex aime se lever tard. Les Touati ont dîné plus tard que d'habitude. Je saurai la vérité tôt ou tard,* je la saurai inévitablement, même si je ne sais pas quand. *Je t'expliquerai cela plus tard,* dans l'avenir ; vois ***après, ultérieurement.*** **2.** À une heure avancée du jour ou de la nuit. *Denis Prost est rentré tard dans la nuit.*

Regarde : un bateau, et un autre là-bas. Tôt ou tard il y en aura un qui passera près de nous *(Babar).*

Le contraire de *tard,* c'est *tôt.* Son sac la gênait, et elle décida de le cacher quelque part, pour le prendre plus tard *(Lullaby).*

Conjugaison 1

▸ **tarder** v. **1.** Être lent à venir, se faire attendre. *La réponse d'Yves n'a pas tardé.* **2.** Rester longtemps avant de commencer quelque chose. *Ne tardez pas, mes enfants, décidez-vous. Julie est accourue sans tarder,* vite, tout de suite, rapidement. *Ils ne tarderont pas à arriver.* **3.** *Julie s'impatientait : il lui tardait de partir,* elle avait hâte de partir.

Le contraire de *tarder,* c'est *se dépêcher, se hâter.*

« Je vous demande pardon, ma mère, dit cette pauvre fille, d'avoir tardé si longtemps » *(les Fées).*

▸ **tardif** adj. **1.** Qui a lieu tard. *Denis Prost est rentré à une heure tardive ;* vois ***avancé.*** **2.** *Mamie Lou a planté des fraisiers tardifs,* qui poussent plus tard que les autres.

Le contraire de *tardif,* c'est *hâtif, précoce.*

Autres membres de la famille : **s'attarder ; retarder, retard, retardataire, à retardement.**

① **tare** n. f.
Grave défaut. *Le premier chien de Mamie Lou avait une tare : il était sourd.*
▸ **taré** n. f. Atteint d'une tare. *Le chien de Mamie Lou était taré, mais elle l'aimait beaucoup.*

Il m'examinait [...] comme s'il cherchait en moi un signe de malformation, une tare dissimulée *(le Lion).*

② **tare** n. f.
Poids de l'emballage pesé avec une marchandise. *On enlève la tare du poids brut pour obtenir le poids net.*

tarentule n. f.
Grosse araignée venimeuse des pays méditerranéens. *La piqûre des tarentules est dangereuse.*

targette n. f.
Petit verrou plat. *Pousse la targette pour ouvrir la porte du grenier.*

Conjugaison 1

se **targuer** v.
Se vanter. *Denis Prost se targue un peu trop de ses succès.*

C'est un comédien célèbre.

Autre membre de la famille : **demi-tarif.**

tarif n. m.
Prix d'une chose. *Le tarif des consommations est affiché dans les cafés.*

Conjugaison 2

tarir v.
1. Cesser de couler. *Les larmes de Julie ne tarissaient plus. — La source s'est tarie,* elle ne coule plus. **2.** *Denis Prost ne tarit pas d'éloges sur sa fille,* il n'arrête pas d'en parler de façon élogieuse.

Un temps arriva où le lait se tarit dans la poitrine de sa mère *(Croc-Blanc).*

Autre membre de la famille : **intarissable.**

tarot n. m.
Jeu de cartes qui se joue avec des cartes plus longues que les cartes habituelles et portant des figures spéciales. *Il faut être quatre pour jouer au tarot.*

Le tarot se joue avec 78 cartes.

On utilise aussi les cartes de tarot pour prédire l'avenir.

tarte n. f.
Gâteau fait d'un fond de pâte garni de fruits ou de crème. *Mamie Lou a fait une tarte aux fraises.*
▸ **tartelette** n. f. Petite tarte pour une personne. *Antoine a mangé deux tartelettes à l'abricot.*

La Reine de Cœur
ayant fait des tartes
Par un beau jour d'été,
Le Valet de Cœur
a volé ces tartes
(Alice au Pays des merveilles).

On fait aussi des tartes salées, garnies d'oignons, de légumes ou de fromage.

tartine n. f.
Tranche de pain que l'on recouvre de beurre ou de confiture ou d'un autre produit alimentaire facile à étaler. *Odile Séverac coupe des tartines pour le goûter. Antoine a mangé une grosse tartine de pâté.*

J'ai dit que nom d'un chien, zut, vous n'avez pas le droit de marcher sur mes tartines ! a crié Alceste *(le Petit Nicolas).*

Conjugaison 1

▸ **tartiner** v. Étaler un aliment sur du pain. *Julie tartine son pain de pâte de chocolat.*

tartre n. m.

La bouilloire est *entartrée.*

1. Dépôt qui se forme sur les dents. *Se laver les dents évite la formation du tartre.* **2.** Croûte calcaire formée par l'eau qui bout. *L'intérieur de la bouilloire est blanc de tartre.*

Autres membres de la famille : **détartrer, entartrer.**

tas n. m.

J'ai eu [...] des tas de contacts avec des tas de gens sérieux *(le Petit Prince).*

1. Quantité d'objets mis les uns sur les autres ; vois ***amas, entassement, monceau.*** *Yves a fait un tas de cailloux dans le jardin. Claire joue sur le tas de sable.* **2.** Grande quantité, grand nombre. *Loïc a appris à Yves, son neveu, des tas de choses. Denis Prost connaît des tas de gens dans le monde du spectacle.*

Autres membres de la famille : **entasser, entassement, tasser.**

C'est un comédien célèbre.

tasse n. f.

Tout en buvant une tasse de café au lait [...] Babar et Céleste regardent la côte *(Babar).*

Petit récipient à anse servant à boire. *Mme Séverac a sorti les tasses à thé. David a bu une tasse de lait,* le contenu d'une tasse.

Boire la tasse, c'est avaler involontairement de l'eau en se baignant.

tasser v.

Conjugaison 1

1. *Tasser une chose,* c'est appuyer dessus, la comprimer le plus possible de sorte qu'elle prenne moins de place. *Le docteur Séverac tasse le tabac dans sa pipe.* **2.** *Tasser des personnes,* c'est les serrer les unes contre les autres ; vois ***entasser.*** *M. Bellec a tassé les enfants au fond de la voiture. — Les élèves se sont tassés sur le banc.*

Famille de **tas**

Tassez-vous ! Tassez-vous ! La voiture à papa n'est pas en caoutchouc (Obaldia).

tâter v.

Conjugaison 1

Il tâtait ses muscles et les faisait jouer *(Croc-Blanc).*

Un accent circonflexe à *tâter, tâtonner, tâtonnement, à tâtons.*

1. Toucher une chose avec la main, pour savoir comment elle est ; vois ***palper.*** *Yves tâtait les murs pour retrouver son chemin dans le noir. Le docteur Séverac tâte le pouls du malade ;* vois ***prendre.*** **2.** *Avant de demander une faveur à son père, Julie tâte le terrain,* elle essaie de voir dans quelles dispositions est son père.

Le Petit Poucet eut bien peur lorsqu'il sentit la main de l'Ogre qui lui tâtait la tête, comme il avait tâté la tête de tous ses frères *(le Petit Poucet).*

▸ ***tatillon*** adj. Trop attaché aux détails, trop minutieux ; vois ***pointilleux.*** *Mme Séverac est tatillonne.*

Elle est même maniaque !

Deux ***n*** à *tâtonner* et à *tâtonnement.*

▸ ***tâtonner*** v. **1.** Tâter les objets autour de soi pour se guider. *Yves tâtonnait dans le noir pour trouver la porte.* **2.** Hésiter, faire divers essais. *La médecine tâtonne encore souvent.*

Conjugaison 1

▸ ***tâtonnement*** n. m. *Marie-Tévy a trouvé la solution du problème après quelques tâtonnements,* après quelques essais, quelques hésitations.

N'oublie pas le ***s*** final.

▸ *à* ***tâtons*** adv. En tâtonnant, à l'aveuglette. *Yves cherchait son chemin à tâtons dans le noir.*

Il monta donc à tâtons *(le Petit Poucet).*

tatou n. m.

Le tatou peut se rouler en boule.

Animal d'Amérique du Sud, sans dents, et dont le corps est recouvert d'une carapace. *Les tatous mangent des insectes et de petits animaux.*

Le tatou est un mammifère.

tatouer v.

Conjugaison 1

Graver un dessin à l'encre dans la peau. *Loïc s'est fait tatouer une ancre de marine sur le bras.*

▸ ***tatouage*** n. m. Dessin gravé dans la peau en projetant au moyen de piqûres très rapprochées une encre indélébile. *Loïc a sur le bras un tatouage représentant une ancre de marine.*

taudis n. m.

Taudis [todi] rime avec *mardi* et *bandit.*

Maison misérable, sans confort. *La pauvre femme habitait un taudis.*

taupe n. f.

La taupe est un mammifère qui se nourrit d'insectes et de vers.

Petit animal qui vit sous terre en creusant de longues galeries. *La taupe vit dans l'obscurité, mais elle n'est pas aveugle.*

Être myope comme une taupe, c'est être très myope.

▸ ***taupinière*** n. f. Petit tas de terre que la taupe rejette au-dessus du sol en creusant ses galeries. *Des taupinières ravageaient la pelouse.*

taureau n. m.

Un jeune taureau est un *taurillon.*

Mâle de la vache. *Le taureau mugit. Denis Prost a vu une course de taureaux en Espagne,* une corrida.

Le taureau peut être très méchant.

taux n. m.

Ne prononce pas le ***x*** final.

1. Montant d'un prix fixé par l'État. *Le taux du salaire minimum a été augmenté.* **2.** Proportion. *Les taux de mortalité infantile ont beaucoup baissé* *en cent ans ;* vois ***pourcentage.*** *Cette banque prête à un taux d'intérêt de 15 %,* elle fait payer 15 francs d'intérêts pour cent francs prêtés.

tavelé adj.
Marqué de petites taches. *Mme Séverac garde les fruits tavelés pour faire de la compote. Julie a le visage tavelé de taches de rousseur.*

taverne n. f.
Autrefois, restaurant où l'on pouvait boire et manger ; vois ***auberge.*** *Le voyageur entra dans une taverne et commanda un repas.*

Conjugaison 1

① ***taxer*** v.
Taxer un produit, c'est faire payer un impôt dessus. *Tout ce que l'on achète, en France, est taxé par l'État.*

Chaque fois que l'on achète une chose, on paie la *taxe à la valeur ajoutée* ou *T. V. A.*

▸ ***taxe*** n. f. Impôt ; vois ***contribution.*** *Tous les ans, on doit payer la taxe d'habitation,* un impôt sur son logement, qui va à la commune.

Autre membre de la famille : **détaxer.**

Conjugaison 1

② ***taxer*** v.
Mme Hespel taxe Antoine de méchanceté, elle l'accuse de méchanceté.

Les taxis sont munis d'un compteur sur lequel s'inscrit le prix de la course.

taxi n. m.
Voiture avec chauffeur, que l'on loue pour faire un trajet. *Denis Prost est revenu de l'aéroport en taxi.*

Le conducteur est un *chauffeur de taxi.*

taxidermiste n. m. et f.

On dit aussi un *empailleur.*

Personne dont le métier est d'empailler les animaux. *M. Bellec a apporté au taxidermiste un renard qu'il a tué à la chasse.*

Le renard empaillé décorera son restaurant.

Devant un mot qui commence par une voyelle ou un ***h*** muet, *te* devient *t'.*

te pronom personnel
Pronom personnel de la deuxième personne du singulier, qui remplace *tu* lorsqu'il est complément. *On te voit. À qui parle-t-on ? On te parle. Tu te frottes les mains,* tu frottes tes mains. *Cela peut t'être utile,* être utile à toi. *Te voilà enfin !*

Va voir aussi ***toi.***

Prononce [tɛknik].

technique n. f. et adj.
▭ **n. f. 1.** Ensemble des procédés, des méthodes qui permettent de fabriquer des objets, d'arriver à un résultat déterminé. *Alex est fasciné par les réalisations de la technique moderne : les motos, les magnétoscopes, les ordinateurs.* **2.** Ensemble des procédés qui permettent d'arriver à un résultat. *Sylvain a déjà une bonne technique au piano.*

Le *vocabulaire technique,* c'est le vocabulaire d'une technique, d'un métier.

▭ **adj.** Qui concerne la technique. *Le train s'est arrêté à cause d'un incident technique,* d'une défaillance du matériel.

L'*enseignement technique* forme les *techniciens.*

▸ ***technicien*** n. m., ***technicienne*** n. f. Personne qui est spécialisée dans une technique. *Des techniciens sont venus vérifier les machines de l'usine.*

Prononce [tɛknɔlɔʒi].

technologie n. f.
Étude des techniques, des machines et des matériaux. *Alex suit des cours de technologie au lycée.*

Prononce [tɛk].
On écrit aussi *tek.*

teck n. m.
Bois brun très dur et très lourd, qui ne pourrit pas. *Les étagères de la bibliothèque sont en teck.*

C'est un bois très beau et très cher.

Prononce [tiʃœʀt].
Tee-shirt est un mot américain.

tee-shirt n. m.
Maillot de coton, en forme de T, qui couvre le haut du corps. *Julie aime porter des jeans et des tee-shirts.*

On écrit aussi *T-shirt.*

teigne n. f.
1. Maladie du cuir chevelu qui fait tomber les cheveux. *La teigne est due à un champignon microscopique.* **2.** Personne très méchante ; vois ***peste.*** *Mme Harpie est une teigne.*

Conjugaison 52 ▭ Indic. présent : *je teins, il teint, nous teignons, ils teignent.* Imparfait : *je teignais.* Futur : *je teindrai.*

teindre v.
1. Donner une nouvelle couleur à une chose, à l'aide d'un produit spécial. *Mme Bellec a teint sa jupe en noir. Mme Hespel s'est teint les cheveux en brun. — Elle s'est teinte en brune.* **2.** *Au coucher du soleil, les champs se teignaient de rouge,* ils se coloraient en rouge, ils prenaient une couleur rouge.

À midi, le ciel, vers le sud, parut se réchauffer et se teignit de couleur rose *(Croc-Blanc).*

Ne confonds pas *teint, tain* et *thym.*

▸ ***teint*** n. m. **1.** Couleur ou aspect de la peau du visage. *Yasmina a le teint mat.* **2.** *Un tissu grand teint,* c'est un tissu dont la couleur résiste au lavage et à la lumière. *Mme Bellec a acheté des nappes grand teint.*

Grand teint reste invariable.

▸ ***teinte*** n. f. Couleur ; vois ***coloris, nuance, ton.*** *Marie-Tévy aime les vêtements aux teintes claires.*

Conjugaison 1

▸ ***teinter*** v. Colorer légèrement. *M. Bellec a teinté l'étagère de la couleur du chêne. — Le ciel se teinte de rose au soleil couchant.*

Ne confonds pas *teinter* et *tinter.*

▸ ***teinture*** n. f. **1.** *Mme Hespel utilise un produit pour la teinture des cheveux,* pour teindre les cheveux. **2.** Produit servant à teindre. *Sophie Pelletier a plongé son pull-over dans la teinture.*

Le plus souvent, les teinturiers nettoient et repassent les vêtements.

▸ ***teinturier*** n. m., ***teinturière*** n. f. Personne dont le métier est de teindre et de nettoyer les vêtements. *Denis Prost a porté son costume chez le teinturier.*

Autre membre de la famille : **déteindre.**

▸ ***teinturerie*** n. f. Magasin de teinturier. *Denis Prost a porté sa veste à la teinturerie.*

tel adj.

1. Semblable, pareil, du même genre. *Il ne s'attendait pas à une telle réaction.* **2.** *Angèle accepte les enfants tels qu'ils sont,* comme ils sont. **3.** *Les choses sont restées telles quelles,* dans l'état où elles étaient, sans changement. **4.** Si grand, si fort. *Jamais Yasmina n'avait eu une telle peur ;* vois ***pareil, semblable.*** *Yasmina a eu une peur telle qu'elle s'est enfuie. Rien de tel que la marche pour se délasser l'esprit,* rien n'est si efficace. **5.** *Peu importe que tel ou tel parmi vous efface le tableau,* peu importe que ce soit l'un ou l'autre parmi vous.

Tel père, tel fils (proverbe).

Madame Untel, c'est une certaine dame dont on ne précise pas le nom.

Autre membre de la famille : **tellement.**

Au pluriel : *des télés.*

télé n. f.

Abréviation familière de *télévision* ; vois ***télévision.*** *Julie regarde un dessin animé à la télé.*

Autres membres de la famille : **téléfilm, téléspectateur.**

Conjugaison 1

télécommander v.

Commander de loin ; vois ***téléguider.*** *La mise à feu de la fusée est télécommandée.*

Famille de **commander**

▸ ***télécommande*** n. f. Dispositif qui commande un appareil de loin. *La télécommande du poste de télévision permet de changer de chaîne sans se déplacer.*

Famille de **communiquer**

télécommunication n. f.

Ensemble des moyens qui permettent de communiquer avec des personnes éloignées. *Des satellites artificiels sont utilisés comme relais en télécommunication.*

Le téléphone, la radio, la télévision font partie des télécommunications.

Famille de **télé** et de **film**

téléfilm n. m.

Film fait pour la télévision. *Denis Prost a joué dans plusieurs téléfilms.*

Denis Prost est un comédien célèbre.

télégramme n. m.

Feuille sur laquelle est écrit un message, transmis par téléphone ou par radio ; vois ***dépêche.*** *Le docteur Séverac a envoyé un télégramme à sa mère pour son anniversaire.*

Autrefois, les télégrammes étaient transmis par le *télégraphe.*

télégraphe n. m.

Maintenant, on utilise plutôt le téléphone.

Appareil qui permet de transmettre des messages au loin. *Pendant la guerre, M. Bonnot envoyait des messages en morse grâce à un télégraphe électrique.*

Va voir aussi ***télégramme.***

Il était dans la Résistance.

Conjugaison 7 ▭ Indic. imparfait : *nous télégraphiions.*

▸ ***télégraphier*** v. Envoyer un télégramme. *Le docteur Séverac a télégraphié à sa mère qu'il serait là ce soir.*

Télégraphier un message, c'est l'envoyer par télégraphe.

L'échange de dépêches télégraphiques avec Moscou et Saint-Pétersbourg était incessant *(Michel Strogoff).*

▸ ***télégraphique*** adj. *M. Bonnot envoyait des messages télégraphiques,* des messages transmis par le télégraphe.

Un *style télégraphique,* c'est un style abrégé comme dans les télégrammes.

▸ ***télégraphiste*** n. m. et f. Employé de la poste qui apporte les télégrammes. *Le télégraphiste a apporté le télégramme à bicyclette.*

Conjugaison 1

téléguider v.

Guider de loin. *La fusée est téléguidée depuis la Terre.*

Famille de **guider**

télématique n. f.

La télématique utilise les moyens de l'informatique et des télécommunications.

Ensemble des techniques qui permettent d'utiliser un ordinateur à distance. *Le minitel utilise les possibilités de la télématique.*

Famille de ② **objectif**

téléobjectif n. m.
Objectif photographique qui agrandit l'image, et qui sert à photographier de loin. *Ces animaux sauvages ont été photographiés au téléobjectif.*

Vous savez que la télépathie, c'est le téléphone de demain ! (R. Devos).

télépathie n. f.
Communication à distance, par la pensée seulement. *Le Dr Séverac pense que la télépathie n'existe pas.*

On dit aussi *transmission de pensée.*

téléphérique n. m.
Cabine suspendue à un câble. *Les skieurs ont pris le téléphérique pour aller au sommet de la montagne.*

On écrit aussi *téléférique.*

Le téléphone fut inventé en 1876 par l'Américain Graham Bell.

téléphone n. m.
Instrument qui permet de transmettre des sons au loin, par l'intermédiaire de circuits électriques. *Hippolyte a donné son numéro de téléphone à Angèle. Julie appelle Yasmina au téléphone. Le téléphone a sonné.*

La partie du téléphone que l'on tient en main et qui contient l'écouteur et le micro s'appelle un *combiné.*

Conjugaison 1

▸ **téléphoner** v. **1.** Dire quelque chose au téléphone. *Denis Prost a téléphoné qu'il rentrerait tard.* **2.** *Téléphoner à quelqu'un,* c'est l'appeler au téléphone. *Téléphone-moi dès que tu arrives.*

▸ **téléphonique** adj. *Denis Prost a appelé d'une cabine téléphonique,* d'une cabine de téléphone.

Compare *télescope* et *microscope* : il s'agit de **regarder.**

télescope n. m.
Instrument qui permet d'observer des objets très éloignés. *Les astronomes observent les astres au télescope.*

Les premiers télescopes datent du XVIIe siècle.

Conjugaison 1

télescoper v.
Rentrer dans un véhicule avec un choc violent ; vois ***heurter, tamponner.*** *Le train a télescopé une voiture au passage à niveau. — Deux voitures se sont télescopées.*

Famille de **siège**

télésiège n. m.
Série de sièges suspendus à un câble. *Le skieur a pris le télésiège pour arriver en haut des pistes de ski.*

Va voir aussi ***téléphérique.***

Famille de **ski**

téléski n. m.
Câble muni de perches qui sert à tirer les skieurs en haut des pistes ; vois ***remonte-pente.*** *Le moniteur de ski a appris aux enfants à prendre le téléski.*

Famille de **télé** et de **spectateur**

téléspectateur n. m., **téléspectatrice** n. f.
Personne qui regarde la télévision. *Plusieurs millions de téléspectateurs ont regardé le match de football.*

Famille de **voir**

télévisé adj.
Retransmis par la télévision. *Mme Bellec regarde le journal télévisé.*

Famille de **voir**

téléviseur n. m.
Poste qui permet de recevoir la télévision. *Les Bellec ont acheté un téléviseur couleur.*

On dit aussi un *poste de télévision* ou une *télévision.*

Famille de **voir**

télévision n. f.
1. Système qui permet de transmettre des images qui bougent, grâce à un tube électronique. *Le principe de la télévision en couleurs date de 1929.* **2.** Programme, émission de télévision. *Mme Bellec regarde la télévision.* **3.** Poste qui permet de recevoir la télévision. *Les Bellec ont acheté une nouvelle télévision ;* vois ***téléviseur.***

On emploie beaucoup l'abréviation *télé.*

On appelle souvent la télévision le *petit écran.*

Prononce chaque lettre : [telɛks].

télex n. m.
Appareil qui permet de transmettre à distance des textes tapés à la machine. *La secrétaire a envoyé un message par télex.*

Le message s'appelle lui aussi un *télex.*

Famille de **tel**

tellement adv.
À un tel degré ; vois ***si.*** *Antoine est tellement imaginatif. Yves a tellement d'imagination ;* vois ***tant.*** *Mme Roussel est tellement plus aimable que sa sœur. Hippolyte est tellement drôle qu'Angèle ne peut s'empêcher de rire.*

Il y a tellement, tellement, tellement de choses que je voudrais, je ne sais pas si je pourrais te les dire *(Lullaby).*

Va voir aussi ***témérité.***
Le contraire de *téméraire,* c'est *peureux, timoré.*

téméraire adj.
Trop audacieux, imprudent ; vois ***aventureux, hardi.*** *Yves était bien téméraire d'essayer d'escalader la falaise. L'entreprise d'Yves était téméraire.*

Le contraire, c'est *prudent.*

Le contraire de *témérité*, c'est *prudence.*

témérité n. f.
Audace excessive, hardiesse. *Yves a agi avec témérité, sans réfléchir.*

Il s'est montré *téméraire.*

Conjugaison 1

témoigner v.
1. Dire officiellement que l'on a vu ou entendu quelque chose ; vois ***attester, certifier.*** *Mme Harpie a témoigné qu'elle a vu de la fumée sortir de la poste. Mme Harpie est allée témoigner.* **2.** Montrer, faire connaître ; vois ***exprimer, manifester, prouver.*** *Antoine témoigne son amour pour Marie-Tévy en lui faisant beaucoup de petits cadeaux.* **3.** Confirmer la vérité. *Mme Harpie peut témoigner du courage d'Hippolyte,* elle peut dire qu'il a vraiment été courageux. *La conduite d'Hippolyte témoigne de son courage,* elle le montre, elle en est la preuve.

Va voir aussi ***témoin.***

On peut dire aussi qu'*elle a témoigné avoir vu de la fumée.*

Son œil perdu et son nez balafré témoignaient de son expérience de la vie et de la bataille *(Croc-Blanc).*

Hippolyte est entré dans la poste en feu, au mépris du danger.

▸ ***témoignage*** n. m. **1.** Ce que dit une personne qui témoigne ; vois ***déclaration.*** *La police a enregistré le témoignage de Mme Harpie.* **2.** Ce qui montre quelque chose ; vois ***manifestation, preuve, signe.*** *Les cadeaux d'Antoine à Marie-Tévy sont un témoignage de son affection.*

Rien ne sert de courir : il faut partir à point. Le lièvre et la tortue en sont un témoignage (La Fontaine).

Le témoignage d'un veau de trois semaines est tout de même une chose bien fragile *(les Contes du Chat perché).*

témoin n. m.
1. Personne qui a vu quelque chose sans forcément le vouloir. *La police cherche des témoins du hold-up ;* vois ***observateur, spectateur.*** *La police compare les dépositions des témoins. Je suis témoin qu'on vous a refusé l'entrée.* **2.** Dispositif permettant de contrôler. *Un témoin lumineux s'allume quand la machine à laver est en marche.*

— Appelez le premier témoin, reprit le Roi. Aussitôt le Lapin Blanc sonna trois fois de la trompette et cria : « Premier témoin ! » *(Alice au Pays des merveilles).*

Va voir aussi ***témoigner.***

tempe n. f.
Côté de la tête, entre le coin de l'œil et le haut de l'oreille. *M. Doucet a les tempes grisonnantes,* des cheveux grisonnants sur les tempes.

tempérament n. m.
Caractère d'une personne. *M. Bellec a un tempérament nerveux et colérique. Mme Bellec a un tempérament rêveur.*

Michel Strogoff avait le tempérament de l'homme décidé *(Michel Strogoff).*

Famille de **tempérer**

tempérance n. f.
Qualité d'une personne qui boit et mange modérément. *Denis Prost fait toujours preuve de tempérance dans les réceptions où il est invité.*

Un ***m*** devant le ***p.***

température n. f.
1. Degré de chaleur ou de froid. *La température extérieure est de vingt-huit degrés centigrades.* **2.** Chaleur du corps. *Julie prend sa température,* elle vérifie avec un thermomètre si elle a de la fièvre.

Vous devez le soigner [...]. Observez sa température *(Croc-Blanc).*

La température normale du corps humain est de 37 °C.

Conjugaison 6

tempérer v.
1. Rendre plus doux le froid ou la chaleur. *Une brise marine tempère la chaleur écrasante de l'été.* **2.** Adoucir, atténuer. *Angèle, la maîtresse, doit parfois tempérer l'enthousiasme de ses élèves.*

▸ ***tempéré*** adj. Ni très chaud ni très froid. *La France jouit d'un climat tempéré ;* vois ***doux.*** *La France est un pays tempéré,* où règne un climat doux.

Autre membre de la famille : **tempérance.**

tempête n. f.
Vent qui souffle très fort, souvent accompagné de gros nuages et de pluie ; vois ***bourrasque, cyclone, ouragan, tourmente.*** *Le bateau était en difficulté dans la tempête qui faisait rage.*

Une *lampe tempête* est une lampe à pétrole dont la flamme est protégée.

temple n. m.
1. Bâtiment religieux destiné au culte ; vois ***église, mosquée, synagogue.*** *Les touristes ont visité les temples bouddhiques de Birmanie.* **2.** Bâtiment religieux des protestants. *Les protestants assistent à l'office dans le temple.*

Les Grecs et les Romains construisirent de nombreux temples.

Le temple d'Artémis, à Éphèse, était l'une des sept merveilles du monde antique.

Compare ***tempor****aire* et *con****tempor****ain* : il est question du **temps.**

temporaire adj.
Qui ne dure qu'un temps limité ; vois ***momentané, passager, provisoire.*** *Alex a trouvé un emploi temporaire pour le mois de juillet ; c'est une organisation de travail temporaire qui le lui a procuré.*

Le contraire de *temporaire,* c'est *définitif, permanent, perpétuel.*

▸ ***temporairement*** adv. Pour un temps ; vois ***momentanément, provisoirement.*** *Le cinéma est temporairement fermé pour travaux.*

Conjugaison 1

temporiser v.

Attendre un moment plus favorable pour agir en faisant traîner les choses en longueur ; vois ***tergiverser.*** *L'ennemi, à bout de force, cherchait à temporiser.*

Le contraire de *temporiser,* c'est *se hâter.*

Ne confonds pas *temps, tant, taon* et *tend* du verbe *tendre.*

Les deux hommes furent quelque temps avant de s'endormir *(Croc-Blanc).*

Tuer le temps, s'occuper pour ne pas s'ennuyer.

De mon temps, quand j'étais jeune.

Le dromadaire rapporte les costumes juste à temps pour le mariage *(Babar).*

Autres membres de la famille : **contretemps, entre-temps, longtemps, mi-temps, passe-temps, printemps, printanier.**

① *temps* n. m.

1. Durée. *Il faut beaucoup de temps pour faire un gâteau. Nous partons dans peu de temps,* bientôt, avant peu. *Le temps a passé vite ;* vois ***moment, période.*** *Cet hiver, Sylvain a été tout le temps malade,* sans cesse, continuellement. *On n'a pas encore eu le temps de s'amuser. Alex passe son temps à rêver de voyages. Prends ton temps,* ne te presse pas. **2.** Moment, date. *En ce temps-là, les hommes étaient sages ;* vois ***époque.*** *Mme Hespel a fini son travail en temps voulu,* au moment qui avait été fixé. *Mamie Lou raconte des histoires du temps passé. Mme Roussel est fatiguée, ces temps-ci,* en ce moment. *Le temps des vendanges arrive ;* vois ***saison.*** **3.** *Il est temps de se décider,* le moment est venu. *Il était temps qu'il parte ! Yves est arrivé à temps,* juste assez tôt. *Colle et Rat ont éclaté de rire en même temps,* au même moment, simultanément. *Mme Roussel va de temps en temps au cinéma,* parfois, quelquefois. *De tout temps Mme Bellec a aimé le tango,* depuis toujours. **4.** Forme du verbe qui indique si l'action se passe dans le passé, le présent ou le futur. *Conjuguez le verbe « haïr » à tous les temps de l'indicatif.* **5.** Division de la mesure, en musique. *La valse est une danse à trois temps,* dont la musique a une mesure divisée en trois. **6.** Étape, moment dans une opération, dans ce que l'on fait. *Dans un premier temps, vous lirez le texte ; dans un deuxième temps, vous soulignerez les verbes.*

N'oublie pas le ***p*** et le ***s***.

Prendre du bon temps, s'amuser.

Être de son temps, avoir les idées de son époque.

On dit aussi *de temps à autre.*

Va voir *temps composé* à ***composé.***

En deux temps trois mouvements, très vite.

Le matin, il faisait un temps extraordinaire, quand Lullaby sortit de l'appartement *(Lullaby).*

② *temps* n. m.

Aspect du ciel, température de l'air, vent qu'il y a à un moment donné. *Quel temps fait-il ce matin ? Le temps est froid et sec. Loïc est sorti en mer malgré le mauvais temps. Les Bellec ont eu beau temps en Italie.*

La *météorologie* est la science qui prévoit le temps.

Après la pluie, le beau temps (proverbe).

Le contraire de *tenable,* c'est *intenable, insupportable.*

tenable adj.

Où l'on peut se tenir, rester. *Il y a trop de monde ici, ce n'est pas tenable,* on ne peut pas rester ici ; vois ***supportable.***

Famille de **tenir**

Famille de **tenir**

tenace adj.

1. Qui dure, qui ne part pas ; vois ***persistant.*** *L'odeur de friture est terriblement tenace.* **2.** Qui garde les mêmes idées ; vois ***ferme, opiniâtre.*** *Le docteur Séverac est un homme tenace.*

▸ ***ténacité*** n. f. **1.** Caractère de ce qui dure, ne part pas. *Que faire contre la ténacité de cette odeur ?* **2.** Qualité d'une personne tenace. *Le docteur Séverac est d'une ténacité à toute épreuve ;* vois ***acharnement, fermeté, obstination, persévérance.***

Le contraire de *tenace,* c'est *fugace, passager.*

Famille de **tenir**

tenaille n. f.

Pince qui sert à arracher des clous. *M. Bellec tire de toutes ses forces avec les tenailles.*

Ce mot est généralement au pluriel.

Le besoin de sommeil, pire que la peur des loups, tenaillait Henry *(Croc-Blanc).*

▸ ***tenailler*** v. Faire souffrir. *La faim tenaillait Antoine. Le coupable était tenaillé par le remords ;* vois ***torturer, tourmenter.***

Conjugaison 1

Famille de **tenir**

tenancier n. m., *tenancière* n. f.

Personne qui s'occupe d'un établissement ; vois ***patron.*** *Les policiers ont interrogé la tenancière de l'hôtel.*

① *tenant* adj.

La proposition du maire fut acceptée séance tenante par les conseillers municipaux, tout de suite, sur-le-champ.

Famille de **tenir**

Famille de **tenir**

② *tenant* n. m.

1. *Le tenant d'un titre sportif,* c'est la personne qui a ce titre. *La finale opposera le tenant du titre à un jeune inconnu.* **2.** *Les Séverac ont quinze hectares de terre d'un seul tenant,* d'une seule pièce, en un seul morceau.

3. *Les tenants et les aboutissants d'une affaire,* ce sont les choses dont il s'agit dans cette affaire, ce à quoi elle se rapporte. *Mme Séverac, ne connaissant pas les tenants et les aboutissants de la discussion, n'intervint pas.*

Le louveteau avait rapidement appris tous les tenants et aboutissants de la vie du camp *(Croc-Blanc).*

Famille de ② **tendre**

tendance n. f.

1. Ce qui fait que l'on se comporte d'une certaine façon ; vois ***disposition, penchant.*** *Alex a une certaine tendance à la paresse. M. Bellec a tendance à tout exagérer,* il est enclin à tout exagérer. 2. Évolution, orientation. *Sophie Pelletier suit les tendances de la mode. Les prix ont tendance à monter,* ils s'orientent vers la hausse.

▸ ***tendancieux*** adj. Qui déforme la vérité, manifeste des préjugés ; vois ***partial.*** *Ce journal présente les informations d'une façon tendancieuse.*

Le contraire de *tendancieux,* c'est *impartial, objectif.*

tendeur n. m.

Ficelle, élastique, qui sert à tendre, à fixer. *Yves fixe le panier sur le porte-bagages de son vélo avec des tendeurs.*

Les tentes de camping sont fixées au sol par des tendeurs.

Famille de ① **tendre**

tendon n. m.

Extrémité d'un muscle servant à le rattacher à un os. *M. Doucet s'est déchiré le tendon d'Achille en courant.*

Le tendon d'Achille est un tendon du talon.

Famille de ① **tendre**

① tendre v.

Conjugaison 41 ▭ Indic. présent : *je tends, nous tendons, ils tendent.* Imparfait : *je tendais.* Futur : *je tendrai.* — Subj. présent : *que je tende.*

1. *Tendre une chose,* c'est tirer sur elle en la rendant droite. *Yves tend la corde.* 2. Déplier complètement ; vois ***déployer.*** *Loïc tendra ses filets de pêche demain matin.* 3. Recouvrir d'une chose bien tirée. *Alex a tendu les murs de sa chambre de toile de jute.* 4. Avancer ou allonger une partie du corps. *Tendez les bras, fléchissez les jambes. L'abbé Gauthier a tendu la main à Mme Bellec.* 5. Avancer une chose vers quelqu'un pour la lui donner. *Angèle a tendu une image à Yves.* 6. *Se tendre,* c'est devenir difficile. *Les rapports de Mme Roussel et de sa sœur se sont tendus au fil des ans.*

Je tendis la main vers la tête la plus finement ciselée, la plus exquise de la terre *(le Lion).*

Tendre ses muscles, c'est les contracter.

Tendre l'oreille, c'est écouter avec attention.

Autres membres de la famille : **détendre, détendu, détente, étendre, s'étendre, étendu, étendue, extensible, extension, tendeur, tendon, tension, tenture.**

▸ ***tendu*** adj. Contracté, préoccupé, soucieux. *Denis Prost était très tendu avant son entrée en scène.*

Il est comédien.

② tendre v.

Conjugaison 41

Avoir un but et s'en rapprocher ; vois ***viser.*** *La situation tend à s'améliorer,* elle évolue de façon à s'améliorer, elle a tendance à s'améliorer.

Autres membres de la famille : **tendance, tendancieux.**

③ tendre adj.

1. Mou, de peu de résistance. *Cette viande est très tendre.* 2. Affectueux et doux. *Mamie Lou est très tendre avec ses petits-enfants.*

La qualité d'une viande tendre, c'est la *tendreté.*

Le contraire, c'est *dur.*

Le contraire de *tendre,* c'est *froid, insensible.*

▸ ***tendrement*** adv. Avec tendresse. *Mme Bellec embrasse tendrement son fils sur le front.*

▸ ***tendresse*** n. f. Affection douce ; vois ***amour.*** *Mamie Lou regarde sa petite-fille avec tendresse.*

Autres membres de la famille : **attendrir, attendrissant, attendrissement.**

Le contraire de *tendresse,* c'est *dureté, froideur.*

ténèbres n. f. plur.

Noir épais, obscurité profonde. *D'épaisses ténèbres enveloppaient le château.*

▸ ***ténébreux*** adj. Mystérieux et dangereux. *Mme Harpie a raconté à Antoine une ténébreuse histoire de fantômes ;* vois ***sombre.***

Au milieu de ces ténèbres, il fallait une extrême attention pour ne pas se jeter hors du chemin *(Michel Strogoff).*

Le contraire de *ténèbres,* c'est *lumière.*

teneur n. f.

Famille de **tenir**

Ce que contient une chose. *Le résumé donne une idée de la teneur du livre ;* vois ***contenu.*** *Ce minerai a une forte teneur en plomb,* il contient beaucoup de plomb.

ténia n. m.

On écrit aussi *tænia.*

Ver qui vit en parasite dans l'intestin des mammifères. *Le ténia mesure plusieurs mètres.*

Le ténia de l'homme s'appelle aussi *ver solitaire.*

tenir v.

Conjugaison 22 ▭ Indic. présent : *je tiens, nous tenons, ils tiennent.* Imparfait : *je tenais.* Futur : *je tiendrai.* — Subj. présent : *que je tienne.*

1. *Tenir un objet,* c'est le serrer de façon à ce qu'il ne tombe pas. *M. Bellec tient sa casquette à la main. Antoine tient Marie-Tévy par la main. — M. et Mme Bellec se tiennent par le bras.* 2. Faire rester en place ; vois ***maintenir, retenir.*** *Une courroie tient les livres.* 3. Faire rester dans un état ; vois ***maintenir.*** *Tiens la porte fermée. Ce manteau tient chaud.* 4. *Tiens !* sert à marquer l'étonnement. *Tiens ! vous voilà ?* 5. *Hippolyte tient Angèle en*

[...] elles allèrent ensuite à Sophie, qui tenait sa poupée et la regardait d'un air consterné *(les Malheurs de Sophie).*

très haute estime, il l'estime beaucoup. **6.** *De qui tenez-vous cette histoire ?,* qui vous l'a racontée ? **7.** Occuper un espace. *Le buffet tient une place énorme. M. Bellec tient bien sa droite en conduisant.* **8.** S'occuper de quelque chose. *Les Bellec tiennent un restaurant. Mme Bellec tient la caisse.* **9.** Dire. *Mme Harpie a tenu des propos révoltants.* **10.** Considérer, croire. *Je la tiens pour une femme malhonnête.* **11.** *Tenir sa parole,* c'est être fidèle à ce que l'on a promis. *On peut se fier à Angèle, elle tient toujours sa parole.* **12.** Être attaché, rester en place. *Mes lunettes ne tiennent pas bien. Cette histoire ne tient pas debout,* elle est invraisemblable. **13.** Être solide, ne pas se défaire. *Fais un double nœud, cela tiendra mieux.* **14.** Résister. *Il faut tenir bon,* ne pas céder, ne pas fléchir. **15.** *N'y tenant plus, Marie-Tévy a ouvert le paquet,* étant trop impatiente. **16.** *Nous ne tiendrons pas tous dans la voiture,* nous ne pourrons pas tous y entrer. **17.** *Antoine tient à Marie-Tévy,* il est attaché à elle, il l'aime. *Les Séverac ont tenu à inviter les Prost,* ils ont absolument voulu les inviter. **18.** *Yves tient de son père,* il lui ressemble. **19.** *Tiens-toi à la rampe,* appuie-toi sur elle, accroche-toi à elle. **20.** *Se tenir,* c'est rester, demeurer. *Angèle se tient au milieu de la cour. À six mois, un bébé ne se tient pas encore debout. Julie se tenait tranquille. Tenez-vous bien !* **21.** *S'en tenir à une chose,* c'est ne pas aller plus loin, ne rien vouloir de plus. *Je m'en tiens à ce que tu as dit.*

Va voir *tenir compte* à **compte.**

On dit aussi *tenir parole.*

« Cela ne peut pas durer longtemps, pense Babar. Et nous ne tiendrons pas jusqu'à la prochaine marée haute » *(Babar).*

Autres membres de la famille : **contenance, contenant, contenir, contenu, décontenancer, détenir, détenu, ① entretenir, ② s'entretenir, ① et ② entretien, maintenir, maintien, obtenir, retenir, retenue, soutenir, soutien, soutien-gorge, insoutenable, tenable, intenable, tenace, ténacité, tenaille, tenailler, tenancier, ① et ② tenant, teneur, tenu, tenue.**

Cette histoire se tient, elle est vraisemblable.

tennis n. m.

Tennis [tenis] rime avec *jaunisse.*

Le ping-pong s'appelle aussi *tennis de table.*

1. Sport dans lequel les joueurs se renvoient une balle avec des raquettes, par-dessus un filet. *Alex a joué au tennis avec Réjean.* **2.** Chaussure de sport basse à semelle de caoutchouc. *Julie a des tennis blancs.*

Un *tennis,* c'est aussi le terrain où l'on joue au tennis. Va voir aussi **court.**

ténor n. m.

Les autres voix d'homme sont le *baryton* et la *basse.*

Chanteur qui a la voix d'homme la plus aiguë. *Cet air doit être chanté par un ténor.*

tension n. f.

1. Manière dont une chose est tendue. *Si la tension d'un élastique est trop forte, il casse.* **2.** Pression du sang. *Le docteur Séverac prend la tension de M. Bonnot.* **3.** *Entre Mme Harpie et Mme Roussel, la tension augmente,* les relations sont de plus en plus tendues.

Famille de ① **tendre**

tentacule n. m.

Tentacule est un nom masculin.

Long bras souple de certains mollusques. *La pieuvre se déplace grâce à ses tentacules munis de ventouses.*

tente n. f.

Babar et Céleste s'installent confortablement. Ils ont dressé leur tente *(Babar).*

Abri de toile tendue sur des piquets, que l'on peut monter et démonter. *Alex et Réjean ont planté leur tente près de la rivière.*

Ne confonds pas *tente* et *tante.*

① tenter v.

Conjugaison 1

Faire envie. *Cachez ces chocolats, ils me tentent trop,* ils m'attirent.

▸ ***tentant*** adj. Séduisant, attirant ; vois ***alléchant.*** *Le menu gastronomique du restaurant Bellec est vraiment tentant.*

▸ ***tentation*** n. f. Envie. *David n'a pu résister à la tentation d'ouvrir la lettre qui était destinée à sa sœur.*

Il [le peigne] plut tellement à l'enfant qu'elle se laissa tenter et ouvrit la porte *(Blancheneige).*

La tentation était si forte qu'elle ne put la surmonter *(la Barbe-bleue).*

② tenter v.

Conjugaison 1

Essayer. *Le chirurgien a tenté une opération très difficile. Un prisonnier a tenté de s'évader,* il a cherché à s'évader. *Il a tenté sa chance,* il a essayé de réussir.

▸ ***tentative*** n. f. Essai en vue d'obtenir un résultat. *À la troisième tentative, Antoine a réussi à sauter.*

Si tu veux tenter de l'abattre, fais-le d'ici, conseilla Henry *(Croc-Blanc).*

tenture n. f.

Famille de ① **tendre**

Tissu qui décore les murs. *Une épaisse tenture rouge dissimule la porte.*

tenu adj.

Famille de **tenir**

1. Obligé. *Un médecin est tenu au secret professionnel. Les élèves sont tenus d'obéir au règlement.* **2.** Entretenu. *Le restaurant Bellec est très bien tenu.*

À l'impossible nul n'est tenu (proverbe).

Autres membres de la famille : **atténuer, atténuant.**

ténu adj.
Très mince, très petit. *L'araignée sécrète des fils ténus pour tisser sa toile. Quelques différences ténues permettent de distinguer ces deux chiots ;* vois ***subtil.***

Famille de **tenir**

tenue n. f.
1. Manière dont une maison est entretenue. *Le restaurant Bellec se signale par sa bonne tenue.* **2.** Façon de se tenir, de se conduire. *Colle et Rat ont une mauvaise tenue en classe.* **3.** Façon d'être habillé. *Sur le chantier, M. Touati est en tenue de travail,* en vêtements de travail. *À cette réception, la tenue de soirée est exigée.* **4.** *La tenue de route d'un véhicule,* c'est le fait qu'il reste dans la bonne direction, sans déraper. *Cette voiture a une excellente tenue de route.*

Ils bavardent, ils n'écoutent pas !

Ter [tɛʀ] rime avec *cratère* et *terre.*

ter adj. invariable
Troisième. *Julie habite au dix ter de la rue Victor-Hugo.*

Avant le dix ter, il y a le dix bis.

N'oublie pas le ***h*** après le second ***t.***

térébenthine n. f.
Résine que l'on recueille sur certains arbres. *Le peintre nettoie ses pinceaux à l'essence de térébenthine.*

On la recueille sur les pins.

Conjugaison 1

tergiverser v.
Hésiter, faire des détours sans se décider ; vois ***temporiser.*** *Le temps presse, ce n'est plus le moment de tergiverser.*

Sans tergiverser, sans hésiter.

Ne confonds pas *terme* et *thermes.*

Quand il fut au terme de sa course, il se dressa de toute sa taille *(le Lion).*

① ***terme*** n. m.
1. Date limite. *Passé ce terme, vous devrez payer plus cher. Le bébé est né avant terme,* avant la date prévue. *Alex a des projets à court terme,* qui doivent se réaliser dans peu de temps. *Le vieillard était arrivé au terme de sa vie ;* vois ***fin.*** **2.** Loyer. *Le terme est payable tous les trois mois.*

Mettre un terme à une chose, c'est la faire cesser.

② ***terme*** n. m.
1. Mot ou expression. *Je ne trouve plus le terme exact.* **2.** *Être en mauvais termes avec quelqu'un,* c'est avoir de mauvaises relations avec lui. *Mme Roussel est en mauvais termes avec sa sœur.* **3.** *Un moyen terme,* c'est une solution intermédiaire entre deux solutions opposées. *Tout s'arrange, on a trouvé un moyen terme.*

Être en bons termes avec quelqu'un, c'est avoir de bonnes relations avec lui.

Conjugaison 1

Le printemps était proche lorsque Castor-Gris termina son voyage *(Croc-Blanc).*

terminer v.
1. Faire arriver à sa fin ; vois ***achever, finir.*** *Yves a terminé sa rédaction.* **2.** Être la dernière partie d'une chose. *Un point d'exclamation termine la phrase. Un feu d'artifice termina la fête. — La fête se termine par un bal. La rue se termine à la gare,* elle prend fin à la gare.

Le contraire de *terminer,* c'est *commencer, entreprendre.*

▸ ***terminaison*** n. f. *La terminaison d'un mot,* c'est sa fin. *Les terminaisons de l'imparfait sont : -ais, -ais, -ait, -ions, -iez, -aient.*

Au masculin pluriel : *terminaux.*

▸ ① ***terminal*** adj. Final. *Les travaux du gymnase sont dans leur phase terminale.*

Le contraire de *terminal,* c'est *initial, premier.*

▸ ② ***terminal*** n. m. Appareil qui permet d'entrer en contact avec un ordinateur. *Le terminal de Mme Hespel est équipé d'un clavier et d'un écran.*

▸ ***terminale*** n. f. Dernière classe du lycée. *Alex redouble sa terminale.*

Terminus ! Tout le monde descend !

▸ ***terminus*** n. m. Dernière gare d'un train, dernière station d'un car ou d'un autobus. *Il faut que vous alliez jusqu'au terminus.*

Autre membre de la famille : **interminable.**

termite n. m.

La reine peut pondre 10 000 œufs par jour. Elle peut atteindre 15 cm de long.

Insecte qui vit en société, et qui ronge le bois. *La charpente, rongée par les termites, s'est écroulée.*

Les fourmis sont les ennemies des termites.

▸ ***termitière*** n. f. Nid de termites. *La termitière est une butte de terre percée de galeries, qui peut mesurer jusqu'à six mètres de hauteur.*

Une termitière peut contenir 2 millions de termites.

terne adj.
1. Sans éclat, sans reflet ; vois ***fade, pâle.*** *Les femelles des oiseaux ont un plumage plus terne que les mâles.* **2.** Ennuyeux, sans intérêt ; vois ***fade, morne.*** *La conversation était terne, Denis Prost bâilla.*

Le contraire de *terne,* c'est *éclatant, vif.*

Conjugaison 2

▸ ***ternir*** v. Rendre terne. *La poussière ternit les meubles. — Les couleurs de ce tableau se sont ternies au fil des ans,* elles sont devenues ternes.

Famille de **terre**

Sa voiture tout terrain avait des possibilités interdites à la mienne *(le Lion)*.

terrain n. m.
1. Sol naturel. *Un glissement de terrain a coupé la route. Le docteur Séverac va sur le terrain pour étudier les maladies d'Afrique,* il va sur place. **2.** *Trouver un terrain d'entente,* c'est arriver à s'entendre. *Les membres du conseil municipal ont trouvé un terrain d'entente.* **3.** Espace, étendue de terre. *Mme Hespel a acheté un terrain au bord de la mer. Les enfants jouent sur un terrain vague,* sur un terrain de la ville qui n'est ni construit ni cultivé. **4.** Endroit aménagé pour un usage particulier. *Le terrain de camping est équipé de douches.*

La tribu [...] s'apprêtait à aller chercher un autre terrain de chasse *(Croc-Blanc)*.

Il y a aussi des *terrains de sport,* des *terrains de golf.*

Deux *r* et deux *s*.
Famille de **terre**

terrasse n. f.
1. *Des cultures en terrasses,* ce sont des cultures sur des parcelles de terrains qui forment des sortes d'escaliers au flanc d'une montagne. *Dans les pays méditerranéens, on pratique la culture en terrasses.* **2.** Partie supérieure d'une maison, où l'on peut aller, et qui n'est pas recouverte par un toit. *Sophie Pelletier arrose les fleurs de la terrasse.* **3.** Partie d'un café ou d'un restaurant qui est sur le trottoir. *Il y avait beaucoup de monde aux terrasses des cafés.*

Les terrasses sont soutenues par de petits murs. Elles demandent beaucoup d'entretien.

Deux *r* et deux *s* dans *terrassement.*

terrassement n. m.
Des travaux de terrassement gênent la circulation, des travaux qui consistent à creuser et à déplacer la terre.

Famille de **terre**

Conjugaison 1

terrasser v.
1. *Terrasser quelqu'un,* c'est le jeter à terre, dans une lutte. *Yves et Antoine ont terrassé Colle et Rat.* **2.** *Il a été terrassé par une crise cardiaque,* tué brusquement ; vois ***foudroyer.***

Famille de **terre**

Famille de **terre**

terrassier n. m.
Ouvrier employé aux travaux de terrassement. *Les terrassiers creusent le sol avec un bulldozer.*

Voyage au centre de la Terre est un roman de Jules Verne.

Quand la procession arriva au petit jardin de Sophie, on posa par terre le brancard avec la boîte qui contenait les restes de la malheureuse poupée *(les Malheurs de Sophie)*.

terre n. f.
1. Planète où vivent les hommes. *La Lune est un satellite de la Terre. Alex veut parcourir la terre entière,* le monde entier. **2.** Surface sur laquelle vivent les hommes et les animaux. *Marie-Tévy jette sa poupée par terre. Un tremblement de terre a ravagé Tokyo en 1923.* **3.** Matière qui est à la surface de la planète Terre. *La charrue retourne la terre. Yves a ramassé un ver de terre.* **4.** *Les colons ont défriché de nouvelles terres,* des terrains cultivables. **5.** Territoire, zone. *Alex rêve d'explorer des terres lointaines.* **6.** *Les marins sont descendus à terre,* ils ont débarqué. **7.** *De la terre cuite,* c'est de l'argile durcie par la chaleur. *Les archéologues ont trouvé dans le sol des statuettes de terre cuite.*

Les loups sont les requins de la terre *(Croc-Blanc)*.

Va voir *avoir les pieds sur terre* à **pied.**

Autres membres de la famille : **atterrer, atterrir, atterrissage, déterrer, enterrer, enterrement, parterre, pied-à-terre, pomme de terre, terrain, souterrain, terrasse, terrassement, terrasser, terrassier, terre-plein,** se **terrer, terrestre, extra-terrestre, terreux, terrien, terrier, terril, terrine, territoire, territorial, terroir.**

On écrit aussi *terre-à-terre.*
Le contraire de *terre à terre,* c'est *poétique.*

▹ ***terre à terre*** adj. invariable Qui ne pense qu'aux choses pratiques, matérielles, sans poésie. *Tes préoccupations sont bien terre à terre.*

Deux *r* à *terreau.*

▹ ***terreau*** n. m. Engrais naturel formé de terre et de plantes en décomposition ; vois ***humus.*** *Odile Séverac a ajouté du terreau dans le parterre de fleurs.*

Au pluriel : *des terre-pleins.*

terre-plein n. m.
Portion de terrain surélevée. *Le terre-plein central de l'autoroute est garni d'arbustes.*

Famille de **terre** et de **plein**

Conjugaison 1

se ***terrer*** v.
Se cacher dans un endroit couvert ou souterrain. *Le renard s'est terré dans sa tanière ;* vois *se* ***tapir.***

Famille de **terre**

Mais pourquoi te terres-tu
Tu t'obstines à te taire
(A. Sylvestre).

Famille de **terre**

terrestre adj.
1. De la planète Terre. *Les montagnes sont les reliefs de l'écorce terrestre.* **2.** Qui vit sur la terre, sur le sol. *Les chevaux sont des animaux terrestres.*

Le contraire, c'est *aquatique.*

La Terreur est une période de la Révolution française, de 1793 à 1794, pendant laquelle on guillotina beaucoup d'ennemis de la Révolution.

terreur n. f.
1. Grande peur qui paralyse ; vois ***effroi, épouvante, frayeur.*** *Les souris inspirent une véritable terreur à Mme Séverac ;* vois ***horreur.*** *Colle et Rat sèment la terreur dans l'école.* **2.** Ce qui inspire une grande peur. *Colle et Rat sont la terreur des filles de l'école.*

La terreur des chiens ne faisait que croître *(Croc-Blanc)*.

Au féminin : *terreuse.*

terreux adj.

1. De la nature de la terre. *Ces champignons ont un goût terreux,* un goût de terre. **2.** D'une couleur terne. *Le manque de sommeil lui donnait un teint terreux ;* vois ***blafard.***

Famille de **terre**

Terrible s'écrit avec deux *r.*

terrible adj.

1. Qui fait peur, qui remplit d'horreur ; vois ***affreux, effrayant, effroyable, épouvantable, horrible.*** *L'incendie de Londres, en 1666, fut une terrible catastrophe.* **2.** Très pénible, très fort. *Il fait une chaleur terrible ;* vois ***excessif.*** *C'est terrible de ne pouvoir compter sur personne.* **3.** Insupportable, turbulent. *Ces enfants sont vraiment terribles.* **4.** Extraordinaire, formidable. *Antoine a un appétit terrible.*

Tant de placidité au milieu de ces terribles conjonctures, tant d'indifférence même étaient à peine croyables *(Michel Strogoff).*

Je suis terriblement en retard *(le Lion).*

▷ ***terriblement*** adv. Extrêmement, énormément ; vois ***très.*** *Cette affaire est terriblement compliquée.*

Famille de **terre**

terrien adj. et n. m., **terrienne** adj. et n. f.

1. adj. Qui possède des terres. *Les Séverac sont de petits propriétaires terriens.* **2.** n. Habitant de la Terre. *Dans les histoires de science-fiction, les terriens doivent souvent se défendre contre les habitants d'autres planètes.*

Famille de **terre**

terrier n. m.

Abri creusé dans la terre par certains animaux ; vois ***tanière.*** *Les chasseurs ont fait sortir le lièvre de son terrier.*

Conjugaison 7 ▭ Indic. imparfait : *nous terrifiions.*

terrifier v.

Frapper de terreur ; vois ***effrayer, terroriser.*** *Les cris du paon terrifièrent Marie-Tévy.*

Le contraire de *terrifier,* c'est *rassurer.*

▷ ***terrifiant*** adj. Effrayant, effroyable. *Mme Harpie a raconté à Antoine une histoire terrifiante.*

Deux *r* à *terril.* Prononce [tɛʀil] ou [tɛʀi]. Famille de **terre**

terril n. m.

Colline formée par les déblais d'une mine. *Dans le nord de la France, on voit des terrils qui atteignent parfois cent mètres de haut.*

Un terril s'appelle aussi un *crassier.*

Famille de **terre**

terrine n. f.

1. Récipient, souvent de terre cuite, assez profond et fermé par un couvercle. *M. Bellec a fait cuire un pâté de lièvre dans une grande terrine.* **2.** Pâté cuit dans une terrine. *La terrine de lièvre était succulente.*

Famille de **terre**

territoire n. m.

Partie de la surface de la terre sur laquelle vit un groupe d'hommes ou d'animaux. *Les troupes ennemies ont envahi notre territoire. Le territoire de la commune est limité par la rivière.*

Au masculin pluriel : *territoriaux.* Famille de **terre**

territorial adj.

Qui appartient à un territoire. *La pêche est réglementée dans les eaux territoriales,* la partie de la mer appartenant à un pays.

Les eaux territoriales font partie du *territoire* d'un pays.

Famille de **terre**

terroir n. m.

Région provinciale. *Pierre Séverac a un accent du terroir.*

Compare *terroriser, terreur, terrible* et *terrifier* : on a **grand peur.**

terroriser v.

Frapper de terreur, faire vivre dans la terreur ; vois ***effrayer, épouvanter, terrifier.*** *Marie-Tévy était terrorisée par l'orage.*

Conjugaison 1

▷ ***terrorisme*** n. m. Actes de violence qui ont un but politique. *Le terrorisme est souvent pratiqué par des groupes politiques très peu nombreux.*

Les attentats, les destructions, les enlèvements sont des actes de terrorisme.

Un *attentat terroriste* est fait par des terroristes.

▷ ***terroriste*** n. m. et f. Personne qui participe à des actes de terrorisme. *Les terroristes ont détourné un avion et pris des otages.*

tertre n. m.

Petite butte à sommet aplati ; vois ***éminence, monticule.*** *Le tertre contenait une tombe préhistorique.*

tes va voir ***ton.***

tesson n. m.

Débris de verre ou de terre cuite. *Yves s'est blessé en marchant sur un tesson de bouteille.*

Test [tɛst] rime avec *reste.*

test n. m.
1. Examen qui permet de juger l'intelligence ou le caractère d'une personne. *Les enfants ont passé des tests d'orientation scolaire.* **2.** Examen, essai. *La voiture a été soumise à des tests de contrôle.*

Un test, c'est quand on vous fait faire des petits dessins pour voir si vous n'êtes pas fou *(le Petit Nicolas).*

Conjugaison 1

▸ **tester** v. **1.** Soumettre à un test. *Les enfants ont été testés par le psychologue scolaire.* **2.** Essayer, expérimenter. *La voiture a été testée par le mécanicien.*

Autre membre de la famille : **alcootest.**

L'Ancien et le Nouveau Testament sont les deux parties de la Bible.

testament n. m.
Texte par lequel on prévoit de donner ses biens après sa mort. *M. Bonnot est allé chez le notaire pour faire son testament.*

testicule n. m.
Glande qui sert à la reproduction chez les hommes et les animaux mâles. *Les testicules et le pénis forment l'appareil génital externe des mâles.*

Les testicules sont au nombre de deux.

Le tétanos survient à la suite de l'infection d'une blessure, d'une coupure.

tétanos n. m.
Maladie très grave dans laquelle les muscles se contractent très fort, et dont on peut mourir. *M. Bellec s'est fait vacciner contre le tétanos.*

Tétanos [tetanos] rime avec *sauce* et *hausse.*

Moi, je lui apprendrai à faire des tours, à mon têtard, et quand il sera grenouille, il viendra quand je le sifflerai *(le Petit Nicolas).*

têtard n. m.
Petit de la grenouille qui a une grosse tête et un corps fin et qui vit dans l'eau. *Les têtards ont un tube digestif très long. Yves et Antoine ont attrapé des têtards dans la mare.*

Peu à peu, le têtard se métamorphose et il devient une grenouille.

N'oublie pas l'accent circonflexe du *ê.*

tête n. f.
1. Partie du corps qui contient le cerveau et les principaux organes des sens. *Loïc jette des têtes de poisson à l'eau. Mme Séverac a mal à la tête. Yves, honteux, baissa la tête. Denis Prost a un chapeau sur la tête. Angèle ne sait plus où donner de la tête,* elle a trop à faire. *Mme Roussel se tapait la tête contre les murs,* elle était désespérée. *Yves tient tête à sa mère,* il s'oppose à elle, il lui résiste. **2.** Vie. *L'accusé a sauvé sa tête,* il a échappé à la peine de mort. **3.** Visage, face, figure. *Antoine a une tête sympathique. Colle et Rat font une tête de six pieds de long,* ils ont l'air triste, maussade. *Julie fait la tête,* elle boude. **4.** Coup de tête dans la balle au football. *Antoine fait une tête et passe la balle à Yves.* **5.** Esprit, cerveau. *Julie est tête en l'air,* elle oublie tout, elle est écervelée. *Tu as une idée derrière la tête, en posant ta question,* tu penses à quelque chose que tu ne dis pas. *Antoine s'est mis dans la tête qu'il épousera Marie-Tévy,* il l'a décidé, il s'en est persuadé. *Mme Hespel est une femme de tête,* énergique, efficace. *Marie-Tévy calcule de tête,* sans écrire, mentalement. *Hippolyte a gardé la tête froide,* il est resté calme. *Alex est parti sur un coup de tête,* sans réfléchir avant de se décider. **6.** Personne. *Yves est une forte tête,* quelqu'un qui s'oppose aux autres et fait ce qu'il veut. *Le spectacle revient à dix francs par tête,* par personne. **7.** Partie haute d'une chose. *Pierre Séverac coupe la tête des arbres ;* vois **cime. 8.** Partie avant d'une chose. *Antoine monte en tête du train. Sylvain est à la tête de sa classe,* il est le premier. *Le directeur de la biscuiterie est à la tête d'une grosse fortune,* il possède une grosse fortune.

Une *tête de mort,* c'est le dessin d'un crâne humain sur des tibias entrecroisés.

Va voir *faire dresser les cheveux sur la tête* à **cheveu.**

Michel Strogoff apprit que sa tête était mise à prix, et qu'ordre était donné de le prendre mort ou vif *(Michel Strogoff).*

Je n'aime pas sa tête
Ses yeux demi-pochés
Son oreille en cuvette
Son nez en arbalète
Sa bouche endimanchée
(Obaldia).

En allant à l'école
J'ai rencontré le vent
Il m'a dit tête folle
Tu vas bien lentement
Si ton bonnet s'envole
Tes idées sont dedans
(A. Sylvestre).

Avoir toute sa tête, c'est être lucide, avoir son bon sens.

Étudier une chose à tête reposée, c'est l'étudier tranquillement.

Perdre la tête, c'est s'affoler.

Une *tête de bétail,* c'est un animal d'un troupeau.

Cet officier, supérieurement monté, tenait la tête du détachement *(Michel Strogoff).*

On écrit aussi *tête-à-queue.* Au pluriel : *des tête à queue.*

▸ **tête à queue** n. m. invariable *La voiture a fait un tête à queue,* elle s'est retournée de telle façon que son avant s'est retrouvé là où était son arrière.

Famille de **queue**

▸ *en* **tête à tête** adv. *Hippolyte aimerait dîner en tête à tête avec Angèle,* seul avec elle.

Deux accents circonflexes !

▸ **tête-bêche** adv. Parallèlement, en sens inverse. *Yves et Antoine ont dormi tête-bêche dans la couchette du train,* le long l'un de l'autre, avec les pieds de l'un du côté de la tête de l'autre.

Autres membres de la famille : **casse-tête, s'entêter, entêté, entêtement, têtu, à tue-tête.**

Conjugaison 6
▭ Indic. présent : *je tète, nous tétons, ils tètent.* Imparfait : *je tétais.* Futur : *je téterai.*

téter v.
Boire en suçant le sein ou une tétine de biberon. *Le veau tète le lait de la vache. L'enfant tète sa mère.*

▸ **tétée** n. f. Repas d'un bébé qui tète sa mère. *Sophie Pelletier donnait six tétées par jour à son fils.*

▸ **tétine** n. f. Bouchon de caoutchouc d'un biberon, percé de trous, et que tète le bébé. *On stérilise les tétines avant de les utiliser.*

Famille de **tête**

Les mules sont très têtues.

têtu adj.
Une personne têtue, c'est une personne qui ne veut pas changer d'idée ; vois ***entêté, obstiné.*** *Yves est têtu comme une mule.*

Je me suis fait rosser pour avoir été trop têtu *(les Contes du Chat perché).*

texte n. m.
Suite de mots ou de phrases écrits. *Angèle a lu à ses élèves un texte de Joseph Kessel.*

▸ ***textuellement*** adv. Mot pour mot. *Je te répète textuellement les paroles de Mme Roussel ;* vois ***exactement.***

textile n. m. et adj.
1. n. m. Tissu ou matière qui sert à faire des tissus. *Le nylon et la rayonne sont des textiles artificiels.* **2.** adj. *L'industrie textile,* c'est l'industrie de la fabrication des tissus. *Mme Hespel travaille dans l'industrie textile.*

Les *matières textiles,* ce sont les matières qui servent à faire des tissus.

Papa, donne-moi du thé !
Non ma fille, après dîner
(comptine).

Autre membre de la famille : **théière.**

thé n. m.
Feuilles séchées d'un petit arbre d'Asie, servant à faire une boisson. *L'Inde et la Chine sont des pays producteurs de thé. Le matin, Angèle boit du thé,* une boisson obtenue en faisant infuser des feuilles de thé dans de l'eau chaude.

Tonton, ton thé t'a-t-il ôté ta toux ?

Va voir *salon de thé* à ***salon.***

Une *pièce de théâtre* est une comédie, un drame, une farce, un mélodrame ou une tragédie.

théâtre n. m.
1. Art qui consiste à jouer une histoire devant des spectateurs. *Julie a décidé qu'elle fera du théâtre quand elle sera grande.* **2.** Bâtiment où ont lieu les spectacles de théâtre. *Julie a visité les coulisses du théâtre.* **3.** Endroit où se passe un événement. *Marignan a été le théâtre d'une célèbre bataille en 1515.*

Un *coup de théâtre,* c'est un changement brusque et inattendu.

Au masculin pluriel : *théâtraux.*

▸ ***théâtral*** adj. Relatif au théâtre. *Denis Prost a emmené sa fille voir une représentation théâtrale,* la représentation d'une pièce de théâtre.

Autre membre de la famille : **amphithéâtre.**

La fille en colère
Casse la théière (comptine).

théière n. f.
Récipient dans lequel on prépare le thé. *Mme Hespel ébouillante la théière avant d'y mettre le thé.*

Famille de **thé**

thème n. m.
1. Idée sur laquelle on parle ou on réfléchit ; vois ***sujet.*** *Le racisme était le thème de la discussion.* **2.** Traduction d'un texte de sa langue maternelle dans une langue étrangère. *Sylvain est fort en thème anglais,* en traduction du français vers l'anglais.

Quand on traduit vers sa langue maternelle, on fait une *version.*

N'oublie pas le ***h*** après le ***t***.

théologie n. f.
Étude de la religion. *L'abbé Gauthier a fait des études de théologie.*

théorème n. m.
Règle de mathématiques que l'on peut démontrer. *Un théorème dit que la surface d'un rectangle est égale au produit de sa longueur par sa largeur.*

La théorie des ensembles est à la base des mathématiques modernes.

théorie n. f.
1. Ensemble d'idées qui expliquent quelque chose. *Darwin a bâti une théorie de l'évolution des animaux et des plantes.* **2.** Manière abstraite de voir les choses ; vois ***principe.*** *En théorie, Yves aurait dû gagner la course, mais il est tombé.*

Celui qui élabore une théorie est un *théoricien.*

Le contraire de *théorie,* c'est *pratique.*

Le contraire de *théorique,* c'est *expérimental, pratique.*

▸ ***théorique*** adj. Qui consiste en connaissance abstraite, qui ne présente pas d'intérêt pratique. *Mme Séverac a fait une analyse théorique de la situation.*

▸ ***théoriquement*** adv. En principe, dans l'idéal. *Théoriquement, Yves aurait dû gagner la course.*

Le contraire de *théoriquement,* c'est *pratiquement.*

Compare ***thérapeutique*** et *kinési**thérapeute*** : dans ces mots, il s'agit de **soigner.**

thérapeutique adj.
Qui permet de guérir. *Les médicaments ont une action thérapeutique.*

Certaines plantes ont des vertus thérapeutiques.

Le ***t*** est suivi d'un ***h***.

thermes n. m. plur.
Bâtiment où l'on venait prendre des bains, dans l'Antiquité. *Pour les Grecs et les Romains, les thermes étaient un lieu de promenade et de rencontre.*

Ne confonds pas *thermes* et *terme.*

Au masculin pluriel : *thermaux.*

▸ ***thermal*** adj. **1.** *Une eau thermale,* c'est une eau qui peut aider à soigner certaines maladies. *À La Bourboule, Sylvain boit de l'eau thermale.* **2.** *La*

Souvent, les eaux thermales sortent chaudes de la terre.

Bourboule est une station thermale, une ville où l'on soigne les gens grâce à de l'eau thermale.

Compare ***thermo**mètre* et ***thermo**stat* : dans ces mots, il est question de **chaleur.**

thermomètre n. m.
Instrument qui sert à mesurer la température. *Mme Hespel a mis un thermomètre à mercure sur le rebord de la fenêtre. Il gèle, le thermomètre indique zéro degré.*

Compare *thermo**mètre*** et *chrono**mètre*** : dans ces mots, il s'agit de **mesure.**

Thermos [tɛʀmos] rime avec *sauce.*

On dit aussi : une *bouteille thermos.*

thermos n. f. ou m.
Récipient en verre qui permet de garder un liquide à la même température pendant plusieurs heures. *Avant de partir en pique-nique, Mme Bellec a mis du café dans le thermos.*

Au pluriel : *des thermos.*
Thermos est un nom de marque.

thermostat n. m.

Les fours, les fers à repasser sont équipés de thermostats.

Appareil qui permet de maintenir la même température. *Mme Séverac a réglé le thermostat de la chaudière sur 18°.*

Le ***t*** est suivi d'un ***h***.
Conjugaison 1

thésauriser v.
Amasser de l'argent pour se faire un trésor ; vois ***accumuler, économiser, épargner.*** *Mme Harpie ne fait jamais de cadeaux à personne, elle thésaurise.*

Le contraire de *thésauriser,* c'est *dépenser.*

thèse n. f.
Opinion, théorie que l'on pense vraie et que l'on défend. *Pour l'incendie de la poste, la police a retenu la thèse de l'accident.*

Autre membre de la famille : **hypothèse.**

C'était comme d'être sur un bateau, loin au large, là où vivent les thons et les dauphins *(Lullaby).*

thon n. m.
Grand poisson de mer à chair ferme. *Loïc a pêché un thon en haute mer. Un thon peut mesurer trois mètres et peser jusqu'à six cents kilos. M. Bellec a fait griller des tranches de thon.*

Ne confonds pas *thon* et *ton.*
Les *thoniers* sont des bateaux pour la pêche au thon.

Thorax [tɔʀaks] rime avec *taxe.*

thorax n. m.
Partie du corps de l'homme entre le cou et l'abdomen qui contient le cœur et les poumons ; vois ***poitrine, torse.*** *Le thorax est séparé de l'abdomen par le diaphragme.*
▸ ***thoracique*** adj. *La cage thoracique,* c'est le thorax. *Quand on inspire, on gonfle la cage thoracique.*

Chez les insectes, le thorax est la partie du corps qui porte les pattes.

Ne confonds pas *thym, tain* et *teint.*

thym n. m.
Plante à odeur forte et agréable, que l'on utilise en cuisine. *M. Bellec met du thym et du laurier dans le pot-au-feu.*

Les feuilles de thym sont très petites.

tibia n. m.
Os du devant de la jambe. *En jouant au football, Yves a reçu un coup de pied dans le tibia.*

L'autre os de la jambe est le *péroné.*

Ne confonds pas *tic* et *tique.*

tic n. m.
Geste automatique, que l'on répète sans le faire exprès. *Mme Bonnot a un tic, elle cligne des yeux.*

Un comte toqué, qui comptait en tiquant, tout un tas de tickets de quai (B. Lapointe).

ticket n. m.
Morceau de papier, de carton ou de plastique qui donne le droit d'entrer dans un lieu, qui prouve que l'on a payé ; vois ***billet.*** *Sylvain a acheté un carnet de tickets d'autobus.*

Attention au ***c*** et au ***k*** !

On écrit aussi *tic tac.*

tic-tac n. m. invariable
Bruit sec et répété d'une horloge, d'un réveil, d'une montre. *Le tic-tac du réveil empêche Mme Roussel de dormir. La montre fait tic-tac.*

Au pluriel : *des tic-tac.*

Attention à l'accent grave du ***è*** de *tiède,* et à l'accent aigu du ***é*** de *tiédeur* et *tiédir.*

tiède adj.
Un peu chaud, ni chaud ni froid. *Mme Bellec boit son café tiède. Yves se lave les dents à l'eau tiède.*
▸ ***tiédeur*** n. f. Température d'une chose tiède. *Mme Roussel aime la tiédeur des étés bretons.*

Le contraire de *tiède,* c'est *brûlant, glacé.*

Conjugaison 2

▸ ***tiédir*** v. Devenir tiède. *Mme Bellec laisse tiédir son café avant de le boire.*

tien pronom possessif et n. m., ***tienne*** pronom possessif et n. f.
▭ **pronom possessif** de la deuxième personne du singulier *Ce sont mes*

affaires, occupe-toi des tiennes, des affaires qui t'appartiennent, qui te concernent. *Voilà mon frère qui arrive avec le tien,* avec ton frère.

▭ **n. 1.** n. m. *Je reconnais que tu y a mis du tien,* que tu as fait un effort. **2.** n. m. plur. *Les tiens,* ce sont tes parents, tes amis. *Il faut penser aux tiens.* **3.** n. f. plur. *Des tiennes,* ce sont des folies, des bêtises. *Julie, tu as encore fait des tiennes !*

tiens va voir ***tenir.***

Au féminin : *tierce.*

tiers adj. et n. m.

Tiers [tjɛʀ] rime avec *cafetière.*

Le *tiers état* était, sous l'Ancien Régime, le groupe social qui comprenait ceux qui n'appartenaient ni à la noblesse ni au clergé.

▭ **adj.** Troisième. *Les deux automobilistes se disputaient lorsqu'une tierce personne intervint,* une troisième personne, un étranger. *De nombreux pays du tiers monde sont en voie de développement,* des pays qui n'appartiennent ni au monde occidental de l'Europe et de l'Amérique du Nord, ni au camp socialiste des pays de l'Est.

▭ **n. m. 1.** Troisième personne, étranger. *Jamais les Bellec ne se disputent devant des tiers.* **2.** Partie d'une chose divisée en trois parties égales. *Yves a mangé un tiers de la tarte.*

▸ ***tiercé*** n. m. Pari où l'on doit dire quels sont les trois chevaux qui gagneront dans une course. *M. Bellec joue au tiercé tous les dimanches.*

Tout le monde joue au tiercé et personne ne gagne jamais... (R. Devos).

tige n. f.

1. Partie allongée d'une plante, qui commence au-dessus de la racine et porte les feuilles. *La paille est constituée par la tige des céréales.* **2.** Pièce allongée droite et mince ; vois ***barre.*** *Les baleines de parapluie sont des tiges de métal qui tendent la toile du parapluie.*

Ce mot est familier.

tignasse n. f.

Chevelure abondante et mal peignée. *Sophie Pelletier démêle l'abondante tignasse rousse de sa fille.*

Shere Khan le tigre fit entendre un rugissement de colère et montra ses griffes (*le Livre de la jungle*).

tigre n. m., ***tigresse*** n. f.

Grand félin d'Asie au pelage jaune roux rayé de bandes noires. *Le tigre est un dangereux carnassier.*

Le tigre est un mammifère qui se nourrit de cerfs, d'antilopes et de buffles.

▸ ***tigré*** adj. Marqué de bandes foncées. *Le chat Félix a un beau pelage tigré.*

tilleul n. m.

Grand arbre dont les fleurs blanches ou jaune pâle sentent très fort. *Des tilleuls bordent l'allée du château. Mme Hespel boit du tilleul,* une infusion faite avec des fleurs de tilleul.

Ne confonds pas *timbale* et *cymbale.*

① ***timbale*** n. f.

Sorte de tambour dont la caisse est hémisphérique. *Le batteur frappe sur les timbales.*

② ***timbale*** n. f.

Gobelet de métal. *On a offert à Sophie Pelletier une timbale en argent à la naissance de son fils.*

① ***timbre*** n. m.

Lullaby fut étonnée d'entendre son timbre. Ce n'était plus du tout la même voix (*Lullaby*).

1. Son particulier d'une voix, d'un instrument de musique ; vois ***sonorité.*** *Hippolyte a un beau timbre de voix.* **2.** Sonnette. *Yves actionne le timbre de sa bicyclette.*

② ***timbre*** n. m.

Les timbres utilisés pour la poste sont aussi appelés *timbres-poste.*

1. Petit morceau de papier collant qui vaut le prix indiqué dessus. *Avant de poster sa lettre, Julie a collé un timbre sur l'enveloppe.* **2.** Marque mise sur un paquet, un document pour indiquer d'où il vient ; vois ***cachet, tampon.*** *L'enveloppe porte le timbre de la biscuiterie.*

La philatélie est une occupation très intéressante ! En faisant collection de timbres, on apprend des tas de choses, surtout l'histoire et la géographie (*le Petit Nicolas*).

Conjugaison 1

▸ ***timbrer*** v. **1.** Coller des timbres. *Julie timbre sa lettre avant de la poster ;* vois ***affranchir.*** **2.** Marquer d'un tampon, d'un cachet. *La postière timbre le courrier ;* vois ***tamponner.***

timide adj.

Une personne timide, c'est une personne qui n'est pas sûre d'elle, qui n'ose pas faire les choses. *Marie-Tévy est une petite fille timide.*

Ne sois pas si timide, chérie, dit-elle. Raconte quelque chose sur le Parc, sur les bêtes *(le Lion).*

▸ **timidement** adv. Avec timidité. *Marie-Tévy demande timidement la permission de sortir.*

Le contraire de *timidité,* c'est *aplomb, audace, culot, insolence.*

▸ **timidité** n. f. Caractère d'une personne timide ; vois **gaucherie, gêne.** *Peu à peu, Marie-Tévy surmonte sa timidité.*

Autre membre de la famille : **intimider.**

timonier n. m.

Homme qui tient le gouvernail d'un navire. *Le timonier garde le cap.*

timoré adj.

Une personne timorée, c'est une personne méfiante, qui a peur du changement et du risque ; vois **craintif, timide.** *Marie-Tévy est trop timorée pour aller seule en forêt.*

Le contraire de *timoré,* c'est *audacieux, entreprenant, hardi.*

Conjugaison 1

Ne confonds pas *tinter* et *teinter.*

tinter v.

Faire des sons clairs et aigus. *Hippolyte fit tinter la monnaie dans sa poche.*

On dit *une cloche tinte* quand le battant ne frappe qu'un côté de la cloche.

▸ **tintement** n. m. Bruit d'une chose qui tinte. *On entend au loin un tintement de cloche.*

Ressorts, freins [...] gémissaient, grinçaient. Nous avancions dans un affreux tintamarre *(le Lion).*

▸ **tintamarre** n. m. Ensemble de bruits désagréables ; vois **tapage, tumulte, vacarme.** *Les enfants sont sortis de l'école en faisant du tintamarre.*

Deux **r** dans *tintamarre.*

Ne confonds pas *tique* et *tic.*

tique n. f.

Insecte parasite du chien, du bœuf, du mouton et qui peut s'attaquer à l'homme. *Les tiques sucent le sang.*

Famille de **tirer**

tir n. m.

1. Le fait de tirer avec une arme. *Denis Prost fait du tir à l'arc,* il tire des flèches avec un arc. **2.** Coup de pied dans un ballon ; vois **shoot.** *Yves a réussi son tir au but,* il a envoyé le ballon dans le but.

On fait aussi du *tir au fusil, au pistolet.*

« Ô rage, ô désespoir » est le début d'une célèbre tirade du *Cid.*

tirade n. f.

Longue suite de phrases dites par un personnage dans une pièce de théâtre. *Il y a de nombreuses tirades dans les tragédies.*

Famille de **tirer**

tirage n. m.

1. Mouvement de l'air qui est attiré par le feu. *La cheminée a un bon tirage.* **2.** Quantité d'exemplaires imprimés en une fois. *Ce quotidien est un journal à grand tirage.* **3.** *Le tirage au sort,* c'est la désignation par le sort. *Les gagnants ont été départagés par tirage au sort.*

Conjugaison 1

tirailler v.

1. Tirer pas très fort dans plusieurs directions. *Yves tiraillait son père par la manche.* **2.** *Être tiraillé entre plusieurs choses,* c'est hésiter entre plusieurs choses possibles. *Julie était tiraillée entre son envie d'aller au cinéma et celle de rester jouer avec Yasmina ;* vois **écarteler.**

Famille de **tirer**

Croc-Blanc se sentait tiraillé violemment par deux impulsions opposées *(Croc-Blanc).*

▸ **tiraillement** n. m. Douleur, crampe. *Quand Mme Bonnot marche trop longtemps, elle a des tiraillements dans la jambe.*

▸ **tirailleur** n. m. Soldat isolé qui tire sur l'ennemi. *Les tirailleurs sont envoyés en avant pour harceler l'ennemi.*

Famille de **tirer** et de **eau**

tirant d'eau n. m.

Profondeur d'un bateau, sous l'eau. *Le bateau de Loïc a un mètre de tirant d'eau.*

Famille de **tirer**

tiré adj.

Allongé, marqué par la fatigue. *Mme Roussel a les traits tirés : elle a mal dormi.*

Au pluriel : *des tire-bouchons.*

Le tire-bouchon a été inventé en 1684 ; avant, on fermait les bouteilles avec de la cire à cacheter.

tire-bouchon n. m.

1. Instrument qui sert à ouvrir les bouteilles fermées par un bouchon de liège. *M. Doucet a ouvert la bouteille de vin avec un tire-bouchon.* **2.** *Les cochons ont une queue en tire-bouchon,* qui fait une hélice comme la tige d'un tire-bouchon.

Famille de **tirer** et de ② **boucher**

Famille de **tirer** et de ① **aile**

à tire-d'aile adv.
En donnant des coups d'ailes rapides et ininterrompus. *Les oiseaux se sont envolés à tire-d'aile.*

tirelire n. f.
Boîte percée d'une fente, dans laquelle on met les pièces de monnaie que l'on veut économiser. *Sylvain a mis cinquante francs dans sa tirelire.*

Autrefois, on cassait sa tirelire pour en retirer les pièces.

Conjugaison 1

tirer v.
1. Déplacer en amenant vers soi. *En cas de danger, tirez la sonnette d'alarme. En sortant, tire la porte derrière toi.* **2.** Faire bouger sur le côté pour ouvrir ou fermer. *Mme Bellec tire les rideaux.* **3.** Faire avancer en déplaçant derrière soi ; vois ***traîner.*** *Les bœufs tirent la charrue.* **4.** *Le docteur Séverac tire sur sa pipe d'un air pensif,* il aspire très fort la fumée qui est à l'intérieur. **5.** *La cheminée tire bien,* l'air y circule bien. **6.** *Le spectacle tire à sa fin,* il approche de sa fin. **7.** *Ce bleu tire sur le vert,* il se rapproche du vert. **8.** Envoyer au loin un projectile au moyen d'une arme. *Le commissaire a tiré trois coups de feu en l'air.* **9.** *Tirer un animal,* c'est tirer sur lui. *M. Bellec a tiré un lièvre.* **10.** Faire sortir une chose de l'endroit où elle est ; vois ***enlever, retirer, sortir.*** *Sylvain a tiré un mouchoir de sa poche.* **11.** Choisir au hasard. *Yasmina a tiré le numéro gagnant. Les sujets d'examen sont tirés au sort.* **12.** Sortir, délivrer. *Il faut le tirer de ce mauvais pas. — Elle s'en est bien tirée,* elle a bien réussi à s'en sortir. **13.** Obtenir un produit en utilisant une matière première. *On tire de l'huile des olives ;* vois ***extraire.*** **14.** Obtenir quelque chose d'une personne ou d'une chose. *Denis Prost a su tirer parti de la situation.* **15.** Tracer. *Marie-Tévy tire des traits sur son cahier.* **16.** Imprimer. *Ce livre a été tiré à dix mille exemplaires. Alex a appris à développer et à tirer les photos.*
▸ ***tireur*** n. m., ***tireuse*** n. f. Personne qui tire avec une arme à feu. *M. Bellec est un bon tireur.*

À cette courroie était attachée une longue corde qui servait à tirer le traîneau *(Croc-Blanc).*

Va voir *tirer les vers du nez* à ***ver*** ; *tirer au clair* à ***clair.***

Michel Strogoff était fait à ce vaillant animal. Il savait ce qu'il en pouvait tirer
(Michel Strogoff).

Va voir *tiré à quatre épingles* à ***épingle.***

Va voir *tirer le diable par la queue* à ***diable.***

Le Petit Poucet, s'étant approché de l'Ogre, lui tira doucement ses bottes et les mit aussitôt
(le Petit Poucet).

Autres membres de la famille : **attirer, attirant, attirance, étirer, franc-tireur, retirer, se retirer, soutirer, tir, tirage, tirailler, tiraillement, tirailleur, tirant d'eau, tiré, tire-bouchon, à tire-d'aile, tiret, tirette, tiroir, tiroir-caisse.**

Famille de **tirer**

tiret n. m.
Petit trait que l'on place après le début d'un mot que l'on coupe en fin de ligne. *Le tiret indique que le mot n'est pas fini.* Vois aussi l'encadré ci-dessous.

le tiret

Le tiret est un signe de ponctuation.

- On met un tiret dans un dialogue pour indiquer que c'est une nouvelle personne qui parle :
  « Quand pars-tu ? — Demain. »
- On peut mettre un morceau de phrase entre tirets comme on le mettrait entre parenthèses :
  Pour son anniversaire — elle vient d'avoir huit ans — Julie a eu un vélo.

Famille de **tirer**

tirette n. f.
Tablette que l'on peut tirer dans certains meubles ; vois ***tablette.*** *Mme Séverac repousse la tirette de son bureau.*

Famille de **tirer**

tiroir n. m.
Partie d'un meuble en forme de boîte que l'on tire pour ouvrir. *Nathalie a caché ses lettres dans le tiroir de la commode.*

Famille de **caisse**

▸ ***tiroir-caisse*** n. m. Caisse d'un magasin où l'argent est renfermé dans un tiroir qui s'ouvre automatiquement quand on appuie sur un bouton. *Mme Bellec, la patronne du restaurant, met l'argent dans le tiroir-caisse.*

Au pluriel : *des tiroirs-caisses.*

tisane n. f.
Boisson chaude à base de plantes ; vois ***infusion.*** *Mme Roussel boit une tasse de tisane.*

Noël au balcon, Pâques aux tisons (proverbe).

tison n. m.
Reste d'un morceau de bois, d'une bûche dont une partie a brûlé. *Denis Prost prend un tison dans la cheminée pour allumer sa cigarette.*
▸ **tisonnier** n. m. Longue barre de fer qui sert à attiser le feu. *Nathalie remue les braises avec le tisonnier.*

Les tisons sont rouges et brûlants.

Conjugaison 1
On tisse sur des *métiers à tisser.*

tisser v.
Tisser un tissu, c'est fabriquer un tissu en entrelaçant des fils. *En Tunisie, on tisse de beaux tapis.*
▸ **tissage** n. m. Action de tisser. *Des centaines d'ouvriers travaillent au tissage des tapis.*

Les araignées *tissent leur toile* entre les branches des arbres.

N'oublie pas le ***d*** de *tisserand.*

▸ **tisserand** n. m., **tisserande** n. f. Ouvrier qui fabrique des tissus sur un métier à tisser. *Les tisserands et les potiers sont des artisans.*
▸ **tisserin** n. m. Petit oiseau qui construit des nids tissés en feuilles de palmier. *Les tisserins vivent en Afrique équatoriale.*
▸ **tissu** n. m. **1.** Assemblage souple de fils entrelacés ; vois **étoffe.** *Angèle porte une robe en tissu imprimé.* **2.** Suite de choses désagréables. *Son récit n'est qu'un tissu de mensonges.*

Les fils de la chaîne croisent les fils de la trame du tissu.

Les *titres* des journaux, ce sont les phrases ou les morceaux de phrases, écrits en gros caractères, qui présentent les articles.

Un *titre de transport,* c'est un billet, un ticket, une carte.

titre n. m.
1. Nom d'un livre, d'un poème, d'une chanson, d'un film. *Quel est le titre de ce roman ?* **2.** Qualité de gagnant, de champion. *Ce sportif détient le titre de champion du monde de ski.* **3.** *Mme Roussel travaille à la biscuiterie de Motbourg à titre de secrétaire,* en tant que secrétaire. *J'y ai droit au même titre que lui,* de la même manière que lui. *Je te le dis à titre amical,* amicalement. **4.** *Yves se plaint à juste titre,* avec raison.

L'écrivain La Rochefoucauld avait le titre de duc.

Autre membre de la famille : **sous-titre.**

Conjugaison 1

tituber v.
Marcher en allant de droite à gauche, de travers ; vois **chanceler, vaciller.** *L'ivrogne titubait sur le trottoir.*
▸ **titubant** adj. Chancelant, vacillant. *Un homme à la démarche titubante traversa la route.*

Castor-Gris vint vers Croc-Blanc en titubant et lui lia autour du cou une lanière de cuir *(Croc-Blanc).*

titulaire adj.
1. *Angèle est titulaire de son poste,* elle y a été nommée personnellement. **2.** *Mme Bellec est titulaire du permis de conduire,* elle a un permis de conduire.

Le contraire de *titulaire,* c'est *auxiliaire, suppléant.*

Conjugaison 1

▸ **titulariser** v. Rendre une personne titulaire de son poste. *Angèle a été titularisée.*

Angèle est institutrice.

Prononce [tost].

① **toast** n. m.
Porter un toast, c'est lever son verre et dire que l'on va boire en l'honneur de quelqu'un ou de quelque chose. *Les invités ont porté un toast aux jeunes mariés.*

C'est un mot d'origine anglaise.

Prononce [tost].

② **toast** n. m.
Tranche de pain de mie grillé. *Au petit déjeuner, Mme Séverac boit du thé et mange des toasts beurrés.*

Attention ! il y a deux ***g***.

toboggan n. m.
Piste inclinée sur laquelle on se laisse glisser, pour jouer. *Claire glisse sur le toboggan.*

toc n. m.
Imitation d'une matière précieuse. *Angèle a des boucles d'oreilles très jolies, mais c'est du toc,* c'est du faux.

C'est une sonnerie qui se répète et dure longtemps.

tocsin n. m.
Sonnerie de cloche qui donne l'alarme. *Autrefois on sonnait le tocsin pour annoncer un incendie.*

Maintenant on utilise des sirènes d'alarme.

toge n. f.
1. Grand morceau de tissu sans couture dont s'habillaient les Romains. *Les Romains se drapaient dans leur toge.* **2.** *Au tribunal, les avocats portent une toge,* une grande robe de cérémonie.

La toge était le vêtement des hommes libres.

Devant *en* et *y*, *toi* devient **t'** : *garde-t'en.*

toi pronom personnel

Pronom personnel masculin et féminin de la deuxième personne du singulier. *Mets-toi là. Toi, tu restes. Marie-Tévy est plus petite que toi. Si j'étais toi, je partirais. C'est toi qui l'as voulu. Prends garde à toi. J'irai sans toi. Connais-toi toi-même.*

Ne confonds pas *toi* et *toit.*

Autres membres de la famille : **tutoyer, tutoiement.**

C'était un homme vêtu d'un pantalon de toile bleue et d'un blouson *(Lullaby).*

toile n. f.

1. Tissu simple et solide. *Loïc porte un pantalon de toile bleue.* **2.** Tableau d'un peintre. *Sophie Pelletier admire les toiles exposées au musée.* **3.** *Une toile de fond,* c'est une toile suspendue au fond de la scène d'un théâtre. *Un décor est peint sur la toile de fond. Ce roman a pour toile de fond la savane africaine,* il a la savane pour décor, il se passe dans la savane. **4.** *Une toile d'araignée,* c'est un réseau de fils que fabrique l'araignée. *Une mouche s'est prise dans la toile d'araignée.*

Va voir *toile cirée* à ***ciré.***

Le *cabinet de toilette,* c'est une pièce aménagée pour se laver, avec un lavabo.

toilette n. f.

1. *Faire sa toilette,* c'est se laver, se coiffer. *Marie-Tévy fait sa toilette avant de s'habiller. Ses affaires de toilette sont sur l'étagère.* **2.** *Une toilette,* c'est l'ensemble des vêtements que porte une femme. *Mme Séverac porte des toilettes élégantes.*

Dans une *trousse de toilette,* on met une brosse à dents, de la pâte dentifrice, un savon, un peigne.

toilettes n. f. plur.

Endroit où l'on fait ses besoins ; vois ***cabinet, waters, W.-C.*** *Les toilettes du restaurant sont au sous-sol.*

Autrefois, la *toise* était une mesure de longueur de presque 2 mètres.

toise n. f.

Grande règle verticale qui sert à mesurer la taille. *À la visite médicale, on passe les enfants à la toise.*

▸ ***toiser*** v. *Toiser quelqu'un,* c'est le regarder avec mépris. *Nathalie toisa son frère des pieds à la tête.*

Conjugaison 1

Le héros grec Jason dut aller chercher la Toison d'or gardée par un dragon.

toison n. f.

Pelage laineux des moutons. *Claire passe sa main dans la toison blanche et bouclée d'un agneau.*

Ne confonds pas *toit* et *toi.*

Crier quelque chose sur les toits, c'est le raconter partout.

toit n. m.

1. Dessus d'un bâtiment, qui le protège ; vois ***couverture, toiture.*** *En Bretagne, les maisons ont des toits d'ardoise.* **2.** Dessus d'une voiture, d'un camion. *La voiture de Denis Prost a un toit ouvrant.*

▸ ***toiture*** n. f. *La toiture d'une maison,* c'est son toit et ce qui le fait tenir. *Les Séverac ont fait refaire la toiture de leur maison.*

Le Bœuf sur le toit fut un célèbre cabaret de jazz.

N'oublie pas l'accent circonflexe du *ô.*

tôle n. f.

Fer ou acier en feuille. *L'accident n'était pas grave, il n'y a eu que de la tôle froissée.*

La *tôle ondulée* sert à couvrir les hangars.

Conjugaison 6

▭ Indic. présent : *je tolère, nous tolérons.*

On ne le méprisait pas ; on le tolérait, par humanité et parce qu'il était utile *(Croc-Blanc).*

tolérer v.

1. Permettre une chose que l'on pourrait interdire. *On tolère le stationnement sur ce trottoir ;* vois ***autoriser.*** **2.** Supporter avec patience. *Je ne tolère pas que tu me parles sur ce ton ;* vois ***admettre.***

Le contraire de *tolérer,* c'est *défendre, interdire.*

▸ ***tolérable*** adj. *Votre insolence n'est plus tolérable,* on ne peut plus la tolérer, la supporter.

Le contraire de *tolérable,* c'est *intolérable.*

▸ ***tolérance*** n. f. Qualité d'une personne qui respecte les idées différentes des siennes. *Il faut faire preuve de tolérance à l'égard d'autrui.*

▸ ***tolérant*** adj. *Une personne tolérante,* c'est une personne qui montre de la tolérance. *Angèle est une femme très tolérante.*

Autres membres de la famille : **intolérable, intolérant.**

Le contraire de *tolérant,* c'est *intolérant.*

Deux *l* à *tollé.*

tollé n. m.

Ensemble des cris poussés par des gens qui protestent ; vois ***huées.*** *La disqualification du footballeur déclencha un tollé général.*

Le contraire de *tollé,* c'est *acclamation, ovation.*

La *sauce tomate,* c'est une sauce à la tomate.

tomate n. f.

Fruit rouge de forme arrondie que l'on mange comme légume. *M. Bellec prépare des tomates farcies. Mme Roussel mange de la salade de tomates.*

Être rouge comme une tomate, c'est être très rouge.

tombe n. f.

Fosse creusée dans la terre, parfois recouverte d'une dalle, où l'on enterre un mort ; vois ***sépulture.*** *Sophie Pelletier est allée au cimetière se recueillir sur la tombe de sa mère.*

À la Toussaint, on fleurit les tombes.

Au masculin pluriel : *tombaux.*

▸ ***tombal*** adj. *Une pierre tombale,* c'est une dalle de pierre qui recouvre une tombe. *Sur la pierre tombale est gravé le nom du défunt.*

Au pluriel : *des tombeaux.* Va voir aussi **caveau, mausolée.**

▸ ***tombeau*** n. m. Monument élevé sur une tombe. *Antoine est allé visiter le tombeau de Napoléon aux Invalides.*

Rouler à tombeau ouvert, c'est rouler très vite.

Conjugaison 1 ; *tomber* se conjugue avec l'auxiliaire *être.*

tomber v.

1. Être entraîné à terre en perdant son équilibre. *Yves est tombé de tout son long,* il a fait une chute. *Marie-Tévy tombe de sommeil,* elle a du mal à se tenir debout. *Mme Roussel, épuisée, s'est laissé tomber dans un fauteuil.* **2.** Descendre très vite vers le sol. *L'avion tombe en chute libre. La neige tombe depuis deux jours.* **3.** *La nuit tombe tard en été,* elle arrive tard. **4.** Baisser. *La température est tombée en dessous de zéro ;* vois ***descendre.*** **5.** Devenir. *Nathalie est tombée amoureuse de Sylvain pendant les vacances. Julie est tombée malade.* **6.** Arriver, se produire. *Cette année le 14 Juillet tombe un mardi.*

Elle laissa tomber une de ses pantoufles de verre, que le Prince ramassa bien soigneusement *(Cendrillon).*

Après vingt-cinq jours de sécheresse, il tombait une bonne pluie, rafraîchissant bêtes et gens *(les Contes du Chat perché).*

▸ ***tombée*** n. f. *Il faut monter la tente avant la tombée du jour,* avant que le jour ne baisse, que la nuit n'arrive ; vois ***crépuscule.***

▸ ***tombereau*** n. m. Grosse voiture à cheval que l'on peut décharger en basculant l'arrière. *Pierre Séverac transporte le bois mort dans un tombereau.*

Autres membres de la famille : **retomber, retombées.**

tombola n. f.

Loterie où l'on gagne des objets. *Marie-Tévy et Julie vendent des billets de tombola pour la kermesse de l'école.*

tome n. m.

Chaque volume d'un livre en plusieurs volumes. *Ce roman est en deux tomes.*

Devant un nom féminin commençant par une voyelle ou un ***h*** muet, on emploie *ton : prends ton ardoise.*

① ***ton*** adj. possessif m., ***ta*** adj. possessif f., ***tes*** adj. possessif plur. Qui est à toi, qui t'appartient ; vois ***tien.*** *Ton père viendra te chercher. Prends ta valise. N'oublie pas tes affaires.*

Ne confonds pas *ton* et *thon.*

② ***ton*** n. m.

1. Manière de parler qui, par la sonorité de la voix et la vitesse de son débit, indique les sentiments que l'on a ; vois ***intonation.*** *La directrice a appelé Yves dans son bureau d'un ton sec. Nathalie a répondu à son frère sur le ton de la plaisanterie.* **2.** Hauteur des sons émis par la voix, dans le chant. *Le professeur de musique donne le ton,* il fait entendre la note par laquelle il faut commencer à chanter. **3.** *Mme Séverac s'habille avec une élégance de bon ton,* elle s'habille comme il faut. **4.** Couleur. *Muriel Doucet porte souvent des robes dans les tons pastel ;* vois ***coloris, nuance, teinte.***

Un matin de bonne heure le cochon sortit faire une promenade. Il salua d'un ton aimable le vieux cheval qui était dans la cour, sourit à un poulet, mais passa devant la panthère sans lui adresser la parole *(les Contes du Chat perché).*

Si les chanteurs ne chantent pas tous dans le même ton, cela fait une *cacophonie.*

Autres membres de la famille : **détonner, entonner, intonation, monotone, monotonie.**

▸ ***tonalité*** n. f. **1.** Reproduction fidèle du son. *Ce transistor a une bonne tonalité.* **2.** Son que l'on entend quand on décroche le téléphone. *Il faut attendre la tonalité avant de composer le numéro.*

Conjugaison 41 ▭ Indic. présent : *je tonds, il tond, nous tondons, ils tondent.* Futur : *je tondrai.*

tondre v.

1. Couper à ras le poil d'un animal ou les cheveux d'une personne. *Pierre Séverac a tondu les moutons. Autrefois, on tondait les bagnards.* **2.** Couper très court. *Denis Prost tond la pelouse.*

Si ton tonton tond ton tonton, ton tonton sera tondu.

▸ ***tondeuse*** n. f. **1.** Instrument qui sert à tondre le poil d'un animal ou les cheveux d'une personne. *Le coiffeur rase la nuque avec une tondeuse.* **2.** *Denis Prost tond la pelouse avec une tondeuse à gazon,* une petite faucheuse qui coupe l'herbe.

Autres membres de la famille : **tonsure, tonte.**

Conjugaison 7

tonifier v.

Rendre fort, plus énergique ; vois ***fortifier.*** *L'eau froide tonifie le corps.*

tonique adj.

Qui donne de l'énergie, rend plus vif ; vois ***stimulant, vivifiant.*** *Il fait un froid sec et tonique, en montagne.*

Famille de **tonner,** mais un seul *n* !

tonitruant adj.
Une voix tonitruante, c'est une voix très forte. *L'Ogre parlait d'une voix tonitruante.*

C'est une voix qui fait un bruit de tonnerre.

Famille de **tonne**

tonnage n. m.
Volume de marchandise que peut transporter un bateau ; vois ***capacité.*** *Le bateau de Loïc est de faible tonnage.*

tonne n. f.
1. Unité de poids qui vaut mille kilogrammes. *On extrait de cette mine plusieurs milliers de tonnes de cuivre par an.* **2.** Mesure du poids des véhicules. *Les camions de sept tonnes ne peuvent emprunter ce pont.* **3.** Grande quantité. *Mme Roussel a épluché des tonnes de légumes pour le pot-au-feu.*

Va voir aussi ***quintal.***

On dit aussi un *sept tonnes.*

Ce sens est familier.

Un tonneau vaut 2,83 m³.

▸ ① ***tonneau*** n. m. Unité de volume utilisée pour mesurer le tonnage des bateaux. *Le bateau de Loïc fait vingt-cinq tonneaux.*

Autre membre de la famille : **tonnage.**

② ***tonneau*** n. m.
1. Grand récipient de bois, cerclé de fer, plus large au milieu qu'aux extrémités ; vois ***barril, barrique, fût.*** *M. Bellec a acheté deux tonneaux de vin.* **2.** Accident par lequel une voiture fait un tour complet sur le côté. *La voiture a fait plusieurs tonneaux.*

Le tonneau est une invention des Gaulois. Les Romains utilisaient des jarres.

Un *tonnelet,* c'est un petit tonneau.

▸ ***tonnelier*** n. m. Homme dont le métier est de fabriquer les tonneaux. *Le tonnelier est en train de réparer un tonneau.*

Deux *n* et deux *l.*

tonnelle n. f.
Petit abri fait de minces morceaux de bois entrecroisés sur lesquels on fait grimper des plantes ; vois ***pergola.*** *L'été, Angèle aime déjeuner à l'ombre sous la tonnelle.*

La tonnelle a un sommet arrondi.

Conjugaison 1

tonner v.
1. *Il tonne,* il y a du tonnerre. *Il y eut un éclair, et on entendit tonner au loin.* **2.** Faire un bruit semblable au tonnerre. *Les canons tonnaient.* **3.** Parler très fort parce que l'on est en colère ; vois ***crier.*** *M. Bellec tonne contre le livreur qui est en retard.*

Autres membres de la famille : **détoner, détonateur, détonation, paratonnerre, tonitruant.**

Deux *n* et deux *r* à *tonnerre.*

Denis Prost est un comédien célèbre.

▸ ***tonnerre*** n. m. **1.** Bruit de la foudre qui accompagne l'éclair. *Un coup de tonnerre a réveillé Mamie Lou.* **2.** Bruit très fort. *Un tonnerre d'applaudissements salua l'entrée de Denis Prost.*

Entends-tu le tonnerre
Il roule en approchant
(chanson).

Famille de **tondre**

tonsure n. f.
Petit cercle rasé, au sommet de la tête. *Les moines portent la tonsure.*

Famille de **tondre**

tonte n. f.
Pierre Séverac doit s'occuper de la tonte des moutons, il doit s'occuper de les tondre.

C'est un mot du langage des enfants.

tonton n. m.
Oncle. *David, Nathalie et Marie-Tévy appellent leur oncle « tonton ».*

Tonus [tɔnys] rime avec *puce.*

tonus n. m.
Énergie, force et courage ; vois ***dynamisme, vigueur, vitalité.*** *Ce café m'a donné du tonus.*

topographie n. f.
Relief d'un terrain. *Des ingénieurs étudient la topographie de la région pour décider où passera l'autoroute.*

On écrit aussi *tocade.*

toquade n. f.
Caprice, goût passager pour quelque chose ; vois ***engouement, lubie.*** *Sophie Pelletier porte un chapeau à voilette : c'est sa nouvelle toquade.*

Ce mot est familier.

Les cuisiniers portent une toque blanche.

toque n. f.
Chapeau sans bord. *Mme Bonnot met sa toque de fourrure pour sortir.*

torche n. f.
1. Bâton enduit de résine que l'on enflamme pour éclairer ; vois ***flambeau.*** *Des porteurs de torches ouvraient la procession.* **2.** *Une torche électrique,* c'est une lampe électrique portative de forme allongée. *Antoine éclaire la grotte avec une torche.*

Cela se voyait parfaitement à la lueur des torches qui projetaient un vif éclat sous la ramure des mélèzes *(Michel Strogoff).*

Torchis [tɔʀʃi] rime avec *monarchie.*

torchis n. m.
Mélange de terre et de paille utilisé dans la construction. *Les murs de la maison sont en torchis.*

Au Moyen Âge, les maisons étaient faites en torchis.

torchon n. m.
Morceau de tissu qui sert à essuyer la vaisselle. *Mme Roussel essuie les verres avec un torchon propre.*

Va voir aussi ***essuie-main, serviette.***

Conjugaison 41

Les parents [...] se tordaient les mains de désespoir en criant le nom d'Alphonse *(les Contes du Chat perché).*

tordre v.
1. Déformer un objet en tournant chacune de ses extrémités dans un sens contraire. *Odile Séverac tord les draps mouillés avant de les étendre.* **2.** Plier un objet rigide. *Le vent tordait les branches.* **3.** Plier brutalement une articulation. *Julie s'est tordu la cheville en courant.* **4.** *Se tordre,* c'est se plier en deux. *Julie se tordait de douleur.*

Autres membres de la famille : **contorsion, entorse, entortiller, torsade, torsion, torticolis, tortiller, tortillard, tortueux.**

Ce mot est familier.

▸ ***tordant*** adj. Très drôle, très amusant. *L'histoire qu'a racontée Antoine était tordante.*

Prononce [tɔʀeʀo].

torero n. m.
Homme qui affronte le taureau, dans une corrida. *Les matadors sont des toreros.*

On disait autrefois : un *toréador.*

tornade n. f.
Vent très violent qui passe rapidement ; vois ***cyclone, ouragan.*** *Une tornade a abattu des arbres et dévasté les champs.*

Le vent souffle entre 200 et 400 km/h.

Une étrange torpeur amollissait mes réflexes *(le Lion).*

torpeur n. f.
État d'une personne à demi endormie ; vois ***assoupissement, somnolence.*** *Mme Roussel, allongée au soleil, sentait une douce torpeur l'envahir.*

La torpille ressemble à la raie.

torpille n. f.
1. Poisson produisant des décharges électriques qui paralysent ses proies. *Les décharges des torpilles ne sont pas dangereuses pour l'homme.* **2.** Engin explosif à moteur que l'on lance sous l'eau. *Une torpille a coulé le porte-avions.*

On dit aussi : un *poisson torpille.*

Conjugaison 1

▸ ***torpiller*** v. *Torpiller un bateau,* c'est le faire sauter en lançant des torpilles. *Un sous-marin a torpillé le porte-avions.*

▸ ***torpilleur*** n. m. Bateau de guerre léger et rapide destiné à lancer des torpilles. *Un torpilleur a coulé le porte-avions.*

Conjugaison 7
On torréfie aussi le café.

torréfier v.
Faire griller. *On torréfie le tabac pour le faire sécher.*

Deux *r* dans *torrent.*

torrent n. m.
1. Cours d'eau rapide et irrégulier, à forte pente. *Le campeur remplit sa gourde dans le torrent.* **2.** *Il pleut à torrents,* il pleut beaucoup, il pleut à verse. **3.** Grande quantité. *Mme Harpie déverse un torrent d'injures sur le policier ;* vois ***déluge, flot.***

Les ours aiment beaucoup se baigner dans les torrents.

▸ ***torrentiel*** adj. *Une pluie torrentielle,* c'est une pluie qui tombe très fort, comme un torrent. *Une pluie torrentielle s'abattit sur la ville.*

Compare ***torride*** et ***torréfier*** : il est question de **brûler.**

torride adj.
Extrêmement chaud. *En Afrique, il fait des chaleurs torrides ;* vois ***brûlant.***

Famille de **tordre**

torsade n. f.
Rouleau de fils tordus ensemble qui sert de décoration. *Des torsades dorées retiennent les rideaux du salon.*

torse n. m.
Haut du corps humain, du cou à la taille ; vois ***buste, poitrine.*** *Loïc s'est mis torse nu.*

Famille de **tordre**

torsion n. f.
Déformation que l'on fait subir à quelque chose en le tordant. *Yves a immobilisé Antoine par une torsion du bras.*

Les absents ont toujours tort (proverbe).

tort n. m.
1. *Avoir tort,* c'est se tromper, ne pas avoir raison. *Denis Prost a tort de tant fumer.* **2.** *Le commissaire l'a soupçonné à tort,* par erreur, pour de

Le contraire de *tort,* c'est *raison.*

mauvaises raisons. *Parfois, Mme Séverac dépense son argent à tort et à travers,* sans raison, sans réfléchir. **3.** *Être dans son tort,* c'est commettre une faute. *L'automobiliste qui a causé l'accident était passé au feu rouge, il était dans son tort.* **4.** Mauvaise conduite, mauvaise action. *L'accusé a reconnu ses torts.* **5.** Erreur. *Ce serait un tort de ne pas venir.* **6.** *Faire du tort à quelqu'un,* c'est lui faire du mal, lui nuire. *Toutes ces accusations lui ont fait du tort.*

On dit aussi *être en tort.*

Le contraire de *tort,* c'est *droit.*

Famille de **tordre** et de **col**

torticolis n. m.
Douleur dans le cou qui empêche de tourner la tête. *Mme Roussel a attrapé un torticolis en faisant un faux mouvement.*

Conjugaison 1

Famille de **tordre**

tortiller v.
1. Tordre en faisant plusieurs tours. *M. Bonnot tortillait pensivement sa moustache.* **2.** *Se tortiller,* c'est se tourner d'un côté et de l'autre sur soi-même. *Les poissons encore vivants se tortillent dans le seau.*
▸ ***tortillard*** n. m. Petit train qui va très lentement et fait de nombreux détours. *Un tortillard mène au village.*

Compare *tortionnaire* et *torture* : il est question de **supplice.**

tortionnaire n. m.
Personne qui torture ; vois ***bourreau.*** *Le prisonnier n'a rien avoué à ses tortionnaires.*

[...] une tortue, c'est une affreuse bête, lourde, laide, ennuyeuse ; je ne pense pas que tu puisses aimer un si sot animal *(les Malheurs de Sophie).*

Les tortues sont des reptiles terrestres ou marins.

tortue n. f.
Animal dont le corps est enfermé dans une carapace d'où sortent quatre pattes courtes et la tête. *La tortue a un bec en corne et n'a pas de dents. Les tortues de mer reviennent pondre leurs œufs sur la plage.*

Famille de **tordre**

tortueux adj.
Une rue tortueuse, c'est une rue qui tourne beaucoup, qui fait des détours ; vois ***sinueux.*** *Le centre de la vieille ville est constitué d'un dédale de rues tortueuses.*

Notre voiture s'engagea dans un sentier bosselé, tortueux *(le Lion).*

J'ai dit la vérité, et la torture ne me fera rien changer à mes paroles *(Michel Strogoff).*

torture n. f.
1. Souffrance physique que l'on fait subir à quelqu'un pour lui faire avouer ce qu'il refuse de dire ; vois ***supplice.*** *Le prisonnier a dénoncé ses complices sous la torture.* **2.** Souffrance très difficile à supporter ; vois ***martyre, tourment.*** *Ces maux de tête sont une réelle torture.*

Conjugaison 1

▸ ***torturer*** v. **1.** Faire subir des tortures. *Des prisonniers ont été torturés.* **2.** Faire beaucoup souffrir ; vois ***tourmenter.*** *L'assassin était torturé par le remords.*

L'infâme qui trahissait son pays menaçait maintenant de torturer sa mère ! *(Michel Strogoff).*

N'oublie pas l'accent circonflexe du **ô** !

tôt adv.
Avant le moment habituel ou normal. *Je me suis levé tôt ce matin,* de bonne heure. *Il est six heures, il est encore tôt. Les invités sont arrivés plus tôt que prévu. Mamie Lou ne viendra pas nous voir de si tôt,* pas avant longtemps, et peut-être jamais. *Denis Prost reviendra dans un mois au plus tôt,* pas avant un mois. *Viens me voir le plus tôt possible.*

Le jour où Lullaby décida qu'elle n'irait plus à l'école, c'était encore très tôt le matin *(Lullaby).*

Le contraire de *tôt,* c'est *tard.*

Autres membres de la famille : **aussitôt, bientôt, sitôt, tantôt.**

Au masculin pluriel : *totaux.*

total adj. et n. m.
1. adj. Complet ; vois ***absolu.*** *Mme Hespel fait une confiance totale à son banquier ;* vois ***entier, parfait.*** *Le prix total est de cent francs.* **2.** n. m. Nombre total, quantité totale ; vois ***montant, somme.*** *Yves a fait le total de ses billes,* il a compté toutes ses billes.
▸ ***totalement*** adv. Complètement, tout à fait. *Julie est totalement remise de sa maladie ;* vois ***entièrement, parfaitement.***

Le contraire de *total,* c'est *partiel.*

Je ne t'accorde pas le droit de porter des jugements sur des sujets que tu ignores d'ailleurs totalement *(le Petit Nicolas).*

Conjugaison 1

▸ ***totaliser*** v. Avoir au total. *Le joueur qui totalise le plus de points a gagné.*
▸ ***totalité*** n. f. Ensemble de toutes les parties d'un tout. *La totalité de sa fortune consiste en immeubles.*
▸ ***totalitaire*** adj. *Un régime totalitaire,* c'est un régime politique dans lequel un seul parti gouverne sans admettre d'opposition. *Dans un régime totalitaire, on ne peut s'exprimer librement.*

Le contraire de *totalité,* c'est *fraction, partie.*

Ces régimes sont des dictatures.

Totem [tɔtɛm] rime avec *baptême.*

totem n. m.
Animal protecteur d'un clan. *Cette tribu a un serpent pour totem.*

Le *totem,* c'est aussi la statue de l'animal totem.

Conjugaison 1

Si j'essayais de toucher le bébé-lion, elle avait des crises de colère épouvantables *(le Lion)*.

① *toucher* v.

1. Être en contact, être tout proche. *Le presbytère touche l'église. — Le presbytère et l'église se touchent.* **2.** Entrer en contact. *Mamie Lou touche le radiateur pour s'assurer qu'il est chaud.* **3.** Atteindre, blesser. *M. Bellec tira et toucha le lièvre.* **4.** Entrer en contact avec quelqu'un par lettre ou par téléphone ; vois ***contacter, joindre.*** *Où peut-on vous toucher pendant les vacances ?* **5.** Recevoir. *Angèle touche son salaire le 25 du mois. M. Bellec n'a jamais touché le tiercé ;* vois ***gagner.*** **6.** Faire réagir. *Ces reproches ont touché Yves ;* vois ***blesser.*** *Nous sommes très touchés de votre sympathie ;* vois ***émouvoir.*** **7.** Concerner. *Ce problème ne me touche pas,* ne me regarde pas. **8.** *Toucher à une chose,* c'est y poser la main pour la prendre, pour l'utiliser. *Ne touche pas à ce vase, il est très fragile. Julie n'a pas touché à son repas,* elle n'a rien mangé. **9.** Changer, modifier, corriger. *Il est dangereux de toucher à l'équilibre écologique d'une région.* **10.** Arriver quelque part. *Après huit heures de tempête, le bateau toucha enfin au port. La fête touche à sa fin,* elle approche de sa fin.

[...] Alceste avait passé le doigt sur un tableau pour voir si la peinture était encore fraîche. Le gardien a dit qu'il ne fallait pas toucher *(le Petit Nicolas)*.

Il y a entre Pat et les bêtes quelque chose [...] à quoi on ne peut pas toucher *(le Lion)*.

Avoir l'air de ne pas y toucher, c'est avoir un air faussement innocent.

▸ ② ***toucher*** n. m. Sens qui permet de sentir par la peau. *Le velours est doux au toucher.*

Avant que ses yeux se fussent ouverts, c'est par le toucher que le louveteau acquit la première notion des êtres et des choses *(Croc-Blanc)*.

▸ ***touchant*** adj. Émouvant. *L'histoire que racontait Mamie Lou était si touchante que Nathalie se mit à pleurer.*

▸ ① ***touche*** n. f. **1.** Ce que fait le poisson qui mord à l'hameçon. *M. Bellec n'a rien pris, pas la moindre touche aujourd'hui.* **2.** Coup de pinceau. *Le peintre ajouta une touche de bleu sur sa toile.*

Autres membres de la famille : **retouche, retoucher, sainte nitouche.**

L'ensemble des touches forme un *clavier*.

▸ ② ***touche*** n. f. Petit levier que l'on frappe des doigts. *Mme Roussel tape à la machine à écrire sans regarder les touches.*

Un piano a des touches blanches et noires.

Deux ***f*** à *touffe* et *touffu*.

touffe n. f.

Groupe naturel de poils, de brins réunis par la base ; vois ***bouquet.*** *Nathalie arrache les touffes d'herbe qui ont poussé dans l'allée.*

Tous continuèrent à brouter l'herbe, à humer l'eau, à errer de touffe en touffe *(le Lion)*.

Le contraire de *touffu*, c'est *clairsemé*.

▸ ***touffu*** adj. En touffes ; vois ***épais, dense.*** *Ce sous-bois est très touffu.*

Famille de ① **tout** et de **jour**

Toujours jouer, grommelaient les parents, toujours s'amuser *(les Contes du Chat perché)*.

toujours adv.

1. Tout le temps, sans cesse ; vois ***constamment, continuellement.*** *Antoine est toujours en retard.* **2.** Encore maintenant. *Julie n'est toujours pas rentrée de l'école.* **3.** De tout temps. *M. Bellec a toujours aimé faire la cuisine.*

Le contraire de *toujours*, c'est *jamais*.

Ce mot est familier.

toupet n. m.

Audace ; vois ***aplomb, culot.*** *Julie a eu le toupet de se mêler à notre conversation.*

toupie n. f.

Jouet formé d'un cône qui reste en équilibre sur sa pointe en tournant. *Claire fait tourner une toupie.*

① *tour* n. f.

Autre membre de la famille : **tourelle.**

La tour Maine-Montparnasse a 209 mètres de haut.

1. Bâtiment haut qui domine un édifice. *Du haut de la tour du château, on domine toute la région ;* vois ***donjon.*** **2.** Construction élevée, beaucoup plus haute que large. *Un émetteur de télévision est installé en haut de la tour Eiffel. M. Doucet travaille au quinzième étage d'une tour ;* vois ***gratte-ciel.***

Les contrôleurs aériens surveillent le trafic de l'aéroport depuis la *tour de contrôle*.

Famille de **tourner**

② *tour* n. m.

1. Limite, bordure ; vois ***pourtour.*** *Julie repasse en noir le tour de son dessin.* **2.** *Loïc fait le tour de sa maison,* il va autour de sa maison. *Alex rêve de faire le tour de l'Amérique.* **3.** Petite sortie, promenade. *Mme Roussel est allée faire un tour sur la plage,* elle est allée se promener. **4.** Mouvement tournant ; vois ***rotation.*** *Mme Bellec donne un tour de clé pour fermer la porte.* **5.** Mouvement, exercice difficile à faire. *Sylvain fait des tours de prestidigitation. C'est un vrai tour de force d'avoir réussi,* un exploit. **6.** *Antoine a joué un bon tour à sa tante,* il lui a fait une plaisanterie ; vois ***blague, farce.*** **7.** *Parlez chacun à votre tour,* l'un après l'autre. *C'est ton tour de jouer,* c'est à toi de jouer, selon l'ordre qui a été défini. **8.** Façon dont une situation évolue ; vois ***tournure.*** *Les relations entre les deux pays ont pris un tour inquiétant.*

Le premier Tour de France cycliste fut disputé en 1903, en 6 étapes, sur 2 428 kilomètres.

M. Seguin emporta la chèvre dans une étable toute noire, dont il ferma la porte à double tour *(les Lettres de mon moulin)*.

Je parie vingt mille livres contre qui voudra que je ferai le tour de la terre en quatre-vingt jours *(le Tour du monde en 80 jours)*.

Va voir *avoir plus d'un tour dans son sac* à ① ***sac.***

Va voir *à tour de rôle* à ***rôle.***

Un *tourneur* est un ouvrier qui travaille au tour.

③ ***tour*** n. m.
Machine tournante qui permet de fabriquer des objets. *Les potiers fabriquent la poterie au tour.*

Famille de **tourner**

tourbe n. f.
Matière légère formée par la décomposition de plantes qui pourrissent à l'abri de l'air. *Autrefois, les Écossais se chauffaient avec des feux de tourbe.*
▷ ***tourbière*** n. f. Endroit où il y a beaucoup de tourbe. *En France, on n'exploite plus les tourbières.*

On fait sécher la tourbe avant de la faire brûler.

tourbillon n. m.
Mouvement tournant très rapide. *Le cheval soulevait un tourbillon de poussière.*

La petite sirène [...] se dirigea vers les tourbillons mugissants derrière lesquels demeurait la sorcière *(la Petite Sirène).*

Conjugaison 1

▷ ***tourbillonner*** v. Former un tourbillon ; vois ***tournoyer.*** *La neige tourbillonnait devant la porte.*

Famille de ① **tour**

tourelle n. f.
1. Petite tour. *Des tourelles du château, on a une belle vue sur la ville.* **2.** Partie tournante d'un char d'assaut ou d'un bateau de guerre dans laquelle se trouve un canon. *La tourelle du char se mit à tourner et le canon se leva vers le ciel.*

Famille de **tourner**

tourisme n. m.
Le fait de voyager pour son plaisir. *Mme Roussel a fait du tourisme en Bretagne.*

Même famille que **tourisme**

Paris reçoit chaque année quatre millions de touristes étrangers.

touriste n. m. et f.
Personne qui voyage pour son plaisir. *Un groupe de touristes a visité le château de Versailles.*
▷ ***touristique*** adj. Fait pour les touristes. *Sophie Pelletier a acheté un guide touristique de Grèce.*

Une *ville touristique* est une ville qui attire les touristes.

Ah ! vous dirai-je maman
Ce qui cause mon tourment ?
Papa veut que je raisonne
Comme une grande personne
(chanson).

tourment n. m.
Grave souci. *Cette affaire compliquée m'a donné bien du tourment.*
▷ ***tourmente*** n. f. Tempête soudaine et violente. *Le bateau de Loïc a été pris dans la tourmente.*

Il y avait sur ses traits une compréhension, un tourment d'adulte *(le Lion).*

Conjugaison 1

▷ ***tourmenter*** v. Faire souffrir volontairement ; vois ***maltraiter.*** *Julie aime tourmenter son chat. — Mme Hespel se tourmente pour l'avenir de son fils,* elle se fait du souci ; vois ***s'inquiéter.***

Ainsi l'avait-elle bien vite tourmenté par sa vanité un peu ombrageuse *(le Petit Prince).*

Famille de **tourner**

tournage n. m.
Le fait de faire un film ; vois ***réalisation.*** *Le tournage devrait durer plus de six mois.*

Famille de **tourner**

tournant n. m.
Endroit où une route fait une courbe ; vois ***virage.*** *Prenez la première route à gauche après le tournant.*

Au pluriel : *des tourne-disques.*

tourne-disque n. m.
Appareil qui sert à écouter des disques. *Yasmina pose un disque sur le plateau du tourne-disque.*

Famille de **tourner** et de **disque**

tournedos n. m.
Tranche de filet de bœuf. *Mme Roussel a fait griller deux tournedos.*

Famille de **tourner**

tournée n. f.
1. Parcours toujours identique, dont les arrêts sont fixés. *Hippolyte, le facteur, fait sa tournée tous les matins,* il distribue le courrier. **2.** *Une tournée théâtrale,* c'est un voyage effectué par une compagnie théâtrale pour jouer une pièce dans différents endroits. *La compagnie est partie en tournée à l'étranger.*

Un député fait sa *tournée électorale.*

Famille de **tourner** et de **main**

en un ***tournemain*** adv.
Très vite, en un instant. *Les derniers préparatifs furent effectués en un tournemain.*

On trouve ce mot surtout dans les livres.

Conjugaison 1

Avoir la tête qui tourne, c'est être étourdi.

tourner v.

1. Bouger autour d'un axe. *La clé tourne dans la serrure.* **2.** Faire bouger autour d'un axe. *Tournez la poignée vers la gauche. Yasmina tournait distraitement les pages de son livre.* **3.** Bouger en décrivant une courbe. *La Terre tourne autour du Soleil. La fumée s'élève en tournant ;* vois ***tourbillonner, tournoyer.*** **4.** *Le moteur tourne,* il fonctionne, il marche. *Il y a quelque chose qui ne tourne pas rond,* qui ne va pas, qui ne marche pas bien. **5.** Mettre en sens inverse, présenter de l'autre côté. *Marie-Tévy a tourné la tête. Julie tourne les yeux vers la fenêtre.* **6.** Changer de direction. *Au prochain feu, tourne à droite.* **7.** *Voici une bonne manière de tourner la difficulté,* de la contourner en l'évitant, en l'éludant. **8.** *Tourner un film,* c'est le faire. *Ce film a été entièrement tourné en Afrique.* **9.** Fabriquer avec un tour. *Le potier tourne un vase.* **10.** *Il tourne tout en ridicule,* il donne à tout un aspect ridicule. **11.** *Le temps tourne à l'orage,* il devient orageux. **12.** *Tourner bien,* c'est évoluer bien. *Leur aventure a bien tourné.* **13.** *Le lait a tourné,* il est devenu aigre.

Michel Strogoff, tournant la tête, aperçut un cavalier qui l'approchait rapidement *(Michel Strogoff).*

Les choses peuvent aussi *tourner mal.*

Weedon tourna un bouton électrique. L'escalier et le hall s'emplirent de lumière *(Croc-Blanc).*

Autres membres de la famille : **alentours, autour, contour, contourner, demi-tour, détour, détourné, détournement, détourner, entourage, entourer, pourtour, retour, retourner, ② et ③ tour, tourisme, touriste, touristique, tournage, tournant, tourne-disque, tournée,** en un **tournemain, tournesol, tourneur, tournevis, tourniquet, tournis, tournoiement, tournoyer, tournure.**

Famille de **tourner**

tournesol n. m.

Plante dont la fleur jaune se tourne vers le soleil. *Claire admire la grande tache jaune du champ de tournesols.*

On fait de l'huile de table avec les graines de tournesol.

Même famille que ③ **tour**

tourneur n. m.

Ouvrier qui travaille sur un tour. *Un tourneur très habile pourrait refaire cette pièce cassée.*

Prononce le *s* : [tuʀnəvis].

Le tournevis fut inventé cent ans après la vis, en 1684.

tournevis n. m.

Outil qui sert à visser et à dévisser les vis. *Ce tournevis est trop gros pour la tête de la vis.*

Famille de **tourner** et de **vis**

Famille de **tourner**

tourniquet n. m.

Appareil formé d'une croix horizontale qui tourne autour d'un axe vertical. *Un tourniquet permet de compter les visiteurs à l'entrée du musée.*

Un tourniquet géant se mit à virevolter dans l'énorme cuve *(Charlie et la Chocolaterie).*

Famille de **tourner**

Tournis [tuʀni] rime avec *manie.*

tournis n. m.

Vertige. *« Antoine, arrête de bouger, tu me donnes le tournis », dit sa mère.*

Ce mot est familier.

Les tournois étaient organisés comme des fêtes, mais les combats étaient sérieux comme à la guerre.

tournoi n. m.

1. Combat entre des chevaliers, au Moyen Âge ; vois ***joute.*** *Le tournoi était pour le chevalier un entraînement à la guerre.* **2.** Compétition sportive. *Alex a remporté le tournoi de tennis.*

Le roi de France Henri II mourut lors d'un tournoi.

Conjugaison 8 ▭ Indic. présent : *il tournoie, nous tournoyons.* Imparfait : *je tournoyais, nous tournoyions.*

tournoyer v.

Se déplacer en faisant des cercles. *Les feuilles tombent en tournoyant.* ▸ ***tournoiement*** n. m. Mouvement de ce qui tournoie. *Il regardait pensivement le tournoiement des feuilles mortes.*

Les majorettes font tournoyer leurs baguettes.

Famille de **tourner**

Famille de **tourner**

tournure n. f.

1. Forme d'une phrase, expression. *Sylvain emploie des tournures compliquées dans ses rédactions.* **2.** *La tournure des événements,* c'est la façon dont ils se passent, dont ils évoluent. *Les événements prennent une drôle de tournure.* **3.** *La tournure d'esprit,* c'est la façon de voir les choses. *Personne n'aime la tournure d'esprit de Mme Harpie : elle critique toujours tout.*

Plût à Dieu que nous n'eussions pas entrepris cette expédition ! Je n'aime pas la tournure qu'elle prend *(Croc-Blanc).*

Ivan Ogareff s'exprimait en tartare, et donnait à ses phrases la tournure emphatique qui distingue le langage des Orientaux *(Michel Strogoff).*

Au pluriel : *des tourteaux.*

tourteau n. m.

Gros crabe de l'Atlantique, à la carapace lisse et large. *La chair du tourteau est très délicate.*

En Bretagne, on appelle ces crabes des *dormeurs.*

tourterelle n. f.

Oiseau qui ressemble au pigeon, mais qui est plus petit. *Les tourterelles roucoulent sur les toits.*

Famille de **tout** et de **saint**

Toussaint n. f.

Fête catholique de tous les saints. *La Toussaint est la veille de la fête des morts.*

La Toussaint se fête le 1er novembre.

Conjugaison 1

tousser v.
Chasser de l'air par la bouche en faisant un bruit qui part de la gorge. *Antoine a une bronchite, il tousse sans arrêt.*

La fleur toussa. Mais ce n'était pas à cause de son rhume. — J'ai été sotte, lui dit-elle enfin *(le Petit Prince).*

Conjugaison 1

▹ ***toussoter*** v. Tousser doucement. *Ne voyant pas Mme Harpie dans le magasin, Julie toussota pour signaler sa présence.*

Deux *s* et un *t* dans *toussoter* et *toussotement.*

▹ ***toussotement*** n. m. Petite toux. *Entendant un toussotement, la marchande sortit de derrière le comptoir.*

Famille de **toux**

① ***tout*** adj., pronom et adv.

Il faut, autant qu'on peut, obliger tout le monde (La Fontaine).

▭ **adj. 1.** Complet, entier. *Denis Prost a travaillé toute la nuit. Tout le monde est content,* l'ensemble des gens. *J'ai tout mon temps. Alex a eu tout ce dont il rêvait. M. Bellec roule à toute vitesse,* à la plus grande vitesse possible. *Mme Séverac a un foulard de toute beauté,* très beau. **2.** *Tous les amis de Julie étaient là pour fêter son anniversaire,* l'ensemble, la totalité de ses amis. **3.** *Tous les étés, Hippolyte retourne à la Martinique,* chaque été. **4.** *Un cadeau sera offert à toute personne qui se présentera,* à n'importe quelle personne.

Blancheneige étant seule tout le jour, les bons nains lui conseillèrent la prudence *(Blancheneige).*

Pour toute réponse, Babar l'embrasse tendrement *(Babar).*

Michel Strogoff, insensible à toute fatigue, arrivait à Elamsk *(Michel Strogoff).*

▭ **pronom 1.** L'ensemble des gens dont on parle. *Les enfants sont tous rentrés.* **2.** L'ensemble des choses. *Sylvain sait toujours tout. Marie-Tévy est gentille comme tout,* très gentille. *Cela fait cent francs en tout,* au total.

Le contraire de *tout,* c'est *rien.*

On écrit toujours *tout* devant un adjectif masculin et devant un féminin commençant par une voyelle ou un *h* muet.

▭ **adv.** Entièrement, complètement. *Ce chat est encore tout jeune. Angèle rêve d'une voiture toute neuve. Ces enfants sont tout petits. Ils se sentaient tout émus. Marie-Tévy est tout étonnée.*

C'étaient deux grands bœufs tout blancs *(les Contes du Chat perché).*

▹ ② ***tout*** n. m. **1.** *Le tout,* c'est l'ensemble des choses dont on parle. *Une montre, un stylo, un bracelet, vous emportez le tout pour le prix de la montre !* **2.** *Un tout,* c'est une chose formée de plusieurs éléments. *Les membres d'une famille forment un tout.* **3.** *Le tout est de rester calme,* le plus important. **4.** *Il ne fait pas froid du tout,* absolument pas froid.

Au pluriel : *des touts.*

Au pluriel : *des tout-à-l'égout.*

▹ ***tout-à-l'égout*** n. m. invariable Système qui envoie toutes les eaux sales d'une maison dans l'égout. *En ville, la plupart des maisons ont le tout-à-l'égout.*

Même famille que **égout**

Famille de **fois**

▹ ***toutefois*** conjonction et adv. Cependant, néanmoins. *Ta rédaction est bonne, toutefois fais attention à l'orthographe. Mme Séverac est très occupée ; elle a toutefois accepté l'invitation de Sophie Pelletier avec plaisir.*

Famille de **venir**

▹ ***tout-venant*** n. m. Tout ce qui se présente. *Quand M. Bellec fait le marché, il n'achète que la meilleure qualité, il élimine le tout-venant.*

Autres membres de la famille : **fait-tout, fourre-tout, partout, passe-partout, risque-tout, surtout, toujours, Toussaint, va-tout,** à tout **venant.**

Toux [tu] rime avec *tout.*

toux n. f.
Bruit que l'on fait quand on tousse. *La bronchite est caractérisée par de fréquents accès de toux.*

Autres membres de la famille : **tousser, toussoter, toussotement.**

Autres membres de la famille : **désintoxication, intoxiquer, intoxication.**

toxique adj.
Un produit toxique, c'est un poison. *Les voitures rejettent des gaz toxiques. Ce champignon est toxique ;* vois ***vénéneux.***

toxicomane n. m. et f.
Personne qui se drogue ; vois ***drogué.*** *Dans cet hôpital, on soigne les toxicomanes.*

Trac [tʀak] rime avec *matraque.*

trac n. m.
Peur que l'on ressent avant de paraître ou de s'exprimer en public, de subir une épreuve. *Beaucoup de comédiens ont le trac avant d'entrer en scène.*

On peut aussi avoir le trac avant de passer un examen.

Conjugaison 1

tracasser v.
Donner du souci ; vois ***tourmenter.*** *Cette idée le tracassait de plus en plus. — Ne vous tracassez pas, tout ira bien,* ne vous faites pas de souci.

▹ ***tracas*** n. m. Souci, tourment. *Alex donne du tracas à sa mère.*

▹ ***tracasserie*** n. f. Ennui ou difficulté sans grande importance. *Le gouvernement a décidé de simplifier les tracasseries administratives.*

Conjugaison 3 ▭ N'oublie pas la cédille du *ç* devant *a* et *o.*

tracer v.
1. Dessiner avec des traits. *Les architectes tracent les plans des maisons. Le professeur a tracé un triangle au tableau.* **2.** Indiquer un chemin en faisant une trace ; vois ***frayer.*** *Le passage des tracteurs a tracé une ornière le long du champ.*

À mon tour, j'ai réussi, avec un crayon de couleur, à tracer mon premier dessin *(le Petit Prince).*

▸ ***tracé*** n. m. Dessin fait de traits simples. *Les cartes routières indiquent le tracé des routes et des autoroutes.*

Cachez-moi, les chiens sont sur ma trace. Ils veulent me manger. Défendez-moi *(les Contes du Chat perché).*

▸ ***trace*** n. f. **1.** Empreinte ou suite d'empreintes que laisse le passage de quelque chose. *On peut suivre la trace d'un chamois dans la neige fraîche ;* vois ***piste.*** **2.** Marque. *Le visage de Denis Prost portait les traces d'une nuit sans sommeil.* **3.** Ce qui reste d'une chose passée. *Au Pérou, on a retrouvé les traces de civilisations disparues ;* vois ***reste, vestige.*** **4.** Très petite quantité. *On a trouvé des traces de poison dans l'estomac de la victime.*

Autre membre de la famille : **retracer.**

On dit aussi la *trachée-artère.*

trachée n. f.

Conduit qui va de la gorge aux bronches, et par où passe l'air que l'on respire. *On sent la trachée quand on touche l'avant du cou.*

Prononce bien toutes les lettres : [tʀakt].

tract n. m.

Feuille de papier sur laquelle sont imprimées des idées que l'on veut faire connaître. *Les écologistes distribuent aux passants des tracts appelant à une réunion sur la protection de la nature.*

Ce mot est le plus souvent au pluriel.

tractation n. f.

Discussion longue dans laquelle on négocie pour obtenir quelque chose ; vois ***négociation.*** *Après d'interminables tractations, Alex a obtenu de sa mère l'autorisation de retourner au Canada.*

tracteur n. m.

Véhicule à moteur qui sert à tirer des remorques ou des machines agricoles. *Perché sur son tracteur, Pierre Séverac laboure le champ.*

traction n. f.

1. Force qui permet de tirer. *En France, on n'utilise plus guère la traction animale,* on n'utilise plus guère les animaux pour tirer les charrettes, les véhicules. *Angèle a une voiture à traction avant,* une voiture dont le moteur fait tourner les roues avant. **2.** Mouvement de gymnastique qui consiste à tirer le poids de son corps avec les bras. *Alex fait vingt tractions de suite à la barre fixe.*

De nombreux trains utilisent la traction électrique.

Il existe aussi des *tractions arrière.*

On dit que la voiture est une *traction avant.*

tradition n. f.

Habitude qui vient du passé, qui se transmet de génération en génération ; vois ***coutume.*** *Le docteur Séverac est attaché aux traditions de sa famille.*

Deux ***n*** à *traditionnel.*

▸ ***traditionnel*** adj. Qui se fait selon la tradition. *Le docteur Séverac aime les fêtes traditionnelles.*

Conjugaison 38 ▭ Indic. présent : *je traduis, nous traduisons, ils traduisent.* Imparfait : *je traduisais.* Futur : *je traduirai.* — Subj. présent : *que je traduise.*

traduire v.

1. Exprimer dans une langue ce qui l'était dans une autre. *L'interprète traduit en français le discours du ministre suédois.* **2.** Exprimer, montrer, par le langage ou d'une autre façon. *Les émeutes traduisent la misère du pays. — La joie de Julie se traduisit par un large sourire.*

▸ ***traducteur*** n. m., ***traductrice*** n. f. Personne dont le métier est de traduire des textes. *Elle est traductrice de textes scientifiques.*

Va voir aussi ***interprète.***

▸ ***traduction*** n. f. Ce que l'on fait quand on traduit un texte d'une langue dans une autre. *La traduction de ce roman est excellente.*

trafic n. m.

1. Circulation des voitures, des trains ou des autres véhicules. *Aux heures de pointe, il y a beaucoup de trafic dans les grandes villes.* **2.** Commerce interdit par la loi. *Le trafic de drogue est sévèrement puni.*

On parle du *trafic routier,* du *trafic ferroviaire,* du *trafic maritime* et du *trafic aérien.*

Conjugaison 1

▸ ***trafiquer*** v. **1.** Faire du trafic, se livrer à un commerce interdit. *Le poète Rimbaud trafiqua des armes en Abyssinie.* **2.** Modifier un objet de façon illégale ou anormale. *Alex a trafiqué le moteur de sa mobylette pour qu'elle aille plus vite.*

▸ ***trafiquant*** n. m., ***trafiquante*** n. f. Personne qui fait du trafic. *Un trafiquant de drogue a été condamné à mort en Thaïlande.*

tragédie n. f.

1. Pièce de théâtre dont les héros subissent des malheurs terribles. *« Le Cid » et « Horace » sont deux tragédies de Corneille.* **2.** Événement terrible. *Le naufrage du « Titanic » a été une terrible tragédie qui a fait de nombreuses victimes.*

Andromaque et *Britannicus* sont des tragédies de Racine.

Le contraire de *tragédie,* c'est *comédie.*

C'est un événement *tragique.*

tragique adj.

1. *Corneille est un auteur tragique,* un auteur de tragédies. *« Horace » est une pièce tragique,* une tragédie. 2. Dramatique, émouvant, terrible. *L'aventure s'est terminée de façon tragique.*

Prendre une chose au tragique, c'est en faire un drame, s'en inquiéter trop.

▸ ***tragiquement*** adv. D'une manière tragique ; vois ***dramatiquement.*** *L'alpiniste périt tragiquement, victime d'une avalanche.*

Conjugaison 2
N'oublie pas le ***h.***

Celui qui trahit est un *traître.*

trahir v.

1. *Trahir quelqu'un,* c'est cesser de lui être fidèle, l'abandonner, le dénoncer. *Le bandit arrêté a trahi ses complices;* vois ***livrer.*** 2. *M. Bonnot dut s'arrêter ; ses forces le trahissaient,* le lâchaient. 3. Faire connaître ce qui aurait dû rester caché. *Julie s'était cachée derrière les rideaux, mais un éternuement la trahit. Antoine jure à Marie-Tévy qu'il ne trahira pas son secret ;* vois ***divulguer, révéler.*** 4. *Se trahir,* c'est laisser apparaître malgré soi ce que l'on voulait cacher. *Yasmina était très émue ; son émotion s'est trahie par une violente rougeur.*

Jeanne d'Arc est née
à Domrémy.
C'est les Anglais qui l'ont trahie
Do ré mi (comptine).

Michel Strogoff [...], voué à l'incognito, n'était pas homme à se trahir *(Michel Strogoff).*

Elle s'est trahie en rougissant.

▸ ***trahison*** n. f. Action de trahir. *Pendant la guerre, la trahison est punie très sévèrement.*

Famille de **traîner**

Le premier train circula en 1825, en Angleterre, sur une distance de cinquante kilomètres.

① train n. m.

1. Ensemble formé par une locomotive et les wagons qu'elle traîne. *Antoine a manqué le train de 20 h 17 ; il prendra le prochain.* 2. File de choses qui viennent l'une derrière l'autre. *Un train de péniches descend le fleuve.* 3. *Le train d'atterrissage,* c'est l'ensemble des roues d'un avion. *Le pilote rentre le train d'atterrissage après le décollage.*

Va voir aussi ***chemin de fer.***

Il existe des omnibus, des express, des rapides et des T. G. V. (trains à grande vitesse).

On parle aussi du *train de devant* pour désigner la partie avant du corps d'un animal.

② train n. m.

Le train de derrière d'un animal, c'est la partie arrière de son corps. *Le chat est tombé du dixième étage ; il a eu le train de derrière cassé.*

Autre membre de la famille :
arrière-train.

③ train n. m.

1. Allure, vitesse. *À ce train-là, les choses n'avanceront pas vite. La voiture roulait à fond de train,* à grande vitesse. 2. *Le train de vie,* c'est la façon dont on dépense son argent pour sa vie de tous les jours. *Les Séverac ont un train de vie supérieur à celui des Bellec.* 3. *Être en train de faire quelque chose,* c'est le faire précisément au moment où l'on se situe. *Yves est en train de lire.*

Ali Baba distingua une troupe nombreuse de cavaliers qui venaient d'un bon train
(les Mille et Une Nuits).

Autres membres de la famille :
boute-en-train, entrain, train-train.

N'oublie pas l'accent circonflexe du ***î.***

traîner v.

1. Tirer derrière soi. *Ne traîne pas ta chaise, porte-la. Julie, fatiguée, traînait la jambe,* elle avait du mal à marcher. — *Le blessé s'est traîné jusqu'à la porte,* il y est allé en se déplaçant comme il pouvait. 2. Pendre à terre en balayant le sol. *Sa longue jupe traînait par terre.* 3. Être posé n'importe où, être mal rangé. *Les vêtements de Julie traînaient sur son lit.* 4. Durer trop longtemps. *La réunion traînait en longueur,* elle s'éternisait. 5. Aller trop lentement, s'attarder. *Antoine et Yves traînent en revenant de l'école ;* vois ***musarder.***

Conjugaison 1

Michel Strogoff se traîna, en tâtonnant, vers l'endroit où sa mère était tombée
(Michel Strogoff).

Tous les enfants qui traînaient par là, jouant aux billes ou à n'importe quoi, se précipitent pour voir passer les éléphants
(Babar).

▸ ***traînard*** n. m., ***traînarde*** n. f. Personne qui reste en arrière d'un groupe qui marche. *Dépêchez-vous, les traînards !*

Autres membres de la famille :
① **train, aérotrain,**
① **entraîner, entraînant.**

▸ ① *à la* ***traîne*** adv. En arrière d'un groupe qui marche. *Claire est restée à la traîne.*

▸ ② ***traîne*** n. f. Bas d'un manteau ou d'une robe qui traîne à terre. *Une demoiselle d'honneur tient la traîne de la mariée.*

▸ ***traîneau*** n. m. Véhicule fait pour glisser sur la neige. *Les traîneaux des Esquimaux sont tirés par des chiens.*

Des courroies de cuir sanglaient les chiens et des harnais les attachaient à un traîneau qui suivait *(Croc-Blanc).*

Les traîneaux, comme les luges, ont des patins.

▸ ***traînée*** n. f. Longue trace laissée par quelque chose. *Les comètes laissent des traînées lumineuses dans le ciel.*

Famille de ③ **train**

train-train n. m.

Manière dont les choses se passent habituellement, sans surprise ; vois ***routine.*** *Les vacances nous changeront du train-train quotidien.*

Conjugaison 50

On trait aussi les chèvres et les brebis.

traire v.

La fermière trait les vaches matin et soir, elle presse leurs pis pour en tirer le lait.

Autre membre de la famille :
① **traite.**

Ne confonds pas *trait* et *très.*

trait n. m.

1. Petite ligne. *Soulignez les verbes d'un trait rouge. Marie-Tévy dessine un chat en trois traits de crayon.* **2.** *Les traits,* ce sont les lignes du visage ; vois ***physionomie.*** *Yasmina a les traits réguliers.* **3.** Caractéristique, chose qui permet de reconnaître quelqu'un ou quelque chose. *Yves a des traits de caractère de son oncle.* **4.** *Un trait de génie,* c'est une idée, une manifestation de génie. *Ce compositeur a eu là un trait de génie.* **5.** *Avoir trait à une chose,* c'est s'y rapporter, avoir rapport à elle. *Les enfants ont recopié tout ce qui a trait à l'histoire de leur ville,* tout ce qui la concerne. **6.** *Boire d'un trait,* c'est boire d'un coup. *Yves avala son verre de lait d'un seul trait.* **7.** *Un animal de trait,* c'est un animal qui sert à tirer des voitures. *Autrefois, il y avait quatre chevaux de trait à la ferme.*

Les traits de Wassili Fédor rappelaient remarquablement ceux de sa fille Nadia Fédor *(Michel Strogoff).*

On parle aussi d'un *trait de courage, de bravoure.*

Maintenant, on utilise des tracteurs.

Autre membre de la famille : **trait d'union.**

Famille de **traiter**

traitant adj.

Le médecin traitant, c'est le médecin qui s'occupe habituellement d'un malade. *Le docteur Séverac est le médecin traitant des Bellec.*

Famille de **trait** et même famille que **union** *Trait d'union* s'écrit sans trait d'union.

trait d'union n. m.

Petit trait horizontal que l'on met entre les parties de certains mots composés. *Le mot « arc-en-ciel » comporte deux traits d'union.*

On met aussi un trait d'union entre le verbe et le pronom qui le suit : *Crois-tu ? Fais-le.*

Famille de **traire**

① **traite** n. f.

Action de traire. *La traite des vaches s'effectue à la main ou à la machine.*

② **traite** n. f.

La traite des nègres, autrefois, c'était le commerce des esclaves noirs. *La traite des nègres, au XVIIe et au XVIIIe siècle, se faisait dans des conditions horribles.*

③ **traite** n. f.

Nous avons fait le voyage d'une seule traite, sans nous arrêter, en une seule fois.

Conjugaison 1

traiter v.

1. Agir d'une certaine façon envers quelqu'un. *M. Bellec, le patron du restaurant, traite bien son personnel,* il se conduit bien envers lui. *La directrice de l'école traite durement les enfants,* elle est dure envers eux. **2.** Soigner. *Le docteur Séverac a traité M. Bonnot pour son diabète.* **3.** *M. Bellec s'est fait traiter de chauffard,* on l'a insulté en l'appelant ainsi. **4.** *Les cultures sont traitées aux insecticides,* soumises à l'action des insecticides. **5.** *Traiter un problème,* c'est l'étudier et le discuter. *Ce livre traite du racisme.* **6.** *M. Bellec traite toujours avec les mêmes fournisseurs,* il conclut des marchés avec eux ; vois ***négocier.***

Ils m'ont traité comme un espion ! J'agirai comme un espion ! *(Michel Strogoff).*

▸ **traité** n. m. **1.** Livre qui étudie un problème systématiquement ; vois ***manuel.*** *Angèle lit un traité sur l'éducation des enfants.* **2.** Accord entre des pays ; vois ***pacte.*** *Le traité de Versailles, en 1919, mit fin à la Première Guerre mondiale.*

▸ **traitement** n. m. **1.** Façon de se conduire envers quelqu'un. *Julie a eu un traitement de faveur le jour de son anniversaire : elle s'est couchée très tard.* **2.** Salaire d'un fonctionnaire. *Angèle reçoit son traitement le 25 du mois.* **3.** Manière de soigner un malade ; vois ***soin.*** *M. Bonnot suit un traitement pour le diabète.*

▸ **traiteur** n. m. Personne dont le métier est de cuisiner des plats que l'on peut acheter et manger chez soi. *Le charcutier est aussi traiteur.*

Autres membres de la famille : **traitant, intraitable, maltraiter.**

Le féminin *traîtresse* n'est plus employé que par plaisanterie.

Prendre quelqu'un en traître, c'est agir d'une façon sournoise, par surprise.

traître n. m. et adj.

▭ **n. m.** Personne qui trahit ; vois ***parjure, renégat.*** *Les traîtres ont été fusillés.*

▭ **adj. 1.** Coupable d'avoir trahi ; vois ***fourbe, infidèle.*** *Ganelon, le chevalier traître, causa la mort de Roland à Roncevaux.* **2.** *Antoine ne savait pas un traître mot de sa leçon,* pas un seul mot.

Le plan de ce traître était de se faire agréer du grand-duc sous un faux nom *(Michel Strogoff).*

Le contraire de *traître,* c'est *fidèle, loyal.*

N'oublie pas l'accent circonflexe du *î.*

▸ **traîtrise** n. f. Action par laquelle on trahit. *Ganelon se rendit coupable de traîtrise.*

Le contraire de *traîtrise,* c'est *fidélité, loyauté.*

trajectoire n. f.
Chemin que suit un corps qui se déplace. *Les ordinateurs de l'avion calculent sa trajectoire.*

La trajectoire d'une planète, c'est son *orbite.*

trajet n. m.
Chemin à parcourir pour aller d'un endroit à un autre ; vois ***parcours, voyage.*** *M*[me] *Hespel a une demi-heure de trajet pour se rendre à son bureau.*

trame n. f.
1. Ensemble des fils d'un tissu qui sont passés dans la largeur. *Antoine joue sur un vieux tapis usé jusqu'à la trame.* **2.** *La trame d'une histoire,* c'est le déroulement des événements. *L'auteur nous a raconté la trame de son roman.*

Les fils de *trame* et les fils de *chaîne* forment le tissu.

Conjugaison 1

▸ ***tramer*** v. Combiner, comploter, manigancer. *Les conspirateurs ont tramé un complot.*

trampoline n. m.
Sport qui consiste à faire des sauts sur une toile tendue par des ressorts. *Les enfants ont fait du trampoline avec le professeur de gymnastique.*

La toile sur laquelle on saute s'appelle aussi *trampoline.*

Conjugaison 1

trancher v.
1. Couper avec un instrument dur et fin. *Le boucher a tranché la tête du canard.* **2.** Décider d'une manière franche et énergique pour régler une question. *Quand les conseillers municipaux ne sont pas d'accord sur l'ordre du jour, c'est le maire qui tranche.* **3.** Faire un contraste, se distinguer ; vois ***ressortir.*** *L'éclat du collier de perles tranche sur le fond noir de la robe.*

Trancher dans le vif, c'est employer les grands moyens, agir de façon énergique.

▸ ***tranchant*** adj. et n. m.

Aussitôt ta queue se rétrécira et se partagera en ce que les hommes appellent deux belles jambes. Mais je te préviens que cela te fera souffrir comme si l'on te coupait avec une épée tranchante *(la Petite Sirène).*

□ **adj. 1.** *Un instrument tranchant,* c'est un instrument dur et fin, qui coupe bien ; vois ***coupant.*** *Les ciseaux sont des instruments tranchants.* **2.** *Un ton tranchant,* c'est le ton dur d'une personne qui décide sans que l'on puisse répondre ; vois ***cassant, catégorique, coupant, péremptoire.*** *M*[me] *Harpie a répondu d'un ton tranchant à sa sœur.*

Le contraire de *tranchant,* c'est *émoussé.*

Le contraire de *tranchant,* c'est *conciliant, hésitant.*

□ **n. m.** Côté mince et coupant d'un instrument tranchant. *Loïc aiguise le tranchant du couteau.*

▸ ***tranché*** adj. Qui se distingue nettement. *M. Bellec a des opinions tranchées sur tout,* nettes et catégoriques.

Un croque-monsieur est composé de deux tranches de pain de mie, d'une tranche de jambon et d'une tranche de fromage.

▸ ***tranche*** n. f. **1.** Morceau mince coupé dans la largeur. *Antoine a mangé deux tranches de gigot.* **2.** Bord mince d'un objet. *La pièce a roulé sur la tranche.* **3.** Partie d'un ensemble. *Les élèves sont répartis par tranches d'âge.*

▸ ***tranchée*** n. f. Trou long et étroit creusé dans le sol ; vois ***fossé.*** *Les canalisations sont enterrées dans une tranchée.*

Autres membres de la famille : **retrancher, retranchement.**

Prononce [tʀɑ̃kil].

tranquille adj.

L'atmosphère était absolument tranquille, mais d'un calme menaçant *(Michel Strogoff).*

Deux *l.* L'oiseau ne serait pas tranquille sans ses deux ailes.

1. Calme, immobile, silencieux. *Les Séverac habitent un quartier tranquille. Claire dort d'un sommeil tranquille,* calme et régulier. **2.** Peu remuant, qui n'a pas besoin de bouger beaucoup ; vois ***paisible.*** *Sylvain est un petit garçon tranquille.* **3.** Qui, pour un moment, ne bouge pas. *Les enfants, restez tranquilles ;* vois ***gentil, sage.*** **4.** Qui éprouve un sentiment de sécurité, de paix. *Soyez tranquille, tout se passera bien,* ne vous inquiétez pas.

Le contraire de *tranquille,* c'est *agité.*

Soyez tranquilles, promirent les vaches. Vous pouvez compter sur nous. On ne nous verra ni dans les trèfles ni à la rivière *(les Contes du Chat perché).*

Le contraire de *tranquille,* c'est *anxieux, inquiet.*

▸ ***tranquillement*** adv. Calmement, paisiblement. *Claire était en train de jouer tranquillement dans le jardin.*

Conjugaison 1

▸ ***tranquilliser*** v. Calmer ; vois ***rassurer.*** *Ton coup de téléphone m'a tranquillisé. — Tranquillisez-vous,* rassurez-vous.

Le contraire de *tranquilliser,* c'est *affoler, inquiéter.*

▸ ***tranquillisant*** n. m. Médicament qui calme, qui rend moins nerveux ; vois ***calmant.*** *M*[me] *Séverac prend des tranquillisants quand elle est énervée.*

▸ ***tranquillité*** n. f. Calme. *M. Bonnot tient à sa tranquillité.*

Le contraire de *tranquillité,* c'est *agitation.*

transaction n. f.

Dix races différentes de négociants [...] fraternisaient sous l'influence des transactions commerciales *(Michel Strogoff).*

Opération effectuée entre un acheteur et un vendeur dans les marchés commerciaux ; vois ***échange.*** *Les agents de change font des transactions financières.*

Transat [tʀɑ̃zat] rime avec *acrobate.*

transat n. m.
Chaise longue en toile. *Sophie Pelletier s'est endormie au soleil sur son transat.*

On dit aussi un *transatlantique.*

transatlantique n. m.
Paquebot qui traverse l'Atlantique, entre l'Europe et l'Amérique. *Le paquebot « France » était un transatlantique.*

Les avions ont peu à peu remplacé les transatlantiques.

Je sortis de l'état de transe où m'avaient jeté une peur et une joie poussées à l'extrême *(le Lion).*

transe n. f.
Vive inquiétude, grande peur ; vois ***angoisse, anxiété, crainte, tourment.*** *Les candidats sont dans les transes en attendant la proclamation des résultats de l'examen.*

Conjugaison 6 ▭ Indic. présent : *je transfère, nous transférons.*

transférer v.
Faire changer de lieu ; vois ***transporter.*** *Le prisonnier a été transféré à Paris. Le bureau de Mme Hespel va être transféré dans un nouveau bâtiment.*

Les cendres de Napoléon furent transférées aux Invalides en 1840.

transfert n. m.
Déplacement d'un lieu dans un autre ; vois ***transport.*** *Le transfert des cendres de Napoléon eut lieu en 1840.*

Conjugaison 1

transfigurer v.
Transformer en donnant une beauté éclatante et inhabituelle ; vois ***métamorphoser.*** *Le bonheur l'a transfiguré.*

Famille de **figure**

Conjugaison 1
Famille de **forme**

transformer v.
Changer, modifier, donner une autre forme. *M. Bellec veut transformer son restaurant. La fée a transformé la citrouille en carrosse. — Le têtard se transforme en grenouille.*

Transformer un essai, au rugby, c'est envoyer le ballon, que l'on a posé au sol, entre les poteaux du but adverse.

Je suivis d'étape en étape [...] la transformation prodigieuse qui, du bébé-lion, bercé par une fillette, avait fait la bête magnifique de puissance et de majesté *(le Lion).*

▸ ***transformation*** n. f. **1.** Opération par laquelle on transforme. *Des centrales permettent la transformation de l'énergie hydraulique en électricité.* **2.** Changement apporté. *M. Bellec veut faire des transformations dans son restaurant,* il veut y faire des aménagements, des travaux.

▸ ***transformateur*** n. m. Appareil qui permet de modifier la tension d'un courant électrique. *Il faut un transformateur pour brancher une machine fonctionnant en 110 volts sur du 220 volts.*

On abrège souvent ce mot en *transfo.*

transfusion n. f.
Faire une transfusion à quelqu'un, c'est lui faire passer dans les veines le sang d'une autre personne. *Un blessé qui a perdu beaucoup de sang a besoin d'une transfusion.*

Les transfusions ont lieu entre personnes de même groupe sanguin.

Conjugaison 1

transgresser v.
Ne pas respecter un ordre, une règle ; vois ***désobéir, enfreindre, violer.*** *Un criminel est un homme qui transgresse les lois.*

transhumance n. f.
Déplacement du bétail qui va dans la montagne en été. *Les troupeaux ont commencé la transhumance.*

[Le loup] s'en allait [...] transi par le froid et par le chagrin *(les Contes du Chat perché).*

transi adj.
Engourdi par le froid. *Julie, restée trop longtemps dans l'eau froide, est revenue transie de la plage.*

Un *amoureux transi* est timide et sans espoir.

Conjugaison 3 ▭ Indic. présent : *nous transigeons.* Imparfait : *je transigeais.*

transiger v.
Faire des concessions ; vois ***céder.*** *Les élèves doivent arriver à l'heure à l'école, la maîtresse ne transige pas sur ce point.*

Autres membres de la famille : **intransigeant, intransigeance.**

transistor n. m.
Poste de radio portatif. *Les Bellec ont emporté leur transistor en vacances.*

Transit [tʀɑ̃zit] rime avec *visite* et *parasite.*

transit n. m.
Être en transit dans un pays, c'est juste traverser un pays, sans passer les contrôles de la douane. *Les passagers en transit attendent le départ de l'avion.*

Autre membre de la famille : **intransitif.**
Manger, apprendre, donner sont des verbes transitifs.

transitif adj.
Un verbe transitif, c'est un verbe qui peut avoir un complément d'objet. *Les verbes transitifs peuvent être mis à la voix passive.*

Le contraire de *transitif,* c'est *intransitif.*

transition n. f.
Passage progressif d'un état à un autre. *L'automne est la transition entre l'été et l'hiver.*

Sans transition : brusquement.

transitoire adj.

Le contraire de *transitoire,* c'est *durable, permanent.*

Une chose transitoire, c'est une chose qui ne dure pas ; vois ***passager.*** *L'adolescence est une période transitoire entre l'enfance et l'âge adulte.*

C'est une *transition.*

translucide adj.

Compare *trans**luc**ide* et ***luc**arne* : quelque chose **luit.**

Une matière translucide, c'est une matière qui laisse passer la lumière mais ne permet pas de distinguer nettement les objets à travers. *La vitre de la salle de bains est translucide.*

Va voir aussi ***transparent.***

Conjugaison 56

transmettre v.
1. Faire passer d'une personne à une autre. *Mamie Lou a transmis à ses enfants le goût de la nature. Je lui transmettrai le message. Nathalie a attrapé la rougeole et l'a transmise à son frère. — La rougeole se transmet facilement.* **2.** Faire passer d'un endroit à un autre. *Le métal transmet la chaleur ;* vois ***conduire.***

Famille de **mettre**

La rougeole est une maladie contagieuse.

▸ **transmissible** adj. *Une maladie transmissible,* c'est une maladie qui se transmet ; vois ***contagieux.*** *La rougeole est une maladie transmissible.*

▸ **transmission** n. f. **1.** Le fait de transmettre. *Je me charge de la transmission du message.* **2.** Déplacement d'un endroit à un autre. *Dans une bicyclette, la transmission du mouvement du pédalier se fait par la chaîne.* **3.** *Les transmissions :* l'ensemble des moyens destinés à transmettre les informations ; vois ***communication.*** *Hippolyte a été sergent dans le service des transmissions.*

La *transmission de pensée,* c'est la communication directe entre les esprits sans passer par la parole ; vois ***télépathie.***

Conjugaison 57 ▭

transparaître v.
Se montrer à travers quelque chose ; vois ***apparaître, paraître.*** *Le jour transparaît à travers les rideaux. La joie transparaissait sur le visage de David,* elle était visible.

Famille de **paraître**

transparent adj.

Les nains firent à Blancheneige un cercueil de verre transparent, afin qu'on pût la voir de tous les côtés *(Blancheneige).*

Qui laisse passer la lumière et laisse voir nettement les objets qui sont derrière. *L'eau du torrent est transparente ;* vois ***cristallin, limpide.***

▸ **transparence** n. f. Qualité d'un corps transparent. *La transparence de l'eau du torrent permet de voir les truites ;* vois ***limpidité.***

Va voir aussi ***translucide.***

La nuit était transparente. On distinguait dans l'obscurité les lignes sèches des arbres épineux *(le Lion).*

Conjugaison 3 ▭ N'oublie pas la cédille du ***ç*** devant ***a*** et ***o***.

transpercer v.
1. Percer complètement, de part en part. *Le mousquetaire transperça son ennemi de son épée.* **2.** Passer au travers, pénétrer. *Une petite pluie fine transperçait les vêtements ;* vois ***traverser.***

Famille de **percer**

Une fausse manœuvre et nous étions transpercés [...] par les cornes tranchantes *(le Lion).*

Conjugaison 1

transpirer v.

Le bruit [...] de l'invasion tartare n'était pas sans avoir transpiré quelque peu *(Michel Strogoff).*

1. Être en sueur ; vois ***suer.*** *M. Bellec transpirait à grosses gouttes en transportant l'armoire.* **2.** Finir par être connu. *L'information a transpiré.*

▸ **transpiration** n. f. Sécrétion de la sueur par les pores de la peau. *M. Bellec était en transpiration,* il était couvert de sueur.

Malgré le froid du vent, Lullaby sentait la brûlure du soleil. Elle transpirait sous ses habits *(Lullaby).*

Conjugaison 1

transplanter v.
1. Sortir une plante de terre pour la planter ailleurs. *Odile Séverac transplante les plants de laitue ;* vois ***repiquer.*** **2.** *Transplanter un organe,* c'est l'enlever à quelqu'un pour le mettre à un malade. *On peut sauver des cardiaques en leur transplantant un cœur.*

Famille de **planter**

C'est une opération qui s'appelle une *transplantation* cardiaque.

Conjugaison 1

transporter v.

L'âne transportera notre déjeuner dans la forêt de Moulins ; nous étalerons notre déjeuner sur l'herbe *(les Petites Filles modèles).*

1. Déplacer d'un endroit à un autre en portant. *Le blessé a été immédiatement transporté à l'hôpital.* **2.** Enchanter ; vois ***enthousiasmer.*** *Ce spectacle nous a transportés,* il nous a beaucoup plu.

Famille de **porter**

Elles furent plus de deux jours sans manger, tant elles étaient transportées de joie *(Cendrillon).*

▸ **transport** n. m. Manière de déplacer sur une distance assez longue. *Le train assure le transport des voyageurs et des marchandises.*

Le train est un *moyen de transport.*

▸ **transporteur** n. m. Personne qui se charge de transporter des marchandises ou des personnes. *Les marchandises ont été acheminées par un transporteur routier.*

Conjugaison 1

transvaser v.
Faire couler d'un récipient dans un autre. *M. Bellec transvase le vin de la bouteille dans une carafe.*

Famille de ① **vase**

Au masculin pluriel : *transversaux.*

transversal adj.
Une rue transversale, c'est une rue qui en coupe une autre perpendiculairement. *Angèle habite près de la rue Victor-Hugo, dans une rue transversale.*

trapèze n. m.
1. Figure géométrique qui a quatre côtés dont deux sont parallèles. *Les côtés parallèles du trapèze sont ses bases.* **2.** Appareil de gymnastique composé d'une barre de bois horizontale suspendue par les extrémités à deux cordes. *Les acrobates faisaient du trapèze volant,* ils sautaient d'un trapèze à un autre en se balançant.
▸ ***trapéziste*** n. m. et f. Acrobate qui fait du trapèze. *Antoine a été ébloui par les numéros des trapézistes.*

Va voir aussi ***chausse-trape.***

trappe n. f.
1. Piège pour les animaux, formé d'un trou recouvert de branchages. *Un tigre, pris dans la trappe, rugissait terriblement.* **2.** Trou fait dans un plancher ou dans un plafond, fermé par un panneau, qui permet d'aller à la cave ou au grenier. *M. Bellec descend à la cave par la trappe de la cuisine.*
▸ ***trappeur*** n. m. Homme dont le métier est de chasser des animaux pour vendre leur fourrure, en Amérique du Nord. *Les trappeurs passent des mois, seuls, dans la forêt enneigée.*

Autres membres de la famille : **attraper, attrape, rattraper, rattrapage.**

trapu adj.
Une personne trapue, c'est une personne petite et large ; vois ***épais, râblé.*** *M. Bellec est trapu.*

Le contraire de *trapu,* c'est *élancé, mince.*

Conjugaison 1

traquer v.
Traquer un animal, c'est le poursuivre en resserrant toujours le cercle que l'on fait autour de lui. *Le cerf, traqué, se trouva coincé au bord d'un ravin.*
▸ ***traquenard*** n. m. Piège ; vois ***guet-apens.*** *Le malfaiteur a été pris dans le traquenard tendu par la police.*

On dit que la police *traque* un malfaiteur, quand elle le poursuit sans cesse.

Conjugaison 1

traumatiser v.
Choquer violemment. *Ses échecs répétés au baccalauréat ont traumatisé Alex.*

Traumatiser, c'est provoquer un *traumatisme.*

traumatisme n. m.
1. Choc, trouble provoqué par un coup, une blessure grave. *Une chute sur la tête peut occasionner un traumatisme crânien.* **2.** Choc provoqué par une émotion violente. *La séparation des parents peut être un traumatisme pour les enfants.*

Va voir aussi ***traumatiser.***

Conjugaison 1

Le père et la mère, les voyant occupés à travailler, s'éloignèrent d'eux insensiblement *(le Petit Poucet).*

travailler v.
1. Avoir un métier. *M*[me] *Roussel a commencé à travailler à seize ans.* **2.** Faire une chose avec un certain effort, pour obtenir un résultat utile. *Alex a été recalé à son bac parce qu'il n'a pas assez travaillé.* **3.** Modifier une chose par une action suivie. *Pierre Séverac travaille la terre ;* vois ***cultiver.*** *« Tu dois travailler le style de tes rédactions, Julie ! » ;* vois ***perfectionner.*** *Sylvain travaille son morceau de piano ;* vois ***étudier.*** **4.** Se déformer, se modifier. *La porte ne ferme plus bien parce que le bois a travaillé sous l'effet de l'humidité.*

Le contraire de *travailler,* c'est *s'amuser, se reposer.*

▸ ***travail*** n. m. **1.** Activité, occupation qui permet de gagner de l'argent ; vois ***emploi, fonction, profession.*** *M. Doucet a changé de travail l'année dernière.* **2.** Activité faite en vue d'un résultat utile. *M*[me] *Hespel est surchargée de travail. Le travail scolaire plaît à Sylvain.* **3.** Chose précise que l'on a à faire ; vois ***tâche.*** *Montrez-moi votre travail.* **4.** Manière dont un objet est fait. *M*[me] *Hespel regarde une table en admirant la beauté du travail.* **5.** *Des travaux,* ce sont des choses à faire, qui demandent du temps et des moyens techniques. *Sophie Pelletier n'aime pas les travaux ménagers. M. Bellec envisage de faire des travaux dans son restaurant,* des aménagements, des réparations ; vois ***transformation.*** **6.** *Les travaux d'un*

Les parents avaient perdu l'habitude de crier et de menacer, et le travail était devenu pour tout le monde un plaisir *(les Contes du Chat perché).*

Autrefois, les bagnards étaient condamnés aux *travaux forcés.*

Les chômeurs sont des gens sans travail.

Le contraire de *travail,* c'est *inaction, oisiveté, repos.*

Un travail de Romain, c'est un travail énorme.

« Pendant la durée des travaux, le magasin reste ouvert. »

scientifique, ce sont ses recherches. *La découverte du vaccin contre la rage a été le résultat des travaux de Pasteur.*

▸ ***travailleur*** n. m. et adj., ***travailleuse*** n. f. et adj. **1.** n. Personne qui travaille, qui exerce un métier. *Les travailleurs de cette entreprise qui a des difficultés sont inquiets pour leur emploi.* **2.** adj. *Une personne travailleuse,* c'est une personne qui travaille beaucoup et aime travailler. *Yasmina est une élève travailleuse ;* vois ***consciencieux, courageux.***

C'est un plaisir d'avoir des petites si obéissantes et si travailleuses *(les Contes du Chat perché).*

Les ouvriers et les paysans sont des *travailleurs manuels.*

Le contraire de *travailleur,* c'est *fainéant, paresseux.*

travée n. f.

Partie d'une voûte ou d'un pont comprise entre deux piliers. *La travée centrale de l'église est la plus haute.*

① travers n. m.

1. *Julie s'endormit en travers du lit,* dans le sens de la largeur. **2.** *Denis Prost se fraye un chemin à travers la foule,* au milieu de la foule. *On voit les élèves à travers la vitre,* par la vitre. **3.** *Le ciré de Loïc est usé, la pluie passe au travers,* elle le traverse, elle passe d'un côté à l'autre. **4.** *Mme Harpie a le nez de travers,* pas droit. *M. Bonnot a mis sa casquette de travers,* de côté. *Yves a compris de travers,* il a mal compris.

▸ ② ***travers*** n. m. Défaut. *Tout le monde a ses petits travers.*

Quelle curieuse impression cela fait de passer à travers les nuages *(Babar).*

Va voir *avaler de travers* à ***avaler.***

Va voir *à tort et à travers* à ***tort.***

Passer à travers champs, c'est marcher dans les champs.

En voyant les morceaux de plat en faïence, les parents furent si en colère qu'ils se mirent à sauter comme des puces au travers de la cuisine *(les Contes du Chat perché).*

traverse n. f.

1. Morceau de bois ou de métal posé en travers d'un assemblage. *Les traverses de chemin de fer maintiennent l'écartement des rails.* **2.** *Mamie Lou est passée par des chemins de traverse,* des chemins qui coupent, des raccourcis.

traverser v.

Conjugaison 1

1. Passer à travers ; vois ***percer, transpercer.*** *M. Bellec a traversé le mur avec la perceuse. Denis Prost traversa la foule,* il se fraya un passage à travers la foule. **2.** Aller d'un bord à l'autre d'un endroit ; vois ***franchir, parcourir.*** *Loïc a traversé la Manche en bateau. Il faut attendre le feu rouge pour traverser la rue.* **3.** Aller d'un bout à l'autre d'une période. *Sylvain traverse une mauvaise période, il est tout le temps malade.* **4.** *Une idée m'a traversé l'esprit,* m'est passée par l'esprit.

▸ ***traversée*** n. f. Action de traverser une grande étendue. *Loïc a fait la traversée de la Manche en bateau.*

Michel Strogoff connaissait admirablement le pays qu'il allait traverser *(Michel Strogoff).*

Quel vilain temps il fait, dirent les parents en entrant. La pluie a traversé nos pèlerines *(les Contes du Chat perché).*

traversin n. m.

Long coussin cylindrique qui tient toute la largeur du lit ; vois ***polochon.*** *Julie pose un oreiller sur le traversin et s'installe pour lire au lit.*

se travestir v.

Se déguiser. *Tous les enfants se sont travestis pour le carnaval.*

Compare ***veste*** et *se travestir* : il s'agit de **vêtements.**

Conjugaison 2

trébucher v.

Conjugaison 1

1. Perdre l'équilibre en marchant, faire un faux pas ; vois ***chanceler.*** *Julie a trébuché contre une pierre et elle est tombée ;* vois ***buter.*** **2.** Faire une erreur, être arrêté par une difficulté. *Marie-Tévy trébuche sur les mots difficiles.*

Comme il était borgne, le cheval trébuchait souvent dans les mauvais chemins *(les Contes du Chat perché).*

Glissant et trébuchant, je gravis la pente, me raccrochai aux arbustes, écartai la haie d'épineux *(le Lion).*

trèfle n. m.

1. Petite plante dont les feuilles ont trois parties. *Claire cherche des trèfles à quatre feuilles dans le pré.* **2.** Dans un jeu de cartes, l'une des quatre couleurs dont la marque est un trèfle noir. *Yves joue le roi de trèfle et remporte le pli.*

Un *trèfle à quatre feuilles* est en fait un trèfle dont la feuille a quatre parties.

Le trèfle à quatre feuilles est un porte-bonheur.

Les autres couleurs sont carreau, cœur et pique.

treille n. f.

Tonnelle sur laquelle pousse de la vigne. *Odile Séverac a installé la table à l'ombre de la treille.*

▸ ***treillage*** n. m. Assemblage de lattes croisées. *Un treillage sépare la pelouse du potager.*

▸ ① ***treillis*** n. m. Assemblage de lattes de bois ou de fils de fer croisés ; vois ***treillage.*** *Le poulailler est fermé par un treillis métallique.*

Treillis [tʀeji] rime avec *bouillie.*

Les peintures, la sculpture sont différentes des autres objets. Pourquoi ? Servent-elles seulement à décorer la pièce ?

Le pâtissier est-il un artiste ? Son art doit satisfaire la vue et le goût. Le gâteau est une œuvre d'art éphémère.

Une œuvre unique (peinture recouverte d'un verre) devient un objet usuel (table).

Vêtements, bijoux, coiffure... Transformer son apparence, est-ce un acte créateur ?

tyliste a dessiné ce siège et isi le matériau. Son art doit allier esthétique et confort. L'œuvre, ici, est à l'origine 'ets que l'on peut multiplier.

Un goûter d'enfants dans un décor où sont ıssemblés de beaux objets. Certains sont des objets utilisés quotidiennement (table, sièges, couverts, assiettes), d'autres (tableaux, sculpture) ne servent apparemment à rien. Pourtant tous ont été créés par un artiste.

L'ART

Regardons autour de nous. Nous aimons vivre entourés d'objets agréables ; nous aimons entendre des sons harmonieux ; certains livres nous intéressent. Nous nous écrions : "C'est beau !" ou "Ça me plaît !" Mais ces objets, ces sons, ces livres sont-ils tous des œuvres d'art ?

Il ne suffit pas de jouer du piano sans fausse note ou de façonner habilement de beaux objets pour être un artiste. L'artiste est un créateur. Créer, c'est faire naître quelque chose que personne encore n'a imaginé. L'œuvre d'art est originale. Deux peintres qui peignent le même paysage ne font pas le même tableau, deux pianistes n'interprètent pas de la même manière un morceau. Un artiste ne traite jamais un objet deux fois de la même façon. L'artiste qui crée une œuvre d'art essaie de faire partager une vision du monde personnelle, cohérente, forte et novatrice.

Le savant s'adresse à notre intelligence, il démontre et explique, il peut transmettre son savoir. L'artiste s'adresse d'abord à notre sensibilité. Face à une œuvre d'art nous disons : "Elle me touche, elle m'intrigue". Nous rencontrons l'œuvre d'art en nous laissant envahir par les couleurs, les formes, les sons.

Nous ne sommes pas toujours immédiatement sensibles à l'œuvre d'art. L'œil doit apprendre à regarder, l'oreille à écouter. Chaque artiste a un langage qui lui est propre, et le comprendre, le reconnaître parmi d'autres exige un effort. Si l'on fournit cet effort, l'œuvre, qui s'éclaire alors, satisfait notre intelligence et notre sensibilité.

Dans ce dossier tu trouveras :

Page 2 – **Le travail créateur**
Page 4 – **Art et civilisation**
Page 6 – **L'art aujourd'hui**
Page 8 – **La représentation**

Claude Monet a créé lui-même ce jardin qu'il considérait comme une de ses plus belles œuvres d'art. Il n'a cessé de le peindre sous toutes les lumières, non pour reproduire des fleurs, un étang et un pont ıis pour essayer de dire, sur l'espace délimité de la toile, les variations des formes et des couleurs. Le tableau est la rencontre entre es variations et le regard créateur du peintre.

Le jardin de Monet *à Giverny a été créé par le peintre comme un tableau.*

Claude Monet, *Le Bassin aux nymphéas ; harmonie verte (1899).*

Claude Monet, *Harmonie rose (1900).*

Les carrières de marbre de **Carrare** en Toscane (Italie) sont utilisées depuis très longtemps. Michel-Ange venait y choisir les blocs pour ses sculptures. Ce marbre blanc a un grain très dur et très fin qui permet le polissage.

Le sculpteur contemporain **Étienne-Martin** dans son atelier. Le bois est un des matériaux qu'il préfère : les souches et les racines ont déjà une forme, l'œuvre est le résultat d'une collaboration entre l'artiste et le matériau.

Une partition de **Iannis Xenakis**, *Psappha (percussion).*

LE TRAVAIL CRÉATEUR

L'artiste choisit le matériau à travers lequel il souhaite s'exprimer. Le sculpteur modèle le plâtre ou la terre, il travaille le marbre ou le bois. Le compositeur utilise le son du piano ou celui du violon. Les mots sont le matériau du poète. L'acteur se sert de sa propre voix et de son corps. Le chorégraphe emploie les danseurs, leur mouvement dans un espace. Ce matériau, il faut apprendre son maniement. Sans maîtrise technique, pas d'artiste : le palais de l'architecte qui ignore les lois de la résistance des matériaux s'écroule; les couleurs du peintre passent au soleil; le chanteur d'opéra n'évite pas la fausse note ou l'essoufflement; la statue du sculpteur se fissure. Des écoles (Beaux-Arts, conservatoires de musique...) permettent aux futurs artistes d'apprendre, sous la direction de leurs aînés, l'usage de la couleur et du pinceau, les de la perspective, l'emploi du ciseau qui attaqu marbre, les mouvements de la caméra.

L'apprentissage ne s'achève pas avec la conn sance des techniques. Il faut aussi donner forme au matériau, composer, mettre en œuvre éléments dont on dispose. Cette deuxième é donne son sens à l'œuvre d'art. C'est le momer plus complexe du travail de l'artiste : l'écri structure sa phrase, rapproche des mots comm peintre dessine une forme et rapproche des leurs. Ce que l'artiste veut exprimer doit se trad

Eugène Delacroix, **La Liberté guidant le peuple** *(1830). L'artiste prépare son tableau; des dessins lui permettent d'esquisser les gestes de la figure centrale. L'œuvre célèbre la révolution parisienne de 1830. "J'ai entrepris, écrit Delacroix, un sujet moderne, une barricade, et si je n'ai pas vaincu pour la patrie au moins peindrai-je pour elle. Cela m'a remis de belle humeur."*

Un interprète, le percussionniste **Sylvio Gualda** *au festival d'Aix-en-Provence en 1985 (direction musicale Iannis Xenakis). Les musiciens contemporains travaillent dorénavant avec l'aide de l'électronique et des ordinateurs : les instruments électro-acoustiques permettent de moduler les sons à volonté et même d'en faire la synthèse. Iannis Xenakis utilise fréquemment des modèles mathématiques.*

Un interprète, le violoniste **Isaac Stern**, *répète une œuvre classique. Le chef d'orchestre* **(Lorin Maazel)** *coordonne le travail du soliste et des musiciens de l'Orchestre national de France. La répétition permet de concilier le respect de l'œuvre telle qu'elle a été écrite par le compositeur et le talent personnel de chaque interprète.*

La Compagnie **Merce Cunningham** *danse dans la cour d'honneur du Palais des Papes au festival d'Avignon (1985). Le chorégraphe dessine les trajectoires des danseurs. Il choisit la musique. Il inscrit dans un espace le mouvement des corps des danseurs qui interprètent sa chorégraphie : "Ce que nous faisons c'est tisser dans l'espace-temps deux ou trois fils, la musique, la danse, les arts visuels."*

ns la construction de l'œuvre. Certains arts exi-ent la combinaison de nombreux éléments ; le met-ur en scène de théâtre coordonne le travail autres artistes : les acteurs, le décorateur, le créa-ur des costumes.

tableau du peintre, le livre de l'écrivain sont médiatement accessibles à tous. Mais une parti-on de Mozart ne peut atteindre le public que par ntermédiaire d'un orchestre, une pièce de théâtre doit être mise en scène. Certaines œuvres d'art n'existent donc qu'à travers l'interprétation d'autres artistes. Un tableau de Cézanne est directement interprété par celui qui le regarde mais l'auditeur d'une symphonie de Beethoven l'entend déjà interprétée par des instrumentistes.

L'artiste n'est pas seulement un technicien virtuose. Le grand artiste a aussi appris à voir davantage. À travers son travail, il nous apporte un regard plus profond, plus dense sur notre monde et nous ouvre d'autres mondes que nous n'aurions même pas pu imaginer.

Un manuscrit de Victor Hugo : **L'Homme qui rit.** *L'écrivain rature, ajoute. Il recherche à la fois la précision du mot et le rythme de la phrase. L'idée et l'émotion doivent, par l'intermédiaire du texte, atteindre le lecteur.*

S. M. Eisenstein, **Ivan le Terrible** *(1942-1946). Le cinéaste soviétique prépare son film en dessinant les personnages, ici le tsar Ivan IV. Avant le tournage du film, chaque plan est prévu avec précision. Le montage permet la mise en œuvre de l'ensemble.*

Vélasquez, **Les Ménines** *(1656). Le peintre est au service du roi d'Espagne Philippe IV. Dans cette œuvre complexe, il se représente lui-même peignant une scène de la vie quotidienne à la cour : le peintre est dans son tableau.*

Idole féminine *des Cyclades, en mer Égée (entre 2700 et 2400 avant J.-C.). Déesse protectrice ou image d'un défunt.*

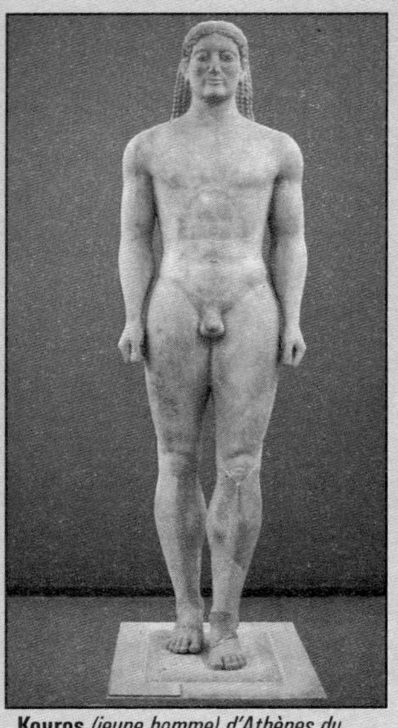

Kouros *(jeune homme) d'Athènes du VIe siècle avant J.-C. La perfection du corps humain est un reflet du divin.*

*L'***Ange au sourire,** *cathédrale de Reims, XIIIe siècle. Le sourire de l'ange gothique rapproche le monde divin du monde des hommes.*

Jean Fouquet, *portrait du roi Charles VII (milieu XVIe siè*
Un des premiers portraits de la peinture occidentale à la recherche de la vérité humaine.

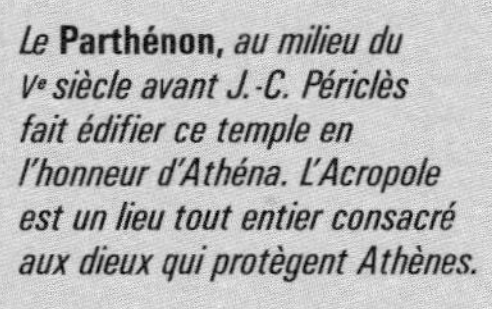

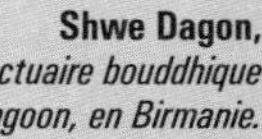

Le **Parthénon,** *au milieu du Ve siècle avant J.-C. Périclès fait édifier ce temple en l'honneur d'Athéna. L'Acropole est un lieu tout entier consacré aux dieux qui protègent Athènes.*

La **Mosquée bleue,** *Istanbul (début XVIIe siècle). Les coupoles, la richesse du décor sont caractéristiques de l'art islamique.*

Novodevitchi, *monastère près de Moscou (XVI-XVIIIe siècle). Cinq coupoles typiques des églises orthodoxes.*

Shwe Dagon, *sanctuaire bouddhique de Rangoon, en Birmanie. Le bouddhisme, depuis l'Inde, s'est répandu en Asie.*

Cathédrale de Chartres, *art gothique du XIIIe siècle. Importance de la sculpture. Grand élan vers le ciel.*

Chapelle de Ronchamp *(1953). Le Corbusier utilise le dépouillement du béton brut.*

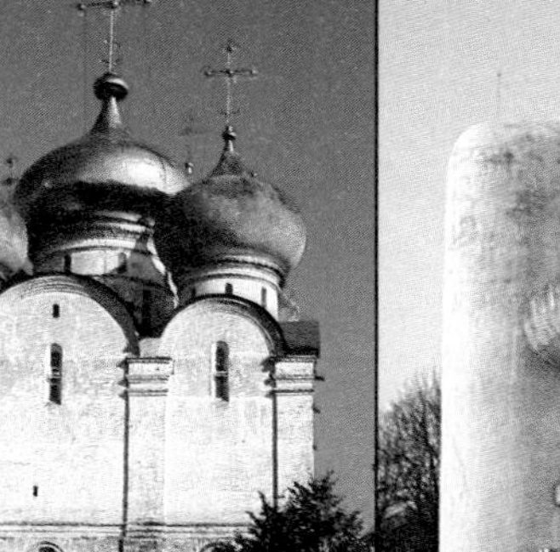

Rembrandt, *autoportrait devant le chevalet (XVIIe siècle).*

Rodin, *Balzac (fin XIXe siècle). Hommage à un autre artiste.*

Pablo Picasso, *Homme nu assis (1908). Le peintre décompose les formes. Il abandonne les approches classiques. Une autre manière de comprendre l'homme.*

Alberto Giacometti, *Le Chariot. L'homme, ici, n'est plus qu'une silhouette de bronze, à l'image d'une idole.*

ART ET CIVILISATION

s les cavernes de la préhistoire, les hommes dessinaient bisons et des chevaux. L'Égypte antique nous a laissé des ples et des pyramides, ces tombeaux où les pharaons ent inhumés avec les objets les plus précieux. De la civili- on de la Grèce archaïque il nous reste un des plus beaux nes épiques de l'histoire : l'Iliade et l'Odyssée. Ces œuvres survivent par leur beauté, nous les considérons comme œuvres d'art.

dant longtemps les œuvres d'art ont été créées en l'hon- r des dieux. Les plus belles créations humaines, en célé- t les dieux, devaient attirer leur bienveillance sur les hom- . Les temples de l'Acropole d'Athènes sont construits au iècle avant J.-C. en l'honneur d'Athéna, déesse protectrice a Cité.

religion musulmane interdit toute représentation de la re de Dieu ; dans les mosquées se multiplient les motifs oratifs abstraits. Dans les cathédrales gothiques, au con- e, le décor sculpté des chapiteaux et des porches évoque les épisodes de l'histoire sainte.

témoigne aussi de l'organisation des sociétés et des États. guerriers du Moyen Âge font construire des châteaux s. Les cités marchandes de l'Italie de la Renaissance édi- t d'orgueilleux palais. Quand le pouvoir royal se renforce, artistes se consacrent à la célébration du souverain. Le teau de Versailles symbolise la gloire et la grandeur de is XIV ; dans les villes, les places sont organisées autour a statue du roi.

artir du XIXe siècle, on construit moins de palais, moins lises mais des gares, des aéroports, des immeubles de eaux, des musées. Les époques, les cultures déterminent i différents types d'œuvres d'art. Le style des œuvres, si, est lié aux époques et aux civilisations. Par exemple, il inconcevable qu'un peintre du Moyen Âge ait peint à la n des impressionnistes. Et si, de nos jours, quelqu'un s'avi- de sculpter à la manière des artistes des cathédrales, il it de l'imitation, et non pas de la création artistique.

Épidaure, *théâtre grec du IVe siècle avant J.-C. Le théâtre en Grèce était aussi un rite religieux.*

Le **krak des Chevaliers**, *château fort construit en Syrie au XIIe siècle à l'époque des Croisades.*

La **place des Vosges**, *décor urbain construit au début du XVIIe siècle à Paris, quartier du Marais.*

Frank Lloyd Wright : **musée Guggenheim** *de New York achevé en 1959. L'architecte dessine un parcours pour l'amateur d'art, une spirale ascendante. C'est un lieu qui se veut accessible à tous.*

Palazzo Vecchio *(Florence XIVe siècle), symbole de la puissance de la République florentine.*

*En Nubie (Haute-Égypte), les temples d'***Abou Simbel**, *que le pharaon Ramsès II avait fait creuser vers 1250 av. J.-C. dans la falaise pour célébrer son culte et celui de son épouse Néfertari, étaient menacés de submersion par la construction du barrage d'Assouan. L'Unesco (Organisation des Nations Unies pour l'éducation, la science et la culture) a fait appel à la coopération internationale pour organiser le sauvetage de ces monuments. Entre 1963 et 1968, on découpa en tranches tous les éléments des temples, dont les colosses royaux qui mesurent 20 mètres, puis on les remonta 64 mètres plus haut et on les ancra contre un escarpement artificiel. Les Nations Unies, par l'intermédiaire de l'Unesco, se préoccupent ainsi de sauvegarder le patrimoine de l'humanité. D'autres grandes opérations sont organisées en Tunisie (Carthage), au Pérou ou à Venise.*

*Les monuments de l'***Acropole d'Athènes** *sont menacés par la pollution et l'intense fréquentation touristique. Le marbre se désagrège et certaines statues sont remplacées par des moulages.*

L'ART

Notre vie quotidienne est marquée par la [p]sence d'œuvres d'art qui sont la mém[oire] vivante du passé; elles appartiennent [au] patrimoine commun. À de grandes inst[itu]tions est confié le soin de conserver [ces] œuvres : la Bibliothèque nationale a [la] charge des livres, des manuscrits, des est[am]pes, des monnaies et médailles; les gra[nds] musées (à Paris le Louvre, le musée d'Ors[ay,] le Musée national d'art moderne) ont la ga[rde] des peintures et des sculptures, la Ciné[ma]thèque prend soin des films, la Comé[die-]Française fait revivre les grandes œuv[res] dramatiques. Des sommes considérab[les] sont consacrées à l'enrichissement du pa[tri]moine, à l'entretien et à la restauration [des] œuvres. L'État veille sur les monuments [his]toriques pour reconstituer leur aspect or[igi]nel en effaçant les atteintes du temps et [de] la pollution.

Aujourd'hui, le plus grand nombre peut ac[cé]der aux œuvres d'art. Prenons l'exemple [du] domaine musical : autrefois, il existait u[ne] musique populaire vivante, mais les comp[osi]teurs étaient au service des princes. Au X[IXe] siècle, les salles de concert permett[ent] d'élargir le public mélomane. Au XX[e] siècle[, le] disque opère pour la musique la même ré[vo]lution que l'imprimerie pour les œuvres li[tté]raires. Désormais toutes les œuvres d'[art] peuvent être largement diffusées : la pho[to]graphie reproduit les tableaux, le livre [de] poche multiplie le nombre des lecteurs, [la] télévision donne aux films des millions [de] spectateurs. Les musées sont de plus en p[lus] nombreux : les collections d'œuvres d'[art] jusqu'alors privées deviennent publiques.

La **Bibliothèque nationale** *(en bas, à gauche) a une double mission : conserver tout ce qui est écrit (manuscrits, tracts, journaux, livres) et permettre aux chercheurs de consulter tous ces textes. Les œuvres fragiles sont en micro-films afin de préserver les originaux.*

Un chercheur des ateliers du musée du Louvre étudie une peinture à la loupe. Ce travail d'examen de l'œuvre prépare sa restauration éventuelle. D'autres techniques (en particulier la radiographie) permettent d'étudier les méthodes de l'artiste et les étapes de son travail.

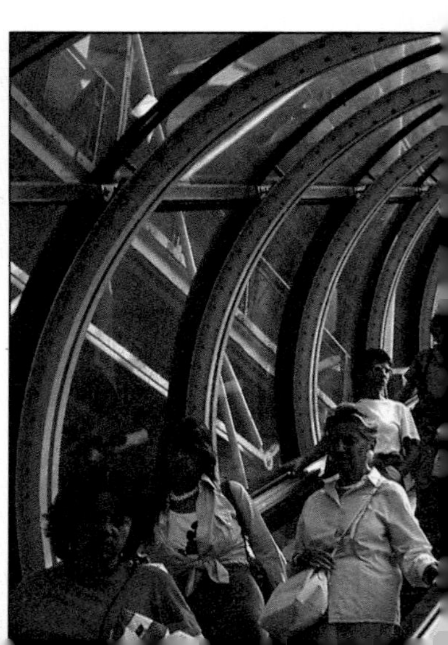

AUJOURD'HUI

endant, le monde d'aujourd'hui est envahi des produits culturels diffusés par les lias et qui débordent jusque dans la rue. télévision multiplie les images, des musis de toutes sortes ont pris possession de ie quotidienne, la publicité étale formes couleurs. S'agit-il d'œuvres d'art ? Comt distinguer, dans notre environnement, ui est simplement agréable, divertissant, et la véritable œuvre d'art ? L'art en effet ue d'être submergé par une production urelle standardisée qui peut être appré- sans effort. Si notre époque a permis anouissement de formes collectives notion artistique, comme les grands certs, c'est souvent au détriment de nes d'art plus difficiles et plus secrètes exigent une patiente approche indivi-lle. Il faut savoir mériter le bonheur que t donner un poème.

Juan Miró, *affiche pour l'Unesco. L'art peut aussi se mettre au service des grandes causes.*

Paris, **fontaine Beaubourg** *de Niki de Saint-Phalle et Tinguely : entre l'église Saint-Merri et le centre Beaubourg, jeux d'eaux, couleurs, mouvements ; l'art contemporain dans la rue peut harmonieusement coexister avec des monuments anciens. L'art anime la rue, lui donne un air de fête joyeuse.*

Le Cid *de Pierre Corneille joué en 1985 au théâtre du Rond-Point avec Jean Marais, Francis Huster et Jean-Louis Barrault. Théâtre classique toujours renouvelé par ses interprètes successifs.*

Paradis perdu. *Le texte, un poème biblique, est de John Milton, un Anglais du XVIIe siècle. La musique est du compositeur français contemporain Pierre Henry qui utilise des instruments électroniques. Texte et musique, mais aussi jeux de lumière. Représenté au festival de Lille en 1983, c'est un exemple de spectacle total.*

Le **centre Pompidou** *(Beaubourg) est largement ouvert à tous. Il reçoit chaque jour plusieurs milliers de visiteurs. Il regroupe une bibliothèque, le musée d'art moderne, la cinémathèque ; il organise de très nombreuses expositions.*

Dans une grande librairie où chacun peut librement choisir des livres et des disques. Il faut apprendre à choisir : comparer les interprétations d'une même œuvre musicale, reconnaître le style des grands écrivains. La culture permet la rencontre des œuvres d'art.

LA REPRÉSENTATION

L'art n'est jamais une copie de la réalité. Ce ne sont pas les portraits les plus fidèles qui font les plus beaux tableaux. L'art ne dépend pas non plus de l'intérêt ni de la beauté du sujet représenté ; il donne souvent une valeur à des objets insignifiants ou laids : certains des plus grands tableaux du peintre hollandais Van Gogh (1853-1890) ont pour sujet de vieux souliers, une chaise de paille ou des pommes de terre.

Mais l'art n'est pas non plus une activité purement intellectuelle sans rapport avec le réel. Dans l'art que l'on appelle abstrait nous reconnaissons bien les couleurs, les formes de la réalité. Dans certains cas, le peintre nous raconte une histoire, ou encore il médite sur l'espace, sur la couleur ; quelquefois, dans un portrait, il nous révèle le secret d'un être. Dans tous les cas, l'artiste nous parle du monde dans lequel nous vivons.

Le peintre choisit d'utiliser des conventions, dont la première est l'espace même du tableau. Les peintres de la Renaissance en Italie inventent les techniques de la perspective qui donne de la profondeur au tableau : ils utilisent l'illusion. Les peintres se servent de cette convention jusqu'au XXe siècle, puis ils adoptent d'autres approches : décomposition des formes de la réalité, papiers collés, modèle à plat qui refuse l'apparence de la profondeur.

L'artiste est un manipulateur du réel. À travers les différentes représentations que l'art nous offre, à nous de déchiffrer des mondes. L'œuvre d'art se suffit à elle-même et est irremplaçable : ce que nous dit l'artiste, il n'était pas possible de le dire autrement.

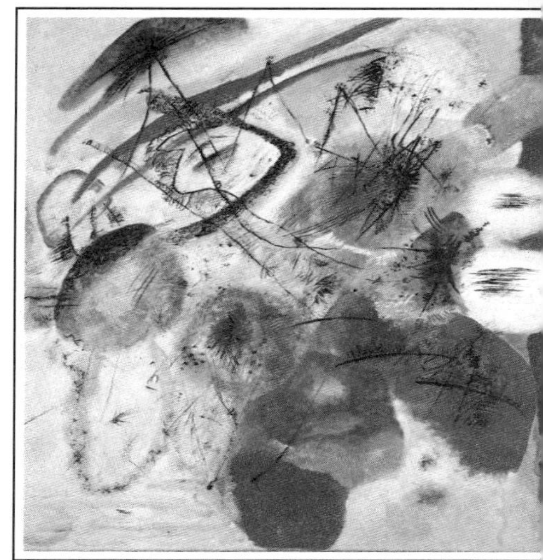

Kandinsky, *Traits noirs (1913) : "Il est important que la créativité en nous reproduise des énigmes, sur le modèle des énigmes qui nous entourent."*

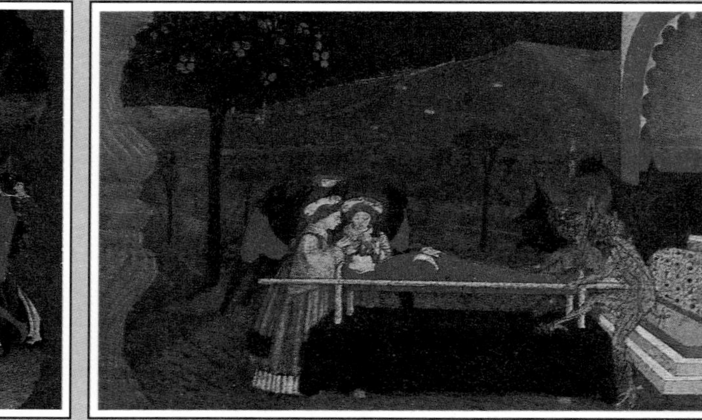

Paolo Uccello, *La Profanation l'hostie (milieu du XVe siècle). Deuxième et sixième épisodes série de six panneaux qui raco une histoire édifiante : l'horrib punition d'un homme qui profa une hostie. Le peintre juxtapos des scènes comme au théâtre il crée un espace conventionne un cube dont on aurait enlevé un côté. Le pavage du sol matérialise la perspective. La représentation est au service d'une fonction religieuse.*

Piero di Cosimo *au XVe (Simonetta Vespucci, à* **et Matisse** *au XXe (La Blouse roumaine, à ga nous parlent de la b féminine. Di C détache s fond une figure div et mystéri La femme de M est plus quotidienne sereine : le peintre utilise d' règles de stylisation, co franches, trait épuré et à l'essentiel. Mais on re un procédé identique : une claire se découpant sur un*

② ***treillis*** n. m.
Tenue de soldat en grosse toile très solide. *M. Bellec met un vieux pantalon de treillis pour bricoler.*

C'était un vendredi 13, treize brigands montés sur treize chevaux noirs chevauchaient en attendant les voyageurs pour les piller...

treize adj. et n. m. invariable
1. adj. invariable Dix plus trois. *Sylvain aura treize ans l'année prochaine. Il est treize heures,* une heure de l'après-midi. *Ouvrez votre livre page treize,* à la treizième page. **2.** n. m. invariable Le nombre treize. *On dit que le treize porte malheur.*

13 en chiffres arabes
XIII en chiffres romains

▸ ***treizième*** adj. et n. m. **1.** adj. Qui vient après le douzième. *Sylvain est dans sa treizième année.* **2.** n. m. Partie d'un tout qui est divisé en treize parties égales. *Chacun des treize voleurs a eu un treizième du butin.*

1/13 ou $\frac{1}{13}$

Il y a un ï tréma dans *astéroïde,* et un ë tréma dans *aiguë.*

tréma n. m.
Signe formé de deux points que l'on met sur les voyelles *e, i, u. Le tréma indique que la voyelle qui précède doit être prononcée séparément.*

Conjugaison 1
Je tremblais de plus en plus vite. Ma peur croissait d'instant en instant *(le Lion).*

trembler v.
1. Être agité par une suite de petits mouvements répétés. *Yves tremblait de froid ;* vois ***frissonner, grelotter.*** *Une explosion a fait trembler les vitres ;* vois ***remuer, vibrer.*** *La terre a tremblé,* elle a été agitée par des secousses. **2.** Avoir peur. *Tous les élèves tremblent devant la directrice.*

Là-dessus l'infortuné Chapelier se mit à trembler si fort qu'il en perdit ses souliers *(Alice au Pays des merveilles).*

▸ ***tremblant*** adj. Qui tremble. *Yves était tout tremblant de froid ;* vois ***frissonnant.***

▸ ***tremblement*** n. m. **1.** Mouvement de ce qui tremble. *Yves fut pris d'un tremblement violent ;* vois ***frémissement, frisson.*** **2.** *Un tremblement de terre,* c'est une suite de secousses qui agitent la terre. *Un tremblement de terre a détruit la ville de Tokyo en 1923.*

Va voir aussi ***séisme.***

Le tremble est une sorte de peuplier.

▸ ***tremble*** n. m. Arbre au tronc droit et lisse, dont les feuilles tremblent au moindre souffle de vent. *Des trembles poussent au bord de la rivière.*

Conjugaison 1

▸ ***trembloter*** v. Trembler légèrement. *La flamme des bougies tremblotait autour de l'autel.*

On écrit parfois *tremolo* sans accent.

trémolo n. m.
Tremblement d'émotion. *Mme Harpie raconte ses malheurs avec des trémolos dans la voix.*

Conjugaison 1

se ***trémousser*** v.
S'agiter avec de petits mouvements vifs et réguliers ; vois ***remuer, se tortiller.*** *Julie se trémoussait sur sa chaise.*

Conjugaison 1
Je suis trempée, dit la souris. Ce retour sous la pluie n'en finissait plus
(les Contes du Chat perché).

tremper v.
1. Mouiller complètement ; vois ***imbiber.*** *La pluie a trempé l'imperméable d'Alex ;* vois ***transpercer.*** *Yves a trempé le sol en se lavant ;* vois ***arroser, inonder.*** **2.** Mettre dans un liquide. *Yasmina trempe un gâteau dans son chocolat.* **3.** Rester plongé dans un liquide. *Mamie Lou a mis du linge à tremper.* **4.** *Tremper dans une affaire,* c'est y participer, en être complice. *Plusieurs personnes ont trempé dans le cambriolage de la bijouterie,* elles s'y sont compromises.

Le contraire de *tremper,* c'est *sécher.*

Marie, trempe ton pain, Marie, trempe ton pain dans la sauce (chanson).

Autre membre de la famille : **détremper.**

tremplin n. m.
Planche sur laquelle on prend son élan pour sauter. *Yves plonge dans la piscine du haut du tremplin.*

Trente et un, trente-deux, trente-trois.

trente adj. et n. m. invariable
1. adj. invariable Trois fois dix. *Sophie Pelletier a trente ans. La photo de la hyène se trouve page trente,* à la trentième page. **2.** n. m. invariable Le nombre trente. *Vingt-huit et deux font trente.*

30 en chiffres arabes
XXX en chiffres romains

Compare :
trente → trentaine
et *quarante → quarantaine.*

▸ ***trentaine*** n. f. **1.** Groupe d'environ trente personnes ou trente choses semblables. *Le chenil abrite une trentaine de chiens.* **2.** Âge d'environ trente ans. *M. Bellec a dépassé la trentaine.*

Le *trentième* suit le vingt-neuvième.

Conjugaison 1
Les *trépassés,* ce sont les morts.

trépasser v.
Mourir ; vois ***décéder.*** *Le vieillard a trépassé dans la nuit.*

▸ ***trépas*** n. m. *Passer de vie à trépas,* c'est mourir. *Le vieillard est passé de vie à trépas.*

On trouve ces mots surtout dans les livres.

Famille de **passer**

trépidant adj.
Très agité, très rapide. *Les Parisiens ont une vie trépidante.*

Le contraire de *trépidant,* c'est *calme, tranquille.*

trépidation n. f.
Vibration rapide. *On entend au loin les trépidations d'un moteur.*

Famille de ① **pied**

trépied n. m.
Support à trois pieds. *Alex a posé son appareil photo sur un trépied.*

Conjugaison 1

trépigner v.
Frapper des pieds par terre plusieurs fois de suite ; vois ***piétiner.*** *Julie trépignait d'impatience en attendant la séance de cinéma.*

On peut trépigner de colère, de rage ou d'enthousiasme.

Très se prononce [tʀɛz] devant une voyelle ou un ***h*** muet : *très adroit* [tʀɛzadʀwa].

très adv.
À un haut degré ; vois ***bien, fort.*** *Mamie Lou est très gentille. Ces explications sont très claires ;* vois ***parfaitement.*** *Antoine était très en retard. Yasmina lit très bien. Marie-Tévy ne court pas très vite. Julie s'est fait très mal. Ils viennent me voir très souvent.*

Le contraire de *très,* c'est *peu, pas du tout.*

Eh bien, mon chéri, a dit Maman, ça me paraît une très bonne idée *(le Petit Nicolas).*

Gardez-vous, leur dit-il,
de vendre l'héritage
Que nous ont laissé nos parents.
Un trésor est caché dedans
(La Fontaine).

trésor n. m.
1. Ensemble d'objets précieux accumulés et cachés. *Antoine prétend qu'un trésor est caché dans la forêt.* **2.** *Des trésors,* ce sont des objets d'une grande valeur. *Le musée du Louvre renferme des trésors artistiques.* **3.** *Ce métier demande des trésors de patience,* beaucoup de patience.
▷ ***trésorier*** n. m., ***trésorière*** n. f. Personne qui s'occupe de l'argent d'un club, d'une association. *Hippolyte est trésorier d'un ciné-club.*
▷ ***trésorerie*** n. f. Argent dont dispose une entreprise. *La biscuiterie a eu des problèmes de trésorerie.*

As-tu lu *l'Île au trésor,* de R. L. Stevenson ?

Puis, sortant mon mouton de sa poche, il se plongea dans la contemplation de son trésor *(le Petit Prince).*

Conjugaison 13

Croc-Blanc tressaillit et se hérissa *(Croc-Blanc).*

tressaillir v.
Être agité de mouvements brusques et involontaires sous l'effet d'une émotion ou d'une sensation inattendue ; vois ***sursauter.*** *Mme Hespel, nerveuse, tressaillait au moindre bruit.*

Tout à coup, elle tressaillit, parce qu'elle avait senti que quelqu'un arrivait *(Lullaby).*

[...] elle en sortit un [lacet], qui était fait de tresses multicolores *(Blancheneige).*

tresse n. f.
1. Cordon fait de fils entrelacés. *Julie a un manteau bordé d'une tresse rouge.* **2.** Assemblage de trois longues mèches de cheveux entrelacées ; vois ***natte.*** *Yasmina a une grande tresse dans le dos.*

Conjugaison 1

Poucette tressa un lit de brins d'herbes *(Poucette).*

▷ ***tresser*** v. **1.** Faire un objet en entrecroisant des fils ou des brins. *Les gitans tressent des paniers d'osier.* **2.** Mettre en tresse ; vois ***natter.*** *Mme Touati tresse les cheveux de sa fille Yasmina tous les matins.*

Des romanichels [...], assis au bord du fossé, travaillaient à tresser des paniers *(les Contes du Chat perché).*

Au pluriel : *des tréteaux.*

tréteau n. m.
Long support à quatre pieds. *Alex a posé une planche sur des tréteaux pour se faire un bureau.*

Treuil [tʀœj] rime avec *écureuil* et *bouvreuil.*

treuil n. m.
Appareil composé d'un cylindre autour duquel s'enroule un câble, et qui permet de tirer des poids très lourds. *On remonte l'ancre des gros bateaux à l'aide d'un treuil.*

Le treuil est actionné par une manivelle ou par un moteur.

N'oublie pas l'accent circonflexe du ***ê***.

Trêve de plaisanterie : cessons de plaisanter, assez de plaisanterie.

trêve n. f.
1. Arrêt provisoire des combats pendant une guerre, une lutte. *Les combattants ont observé une trêve au moment de Noël.* **2.** Arrêt d'une chose pénible. *Mme Hespel a travaillé sans trêve pendant tout le week-end,* sans arrêt.

Cette petite guerre n'avait ni fin ni trêve *(Croc-Blanc).*

Famille de **trier**

tri n. m.
Action de trier ; vois ***triage.*** *Mme Hespel a fait le tri de ses vieux vêtements.*

Famille de **trier**

triage n. m.
Classement, choix ; vois ***tri.*** *Pierre Séverac fait le triage des graines avant de les semer.*

On trie les wagons de marchandises dans une *gare de triage.*

Compare *triangle* et *tricolore* : dans ces mots, il est question de **trois.**

Famille de **angle**

triangle n. m.
1. Figure géométrique à trois côtés. *Un triangle isocèle a deux côtés égaux.*
2. Instrument de musique fait d'une tige d'acier repliée en triangle, sur laquelle on frappe avec une baguette. *Certains élèves jouent de la flûte, les autres marquent la mesure avec un triangle.*

Va voir aussi ***triangulaire.***

Le triangle fait un bruit aigu et léger. C'est un instrument à percussion.

Compare *triangulaire* et *rectangulaire* : dans ces deux mots, il est question d'**angle.**

triangulaire adj.
En forme de triangle. *Loïc a mis une petite voile triangulaire à l'arrière de son bateau.*

Famille de ② **bord**

tribord n. m.
Côté droit d'un bateau, quand on regarde vers l'avant. *En sortant du port, il faut laisser les rochers à tribord.*

Le côté gauche, c'est *bâbord.*

tribu n. f.
Dans les sociétés non industrialisées, groupe de familles descendant d'un même ancêtre, vivant sous l'autorité d'un même chef et partageant les mêmes croyances. *En Amérique, certaines tribus indiennes s'opposèrent vigoureusement à l'installation des Blancs sur leurs terres.*

Certains animaux vivent aussi *en tribus.*

Il s'agissait de la poursuite d'une tribu de lions mangeurs d'hommes *(le Lion).*

tribulations n. f. plur.
Aventures plus ou moins désagréables ; vois ***mésaventure.*** *Il n'est pas au bout de ses tribulations,* il n'est pas au bout de ses peines.

Au pluriel : *des tribunaux.*

Alice n'avait jamais pénétré dans une salle de tribunal *(Alice au Pays des merveilles).*

tribunal n. m.
1. Endroit où l'on rend la justice. *Mme Séverac s'est rendue au tribunal.* **2.** Ensemble de personnes qui rendent la justice. *L'accusé a comparu devant le tribunal. Les jeunes délinquants sont jugés par des tribunaux pour enfants.*

On dit aussi le *palais de justice.*

Va voir aussi ***magistrat.***

tribune n. f.
1. Partie d'un stade, d'un champ de courses, où il y a des gradins. *Le public s'entassait dans les tribunes.* **2.** Endroit surélevé, estrade d'où l'on peut parler au public. *Le maire est monté à la tribune pour faire un discours.*

Une *tribune libre,* dans un journal, c'est une partie du journal où les gens donnent leur opinion.

tributaire adj.
Dépendant. *L'Europe est tributaire des pays tropicaux pour le café,* elle dépend de ces pays.

Conjugaison 1

tricher v.
1. Ne pas respecter les règles d'un jeu, pour gagner. *Yves a gagné parce qu'il a triché.* **2.** Mentir. *Mme Harpie triche sur son âge.*
▸ **tricherie** n. f. Tromperie. *Yves a gagné par tricherie.*
▸ **tricheur** n. m., **tricheuse** n. f. Personne qui triche au jeu. *Yves est un tricheur.*

Compare *triangle,* ***tri****cycle* et ***tri****colore :* dans ces mots, il s'agit de **trois.**

tricolore adj.
1. Qui a trois couleurs. *Des feux tricolores règlent la circulation.* **2.** Qui a les trois couleurs du drapeau français : bleu, blanc, rouge. *Le maire a ceint son écharpe tricolore.*

Compare *tri**colore*** et *multi**colore*** : dans ces deux mots, il s'agit de **couleur.**

Conjugaison 1

tricoter v.
Faire des rangs de mailles de laine ou de coton au moyen de longues aiguilles, de manière à obtenir une étoffe très souple. *Mamie Lou tricote un pull-over en laine pour son fils. Claire veut apprendre à tricoter.*
▸ **tricot** n. m. **1.** Action de tricoter. *Mamie Lou fait du tricot.* **2.** Vêtement tricoté que l'on porte sur le haut du corps ; vois ***chandail, gilet, pull-over.*** *Il fait froid, mets un tricot.*

On tricote avec des *aiguilles à tricoter,* ou à la *machine à tricoter.*

Famille de ② **cycle**

tricycle n. m.
Sorte de petit vélo à trois roues dont deux à l'arrière. *Les jeunes enfants font du tricycle.*

Va voir aussi ***triporteur.***

Conjugaison 7 ▭ Indic. présent : *nous trions.* Imparfait : *nous triions.*

Au service du tri postal, on trie le courrier par destinations.

trier v.
1. Choisir dans un ensemble en éliminant certaines choses, spécialement ce qui est mauvais. *Mamie Lou trie les lentilles,* elle élimine les mauvaises lentilles et les cailloux. **2.** Faire plusieurs groupes dans un ensemble, sans rien éliminer. *Le docteur Séverac trie ses papiers ;* vois ***classer.***

Autres membres de la famille : **tri, triage.**

trille n. m.
Battement très rapide sur deux notes voisines. *On entend les trilles du rossignol dans l'arbre.*

Conjugaison 1

On écrit aussi *trimballer.*

trimbaler v.
Transporter avec soi ; vois ***traîner.*** *Claire trimbale toujours un petit canard en tissu dans sa poche.*

Ce mot est familier.

trimestre n. m.

Compare *trimestre* et *semestre* : il s'agit de **mois.**

Période de trois mois. *Le deuxième trimestre de l'année scolaire va de janvier aux vacances de printemps.*

C'est le premier trimestre de l'année civile.

▷ ***trimestriel*** adj. Qui arrive tous les trois mois. *Mme Hespel est abonnée à une revue trimestrielle,* qui paraît tous les trois mois.

tringle n. f.

Tige horizontale de métal ou de bois qui sert de support ; vois ***barre.*** *Mamie Lou remplace les tringles à rideaux.*

Dans une penderie, on suspend les cintres à une tringle.

trinquer v.

Conjugaison 1

Heurter légèrement son verre contre celui d'une autre personne avant de boire ensemble. *Trinquons à la victoire de notre équipe !*

trio n. m.

Au pluriel : *des trios.*

Un morceau pour deux instruments est un *duo.*

1. Morceau de musique pour trois instruments ou trois chanteurs. *Sophie Pelletier écoute un trio pour piano, violon et violoncelle.* **2.** Groupe de trois personnes. *Voilà Yves, Antoine et Marie-Tévy : quel trio bruyant !*

Un *trio,* c'est aussi un groupe de trois musiciens qui jouent ensemble.

triomphe n. m.

Le triomphe du vainqueur ne pouvait être complet sans l'humiliation publique des vaincus *(Michel Strogoff).*

1. Victoire éclatante. *Aux dernières élections, le maire a remporté un triomphe sur ses adversaires.* **2.** *On a porté le capitaine de l'équipe de football en triomphe,* on l'a hissé au-dessus de la foule pour le faire acclamer. **3.** Spectacle qui plaît beaucoup au public ; vois ***succès.*** *Le dernier film de Denis Prost est un triomphe.*

Le contraire de *triomphe,* c'est *défaite.*

Va voir *arc de triomphe* à **arc.**

C'est un triomphe, le cirque tremble sous les acclamations. Fernando est ravi *(Babar).*

Denis Prost est comédien.

Au masculin pluriel : *triomphaux.*

▷ ***triomphal*** adj. Accompagné d'honneurs, d'acclamations. *Les vainqueurs ont reçu un accueil triomphal ;* vois ***enthousiaste.*** *Le dernier film de Denis Prost remporte un succès triomphal ;* vois ***éclatant.***

Le contraire de *triomphal,* c'est *glacial.*

Conjugaison 1

▷ ***triompher*** v. **1.** Vaincre ; vois ***battre.*** *Le maire a triomphé de ses adversaires. Le parti du maire a triomphé aux élections.* **2.** Manifester sa joie d'avoir réussi, crier victoire. *Ne triomphe pas trop vite ! ;* vois ***pavoiser.***

Le contraire de *triompher,* c'est *perdre.*

▷ ***triomphant*** adj. Qui montre sa joie d'avoir gagné. *Les vainqueurs souriaient d'un air triomphant.*

tripes n. f. plur.

On achète les abats d'animaux chez un *tripier,* dans une *triperie.*

Morceaux d'intestins et d'estomacs de ruminants préparés pour être mangés. *M. Bellec a fait des tripes à la mode de Caen.*

Va voir aussi ***boyau.***

triple adj. et n. m.

1. adj. Qui se présente comme trois. *Mme Séverac a un triple rang de perles,* un collier fait de trois rangs de perles. **2.** n. m. Quantité trois fois plus grande. *J'ai acheté cette bague le triple de sa valeur,* trois fois plus que ce qu'elle vaut.

12 est le triple de 4.

Aller au triple galop, c'est aller au grand galop, très vite.

Conjugaison 1

▷ ***tripler*** v. **1.** Multiplier par trois. *Denis Prost a triplé ses revenus en cinq ans.* **2.** Devenir trois fois plus grand. *Mon doigt a triplé de volume.*

triporteur n. m.

Famille de **porter**

Tricycle sur lequel est installée une caisse pour transporter des marchandises. *L'épicier fait ses livraisons avec un triporteur.*

tripoter v.

Conjugaison 1

Toucher en insistant, et sans faire attention ; vois ***triturer.*** *Ne tripote pas les fraises, tu vas les abîmer.*

Ce mot est familier.

trique n. f.

Sec comme un coup de trique : très maigre.

Gros bâton utilisé pour frapper ; vois ***gourdin, matraque.*** *Pierre Séverac a tué un rat d'un coup de trique.*

triste adj.

Le loup poussa un grand soupir, ses oreilles pointues se couchèrent de chaque côté de sa tête. On voyait qu'il était triste *(les Contes du Chat perché).*

1. Qui a du chagrin, de la peine. *Claire est triste d'avoir perdu sa poupée ;* vois ***malheureux.*** *Sylvain a l'air triste aujourd'hui ;* vois ***mélancolique, sombre.*** **2.** Qui répand la tristesse. *Ce temps gris est triste ;* vois ***maussade, sinistre.*** **3.** Qui fait de la peine. *Je dois vous annoncer une bien triste nouvelle ;* vois ***pénible.***

Le contraire de *triste,* c'est *content, gai, joyeux, heureux.*

Autre membre de la famille : **attrister.**

▷ ***tristesse*** n. f. Chagrin, peine ; vois ***abattement, mélancolie, morosité.*** *La tristesse se lisait dans le regard de Sylvain.*

Le contraire de *tristesse,* c'est *gaieté, joie.*

Les tritons se nourrissent de larves, d'insectes et de petits crustacés.

triton n. m.
Petit animal qui ressemble à la salamandre, avec une queue aplatie. *En hiver, les tritons se cachent dans un trou où ils restent jusqu'au printemps.*

Le triton est un batracien.

Conjugaison 1

triturer v.
1. Écraser. *Les molaires triturent les aliments ;* vois ***broyer.*** **2.** Toucher, manipuler machinalement. *Angèle triturait ses clés nerveusement.*

Il tritura un instant sa toison rêche et rousse *(le Lion).*

Au masculin pluriel : *triviaux.*

trivial adj.
Vulgaire, grossier ; vois ***choquant.*** *Alex aime faire des plaisanteries triviales.*

Troc [tʀɔk] rime avec *toque.*

troc n. m.
Échange d'une chose contre une autre, sans utiliser d'argent. *Julie a fait du troc avec Antoine : elle lui a échangé des billes en verre contre des billes en terre.*

Famille de **troquer**

Les troènes gardent leurs feuilles presque toute l'année.

troène n. m.
Petit arbre à fleurs blanches qui sentent très bon. *Loïc taille la haie de troènes de son jardin.*

Attention au *y* !

troglodyte n. m. et f.
Personne qui habite une grotte ou une maison faite dans une paroi de rocher. *En Chine, on trouve encore des maisons de troglodytes.*

trognon n. m.
Ce qui reste quand on a enlevé ce qui se mange dans une pomme, une poire, un chou ou une salade. *Julie jette son trognon de pomme dans la poubelle.*

Les pépins de pomme et de poire se trouvent dans le trognon.

N'oublie pas le tréma du *ï.* Prononce [tʀɔika].

troïka n. f.
Grand traîneau russe, tiré par trois chevaux les uns à côté des autres. *Les voyageurs enveloppés de fourrures prirent place dans la troïka.*

Un vélo à trois roues, c'est un *tricycle* ; une durée de trois mois, c'est un *trimestre* ; multiplier par trois, c'est *tripler.*

trois adj. et n. m. invariable
1. adj. invariable Deux plus un. *Denis Prost est allé passer trois jours à New York. Je ne l'ai vu que deux ou trois fois,* un très petit nombre de fois. *Marie-Tévy a ouvert son livre à la page trois,* à la troisième page. **2.** n. m. invariable Le nombre trois. *Un, deux, trois, partez ! Les Hespel habitent au trois rue Albert-Samain.*

3 en chiffre arabe
III en chiffres romains

▹ ***troisième*** adj. Qui vient après le deuxième. *L'ascenseur s'est arrêté au troisième étage.* — n. m. *L'ascenseur s'est arrêté au troisième.*

Va voir aussi ***tiers.***

trombe n. f.
1. *Des trombes d'eau,* ce sont des pluies très fortes et très violentes, torrentielles ; vois ***déluge.*** *Un orage éclata et des trombes d'eau s'abattirent sur la ferme.* **2.** *Denis Prost démarre en trombe,* très vite.

Une *trombe,* c'est un cyclone, une tornade, dans les pays tropicaux.

Le trombone fait partie des *cuivres* comme la trompette et le cor.

trombone n. m.
1. Instrument de musique à vent. *Le trombone à coulisse est utilisé dans les orchestres de jazz.* **2.** Petit morceau de fil de fer, replié en deux boucles, qui sert à attacher des feuilles de papier ensemble. *Mme Hespel a attaché les quatre pages de l'article qu'elle vient d'écrire avec un trombone.*

Il existe aussi des *trombones à pistons.*

trompe n. f.
1. Cor de chasse. *Lors des chasses à courre, les chasseurs sonnent de la trompe.* **2.** Partie allongée du nez de l'éléphant et du tapir. *Les éléphants peuvent prendre des objets avec leur trompe et aussi aspirer de l'eau pour la boire ou s'en asperger.*

Autres membres de la famille : **trompette, trompettiste.**

Conjugaison 1

tromper v.
1. *Tromper quelqu'un,* c'est l'induire en erreur, en lui mentant ou en lui cachant quelque chose ; vois ***berner, duper, mystifier.*** *Antoine nous a bien trompés en nous racontant cette histoire.* **2.** Échapper à une surveillance. *Le prisonnier a trompé la vigilance de ses gardiens ;* vois ***déjouer.*** **3.** *Se tromper,* c'est faire une erreur, se méprendre. *Tout le monde peut se tromper. M. Bellec s'est trompé de route.*

Autres membres de la famille : **détromper, trompeur.**

Le petit prince, une fois sur terre, fut donc bien surpris de ne voir personne. Il avait déjà peur de s'être trompé de planète *(le Petit Prince).*

▹ ***tromperie*** n. f. Mensonge, tricherie ; vois ***duperie, mystification.*** *Ce ne sont pas des croissants pur beurre, il y a tromperie sur la marchandise.*

Famille de **œil**

▸ ***trompe-l'œil*** n. m. invariable Peinture décorative qui veut faire croire que l'objet qui est peint existe réellement, en relief. *On peint des fenêtres en trompe-l'œil sur les façades des immeubles.*

Au pluriel : *des trompe-l'œil.*

Deux *t* à *trompette* et à *trompettiste.*

Un clairon n'a pas de pistons.

trompette n. f.
Instrument de musique à vent qui a des pistons, comme le cornet à pistons. *Il joue de la trompette dans un orchestre de jazz.*

Un *nez en trompette,* c'est un nez retroussé.

▸ ***trompettiste*** n. m. et f. Musicien qui joue de la trompette. *Maurice André est un célèbre trompettiste français.*

Famille de **trompe**

Le contraire de *trompeur,* c'est *vrai.*

trompeur adj.
Qui n'est pas vrai, qui induit en erreur ; vois ***faux, mensonger.*** *Les apparences sont souvent trompeuses.*

Famille de **tromper**

Ne prononce pas le *c* : [tʀɔ̃].

Babar déroule une grande bâche et l'accroche entre quelques troncs de palmiers pour faire un appartement *(Babar).*

tronc n. m.
1. Partie de l'arbre comprise entre le sol et les branches les plus basses. *Le tronc est recouvert d'écorce.* **2.** Partie du corps humain où sont fixés la tête et les membres. *Le corps est formé de la tête, du tronc et des membres.* **3.** Boîte percée d'une fente où l'on met l'argent que l'on donne, dans une église. *L'abbé Gauthier relève l'argent des troncs une fois par semaine.*

N'oublie la cédille du *ç*.

▸ ***tronçon*** n. m. **1.** Partie coupée d'un objet, plus longue que large. *Pierre Séverac débite les branches en tronçons pour faire des bûches.* **2.** Partie d'une route. *On a ouvert un nouveau tronçon d'autoroute.*

La lanière avait été coupée en deux tronçons aussi proprement qu'avec un couteau *(Croc-Blanc).*

Conjugaison 1

▸ ***tronçonner*** v. Couper en tronçons. *Pierre Séverac tronçonne un arbre abattu.*

Compare : *tronçonner* → *tronçonneuse* et *dépanner* → *dépanneuse.*

▸ ***tronçonneuse*** n. f. Scie à moteur utilisée pour tronçonner. *Pierre Séverac débite les branches à la tronçonneuse.*

Deux *n* dans *tronçonner* et *tronçonneuse.*

N'oublie pas l'accent circonflexe du *ô* !

trône n. m.
1. Siège élevé où s'assied un souverain pendant les cérémonies. *Le roi et la reine, entourés de leur suite, prirent place sur leur trône.* **2.** Pouvoir d'un souverain, royauté. *Une lutte sans merci oppose les prétendants au trône.*

Sur ces mots, le calife congédia Cogia Hassan qui se prosternait respectueusement devant son trône *(les Mille et Une Nuits).*

Conjugaison 1

Lullaby imagina la figure sévère de Mlle Lorti trônant au-dessus d'un grand rocher *(Lullaby).*

▸ ***trôner*** v. **1.** Être assis sur un trône. *Le roi trône au milieu de ses sujets.* **2.** Être assis à la place d'honneur. *Denis Prost, fier de son succès, trônait en bout de table.* **3.** Être dans un endroit bien visible. *Un nouveau vase trône sur la cheminée.*

Autre membre de la famille : **détrôner.**

Lorsque *trop* est devant une voyelle, on fait la liaison : *c'est trop acide* [sɛtʀopasid].

Trop d'ambition a perdu les plus grands empires ! *(Michel Strogoff).*

trop adv.
1. Plus qu'il ne faudrait ; vois ***excessivement.*** *Ce film est trop long. Antoine s'est levé trop tard. Claire a trop mangé. Yves a trop chaud.* **2.** Beaucoup, très. *Vous êtes trop aimable ;* vois ***bien.*** *Alex ne sait pas trop ce qu'il veut.* **3.** *Yasmina a mis un couvert de trop,* en plus de ce qu'il faut. *Les enfants, vous faites trop de bruit,* plus de bruit qu'il ne faut. *C'en est trop,* ce n'est plus supportable.

Les parents, c'est trop raisonnable *(les Contes du Chat perché).*

Autre membre de la famille : **trop-plein.**

Ce mot masculin, comme *lycée,* finit par *ée.* Prononce [tʀɔfe].

trophée n. m.
Objet que l'on ramène d'un combat ou d'une compétition, et qui montre que l'on a gagné. *Le vainqueur de la course cycliste a reçu un trophée en argent.*

Un *trophée de chasse,* c'est la tête empaillée d'un animal abattu.

Les tropiques sont des régions chaudes et humides.

tropique n. m.
1. *Les tropiques,* ce sont deux cercles imaginaires qui font le tour de la Terre au-dessus et au-dessous de l'équateur. *Le tropique du Cancer traverse le Mexique.* **2.** *Les tropiques,* ce sont les régions de la Terre situées autour des deux tropiques. *Sophie Pelletier rêve de vivre au soleil des tropiques.*

Le tropique du Cancer est au nord de l'équateur, le tropique du Capricorne au sud.

La végétation tropicale est très dense et luxuriante.

Va voir aussi *équatorial.*

▸ ***tropical*** adj. **1.** *Le climat des pays tropicaux est chaud et humide,* le climat des pays situés entre les tropiques. **2.** *Cet été, il a fait une chaleur tropicale,* très forte ; vois ***torride.***

Il y a des singes, des serpents et toutes sortes d'oiseaux dans la forêt tropicale.

Au pluriel : *des trop-pleins.*

trop-plein n. m.
1. *Le trop-plein du lac se déverse par un canal,* la quantité d'eau en trop. **2.** Dispositif permettant à l'eau qui est en trop de s'écouler. *Quand il y a trop d'eau dans la baignoire, cette eau s'écoule par le trop-plein.*

Famille de **trop** et de **plein**

Autre membre de la famille : **troc.**

troquer v.
Échanger. *Julie a troqué sa gomme contre des billes avec Antoine.*

Conjugaison 1

N'oublie pas les deux *t*.

trotter v.

1. Aller au trot. *Le poulain trotte dans le pré.* 2. Marcher rapidement à petits pas. *Mamie Lou trotte sans cesse à travers la maison.* 3. *Cet air me trotte dans la tête,* je l'ai dans la tête, il m'obsède.

Conjugaison 1

Prononce [tRo].

▷ ***trot*** n. m. Allure du cheval entre le pas et le galop. *Le poulain est parti au trot.*

Ne confonds pas *trot* et *trop*.

▷ ***trotteuse*** n. f. Aiguille d'une montre qui marque les secondes. *La montre de Julie a une trotteuse rouge.*

Conjugaison 1

▷ ***trottiner*** v. 1. Trotter à petits pas. *Le poulain, fatigué, est revenu en trottinant.* 2. Marcher à petits pas pressés. *Claire trottinait derrière son père.*

Deux *t* dans *trotteuse, trottiner* et *trottoir.*

▷ ***trottoir*** n. m. Côté surélevé d'une rue, réservé aux piétons. *Yves joue au ballon sur le trottoir.*

La *chaussée* est réservée aux voitures.

Au pluriel : *des trous.*

trou n. m.

1. Endroit où le sol forme un creux ; vois ***cavité, creux, excavation.*** *Yves creuse un trou dans le jardin.* 2. Ouverture dans une chose. *Julie regarde par le trou de la serrure. Antoine a fait un trou dans sa chaussette.*

Autres membres de la famille : **bouche-trou, trouer, trouée.**

troubadour n. m.

Les troubadours parlaient et chantaient en langue d'oc.

Poète qui chantait ses poèmes au Moyen Âge. *Les troubadours vivaient dans le Sud de la France.*

Va voir aussi ***trouvère.***

Conjugaison 1

troubler v.

1. Rendre moins clair ; vois ***obscurcir.*** *Aucun nuage ne troublait le bleu du ciel.* 2. Rendre moins net. *L'émotion troublait la voix d'Angèle.* 3. Bouleverser, déranger ; vois ***perturber.*** *Le bruit du tonnerre a troublé le sommeil de Mamie Lou.* 4. Émouvoir, impressionner. *Julie ne se laisse pas facilement troubler ;* vois ***atteindre, toucher.*** *Un détail troubla le commissaire,* le rendit perplexe ; vois ***embarrasser, gêner.*** — *L'accusé répondit sans se troubler,* sans s'émouvoir.

Le contraire de *troubler,* c'est *clarifier, purifier.*

Quelques rugissements de guépards et de panthères troublèrent parfois le silence *(le Tour du monde en 80 jours).*

La Directrice se troubla, et dut détourner son regard *(Lullaby).*

▷ ① ***trouble*** adj. 1. *Un liquide trouble,* c'est un liquide qui n'est pas limpide, pas clair. *L'eau des flaques est trouble.* 2. *La télévision est mal réglée, l'image est trouble,* elle n'est pas nette. 3. *C'est une affaire trouble,* un peu louche, pas très claire.

Il se déchausse, entre dans la rivière et avec ses pieds agite le fond sablonneux pour faire de l'eau trouble *(Poil de Carotte).*

▷ ② ***trouble*** n. m. 1. État d'une personne agitée, émue. *Marie-Tévy, rougissante, ne pouvait cacher son trouble.* 2. État d'une partie du corps qui ne fonctionne pas bien. *M. Bonnot a des troubles de la vue,* il ne voit pas très bien.

N'oublie pas le trait d'union.
Au pluriel : *des trouble-fête.*

▷ ***trouble-fête*** n. m. et f. invariable Personne qui empêche les autres de s'amuser. *Personne n'a envie d'inviter Mme Harpie : c'est une vraie trouble-fête.*

Famille de **fête**

Conjugaison 1
Famille de **trou**

trouer v.

Faire un trou. *Julie a troué sa chaussette ;* vois ***percer.***

▷ ***trouée*** n. f. Large ouverture qui permet de passer ou de voir. *La piste de ski fait une trouée parmi les arbres.*

troupe n. f.

1. Groupe important de soldats. *Des éclaireurs précèdent le gros de la troupe. Nos troupes ont été victorieuses,* notre armée. 2. Groupe de personnes ou d'animaux. *Julie est venue avec une troupe d'amis ;* vois ***bande.*** 3. Groupe de comédiens qui jouent ensemble. *Une troupe en tournée a joué dans notre ville.*

Ce que Michel Strogoff voulait avant tout, c'était éviter Tomsk, occupée par les troupes tartares *(Michel Strogoff).*

La troupe, c'est l'ensemble des soldats, sans les officiers.

Un grand loup gris, un des chefs de file habituels de la troupe, courait en tête *(Croc-Blanc).*

Au pluriel : *des troupeaux.*

▷ ***troupeau*** n. m. Groupe d'animaux domestiques élevés ensemble. *Pierre Séverac a mené le troupeau de vaches au pré.*

Autres membres de la famille : s'**attrouper, attroupement.**

trousse n. f.

1. Étui dans lequel on range des choses dont on a besoin. *Sylvain met ses stylos, sa gomme et son compas dans sa trousse.* 2. *Être aux trousses de quelqu'un,* c'est le poursuivre. *Yasmina avait Colle et Rat à ses trousses et courait à toutes jambes.*

Le médecin a une trousse avec ses instruments.

Dès l'instant où le traîneau s'ébranla, tout l'attelage partit aux trousses de Lip-Lip *(Croc-Blanc).*

On met ses affaires de toilette dans une *trousse de toilette.*

▷ ***trousseau*** n. m. 1. *Un trousseau de clés,* c'est plusieurs clés attachées ensemble. *Angèle a laissé un trousseau de clés au gardien de son immeuble.* 2. Ensemble des vêtements et du linge dont on a besoin. *Mme Bellec a*

Il sortit de sa poche un trousseau de clefs et en glissa une dans la serrure *(Charlie et la Chocolaterie).*

soigneusement préparé le trousseau de son fils avant son départ en classe de neige.

Conjugaison 1

Lullaby longea le grillage pour trouver une entrée *(Lullaby).*

trouver v.

1. Apercevoir, rencontrer ce que l'on cherchait ; vois ***découvrir.*** *Angèle ne trouve plus ses clés.* **2.** Réussir à avoir. *Hippolyte a trouvé un nouvel appartement. Mme Hespel ne trouve pas le sommeil.* **3.** Découvrir une chose sans l'avoir cherchée. *Mme Touati a trouvé un parapluie dans l'autobus.* **4.** Imaginer, inventer. *Antoine trouve toujours une excuse pour ses retards.* **5.** Éprouver. *Colle et Rat trouvent du plaisir à embêter les autres,* ils y prennent du plaisir. **6.** Estimer. *Hippolyte trouve Angèle très jolie ;* vois ***juger.*** *Loïc trouve que Mme Roussel a beaucoup de charme.*

Le contraire de *trouver,* c'est *perdre.*

Au lieu que jusqu'alors elle l'avait vu boiter effroyablement, elle ne lui trouva plus qu'un certain air penché qui la charmait *(Riquet à la Houppe).*

Son pied glissa, et, un instant plus tard, plouf ! elle se trouvait dans l'eau salée jusqu'au menton *(Alice au Pays des merveilles).*

▹ *se* **trouver** v. **1.** Être. *La maison de Loïc se trouve en Bretagne. Je me trouve dans l'impossibilité de vous aider.* **2.** Se sentir. *Comment te trouves-tu ce matin ?,* comment te sens-tu ? *Mme Bellec s'est trouvée mal,* elle s'est évanouie.

▹ ***trouvaille*** n. f. **1.** Chose trouvée par hasard. *Julie a fait une trouvaille dans la cour : c'est un étrange morceau de bois rouge.* **2.** Chose que l'on imagine, idée originale. *La rédaction d'Yves était pleine de trouvailles.*

Autres membres de la famille : **retrouver, retrouvailles.**

trouvère n. m.

Poète qui chantait ses poèmes, au Moyen Âge. *Les trouvères vivaient dans le Nord de la France.*

Les trouvères parlaient la langue d'oïl.

Va voir aussi **troubadour.**

N'oublie pas le *d.*

truand n. m.

Bandit, voleur. *La police a arrêté une bande de truands.*

truc n. m.

1. Procédé habile pour obtenir un effet. *Antoine rêve d'apprendre les trucs des prestidigitateurs.* **2.** Chose ; vois ***machin.*** *Qu'est-ce que c'est que ce truc ?*

Ce sens de *truc* est familier.

Autres membres de la famille : **truquer, truquage.**

truchement n. m.

Hippolyte a eu des nouvelles d'Angèle par le truchement de Marie-Tévy, par l'intermédiaire de Marie-Tévy.

Ce mot se trouve surtout dans les livres.

truculent adj.

Un personnage truculent, c'est un personnage qui étonne et amuse par ses excès. *Gargantua est un personnage truculent ;* vois ***pittoresque.***

truelle n. f.

Outil de maçon, fait d'une lame plate triangulaire et d'un manche. *La truelle sert à étendre le ciment.*

truffe n. f.

1. Champignon noir au goût très délicat, qui pousse sous la terre. *Mamie Lou met des morceaux de truffe dans le foie gras.* **2.** *Une truffe en chocolat,* c'est un bonbon fait de beurre et de chocolat mélangés. *Hippolyte a offert des truffes en chocolat à Angèle.* **3.** Bout du museau du chien. *Rex pose sa truffe humide sur le genou de Claire.*

On utilise des porcs ou des chiens pour trouver les truffes et les déterrer. Les truffes coûtent très cher.

C'est du foie gras *truffé.*

truie n. f.

Femelle du porc. *Les porcelets tètent la truie pendant quatre à huit semaines.*

La portée de la truie est de dix à douze porcelets.

Le mâle est un *verrat.*

truite n. f.

Poisson de rivière au corps ovale recouvert de petites écailles, dont la chair est très bonne. *M. Bellec a pêché des truites dans un torrent de montagne.*

Les truites mangent des vers, des poissons, et les insectes qui volent au-dessus de l'eau.

Une truite peut atteindre un mètre de long et peser jusqu'à 30 kilos.

Conjugaison 1

truquer v.

Changer pour tromper, donner une fausse apparence. *Colle et Rat ont truqué leur jeu de cartes pour être sûrs de gagner ;* vois ***falsifier.***

Famille de **truc**

▹ ***truquage*** n. m. Procédé employé au cinéma pour créer une illusion ; vois ***truc.*** *Il y a de nombreux truquages dans les films fantastiques.*

On écrit aussi *trucage.*

tsar n. m.

Empereur de Russie. *Le tsar Pierre Ier fut appelé Pierre le Grand. Le dernier tsar fut Nicolas II.*

On écrit aussi *tzar* et *czar.*

Nicolas II abdiqua après la révolution de février 1917.

Au pluriel : *des mouches tsé-tsé.*

tsé-tsé n. f. invariable
La mouche tsé-tsé, c'est une mouche d'Afrique qui peut transmettre des maladies. *La piqûre de la mouche tsé-tsé provoque la maladie du sommeil.*

tu pronom personnel

Va voir aussi ***te*** et ***toi.***

Pronom personnel sujet représentant la deuxième personne du singulier. *Tu es jeune. As-tu bien dormi ? Toi, tu restes ici.*

Autres membres de la famille : **tutoyer, tutoiement.**

tube n. m.
1. Cylindre creux, long et mince. *L'eau coule dans un tube de plastique ;* vois ***tuyau.*** **2.** *Le tube digestif,* c'est l'ensemble des conduits par où passent les aliments que l'on mange. *L'œsophage, l'estomac et les intestins font partie du tube digestif.* **3.** Petit emballage cylindrique, souple ou rigide. *Le tube de dentifrice est vide.*

Au féminin : *tuberculeuse.*

tuberculeux adj.
Qui est atteint de la tuberculose. *Il n'y a presque plus d'enfants tuberculeux en France.* — n. *Les tuberculeux sont soignés dans des sanatoriums.*

tuberculose n. f.

Le *B. C. G.* est un vaccin contre la tuberculose.

Maladie contagieuse qui atteint surtout les poumons. *Les radios des poumons permettent de dépister la tuberculose.*

La tuberculose est provoquée par le bacille de Koch.

tue-mouche adj.
1. *L'amanite tue-mouche,* c'est un champignon vénéneux, au chapeau rouge avec des points blancs. *Yasmina a vu des amanites tue-mouche en se promenant dans la forêt.* **2.** *Le papier tue-mouche,* c'est un papier sur lequel les mouches viennent se coller et meurent. *Mamie Lou a suspendu du papier tue-mouche dans la cuisine.*

Famille de **tuer** et de **mouche**

On écrit aussi *des amanites tue-mouches.*

On écrit aussi *du papier tue-mouches.*

Conjugaison 1

tuer v.
1. Faire mourir. *La mère de M. Bonnot a été tuée pendant la guerre ;* vois ***assassiner, exécuter.*** *M. Bellec a tué trois lièvres à la chasse ;* vois ***abattre.*** **2.** Faire disparaître, supprimer. *Les contraintes tuent l'imagination. Denis Prost fume une cigarette pour tuer le temps,* pour passer le temps. **3.** Fatiguer, épuiser. *Ce bruit me tue.*

Autres membres de la famille : **s'entre-tuer, tue-mouche.**

▸ ***se tuer*** v. **1.** Se suicider. *Elle s'est tuée d'une balle dans la tête.* **2.** Mourir. *Ils ont failli se tuer en voiture.* **3.** Se donner beaucoup de mal. *Je me tue à vous le répéter,* je m'épuise, je m'évertue à vous le répéter.

▸ ***tuerie*** n. f. Massacre sauvage. *M. Bonnot a échappé à une affreuse tuerie de résistants, pendant la guerre.*

Famille de **tête**

▸ ***à tue-tête*** adv. D'une voix très forte. *Yasmina chantait à tue-tête.*

Bill agita sa main [...] cria à tue-tête *(Croc-Blanc).*

Un *tueur à gages* est employé et payé pour tuer quelqu'un.

▸ ***tueur*** n. m., ***tueuse*** n. f. Personne dont le métier est de tuer. *À l'abattoir, les animaux de boucherie sont tués par des tueurs de bestiaux.*

tuile n. f.

Les *tuiles aux amandes* sont des gâteaux de forme arrondie.

Plaque de terre cuite qui sert à couvrir les toits. *Les maisons de Toulouse ont des toits recouverts de tuiles roses.*

tulipe n. f.

En Hollande, on voit d'immenses champs de tulipes.

Plante à longue tige droite, à feuilles allongées et à grosse fleur vivement colorée. *Odile Séverac plante des oignons de tulipes devant la maison.*

La fleur de cette plante s'appelle aussi une *tulipe.*

Deux *l* à *tulle.*

tulle n. m.
Tissu léger et transparent. *La mariée portait un voile de tulle.*

Tulle est le nom d'une ville de France.

tuméfié adj.
Gonflé, enflé de façon anormale. *Le visage du boxeur était complètement tuméfié par les coups reçus.*

tumeur n. f.

Les verrues sont des *tumeurs bénignes.*

Grosseur anormale qui se forme à la surface de la peau ou à l'intérieur du corps. *Le chirurgien a opéré la malade d'une tumeur au sein.*

Les cancers sont des *tumeurs malignes.*

tumulte n. m.
Désordre bruyant ; vois ***brouhaha, chahut, vacarme.*** *On ne pouvait se faire entendre dans ce tumulte.*

Le contraire de *tumulte,* c'est *calme, paix.*

▸ ***tumultueux*** adj. Agité et bruyant ; vois ***mouvementé, orageux.*** *La réunion a été tumultueuse.*

Le contraire de *tumultueux,* c'est *calme, paisible.*

tunique n. f.

1. Longue chemise droite que l'on portait dans l'Antiquité. *Les anciens Grecs portaient des tuniques.* **2.** Veste d'uniforme. *Autrefois, les lycéens portaient une tunique.* **3.** Longue chemise, descendant jusqu'à mi-cuisses, fendue sur les côtés. *Mme Hespel avait un pantalon et une tunique assortis.*

Les Romains portaient une tunique sous leur toge.

Deux ***n*** à *tunnel.*

tunnel n. m.

Passage creusé sous la terre. *Le tunnel du Mont-Blanc a onze mille six cents mètres de long.*

turban n. m.

Longue bande de tissu enroulée autour de la tête. *En Inde, certains hommes portent un turban.*

Ce sont les Sikhs.

turbine n. f.

Moteur qui tourne grâce à la force de l'eau ou d'un gaz. *L'eau du barrage fait fonctionner les turbines de la centrale électrique.*

turbot n. m.

Comme tous les poissons plats, le turbot a les deux yeux du même côté.

Gros poisson de mer plat et ovale, vivant dans l'Atlantique nord et la Méditerranée. *Le turbot n'a pas d'écailles, mais son corps est couvert de saillies osseuses et de taches. La chair du turbot est très délicate.*

turbulent adj.

Le contraire, c'est *calme, sage.*

Remuant et bruyant. *Julie est une enfant turbulente.*

Prononce [tœʀfist] ou [tyʀfist].

turfiste n. m. et f.

Personne qui s'intéresse aux courses de chevaux et fait des paris. *Les turfistes se retrouvent à l'hippodrome pour le tiercé.*

Ce mot se trouve surtout dans les livres.

turpitude n. f.

Action ou parole honteuse, ignoble, malhonnête. *Qui a pu commettre une pareille turpitude ?*

turquoise n. f.

Les turquoises viennent de Turquie et d'Inde.

Pierre précieuse d'un bleu-vert assez clair. *Angèle a un collier de turquoises.* — adj. invariable *Alex a des chaussettes bleu turquoise,* bleu-vert comme cette pierre.

Bleu turquoise est invariable.

On dit aussi *des chaussettes turquoise.*

Compare *tutelle* et *tuteur* : il s'agit de **protéger.**

tutelle n. f.

Être sous la tutelle de quelqu'un, c'est avoir quelqu'un pour tuteur. *Quand un enfant perd ses parents, on le met sous la tutelle d'un autre adulte.*

tuteur n. m., **tutrice** n. f.

1. Personne qui est responsable d'un mineur. *Les parents sont les tuteurs légaux de leurs enfants.* **2.** Tige de bois, de plastique ou de métal que l'on fixe dans le sol pour soutenir une plante. *Mamie Lou fait grimper des plants de haricots sur des tuteurs.*

Si les parents meurent, l'enfant est confié à un tuteur.

Conjugaison 8 ▭ Indic. présent : *nous tutoyons.* Imparfait : *nous tutoyions.*

tutoyer v.

Tutoyer quelqu'un, c'est s'adresser à lui en employant la deuxième personne du singulier. *Angèle, l'institutrice, tutoie ses élèves, mais elle vouvoie la directrice. — Mme Bellec et Mme Roussel se tutoient.*

Quand nous nous connaîtrons bien, demain par exemple, nous nous tutoierons : c'est si gênant de dire *vous* ! *(les Vacances).*

▸ ***tutoiement*** n. m. Habitude de tutoyer. *Angèle et Hippolyte ont adopté le tutoiement,* ils se tutoient.

Famille de **tu** et de **toi**

tutu n. m.

Jupe très courte des danseuses de ballet. *Pour la fête de fin d'année du cours de danse, Julie portait un tutu de tulle rose.*

Prononce bien [tɥijo].

tuyau n. m.

Tube creux dans lequel on fait passer un liquide ou un gaz. *Le jardinier arrose les massifs de fleurs avec un tuyau d'arrosage.*

Va voir aussi ***canalisation, conduit.***

▸ ***tuyauterie*** n. f. Ensemble des tuyaux d'une installation. *Le plombier a vérifié la tuyauterie du chauffage central.*

Tweed [twid] est un mot d'origine anglaise.

tweed n. m.
Épais tissu de laine aux couleurs fondues. *Le docteur Séverac portait une veste de tweed.*

La *Tweed* est une rivière d'Écosse.

L'eau froide l'enveloppa en pressant sur ses tympans et sur ses narines *(Lullaby).*

tympan n. m.
Membrane située au fond du conduit de l'oreille. *Les sons font vibrer le tympan. Ces cris nous perçaient les tympans,* étaient assourdissants.

Croc-Blanc demeurait, sur le Yukon, la propriété d'un homme plus qu'à demi fou et le type achevé de la brute *(Croc-Blanc).*

type n. m.
1. Ensemble des caractères qui permettent de distinguer des classes d'objets ; vois ***catégorie, famille, genre.*** *Marie-Tévy a le type asiatique. Angèle a une voiture d'un type courant ;* vois ***modèle.*** **2.** Personne qui peut être montrée en exemple d'un modèle. *M*[me] *Hespel est le type de la femme d'affaires,* elle a toutes les caractéristiques de la femme d'affaires. **3.** Homme, individu ; vois ***bonhomme.*** *Hippolyte est vraiment un chic type.*
▹ ***typique*** adj. Caractéristique. *Denis Prost a les défauts typiques des acteurs de cinéma.*

Autres membres de la famille : **prototype, stéréotype, stéréotypé.**

Ce sens est familier.

Attention au ***y*** !

typhon n. m.
Cyclone des mers de Chine et de l'océan Indien ; vois ***ouragan.*** *Les typhons provoquent des raz-de-marée.*

Dans un typhon, les vents soufflent très fort en tourbillonnant.

Attention au ***y*** !

typographe n. m. et f.
Personne dont le métier est d'assembler les caractères d'imprimerie pour faire un texte. *Autrefois, les typographes composaient les textes avec des caractères en plomb.*
▹ ***typographie*** n. f. Manière d'imprimer un texte, choix des caractères. *La typographie de ce livre est très claire.*

Peu à peu, les typographes sont remplacés par des opérateurs travaillant sur des ordinateurs.

Attention au ***y*** !

tyran n. m.
1. Personne qui gouverne un pays de manière absolue, par la force ; vois ***despote, dictateur.*** *Une révolution a renversé le tyran.* **2.** Personne très autoritaire. *Cet enfant est un véritable tyran.*

Deux ***n*** à *tyrannie, tyrannique* et *tyranniser.*

▹ ***tyrannie*** n. f. Gouvernement cruel. *Le peuple s'est soulevé contre la tyrannie.*
▹ ***tyrannique*** adj. Autoritaire. *Le peuple s'est soulevé contre ce régime tyrannique,* digne d'un tyran.

Contre nous de la tyrannie
L'étendard sanglant est levé
(la Marseillaise).

Conjugaison 1

▹ ***tyranniser*** v. Abuser de son pouvoir ou de sa force ; vois ***opprimer, persécuter.*** *Il tyrannise sa femme et ses enfants.*

Prononce [ybikɥite].

ubiquité n. f.

Avoir le don d'ubiquité, c'est pouvoir être dans plusieurs endroits à la fois. *Je ne peux pas être partout, je n'ai pas le don d'ubiquité.*

ulcère n. m.

Plaie qui ne se cicatrise pas normalement. *Mme Hespel a un ulcère à l'estomac.*

Attention à l'accent aigu du ***é*** de *ulcérer* !

ulcérer v.

Blesser profondément, faire beaucoup de peine. *Votre manque de confiance m'a ulcéré.*

Conjugaison 6

ultérieur adj.

Le contraire d'*ultérieur,* c'est *antérieur.*

Qui arrivera plus tard ; vois ***futur, postérieur.*** *La réunion est reportée à une date ultérieure.*

▹ ***ultérieurement*** adv. Plus tard ; vois ***après, ensuite.*** *La réunion aura lieu ultérieurement.*

Ultimatum [yltimatɔm] rime avec *homme.*

ultimatum n. m.

Dernières conditions accompagnées de menaces, présentées pour obtenir quelque chose. *Les terroristes ont envoyé un ultimatum au gouvernement : si on ne leur donne pas un avion, ils tuent les otages.*

Au pluriel : *des ultimatums.*

Le contraire d'*ultime,* c'est *premier.*

ultime adj.

Dernier, final. *Dans un ultime effort, le naufragé a nagé jusqu'à la plage.*

On écrit aussi *ultra-son.*

ultrason n. m.

Son trop aigu pour qu'un homme puisse l'entendre. *Loïc a sur son bateau un appareil à ultrasons pour détecter les bancs de poissons.*

Famille de **sonner**

Les chiens et les chats entendent les ultrasons.

On écrit aussi *ultra-violet.*

ultraviolet adj.

Les rayons ultraviolets, ce sont des rayons semblables aux rayons lumineux, mais que l'on ne peut pas voir. *Les rayons ultraviolets provoquent les coups de soleil.*

Même famille que **violet**

Compare ***ultraviolet*** et ***ultrason*** : c'est **au-delà.**

ululement va voir ***hululement.***

ululer va voir ***hululer.***

un adj., article indéfini et pronom indéfini

Y'a qu'un ch'veu
Sur la tête à Mathieu
Y'a qu'une dent
Dans la mâchoire à Jean
(chanson).

▭ **adj.** *Cette bouteille contient un litre d'eau. Pas un arbre ne pousse ici,* aucun arbre. *Il est une heure du matin. Julie a tiré le numéro un,* le premier numéro. — n. m. Le chiffre un. *Un et un font deux. Antoine Doucet habite au un rue Jules-Ferry,* au numéro un.

1 en chiffre arabe
I en chiffre romain

Autres membres de la famille : **chacun, quelqu'un, quelques-uns, unanime, unanimité ; unir, uni, union, trait d'union ; désunir, désunion ; réunir, réunion, unifier, unification, réunifier ; unique, uniquement, unitaire, unité.**

Au pluriel : *des.*

▭ **article indéfini** *Il y a un homme dehors. Un des enfants est parti. Denis Prost est un bon acteur. Un cheval est un mammifère.*

Au pluriel : *uns, unes.*

▭ **pronom indéfini** *Rome est une des plus belles villes que j'ai vues. Denis Prost est un des acteurs les plus connus de sa génération. Les uns sont arrivés en train, les autres en voiture.*

Famille de **un**

unanime adj.

1. *Des personnes unanimes,* ce sont des personnes qui ont toutes le même avis. *Angèle est une excellente institutrice : les parents d'élèves sont unanimes.* **2.** Qui est fait par tous, en même temps. *L'entrée du clown a été accueillie par un éclat de rire unanime.*

▸ ***unanimité*** n. f. *Le maire a été élu à l'unanimité,* par tous les votants sans exception.

Famille de **un**

uni adj.

Un tissu qui n'est pas uni peut être rayé, écossais, à pois, à carreaux, à fleurs, etc.

1. D'une seule couleur. *Julie portait une robe unie.* **2.** *Une famille unie,* c'est une famille dont les membres s'entendent bien. *Les Bellec forment une famille unie.*

Les *États-Unis* d'Amérique forment un seul pays.

Conjugaison 7 ▭ Indic. présent : *nous unifions.* Imparfait : *nous unifiions.*

unifier v.

1. *Unifier des choses,* c'est les rendre pareilles, semblables ; vois ***uniformiser.*** *Les maîtres de l'école ont unifié leurs méthodes de lecture ;* vois ***harmoniser.*** **2.** Unir pour faire un tout. *L'Italie a été unifiée au* XIX*e* *siècle.*

▸ ***unification*** n. f. Le fait d'unifier. *L'unification de l'Italie a été tardive.*

Famille de **un**

Famille de **forme**

① **uniforme** adj.

1. Pareil d'un bout à l'autre, qui ne varie pas. *Le ciel est uniforme et gris.* **2.** Qui ressemble beaucoup aux autres. *Julie et ses amis ont des goûts uniformes,* les mêmes goûts.

▸ ***uniformément*** adv. De la même façon d'un bout à l'autre. *Le ciel est uniformément bleu.*

Au Japon, les écoliers portent des uniformes.

▸ ② ***uniforme*** n. m. Costume qui est le même pour toutes les personnes d'un groupe. *Un policier en uniforme est entré dans le café.*

Les hôtesses de l'air, les huissiers, les militaires ont des uniformes.

Conjugaison 1

Le contraire d'*uniformiser,* c'est *diversifier.*

▸ ***uniformiser*** v. Rendre semblables, ou presque semblables ; vois ***unifier.*** *Les programmes scolaires ont été uniformisés.*

▸ ***uniformité*** n. f. Absence de changement, caractère de ce qui ne varie pas. *On se plaint souvent de l'uniformité de la vie quotidienne.*

Le contraire d'*uniformité,* c'est *diversité, variété.*

Compare *unijambiste* et *unilatéral :* il est question d'**un seul.**

unijambiste n. m. et f.

Personne qui a perdu une jambe. *On peut mettre une jambe artificielle à un unijambiste.*

Famille de **jambe**

Au masculin pluriel : *unilatéraux.*

unilatéral adj.

1. Qui se fait d'un seul côté. *La rue des Vignes est en stationnement unilatéral,* on ne peut y stationner que d'un seul côté. **2.** Qui provient d'un seul. *Le maire a pris une décision unilatérale,* sans demander leur opinion aux autres.

Famille de **latéral**

union n. f.

L'union fait la force (proverbe).

Les *États-Unis* sont une union d'États ; vois ***fédération.***

1. Entente, accord entre plusieurs personnes. *L'union règne chez les Bellec, même si M. Bellec se met parfois en colère.* **2.** Groupe de personnes unies pour faire quelque chose ; vois ***association, entente.*** *M. Bellec préside l'union des commerçants du centre ville.*

Va voir *trait d'union* à ***trait d'union.***

Famille de **un**

unique adj.

1. Seul. *Hippolyte a posé un vase de fleurs sur l'unique chaise de sa chambre. Antoine est fils unique,* il n'a ni frère ni sœur. *La rue des Vignes est à sens*

Famille de **un**

Je me croyais riche d'une fleur unique, et je ne possède qu'une rose ordinaire *(le Petit Prince).*

unique. **2.** Seul de son genre et très différent des autres ; vois ***exceptionnel.*** *Cette œuvre est unique en son genre.*

▸ ***uniquement*** adv. Seulement. *Antoine pense que Mme Harpie est là uniquement pour embêter les enfants.*

Conjugaison 2

unir v.

Famille de **un**

1. Mettre ensemble ; vois ***joindre, rapprocher, réunir.*** *On unit des mots pour former une phrase.* **2.** Lier. *Une grande affection unit Marie-Tévy et Antoine ;* vois ***rapprocher, rassembler.*** — *Les deux pays s'étaient unis pour lutter contre l'envahisseur.* **3.** Relier. *Des lignes d'avions unissent les continents.* **4.** Posséder à la fois. *Loïc unit la force à beaucoup de gentillesse,* il a ces deux qualités en même temps ; vois ***allier, associer, joindre.***

Compare *unisson* et *uniforme* : il est question d'**un seul.**

unisson n. m.

Famille de **sonner**

Son unique produit par plusieurs voix ou plusieurs instruments en même temps. *Yasmina et Julie chantent à l'unisson.*

Famille de **un**

unitaire adj.

1. *Le prix unitaire,* c'est le prix d'une unité. *Combien valent trois salades, si le prix unitaire est de six francs ?* **2.** *Le conseil municipal a agi dans un esprit unitaire,* en cherchant à être uni.

Famille de **un**

unité n. f.

1. Qualité d'un groupe qui forme un tout. *Le maire n'a jamais pu faire l'unité du conseil municipal,* il n'a jamais pu faire que tous les membres soient d'accord. **2.** Élément d'un ensemble de choses identiques. *Le département est une unité administrative.* **3.** Élément qui sert à former les nombres. *Le nombre trente est composé de trente unités.* **4.** Grandeur servant de base pour mesurer d'autres grandeurs. *Le mètre est une unité de longueur.*

Dans un nombre, l'unité est le chiffre placé à droite de celui des dizaines.

Le gramme est une unité de poids.

Univers [yniveʀ] rime avec *vert.*

univers n. m.

1. Ensemble de tout ce qui existe ; vois ***monde, nature.*** *L'homme rêve de se rendre maître de l'univers.* **2.** Ensemble des hommes de la terre. *L'univers entier craint la guerre nucléaire.* **3.** Milieu où l'on vit, que l'on connaît parfaitement. *La ferme, c'est l'univers de Mamie Lou.*

J'étais passé dans l'univers de Patricia, de Kikoro, de King *(le Lion).*

▸ ***universel*** adj. Qui concerne toutes les personnes et toutes les choses ; vois ***général.*** *Le docteur Séverac s'intéresse à l'histoire universelle,* à l'histoire de tous les peuples.

Va voir *suffrage universel* à ***suffrage.***

université n. f.

Endroit où l'on fait des études supérieures, après le baccalauréat. *Le docteur Séverac a fait ses études à l'université de Toulouse.*

Un *universitaire,* c'est une personne qui enseigne à l'université.

▸ ***universitaire*** adj. Qui appartient à l'université. *Les étudiants prennent leurs repas au restaurant universitaire.*

Uranium [yʀanjɔm] rime avec *homme.*

uranium n. m.

Métal radioactif dur et gris, utilisé dans les réacteurs nucléaires. *On extrait de l'uranium en France, dans le Limousin.*

Enrico Fermi fit fonctionner une pile à uranium en 1942 à Chicago.

urbain adj.

Le contraire, c'est *rural.*

De la ville. *Le métro est un moyen de transport urbain.*

Compare *urbanisation* et *urbaniste* : il s'agit de **ville.**

urbanisation n. f.

Transformation d'un endroit en ville. *L'urbanisation de la région est due à l'installation de plusieurs usines.*

Compare *urbain, urbanisation, urbanisme* : il s'agit de **ville.**

urbanisme n. m.

Étude de l'aménagement des villes. *L'urbanisme permet de rendre les villes plus agréables à vivre.*

Compare *urbaniste* et *urbain* : il est question de **ville.**

urbaniste n. m. et f.

Personne dont le métier est de s'occuper d'aménager des villes, des quartiers. *Un urbaniste a fait une étude sur l'aménagement du quartier de la gare.*

Va voir aussi ***architecte.***

urgent adj.
Dont il faut s'occuper tout de suite, sans attendre ; vois ***pressé.*** *Hippolyte, le facteur, a apporté une lettre urgente à Angèle.*
▸ ***urgence*** n. f. **1.** Nécessité d'agir vite. *En cas d'urgence, appelez le médecin. Le malade doit être opéré d'urgence,* tout de suite, sans attendre. **2.** Malade qu'il faut soigner tout de suite. *Le docteur Séverac a été appelé pour une urgence.*

urine n. f.
Avant d'être rejetée hors du corps, l'urine s'accumule dans la vessie.
Liquide jaune qui se forme dans le rein et qui est rejeté à l'extérieur du corps ; vois ***pipi.*** *À la visite médicale, on fait une analyse d'urines.*
Les murs de la forteresse sentaient le moisi et l'urine *(Lullaby).*
On dit aussi familièrement *faire pipi.*
▸ ***uriner*** v. Rejeter l'urine à l'extérieur du corps. *Les chiens urinent pour marquer leur territoire.*
Conjugaison 1
▸ ***urinoir*** n. m. Endroit où les hommes vont uriner. *Dans les toilettes des hommes, il y a des urinoirs.*

urne n. f.
1. Boîte dont le couvercle est muni d'une fente et dans laquelle on met son bulletin de vote. *L'électeur a mis son bulletin de vote dans l'urne.* **2.** Vase. *Quand on brûle un mort, on met ses cendres dans une urne.*
Aller aux urnes, c'est aller voter.

Attention ! *urticaire* est un nom féminin.
urticaire n. f.
Éruption, sur la peau, de petits boutons rouges qui brûlent. *Cette crise d'urticaire est dûe à une allergie aux fraises.*
Les boutons ressemblent à des piqûres d'ortie.

Us [ys] rime avec *puce.*
us n. m. plur.
Les us et les coutumes, ce sont les habitudes, les usages traditionnels ; vois ***tradition.*** *On doit respecter les us et coutumes du pays dans lequel on est.*
Autre membre de la famille : ① **usage.**

Famille de **us**
① **usage** n. m.
Habitude, coutume ; vois ***us.*** *Mme Séverac connaît les usages de la bonne société. En montagne, l'usage veut que celui qui descend laisse passer celui qui monte. M. Bonnot a enlevé son chapeau en entrant dans l'église, comme il est d'usage,* comme il est habituel, normal.

Conjugaison 1
① **user** v.
User d'une chose, c'est l'utiliser, l'employer. *Antoine a décidé d'user de ruse pour vaincre Colle et Rat.*
Elle prit soudain la voix clandestine dont elle usait pour ne pas effaroucher les bêtes *(le Lion).*
▸ ② ***usage*** n. m. **1.** Action d'utiliser quelque chose. *Un couteau est un objet d'usage courant,* qu'on utilise couramment ; vois ***emploi, utilisation.*** *N'ayant pas de jardin, je n'ai pas l'usage d'une tondeuse à gazon,* une tondeuse à gazon ne m'est d'aucune utilité. **2.** *Les animaux n'ont pas l'usage de la parole,* ils ne peuvent pas parler. **3.** *Faire usage de quelque chose,* c'est s'en servir. *Il ne faut pas faire usage de faux papiers.* **4.** *Chaque lame du couteau a plusieurs usages,* elle sert à plusieurs choses. **5.** *Cette pommade est à usage externe,* il ne faut l'utiliser que sur la peau.
Ce dictionnaire est à l'usage des enfants, il est pour les enfants.
Une chose *hors d'usage* ne peut plus servir.
▸ ***usager*** n. m. Personne qui utilise un service public. *Les usagers du téléphone sont contents des améliorations qui lui ont été apportées ;* vois ***utilisateur.***
Autres membres de la famille : **abuser, abus ; désabusé ; inusité ; usuel.**

Conjugaison 1
② **user** v.
1. *User une chose,* c'est l'abîmer à force de s'en servir. *Mamie Lou a usé son manteau jusqu'à la corde. — Ces chaussures se sont usées très vite,* elles se sont détériorées. **2.** Consommer, dépenser. *La voiture d'Angèle use beaucoup d'huile.* **3.** Diminuer, rendre plus faible ; vois ***amoindrir, épuiser.*** *La lecture m'a usé les yeux.*

Un kilomètre à pied
Ça use, ça use,
Un kilomètre à pied,
Ça use les souliers (chanson).

Bott, en dansant la valse
et le boston, usa
Le parquet de Mary Webb,
à Boston (U. S. A.)
(A. Allais).

▸ ***usé*** adj. Abîmé à force d'avoir servi ; vois ***vieux.*** *Mme Séverac met un pantalon usé pour faire du jardinage ;* vois ***élimé, râpé.***
Les *eaux usées,* ce sont les eaux salies qui se déversent dans les égouts.
▸ ***usagé*** adj. Vieux, qui a beaucoup servi sans être forcément abîmé. *Mme Séverac donne ses vêtements usagés aux pauvres ;* vois ***défraîchi.***
Autres membres de la famille : **inusable, usure.**

usine n. f.
Grand bâtiment ou ensemble de bâtiments où l'on fabrique des choses avec des machines ; vois ***fabrique, manufacture.*** *Mme Touati a travaillé en usine.*
Toutes les usines, dit grand-papa Joe, ont des ouvriers, qui arrivent en foule le matin *(Charlie et la Chocolaterie).*
Les premières usines datent du XIXe siècle.
▸ ***usiner*** v. Fabriquer une chose avec une machine ; vois ***façonner.*** *Cette pièce du moteur est usinée à l'étranger.*
Conjugaison 1

ustensile n. m.
Objet dont on se sert dans la maison ; vois ***instrument, outil.*** *Les ustensiles de cuisine sont rangés dans le placard.*

Au féminin : *usuelle.*
Famille de ① **user**

usuel adj.
Utilisé habituellement ; vois ***commun, familier, ordinaire.*** *La cafetière est un objet usuel,* d'usage courant.

Ce dictionnaire contient les mots usuels.

usufruit n. m.
Elle a l'usufruit de sa maison, elle a le droit d'y habiter gratuitement, sans en être propriétaire ; vois ***jouissance.***

Famille de ② **user**

usure n. f.
1. Action d'user. *Le frottement provoque l'usure des semelles de chaussures.* **2.** État d'une chose usée. *Mme Roussel a cousu une pièce sur le pantalon de son fils pour en cacher l'usure.*

usurier n. m., **usurière** n. f.
Personne qui autrefois prêtait de l'argent en exigeant des intérêts excessifs et illégaux. *Les usuriers pouvaient devenir très riches.*

On dit qu'ils *prêtaient à usure.*

Conjugaison 1
Usurper une réputation, c'est avoir une réputation qu'on ne mérite pas.

usurper v.
Usurper quelque chose, c'est se l'attribuer, s'en emparer sans en avoir le droit. *Le roi d'Angleterre Richard III usurpa le pouvoir.*
▸ ***usurpateur*** n. m., ***usurpatrice*** n. f. Personne qui s'est attribué quelque chose sans en avoir le droit ; vois ***imposteur.*** *Les royalistes appelaient Napoléon « l'usurpateur ».*

Il devint roi en tuant ses neveux.

Ils estimaient que Napoléon avait usurpé le pouvoir.

Ut [yt] rime avec *flûte.*
Au pluriel : *des ut.*

ut n. m. invariable
Autre nom de la note de musique *do ;* vois ***do.*** *La Cinquième Symphonie de Beethoven est en ut mineur.*

Utérus [yteʀys] rime avec *russe, virus* et *astuce.*

utérus n. m.
Organe, dans le ventre de la femme, où se développe le bébé avant sa naissance. *L'utérus est élastique ; il s'agrandit à mesure que le bébé se développe.*

On disait autrefois la *matrice.*

Tu vas te rendre utile
lui répondit le chat
Et pour commencer
tu nettoieras mon plat (Prévert).

utile adj.
Qui sert à quelque chose, qui rend service. *Un dictionnaire est un livre utile. Le parapluie m'a été bien utile. Sylvain cherche toujours à se rendre utile,* à aider, à rendre service.
▸ ***utilement*** adv. D'une manière utile. *Sylvain a employé son argent utilement.*

Le contraire d'*utile,* c'est *inutile, nuisible.*

Notre intervention en faveur de cette jeune fille pourrait lui être plus nuisible qu'utile (*Michel Strogoff*).

Conjugaison 1

▸ ***utiliser*** v. Employer. *Loïc utilise des filets pour pêcher le poisson,* il se sert de filets.

Compare : *utiliser → utilisable* et *démonter → démontable.*

▸ ***utilisable*** adj. Qu'on peut utiliser. *La ligne s'est emmêlée, elle n'est plus utilisable,* on ne peut plus s'en servir.

Le contraire d'*utilisable,* c'est *inutilisable.*

Compare : *utiliser → utilisateur, organiser → organisateur* et *observer → observateur.*

▸ ***utilisateur*** n. m., ***utilisatrice*** n. f. Personne qui utilise une chose ; vois ***usager.*** *La machine est livrée avec une notice à l'intention de l'utilisateur.*
▸ ***utilisation*** n. f. Emploi, usage. *L'utilisation du charbon a beaucoup diminué en France,* on en utilise beaucoup moins.
▸ ***utilité*** n. f. Qualité d'une chose utile. *Cette machine m'est d'une grande utilité.*

Autres membres de la famille : **inutile, inutilement, inutilité, inutilisable, inutilisé.**

Les voitures sont des *véhicules de tourisme.*

▸ ***utilitaire*** adj. *Les véhicules utilitaires,* ce sont les camions, les cars, les tracteurs. *Ce parking est réservé aux véhicules utilitaires.*

utopie n. f.
Chose impossible à réaliser ; vois ***rêve.*** *Un monde où personne ne serait malade ni malheureux est une utopie.*
▸ ***utopique*** adj. Irréalisable. *Ce projet est bien beau, mais il est utopique.*

Le contraire d'*utopique,* c'est *réaliste.*

Famille de **vacant**

Dans le camp où je passe mes vacances, on fait des tas de choses dans la journée *(le Petit Nicolas).*

vacances n. f. plur.
Jours pendant lesquels on ne travaille pas ; vois ***congé.*** *Mme Roussel va passer les vacances de Pâques à Paimpol.*

Après les vacances, c'est la *rentrée.*

▸ ***vacancier*** n. m., ***vacancière*** n. f. Personne qui est en vacances. *Les vacanciers envahissent le bord de la mer en été.*

vacant adj.
Un endroit vacant, c'est un endroit qui n'est pas occupé ; vois ***disponible, libre.*** *Après le départ des locataires, l'appartement est resté vacant.*

Autres membres de la famille : **vacances, vacancier.**

[...] un vacarme vraiment extraordinaire retentissait dans la maison *(Alice au Pays des merveilles).*

vacarme n. m.
Grand bruit ; vois ***tapage, tumulte.*** *Les enfants, seuls dans la classe, faisaient un vacarme assourdissant. Quel vacarme, dans la rue !*

L'Institut Pasteur prépare des sérums et des vaccins contre les maladies infectieuses.

vaccin n. m.
Produit fabriqué à partir d'un microbe, et qui empêche d'attraper la maladie causée par ce microbe. *Le docteur Séverac a fait un vaccin contre le tétanos à M. Bellec.*

Va voir aussi ***sérum.***
Le B. C. G. est un vaccin.

Conjugaison 1

▸ ***vacciner*** v. Faire un vaccin. *Le docteur Séverac a vacciné Yasmina contre la polio.*

▸ ***vaccination*** n. f. Administration d'un vaccin. *La vaccination contre la variole n'est plus obligatoire.*

La vache, femelle du taureau, est un bovidé dont le petit est le veau. Les jeunes vaches sont des génisses.

vache n. f.
Gros animal domestique qui donne du lait. *Odile Séverac ramène les vaches à l'étable pour les traire. Au début de ses études, le docteur Séverac a mangé de la vache enragée,* il a subi de dures privations.

La vache est un ruminant ; elle mange de l'herbe.

Conjugaison 1

Les flammes des bougies vacillèrent *(le Lion).*

vaciller v.
Pencher d'un côté puis de l'autre en risquant de tomber ; vois ***chanceler, tituber.*** *Julie, épuisée, monta dans sa chambre en vacillant. La flamme de la bougie vacillait,* elle tremblait en menaçant de s'éteindre.

[Croc-Blanc] vacilla et tomba de faiblesse *(Croc-Blanc).*

Le contraire de *vacillant,* c'est *ferme, sûr.*

▸ ***vacillant*** adj. Tremblant, chancelant. *Julie monta l'escalier d'une démarche vacillante.*

Attention ! deux traits d'union.

Au pluriel : *des va-et-vient.*

va-et-vient n. m. invariable
1. Mouvement de gens qui vont et viennent ; vois ***passage.*** *Le samedi, il y a un va-et-vient continuel dans le café.* **2.** Mouvement d'une chose qui va d'un côté, puis de l'autre. *Claire suit des yeux le va-et-vient de la balançoire.*

Famille de ① **aller** et de **venir**

Attention ! un ***d*** à la fin.

Aladdin passait des journées à jouer dans les rues avec des petits vagabonds *(les Mille et Une Nuits).*

vagabond n. m.
Personne sans travail et sans maison. *Le vagabond errait dans les rues, à la recherche d'un endroit où dormir.*

▸ ***vagabondage*** n. m. Habitude d'être vagabond, de n'avoir ni travail ni maison. *La police a arrêté l'homme, qui n'avait pas de papiers, pour vagabondage.*

Le vagabondage est interdit par la loi.

Conjugaison 1

▸ ***vagabonder*** v. Aller d'un endroit à un autre, sans but ; vois ***errer, traîner.*** *Un chien vagabondait autour de la ferme.*

vagin n. m.
Canal qui, chez la femme, va de l'utérus à l'extérieur du sexe. *Le vagin fait partie des organes de la reproduction chez la femme et les femelles des animaux.*

Le vagin est situé entre le rectum et la vessie.

Conjugaison 2

vagir v.
Pousser des cris comme ceux d'un nouveau-né. *Un bébé vagissait dans la chambre voisine.*

Compare : *vagir → vagissement* et *rugir → rugissement.*

▸ ***vagissement*** n. m. Cri de l'enfant qui vient de naître. *On entendait dans la chambre voisine les vagissements d'un nouveau-né.*

① **vague** n. f.
1. Masse d'eau qui se soulève et s'abaisse ; vois ***houle, lame.*** *Les vagues déferlent sur le rivage. Le bateau s'enfonce dans le creux des vagues.* **2.** Grande quantité ; vois ***afflux, marée.*** *La première vague de touristes est arrivée au début de juillet.*

L'horizon était si pur qu'on voyait la crête des vagues *(Lullaby).*

Une *vague de chaleur,* c'est une période où il fait chaud.

② **vague** adj.
Imprécis, mal défini ; vois ***flou.*** *Il nous a donné de vagues explications. On apercevait dans l'obscurité une vague silhouette. Il y a une vague ressemblance entre M*[me] *Roussel et sa sœur, M*[me] *Harpie,* une petite ressemblance ; vois ***lointain.***

Regarder dans le vague, c'est regarder sans rien fixer.

Avoir du vague à l'âme, c'est être triste, mélancolique.

Le contraire de *vague,* c'est *net, précis.*

Va voir *terrain vague* à ***terrain.***

Le louveteau comprit vaguement qu'il avait échappé à un grand danger *(Croc-Blanc).*

▸ ***vaguement*** adv. De façon vague, imprécise. *Il m'a vaguement expliqué où il habitait. On distingue vaguement les rochers à travers le brouillard.*

Le contraire de *vaguement,* c'est *nettement.*

Ce mot se trouve surtout dans les livres.

vaguer v.
Aller au hasard, errer. *Assis devant la mer, il laissait vaguer son imagination.*

Conjugaison 1

vaillant adj.
1. Brave, courageux. *Un vaillant chevalier a sauvé la princesse.* **2.** *Hippolyte, à la fin du mois, n'avait plus un sou vaillant,* n'avait plus d'argent.

Le contraire de *vaillant,* c'est *lâche.*

▸ ***vaillamment*** adv. Bravement, courageusement. *Le chevalier s'est vaillamment battu pour délivrer la princesse.*

▸ ***vaillance*** n. f. Qualité d'une personne vaillante ; vois ***bravoure, courage.*** *La princesse fut séduite par la vaillance du chevalier.*

Le contraire de *vaillance,* c'est *faiblesse, lâcheté.*

vain adj.
1. Sans efficacité, inutile. *Après de vains efforts pour faire démarrer sa voiture, Angèle partit à pied.* **2.** Sans fondement, qui ne repose sur rien. *Ses espérances demeurèrent vaines ;* vois ***illusoire.***

Autre membre de la famille : **vainement.**

▸ *en* ***vain*** adv. Sans résultat, inutilement ; vois ***vainement.*** *Julie a appelé plusieurs fois Yasmina, mais en vain,* Yasmina n'a pas répondu.

Conjugaison 42 ▭ Indic. présent : *je vaincs, il vainc, nous vainquons.* Imparfait : *je vainquais.* Futur : *je vaincrai.* — Subj. présent : *que je vainque.*

vaincre v.
1. Remporter une victoire sur quelqu'un ; vois ***battre, défaire.*** *Lors de la guerre de Troie, les Grecs ont vaincu les Troyens ;* vois ***écraser, triompher.*** **2.** *Vaincre un obstacle,* c'est en venir à bout, le surmonter. *Grâce à leur obstination, ils vainquirent tous les obstacles.*

Il lutta vainement, non plus pour vaincre, mais pour sauver sa vie *(Croc-Blanc).*

▸ ***vaincu*** adj. Qui a subi une défaite ; vois ***perdant.*** *L'équipe vaincue a eu un lot de consolation.* — n. *Les vaincus prendront leur revanche lors du prochain match.*

Le contraire de *vaincu,* c'est *gagnant, vainqueur, victorieux.*

Ce mot n'a pas de féminin.

▸ ***vainqueur*** n. m. Celui qui a gagné ; vois ***gagnant.*** *Napoléon fut le vainqueur d'Austerlitz. Yasmina est sortie vainqueur du concours de saut.*

[...] on eût vainement cherché en lui un symptôme de faiblesse *(Michel Strogoff).*

vainement adv.
En vain, inutilement, sans succès. *Julie a vainement cherché Yasmina pendant une heure.*

Famille de **vain**

Ne confonds pas *vair, ver, verre, vers* et *vert.*

vair n. m.
Fourrure d'un écureuil gris. *La reine jeta sur ses épaules un manteau de vair.*

On trouve ce mot surtout dans les livres.

① ***vaisseau*** n. m.
Les vaisseaux sanguins, ce sont les conduits où le sang circule, à l'intérieur du corps. *Les veines, les artères et les capillaires sont des vaisseaux sanguins.*

La côte était toute couverte de débris de vaisseaux qui avaient fait naufrage *(les Mille et Une Nuits).*

② ***vaisseau*** n. m.
1. Grand bateau ; vois ***bâtiment, navire.*** *De lourds vaisseaux à voiles sillonnaient les océans jusqu'au siècle dernier.* **2.** *Un vaisseau spatial,* c'est un engin destiné à voyager dans l'espace. *Le vaisseau spatial s'est posé sur la Lune.*

Ce mot était employé autrefois.

[...] c'était elle qui nettoyait la vaisselle [...] frottait la chambre de Madame *(Cendrillon).*

vaisselle n. f.
Ensemble des récipients qui servent à manger. *Pour faire honneur à ses invités, M*me *Séverac avait sorti sa plus belle vaisselle. M*me *Roussel fait la vaisselle après dîner,* elle la lave.

Les assiettes, les plats, les bols, les tasses, font partie de la vaisselle.

▸ ***vaisselier*** n. m. Meuble dans lequel on expose la vaisselle ; vois ***buffet.*** *Mamie Lou a mis sa collection de vieilles assiettes dans le vaisselier.*

Autre membre de la famille : **lave-vaisselle.**

Val ne se trouve que dans des noms propres.

Au pluriel : *des vaux.*

val n. m.
Vallée. *Les Séverac ont visité le Val de Loire. Denis Prost est sans cesse par monts et par vaux,* il se promène partout, sans arrêt.

Autres membres de la famille : **aval, dévaler, vallée, vallon, vallonné,** à **vau-l'eau.**

Famille de **valoir**

valable adj.
1. Qui remplit les conditions nécessaires et exigées. *Un passeport est valable cinq ans,* il peut servir, il est en règle pendant cinq ans ; vois ***valide.*** **2.** *Antoine, as-tu un motif valable pour expliquer ton retard ?,* un motif sérieux, qui a une valeur ; vois ***acceptable.***

Dans *les Fourberies de Scapin* de Molière, Scapin est un valet malin et rusé.

valet n. m.
1. Domestique, serviteur ; vois ***laquais.*** *Nestor est le valet de chambre du capitaine Haddock.* **2.** Carte qui représente un jeune homme, et qui vient en général après le roi et la dame. *Yves a joué le valet de pique.*

Un *valet de ferme,* c'est un ouvrier dans une ferme, qui touche un salaire.

Famille de **valoir**

valeur n. f.
1. Prix d'une chose, ce qu'elle vaut, si on veut l'échanger. *M*me *Séverac a des bijoux d'une grande valeur. Ce timbre n'a aucune valeur,* il ne vaut rien. *Le rouge met en valeur la couleur de ta peau,* il la fait valoir, il la met à son avantage. **2.** Qualité d'une chose, fait qu'on lui accorde de l'intérêt, de l'estime ; vois ***mérite.*** *La valeur de ce livre vient de la sincérité de l'auteur. La maîtresse attache beaucoup de valeur aux progrès des enfants. L'excuse d'Antoine n'a aucune valeur,* elle ne vaut rien. **3.** *Ajoutez la valeur d'une cuillerée à soupe de farine,* à peu près la quantité d'une cuillerée à soupe ; vois ***équivalent.***

Croc-Blanc était un animal de valeur, le plus robuste des chiens du traîneau et le meilleur chef de file *(Croc-Blanc).*

Wassili Fédor est un homme de valeur et de courage *(Michel Strogoff).*

▸ ***valeureux*** adj. Brave, courageux ; vois ***vaillant.*** *Un valeureux chevalier a sauvé la princesse.*

Le contraire de *valide,* c'est *invalide, malade.*

① ***valide*** adj.
En bonne santé, capable d'effort physique. *En sortant de l'hôpital, Julie n'était pas bien valide,* elle n'était pas en forme.

Autres membres de la famille : **invalide, invalidité.**

② ***valide*** adj.
En règle, conforme au règlement ; vois ***valable.*** *Un billet de train est valide deux mois.*

Famille de **valoir**

Conjugaison 1

▸ ***valider*** v. Rendre valide. *Il faut composter le billet de train pour le valider.*

▸ ***validité*** n. f. *Un billet de train a une validité de deux mois,* il est valide pendant deux mois.

valise n. f.

Le boy des bagages m'a dit que votre valise était très lourde à cause des livres *(le Lion).*

1. Bagage plat et rigide, muni d'une poignée, et que l'on porte à la main. *Denis Prost est parti à la gare avec une petite valise de cuir à la main.* **2.** *La valise diplomatique,* c'est un service des ambassades qui permet d'expédier des lettres ou des paquets dans un pays étranger sans qu'ils soient contrôlés à la douane. *Le docteur Séverac s'est fait expédier des médicaments en Afrique par la valise diplomatique.*

Faire sa valise, c'est mettre ses affaires dans sa valise.

C'est un mode de transport très sûr, et rapide.

Autre membre de la famille : **dévaliser.**

vallée n. f.

Famille de **val**

Une vallée fluviale a la forme d'un **V** ; une vallée glaciaire, la forme d'un **U**.

1. Endroit qui forme un creux entre deux montagnes ou deux collines. *Le village est situé au fond d'une vallée ;* vois **val, vallon. 2.** Région que traverse un cours d'eau. *Pour aller de Lyon à Marseille, il faut longer la vallée du Rhône.*

Les gorges, les ravins sont des vallées très profondes, très encaissées.

vallon n. m.

Petite vallée entre deux collines. *Les enfants jouent dans le bois au fond du vallon.*

Famille de **val**

Attention ! deux *l* et deux *n* dans *vallonné.*

▸ **vallonné** adj. Parcouru de collines et de vallées. *La campagne, autour de la ville, est très vallonnée.*

valoir v.

Conjugaison 29 ▭ Indic. présent : *je vaux, nous valons.* Imparfait : *je valais.* Futur : *je vaudrai.* — Subj. présent : *que je vaille.*

Croc-Blanc, tu vaux mieux que je ne pensais *(Croc-Blanc).*

Il eût mieux valu revenir à la même heure, dit le renard *(le Petit Prince).*

Cela ne me dit rien qui vaille, cela m'inquiète.

1. Avoir une certaine valeur, pouvoir être vendu un certain prix ; vois **coûter.** *La maison vaut un million. Ce bijou vaut très cher.* **2.** Avoir des qualités, du mérite. *Denis Prost sait ce qu'il vaut,* il connaît sa valeur, son mérite. *Ces poires ne valent rien,* elles sont mauvaises. *Le roi vaut cinq points. — Ces deux voitures se valent,* elles sont équivalentes. **3.** *Valoir mieux,* c'est être mieux, être préférable. *Tu vaux mieux que cela. Il vaut mieux attendre ici,* il est préférable d'attendre ici. *Il vaut mieux que tu partes. Mieux vaut en finir tout de suite.* **4.** *L'inaction ne lui vaut rien,* elle lui est nuisible, elle ne lui réussit pas. **5.** *Allez voir le château, il en vaut la peine,* il mérite qu'on prenne la peine d'y aller. *Cela ne vaut pas la peine qu'on en parle,* ce n'est pas intéressant. **6.** *Le règlement vaut pour tout le monde,* il est valable pour tout le monde, il s'applique à tout le monde. **7.** *Cette histoire ne lui a valu que des ennuis,* elle ne lui a procuré, elle n'a entraîné pour lui que des ennuis.

Si l'on peut trouver moins que rien, c'est que rien vaut déjà quelque chose ! (R. Devos).

Les cachettes d'un jars, ça ne doit pas valoir grand-chose, dit l'âne *(les Contes du Chat perché).*

Autres membres de la famille : **valeur, valeureux, dévaloriser, valable, équivaloir, équivalent, évaluer, évaluation, dévaluer, dévaluation, prévaloir, revaloir, valoriser, vaurien.**

valoriser v.

Conjugaison 1
Famille de **valoir**

Augmenter la valeur d'une chose. *M. Bellec avait acheté un petit restaurant qu'il a su valoriser en s'attachant une clientèle fidèle.*

Le contraire de *valoriser,* c'est *dévaloriser.*

valse n. f.

1. Danse à trois temps, où les couples de danseurs évoluent en tournant sur eux-mêmes. *Mme Bellec adore danser la valse.* **2.** Morceau de musique sur lequel on peut danser la valse. *Sylvain joue une valse de Chopin au piano.*

Le compositeur autrichien Johann Strauss composa les valses les plus célèbres : *le Beau Danube bleu, Sang viennois...*

Conjugaison 1

▸ **valser** v. Danser la valse. *Les couples valsaient sur la piste de danse.*

▸ **valseur** n. m., **valseuse** n. f. Personne qui valse. *Les couples de valseurs évoluaient gracieusement.*

valve n. f.

Système qui permet à l'air ou à un liquide de passer dans un seul sens. *Pour regonfler un pneu, il faut ouvrir la valve, sinon l'air ne rentre pas.*

La valve empêche l'air de sortir.

vampire n. m.

Le vampire est aussi une chauve-souris qui suce le sang des animaux.

Fantôme qui sort la nuit de sa tombe pour aller sucer le sang des vivants. *Mme Harpie raconte d'horribles histoires de vampires.*

Les vampires ont de très longues canines. Le plus célèbre est Dracula.

vandale n. m. et f.

Les Vandales étaient un peuple germanique qui, au Ve siècle, dévasta la Gaule, l'Espagne du Sud et l'Afrique du Nord.

Personne qui casse des choses pour s'amuser. *Des vandales ont saccagé les cabines téléphoniques.*

▸ **vandalisme** n. m. Destruction faite pour le plaisir. *Le saccage des cabines téléphoniques est un acte de vandalisme.*

vanille n. f.

La vanille est une longue gousse qui, séchée, devient noire. Elle est le fruit du vanillier.

Produit très parfumé, tiré du fruit d'une plante exotique. *Julie aime les glaces à la vanille.*

▸ **vanillé** adj. *Le sucre vanillé,* c'est du sucre parfumé à la vanille. *M. Bellec met du sucre vanillé dans la crème.*

À la vanille
Pour les jeunes filles !
Au citron
Pour les garçons !
(comptine).

vanité n. f.

Le contraire de *vanité*, c'est *modestie*.

Défaut d'une personne qui est trop contente d'elle-même et qui s'en vante ; vois ***orgueil, prétention.*** *Certains reprochent à Denis Prost une certaine vanité.*

Il est très fier de ses succès d'acteur.

Pour les vaniteux, les autres hommes sont des admirateurs *(le Petit Prince).*

▸ **vaniteux** adj. Trop fier de soi ; vois ***fat, orgueilleux, prétentieux.*** *Denis Prost est un peu vaniteux.* — n. *C'est une vaniteuse.*

Le contraire de *vaniteux*, c'est *modeste*.

vannerie n. f.

Attention ! deux ***n*** dans *va**nn**erie.*

Fabrication d'objets en osier ou en rotin tressé. *Angèle, l'institutrice, apprend aux enfants à faire de la vannerie.*

vantail n. m.

Au pluriel : *des vantaux.*

Panneau mobile d'une fenêtre ou d'une porte ; vois ***battant.*** *Pour les mariages, on ouvre les deux vantaux de la porte de l'église.*

vanter v.

Conjugaison 1

1. Parler en disant du bien. *Loïc vante les qualités de son bateau.* **2.** *Se vanter,* c'est parler de soi en exagérant ce que l'on a fait de bien. *Quand Colle et Rat prétendent avoir parlé aux occupants de la soucoupe volante, ils se vantent.* **3.** *Se vanter de quelque chose,* c'est dire qu'on l'a fait, avec vanité. *Julie se vante d'être passée à la radio.*

Je ne voudrais pas avoir l'air de me vanter, mais enfin, si je n'avais pas toujours bien appris mes leçons, je n'aurais pas ma position de sous-préfet *(les Contes du Chat perché).*

Longuement, il [le coq] vanta son plumage, sa crête, son panache *(les Contes du Chat perché).*

C'est vous, mon oncle, qui nous avez fait si bien courir ? Vous pouvez vous vanter d'avoir de fameuses jambes, de vraies jambes de collégien *(les Vacances).*

▸ **vantard** adj. Qui a l'habitude de se vanter. *Julie est un peu vantarde.*

▸ **vantardise** n. f. Chose que raconte une personne qui se vante. *Les vantardises de Colle et Rat n'impressionnent plus personne.*

va-nu-pieds n. m. et f. invariable

Famille de ① **aller**, de **nu** et de ① **pied**

Personne misérable, mal habillée ; vois ***vagabond.*** *Habille-toi correctement, Julie, tu as l'air d'une va-nu-pieds.*

Au pluriel : *des va-nu-pieds.*

vapeur n. f.

Les *pommes vapeur*, ce sont des pommes de terre cuites à la vapeur.

1. Ensemble de fines gouttelettes d'eau qui sont dans l'air. *Quand l'eau bout, elle se transforme en vapeur. Les bateaux à voiles furent remplacés par des bateaux à vapeur,* des bateaux qui naviguaient grâce à la force de la vapeur. **2.** Produit à l'état de gaz. *La station-service est pleine de vapeurs d'essence.*

Denis Papin dessina des plans de machine à vapeur. La première fut construite en Angleterre en 1712.

vaporeux adj.

Léger, fin et transparent. *Mme Séverac porte une chemise de nuit vaporeuse.*

vaporiser v.

Compare **vapeur** et ***vaporiser*** : il est question de **produire un gaz.**

Vaporiser un liquide, c'est le répandre en fines gouttelettes. *Mme Bellec vaporise de l'eau sur ses plantes vertes ;* vois ***pulvériser.***

Conjugaison 1

▸ **vaporisateur** n. m. Petit appareil qui sert à répandre un liquide en gouttelettes ; vois ***atomiseur, pulvérisateur.*** *Angèle a dans son sac un vaporisateur à parfum.*

vaquer v.

Conjugaison 1

Vaquer à une occupation, c'est s'occuper de quelque chose. *Tous les matins, Mme Touati vaque aux soins du ménage.*

varech n. m.

Varech [vaʀɛk] rime avec *chèque.*

Algues rejetées par la mer ou vivant sur les rochers ; vois ***goémon.*** *On récolte le varech sur les plages pour en faire de l'engrais.*

On brûle le varech pour en répandre la cendre dans les champs.

vareuse n. f.

Veste courte en toile qui ne s'ouvre pas devant. *Loïc enfile sa vareuse de marin pour se protéger du vent.*

variable adj.

Famille de **varier**

Qui peut changer ; vois ***changeant, incertain, instable.*** *La météo annonce un temps variable pour demain,* il y aura du soleil et des averses.

Le contraire de *variable*, c'est *invariable*.

variante n. f.

Famille de **varier**

Forme ou solution légèrement différente. *La morale de cette fable a une variante,* une autre version.

variation n. f.
Modification. *Dans le désert, les variations de température sont très fortes,* les écarts, les différences de température ; vois ***changement.***
Famille de **varier**

varice n. f.
Veine gonflée. *Mamie Lou a des varices à la jambe droite qui la font souffrir.*
Elle met des *bas à varices.*

J'irais bien jouer chez Isabelle
Mais je crois qu'elle a
la varicelle
(A. Sylvestre).

varicelle n. f.
Maladie contagieuse, causée par un virus, qui donne des boutons sur tout le corps. *Antoine a attrapé la varicelle.*
Les boutons de la varicelle s'appellent des *papules.*

Conjugaison 7 ▭ Indic. présent : *nous varions.* Imparfait : *nous variions.*

varier v.
1. Faire changer, rendre un peu différent. *M. Bellec varie le menu du restaurant tous les jours.* **2.** Se modifier. *Le temps varie d'heure en heure ;* vois ***changer.*** **3.** Être différent. *Les traditions varient selon les régions.*
M. Bellec est restaurateur.

▸ ***varié*** adj. *Des choses variées,* ce sont des choses différentes les unes des autres ; vois ***divers.*** *Denis Prost a des distractions variées.*
Le contraire de *varié,* c'est *identique, semblable.*

Chaque pas me permettait de mieux saisir la variété des familles, leur finesse ou leur force *(le Lion).*

▸ ***variété*** n. f. **1.** Caractère de ce qui contient des éléments différents ; vois ***diversité.*** *Loïc a ramené une grande variété de poissons,* des poissons très variés. **2.** Sorte ; vois ***type.*** *Il existe de nombreuses variétés de cerisiers ;* vois ***espèce.*** **3.** *Les Bellec sont allés voir un spectacle de variétés,* un spectacle composé de numéros variés.
Autres membres de la famille : **variable, invariable, variante, variation.**

Va voir aussi ***music-hall.***

La vaccination contre la variole n'est plus obligatoire en France depuis 1979.

variole n. f.
Maladie contagieuse très grave qui donne de nombreux boutons. *Grâce à la vaccination, la variole a totalement disparu.*

Regarde ce que tu as fait : tu as cassé le vase rose du salon ! *(le Petit Nicolas).*

① **vase** n. m.
Récipient dans lequel on met des fleurs coupées. *Mme Roussel a mis le bouquet de roses dans un vase en cristal.*
Autres membres de la famille : **évasé, transvaser.**

Autre membre de la famille : s'**envaser.**

② **vase** n. f.
Boue qui se dépose au fond de l'eau stagnante. *Un bateau s'est enlisé dans la vase au fond du port.*

Au féminin : *vaseuse.*

▸ ***vaseux*** adj. Plein de vase. *Le fond du port est vaseux.*

vaseline n. f.
Pommade très grasse et incolore. *La vaseline entre dans la composition de nombreuses pommades.*
La vaseline provient du pétrole.

Vasistas [vazistas] rime avec *tasse.*

vasistas n. m.
Partie haute d'une porte ou d'une fenêtre, que l'on peut ouvrir séparément. *Hippolyte ouvre le vasistas de la cuisine.*

vasque n. f.
Bassin peu profond recueillant l'eau d'une fontaine. *La vasque de la fontaine est en marbre.*

Au pluriel : *des vassaux.* Les *grands vassaux* dépendaient du roi qui était leur *suzerain.*

vassal n. m.
Homme à qui un seigneur donnait une terre au Moyen Âge. *Le vassal devait se battre pour son seigneur à qui il jurait fidélité.*
La terre du vassal est un *fief.*

Le domaine du dieu [...] était vaste mais non sans limites *(Croc-Blanc).*

vaste adj.
Très grand. *Une vaste forêt s'étend à l'ouest de la ville,* une forêt très étendue. *La maison des Séverac est très vaste ;* vois ***spacieux.***

Au pluriel : *des va-tout.*

va-tout n. m. invariable
Jouer son va-tout, c'est risquer tout ce que l'on a, prendre un grand risque. *Antoine n'avait presque plus de billes ; il a joué son va-tout,* il a joué le tout pour le tout.
Famille de ① **aller** et de ① **tout**

vaudou n. m.
Religion de l'île d'Haïti, qui mêle des pratiques de sorcellerie et des éléments chrétiens. *Les adeptes du vaudou sacrifient des animaux.*
Haïti est une île des Antilles.

Famille de **val** et de **eau**

à **vau-l'eau** adv.
S'en aller à vau-l'eau, c'est se désorganiser, être à l'abandon. *Tous mes projets s'en vont à vau-l'eau.*

Famille de **valoir** et de **rien**

vaurien n. m., ***vaurienne*** n. f.
Voyou, galopin. *Colle et Rat sont des vauriens.*

vautour n. m.
Grand oiseau au bec crochu, qui mange des cadavres et des détritus. *Les vautours ont une tête et un cou sans plumes.*

Va voir aussi : *charognard, condor.*

Le vautour est un rapace.

Conjugaison 1

se ***vautrer*** v.
Se coucher, s'étendre en se laissant complètement aller. *Julie se vautrait sur le canapé.*

Famille de ① **aller** et de **vite**

à la ***va-vite*** adv.
Vite et mal. *Yves a fait sa rédaction à la va-vite.*

Au pluriel : *des veaux.*
Va voir aussi *génisse.*

veau n. m.
Petit de la vache, de moins d'un an. *David regarde le veau qui tète sa mère. Mme Roussel fait cuire deux escalopes de veau.*

Pleurer comme un veau, c'est pleurer très fort, en sanglotant.

① ***vedette*** n. f.
Petit bateau rapide à moteur. *La vedette des douanes a accosté un voilier en pleine mer.*

② ***vedette*** n. f.
1. Artiste très célèbre ; vois ***star.*** *Denis Prost sera peut-être un jour une grande vedette de cinéma.* **2.** *Être en vedette,* c'est être dans une position remarquable, être mis en valeur, en évidence. *Julie cherche toujours à se mettre en vedette.*

Charles Trenet, Tino Rossi, Édith Piaf, Jacques Brel furent des vedettes de la chanson française.

Conjugaison 6
▭ Indic. présent : *je végète, nous végétons.*

végéter v.
Vivre sans évoluer, sans rien faire d'intéressant, rester dans la médiocrité ; vois ***survivre, vivoter.*** *Mme Roussel ne peut espérer aucune promotion, elle végète.*

▸ ***végétal*** n. m. et adj. **1.** n. m. Plante. *Les arbres, les champignons, les algues sont des végétaux.* **2.** adj. *L'huile d'olive est une huile végétale,* une huile qui vient d'une plante.

L'étude des végétaux, c'est la *botanique.*

Au-delà du mur végétal, il y avait un ample espace d'herbe rase *(le Lion).*

▸ ***végétarien*** adj. *Elle est végétarienne,* elle ne mange ni viande ni poisson. — n. *Les végétariens se nourrissent de fruits, de légumes, de laitages et d'œufs.*

Le végétarien n'est pas difficile : tout ce qu'il demande, c'est une salade de trèfles à quatre feuilles (Prévert).

▸ ***végétatif*** adj. *Une vie végétative,* c'est une vie qui fait penser à celle des végétaux, par son inaction. *Depuis son accident, il mène une vie végétative.*

▸ ***végétation*** n. f. Ensemble de plantes qui poussent dans un endroit ; vois ***flore.*** *Dans la région, la végétation est luxuriante.*

La végétation poussait, des ronces et des lianes qui recouvraient complètement le sol *(Lullaby).*

▸ ***végétations*** n. f. plur. Grosseurs qui se forment au fond du nez et de la gorge, et qui gênent la respiration. *Antoine a été opéré des amygdales et des végétations.*

Attention ! un ***h*** entre les deux ***é*** dans *véhément* et *véhémence.*

véhément adj.
Violent, passionné. *Le maire a adressé des reproches véhéments aux conseillers municipaux.*

▸ ***véhémence*** n. f. Violence, force. *Je m'élève avec véhémence contre ce projet.*

Attention ! un ***h*** dans *véhicule* et *véhiculer.*

véhicule n. m.
Engin qui permet de se déplacer ou de transporter des objets. *Votre véhicule est en stationnement interdit, a dit l'agent à M. Bellec.*

Les bus, les autos, les motos sont des véhicules à moteur.

Son cheval passa là où aucun véhicule n'aurait pu passer *(Michel Strogoff).*

Conjugaison 1

▸ ***véhiculer*** v. Transporter dans un véhicule. *Pierre Séverac a véhiculé toute sa famille et les bagages jusqu'à la gare.*

① ***veille*** n. f.
Jour qui est avant un autre. *Téléphonez-moi la veille de votre départ. L'histoire se passe à la veille de la Révolution,* juste avant.

Autre membre de la famille : **avant-veille.**

Le contraire de *veille,* c'est *lendemain.*

② ***veille*** n. f.
Moment sans sommeil alors que l'on devrait dormir. *Le docteur Séverac a passé de longues nuits de veille à préparer ses examens.*

▸ ***veillée*** n. f. Moment de la soirée entre le repas du soir et le moment où l'on va se coucher. *Autrefois, les paysans se réunissaient pour de longues veillées au coin du feu.*

J'eus beau prolonger ma veillée jusqu'à l'heure où sur la véranda, la balustrade se couvrit de rosée, il ne vint personne (*le Lion*).

Conjugaison 1

Marguerite est encore bien petite pour veiller ; je crains qu'elle ne se trouve fatiguée (*les Petites Filles modèles*).

▸ ***veiller*** v. **1.** Rester éveillé pendant le temps où l'on devrait dormir. *Le docteur Séverac veillait tard le soir pour travailler.* **2.** Monter la garde. *À chaque extrémité du pont, deux sentinelles veillaient.* **3.** Faire attention. *Veillez à bien fermer la porte en sortant. David veille sur sa petite cousine,* il la surveille.

▸ ***veilleur*** n. m. *Un veilleur de nuit,* c'est un gardien qui est de service la nuit. *Le cambrioleur a assommé le veilleur de nuit pour entrer dans le magasin.*

Autres membres de la famille : **éveiller, éveillé, éveil, réveiller, réveil, réveillon, surveiller, surveillance, surveillant.**

Les *veilleuses* d'une voiture sont les lampes qui donnent une lumière très faible.

▸ ***veilleuse*** n. f. Petite lampe qui reste allumée. *Sophie Pelletier laisse une veilleuse dans la chambre du bébé.*

Veine et *veinard* sont des mots familiers.

① ***veine*** n. f.
Chance. *Antoine a toujours de la veine aux cartes.*

Autre membre de la famille : **déveine.**

▸ ***veinard*** adj. Qui a de la chance. *Antoine est veinard.* — n. *Quel veinard, cet Antoine, il a encore gagné !*

Au féminin : *veinarde.*

② ***veine*** n. f.
1. Vaisseau sanguin dans lequel circule le sang qui revient au cœur. *L'infirmière pique la veine du bras pour faire une prise de sang.* **2.** Ligne de couleur, qui forme des dessins, dans le bois ou la pierre. *Des veines noires forment une sorte d'arbre dans le marbre blanc de la cheminée.*

Les vaisseaux qui vont du cœur aux organes sont les *artères.*

Autre membre de la famille : **intraveineux.**

▸ ***veiné*** adj. Qui a des lignes colorées. *La cheminée est en marbre blanc veiné de noir.*

Attention à l'accent circonflexe du *ê* !

vêler v.
La vache vêle, elle donne naissance à un veau.

Conjugaison 1

Attention ! deux *l* dans *velléité* et *velléitaire.*

velléité n. f.
Intention, désir qui n'aboutit pas à une action. *Alex a eu des velléités de travailler pendant les vacances.*

▸ ***velléitaire*** adj. *Alex est velléitaire,* il ne va pas au bout de ses intentions, de ses actions.

vélo n. m.
Bicyclette. *Yves a eu un vélo pour son anniversaire. Antoine aime faire du vélo.*

Vélo est plus familier que *bicyclette.*

Compare *vélodrome* et *hippodrome* : dans ces mots, il s'agit de **courir.**

▸ ***vélodrome*** n. m. Piste pour les courses de vélo. *Hippolyte est allé au vélodrome voir les championnats régionaux.*

Un vélodrome est entouré de gradins.

▸ ***vélomoteur*** n. m. Vélo qui a un petit moteur. *Avant d'avoir une moto, Alex circulait en vélomoteur.*

Famille de ① **moteur**

vélocité n. f.
Sylvain fait des exercices de piano pour acquérir une plus grande vélocité, plus de vitesse, d'agilité.

Velours [vəluʀ] rime avec *lourd.*

velours n. m.
Tissu très doux dont un côté est formé de poils courts et serrés. *Hippolyte porte un pantalon de velours.*

Un chat qui *fait patte de velours* ne sort pas ses griffes.

▸ ***velouté*** adj. Doux au toucher, comme du velours. *Les pêches ont une peau veloutée.*

velu adj.
Très poilu. *Le docteur Séverac a les mains velues.*

Les chenilles sont velues.

vénal adj.
Une personne vénale, c'est une personne prête à faire des choses malhonnêtes pour de l'argent ; vois ***cupide.*** *Mme Séverac a connu des hommes politiques vénaux.*

Le contraire de *vénal,* c'est *désintéressé, incorruptible, intègre.*

Famille de ① **tout** et de **venir**

à tout ***venant*** n. m.
À tout le monde, à chacun. *Antoine raconte sa vie à tout venant.*

vendange n. f.
Cueillette du raisin mûr qui sert à faire le vin. *Alex ira faire les vendanges en Bourgogne au mois de septembre.*

Les vendanges ont lieu en automne.

Conjugaison 3

▸ **vendanger** v. Récolter le raisin pour faire le vin. *Les vignes ont été vendangées très tôt cette année.*

▸ **vendangeur** n. m., **vendangeuse** n. f. Personne qui fait la récolte du raisin. *Les vignerons ont engagé des vendangeurs.*

vendetta n. f.
Coutume corse, selon laquelle les membres de la famille de la victime doivent se venger sur les membres de la famille du meurtrier. *Les vendettas peuvent se poursuivre pendant des générations.*

Vendetta est un mot italien qui veut dire « vengeance ».

Conjugaison 41 ▭ Indic. présent : *je vends, il vend, nous vendons, ils vendent.* Imparfait : *je vendais.* Futur : *je vendrai.*

vendre v.
1. Donner une chose à quelqu'un contre de l'argent. *Les Séverac ont vendu leur ancien appartement pour acheter la maison où ils habitent. Mme Harpie vend des bonbons aux enfants.* **2.** *Vendre quelqu'un,* c'est le trahir, le dénoncer ; vois ***livrer.*** *Le cambrioleur arrêté a vendu ses complices.*

Quant au bœuf blanc, je ne crois pas qu'il soit possible de le vendre avant longtemps, il est devenu si maigre que ce serait une mauvaise affaire *(les Contes du Chat perché).*

▸ **vendeur** n. m., **vendeuse** n. f. Personne qui vend quelque chose. *La vendeuse a montré quinze jupes différentes à Mme Séverac.*

Autres membres de la famille : **revendre, vente.**

vendredi n. m.
Jour de la semaine entre le jeudi et le samedi. *Tous les vendredis, les Bellec mangent du poisson.* — adv. *Denis Prost arrivera vendredi.*

Le *Vendredi saint* précède le dimanche de Pâques.

Ne confonds pas *vénéneux* et *venimeux.*

vénéneux adj.
Une plante vénéneuse, c'est une plante qui contient du poison. *Attention aux champignons vénéneux ;* vois ***toxique.***

Le contraire de *vénéneux,* c'est *comestible.*

Conjugaison 6 ▭ Indic. présent : *je vénère, nous vénérons, ils vénèrent.* Imparfait : *je vénérais.* Futur : *je vénérerai.*

vénérer v.
Aimer et respecter beaucoup ; vois ***adorer, révérer.*** *Sainte Anne est particulièrement vénérée en Bretagne.*

▸ **vénérable** adj. Très respectable. *Un vieillard vénérable se présenta à la porte.*

▸ **vénération** n. f. Respect admiratif ; vois ***adoration, culte.*** *Sophie Pelletier avait une véritable vénération pour sa mère.*

vénerie n. f.
Art de la chasse à courre. *La vénerie était une distraction des rois et des grands seigneurs.*

Va voir aussi ***chasse.***

Conjugaison 3 ▭ Indic. présent : *nous vengeons.* Imparfait : *je vengeais.*

venger v.
Venger quelqu'un, c'est punir celui qui lui a fait du mal. *Antoine vengera Marie-Tévy des méchancetés que lui ont faites Colle et Rat. — Julie s'est vengée de Colle et Rat,* elle leur a fait du mal parce qu'ils lui en avaient fait.

La vengeance est un plat qui se mange froid (proverbe).

▸ **vengeance** n. f. Action de faire du mal à une personne qui en a fait à une autre. *« Ma vengeance sera terrible », dit Antoine ;* vois ***châtiment.***

Va voir aussi ***vendetta.***

▸ **vengeur** n. m. Personne qui venge, punit. *Antoine se fait le vengeur de Marie-Tévy,* il la venge. — adj. *Antoine a prononcé des paroles vengeresses,* qui montrent son désir de vengeance.

Le féminin de l'adjectif, c'est *vengeresse.*

On ne se moque pas impunément de la bande des vengeurs *(le Petit Nicolas).*

venin n. m.
Poison produit par certains animaux qui l'injectent en piquant ou en mordant. *Les vipères, quand elles mordent, injectent leur venin.*

Autre membre de la famille : **envenimer.**

Les scorpions injectent leur venin avec leur dard.

Ne confonds pas *venimeux* et *vénéneux.*

▸ **venimeux** adj. Qui a du venin. *La vipère est un serpent venimeux.*

Conjugaison 22 ; *venir* se conjugue avec l'auxiliaire *être.*

venir v.
1. Se déplacer. *Attendez-moi, je viens ;* vois ***arriver.*** *Venez chez moi. Julie est venue avec moi,* elle m'a accompagné. *Le plombier doit venir ce matin. Viens nous aider. Cela ne m'est pas venu à l'idée,* je n'y ai pas pensé. **2.** *Loïc vient de Paimpol,* il est parti de Paimpol. *Le vase de la cheminée vient de Chine,* il provient de Chine. **3.** Découler, provenir. *Le charme de Julie vient de sa joie de vivre,* il est l'effet de sa joie de vivre. **4.** *Si nous venions à*

Venir au monde, c'est naître.

Anne, ma sœur Anne, ne vois-tu rien venir ? *(la Barbe-bleue).*

Si tu viens, par exemple, à quatre heures de l'après-midi, dès trois heures je commencerai d'être heureux *(le Petit Prince).*

— D'où venez-vous ?
— Comment avez-vous été capturés ?
Les questions pleuvent *(Babar).*

Au bout de cinq à six semaines
Les vivres vinrent à manquer
(chanson).

nous perdre, retrouvons-nous devant l'église, s'il arrivait que nous nous perdions. **5.** *Yasmina vient de sortir,* elle est sortie il y a très peu de temps. **6.** *Venons maintenant à la question des vacances,* parlons-en, abordons ce sujet. — *Où veux-tu en venir ?,* que veux-tu, que cherches-tu en fin de compte ? *Les garçons en sont venus aux mains,* ils ont fini par se battre. **7.** Arriver, se produire, survenir. *M. Bellec n'est pas compliqué, il prend les choses comme elles viennent. Mme Harpie s'inquiète pour les générations à venir,* les prochaines générations, les générations futures.

Tout vient à point à qui sait attendre (proverbe).

Autres membres de la famille : **avenir, bienvenu, bienvenue, intervenir, parvenir, parvenu, provenir, provenance, revenant, revenir, revenu, subvenir, survenir, tout-venant,** à tout **venant, va-et-vient, venue, allées et venues.**

vent n. m.

Le mistral, la tramontane, le simoun, le sirocco, le blizzard, l'alizé sont des vents.

1. Mouvement naturel de l'air. *Un vent du nord, sec et froid, souffle sur la ville. Le vent tourne,* il change de direction. *Il y a du vent,* il vente. *Mme Hespel est passée en coup de vent,* très rapidement. *Le restaurant Bellec a le vent en poupe,* il marche bien, il est bien parti. *Le cheval allait comme le vent,* très vite. **2.** *Ne t'y trompe pas, tout cela n'est que du vent !,* ce n'est pas sérieux. **3.** *J'ai eu vent du projet des enfants,* j'en ai entendu parler. **4.** *Un instrument à vent,* c'est un instrument de musique dans lequel on souffle pour en faire sortir des sons. *La trompette, la flûte, la cornemuse sont des instruments à vent.*

ACCALMIE
Le vent
Debout
S'asseoit
Sur les tuiles du toit
(Prévert).

La clarinette, le cor, le hautbois, le saxophone, le trombone sont aussi des instruments à vent.

Autres membres de la famille : **éventail, éventer, paravent, venter, ventiler, ventilateur, ventilation, vol-au-vent.**

vente n. f.

Famille de **vendre**

Le fait d'échanger quelque chose contre de l'argent. *Mme Harpie envisage la vente de son magasin,* elle envisage de le vendre. *La maison est en vente,* elle est à vendre.

Va voir *vente aux enchères* à ***enchère.***

venter v.

Conjugaison 1
Famille de **vent**

Il vente, il y a du vent. *M. Bellec va promener son chien, qu'il pleuve ou qu'il vente,* par tous les temps.

Ce mot est assez rare.

ventiler v.

Conjugaison 1

Faire un courant d'air. *Laisse la porte et la fenêtre ouvertes pour ventiler la pièce.*

Famille de **vent**

▸ ***ventilateur*** n. m. Appareil qui crée un courant d'air. *Dans les pays chauds, on fixe des ventilateurs au plafond pour rafraîchir l'atmosphère.*

▸ ***ventilation*** n. f. *Un vasistas assure la ventilation de la salle de bains,* il la ventile, l'aère.

ventouse n. f.

1. Rondelle de caoutchouc qui permet de fixer un objet quand on l'appuie sur une surface lisse. *Yves a un jeu de fléchettes à ventouses.* **2.** Organe de certains animaux, qui leur permet de se fixer à ce qu'ils touchent. *Les tentacules des pieuvres sont couverts de ventouses.*

ventre n. m.

Le *ventre d'une cruche,* c'est sa partie la plus large.

1. Partie du bas du tronc de l'homme, sur le devant du corps et qui contient l'intestin ; vois ***abdomen.*** *Yves lit à plat ventre,* allongé sur le ventre. *M. Bellec a du ventre,* un gros ventre. **2.** Partie inférieure du corps des animaux. *Julie caresse le ventre de son chat. Le poisson a un ventre argenté.*

La partie opposée au *ventre,* c'est le *dos.*

Autres membres de la famille : **bas-ventre, éventrer, ventru.**

Au masculin pluriel : *ventraux.*

▸ ***ventral*** adj. Du ventre. *Le poisson a des nageoires ventrales.*

ventricule n. m.

Au-dessus des ventricules, il y a les oreillettes.

Cavité inférieure du cœur. *Le cœur humain possède deux ventricules.*

ventriloque n. m. et f.

Compare *ventriloque* et *colloque* : dans ces mots, il s'agit de **parler.**

Personne qui peut parler sans bouger les lèvres, avec une voix qui semble venir du ventre. *Au cirque, un ventriloque faisait parler une marionnette.*

Compare ***ventriloque*** et ***ventripotent*** : dans ces mots, il est question du **ventre.**

ventripotent adj.

Le contraire de *ventripotent,* c'est *maigre.*

Qui a un gros ventre. *M. Bellec est ventripotent ;* vois ***bedonnant, ventru.***

ventru adj.

Famille de **ventre**

Qui a un gros ventre ; vois ***ventripotent.*** *M. Bellec est ventru.*

venue n. f.

Le fait de venir. *Mme Roussel attend la venue de Loïc,* elle attend qu'il vienne ; vois ***arrivée.***

Famille de **venir**

Attention à l'accent circonflexe du *ê* !

vêpres n. f. plur.
Office catholique qui est célébré l'après-midi. *Mme Bellec est allée aux vêpres.*

On dit aussi *aller à vêpres.*

Ne confonds pas *ver, verre, vers, vert* et *vair.*

Le *ver solitaire* est l'autre nom du *ténia.*

ver n. m.
Petit animal au corps allongé et mou, sans pattes. *Antoine a pris un ver de terre dans sa main. La viande était pleine de vers ;* vois ***asticot.*** *On appâte le poisson avec des vers enfilés sur des hameçons. J'ai réussi à lui tirer les vers du nez,* à le faire parler, à le faire avouer.

Le *ver à soie* est une chenille qui fabrique des fils de soie.

Autres membres de la famille : **véreux, vermoulu.**

véracité n. f.
Qualité d'une chose vraie. *Le commissaire croit à la véracité du témoignage d'Hippolyte ;* vois ***authenticité, exactitude.***

Le contraire de *véracité,* c'est *fausseté.*

véranda n. f.
Galerie vitrée le long d'une maison. *Sophie Pelletier a mis des plantes vertes dans la véranda.*

verbe n. m.
1. Mot qui exprime une action ou un état, et dont la forme varie selon son sujet et selon le temps. *Le verbe s'accorde avec son sujet. Conjuguez le verbe « courir » au présent de l'indicatif.* **2.** *Avoir le verbe haut,* c'est parler très fort. *M. Bellec a le verbe haut.*

▸ ***verbal*** adj. **1.** *Le groupe verbal,* c'est le groupe du verbe et de ses compléments dans une proposition. *Yves souligne en bleu les groupes verbaux.* **2.** Fait en parlant, sans écrire. *M. Bellec et les autres restaurateurs ont conclu un accord verbal sur les jours de fermeture.*

▸ ***verbalement*** adv. Par la parole. *Les restaurateurs se sont mis d'accord verbalement.*

Conjugaison 1

▸ ***verbaliser*** v. Faire un procès-verbal. *La voiture était en stationnement interdit ; l'agent a verbalisé.*

▸ ***verbeux*** adj. Qui parle trop, pour ne rien dire ; vois ***bavard.*** *L'adversaire du maire a fait un discours verbeux.*

Autre membre de la famille : **procès-verbal.**

▸ ***verbiage*** n. m. Trop grande quantité de paroles qui ne disent pas grand-chose ; vois ***bavardage.*** *Ce discours n'était qu'un verbiage creux.*

Ce mot ne s'emploie pas beaucoup.

Compare *verdâtre* avec *jaunâtre, noirâtre.*

verdâtre adj.
D'une couleur verte un peu sale. *Yves regarde l'eau verdâtre de l'étang.*

Attention à l'accent du *â.*

verdeur n. f.
Force de la jeunesse, chez une personne âgée. *M. Bonnot, le grand-père d'Yves, n'a rien perdu de sa verdeur.*

Il est encore *vert.*

Verdict [vɛʀdikt] rime avec *strict.*

verdict n. m.
Jugement, décision ; vois ***sentence.*** *Le tribunal a rendu son verdict. Colle et Rat redoutent le verdict de la directrice : seront-ils renvoyés de l'école ?*

Compare ***verdir, verdâtre, verdure*** et ***verdoyant*** : il est question de **vert.**

verdir v.
1. Devenir vert. *Au printemps, la forêt verdit.* **2.** Devenir vert de peur. *Julie verdit en entendant l'histoire du fantôme.*

Conjugaison 2

verdoyant adj.
Très vert, où la végétation est abondante. *La région est très verdoyante.*

verdure n. f.
Ensemble des arbres et des plantes ; vois ***végétation.*** *Un rideau de verdure sépare la maison de la route.*

véreux adj.
1. Plein de vers. *La pomme ramassée par terre était véreuse.* **2.** Malhonnête. *M. Doucet a failli se faire escroquer par un homme d'affaires véreux.*

Famille de **ver**

Ce mot se trouve surtout dans les livres.

① **verge** n. f.
Baguette. *La méchante femme saisit les verges pour fouetter la petite fille.*

② **verge** n. f.
Sexe de l'homme et des mammifères mâles ; vois ***pénis.*** *La verge se termine par un renflement.*

Ce renflement s'appelle le *gland.*

verger n. m.
Terrain où sont plantés des arbres fruitiers. *Pierre Séverac taille les pommiers du verger.*

Verglas [vɛʀgla] rime avec *lilas* et *plat.*

verglas n. m.
Mince couche de glace sur le sol. *La voiture a dérapé sur une plaque de verglas.*

▸ **verglacé** adj. Couvert de verglas. *Les routes verglacées sont dangereuses.*

On répand du sel sur les routes et les trottoirs pour faire fondre la glace.

sans **vergogne** adv.
Sans honte, sans scrupule. *Colle et Rat mentent sans vergogne.*

vergue n. f.
Long morceau de bois fixé en travers du mât d'un bateau, et qui soutient la voile. *Les vergues permettent d'orienter la voile selon la direction du vent.*

Le contraire de *véridique*, c'est *faux, mensonger.*

véridique adj.
Vrai, exact ; vois ***authentique.*** *Le récit de Mamie Lou est parfaitement véridique.*

Conjugaison 7 ▭ Indic. présent : *nous vérifions.* Imparfait : *nous vérifiions.* Futur : *je vérifierai.*

vérifier v.
Examiner une chose pour voir si elle est vraie, si elle est comme elle doit être ; vois ***contrôler.*** *Antoine vérifie ses multiplications en faisant la preuve par neuf.*

▸ **vérifiable** adj. Que l'on peut vérifier. *Tu dois me croire, dit Antoine, ce que je dis est parfaitement vérifiable.*

▸ **vérification** n. f. Contrôle. *M. Bellec fait la vérification de ses comptes.*

Il a encore sommeil parce qu'il s'est levé plusieurs fois pendant la nuit pour vérifier la position du ballon *(Babar).*

Compare ***véritable***, ***véridique*** et ***vérité*** : dans ces mots, il s'agit de ce qui est **vrai.**

véritable adj.
Vrai, réel. *Julie a une chaîne en or véritable,* qui n'est pas une imitation. *Antoine est un véritable ami,* un ami digne de ce nom, un vrai ami.

▸ **véritablement** adv. Effectivement, réellement ; vois ***vraiment.*** *Je suis véritablement heureux d'être parmi vous.*

Croc-Blanc était, en vérité, devenu un admirable champion *(Croc-Blanc).*

vérité n. f.
1. Ce qui est vrai, ce qui correspond à la réalité. *Antoine, dis-moi la vérité. En vérité, Julie n'avait rien vu,* en fait, vraiment. *Julie a dit ses quatre vérités à Yves,* elle lui a dit brutalement les choses désagréables qu'elle pensait de lui. **2.** Qualité d'une chose vraie. *Angèle doute de la vérité de cette histoire.*

Ivan Ogareff, soupçonnant la vérité, avait voulu interroger lui-même la vieille Sibérienne *(Michel Strogoff).*

① **vermeil** adj.
Rouge vif. *La princesse avait le teint clair et les lèvres vermeilles.*

▸ ② **vermeil** n. m. Argent recouvert d'une couche d'or un peu rouge. *Mme Séverac a des petites cuillères en vermeil.*

vermicelle n. m.
Pâtes à potage en forme de fils très minces. *Mamie Lou a fait de la soupe au vermicelle.*

vermifuge n. m.
Médicament qui tue les vers de l'intestin. *Yves a pris un vermifuge.*

Prononce [vɛʀmijɔ̃].

vermillon n. m.
Rouge vif un peu orangé. *Julie a un tube de vermillon dans sa boîte de peinture.* — adj. invariable *Denis Prost a mis des chaussettes vermillon.*

Compare ***vermine*** et ***vermisseau*** : il s'agit de **ver.**

vermine n. f.
Insectes parasites de l'homme et des animaux. *Un vieux matelas, sur un tas d'ordures, grouillait de vermine.*

Les puces, les poux et les punaises font partie de la vermine.

Compare ***vermisseau*** et ***vermine*** : il s'agit de **ver.**

vermisseau n. m.
Petit ver. *Les poules picorent des vermisseaux dans la cour.*

vermoulu adj.
Mangé par les vers. *Un escalier vermoulu conduit à la cave.*

Famille de **ver** et de **moudre**

Le vernis laisse voir le bois, à la différence de la peinture.

vernis n. m.
Produit brillant, transparent ou coloré, que l'on passe sur une surface pour la protéger ou l'embellir. *Loïc passe une couche de vernis sur la coque du bateau. Angèle s'est mis du vernis à ongles.*

Conjugaison 2

▸ ***vernir*** v. Couvrir de vernis. *Loïc vernit la coque de son bateau pour la rendre imperméable.*

Des *chaussures vernies* sont recouvertes de vernis.

▸ ***vernissé*** adj. Couvert de vernis. *Le toit de la ferme est en tuiles vernissées.*

C'est un mot que l'on employait autrefois.

vérole n. f.
La petite vérole, c'est la variole ; vois ***variole.*** *L'homme avait le visage marqué par la petite vérole.*

Attention ! deux **r** dans *verrat.*

verrat n. m.
Porc mâle. *Les verrats deviennent parfois méchants en vieillissant.*

La femelle, c'est la *truie.*

Ne confonds pas *verre, vair, ver, vers* et *vert.*

Le verre est obtenu en faisant fondre du sable.

La *laine de verre* est une matière faite de fils de verre, utilisée comme isolant.

verre n. m.
1. Matière fabriquée, dure, cassante et transparente. *Le verre de la fenêtre est cassé ;* vois ***carreau, glace, vitre.*** *Denis Prost verse le vin dans une carafe en verre. Loïc ponce le bois avec du papier de verre,* un papier couvert de poudre de silex, avec lequel on frotte les choses pour les rendre lisses. **2.** Morceau de verre. *Antoine a rayé son verre de montre,* le verre qui protège le cadran. *Le docteur Séverac a des lunettes à verres très épais.* **3.** Récipient dans lequel on boit. *Mme Séverac a mis des verres à pied en cristal sur la table. Antoine a bu son verre d'un seul coup,* le contenu de son verre.

Le verre des fenêtres n'apparaît qu'au XIVe siècle ; avant, on mettait du parchemin huilé.

Autrefois, le papier de verre était couvert de poudre de verre.

Va voir *verre de contact* à ***contact.***

▸ ***verrier*** n. m. Homme qui fabrique du verre ou des objets en verre. *Les verriers du Moyen Âge créèrent des vitraux magnifiques.*

▸ ***verrière*** n. f. Toit ou mur en vitres. *David range son vélo sous la verrière de l'entrée.*

Autre membre de la famille : **sous-verre.**

▸ ***verroterie*** n. f. Verre coloré dont on fait des bijoux et des objets décoratifs. *Le docteur Séverac a rapporté d'Afrique des bijoux en verroterie.*

La verroterie imite les pierres précieuses.

Au pluriel : *des verrous.*

verrou n. m.
Système de fermeture, formé d'un morceau de métal que l'on fait coulisser pour bloquer une porte. *Le soir, Mme Roussel ferme les volets et met le verrou.*

Être sous les verrous, c'est être en prison.

Conjugaison 1

▸ ***verrouiller*** v. Fermer à l'aide d'un verrou. *Mme Roussel verrouille la porte tous les soirs.*

Les *verrues plantaires* poussent en profondeur, sous la plante du pied.

verrue n. f.
Petite boule de corne qui pousse sous la peau. *Mme Harpie a une verrue sur le nez. Les verrues sont dues à un virus.*

Les verrues se développent surtout sur les mains et parfois sur le visage.

Autre membre de la famille : **verset.**

① ***vers*** n. m.
Ligne d'un poème. *Julie a oublié les deux derniers vers de la strophe. Ces deux vers riment entre eux.*

Les alexandrins sont des vers de douze pieds.

Deux des chiens poussèrent un hurlement plaintif et coururent à toutes jambes vers Sophie *(les Malheurs de Sophie).*

② ***vers*** préposition
1. En direction de. *Julie marchait vers moi. Je regarde vers le nord.* **2.** Aux environs de. *Nous nous arrêterons vers Lyon,* près de Lyon. **3.** Aux alentours de. *Denis Prost rentrera vers huit heures,* à peu près à huit heures.

versant n. m.
Côté en pente d'une montagne. *Des alpinistes ont escaladé le versant nord de la montagne.*

Le contraire de *versatile,* c'est *entêté, opiniâtre.*

versatile adj.
Qui change facilement d'avis ; vois ***changeant, inconstant.*** *M. Doucet est un homme versatile.*

Conjugaison 1

verser v.
1. Faire couler un liquide d'un récipient que l'on incline. *M. Bellec verse du vin dans les verres. Mme Roussel se verse à boire.* **2.** Répandre, déverser. *Les manifestants ont versé des tonnes de poires sur la route ;* vois ***jeter, renverser.*** **3.** Apporter de l'argent. *Le salaire de Mme Roussel est versé à la banque.* **4.** Basculer et tomber sur le côté. *La voiture a versé dans le fossé ;* vois ***culbuter.***

Elle était dans la mare des larmes qu'elle avait versées au moment où elle avait deux mètres soixante et quinze de haut *(Alice au Pays des merveilles).*

▸ ***versé*** adj. Savant et expérimenté. *Sophie Pelletier est très versée dans l'histoire de l'art.*

Des feuilles volent sous le vent qui les disperse Et, brusquement, il pleut à verse (F. Carco).

▸ *à* ***verse*** adv. *Il pleut à verse,* il pleut très fort.

Va voir aussi ***averse.***

▸ ***versement*** n. m. Action de verser de l'argent ; vois ***paiement.*** *Mme Roussel a payé son canapé en deux versements.*

Autres membres de la famille : **déverser, renverser, renversant,** à **la renverse, renversement.**

▸ ***verseur*** adj. Qui sert à verser. *La casserole est munie d'un bec verseur.*

Famille de ① **vers**

verset n. m.

Paragraphe d'un texte sacré. *L'abbé Gauthier explique aux enfants un verset de l'Évangile.*

version n. f.

1. Traduction d'un texte écrit en langue étrangère dans sa propre langue. *David fait une version anglaise,* il traduit un texte anglais en français. **2.** Manière de raconter une histoire, de raconter ce qui s'est passé. *La police a écouté les témoins de l'accident et compare les différentes versions des faits.*

Un film en *version originale,* c'est un film dans sa langue d'origine, avec des sous-titres.

Le *thème* consiste à traduire un texte de sa langue maternelle dans une langue étrangère.

Au pluriel : *des versos.*

verso n. m.

Envers d'une feuille ; vois ***dos.*** *Écrivez votre nom au verso. Lire la suite au verso.*

Le contraire de *verso*, c'est *recto.*

Va voir *recto verso* à **recto.**

vert adj. et n. m.

▭ **adj. 1.** De la couleur de l'herbe. *C'est la chlorophylle qui donne aux plantes leur couleur verte. Mme Roussel portait un chemisier vert. Julie mange des haricots verts.* **2.** Pas mûr. *Julie s'est rendue malade en mangeant des pommes vertes. Le bois vert fume en brûlant,* le bois qui a encore de la sève. **3.** Encore fort et plein d'énergie malgré son âge. *M. Bonnot, le grand-père d'Yves, est encore vert.*

Babar [...] voit un costume d'une agréable couleur verte qui lui rappelle les feuilles de palmier *(Babar).*

Va voir aussi ***verdir, verdure.***

Les *légumes verts,* ce sont ceux que l'on consomme frais, non séchés.

▭ **n. m.** Couleur verte. *Le feu passe au vert. Mme Roussel a une robe d'un joli vert amande.*

Le vert est intermédiaire entre le bleu et le jaune.

Autre membre de la famille : **vertement.**

Famille de ① **gris**

▸ ***vert-de-gris*** n. m. Dépôt verdâtre qui se forme sur le cuivre et le bronze. *Une couche de vert-de-gris recouvre les grilles du jardin.*

Il se forme dans une atmosphère humide.

vertèbre n. f.

Chacun des os qui forment la colonne vertébrale. *L'homme a trente-trois vertèbres séparées par des disques qui rendent l'ensemble souple.*

▸ ***vertébral*** adj. *La colonne vertébrale,* c'est l'ensemble des vertèbres. *La colonne vertébrale est une partie très importante du squelette.*

Au masculin pluriel : *vertébraux.*

▸ ***vertébré*** n. m. *Les vertébrés,* ce sont les animaux qui ont une colonne vertébrale. *Les poissons, les oiseaux, les reptiles, les batraciens et les mammifères sont des vertébrés.*

Autre membre de la famille : **invertébré.**

L'homme est un vertébré.

Famille de **vert**

vertement adv.

Vivement, rudement. *Yves s'est fait vertement reprendre par la maîtresse.*

vertical adj.

Qui forme un angle droit avec une surface horizontale, comme celle de l'eau. *Un fil à plomb permet de vérifier si les murs sont verticaux.*

Maintenant, le soleil était dans son axe vertical, et la lumière ne se réverbérait plus *(Lullaby).*

▸ ***verticalement*** adv. En suivant une ligne verticale. *La pluie tombe verticalement, quand il n'y a pas de vent.*

Une *verticale,* c'est une ligne verticale.

vertige n. m.

Impression que tout tourne autour de soi, qui fait perdre l'équilibre. *Mme Séverac ne peut pas monter sur une échelle : elle a le vertige. Mme Roussel, fatiguée, a eu des vertiges,* elle avait la tête qui tournait ; vois ***éblouissement, étourdissement.***

Quand elle arriva tout en haut, elle se retourna pour regarder la mer, et elle dut fermer les yeux pour ne pas sentir le vertige *(Lullaby).*

▸ ***vertigineux*** adj. Qui pourrait donner le vertige. *Les chamois grimpent à des hauteurs vertigineuses.*

vertu n. f.

1. Qualité morale. *Hippolyte pare Angèle de toutes les vertus,* il lui attribue toutes les qualités. **2.** Pouvoir de produire un effet. *Mamie Lou connaît les vertus médicinales des plantes.* **3.** *Colle et Rat ont été renvoyés en vertu du règlement,* au nom du règlement.

Le contraire de *vertu,* c'est *vice.*

Saad soutient que la vertu seule doit faire le bonheur des hommes *(les Mille et Une Nuits).*

Le contraire de *vertueux,* c'est *vicieux.*

▷ ***vertueux*** adj. Plein de qualités morales ; vois ***honnête, moral, sage.*** *Mme Roussel est une femme vertueuse.*

verve n. f.
Imagination, fantaisie brillante d'une personne qui parle ; vois ***brio.*** *Denis Prost a raconté son voyage avec beaucoup de verve.*

verveine n. f.
Plante dont les feuilles servent à faire de la tisane. *Mamie Lou boit une infusion de verveine avant de se coucher.*

La verveine a des propriétés calmantes.

vésicule n. f.
La vésicule biliaire, c'est une petite poche près du foie, qui contient la bile. *Pierre Séverac a été opéré de la vésicule biliaire.*

Au pluriel : *des vesses-de-loup.*

Famille de **loup**

vesse-de-loup n. f.
Champignon qui forme une petite boule blanche et que l'on peut manger quand il est jeune. *Antoine marche sur les vesses-de-loup pour les faire éclater.*

En vieillissant, la vesse-de-loup devient jaunâtre et se remplit d'une poussière brune.

La vessie de l'homme peut contenir de 150 à 300 millilitres d'urine.

vessie n. f.
Poche située dans le bas du ventre, dans laquelle s'accumule l'urine. *L'urine sort des reins, puis reste dans la vessie avant d'être évacuée.*

Va voir *prendre des vessies pour des lanternes* à ***lanterne.***

Va voir *retourner sa veste* à ***retourner.***

Autre membre de la famille : **veston.**

veste n. f.
Vêtement qui couvre le haut du corps et les bras, ouvert devant, et qui se porte par-dessus une chemise ou un pull ; vois **veston.** *Le docteur Séverac portait une veste à carreaux.*

Babar enfile le pantalon, la veste, et se regarde dans la glace *(Babar).*

Compare ***vestiaire*** et ***veste*** : dans ces mots, il s'agit de **vêtement.**

vestiaire n. m.
Pièce dans laquelle on laisse les vêtements que l'on met seulement à l'extérieur, ou dans laquelle on peut se changer. *Mme Séverac laisse son manteau et son parapluie au vestiaire du théâtre.*

vestibule n. m.
Pièce d'entrée d'une maison ou d'un appartement ; vois ***entrée.*** *Le docteur Séverac a accroché son manteau dans le vestibule.*

vestige n. m.
Ce qui reste d'une chose disparue ; vois ***reste, ruine, trace.*** *Dans la cour du château, on a découvert les vestiges d'une ancienne chapelle.*

Ce mot s'emploie surtout au pluriel.

Compare ***vestimentaire*** et ***vestiaire*** : dans ces mots, il s'agit de **vêtement.**

vestimentaire adj.
Qui concerne les vêtements. *Denis Prost fait très attention aux détails vestimentaires.*

Famille de **veste**

veston n. m.
Veste d'un costume d'homme. *Le docteur Séverac reçoit ses clients en veston.*

Attention à l'accent circonflexe du ***ê*** !

Famille de **vêtir**

vêtement n. m.
Objet que l'on met sur son corps pour le couvrir et le protéger ; vois ***habit.*** *Mme Séverac porte toujours des vêtements très chics.*

Les chemises, les pulls, les robes, les pantalons sont des vêtements.

vétéran n. m.
1. Ancien combattant. *Les vétérans de la guerre de 1914 ont défilé le 11 Novembre.* **2.** Personne qui fait une chose depuis longtemps et qui est pleine d'expérience ; vois ***ancien.*** *La directrice de l'école est un vétéran de l'enseignement.*

Un *vétéran,* c'est aussi un sportif qui a plus de 35 ans.

vétérinaire n. m. et f.
Personne dont le métier est de soigner les animaux. *Pierre Séverac a appelé le vétérinaire pour la vache qui allait mettre bas.*

Le vétérinaire est le médecin des animaux.

vétille n. f.
Chose sans importance ; vois ***détail.*** *Yves s'est fâché pour une vétille ;* vois ***broutille, rien.***

Conjugaison 20 ▭ Indic. présent : *je vêts, il vêt, nous vêtons, ils vêtent.*

vêtir v.
Vêtir quelqu'un, c'est le couvrir de vêtements ; vois ***habiller.*** *Julie aide sa mère à vêtir Martin, son petit frère.* — *M*[me] *Séverac se vêt avec goût,* elle s'habille avec goût. *Yasmina s'est vêtue chaudement.*

Autres membres de la famille : **dévêtir, revêtir, revêtement, vêtement, sous-vêtement, survêtement.**

Prononce [veto].

veto n. m. invariable
Mettre son veto à une chose, c'est la refuser, s'y opposer. *Le conseil municipal a mis son veto à la construction d'un parking.*

Au pluriel : *des veto.*

vétuste adj.
Vieux, en mauvais état. *M*[me] *Harpie habite une maison vétuste.*

▸ ***vétusté*** n. f. État d'une chose abîmée par le temps ; vois ***délabrement.*** *M*[me] *Harpie se plaint de la vétusté de son logement.*

Le contraire de *vétuste,* c'est *neuf.*

[À la partie supérieure du bûcher] reposait le corps embaumé du rajah, qui devait être brûlé en même temps que sa veuve *(le Tour du monde en 80 jours).*

veuf n. m., **veuve** n. f.
Personne dont la femme ou le mari est mort. *Mamie Lou est la veuve d'un résistant de la guerre de 1939-1945.* — adj. *Mamie Lou est veuve depuis des années.*

▸ ***veuvage*** n. m. Situation d'une personne veuve. *Mamie Lou ne s'est pas remariée après son veuvage.*

veule adj.
Lâche, faible, sans volonté. *Colle et Rat regardaient Antoine d'un air veule et hypocrite.*

Le contraire de *veule,* c'est *énergique, ferme.*

vexer v.
Vexer quelqu'un, c'est le fâcher en l'attaquant dans son amour-propre ; vois ***blesser, froisser, humilier, mortifier, offenser.*** *La remarque de la maîtresse a vexé Yves. Julie a été vexée de tomber devant tout le monde.* — *Yves se vexe facilement.*

Conjugaison 1

Il est susceptible !

▸ ***vexant*** adj. Qui blesse l'amour-propre ; vois ***blessant, humiliant.*** *C'est vexant de tomber devant tout le monde.*

▸ ***vexation*** n. f. Blessure d'amour-propre. *Colle et Rat font subir à Marie-Tévy toutes sortes de vexations,* ils la maltraitent, ils l'humilient.

via adv.
Le train va de Brest à Paris via Rennes, en passant par Rennes.

① **viabilité** n. f.
État d'une route sur laquelle on peut rouler. *Des travaux doivent améliorer la viabilité du chemin qui mène à la ferme.*

Ne confonds pas *viable* et *vivable.*

viable adj.
Qui peut vivre, qui peut durer. *Ce petit chat n'est pas viable, il vaut mieux le tuer.*

Famille de **vie**

▸ ② ***viabilité*** n. f. État de ce qui peut vivre, durer. *La viabilité de cette entreprise est douteuse,* ses chances de réussite sont incertaines.

Le train, franchissant les viaducs, avait traversé l'île Salcette *(le Tour du monde en 80 jours).*

viaduc n. m.
Pont très long sur lequel passe une route ou une voie ferrée. *Dans la montagne, le train passait sans cesse d'un viaduc à un tunnel. La voie ferrée emprunte plusieurs viaducs.*

viager adj. et n. m.
1. adj. *Une rente viagère,* c'est une somme d'argent que touche régulièrement quelqu'un jusqu'à sa mort. *Mamie Lou touche une rente viagère.* **2.** n. m. *M. Bellec a acheté sa maison en viager,* en versant une rente viagère au propriétaire qui vend sa maison.

La maison sera à lui quand le propriétaire sera mort.

Un garçon découpait, à l'aide d'une hache, de la viande d'élan congelée *(Croc-Blanc).*

viande n. f.
Chair des mammifères et des oiseaux que l'on mange. *Antoine aime la viande bien cuite. M. Doucet aime beaucoup la viande rouge,* le bœuf, le cheval, le mouton.

La *viande blanche,* c'est la chair de la volaille, du veau ou du porc.

Autrefois, le *viatique* était l'argent et les provisions que l'on avait pour voyager.

viatique n. m.
Ce que l'on a comme aide, comme soutien. *M. Bellec s'est lancé dans la restauration avec pour tout viatique les conseils de sa mère.*

Conjugaison 1

vibrer v.

1. Bouger très vite, en revenant toujours au même endroit. *Le plancher du bateau vibre quand on met le moteur en route ;* vois ***trembler.*** **2.** Être très ému, exalté. *Loïc fait vibrer Yves en lui racontant toutes les aventures qui lui sont arrivées en mer.*

L'archet fait vibrer les cordes du violon.

▸ ***vibrant*** adj. Plein d'émotion. *Le maire a fait un discours vibrant.*

Une légère vibration du sol annonça que quelqu'un s'approchait *(Croc-Blanc).*

▸ ***vibration*** n. f. Mouvement et bruit d'une chose qui vibre ; vois ***trépidation.*** *On a ressenti jusqu'ici des vibrations provoquées par le tremblement de terre.*

vicaire n. m.

Prêtre qui aide le curé d'une paroisse. *Pendant la maladie de l'abbé Gauthier, Mme Bellec s'est confessée au vicaire.*

vice n. m.

L'oisiveté est mère de tous les vices (proverbe).

Grave défaut. *La paresse est le seul vice d'Alex. La maison est humide : cela vient d'un vice de construction.*

Autres membres de la famille : **vicié, vicieux.**

Au pluriel : *des vice-présidents.*

vice-président n. m., **vice-présidente** n. f.

Personne qui aide le président et le remplace quand il le faut. *M. Bellec est vice-président de l'amicale des pêcheurs du canton.*

Famille de **président**

Prononce [visevɛʀsa] ou [visvɛʀsa].

vice versa adv.

Dans l'autre sens, réciproquement. *Quand sa femme n'est pas là, le docteur Séverac s'occupe des enfants, et vice versa.*

On peut écrire *vice-versa* avec un trait d'union.

Le contraire de *vicié,* c'est *pur, sain.*

vicié adj.

Impur. *L'air des villes est souvent vicié,* pollué, sale ; vois ***malsain.***

Famille de **vice**

Famille de **vice**

vicieux adj.

1. Plein de vices, de mauvais penchants. *Mme Harpie est assez vicieuse pour faire des sourires à Antoine et dire du mal de lui dès qu'il est parti.* **2.** Mauvais, faux, plein d'erreurs. *Cette expression est vicieuse ;* vois ***fautif, incorrect.***

Le contraire de *vicieux,* c'est *vertueux.*

vicinal adj.

Un chemin vicinal, c'est une petite route entre deux villages. *Pour aller à la ferme, on emprunte la route départementale, puis des chemins vicinaux.*

vicissitudes n. f. plur.

Choses bonnes et mauvaises qui se succèdent dans la vie. *Il reste imperturbable face aux vicissitudes de l'existence.*

Attention ! un ***m*** avant le *t.*

vicomte n. m., **vicomtesse** n. f.

Titre de noblesse au-dessous de celui de comte. *Le fils aîné d'un comte est vicomte.*

Famille de **comte**

victime n. f.

1. Personne tuée ou blessée. *L'orage a fait trois victimes.* **2.** Personne qui est maltraitée par quelqu'un, ou qui souffre de quelque chose. *Marie-Tévy est la victime préférée de Colle et Rat.*

victoire n. f.

Considérant sa victoire comme un fait acquis, il s'avança vers la viande *(Croc-Blanc).*

Succès obtenu dans une bataille ou une compétition. *L'équipe de football a remporté une brillante victoire par deux à zéro ;* vois ***triomphe.*** *Le 11 Novembre, on fête la victoire de 1918.*

Le contraire de *victoire,* c'est *défaite, échec.*

Compare ***victorieux*** et ***victoire*** : dans ces mots, il s'agit de **vaincre.**

victorieux adj.

Qui a remporté une victoire. *L'équipe victorieuse a remporté la coupe. Les gagnants avaient un air victorieux,* de triomphe ; vois ***triomphant.***

Le contraire de *victorieux,* c'est *perdant, vaincu.*

Va voir aussi ***vainqueur.***

victuailles n. f. plur.

Nourriture, provisions ; vois ***vivres.*** *Les Bellec sont partis en pique-nique avec un énorme panier de victuailles.*

vidange n. f.

Faire la vidange d'un réservoir, c'est faire sortir le liquide qu'il contient. *Le garagiste fait la vidange du réservoir d'huile de la voiture.*

Famille de **vider**

Conjugaison 3

▹ ***vidanger*** v. Vider le liquide qui est dans un réservoir. *Le plombier vidange le chauffe-eau avant de le réparer.*

Famille de **vider**

vide adj. et n. m.

▭ **adj.** Où il n'y a rien. *La boîte est vide. Le restaurant est vide,* il n'y a personne dedans ; vois ***désert.*** *Denis Prost, trop fatigué, avait la tête vide,* il ne pouvait plus penser à rien. *Mamie Lou, en hiver, trouve parfois les journées vides,* ennuyeuses, parce qu'il n'y a rien à faire. *Le dimanche matin, les rues sont vides de voitures,* elles sont sans voitures.

▭ **n. m. 1.** Endroit où il n'y a rien. *En se penchant au bord de la falaise, Yves a eu peur du vide. Mme Harpie fait le vide autour d'elle,* elle fait partir tout le monde. *M. Bellec bouche les vides entre les pierres du mur du jardin ;* vois ***espace.*** **2.** *Mme Harpie se plaint du vide de son existence,* de son manque d'intérêt. **3.** *L'autobus est parti à vide,* sans passagers. *Le moteur tourne à vide,* sans effet. *Après la mort de sa mère, Sophie Pelletier a eu un passage à vide,* un moment où elle ne pouvait plus rien faire.

Quand maman n'aura plus qu'une boîte vide, dit-elle, elle voudra bien me la donner ; et alors j'y remettrai tout, et la jolie boîte sera à moi ! *(les Malheurs de Sophie).*

Le vide peut donner le vertige.

Parler dans le vide, c'est parler à des gens qui n'écoutent pas.

On a l'impression qu'elle s'ennuie un peu, qu'elle tourne à vide *(le Lion).*

Le contraire de *vide,* c'est *plein, rempli.*

Et les roses étaient bien gênées. — Vous êtes belles, mais vous êtes vides, leur dit-il encore *(le Petit Prince).*

Certains produits sont conservés *sous vide,* c'est-à-dire dans des emballages d'où l'on a enlevé l'air.

vidéo n. f.

Technique qui permet d'enregistrer des images et des sons sur une bande magnétique au moyen d'un magnétoscope et de les reproduire sur un écran de télévision. *Le moniteur de ski a filmé en vidéo les enfants en train de skier.* — adj. invariable *Le soir, les enfants ont regardé la bande vidéo.*

Famille de **cassette**

▹ ***vidéocassette*** n. f. Cassette pour magnétoscope, permettant d'enregistrer des images et du son. *Denis Prost a enregistré sur vidéocassette un film qui passait à la télévision.*

Conjugaison 1

vider v.

1. Rendre vide en enlevant ce qu'il y a dedans. *Loïc vide le seau dans la mer. Julie a vidé sa tirelire pour s'acheter des bonbons. Avant de repeindre la chambre, M. Bellec l'a vidée de ses meubles,* il a enlevé les meubles. — *L'évier se vide lentement.* **2.** Enlever ce qui remplit. *Mme Bellec vide l'eau des vases.*

Vider un poisson, un poulet, c'est en enlever les boyaux.

Le contraire de *vider,* c'est *garnir, remplir.*

Au pluriel : *des vide-ordures.*
Famille de **ordures**

▹ ***vide-ordures*** n. m. invariable. Tuyau vertical dans lequel on peut jeter les ordures, dans un immeuble. *Mme Roussel jette les épluchures dans le vide-ordures.*

Autres membres de la famille : **évider, vidange, vidanger, vide.**

vie n. f.

1. *La vie,* c'est ce qui caractérise les animaux et les plantes qui naissent, respirent, se nourrissent, se reproduisent et meurent. *Les parents transmettent la vie à leurs enfants. Le moineau, quoique blessé, était toujours en vie,* il vivait toujours. *Réjean a sauvé la vie d'Alex en le sortant d'un lac gelé où il était tombé.* **2.** Temps compris entre la naissance et la mort. *De sa vie, jamais Denis Prost n'avait été aussi heureux ! Antoine et Yves sont amis pour la vie,* pour toujours. **3.** Ce que l'on fait pendant le temps où l'on est vivant. *Antoine lit le récit de la vie de Christophe Colomb. Denis Prost envie parfois la vie calme et rude des paysans,* leur manière de vivre. **4.** Partie des activités, de ce qu'on fait. *Denis Prost ne mélange pas sa vie d'acteur et sa vie de famille.* **5.** Ce qu'il faut pour vivre. *Mme Hespel gagne bien sa vie,* elle gagne assez d'argent. *La vie est de plus en plus chère,* le prix des choses augmente.

Michel Strogoff savait bien que l'énergique Sibérienne ne parlerait pas, et qu'il lui en coûterait la vie ! *(Michel Strogoff).*

Ils sont amis *à la vie à la mort.*

Autres membres de la famille : **eau-de-vie, survie, viable,** ② **viabilité.**

Le contraire de *vie,* c'est *mort.*

C'était pour moi une question de vie ou de mort. J'avais à peine de l'eau à boire pour huit jours *(le Petit Prince).*

Ce n'est pas une vie ! : c'est insupportable.

vieillard n. m.

Homme vieux. *L'arrière-grand-père d'Angèle est un vieillard très sympathique.*

Au pluriel, *vieillards* désigne des hommes et des femmes.

Famille de **vieux**

vieille va voir ***vieux.***

Famille de **vieux**

vieillerie n. f.

Objet vieux, usé. *Le grenier de la ferme est plein de vieilleries.*

Famille de **vieux**

vieillesse n. f.

1. Dernière partie de la vie. *Mamie Lou a une vieillesse heureuse.* **2.** Le fait d'être vieux. *Le chien est mort de vieillesse,* parce qu'il était vieux, du fait de son grand âge.

Le contraire de *vieillesse,* c'est *jeunesse.*

Conjugaison 2
Famille de **vieux**

vieillir v.
1. Devenir vieux, devenir de plus en plus vieux. *Les Bonnot vieillissent dans leur famille.* **2.** Donner l'air plus vieux. *Cette coiffure la vieillit,* la fait paraître plus vieille qu'elle n'est.

Le contraire de *vieillir,* c'est *rajeunir.*

▸ ***vieillissement*** n. m. Le fait de vieillir. *Mme Séverac se fait des soins du visage pour lutter contre le vieillissement de la peau.*

Famille de **vieux**

vieillot adj.
Vieux et démodé ; vois ***désuet, suranné.*** *Une commode vieillotte encombre l'entrée.*

Ne confonds pas *vielle* et *vieille.*

vielle n. f.
Instrument de musique à cordes et à roue. *Une manivelle permet de tourner la roue de la vielle.*

La roue de la vielle frotte les cordes comme un archet.

vierge adj.

La Sainte Vierge, c'est sainte Marie, la mère de Jésus.

1. Qui n'a jamais fait l'amour, n'a jamais eu de relations sexuelles. *Jeanne d'Arc est morte vierge.* **2.** Qui n'a jamais été touché, sali. *Les enfants s'enfonçaient jusqu'au genou dans la neige vierge. Voici une feuille vierge,* qui n'a pas encore servi. **3.** *Alex rêve d'explorer la forêt vierge,* la forêt tropicale dans laquelle il est difficile de pénétrer.

Va voir *vigne vierge* à ***vigne.*** *De la laine vierge,* c'est de la laine qui n'est mélangée à rien d'autre.

On dit *un homme vieux* mais *un vieil homme.*

① ***vieux*** adj.
1. Qui a vécu longtemps ; vois ***âgé.*** *Louis XIV a vécu très vieux. Le vieux chien est mort. Pierre Séverac a abattu un vieil arbre.* **2.** *David est plus vieux que Julie,* il est plus âgé qu'elle. **3.** *Mme Roussel et Mme Bellec sont de vieilles amies,* elles sont amies depuis longtemps. **4.** Qui existe depuis longtemps ; vois ***ancien.*** *Mme Séverac donne ses vieux vêtements aux œuvres charitables. La voiture d'Angèle est vieille. Denis Prost lit le journal au petit déjeuner, c'est une vieille habitude.* **5.** *Mme Séverac a parfois des idées un peu vieux jeu,* un peu démodées.

Le vieil éléphant aux défenses cassées aimait à s'amuser autant que le plus jeune de la bande *(le Lion).*

Le contraire de *vieux,* c'est *neuf, nouveau, récent.*

Le contraire de *vieux,* c'est *jeune.*

Le *Vieux Monde,* c'est l'Europe. Le *Nouveau Monde,* c'est l'Amérique.

Le contraire de *vieux jeu,* c'est *moderne.*

▸ ② ***vieux*** n. m., ***vieille*** n. f. **1.** Personne âgée ; vois ***vieillard.*** *L'abbé Gauthier quête pour les vieux de la paroisse.* **2.** *Mon vieux, ma vieille,* sont des termes d'affection. *Ne t'en fais pas, ma vieille, dit Antoine à Yasmina.*

— Je file, ma belle enfant, lui répondit la vieille qui ne la connaissait pas *(la Belle au bois dormant).*

Autres membres de la famille : **vieillard, vieillerie, vieillesse, vieillir, vieillissement, vieillot.**

vif adj. et n. m.
▭ **adj. 1.** Rapide, alerte, éveillé, plein de vie, de vivacité ; vois ***vivant.*** *Julie est une petite fille vive et intelligente. Antoine captura le papillon d'un geste vif.* **2.** Brusque, violent. *Angèle, en colère, a été un peu trop vive dans la discussion.* **3.** Rapide, ouvert. *Antoine a une vive imagination.* **4.** Intense. *La lumière vive des phares éblouit les lapins. Yasmina aime les couleurs vives. Julie a ressenti une vive douleur en se tordant la cheville.* **5.** Vivant. *Jeanne d'Arc a été brûlée vive.* **6.** *L'air vif surprit Mme Roussel,* l'air frais et pur, qui vivifie.

Si vif que fût l'envol de l'écureuil, il était trop lent encore *(Croc-Blanc).*

Sur les cotonnades des femmes, les couleurs les plus vives, les plus crues, les plus heurtées, s'affrontaient avec un bonheur constant *(le Lion).*

Elle n'eut pas plutôt pris le fuseau, que comme elle était fort vive [...] elle s'en perça la main *(la Belle au bois dormant).*

Va voir *de vive voix* à ***voix.***

Ma petite est comme l'eau,
Elle est comme l'eau vive
(G. Béart).

▭ **n. m. 1.** *La photo a été prise sur le vif,* sans poser, dans une attitude normale et naturelle. **2.** *Yves a été piqué au vif,* au point le plus sensible, il a été très vexé. **3.** *Le maire est rentré dans le vif du sujet,* il est allé au point essentiel, au cœur du sujet.

Trancher dans le vif, c'est employer les grands moyens.

Autres membres de la famille : **raviver, vivacité, vivement.**

C'est l'ancien nom du mercure.

▸ ***vif-argent*** n. m. *Regardez Julie, c'est du vif-argent !,* elle est très vive, très remuante.

Famille de **argent**

vigie n. f.
Marin qui doit surveiller la mer, du haut du mât ou de l'avant du bateau. *La vigie aperçut un navire ennemi.*

Compare *vigilant* et *vigile* : il s'agit de **veiller.**

vigilant adj.
Qui surveille avec beaucoup d'attention ; vois ***attentif.*** *Antoine est un observateur vigilant des mœurs des oiseaux.*

▸ ***vigilance*** n. f. Surveillance très attentive. *Antoine surveille avec vigilance le nid de mésanges. Les cambrioleurs ont trompé la vigilance du gardien.*

Les soldats de l'escorte déployaient une extrême vigilance *(Michel Strogoff).*

vigile n. m.
Gardien chargé de surveiller un bâtiment. *Des vigiles interdisent l'entrée du ministère.*

La vigne vierge ressemble à la vigne mais ne donne pas de raisin.

vigne n. f.
1. Petit arbre dont le fruit est le raisin. *L'Alsace est une région où l'on cultive la vigne.* **2.** Champ où est cultivée la vigne ; vois ***vignoble.*** *On doit labourer la vigne plusieurs fois par an.* **3.** *La vigne vierge,* c'est une plante décorative qui pousse le long des murs. *La façade de la maison est couverte de vigne vierge.*

Un pied de vigne, c'est un *cep* ; une branche de vigne, un *sarment.*

▸ ***vigneron*** n. m., ***vigneronne*** n. f. Personne qui cultive la vigne et fait du vin ; vois ***viticulteur.*** *Les vignerons travaillent beaucoup à la saison des vendanges.*

▸ ***vignoble*** n. m. Terrain planté de vignes. *La Bourgogne est une région de vignobles.*

La vignette collée sur le pare-brise prouve que l'on a payé l'impôt correspondant.

vignette n. f.
Étiquette imprimée qui prouve que l'on a payé une chose. *Mamie Lou détache les vignettes des boîtes de médicaments et les colle sur les feuilles de Sécurité sociale.*

La vigogne vit en Amérique du Sud, sur les hauts plateaux des Andes.

vigogne n. f.
Petit lama à pelage fin, d'un jaune rougeâtre, dont on utilise la laine. *Denis Prost portait un élégant pardessus de vigogne.*

La vigogne mesure 90 centimètres et pèse environ 50 kilos.

Compare *vigueur*, *vigoureux* et *revigorer* : dans ces mots, il s'agit d'**énergie.**

vigoureux adj.
Plein de vigueur, fort ; vois ***puissant, robuste, solide.*** *Loïc est un homme vigoureux. Mme Séverac s'exprime dans un style vigoureux,* énergique.

▸ ***vigoureusement*** adv. Avec force, vigueur ; vois ***énergiquement.*** *Yasmina frottait vigoureusement le dos de son petit frère. Mme Séverac a répondu vigoureusement à ses adversaires.*

Michel Strogoff était haut de taille, vigoureux, épaules larges, poitrine vaste *(Michel Strogoff).*

Le bull-dog se débattait avec vigueur *(Croc-Blanc).*

vigueur n. f.
1. Force, énergie, puissance. *Martin serre son biberon avec vigueur. Mme Séverac a répondu avec vigueur ;* vois ***fermeté, véhémence.*** **2.** *Le nouveau règlement est entré en vigueur,* il est entré en usage, il est désormais valable.

Le contraire de *vigueur,* c'est *faiblesse.*

Les Vikings naviguaient sur de longs bateaux minces, sans pont, les *drakkars.*

Viking n. m.
Les Vikings, ce sont les habitants de la Scandinavie qui, du VIIIe au XIe siècle, envahirent l'Europe par la mer. *On pense que les Vikings ont atteint les côtes du nord de l'Amérique.* — adj. *La civilisation viking.*

La Scandinavie est l'ensemble des pays de l'Europe du Nord.

Elle la chargea des plus viles occupations de la maison *(Cendrillon).*

vil adj.
1. Méprisable. *Un vil flatteur a dit à Mme Harpie qu'elle était belle.* **2.** *Les Bellec ont acheté des meubles à vil prix,* à très bas prix.

Ne confonds pas *vil* et *ville.*

Autre membre de la famille : **vilenie.**

C'est très vilain de faire du mal à un livre, à un arbre ou à une bête *(le Petit Nicolas).*

① **vilain** adj.
1. Pas gentil ; vois ***méchant.*** *Colle et Rat ont été très vilains avec Yasmina. Yves a dit un vilain mot,* un mot grossier. **2.** Désagréable à voir ; vois ***laid.*** *Mme Harpie a de vilaines jambes.* **3.** *Quel vilain temps !,* quel mauvais temps ! ; vois ***sale.***

Le contraire de *vilain,* c'est *beau, joli.*

Jeu de mains, jeu de vilain (proverbe).

② **vilain** n. m.
Paysan libre, au Moyen Âge ; vois ***roturier.*** *Les vilains étaient souvent pauvres.*

Les vilains n'étaient pas des serfs.

Ne prononce pas le premier ***e*** : [vilbʀəkɛ̃].

vilebrequin n. m.
1. Outil qui sert à percer des trous. *M. Bellec a percé un trou dans la planche avec un vilebrequin.* **2.** Barre de métal qui relie les bielles d'un moteur de voiture. *Le vilebrequin permet d'obtenir un mouvement rotatif.*

On fait tourner la mèche du vilebrequin avec une manivelle.

Ce mot ne s'emploie plus beaucoup.

vilenie n. f.
Action méprisable, vile. *Le chevalier décida de punir le traître pour ses vilenies.*

Famille de ① **vilain**

villa n. f.
Belle maison entourée d'un jardin. *Denis Prost veut louer une villa avec piscine pour les vacances.*

Attention ! deux *l.* Un village est une petite *localité.*

village n. m.
Groupe de maisons, plus petit qu'une ville, mais qui possède quand même des commerçants et des artisans ; vois ***bourg, bourgade.*** *Mamie Lou va au village faire ses courses.*

Le *hameau* est plus petit que le village et n'a pas de commerçants.

▸ ***villageois*** n. m., ***villageoise*** n. f. Habitant d'un village. *Les villageois vont de plus en plus travailler à la ville.* — adj. *Mamie Lou raconte les fêtes villageoises d'autrefois.*

Le contraire de *villageois,* c'est *citadin.*

Le Rat des villes et le Rat des champs est une fable de La Fontaine.

Les gens des villes sont des *citadins.*

ville n. f.

Grand groupe de maisons, avec des rues nombreuses, et dont la plupart des habitants travaille sur place ; vois ***cité.*** *Lyon et Marseille sont de grandes villes françaises. Au-delà du centre et des faubourgs de la ville, s'étendent les banlieues. Mamie Lou n'aime pas le bruit et l'agitation de la ville.*

Va voir aussi ***urbain.***

Autre membre de la famille : **bidonville.**

Attention ! deux *l.*

villégiature n. f.

Séjour de repos. *Le docteur Séverac et sa femme vont en villégiature en Dordogne.*

Un petit chien sur un moulin
Qui buvait un verre de vin
(comptine).

vin n. m.

Boisson alcoolisée faite avec du raisin. *Pierre Séverac met du vin en bouteilles. M. Bellec préfère le vin rouge au vin blanc.*

▸ ***vinaigre*** n. m. Liquide piquant obtenu à partir de vin ou d'alcool, qui sert à assaisonner. *Mamie Lou met du vinaigre de cidre dans la salade. On conserve les cornichons dans le vinaigre.*

Famille de **aigre**

La salade est *vinaigrée.*

Famille de **aigre**

▸ ***vinaigrette*** n. f. Sauce faite avec de l'huile, du vinaigre, du sel et du poivre. *M. Bellec a préparé des poireaux vinaigrette.*

Autres membres de la famille : **aviné, pot-de-vin, vinicole.**

vindicatif adj.

Qui aime se venger ; vois ***rancunier.*** *Antoine est vindicatif : il ne laissera pas Colle et Rat impunis.*

Vingt et un, vingt-deux, vingt-trois.

vingt adj. et n. m. invariable.

1. adj. invariable Deux fois dix. *Dans deux ans, Alex aura vingt ans. Ouvrez le livre à la page vingt,* à la vingtième page. **2.** n. m. invariable Le nombre vingt. *Dix-huit et deux font vingt.*

20 en chiffres arabes
XX en chiffres romains

Le *vingtième* suit le dix-neuvième.

▸ ***vingtaine*** n. f. Groupe d'environ vingt personnes ou vingt choses semblables. *Antoine a une vingtaine de petites voitures.*

Autres membres de la famille : **quatre-vingt(s), quatre-vingt-dix.**

Famille de **vin**

vinicole adj.

La Bourgogne est une région vinicole, où l'on produit du vin ; vois ***viticole.***

Famille de **violer**

viol n. m.

1. *Les cambrioleurs ont été condamnés pour le viol du domicile du bijoutier,* pour avoir pénétré de force chez le bijoutier. **2.** Acte de violence par lequel un homme a des relations sexuelles avec une femme contre sa volonté. *Il a été condamné pour viol.*

Le viol est un crime.

violacé adj.

D'une couleur presque violette. *Julie avait les mains violacées à cause du froid.*

Autres membres de la famille : **violon, violoniste, violoncelle, violoncelliste.**

viole n. f.

Instrument de musique à cordes et à archet, utilisé autrefois. *La châtelaine écoutait un air de viole. La viole est apparue en France au* XV*e siècle.*

Ne confonds pas *viole* et *viol.*

Contracté par le froid de la nuit, un autre arbre fit entendre un craquement violent *(Croc-Blanc).*

violent adj.

1. Fort, terrible. *Loïc a essuyé une violente tempête.* **2.** Qui a des sentiments très forts qu'il ne contrôle pas, qui devient facilement brutal quand il est en colère. *M. Bellec n'est pas méchant, mais il est un peu violent.*

Le contraire de *violent,* c'est *doux.*

▸ ***violemment*** adv. Avec violence, brutalement. *Le bateau a violemment heurté le quai.*

Le contraire, c'est *douceur.*

Autres membres de la famille : **non-violent, non-violence.**

▸ ***violence*** n. f. Force brutale ; vois ***brutalité.*** *Les voyous lui ont arraché son sac en usant de violence. La tempête a été d'une telle violence que plusieurs bateaux se sont retournés.*

La pluie avait cessé, mais la bourrasque redoublait de violence *(Michel Strogoff).*

Conjugaison 1

violer v.

1. Ne pas respecter ; vois ***enfreindre, transgresser.*** *Les criminels violent les lois.* **2.** *Les cambrioleurs ont violé le domicile du bijoutier,* ils sont entrés de force dans son domicile. **3.** *Violer une femme,* c'est faire l'amour avec elle alors qu'elle ne le veut pas. *Elle s'est fait violer par un automobiliste.*

Va voir aussi ***viol.***

Le contraire de *violer,* c'est *observer.*

Autre membre de la famille : **viol.**

En ce temps-là
Il y avait vraiment
Des violettes (E. Guillevic).

violette n. f.

Petite fleur violette qui pousse au printemps. *Yves a offert un bouquet de violettes à sa mère.*

▸ ***violet*** adj. D'une couleur qui est un mélange de bleu et de rouge. *Les iris sont des fleurs violettes.* — n. m. La couleur violette. *M*me *Séverac avait un foulard d'un joli violet.*

Le mauve est un violet clair.

Autre membre de la famille : **ultra-violet.**

Famille de **viole**

Le violon d'Ingres de quelqu'un, c'est son passe-temps favori.

violon n. m.
Instrument de musique à quatre cordes que l'on frotte avec un archet, et qui se tient entre l'épaule et le menton. *L'abbé Gauthier joue du violon. Il faudrait accorder vos violons !,* il faudrait vous mettre d'accord.

Les sanglots longs
Des violons
De l'automne (P. Verlaine).

▸ ***violoniste*** n. m. et f. Personne qui joue du violon. *Les Doucet sont allés écouter une grande violoniste allemande.*

Paganini fut un célèbre violoniste italien.

▸ ***violoncelle*** n. m. Instrument de musique semblable à un gros violon, dont on joue assis en le tenant entre les jambes. *Le violoncelle a des sons plus graves que le violon.*

▸ ***violoncelliste*** n. m. et f. Personne qui joue du violoncelle. *Le violoncelliste s'est levé pour saluer, à la fin du concert.*

La vipère a une tête triangulaire qui la distingue de la couleuvre.

vipère n. f.
Serpent venimeux qui vit dans les terrains ensoleillés pleins de broussailles. *La morsure de la vipère est très dangereuse.*

La vipère a dans la bouche des crochets à venin.

En montagne, une suite de virages forme des *lacets.*

virage n. m.
1. Mouvement d'un véhicule qui tourne. *L'avion fait un virage avant d'atterrir.* **2.** Partie d'une route qui tourne ; vois ***courbe, tournant.*** *M. Bellec accélère à la sortie du virage.*

Famille de **virer**

Au pluriel : *des viragos.*
On dit aussi : un *dragon* ou un *gendarme.*

virago n. f.
Femme très autoritaire, qui a l'air d'un homme. *« Ma tante est une virago », dit Antoine.*

La tante d'Antoine, c'est la terrible Mme Harpie.

Au masculin pluriel : *viraux.*

viral adj.
Provoqué par un virus. *La grippe est une maladie virale.*

Conjugaison 1

virer v.
1. Tourner, changer de direction. *Le bateau a viré à droite à la sortie du port.* **2.** Changer, se transformer ; vois ***tourner.*** *Avec le temps, le dos du livre a viré au jaune. La conversation vire à l'aigre.* **3.** *Virer une somme sur le compte de quelqu'un,* c'est faire passer une somme d'un compte en banque à un autre. *Tous les mois, le docteur Séverac vire plusieurs milliers de francs sur le compte de sa femme.*

▸ ***virement*** n. m. *Le docteur Séverac fait un virement mensuel à sa femme,* il vire de l'argent tous les mois sur son compte.

Conjugaison 1

▸ ***virevolter*** v. Tourner rapidement sur soi-même. *Les danseurs virevoltaient, emportés par la musique.*

Autres membres de la famille : **virage, revirement.**

virgule n. f.
Signe de ponctuation à l'intérieur d'une phrase, noté [,] ; vois l'encadré ci-dessous.

Va voir *point-virgule* à ***point.***

la virgule

- La virgule se met entre deux groupes qui ont la même fonction, c'est-à-dire qui sont tous les deux sujets ou compléments, etc., et qui ne sont pas reliés par une conjonction de coordination.

  J'ai vu un lion, un serpent et une gazelle.
  L'enfant vit le serpent, s'arrêta net et l'observa.

  On la met aussi entre deux propositions :

  Le serpent ne bougeait pas, l'enfant n'avait pas peur.

- La virgule sert aussi à séparer un complément de phrase des autres groupes :

  Demain, je partirai.

Tu appelles encore M. Lepic « papa », à ton âge ? dis-lui : « mon père » et donne-lui une poignée de main ; c'est plus viril *(Poil de Carotte).*

viril adj.
1. Caractéristique des hommes ; vois ***mâle.*** *La force est une qualité virile.* **2.** Courageux, énergique. *Hippolyte a eu une attitude virile pendant l'incendie.*

▸ ***virilité*** n. f. Qualité d'une personne virile. *Mme Harpie est séduite par la virilité d'Hippolyte.*

Le contraire de *virtuel,* c'est *effectif, réel.*

virtuel adj.
Possible ; vois ***éventuel, potentiel.*** *La réussite de ce projet n'est encore que virtuelle.*

virtuose n. m. et f.
Musicien qui joue d'un instrument avec un très grand talent. *Paganini était un grand virtuose.*

▸ **virtuosité** n. f. Talent du virtuose ; vois ***brio, habileté, maîtrise.*** *La virtuosité de Paganini faisait l'admiration de tous.*

Le contraire de *virulent,* c'est *mesuré, modéré.*

virulent adj.
Très violent. *Ce film a suscité des critiques virulentes.*

▸ **virulence** n. f. Violence. *Yves a protesté avec virulence contre la punition que l'institutrice lui avait donnée ;* vois ***véhémence.***

Virus [viʀys] rime avec *puce.*

virus n. m.
Organisme encore plus petit qu'un microbe, qui cause une maladie. *La grippe et la rage sont des maladies à virus,* causées par des virus.

Va voir aussi ***viral.***

Vis [vis] rime avec *service.*

vis n. f.
Tige de métal pointue que l'on enfonce en tournant. *M. Bellec assemble l'étagère avec des vis. David a desserré les quatre vis qui fixaient le couvercle.*

Autres membres de la famille : **dévisser, tournevis, visser.**

Au pluriel : *des visas.*

visa n. m.
Cachet spécial que l'on met sur un passeport et qui autorise à aller dans un pays. *Denis Prost a demandé un visa pour l'Union soviétique.*

Agir à visage découvert, c'est agir sans se cacher.

Les *Visages pâles,* c'étaient les Blancs, pour les Indiens d'Amérique.

visage n. m.
1. Devant de la tête de l'homme ; vois ***face, figure.*** *Julie a un visage rond et expressif. Antoine fait bon visage à Mme Harpie,* il a l'air content, alors qu'il ne l'est pas. **2.** Personne. *Denis Prost cherchait dans la foule des visages connus,* des personnes qu'il connaissait. **3.** Aspect d'une chose. *Le docteur Séverac a découvert le vrai visage de l'Afrique.*

Une frange de cheveux noirs et coupés en boule couvrait le front. Le visage était rond, très hâlé, très lisse *(le Lion).*

Autre membre de la famille : **dévisager.**

Prononce [vizavi].

vis-à-vis adv.
Face à face. *Angèle et Hippolyte étaient assis en vis-à-vis,* l'un en face de l'autre. — préposition *Angèle était assise vis-à-vis d'Hippolyte.*

Attention ! le ***s*** est suivi d'un ***c.***

viscère n. m.
Organe de l'intérieur du corps. *Le cerveau, les poumons et les intestins sont des viscères.*

Le cœur, l'estomac, les reins, sont aussi des viscères.

Conjugaison 1

Le fils du roi s'en va chassant
Visa le noir, tua le blanc
(chanson).

viser v.
1. Diriger une arme vers le but à atteindre. *M. Bellec visa le lièvre et tira. Il a visé trop haut. Le chasseur a visé le lion à la tête.* **2.** Avoir pour but. *Mme Hespel vise le poste de directeur.* **3.** Concerner. *La remarque d'Angèle visait tout le monde,* elle s'appliquait à tout le monde.

▸ **visée** n. f. Objectif, but. *Mme Hespel a des visées ambitieuses.*

▸ **viseur** n. m. Partie d'un appareil par où l'on vise. *Dans le viseur de l'appareil photographique, on voit ce qu'il y aura sur la photo.*

Famille de **voir**

Famille de **voir**

La Lune a une face visible et une face cachée, qui ne l'est plus depuis qu'on l'a photographiée.

visible adj.
1. Que l'on peut voir. *Les microbes ne sont pas visibles à l'œil nu.* **2.** Évident, manifeste. *Marie-Tévy prit son cadeau avec un plaisir visible.*

▸ **visiblement** adv. D'une façon visible, évidente ; vois ***manifestement.*** *Ce cadeau a visiblement fait plaisir à Marie-Tévy.*

▸ **visibilité** n. f. Possibilité de voir. *La visibilité est réduite lorsqu'il y a du brouillard.*

Michel Strogoff, galopant entre ces taillis de joncs, n'était plus visible des marais *(Michel Strogoff).*

visière n. f.
Partie d'une casquette ou d'un képi qui abrite le haut du visage et les yeux. *Loïc baisse sa visière pour se protéger les yeux du soleil.*

Famille de **voir**

vision n. f.
1. Vue. *Les yeux sont les organes de la vision. Les lunettes corrigent les troubles de la vision.* **2.** Manière de voir, de penser. *Angèle a une vision optimiste de la vie.* **3.** *Avoir des visions,* c'est voir des choses en imagination ; vois ***hallucination, rêve.*** *Je ne crois pas à cette histoire de soucoupe volante, Colle et Rat ont dû avoir des visions !*

▸ **visionnaire** n. m. et f. Personne qui voit des choses surnaturelles. *Un visionnaire tenait la foule en haleine en prédisant l'avenir.*

▸ ***visionneuse*** n. f. Appareil qui sert à regarder des films ou des diapositives. *Mme Roussel regarde ses photos de Bretagne dans une visionneuse.*

Conjugaison 1

Les cinq heureux gagnants de ces cinq tickets d'or seront les seuls à pouvoir visiter une chocolaterie *(Charlie et la Chocolaterie).*

Va voir *carte de visite* à **carte.**

visiter v.
Aller voir. *Le docteur Séverac est parti visiter un malade. Les Bellec ont visité l'Italie l'été dernier.*

Famille de **voir**

▸ ***visite*** n. f. **1.** Le fait d'aller voir quelqu'un et de rester avec lui un certain temps. *Mme Roussel est allée faire une visite à sa sœur. Angèle a reçu la visite de Julie,* Julie est allée la voir. **2.** *Le docteur Séverac est parti en visite,* il est allé voir un malade chez lui. **3.** Le fait de se rendre dans un lieu pour le parcourir, le visiter. *Demain, tous les élèves vont faire la visite du château.*

Passer la visite médicale, c'est être examiné par un médecin, dans le cadre de son école ou de son travail.

▸ ***visiteur*** n. m., ***visiteuse*** n. f. **1.** Personne qui va voir quelqu'un chez lui, qui lui fait une visite. *Mme Séverac a reconduit ses visiteurs jusqu'à la grille.* **2.** Personne qui visite un endroit. *Le château est ouvert aux visiteurs tous les matins.*

Le vison est un mammifère qui ressemble au putois.

vison n. m.
Petit animal dont la fourrure est très recherchée. *Mme Séverac aimerait avoir un manteau de vison.*

Les visons sont chassés ou élevés.

Au féminin : *visqueuse.*

visqueux adj.
1. *Un liquide visqueux,* c'est un liquide épais qui coule difficilement. *Le goudron chaud est visqueux ;* vois ***collant, poisseux.*** **2.** Couvert d'une couche de liquide gluant. *Les crapauds ont la peau visqueuse.*

Le contraire de *visqueux,* c'est *fluide.*

Conjugaison 1
Famille de **vis**

visser v.
1. Attacher avec des vis. *M. Bellec a vissé l'étagère dans le mur.* **2.** Serrer en tournant. *Yasmina visse le couvercle du pot de cornichons.*

Le contraire de *visser,* c'est *dévisser.*

Famille de **voir**

visuel adj.
Relatif à la vue. *Marie-Tévy a une excellente mémoire visuelle,* une mémoire de ce qu'elle voit.

Va voir aussi ***audiovisuel.***

Au féminin : *vitale.*
Au masculin pluriel : *vitaux.*

vital adj.
1. Qui concerne la vie. *La respiration est une fonction vitale.* **2.** Fondamental. *Il est vital de prendre une décision tout de suite ;* vois ***essentiel, indispensable.***

Le contraire de *vitalité,* c'est *faiblesse, mollesse.*

▸ ***vitalité*** n. f. Énergie, dynamisme. *Ces enfants ne sont jamais fatigués, ils sont pleins de vitalité.*

vitamine n. f.
Substance indispensable au bon fonctionnement de l'organisme, que l'on trouve en petite quantité dans les aliments. *Les fruits sont riches en vitamines. La vitamine A est la vitamine de croissance.*

Ordre avait été donné de marcher vite *(Michel Strogoff).*

vite adv.
1. À un rythme rapide. *Yves court vite,* il parcourt un grand espace en peu de temps. **2.** En peu de temps. *Julie travaille trop vite ;* vois ***rapidement.*** **3.** Au bout d'une courte durée ; vois ***bientôt.*** *Ce sera vite terminé.*

Le contraire de *vite,* c'est *lentement.*

Va voir aussi ***vélocité.***

Être en perte de vitesse, c'est aller moins vite ou avoir moins de succès.

▸ ***vitesse*** n. f. **1.** Le fait de parcourir un grand espace en peu de temps ; vois ***rapidité.*** *L'avion prend de la vitesse. M. Bellec a fait un excès de vitesse.* **2.** Hâte, rapidité. *Angèle admire la vitesse avec laquelle Julie range ses affaires.* **3.** *La vitesse d'une chose qui se déplace,* c'est la distance qu'elle parcourt divisée par le temps qu'elle met à la parcourir ; vois ***allure.*** *Antoine compare la vitesse de deux escargots. Yves finit ses devoirs à toute vitesse,* très vite, aussi vite que possible. **4.** *Le changement de vitesse d'une voiture,* c'est le dispositif qui permet d'aller plus ou moins vite, en réglant l'effort du moteur. *Angèle enclenche la première vitesse pour démarrer, puis passe en seconde.*

Prendre quelqu'un de vitesse, c'est faire une chose plus vite que lui.

Autre membre de la famille : à la **va-vite.**

Compare *viticole* et *viticulteur* : il s'agit de la **vigne.**

viticole adj.
La Bourgogne est une région viticole, où l'on cultive de la vigne pour faire du vin ; vois ***vinicole.***

viticulteur n. m.
Personne qui cultive la vigne pour produire du vin. *Les viticulteurs embauchent du personnel pour se faire aider à l'époque des vendanges ;* vois ***vigneron.***

vitre n. f.
Les vitres d'une voiture, ce sont les *glaces,* le *pare-brise.*
Plaque de verre qui garnit une porte ou une fenêtre ; vois ***carreau.*** *Mme Roussel fait les vitres,* elle les nettoie.
La vitre vers le froid
Tremblait pour la beauté
Que le givre ferait sur elle
Avant l'aurore (E. Guillevic).
Au pluriel : *des vitraux.*
▸ ***vitrail*** n. m. Panneau fait de morceaux de verre colorés qui forment un dessin. *Les verriers du Moyen Âge faisaient des vitraux magnifiques ;* vois ***rosace.***
▸ ***vitré*** adj. *Une porte vitrée,* c'est une porte garnie de vitres. *Une porte vitrée donne sur le jardin.*
▸ ***vitreux*** adj. Terne, sans éclat. *Les poissons morts ont l'œil vitreux.*
Encore un carreau de cassé
V'là le vitrier qui passe
(chanson).
▸ ***vitrier*** n. m. Homme qui vend des vitres et les pose. *Le vitrier est venu remplacer le carreau de la cuisine.*
▸ ***vitrine*** n. f. **1.** Partie vitrée d'un magasin, où l'on expose les objets à vendre ; vois ***devanture.*** *Muriel Doucet regarde les chaussures exposées en vitrine.* **2.** Petite armoire vitrée où l'on expose les objets de collection. *Mme Bellec a mis ses poupées de collection dans une vitrine.*
Va voir *lécher les vitrines* à ***lécher.***

Ce mot n'est plus très utilisé.
vitriol n. m.
Produit très dangereux qui détruit les choses en les rongeant. *Autrefois, on jetait du vitriol au visage des gens que l'on voulait défigurer.*
C'est de l'acide sulfurique concentré.

Conjugaison 6
vitupérer v.
Protester en criant ; vois ***vociférer.*** *Mme Harpie vitupère contre les enfants mal élevés.*

Famille de ① **vivre**
vivable adj.
Avec qui l'on peut vivre ; vois ***supportable.*** *Mme Harpie a tellement mauvais caractère qu'elle n'est pas vivable.*
Le contraire de *vivable,* c'est *insupportable, invivable.*

Famille de ① **vivre**
vivace adj.
1. *Une plante vivace,* c'est une plante qui vit plus de deux années. *Le houx est une plante vivace.* **2.** Durable, tenace, difficile à détruire ; vois ***persistant.*** *M. et Mme Bellec gardent un souvenir vivace de leur première rencontre.*
Une plante qui ne vit qu'une seule année, c'est une *plante annuelle.*

Famille de **vif**
vivacité n. f.
1. Qualité de ce qui est vif, rapide, animé. *Les enfants répondent avec vivacité aux questions d'Angèle ;* vois ***entrain, rapidité.*** **2.** Intensité, éclat. *Les couleurs de la tapisserie ont gardé leur vivacité, malgré les années.* **3.** Fraîcheur. *La vivacité de l'air breton est revigorante.*
Le contraire de *vivacité,* c'est *lenteur, mollesse.*

Famille de ① **vivre**
① **vivant** adj.
1. Qui vit. *Les homards vivants sont bleus.* **2.** *Les plantes et les animaux sont des êtres vivants,* qui naissent, se reproduisent et meurent ; vois ***animé.*** **3.** Vif, plein de vie. *Julie est une enfant très vivante.* **4.** Plein d'animation, de gaieté. *Les rues de Motbourg sont très vivantes le samedi.* **5.** Utilisé de nos jours, actuel. *L'anglais est une langue vivante, le latin une langue morte.*
▸ ② ***vivant*** n. m. *Ces poèmes n'ont pas été publiés du vivant de l'auteur,* pendant qu'il était vivant.
Un *bon vivant,* c'est quelqu'un qui aime s'amuser.
Le contraire de *vivant,* c'est *désert, mort, triste.*
Le contraire de *vivant,* c'est *mort.*
Il n'y avait plus un être vivant dans cette ville, naguère si vivante *(Michel Strogoff).*

Le contraire de *vivat,* c'est *huée.*
vivat n. m.
Cri d'acclamation. *Le coureur a été accueilli par les vivats des spectateurs.*
Famille de ① **vivre**

Famille de ① **vivre**
vive interjection
Mot qui sert à montrer que l'on a de l'admiration pour quelqu'un, de l'enthousiasme pour quelque chose. *Vive la République ! Vive les vacances !*
Vive le roi Babar ! Vive la reine Céleste !
Le contraire de *Vive la République !,* c'est *À bas la République !*

Famille de **vif**
vivement adv.
1. D'une manière vive, avec vivacité ; vois ***rapidement.*** *Le chat s'est enfui vivement dans les taillis.* **2.** D'un ton vif. *Angèle se mit en colère et répliqua vivement.* **3.** Beaucoup, fortement, profondément. *Sophie Pelletier a été vivement affectée par la mort de sa mère.* **4.** Mot qui sert à formuler un souhait. *Vivement dimanche ! Vivement que Mme Harpie s'en aille !*

vivier n. m.
Endroit aménagé pour élever des poissons ou des crustacés, ou pour les garder vivants après les avoir pêchés. *Le vivier est rempli de truites. Le maître d'hôtel a choisi un gros homard dans le vivier du restaurant.*

vivifiant adj.
Stimulant ; vois ***tonique.*** *L'air breton est vivifiant.*

vivipare adj.
Un animal vivipare, c'est un animal dont les petits naissent déjà formés. *La souris, le requin, l'homme sont vivipares.*

Les animaux qui pondent des œufs sont *ovipares.*

Compare ***vivi**section* et ***vivi**pare* : dans ces mots, il s'agit d'êtres **vivants.**

vivisection n. f.
Opération faite sur des animaux vivants à titre d'expérience. *La Société protectrice des animaux s'est élevée contre la pratique de la vivisection.*

C'est la *dissection* d'animaux vivants.

Conjugaison 1

vivoter v.
Vivre avec peu d'argent, en ne faisant pas grand-chose. *Cet employé gagne peu d'argent, il a juste de quoi vivoter ;* vois ***subsister.***

Famille de ① **vivre**

Conjugaison 46
▭ Indic. présent : *je vis, il vit, nous vivons, ils vivent.* Imparfait : *je vivais.* Futur : *je vivrai.* — Subj. présent : *que je vive.*

① **vivre** v.
1. Être en vie, être vivant. *Angèle respire la joie de vivre. Les arbres peuvent vivre des centaines d'années. Alex se laisse vivre,* il vit sans faire d'effort. **2.** Passer sa vie dans un endroit ; vois ***habiter.*** *M. Doucet vit à Paris.* **3.** Passer sa vie d'une certaine façon. *Sophie Pelletier vit avec Denis Prost. Angèle vit seule. Marie-Tévy est très facile à vivre,* elle a bon caractère. **4.** Avoir ce qu'il faut pour se nourrir, se loger. *Les Bellec travaillent pour vivre.* **5.** Avoir, passer. *Louis Séverac a vécu une enfance heureuse à la campagne.*

Autres membres de la famille : **qui-vive, revivre, savoir-vivre, survivre, survivance, survivant, vivable, invivable, vivace, vivat,** ① et ② **vivant, vive, vivoter.**

Couper les vivres à quelqu'un, c'est ne plus lui donner d'argent.

② **vivre** n. m.
1. *Le vivre et le couvert,* c'est la nourriture et le logement. *L'hôtelier assure le vivre et le couvert à ses clients.* **2.** *Les vivres,* ce sont les aliments, la nourriture. *Loïc est parti en mer avec des vivres pour quinze jours.*

Va voir aussi ***victuailles.***

vizir n. m.
Ministre, du temps de l'empire turc. *Le grand vizir ne veut pas qu'Aladdin épouse la fille du sultan.*

vocabulaire n. m.
Ensemble de mots. *Les enfants enrichissent tous les jours leur vocabulaire,* l'ensemble des mots qu'ils connaissent. *Angèle s'initie au vocabulaire de l'informatique,* aux mots, aux termes que l'on emploie en informatique.

Va voir aussi ***lexique, mot.***

Compare ***voc**al* et ***voc**iférer* : dans ces mots, il s'agit de la **voix.**

vocal adj.
Écrit pour le chant. *Yasmina préfère la musique vocale à la musique instrumentale,* elle préfère la musique chantée.
▸ ***vocalise*** n. f. Suite de sons chantés qui constitue un exercice pour la voix. *La cantatrice fait des vocalises.*

Va voir *corde vocale* à ***corde.***

vocation n. f.
Attirance, goût pour un métier, une activité. *Denis Prost a eu très jeune la vocation du théâtre.*

Conjugaison 6 ▭ Indic. présent : *je vocifère.* Futur : *je vociférerai.*

vociférer v.
Parler en criant avec colère ; vois ***hurler, vitupérer.*** *Mme Harpie sortit de sa boutique en vociférant.*

Il y a de la vodka russe et de la vodka polonaise.

vodka n. f.
Eau-de-vie faite avec du grain fermenté. *Le docteur Séverac boit un verre de vodka bien glacée.*

Au début de l'année, on envoie à ses amis ses *vœux de bonne année.*

vœu n. m.
Souhait que s'accomplisse quelque chose. *Nous formons des vœux pour la santé de Mme Touati. Nathalie a vu passer une étoile filante et elle a fait un vœu.*

vogue n. f.
Mode, succès du moment ; vois ***faveur, popularité.*** *Cette station balnéaire connaît une vogue extraordinaire. Denis Prost est un acteur en vogue,* très apprécié actuellement, à la mode.

Le contraire de *en vogue,* c'est *démodé.*

Ce mot se trouve surtout dans les livres.

voguer v.
Avancer sur l'eau, naviguer. *Le navire voguait sur les flots.*

Conjugaison 1

En principe, *voici* sert à désigner un objet proche, *voilà* un objet plus lointain.

voici préposition
Voici sert à présenter une personne ou une chose. *Voici ma chambre et voilà la tienne. Voici le tableau dont je t'ai parlé. Voici la pluie,* la pluie arrive. *Te voici tranquille,* tu es tranquille maintenant.

Famille de **voir** et de **ici**

Ne confonds pas *voie* et *voix*. *Vois* et *voit* viennent du verbe *voir*.

Les *voies navigables,* ce sont les fleuves, les rivières et les canaux sur lesquels on peut naviguer.

voie n. f.
1. Endroit par où l'on passe pour aller quelque part ; vois ***chemin, passage.*** *L'explorateur se fraie une voie à travers la forêt vierge.* **2.** Endroit aménagé pour les transports ; vois ***route, rue.*** *Les autoroutes sont des voies de communication.* **3.** *Une voie ferrée,* c'est un ensemble de rails mis bout à bout sur lesquels roulent les trains. *On traverse la voie ferrée par un passage souterrain.* **4.** Chemin que l'on suit dans la vie, direction. *Alex n'a pas encore trouvé sa voie. Cherche un peu et tu trouveras la solution, tu es sur la bonne voie,* tu es en train de réussir. **5.** *On protège les espèces animales en voie de disparition,* qui sont en train de disparaître.

Une *voie,* c'est aussi la partie d'une route sur laquelle peut rouler une file de voitures.

Va voir *Voie lactée* à ***lacté.***

Autres membres de la famille : **claire-voie, fourvoyer.**

Attention à l'accent grave du ***à*** !

En principe, *voilà* sert à désigner un objet assez éloigné, et *voici* un objet proche.

voilà préposition
Voilà sert à présenter une personne ou une chose. *Voici Angèle, voilà Hippolyte. Voilà les enfants qui arrivent. Voilà un taxi,* un taxi arrive. *Voilà ce que c'est que de ne pas obéir. Te voilà contente,* tu es contente. *Nous voilà à la maison,* nous y sommes. *Voilà quinze jours que Loïc est parti,* il est parti depuis quinze jours.

Famille de **voir** et de **là**

Voici venir l'orage
Voilà l'éclair qui luit
(chanson).

① voile n. m.
1. Morceau de tissu qui cache le visage. *Certaines musulmanes portent un voile.* **2.** Tissu fin qui recouvre la tête. *Le voile de la mariée est en tulle.* **3.** Tissu très léger et fin. *Mme Bellec a acheté du voile pour faire des rideaux.* **4.** Ce qui rend la vision moins nette. *Un léger voile de brume couvrait la campagne.*

Autres membres de la famille : **dévoiler, ② voile, voilier, voilure,** se **voiler.**

Compare : *voile → voilette* et *cloche → clochette.*

▸ **voilette** n. f. Petit voile transparent, attaché à un chapeau de femme, qui peut couvrir le visage. *On voyait la vieille dame sourire derrière sa voilette.*

▸ **voiler** v. Rendre moins clair, moins visible. *Le brouillard voile l'horizon. — Le ciel se voile en fin d'après-midi.*

La face [de la Lune] s'était dégagée des nuages qui la voilaient *(Croc-Blanc).*

Famille de ① **voile**

② voile n. f.
1. Morceau de toile qui permet à un bateau d'avancer lorsque le vent souffle dedans. *Loïc hisse la voile et prend la barre.* **2.** Sport qui consiste à naviguer sur des bateaux à voiles. *Loïc apprend à Yves à faire de la voile.*

Il existe aussi des *planches à voile* et des *chars à voile.*

Le *vol à voile,* c'est le pilotage des planeurs.

▸ **voilier** n. m. Bateau à voiles. *Loïc a un petit voilier sur lequel il emmène Yves.*

La mer était bleu sombre, et il y avait un voilier blanc qui avançait difficilement *(Lullaby).*

▸ **voilure** n. f. Ensemble des voiles d'un bateau. *Quand le vent souffle fort, on réduit la voilure.*

Famille de ① **voile**

se voiler v.
Se déformer ; vois *se* ***fausser.*** *La roue de la bicyclette s'est voilée sous le choc.*

Conjugaison 30

voir v.
1. Percevoir par les yeux. *Les chats voient très bien la nuit. Mamie Lou met ses lunettes pour mieux voir. Je l'ai vu la première !* ; vois ***apercevoir, distinguer, entrevoir.*** *Allons voir si Julie est prête. Je vois tout tourner. — Yves se voyait dans la glace,* il voyait son image dans la glace. *La tache se voit encore,* on la voit encore. **2.** Imaginer, se représenter. *Je verrais bien Marie-Tévy déguisée en fée.* **3.** Être spectateur de quelque chose, assister à quelque chose. *Muriel Doucet a vu trois films cette semaine. J'en ai vu bien d'autres !,* j'ai connu des choses pires. **4.** Se trouver en présence de quelqu'un. *Je ne connais pas ce monsieur, je ne l'ai jamais vu ;* vois ***rencontrer.*** *Muriel Doucet ne veut voir personne, aujourd'hui. — Marie-Tévy et Antoine se voient tous les jours.* **5.** Regarder attentivement, examiner. *Voyons cela de plus près. Nous allons voir ce que nous pouvons faire.* **6.** Se rendre compte, comprendre. *Quand il a vu qu'il avait tort, Yves est devenu tout rouge ;* vois ***constater.*** *C'est à Angèle de voir si c'est possible ;* vois ***savoir.*** *Vous voyez ce que je veux dire.* **7.** *Est-ce que cela a quelque chose à voir avec le crime ?,* est-ce que cela a un rapport avec le crime ?

D'abord elle ne vit rien, parce que les fenêtres étaient fermées ; après quelques moments, elle commença à voir que le plancher était tout couvert de sang caillé *(la Barbe-bleue).*

— Je crains de ne pas pouvoir m'expliquer, madame, parce que je ne suis pas moi, voyez-vous ! — Non, je ne vois pas *(Alice au Pays des merveilles).*

Autres membres de la famille : **clairvoyant, entrevoir, entrevue, prévoir, prévoyant, imprévoyant, prévoyance, imprévoyance, prévisible, imprévisible, imprévu, prévision, rétroviseur, revoir, ① et ② revue, superviser, télévisé, téléviseur, télévision, visée, viseur, viser, visible, invisible, visiblement, visibilité, vision, visionnaire, visionneuse, visiter, visite, visiteur, visuel, audio-visuel, voici, voilà, ①, ② et ③ voyant, vu, vue, longue-vue, point de vue.**

voire adv.
Et même. *Ce médicament est inutile, voire dangereux.*

voirie n. f.
Service municipal qui s'occupe du nettoyage des rues et des places publiques. *Les employés de la voirie enlèvent les ordures.*

voisin adj. et n. m., **voisine** adj. et n. f.
▭ **adj. 1.** Proche, à peu de distance. *Des maisons voisines, on entendait la musique. Il y a quelqu'un dans la pièce voisine,* la pièce d'à côté. *Le sud du Sahara est voisin de l'équateur.* **2.** Semblable, similaire. *Mme Séverac et le maire ont des idées voisines.*
▭ **n. 1.** Personne qui habite tout près. *Mme Roussel a pris le thé chez sa voisine de palier. Angèle et Hippolyte sont presque voisins.* **2.** Personne qui est juste à côté. *Marie-Tévy a emprunté une gomme à sa voisine de droite.*
▹ ***voisinage*** n. m. **1.** Ensemble des voisins ; vois ***entourage.*** *Les cris de Mme Harpie ont ameuté tout le voisinage.* **2.** Alentours, environs. *Julie connaît tous les enfants du voisinage.*

Le contraire de *voisin,* c'est *différent.*

Le contraire de *voisin,* c'est *distant, éloigné.*

voiture n. f.
1. Véhicule à quatre roues et à moteur qui permet de transporter quelques personnes ; vois ***automobile.*** *Angèle a garé sa voiture devant l'école.* **2.** *Le brocanteur transporte des meubles dans une voiture à bras,* un véhicule à roues tiré par un homme. *Les diligences sont des voitures à cheval,* des véhicules tirés par des chevaux. *Sophie Pelletier a acheté une voiture d'enfant pour promener son bébé ;* vois ***landau, poussette.*** **3.** Partie d'un train dans laquelle sont transportés les voyageurs ; vois ***wagon.*** *Le train va partir ; en voiture, s'il vous plaît.*

On est partis, Papa, Maman et moi, assez tôt le matin dans la voiture, et Papa chantait, et puis il s'est arrêté de chanter à cause de toutes les autres voitures qu'il y avait sur la route
(le Petit Nicolas).

Les calèches, les carrosses, les coches, les fiacres sont aussi des voitures à cheval.

Il vaut mieux dire *voiture* pour les voyageurs, et *wagon* pour les marchandises.

voix n. f.
1. Ensemble des sons produits par la gorge et la bouche de l'homme. *M. Doucet parle d'une voix forte. Antoine chuchota quelque chose à voix basse. Quand M. Bellec est en colère, il élève la voix. Marie-Tévy, émue, est restée sans voix,* elle ne disait rien, elle ne pouvait plus parler. *La directrice a prévenu les parents de Colle et Rat de vive voix,* en leur parlant, et non par écrit. **2.** *Alex n'écoute pas la voix de la raison,* il n'écoute pas ce que la raison lui dit de faire. **3.** *Le maire a obtenu la majorité des voix,* la majorité des électeurs ont voté pour lui ; vois ***suffrage.*** **4.** Vois l'encadré ci-dessous.

Attention ! un *x* à la fin.

Ne confonds pas *voix* et *voie.*

Les petites remercièrent avec de petites voix qui n'allaient pas seulement jusqu'au bout de la table
(les Contes du Chat perché).

Autre membre de la famille : **porte-voix.**

Le Petit Chaperon Rouge, qui entendit la grosse voix du loup, eut peur d'abord
(le Petit Chaperon Rouge).

voix active et voix passive

La **voix** est une partie de la conjugaison du verbe.

- Les verbes qui ne peuvent pas avoir de complément d'objet direct comme *tomber, aller, s'asseoir* sont toujours à la **voix active :**
  Julie tombe. Julie est tombée.
- Les verbes qui peuvent avoir un complément d'objet direct sont à la **voix active** quand ils sont à un temps simple *(Les écoliers chantent une chanson)* ou à un temps composé conjugué avec *avoir (Les écoliers ont chanté une chanson).*
  Les mêmes verbes sont à la **voix passive** quand ils sont conjugués avec *être (Cette chanson est chantée par tous les écoliers).*
  À la voix passive, le groupe qui était complément d'objet direct devient sujet du verbe. Le groupe qui suit *par* est le complément d'agent.

Famille de ① **voler**

① **vol** n. m.
1. Déplacement dans l'air. *Antoine observe le vol de l'alouette. Un cormoran prit son vol. Yasmina a attrapé la balle au vol,* rapidement au passage ; vois ***volée.*** *La vitesse de vol d'un avion peut dépasser la vitesse du son.* **2.** Voyage d'un avion. *Le vol nº 606 pour Pékin est retardé.* **3.** Groupe d'oiseaux qui volent ensemble. *Un vol d'oies sauvages a traversé le ciel.*

Un avion fait un *vol plané* quand il vole moteurs arrêtés.

À vol d'oiseau : en ligne droite.

Va voir *vol à voile* à ② **voile.**

② **vol** n. m.
1. Action de voler, de dérober quelque chose à quelqu'un. *L'homme a été*

Famille de ② **voler**

condamné à un an de prison pour vol. On a commis un vol à la bijouterie. **2.** *C'est du vol !,* c'est trop cher ; vois ***escroquerie.*** *Faire payer un gâteau si cher, c'est du vol !*

volage adj.
Qui change facilement de sentiments ; vois ***frivole, inconstant.*** *Avant son mariage, M. Bellec était un peu volage.*

Le contraire de *volage,* c'est *fidèle.*

Famille de ① **voler**

volaille n. f.
1. *La volaille,* c'est l'ensemble des oiseaux de basse-cour élevés pour leurs œufs et leur chair. *Pierre Séverac enferme la volaille pour la protéger des renards.* **2.** *Une volaille,* c'est un oiseau de basse-cour ; vois ***volatile.*** *Claire va donner du grain aux volailles dans la basse-cour.*

Les poules, les canards, les dindons, les oies, les pintades forment la volaille.

▸ **volailler** n. m. Marchand de volailles. *Denis Prost va chez le volailler acheter une pintade.*

Famille de ① **voler**
Va voir *soucoupe volante* à ***soucoupe.***
Va voir aussi ***ovni.***

① **volant** adj.
1. Capable de voler. *Loïc a vu des poissons volants dans les mers chaudes.* **2.** *Une feuille volante,* c'est une feuille de papier isolée. *Mme Séverac prend des notes sur une feuille volante.*

Les poissons volants font de longs sauts hors de l'eau.

Avec un volant et des raquettes, on peut jouer au *badminton,* en se renvoyant le volant par-dessus un filet.

② **volant** n. m.
1. Petit objet léger fait pour être lancé en l'air et renvoyé avec une raquette. *Les enfants prennent les raquettes et le volant pour jouer.* **2.** Bande de tissu qui orne le bord d'un vêtement, d'un objet. *Yasmina porte une robe à volants.*

Famille de ① **voler**

③ **volant** n. m.
Roue qui sert à diriger une voiture. *Pour se garer entre deux voitures, il faut tourner le volant dans un sens, puis dans l'autre. Angèle se mit au volant et démarra.*

Ne confonds pas *volatil* et *volatile.*
Conjugaison 1

volatil adj.
Qui s'évapore facilement. *L'essence est volatile.*

L'alcali volatil, c'est l'ammoniaque.

▸ *se* **volatiliser** v. **1.** S'évaporer. *L'alcool à quatre-vingt-dix degrés se volatilise très vite.* **2.** Disparaître. *Mon stylo s'est volatilisé ;* vois *s'****envoler.*** *Julie s'est volatilisée.*

Famille de ① **voler**

Ne confonds pas *volatile* et *volatil.*

volatile n. m.
Oiseau de basse-cour ; vois ***volaille.*** *Les volatiles, affamés, se jetaient sur le grain.*

Famille de ① **voler**

Attention ! deux traits d'union. Au pluriel : *des vol-au-vent.*
Famille de ① **voler** et de **vent**

vol-au-vent n. m. invariable
Croûte de pâte feuilletée garnie de viande ou de poisson en sauce, avec des champignons, des quenelles. *Le charcutier prépare des vol-au-vent.*

La *bouchée à la reine* est un petit vol-au-vent.

La montagne Pelée, à la Martinique, est un *volcan en activité.*
Les spécialistes des volcans sont les *volcanologues.*

volcan n. m.
Montagne d'où peuvent sortir des matières brûlantes, fondues. *Le volcan est en éruption. Les montagnes du Massif central sont des volcans éteints.*

▸ **volcanique** adj. D'un volcan. *Une éruption volcanique a détruit la ville de Pompéi, en Italie, en l'an 79.*

Lors d'une éruption, des pierres et de la lave en fusion s'échappent par le *cratère* du volcan.

Famille de ① **voler**

volée n. f.
1. Groupe d'oiseaux qui volent ensemble. *Une volée de moineaux s'est abattue sur le champ.* **2.** *Yves referma la porte à toute volée,* très fort. **3.** *Yasmina a attrapé la balle à la volée,* en l'air, au vol. **4.** Suite de coups forts et rapprochés. *Le chien a reçu une volée de coups de bâton.*

Conjugaison 1

① **voler** v.
1. Se déplacer dans l'air grâce à des ailes. *Les hirondelles volent bas ce soir. L'avion vole à très haute altitude. On entendrait voler une mouche,* il n'y a pas de bruit. **2.** Effectuer des vols dans un avion. *Ce pilote a cessé de voler parce que sa vue baissait.* **3.** Se déplacer en l'air. *Le vent fait voler la poussière.* **4.** *La vitre a volé en éclats,* elle s'est cassée et ses éclats sont partis loin. **5.** Aller très vite. *Réjean a volé au secours d'Alex qui se noyait dans l'étang.*

Autres membres de la famille : **s'envoler, envol, survoler, survol, ① vol, volaille, volailler, ① volant, cerf-volant, ② volant, volatil, se volatiliser, volatile, vol-au-vent, volée, voleter, volière.**

Conjugaison 1

Il y avait d'autre part des dieux poltrons, et tels étaient ceux qui venaient voler le bois de son maître *(Croc-Blanc)*.

② voler v.
1. Prendre ce qui appartient à autrui ; vois ***s'approprier, dérober, s'emparer, ravir, subtiliser.*** *Les cambrioleurs ont volé plusieurs diamants au bijoutier. Yves s'est fait voler ses billes. Le voyou volait dans un grand magasin.* **2.** Rouler ; vois ***escroquer.*** *Mme Séverac s'est fait voler en achetant ce vieux meuble.*

Qui vole un œuf vole un bœuf (proverbe).

Autres membres de la famille : **antivol, ② vol, voleur.**

Lullaby essaya d'ouvrir les volets, mais ils étaient coincés *(Lullaby)*.

volet n. m.
1. Panneau de bois qui protège une fenêtre ; vois ***persienne.*** *Le soir, Mme Roussel ferme les volets de sa chambre.* **2.** Partie d'un objet qui se replie. *Le permis de conduire français a trois volets.*

Conjugaison 4
▭ Indic. présent : *je volette, nous voletons.*

voleter v.
Voler à petits coups d'ailes, en changeant souvent de direction ; vois ***voltiger.*** *Des papillons voletaient autour de la lampe.*

Famille de ① **voler**

Famille de ② **voler**

voleur n. m., **voleuse** n. f.
1. Personne qui vole les choses qui appartiennent aux autres ; vois ***bandit, cambrioleur, pickpocket.*** *La police n'a pas retrouvé les voleurs.* **2.** Personne qui vend les choses trop cher. *Le brocanteur était un voleur ;* vois ***escroc.***

Un *kleptomane* est une personne qui ne peut s'empêcher de voler.

Famille de ① **voler**

volière n. f.
Grande cage où les oiseaux peuvent voler. *Antoine observe les oiseaux exotiques dans la volière du zoo.*

Volley-ball [vɔlɛbol] est un mot d'origine américaine.

volley-ball n. m.
Sport dans lequel deux équipes de six joueurs doivent se renvoyer un ballon au-dessus d'un filet. *Angèle a organisé un match de volley-ball.*

On dit aussi *volley :* [vɔlɛ].

Le contraire de *volontaire,* c'est *involontaire.*

volontaire adj.
1. Qui a de la volonté. *Angèle est une personne volontaire.* **2.** Dû à la volonté. *Hippolyte a laissé son écharpe chez Angèle, mais c'était un oubli volontaire ;* vois ***délibéré, intentionnel.*** **3.** Qui fait une chose parce qu'il le veut bien. *Qui est volontaire pour effacer le tableau ?* — n. m. et f. *Le bureau de vote cherche des volontaires pour dépouiller les bulletins.*
▸ **volontairement** adv. Exprès, en sachant ce que l'on fait. *Hippolyte a volontairement laissé son écharpe chez Angèle.*

Le contraire de *volontaire,* c'est *faible, velléitaire.*

Autre membre de la famille : **involontaire.**

Compare ***volonté*** et ***volontaire*** : dans ces mots, il s'agit de **vouloir.**

King ! cria Patricia. Stop, King ! Il me semblait entendre une voix inconnue tellement celle-ci était chargée de volonté, imprégnée d'assurance, certaine de son pouvoir *(le Lion)*.

volonté n. f.
1. Qualité d'une personne qui veut les choses avec énergie et fermeté. *Mme Hespel a beaucoup de volonté ;* vois ***caractère, fermeté.*** **2.** Ce qu'une personne veut ; vois ***dessein, intention.*** *Les élèves doivent respecter les volontés de la directrice.* **3.** *Il y avait du champagne à volonté,* autant qu'on en voulait. **4.** *La mauvaise volonté,* c'est le manque d'enthousiasme à obéir, à faire ce qui est bien. *Antoine a mis beaucoup de mauvaise volonté à ranger sa chambre.*

Le contraire de *volonté,* c'est *faiblesse.*

La *bonne volonté,* c'est le désir de bien faire.

volontiers adv.
Avec plaisir, de bon cœur, de bon gré. *Yves prête volontiers son vélo. Voulez-vous rester dîner avec nous ce soir ? — Volontiers ;* vois ***oui.***

Le contraire de *volontiers,* c'est *à contrecœur, de mauvaise grâce.*

Prononce toutes les lettres : [vɔlt].

volt n. m.
Unité qui sert à mesurer la force d'un courant électrique. *Dans toutes les maisons de Motbourg, le courant est de 220 volts.*

N'oublie pas le trait d'union.
Au pluriel : *des volte-face.*

volte-face n. f. invariable
1. Brusque demi-tour. *Yves a fait volte-face et a regardé Colle et Rat droit dans les yeux,* il s'est retourné brusquement. **2.** Brusque changement d'opinion ; vois ***revirement.*** *Les nombreuses volte-face du directeur à propos de ce nouveau projet découragent ses adjoints.*

Famille de **face**

Conjugaison 3 ▭ Indic. présent : *je voltige, nous voltigeons.*
Imparfait : *je voltigeais, nous voltigions.*

voltiger v.
Voler ici et là ; vois ***voleter.*** *Une nuée d'oiseaux voltigeait dans le jardin. Les feuilles mortes voltigent au vent.*
▸ **voltige** n. f. Exercice d'acrobatie à la corde, au trapèze ou à cheval. *Les acrobates ont exécuté un fantastique numéro de voltige.*

volubile adj.

Le contraire de *volubile,* c'est *muet, silencieux.*

Très bavard. *Antoine était très volubile ce matin-là.*

▸ **volubilité** n. f. *Antoine raconte sa visite au zoo avec volubilité,* en parlant beaucoup et très vite.

Le contraire de *volubilité,* c'est *mutisme.*

① **volume** n. m.

Le volume du bois se mesure en stères.

On mesure un volume en mètres cubes ou en litres.

1. Partie de l'espace qu'occupe une chose. *Pierre Séverac mesure le volume du bois qu'il a coupé. La cheville de Julie a tellement enflé qu'elle a doublé de volume. Cette armoire occupe un grand volume dans la pièce,* elle prend beaucoup de place. **2.** Quantité totale. *Le volume des dépenses a augmenté.* **3.** Force, puissance d'un son. *M. Bellec baisse le volume de la radio.*

▸ **volumineux** adj. Gros, encombrant. *Mme Roussel tenait dans les bras un paquet volumineux.*

② **volume** n. m.

Livre. *Antoine regarde les volumes alignés dans la bibliothèque. Le docteur Séverac a un dictionnaire en neuf volumes ;* vois **tome.**

volupté n. f.

Grand plaisir. *Muriel Doucet se plongea avec volupté dans un bain chaud.*

volute n. f.

Des volutes de fumée s'élevaient dans l'air, de la fumée enroulée en spirale.

vomir v.

Conjugaison 2

1. Rejeter par la bouche ce que l'on a mangé ; vois **rendre.** *Yves a eu le mal de mer et il a vomi par-dessus bord.* **2.** Projeter au-dehors. *Le volcan vomissait de la lave en fusion.*

▸ **vomissement** n. m. Action de vomir. *Certains médicaments empêchent les vomissements,* empêchent de vomir.

Va voir aussi **nausée.**

▸ **vomitif** n. m. Produit qui fait vomir. *On peut donner des vomitifs aux personnes qui ont avalé du poison.*

vorace adj.

Compare *vorace, carnivore* et *herbivore* : dans ces mots, il s'agit de **manger.**

Qui mange énormément. *Le chien des Séverac est très vorace ;* vois **glouton.**

▸ **voracement** adv. Avec voracité. *Le chien s'est jeté voracement sur la viande crue.*

▸ **voracité** n. f. Avidité. *Le chien a avalé sa pâtée avec voracité.*

vos va voir **votre.**

vote n. m.

1. L'opinion exprimée en votant ; vois **suffrage, voix.** *Le soir des élections, chaque parti compte les votes qui lui sont favorables.* **2.** Action de voter ; vois **élection.** *Le vote s'est déroulé dans le calme,* on a voté dans le calme. *Le conseil municipal a procédé au vote du budget,* il a voté le budget.

Les Françaises n'ont eu le droit de vote qu'en 1945.

Conjugaison 1

▸ **voter** v. **1.** Exprimer son opinion par un suffrage, lors d'une élection. *Mme Séverac a voté pour le candidat de son parti.* **2.** *Les conseillers municipaux ont voté le budget,* ils ont fait un vote pour décider du budget.

En France, pour voter, il faut avoir au moins 18 ans et être inscrit sur les listes électorales.

votre adj. possessif

Au pluriel : *vos.* Va voir aussi **mon, ton, son, notre, leur.**

Qui est à vous. *Madame la directrice, vous oubliez votre stylo et vos gants. Les enfants, il faudrait faire passer votre travail avant vos loisirs.*

Vos lions, *vos* rhinocéros, *vos* éléphants... Les animaux sauvages semblent pour vous un bien personnel *(le Lion).*

vôtre pronom possessif et n. m.

▭ **pronom possessif** L'être ou la chose qui est à vous. *Rendez-moi mes chaussures et reprenez les vôtres. Monsieur, voici votre place, et vous madame, voici la vôtre.*

▭ **n. m. 1.** *Il faut que vous y mettiez du vôtre,* que vous fassiez un effort. **2.** n. m. plur. *Les vôtres,* vos parents, vos amis. *Embrassez bien les vôtres de ma part.*

vouer v.

Conjugaison 1

1. Consacrer. *Les moines vouent leur vie à la prière.* **2.** *Yves voue une grande admiration à Angèle, son institutrice,* il admire beaucoup Angèle. **3.** Destiner à un sort déplaisant ; vois **condamner.** *Le quartier du gymnase est voué à la démolition.*

Autres membres de la famille : se **dévouer, dévoué, dévouement.**

Conjugaison 31 ▭ Indic. présent : *je veux, il veut, nous voulons, ils veulent.* Imparfait : *je voulais, nous voulions.* Futur : *je voudrai.* — Subj. présent : *que je veuille, que nous voulions.*

vouloir v.

1. Désirer, souhaiter très fort. *Je veux bien une tasse de thé. M. Touati voudrait du calme. Hippolyte voulait voir Angèle. Yves veut sa viande saignante. N'aie pas peur du docteur, il ne te veut pas de mal,* il ne souhaite pas qu'il t'arrive du mal. **2.** *En vouloir à quelqu'un,* c'est garder de la rancune contre lui. *Yves en veut à Angèle de s'être moquée de lui.* **3.** *Vouloir de quelque chose,* c'est être prêt à l'accepter. *Je ne veux pas de cette limonade.* **4.** *Vouloir bien,* c'est être d'accord ; vois ***accepter, consentir.*** *Angèle veut bien aller à la piscine avec Hippolyte.* **5.** *Le moteur ne veut pas démarrer,* il ne démarre pas. *Le hasard a voulu qu'ils se rencontrent,* le hasard a fait qu'ils se rencontrent.

Il est plus poli de dire : *je voudrais un gâteau* que *je veux un gâteau.*

Veuillez sortir : ayez l'amabilité de sortir.

Cendrillon s'offrit à les coiffer ; ce qu'elles voulurent bien *(Cendrillon).*

Va voir *vouloir dire* à ***dire.***

vous pronom personnel de la deuxième personne du pluriel

1. *Vous* s'emploie pour désigner plusieurs personnes. *Vous vous mettrez en rang par deux. Je vous donne un timbre à chacun. À vous deux vous y arriverez bien,* tous les deux. **2.** *Vous* s'emploie, par politesse, pour désigner une seule personne. *Vous m'avez appelée ? demande Angèle à la directrice. Je vous remercie, madame. Vous devriez lui en parler vous-même,* vous et personne d'autre. **3.** *Vous* remplace *on* en fonction de complément. *Une petite pluie vous transperçait jusqu'aux os.*

On dit *vous* aux gens que l'on ne connaît pas ou à ceux à qui l'on doit le respect.

Autres membres de la famille : **garde-à-vous, rendez-vous, vouvoyer, vouvoiement.**

Attention à l'accent circonflexe du ***û*** !

voûte n. f.

Plafond arrondi. *La voûte de l'église est peinte en bleu. La voûte de la cave est si basse qu'il faut se baisser pour entrer.*

▸ ***voûté*** adj. **1.** Couvert d'une voûte. *La cave est voûtée.* **2.** Qui a le dos courbé. *Une petite vieille toute voûtée a traversé la rue.*

Conjugaison 8 ▭ Indic. présent : *je vouvoie, nous vouvoyons, ils vouvoient.*

vouvoyer v.

Vouvoyer quelqu'un, c'est lui dire *vous. Angèle, l'institutrice, vouvoie la directrice.*

Dire *tu,* c'est *tutoyer.*

▸ ***vouvoiement*** n. m. *Avec la directrice, Angèle utilise le vouvoiement,* Angèle dit vous à la directrice.

Famille de **vous**

voyage n. m.

1. *Faire un voyage,* c'est partir assez loin ; vois ***déplacement.*** *Les Bellec ont fait un voyage en Italie. Angèle aimerait partir en voyage. Alex a rencontré Réjean au cours de son voyage au Canada.* **2.** Déplacement destiné à transporter des objets. *Il a fallu trois voyages pour transporter les valises de la voiture à la maison.*

Dans un superbe ballon jaune, le roi Babar et la reine Céleste partent en voyage de noces pour de nouvelles aventures *(Babar).*

Bon voyage,
Monsieur Dumollet,
Et revenez
si le pays vous plaît
(chanson).

Conjugaison 3

▸ ***voyager*** v. Faire un voyage. *Mamie Lou préfère voyager par le train. Le docteur Séverac a beaucoup voyagé,* il est allé dans différents lieux pour voir du pays.

Il y avait autrefois un marchand qui possédait de grands biens, et que ses affaires obligeaient fréquemment à voyager au loin *(les Mille et Une Nuits).*

▸ ***voyageur*** n. m., ***voyageuse*** n. f. **1.** Personne qui fait un voyage. *Antoine lit les récits des grands voyageurs ;* vois ***explorateur.*** *Les voyageurs pour Paris, en voiture !* **2.** *Un voyageur de commerce,* c'est un représentant qui voyage pour aller voir ses clients. *Les voyageurs de commerce de passage à Motbourg vont souvent dîner au restaurant Bellec.*

Va voir *pigeon voyageur* à ***pigeon.***

Famille de **voir**

① **voyant** n. m., **voyante** n. f.

Personne qui prédit l'avenir ; vois ***devin.*** *La voyante lisait l'avenir dans une boule de cristal.*

Famille de **voir**

② **voyant** n. m.

Petite lumière qui s'allume pour signaler qu'un appareil marche ou ne marche pas. *Le voyant rouge du tableau de bord indique qu'il n'y a plus assez d'huile dans le moteur.*

C'est un *témoin lumineux.*

Famille de **voir**

③ **voyant** adj.

Qui attire le regard, qui est visible de loin ; vois ***criard, éclatant.*** *Elle portait une vilaine robe de couleur voyante.*

Le contraire de *voyant,* c'est *discret, neutre.*

voyelle n. f.

1. Son du langage produit par la voix qui résonne dans la bouche. **2.** Lettre qui représente ce son. *Le mot « vrac » a une voyelle et trois consonnes.*

A, E, I, O, U, Y sont les six voyelles de l'alphabet.

Va voir aussi ***consonne.***

Au pluriel : *des voyous.*

voyou n. m.
Garçon mal élevé qui traîne dans les rues ; vois ***garnement, vaurien.*** *Une bande de voyous a cassé la vitrine de Mme Harpie.*

Prononce le *c* : [ɑ̃vʀak].

en **vrac** adv.
1. Sans emballage. *Préférez-vous du café en vrac ou en paquet ?* **2.** En désordre. *Julie a posé ses affaires en vrac sur la table de la cuisine.*

vrai adj., n. m. et adv.

Est-ce que c'est bien vrai, tout ça, demanda Charlie. Ne me fais-tu pas marcher ? *(Charlie et la Chocolaterie).*

▭ **adj. 1.** Qui correspond à la vérité ; vois ***certain, exact, sûr, véritable.*** *Ce que je vais vous raconter est une histoire vraie ;* vois ***véridique.*** *Il est vrai qu'il y a parfois des orages, mais le temps est généralement beau.* **2.** Qui est réellement ce qu'il a l'air d'être, qui n'est pas une imitation. *Julie a pris de vrais fruits pour faire la dînette.* **3.** *Les personnages de Molière sont vrais,* ils sont naturels, ils ont l'air d'exister.

Le contraire de *vrai,* c'est *faux.*

Le contraire de *vrai,* c'est *faux, artificiel.*

▭ **n. m. 1.** Vérité, réalité. *Il est souvent difficile de reconnaître le vrai du faux dans les histoires d'Antoine. Vous êtes dans le vrai,* vous avez raison. **2.** *À dire vrai, Julie ne savait plus pourquoi elle boudait,* pour parler franchement.

On dit aussi *à vrai dire.*

▭ **adv.** *Ces fleurs artificielles font vrai,* elles ont l'air naturelles.

▸ ***vraiment*** adv. **1.** En vérité, en réalité ; vois ***effectivement, réellement, véritablement.*** *Colle et Rat disent qu'ils ont vraiment vu des soucoupes volantes.* **2.** Certainement, sans mentir. *Marie-Tévy est vraiment douée en dessin.*

— Est-ce qu'il est vraiment si difficile, ce problème ? — S'il est difficile ! soupira Marinette. C'est bien simple. On n'y comprend rien *(les Contes du Chat perché).*

Famille de **sembler**
Attention ! un seul *s* dans *vraisemblable, vraisemblablement* et *vraisemblance.*

▸ ***vraisemblable*** adj. Probablement vrai, apparemment vrai ; vois ***crédible, plausible.*** *Je n'ai pas vérifié, mais cela est très vraisemblable.*

▸ ***vraisemblablement*** adv. Probablement, sans doute. *Denis Prost sera vraisemblablement aux États-Unis la semaine prochaine.*

▸ ***vraisemblance*** n. f. *L'histoire que raconte Antoine est d'une parfaite vraisemblance,* elle est tout à fait crédible.

Autres membres de la famille : **invraisemblable, invraisemblance.**

vrille n. f.
1. Petite pousse qui s'enroule autour d'un support et permet à la plante de grimper. *Les vrilles de la vigne vierge s'accrochent aux pierres de la façade.* **2.** Outil fait d'une tige de métal en forme de vis ; vois ***mèche.*** *M. Bellec fait un trou dans la planche avec une vrille.* **3.** *L'avion est descendu en vrille,* en tournant sur lui-même.

Les vrilles sont en fait des feuilles.

Conjugaison 2

vrombir v.
Produire un bourdonnement ; vois ***bourdonner.*** *Le frelon vrombit. Les moteurs des bolides vrombissaient ;* vois ***ronfler.***

▸ ***vrombissement*** n. m. Bruit de ce qui vrombit ; vois ***ronflement.*** *On entendait le vrombissement du moteur.*

Nous partirons
sur la route de Narbonne
Toute la nuit
le moteur vrombira
(Ch. Trenet).

Famille de **voir**

vu adj., n. m. et préposition

▭ **adj.** *Être bien vu,* c'est être bien considéré. *Muriel Doucet est bien vue par son patron.*

Être mal vu, c'est être mal considéré.

▭ **n. m.** *Au vu et au su de tout le monde,* devant tout le monde, sans se cacher ; vois ***ouvertement.*** *Le voyou a volé un disque au vu et au su de tout le monde.*

Dans ce cas, *vu* reste invariable.

▭ **préposition** *Vu l'humeur de la maîtresse, ce n'est pas le moment de faire des bêtises,* étant donné son humeur, eu égard à son humeur.

▸ ***vue*** n. f. **1.** Sens par lequel on voit. *L'œil et le nerf optique sont les organes de la vue.* **2.** Manière de voir ; vois ***vision.*** *La vue de Mamie Lou baisse,* Mamie Lou voit moins bien. **3.** Manière de regarder. *À première vue, le problème semble facile,* quand on le regarde pour la première fois. *Angèle connaît le maire de vue,* elle sait le reconnaître si elle le voit, mais elle ne le connaît pas davantage. *M. Bellec a tiré à vue sur le lapin,* en le regardant. *La ville s'agrandit à vue d'œil,* rapidement. **4.** Ce que l'on peut voir. *De la ferme, on a une très belle vue ;* vois ***panorama.*** *La chambre des enfants a vue sur le bois,* elle donne sur le bois. **5.** *Hippolyte se réjouit à la vue d'Angèle,* quand il voit Angèle. **6.** Image, photo. *Yves a accroché une vue de Paimpol dans sa chambre.* **7.** Idée. *Nous n'avons pas les mêmes vues.* **8.** *Hippolyte économise en vue de ses vacances,* pour ses vacances.

Va voir *à perte de vue* à ***perte.***

Va voir *point de vue* à ***point.***

Être en vue, c'est être bien visible, être en évidence, en valeur.

Avoir le don de double vue, c'est voir par l'esprit des choses vraies que l'on ne peut pas voir par les yeux.

vulgaire adj.

1. Grossier, pas distingué. *Mme Harpie aime les vêtements vulgaires. Cette femme est vulgaire.* **2.** *Ce n'est pas un tableau de Michel-Ange, c'est une vulgaire copie,* ce n'est qu'une copie, une copie quelconque. **3.** *Le nom vulgaire d'une plante,* c'est son nom courant, le nom que tout le monde connaît. *« Gueule-de-loup » est le nom vulgaire du muflier.*

Le contraire de *vulgaire,* c'est *distingué, raffiné.*

Les plantes ont souvent un nom vulgaire et un nom scientifique.

▸ **vulgairement** adv. **1.** Avec vulgarité. *Mme Harpie s'habille vulgairement.* **2.** Dans le langage courant. *Les mufliers sont appelés vulgairement gueules-de-loup.*

Conjugaison 1

▸ **vulgariser** v. Mettre à la portée de tous, expliquer de telle façon que tout le monde comprenne. *Le docteur Séverac écrit des articles pour des revues dont le rôle est de vulgariser la recherche scientifique.*

▸ **vulgarisation** n. f. *Cette revue de médecine est un ouvrage de vulgarisation,* un ouvrage qui met la médecine à la portée de tous.

▸ **vulgarité** n. f. Manque de distinction et de délicatesse. *La vulgarité de Mme Harpie choque tout le monde.*

vulnérable adj.

1. Fragile, facile à blesser. *Les crabes sont très vulnérables lorsqu'ils muent.* **2.** Faible, facile à rendre malheureux. *Mme Roussel est très vulnérable depuis son divorce.*

Autre membre de la famille : **invulnérable.**

Prononce le ***w*** comme un ***v*** : [vagɔ̃].

wagon n. m.
Voiture de chemin de fer, tirée par une locomotive. *Les Doucet ont réservé des places dans un wagon de première classe.*

Il y a des *wagons de marchandises,* des *wagons à bestiaux,* des *wagons frigorifiques.*

Au pluriel : *des wagons-lits.* Famille de **lit**

▹ ***wagon-lit*** n. m. Voiture pour les voyageurs, dont les compartiments contiennent des lits et un lavabo. *Les Séverac sont allés à Venise en wagon-lit.*

Au pluriel : *des wagons-restaurants.*

▹ ***wagon-restaurant*** n. m. Wagon aménagé en restaurant. *Denis Prost a déjeuné au wagon-restaurant.*

Famille de ② se **restaurer**

Prononce [wɔkman]. Au pluriel : *des walkmans.*

walkman n. m.
Petit magnétophone à cassettes muni d'un casque très léger, qui sert à écouter de la musique, et que l'on peut porter sur soi. *David fait du patin à roulettes en écoutant de la musique sur son walkman.*

C'est un nom de marque. Il vaut mieux dire : un *baladeur.*

Prononce [watɛʀ]. Ce mot est toujours au pluriel.

waters n. m. plur.
Endroit où l'on fait ses besoins ; vois ***cabinet, toilettes.*** *Claire veut aller aux waters.*

On dit aussi *les W.-C.*

Watt [wat] rime avec *ouate.*

watt n. m.
Unité qui sert à mesurer la puissance de l'électricité. *Le lampadaire du salon a une ampoule de cent watts.*

Prononce [dubləvese] ou [vese].

W.-C. n. m. plur.
Endroit où l'on fait ses besoins ; vois ***cabinet, toilettes, waters.*** *Sylvain est allé aux W.-C.*

Ce sont les premières lettres de *water-closet.*

Prononce [wikɛnd]. Au pluriel : *des week-ends.*

week-end n. m.
Congé de fin de semaine comprenant le samedi et le dimanche. *Les Doucet partent en week-end à la campagne.*

Les Québécois disent *fin de semaine.*

Prononce [wɛstɛʀn].

western n. m.
Film dont l'action se passe au Far-West et qui raconte des histoires de cow-boys et d'Indiens. *Antoine aime beaucoup les westerns.*

Les westerns racontent la conquête de l'ouest des États-Unis.

Prononce [wiski]. Au pluriel : *des whiskies.*

whisky n. m.
Alcool fort, de couleur orangée, fait à base de grain. *Denis Prost se sert un verre de whisky avec de l'eau gazeuse.*

Le whisky est fabriqué en Écosse et en Irlande.

xénophobe adj.

Souvent, les personnes xénophobes sont aussi *racistes.*

Hostile aux étrangers. *Mme Harpie est xénophobe : jamais elle n'ira passer ses vacances hors de France.*

xylophone n. m.

C'est un instrument d'Afrique, d'Asie du Sud-Est et d'Amérique centrale.

Instrument de musique formé de lames de bois ou de métal sur lesquelles on frappe avec deux petits marteaux. *Il y a souvent un xylophone dans les orchestres de jazz.*

Les lames ont des longueurs différentes, qui correspondent chacune à une note.

Le corbeau, honteux et confus,
Jura, mais un peu tard,
qu'on ne l'y prendrait plus
(La Fontaine).

y adv. et pronom
1. adv. Dans cet endroit. *Passe chez moi vers six heures, j'y serai certainement.* **2.** pronom *Y* est un pronom qui correspond à un complément introduit par *à*. *Je renoncerai à tout, et j'y renoncerai de bon cœur. Que veux-tu que j'y fasse ?*

Yacht [jɔt] rime avec *coyote* et *bouillotte*.

yacht n. m.
Bateau de luxe utilisé pour faire des croisières. *Les Séverac sont allés faire une croisière sur un yacht en Méditerranée.*

Il y a des yachts à voile et des yachts à moteur.

On écrit aussi *yak*. Prononce toujours [jak].

yack n. m.
Gros bœuf des hauts plateaux de l'Asie centrale. *Les yacks ont une longue toison soyeuse et des cornes recourbées vers l'arrière qui peuvent atteindre un mètre de long.*

Les Tibétains s'éclairent avec du beurre de yack rance qu'ils font brûler.

Prononce [jɑ̃ki].

yankee n. m. et f.
Nom donné aux habitants des États-Unis pour les distinguer des Américains en général. *Les habitants de l'Amérique du Sud aiment peu les yankees.*

C'est un surnom, d'abord donné aux habitants du Nord, qui étaient contre les Sudistes.

Prononce [jauʀt]. On écrit aussi *yoghourt* : [jɔguʀt].

yaourt n. m.
Lait caillé par un produit spécial. *Yasmina mange un yaourt aux fraises. Loïc a mis du vernis dans un pot de yaourt.*

Le yaourt est originaire de Bulgarie et de Turquie.

yen n. m.
Monnaie utilisée au Japon. *En arrivant à Tokyo, M. Doucet a changé des francs contre des yens.*

yeux va voir *œil.*

yoga n. m.
Gymnastique d'origine hindoue. *Le yoga aide à maîtriser parfaitement son corps et son esprit. Mme Séverac fait du yoga.*

Au pluriel : *des youyous.*

youyou n. m.
Petit canot assez large. *Yves apprend à ramer sur un youyou.*

Au pluriel : *des yo-yo.*

yo-yo n. m. invariable
Jouet formé de deux disques emboîtés l'un dans l'autre que l'on fait monter et descendre le long d'une ficelle. *Marie-Tévy joue au yo-yo.*

Le yo-yo existait déjà au XVIIIe siècle.

Dans les troupeaux de zèbres, il y en avait un, disait-elle, qu'elle avait vu échapper à un incendie de brousse *(le Lion).*

zèbre n. m.
Animal qui ressemble à un âne et dont le pelage est rayé de noir et de blanc. *Le zèbre court très vite. Antoine a filé comme un zèbre,* très vite.
▸ ***zébré*** adj. Marqué de rayures parallèles qui rappellent le pelage du zèbre. *Julie avait la main zébrée d'égratignures.*
▸ ***zébrure*** n. f. Marque de coup, de forme allongée. *Les coups de fouet laissent des zébrures sur la peau.*

Le zèbre vit en Afrique.
Un *drôle de zèbre,* c'est un homme bizarre.

Le zébu est un animal docile que l'on domestique facilement.

zébu n. m.
Grand bœuf qui a une bosse sur le dos, près de l'encolure. *Certains zébus ont des cornes qui dépassent un mètre vingt de long.*

Le zébu vit en Afrique, en Asie et à Madagascar.

Faire du zèle, c'est se donner plus de mal que ce qui est nécessaire pour se faire bien voir.

zèle n. m.
Énergie que l'on met à faire un travail que l'on aime ou à servir une personne à laquelle on est dévoué ; vois ***dévouement, empressement.*** *Yasmina travaille avec zèle ;* vois ***application, ardeur.***
▸ ***zélé*** adj. Plein de zèle. *Mme Doucet est une secrétaire zélée ;* vois ***dévoué.***

Le contraire de *zèle,* c'est *négligence.*

Attention ! un ***h*** à la fin.

zénith n. m.
Point du ciel juste au-dessus de la personne qui regarde. *Yves regarde l'étoile qui est au zénith.*

Le Soleil est à son zénith, à son plus haut point.

zéro n. m.
1. Nombre qui représente un ensemble vide. *Deux moins deux égalent zéro.* **2.** Aucun. *Yasmina a eu zéro faute à sa dictée,* elle n'avait pas fait de faute. **3.** Point à partir duquel on compte ou on mesure quelque chose. *Le thermomètre est descendu au-dessous de zéro.* **4.** *Colle et Rat ont eu zéro en orthographe,* la note la plus basse.

Au pluriel : *des zéros.*

Zéro s'écrit : **0**.
Les Romains ne connaissaient pas le zéro.

zeste n. m.
Petit morceau d'écorce de citron ou d'orange. *M. Bellec met des zestes d'orange dans la mousse au chocolat.*

Le zeste a un parfum très fort.

Conjugaison 8 ▭ Indic. présent : *je zézaie, nous zézayons.* Imparfait : *je zézayais.* Futur : *je zézaierai.*

zézayer v.
Prononcer les *j* comme des *z* et les *ch* comme des *s* ; vois **zozoter.** *Claire zézaie un peu.*

Le zébu, en zézayant, dit « z'ai bu ».

▹ **zézaiement** n. m. Défaut de prononciation d'une personne qui zézaie. *Claire a un léger zézaiement.*

La zibeline a un corps long et mince, une queue courte et une tête large.

zibeline n. f.
Petit animal voisin de la martre qui a une très belle fourrure. *La vedette portait un long manteau de zibeline,* en fourrure de zibeline.

La zibeline vit en Sibérie et au Japon.

Prononce toutes les lettres : [zigzag].

zigzag n. m.
Ligne qui forme des angles aigus. *Une route en zigzag monte au chalet. La route fait des zigzags.*

Les éclairs font des zigzags dans le ciel.

Conjugaison 1 ▭ Indic. imparfait : *je zigzaguais.*

▹ **zigzaguer** v. Faire des zigzags, aller de travers. *Le vélo s'est mis à zigzaguer, et Yves est tombé par terre.*

Prononce le ***c*** comme un ***g*** : [zɛ̃g].

zinc n. m.
Métal dur d'un blanc bleuâtre. *Les gouttières sont faites en zinc.*

zizanie n. f.

Le contraire de *zizanie,* c'est *entente.*

Discorde ; vois **brouille.** *Colle et Rat cherchent à semer la zizanie dans la classe.*

zodiaque n. m.

La Balance, le Bélier, le Cancer, le Capricorne, les Gémeaux, le Lion, les Poissons, le Sagittaire, le Scorpion, le Taureau, le Verseau et la Vierge sont les signes du zodiaque.

Zone du ciel dans laquelle on voit le Soleil se déplacer au cours de l'année, et qui est divisée en douze parties égales. *Il y a douze signes du zodiaque,* douze figures qui correspondent aux étoiles qui occupent ces douze parties du ciel. *En astrologie, les signes du zodiaque président à la destinée de chacun et servent à établir les horoscopes.*

zone n. f.

Une *zone bleue,* c'est une zone dans une ville où le stationnement est réglementé.

Partie d'une surface. *La France est située en zone tempérée,* dans la région tempérée de la Terre. *La zone côtière est très fertile,* les terrains qui bordent la côte. *Le maire veut développer la zone industrielle,* la partie de la ville où sont implantées les industries.

Une *zone franche,* c'est une zone où l'on ne paie pas les droits de douane.

Prononce [zo].

zoo n. m.
Parc où l'on peut voir des animaux rares, exotiques. *M. Doucet a emmené Antoine au zoo de Vincennes.*

C'est un *jardin zoologique.*

Au pluriel : *des zoos.*

Prononce les deux ***o*** : [zɔɔlɔʒi].

zoologie n. f.
Science qui étudie les animaux. *Antoine est passionné par la zoologie.*

L'*ornithologie* est une partie de la zoologie.

▹ **zoologique** adj. *Un jardin zoologique,* c'est un endroit où l'on peut voir des animaux rares, exotiques ; vois **zoo.** *Il y a un jardin zoologique à la sortie de la ville.*

zouave n. m.
1. Autrefois, soldat algérien de l'armée française en Algérie. *Les zouaves portaient des culottes bouffantes.* **2.** *Faire le zouave,* c'est faire le malin, faire le clown, faire le pitre. *Antoine, ne fais pas le zouave, sois sérieux !*

Cette expression est familière.

Conjugaison 1
Ce mot est familier.

zozoter v.
Zézayer. *Julie zozote pour faire rire ses amis.*

zut interjection
Mot qui sert à montrer que l'on n'est pas content, que l'on est déçu ou agacé. *Zut ! mon crayon est cassé.*

annexes

les personnages des exemples

par **Claude Helft**

Cher lecteur, chère lectrice,

Sans doute te demandes-tu qui sont les personnages qui apparaissent très souvent dans les articles de ton dictionnaire. Tu peux reconnaître leurs noms dans les exemples ; ce sont toujours les mêmes personnes, celles d'une histoire que l'on pourrait raconter.
Qui sont Angèle, Hippolyte, Mme Harpie et les autres ?
Nous avons inventé ces personnages pour que ton dictionnaire soit vivant comme une histoire. Pour t'aider à mieux les connaître, nous te les présentons maintenant.

il était une fois la classe

Dans la petite ville de Motbourg, en France, Angèle, l'institutrice fait la classe du cours élémentaire deuxième année de l'école Jules-Ferry. Parmi ses vingt-cinq élèves il y a Antoine Doucet, Julie Prost, Marie-Tévy Séverac, Yasmina Touati, Yves Bellec, Colle et Rat. Ces deux-là portent des noms imaginaires, parce que, tu le verras, aucun enfant réel ne pourrait faire autant de bêtises qu'eux.

La classe est claire et gaie. On y est bien ! Le hamster Cajou y mène une vie sans souci.

Les élèves redoutent un peu la directrice, qui a la réputation d'être sévère. Ils écoutent, ils jouent, ils rient, ils travaillent comme toi, quand tu es dans ta classe.

la ville, les parents, les amis

En face de l'école — juste en face — il y a la boutique de Mme Harpie, la marchande de bonbons, et à l'angle du boulevard de la Gare, se trouve la poste. Hippolyte, le facteur, part de bon matin faire la distribution du courrier. Il commence par remonter la rue d'Alembert où se trouve le bâtiment du journal local « Les Nouvelles ». Il y a toujours beaucoup de courrier pour les journalistes ! Il se dirige vers la gare, en passant par le groupe de H.L.M. où vit la famille Touati. Rue Diderot, il croise le docteur Séverac qui sort de chez lui. Sa fille aînée, Nathalie, attend impatiemment le facteur avant de partir au collège : elle espère chaque jour recevoir une lettre de Sylvain. Hippolyte salue le gardien de l'immeuble de Colle et Rat, puis redescend vers la mairie et la place, très animée le samedi matin, car c'est jour de marché. Il passe devant le restaurant Bellec, dont le menu est toujours très alléchant. Aujourd'hui, hum !... il y a des fraises des bois à la crème comme dessert.

Hippolyte rencontre souvent M. Bonnot qui joue à la pétanque dans le jardin public, près de l'église Sainte-Marie, et il échange quelques mots avec le curé, l'abbé Gauthier. Il continue sa tournée par le quartier qui borde la rivière ombragée de saules. Julie fait de la balançoire dans le jardin de la maison de ses parents ; le facteur lui remet en mains propres le courrier qui lui est personnellement adressé. Elle a toute une collection de cartes postales que lui envoie son papa quand il est à l'étranger.

Après être passé devant chez Angèle, Hippolyte reprend le quai de Trévoux. Il longe le chantier du nouveau gymnase qui se construit près des deux piscines, la couverte et la découverte, où Angèle emmène ses élèves. Hippolyte va jusqu'au zoo. Un jour, il est arrivé au moment où deux bébés girafes venaient de naître. Il s'arrête encore à la biscuiterie, la plus grosse usine de la région, qui répand dans tout le voisinage une délicieuse odeur de chocolat.

Puis il redescend vers l'école. C'est bien rare que Mme Harpie reçoive du courrier, pourtant elle est toujours sur le pas de sa porte quand Hippolyte passe et elle lui dit un mot aimable. Mais Hippolyte n'a plus, dans sa sacoche, que les lettres et les journaux adressés à la directrice de l'école Jules-Ferry, qui est en face.

Il se dépêche d'aller les lui apporter : il vient d'apercevoir, en haut des marches, Angèle, l'institutrice, qui accroche des dessins d'enfants sur les murs du couloir.

Tu voudrais bien en savoir plus sur tous ces gens-là, les enfants et les autres. Regarde un peu plus loin les fiches des personnages pour ne pas oublier qui ils sont. Et en lisant ton dictionnaire, tu découvriras bien

d'autres choses encore, comment ils parlent et comment ils agissent, et ce qui leur arrive.
Je ne te raconte pas ici tout ce qui se passe dans la vie de nos personnages. C'est toi-même qui vas le découvrir en lisant les exemples. Tu apprendras ainsi qu'une panthère s'est échappée du cirque installé à Motbourg, ou que l'oncle d'Yves, Loïc Bellec, a fait le tour du monde, ou encore que Réjean Cloutier a sauvé la vie d'Alex Hespel, tombé dans un lac glacé. Il y a des affaires mystérieuses, comme l'incendie de la poste ou le vol dans la bijouterie. À toi de jouer !

Trouve les détails de ces histoires, et de bien d'autres encore, en te servant de ton dictionnaire. En lisant les exemples, tu mènes l'enquête !

Angèle, l'institutrice

Angèle Bastiani a vingt-cinq ans.

Elle est brune avec des cheveux longs ; elle est petite et mince.

Née en Corse, elle vient d'être nommée institutrice à l'école Jules-Ferry, à Motbourg. Parmi ses élèves du cours élémentaire deuxième année, il y a Antoine Doucet, Julie Prost, Marie-Tévy Séverac, Yasmina Touati, Yves Bellec et Colle et Rat.

Angèle est gaie, fine, patiente, affectueuse. Elle invente des jeux pour enseigner les choses difficiles, l'orthographe par exemple. Elle sait se faire écouter.

Ses élèves l'adorent. La directrice de l'école a beaucoup d'estime pour elle. Hippolyte Bertrand, le facteur, voudrait absolument l'inviter à dîner, Va-t-elle accepter ?

Antoine

Antoine Doucet a neuf ans.

Il a les cheveux châtain clair, les yeux noisette. Il est maigre, porte des lunettes.

Il est généreux, prête volontiers ses affaires, protège les petits dans la cour de récréation. Il est gourmand et apprécie aussi bien les spaghettis à la tomate que les gâteaux au chocolat. Il raconte des histoires invraisemblables, qui font rire tout le monde, et avec tant de conviction que, parfois, on y croit. Tous les matins, il est en retard à l'école, ce qui désespère Angèle, l'institutrice. Antoine est amoureux de Marie-Tévy, à côté de qui il est assis en classe, et inséparable d'Yves, son meilleur ami.

Cajou — Il s'occupe de Cajou le hamster, la mascotte de la classe.

Ses parents ont divorcé il y a quatre ans.

Mme Roussel — Sa mère, Mme Roussel, travaille à la biscuiterie de Motbourg. Elle est la jeune sœur de la terrible Mme Harpie qui est, par conséquent, la tante d'Antoine.

M. Doucet — Le père d'Antoine, M. Doucet, informaticien, vit à Paris ; il est remarié, sa deuxième femme s'appelle

Muriel Doucet — Muriel. Antoine va chaque semaine chez son père et sa belle-mère. Cet été, il part avec sa mère en vacances en Bretagne chez Loïc Bellec, l'oncle d'Yves. Il en rêve !

Colle et Rat

Colle et Rat sont cousins. Colle est une petite fille de huit ans, Rat un petit garçon de neuf ans.

Ils sont inséparables. Ils font bêtise sur bêtise avec l'air innocent et on ne sait jamais quel mauvais coup ils préparent. Angèle, leur institutrice, ne sait plus quoi faire ! Les autres enfants de la classe sont parfois amusés, parfois scandalisés. Car Colle et Rat y vont un peu fort. À la récréation, ils ont annoncé une nouvelle incroyable. Ils ont vu... devinez quoi ? — une soucoupe volante !

Mme Harpie, la marchande de bonbons

Mme Harpie est petite, boulotte, elle a une verrue sur le nez et des bajoues, mais surtout elle ne sourit jamais, elle houspille tout le monde, même son neveu, Antoine Doucet.

Elle est avare, elle passe le plus clair de son temps à raconter des méchancetés. Il y a longtemps qu'à Motbourg on ne l'appelle plus que Mme Harpie, qui est un surnom bien mérité.

Pourtant, les enfants sont souvent dans sa boutique ; évidemment, elle vend des bonbons et quantité de petites confiseries que les enfants peuvent acheter avec leur argent.

Une seule personne a l'air de lui plaire : elle fait du charme à Hippolyte Bertrand, le facteur.

Alors, peut-être, Mme Harpie a-t-elle un cœur ?

Hippolyte, le facteur

Hippolyte Bertrand est grand, musclé, il a les cheveux noirs et crépus. C'est un homme élégant et coquet.

Il est facteur à Motbourg. Il anime le ciné-club de la maison des jeunes. Il passe ses vacances à la Martinique, où il est né, il y a vingt-huit ans.

Hippolyte est l'ami des enfants du quartier qu'il rencontre souvent en distribuant le courrier. Il a fait la connaissance d'Angèle, l'institutrice, à la piscine. Depuis, il s'est mis en tête de l'épouser.

Il s'est comporté en héros lors de l'incendie de la poste de Motbourg, dont l'origine n'a pas encore été établie. Une enquête est en cours. Il semble que le commissaire ait des soupçons...

Julie

Julie Prost a huit ans.

Elle a des cheveux roux frisés, des yeux verts ; elle adore être bien habillée. Julie est vive, impertinente, curieuse de tout. Elle organise de très belles fêtes pour ses goûters d'anniversaire. Elle y invite beaucoup de monde, ses admirateurs et, bien sûr, ses meilleures amies, Yasmina et Marie-Tévy, qui sont dans la même classe qu'elle, celle d'Angèle.

Martin Elle a un petit frère de six mois, Martin.

Sophie Pelletier Leur maman, Sophie Pelletier, écrit des livres pour les enfants et les illustre.

Denis Prost Leur papa, Denis Prost, est comédien et fait du cinéma.

La famille a eu récemment un grand chagrin. La mère de Sophie, Mme Pelletier, est morte d'une grave maladie.

Félix Julie a un chat, Félix. Elle n'est pas toujours très gentille avec lui. Heureusement, Félix sait se défendre et il a de la mémoire.

Marie-Tévy

Marie-Tévy Séverac a dix ans.

Elle a les cheveux courts, noirs et raides. Elle est née au Cambodge, et elle a perdu ses parents, tués dans un bombardement. Tévy est son prénom cambodgien et, en France, on a ajouté Marie. Depuis un an, elle vit à Motbourg au sein de sa famille adoptive, le docteur Séverac, sa femme et leurs enfants David et Nathalie, 12 ans, qui sont jumeaux.

Au début de cette nouvelle vie, elle était très timide et silencieuse. Dans la classe d'Angèle, elle est vite devenue l'amie de Yasmina et de Julie. Elle aime Antoine : il raconte tellement d'histoires étonnantes !

le Dr Séverac

Le docteur Séverac est médecin généraliste à Motbourg. Tous les ans, il part soigner des enfants en Afrique noire.

Mme Séverac

Mme Séverac a été élue au conseil municipal de Motbourg. En ce moment, elle se bat contre un projet de parking sur la place du Marché.

Nathalie

Nathalie, la grande sœur de Marie-Tévy, rêve en relisant les lettres de Sylvain, qu'elle a rencontré en colonie de vacances. Ils s'écrivent très souvent.

David

David, son frère jumeau, est capitaine de l'équipe de football, et il est passionné d'aéronautique.

Tous les deux sont en cinquième au collège.

Mamie Lou
Pierre et Odile Séverac
Claire

La famille passe ses vacances dans la ferme de Mamie Lou, la mère du docteur Séverac. On y retrouve l'oncle Pierre et sa femme Odile, tous deux agriculteurs, et leur fille Claire, une adorable petite brune aux yeux verts qui a cinq ans et à qui personne ne résiste.

Rex

Rex, le chien de la ferme, participe à tous les jeux. Il a beaucoup d'espace pour courir !

Sylvain

Sylvain Hespel a douze ans.

Il est brun, petit pour son âge, souvent malade, mais rarement absent en classe.

Il écrit à Nathalie Séverac, dont il a fait la connaissance cet été en colonie de vacances. Il aime la lecture, la musique classique, joue très bien du piano. Le matin et le soir, il promène sa chienne

Diane

qui s'appelle Diane.

Il vit dans une ville du nord de la France avec sa mère, Mme Hespel, et son frère aîné Alex. Son grand-père, colonel en retraite, habite dans la même ville.

Mme Hespel

Mme Hespel est ingénieur ; elle espère devenir directrice de l'usine. Elle se fait du souci pour la santé de Sylvain, et l'avenir d'Alex.

Alex

Alex a dix-huit ans. Il prend la vie du bon côté : il est très sportif, aime la moto et la musique rock. Il a raté son bac. L'année dernière, il a fait un

Réjean

voyage au Québec où il a rencontré Réjean Cloutier qui est devenu son ami. S'il réussit son examen cette année, il ira le rejoindre pour de nouvelles aventures dans la région des lacs.

Yasmina

Yasmina Touati a neuf ans.

Elle a les cheveux longs, noirs et bouclés. Elle est douce et serviable, un peu secrète, très raisonnable.

Elle aime lire, chanter et jouer avec Marie-Tévy et Julie, ses deux grandes amies de classe.

Mme Touati

À la maison, elle aide beaucoup sa maman, Mme Touati, qui a fort à faire avec tous ses enfants,

Mimoun

Yasmina l'aînée, Mimoun, Karim et le bébé, la petite Leïla. Yasmina passe ses vacances au Maroc chez ses grands-parents.

M. Touati

Son père, M. Touati, est contremaître. Il travaille actuellement sur le chantier du nouveau gymnase de Motbourg.

Dans la classe, Colle et Rat sont jaloux des compliments qu'Angèle fait à Yasmina, qui est bonne élève. Ils lui jouent des tours. Mais les garçons sont prêts à la bagarre pour la défendre.

Yves

Yves Bellec a huit ans.

Il est blond aux yeux bleus, et costaud pour son âge.

Il est franc, têtu, bagarreur.

Dans la cour de récréation, Yves se bat contre tous ceux qui lui tiennent tête, même contre Antoine. Mais, avec Antoine, il se réconcilie aussi vite qu'il se fâche : c'est son meilleur ami.

Il va au catéchisme et à la messe, à l'église Sainte-Marie de Motbourg. Il fait partie de la chorale de l'abbé Gauthier, tout comme sa mère.

l'abbé Gauthier

Ses parents, M. et Mme Bellec, tiennent le restaurant sur la place du Marché de Motbourg. Mme Bellec est à la caisse, M. Bellec aux fourneaux : c'est un cuisinier réputé.

M. et Mme Bellec

La famille va s'agrandir, Mme Bellec attend un enfant. Yves voit chaque jour ses grands-parents maternels M. et Mme Bonnot. Ils sont maintenant à la retraite et habitent la même maison qu'Yves et ses parents, au deuxième étage.

M. et Mme Bonnot

Toute l'année, Yves attend le moment des vacances, qu'il passe en Bretagne chez son oncle Loïc, le frère de son père. Il veut devenir marin comme lui. Cette année Antoine viendra avec Yves. Loïc a promis de les emmener en pleine mer.

Loïc

index des personnages

Cette liste contient les noms des personnages qui apparaissent dans les exemples. Si tu cherches l'un d'eux, Julie par exemple, lis, dans le texte précédent, le paragraphe qui porte son nom. Si tu cherches Loïc ou Mme Roussel, lis le paragraphe qui t'est indiqué, après leur nom, par les mots va voir *(par exemple :* Loïc va voir *Yves ;* Mme Roussel, va voir *Antoine).*

Alex, va voir *Sylvain*
Angèle, l'institutrice
Antoine
M. et Mme Bellec, va voir *Yves*
M. et Mme Bonnot, va voir *Yves*
Claire, va voir *Marie-Tévy*
Cajou, va voir *Antoine*
Colle et Rat
David, va voir *Marie-Tévy*
Diane, va voir *Sylvain*
M. Doucet, va voir *Antoine*
Muriel Doucet, va voir *Antoine*
Félix, va voir *Julie*
l'abbé Gauthier, va voir *Yves*
Mme Harpie
Mme Hespel, va voir *Sylvain*
Colonel Hespel, va voir *Sylvain*
Hippolyte, le facteur
Julie
Loïc, va voir *Yves*
Mamie Lou, va voir *Marie-Tévy*
Marie-Tévy
Martin, va voir *Julie*
Mimoun, va voir *Yasmina*
Nathalie, va voir *Marie-Tévy*
Mme Pelletier, va voir *Julie*
Sophie Pelletier, va voir *Julie*
Denis Prost, va voir *Julie*
Réjean, va voir *Sylvain*
Rex, va voir *Marie-Tévy*
Mme Roussel, va voir *Antoine*
le Dr et Mme Séverac, va voir *Marie-Tévy*
Odile Séverac, va voir *Marie-Tévy*
Pierre Séverac, va voir *Marie-Tévy*
Sylvain
M. et Mme Touati, va voir *Yasmina*
Yasmina
Yves

les noms propres de lieux avec les adjectifs et les noms communs correspondants

Aux noms propres de lieux correspondent des noms communs et des adjectifs. Par exemple, au nom féminin *Allemagne* correspondent
1. l'adjectif *allemand* : *les musiciens allemands ; le peuple allemand ;*
2. le nom *Allemand, Allemande* qui désigne
• un citoyen de l'Allemagne : *un Allemand, une Allemande, les Allemands* (toujours avec une majuscule dans ce cas) ;
• la langue allemande : *elle parle l'allemand* (toujours avec une minuscule).

Tu trouveras ci-dessous une liste des principaux noms de pays, de quelques noms de villes, de provinces ou de régions avec les adjectifs et les noms communs qui leur correspondent.

Afghanistan n. m. — *afghan, afghane*
Afrique n. f. — *africain, africaine*
Afrique du Nord n. f. — *nord-africain, nord-africaine*
Afrique du Sud n. f. — *sud-africain, sud-africaine*
Albanie n. f. — *albanais, albanaise*
Alger — *algérois, algéroise*
Algérie n. f. — *algérien, algérienne*
Allemagne n. f. — *allemand, allemande*
Alsace n. f. — *alsacien, alsacienne*
Amérique n. f. — *américain, américaine*
Amérique du Nord n. f. — *nord-américain, nord-américaine*
Amérique du Sud n. f. — *sud-américain, sud-américaine*
Amérique latine n. f. — *latino-américain, latino-américaine*
Amsterdam — *amsterdamois, amsterdamoise*
principauté ***d'Andorre*** n. f. — *andorran, andorrane*
Angleterre n. f. — *anglais, anglaise*
Anjou n. m. — *angevin, angevine*
Antilles n. f. plur. — *antillais, antillaise*
Argentine n. f. — *argentin, argentine*
Asie n. f. — *asiatique*
Athènes — *athénien, athénienne*
Australie n. f. — *australien, australienne*
Autriche n. f. — *autrichien, autrichienne*
Auvergne n. f. — *auvergnat, auvergnate*

Bali n. f. — *balinais, balinaise*
Pays ***Basque*** n. m. — *basque, basquaise* ou *euscarien, euscarienne*
Belgique n. f. — *belge*
Berlin — *berlinois, berlinoise*
Berry n. m. — *berrichon, berrichonne*
Birmanie n. f. — *birman, birmane*
Bolivie n. f. — *bolivien, bolivienne*
Bourgogne n. f. — *bourguignon, bourguignonne*
Brabant n. m. — *brabançon, brabançonne*
Brésil n. m. — *brésilien, brésilienne*
Bretagne n. f. — *breton, bretonne*
Bruxelles — *bruxellois, bruxelloise*
Bulgarie n. f. — *bulgare*

Cambodge n. m. — *cambodgien, cambodgienne*
Cameroun n. m. — *camerounais, camerounaise*
Canada n. m. — *canadien, canadienne*
Caraïbes n. f. plur. — *caraïbe*
Centre-Afrique n. f. — *centrafricain, centrafricaine*
Cévennes n. f. plur. — *cévenol, cévenole*
Chili n. m. — *chilien, chilienne*
Chine n. f. — *chinois, chinoise*
Chypre n. f. — *chypriote* ou *cypriote*
Colombie n. f. — *colombien, colombienne*
Congo n. m. — *congolais, congolaise*
Corée n. f. — *coréen, coréenne*
Corse n. f. — *corse*
Côte-d'Ivoire n. f. — *ivoirien, ivoirienne*
Cuba n. f. — *cubain, cubaine*

Danemark n. m. — *danois, danoise*

Écosse n. f. *écossais, écossaise*
Égypte n. f. *égyptien, égyptienne*
Espagne n. f. *espagnol, espagnole*
Éthiopie n. f. *éthiopien, éthiopienne*
Europe n. f. *européen, européenne*

Finlande n. f. *finlandais, finlandaise* ou *finnois, finnoise*
Flandre n. f. ou ***Flandres*** n. f. plur. *flamand, flamande*
France n. f. *français, française*

Gabon n. m. *gabonais, gabonaise*
Pays de ***Galles*** n. m. *gallois, galloise*
Gascogne n. f. *gascon, gasconne*
Gaule n. f. *gaulois, gauloise*
Genève *genevois, genevoise*
Grande-Bretagne n. f. *britannique*
Grèce n. f. *grec, grecque*
Guadeloupe n. f. *guadeloupéen, guadeloupéenne*
Guatemala n. m. *guatémalien, guatémalienne* ou *guatémaltèque*
Guinée n. f. *guinéen, guinéenne*
Guyane n. f. *guyanais, guyanaise*

Haïti n. f. *haïtien, haïtienne*
îles ***Hawaï*** n. f. plur. *hawaïen, hawaïenne*
Hollande n. f. *hollandais, hollandaise*
Hongrie n. f. *hongrois, hongroise* ou *magyar, magyare*

Inde n. f. *indien, indienne*
Indonésie n. f. *indonésien, indonésienne*
Irak ou ***Iraq*** n. m. *irakien, irakienne* ou *iraqien, iraqienne*
Iran n. m. *iranien, iranienne*
Irlande n. f. *irlandais, irlandaise*
Islande n. f. *islandais, islandaise*
Israël n. m. *israélien, israélienne*
Italie n. f. *italien, italienne*

Japon n. m. *japonais, japonaise*
Java n. f. *javanais, javanaise*
Jordanie n. f. *jordanien, jordanienne*

Kabylie n. f. *kabyle*

Laos n. m. *laotien, laotienne*
Liban n. m. *libanais, libanaise*
Libéria n. m. *libérien, libérienne*
Libye n. f. *libyen, libyenne*
Liège *liégeois, liégeoise*
Limousin n. m. *limousin, limousine* ou *limougeaud, limougeaude*
Londres *londonien, londonienne*
Lorraine n. f. *lorrain, lorraine*
Luxembourg n. m. *luxembourgeois, luxembourgeoise*
Lyon *lyonnais, lyonnaise*

Madagascar n. f.	*malgache* ou *madécasse*
Madrid	*madrilène*
Maghreb n. m.	*maghrébin, maghrébine*
Malaisie n. f.	*malais, malaise*
Malaysia n. f.	*malaysien, malaysienne*
Mali n. m.	*malien, malienne*
Maroc n. m.	*marocain, marocaine*
îles ***Marquises*** n. f. plur.	*marquisien, marquisienne*
Marseille	*marseillais, marseillaise*
Martinique n. f.	*martiniquais, martiniquaise*
île ***Maurice***	*mauricien, mauricienne*
Mauritanie n. f.	*maure, mauresque* ou *more, moresque* ou *mauritanien, mauritanienne*
Mexique n. m.	*mexicain, mexicaine*
Monaco n. f. ou m.	*monégasque*
Montréal	*montréalais, montréalaise*
Moscou	*moscovite*

Népal n. m.	*népalais, népalaise*
New York	*new-yorkais, new-yorkaise*
Nicaragua n. m.	*nicaraguayen, nicaraguayenne*
Niger n. m.	*nigérien, nigérienne*
Nigéria n. m.	*nigérian, nigériane*
Normandie n. f.	*normand, normande*
Norvège n. f.	*norvégien, norvégienne*
Nouvelle-Calédonie n. f.	*néo-calédonien, néo-calédonienne*
Nouvelle-Zélande n. f.	*néo-zélandais, néo-zélandaise*

Pakistan n. m.	*pakistanais, pakistanaise*
Palestine n. f.	*palestinien, palestinienne*
Panama n. m.	*panamien, panamienne* ou *panaméen, panaméenne*
Paraguay n. m.	*paraguayen, paraguayenne*
Paris	*parisien, parisienne*
Pays-Bas n. m. plur.	*néerlandais, néerlandaise*
Perche n. m.	*percheron, percheronne*
Pérou n. m.	*péruvien, péruvienne*
Philippines n. f. plur.	*philippin, philippine*
Picardie n. f.	*picard, picarde*
Poitou n. m.	*poitevin, poitevine*
Pologne n. f.	*polonais, polonaise*
Polynésie n. f.	*polynésien, polynésienne*
Portugal n. m.	*portugais, portugaise*
Provence n. f.	*provençal, provençale, provençaux*

Québec n. m.	*québécois, québécoise*

île de la ***Réunion*** n. f.	*réunionnais, réunionnaise*
Rome	*romain, romaine*
Roumanie n. f.	*roumain, roumaine*
Russie n. f.	*russe*

Sarre n. f.	*sarrois, sarroise*
Savoie n. f.	*savoyard, savoyarde*

Scandinavie n. f.	*scandinave*
Sénégal n. m.	*sénégalais, sénégalaise*
Soudan n. m.	*soudanais, soudanaise* ou *soudanien, soudanienne*
Suède n. f.	*suédois, suédoise*
Suisse n. f.	*suisse* ou *helvétique*
Syrie n. f.	*syrien, syrienne*

Tahiti n. f.	*tahitien, tahitienne*
Tchad n. m.	*tchadien, tchadienne*
Tchécoslovaquie n. f.	*tchécoslovaque* ou *tchèque*
Thaïlande n. f.	*thaïlandais, thaïlandaise*
Tibet n. m.	*tibétain, tibétaine*
Togo n. m.	*togolais, togolaise*
Touraine n. f.	*tourangeau, tourangelle*
Tunis	*tunisois, tunisoise*
Tunisie n. f.	*tunisien, tunisienne*
Turquie n. f.	*turc, turque*

Uruguay n. m.	*uruguayen, uruguayenne*

Valais n. m.	*valaisan, valaisane*
Pays de Vaud n. m.	*vaudois, vaudoise*
Venezuela n. m.	*vénézuélien, vénézuélienne*
Vienne	*viennois, viennoise*
Viêt-nam n. m.	*vietnamien, vietnamienne*
Vosges n. f. plur.	*vosgien, vosgienne*

Wallonie n. f.	*wallon, wallonne*

Yémen n. m.	*yéménite*
Yougoslavie n. f.	*yougoslave*

Zaïre n. m.	*zaïrois, zaïroise*

les noms de nombres

chiffres arabes		chiffres romains
1	*un*	I
2	*deux*	II
3	*trois*	III
4	*quatre*	IV
5	*cinq*	V
6	*six*	VI
7	*sept*	VII
8	*huit*	VIII
9	*neuf*	IX
10	*dix*	X
11	*onze*	XI
12	*douze*	XII
13	*treize*	XIII
14	*quatorze*	XIV
15	*quinze*	XV
16	*seize*	XVI
17	*dix-sept*	XVII
18	*dix-huit*	XVIII
19	*dix-neuf*	XIX
20	*vingt*	XX
21	*vingt et un*	XXI
22	*vingt-deux*	XXII
23	*vingt-trois*	XXIII

chiffres arabes		**chiffres romains**
30	*trente*	XXX
31	*trente et un*	XXXI
32	*trente-deux*	XXXII
40	*quarante*	XL
41	*quarante et un*	XLI
42	*quarante-deux*	XLII
50	*cinquante*	L
51	*cinquante et un*	LI
52	*cinquante-deux*	LII
60	*soixante*	LX
61	*soixante et un*	LXI
62	*soixante-deux*	LXII
70	*soixante-dix*	LXX
71	*soixante et onze*	LXXI
72	*soixante-douze*	LXXII
80	*quatre-vingts*	LXXX
81	*quatre-vingt-un*	LXXXI
82	*quatre-vingt-deux*	LXXXII
90	*quatre-vingt-dix*	XC
91	*quatre-vingt-onze*	XCI
100	*cent*	C
101	*cent un*	CI
102	*cent deux*	CII
200	*deux cents*	CC
201	*deux cent un*	CCI
202	*deux cent deux*	CCII
300	*trois cents*	CCC
301	*trois cent un*	CCCI
302	*trois cent deux*	CCCII
400	*quatre cents*	CD
500	*cinq cents*	D

chiffres arabes		**chiffres romains**
999	*neuf cent quatre-vingt-dix-neuf*	IM
1 000	*mille*	M
1 001	*mille un*	MI
1 002	*mille deux*	MII
1 100	*mille cent* ou *onze cents*	MC
1 200	*mille deux cents* ou *douze cents*	MCC
2 000	*deux mille*	MM

Au-delà de *deux mille*, on n'emploie guère les chiffres romains.

9 999	*neuf mille neuf cent quatre-vingt-dix-neuf*
10 000	*dix mille*
99 999	*quatre-vingt-dix-neuf mille neuf cent quatre-vingt-dix-neuf*
100 000	*cent mille*
100 001	*cent mille un* ou *cent mille et un*
100 002	*cent mille deux*
101 000	*cent un mille*
1 000 000	*un million*
1 000 000 000	*un milliard*

REMARQUE – Les composés des adjectifs numéraux cardinaux s'écrivent avec des traits d'union (exemple : *dix-sept, quatre-vingt-un*), sauf si entrent dans leur composition les mots *et, cent* ou *mille*, lesquels ne sont jamais précédés ou suivis de trait d'union (exemple : *cent sept, vingt et un, trois mille vingt-deux*).

les conjugaisons des verbes

Dans les marges du dictionnaire, on indique la conjugaison d'un verbe par un numéro. Par exemple, à l'article *ciseler*, on écrit dans la marge : conjugaison 5. Le numéro 5 correspond à un type de verbes et ceux qui sont conjugués sont des exemples : ainsi *geler* est l'exemple des verbes en *-eler* qui prennent un accent : *je gèle, nous gelons*, par opposition aux verbes du type 4 qui n'en prennent pas et doublent le *l (appeler)*. Tu dois donc suivre le modèle donné par l'exemple : *je gèle → je cisèle ; nous gelons → nous ciselons*.

indicatif

présent		passé composé	
j'	arrive	je	suis arrivé
tu	arrives	tu	es arrivé
il	arrive	il	est arrivé
nous	arrivons	nous	sommes arrivés
vous	arrivez	vous	êtes arrivés
ils	arrivent	ils	sont arrivés

imparfait		plus-que-parfait	
j'	arrivais	j'	étais arrivé
tu	arrivais	tu	étais arrivé
il	arrivait	il	était arrivé
nous	arrivions	nous	étions arrivés
vous	arriviez	vous	étiez arrivés
ils	arrivaient	ils	étaient arrivés

passé simple		passé antérieur	
j'	arrivai	je	fus arrivé
tu	arrivas	tu	fus arrivé
il	arriva	il	fut arrivé
nous	arrivâmes	nous	fûmes arrivés
vous	arrivâtes	vous	fûtes arrivés
ils	arrivèrent	ils	furent arrivés

futur simple		futur antérieur	
j'	arriverai	je	serai arrivé
tu	arriveras	tu	seras arrivé
il	arrivera	il	sera arrivé
nous	arriverons	nous	serons arrivés
vous	arriverez	vous	serez arrivés
ils	arriveront	ils	seront arrivés

conditionnel présent		conditionnel passé	
j'	arriverais	je	serais arrivé
tu	arriverais	tu	serais arrivé
il	arriverait	il	serait arrivé
nous	arriverions	nous	serions arrivés
vous	arriveriez	vous	seriez arrivés
ils	arriveraient	ils	seraient arrivés

REMARQUE – Les verbes ***jouer, tuer,*** etc., sont réguliers (exemple : *je joue, je jouerai ; je tue, je tuerai*).

 (va voir aussi page suivante)

subjonctif

présent		passé	
que	j'arrive	que je	sois arrivé
que tu	arrives	que tu	sois arrivé
qu'il	arrive	qu'il	soit arrivé
que nous	arrivions	que nous	soyons arrivés
que vous	arriviez	que vous	soyez arrivés
qu'ils	arrivent	qu'ils	soient arrivés

imparfait		plus-que-parfait	
que j'	arrivasse	que je	fusse arrivé
que tu	arrivasses	que tu	fusses arrivé
qu'il	arrivât	qu'il	fût arrivé
que nous	arrivassions	que nous	fussions arrivés
que vous	arrivassiez	que vous	fussiez arrivés
qu'ils	arrivassent	qu'ils	fussent arrivés

impératif

présent	passé
arrive	sois arrivé
arrivons	soyons arrivés
arrivez	soyez arrivés

participe

présent	passé
arrivant	arrivé, ée
	étant arrivé, ée

infinitif

présent	passé
arriver	être arrivé, ée

indicatif

présent	
je me	repose
tu te	reposes
il se	repose
nous nous	reposons
vous vous	reposez
ils se	reposent

passé composé	
je me	suis reposé
tu t'	es reposé
il s'	est reposé
nous nous	sommes reposés
vous vous	êtes reposés
ils se	sont reposés

imparfait	
je me	reposais
tu te	reposais
il se	reposait
nous nous	reposions
vous vous	reposiez
ils se	reposaient

plus-que-parfait	
je m'	étais reposé
tu t'	étais reposé
il s'	était reposé
nous nous	étions reposés
vous vous	étiez reposés
ils s'	étaient reposés

passé simple	
je me	reposai
tu te	reposas
il se	reposa
nous nous	reposâmes
vous vous	reposâtes
ils se	reposèrent

passé antérieur	
je me	fus reposé
tu te	fus reposé
il se	fut reposé
nous nous	fûmes reposés
vous vous	fûtes reposés
ils se	furent reposés

futur simple	
je me	reposerai
tu te	reposeras
il se	reposera
nous nous	reposerons
vous vous	reposerez
ils se	reposeront

futur antérieur	
je me	serai reposé
tu te	seras reposé
il se	sera reposé
nous nous	serons reposés
vous vous	serez reposés
ils se	seront reposés

conditionnel présent	
je me	reposerais
tu te	reposerais
il se	reposerait
nous nous	reposerions
vous vous	reposeriez
ils se	reposeraient

conditionnel passé	
je me	serais reposé
tu te	serais reposé
il se	serait reposé
nous nous	serions reposés
vous vous	seriez reposés
ils se	seraient reposés

(va voir aussi page précédente)

subjonctif

présent		passé	
que je me	repose	que je me	sois reposé
que tu te	reposes	que tu te	sois reposé
qu'il se	repose	qu'il se	soit reposé
que nous nous	reposions	que nous nous	soyons reposés
que vous vous	reposiez	que vous vous	soyez reposés
qu'ils se	reposent	qu'ils se	soient reposés

imparfait		plus-que-parfait	
que je me	reposasse	que je me	fusse reposé
que tu te	reposasses	que tu te	fusses reposé
qu'il se	reposât	qu'il se	fût reposé
que nous nous	reposassions	que nous nous	fussions reposés
que vous vous	reposassiez	que vous vous	fussiez reposés
qu'ils se	reposassent	qu'ils se	fussent reposés

impératif

présent	passé
repose-toi reposons-nous reposez-vous	On n'utilise pas le passé de l'impératif des verbes pronominaux

participe

présent	passé
se reposant	s'étant reposé, ée

infinitif

présent	passé
se reposer	s'être reposé, ée

indicatif

présent		passé composé	
je	finis	j'ai	fini
tu	finis	tu	as fini
il	finit	il	a fini
nous	finissons	nous	avons fini
vous	finissez	vous	avez fini
ils	finissent	ils	ont fini

imparfait		plus-que-parfait	
je	finissais	j'	avais fini
tu	finissais	tu	avais fini
il	finissait	il	avait fini
nous	finissions	nous	avions fini
vous	finissiez	vous	aviez fini
ils	finissaient	ils	avaient fini

passé simple		passé antérieur	
je	finis	j'	eus fini
tu	finis	tu	eus fini
il	finit	il	eut fini
nous	finîmes	nous	eûmes fini
vous	finîtes	vous	eûtes fini
ils	finirent	ils	eurent fini

futur simple		futur antérieur	
je	finirai	j'	aurai fini
tu	finiras	tu	auras fini
il	finira	il	aura fini
nous	finirons	nous	aurons fini
vous	finirez	vous	aurez fini
ils	finiront	ils	auront fini

conditionnel présent		conditionnel passé	
je	finirais	j'	aurais fini
tu	finirais	tu	aurais fini
il	finirait	il	aurait fini
nous	finirions	nous	aurions fini
vous	finiriez	vous	auriez fini
ils	finiraient	ils	auraient fini

subjonctif

présent	
que je	finisse
que tu	finisses
qu'il	finisse
que nous	finissions
que vous	finissiez
qu'ils	finissent

passé	
que j'	aie fini
que tu	aies fini
qu'il	ait fini
que nous	ayons fini
que vous	ayez fini
qu'ils	aient fini

imparfait	
que je	finisse
que tu	finisses
qu'il	finît
que nous	finissions
que vous	finissiez
qu'ils	finissent

plus-que-parfait	
que j'	eusse fini
que tu	eusses fini
qu'il	eût fini
que nous	eussions fini
que vous	eussiez fini
qu'ils	eussent fini

impératif

présent	passé
finis	aie fini
finissons	ayons fini
finissez	ayez fini

participe

présent	passé
finissant	fini, e
	ayant fini

infinitif

présent	passé
finir	avoir fini

		indicatif	
		présent	imparfait
3	***placer***	je place nous plaçons	je plaçais nous placions
REMARQUE – Les verbes en *-**ecer*** (ex. : *dépecer*) se conjuguent comme ***placer*** et ***geler***. Les verbes en *-**écer*** (ex. : *rapiécer*) se conjuguent comme ***céder*** et ***placer***.			
	bouger	je bouge nous bougeons	je bougeais nous bougions
REMARQUE – Les verbes en *-**éger*** (ex. : *protéger*) se conjuguent comme ***bouger*** et ***céder***.			
4	***appeler***	j'appelle nous appelons	j'appelais nous appelions
	jeter	je jette nous jetons	je jetais nous jetions
5	***geler***	je gèle nous gelons	je gelais nous gelions
	acheter et les verbes en *-**emer*** (ex. : *semer*), *-**ener*** (ex. : *mener*), *-**eser*** (ex. : *peser*), *-**ever*** (ex. : *lever*), etc.	j'achète nous achetons	j'achetais nous achetions
REMARQUE – Les verbes en *-**ecer*** (ex. : *dépecer*) se conjuguent comme ***geler*** et ***placer***.			
6	***céder*** et les verbes en *-**é*** + consonne(s) + *-**er*** (ex. : *célébrer*, *lécher*, *déléguer*, *préférer*, etc.).	je cède nous cédons	je cédais nous cédions
REMARQUE – Les verbes en *-**éger*** (ex. : *protéger*) se conjuguent comme ***céder*** et ***bouger***. Les verbes en *-**écer*** (ex. : *rapiécer*) se conjuguent comme ***céder*** et ***placer***.			
7	***épier***	j'épie nous épions	j'épiais nous épiions
8	***noyer*** et les verbes en *-**uyer*** (ex. : *appuyer*).	je noie nous noyons	je noyais nous noyions
REMARQUE – ***envoyer*** fait au futur : *j'enverrai*, et au conditionnel : *j'enverrais*.			
	payer et tous les verbes en *-**ayer***.	je paie ou je paye nous payons	je payais nous payions

futur	passé simple	participe passé	subjonctif présent
je placerai nous placerons	je plaçai nous plaçâmes	placé, ée	que je place que nous placions
je bougerai nous bougerons	je bougeai nous bougeâmes	bougé, ée	que je bouge que nous bougions
j'appellerai nous appellerons	j'appelai nous appelâmes	appelé, ée	que j'appelle que nous appelions
je jetterai nous jetterons	je jetai nous jetâmes	jeté, ée	que je jette que nous jetions
je gèlerai nous gèlerons	je gelai nous gelâmes	gelé, ée	que je gèle que nous gelions
j'achèterai nous achèterons	j'achetai nous achetâmes	acheté, ée	que j'achète que nous achetions
je céderai nous céderons	je cédai nous cédâmes	cédé, ée	que je cède que nous cédions
j'épierai nous épierons	j'épiai nous épiâmes	épié, ée	que j'épie que nous épiions
je noierai nous noierons	je noyai nous noyâmes	noyé, ée	que je noie que nous noyions
je paierai ou je payerai nous paierons ou payerons	je payai nous payâmes	payé, ée	que je paie ou paye que nous payions

indicatif

présent		passé composé	
je	vais	je	suis allé
tu	vas	tu	es allé
il	va	il	est allé
nous	allons	nous	sommes allés
vous	allez	vous	êtes allés
ils	vont	ils	sont allés

imparfait		plus-que-parfait	
j'	allais	j'	étais allé
tu	allais	tu	étais allé
il	allait	il	était allé
nous	allions	nous	étions allés
vous	alliez	vous	étiez allés
ils	allaient	ils	étaient allés

passé simple		passé antérieur	
j'	allai	je	fus allé
tu	allas	tu	fus allé
il	alla	il	fut allé
nous	allâmes	nous	fûmes allés
vous	allâtes	vous	fûtes allés
ils	allèrent	ils	furent allés

futur simple		futur antérieur	
j'	irai	je	serai allé
tu	iras	tu	seras allé
il	ira	il	sera allé
nous	irons	nous	serons allés
vous	irez	vous	serez allés
ils	iront	ils	seront allés

conditionnel présent		conditionnel passé	
j'	irais	je	serais allé
tu	irais	tu	serais allé
il	irait	il	serait allé
nous	irions	nous	serions allés
vous	iriez	vous	seriez allés
ils	iraient	ils	seraient allés

subjonctif

présent		passé	
que j'	aille	que je	sois allé
que tu	ailles	que tu	sois allé
qu'il	aille	qu'il	soit allé
que nous	allions	que nous	soyons allés
que vous	alliez	que vous	soyez allés
qu'ils	aillent	qu'ils	soient allés

imparfait		plus-que-parfait	
que j'	allasse	que je	fusse allé
que tu	allasses	que tu	fusses allé
qu'il	allât	qu'il	fût allé
que nous	allassions	que nous	fussions allés
que vous	allassiez	que vous	fussiez allés
qu'ils	allassent	qu'ils	fussent allés

impératif

présent	passé
va (sauf dans *vas-y*)	sois allé
allons	soyons allés
allez	soyez allés

participe

présent	passé
allant	allé, ée
	étant allé, ée

infinitif

présent	passé
aller	être allé, ée

		indicatif	
		présent	imparfait
10	*haïr*	je hais il hait nous haïssons ils haïssent	je haïssais nous haïssions
11	*courir*	je cours il court nous courons ils courent	je courais nous courions
12	*cueillir*	je cueille il cueille nous cueillons ils cueillent	je cueillais nous cueillions
13	*assaillir*	j'assaille il assaille nous assaillons ils assaillent	j'assaillais nous assaillions
14	*servir*	je sers il sert nous servons ils servent	je servais nous servions
15	*bouillir*	je bous il bout nous bouillons ils bouillent	je bouillais nous bouillions
16	*partir*	je pars il part nous partons ils partent	je partais nous partions
	sentir	je sens il sent nous sentons ils sentent	je sentais nous sentions

futur	passé simple	participe passé	subjonctif présent
je haïrai nous haïrons	je haïs nous haïmes	haï, ïe	que je haïsse que nous haïssions
je courrai nous courrons	je courus nous courûmes	couru, ue	que je coure que nous courions
je cueillerai nous cueillerons	je cueillis nous cueillîmes	cueilli, ie	que je cueille que nous cueillions
j'assaillirai nous assaillirons	j'assaillis nous assaillîmes	assailli, ie	que j'assaille que nous assaillions
je servirai nous servirons	je servis nous servîmes	servi, ie	que je serve que nous servions
je bouillirai nous bouillirons	je bouillis nous bouillîmes	bouilli, ie	que je bouille qu'il bouille que nous bouillions
je partirai nous partirons	je partis nous partîmes	parti, ie	que je parte que nous partions
je sentirai nous sentirons	je sentis nous sentîmes	senti, ie	que je sente que nous sentions

		indicatif présent	indicatif imparfait
17	***fuir***	je fuis il fuit nous fuyons ils fuient	je fuyais nous fuyions
18	***couvrir***	je couvre il couvre nous couvrons ils couvrent	je couvrais nous couvrions
19	***mourir***	je meurs il meurt nous mourons ils meurent	je mourais nous mourions
20	***vêtir***	je vêts il vêt nous vêtons ils vêtent	je vêtais nous vêtions
21	***acquérir***	j'acquiers il acquiert nous acquérons ils acquièrent	j'acquérais nous acquérions
22	***venir***	je viens il vient nous venons ils viennent	je venais nous venions
verbes en ***-oir***			
23	***pleuvoir*** (impersonnel)	il pleut	il pleuvait
24	***prévoir***	je prévois il prévoit nous prévoyons ils prévoient	je prévoyais nous prévoyions
25	***pourvoir***	je pourvois il pourvoit nous pourvoyons ils pourvoient	je pourvoyais nous pourvoyions

futur	passé simple	participe passé	subjonctif présent
je fuirai nous fuirons	je fuis nous fuîmes	fui, e	que je fuie que nous fuyions
je couvrirai nous couvrirons	je couvris nous couvrîmes	couvert, e	que je couvre que nous couvrions
je mourrai nous mourrons	je mourus nous mourûmes	mort, e	que je meure que nous mourions
je vêtirai nous vêtirons	je vêtis nous vêtîmes	vêtu, ue	que je vête que nous vêtions
j'acquerrai nous acquerrons	j'acquis nous acquîmes	acquis, e	que j'acquière que nous acquérions
je viendrai nous viendrons	je vins nous vînmes	venu, ue	que je vienne que nous venions
il pleuvra	il plut	plu (invariable)	qu'il pleuve
je prévoirai nous prévoirons	je prévis nous prévîmes	prévu, ue	que je prévoie que nous prévoyions
je pourvoirai nous pourvoirons	je pourvus nous pourvûmes	pourvu, ue	que je pourvoie que nous pourvoyions

		indicatif présent	indicatif imparfait
26	*asseoir*	j'assois ou j'assieds il assoit ou il assied nous assoyons ou nous asseyons ils assoient ou ils asseyent	j'assoyais ou j'asseyais nous assoyions ou nous asseyions
27	*mouvoir*	je meus il meut nous mouvons ils meuvent	je mouvais nous mouvions
28	*recevoir*	je reçois il reçoit nous recevons ils reçoivent	je recevais nous recevions
	devoir	je dois	je devais
29	*valoir*	je vaux il vaut nous valons ils valent	je valais nous valions
	équivaloir		
	prévaloir		
	falloir (impersonnel)	il faut	il fallait
30	*voir*	je vois il voit nous voyons ils voient	je voyais nous voyions
31	*vouloir*	je veux il veut nous voulons ils veulent	je voulais nous voulions
32	*savoir*	je sais il sait nous savons ils savent	je savais nous savions
33	*pouvoir*	je peux ou je puis il peut nous pouvons ils peuvent	je pouvais nous pouvions

REMARQUE – ***émouvoir*** et ***promouvoir*** font au participe passé *ému, ue ; promu, ue.*

futur	passé simple	participe passé	subjonctif présent
j'assoirai ou j'assiérai ou j'asseyerai nous assoirons	j'assis nous assîmes	assis, e	que j'assoie, ou que j'asseye que nous assoyions ou que nous asseyions
je mouvrai nous mouvrons	je mus nous mûmes	mû, mue, mus	que je meuve que nous mouvions
je recevrai nous recevrons	je reçus nous reçûmes	reçu, ue	que je reçoive que nous recevions
je devrai	je dus	dû, due, dus	que je doive
je vaudrai nous vaudrons	je valus nous valûmes	valu, ue	que je vaille que nous valions
		équivalu (invariable)	
		prévalu, ue	que je prévale
il faudra	il fallut	fallu (invariable)	qu'il faille
je verrai nous verrons	je vis nous vîmes	vu, ue	que je voie que nous voyions
je voudrai nous voudrons	je voulus nous voulûmes	voulu, ue	que je veuille que nous voulions
je saurai nous saurons	je sus nous sûmes	su, ue	que je sache que nous sachions
je pourrai nous pourrons	je pus nous pûmes	pu (invariable)	que je puisse que nous puissions

indicatif

présent

j' ai
tu as
il a
nous avons
vous avez
ils ont

passé composé

j' ai eu
tu as eu
il a eu
nous avons eu
vous avez eu
ils ont eu

imparfait

j' avais
tu avais
il avait
nous avions
vous aviez
ils avaient

plus-que-parfait

j' avais eu
tu avais eu
il avait eu
nous avions eu
vous aviez eu
ils avaient eu

passé simple

j' eus
tu eus
il eut
nous eûmes
vous eûtes
ils eurent

passé antérieur

j' eus eu
tu eus eu
il eut eu
nous eûmes eu
vous eûtes eu
ils eurent eu

futur simple

j' aurai
tu auras
il aura
nous aurons
vous aurez
ils auront

futur antérieur

j' aurai eu
tu auras eu
il aura eu
nous aurons eu
vous aurez eu
ils auront eu

conditionnel présent

j' aurais
tu aurais
il aurait
nous aurions
vous auriez
ils auraient

conditionnel passé

j' aurais eu
tu aurais eu
il aurait eu
nous aurions eu
vous auriez eu
ils auraient eu

subjonctif

présent		passé	
que j'	aie	que j'	aie eu
que tu	aies	que tu	aies eu
qu'il	ait	qu'il	ait eu
que nous	ayons	que nous	ayons eu
que vous	ayez	que vous	ayez eu
qu'ils	aient	qu'ils	aient eu

imparfait		plus-que-parfait	
que j'	eusse	que j'	eusse eu
que tu	eusses	que tu	eusses eu
qu'il	eût	qu'il	eût eu
que nous	eussions	que nous	eussions eu
que vous	eussiez	que vous	eussiez eu
qu'ils	eussent	qu'ils	eussent eu

impératif

présent	passé
aie ayons ayez	L'impératif passé n'est pas utilisé.

participe

présent	passé
ayant	eu, eue ayant eu

infinitif

présent	passé
avoir	avoir eu

		indicatif	
		présent	imparfait
35	*conclure*	je conclus il conclut nous concluons ils concluent	je concluais nous concluions

REMARQUE – ***exclure*** se conjugue comme ***conclure*** : participe passé *exclu, ue ;* ***inclure*** se conjugue comme ***conclure*** sauf au participe passé : *inclus, use.*

36	*rire*	je ris il rit nous rions ils rient	je riais nous riions
37	*dire*	je dis il dit nous disons vous dites ils disent	je disais nous disions

REMARQUE – ***médire, contredire, dédire, interdire, prédire*** se conjuguent comme ***dire*** sauf *médisez, contredisez, dédisez, interdisez, prédisez.*

	suffire	vous suffisez	

REMARQUE – ***confire*** se conjugue comme ***suffire*** sauf au participe passé : *confit, e.*

38	*nuire*	je nuis il nuit nous nuisons ils nuisent	je nuisais nous nuisions
	conduire		

et les verbes : ***luire, reluire, construire, cuire, déduire, détruire, enduire, induire, instruire, introduire, produire, réduire, séduire, traduire.***

39	*écrire*	j'écris il écrit nous écrivons ils écrivent	j'écrivais nous écrivions

futur	passé simple	participe passé	subjonctif présent
je conclurai nous conclurons	je conclus nous conclûmes	conclu, ue	que je conclue que nous concluions
je rirai nous rirons	je ris nous rîmes	ri (invariable)	que je rie que nous riions
je dirai nous dirons	je dis nous dîmes	dit, e	que je dise que nous disions
		suffi (invariable)	
je nuirai nous nuirons	je nuisis nous nuisîmes	nui (invariable)	que je nuise que nous nuisions
		conduit, e	
j'écrirai nous écrirons	j'écrivis nous écrivîmes	écrit, e	que j'écrive que nous écrivions

		indicatif	
		présent	**imparfait**
40	***suivre***	je suis il suit nous suivons ils suivent	je suivais nous suivions
41	***rendre***	je rends il rend nous rendons ils rendent	je rendais nous rendions
et les verbes en -***andre*** (ex. : *répandre*), -***erdre*** (ex. : *perdre*), -***ondre*** (ex. : *répondre*), -***ordre*** (ex. : *mordre*).			
	rompre	il rompt	il rompait
	battre	je bats il bat nous battons ils battent	je battais nous battions
42	***vaincre***	je vaincs il vainc nous vainquons ils vainquent	je vainquais nous vainquions
43	***lire***	je lis il lit nous lisons ils lisent	je lisais nous lisions
44	***croire***	je crois il croit nous croyons ils croient	je croyais nous croyions
45	***clore***	je clos il clôt ils closent	je closais (contesté)

futur	passé simple	participe passé	subjonctif présent
je suivrai nous suivrons	je suivis nous suivîmes	suivi, ie	que je suive que nous suivions
je rendrai nous rendrons	je rendis nous rendîmes	rendu, ue	que je rende que nous rendions
il rompra	il rompit	rompu, ue	qu'il rompe
je battrai nous battrons	je battis nous battîmes	battu, ue	que je batte que nous battions
je vaincrai nous vaincrons	je vainquis nous vainquîmes	vaincu, ue	que je vainque que nous vainquions
je lirai nous lirons	je lus nous lûmes	lu, ue	que je lise que nous lisions
je croirai nous croirons	je crus nous crûmes	cru, ue	que je croie que nous croyions
je clorai (rare)	(n'existe pas)	clos, e	que je close

		indicatif présent	indicatif imparfait
46	*vivre*	je vis il vit nous vivons ils vivent	je vivais nous vivions
47	*moudre*	je mouds il moud nous moulons ils moulent	je moulais nous moulions
48	*coudre*	je couds il coud nous cousons ils cousent	je cousais nous cousions
49	*joindre*	je joins il joint nous joignons ils joignent	je joignais nous joignions
50	*traire*	je trais il trait nous trayons ils traient	je trayais nous trayions
51	*absoudre*	j'absous il absout nous absolvons ils absolvent	j'absolvais nous absolvions
52	*craindre*	je crains il craint nous craignons ils craignent	je craignais nous craignions
	peindre	je peins il peint nous peignons ils peignent	je peignais nous peignions

REMARQUE – ***dissoudre*** se conjugue comme ***absoudre*** ; ***résoudre*** se conjugue comme ***absoudre***, mais le passé simple *je résolus* est courant. Il a deux participes passés : *résolu, ue (problème résolu)* et *résous, oute (brouillard résous en pluie)*.

futur	passé simple	participe passé	subjonctif présent
je vivrai nous vivrons	je vécus nous vécûmes	vécu, ue	que je vive que nous vivions
je moudrai nous moudrons	je moulus nous moulûmes	moulu, ue	que je moule que nous moulions
je coudrai nous coudrons	je cousis nous cousîmes	cousu, ue	que je couse que nous cousions
je joindrai nous joindrons	je joignis nous joignîmes	joint, e	que je joigne que nous joignions
je trairai nous trairons	(n'existe pas)	trait, e	que je traie que nous trayions
j'absoudrai nous absoudrons	j'absolus (rare)	absous, oute	que j'absolve que nous absolvions
je craindrai nous craindrons	je craignis nous craignîmes	craint, e	que je craigne que nous craignions
je peindrai nous peindrons	je peignis nous peignîmes	peint, e	que je peigne que nous peignions

		indicatif	
		présent	imparfait
53	*boire*	je bois il boit nous buvons ils boivent	je buvais nous buvions
54	*plaire*	je plais il plaît nous plaisons ils plaisent	je plaisais nous plaisions
	taire	il tait	
55	*croître*	je croîs il croît nous croissons ils croissent	je croissais nous croissions
56	*mettre*	je mets il met nous mettons ils mettent	je mettais nous mettions
57	*connaître*	je connais il connaît nous connaissons ils connaissent	je connaissais nous connaissions
58	*prendre*	je prends il prend nous prenons ils prennent	je prenais nous prenions
59	*naître*	je nais il naît nous naissons ils naissent	je naissais nous naissions

REMARQUE – Le participe passé de ***plaire, complaire, déplaire***, est invariable.

REMARQUE – ***accroître*** et ***décroître*** ne prennent un accent circonflexe que sur l'***i*** suivi d'un ***t*** : *j'accrois, elle décrut ; accru, ue ; décru, ue ;* et aux 1e et 2e personnes du pluriel du passé simple.

REMARQUE – ***renaître*** n'a pas de participe passé.

futur	passé simple	participe passé	subjonctif présent
je boirai nous boirons	je bus nous bûmes	bu, ue	que je boive que nous buvions
je plairai nous plairons	je plus nous plûmes	plu (invariable)	que je plaise que nous plaisions
		tu, ue	
je croîtrai nous croîtrons	je crûs nous crûmes	crû, crue, crus	que je croisse que nous croissions
je mettrai nous mettrons	je mis nous mîmes	mis, e	que je mette que nous mettions
je connaîtrai nous connaîtrons	je connus nous connûmes	connu, ue	que je connaisse que nous connaissions
je prendrai nous prendrons	je pris nous prîmes	pris, e	que je prenne que nous prenions
je naîtrai nous naîtrons	je naquis nous naquîmes	né, e	que je naisse que nous naissions

indicatif

présent		passé composé	
je	fais	j'	ai fait
tu	fais	tu	as fait
il	fait	il	a fait
nous	faisons	nous	avons fait
vous	faites	vous	avez fait
ils	font	ils	ont fait

imparfait		plus-que-parfait	
je	faisais	j'	avais fait
tu	faisais	tu	avais fait
il	faisait	il	avait fait
nous	faisions	nous	avions fait
vous	faisiez	vous	aviez fait
ils	faisaient	ils	avaient fait

passé simple		passé antérieur	
je	fis	j'	eus fait
tu	fis	tu	eus fait
il	fit	il	eut fait
nous	fîmes	nous	eûmes fait
vous	fîtes	vous	eûtes fait
ils	firent	ils	eurent fait

futur simple		futur antérieur	
je	ferai	j'	aurai fait
tu	feras	tu	auras fait
il	fera	il	aura fait
nous	ferons	nous	aurons fait
vous	ferez	vous	aurez fait
ils	feront	ils	auront fait

conditionnel présent		conditionnel passé	
je	ferais	j'	aurais fait
tu	ferais	tu	aurais fait
il	ferait	il	aurait fait
nous	ferions	nous	aurions fait
vous	feriez	vous	auriez fait
ils	feraient	ils	auraient fait

subjonctif

présent		passé	
que je	fasse	que j'	aie fait
que tu	fasses	que tu	aies fait
qu'il	fasse	qu'il	ait fait
que nous	fassions	que nous	ayons fait
que vous	fassiez	que vous	ayez fait
qu'ils	fassent	qu'ils	aient fait

imparfait		plus-que-parfait	
que je	fisse	que j'	eusse fait
que tu	fisses	que tu	eusses fait
qu'il	fît	qu'il	eût fait
que nous	fissions	que nous	eussions fait
que vous	fissiez	que vous	eussiez fait
qu'ils	fissent	qu'ils	eussent fait

impératif

présent	passé
fais	aie fait
faisons	ayons fait
faites	ayez fait

participe

présent	passé
faisant	fait, e
	ayant fait

infinitif

présent	passé
faire	avoir fait

indicatif

présent		passé composé	
je	suis	j'	ai été
tu	es	tu	as été
il	est	il	a été
nous	sommes	nous	avons été
vous	êtes	vous	avez été
ils	sont	ils	ont été

imparfait		plus-que-parfait	
j'	étais	j'	avais été
tu	étais	tu	avais été
il	était	il	avait été
nous	étions	nous	avions été
vous	étiez	vous	aviez été
ils	étaient	ils	avaient été

passé simple		passé antérieur	
je	fus	j'	eus été
tu	fus	tu	eus été
il	fut	il	eut été
nous	fûmes	nous	eûmes été
vous	fûtes	vous	eûtes été
ils	furent	ils	eurent été

futur simple		futur antérieur	
je	serai	j'	aurai été
tu	seras	tu	auras été
il	sera	il	aura été
nous	serons	nous	aurons été
vous	serez	vous	aurez été
ils	seront	ils	auront été

conditionnel présent		conditionnel passé	
je	serais	j'	aurais été
tu	serais	tu	aurais été
il	serait	il	aurait été
nous	serions	nous	aurions été
vous	seriez	vous	auriez été
ils	seraient	ils	auraient été

subjonctif

présent		passé	
que je	sois	que j'	aie été
que tu	sois	que tu	aies été
qu'il	soit	qu'il	ait été
que nous	soyons	que nous	ayons été
que vous	soyez	que vous	ayez été
qu'ils	soient	qu'ils	aient été

imparfait		plus-que-parfait	
que je	fusse	que j'	eusse été
que tu	fusses	que tu	eusses été
qu'il	fût	qu'il	eût été
que nous	fussions	que nous	eussions été
que vous	fussiez	que vous	eussiez été
qu'ils	fussent	qu'ils	eussent été

impératif

présent	passé
sois soyons soyez	L'impératif passé n'est pas utilisé

participe

présent	passé
étant	été ayant été

infinitif

présent	passé
être	avoir été

les œuvres et les auteurs cités

Dans les marges du dictionnaire, il y a des phrases tirées de livres. Ces phrases sont imprimées en couleurs. Elles sont suivies du nom de l'histoire. La liste ci-contre permet de connaître les titres et les auteurs de ces histoires.

Tu trouveras aussi des phrases qui sont extraites de chansons connues et de comptines.

Alice au Pays des merveilles, de Lewis Carroll.

Babar : les Aventures de Babar, de Jean de Brunhoff.

la Barbe-bleue, un des *Contes de ma mère l'Oye,* de Charles Perrault.

la Belle au bois dormant, un des *Contes de ma mère l'Oye,* de Charles Perrault.

Blancheneige, un des *Contes* de Grimm.

Cendrillon, un des *Contes de ma mère l'Oye,* de Charles Perrault.

Charlie et la Chocolaterie, de Roald Dahl.

le Chat botté, un des *Contes de ma mère l'Oye,* de Charles Perrault.

le Cid, pièce de théâtre de Pierre Corneille.

les Contes du Chat perché, de Marcel Aymé.

Croc-Blanc, de Jack London.

les Fées, un des *Contes de ma mère l'Oye,* de Charles Perrault.

Grisélidis, un des *Contes de ma mère l'Oye,* de Charles Perrault.

les Habits neufs de l'empereur, un des *Contes* d'Andersen.

Histoires comme ça, de Rudyard Kipling.

les Lettres de mon moulin, d'Alphonse Daudet.

le Lion, de Joseph Kessel.

le Livre de la jungle, de Rudyard Kipling.

Lullaby, de Jean-Marie-Gustave Le Clézio.

les Malheurs de Sophie, de la comtesse de Ségur.

Michel Strogoff, de Jules Verne.

les Mille et Une Nuits, contes orientaux dont on ne connaît pas l'auteur.

Peau d'Âne, un des *Contes de ma mère l'Oye,* de Charles Perrault.

la Petite Sirène, un des *Contes* d'Andersen.

le Petit Nicolas, héros de Sempé et Goscinny qui apparaît dans : *le Petit Nicolas, les Vacances du Petit Nicolas, les Récrés du Petit Nicolas, le Petit Nicolas et les copains, Joachim a des ennuis.*

le Petit Prince, d'Antoine de Saint-Exupéry.

les Petites Filles modèles, de la comtesse de Ségur.

le Petit Poucet, un des *Contes de ma mère l'Oye,* de Charles Perrault.

le Petit Chaperon rouge, un des *Contes de ma mère l'Oye,* de Charles Perrault.

Pinocchio, de Collodi.

Poil de Carotte, de Jules Renard.

Poucette, un des *Contes* d'Andersen.

Riquet à la Houppe, un des *Contes de ma mère l'Oye,* de Charles Perrault.

Robinson Crusoé, de Daniel Defoe.

les Souhaits ridicules, un des *Contes de ma mère l'Oye,* de Charles Perrault.

le Tour du monde en 80 jours, de Jules Verne.
les Trois Mousquetaires, d'Alexandre Dumas.

les Vacances, de la comtesse de Ségur.
le Vilain Petit Canard, un des *Contes* d'Andersen.

Parfois aussi, on ne donne pas le titre du livre, mais le nom de l'auteur. Voici les auteurs qui ont été cités de cette façon :

Alphonse Allais
Guillaume Apollinaire
Guy Béart
Jacques Brel
Aristide Bruant
Francis Carco
Maurice Carême
Robert Desnos
Raymond Devos
Paul Éluard
Paul Fort
Serge Gainsbourg
P. Gamarra
Maurice Genevoix
Jean Giono
Eugène Guillevic
H. Hannover
Victor Hugo
Max Jacob
Jean de La Fontaine
Boby Lapointe
François de Malherbe
Molière
René de Obaldia
Marcel Pagnol
Jacques Prévert
Raymond Queneau
Arthur Rimbaud
Louis Rocher
Philippe Soupault
Anne Sylvestre
Charles Trenet
Paul Verlaine
Alfred de Vigny
P. Vincensini

Tu trouveras aussi des allusions aux personnages bien connus :

Astérix, Obélix, Bécassine, Boucle-d'Or, Sherlock Holmes, Tintin...

Alphonse Allais	Victor Hugo
Guillaume Apollinaire	Max Jacob
Guy Béart	Jean de La Fontaine
Jacques Brel	Boby Lapointe
Aristide Bruant	François de Malherbe
Francis Carco	Molière
Maurice Carême	René de Obaldia
Robert Desnos	Marcel Pagnol
Raymond Devos	Jacques Prévert
Paul Éluard	Raymond Queneau
Paul Fort	Arthur Rimbaud
Serge Gainsbourg	Louis Roches
P. Gamarra	Philippe Soupault
Maurice Genevoix	Anne Sylvestre
Jean Giono	Charles Trenet
Eugène Guillevic	Paul Verlaine
H. Hannover	Alfred de Vigny
	P. Vincensini

les références des textes littéraires cités

Après le titre de l'ouvrage, la date entre crochets indique la date de première publication du texte. Deux dates indiquent les limites entre lesquelles l'ouvrage a été composé ou publié dans sa totalité.
Les références à des œuvres complètes *ne permettant pas de donner la date de chaque texte, on donne alors les dates de naissance et de mort de l'écrivain, juste après son nom, ce qui permet de situer au moins approximativement l'ouvrage.*

ANDERSEN (Hans Christian) - *Contes* [1835-1872], trad. du danois, éd. Hachette, 1934 - *Poucette et Autres Contes*, Le Livre de Poche Jeunesse, n° 19.
AYMÉ (Marcel) - *Les Contes du Chat perché* [1939], éd. Gallimard (coll. « Folio », n° 343).

BREL (Jacques) - in *Jacques Brel*, par Jean Clouzet, éd. Seghers, 1981.
BRUNHOFF (Jean de) - *Les Aventures de Babar*, éd. Hachette, 1959 (coll. « Bibliothèque rose »).

CARROLL (Lewis) - *Alice au pays des merveilles* [1865], trad. de l'anglais, éd. Gallimard (coll. « Folio junior », n° 117).
COLLODI - *Pinocchio* [1883], trad. de l'italien, éd. Gallimard, 1979 (coll. « 1 000 soleils »).
CORNEILLE (Pierre), 1606-1684 - *Théâtre complet*, éd. Gallimard (coll. « Bibliothèque de la Pléiade »).

DAHL (Roald) - *Charlie et la Chocolaterie*, trad. de l'anglais, éd. Gallimard (coll. « Folio junior », n° 49).
DAUDET (Alphonse) - *Lettres de mon moulin* [1866], éd. Gallimard (coll. « Folio », n° 1533).
DEFOE (Daniel) - *Robinson Crusoé* [1719], trad. de l'anglais, éd. Marabout.
DEVOS (Raymond) - *Sens dessus dessous* [1976], Le Livre de Poche, n° 5102.

DUMAS (Alexandre) - *Les Trois Mousquetaires* [1844], éd. Gallimard (coll. « Folio », 2 tomes, nos 144 et 526).

ÉLUARD (Paul), 1895-1952 - *Œuvres complètes*, éd. Gallimard (coll. « Bibliothèque de la Pléiade »).

GOSCINNY voir SEMPÉ

GRIMM (Jakob et Wilhelm) - *Contes* [1812], éd. Gallimard (coll. « Folio », nº 840).

HERGÉ - *Les Aventures de Tintin*, 22 titres [1946-1976], éd. Casterman.

HUGO (Victor), 1802-1885 - *Œuvres poétiques*, éd. Gallimard (coll. « Bibliothèque de la Pléiade », 3 tomes) - *Les Misérables* [1862], éd. Gallimard (coll. « Bibliothèque de la Pléiade »).

KESSEL (Joseph) - *Le Lion* [1958], éd. Gallimard (coll. « Folio », nº 49).

KIPLING (Rudyard) - *Le Livre de la jungle* [1895], trad. de l'anglais, éd. Gallimard (coll. « Folio », nº 783) - *Histoires comme ça* [1902], trad. de l'anglais, éd. Gallimard (coll. « Folio junior », nº 66).

LA FONTAINE (Jean de) - *Fables* [1668-1694], éd. Gallimard (coll. « Poésie », nos 105 et 106).

LAPOINTE (Boby) - in *Boby Lapointe*, par Jacques Donzel, éd. Seghers, 1983.

LE CLÉZIO (Jean-Marie Gustave) - *Lullaby* [1978], éd. Gallimard (coll. « Folio junior », nº 140).

LONDON (Jack) - *Croc-Blanc* [1906], trad. de l'anglais, Le Livre de Poche, nº 3918.

MALHERBE (François de), 1555-1628 - *Poésies*, éd. Garnier, 1937.

Les Mille et Une Nuits, trad. de l'arabe, éd. Garnier.

MOLIÈRE, 1622-1673 - *Œuvres complètes*, éd. du Seuil (coll. « L'Intégrale »).

PERRAULT (Charles) - *Contes de ma mère l'Oye* [1697], éd. Gallimard (coll. « Folio junior », nº 28).

RENARD (Jules) - *Poil de Carotte* [1894], éd. Gallimard (coll. « Folio », nº 1090).

RIMBAUD (Arthur), 1854-1891 - *Œuvres complètes*, éd. Gallimard (coll. « Bibliothèque de la Pléiade »).

SAINT-EXUPÉRY (Antoine de) - *Le Petit Prince* [1943], éd. Gallimard.

SÉGUR (comtesse de) - *Les Malheurs de Sophie* [1864], éd. Gallimard (coll. « Folio junior », nº 11) - *Les Petites Filles modèles* [1858], éd. Gallimard (coll. « Folio », nº 134) - *Les Vacances* [1859], éd. Gallimard (coll. « Folio junior », nº 48).

SEMPÉ (Jean-Jacques) et **GOSCINNY** (René) - *Le Petit Nicolas* [1960], éd. Gallimard (coll. « Folio », nº 423) - *Le Petit Nicolas et ses copains*, éd. Gallimard (coll. « Folio junior », nº 94) - *Les Récrés du Petit Nicolas*, éd. Gallimard (coll. « Folio junior », nº 47) - *Les Vacances du Petit Nicolas*, éd. Gallimard (coll. « Folio junior », nº 4) - *Joachim a des ennuis*, éd. Gallimard (coll. « Folio junior », nº 138).

TRENET (Charles) - in *Charles Trenet*, par Michel Pérez, éd. Seghers, 1979.

VERLAINE (Paul), 1844-1896 - *Œuvres poétiques complètes*, éd. Gallimard (coll. « Bibliothèque de la Pléiade »).

VERNE (Jules) - *Michel Strogoff* [1876], Le Livre de Poche, nº 2034 - *Le Tour du monde en 80 jours* [1873], Le Livre de Poche, nº 2025.

crédits photographiques (dossier hors texte L'ART)

L'ART (page 1) **Goûter d'enfants :** Olivier Roussin
Claude Monet, *le Bassin des nymphéas harmonie verte, harmonie rose* (musée du Louvre) : Lauros – Giraudon – © by SPADEM 1988
Le Jardin de Monet : Explorer – Jean-Luc Bohin

LE TRAVAIL CRÉATEUR (pages 2 et 3) **Carrières de Carrare :** Explorer – Gunther
Étienne Martin : Bernard Cotte
Sylvio Gualda : Bernand
Iannis Xenakis, partition : éd. Salabert
Isaac Stern : Bernand
Ballets Merce Cunningham : Bernand
Dessin Merce Cunningham : D.R.
Manuscrit de Victor Hugo : D.R.
Delacroix, *la Liberté guidant le peuple,* dessin : Réunion des musées nationaux
Delacroix, *la Liberté guidant le peuple* (musée du Louvre) : Giraudon
Vélasquez, *les Ménines* (musée du Prado) : Giraudon
Eisenstein, *Ivan le Terrible,* photo et dessin préparatoire : la Cinémathèque française

ART ET CIVILISATION (pages 4 et 5) **Art des Cyclades** (musée d'Athènes) : Giraudon – Lauros
Kouros (musée d'Athènes) : Pierre Duclos
L'Ange au sourire (cathédrale de Reims) : Giraudon – Lauros
Jean Fouquet, *portrait de Charles VII* (musée du Louvre) : Giraudon
Rembrandt, *Autoportrait* (musée du Louvre) : CFL – Giraudon
Rodin, *Balzac :* Bernard Cotte
Pablo Picasso, *Homme nu assis* (collection particulière) : Giraudon – © by SPADEM 1988
Alberto Giacometti, *le Chariot* (Bâle) : Lauros – Giraudon – © by ADAGP 1988
Le Parthénon (Athènes) : Pierre Duclos
Schwe Dagon : SIPA
Mosquée bleue (Istanbul) : DIAF – Gilles Mennis
Cathédrale de Chartres : Explorer – Jean-Luc Bohin
Novodevitchi (Moscou) : Pierre Duclos
Le Corbusier, Ronchamp : DIAF – Gustave Biollay
Épidaure : Pierre Duclos
Le Krach des chevaliers : DIAF – Bernard Regent
Palazzo Vecchio (Florence) : DIAF – Bernard Belly
La place des Vosges (Paris) : Explorer – Michel Dubois
Musée Guggenheim (New York) : DIAF – Jean-Pierre Durand

L'ART AUJOURD'HUI (pages 6 et 7) **Abou Simbel** (Égypte) : AAA – Marthelot
L'Acropole (Athènes) : Pierre Duclos
La Bibliothèque nationale : Bibliothèque nationale – Couette
Les ateliers du musée du Louvre : musée du Louvre
Centre Pompidou : Explorer – Pierre Gleizes
Miró, Affiche pour l'Unesco : musée de l'Affiche
Fontaine Beaubourg : Explorer – François Goyer
Le Cid (théâtre du Rond-Point) : Bernand
Paradis perdus (Festival de Lille) : Bernand
Enfants (magasins FNAC) : Bernard Cotte

LA REPRÉSENTATION (page 8) **Kandinsky, *Traits noirs,*** 1913 (musée Guggenheim) : Giraudon – © by ADAGP 1988
Paolo Uccello, *la Profanation de l'hostie* (galerie nationale des Marches) : Giraudon – Lauros
Matisse, *la Blouse roumaine* (musée d'Art moderne, Paris) : Giraudon – © by SPADEM 1988
Piero di Cosimo, *Simonetta Vespucci* (musée Condé, Chantilly) : Giraudon – Lauros

PHOTOCOMPOSITION – IMPRESSION :
MAURY-IMPRIMEUR S.A. – 45330 MALESHERBES
PHOTOGRAVURE :
PERENCHIO – PARIS
RELIURE :
LA S.I.R.C. – MARIGNY-LE-CHÂTEL
POUR LES DICTIONNAIRES LE ROBERT
107, AVENUE PARMENTIER 75011 PARIS

Imprimé en France
N° d'imprimeur : E88/23755 P
Dépôt légal : juin 1988

Dictionnaires de noms propres :
(Histoire, Géographie, Arts, Littératures, Sciences...)

Grand Robert des noms propres.
Dictionnaire universel des noms propres
(5 vol., 3 450 pages, 42 000 articles, 4 500 illustrations couleurs et noir, 210 cartes). Le complément culturel indispensable du *Grand Robert de la langue française.*

Petit Robert 2 [P.R.2].
Dictionnaire des noms propres
(1 vol., 2 000 pages, 36 000 articles, 2 200 illustrations couleurs et noir, 200 cartes). Le complément, pour les noms propres, du *Petit Robert 1.*

Dictionnaire universel de la peinture.
(6 vol., 3 000 pages, 3 500 articles, 2 700 illustrations couleurs).

Collection « Les usuels du Robert » (volumes reliés) :

Dictionnaire des difficultés du français,
par Jean-Paul COLIN,
prix Vaugelas.

Dictionnaire étymologique du français,
par Jacqueline PICOCHE.

Dictionnaire des synonymes,
par Henri BERTAUD DU CHAZAUD,
ouvrage couronné par l'Académie française.

Dictionnaire des idées par les mots
(dictionnaire analogique),
par Daniel DELAS et Danièle DELAS-DEMON.

Dictionnaire des mots contemporains,
par Pierre GILBERT.

Dictionnaire des anglicismes
(les mots anglais et américains en français),
par Josette REY-DEBOVE et Gilberte GAGNON.

Dictionnaire des structures du vocabulaire savant
(éléments et modèles de formation),
par Henri COTTEZ.

Dictionnaire des expressions et locutions,
par Alain REY et Sophie CHANTREAU.

Dictionnaire de proverbes et dictons,
par Florence MONTREYNAUD, Agnès PIERRON et François SUZZONI.

Dictionnaire de citations françaises,
par Pierre OSTER.

Dictionnaire de citations du monde entier,
par Florence MONTREYNAUD et Jeanne MATIGNON.

Ouvrages édités par les DICTIONNAIRES LE ROBERT
107, avenue Parmentier, 75011 PARIS (France).